C000059921

Amico lettore

Indipendenza, competenza e attenzione : da sempre La Guida Rossa ha collocato questi valori al centro del suo servizio al lettori.

L'indipendenza è, per La Guida Rossa, quella dei suoi ispettori, che visitano gli alberghi e i ristoranti pagando sempre il conto, in totale anonimato. È anche quella di una Guida che all'interno delle sue pagine rifiuta ogni forma di pubblicità.

La competenza per La Guida Rossa passa attraverso quella dei suoi ispettori, professionisti appassionati, che durante l'anno cercano, verificano, assaggiano, valutano, come dei semplici viaggiatori, ma particolarmente attenti.

Ad un tempo complice e consigliere, La Guida Rossa è costantemente attenta ai vostri suggerimenti. Ogni anno infatti riceviamo numerosissime informazioni su alberghi e ristoranti : costituiscono osservazioni preziose, che andranno ad orientare la prossima edizione.

È per questi motivi che La Guida Rossa è in grado di proporvi una selezione sempre affidabile, aggiornata e adatta a tutte le tasche. Oggi la potete trovare anche sul sito www.michelin-travel.com.

La Guida Rossa vive e si evolve per voi e grazie a voi : scriveteci ! _____

Sommario

3   *Come servirsi della Guida*

10   *Le carte dei dintorni*

49   *I vini e le vivande*

54   *Carta dei ristoranti con stelle;*
dei **"Bib Gourmand"***;*
degli alberghi ameni, isolati, molto tranquilli

63   *Alberghi, ristoranti, piante di città, curiosità...*

902   *Distanze*

904   *Carta d'Italia: principali strade, alberghi*
e ristoranti sulle autostrade

912   *Prefissi telefonici internazionali*

914   *L'Euro*

Pagine bordate di rosso e di verde
Alla scoperta del mondo Michelin

La scelta di un albergo, di un ristorante

Questa guida propone una selezione di alberghi e ristoranti per orientare la scelta dell'automobilista. Gli esercizi, classificati in base al confort che offrono, vengono citati in ordine di preferenza per ogni categoria.

Categorie

🏨	XXXXX	*Gran lusso e tradizione*
🏨	XXXX	*Gran confort*
🏨	XXX	*Molto confortevole*
🏨	XX	*Di buon confort*
🏠	X	*Abbastanza confortevole*
🏡		*Semplice, ma conveniente*
M		*Nella sua categoria, albergo con installazioni moderne*
Senza rist		*L'albergo non ha ristorante*
	con cam	*Il ristorante dispone di camere*

Amenità e tranquillità

Alcuni esercizi sono evidenziati nella guida dai simboli rossi indicati qui di seguito. Il soggiorno in questi alberghi si rivela particolarmente ameno o riposante grazie alle caratteristiche dell'edificio, alle decorazioni non comuni, alla sua posizione ed al servizio offerto, nonché alla tranquillità dei luoghi.

🏨 a 🏠	*Alberghi ameni*
XXXXX a X	*Ristoranti ameni*
« Parco fiorito »	*Un particolare piacevole*
⌷	*Albergo molto tranquillo o isolato e tranquillo*
⌷	*Albergo tranquillo*
≤ mare	*Vista eccezionale*
≤	*Vista interessante o estesa*

Le località che possiedono degli esercizi ameni o tranquilli sono riportate sulle carte da pagina 54 a 62.

Consultatele per la preparazione dei vostri viaggi e, al ritorno, inviateci i vostri pareri; agevolerete così le nostre indagini.

Installazioni

*Le camere degli alberghi che raccomandiamo
possiedono, generalmente, delle installazioni
sanitarie complete. È possibile tuttavia
che nelle categorie 🏠 e 🛖 alcune camere
ne siano sprovviste.*

30 cam	Numero di camere
🛗	Ascensore
▤	Aria condizionata
TV	Televisione in camera
⚒️	Esercizio riservato in parte ai non fumatori
📞	Presa modem in camera
♿	Camere di agevole accesso per portatori di handicap
🍽️	Pasti serviti in giardino o in terrazza
♨	Cura termale, Idroterapia
🏊 🏊	Piscina: all'aperto, coperta
⚕s 🏋	Sauna – Palestra
🏖 🌳	Spiaggia attrezzata – Giardino
🎾 ⛳₁₈	Tennis appartenente all'albergo – Golf e numero di buche
⚓	Pontile d'ormeggio
🏛 150	Sale per conferenze: capienza massima
🚗	Garage gratuito (una notte) per chi presenta la guida dell'anno
🚗	Garage a pagamento
P	Parcheggio riservato alla clientela
P	Parcheggio chiuso riservato alla clientela
🐕	Accesso vietato ai cani (in tutto o in parte dell'esercizio)
20 aprile-5 ottobre	Periodo di apertura, comunicato dall'albergatore
stagionale	Probabile apertura in stagione, ma periodo non precisato. Gli esercizi senza tali menzioni sono aperti tutto l'anno.

La tavola

Le stelle

*Alcuni esercizi meritano di essere segnalati
alla vostra attenzione per la qualità particolare
della loro cucina; li abbiamo evidenziati
con le « stelle di ottima tavola ».
Per ognuno di questi ristoranti indichiamo
tre specialità culinarie che potranno aiutarvi
nella scelta.*

✿✿✿ Una delle migliori tavole, vale il viaggio

*Vi si mangia sempre molto bene, a volte
meravigliosamente. Grandi vini, servizio impeccabile,
ambientazione accurata... Prezzi conformi.*

✿✿ Tavola eccellente, merita una deviazione

*Specialità e vini scelti... Aspettatevi una spesa
in proporzione.*

✿ Un'ottima tavola nella sua categoria

*La stella indica una tappa gastronomica sul vostro
itinerario.
Non mettete però a confronto la stella di un esercizio
di lusso, dai prezzi elevati, con quella di un piccolo
esercizio dove, a prezzi ragionevoli, viene offerta una
cucina di qualità.*

🏵 Il "Bib Gourmand"

Pasti accurati a prezzi contenuti

*Per quando desiderate trovare delle tavole
più semplici a prezzi contenuti abbiamo selezionato
dei ristoranti che, per un rapporto qualità-prezzo
particolarmente favorevole, offrono un pasto
accurato spesso a carattere tipicamente regionale.
Questi ristoranti sono evidenziati nel testo
con il* **"Bib Gourmand"** 🏵 e Pasto, *davanti ai prezzi.
Es:* Pasto 45/60000.

Consultate le carte degli esercizi con stelle ✿✿✿, ✿✿,
✿ *e con* **"Bib Gourmand"** 🏵 *(pagine 54 a 62).*
Vedere anche ✍ *a pagina seguente.*
**Principali vini e specialità regionali:
vedere da p. 49 a 53**

I prezzi

*I prezzi che indichiamo in questa guida
sono stati stabiliti nell'estate 2000 e sono relativi
all' **alta stagione**; potranno subire delle variazioni in
relazione ai cambiamenti dei prezzi di beni e servizi.
Essi s'intendono comprensivi di tasse e servizio
(salvo specifica indicazione, es. 15 %).*

*In occasione di alcune manifestazioni commerciali
o turistiche i prezzi richiesti dagli albergatori
potrebbero subire un sensibile aumento
nelle località interessate e nei loro dintorni.*

*Gli alberghi e i ristoranti vengono menzionati
in carattere grassetto quando gli albergatori
ci hanno comunicato tutti i prezzi
e si sono impegnati, sotto loro responsabilità,
ad applicarli ai turisti di passaggio,
in possesso della nostra guida.*

*In bassa stagione, alcuni esercizi applicano
condizioni più vantaggiose informatevi
al momento della prenotazione.*

*Entrate nell'albergo o nel ristorante con la guida
in mano, dimostrando in tal modo la fiducia
in chi vi ha indirizzato.*

Pasti

🍲	*Esercizio che offre un pasto semplice entro 35000 L.*
	Menu a prezzo fisso:
Pasto 30/50000	*minimo 30000, massimo 50000*
bc	*Bevanda compresa*

Pasto alla carta:

Pasto carta 40/70000
*Il primo prezzo corrisponde ad un pasto semplice
comprendente: primo, piatto del giorno e dessert.
Il secondo prezzo corrisponde ad un pasto più completo
(con specialità) comprendente: antipasto, due piatti,
formaggio e dessert.
Talvolta i ristoranti non dispongono di liste scritte ed i piatti
sono proposti a voce.*

Camere

<table>
<tr><td>cam 80/150000</td><td>Prezzo 80000 per una camera singola/prezzo massimo 150000 per una camera per due persone in alta stagione</td></tr>
<tr><td>Suites:</td><td>informarsi presso l'albergatore</td></tr>
<tr><td>cam ⌑ 90/180000</td><td>Prezzo della camera compresa la prima colazione</td></tr>
<tr><td>⌑ 10000</td><td>Prezzo della prima colazione (supplemento eventuale se servita in camera)</td></tr>
<tr><td>▤ 5000</td><td>Supplemento per l'aria condizionata</td></tr>
</table>

Mezza pensione

½ P 90/110000

*Prezzo minimo e massimo della mezza pensione
(camera, prima colazione ed un pasto)
per persona e al giorno, in alta stagione.
Questi prezzi sono validi per la camera doppia occupata
da due persone, per un soggiorno minimo di tre giorni;
la persona singola potrà talvolta
vedersi applicata una maggiorazione.
La maggior parte degli alberghi pratica anche,
su richiesta, la pensione completa.
E' comunque consigliabile prendere accordi
preventivi con l'albergatore per stabilire
le condizioni definitive.*

La caparra

*Alcuni albergatori chiedono il versamento
di una caparra. Si tratta di un deposito-garanzia
che impegna sia l'albergatore che il cliente.
Vi consigliamo di farvi precisare le norme
riguardanti la reciproca garanzia di tale caparra.*

Carte di credito

AE 🅂 ⓪
💿 VISA JCB

*Carte di credito accettate dall'esercizio
American Express, Carta Si, Diners Club,
Mastercard (Eurocard), Visa, Japan Credit Bureau*

Le città

20100	Codice di Avviamento Postale
✉ 28042 Baveno	Numero di codice e sede dell'Ufficio Postale
P	Capoluogo di Provincia
Piacenza	Provincia alla quale la località appartiene
428 D9	Numero della carta Michelin e del riquadro
G. Toscana	Vedere Guida Verde Michelin Toscana
108 872 ab	Popolazione residente
alt. 175	Altitudine
Stazione termale Sport invernali }	Genere della stazione
1500/2000 m	Altitudine della stazione e altitudine massima raggiungibile con gli impianti di risalita
🚠 3	Numero di funivie o cabinovie
🚡 7	Numero di sciovie e seggiovie
🎿	Sci di fondo
a.s. luglio-settembre	Periodo di alta stagione
EX **A**	Lettere indicanti l'ubicazione sulla pianta
🏌	Golf e numero di buche
☀ ≤	Panorama, vista
✈	Aeroporto
🚢	Trasporti marittimi
🚤	Trasporti marittimi (solo passeggeri)
🛈	Ufficio informazioni turistiche
A.C.I.	Automobile Club d'Italia

Luoghi d'interesse

Grado di interesse

★★★   *Vale il viaggio*
★★   *Merita una deviazione*
★   *Interessante*
   I musei sono generalmente chiusi il lunedì

Ubicazione

Vedere	*Nella città*
Dintorni	*Nei dintorni della città*
Escursioni	*Nella regione*
Nord, Sud, Est, Ovest	*Il luogo si trova a Nord, a Sud, a Est, a Ovest della località*
per ① o ④	*Ci si va dall'uscita ① o ④ indicata con lo stesso segno sulla pianta*
6 km	*Distanza chilometrica*

Le carte
dei dintorni

Sapete come usarle?

*Se desiderate, per esempio, trovare un buon indirizzo
nei dintorni di Siena,
la «carta dei dintorni» (qui accanto) richiama la
vostra attenzione su tutte le località citate
nella Guida che si trovano nei dintorni della città
prescelta, e in particolare su quelle raggiungibili
nel raggio di 50 km (limite di colore).
Le «carte dei dintorni» coprono l'intero territorio
e permettono la localizzazione rapida
di tutte le risorse proposte dalla Guida
nei dintorni delle metropoli regionali.*

Nota:

*Quando una località è presente
su una «carta dei dintorni»,
la città a cui ci si riferisce è scritta in BLU
nell'elenco linea delle distanze da città a città.*

Esempio:

*Troverete
MONTEPULCIANO
sulla carta dei
dintorni di SIENA.*

MONTEPULCIANO *53045 Siena* 430 *M 17 –*
Vedere *Città Antica★ – Piazza Grande★★*
*Roma 176 – Siena 65 – Arezzo 60 – Firenze 119 –
Perugia 74*

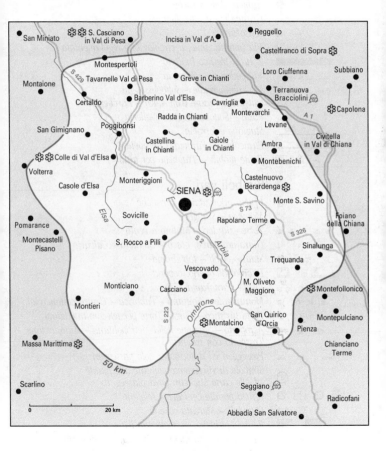

- San Miniato
- ❀❀ S. Casciano in Val di Pesa
- Incisa in Val d'A.
- Reggello
- Castelfranco di Sopra ❀
- Montespertoli
- Loro Ciuffenna
- Subbiano
- Montaione
- Tavarnelle Val di Pesa
- Greve in Chianti
- Terranuova Bracciolini
- ❀ Capolona
- Certaldo
- Barberino Val d'Elsa
- Cavriglia
- Montevarchi
- Radda in Chianti
- Levane
- San Gimignano
- Poggibonsi
- Castellina in Chianti
- Gaiole in Chianti
- Ambra
- Civitella in Val di Chiana
- ❀❀ Colle di Val d'Elsa
- Montebenichi
- Volterra
- Monteriggioni
- SIENA ❀
- Castelnuovo Berardenga ❀
- Casole d'Elsa
- Monte S. Savino
- Pomarance
- Sovicille
- S 73
- Foiano della Chiana
- Montecastelli Pisano
- S. Rocco a Pilli
- Rapolano Terme
- S 326
- Elsa
- S 2
- Arbia
- Sinalunga
- Vescovado
- Trequanda
- Monticiano
- Casciano
- M. Oliveto Maggiore
- ❀ Montefollonico
- Montieri
- S 223
- Ombrone
- San Quirico d'Orcia
- Montepulciano
- ❀ Montalcino
- Pienza
- Massa Marittima ❀
- Chianciano Terme
- 50 km
- Scarlino
- Seggiano
- Radicofani
- 0   20 km
- Abbadia San Salvatore

A 1
S 429

Tutte le « carte dei dintorni » sono localizzate sulla carta tematica a pagina 54 a 62.

Le piante

- Alberghi
- Ristoranti

Curiosità

Edificio interessante
Costruzione religiosa interessante

Viabilità

Autostrada, strada a carreggiate separate
❶ numero dello svincolo
Grande via di circolazione
← ◄ Senso unico
Via impraticabile, a circolazione regolamentata
Zona a traffico limitato
Via pedonale – Tranvia
Pasteur **⬛ Ⓟ** Via commerciale – Sottopassaggio
(altezza inferiore a m 4,40) – Parcheggio
Porta – Sottopassaggio – Galleria
Stazione e ferrovia
Funicolare – Funivia, Cabinovia
⚠ **Ⓕ** Ponte mobile – Traghetto per auto

Simboli vari

🛈 Ufficio informazioni turistiche
☪ ✡ Moschea – Sinagoga
● ● ∴ ✹ Torre – Ruderi – Mulino a vento
✝✝ ✝ Giardino, parco, bosco – Cimitero – Calvario
⬭ **🏌** 🏇 Stadio – Golf – Ippodromo
🏊 🏄 🏊 **⬛** Piscina: all'aperto, coperta
≼ ⛰ Vista – Panorama
■ ● ✿ 🏪 Monumento – Fontana – Fabbrica – Centro commerciale
⚓ ♟ 📡 Porto turistico – Faro – Torre per telecomunicazioni
✈ ⊕ 🚌 Aeroporto – Stazione della Metropolitana – Autostazione
Trasporto con traghetto:
⛴ ⛴ ⛴ Passeggeri ed autovetture, solo passeggeri
③ Simbolo di riferimento comune alle piante
ed alle carte Michelin particolareggiate
🖂 ⊘ **☏** ◉ Ufficio postale centrale – Telefono
⊞ ⊠ Ospedale – Mercato coperto
▨ ▨ Edificio pubblico indicato con lettera:
P H J - Prefettura – Municipio – Palazzo di Giustizia
M T - Museo – Teatro
U - Università
◈ POL. - Carabinieri - Polizia (Questura, nelle grandi città)
A.C.I. Automobile Club d'Italia

12

Ami lecteur

Indépendance, compétence et écoute : depuis toujours Le Guide Rouge a placé ces valeurs au cœur de son service aux lecteurs.

L'indépendance pour Le Guide Rouge, c'est celle de ses inspecteurs qui visitent les hôtels et les restaurants et règlent toutes leurs additions, dans un total anonymat. C'est aussi celle du Guide lui-même qui refuse toute forme de publicité dans ses pages.

La compétence du Guide Rouge passe par celle de ses inspecteurs, professionnels passionnés, qui toute l'année explorent, testent, goûtent, apprécient, comme de simples voyageurs particulièrement attentifs.

À la fois complice et conseiller, Le Guide Rouge est continuellement à votre écoute. Des milliers d'appréciations sur les hôtels et les restaurants sont ainsi reçues chaque année et constituent autant de témoignages précieux qui viendront orienter la prochaine édition.

C'est de cette façon que Le Guide Rouge peut vous proposer une sélection toujours fiable, actualisée et adaptée à tous les budgets. Retrouvez-la aujourd'hui sur le site www.michelin-travel.com.

Le Guide Rouge vit et progresse pour vous et grâce à vous : écrivez-nous ! ——————

Sommaire

15   *Comment se servir du guide*

22   *Les cartes de voisinage*

49   *Les vins et les mets*

54   *Carte des bonnes tables à étoiles,*
      "Bib Gourmand",
      hôtels agréables, isolés, très tranquilles

63   *Hôtels, restaurants, plans de ville, curiosités...*

902   *Distances*

904   *Atlas : principales routes, hôtels*
      et restaurants d'autoroutes

912   *Indicatifs téléphoniques internationaux*

914   *L'Euro*

Pages bordées de rouge **et de** vert
A la découverte du monde Michelin

Le choix d'un hôtel, d'un restaurant

Ce guide vous propose une sélection d'hôtels et restaurants établie à l'usage de l'automobiliste de passage. Les établissements, classés selon leur confort, sont cités par ordre de préférence dans chaque catégorie.

Catégories

🏨	XXXXX	*Grand luxe et tradition*
🏨	XXXX	*Grand confort*
🏨	XXX	*Très confortable*
🏨	XX	*De bon confort*
🏨	X	*Assez confortable*
🏠		*Simple mais convenable*
M		*Dans sa catégorie, hôtel d'équipement moderne*
senza rist		*L'hôtel n'a pas de restaurant*
	con cam	*Le restaurant possède des chambres*

Agrément et tranquillité

Certains établissements se distinguent dans le guide par les symboles rouges indiqués ci-après. Le séjour dans ces hôtels se révèle particulièrement agréable ou reposant. Cela peut tenir d'une part au caractère de l'édifice, au décor original, au site, à l'accueil et aux services qui sont proposés, d'autre part à la tranquillité des lieux.

🏨 à 🏠	*Hôtels agréables*
XXXXX à X	*Restaurants agréables*
« Parco fiorito »	*Élément particulièrement agréable*
🐾	*Hôtel très tranquille ou isolé et tranquille*
🐾	*Hôtel tranquille*
⩽ mare	*Vue exceptionnelle*
⩽	*Vue intéressante ou étendue*

Les localités possédant des établissements agréables ou tranquilles sont repérées sur les cartes pages 54 à 62.

Consultez-les pour la préparation de vos voyages et donnez-nous vos appréciations à votre retour, vous faciliterez ainsi nos enquêtes.

15

L'installation

Les chambres des hôtels que nous recommandons possèdent, en général, des installations sanitaires complètes. Il est toutefois possible que dans les catégories 🏠 et 🏡, certaines chambres en soient dépourvues.

30 cam	*Nombre de chambres*
🛗	*Ascenseur*
▤	*Air conditionné*
📺	*Télévision dans la chambre*
🚭	*Établissement en partie réservé aux non-fumeurs*
☎	*Prise modem dans la chambre*
♿	*Chambres accessibles aux handicapés physiques*
🍽	*Repas servis au jardin ou en terrasse*
♨	*Cure thermale, Balnéothérapie*
🏊 🏊	*Piscine : de plein air ou couverte*
⬚s ↝	*Sauna – Salle de remise en forme*
🏖 🌳	*Plage aménagée – Jardin de repos*
✗ 🏌18	*Tennis à l'hôtel – Golf et nombre de trous*
⚓	*Ponton d'amarrage*
🎤 150	*Salles de conférences : capacité maximum*
🚗	*Garage gratuit (une nuit) aux porteurs du Guide de l'année*
🚗	*Garage payant*
🅿	*Parking réservé à la clientèle*
🅿	*Parking clos réservé à la clientèle*
🐕	*Accès interdit aux chiens (dans tout ou partie de l'établissement)*
20 aprile-5 ottobre	*Période d'ouverture, communiquée par l'hôtelier*
stagionale	*Ouverture probable en saison mais dates non précisées. En l'absence de mention, l'établissement est ouvert toute l'année.*

La table

Les étoiles

Certains établissements méritent d'être signalés
à votre attention pour la qualité de leur cuisine.
Nous les distinguons par les étoiles de bonne table.
Nous indiquons, pour ces établissements,
trois spécialités culinaires qui pourront orienter
votre choix.

❀❀❀ **Une des meilleures tables, vaut le voyage**

On y mange toujours très bien, parfois merveilleusement.
Grands vins, service impeccable, cadre élégant...
Prix en conséquence.

❀❀ **Table excellente, mérite un détour**

Spécialités et vins de choix...
Attendez-vous à une dépense en rapport.

❀ **Une très bonne table dans sa catégorie**

L'étoile marque une bonne étape sur votre itinéraire.
Mais ne comparez pas l'étoile
d'un établissement de luxe à prix élevés
avec celle d'une petite maison où, à prix raisonnables,
on sert également une cuisine de qualité.

Le "Bib Gourmand"

Repas soignés à prix modérés

Vous souhaitez parfois trouver des tables
plus simples, à prix modérés; c'est pourquoi
nous avons sélectionné des restaurants proposant,
pour un rapport qualité-prix particulièrement
favorable, un repas soigné, souvent de type régional.
Ces restaurants sont signalés par le **"Bib Gourmand"**
⊛ *et* Pasto.
Ex. Pasto 45/60000.

Consultez les cartes des étoiles de bonne table ❀❀❀,
❀❀, ❀ *et des* **"Bib Gourmand"** ⊛ *(pages 54 à 62).*
Voir aussi ❧ *page suivante.*
Principaux vins et spécialités régionales :
voir p. 49 à 53

Les prix

*Les prix que nous indiquons dans ce guide
ont été établis en été 2000
et s'appliquent à la **haute saison**.
Ils sont susceptibles de modifications, notamment
en cas de variations des prix des biens et services.
Ils s'entendent taxes et services compris
(sauf indication spéciale, ex. 15 %).
A l'occasion de certaines manifestations
commerciales ou touristiques,
les prix demandés par les hôteliers risquent
d'être sensiblement majorés dans certaines villes
jusqu'à leurs lointains environs.
Les hôtels et restaurants figurent en gros caractères
lorsque les hôteliers nous ont donné tous leurs prix
et se sont engagés, sous leur propre responsabilité,
à les appliquer aux touristes de passage porteurs
de notre guide.
Hors saison, certains établissements
proposent des conditions avantageuses,
renseignez-vous lors de votre réservation.
Entrez à l'hôtel le Guide à la main, vous montrerez
ainsi qu'il vous conduit là en confiance.*

Repas

⊗	*Établissement proposant un repas simple à moins de 35000 L.*

Menu à prix fixe :

Pasto 30/50000	*minimum 30000, maximum 50000*
bc	*Boisson comprise*

Repas à la carte :

Pasto carta 40/70000	*Le premier prix correspond à un repas normal comprenant : entrée, plat du jour et dessert. Le 2ᵉ prix concerne un repas plus complet (avec spécialité) comprenant : entrée, deux plats, fromage et dessert. Parfois, en l'absence de menu et de carte, les plats sont proposés verbalement.*

Chambres

cam 80/150000 *Prix* 80000 *pour une chambre d'une personne/*
prix maximum 150000 *pour une chambre de deux*
personnes **en haute saison**

Appartements : *Se renseigner auprès de l'hôtelier*
cam 🛏 90/180000 *Prix des chambres petit déjeuner compris*
🛏 10000 *Prix du petit déjeuner*
(supplément éventuel si servi en chambre)
🖳 5000 *Supplément pour l'air conditionné*

Demi-pension

½ P 90/110000 *Prix minimum et maximum de la demi-pension*
(chambre, petit déjeuner et un repas) par personne
et par jour ; en saison, ces prix s'entendent
pour une chambre double occupée par deux personnes,
pour un séjour de trois jours minimum.
Une personne seule se voit parfois appliquer une majoration.
La plupart des hôtels saisonniers pratiquent
également, sur demande, la pension complète.
Dans tous les cas, il est indispensable de s'entendre
par avance avec l'hôtelier
pour conclure un arrangement définitif.

Les arrhes

Certains hôteliers demandent le versement d'arrhes.
Il s'agit d'un dépôt-garantie
qui engage l'hôtelier comme le client.
Bien faire préciser les dispositions de cette garantie.

Cartes de crédit

AE S O *Cartes de crédit acceptées par l'établissement*
CB VISA JCB *American Express, Carta Si, Diners Club,*
Mastercard (Eurocard), Visa, Japan Credit Bureau

Les villes

20100	Numéro de code postal
⊠ *28042 Baveno*	Numéro de code postal et nom du bureau distributeur du courrier
P	Capitale de Province
Piacenza	Province à laquelle la localité appartient
428 *D9*	Numéro de la Carte Michelin et carroyage
G. Toscana	Voir le Guide Vert Michelin Toscana
108 872 ab	Population résidente
alt. 175	Altitude de la localité
Stazione termale	Station thermale
Sport invernali	Sports d'hiver
1500/2000 m	Altitude de la station et altitude maximum atteinte par les remontées mécaniques
3	Nombre de téléphériques ou télécabines
7	Nombre de remonte-pentes et télésièges
	Ski de fond
a.s. luglio-settembre	Période de haute saison
EX **A**	Lettres repérant un emplacement sur le plan
	Golf et nombre de trous
⁂ ≤	Panorama, point de vue
	Aéroport
	Transports maritimes
	Transports maritimes pour passagers seulement
i	Information touristique
A.C.I.	Automobile Club d'Italie

20

Les curiosités

Intérêt

★★★	*Vaut le voyage*
★★	*Mérite un détour*
★	*Intéressant*
	Les musées sont généralement fermés le lundi

Situation

Vedere	*Dans la ville*
Dintorni	*Aux environs de la ville*
Escursioni	*Excursions dans la ville*
Nord, Sud, Est, Ovest	*La curiosité est située : au Nord, au Sud, à l'Est, à l'Ouest*
per ① o ④	*On s'y rend par la sortie ① ou ④ repérée par le même signe sur le plan du Guide et sur la carte*
6 km	*Distance en kilomètres*

Les cartes
de voisinage

Avez-vous pensé à les consulter ?

Vous souhaitez trouver une bonne adresse,
par exemple, aux environs de Siena (Sienne) ?
Consultez la carte qui accompagne
le plan de la ville.
La « carte de voisinage » (ci-contre) attire
votre attention sur toutes les localités citées au Guide
autour de la ville choisie, et particulièrement
celles situées dans un rayon de 50 km
(limite de couleur).
Les « cartes de voisinage » vous permettent ainsi
le repérage rapide de toutes les ressources proposées
par le Guide autour des métropoles régionales.

Nota :

Lorsqu'une localité est présente
sur une « carte de voisinage »,
sa métropole de rattachement est imprimée en BLEU
sur la ligne des distances de ville à ville.

Exemple :

Vous trouverez
MONTEPULCIANO
sur la carte de
voisinage de SIENA.

MONTEPULCIANO 53045 Siena ▮430▮ M 17 –
Vedere *Città Antica*★ – *Piazza Grande*★★
Roma 176 – Siena 65 – Arezzo 60 – Firenze 119 –
Perugia 74

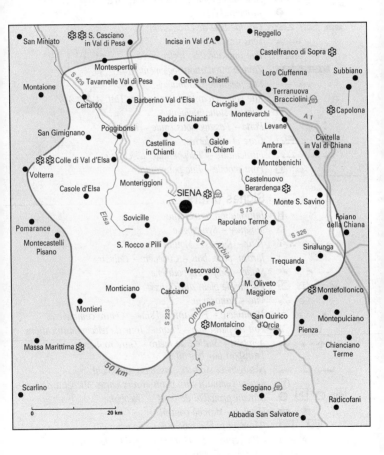

- San Miniato
- Montespertoli
- ❀❀ S. Casciano in Val di Pesa
- Incisa in Val d'A.
- Reggello
- Castelfranco di Sopra ❀
- Tavarnelle Val di Pesa
- S 429
- Greve in Chianti
- Loro Ciuffenna
- Subbiano
- Montaione
- Certaldo
- Barberino Val d'Elsa
- Cavriglia
- Terranuova Bracciolini
- ❀ Capolona
- A 1
- San Gimignano
- Poggibonsi
- Radda in Chianti
- Montevarchi
- Levane
- Castellina in Chianti
- Gaiole in Chianti
- Ambra
- Civitella in Val di Chiana
- ❀❀ Colle di Val d'Elsa
- Volterra
- Casole d'Elsa
- Monteriggioni
- Montebenichi
- SIENA ❀
- Castelnuovo Berardenga ❀
- Elsa
- Soviville
- Monte S. Savino
- Pomarance
- S. Rocco a Pilli
- S 2
- Arbia
- Rapolano Terme
- S 73
- Foiano della Chiana
- S 326
- Montecastelli Pisano
- Sinalunga
- Monticiano
- Vescovado
- Trequanda
- Casciano
- M. Oliveto Maggiore
- ❀ Montefollonico
- Montieri
- S 223
- Ombrone
- San Quirico d'Orcia
- Montepulciano
- ❀ Montalcino
- Pienza
- Massa Marittima ❀
- 50 km
- Chianciano Terme
- Scarlino
- Seggiano
- Radicofani
- 0   20 km
- Abbadia San Salvatore

Toutes les « cartes de voisinage » sont localisées sur la carte thématique pages 54 à 62.

Les plans

- Hôtels
- Restaurants

Curiosités

Bâtiment intéressant
Édifice religieux intéressant

Voirie

Autoroute, route à chaussées séparées
❶ numéro d'échangeur
Grande voie de circulation
← ◄ Sens unique
Rue impraticable, réglementée
Zone à circulation réglementée
Rue piétonne - Tramway
Pasteur Rue commerçante – Passage bas (inf. à 4 m 40)
P Parc de stationnement
Porte – Passage sous voûte – Tunnel
Gare et voie ferrée
Funiculaire – Téléphérique, télécabine
⚠ F Pont mobile – Bac pour autos

Signes divers

ℹ Information touristique
Mosquée – Synagogue
∴ ⚚ Tour – Ruines – Moulin à vent
Jardin, parc, bois – Cimetière – Calvaire
Stade – Golf – Hippodrome
Piscine de plein air, couverte
Vue – Panorama
Monument – Fontaine – Usine – Centre commercial
Port de plaisance – Phare – Tour de télécommunications
✈ Aéroport – Station de métro – Gare routière
Transport par bateau :
passagers et voitures, passagers seulement
③ Repère commun aux plans et aux cartes Michelin détaillées
Bureau principal de poste – Téléphone
Hôpital – Marché couvert
Bâtiment public repéré par une lettre :
P H J - Préfecture – Hôtel de ville – Palais de justice
M T - Musée – Théâtre
U - Université
◆ POL. - Gendarmerie – Police (commissariat central)
A.C.I. Automobile Club

24

Lieber Leser

Unabhängigkeit, Kompetenz und Aufmerksamkeit : dies waren schon immer die Maximen die Der Rote Michelin in den Mittelpunkt seiner Dienstleistung für den Leser gestellt hat.

Die Unabhängigkeit des Roten Michelin ist die seiner Inspektoren. Sie besuchen Hotels und Restaurants und bezahlen alle ihre Rechnungen, und dies unter Wahrung ihrer vollen Anonymität.

Es ist auch die des Führers selbst, der auf seinen Seiten jede Form der Werbung nach wie vor ablehnt.

Kompetent ist Der Rote Michelin durch seine passionierten und fachlich gut ausgebildeten Inspektoren. Das ganze Jahr über sind sie für Sie unterwegs wie ganz normale, nur etwas aufmerksamere Reisende.

Der Rote Michelin ist Ihnen Begleiter und Berater hat immer ein offenes Ohr für Sie. Die sehr zahlreichen Zuschriften, die wir jedes Jahr erhalten, liefern wertvolle Hinweise für die jeweils nächste Ausgabe.

Dadurch ist Der Rote Michelin stets in der Lage eine zuverlässige, aktuelle und für alle Budgets passende Auswahl zu bieten. Besuchen Sie auch unsere Homepage: www.michelin-travel.com.

Der Rote Michelin lebt für Sie und entwickelt sich mit Ihrer Hilfe weiter:

Schreiben Sie uns ! ⸻

Inhaltsverzeichnis

27   *Zum Gebrauch dieses Führers*

34   *Umgebungskarten*

49   *Welcher Wein zu welchem Gericht?*

54   *Karte: Stern-Restaurants –* **"Bib Gourmand"** *–
Angenehme, sehr ruhige,
abgelegene Hotels*

63   *Hotels, Restaurants, Stadtpläne, Sehenswürdigkeiten*

902   *Entfernungen*

904   *Atlas: Hauptverkehrsstraßen, Hotels und Restaurants
an der Autobahn*

912   *Internationale Telefon-Vorwahlnummern*

914   *Der Euro*

Seiten mit rotem und mit grünem Rand
Zur Entdeckung der Michelin Welt

Wahl eines Hotels, eines Restaurants

*Die Auswahl der in diesem Führer aufgeführten
Hotels und Restaurants ist für Durchreisende gedacht.
In jeder Kategorie drückt die Reihenfolge der Betriebe
(sie sind nach ihrem Komfort klassifiziert)
eine weitere Rangordnung aus.*

Kategorien

🏨	XXXXX	*Großer Luxus und Tradition*
🏨	XXXX	*Großer Komfort*
🏨	XXX	*Sehr komfortabel*
🏨	XX	*Mit gutem Komfort*
🏠	X	*Mit Standard Komfort*
🏡		*Bürgerlich*
M		*Moderne Einrichtung*
senza rist		*Hotel ohne Restaurant*
	con cam	*Restaurant vermietet auch Zimmer*

Annehmlichkeiten

*Manche Häuser sind im Führer durch rote Symbole
gekennzeichnet (s. unten.) Der Aufenthalt
in diesen ist wegen der schönen, ruhigen Lage,
der nicht alltäglichen Einrichtung
und Atmosphäre sowie dem gebotenen Service
besonders angenehm und erholsam.*

🏨 bis 🏡	*Angenehme Hotels*
XXXXX bis X	*Angenehme Restaurants*
« Parco fiorito »	*Besondere Annehmlichkeit*
🏞	*Sehr ruhiges, oder abgelegenes und ruhiges Hotel*
🏞	*Ruhiges Hotel*
≤ mare	*Reizvolle Aussicht*
≤	*Interessante oder weite Sicht*

*Die Übersichtskarten S. 54 bis 62, auf denen
die Orte mit besonders angenehmen oder ruhigen
Häusern eingezeichnet sind, helfen Ihnen bei
der Reisevorbereitung. Teilen Sie uns bitte nach
der Reise Ihre Erfahrungen und Meinungen mit. Sie
helfen uns damit, den Führer weiter zu verbessern.*

27

Einrichtung

Die meisten der empfohlenen Hotels verfügen über Zimmer, die alle oder doch zum größten Teil mit Bad oder Dusche ausgestattet sind.
In den Häusern der Kategorien 🏠 und ⚐ kann diese jedoch in einigen Zimmern fehlen.

30 cam	Anzahl der Zimmer
💲	Fahrstuhl
▤	Klimaanlage
TV	Fernsehen im Zimmer
⇜⇝	Haus teilweise reserviert für Nichtraucher
📞	Modem - Anschluß im Zimmer
♿	Für Körperbehinderte leicht zugängliche Zimmer
🍴	Garten-, Terrassenrestaurant
♨	Thermalkur, Badeabteilung
🏊 🏊	Freibad, Hallenbad
🧖 🏋	Sauna – Fitneßraum
🏖 🌳	Strandbad – Liegewiese, Garten
🎾 ⛳18	Hoteleigener Tennisplatz – Golfplatz und Lochzahl
⚓	Bootssteg
🏛 150	Konferenzräume (Höchstkapazität)
🚗	Garage kostenlos (nur für eine Nacht) für die Besitzer des Michelin-Führers des laufenden Jahres
🚗	Garage wird berechnet
P	Parkplatz reserviert für Gäste
P	Gesicherter Parkplatz für Gäste
🐕	Hunde sind unerwünscht (im ganzen Haus bzw. in den Zimmern oder im Restaurant)
20 aprile-5 ottobre	Öffnungszeit, vom Hotelier mitgeteilt
stagionale	Unbestimmte Öffnungszeit eines Saisonhotels. Häuser ohne Angabe von Schließungszeiten sind ganzjährig geöffnet.

Küche

Die Sterne

*Einige Häuser verdienen wegen ihrer
überdurchschnittlich guten Küche Ihre besondere
Beachtung. Auf diese Häuser weisen die Sterne hin.
Bei den mit «Stern» ausgezeichneten Betrieben
nennen wir drei kulinarische Spezialitäten,
die Sie probieren sollten.*

✿✿✿   **Eine der besten Küchen: eine Reise wert**

*Man ißt hier immer sehr gut, öfters auch exzellent,
edle Weine, tadelloser Service, gepflegte Atmosphäre ...
entsprechende Preise.*

✿✿   **Eine hervorragende Küche: verdient einen Umweg**

Ausgesuchte Menus und Weine ... angemessene Preise.

✿   **Eine sehr gute Küche: verdient Ihre besondere
Beachtung**

*Der Stern bedeutet eine angenehme Unterbrechung
Ihrer Reise.
Vergleichen Sie aber bitte nicht den Stern eines sehr
teuren Luxusrestaurants mit dem Stern eines kleineren
oder mittleren Hauses, wo man Ihnen zu einem
annehmbaren Preis eine ebenfalls vorzügliche Mahlzeit
reicht.*

Der "Bib Gourmand"

Sorgfältig zubereitete, preiswerte Mahlzeiten

*Für Sie wird es interessant sein, auch solche Häuser
kennenzulernen, die eine etwas einfachere,
vorzugsweise regionale Küche zu einem besonders
günstigen Preis/Leistungs-Verhältnis bieten.
Im Text sind die betreffenden Restaurants
durch das rote Symbol* **"Bib Gourmand"** 🍴 *und* Pasto
vor dem Menupreis kenntlich gemacht.
Z.B. Pasto 45/60000.

*Siehe Karten der Haüser mit «Stern» ✿✿✿, ✿✿, ✿
und* **"Bib Gourmand"** 🍴 *(S. 54 bis 62).*

Siehe auch 🍴 *nächste Seite.*
Wichtigste Weine und regionale Spezialitäten:
siehe S. 49 bis 53

Preise

*Die in diesem Führer genannten Preise wurden
uns im Sommer 2000 angegeben.
es sind **Hochsaisonpreise**. Sie können sich
mit den Preisen von Waren und Dienstleistungen
ändern. Sie enthalten Bedienung und MWSt. (wenn
kein besonderer Hinweis gegeben wird, z B 15 %).
Erfahrungsgemäß werden bei größeren
Veranstaltungen, Messen und Ausstellungen in vielen
Städten und deren Umgebung erhöhte Preise
verlangt.
Die Namen der Hotels und Restaurants,
die ihre Preise genannt haben, sind fett gedruckt.
Gleichzeitig haben sich diese Häuser verpflichtet,
die von den Hoteliers selbst angegebenen Preise
den Benutzern des Michelin-Führers zu berechnen.
Außerhalb der Saison bieten einige Betriebe
günstigere Preise an. Erkundigen Sie sich bei Ihrer
Reservierung danach.
Halten Sie beim Betreten des Hotels den Führer
in der Hand. Sie zeigen damit, daß Sie aufgrund
dieser Empfehlung gekommen sind.*

Mahlzeiten _____

&#8450;	*Restaurant, das eine einfache Mahlzeit unter 35000 L anbietet.*

Feste Menupreise:

Pasto 30/50000	*Mindestpreis 30000, Höchstpreis 50000*
bc	*Getränke inbegriffen*

Mahlzeiten « à la carte » :

Pasto carta 40/70000	*Der erste Preis entspricht einer einfachen Mahlzeit und umfaßt Vorspeise, Hauptgericht, Dessert.*

*Der zweite Preis entspricht einer reichlicheren Mahlzeit
(mit Spezialität) bestehend aus:
Vorspeise, zwei Hauptgängen, Käse, Dessert
Falls weder eine Menu- noch eine « à la carte » –
Karte vorhanden ist, wird das Tagesgericht mündlich
angeboten*

Zimmer

cam 80/150000

Preis 80000 *für ein Einzelzimmer,*
Höchstpreis 150000 *für ein Doppelzimmer in der Hochsaison*

Suiten

Auf Anfrage

cam ☑ 90/180000

Zimmerpreis inkl. Frühstück

☑ 10000

Preis des Frühstücks (wenn es im Zimmer serviert wird
kann ein Zuschlag erhoben werden)

▤ 5000

Zuschlag für Klimaanlage

Halbpension

½ P 90/110000

Mindestpreis und Höchstpreis für Halbpension
(Zimmerpreis inkl Frühstück und eine Mahlzeit)
pro Person und Tag während der Hauptsaison
bei einem von zwei Personen belegten Doppelzimmer
für einen Aufenthalt von mindestens drei Tagen.
Einer Einzelperson kann ein Preisaufschlag verlangt werden.
In den meisten Hotels können Sie auf Anfrage
auch Vollpension erhalten. Auf jeden Fall sollten Sie
den Endpreis vorher mit dem Hotelier vereinbaren.

Anzahlung

Einige Hoteliers verlangen eine Anzahlung.
Diese ist als Garantie sowohl für den Hotelier
als auch für den Gast anzusehen.
Es ist ratsam, sich beim Hotelier nach den genauen
Bestimmungen zu erkundigen.

Kreditkarten

AE Ⓢ ⓄⒹ
Ⓒ⑨ *VISA* JCB

Vom Haus akzeptierte Kreditkarten
American Express, Carta Si, Diners Club,
Mastercard (Eurocard), Visa, Japan Credit Bureau

Städte

20100	*Postleitzahl*
✉ 28042 Baveno	*Postleitzahl und Name des Verteilerpostamtes*
P	*Provinzhauptstadt*
Piacenza	*Provinz, in der der Ort liegt*
428 D9	*Nummer der Michelin-Karte mit Koordinaten*
G. Toscana	*Siehe Grünen Michelin – Reiseführer Toscana*
108 872 ab	*Einwohnerzahl*
alt. 175	*Höhe*
Stazione termale	*Thermalbad*
Sport invernali	*Wintersport*
1500/2000 m	*Höhe des Wintersportortes und Maximal-Höhe, die mit Kabinenbahn oder Lift erreicht werden kann*
🚠 3	*Anzahl der Kabinenbahnen*
🚡 7	*Anzahl der Schlepp- oder Sessellifts*
🎿	*Langlaufloipen*
a.s. luglio-settembre	*Hauptsaison von ... bis ...*
EX **A**	*Markierung auf dem Stadtplan*
🏌	*Golfplatz und Lochzahl*
✱ ≤	*Rundblick – Aussichtspunkt*
✈	*Flughafen*
⛴	*Autofähre*
⛴	*Personenfähre*
🛈	*Informationsstelle*
A.C.I.	*Automobilclub von Italien*

32

Sehenswürdigkeiten

Bewertung

★★★   *Eine Reise wert*

★★   *Verdient einen Umweg*

★   *Sehenswert*

Museen sind im allgemeinen montags geschlossen.

Lage

Vedere	*In der Stadt*
Dintorni	*In der Umgebung der Stadt*
Escursioni	*Ausflugsziele*
Nord, Sud, Est, Ovest	*Im Norden, Süden, Osten, Westen der Stadt*
per ① o ④	*Zu erreichen über die Ausfallstraße ① bzw. ④, die auf dem Stadtplan und auf der Michelin-Karte identisch gekennzeichnet sind*
6 km	*Entfernung in Kilometern*

Umgebungskarten

Denken Sie daran sie zu benutzen

*Die Umgebungskarten sollen Ihnen die Suche
eines Hotels oder Restaurants in der Nähe
der größeren Städte erleichtern.
Wenn Sie beispielsweise eine gute Adresse
in der Nähe von Siena brauchen, gibt Ihnen
die Karte schnell einen Überblick über alle Orte,
die in diesem Michelin-Führer erwähnt sind.
Innerhalb der in Kontrastfarbe gedruckten Grenze
liegen Gemeinden, die im Umkreis
von 50 km sind.*

Anmerkung:

*Auf der Linie der Entfernungen zu anderen Orten
erscheint im Ortstext die jeweils nächste
Stadt mit Umgebungskarte in BLAU.*

Beispiel:

*Sie finden
MONTEPULCIANO auf
der Umgebungskarte
von SIENA.*

MONTEPULCIANO 53045 Siena **430** M 17 –
Vedere Città Antica★ – Piazza Grande★★
Roma 176 – Siena 65 – Arezzo 60 – Firenze 119 –
Perugia 74

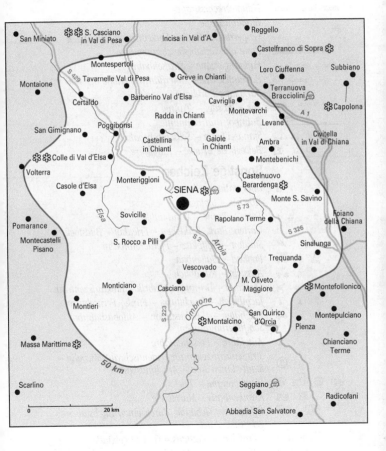

Map labels:

San Miniato · ❀❀ S. Casciano in Val di Pesa · Incisa in Val d'A. · ● Reggello

Castelfranco di Sopra ❀

Montespertoli · Loro Ciuffenna · Subbiano

Montaione · Tavarnelle Val di Pesa · ● Greve in Chianti · Terranuova Bracciolini · ❀ Capolona

Certaldo · Barberino Val d'Elsa · Cavriglia · Montevarchi

San Gimignano · Poggibonsi · Radda in Chianti · Levane · Civitella in Val di Chiana

❀❀ Colle di Val d'Elsa · Castellina in Chianti · Gaiole in Chianti · Ambra · Montebenichi

Volterra · Casole d'Elsa · Monteriggioni · SIENA ❀ · Castelnuovo Berardenga ❀

Monte S. Savino

Pomarance · Sovicille · Rapolano Terme · Foiano della Chiana

Montecastelli Pisano · S. Rocco a Pilli · Sinalunga

Trequanda

Monticiano · Vescovado · M. Oliveto Maggiore · ❀ Montefollonico

Montieri · Casciano · San Quirico d'Orcia · Montepulciano

❀ Montalcino · Pienza

Massa Marittima ❀ · Chianciano Terme

50 km

Scarlino · Seggiano · Radicofani

Abbadia San Salvatore

0 — 20 km

A 1 · S 73 · S 326 · Elsa · Arbia · S 2 · S 223 · Ombrone · S 429

*Die Umgebungs-
karten finden Sie
auf der Themenkarte
S. 54 bis 62.*

35

Stadtpläne

- *Hotels*
- *Restaurants*

Sehenswürdigkeiten

Sehenswertes Gebäude
Sehenswerter Sakralbau

Straßen

Autobahn, Schnellstraße

❶ *Nummer der Anschlußstelle*

Hauptverkehrsstraße

← ◄ *Einbahnstraße*

Gesperrte Straße, mit Verkehrsbeschränkungen

Zone mit Verkehrsbeschränkungen

Fußgängerzone – Straßenbahn

Pasteur 🅿 *Einkaufsstraße – Unterführung (Höhe bis 4,40 m)*

P *Parkplatz, Parkhaus*

÷ ⧏ ⧐ *Tor – Passage – Tunnel*

Bahnhof und Bahnlinie

Standseilbahn – Seilschwebebahn

△ **F** *Bewegliche Brücke – Autofähre*

Sonstige Zeichen

🛈 *Informationsstelle*

☪ ☒ *Moschee – Synagoge*

● ● ♣ ☀ *Turm – Ruine – Windmühle*

tᵗt ı *Garten, Park, Wäldchen – Friedhof – Bildstock*

◯ 🟳 ⚴ *Stadion – Golfplatz – Pferderennbahn*

⚱ ⚲ 🖼 🏊 *Freibad – Hallenbad*

◄ ☼ *Aussicht – Rundblick*

■ ◉ ☼ 🛒 *Denkmal – Brunnen – Fabrik – Einkaufszentrum*

⚓ ⚑ ⛫ *Jachthafen – Leuchtturm – Funk-, Fernsehturm*

✈ ● 🚌 *Flughafen – U-Bahnstation – Autobusbahnhof*

Schiffsverbindungen:

Autofähre – Personenfähre

③ *Straßenkennzeichnung (identisch auf Michelin – Stadt-plänen und – Abschnittskarten)*

🖂 ⊗ 🅿 ☎ *Hauptpostamt – Telefon*

✚ ▤ *Krankenhaus – Markthalle*

Öffentliches Gebäude, durch einen Buchstaben gekennzeichnet:

P H J *- Präfektur – Rathaus – Gerichtsgebäude*

M T U *- Museum – Theater – Universität*

◈ *- Gendarmerie*

POL. *- Polizei (in größeren Städten Polizeipräsidium)*

A.C.I. *Automobilclub von Italien*

Dear Reader

With the principal aim of providing a service to our readers, the strength of The Red Guide has always been our independence, expertise and appreciation.

The independence of The Red Guide is unquestionable:
Firstly, our inspectors visit anonymously and always settle their own bills. Secondly, the Guide retains its impartiality by refusing to include any form of publicity.

The Guide relies on the expertise of our inspectors; dedicated professionals who spend every year travelling inconspicuously around the country seeking out, testing and digesting a wide range of accommodation and cuisine.

And as much as the Guide is written for you, it is also influenced by you. Every year we receive thousands of comments, recommendations and appreciations, all of which contribute to the following year's edition.

These key values mean that every year The Red Guide gives you a reliable, accurate and up-to-date selection to suit every occasion and every pocket.

Look out for us on-line at www.michelin-travel.com.

The Red Guide is influenced by you and is developed for your benefit, which is all the more reason to send us your comments!

Contents

39   *How to use this Guide*

46   *Local maps*

49   *Food and wine*

54   *Map of star-rated restaurants;*
       the **"Bib Gourmand"***;*
       pleasant, secluded and very quiet hotels

63   *Hotels, restaurants, town plans, sights*

902   *Distances*

904   *Atlas: main roads and motorway hotels*
        and restaurants

912   *International dialling codes*

914   *The Euro*

Pages with red and green borders
Discovering the world of Michelin

Choosing a hotel
or restaurant

*This guide offers a selection of hotels
and restaurants to help the motorists on their travels.
In each category establishments are listed
in order of preference according to the degree
of comfort they offer.*

Categories

🏨	XXXXX	*Luxury in the traditional style*
🏨	XXXX	*Top class comfort*
🏨	XXX	*Very comfortable*
🏠	XX	*Comfortable*
🏠	X	*Quite comfortable*
🏡		*Simple comfort*
M		*In its category, hotel with modern amenities*
senza rist		*The hotel has no restaurant*
	con cam	*The restaurant also offers accommodation*

Peaceful atmosphere and setting

*Certain establishments are distinguished
in the guide by the red symbols shown below.
Your stay in such hotels will be particularly
pleasant or restful, owing to the character
of the building, its decor, the setting, the welcome
and services offered, or simply the peace and quiet
to be enjoyed there.*

🏨 to 🏡	*Pleasant hotels*
XXXXX to X	*Pleasant restaurants*
« Parco fiorito »	*Particularly attractive feature*
🐾	*Very quiet or quiet, secluded hotel*
🐾	*Quiet hotel*
≤ mare	*Exceptional view*
≤	*Interesting or extensive view*

*The maps on pages 54 to 62 indicate places
with such peaceful, pleasant hotels and restaurants.*

*By consulting them before setting out
and sending us your comments on your return
you can help us with our enquiries.*

39

Hotel facilities

In general the hotels we recommend have full bathroom and toilet facilities in each room. This may not be the case, however, for certain rooms in categories 🏠 and 🏡.

30 cam	*Number of rooms*
🛗	*Lift (elevator)*
🗟	*Air conditioning*
TV	*Television in room*
⚡	*Hotel partly reserved for non-smokers*
📞	*Modem point in the bedrooms*
♿	*Rooms accessible to disabled people*
☂	*Meals served in garden or on terrace*
♨	*Hydrotherapy*
🏊 🏊	*Outdoor or indoor swimming pool*
⛷ 🏋	*Sauna – Exercise room*
🏖 🌳	*Beach with bathing facilities – Garden*
🎾 🏌	*Hotel tennis court – Golf course and number of holes*
⚓	*Landing stage*
🎤 150	*Equipped conference hall (maximum capacity)*
🚗	*Free garage (one night) for those in possession of the current Michelin Guide*
🚘	*Hotel garage (additional charge in most cases)*
P	*Car park for customers only*
P	*Enclosed car park for customers only*
🐕	*Dogs are excluded from all or part of the hotel*
20 aprile-5 ottobre	*Dates when open, as indicated by the hotelier*
stagionale	*Probably open for the season – precise dates not available. Where no date or season is shown, establishments are open all year round.*

40

Cuisine

Stars

*Certain establishments deserve to be brought
to your attention for the particularly fine quality
of their cooking. Michelin stars are awarded
for the standard of meals served.
For such restaurants we list three
culinary specialities to assist you in your choice.*

❀❀❀ Exceptional cuisine, worth a special journey

*One always eats here extremely well, sometimes superbly.
Fine wines, faultless service, elegant surroundings.
One will pay accordingly!*

❀❀ Excellent cooking, worth a detour

*Specialities and wines of first class quality.
This will be reflected in the price.*

❀ A very good restaurant in its category

*The star indicates a good place to stop on your journey.
But beware of comparing the star given
to an expensive « de luxe » establishment
to that of a simple restaurant where you can appreciate
fine cuisine at a reasonable price.*

🍴 The "Bib Gourmand"

Good food at moderate prices

*You may also like to know of other restaurants
with less elaborate, moderately priced menus
that offer good value for money and serve carefully
prepared meals, often of regional cooking.
In the guide such establishments are marked
🍴 the* **"Bib Gourmand"** *and* Pasto *just before the price of
the menu, for example* Pasto 45/60000.

*Please refer to the map of star-rated restaurants ❀❀❀,
❀❀, ❀ and the* **"Bib Gourmand"** *🍴 (pp 54 to 62).*

See also ⊜ on next page

Main wines and regional specialities:
see pp 49 to 53

41

Prices

*Prices quoted are valid for summer 2000 and
apply to **high season**. Changes may arise if goods
and service costs are revised. The rates include tax
and service charge (unless otherwise indicated,
eg. 15 %).
In the case of certain trade exhibitions or tourist
events prices demanded by hoteliers are liable
to reasonable increases in certain cities
and for some distance in the area around them.
Hotels and restaurants in bold type
have supplied details of all their rates
and have assumed responsibility for maintaining
them for all travellers in possession of this Guide.
Out of season certain establishments
offer special rates. Ask when booking.*
*Your recommendation is self evident
if you always walk into a hotel, Guide in hand.*

Meals

⨾	*Establishment serving a simple meal for less than 35000 L.*
Set meals :	
Pasto 30/50000	*Lowest* 30000 *and highest* 50000 *prices for set meals*
bc	*House wine included*

« A la carte » meals :

Pasto carta 40/70000   *The first figure is for a plain meal and includes entrée,
main dish of the day with vegetables and dessert.
The second figure is for a fuller meal
(with « spécialité ») and includes hors-d'œuvre,
2 main courses, cheese, and dessert.
When the establishment has neither table d'hôte nor
« à la carte » menus, the dishes of the day
are given verbally.*

Rooms

cam 80/150000	*Price* 80000 *for a single room and highest price* 150000 *for a double* ***in high season***
Suites	*Ask the hotelier*
cam 90/180000	*Price includes breakfast*
10000	*Price of continental breakfast (additional charge when served in the bedroom)*
5000	*Additional charge for air conditioning*

Half board

½ P 90/110000	*Lowest and highest prices of half board (room, breakfast and a meal) per person, per day in the season. These prices are valid for a double room occupied by two people for a minimum stay of three days. A single person may have to pay a supplement. Most of the hotels also offer full board terms on request. It is essential to agree on terms with the hotelier before making a firm reservation.*

Deposits

Some hotels will require a deposit, which confirms the commitment of customer and hotelier alike. Make sure the terms of the agreement are clear.

Credit cards

AE VISA JCB	*Credit cards accepted by the establishment American Express, Carta Si, Diners Club, Mastercard (Eurocard), Visa, Japan Credit Bureau*

Towns

20100	Postal number
⊠ 28042 Baveno	Postal number and name of the post office serving the town
P	Provincial capital
Piacenza	Province in which a town is situated
428 D9	Number of the appropriate sheet and co-ordinates
108 872 ab	Population
G. Toscana	See the Michelin Green Guide Toscana
alt. 175	Altitude (in metres)
Stazione termale	Spa
Sport invernali	Winter sports
1500/2000 m	Altitude (in metres) of resort and highest point reached by lifts
⛷ 3	Number of cable-cars
⛷ 7	Number of ski and chair-lifts
⛷	Cross-country skiing
a.s. luglio-settembre	High season period
EX **A**	Letters giving the location of a place on the town plan
⛳₁₈	Golf course and number of holes
✳ ≼	Panoramic view, viewpoint
✈	Airport
⏚	Shipping line
⇌	Passenger transport only
🛈	Tourist Information Centre
A.C.I.	Italian Automobile Club

Sights

Star-rating _____

★★★	*Worth a journey*
★★	*Worth a detour*
★	*Interesting*

Museums and art galleries are generally closed on Mondays

Location _____

Vedere	*Sights in town*
Dintorni	*On the outskirts*
Escursioni	*In the surrounding area*
Nord, Sud, Est, Ovest	*The sight lies north, south, east or west of the town*
per ① o ④	*Sign on town plan and on the Michelin road map indicating the road leading to a place of interest*
6 km	*Distance in kilometres*

Local maps

May we suggest that you consult them ___

*Should you be looking for a hotel or restaurant not
too far from Siena, for example, you can now
consult the map along with the town plan.*

*The local map (opposite) draws your attention to
all places around the town or city selected,
provided they are mentioned in the Guide.
Places located within a range of 50 km
are clearly identified by the use
of a different coloured background.
The various facilities recommended near
the different regional capitals can be located
quickly and easily.*

Note:

*Entries in the Guide provide information
on distances to nearby towns.
Whenever a place appears on one of the local maps,
the name of the town or city
to which it is attached is printed in BLUE.*

*MONTEPULCIANO
is to be found on the
local map SIENA*

Example:

MONTEPULCIANO 53045 Siena 🗝 M 17 –
Vedere Città Antica★ – Piazza Grande★★
Roma 176 – *Siena 65* – Arezzo 60 – Firenze 119 –
Perugia 74

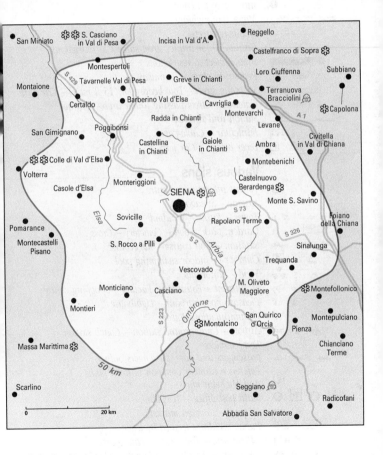

San Miniato • ❋❋ S. Casciano in Val di Pesa • Incisa in Val d'A. • • Reggello

Castelfranco di Sopra ❋

Montespertoli • Loro Ciuffenna • Subbiano •

S 429 Tavarnelle Val di Pesa Greve in Chianti • Terranuova Bracciolini 🏛

Montaione • Certaldo • Barberino Val d'Elsa • Cavriglia • ❋ Capolona

Radda in Chianti Montevarchi •

San Gimignano • Poggibonsi • Levane •

Castellina in Chianti Gaiole in Chianti Ambra • Civitella in Val di Chiana •

❋❋ Colle di Val d'Elsa • Montebenichi •

Volterra • Castelnuovo Berardenga ❋

Casole d'Elsa • Monteriggioni • SIENA ❋ 🏛 Monte S. Savino •

Pomarance • Sovicille • Rapolano Terme • Foiano della Chiana •

Montecastelli Pisano • S. Rocco a Pilli • S 73 S 326

Elsa Arbia Sinalunga •

S 2 Trequanda •

Vescovado • ❋ Montefollonico

Monticiano • Casciano • M. Oliveto Maggiore •

S 223 Ombrone

Montieri • ❋ Montalcino • San Quirico d'Orcia • Montepulciano •

Pienza • Chianciano Terme •

Massa Marittima ❋ 50 km

Scarlino • Seggiano 🏛 Radicofani •

0   20 km Abbadia San Salvatore •

All the local maps are indicated on the thematic map on pp 54 to 62.

Town plans

● Hotels
● Restaurants

Sights

■ ■ ▨ Place of interest
⬆ ⬆ ⬆ ⬥ ⬥ Interesting place of worship

Roads

═ ═ Motorway, dual carriageway
❶ number of junction
▬ ▭ Major thoroughfare
← ◄ One-way street
ːːːːː Unsuitable for traffic, street subject to restrictions
▬▬▬ Area subject to restrictions
═ ▬ Pedestrian street – Tramway
Pasteur 🚗 🅿 Shopping street – Low headroom (15 ft max) – Car park
╪ ╬ ╬ Gateway – Street passing under arch – Tunnel
🚂 Station and railway
▫▫▫▫▫▫ ▫▪▫▪▫ Funicular – Cable-car
⚠ 🅵 Lever bridge – Car ferry

Various signs

🅸 Tourist Information Centre
☪ ✡ Mosque – Synagogue
● ● ♣ 🅈 Tower – Ruins – Windmill
▨ ⁺ᵗ⁺ ✝ Garden, park, wood – Cemetery – Cross
○ 🏌 🏇 Stadium – Golf course – Racecourse
⚓ 🏊 🏊 🏊 Outdoor or indoor swimming pool
⬃ ⩜ View – Panorama
■ ● ☼ 🛒 Monument – Fountain – Factory – Shopping centre
⚓ 🗼 Pleasure boat harbour – Lighthouse
📡 Communications tower
✈ ⊙ 🚌 Airport – Underground station – Coach station
Ferry services:
⛴ ⛴ ⛴ passengers and cars, passengers only
③ Reference number common to town plans
and Michelin maps
🖃 ✉ 🅿 ☎ Main post office – Telephone
✚ ⊠ Hospital – Covered market
▨ ▭ Public buildings located by letter:
P H J - Prefecture – Town Hall – Law courts
M T U ◈ - Museum – Theatre – University – Gendarmerie
POL. - Police (in large towns police headquarters)
A.C.I. Italian Automobile Club

48

I vini e le vivande

E' impossibile parlare di una cucina nazionale italiana,
ma, in compenso, esiste una ricchissima cucina regionale.
Per agevolare la vostra scelta, nella cartina che segue,
abbiamo indicato accanto ad ogni regione i piatti piu rinomati,
di piu facile reperibilità ed i vini più conosciuti ; lasciamo
ai ristoratori il piacere di illustrarvene le caratteristiche.
Cibi e vini di una stessa regione costituiscono spesso un buon connubio.

Les vins et les mets

L'italie possède une cuisine régionale riche et variée.
Partout, il vous sera possible d'apprécier les spécialités
locales et les restaurateurs auront plaisir à vous en expliquer
les originalités. Les cartes qui suivent indiquent,
dans chaque région, les vins et les mets les plus connus.
Les vins et les mets d'une même région s'associent
souvent avec succès.

Weine und Gerichte

Italien besitzt eine sehr variationsreiche Regionalküche.
Es ist überal möglich die Vielfalt der regionalen Spezialitäten
zu geniessen. Gerne werden die Restaurantbesitzer Ihnen die
einzelnen Spezialitäten erklären. Die nachfolgende Karte nennt
Ihnen die wichtigsten Gerichte und Weine der einzelnen Regionen.
Die Weine und die Gerichte einer Region sind allgemeinen
harmonisch aufeinander abgestimmt.

Food and wine

Italy's cuisine is rich and varied in its regional specialities,
which can be enjoyed throughout the country.
Restaurateurs will take pleasure in describing each
more fully to you. The following maps give an indication
of the most well-known dishes and wines in each region.
Food and wine from the same region often complement each
other perfectly.

Vini per regione	Vins par région	Regionale Weine	Regional wines
Bianco	Blanc	Weißweine	White
Rosso o rosato	Rouge ou rosé	Rot-oder Roséweine	Red or rosé
Dessert	De dessert	Dessertweine	Sweet
Spumante*	Pétillant*	Schaumweine*	Sparkling*

Specialità per regione	Spécialités par région	Regionale Spezialitäten	Regional specialities
Primi piatti	Entrées	Vorspeisen	Appetizers
Piatti di pesce	Plats de poisson	Fischgerichte	Fish dishes
Piatti di carne	Plats de viande	Fleischgerichte	Meat dishes
Dolci	Desserts	Dessert	Desserts

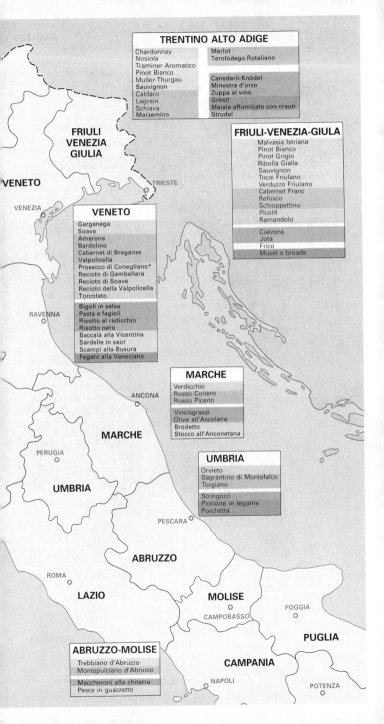

TRENTINO ALTO ADIGE

Chardonnay
Nosiola
Traminer Aromatico
Pinot Bianco
Muller-Thurgau
Sauvignon
Caldaro
Lagrein
Schiava
Marzemino

Merlot
Terolodego Rotaliano

Canederli-Knödel
Minestra d'orzo
Zuppa al vino
Gröstl
Maiale affumicato con crauti
Strudel

FRIULI-VENEZIA-GIULIA

Malvasia Istriana
Pinot Bianco
Pinot Grigio
Ribolla Gialla
Sauvignon
Tocai Friulano
Verduzzo Friulano
Cabernet Franc
Refosco
Schioppettino
Picolit
Ramandolo

Cialzons
Jota
Frico
Muset e broade

VENETO

Garganega
Soave
Amarone
Bardolino
Cabernet di Breganze
Valpolicella
Prosecco di Conegliano*
Recioto di Gambellara
Recioto di Soave
Recioto della Valpolicella
Torcolato

Bigoli in salsa
Pasta e fagioli
Risotto al radicchio
Risotto nero
Baccalà alla Vicentina
Sardelle in saor
Scampi alla Busura
Fegato alla Veneziana

MARCHE

Verdicchio
Rosso Conero
Rosso Piceno

Vincisgrassi
Olive all'Ascolana
Brodetto
Stocco all'Anconetana

UMBRIA

Orvieto
Sagrantino di Montefalco
Torgiano

Stringozzi
Piccione in tegame
Porchetta

ABRUZZO-MOLISE

Trebbiano d'Abruzzo
Montepulciano d'Abruzzo

Maccheroni alla chitarra
Pesce in guazzetto

FRIULI
VENEZIA
GIULIA

VENETO

TRIESTE

VENEZIA

RAVENNA

ANCONA

MARCHE

PERUGIA

UMBRIA

PESCARA

ABRUZZO

ROMA

LAZIO

MOLISE

CAMPOBASSO

FOGGIA

PUGLIA

CAMPANIA

NAPOLI

POTENZA

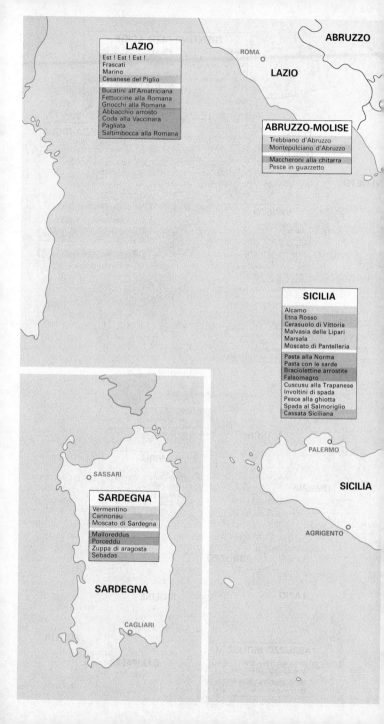

ABRUZZO

ROMA

LAZIO

LAZIO

Est ! Est ! Est !
Frascati
Marino
Cesanese del Piglio

Bucatini all'Amatriciana
Fettuccine alla Romana
Gnocchi alla Romana
Abbacchio arrosto
Coda alla Vaccinara
Pagliata
Saltimbocca alla Romana

ABRUZZO-MOLISE

Trebbiano d'Abruzzo
Montepulciano d'Abruzzo

Maccheroni alla chitarra
Pesce in guazzetto

SICILIA

Alcamo
Etna Rosso
Cerasuolo di Vittoria
Malvasia delle Lipari
Marsala
Moscato di Pantelleria

Pasta alla Norma
Pasta con le sarde
Braciolettine arrostite
Falsomagro
Cuscusu alla Trapanese
Involtini di spada
Pesce alla ghiotta
Spada al Salmoriglio
Cassata Siciliana

PALERMO

SICILIA

SASSARI

AGRIGENTO

SARDEGNA

Vermentino
Cannonau
Moscato di Sardegna

Malloreddus
Porceddu
Zuppa di aragosta
Sebadas

SARDEGNA

CAGLIARI

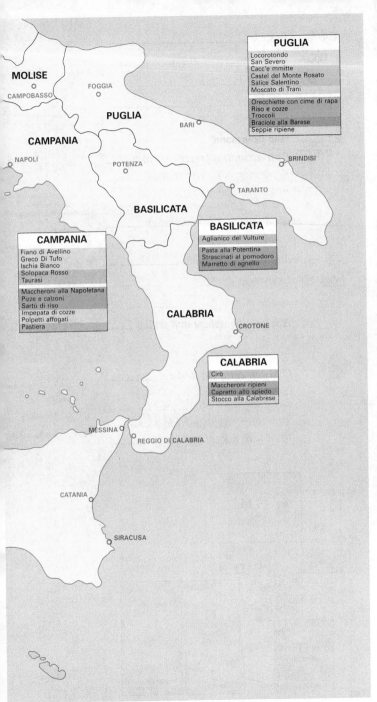

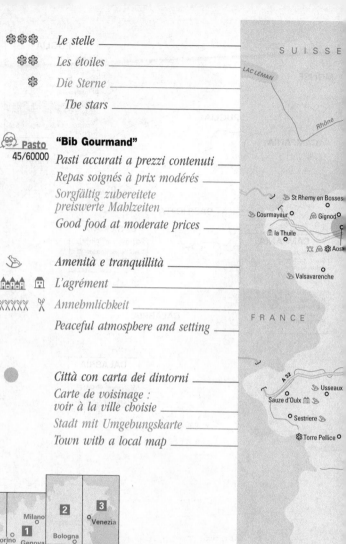

❀❀❀ *Le stelle* _____

❀❀ *Les étoiles* _____

❀ *Die Sterne* _____

The stars _____

😊 **Pasto** **"Bib Gourmand"**
45/60000 *Pasti accurati a prezzi contenuti* ___
Repas soignés à prix modérés ___
Sorgfältig zubereitete
preiswerte Mahlzeiten ___
Good food at moderate prices ___

🦢 *Amenità e tranquillità* _____

🏨🏠 *L'agrément* _____

✕✕✕✕✕ ✗ *Annehmlichkeit* _____

Peaceful atmosphere and setting ___

● *Città con carta dei dintorni* _____
Carte de voisinage :
voir à la ville choisie _____
Stadt mit Umgebungskarte _____
Town with a local map _____

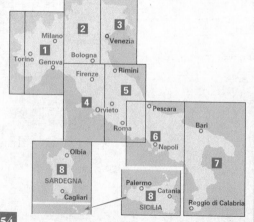

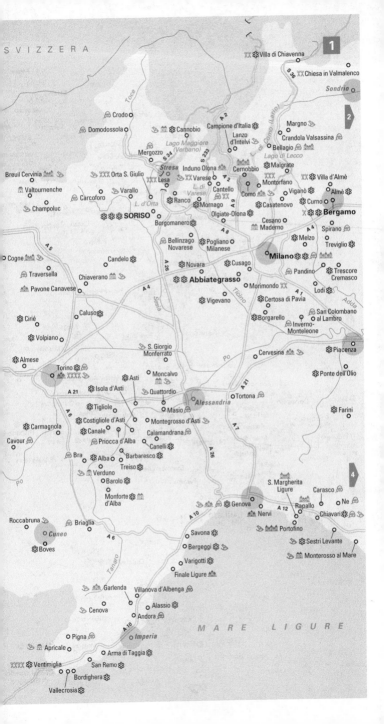

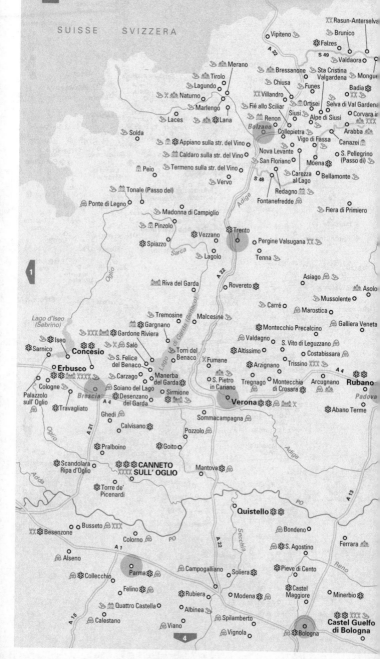

3

ÖSTERREICH

Lienz

Valle di Casies

Dobbiaco

S 51

Sesto

S 48

Cortina d'Ampezzo

S 52

A 23

SLOVENIJA

Forno di Zoldo

Magnano in Riviera

S 51

S. Daniele
del Friuli

Colloredo di M. Albano

Pieve d'Alpago

Udine

Dolegna del Collio

Belluno

Puos d'Alpago

Vivaro

Piave

Tambre

San Quirino

Mossa

Caneva

Fiume Veneto

Savogna d'Isonzo

Follina

Pocenia

San Pietro
di Feletto

Pasiano di Pordenone

Monfalcone

A 27

Portobuffole

A 4

Montebelluna

Trieste

San Biago di Callalta

Silea

Quarto d'Altino

Mirano

HRVATSKA

Mira

Venezia

Campagna Lupia

Chioggia

MARE

ADRIATICO

PO

Codigoro

Ostellato

Valli di Comacchio

Fusignano

Ravenna

5

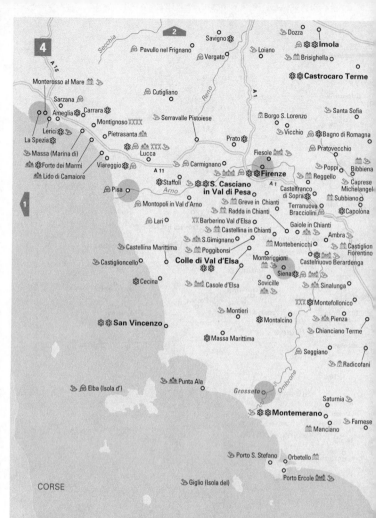

4

A 15

2

Secchia

Savigno ❄

🏛 Pavullo nel Frignano

Vergato 🏛

Dozza 🐚

🐚 ❄ 🏛 **Imola**

Loiano 🐚

🏛 Brisighella 🐚

❄ ❄ **Castrocaro Terme**

Monterosso al Mare 🏛 🐚

Sarzana 🐚

Ameglia ❄ 🐚 Carrara ❄

Lerici ❄ 🐚

La Spezia 🐚

Cutigliano 🐚

Montignoso XXXX

Serravalle Pistoiese 🐚

Reno

A 1

Borgo S. Lorenzo 🐚

Santa Sofia 🐚

Vicchio 🐚

❄ 🏛 Bagno di Romagna

🐚 🏛 Pratovecchio

Massa (Marina di) 🐚

🏛 ❄ Forte dei Marmi

🏛 Lido di Camaiore

Pietrasanta 🐚

❄ 🐚 🏛 XXX 🐚

Lucca

Prato ❄

Carmignano 🐚

Fiesole 🏛 🐚

Poppi 🐚 🐚

🏛 Reggello

Bibbiena

🐚 🏛 🐚

Caprese Michelangel°

Viareggio ❄ 🐚

A 11

Arno

❄ Staffoli

🐚 ❄ ❄ ❄ **S. Casciano in Val di Pesa**

❄ ❄ **Firenze**

Castelfranco di Sopra ❄

Terranuova Bracciolini 🏛

Subbiano 🐚

🐚 Pisa

Montopoli in Val d'Arno 🐚

🐚 🏛 Greve in Chianti

🐚 🏛 Radda in Chianti

Capolona 🐚

🐚 Lari

XX Barberino Val d'Elsa 🐚

🐚 🏛 Castellina in Chianti

Gaiole in Chianti 🐚

🏛 🐚

Ambra 🐚

🐚 🏛 S.Gimignano

🏛 Montebenicchi

Castiglion Fiorentino 🐚

Castellina Marittima 🐚

🐚 🏛 Poggibonsi

Monteriggioni 🐚

❄ 🐚 🏛 🏛

Castelnuovo Berardenga

Castiglioncello 🐚

Colle di Val d'Elsa

❄ ❄

Siena 🐚 🐚 🏛 🏛

❄ Cecina

🐚 🏛 Casole d'Elsa

Sovicille

🐚 🏛 Sinalunga

Montieri 🐚

XXX ❄ Montefollonico

❄ ❄ **San Vincenzo** 🐚

❄ Montalcino 🐚

🐚 🏛 Pienza

Chianciano Terme 🐚

❄ Massa Marittima

Seggiano 🐚

🐚 🏛 Radicofani

🐚 🏛 Punta Ala

Grosseto °

Ombrone

Saturnia 🐚

Elba (Isola d') 🐚 🐚

🐚 ❄ ❄ **Montemerano** °

Farnese 🐚

🏛 Manciano

Porto S. Stefano 🐚

Orbetello 🏛

CORSE

🐚 Giglio (Isola del)

Porto Ercole 🏛 🐚

M A R E   T I R R E N O

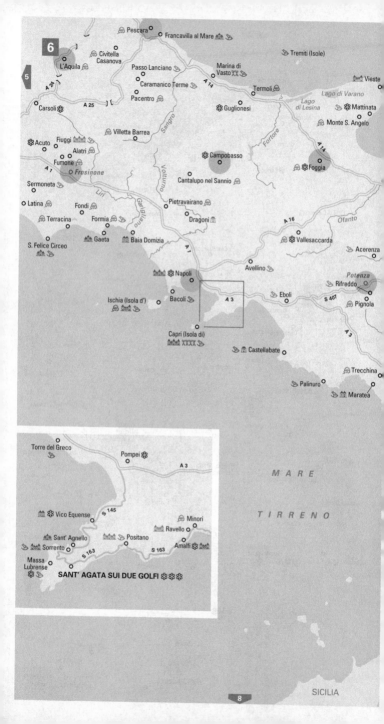

MARE ADRIATICO

Barletta ✺
Andria
Corato 🚗
Bari
A 14
S 16
Monopoli 🏛 ⚓
Savelletri 🚗 ⚓
Ostuni 🚗 ⚓
Alberobello ✺ ⚓ Cisternino
Carovigno ✺ 🚗
Matera
Martina Franca
Ceglie
Messapica ✺
Brindisi
Bradano
S 613
S 407
🚗 Lecce
Agri
S 16
Otranto ✕✕
S 106
🚗 Taviano
Tricase 🚗
🚗 San Gregorio
Castrovillari ✺ ⚓
Scalea 🚗
S 534
A 3
Crati
🏛 Cittadella del Capo
Camigliatello 🚗
Silano
🚗 Cosenza
✺ Marina di
Nocera Terinese
✺ Vibo Valentia
Montepaone Lido 🚗
MARE IONIO
🏛 Parghelia
🚗 Mileto
A 3
Siderno 🚗
Messina
Reggio di Calabria

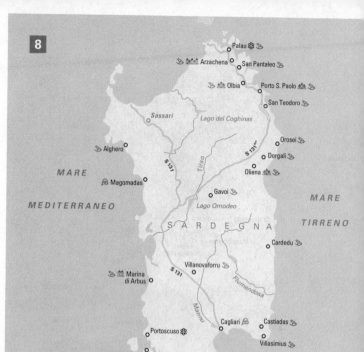

8

Palau

Arzachena San Pantaleo

Olbia Porto S. Paolo

San Teodoro

Sassari *Lago del Coghinas*

Orosei

S 131^{dir} Dorgali

Alghero *Tirso* Oliena

Magomadas

Gavoi

Lago Omodeo *MARE*

MARE *TIRRENO*

MEDITERRANEO S A R D E G N A

Cardedu

Villanovaforru S 131

Flumendosa

Marina
di Arbus *Mannu*

Cagliari Castiadas

Portoscuso Villasimius

Calasetta

Pula

Eolie (Isole)

Messin

Mondello *A 20* *A 18*

Palermo Galati Mamertino

Sta Flavia Taormina

Monreale Piano Zucchi *Simeto* Giardini-
Naxos

A 29 Villafrati Trecastagni

S I C I L I A Nicolosi S. Giovanni
la Punta

A 19 Catania

A 29 Menfi Enna

Mazara del Vallo *Platani* *Dittaino*

Sciacca

Agrigento *Salso* Siracusa

MARE Chiaramonte Gulfi

TIRRENO Ragusa

Località _____

Localités _____

Ortsverzeichnis _____

Places _____

ABANO TERME 35031 Padova **429** F 17 G. Italia – 18 577 ab. alt. 14 – Stazione termale, a.s. aprile-ottobre e Natale.

🛈 via Pietro d'Abano 18 ℰ 049 8669055, Fax 049 8669053.

Roma 485 ③ – Padova 11 ① – Ferrara 69 ③ – Milano 246 ① – Rovigo 35 ③ – Venezia 56 ① – Vicenza 44 ①.

Pianta pagina a lato

Grand Hotel Terme Abano Ⓜ ॐ, via Valerio Flacco 1 ℰ 049 8248100, ghabano@gbhotels.it, Fax 049 8669994, Centro benessere, « Parco-giardino con piscine termali », ₤₅, ☎, 🔄, 🛉 – 🕸 ♦ ≡ 🖭 🚗. 🕮 🕦 🐠 𝘝𝘐𝘚𝘈, ※
Pasto carta 75/110000 – **189 cam** ☲ 250/400000, 8 suites – ½ P 290000.   BY h

Bristol Buja, via Monteortone 2 ℰ 049 8669390, Fax 049 667910, Centro benessere, « Giardino-pineta con 🔄 termale », ₤₅, ☎, 🔄, ※, 🛉 – 🕸 ⇆ ≡ 🖭 & 🅿 – 🕿 100. 🕮 🕦 🐠 𝘝𝘐𝘚𝘈, ※ rist
chiuso sino al 17 febbraio – **Pasto** 60/70000 – ☲ 20000 – **128 cam** 160/240000, 13 suites – ½ P 210000.   AY g

President, via Montirone 31 ℰ 049 8668288, president@presidentterme.it, Fax 049 667909, ₤₅, ☎, 🔄 termale, 🔄, 🛲, 🛉 – 🕸 ≡ 🖭 🚗 🅿. 🕮 🕦 🐠 𝘝𝘐𝘚𝘈 𝘑𝘊𝘉. ※ rist
Pasto 60/70000 – ☲ 25000 – **103 cam** 165/270000, 7 suites – ½ P 210000.   AY f

Ritz, via Monteortone 19 ℰ 049 8669990, ritz@ritz.it, Fax 049 667549, Centro benessere, ₤₅, ☎, 🔄 termale, 🔄, 🛲, 🛉 – 🕸 ≡ 🖭 & 🅿 – 🕿 80. 🕮 🕦 🐠 𝘝𝘐𝘚𝘈, ※   AY f
Pasto 55000 – **141 cam** ☲ 175/310000, 12 suites – ½ P 185000.

Trieste e Victoria, via Pietro d'Abano 1 ℰ 049 8669101, trieste@gbhotels.it, Fax 049 8669779, Centro benessere, « Parco-giardino con 🔄 termale », ₤₅, ☎, 🔄, ※, 🛉 – 🕸 ≡ 🖭 🕦 🐠 𝘝𝘐𝘚𝘈, ※
chiuso sino al 17 marzo – **Pasto** 60000 – **113 cam** ☲ 250/300000, 11 suites – ½ P 205000.   AZ v

Metropole, via Valerio Flacco 99 ℰ 049 8619100, Fax 049 8600935, Centro benessere, « Giardino con 🔄 termale e minigolf », ₤₅, ☎, 🔄, ※, 🛉 – 🕸 ≡ 🖭 & 🅿. 🕮 🕦 🐠 𝘝𝘐𝘚𝘈, ※ rist
chiuso dal 7 gennaio al 2 marzo – **Pasto** 75000 – **143 cam** ☲ 160/230000, 24 suites.   BZ f

Savoia, via Pietro d'Abano 49 ℰ 049 8231111, Fax 049 667777, Centro benessere, « Parco-giardino », ₤₅, ☎, 🔄 termale, 🔄, ※, 🛉 – 🕸 ⇆ cam, ≡ 🖭 🕻 & 🅿 – 🕿 100. 🕮 🕦 🐠 𝘝𝘐𝘚𝘈, ※ rist
chiuso dal 6 gennaio all'11 marzo – **Pasto** (solo per alloggiati) 50000 – ☲ 20000 – **200 cam** 190/235000, 24 suites – ½ P 180000.   AZ q

La Residence ॐ, via Monte Ceva 8 ℰ 049 8247777, laresidence@gbhotels.it, Fax 049 8668396, Centro benessere, « Parco-giardino ombreggiato con 🔄 termale e ※ », ₤₅, ☎, 🔄, 🛉 – 🕸 ⇆ ≡ 🖭 & 🅿 – 🕿 40. 🕮 🕦 🐠 𝘝𝘐𝘚𝘈, ※ rist
27 febbraio-19 novembre – **Pasto** 60000 – **112 cam** ☲ 175/260000, 9 suites – ½ P 175000.   AY d

Tritone, via Volta 31 ℰ 049 8668099, Fax 049 8668101, Centro benessere, « Parco-giardino con 🔄 termale », ₤₅, ☎, 🔄, ※, 🛉 – 🕸 ≡ 🖭 & 🅿. 🕮 🕦 🐠 𝘝𝘐𝘚𝘈, ※ rist   BZ e
Pasto 55000 – ☲ 35000 – **113 cam** 160/245000 – ½ P 195000.

Due Torri, via Pietro d'Abano 18 ℰ 049 8669277, duetorri@gbhotels.it, Fax 049 8669927, « Giardino-pineta », 🔄 termale, 🔄, 🛉 – 🕸 ≡ 🖭 & 🚗 🅿. 🕮 🕦 🐠 𝘝𝘐𝘚𝘈, ※   AZ b
chiuso sino a marzo – **Pasto** 55000 – ☲ 20000 – **77 cam** 140/200000, 3 suites – ½ P 165000.

Mioni Pezzato, via Marzia 34 ℰ 049 8668377, termemionipezzato@tin.it, Fax 049 8669338, « Parco-giardino con 🔄 termale », ₤₅, ☎, 🔄, ※, 🛉 – 🕸 ≡ 🖭 🅿. 🕮 🕦 🐠 𝘝𝘐𝘚𝘈, ※ rist
11 marzo-18 novembre – **Pasto** 60000 – **152 cam** ☲ 135/250000, 13 suites – ½ P 145000.   AZ u

Ariston Molino, via Augure 5 ℰ 049 8669061, aristonmolino@aristonmolino.it, Fax 049 8669153, « Giardino con 🔄 termale », ₤₅, ☎, 🔄, ※, 🛉 – 🕸 ≡ 🖭 🅿 – 🕿 60. 🕮 🕦 🐠 𝘝𝘐𝘚𝘈, ※ rist
marzo-novembre – **Pasto** (solo per alloggiati) 60000 – ☲ 25000 – **175 cam** 160/280000 – ½ P 160000.   AZ n

Panoramic Hotel Plaza, piazza Repubblica 23 ℰ 049 8669333, info@plaza.it, Fax 049 8669379, Centro benessere, « Giardino con 🔄 termale », ₤₅, ☎, 🔄, 🛉 – 🕸 ≡ 🖭 🅿. 🕮 🕦 🐠 𝘝𝘐𝘚𝘈, ※ rist
chiuso dal 10 gennaio a febbraio – **Pasto** 45/55000 – ☲ 15000 – **133 cam** 100/170000, ≡ 9000 – ½ P 145000.   BY c

Reve Monteortone, via Santuario 2 ℰ 049 8243555, nuovoreve@tiscalinet.it, Fax 049 8669042, « Parco-giardino con 🔄 termale e Kinderheim », ₤₅, ☎, 🔄, ※, 🛉 – 🕸 ≡ 🖭 🅿. 🕮 🕦 𝘝𝘐𝘚𝘈, ※ rist   1 km per via Monteortone AY
chiuso dal 7 al 21 gennaio – **Pasto** 40000 – ☲ 15000 – **103 cam** 100/240000, 10 suites – ½ P 155000.

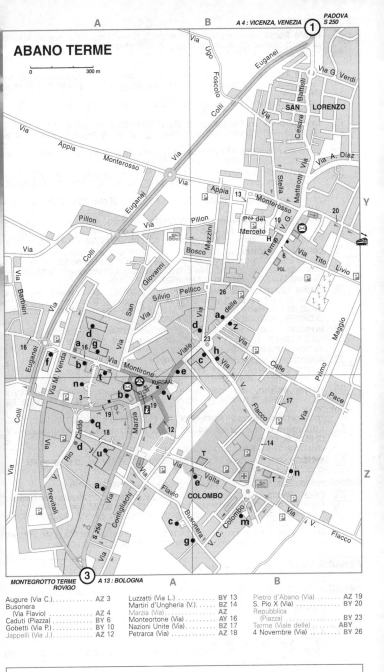

ABANO TERME

Augure (Via C.)	AZ	3
Busonera		
(Via Flavio)	AZ	4
Caduti (Piazza)	BY	6
Gobetti (Via P.)	BY	10
Jappelli (Via J.)	AZ	12
Luzzatti (Via L.)	BY	13
Martiri d'Ungheria (V.)	BZ	14
Marzia (Via)	AZ	
Monteortone (Via)	AY	16
Nazioni Unite (Via)	BZ	17
Petrarca (Via)	AZ	18
Pietro d'Abano (Via)	AZ	19
S. Pio X (Via)	BY	20
Repubblica		
(Piazza)	BY	23
Terme (Viale delle)	ABY	
4 Novembre (Via)	BY	26

Don't get lost, use **Michelin Maps** which are kept up to date.

🏨 **Terme Roma,** viale Mazzini 1 ☎ 049 8669127, *roma@termeroma.it, Fax 049 8630211*, 🏋, ♨, 🏊 termale, [🏊], 🌳, ⚕ – |⇅| ▤ [TV] ♿ [P]. [AE] [S] [DC] [MC] VISA. 🚫🐕 rist BY d
chiuso da gennaio al 23 febbraio e dal 26 novembre al 20 dicembre – **Pasto** (solo per alloggiati) 40000 – **87 cam** ☕ 130/200000 – ½ P 110000.

🏨 **Terme Astoria,** piazza Cristoforo Colombo 1 ☎ 049 8601530, *info@abanoastoria.com, Fax 049 8600730*, « Giardino con 🏊 termale », 🏋, ♨, [🏊], 🎾, ⚕ – |⇅| ▤ [TV] [P]. [AE] [S] [DC] [MC] VISA JCB. 🚫🐕 BZ m
chiuso dal 3 dicembre al 26 febbraio – **Pasto** (solo per alloggiati) 40000 – ☕ 18000 – **93 cam** 115/150000 – ½ P 135000.

🏨 **Smeraldo** 🕊, via Flavio Busonera 174 ☎ 049 8669555, *smeraldo@smeraldoterme.it, Fax 049 8669752*, « Giardino con 🏊 termale », [🏊], 🎾, ⚕ – |⇅|, ▤ rist, [TV] [P]. [AE] [S] [DC] [MC] VISA. 🚫🐕 rist ABZ c
chiuso dal 7 gennaio al 17 febbraio e dal 25 novembre al 20 dicembre – **Pasto** (solo per alloggiati) 35/45000 – **132 cam** ☕ 110/180000 – ½ P 135000.

🏨 **Harrys' Terme,** via Marzia 50 ☎ 049 667011, *harrys@harrys.it, Fax 049 8668500*, « Grande giardino ombreggiato con 🏊 termale », 🏋, [🏊], 🎾, ⚕ – |⇅| ▤ [TV] [P]. [AE] [S] [DC] [MC] VISA. 🚫🐕 rist AZ a
15 febbraio-novembre – **Pasto** 40000 – ☕ 12000 – **66 cam** 100/150000, ▤ 6000 – ½ P 115000.

🏨 **Verdi** 🕊, via Flavio Busonera 200 ☎ 049 667600, *info@abanoverdi.com, Fax 049 667025*, ♨, 🏊 termale, [🏊], 🌳, ⚕ – |⇅|, ▤ rist, [TV] [P]. [AE] [S] [DC] [MC] VISA. 🚫🐕 ABZ g
Pasto (solo per alloggiati) 35000 – ☕ 15000 – **121 cam** 125/180000 – ½ P 115000.

🏨 **Columbia Terme,** via Augure 15 ☎ 049 8669606, *columbia@columbiaterme.it, Fax 049 8669430*, 🏊 termale, [🏊], 🌳, ⚕ – |⇅|, ▤ rist, [TV] [P]. [AE] [S] [DC] [MC] VISA. 🚫🐕 rist
chiuso dal 7 gennaio al 23 febbraio e dal 25 novembre al 20 dicembre – **Pasto** (solo per alloggiati) 35/45000 – **108 cam** ☕ 110/180000 – ½ P 135000. AY b

🏨 **Terme Patria,** viale delle Terme 56 ☎ 049 8617444, *patria@termepatria.it, Fax 049 8617477*, 🏋, ♨, 🏊 termale, [🏊], 🌳, 🎾, ⚕ – |⇅| ▤ [TV] [P]. 🚫🐕 rist BY a
chiuso dal 5 gennaio a febbraio e dal 1° al 20 dicembre – **Pasto** 40/45000 – ☕ 12000 – **95 cam** 90/130000, suite, ▤ 10000 – ½ P 95000.

🏨 **Principe,** viale delle Terme 87 ☎ 049 8600844, *info@principeterme.com, Fax 049 8601031*, 🏋, ♨, 🏊 termale, [🏊], 🌳, ⚕ – |⇅|, ▤ rist, [TV] [P]. [S] [MC] VISA. 🚫🐕 rist
marzo-novembre – **Pasto** 45000 – **70 cam** ☕ 105/190000 – ½ P 95000. BY z

🏨 **Atlantic,** via Monteortone 66 ☎ 049 8669015, *hatlanti@tin.it, Fax 049 8669188*, 🏋, 🏊 termale, [🏊], 🌳, ⚕ – |⇅| [TV] [P]. [S] [MC] VISA. 🚫🐕 per via Monteortone AY
marzo-novembre – **Pasto** 40000 – ☕ 15000 – **56 cam** 95/150000 – ½ P 115000.

🏨 **Terme Milano,** viale delle Terme 169 ☎ 049 8669444, *milano@termemilano.it, Fax 049 8630244*, 🏊 termale, [🏊], 🌳, 🎾, ⚕ – |⇅|, ▤ rist, [TV] ♿ [P]. [AE] [S] [DC] [MC] VISA. 🚫🐕 rist AY e
chiuso gennaio e febbraio – **Pasto** 45000 – ☕ 12000 – **91 cam** 120/200000 – ½ P 110000.

🍴🍴 **Aubergine,** via Ghislandi 5 ☎ 049 8669910, *Fax 049 667779*, Rist. e pizzeria, minigolf – [P]. [AE] [S] [DC] [MC] VISA JCB AZ d
chiuso mercoledì – **Pasto** carta 50/70000.

🍴🍴 **Victoria,** via Monteortone 30 ☎ 049 667684, *Fax 049 667684* – ▤. [AE] [S] [DC] [MC] VISA. 🚫🐕
chiuso lunedì – **Pasto** specialità di mare carta 40/85000. AY a

a Monterosso *Ovest : 3 km per via Appia Monterosso* AY – ✉ *35031 Abano Terme :*

🍴🍴 ✿ **Casa Vecia,** via Appia 130 ☎ 049 8600138, *ristorantecasavecia@libero.it, Fax 049 8601859*, 🏡, Coperti limitati; prenotare – [AE] [S] [DC] [MC] VISA JCB. 🚫🐕
chiuso dal 25 dicembre al 2 gennaio, agosto, domenica sera e lunedì – **Pasto** 70/90000 e carta 65/100000
Spec. Spuma di pomodoro fresco e burrata in salsa di basilico. Insalata di spaghetti alla chitarra verdi alla crema d'avocado e cacio ricotta. Degustazione di formaggi.

ABBADIA ISOLA *Siena – Vedere Monteriggioni.*

ABBADIA SAN SALVATORE *53021 Siena* [430] N 17 *G. Toscana – 6 890 ab. alt. 825 – Sport invernali : al Monte Amiata : 1 270/1 738 m* 🚡 *2* ⛷ *5,* ⛷.
ℹ *via Adua 25* ☎ *0577 775811, Fax 0577 775877.*
Roma 181 – Siena 73 – Firenze 143 – Grosseto 80 – Orvieto 65 – Viterbo 82.

🏨 **K 2** 🕊, via del Laghetto 15 ☎ 0577 778609, *kappa2@amiatanet.it, Fax 0577 776337*, ← – [TV] [P] – 🏢 100. [AE] [S] [MC] VISA. 🚫🐕
chiuso dal 2 al 15 novembre – **Pasto** *(chiuso giovedì)* carta 40/50000 – ☕ 8000 – **16 cam** 100/150000 – ½ P 120000.

ABBAZIA *Vedere nome proprio dell'abbazia.*

ABBIATEGRASSO 20081 Milano 428 F 8 – 27 798 ab. alt. 120.

Roma 590 – Alessandria 80 – Milano 24 – Novara 29 – Pavia 33.

🏠 **Italia** senza rist piazza Castello 31 ℘ 02 9462871, Fax 02 9462851 – 📳 🗏 📺. 🕭 🕄 ⓪ 🐠
VISA JCB
chiuso agosto – ☲ 10000 – **39 cam** 120/160000.

XX **Il Ristorante di Agostino Campari,** via Novara 81 ℘ 02 9420329, Fax 02 9421216,
🕭 – 🗏 🄿. 🕭 🕄 ⓪ 🐠 VISA
chiuso dal 10 al 28 agosto e lunedì – **Pasto** specialità carrello di arrosti e bolliti carta
55/75000.

a Cassinetta di Lugagnano Nord : 3 km – ✉ 20081 :

XXXX **Antica Osteria del Ponte,** piazza G. Negri 9 ℘ 02 9420034, Fax 02 9420610, 🕭,
❀❀ Coperti limitati; prenotare – 🗏 🄿. 🕭 🕄 ⓪ 🐠 VISA. ❀
chiuso dal 25 dicembre al 12 gennaio, agosto, domenica e lunedì – **Pasto** 180000 e carta
120/230000
Spec. Gamberi di San Remo marinati con cipollotto fresco e caviale Oscetra. Rigatoni in
salsa di gallinella di scoglio, pomodorini e basilico (aprile-settembre). Pollanca nostrana
steccata con tartufo nero di Norcia cotta nel suo consommé ristretto (gennaio-aprile).

ABETONE 51021 Pistoia 428, 429, 430 J 14 G. Toscana – 718 ab. alt. 1 388 – a.s. Pasqua, 29
luglio-agosto e Natale – Sport invernali : 1 388/1 892 m ⳤ 3 ⳑ 14, ⳡ.
🖪 piazzale delle Piramidi ℘ 0573 60231, Fax 0573 60232.
Roma 361 – Pisa 85 – Bologna 109 – Firenze 90 – Lucca 65 – Milano 271 – Modena 96 –
Pistoia 51.

🏛 **Bellavista,** via Brennero 383 ℘ 0573 60028, Fax 0573 60245, ≼ – 📳 📺 ⴄ 🄿. 🕭 🕄 🐠
VISA. ❀
15 dicembre-15 aprile e 15 giugno-15 settembre – **Pasto** 30/40000 – **42 cam** ☲ 170/
200000 – ½ P 150000.

🏠 **Regina,** via Uccelliera 5 ℘ 0573 60257, albergo@hotmail.com, Fax 0573 60007, ≼ – 📳 📺
🄿. 🕭 🕄 ⓪ 🐠 VISA. ❀ rist
dicembre-aprile e luglio-settembre – **Pasto** 30/35000 – ☲ 10000 – **26 cam** 120/160000 –
½ P 125000.

XX **Da Pierone,** via Brennero 556 ℘ 0573 60068, ≼ – 🕭 🕄 ⓪ 🐠 VISA. ❀
chiuso dal 15 al 30 giugno, dal 10 al 30 ottobre e giovedì (escluso dal 23 dicembre al
2 gennaio e dal 15 luglio a settembre) – **Pasto** carta 40/60000.

a Le Regine Sud-Est : 2,5 km – ✉ 51020 :

🏠 **Da Tosca,** via Brennero 85 ℘ 0573 60317, Fax 0573 60317, ≼ – 📺 🄿. 🕄 ⓪ VISA. ❀
10 dicembre-15 aprile e luglio-15 settembre – **Pasto** carta 35/45000 – ☲ 10000 – **13 cam**
75/130000 – ½ P 95000.

ABTEI = Badia.

ACERENZA 85011 Potenza 431 E 29 – 3 002 ab. alt. 833.
Roma 364 – Potenza 40 – Bari 120 – Foggia 89 – Napoli 186.

🏠 **Il Casone** ⳤ, località Bosco San Giuliano Nord-Ovest : 6 km ℘ 0971 741141,
Fax 0971 741059, ❀ – 🗏 rist, 📺 ⴄ 🄿. 🕄 ⓪ 🐠 VISA. ❀
Pasto 35/40000 – **18 cam** ☲ 60/110000 – ½ P 75000.

ACI CASTELLO Catania 432 O 27 – Vedere Sicilia alla fine dell'elenco alfabetico.

ACILIA 00125 Roma 430 Q 19 – alt. 50.
Roma 18 – Anzio 45 – Civitavecchia 65.

X **Cavalieri del Buongusto,** via di Acilia 172 ℘ 06 52353889, Fax 06 52353889, Rist. e
pizzeria – 🕭 🕄 🐠 VISA. ❀
chiuso mercoledì/**Pasto** carta 45/85000.

ACIREALE Catania 432 O 27 – Vedere Sicilia alla fine dell'elenco alfabetico.

ACI TREZZA Catania 432 O 27 – Vedere Sicilia (Aci Castello) alla fine dell'elenco alfabetico.

ACQUAFREDDA Potenza 431 G 29 – Vedere Maratea.

ACQUALAGNA 61041 Pesaro e Urbino **429**, **430** L 20 – 4 103 ab. alt. 204.
Roma 247 – Rimini 89 – Ancona 95 – Gubbio 41 – Pesaro 54.

XX **Il Vicolo**, corso Roma 39 ℘ 0721 797145, Fax 0721 797145 – 🗏. 🗚 🖪 ⓞ ⓞ 🚾. ⬱
chiuso dal 7 al 17 gennaio, luglio e martedì – **Pasto** carta 60/120000.

ACQUANEGRA SUL CHIESE 46011 Mantova **428**, **429** G 13 – 2 871 ab. alt. 32.
Roma 488 – Parma 50 – Brescia 51 – Cremona 35 – Mantova 32 – Milano 131.

verso Calvatone Sud : 2 km

X **Trattoria al Ponte**, via Ponte Oglio 1312 ✉ 46011 ℘ 0376 727182, Fax 0376 727182
prenotare – 🗏 🅿. 🖪 ⓞ ⓞ 🚾. ⬱
chiuso gennaio, dal 16 agosto all'8 settembre, lunedì e martedì – **Pasto** carta 50/75000 .

ACQUAPARTITA Forlì-Cesena **429** K 18 – Vedere Bagno di Romagna.

ACQUARIA Modena **430** J 14 – Vedere Montecreto.

ACQUASANTA TERME 63041 Ascoli Piceno **430** N 22 – 3 451 ab. alt. 392 – Stazione termale
a.s. luglio-settembre.
Roma 157 – Ascoli Piceno 19 – Ancona 138 – L'Aquila 95 – Pescara 114 – Teramo 53.

🏠 **Il Passo**, piazza Terme 9 ℘ 0736 802755, Fax 0736 802446, 🏤, 🐎 – 🛗 🗏 🗀 🖪 🗚 🖪 ⓞ
ⓞ 🚾. ⬱
chiuso dal 23 al 29 dicembre – **Pasto** (solo per alloggiati) – **14 cam** ⇌ 90/130000.

ACQUASPARTA 05021 Terni **430** N 19 – 4 533 ab. alt. 320.
Roma 111 – Terni 22 – Orvieto 61 – Perugia 61 – Spoleto 24 – Viterbo 70.

🏠 **Villa Stella** senza rist, via Marconi 37 ℘ 0744 930758, Fax 0744 930063, 🐎 – 🗀 🅿. 🖪 ⓞ
ⓞ 🚾. ⬱
aprile-settembre – ⇌ 5000 – **10 cam** 75/100000.

ACQUAVIVA Livorno – Vedere Elba (Isola d') : Portoferraio.

ACQUI TERME 15011 Alessandria **428** H 7 – 20 209 ab. alt. 164 – Stazione termale.
🅱 corso Italia (Torre Civica) ℘ 0144 322142, Fax 0144 329054.
Roma 573 – Alessandria 35 – Genova 74 – Asti 47 – Milano 130 – Savona 59 – Torino 106.

XX **La Schiavia**, vicolo della Schiavia ℘ 0144 55939, solo su prenotazione, ⏢ – 🗚 🖪 ⓞ 🚾
chiuso dal 9 al 25 agosto e domenica – **Pasto** 40/60000 (a mezzogiorno) 50/80000 (alla sera
e carta 60/85000.

XX **Cappello**, strada Visone 64 (Est : 2 km) ℘ 0144 356340, Fax 0144 356340, 🏤 – 🗏 🅿. 🖪
ⓞ ⓞ 🚾
chiuso dal 20 agosto al 1° settembre, martedì sera e mercoledì – **Pasto** 35000 e carta
50/85000.

XX **Parisio 1933**, via Cesare Battisti 7 ℘ 0144 57034, Fax 0144 57034 – 🗏. 🗚 🖪 ⓞ ⓞ 🚾
Pasto carta 45/85000.

X **Enoteca La Curia**, via alla Bollente 72 ℘ 0144 356049, lacuria@mediacomm.it
Fax 0144 329044, 🏤 – 🗚 🖪 ⓞ ⓞ 🚾
chiuso lunedì – **Pasto** carta 65/110000.

ACRI 87041 Cosenza **431** I 31 – 22 203 ab. alt. 700.
Roma 560 – Cosenza 44 – Taranto 168.

🏠 **Panoramik**, via Seggio 38/E ℘ 0984 954885, Fax 0984 941618, 🏤 – 🛗 🗀 🅿. 🖪 ⓞ 🚾
⬱
Pasto (chiuso venerdì) carta 25/40000 – ⇌ 5000 – **22 cam** 70/90000 – 1/2 P 65000.

ACUTO 03010 Frosinone **430** Q 21 – 1 846 ab. alt. 724.
Roma 77 – Frosinone 36 – Avezzano 99 – Latina 87 – Napoli 180.

XXX **Colline Ciociare**, via Prenestina 27 ℘ 0775 56049, Fax 0775 56049, ≼, Coperti limitati;
❀ prenotare – 🗚 🖪 ⓞ ⓞ 🚾 🚹 ⬱
chiuso dal 1° al 10 settembre, lunedì e martedì a mezzogiorno – **Pasto** 120000 e carta
95/160000
Spec. Sfogliata di patate e animelle brasate con foie gras (autunno-inverno). Spaghetti alla
cipolla rossa e guanciale. Agnello in salsa cacciatora (primavera).

ADRIA *45011 Rovigo* [429] G 18 – *20 653 ab..*
Roma 478 – Padova 60 – Chioggia 33 – Ferrara 55 – Milano 290 – Rovigo 22 – Venezia 64.

🍴 **Molteni** con cam, via Ruzzina 2 ☎ 0426 42520, *Fax 0426 42520,* ☂ – ▤ rist, [TV]. [$] [MC] [VISA]. ✂
Pasto *(chiuso sabato e dal 23 dicembre al 10 gennaio)* carta 45/80000 – ☕ 15000 – **9 cam** 80/130000.

AFFI *37010 Verona* [428] F 14 – *1 840 ab. alt. 191.*
Roma 514 – Verona 25 – Brescia 61 – Mantova 54 – Trento 74.

in prossimità casello autostradale A22 Affi Lago di Garda Sud *Est : 1 km :*

🏨 **Park Hotel Affi** [M], via Crivellin 1 A ✉ 37010 ☎ 045 6266000, *info@parkhotel-affi.com, Fax 045 6266444,* 🏋, ≋ – [‡], ✂ cam, ▤ [TV] 📞 ♿ 🚗 [P] – 🏛 150. [AE] [$] [O] [MC] [VISA]
Pasto carta 60/95000 – **105 cam** ☕ 240/340000, 6 suites – 1/2 P 200000.

AGLIANO *14041 Asti* [428] H 6 – *1 732 ab. alt. 262.*
Roma 603 – Alessandria 43 – Asti 19 – Milano 139 – Torino 79.

🏨 **Fons Salutis** 🌿, via alle Fonti 125 (Ovest : 2 km) ☎ 0141 954018, *Fax 0141 954554,* ☂, « Parco ombreggiato », ⛱, ✝ – [TV] [P]. [AE] [$] [O] [MC] [VISA]. ✂ cam
chiuso dal 9 dicembre al 15 febbraio – **Pasto** carta 45/70000 – ☕ 18000 – **26 cam** 90/140000 – 1/2 P 100000.

🏨 **Dellavalle,** via P. Amedeo 30 ☎ 0141 954020, *Fax 0141 954670,* ≤, « Servizio estivo in terrazza panoramica » – [‡]. [AE] [$] [MC] [VISA]
chiuso gennaio – **Pasto** *(chiuso lunedì)* carta 40/60000 solo buffet la sera – ☕ 10000 – **15 cam** 100/140000 – 1/2 P 90000.

*Un consiglio **Michelin**:*
per la buona riuscita di un viaggio, preparatelo in anticipo.
*Le **carte** e le **guide Michelin** vi danno tutte le indicazioni*
utili su: itinerari, curiosità, sistemazioni, prezzi, ecc.

AGLIENTU *Sassari* [433] D 9 – *Vedere Sardegna alla fine dell'elenco alfabetico.*

AGNANO TERME *Napoli* [431] E 24 – *Vedere Napoli.*

AGNONE *86061 Isernia* [430] Q 25, [431] B 25 – *5 943 ab. alt. 800.*
Roma 220 – Campobasso 86 – Isernia 45.

🏨 **Sammartino,** largo Pietro Micca 44 ☎ 0865 77577, *Fax 0865 78239* – [‡], ▤ rist, [TV]. [AE] [$] [O] [MC] [VISA]. ✂
Pasto carta 30/45000 – **22 cam** ☕ 75/110000 – 1/2 P 80000.

AGORDO *32021 Belluno* [429] D 18 – *4 288 ab. alt. 611.*
Dintorni *Valle del Cordevole★★ Nord-Ovest per la strada S 203.*
[i] *via 27 Aprile 5 ☎ 0437 62105, Fax 0437 65209.*
Roma 646 – Belluno 32 – Cortina d'Ampezzo 59 – Bolzano 85 – Milano 338 – Venezia 135.

🏨 **Erice** 🌿, via 4 Novembre 13/b ☎ 0437 65011, *Fax 0437 62307* – [TV] 🚗 [P]. [AE] [$] [O] [MC] [VISA]. ✂
Pasto *(chiuso lunedì)* carta 35/60000 – ☕ 10000 – **15 cam** 100/120000 – 1/2 P 95000.

AGRATE BRIANZA *20041 Milano* [428] F 10 – *12 783 ab. alt. 162.*
Roma 587 – Milano 23 – Bergamo 31 – Brescia 77 – Monza 7.

🏨 **Colleoni,** via Cardano 2 ☎ 039 68371, *Fax 039 654495,* 🏋 – [‡] ▤ [TV] 🚗 [P] – 🏛 120. [AE] [$] [O] [MC] [VISA]. ✂ rist
Pasto *(chiuso sabato e domenica a mezzogiorno)* carta 75/115000 – ☕ 26000 – **163 cam** 235/290000, 14 suites – 1/2 P 230000.

🍴🍴 **Hostaria la Carbonara,** a Cascina Offelera Sud-Ovest : 3 km ☎ 039 651896, Coperti limitati; prenotare – [P]. [AE] [$] [O] [MC] [VISA]
chiuso dal 24 dicembre al 2 gennaio, agosto, sabato e domenica – **Pasto** carta 55/75000.

AGRIGENTO [P] [432] P 22 – *Vedere Sicilia alla fine dell'elenco alfabetico.*

AGROPOLI 84043 Salerno **431** F 26 – 19 281 ab. – a.s. Pasqua e 15 giugno-15 settembre.

Dintorni Rovine di Paestum★★★ Nord : 11 km.

Roma 312 – Potenza 106 – Battipaglia 33 – Napoli 107 – Salerno 57 – Sapri 110.

Il Ceppo, Sud-Est : 1,5 km ℰ 0974 843044, *info@hotelristoranteilceppo.com*, Fax 0974 843234 – ⊠ ☰ ☎ ⇔ ☞ **P.** ᴁᴇ ⑤ ⓪ ⑳ **VISA**. ⅍
Pasto vedere rist **Il Ceppo** – **5 cam** ⊇ 90/130000, 8 suites 180/220000.

Serenella, via San Marco 140 ℰ 0974 823333, *serenella@oneonline.it*, Fax 0974 825562, ⇐ – ⊠, ☰ rist, ☎ **P.** ᴁᴇ ⑤ ⓪ **VISA**. ⅍ rist
Pasto carta 25/65000 (10 %) – ⊇ 10000 – **36 cam** 100/120000 – ½ P 110000.

Il Ceppo, Sud-Est : 1,5 km ℰ 0974 843036, *info@hotelristoranteilceppo.com*, ☞, Rist. e pizzeria alla sera – ☰ **P.** ᴁᴇ ⑤ ⓪ ⑳ **VISA**. ⅍
chiuso novembre e lunedì – Pasto carta 55/95000.

AGUGLIANO 60020 Ancona **430** L 22 – 3 996 ab. alt. 203.

Roma 279 – Ancona 16 – Macerata 44 – Pesaro 67.

Al Belvedere, piazza Vittorio Emanuele II, 3 ℰ 071 907190, *albelved@tin.it*, Fax 071 908008, ☞ – ⊠ ☎ **P.** ᴁᴇ ⑤ ⓪ ⑳ **VISA**. ⅍
Pasto (chiuso mercoledì) carta 35/50000 – ⊇ 10000 – **18 cam** 75/110000 – ½ P 75000.

AHRNTAL = Valle Aurina.

AIELLI 67040 L'Aquila **430** P 22 – 1 465 ab. alt. 1030.

Roma 127 – L'Aquila 69 – Avezzano 20 – Pescara 98 – Sulmona 43.

Al Castello, via Cipresso 10 ℰ 0863 78347, « Esposizione oggetti di arte e tradizione contadina » – **P.** ᴁᴇ ⑤ ⓪ ⑳ **VISA**
chiuso novembre, martedì e mercoledì – Pasto carta 25/40000.

ALA DI STURA 10070 Torino **219** ⑫ – 501 ab. alt. 1075 – a.s. dicembre-aprile.

Roma 729 – Torino 44 – Balme 7,5 – Milano 177 – Vercelli 117.

Raggio di Sole, via Ceres 7 ℰ 0123 55191, Fax 0123 55313, ⇐ – ⊠ ☎ **P.** – 益 60. ⑤ ⑳ **VISA**
chiuso ottobre – Pasto (chiuso giovedì) carta 35/55000 – ⊇ 10000 – **27 cam** 70/140000 – ½ P 100000.

ALANNO 65020 Pescara **430** P 23 – 3 767 ab. alt. 295.

Roma 188 – Pescara 37 – L'Aquila 84.

Villa Alessandra ⅍ con cam, via Circonterranea 51 ℰ 085 8573108, *villaalessandra@dim midove.com*, Fax 085 8573687, « Servizio estivo in giardino con ⇐ » – ☰ ☎ **P.** ᴁᴇ ⑤ ⓪ ⑳ **VISA**. ⅍
Pasto (chiuso domenica sera e martedì) carta 40/60000 – ⊇ 10000 – **6 cam** 90/140000 – ½ P 100000.

ALASSIO 17021 Savona **428** J 6 – 11 338 ab..

⏏ Garlenda (chiuso mercoledì escluso luglio-agosto) a Garlenda ⊠ 17033 ℰ 0182 580012, Fax 0182 580561, Nord-Ovest : 10 km Y.

🛈 piazza della Libertà 5 ℰ 0182 647027, Fax 0182 647874.

Roma 597 ① – Imperia 23 ② – Cuneo 117 ① – Genova 98 ① – Milano 221 ① – San Remo 47 ② – Savona 52 ① – Torino 160 ①.

Pianta pagina a lato

Spiaggia, via Roma 78 ℰ 0182 643403, Fax 0182 640279, ⇐, « ⤢ in terrazza panoramica », ▲ – ⊠ ☰ ☎ ᴧ ⇔ – 益 80. ᴁᴇ ⑤ ⓪ ⑳ **VISA** **JCB**. ⅍
chiuso dal 24 ottobre al 20 dicembre – Pasto 50/70000 – **85 cam** ⊇ 200/380000 – ½ P 265000.
Z c

Gd H. Diana, via Garibaldi 110 ℰ 0182 642701, *hotel@dianagh.it*, Fax 0182 640304, ⇐, ☞, « Terrazza-giardino ombreggiata », ᴧ, ⇔, ⤢, ▲ – ⊠ ☰ ☎ **P.** – 益 90. ᴁᴇ ⑤ ⓪ **VISA**. ⅍ rist
chiuso dal 6 novembre al 24 dicembre e dal 7 gennaio al 1° febbraio – Pasto carta 60/85000 e al Rist. **A' Marina** (20 maggio-10 ottobre; chiuso la sera) carta 50/75000 – **52 cam** ⊇ 260/400000 – ½ P 260000.
Y a

Savoia, via Milano 14 ℰ 0182 640277, *hosavoia@tin.it*, Fax 0182 640125, ⇐, ▲ – ⊠ ☰ ☎ ᴁᴇ ⑤ ⓪ ⑳ **VISA**. ⅍ rist
chiuso novembre – Pasto carta 50/70000 – ⊇ 20000 – **35 cam** 210/250000 – ½ P 205000.
Y b

ALASSIO

0 _____ 300 m

Baracca (Passeggiata F.)	Y 2
Bosco (Via S. Giovanni)	Z
Boselli (Via)	Z 3
Brennero (Via)	Z
Cadorna (Passeggiata M.llo)	Y 4
Cavour (Via)	Y 6
Chiusetta (Via)	Z 7
Conceria (Via)	Z 8
Dall'Oro (Via Ignazio)	Z 10

Dante Alighieri (Corso)	YZ
Dino Grollero (Passeggiata)	Z 20
Doria (Via)	Y 12
Ferreri (Via Paolo)	Z 13
Garibaldi (Via G.)	Y 15
Gibb (Via)	Y 16
Gioia (Via Flavio)	Z 17
Gramsci (Via A.)	Y 19
Leonardo da Vinci (Via)	Z

Londra (Via)	Z 21
Mazzini (Via G.)	Y
Milano (Via)	Z 23
Milite Ignoto (Via)	Z 24
Partigiani (Piazza)	Y 25
Torino (Via)	Z 27
Verdi (Via G.)	Z 28
Vittorio Veneto (Via)	Z 29
XX Settembre (Via)	Y 31

🏠🏠 **Regina,** viale Hanbury 220 ℰ 0182 640215, *Fax* 0182 660092, ≤, 🏖 – 🛗 ≡ 📺 & 🅿 –
🔊 60. ⚠ 🗓 ⊗ *VISA*. ⛟ rist
Y s
marzo-novembre – **Pasto** 45/60000 – **42 cam** ⊇ 155/285000 – ½ P 200000.

🏠🏠 **Lamberti,** via Gramsci 57 ℰ 0182 642747, *hotellamberti@libero.it, Fax* 0182 642438 – 🛗
≡ 📺 🅿 ⚠ 🗓 ⊙ ⊗ *VISA*. ⛟
Y v
chiuso da ottobre al 18 dicembre – **Pasto** carta 40/70000 – **25 cam** ⊇ 145/230000 –
½ P 150000.

71

🏨 **Dei Fiori**, viale Marconi 78 ℘ 0182 640519, hotel.deifiori@tiscalinet.it, Fax 0182 644116, 🚗 – 🛗 📺 – 🍴 40. 🖭 🖺 ⓪ ⓿ 𝑉𝐼𝑆𝐴. ℘ rist
Pasto 40/55000 – ☲ 18000 – **63 cam** 140/220000 – ½ P 155000.
Y c

🏨 **Beau Sejour**, via Garibaldi 102 ℘ 0182 640303, Fax 0182 646391, ≤, « Servizio rist. estivo in terrazza », 🚗 – 🛗 📺 🅿 🖭 🖺 ⓪ ⓿ 𝑉𝐼𝑆𝐴. ℘ rist
Pasqua-ottobre – **Pasto** 40/60000 – **51 cam** ☲ 150/270000 – ½ P 190000.
Y m

🏨 **Beau Rivage**, via Roma 82 ℘ 0182 640585, Fax 0182 640585, ≤ – ☰ rist, 📺 🅿. 🖭 🖺 ⓪ ⓿ 𝑉𝐼𝑆𝐴. ℘
chiuso dal 15 ottobre al 30 novembre – **Pasto** (solo per alloggiati) 45000 – **20 cam** ☲ 190/240000 – ½ P 170000.
Z c

🏨 **Corso**, via Diaz 28 ℘ 0182 642494, hocorso@tin.it, Fax 0182 642495 – 🛗 📺. 🖭 🖺 ⓪ ⓿ 𝑉𝐼𝑆𝐴. ℘ rist
chiuso dal 5 novembre al 23 dicembre – **Pasto** (solo per alloggiati) 40000 – ☲ 18000 – **45 cam** 135/175000 – ½ P 130000.
Z s

🏨 **Nuovo Suisse**, via Mazzini 119 ℘ 0182 640192, Fax 0182 660267, 🚗 – 🛗 ☰ rist, 📺 🖺 ⓿ 𝑉𝐼𝑆𝐴. ℘
chiuso dal 15 ottobre al 20 dicembre – **Pasto** (solo per alloggiati) carta 30/55000 – ☲ 10000 – **49 cam** 100/160000 – ½ P 160000.
Y d

🏨 **Danio Lungomare**, via Roma 23 ℘ 0182 640683, Fax 0182 640347, ≤, 🌳 – 🛗 ☰ rist, 📺 🖺 ⓿ 𝑉𝐼𝑆𝐴. ℘
chiuso dal 2 novembre e 26 dicembre – **Pasto** carta 35/60000 – **31 cam** ☲ 100/200000 – ½ P 120000.
Z x

🏨 **Eden**, passeggiata Cadorna 20 ℘ 0182 640281, Fax 0182 643037, ≤, 🌳, « Servizio rist. estivo in terrazza », 🚗 – 🛗 📺 🖺 ⓿ 𝑉𝐼𝑆𝐴. ℘ rist
chiuso novembre – **Pasto** (solo per alloggiati) 35/45000 – ☲ 10000 – **29 cam** 170/180000 – ½ P 160000.
Y e

XXXX **Palma**, via Cavour 11 ℘ 0182 640314, Fax 0182 640314, Coperti limitati; prenotare – ☰. 🖭 🖺 ⓪ ⓿ 𝑉𝐼𝑆𝐴 𝐽𝐶𝐵
❀ *chiuso novembre e mercoledi* – **Pasto** 130000 e carta 90/150000
Y x
Spec. Gnocchetti di melanzane con bottarga fresca di branzino. Capesante con foie gras d'anatra, salsa caffè e concassè di patate e mele. Crêpes di pomodoro confit e sorbetto al basilico.

XX **Sail-Inn**, via Brennero 34 ℘ 0182 640232, Fax 0182 640232, 🌳 – ☰. 🖭 🖺 ⓪ ⓿ 𝑉𝐼𝑆𝐴 𝐽𝐶𝐵
chiuso dal 6 gennaio al 6 marzo e lunedi – **Pasto** 35000 (solo a mezzogiorno) e carta 70/110000.
Z a

a Solva Nord : 2 km – ✉ 17021 Alassio :

XX **Liguria**, via Lepanto 1 ℘ 0182 644744, « Servizio estivo in terrazza con ≤ Alassio e baia » – 🅿. 🖭 🖺 ⓿ 𝑉𝐼𝑆𝐴 ℘
chiuso dall'8 novembre all'8 dicembre, mercoledi e dal 15 giugno al 15 settembre anche a mezzogiorno – **Pasto** 60000 e carta 60/95000.

ALATRI 03011 Frosinone 𝟒𝟑𝟎 Q 22 G. Italia – 27 155 ab. alt. 502.
Vedere Acropoli★ : ≤★★ – Chiesa di Santa Maria Maggiore★.
Roma 93 – Frosinone 14 – Avezzano 89 – Latina 65 – Rieti 125 – Sora 39.

X **La Rosetta** 🌊 con cam, via Duomo 37 ℘ 0775 434568, Fax 0775 434568 – 📺. 🖭 🖺 ⓪ ⓿ 𝑉𝐼𝑆𝐴. ℘
chiuso dal 6 al 18 novembre e dal 21 al 28 febbraio – **Pasto** (chiuso martedi) carta 35/50000 – ☲ 7000 – **10 cam** 55/95000 – ½ P 85000.

sulla strada statale 155 Sud : 9,5 km :

XX **Le Tre Stelle**, via dei Campi ✉ 03011 Alatri ℘ 0775 407833, Fax 0775 409048 – ☰ 🅿. – 🍴 160. 🖭 🖺 ⓪ ⓿ 𝑉𝐼𝑆𝐴. ℘
chiuso lunedi – **Pasto** specialità di mare carta 40/60000.

ALBA 12051 Cuneo 𝟒𝟐𝟖 H 6 G. Italia – 29 926 ab. alt. 172.
🛈 piazza Medford 3 ℘ 0173 35833, Fax 0173 363878.
Roma 644 – Cuneo 64 – Torino 62 – Alessandria 65 – Asti 30 – Milano 155 – Savona 99.

🏨 **I Castelli**, corso Torino 14/1 ℘ 0173 361978 e rist. ℘ 0173 364040, info@hotel-icastelli.com, Fax 0173 361974 – 🛗 ☰ 📺 🅿 & 🚗 – 🍴 150. 🖭 🖺 ⓪ ⓿ 𝑉𝐼𝑆𝐴. ℘
Pasto al Rist. **La Castellana** (chiuso dal 6 al 21 agosto, domenica sera e lunedi a mezzogiorno) carta 55/60000 – **84 cam** ☲ 145/200000, 3 suites – ½ P 130000.

🏨 **Savona**, via Roma 1 ℘ 0173 440440 e Rist. ℘ 0173 363475, info@hotelsavona.com, Fax 0173 364312 – 🛗 ☰ 📺 🅿 – 🍴 150. 🖭 🖺 ⓪ ⓿ 𝑉𝐼𝑆𝐴. ℘
Pasto al Rist. **Savona** (chiuso domenica e lunedi a mezzogiorno, solo lunedi a mezzogiorno da ottobre a novembre) carta 35/60000 – ☲ 15000 – **100 cam** 90/130000 – ½ P 115000.

🏨 **Motel Alba** senza rist, corso Asti 5 ℰ 0173 363251, Fax 0173 362990, ⌷ – 📱 🗏 📺 ✵ ঙ
�P – 🏛 150. 🖭 🖪 🛈 🐠 🚾 ᴊᴄʙ.
⌷ 15000 – **94 cam** 110/165000.

🗙🗙 **Il Vicoletto**, via Bertero 6 ℰ 0173 363196, Fax 0173 363196, Coperti limitati; prenotare –
🗏 . 🖭 🖪 🛈 🐠 🚾 . 🕉
⚘ chiuso 25-26 dicembre, dal 15 luglio al 15 agosto e lunedì – **Pasto** carta 70/100000
Spec. Fagottino di Parmigiano con funghi porcini (autunno). Tagliolini al ragù di quaglia.
Piccione al tartufo nero.

🗙🗙 **Daniel's-al Pesco Fiorito**, corso Canale 28 (Nord-Ovest : 1 km) ℰ 0173 441977,
Fax 0173 441977, 🏡 – �P. 🖭 🖪 🛈 🐠 🚾
chiuso dal 23 dicembre al 9 gennaio, dal 27 luglio al 18 agosto e domenica (escluso da
settembre a novembre) – **Pasto** 35/45000 (solo a mezzogiorno) e carta 55/80000.

🗙🗙 **San Cassiano**, località San Cassiano 6 (Sud-Ovest : 2 km) ℰ 0173 281630,
Fax 0173 281630 – �P. 🖭 🖪 🛈 🐠 🚾
chiuso dal 10 luglio al 10 agosto, dal 7 al 20 gennaio, domenica sera e mercoledì – **Pasto**
carta 40/65000.

🗙 **Osteria dell'Arco**, piazza Savona 5 ℰ 0173 363974, Fax 0173 363974, prenotare – 🖭 🖪
🛈 🐠 🚾
chiuso domenica e lunedì a mezzogiorno da dicembre a settembre, solo lunedì in ottobre-
novembre – **Pasto** carta 50/70000.

🗙 **Porta San Martino**, via Einaudi 5 ℰ 0173 362335, Coperti limitati; prenotare – 🖭 🖪 🛈
⚘ 🐠 🚾 ᴊᴄʙ
chiuso dal 25 luglio al 20 agosto, dal 27 dicembre al 5 gennaio e lunedì – **Pasto** 35/70000 (a
mezzogiorno) 50/80000 (la sera) e carta 55/85000.

ALBA Trento 429 C 17 – Vedere Canazei.

ALBA ADRIATICA 64011 Teramo 430 N 23 – 10 313 ab. – a.s. luglio-agosto.
🛈 lungomare Marconi 1 ℰ 0861 711871, Fax 0861 713993.
Roma 219 – Ascoli Piceno 40 – Pescara 57 – Ancona 104 – L'Aquila 110 – Teramo 37.

🏨 **Eden**, lungomare Marconi 328 ℰ 0861 714251, heden@advcom.it, Fax 0861 713785, ≤,
⌷, 🐜, 🍴, 🗙 – 📱 🗏 📺 ঙ �P. 🖭 🖪 🛈 🐠 🚾 . 🕉
aprile-settembre – **Pasto** 40/60000 – ⌷ 20000 – **56 cam** 120/180000 – ½ P 150000.

🏨 **Doge**, lungomare Marconi 292 ℰ 0861 712508, info@hotedoge.it, Fax 0861 711862, ≤,
⌷, 🐜 – 📱, 🗏 rist, 📺 ঙ ⇄ 📟 🖭 🖪 🛈 🐠 🚾 . 🕉 rist
15 maggio-15 settembre – **Pasto** (solo per alloggiati) 25000 – ⌷ 10000 – **60 cam** 130/
220000 – ½ P 130000.

🏨 **Meripol**, lungomare Marconi 290 ℰ 0861 714744, info@hotelmeripol.it, Fax 0861 752292,
≤, ⌷, 🐜 – 📱 🗏 📺 ঙ �P 🖭 🖪 🛈 🐠 🚾 . 🕉 rist
aprile-settembre – **Pasto** (solo per alloggiati) – **58 cam** ⌷ 150/240000 – ½ P 185000.

🏨 **Impero**, lungomare Marconi 162 ℰ 0861 712422, Fax 0861 751615, ≤, ⌷, 🐜, 🍴 – 📱
🗏 📺 �P. 🖭 🖪 🐠 🚾 . 🕉 rist
maggio-settembre – **Pasto** (solo per alloggiati) 35000 – **60 cam** 110/150000, 🗏 6000 –
½ P 140000.

🏨 **La Pergola** senza rist, via Emilia 19 ℰ 0861 711068, Fax 0861 711068, 🐜 – 📱 🗏 📺 ঙ
�P. 🖭 🖪 🛈 🐠 🚾 . 🕉
aprile-settembre – **10 cam** ⌷ 90/160000.

🏨 **Riccione**, viale della Vittoria 257 ℰ 0861 712337, Fax 0861 710489, ⌷, 🐜, 🗙 – 📱 📺 �P.
🖭 🖪 🛈 🐠 🚾 . 🕉 rist
28 maggio-20 settembre – **Pasto** (solo per alloggiati) – **70 cam** ⌷ 100/180000 –
½ P 115000.

🗙🗙 **Mediterraneo**, viale Mazzini 148 ℰ 0861 752000, Fax 0861 752000 – 🖭 🖪 🛈 🐠 🚾
chiuso dal 15 al 31 dicembre, domenica sera e lunedì – **Pasto** specialità di mare carta
40/95000.

ALBAREDO D'ADIGE 37041 Verona 429 G 15 – 5 028 ab..
Roma 494 – Verona 35 – Mantova 51 – Padova 71 – Vicenza 42.

a Coriano Veronese Sud : 5 km – ✉ 37050 :

🗙🗙 **Locanda Arcimboldo** con cam, via Gennari 5 ℰ 045 7025300, Fax 045 7025201, 🏡 ,
🍴 – 🗏 📺 �P. 🖭 🖪 🛈 🐠 🚾
Pasto (chiuso dal 10 al 20 gennaio, dal 5 al 25 agosto, lunedì e martedì a mezzogiorno)
carta 45/70000 – **1 cam** ⌷ 130000, 3 suites 130/150000 – ½ P 110000.

ALBAVILLA 22031 Como 428 E 9, 219 ⑨ – 5 950 ab. alt. 331.

Roma 628 – Como 11 – Lecco 20 – Milano 48 – Varese 38.

XXX **Il Cantuccio**, via Dante 36 ℰ 031 628736, cantuccio@foresti.com, Fax 031 627189, Co
perti limitati; prenotare – 🗟 🐠 𝑉𝐼𝑆𝐴. ⅍
chiuso lunedì e martedì a mezzogiorno – **Pasto** carta 80/120000.

ALBENGA 17031 Savona 428 J 6 G. Italia – 22 688 ab..

Vedere Città vecchia★.

🄳 viale Martiri della Libertà 1 ℰ 0182 558444, fax 0182 558740.

Roma 589 – Imperia 32 – Cuneo 109 – Genova 90 – Milano 213 – San Remo 57 – Savona 44

🏠 **Sole Mare**, lungomare Cristoforo Colombo 15 ℰ 0182 51817, Fax 0182 545212 – 📺. 🄰
🗟 🐠 𝑉𝐼𝑆𝐴 𝐽𝐶𝐵. ⅍ rist
chiuso dal 3 novembre al 26 dicembre – **Pasto** (chiuso lunedì e martedì a mezzogiorno
carta 50/70000 – **24 cam** ⊒ 140/220000 – ½ P 140000.

XX **Pernambucco**, viale Italia 35 (Parco Minisport) ℰ 0182 53458, Fax 0182 53458 – ▤. 🄰
🗟 🐠 𝑉𝐼𝑆𝐴
chiuso dal 1° al 15 ottobre e mercoledì (escluso da giugno a settembre) – **Pasto** specialità di
mare carta 80/130000.

XX **Antica Osteria dei Leoni**, via M. Lengueglia 49 ℰ 0182 51937, Coperti limitati; preno
tare – ▤. 🄰🄴 🗟 𝑉𝐼𝑆𝐴 𝐽𝐶𝐵. ⅍
chiuso lunedì – **Pasto** carta 75/115000.

X **Vento di Greco**, lungomare Doria ℰ 0182 541637, ≼, Coperti limitati; prenotare – ▤. 🄰
🗟 ⓪ 🐠 𝑉𝐼𝑆𝐴 𝐽𝐶𝐵. ⅍
chiuso dall'8 al 28 agosto, dal 24 dicembre al 7 gennaio e lunedì – **Pasto** specialità di mare
carta 55/90000.

a Salea Nord-Ovest : 5 km – ⊠ 17031 :

🏠🏠 **Cà di Berta** ⧆, località Cà di Berta ℰ 0182 559930, Fax 0182 559888, ⊐ – 🛗 ▤ 📺 🄿. 🄰
🗟 ⓪ 🐠 𝑉𝐼𝑆𝐴. ⅍
chiuso novembre – **Pasto** al Rist. *Carlotta* (chiuso mercoledì) carta 80/130000 – ⊒ 30000 –
5 cam 300000, 5 suites 400000 – ½ P 250000.

ALBEROBELLO 70011 Bari 431 E 33 G. Italia – 10 862 ab. alt. 416.

Vedere Località★★★ – Trullo Sovrano★.

Roma 502 – Bari 55 – Brindisi 77 – Lecce 106 – Matera 69 – Taranto 45.

🏠🏠 **Astoria**, viale Bari 11 ℰ 080 4323320, hotelastoria@libero.it, Fax 080 4321290 – 🛗 ▤ 📺
🕭 ← – 🛦 300. 🄰🄴 🗟 ⓪ 🐠 𝑉𝐼𝑆𝐴. ⅍ rist
Pasto (solo per alloggiati) 35/60000 – ⊒ 15000 – **59 cam** 110/170000 – ½ P 130000.

🏠 **Colle del Sole**, via Indipendenza 63 ℰ 080 4321814, colledelsole@libero.it
Fax 080 4321370, 🏠 – 🛗, ← rist, ▤ 📺 🄿. 🄰🄴 🗟 ⓪ 🐠 𝑉𝐼𝑆𝐴. ⅍
Pasto (chiuso venerdì da ottobre a marzo) 20/35000 – ⊒ 10000 – **37 cam** 80/110000 –
½ P 100000.

XXX **Il Poeta Contadino**, via Indipendenza 21 ℰ 080 4321917, ilpoetacontadino@tiscalinet
❀ it, Fax 080 4321917 – ▤. 🄰🄴 🗟 ⓪ 🐠 𝑉𝐼𝑆𝐴. ⅍
chiuso dal 7 al 31 gennaio e lunedì (escluso da luglio a settembre) – **Pasto** 75/85000 e carta
70/100000
Spec. Portafoglio di pesce spada, pane di Altamura e sedano. Gnocchetti con fiori di
zucchina e fagiolini (giugno-settembre). Marretto (involtini di interiora) al forno con patate
e lampascioni (settembre-maggio).

XX **Trullo d'Oro**, via Cavallotti 27 ℰ 080 4323909, Fax 080 4321820, « Cucina tipica in
ambiente caratteristico » – ▤. 🄰🄴 🗟 ⓪ 🐠 𝑉𝐼𝑆𝐴
chiuso dal 3 al 28 gennaio, domenica sera e lunedì – **Pasto** carta 40/75000.

X **L'Aratro**, via Monte San Michele 25/29 ℰ 080 4322789, Fax 080 4322789, « Nel caratteri
🐄 stico agglomerato di trulli del centro storico » – 🄰🄴 🗟 ⓪ 𝑉𝐼𝑆𝐴
chiuso lunedì escluso da giugno a settembre – **Pasto** carta 30/85000.

X **L'Olmo Bello**, via Indipendenza 33 ℰ 080 4323607, Fax 080 4323607, « In una caratteri
🐄 stica casa colonica a trulli », ← – 🄿. 🄰🄴 🗟 ⓪ 🐠 𝑉𝐼𝑆𝐴 𝐽𝐶𝐵. ⅍
chiuso dal 5 al 20 novembre e martedì escluso agosto – **Pasto** carta 30/55000.

| Europe | Se il nome di un albergo è stampato in carattere magro, chiedete al vostro arrivo le condizioni che vi saranno praticate. |

ALBINEA 42020 Reggio nell'Emilia **428**, **429**, **430** I 13 – 7 741 ab. alt. 259.
Roma 438 – Parma 41 – La Spezia 114 – Milano 161 – Modena 40 – Reggio nell'Emilia 15.

🏠 **Viganò** 📞 senza rist, via Garibaldi 17 ℰ 0522 347292, albergovigano@iol.it, Fax 0522 347293, « Parco » – 🗐 📺 ⚄ 🅿 ⚏ 🆎 ⚹ ⓪ ⚏ 𝓥𝓘𝓢𝓐
chiuso dal 12 al 20 agosto – ☲ 15000 – **22 cam** 95/140000.

ALBINIA 58010 Grosseto **430** O 15.
Roma 144 – Grosseto 32 – Civitavecchia 75 – Orbetello 13 – Orvieto 94 – Viterbo 90.

🍴 **Il Pescatore**, località Torre Saline Ovest : 2,5 km ℰ 0564 870085, 🍽 🗐 ⚹ ⚏ 𝓥𝓘𝓢𝓐
10 marzo-2 novembre – **Pasto** specialità di mare carta 45/65000.

ALBINO 24021 Bergamo **428**, **429** E 11 – 16 668 ab. alt. 347.
Roma 621 – Bergamo 14 – Brescia 65 – Milano 67.

🍴🍴 **Il Becco Fino**, via Mazzini 200 ℰ 035 773900, beccofino@libero.it, Fax 035 760892 – 🆎
⚹ ⓪ ⚏ 𝓥𝓘𝓢𝓐 𝓙𝓒𝓑, ⚒
chiuso dall'8 al 15 gennaio, dal 5 al 31 agosto, domenica sera e lunedì – **Pasto** 30/50000 (a mezzogiorno) 65/80000 (la sera) e carta 50/80000.

ALBISANO Verona – Vedere Torri del Benaco.

In questa guida

uno stesso simbolo, una stessa parola
stampati in rosso o in **nero**, in magro o in *grassetto*
hanno un significato diverso.

Leggete attentamente le pagine dell'introduzione.

ALBISSOLA MARINA 17012 Savona **428** J 7 G. Italia – 5 947 ab..
Vedere Parco★ e sala da ballo★ della Villa Faraggiana.
🚩 piazza Sisto IV, 4 ℰ 019 4002008, Fax 019 4003084.
Roma 541 – Genova 43 – Alessandria 90 – Cuneo 103 – Milano 164 – Savona 4,5 – Torino 146.

Pianta : vedere Savona.

🏨 **Garden**, viale Faraggiana 6 ℰ 019 485253, info@hotelgardenalbissola.com, Fax 019 485255, 🍽, « Esposizione permanente d'arte contemporanea », 🏖, 🚅, ⤵ – 🗐 📺 ✆ ⚄ 🚗 – 🏠 60. 🆎 ⚹ ⓪ ⚏ 𝓥𝓘𝓢𝓐, ⚒ rist   CV b
Pasto carta 50/85000 – **34 cam** ☲ 140/220000 – ½ P 160000.

🍴🍴 **Al Cambusiere**, via Repetto 86 ℰ 019 481663, cambusiere@libero.it, Fax 019 486866, 🍽 – 🆎 ⚹ ⓪ ⚏ 𝓥𝓘𝓢𝓐   CV a
chiuso dal 10 al 25 gennaio e lunedì – **Pasto** specialità di mare carta 50/85000.

ad Albisola Superiore Nord : 1,5 km – ✉ 17011 :

🍴🍴 **Au Fùndegu**, via Spotorno 87 ℰ 019 480341, fundegu@libero.it, Fax 019 4005071, 🍽 –
⚹ ⓪ ⚏ 𝓥𝓘𝓢𝓐   CV e
chiuso dal 2 al 15 gennaio, dal 20 al 30 settembre, mercoledì e a mezzogiorno (escluso domenica) – **Pasto** carta 70/100000.

ad Albisola Capo Est : 2 km – ✉ 17011 :

🏠 **Park Hotel**, via Alba Docilia 3 ℰ 019 482355, Fax 019 482355 – 🗐 📺 ⚏ 🚗, 𝓥𝓘𝓢𝓐, ⚒
15 marzo-15 novembre – **Pasto** (solo per alloggiati) 40/50000 – ☲ 15000 – **11 cam** 100/150000 – ½ P 130000.   CV d

---

ALDEIN = Aldino.

ALDINO (ALDEIN) 39040 Bolzano **429** C 16 – 1 670 ab. alt. 1 225.
Roma 628 – Bolzano 34 – Cortina d'Ampezzo 112 – Trento 57.

🍴🍴 **Ploner**, via Dachsweg 1 ℰ 0471 886556, Fax 0471 886556 – ⚒ 🅿 🆎 ⚹ ⓪ ⚏ 𝓥𝓘𝓢𝓐
chiuso dal 12 al 31 gennaio e dal 15 al 30 giugno – **Pasto** 50/85000 e carta 50/90000.

🍴 **Krone** 📞 con cam, piazza Principale 4 ℰ 0471 886825, info@gasthof-krone.it, Fax 0471 886696, 🍽 – 🚗, 🆎 ⚹ ⓪ ⚏ 𝓥𝓘𝓢𝓐
chiuso dal 12 marzo all'8 aprile e dal 1° al 15 dicembre – **Pasto** (chiuso lunedì escluso luglio-agosto) carta 55/75000 – **15 cam** ☲ 110/220000 – ½ P 130000.

ALESSANDRIA 15100 🄿 428 H 7 – 90 289 ab. alt. 95.

🏌 (chiuso lunedi e gennaio) a Fubine ⊠ 15043 ℰ 0131 778555, Fax 0131 778772, per ④ 17,5 km;

🏌 La Serra (marzo-novembre; chiuso lunedi) a Valenza ⊠ 15048 ℰ 0131 954778, Fax 013¹ 928294, per ① : 7 km.

🚩 Santa Maria di Castello 14 ℰ 0131 288095, Fax 0131 317570.

A.C.I. corso Cavallotti 19 ℰ 0131 260553.

Roma 575 ② – Genova 81 ② – Milano 90 ② – Piacenza 94 ② – Torino 91 ④.

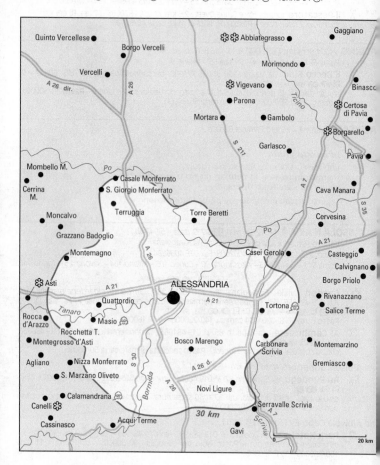

🏯 **Alli Due Buoi Rossi** M, via Cavour 32 ℰ 0131 445252, Fax 0131 445255 – |😫|, ❄️ cam,
📺 📺 🎵 🚗 – 🔬 100. 🕮 🕄 ⓞ 🐿 𝑉𝐼𝑆𝐴. ❄️   Z v
chiuso Natale e dal 29 luglio al 2 settembre – **Pasto** (chiuso dal 25 dicembre all'8 gennaio)
carta 55/95000 – ⊂⊃ 30000 – **50 cam** 255/400000, 5 suites – ½ P 280000.

🏠 **Domus** senza rist, via Castellani 12 ℰ 0131 43305, Fax 0131 232019 – |😫| 📺 📺. 🕮 🕄 🐿
𝑉𝐼𝑆𝐴 𝐽𝐶𝐵   Z t
⊂⊃ 10000 – **27 cam** 125/170000.

XXX **Il Grappolo**, via Casale 28 ℰ 0131 253217, Fax 0131 260046 – 🕮 🕄 ⓞ 🐿 𝑉𝐼𝑆𝐴 𝐽𝐶𝐵.
❄️   Y e
chiuso dal 15 al 24 gennaio, dal 13 al 28 agosto, lunedi sera e martedi – **Pasto** 65000,
75000 bc e carta 45/75000.

76

ALESSANDRIA

Bergamo (Via) . . . . Z 2
Brigata Ravenna
  (Viale) . . . . Z 4
Carducci (Piazza) . . . . Z 3
Carlo Marx (Corso) . . . . Z 6
Casale (Via) . . . . Z 7
Cavallotti (Corso) . . . . Z 8
Crimea (Corso) . . . . Z 9
Dante Alighieri (Via) . . . . Y 10
Fiume (Via) . . . . Y 12
Garibaldi (Piazza) . . . . Z 14

Gobetti (Piazza) . . . . Y 15
Gramsci (Via) . . . . Z 16
Lamarmora (Corso) . . . . Z 18
Libertà (Piazza della) . . . . Y 19
Machiavelli (Via) . . . . YZ 20
Magenta
  (Lungo Tanaro) . . . . Y 21
Marini (Corso Virginia) . . . . . . Y 23
Martiri (Via dei) . . . . Y 24
Morbelli (Via) . . . . Y 26
Pistoia (Via Ernesto) . . . . YZ 27
Pontida (Via) . . . . YZ 28
Roma (Corso) . . . . YZ
S. Dalmazzo (Via) . . . . Y 30

S. Giacomo d. Vittoria (Via) . YZ 31
S. Martino (Lungo Tanaro) . . . Y 32
S. Pio V (Via) . . . . Y 34
S. Caterina da Siena (Via) . . . Y 35
S. Maria di Castello (Via) . . . . Y 36
Savona (Via) . . . . Z 38
Solferino (Lungo Tanaro) . . . . Y 39
Tivoli (Via) . . . . Z 40
Tripoli (Via) . . . . YZ 42
Turati (Piazza) . . . . YZ 43
Valfrè (Piazza) . . . . Z 44
Vittorio Veneto (Piazza) . . . . . Z 45
Vochieri (Via) . . . . Y 46
1821 (Via) . . . . Y 48

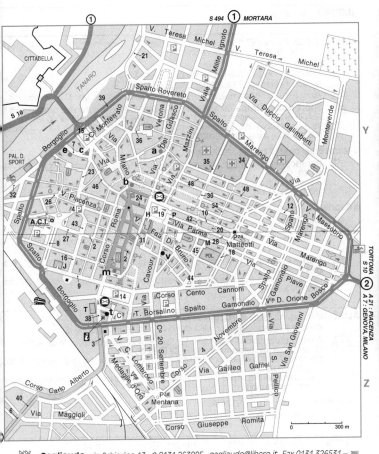

XX **Gagliaudo,** via Schiavina 13 ℘ 0131 263095, gagliaudo@libero.it, Fax 0131 326531 – 🗏.
AE 🕄 ⓞ ⓒⓞ VISA. ⌘   Y a
chiuso dall'8 al 14 gennaio e dal 13 al 31 agosto – **Pasto** carta 50/90000.

XX **La Fermata,** via Vochieri 120 ℘ 0131 251350, prenotare – 🗏. 🕄 ⓒⓞ VISA   Y c
chiuso dal 1° al 15 gennaio, agosto, sabato a mezzogiorno e domenica – **Pasto** carta
40/90000.

XX **L'Arcimboldo,** via Legnano 2 ℘ 0131 52022, Fax 0131 296152 – 🗏. AE 🕄 ⓞ ⓒⓞ VISA JCB
chiuso dal 10 al 20 gennaio agosto, sabato (escluso da novembre a gennaio), domenica e a
mezzogiorno – **Pasto** carta 55/75000.   Z m

X **Il Gallo d'Oro,** via Chenna 44 ℘ 0131 43160 – AE 🕄 ⓒⓞ VISA. ⌘   Y b
⌁ chiuso dall'8 al 15 gennaio, dal 13 al 27 agosto e lunedì – **Pasto** carta 35/60000.

ALFONSINE 48011 Ravenna 429, 430 I 18 – 11 713 ab..

Roma 396 – Ravenna 16 – Bologna 73 – Ferrara 57 – Firenze 133 – Forlì 42 – Milano 283.

XX **Stella** con cam, corso Matteotti 12 ℰ 0544 81148, Fax 0544 81485 – 🗐 🖸 🕾. 🖭 🕃 ⓪
⊜ 🚇 💳 💳 ⅏
chiuso dal 1° al 10 gennaio e dal 7 al 28 agosto – **Pasto** *(chiuso sabato)* 40000 bc e carta
35/50000 e al Rist. **Della Rosa** *(chiuso dal 4 al 26 agosto, dal 1° al 10 novembre e sabato)*
45000 bc e carta 35/55000 – 🖙 10000 – **15 cam** 65/85000 – 1/2 P 75000.

ALGHERO Sassari 433 F 6 – Vedere Sardegna alla fine dell'elenco alfabetico.

ALGUND = Lagundo.

ALLEGHE 32022 Belluno 429 C 18 G. Italia – 1 446 ab. alt. 979 – Sport invernali : 1 000/2 100 m ≼ 1
≼ 6, a Caprile ≰ (vedere anche Zoldo Alto).
Vedere *Lago★.*
Escursioni *Valle del Cordevole★★ Sud per la strada S 203.*
🛈 *piazza Kennedy 17 ℰ 0437 523333, Fax 0437 723881.*
Roma 665 – Cortina d'Ampezzo 40 – Belluno 48 – Bolzano 84 – Milano 357 – Venezia 154.

🏛 **Sport Hotel Europa** ⌂, via Europa 10 ℰ 0437 523362, *sporthoteleuropa@dolomiti.it,*
Fax 0437 723906, ≼ lago e monti, 🏖, 🛋 – 📵 🏖 🛠 rist, 🖸 🖭. 🖭 🕃 ⓪ 🚇 💳 ⅏
15 dicembre-aprile e 20 giugno-settembre – **Pasto** carta 55/80000 – 🖙 20000 – **31 cam**
150/200000, 4 suites – 1/2 P 190000.

a Masarè *Sud-Ovest : 2 km – ⊠ 32022 Alleghe :*

🏠 **Barance,** corso Venezia 45 ℰ 0437 723748, Fax 0437 723708, ≼, 🏖 – 🛗 🖸 🕹 🖭. 🕃 ⓪
🚇 💳 ⅏
6 dicembre-Pasqua e 16 giugno-settembre – **Pasto** carta 40/65000 – **26 cam** 🖙 120/
150000 – 1/2 P 140000.

a Caprile *Nord-Ovest : 4 km – ⊠ 32023 :*

🏛 **Alla Posta,** piazza Dogliani 19 ℰ 0437 721171, *hotelposta@sunrise.it,* Fax 0437 721677,
🏖, 🏊, 🛋 – 🛗, 🛠 rist, 🖸 🕹. 🖭 🕃 ⓪ 💳 ⅏ cam
20 dicembre-aprile e 15 giugno-25 settembre – **Pasto** *(chiuso mercoledì)* carta 45/90000 –
🖙 15000 – **60 cam** 110/240000 – 1/2 P 230000.

🏠 **Monte Civetta,** via Nazionale 23 ℰ 0437 721680, Fax 0437 721714, ≼ – 🖸 🖭. 🖭 🕃 ⓪
⊜ 🚇 💳 💳 ⅏ rist
dicembre-aprile e giugno-settembre – **Pasto** *(chiuso lunedì)* carta 35/55000 – **25 cam**
🖙 90/180000 – 1/2 P 130000.

ALMÈ 24011 Bergamo 428 E 10, 219 ⑳ – 5 815 ab. alt. 289.

Roma 610 – Bergamo 9 – Lecco 26 – Milano 49 – San Pellegrino Terme 15.

XXX **Frosio,** piazza Unità 1 ℰ 035 541633, *Fax 035 541633,* prenotare, « In un edificio del
⊛ 17° secolo; servizio estivo in giardino » – 🖭 🕃 ⓪ 🚇 💳
chiuso dal 7 al 14 gennaio, dal 5 al 31 agosto, mercoledì e giovedì a mezzogiorno – **Pasto**
carta 70/110000
Spec. Cannelloni di branzino e vongole (primavera). Risotto con crema al basilico e gamberi
(estate). Polenta morbida con porcini (autunno).

a Paladina *Sud-Ovest : 7 km – ⊠ 24030 :*

XX Paladina, via Piave 6 ℰ 035 545603, *Fax 035 545603,* �, prenotare – 🖭.

ALMENNO SAN BARTOLOMEO 24030 Bergamo 219 ⑳ – 4 777 ab. alt. 350.

🐀 *Bergamo L'Albenza (chiuso lunedì) ℰ 035 640028, Fax 035 643066.*
Roma 584 – Bergamo 13 – Lecco 33 – Milano 50 – San Pellegrino Terme 19.

XX **Antica Osteria Giubì dal 1884,** via Cascinetto 2 (Sud-Est : 3 km) ℰ 035 540130, 🌤,
solo su prenotazione – 🗐 🖭. 🖭. ⅏
chiuso dal 20 al 28 febbraio, dal 20 al 30 settembre e mercoledì – **Pasto** 60000 (solo a
mezzogiorno) 90000 (la sera e i giorni festivi).

Michelin cura il costante e scrupoloso aggiornamento delle sue
pubblicazioni turistiche, in vendita nelle librerie.

ALMENNO SAN SALVATORE 24031 Bergamo 428 E 10, 219 ⑳ – 5 802 ab. alt. 325.
  Roma 612 – Bergamo 13 – Lecco 27 – Milano 54 – San Pellegrino Terme 17.

※ **Palanca,** via Dogana 15 ℰ 035 640800, ≤, 斎 – 🅿. 🖭 🕄 ⓞ 🕼 𝓥𝓘𝓢𝓐
🕭 chiuso dal 15 al 31 luglio, lunedì sera e martedì – **Pasto** carta 30/60000.

ALMESE 10040 Torino 428 G 4 – 5 550 ab. alt. 411.
  Roma 690 – Torino 26 – Col du Mont Cenis 60 – Milano 162 – Pinerolo 35.

※※ **Al Combal,** via Rubiana 82 (Nord : 1 km) ℰ 011 9350253, Fax 011 9350253, Coperti
🕸 limitati; prenotare – 🅿. 🖭 🕄 ⓞ 🕼 𝓥𝓘𝓢𝓐 𝓙𝓒𝓑. 🕸
  chiuso a mezzogiorno (escluso domenica e festivi) e lunedì – **Pasto** 90000
  Spec. Aspic di lingua, foie gras e peperoni arrostiti. Petto di faraona con indivia brasata e
  risotto alle animelle (autunno). Zuppa di rane, porcini e polenta.

ALPE DI SIUSI (SEISER ALM) 39040 Bolzano 429 C 16 – G. Italia – – Sport invernali :
  1 826 – Sport invernali : 1 826/2 220 m ≰ 1 ≴ 17, ≵.
  La limitazione d'accesso degli autoveicoli è regolata da norme legislative.
  Vedere Posizione pittoresca★★.
  🗓 ℰ 0471 727904, Fax 0471 727828.
  Roma 674 – Bolzano 23 – Bressanone 28 – Milano 332 – Ortisei 15 – Trento 89.

🏨 **Plaza,** Compatsch 33 ℰ 0471 727973, info@seiseralm.com, Fax 0471 727820, ≤, ≋, 斎 –
  ▤ rist, 📺 ⇌ 🅿 – 🔏 60. 🕄 𝓥𝓘𝓢𝓐. 🕸 rist
  Pasto (solo per alloggiati) – **39 cam** solo ½ P 225000, 3 suites.

🏨 **Sporthotel Floralpina** ⦚, a Saltria Est : 7 km ℰ 0471 727907, info@floralpina.com,
  Fax 0471 727803, ≤ monti e pinete, 斎, Ʃᦞ, ≋, ⌧ riscaldata, 🔲, 斎, ℀ – 🌤 rist, 📺
  ⇜. 🕸 rist
  19 dicembre-marzo e 16 giugno-15 ottobre – **Pasto** carta 45/75000 – **48 cam** so-
  lo ½ P 210000.

🏠 **Compatsch** ⦚, Compatsch 62 ℰ 0471 727970, info@seiseralm.com, Fax 0471 727820,
  ≤, ≋, 斎 – 📺 🅿. 🕸 rist
  6 dicembre-16 aprile e giugno-15 ottobre – **34 cam** solo ½ P 150000.

Dans ce guide

un même symbole, un même mot,
imprimé en rouge ou en **noir**, en maigre ou en *gras*,
n'ont pas tout à fait la même signification.

Lisez attentivement les pages explicatives.

ALPE FAGGETO Arezzo – Vedere Caprese Michelangelo.

ALPINO Verbania 428 E 7, 219 ⑤ – alt. 800 – ⊠ 28040 Gignese.
  ⛳ Alpino di Stresa (chiuso gennaio, febbraio e martedì escluso dal 22 giugno al 7 settem-
  bre) a Vezzo ⊠ 28839 ℰ 0323 20642, Fax 0323 208900, Sud-Est : 1,5 km.
  Roma 666 – Stresa 9 – Milano 89 – Novara 65 – Orta San Giulio 17 – Torino 141.

🏠 **Alpino Fiorente** ⦚, piazza Stazione 2 ℰ 0323 20103, Fax 0323 20104, ≤, 斎 – 🛗 🅿. 🕄
🕭 🕼 𝓥𝓘𝓢𝓐. 🕸
  15 giugno-agosto – **Pasto** carta 35/55000 – **35 cam** ⊃ 70/130000 – ½ P 100000.

ALSENO 29010 Piacenza 428, 429 H 11 – 4 659 ab. alt. 79.
  ⛳ Castell'Arquato (chiuso martedì) località Bacedasco Terme ⊠ 29014 Castell'Arquato
  ℰ 0523 895547, Fax 0523 895544, Sud-Ovest : 10 km.
  Roma 487 – Parma 32 – Piacenza 30 – Milano 93.

a Castelnuovo Fogliani Sud-Est : 3 km – ⊠ 29010 :

※ **Trattoria del Ponte,** via Centro 4 ℰ 0523 947110, 斎 – 🅿. 🖭 🕄 ⓞ 🕼 𝓥𝓘𝓢𝓐. 🕸
🕭 chiuso dal 1º al 15 gennaio, dal 10 al 25 luglio, mercoledì e giovedì a mezzogiorno – Pasto
  carta 40/55000.

a Cortina Sud-Ovest : 5 km – ⊠ 29010 :

※※ **Da Giovanni,** via Centro 7 ℰ 0523 948304, Fax 0523 948355, Coperti limitati; prenotare
  – 🅿. 🖭 🕄 ⓞ 🕼 𝓥𝓘𝓢𝓐 𝓙𝓒𝓑. 🕸
  chiuso dal 1º al 18 gennaio e dal 15 agosto al 5 settembre, lunedì sera e martedì – **Pasto**
  cucina piacentina e dell'antica Roma 80000 e carta 55/110000.

ALTAMURA 70022 Bari **431** E 31 G. Italia – 63 139 ab. alt. 473.

Vedere Rosone★ e portale★ della Cattedrale.

Roma 461 – Bari 46 – Brindisi 128 – Matera 19 – Potenza 102 – Taranto 84.

🏨 **San Nicola** senza rist, via Luca De Samuele Cagnazzi 29 ℰ 080 3105199, Fax 080 3144752, « In un antico palazzo del 1700 » – 🛗 ⇔ 🗐 📺 – 🔬 150. 🖭 🖽 ① 🐠 🚾. 🛠 **26 cam** ☲ 115/235000, suite.

🏛 **Svevia**, via Matera 2/a ℰ 080 3111742, Fax 080 3112677, 🏫 – 🛗 📺 🅿 – 🔬 50. 🖭 🖽 ① 🐠 🚾. 🛠 rist

Pasto (chiuso domenica) carta 35/50000 – ☲ 10000 – **25 cam** 105/140000 – ½ P 90000.

ALTARE 17041 Savona **428** I 7 – 2 280 ab. alt. 397.

Roma 567 – Genova 68 – Asti 101 – Cuneo 80 – Milano 191 – Savona 14 – Torino 123.

XX **Quintilio** con cam, via Gramsci 23 ℰ 019 58000, Fax 019 5899391 – 🖭 🖽 ① 🐠 🚾. 🛠 chiuso luglio – **Pasto** (chiuso domenica sera, lunedì e a mezzogiorno escluso domenica) carta 55/80000 – ☲ 7000 – **5 cam** 65/100000 – ½ P 75000.

ALTAVILLA VICENTINA 36077 Vicenza **429** F 16 – 9 287 ab. alt. 45.

Roma 541 – Padova 42 – Milano 198 – Venezia 73 – Verona 44 – Vicenza 8.

🏨 **Genziana** 🦢, località Selva Sud-Ovest : 2,5 km, via Mazzini 75/77 ℰ 0444 572159, Fax 0444 574310, ⬑, 🏊, 🛠 – 🗐 📺 🅿. 🖭 🖽 ① 🐠 🚾. 🛠

Pasto (chiuso agosto, sabato a mezzogiorno e domenica) carta 45/65000 – ☲ 15000 – **27 cam** 120/180000 – ½ P 130000.

ALTE Vicenza – Vedere Montecchio Maggiore.

ALTICHIERO Padova – Vedere Padova.

ALTISSIMO 36070 Vicenza **429** F 15 – 2 198 ab. alt. 672.

Roma 568 – Verona 65 – Milano 218 – Trento 100 – Vicenza 36.

XX **Casin del Gamba**, strada per Castelvecchio Nord-Est : 2,5 km ℰ 0444 687709, Fax 0444 687709, Coperti limitati; prenotare – 🅿. 🖭 🖽 ① 🐠 🚾. 🛠 chiuso dal 20 al 30 gennaio, agosto, domenica sera e lunedì – **Pasto** 100000 e carta 75/110000

Spec. Bruschi sott'olio, salame nostrano e fagottini di asparagi selvatici con salsa di senape (primavera). Tortelli di cappone e finferle saltate su tartufo nero nostrano (inverno). Fantasia di ricotta.

ALZANO LOMBARDO 24022 Bergamo **428** E 11 – 12 046 ab. alt. 294.

Roma 616 – Bergamo 9 – Brescia 60 – Milano 62.

XX **RistoFante**, via Mazzini 41 ℰ 035 511213, Fax 035 511213, 🏫, prenotare, « Servizio estivo all'aperto » – 🗐 🅿. 🖭 🖽 ① 🚾 chiuso dal 10 al 20 gennaio, dal 10 al 20 agosto, domenica sera e lunedì – **Pasto** carta 55/100000.

ALZATE BRIANZA 22040 Como **428** E 9, **219** ⑨ – 4 343 ab. alt. 371.

Roma 621 – Como 10 – Bergamo 46 – Milano 42.

🏨 **Villa Odescalchi** 🦢, via Anzani 12 ℰ 031 630822, info@villaodescalchi.it, Fax 031 632079, « Villa del 17° secolo in un parco », 🏖, 🏊, 🛠, 🛠, 🛠 – 🛗 📺 🕭 ➡ – 🔬 300. 🖭 🖽 ① 🐠 🚾. 🛠 rist chiuso dal 17 dicembre al 13 gennaio – **Pasto** (chiuso martedì) carta 60/105000 – **63 cam** ☲ 210/300000.

AMALFI 84011 Salerno **431** F 25 G. Italia – 5 561 ab. – a.s. Pasqua, giugno-settembre e Natale.

Vedere Posizione e cornice pittoresche★★★ – Duomo di Sant'Andrea★ : chiostro del Paradiso★★ – Vie★ Genova e Capuano.

Dintorni Atrani★ Est : 1 km – Ravello★★★ Nord-Est : 6 km – Grotta dello Smeraldo★★ Ovest : 5 km – Vallone di Furore★★ Ovest : 7 km.

🔼 corso delle Repubbliche Marinare 27/29 ℰ 089 871107, Fax 089 871107.

Roma 272 – Napoli 70 – Avellino 61 – Caserta 85 – Salerno 25 – Sorrento 34.

🏨 **Santa Caterina** 🦢, via Nazionale 9 ℰ 089 871012, info@hotelsantacaterina.it, Fax 089 871351, ⬅ golfo, 🏫, « Terrazze fiorite digradanti sul mare con ascensori per la spiaggia », 🏖, 🏊 con acqua di mare, 🐦 – 🛗 📺 🕭 ➡ 🅿 – 🔬 50. 🖭 🖽 ① 🐠 🚾. 🛠 **Pasto** carta 90/155000 – **58 cam** ☲ 600/680000, 12 suites – ½ P 435000.

🏨🏨 **Luna Convento**, via P. Comite 33 🕾 089 871002 e rist. 🕾 089 871084, *info@lunahotel.it*, Fax 089 871333, ≤ golfo, « Soggiorno in un chiostro del 13° secolo », ⛵ – 🛗 🗏 📺 🚗. 🝙 🕄 ⓘ 🐼 *VISA*. ⋘
Pasto al Rist. ***Torre Saracena*** *(aprile-ottobre)* carta 80/135000 – **40 cam** ☲ 360/390000, 3 suites – ½ P 265000.

🏨 **Marina Riviera** senza rist, via P. Comite 19 🕾 089 871104, Fax 089 871024, ≤ mare, ⚓ – 🛗 🗏 📺 🕄 ⓘ *VISA*. ⋘
Pasqua-ottobre – **30 cam** ☲ 290/330000.

🏨 **Aurora** senza rist, piazza dei Protontini 7 🕾 089 871209, *hotelaurora@amalfinet.it*, Fax 089 872980, ≤, ⚓ – 🛗 🚗. 🝙 🕄 ⓘ 🐼 *VISA*
Natale e aprile-ottobre – **29 cam** ☲ 280000.

XX **La Caravella**, via Matteo Camera 12 🕾 089 871029, Fax 089 871029, Coperti limitati; ⅏ prenotare – 🗏. 🝙 🕄 🐼 *VISA* *JCB*. ⋘
chiuso dal 10 novembre al 25 dicembre e martedì – **Pasto** carta 70/120000
Spec. Polpa di pesce al gratin con misticanza e julienne di finocchi. Passata di fave secche al profumo di mare. Calamaro ripieno di zucchine al profumo di pomodorini.

XX **Eolo**, via Comite 3 🕾 089 871241, Fax 089 871024, ≤ – 🗏. 🝙 🕄 ⓘ 🐼 *VISA*. ⋘
chiuso dal 10 novembre al 28 febbraio – **Pasto** carta 55/100000.

XX **Marina Grande**, viale delle Regioni 4 🕾 089 871129, *marinagrande@hotmail.com*, Fax 089 871129, ≤ mare, 🍽, Ristorante-pizzeria – 🝙 🕄 ⓘ 🐼 *VISA*
chiuso dal 28 novembre al 20 dicembre, dall'8 gennaio al 20 febbraio e mercoledì da novembre a marzo – **Pasto** carta 45/105000.

X **Da Gemma**, via Frà Gerardo Sasso 9 🕾 089 871345, Fax 089 871345, 🍽, Coperti limitati; prenotare – 🝙 🕄 🐼 *VISA*
chiuso mercoledì ed in agosto anche a mezzogiorno – **Pasto** carta 75/110000.

X **Lo Smeraldino**, piazza dei Protontini 1 🕾 089 871070, Fax 089 871070, ≤, Rist. e pizzeria serale, « Servizio estivo in terrazza sul mare » – 🅿. 🝙 🕄 ⓘ 🐼 *VISA* *JCB*. ⋘
chiuso dal 10 gennaio al 27 febbraio e mercoledì – **Pasto** carta 50/80000 (10 %).

X **Da Ciccio Cielo-Mare-Terra**, località Vettica Ovest : 3 km 🕾 089 831265, Fax 089 831265, ≤ mare e costa, Rist. e pizzeria serale – 🗏 🅿. 🝙 🕄 ⓘ 🐼 *VISA*
chiuso novembre e martedì (escluso da luglio a settembre) – **Pasto** carta 55/80000.

AMANTEA 87032 Cosenza 🔢 J 30 – *13 359 ab.*.
🚹 via Vittorio Emauele 11 🕾 0982 41785.
Roma 514 – Cosenza 38 – Catanzaro 67 – Reggio di Calabria 160.

🏨 **Mediterraneo**, via Dogana 64 🕾 0982 426364, *mediterraneo1@libero.it*, Fax 0982 426247, 🏖 – 🛗 🗏 📺 ♿ 🅿 – 🔬 45. 🝙 🕄 ⓘ 🐼 *VISA*. ⋘
Pasto carta 35/55000 – **31 cam** ☲ 90/120000 – ½ P 130000.

🏨 **Palmar**, strada statale 18-Colongi (Sud : 1,5 km) 🕾 0982 41673, *hotelpalmar@libero.it*, Fax 0982 428737, 🏖, ⋘ – 🛗 🗏 🅿 – 🔬 200. 🝙 🕄 ⓘ 🐼 *VISA* *JCB*. ⋘
Pasto carta 40/65000 – ☲ 8000 – **45 cam** 100/120000 – ½ P 110000.

a Corica Sud : 4 km – ✉ 87032 Amantea :

🏨 **La Scogliera**, 🕾 0982 46219, Fax 0982 46803, ≤, 🍽, ⌚, 🏖 – 🛗 🗏 📺 🅿 – 🔬 70. 🝙 🕄 ⓘ 🐼 *VISA* *JCB*. ⋘ rist
Pasto *(chiuso mercoledì)* carta 40/55000 – **53 cam** ☲ 95/130000, 7 suites – ½ P 105000.

🏨 **Mareblu**, via Coreca 🕾 0982 46296, Fax 0982 46507, ≤, 🍽, 🏖 – 🛗 🗏 📺 🚗 🅿. 🝙 🕄 ⓘ 🐼 *VISA*
Pasto carta 40/55000 – **32 cam** ☲ 80/100000 – ½ P 120000.

AMATRICE 02012 Rieti 🔢 O 21 – *2 876 ab. alt. 955.*
Roma 144 – Ascoli Piceno 50 – L'Aquila 75 – Rieti 66 – Terni 91.

X **La Conca** con cam, via della Madonnella 24 🕾 0746 826791, ≤, 🍽 – 📺 🚗 🅿. ⋘ rist
ⓐ **Pasto** *(chiuso lunedì)* carta 30/50000 – **12 cam** ☲ 75/85000
½ P 75000.

X **Lo Scoiattolo**, località Ponte Tre Occhi Sud : 1,5 km 🕾 0746 825086, Fax 0746 825086, ≤, 🍽, « Laghetto con pesca sportiva », ❄, 🍽 – 🅿. 🝙 🕄 *VISA*
chiuso lunedì escluso da luglio a settembre – **Pasto** carta 45/65000.

We distinguish for your use
certain hotels (🏠 ... 🏨🏨🏨🏨) and restaurants (X ... XXXXX)
by awarding them ⓐ, ⅏, ⅏⅏ or ⅏⅏⅏.

AMBIVERE 24030 Bergamo 🎱🎯 ⑳ – 2 220 ab. alt. 261.

Roma 607 – Bergamo 18 – Brescia 58 – Milano 49.

🍴🍴 **Antica Osteria dei Camelì**, via G. Marconi 13 ℘ 035 908000, 🌿, solo su prenotazione – 🎖, 📠 🚇 ⑩ 🆖 🆚🆂🅰 ⓙⓒⒷ, 🛇

chiuso dal 2 al 9 gennaio, dal 10 al 28 agosto, lunedì e martedì sera – **Pasto** 50000 (a mezzogiorno) 80/100000 (la sera) e carta 70/120000.

AMBRA 52020 Arezzo 🎯🎯🎯 L 16 *alt. .*

Roma 217 – Siena 37 – Arezzo 35 – Firenze 66.

a Sogna *Sud-Est : 5,5 km –* ✉ *52020 Ambra :*

🍴🍴 **Le Antiche Sere** 🌙 con cam, ✉ 52020 Ambra ℘ 055 998149, Fax 055 998149, Coperti limitati; prenotare, « Borgo medioevale », 🚗, ⬗, 🍴 – 📶 🎖 📺 📠 📶 🚇 ⑩ 🆖 🆚🆂🅰, 🛇
chiuso novembre – **Pasto** *(chiuso martedì e a mezzogiorno escluso domenica)* carta 65/95000 – ☕ 25000 – 4 suites 250000 – ½ P 230000.

AMBRIA Bergamo – Vedere Zogno.

Ferienreisen wollen gut vorbereitet sein.

*Die **Straßenkarten** und **Führer** von **Michelin***

geben Ihnen Anregungen und praktische Hinweise zur Gestaltung Ihrer Reise:
Streckenvorschläge, Auswahl und Besichtigungsbedingungen
der Sehenswürdigkeiten, Unterkunft, Preise... u. a. m.

AMEGLIA 19031 La Spezia 🎯🎯, 🎯🎯, 🎯🎯 J 11 – 4 479 ab. alt. 80.

Roma 400 – La Spezia 18 – Genova 107 – Massa 17 – Milano 224 – Pisa 57.

🏨🏨 **River Park Hotel**, via del Botteghino 17, località Fiumaretta Sud-Est : 2 km ℘ 0187 648154, riverpark.hotel@tin.it, Fax 0187 648175, 🌿, ⬗ – 🛗 ▤ 📺 🔥 🚗 🅿 – 🔺 80. 📠 🚇 ⑩ 🆖 🆚🆂🅰 ⓙⓒⒷ, 🛇
Pasto carta 60/85000 – ☕ 15000 – **33 cam** 140/190000 – ½ P 140000.

🏨🏨 **Paracucchi-Locanda dell'Angelo** 🌙, strada provinciale Sarzana-Marinella Sud-Est : 4,5 km ℘ 0187 64391, Fax 0187 64393, prenotare, ⬗, 🌾 – ▤ 📺 🅿 – 🔺 250. 📠 🎖 ⑩ 🆖 🆚🆂🅰, 🛇 rist
Pasto *(chiuso dal 7 al 28 gennaio e lunedì escluso agosto)* carta 70/95000 – **35 cam** ☕ 160/320000 – ½ P 180000.

🍴🍴 **Locanda delle Tamerici** 🌙 con cam, via Litoranea 106, località Fiumaretta Sud-Est : 3,5 km ℘ 0187 64262, Fax 0187 64627, ≼, Coperti limitati; prenotare, « Servizio estivo in ⭐ giardino », 🔥 – ▤ rist, 📺 🅿, 📠 🎖 🆖 🆚🆂🅰, 🛇 cam
chiuso dal 24 dicembre al 14 gennaio, dal 1° al 7 ottobre, martedì e mercoledì a mezzogiorno (escluso da luglio al 10 settembre) – **Pasto** carta 100/210000 – ☕ 20000 – **8 cam** 180/240000
Spec. Rana pescatrice avvolta nel lardo di Colonnata con aromi liguri e salsa di foie gras. Ravioli ripieni di cicale con pomodoro fresco e basilico. Insalata di crostacei.

a Montemarcello *Sud : 5,5 km –* ✉ *19030 :*

🍴🍴 **Pescarino-Sapori di Terra e di Mare**, via Borea 52 (Nord-Ovest : 3 km) ℘ 0187 601388, 🌿, Coperti limitati; prenotare – 🅿 🎖 🆖 🆚🆂🅰
chiuso dal 15 al 30 giugno, lunedì e martedì (escluso luglio-agosto) e a mezzogiorno (escluso sabato-domenica e i giorni festivi) – **Pasto** 75000 e carta 50/80000.

🍴 **Trattoria dai Pironcelli**, via delle Mura 45 ℘ 0187 601252, Trattoria rustica, prenotare
chiuso novembre, mercoledì e a mezzogiorno da giugno a settembre – **Pasto** cucina casalinga carta 50/70000.

AMELIA 05022 Terni 🎯🎯 O 19 – 11 335 ab. alt. 406.

🛈 *via Orvieto 1 ℘ 0744 981453, Fax 0744 981566.*

Roma 93 – Terni 24 – Viterbo 43 – Perugia 92.

🍴🍴 **Il Carleni** 🌙 con cam, via Pellegrino Carleni 21 ℘ 0744 983925, Fax 0744 978143, 🌿, prenotare – ▤ 📺 📶 📠 🎖 ⑩ 🆖 🆚🆂🅰, 🛇
Pasto *(chiuso dal 10 gennaio al 9 febbraio e martedì)* carta 40/75000 – **7 cam** ☕ 140/210000 – ½ P 145000.

ANACAPRI Napoli 🎯🎯 F 24 – Vedere Capri (Isola di).

ANAGNI *03012 Frosinone* **430** *Q 21 G. Italia – 20 144 ab. alt. 460.*
Roma 65 – Frosinone 30 – Anzio 78 – Avezzano 106 – Rieti 131 – Tivoli 60.

Villa la Floridiana, strada statale Casilina km 63,700 *℘* 0775 769961, *floridiana@applica zioni.it,* Fax 0775 774527, *🌯 –* 📳 🔟 📺 🅿️, 🆑 🗎 ⑩ ⚫ *VISA* *JCB.* ✀
Pasto *(chiuso domenica sera e lunedì a mezzogiorno)* carta 50/75000 – **9 cam** ☞ 150/
220000 – ½ P 160000.

Lo Schiaffo, via Vittorio Emanuele 270 *℘* 0775 739148, Fax 0775 739148 – 🆑 🗎 ⑩ ⚫ *VISA*
JCB. ✀
chiuso martedì – **Pasto** carta 40/65000.

ANCONA *60100* 🅿️ **429**, **430** *L 22 G. Italia – 98 329 ab. – a.s. luglio-agosto.*
Vedere *Duomo di San Ciriaco★* **AY** *– Loggia dei Mercanti★* **AZ F** *– Chiesa di Santa Maria della Piazza★* **AZ B.**

🛍 *Amici del Conero (chiuso martedì e dal 15 gennaio al 15 febbraio) a Sirolo* ⊠ *60020*
℘ 071 7360613, Fax 071 7360380, per ① : 12 km.

🛫 *di Falconara per ③ : 13 km ℘ 071 28271, Fax 071 2070096 – Alitalia, via Matteotti 171*
⊠ *60121 ℘ 071 203677, Fax 071 55674.*

🚢 *(luglio-agosto) Stazione Marittima* ⊠ *60126 ℘ 071 201183 – via Thaon de Revel 4* ⊠
60124 ℘ 071 358991, Fax 071 3580592.

A.C.I. *corso Stamira 78* ⊠ *60122 ℘ 071 55336.*
Roma 319 ③ – Firenze 263 ③ – Milano 426 ③ – Perugia 166 ③ – Pescara 156 ② – Ravenna 161 ③.

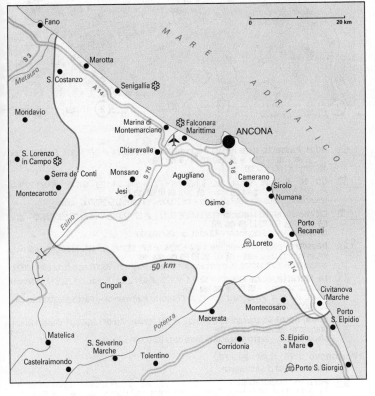

Jolly Hotel Miramare, rupi di via 29 Settembre 14 ⊠ 60122 *℘* 071 201171, *ancona@jol lyhotels.it,* Fax 071 206823, ≼ – 📳 🗎 📺 🅿️ – 🔬 180. 🆑 🗎 ⑩ ⚫ *VISA* *JCB.* ✀ rist
Pasto carta 55/90000 – **89 cam** ☞ 230/270000 – ½ P 190000.

AZ **a**

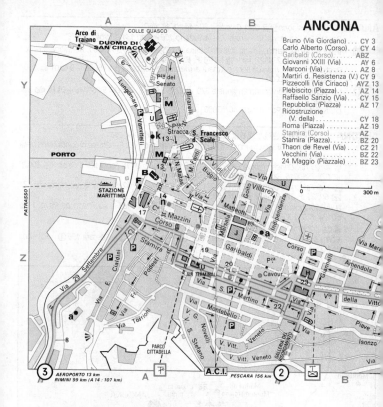

ANCONA

Bruno (Via Giordano) ... CY 3
Carlo Alberto (Corso) ... CY 4
Garibaldi (Corso) .... ABZ
Giovanni XXIII (Via) ..... AY 6
Marconi (Via) .... AZ 8
Martini d. Resistenza (V.) CY 9
Pizzecolli (Via Ciriaco) . AYZ 13
Plebiscito (Piazza) ...... AZ 14
Raffaello Sanzio (Via) ... CY 15
Repubblica (Piazza) ..... AZ 17
Ricostruzione
  (V. della) .... CY 18
Roma (Piazza) .... AZ 19
Stamira (Corso) .... AZ
Stamira (Piazza) .... BZ 20
Thaon de Revel (Via) .... CZ 21
Vecchini (Via) .... BZ 22
24 Maggio (Piazzale) .... BZ 23

🏨 **Gd H. Passetto** senza rist, via Thaon de Revel 1 ✉ 60124 ☎ 071 31307, *Fax 071 32856*, ≼, 🔟, 🥖 – 🛗 🗏 📺 🅿 – 🛂 150. 🕮 🕃 ⓞ 🐠 𝘝𝘐𝘚𝘈
42 cam ⇌ 200/300000.　　　　　　　　　　　　　　　　　　　　　　　　　　CZ **d**

🏨 **Gd H. Palace** senza rist, lungomare Vanvitelli 24 ✉ 60121 ☎ 071 201813, *Fax 071 2074832* – 🛗 🗏 📺 ⇌ – 🛂 100. 🕮 🕃 ⓞ 🐠 𝘝𝘐𝘚𝘈
chiuso dal 22 dicembre al 7 gennaio – ⇌ 20000 – **39 cam** 175/255000, suite.　　AY **k**

🏨 **City** senza rist, via Matteotti 112/114 ✉ 60121 ☎ 071 2070949, *Fax 071 2070372* – 🛗 🗏 📺 ⇌ – 🛂 80. 🕮 🕃 ⓞ 🐠 𝘝𝘐𝘚𝘈
chiuso dal 24 al 26 dicembre – **39 cam** ⇌ 105/170000.　　　　　　　　　　BZ **a**

🗙🗙🗙 **Passetto**, piazza 4 Novembre 1 ✉ 60124 ☎ 071 33214, *Fax 071 33214*, ≼, « Servizio estivo in terrazza » – 🗏 – 🛂 80. 🕮 🕃 ⓞ 🐠 𝘝𝘐𝘚𝘈. 🞕
chiuso dal 6 al 20 agosto, domenica sera e lunedì – **Pasto** 75/85000 bc e carta 60/110000.　CZ **a**

🗙🗙 **La Moretta**, piazza Plebiscito 52 ✉ 60122 ☎ 071 202317, *Fax 071 202317*, « Servizio estivo all'aperto » – 🕮 🕃 ⓞ 🐠 𝘝𝘐𝘚𝘈 𝘑𝘊𝘉
chiuso dal 1° al 10 gennaio, dal 13 al 18 agosto e domenica – **Pasto** 35/70000 e carta 50/70000 (10%).　　　　　　　　　　　　　　　　　　　　　　　　　　AZ **n**

🗙 **Sot'aj Archi**, via Marconi 93 ✉ 60125 ☎ 071 202441, *Fax 071 2077393*, Coperti limitati; prenotare – 🗏. 🕮 🕃 ⓞ 🐠 𝘝𝘐𝘚𝘈
chiuso agosto – **Pasto** specialità di mare carta 85/90000.　　　　　　　　　CY **b**

a **Portonovo** per ① : 12 km – ✉ 60020.
　　Vedere *Chiesa di Santa Maria*★.

🏨 **Fortino Napoleonico** ⤞, via Poggio 166 ☎ 071 801450, *fortino@fastnet.it*, *Fax 071 801454*, 🞱, « In una fortezza ottocentesca sul mare », 🜁, 🞟 – 🗏 📺 🕭 🅿. 🕮 🕃 ⓞ 🐠 𝘝𝘐𝘚𝘈. 🞕 rist
chiuso dal 2 al 31 gennaio – **Pasto** (prenotare) carta 70/105000 (10%) – **27 cam** ⇌ 250/400000, 3 suites – ½ P 240000.

ANCONA

🏨 **Excelsior la Fonte** ॐ, via Poggio 163 ℰ 071 801470, *lafonte@interfree.it*, Fax 071 801474, 🎦, ⅃, 🚗, ℀ – 🦽 🛗 📺 🄿 – 🛗 300. 🄰🄴 🅂 ⓞ ⓿⓿ 🆅🆂🄰 ॐ *chiuso febbraio* – **Pasto** carta 50/75000 – **70 cam** ⇄ 200/230000 – ½ P 170000.

🏨 **Emilia** ॐ, via Poggio 149, in collina Ovest : 2 km ℰ 071 801117, *info@hotelemilia.com*, Fax 071 801330, ⩽ mare e costa, 🎦, « Collezione di quadri d'arte moderna », ⅃, 🚗, ℀ – 🛗, 🛏 cam, 📺 📞 🅖 🄿 🄰🄴 🅂 ⓞ ⓿⓿ 🆅🆂🄰 🄹🄲🄱 ॐ **Pasto** *(chiuso lunedì)* carta 80/100000 – **30 cam** ⇄ 300/350000 – ½ P 250000.

🏨 **Internazionale** ॐ, via Portonovo ℰ 071 801082, *info@hotel-internazionale.com*, Fax 071 801001, ⩽ mare e costa, 🚗 – 📺 🄿 – 🛗 80. 🄰🄴 🅂 ⓞ ⓿⓿ 🆅🆂🄰 **Pasto** *(chiuso domenica sera)* carta 60/95000 **28 cam** ⇄ 170/200000 – ½ P 170000.

℀ **Da Emilia**, nella baia ℰ 071 801109, Fax 071 801326, « Terrazzo sul mare » – 🄰🄴 🅂 ⓞ ⓿⓿ 🆅🆂🄰 *aprile-ottobre; chiuso lunedì in aprile, maggio e settembre* – **Pasto** solo piatti di pesce carta 65/95000.

ANDALO 38010 Trento 🗺️🗺️🗺️, 🗺️🗺️🗺️ D 15 *G. Italia* – *1 033 ab. alt. 1 050* – a.s. Natale, febbraio, Pasqua e luglio-agosto – Sport invernali : 1 050/2 125 m ✦ 1 ☙ 8, ☙ *(vedere anche Fai della Paganella e Molveno)*.

Dintorni ☀️ ⋆⋆ *dal Monte Paganella 30 mn di funivia*.
🄱 piazza Dolomiti 1 ℰ 0461 585836, Fax 0461 585570.
Roma 625 – *Trento 40* – Bolzano 60 – Milano 214 – Riva del Garda 48.

🏨 **Piccolo Hotel** ॐ, via Pegorar 2 ℰ 0461 585710, *piccolo.hotel@interline.it*, Fax 0461 585436, ⩽ gruppo del Brenta e Paganella, 🚗 – 🛗, 🛏 rist, 📺 📞 🚗. 🄰🄴 🅂 ⓞ ⓿⓿ 🆅🆂🄰 ॐ *20 dicembre-20 aprile e 15 giugno-16 settembre* – **Pasto** carta 50/65000 – **33 cam** ⇄ 100/165000, 5 suites – ½ P 130000.

🏨 **Cristallo**, via Rindole 1 ℰ 0461 585744, Fax 0461 585970, ⩽, 🕿 – 🛗 📺 🅂 🆅🆂🄰. ॐ *dicembre-23 aprile e 15 giugno-15 settembre* – **Pasto** carta 30/45000 – ⇄ 16000 – **33 cam** 100/160000 – ½ P 125000.

🏨 **Scoiattolo**, via del Moro 1 ℰ 0461 585912, Fax 0461 585980, ⩽, 🕿, 🚗 – 🛗 📺 🚗 🄿. ॐ *22 dicembre-5 aprile e 20 giugno-15 settembre* – **Pasto** (solo per alloggiati) 25/40000 – ⇄ 15000 – **20 cam** 120/170000 – ½ P 130000.

🏨 **Negritella,** via Paganella 32 ℰ 0461 585802, *info@negritella.it*, Fax 0461 585911 – 🛗, 🛏 rist, 🚗 🄿. ॐ *18 dicembre-25 marzo e 20 giugno-20 settembre* – **Pasto** 35000 – **37 cam** ⇄ 80/140000 – ½ P 120000.

🏠 **Serena,** via Crosare 15 ☎ 0461 585727, *hotel.serena@interline.it, Fax 0461 585702,* ≤, ‑ – 🛗 📺 🚗 🅿 – 🏛 100. [AE] [S] 💳 [MC] [VISA]. ✗
dicembre-22 aprile e giugno-settembre – **Pasto** (solo per alloggiati) – ☕ 15000 – **38 car** 110/160000 – ½ P 105000.

🏠 **Olimpia,** via Paganella 17 ☎ 0461 585715, *olimpia@gottardi.it, Fax 0461 585458,* ≤, ‑ ‑, ‑ – 🛗 📺 🚗 🅿. [S] 💳 [MC] [VISA]. ✗
15 dicembre-22 aprile e 20 giugno-15 settembre – **Pasto** (solo per alloggiati) – ☕ 16000 **38 cam** 110/135000 – ½ P 110000.

🏠 **Alaska** ‑, via Clamer 17 ☎ 0461 585631, *Fax 0461 585631,* ≤ – 🛗 📺 🚗 🅿. [AE] [S] 💳 ‑ [VISA]. ✗ rist
dicembre-marzo e 15 giugno-10 settembre – **Pasto** (solo per alloggiati) 25000 – ☕ 10000 **25 cam** 100/140000 – ½ P 100000.

🏠 **Ambiez,** via Priori 8 ☎ 0461 585556, *Fax 0461 585343,* ≤ – 🛗 📺 🚗 🅿. [S]. ✗
4 dicembre-Pasqua e 15 giugno-25 settembre – **Pasto** (solo per alloggiati) 30000 – ☕ 15000 – **28 cam** 70/125000 – ½ P 120000.

ANDORA *17051 Savona* [428] K 6 – *6 707 ab..*

[i] *via Aurelia 122/A, Villa Laura ☎ 0182 681004, Fax 0182 681807.*
Roma 601 – Imperia 16 – Genova 102 – Milano 225 – Savona 56 – Ventimiglia 63.

🏠 **Liliana,** via del Poggio 23 ☎ 0182 85083, *Fax 0182 684694,* ‑ – 🛗 📺 ♿ 🚗. [AE] [S] ‑ [VISA]. ✗
chiuso dal 20 ottobre al 20 dicembre – **Pasto** (solo per alloggiati) carta 30/45000 – ☕ 1500‑ – **39 cam** 70/120000, 8 suites – ½ P 110000.

🏠 **Moresco,** via Aurelia 96 ☎ 0182 89141, *Fax 0182 85414,* ≤ – 🛗, ‑ rist, 📺. [AE] [S] 💳 ‑ [VISA] [JCB]. ✗ rist
chiuso da novembre al 22 dicembre – **Pasto** (solo per alloggiati) 40/50000 – ☕ 18000 **35 cam** 90/130000 – ½ P 120000.

🏠 **Garden,** via Aurelia 60 ☎ 0182 88678, *hotelgarden@ivg.it, Fax 0182 87653* – 📺 🅿. [AE] [S] 💳 [MC] [VISA] [JCB]. ✗ rist
chiuso da ottobre al 26 dicembre – **Pasto** 35/50000 – ☕ 13000 – **16 cam** 115/130000 – ½ P 120000.

🍴🍴 **La Casa del Priore,** via Castello 34 (Nord : 2 km) ☎ 0182 87330, *Fax 0182 684377,* ≤ ‑, prenotare, « Ambiente caratteristico » – 🅿. [AE] [S] 💳 [MC] [VISA]
chiuso dal 3 gennaio all'11 febbraio, lunedì e a mezzogiorno (escluso sabato e domenica) – **Pasto** carta 80/120000 e alla ***Brasserie*** *(chiuso dal 3 gennaio all'11 febbraio, lunedì e a mezzogiorno)* **Pasto** carta 30/60000.

🍴🍴 **Pan de Cà,** via Conna 13 (Nord : 4 km) ☎ 0182 80290, ‑ – 🅿. [AE] [S] 💳 [MC] [VISA]
chiuso dal 30 ottobre al 7 dicembre, martedì (escluso dal 15 giugno al 15 settembre) e a mezzogiorno (escluso sabato-domenica) – **Pasto** 50000.

ANDRIA *70031 Bari* [431] D 30 – *94 443 ab. alt. 151.*

Roma 399 – Bari 57 – Barletta 12 – Foggia 82 – Matera 78 – Potenza 119.

🏠 **Cristal Palace Hotel,** via Firenze 35/a ☎ 0883 556444 e rist. ☎ 0883 550260, *Fax 0883 556444* – 🛗 ‑ 📺 ♿ 🚗 – 🏛 150. [AE] [S] 💳 [MC] [VISA] [JCB]. ✗
Pasto al Rist. ***La Fenice*** *(chiuso dal 20 luglio al 10 agosto, domenica sera e lunedì)* carta 35/60000 – **40 cam** ☕ 130/200000 – ½ P 160000.

🏠 **L'Ottagono,** via Barletta 218 ☎ 0883 557888, *Fax 0883 556098,* Campi calcetto, ‑, ‑ – 🛗 ‑ 📺 🅿 – 🏛 250. [AE] [S] 💳 [MC] [VISA]. ✗ rist
Pasto carta 50/65000 – **23 cam** ☕ 130/180000 – ½ P 120000.

🍴 **Arco Marchese,** via Arco Marchese 1 ☎ 0883 557826 – ‑. [S] 💳 [MC] [VISA]. ✗
chiuso martedì – **Pasto** carta 35/70000.

a Montegrosso *Sud-Ovest : 15 km – alt. 224 – ✉ 70035 :*

🍴 **Antichi Sapori,** piazza San Isidoro 10 ☎ 0883 569529, *antichisapori@bada.it, Fax 0883 569529* – 🅿. [AE] [S] 💳 [MC] [VISA]. ✗
chiuso dal 1º al 20 luglio, dal 10 al 20 agosto e lunedì – **Pasto** 40000 e carta 25/40000.

verso Castel del Monte :

🍴🍴 Il Falcone, contrada Posta di Grotta ✉ 70031 ☎ 0883 569892, *Fax 0883 569892,* ‑ – ‑ 🅿

ANGERA *21021 Varese* [428] E 7 *G. Italia – 5 487 ab. alt. 205.*

Vedere *Affreschi dei maestri lombardi★★ e Museo della Bambola★ nella Rocca.*
Roma 640 – Stresa 34 – Milano 63 – Novara 47 – Varese 31.

🏠 **Dei Tigli** senza rist, via Paletta 20 ☎ 0331 930836, *hotigli@mail1.tread.net, Fax 0331 960333* – 🛗 📺. [AE] [S] 💳 [MC] [VISA] [JCB]
chiuso dal 18 dicembre al 6 gennaio – **28 cam** ☕ 130/180000.

ANGHIARI 52031 Arezzo 430 L 18 G. Toscana – 5 908 ab. alt. 429.

Dintorni Cimitero di Monterchi cappella con Madonna del Parto★ di Piero della Francesca Sud-Est : 11 km.

Roma 242 – Perugia 68 – Arezzo 28 – Firenze 105 – Sansepolcro 8.

🏠 **La Meridiana,** piazza 4 Novembre 8 ℘ 0575 788365, info@hotellameridiana.it, ⊕ Fax 0575 787987 – ⊡ ⺫ ⓣ, 䄀 ⓢ ⓞ ⓡⓞ 𝒱𝒮𝒜. ✵
Pasto (chiuso sabato) carta 30/35000 – 😄 9000 – **22 cam** 60/95000 – 1⁄2 P 70000.

✗ **Da Alighiero,** via Garibaldi 8 ℘ 0575 788040 – ⓢ ⓡⓞ 𝒱𝒮𝒜. ✵
⊕ chiuso dal 10 gennaio al 10 febbraio e martedì – **Pasto** carta 35/80000.

ANGOLO TERME 25040 Brescia 428 , 429 E 12 – 2 535 ab. alt. 420 – Stazione termale, a.s. luglio-settembre.

Roma 618 – Brescia 60 – Bergamo 55 – Bolzano 174 – Edolo 48 – Milano 100.

🏠 **Terme,** viale Terme 51 ℘ 0364 548066, Fax 0364 548666, ≼ – ⨐ ⺫ 䄀 䁾, 𝒫. ✵ rist
⊕ aprile-ottobre – **Pasto** carta 35/50000 – 😄 10000 – **80 cam** 70/100000 – P 100000.

I nomi delle principali vie commerciali sono scritti in rosso
all'inizio dell'indice toponomastico delle piante di città.

ANGUILLARA SABAZIA 00061 Roma 430 P 18 – 13 479 ab. alt. 175.

Roma 39 – Viterbo 50 – Civitavecchia 59 – Terni 90.

🏛 **Relais I Due Laghi** ≽, località Le Cerque Nord-Est : 3 km ℘ 06 99607059, duelaghi@edl. it, Fax 06 99607068, ㄘ, Turismo equestre, prenotare, 𝟑, ⏁, ✗ – ⇆ rist, ▤ ⺫ 𝒫 – ⓰ 90. 䄀 ⓢ ⓞ 𝒱𝒮𝒜. ✵ rist
Pasto al Rist. *La Posta De' Cavalieri* carta 65/100000 – **25 cam** 😄 180/250000, 7 suites – 1⁄2 P 165000.

✗✗ **Chalet del Lago,** viale Reginaldo Belloni ℘ 06 99607053, Fax 06 9968364, ≼, « Servizio estivo in terrazza sul lago » – 𝒫. 䄀 ⓢ ⓞ ⓡⓞ 𝒱𝒮𝒜
chiuso dal 1° al 13 febbraio, giovedì e domenica sera – **Pasto** carta 45/75000.

✗ **Da Zaira,** viale Reginaldo Belloni 2 ℘ 06 9968082, Fax 06 99609035, ≼, ㄘ – 𝒫. 䄀 ⓢ ⓞ
⊕ ⓡⓞ 𝒱𝒮𝒜. ✵
chiuso dal 20 dicembre al 20 gennaio e martedì – **Pasto** carta 35/75000.

✗ **Il Grottino da Norina,** via delle Scalette 1 ℘ 06 9968181, « Ambiente caratteristico in grottino di tufo » – 䄀 ⓢ ⓞ ⓡⓞ 𝒱𝒮𝒜 𝒥𝒞𝔅. ✵
chiuso dal 24 dicembre al 2 gennaio, dal 20 agosto al 10 settembre, lunedì sera e mercoledì – **Pasto** carta 45/60000.

ANTAGNOD Aosta 428 E 5, 219 ④ – Vedere Ayas.

ANTERSELVA (ANTHOLZ) Bolzano 429 B 18 – Vedere Rasun Anterselva.

ANTEY SAINT ANDRÈ 11020 Aosta 428 E 4, 219 ③ – 554 ab. alt. 1 080 – a.s. Pasqua, luglio-agosto e Natale.

🔓 località Grand Moulin ℘ 0166 548266, Fax 0166 548388.

Roma 729 – Aosta 35 – Breuil-Cervinia 20 – Milano 167 – Torino 96.

🏠 **Des Roses,** località Poutaz ℘ 0166 548527, Fax 0166 548248, ≼, ⏁ – ⺫ ⇦ 𝒫. 䄀 ⓢ ⓞⓡⓞ
𝒱𝒮𝒜. ✵ rist
6 dicembre-5 maggio e 25 giugno-20 settembre – **Pasto** (chiuso a mezzogiorno dal 6 dicembre al 5 maggio) 35/40000 – 😄 12000 – **21 cam** 70/100000 – 1⁄2 P 100000.

ANTIGNANO Livorno 428 430 L 12 – Vedere Livorno.

ANZIO 00042 Roma 430 R 19 G. Italia – 42 734 ab..

🔓 Nettuno (chiuso mercoledì) a Nettuno ⊠ 00048 ℘ 06 9819419, Fa x 06 98988142, Est : 4 km.

⚓ per Ponza 16 giugno-15 settembre giornalieri (2 h 30 mn) – Caremar, molo Innocenziano 54 ℘ 06 98600083, Fax 06 98600569.

⚓ per Ponza giornalieri (1 h 10 mn) – Agenzia Helios, via Porto Innocenziano 18 ℘ 06 9845085, Fax 06 984 5097.

🔓 piazza Pia 19 ℘ 06 9845147, Fax 06 9848135.

Roma 52 – Frosinone 81 – Latina 25 – Ostia Antica 49.

🏨 **Lido Garda,** piazza Caboto 8 (Nord-Ovest : 2 km) ☎ 06 9870354, *Fax 06 9865386*, <, 🏖, 🏖, 🌳 – |♦| [TV] – 🎤 300. [AE] [S] ⦿ [MC] [VISA]. ✂ rist
marzo-ottobre – **Pasto** 60000 – **42 cam** ☕ 135/180000 – ½ P 150000.

XX **All'Antica Darsena,** piazza Sant'Antonio 1, <. [AE] [S] ⦿ [MC] [VISA]
chiuso dal 20 al 31 dicembre e lunedì (escluso agosto) – **Pasto** carta 50/75000.

XX **Alceste al Buon Gusto,** piazzale Sant'Antonio 6 ☎ 06 9846744, *Fax 06 98341324*, <, ☂ – [AE] [S] ⦿ [MC] [VISA] [JCB]
chiuso martedì – **Pasto** carta 65/95000 (10 %).

XX **Lo Sbarco di Anzio,** via Molo Innocenziano ☎ 06 9847675, *Fax 06 9847675* – [AE] [S] ⦿ [MC] [VISA] [JCB]
chiuso dal 15 al 30 novembre, dal 23 al 26 dicembre e martedì (escluso da giugno ad agosto) – **Pasto** specialità di mare carta 75/135000.

a Lavinio Lido di Enea *Nord-Ovest : 8 km – ✉ 00040 – a.s. 15 giugno-agosto :*

🏨 **Succi** 🌙, via Portofino, località Tor Materno ☎ 06 9873923, *Fax 06 9871798*, <, ☂, 🏖 – |♦| ▤ [TV] 🚗. [AE] [S] ⦿ [MC] [VISA] [JCB]. ✂
Pasto carta 55/65000 – **48 cam** ☕ 140/165000 – ½ P 130000.

ANZOLA DELL'EMILIA *40011 Bologna* [429], [430] *I 15 – 10 164 ab. alt. 40.*
Roma 381 – Bologna 13 – Ferrara 57 – Modena 26.

🏨 **Garden** [M] senza rist, via Emilia 29 ☎ 051 735200, *garden.bo@usa.net, Fax 051 735673* – |♦| ▤ [TV] ☎ ♿ [P] – 🎤 70. [AE] [S] ⦿ [MC] [VISA]
chiuso dal 23 dicembre al 7 gennaio ed agosto – **56 cam** ☕ 260/380000.

🏨 **Alan** senza rist, via Emilia 46/b ☎ 051 733562, *halan@iperbole.bologna.it, Fax 051 735376* – |♦| ▤ [TV] ☎ 🚗 [P]. [AE] [S] ⦿ [MC] [VISA]
☕ 15000 – **61 cam** 170/210000.

🏨 **Lu King** senza rist, via Emilia 65 ☎ 051 734273, *luking.bo@bestwestern.it, Fax 051 735098* – |♦| 🚭 ▤ [TV] ☎ [P]. [AE] [S] ⦿ [MC] [VISA]. ✂
42 cam ☕ 160/230000.

XX **Il Ristorantino-da Dino,** via 25 Aprile 11 ☎ 051 732364, *Fax 051 732364* – ▤. [AE] [S] ⦿ [MC] [VISA]. ✂
chiuso dal 18 al 27 gennaio, agosto, domenica sera e lunedì – **Pasto** carta 40/70000.

XX **Al Ponte-da Tonino,** via Emilia 353, località Ponte Samoggia ☎ 051 739723, *Fax 051 739723* – ▤. [AE] [S] [MC] [VISA] [JCB]. ✂
chiuso domenica – **Pasto** carta 65/110000.

> I prezzi del pernottamento e della pensione possono subire aumenti in relazione all'andamento generale del costo della vita; quando prenotate fatevi precisare il prezzo dall'albergo.

AOSTA (AOSTE) *11100* [P] [428] E 3 *G. Italia – 34 741 ab. alt. 583 – a.s. Pasqua, luglio-settembre e Natale – Sport invernali : a Pila : 1 765/2 709 m* 🚡 2 ⛷ 5 ⛷ **Y B**, *Teatro* **Y** .
Vedere *Collegiata di Sant'Orso* **Y** *: capitelli★★ del chiostro★ – Finestre★ del Priorato di Sant'Orso* **Y** *– Monumenti romani★ : Porta Pretoria* **Y A**, *Arco di Augusto* **Y B**, *Teatro* **Y D**, *Anfiteatro* **Y E**, *Ponte* **Y G**. – **Escursioni** *Valle d'Aosta★★ : <★★★ Est, Sud-Ovest.*
⛳ *Aosta Arsanieres (aprile-novembre; chiuso mercoledì escluso agosto) località Arsanieres ✉ 11010 Gignod ☎ 0165 56020, Fax 0165 56020, Nord : 9 km;*
⛳ *Valle d'Aosta-Pila (giugno-ottobre) località Pila ✉ 11100 Gressan ☎ 0165 236963, Fax 0165 236963, Sud : 17 km.*
[i] *piazza Chanoux 8 ☎ 0165 236627, Fax 0165 34657.*
[A.C.I.] *località Borgnalle 10/H ☎ 0165 262208.*
Roma 746 ② – Chambéry 197 ③ – Genève 139 ③ – Martigny 72 ① – Milano 184 ② – Novara 139 ② – Torino 113 ②.

Pianta pagina seguente

🏨 **Europe,** piazza Narbonne 8 ☎ 0165 236363, *Fax 0165 40566* – |♦|, 🚭 cam, ▤ [TV] – 🎤 100. [AE] [S] ⦿ [MC] [VISA] [JCB]. ✂ rist — Y c
Pasto *(chiuso domenica)* carta 55/80000 – **63 cam** ☕ 190/320000, 8 suites – ½ P 190000.

🏨 **Holiday Inn Aosta** [M], corso Battaglione Aosta 30 ☎ 0165 236356, *holidayinnaosta@libero.it, Fax 0165 236837* – |♦|, 🚭 cam, ▤ [TV] ♿ [P]. [AE] [S] ⦿ [MC] [VISA] [JCB]. ✂ rist — X d
Pasto al Rist. ***La Taverne Provençale*** *(chiuso domenica e i giorni festivi)* 40/60000 – **45 cam** ☕ 220/320000, 5 suites – ½ P 190000.

🏨 **Milleluci** 🌙 senza rist, località Porossan Roppoz 15 ☎ 0165 235278, *hotelmilleluci@hotelmilleluci.com, Fax 0165 235284*, < città, 🌳, 🎾 – |♦| [TV] ☎ ♿ [P]. [AE] [S] ⦿ [MC] [VISA]. ✂
33 cam ☕ 160/200000. — X a

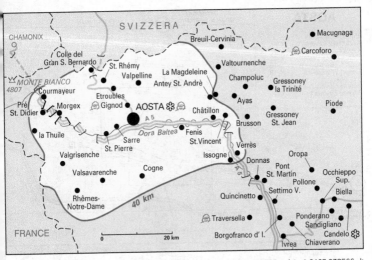

Miage, via Ponte Suaz 137 ✉ 11020 Charvensod ✆ 0165 238585 e rist ✆ 0165 238566, *h otelmiage@iol.it*, Fax 0165 236355, ≤, ☞ – 🛗 🔟 & ⇔ 🅿 🔝 🕄 ① ◗◗ 𝑉𝐼𝑆𝐴 ⅏
Pasto al Rist. *Glacier* (chiuso lunedì) carta 35/75000 – �a 15000 – **32 cam** 90/140000 –
½ P 110000.
X   f

Roma senza rist, via Torino 7 ✆ 0165 41000, *hroma@libero.it*, Fax 0165 32404 – 🛗 🔟 &
⇔ 🔝 ① ◗◗ 𝑉𝐼𝑆𝐴 𝐽𝐶𝐵
chiuso dal 10 ottobre al 15 novembre – �a 10000 – **38 cam** 120/140000.
Y   n

Vecchio Ristoro, via Tourneuve 4 ✆ 0165 33238, Fax 0165 33238, « In un antico mulino
ad acqua » – 🔝 🕄 ① ◗◗ 𝑉𝐼𝑆𝐴
chiuso giugno, domenica e lunedì a mezzogiorno – **Pasto** 65/85000 e carta 55/85000
Spec. Marbrè di bollito misto con bagnet verde (autunno/inverno). Vellutata di porri allo
zafferano con capesante e carciofi (febbraio-maggio). Cremè brulè di carciofi con caprino e
bagna càoda (dicembre-febbraio).
Y   b

Le Foyer, corso Ivrea 146 ✆ 0165 32136, Fax 0165 239474 – 🅿, 🔝 🕄 ① ◗◗ 𝑉𝐼𝑆𝐴 ⅏
chiuso dal 15 al 31 gennaio, dal 5 al 20 luglio, lunedì sera e martedì – **Pasto** 40000 e carta
45/80000.
X   b

a Gressan *Sud-Ovest : 3 km –* ✉ *11020 :*

Hostellerie de la Pomme Couronnée, frazione Resselin 3 ✆ 0165 251191,
Fax 0165 251191, ☎, prenotare la sera, « Cascinetta di campagna ristrutturata » – 🚻 🅿, 🕄
① ◗◗ 𝑉𝐼𝑆𝐴 𝐽𝐶𝐵
chiuso martedì e mercoledì a mezzogiorno – **Pasto** cucina con specialità alle mele 55/
75000 e carta 55/95000.

a Saint Christophe *per ② : 4 km – alt. 700 –* ✉ *11020 :*

Hotelalp senza rist, località Aeroporto 8 ✆ 0165 236900, *hotelalp@galactica.it*,
Fax 0165 239119, ≤, campo pratica golf, ☞ 🔟 & 🅿, 🛆 50. 🔝 🕄 ◗◗ 𝑉𝐼𝑆𝐴
chiuso novembre – �a 15000 – **51 cam** 100/135000.

Casale con cam, frazione Condemine 1 ✆ 0165 541203, Fax 0165 541962, ≤ – 🛗 🔟 &
⇔ 🅿, 🛆 60. 🔝 🕄 ◗◗ 𝑉𝐼𝑆𝐴 𝐽𝐶𝐵
chiuso dal 5 al 20 gennaio e dal 5 al 20 giugno – **Pasto** (chiuso domenica sera e lunedì in
bassa stagione) carta 40/65000 – �a 15000 – **25 cam** 80/130000 – ½ P 120000.

a Pollein *per ② : 5 km – alt. 608 –* ✉ *11020 :*

Diana, via Capoluogo 150/151 ✆ 0165 53120 e rist ✆ 0165 253064, *otel.diana@galactica.
it*, Fax 0165 53321, ≤, ☞ – 🛗 🔟 & 🅿 – 🛆 50. 🔝 🕄 ① ◗◗ 𝑉𝐼𝑆𝐴 𝐽𝐶𝐵. ⅏ rist
Pasto al Rist. *San Giorgio* (chiuso lunedì in bassa stagione) carta 50/75000 – **30 cam**
�a 95/140000 – ½ P 95000.

a Villair de Quart *per ② : 9 km –* ✉ *11020 :*

Le Bourricot Fleuri con cam, prossimità casello autostrada Aosta-Est ✆ 0165 774911,
info@bourricotfleuri.com, Fax 0165 774999, ≤, ☞ – 🚻 rist, 🔟 🅿, 🔝 🕄 ◗◗ 𝑉𝐼𝑆𝐴 𝐽𝐶𝐵. ⅏ rist
chiuso maggio, novembre, domenica e a mezzogiorno – **Pasto** 75/90000 e carta 65/
100000 – **4 cam** �a 120/160000, 10 suites 180/210000 – ½ P 150000
Spec. Magret di piccione con lenticchie e peperoni dolci. Orzo mantecato alle tome
d'alpeggio. Suprème di faraona farcita al foie gras, purea di carote e sedano.

AOSTA

Battaglione Aosta (C.) . X 3
Caduti del Lavoro (Via) X 4
Clavalite (Via) . . . . X 7
Conte Crotti (Viale) . . . . X 12
Gran S. Bernardo (Vle). X 16
Lexert (Via Emilio) . . . . X 18
Lys (Via) . . . . X 19
Monte Grivola (Via) . . . X 20
Monte Emilius (Via) . . . X 21

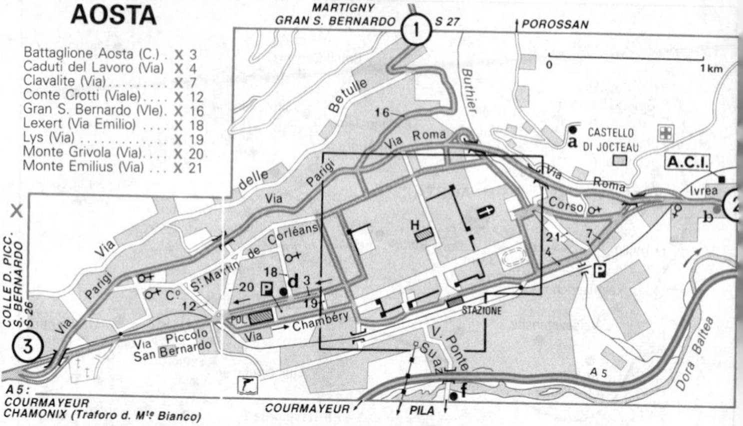

Circolazione regolamentata nel centro città

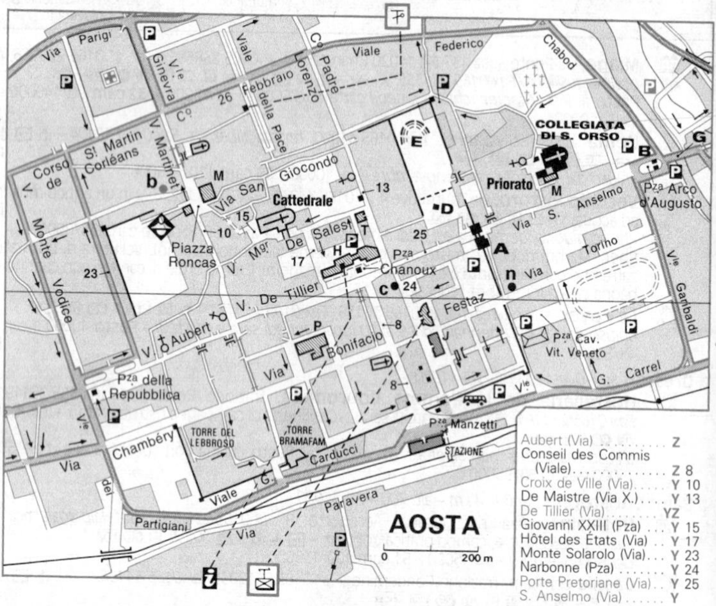

Aubert (Via) . . . . Z
Conseil des Commis (Viale) . . . . Z 8
Croix de Ville (Via) . . . . . Y 10
De Maistre (Via X.) . . . . Y 13
De Tillier (Via) . . . . YZ
Giovanni XXIII (Pza) . . . Y 15
Hôtel des États (Via) . . Y 17
Monte Solarolo (Via) . . . Y 23
Narbonne (Pza) . . . . Y 24
Porte Pretoriane (Via) . . Y 25
S. Anselmo (Via) . . . . . . Y

I prezzi del pernottamento e della pensione possono subire aumenti in relazione all'andamento generale del costo della vita; quando prenotate fatevi precisare il prezzo dall'albergo.

APPIANO GENTILE *22070 Como [428] E 8, [219] [18] – 7 068 ab. alt. 368.*

⛳18 La Pinetina (chiuso martedì) ✉ 22070 Carbonate ☎ 031 933202, Fax 031 890342.
Roma 617 – Como 20 – Milano 43 – Saronno 18 – Varese 20.

XX **Tarantola,** via della Resistenza 29 ☎ 031 930990, *ristorantetarantola@tiscalinet.it, Fax 031 891101,* ☂ *– [P]. [AE] [S] ● [MC] VISA*
chiuso dal 1° al 15 gennaio, lunedì sera e martedì – **Pasto** 80/95000 e carta 60/95000.

APPIANO SULLA STRADA DEL VINO (EPPAN AN DER WEINSTRASSE) *39057 Bolzano* [429]

C 15 – *12 415 ab. alt. (frazione San Michele) 418.*

Roma 641 – Bolzano 10 – Merano 32 – Milano 295 – Trento 57.

a San Michele (St. Michael) – ✉ *39057 San Michele Appiano.*

[i] *piazza Municipio 1* ☎ *0471 662206, Fax 0471 663546 :*

🏨 **Ansitz Tschindlhof** 🐦, via Monte 36 ☎ 0471 662225, *tschindlhof@rolmail.net, Fax 0471 663649,* ≤, « Giardino-frutteto con 🏊 » – [TV] ☏ [P]. [$] [O] [MC] [VISA] [JCB]. ✗ rist
20 marzo-13 dicembre – **Pasto** *(chiuso a mezzogiorno)* 45/60000 – **15 cam** ☕ 135/280000, 7 suites – ½ P 140000.

🏨 **Ansitz Angerburg**, via dell'Olmo 16 ☎ 0471 662107, *info@hotel-angerburg.com, Fax 0471 660993,* « Grazioso giardino con 🏊 » – [ascensore] [TV] [P]. [$] [O] [MC] [VISA]. ✗ rist
aprile-10 novembre – **Pasto** carta 45/70000 – **33 cam** ☕ 105/200000 – ½ P 110000.

🏨 **Schloss Aichberg** 🐦 senza rist, via Monte 31 ☎ 0471 662247, *Fax 0471 660908,* « Giardino-frutteto con 🏊 riscaldata », ≋ – [TV] [P]. [AE] [$] [MC] [VISA]. ✗
marzo-15 novembre – **12 cam** ☕ 120/200000, 4 suites.

XX ✿ **Zur Rose**, via Josef Innerhofer 2 ☎ 0471 662249, *Fax 0471 662485,* Coperti limitati; prenotare – ✗. [AE] [$] [O] [MC] [VISA]
chiuso luglio, domenica e lunedì a mezzogiorno – **Pasto** 75/90000 e carta 75/110000
Spec. Soufflé di canederlo di formaggio in pasta filo su crema di spinaci. Noce di vitello con burro di rosmarino e verdura stufata. Foglie di strudel caramellate con ragù di ciliege (estate).

a Pigeno (Pigen) *Nord-Ovest : 1,5 km* – ✉ *39057 San Michele Appiano :*

🏨 **Schloss Englar** 🐦 senza rist, via Pigeno 42 ☎ 0471 662628, *englar@dnet.it, Fax 0471 660404,* ≤, « In un castello medioevale », 🏊, 🌳 – [P]. [$] [O] [MC] [VISA]
Pasqua-novembre – **11 cam** ☕ 115/230000.

🏨 **Stroblhof** 🐦, strada Pigeno 25 ☎ 0471 662250, *hotel@stroblhof.it, Fax 0471 663644,* 🍴, « Giardino con laghetto-piscina », ≋, [🏊], 🎾 – [TV] [P]. [$] [MC] [VISA]. ✗ rist
marzo-novembre – **Pasto** carta 60/95000 – **24 cam** ☕ 150/270000, 6 suites – ½ P 150000.

a Cornaiano (Girlan) *Nord-Est : 2 km* – ✉ *39050 :*

🏨 **Weinegg** [M] 🐦, via Lamm 22 ☎ 0471 662511, *info@weinegg.com, Fax 0471 663151,* ≤ monti e frutteti, 🍴, 🏋, ≋, [🏊], 🌳, 🎾 – [ascensore], ✗ rist, [TV] ♿ 🚗 [P]. [$] [MC] [VISA]
marzo-novembre – **Pasto** carta 65/90000 – **19 cam** ☕ 160/280000, 38 suites 320/350000 – ½ P 190000.

🏨 **Girlanerhof** 🐦 via Belvedere 7 ☎ 0471 662442, *info@girlanerhof.it, Fax 0471 661259,* ≤, 🍴, ≋, [🏊], 🌳 – [ascensore] [TV] [P]. [$] [MC] [VISA]
aprile-5 novembre – **Pasto** carta 60/115000 – **20 cam** ☕ 130/290000, 8 suites – ½ P 150000.

XX **Marklhof-Bellavista**, via Belvedere 14 ☎ 0471 662407, *Fax 0471 661522,* ≤, « Servizio estivo in terrazza » – [P]. [AE] [$] [MC] [VISA]
chiuso dal 7 al 20 febbraio, dal 25 giugno al 7 luglio, domenica sera e lunedì – **Pasto** carta 70/90000.

a Monte (Berg) *Nord-Ovest : 2 km* – ✉ *39057 San Michele Appiano :*

🏨 **Steinegger** 🐦, via Masaccio 9 ☎ 0471 662248, *hotel.steinegger@dnet.it, Fax 0471 660517,* ≤ vallata, 🍴, ≋, 🏊, [🏊], 🌳, 🎾 – [P]. ✗ rist
aprile-novembre – **Pasto** *(chiuso mercoledì)* 25/40000 – **30 cam** ☕ 80/160000 – ½ P 100000.

a San Paolo (St. Pauls) *Nord : 3 km* – ✉ *39050 San Paolo Appiano :*

🏨 **Weingarten** 🐦 senza rist, via dei Campi 2 ☎ 0471 662299, *Fax 0471 661166,* 🍴, ≋, [🏊], 🌳, 🎾 – [TV] [P]. ✗ rist
aprile-10 novembre – **27 cam** ☕ 95/200000.

🏨 **Michaelis Hof** 🐦 senza rist, via Luziafeld 8 ☎ 0471 664432, *Fax 0471 663777,* ≤ vigneti, 🌳 – ✗ [TV] [P]. ✗
25 aprile-5 novembre – **12 cam** ☕ 110/160000.

a Missiano (Missian) *Nord : 4 km* – ✉ *39050 San Paolo Appiano :*

🏨 Schloss Korb 🐦, via Castel d'Appiano 5 ☎ 0471 636000, *Fax 0471 636033,* ≤ vallata, 🍴, « In un castello medioevale », ≋, 🏊, [🏊], 🌳, 🎾 – [ascensore] [TV] [P] – 🏛 100
stagionale – **57 cam**, 5 suites.

ai laghi di Monticolo (Montiggler See) *Sud-Est : 6 km* – ✉ *39057 San Michele Appiano :*

🏨 **Gartenhotel Moser** 🐦, strada dei laghi di Monticolo 104 ☎ 0471 662095, *info@gartenmoser.com, Fax 0471 661075,* ≤, 🍴, « Giardino-frutteto », 🏋, ≋, [🏊] – [ascensore], ✗ cam, [TV] ♿ [P]. [$] [O] [MC] [VISA]
marzo-novembre – **Pasto** carta 60/85000 – **20 cam** ☕ 125/270000, 15 suites 260/360000 – ½ P 150000.

APRICA 23031 Sondrio **428**, **429** D 12 – 1 606 ab. alt. 1 181 – Sport invernali : 1 181/2 360 m ⚡2 ⚡10, ⚡.

🎿 (giugno-ottobre) ℘ 0342 748009, Fax 0342 748556.

🚩 corso Roma 150 ℘ 0342 746113, Fax 0342 747732.

Roma 674 – Sondrio 30 – Bolzano 141 – Brescia 116 – Milano 157 – Passo dello Stelvio 79.

🏨 **Derby,** via Adamello 16 ℘ 0342 746067, Fax 0342 747760 – 📶 📺 ✆ ᘓ ⟵ 🅿. 🆎 🆂 ⓞ ⓜ **VISA** JCB. ⚡
Pasto *(chiuso martedì)* carta 40/65000 – **50 cam** ⊊ 150/170000 – ½ P 160000.

🏨 **Larice Bianco,** via Adamello 38 ℘ 0342 746275, *laricebianco@hotmail.com,* Fax 0342 745454, ⩽, 🏮 – 📶 📺 ᘓ 🅿. 🆎 🆂 ⓞ ⓜ **VISA**. ⚡ rist
dicembre-aprile e giugno-settembre – **Pasto** *(chiuso mercoledì)* 25/35000 – ⊊ 18000 – **25 cam** 80/130000 – ½ P 140000.

APRICALE 18030 Imperia **428** K 4, **115** ⑲ – 571 ab. alt. 273.

Roma 668 – Imperia 63 – Genova 169 – Milano 292 – San Remo 30 – Ventimiglia 16.

🏨 **Locanda dei Carugi** ⚡ senza rist, via Roma 12/14 ℘ 0184 209011, *carugi@masterweb. it,* Fax 0184 209942, « In un edificio del 1400 », 🏮 – 📺 ᘓ. 🆎 🆂 ⓞ ⓜ **VISA**
6 cam ⊊ 190/230000.

✗ **La Favorita** ⚡ con cam, località Richelmo ℘ 0184 208186, Fax 0184 208247, ⩽, 🏖, ⚡ prenotare – 📺 🅿. 🆎 🆂 ⓞ ⓜ **VISA**
chiuso dal 24 giugno all'8 luglio e dal 12 novembre al 6 dicembre – **Pasto** *(chiuso mercoledì escluso agosto)* 35/45000 – ⊊ 7500 – **7 cam** 85000 – ½ P 95000.

In questa guida

uno stesso simbolo, una stessa parola
stampati in rosso o in **nero**, in magro o in *grassetto*
hanno un significato diverso.

Leggete attentamente le pagine dell'introduzione.

APRILIA 04011 Latina **430** R 19 – 57 493 ab. alt. 80.

🎿 Eucalyptus *(chiuso martedì)* ℘ 06 92746252, Fax 06 9268502.

Roma 44 – Latina 26 – Napoli 190.

✗✗✗ **Il Focarile,** via Pontina al km 46,5 ℘ 06 9282549, Fax 06 9280392, 🏮 – ▦ 🅿. 🆎 🆂 ⓞ ⓜ **VISA**. ⚡
⚡ chiuso Natale, dal 10 al 28 agosto, domenica sera e lunedì – **Pasto** carta 70/100000 (10 %)
Spec. Insalata di gamberoni con caponata di capperi, olive e uva sultanina. Tagliolini con triglie rosse e bottarga. Cervelletto in sfoglia con salsa di tartufo.

✗✗ **Da Elena,** via Matteotti 14 ℘ 06 92704098, Fax 06 92704098 – ▦ 🅿. 🆎 🆂 ⓞ ⓜ **VISA**
chiuso dal 14 al 31 agosto e domenica – **Pasto** carta 40/85000.

AQUILEIA 33051 Udine **429** E 22 G. Italia – 3 350 ab. – a.s. luglio-agosto.

Vedere Basilica★★ : affreschi★★ della cripta carolingia, pavimenti★★ della cripta degli Scavi – Rovine romane★.

Roma 635 – Udine 41 – Gorizia 32 – Grado 11 – Milano 374 – Trieste 45 – Venezia 124.

🏨 **Patriarchi,** via Augusta 12 ℘ 0431 919595, *info@hotelpatriarchi.it,* Fax 0431 919596, 🏮 – ▦ 📺 🅿 – 🔬 200. 🆎 🆂 ⓞ ⓜ **VISA** JCB. ⚡ rist
chiuso dal 10 al 25 novembre – **Pasto** *(chiuso mercoledì escluso da aprile a settembre)* carta 40/80000 – **23 cam** ⊊ 100/160000 – ½ P 110000.

✗✗ **La Colombara,** via Zilli 42 (Nord-Est : 2 km) ℘ 0431 91513, Fax 0431 919560, 🏖 – 🅿. 🆎 🆂 ⓞ ⓜ **VISA**. ⚡
chiuso lunedì – **Pasto** specialità di mare carta 40/60000.

ARABBA 32020 Belluno **429** C 17 G. Italia – alt. 1 602 – Sport invernali : 1 602/2 950 m ⚡3 ⚡23, ⚡.

🚩 ℘ 0436 79130, Fax 0436 79300.

Roma 709 – Belluno 74 – Cortina d'Ampezzo 36 – Milano 363 – Passo del Pordoi 11 – Trento 127 – Venezia 180.

🏨 **Sporthotel Arabba,** via Pordoi 80 ℘ 0436 79321, Fax 0436 79121, ⩽ Dolomiti, 🖺, ⇌ – 📶 📺 ⚡ 🅿. 🆂 ⓞ ⓜ **VISA**. ⚡
20 dicembre-20 aprile e 20 giugno-15 settembre – **Pasto** 40/65000 e al Rist. *La Stube* carta 55/85000 – **53 cam** ⊊ 300/400000 – ½ P 245000.

🏨 **Evaldo,** via Arabba 1 ☎ 0436 79109, *hotel.evaldo@rolmail.net, Fax 0436 79358,* ≤ Dolomiti, 🏋, ♨ – 🛗 [TV] 🚗 [P]. [AE] $ ⦿ [MC] [VISA]. 🚭
chiuso dal 15 al 27 aprile e novembre – **Pasto** carta 45/65000 – **23 cam** ☕ 220/360000, *13 suites 150/400000* – ½ P 220000.

🏨 **Malita,** via Centro 15 ☎ 0436 79103, *hotelmalita@rolmail.net, Fax 0436 79391,* ≤, 🏋, ♨ – 🛗 [TV] ♿ [P]. [AE] $ ⦿ [MC] [VISA] [JCB]. 🚭 rist
chiuso maggio o giugno e novembre – **Pasto** carta 40/60000 – **29 cam** ☕ 160/240000 – ½ P 170000.

🏨 **Olympia,** ☎ 0436 79135, *Fax 0436 79354,* ≤ Dolomiti, ♨ – 🛗 [TV] 📞 ♿ [P]. $ [VISA]. 🚭 rist
chiuso dal 10 al 30 aprile e dal 3 novembre al 4 dicembre – **Pasto** carta 30/50000 – ☕ 20000 – **42 cam** 195/320000 – ½ P 210000.

🏨 **Royal** senza rist, strada delle Dolomiti 124 ☎ 0436 79293, *Fax 0436 780086,* ≤, ♨ – [TV] 🚗 [P]. $ [MC] [VISA]. 🚭
12 cam ☕ 95/160000.

ARCETO *Reggio nell'Emilia* [428], [429], [430] I 14 – *Vedere Scandiano.*

ARCETRI *Firenze* [430] K 15 – *Vedere Firenze.*

ARCIDOSSO *58031 Grosseto* [430] N 16 – *4 039 ab. alt. 661.*
Roma 183 – Grosseto 59 – Orvieto 74 – Siena 75 – Viterbo 91.

🏨 **Luce Sorgente** 🌿, località Aiole Sud : 3 km ☎ 0564 967409, *info@lucesorgente.it, Fax 0564 967188,* ≤ monti e centro storico, Centro benessere, 🏋, ♨ – 🛗, 🚭 cam, [TV] 📞 ♿ [P] – 🎤 200. [AE] $ [MC] [VISA]. 🚭
Pasto carta 40/60000 – **58 cam** ☕ 185/270000 – ½ P 140000.

ARCISATE *21051 Varese* [428] E 8, [219] ⑧ – *9 360 ab. alt. 381.*
Roma 631 – Como 33 – Lugano 27 – Milano 63 – Varese 6.

🍴🍴 Amadeu's, via Cesare Battisti 15, località Brenno Est : 2 km ☎ 0332 473709, *Fax 0332 474565,* ⛱, Coperti limitati; prenotare – [P].

ARCO *38062 Trento* [428], [429] E 14 – *14 157 ab. alt. 91 – a.s. Pasqua e Natale.*
[i] *viale delle Palme 1* ☎ *0464 532255, Fax 0464 532353.*
Roma 576 – Trento 33 – Brescia 81 – Milano 176 – Riva del Garda 6 – Vicenza 95.

🏨 **Villa delle Rose,** via Santa Caterina 4/P ☎ 0464 519091, *Fax 0464 516617,* ♨, 🏊, 🏊, 🌳 – 🛗 ❄ [TV] ♿ 🚗 [P] – 🎤 200. [AE] $ ⦿ [MC] [VISA]. 🚭
Pasto *(maggio-ottobre)* 25/30000 – **49 cam** ☕ 240/310000 – ½ P 125000.

🏨 **Everest,** viale Rovereto 91, località Vignole Est : 2 km ☎ 0464 519277, *hoteleverest@cr-surfing.net, Fax 0464 519280,* ≤, 🏋, ♨, 🏊, 🌳 – 🛗 ❄ [TV] ♿ [P] – 🎤 60. [AE] $ ⦿ [MC] [VISA]. 🚭
Pasto *(aprile-ottobre)* carta 45/70000 – **55 cam** ☕ 150/175000 – ½ P 125000.

🏨 **Al Sole,** via Foro Boario 5 ☎ 0464 516676, *sole.holiday@tin.it, Fax 0464 518585,* ♨ – 🛗 [TV]. [AE] $ ⦿ [MC] [VISA]
chiuso dicembre – **Pasto** *(chiuso sabato escluso da marzo ad ottobre)* carta 45/80000 – **20 cam** 80/150000 – ½ P 100000.

ARCORE *20043 Milano* [428] F 9, [219] ⑲ – *16 495 ab. alt. 193.*
Roma 594 – Milano 31 – Bergamo 39 – Como 43 – Lecco 30 – Monza 7.

🏨 **Borgo Lecco,** via Matteotti 2 ☎ 039 6014041 e rist. ☎ 039 6014764, *Fax 039 6014763* – 🛗 ❄ [TV] ♿ 🚗 [P] – 🎤 150. [AE] $ ⦿ [MC] [VISA] [JCB]. 🚭
Pasto al Rist. e pizzeria ***Il Saraceno*** *(chiuso mercoledì e luglio)* carta 40/80000 – ☕ 18000 – **54 cam** ☕ 150/195000 – ½ P 120000.

🏨 **Sant'Eustorgio,** via Ferruccio Gilera 1 ☎ 039 6013718, *sant'eustorgio@tiscalinet.it, Fax 039 617531,* « Giardino ombreggiato » – 🛗 [TV] [P]. [AE] $ ⦿ [MC] [VISA]
chiuso agosto – **Pasto** *(chiuso venerdì e domenica sera)* specialità toscane carta 55/85000 – **35 cam** ☕ 160/230000, 5 suites.

🍴 **L'Arco del Re,** via Papina 4 ☎ 039 6013644, *arcodelre@libero.it, Fax 039 6013644* – ❄. [AE] $ ⦿ [VISA]
chiuso sabato a mezzogiorno e domenica – **Pasto** carta 40/70000.

Leggete attentamente l'introduzione : è la « chiave » della guida.

ARCUGNANO 36057 Vicenza 429 F 16 – 6 914 ab. alt. 160.

Roma 530 – Padova 40 – Milano 211 – Vicenza 7.

🏨 **Villa Michelangelo** ⤢, via Sacco 19 ℰ 0444 550300, reception@hotelvillamichelange-lo.com, Fax 0444 550490, ≤ Colli Berici, 🏠, « In una villa del 1700 con grande parco », 🛆 coperta in inverno – 🛗 🔟 🔟 ⚊ 🕭 ⚙ 🅿 – 🛆 350. 🆎 🕲 ⓪ ⓴ VISA ⚙ rist
Pasto al Rist. **La Loggia** carta 70/120000 – **52 cam** ⛒ 225/350000, 6 suites – ½ P 235000.

XX **Antica Osteria da Penacio,** via Soghe 22, località Soghe Sud : 10 km ℰ 0444 273081, Fax 0444 273540 – 🗏 🅿. 🆎 🕲 ⓪ ⓴ VISA JCB. ⚙
chiuso dal 20 gennaio al 12 febbraio, dall'8 al 27 agosto, mercoledì e giovedì a mezzogiorno – **Pasto** carta 40/60000.

XX **Trattoria Zamboni,** via Santa Croce 14 (Sud : 4 km) ℰ 0444 273079, Fax 0444 273079, ≤ colli Berici, Trattoria di campagna elegante, « Servizio estivo all'aperto » – 🗏 🅿. 🕲 ⓪ ⓴ VISA
chiuso dal 2 al 10 gennaio, dal 1° al 10 agosto, lunedì e martedì – **Pasto** carta 45/65000.

ARDENZA Livorno 428, 430 L 12 – Vedere Livorno.

ARDORE MARINA 89037 Reggio di Calabria 431 M 30 – 5 056 ab. alt. 250.

Roma 711 – Reggio di Calabria 88 – Catanzaro 107.

XX **L'Aranceto,** via Pozzicello 4 ℰ 0964 629271, Fax 0964 629593, 🏠 – 🅿. 🆎 🕲 ⓪ ⓴ VISA.
⚙
chiuso ottobre e martedì – **Pasto** carta 40/80000.

Lisez attentivement l'introduction : c'est la clé du guide.

AREMOGNA L'Aquila 430 Q 24, 431 B 24 – Vedere Roccaraso.

ARENA PO 27040 Pavia 428 G 10 – 1 541 ab. alt. 60.

Roma 537 – Piacenza 31 – Alessandria 81 – Milano 67 – Pavia 29.

a Parpanese Est: 6 km – ✉ 27040 Arena Po :

XX **Parpanese,** via Parpanese 2 ℰ 0385 70476, Coperti limitati; prenotare – 🗏 🅿. 🆎 🕲 ⓴
VISA
chiuso dal 12 al 24 gennaio, dal 30 agosto al 10 settembre e lunedì – **Pasto** carta 55/100000.

ARENZANO 16011 Genova 428 I 8 – 11 554 ab. – a.s. 15 dicembre-15 gennaio, 22 marzo-maggio e ottobre.

🏌 (chiuso martedì) ℰ 010 9111817, Fax 010 9111270, Ovest : 1 km.

🛈 lungomare Kennedy ℰ 010 9127581, Fax 010 9127581.

Roma 527 – Genova 24 – Alessandria 77 – Milano 151 – Savona 23.

🏨 **Gd H. Arenzano,** lungomare Stati Uniti 2 ℰ 010 91091, direzione@grandhotelarenzano.it, Fax 010 9109444, ≤, « Giardino con 🛆 », 🕭, 🛆 – 🛗 🗏 🔟 🕭 ⚙ 🅿 – 🛆 250. 🆎 🕲 ⓪ ⓴ VISA. ⚙
chiuso dal 15 dicembre al 24 febbraio – **Pasto** carta 60/95000 – **105 cam** ⛒ 290/450000, 5 suites – ½ P 275000.

🏨 **Punta San Martino** ⤢, via della Punta San Martino 4 ℰ 010 91081, Fax 010 9108888, ≤ mare, « Terrazza-solarium con 🛆 », 🛆, 🛦 – 🗏, 🕭 cam, 🔟 🅿 – 🛆 200. 🆎 🕲 ⓪ ⓴ VISA. ⚙ rist
15 aprile-ottobre – **Pasto** carta 55/95000 – **33 cam** ⛒ 240/360000, suite – ½ P 225000.

🏨 **Ena** senza rist, via Matteotti 12 ℰ 010 9127379, Fax 010 9123139 – 🛗 🗏 🔟. 🆎 🕲 ⓪ ⓴ VISA. ⚙
chiuso dal 24 dicembre al 7 gennaio – **23 cam** ⛒ 160/210000.

🏨 **Poggio Hotel,** via di Francia 24 (Ovest : 2 km) ℰ 010 9135320, Fax 010 9135320, 🛆 – 🗏 🔟 🕭 ⚊ 🅿 – 🛆 30. 🆎 🕲 ⓪ ⓴ VISA
Pasto vedere rist **La Buca** – **36 cam** ⛒ 170/210000, 4 suites – ½ P 140000.

XX **La Buca** - Poggio Hotel, via di Francia 24 (Ovest : 2 km) ℰ 010 9135350, Fax 010 9135352, 🏠 – 🗏 🅿. 🆎 🕲 ⓪ ⓴ VISA
Pasto carta 50/75000.

X **Ulivi** con cam, via Olivette 12 ℰ 010 9127712, Fax 010 9127712, 🏠, Rist. e pizzeria – 🛗 🗏 🔟 🕭. 🆎 🕲 ⓪ ⓴ VISA
Pasto carta 55/100000 – ⛒ 15000 – **10 cam** 120/150000 – ½ P 120000.

ARESE 20020 Milano **428** F 9, **219** ⑱ – 19 128 ab. alt. 160.

Roma 597 – Milano 16 – Como 36 – Varese 50.

XX **Castanei,** viale Alfa Romeo 10 (Nord-Ovest : 1,5 km) ℘ 02 9380053, Fax 02 93581366, 🚗
– 🖥 **P.** **AE** **S** ① **◑** **VISA** **JCB** . %
chiuso dal 24 dicembre al 2 gennaio, agosto, domenica e mercoledì sera – **Pasto** carta
40/65000.

AREZZO 52100 **P** **430** L 17 *G. Toscana – 91 729 ab. alt. 296.*

Vedere *Affreschi di Piero della Francesca*★★★ *nella chiesa di San Francesco* **ABY** – *Chiesa di
Santa Maria della Pieve*★ *: facciata*★★ **BY** – *Crocifisso*★★ *nella chiesa di San Domenico* **BY** –
Piazza Grande★ **BY** – *Museo d'Arte Medievale e Moderna*★ *: maioliche*★★ **AY M2** – *Portico*★
e ancona★ *della chiesa di Santa Maria delle Grazie* **AZ** – *Opere d'arte*★ *nel Duomo* **BY**.
🛈 *piazza della Repubblica 28* ℘ *0575 377678, Fax 0575 20839.*
A.C.I. *viale Luca Signorelli 24/a* ℘ *0575 303609.*
*Roma 214 ④ – Perugia 74 ③ – Ancona 211 ② – Firenze 81 ④ – Milano 376 ④ –
Rimini 153 ①.*

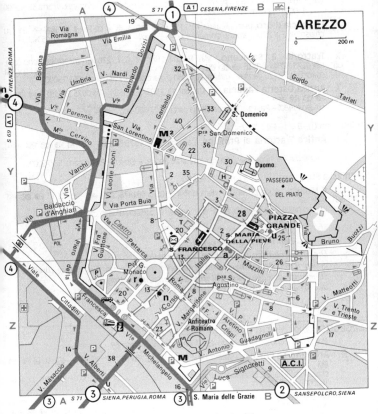

Circolazione regolamentata nel centro città

Cavour (Via) **ABY** 2	Maginardo (Viale) **AZ** 14	Pescioni (Via) **BZ** 26
Cesalpino (Via) **BY** 3	Mecenate (Viale) **AZ** 16	Pileati (Via dei) **BY** 28
Chimera (Via della) **AY** 5	Mino da Poppi (Via) **BZ** 17	Ricasoli (Via) **BY** 30
Fontanella (Via) **BZ** 6	Mochi (Via F.) **AY** 19	S. Clemente (Via) **AZ** 32
Garibaldi (Via) **ABYZ** 8	Monaco (Via G.) **AYZ** 20	S. Domenico (Via) **BY** 33
Giotto (Viale) **BZ** 9	Murello (Piagga del) **AY** 22	Saracino (Via del) **BY** 35
Grande (Piazza) **BY**	Niccolò Aretino	Sasso Verde (Via) **BY** 36
Italia (Corso) **ABYZ**	(Via) **AZ** 23	Vittorio Veneto (Via) **AZ** 38
Madonna del Prato (V.) **AYZ** 13	Pellicceria (Via) **BY** 25	20 Settembre (Via) **AY** 40

🏨🏨 **Etrusco Palace Hotel** Ⓜ, via Fleming 39 ℰ 0575 984066, *etrusco@etruschotel.it*,
Fax 0575 382131 – 📶 🗏 📺 🖭 ➡ 🄿 – 🔬 400. 🄰🄴 🔢 ⓞ ⓪ 🅥🅸🅂🄰 🄹🄲🄱. 🛠 1 km per ④
Pasto *(chiuso agosto e domenica)* carta 45/65000 – **80 cam** ☲ 180/230000 – ½ P 150000.

🏨🏨 **Minerva**, via Fiorentina 6 ℰ 0575 370390, *info@hotel-minerva.it*, Fax 0575 302415 – 📶 🗏
📺 🖭 🄿 – 🔬 400. 🄰🄴 🔢 ⓞ ⓪ 🅥🅸🅂🄰 🄹🄲🄱. 🛠   AY n
Pasto *(chiuso dal 1° al 20 agosto)* carta 45/60000 (15%) – **132 cam** ☲ 180/220000 –
½ P 170000.

🏨 **Continentale** senza rist, piazza Guido Monaco 7 ℰ 0575 20251, *info@hotelcontinentale.
com*, Fax 0575 350485 – 📶 🗏 📺 – 🔬 130. 🄰🄴 🔢 ⓞ ⓞ ⓪ 🅥🅸🅂🄰   AZ r
☲ 15000 – **73 cam** 120/180000.

🏨 **Cavaliere Palace Hotel** senza rist, via Madonna del Prato 83 ℰ 0575 26836, *info@caval
ierehotels.com*, Fax 0575 21925 – 📶 🗏 📺 🄴. 🄰🄴 🔢 ⓞ ⓞ ⓪ 🅥🅸🅂🄰   AZ n
☲ 20000 – **26 cam** 140/200000.

🏨 **Casa Volpi** ⚘, località Le Pietre 2 ℰ 0575 354364, Fax 0575 355971, « Villa ottocentesca
in un parco » – 📶 🗏 📺 🄿. 🄰🄴 🔢 ⓞ ⓞ 🅥🅸🅂🄰. 🛠   1,5 km per ②
chiuso dal 1° al 15 agosto – Pasto *(chiuso a mezzogiorno escluso domenica)* carta 35/60000
– ☲ 15000 – **12 cam** 120/160000.

🍴🍴 **La Lancia d'Oro**, piazza Grande 18/19 ℰ 0575 21033, 🍽 – 🄰🄴 🔢 ⓞ ⓞ ⓪ 🅥🅸🅂🄰. 🛠 BY u
chiuso dal 5 al 25 novembre, domenica sera e lunedì – Pasto carta 55/80000 (15%).

🍴 **Trattoria il Saraceno**, via Mazzini 6/a ℰ 0575 27644, *info@ilsaraceno.com*,
Fax 0575 27644 – 🄰🄴 🔢 ⓞ ⓞ 🅥🅸🅂🄰 🄹🄲🄱   BY a
chiuso dal 7 al 25 gennaio, dal 7 al 28 luglio e mercoledì – Pasto carta 30/75000.

🍴 **Antica Osteria l'Agania**, via Mazzini 10 ℰ 0575 295381, Fax 0575 295381 – 🗏. 🄰🄴 🔢
ⓞ ⓞ 🅥🅸🅂🄰 🄹🄲🄱   BY a
chiuso lunedì – Pasto cucina casalinga carta 30/50000 bc.

a Giovi per ① : 8 km – ☒ 52010 :

🍴🍴 **Antica Trattoria al Principe**, via Giovi 25 ℰ 0575 362046 – 🄰🄴 🔢 ⓞ ⓞ 🅥🅸🅂🄰 🄹🄲🄱.
🛠
chiuso dal 7 al 15 gennaio, dal 25 luglio al 20 agosto e lunedì – Pasto carta 50/75000.

a Chiassa Superore per ① : 9 km – ☒ 52030 :

🍴 **Il Mulino**, strada provinciale della Libbia ℰ 0575 361878, 🍽, 🐎 – 🄿. 🄰🄴 🔢 ⓞ ⓞ 🅥🅸🅂🄰
🄹🄲🄱. 🛠
chiuso dall'8 al 15 gennaio, dal 1° al 25 agosto e martedì – Pasto carta 35/55000.

Ferienreisen wollen gut vorbereitet sein.

*Die **Straßenkarten** und **Führer** von Michelin*

geben Ihnen Anregungen und praktische Hinweise zur Gestaltung Ihrer Reise:
Streckenvorschläge, Auswahl und Besichtigungsbedingungen
der Sehenswürdigkeiten, Unterkunft, Preise... u. a. m.

ARGEGNO 22010 Como 🔢🔢🔢 E 9, 🔢🔢🔢 ⑨ – 660 ab. alt. 220.
Roma 645 – Como 20 – Lugano 43 – Menaggio 15 – Milano 68 – Varese 44.

🏨 **Argegno-La Corte**, via Milano 14 ℰ 031 821455, Fax 031 821455, 🍽 – 📺. 🄰🄴 🔢 ⓞ ⓞ
🅥🅸🅂🄰
chiuso dal 1° al 20 dicembre – Pasto *(rist. e pizzeria)* carta 45/60000 – **14 cam** ☲ 100/
160000 – ½ P 120000.

🍴 **La Griglia** ⚘ con cam, strada per Schignano Sud-Ovest : 3 km ℰ 031 821147, *info@lagri
glia.it*, Fax 031 821427, prenotare, « Servizio estivo all'aperto », 🐎 – 🄿. 🄰🄴 🔢 ⓞ ⓞ 🅥🅸🅂🄰.
🛠 rist
chiuso gennaio e febbraio – Pasto *(chiuso martedì escluso da luglio a settembre)* carta
55/75000 – ☲ 9000 – **7 cam** 80/95000 – ½ P 80000.

a Sant'Anna Ovest : 3,5 km – ☒ 22010 Argegno :

🍴 **Locanda Sant'Anna** ⚘ con cam, Via Sant'Anna 152 ℰ 031 821738, Fax 031 821455, ≼,
🐎 – 📺 🄿. 🄰🄴 🔢 ⓞ ⓞ 🅥🅸🅂🄰 🄹🄲🄱
Pasto *(chiuso mercoledì)* carta 50/65000 – **8 cam** ☲ 100/160000 – ½ P 130000.

ARGELATO 40050 Bologna 429, 430 I 16 – 8 287 ab. alt. 21.
Roma 393 – Bologna 20 – Ferrara 34 – Milano 223 – Modena 41.

XX **L'800**, via Centese 33 ℰ 051 893032, *rist800@libero.it*, Fax 051 893032, 余, prenotare – 🗐 **P**. 🖭 🕄 ⓪ ◍ 💳. ⬩⬩
chiuso dal 12 al 20 agosto, domenica sera e lunedì – **Pasto** specialità lumache e rane 60/75000 e carta 60/90000.

a Funo *Sud-Est : 9 km* – ⊠ 40050 :

XX **Il Gotha**, via Galliera 92 ℰ 051 864070, Fax 051 864070 – 🗐. 🖭 🕄 ⓪ ◍ 💳. ⬩⬩
chiuso domenica e dal 1º al 20 agosto – **Pasto** carta 50/75000.

ARGENTA 44011 Ferrara 429, 430 I 17 – 21 748 ab..
🖈₁₈ *(chiuso martedì)* ℰ 0532 852545, fax 0532 852545.
Roma 432 – Bologna 53 – Ravenna 40 – Ferrara 34 – Milano 261.

🏨 **Villa Reale** senza rist, viale Roiti 16/a ℰ 0532 852334, *villareale@villareale.it*, Fax 0532 852353 – 🛗 🗐 📺 ዿ, ⇔ **P** – 🔬 80. 🖭 🕄 ⓪ ◍ 💳 🇯🇨🇧
30 cam ⊑ 130/170000.

🏠 **Centrale** senza rist, via G. Bianchi 1/B ℰ 0532 852694, Fax 0532 852235 – 🛗 🗐 📺 ዿ. 🖭 🕄 ⓪ ◍ 💳. ⬩⬩
15 cam ⊑ 80/120000.

ARIANO IRPINO 83031 Avellino 431 D 27 – 23 290 ab. alt. 817.
Roma 262 – Foggia 63 – Avellino 51 – Benevento 41 – Napoli 102 – Salerno 84.

XX **La Pignata**, viale Dei Tigli 7 ℰ 0825 872355 – 🗐. 🖭 🕄 ⓪ ◍ 💳. ⬩⬩
⬭⬭ *chiuso dal 15 al 30 settembre e martedì* – **Pasto** carta 30/50000.

ARIANO NEL POLESINE 45012 Rovigo 429 H 18 – 4 926 ab..
Roma 473 – Padova 66 – Ravenna 72 – Ferrara 50 – Milano 304 – Rovigo 36 – Venezia 97.

XX **Due Leoni** con cam, corso del Popolo 21 ℰ 0426 372129, Fax 0426 372130 – 🗐 rist, 📺 ℰ. 🖭 🕄 ⓪ ◍ 💳
chiuso dal 2 al 16 luglio – **Pasto** *(chiuso lunedì)* carta 45/65000 – **12 cam** ⊑ 90/120000 – ½ P 90000.

ARICCIA 00040 Roma 430 Q 20 *G. Roma* – 18 494 ab. alt. 412.
Roma 25 – Latina 39.

🏨 **Villa Aricia**, via Villini 4/6 (Appia Nuova) ℰ 06 9321161, *htlaricia@grisnet.it*, Fax 06 9320065, « Servizio rist. estivo all'aperto nel parco secolare » – 🛗 📺 ዿ, **P** – 🔬 180. 🖭 🕄 ⓪ ◍ 💳. ⬩⬩ rist
Pasto *(chiuso lunedì)* carta 40/70000 – ⊑ 10000 – **60 cam** 110/140000 – ½ P 130000.

ARMA DI TAGGIA 18011 Imperia 428 K 5.
Vedere *Dipinti*✶ *nella chiesa di San Domenico a Taggia*✶ *Nord : 3,5 km.*
🖪 *via Boselli* ℰ 0184 43733, Fax 0184 43333.
Roma 631 – Imperia 22 – Genova 132 – Milano 255 – Ventimiglia 25.

XXX **La Conchiglia**, Lungomare 33 ℰ 0184 43169, Fax 0184 43169, 余, Coperti limitati; prenotare – 🗐. 🖭 🕄 ⓪ ◍ 💳. ⬩⬩
⬥ *chiuso dal 1º al 15 giugno, dal 16 novembre al 1º dicembre, mercoledì e giovedì a mezzogiorno* – **Pasto** 55000 *(solo a mezzogiorno, escluso sabato e domenica)* 95/135000 e carta 85/150000
Spec. Calamaretti in zemino di carciofi (autunno-inverno). Lasagnette di melanzane e pesce spada (primavera-estate). Scaloppa di gallinella di mare in guazzetto di vongole.

ARMENZANO Perugia 430 M 20 – *Vedere Assisi.*

ARONA *28041 Novara* 428 *E 7 G. Italia – 14 642 ab. alt. 212.*

Vedere Lago Maggiore★★★ *– Colosso di San Carlone*★ *– Polittico*★ *nella chiesa di Santa Maria –* ≤★ *sul lago e Angera dalla Rocca.*

🛈 *piazzale Duca d'Aosta* ℰ *0322 243601, Fax 0322 243601.*

Roma 641 – Stresa 16 – Milano 40 – Novara 64 – Torino 116 – Varese 32.

🏨 **Concorde** Ⓜ, via Verbano 1 ℰ *0322 249321, hotconco@tin.it, Fax 0322 249372,* ≤ Rocca di Angera e lago – 🛗 ≣ 📺 & 🅿 – 🔬 240. 🕮 🕄 ① ⓧⓧ 𝚅𝙸𝚂𝙰 𝙹𝙲𝙱. ℀ rist
Pasto carta 55/85000 – ⊆ 20000 – **82 cam** 180/260000 – ½ P 230000.

🍽🍽🍽 **Taverna del Pittore,** piazza del Popolo 39 ℰ *0322 243366, Fax 0322 48016,* prenotare, « *Veranda sul lago con* ≤ *sulla Rocca di Angera* » – 🕄 ① ⓧⓧ 𝚅𝙸𝚂𝙰. ℀
chiuso dal 18 dicembre al 21 gennaio e lunedì – **Pasto** 120000 (10 %) e carta 95/145000 (10 %).

🍽🍽 **Pescatori,** lungolago Marconi 7 ℰ *0322 48312, pescatorieglicine@tiscalinet.it, Fax 0322 242094,* 🏠, prenotare – ≣. 🕮 🕄 ① ⓧⓧ 𝚅𝙸𝚂𝙰 𝙹𝙲𝙱
chiuso dal 2 al 20 gennaio e martedì – **Pasto** specialità di mare 45/50000 (a mezzogiorno) 55/65000 (alla sera) e carta 60/90000.

🍽🍽 **Al Cantuccio,** piazza del Popolo 1 ℰ *0322 243343* – ≣. 🕮 🕄 ⓧⓧ 𝚅𝙸𝚂𝙰
chiuso agosto e lunedì – **Pasto** 45000 e carta 55/115000 (10 %).

🍽🍽 **Del Barcaiolo,** piazza del Popolo 20/23 ℰ *0322 243388, ristdelbarcaiolo@tiscalinet.it, Fax 0322 45716,* 🏠, « Taverna caratteristica » – 🕮 🕄 ① ⓧⓧ 𝚅𝙸𝚂𝙰. ℀
chiuso dal 25 gennaio al 14 febbraio, dal 20 luglio al 20 agosto e mercoledì – **Pasto** carta 55/90000.

🍽🍽 **La Piazzetta,** piazza del Popolo 35 ℰ *0322 243316, Fax 0322 48027,* ≤ lago e rocca di Angera – 🕮 🕄 ① ⓧⓧ 𝚅𝙸𝚂𝙰 𝙹𝙲𝙱. ℀
chiuso dal 15 gennaio al 10 febbraio e lunedì (escluso luglio-agosto) – **Pasto** carta 60/90000.

🍽 **Ristoro Antico,** via Bottelli 46 ℰ *0322 46482,* prenotare ≣. 𝚅𝙸𝚂𝙰
chiuso dal 20 luglio al 20 agosto, domenica sera e lunedì – **Pasto** carta 35/55000.

a Campagna *Nord-Ovest : 4 km – –* ⊠ *28041 :*

🍽 **Campagna,** via Vergante 12 ℰ *0322 57294,* 🏠 – ≣ 🅿. 🕮 🕄 𝚅𝙸𝚂𝙰. ℀
chiuso dal 15 al 30 giugno, dal 1°al 15 novembre, lunedì sera (escluso luglio-agosto) e martedì – **Pasto** carta 40/65000.

ARPINO *03033 Frosinone* 430 *R 22 – 7 872 ab. alt. 450.*

Roma 115 – Frosinone 29 – Avezzano 53 – Isernia 86 – Napoli 132.

🏨 **Il Cavalier d'Arpino,** via Vittoria Colonna 21 ℰ *0776 849348, 0776 850060,* « Giardino e parco » – 🛗, ℀ rist, 📺 🅿. 🕮 🕄 ① ⓧⓧ 𝚅𝙸𝚂𝙰. ℀
Pasto *(chiuso venerdì)* carta 30/50000 – **21 cam** ⊆ 90/130000 – ½ P 90000.

ARQUÀ PETRARCA *35032 Padova* 429 *G 17 G. Italia – 1 858 ab. alt. 56.*

Roma 478 – Padova 22 – Mantova 85 – Milano 268 – Rovigo 27 – Venezia 61.

🍽🍽🍽 **La Montanella,** via Costa 33 ℰ *0429 718200, info@montanella.it, Fax 0429 777177,* ≤, 🏠, 🌳 – ≣ 🅿. 🕮 🕄 ① ⓧⓧ 𝚅𝙸𝚂𝙰. ℀
chiuso da gennaio al 13 febbraio, dal 7 al 21 agosto, martedì sera e mercoledì – **Pasto** 45000 (solo a mezzogiorno) 65000 e carta 55/85000.

ARTA TERME *33022 Udine* 429 C 21 – *2 244 ab. alt. 442 – Stazione termale (maggio-ottobre), a.s. 10 luglio-14 settembre e Natale.*

via Umberto I 15 ✆ 0433 929290, Fax 0433 92104.

Roma 696 – Udine 56 – Milano 435 – Monte Croce Carnico 25 – Tarvisio 71 – Tolmezzo 8 – Trieste 129.

a Piano d'Arta *Nord : 2 km – alt. 564 – ✉ 33020 :*

Gardel, via Marconi 6/8 ✆ 0433 92588, *gardel@agemont.it, Fax 0433 92153,* ... – TV P. AE VISA.

chiuso dal 15 novembre al 20 dicembre – **Pasto** carta 35/50000 – **55 cam** 70/150000 – ½ P 90000.

ARTIMINO *Prato* 428, 430 K 15 – *Vedere Carmignano.*

ARZACHENA *Sassari* 433 D 10 – *Vedere Sardegna alla fine dell'elenco alfabetico.*

ARZIGNANO *36071 Vicenza* 429 F 15 – *22 833 ab. alt. 116.*

Roma 536 – Verona 48 – Venezia 87 – Vicenza 22.

Principe con cam, via Caboto 16 ✆ 0444 675131, *hotel.principe@ntt.it, Fax 0444 675921,* prenotare, ... – TV P. AE VISA JCB

chiuso dal 1°al 10 gennaio ed agosto – **Pasto** *(chiuso domenica e in luglio anche sabato)* 85/100000 (15 %) e carta 90/145000 (15 %) – **11 cam** 120/180000, suite

Spec. Millefoglie di baccalà con invidia stufata al coriandolo e caviale (marzo-novembre). Maccheroncini gratinati ai funghi con nero di seppia (15 aprile-ottobre). Carré e filetto di agnello farcito con patate e foie gras (settembre-aprile).

We suggest:
for a successful tour, that you prepare it in advance. ***Michelin maps and guides,*** *will give you much useful information on route planning, places of interest, accommodation, prices etc.*

ASCOLI PICENO *63100* P 430 N 22 *G. Italia – 51 827 ab. alt. 153.*

Vedere *Piazza del Popolo*★★ **B** *: palazzo dei Capitani del Popolo*★*, chiesa di San Francesco*★*, Loggia dei Mercanti*★ **A** *– Quartiere vecchio*★ **AB** *: ponte di Solestà*★*, chiesa dei Santi Vicenzo ed Anastasio*★ **N** *– Corso Mazzini*★ **ABC** *– Polittico del Crivelli*★ *nel Duomo* **C** *– Battistero*★ **C E.**

piazza del Popolo 17 ✆ 0736 253045, Fax 0736 252391.

A.C.I. *viale Indipendenza 38/a ✆ 0736 45920.*

Roma 191 ② – Ancona 122 ① – L'Aquila 101 ② – Napoli 331 ② – Perugia 175 ② – Pescara 88 ① – Terni 150 ②.

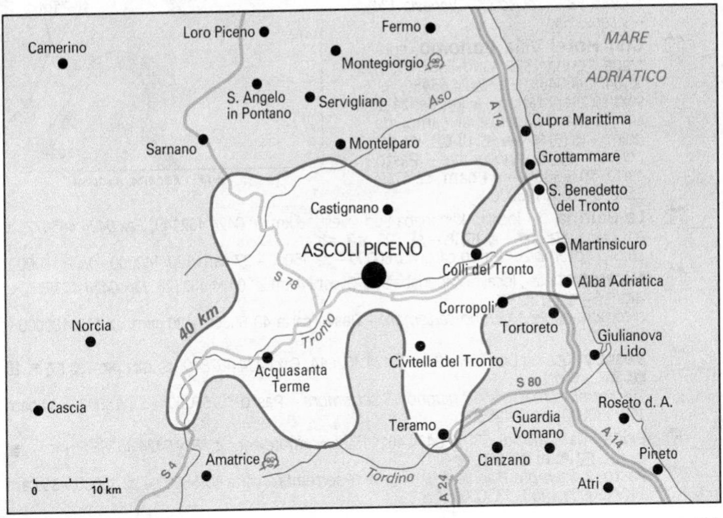

ⓗ **Gioli** senza rist, viale De Gasperi 14
℘ 0736 255550, Fax 0736 255550 – ▮
🔟 ﾑﾓ ⑤ ⓞ ⓪ 𝗩𝗜𝗦𝗔. ⅀ C a
chiuso dal 24 al 30 dicembre – **56 cam**
⌸ 110/165000.

✕✕ **Gallo d'Oro,** corso Vittorio
Emanuele 13 ℘ 0736 253520,
Fax 0736 253520 – ▤. ﾑﾓ ⑤ ⓞ ⓪
𝗩𝗜𝗦𝗔 B a
chiuso dal 23 dicembre al 3 gennaio,
dal 28 giugno al 12 luglio e domenica
– **Pasto** carta 40/50000.

✕✕ **Tornasacco,** piazza del Popolo 36
℘ 0736 254151, Fax 0736 258579 –
▤. ﾑﾓ ⑤ ⓞ ⓪ 𝗩𝗜𝗦𝗔 𝗝𝗖𝗕 B b
chiuso dal 15 al 30 luglio, dal 24 al 26
dicembre e venerdì – **Pasto** 40/70000
e carta 45/65000.

✕ **Kursaal,** via Luigi Mercantini 66
℘ 0736 253140, Fax 0736 253140 –
▤. ﾑﾓ ⑤ ⓞ ⓪ 𝗩𝗜𝗦𝗔. ⅀ C b
chiuso domenica – **Pasto** carta 35/
65000.

a **Folignano** *Sud-Est : 7 km – alt. 319 –*
✉ 63040 :

ⓗ **Villa Pigna** ﹩, viale Assisi 33, locali-
tà Villa Pigna ℘ 0736 491868,
Fax 0736 492179, « Piccolo parco » –
▮▤ 🔟 ℗ – 🏛 300. ﾑﾓ ⑤ ⓞ ⓪ 𝗩𝗜𝗦𝗔.
⅀
Pasto carta 40/70000 – **54 cam**
⌸ 150/220000.

ASIAGO 36012 Vicenza ⁴²⁹ E 16 –
6 692 ab. alt. 1 001 – Sport invernali :
sull'Altopiano : 1 001/2 336 m ≰41,
⋠.

🛆 *(maggio-ottobre)* ℘ 0424 462721,
Fax 0424 465133.

🖪 *via Stazione 5* ℘ 0424 462221, Fax
0424 462445.
Roma 589 – Trento 64 – Milano 261 –
Padova 88 – Treviso 83 – Venezia 121
– Vicenza 55.

ⓗ **Golf Hotel Villa Bonomo,** con-
trada Pennar 322 (Sud-Est : 4 km)
℘ 0424 460408, Fax 0424 63459, ≼,
solo su prenotazione, « Residenza di
campagna adiacente ai campi di
golf » – ▮ 🔟 ⅍ ⟷ ℗. ⑤ 𝗩𝗜𝗦𝗔. ⅀ rist
chiuso maggio e novembre – **Pasto**
carta 40/65000 – **11 cam** ⌸ 170/
250000 – 1/2 P 190000.

ⓗ **La Baitina** ﹩ località Kaberlaba Sud-Ovest : 5 km ℘ 0424 462149, Fax 0424 463677, ≼
Altopiano, ⌢, ⍗ – ▮ 🔟 ℗ – 🏛 300. 𝗩𝗜𝗦𝗔. ⅀
chiuso novembre – **Pasto** carta 45/60000 – ⌸ 15000 – **27 cam** 120/140000 – 1/2 P 130000.

ⓗ **Miramonti** ﹩, località Kaberlaba Sud-Ovest : 4 km ℘ 0424 462526, Fax 0424 463533, ≼,
⍗, ✕ – ▮ 🔟 ℗. ⅀
dicembre-aprile e giugno-settembre – **Pasto** carta 40/55000 – **26 cam** ⌸ 150/180000 –
1/2 P 120000.

ⓗ **Vescovi** ﹩, via Don Viero 80 ℘ 0424 462614, Fax 0424 462840, ≼, ⌢, ⍗ – ▮ 🔟 ℗. ⑤
⓪ 𝗩𝗜𝗦𝗔. ⅀ rist
20 dicembre-marzo e 15 giugno-15 settembre – **Pasto** 30/35000 – ⌸ 13000 – **44 cam**
110/150000 – 1/2 P 125000.

ⓗ **Erica,** via Garibaldi 55 ℘ 0424 462113, info@hotelerica.it, Fax 0424 462861, ⍗ – ▮,
▤ rist, 🔟 ℗. ⑤ ⓞ ⓪ 𝗩𝗜𝗦𝗔. ⅀
Pasto *(7 dicembre-8 aprile e 16 giugno-16 settembre)* carta 40/55000 – ⌸ 15000 – **35 cam**
110/150000 – 1/2 P 135000.

ASCOLI PICENO

Alighieri
(Via D.) . . . . C 2
Arringo
(Piazza) . . . . BC 3
Bonaccorsi
(Via del) . . . . . BC 5
Buonaparte (Via) . . C 6
Cairoli (Via) . . . . . . B 7
Cecco d'Ascoli
(Piazza) . . . . A 9
Corfino (Via di) . . A 10

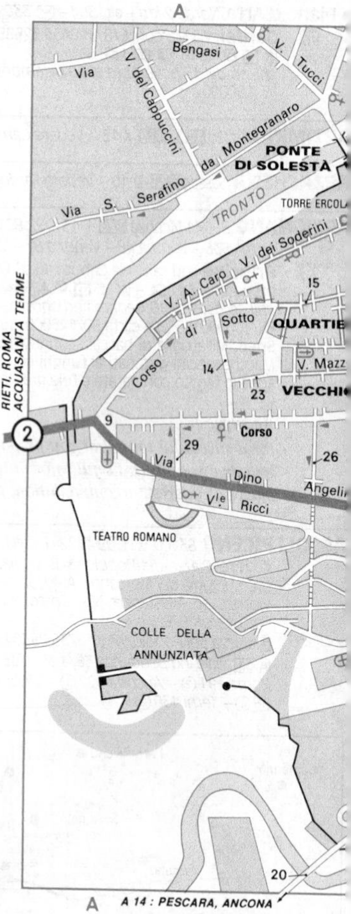

A 14 : PESCARA, ANCONA

100

Fortezza	
(V. della) . . . . B 13	Ponte Pta Tuffilla
Lazzari Tullio (Via) . . . A 14	(Nuovo) . . . . C 21
Manilia (Via) . . . . A 15	Popolo (Piazza del) . . B
Matteotti (Piazza) . . . . C 17	Pozzetto (Rua del) . . A 23
Ponte Maggiore . . . . . C 18	Roma (Piazza) . . . . . . B 22
Ponte Pta Cartara . . . A 20	S. Agostino
	(Piazza) . . . . B 24

S. Angelo	Trebbiani (Via) . . . . . . B 32
(Via) . . . . B 25	Trento e Trieste
S. Giuliano	(Corso) . . . . B 33
(Via) . . . . A 26	Trivio (Via del) . . . . . . B 34
Solestà (Via di) . . . . A 28	Vidacilio (Via) . . . . . . B 35
Templari	20 Settembre
(Via dei) . . . . A 29	(Via) . . . . B 37

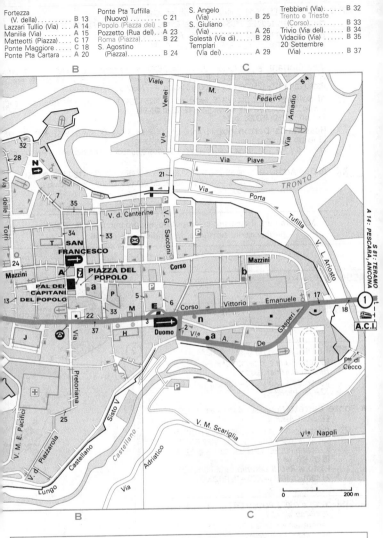

XX **Casa Rossa,** località Kaberlaba Sud-Ovest : 3,5 km ℘ 0424 462017, *Fax 0424 462307,* ≤ – P, AE S O OO VISA. ⫻
chiuso dal 1° al 25 giugno e giovedì (escluso da dicembre a febbraio e da giugno a set-tembre) – **Pasto** carta 45/65000.

X **Aurora** ⫻ con cam, via Ebene 71 ℘ 0424 462469, *Fax 0424 460528,* prenotare – TV P. AE S OO VISA. ⫻
chiuso dal 1° al 15 maggio e dal 1° al 15 ottobre – **Pasto** *(chiuso lunedì)* carta 40/50000 – **6 cam** ⊡ 70/140000, 5 suites 130/300000.

X **Tre Fonti,** contrada Rodeghieri 182 (Nord : 4,5 km) ℘ 0424 462601, ⽊, coperti limitati; prenotare – S OO VISA
chiuso lunedì e martedì – **Pasto** carta 40/70000.

ASOLO 31011 Treviso **429** E 17 G. Italia – 7 491 ab. alt. 204.

🏕 (chiuso martedì) ✉ 31034 Cavaso del Tomba ℘ 0423 942000, Fax 00423 543226.

🖪 piazza D'Annunzio 3 ℘ 0423 529046, Fax 0423 524137.

Roma 559 – Padova 52 – Belluno 65 – Milano 255 – Trento 104 – Treviso 35 – Venezia 66 – Vicenza 51.

🏨🏨 **Villa Cipriani** ⚜, via Canova 298 ℘ 0423 523411, giampaolo.burattin@sheraton.com, Fax 0423 952095, ≼ pianura e colline, ☞ – 🛗 🗏 📺 🚗 🅿 – 🔬 50. 🖭 🔢 ⑩ ⓿⓿ 𝘝𝘐𝘚𝘈 𝘑𝘊𝘉
Pasto carta 120/175000 – ≈ 58500 – **31 cam** 480/795000 – ½ P 540000.

🏨🏨 **Al Sole** ⚜ senza rist, via Collegio 33 ℘ 0423 528111, albergoalsole@sevenonline.it, Fax 0423 528399, 🖪 – 🛗 ⇆ 🗏 📺 🕭 🅿 🖭 🔢 ⓿⓿ 𝘝𝘐𝘚𝘈
23 cam ≈ 250/450000, suite.

🍴🍴 **Hostaria Ca' Derton,** piazza D'Annunzio 11 ℘ 0423 529648, Fax 0423 520308 – 🗏 🖭 🔢 ⑩ ⓿⓿ 𝘝𝘐𝘚𝘈 ⚜
chiuso dal 1º al 15 febbraio, dal 25 luglio all'8 agosto, lunedì e domenica sera – **Pasto** carta 50/80000.

🍴🍴 **Ai Due Archi,** via Roma 55 ℘ 0423 952201, Fax 0423 520322, 🏛 – 🖭 🔢 ⑩ ⓿⓿ 𝘝𝘐𝘚𝘈
chiuso dal 15 al 30 gennaio, giovedì da giugno ad ottobre, anche mercoledì sera negli altri mesi – **Pasto** carta 40/70000.

Michelin cura il costante e scrupoloso aggiornamento delle sue
pubblicazioni turistiche, in vendita nelle librerie.

ASSAGO Milano **219** ⑲ – Vedere Milano, dintorni.

ASSEMINI Cagliari **433** J 8 – Vedere Sardegna alla fine dell'elenco alfabetico.

ASSERGI 67010 L'Aquila **430** O 22 – alt. 867.
Dintorni Campo Imperatore★★ Est : 22 km : funivia per il Gran Sasso★★.
Roma 134 – L'Aquila 14 – Pescara 109 – Rieti 72 – Teramo 88.

a Fonte Cerreto Nord-Est : 4 km – alt. 1 120 – ✉ 67010 Assergi :

🏨 **Cristallo** ⚜, alla base della funivia del Gran Sasso ℘ 0862 606678, Fax 0862 606688, « Servizio rist. estivo all'aperto » – 🛗 📺. 🖭 🔢 ⓿⓿ 𝘝𝘐𝘚𝘈 ⚜
Pasto al Rist. **Il Geranio** carta 40/65000 – **21 cam** ≈ 100/140000 – ½ P 120000.

ASSISI 06081 e 06082 Perugia **430** M 19 G. Italia – 25 464 ab. alt. 424.
Vedere Basilica di San Francesco★★★ A : affreschi★★★ nella Basilica inferiore, affreschi di Giotto★★★ nella Basilica superioreChiesa di Santa Chiara★★ BC – Rocca Maggiore★★ B : ✳★★★ – Duomo di San Rufino★ C : facciata★★ – Piazza del Comune★ B 3 : tempio di Minerva★ – Via San Francesco★ AB – Chiesa di San Pietro★ A.
Dintorni Eremo delle Carceri★★ Est : 4 km C – Convento di San Damiano★ Sud : 2 km BC – Basilica di Santa Maria degli Angeli★ Sud-Ovest : 5 km A.
🖪 piazza del Comune 12 ✉ 06081 ℘ 075 812534, Fax 075 813727.
Roma 177 ① – Perugia 23 ② – Arezzo 99 ② – Milano 475 ② – Siena 131 ② – Terni 76 ①.

Grand Hotel Assisi 🅼 🦽, via F.lli Canonichetti 🖉 075 81501, *Fax 075 8150777*, 🏠, « Terrazza roof-garden con ≤ dintorni », 🚖, 🔲 – 🛗, ⇄ cam, 🔳 📺 📞 🕭 🚗 – 🛦 500. 🆎 🕃 ⓞ ⓜⓒ 𝗩𝗜𝗦𝗔 𝗝𝗖𝗕. ⅏ rist
2 km per ①
Pasto carta 60/80000 – **154 cam** � 260/320000, suite – ½ P 190000.

Subasio, via Frate Elia 2 ✉ 06082 🖉 075 812206, *s.elisei.hotelsubasio@interbusiness.it*, *Fax 075 816691*, ≤, 🏠, « Terrazze fiorite » – 🛗 🔳 📺 📞. 🆎 🕃 ⓞ ⓜⓒ 𝗩𝗜𝗦𝗔 𝗝𝗖𝗕
Pasto carta 55/80000 (15 %) – **62 cam** ⊇ 200/310000, 5 suites – ½ P 195000.   A f

Fontebella, via Fontebella 25 ✉ 06081 🖉 075 812883, *Fax 075 812941*, ≤ – 🛗 🔳 📺 📞. 🆎 🕃 ⓞ ⓜⓒ 𝗩𝗜𝗦𝗔. ⅏
B e
Pasto al Rist. *Il Frantoio* carta 55/95000 – **44 cam** ⊇ 190/380000 – ½ P 240000.

Dei Priori, corso Mazzini 15 ✉ 06081 🖉 075 812237, *hpriori@edisons.it*, *Fax 075 816804*
– 🛗 🔳 📺. 🆎 🕃 ⓞ ⓜⓒ 𝗩𝗜𝗦𝗔 𝗝𝗖𝗕. ⅏
B n
Pasto *(chiuso dal 15 gennaio a febbraio)* 30/35000 – ⊇ 20000 – **34 cam** 155/290000 – ½ P 180000.

Umbra 🦽, vicolo degli Archi 6 ✉ 06081 🖉 075 812240, *Fax 075 813653*, « Servizio rist. estivo all'aperto » – 🔳 cam, 📺. 🆎 🕃 ⓞ ⓜⓒ 𝗩𝗜𝗦𝗔. ⅏
B x
chiuso dal 10 gennaio al 15 marzo – **Pasto** *(chiuso dal 15 novembre al 15 dicembre, domenica e mercoledì a mezzogiorno)* carta 45/65000 – **25 cam** ⊇ 130/200000.

San Francesco, via San Francesco 48 ✉ 06082 🖉 075 812281, *sfranc@krenet.it*, *Fax 075 816237*, ≤ – 🛗 🔳 📺 🆎 🕃 ⓞ ⓜⓒ 𝗩𝗜𝗦𝗔 𝗝𝗖𝗕. ⅏ rist
A b
Pasto *(solo per alloggiati)* 55/75000 – ⊇ 25000 – **44 cam** 165/230000 – ½ P 190000.

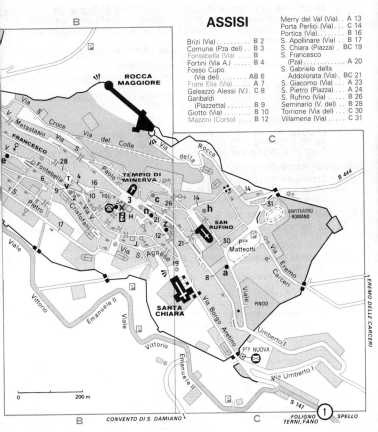

ASSISI

Brizi (Via)	B 2
Comune (Pza del)	B 3
Fontebella (Via)	B
Fortini (Via A.)	B 4
Fosso Cupo (Via del)	AB 6
Frate Elia (Via)	A 7
Galeazzo Alessi (V.)	C 8
Garibaldi (Piazzetta)	B 9
Giotto (Via)	B 10
Mazzini (Corso)	B 12
Merry del Val (Via)	A 13
Porta Perlici (Via)	C 14
Portica (Via)	B 16
S. Apollinare (Via)	B 17
S. Chiara (Piazza)	BC 19
S. Francesco (Pza)	A 20
S. Gabriele della Addolorata (Via)	BC 21
S. Giacomo (Via)	A 23
S. Pietro (Piazza)	A 24
S. Rufino (Via)	B 26
Seminario (V. del)	B 28
Torrione (Via del)	C 30
Villamena (Via)	C 31

🏨 **La Terrazza**, via F.lli Canonichetti ⊠ 06081 ℰ 075 812368, *laterrazza@edisons.it*, Fax 075 816142, ≼, 🏊, 🚗 – 🛎 🛗 🛝 🖭 🗚 🖇 ⓞ 🐼 *VISA* **JCB**. 🕸 rist
Pasto carta 40/60000 – **26 cam** 🖵 140/180000 – ½ P 120000.   2 km per ①

🏨 **Sole**, corso Mazzini 35 ⊠ 06081 ℰ 075 812373, *sole@tecnonet.it*, Fax 075 813706 – 🛎 🖭. 🗚 🖇 ⓞ 🐼 *VISA* **JCB**. 🕸
Pasto *(aprile-ottobre; solo per alloggiati)* – 🖵 12000 – **37 cam** 80/120000 – ½ P 105000.
B z

🏨 **Ideale** senza rist, piazza Matteotti 1 ⊠ 06081 ℰ 075 813570, Fax 075 813020, ≼, 🚗 – 🖭 🖇. 🗚 🖇 ⓞ 🐼 *VISA*
🖵 10000 – **12 cam** 90/130000.
C a

🏨 **Berti**, piazza San Pietro 24 ⊠ 06081 ℰ 075 813466, *albergoberti@tiscalinet.it*, Fax 075 816870 – 🛎 🖭. 🗚 🖇 ⓞ 🐼 *VISA* **JCB**. 🕸
chiuso dall'11 gennaio a febbraio – **Pasto** vedere rist **Da Cecco** – 🖵 9000 – **10 cam** 75/120000.
A a

XX **Buca di San Francesco**, via Brizi 1 ⊠ 06081 ℰ 075 812204, Fax 075 813780, 🌫 – 🗚 🖇 ⓞ 🐼 *VISA*
chiuso lunedì – **Pasto** carta 45/65000.
B v

XX **San Francesco**, via San Francesco 52 ⊠ 06081 ℰ 075 812329, Fax 075 815201, ≼ Basilica di San Francesco, prenotare – 🗐. 🗚 🖇 ⓞ 🐼 *VISA*
Pasto carta 65/100000.
A b

XX **La Fortezza** ⤷ con cam, vicolo della Fortezza 2/b ⊠ 06081 ℰ 075 812418, *fortezza@kr enet.it*, Fax 075 8198035, Coperti limitati; prenotare – 🗚 🖇 ⓞ 🐼 *VISA*. 🕸 rist
chiuso febbraio e dal 20 al 30 luglio – **Pasto** *(chiuso giovedì)* carta 30/45000 – 🖵 12000 – **7 cam** 75/95000 – ½ P 90000.
B c

X **Da Erminio**, via Montecavallo 19 ⊠ 06081 ℰ 075 812506. 🗚 🖇 ⓞ 🐼 *VISA*
chiuso dal 15 gennaio al 3 marzo, dal 1° al 15 luglio e giovedì – **Pasto** carta 30/65000.
C h

X **Da Cecco**, piazza San Pietro 8 ⊠ 06081 ℰ 075 812437, *ristorantececco@tiscalinet.it* – 🗚 🖇 ⓞ 🐼 *VISA* **JCB**. 🕸
chiuso dal 10 dicembre al 15 marzo e mercoledì – **Pasto** carta 35/65000.
A m

a Biagiano-San Fortunato *Nord : 4 km per ②* – ⊠ *06081 Assisi :*

🏨 **Il Maniero** ⤷, via San Pietro Campagna 32 ℰ 075 816379, Fax 075 815147, ≼, 🌫 – 🖭 🖇. 🗚 🖇 ⓞ 🐼 *VISA* **JCB**. 🕸
chiuso dal 10 al 31 gennaio – **Pasto** *(chiuso martedì escluso da aprile ad ottobre)* carta 45/75000 – **17 cam** 🖵 110/150000 – ½ P 100000.

a Santa Maria degli Angeli *Sud-Ovest : 5 km* – ⊠ *06088 :*

🏨 **Cristallo** 🅼, via Los Angeles ℰ 075 8043094, *mencarelli@mencarelligroup.com*, Fax 075 8043538 – 🛎 🗐 🖭 🕹 🖇 – 🏋 50. 🗚 🖇 ⓞ 🐼 *VISA*
Pasto al Rist. **Degli Angeli** carta 50/75000 – **52 cam** 🖵 140/200000 – ½ P 130000.

sulla strada statale 444 *Nord-Est : 5,5 km :*

XX **Osteria del Pievano**, località Pian della Pieve ⊠ 06081 Assisi ℰ 075 802280, *pievano@li bero.it*, Fax 075 802280 – 🖭 🗚 🖇 ⓞ 🐼 *VISA*
chiuso dal 10 gennaio al 1° marzo, dal 15 al 30 giugno e lunedì – **Pasto** carta 35/60000.

a Petrignano *Nord-Ovest : 9 km per ②* – ⊠ *06086 :*

🏨 **La Torretta** ⤷ senza rist, via del Ponte 1 ℰ 075 8038778, *latorretta@retein.net*, Fax 075 8039474, 🏊, 🚗 – 🗐 🖭 🖇. 🗚 🖇 🐼 *VISA*. 🕸
chiuso dal 20 al 30 dicembre – 🖵 12000 – **32 cam** 95/135000, suite, 🗐 10000.

XX **Locanda Ai Cavalieri**, via Matteotti 47 ℰ 075 8030011, Fax 075 8030011, 🚗 – 🖭. 🗚 🖇 ⓞ 🐼 *VISA*. 🕸
chiuso lunedì – **Pasto** 75000 e carta 60/90000.

ad Armenzano *Est : 12 km – alt. 759 –* ⊠ *06081 Assisi :*

🏨 **Le Silve** ⤷, località Caparrocchie ℰ 075 8019000, *hotellesilve@tin.it*, Fax 075 8019005, ≼, 🌫, « In un casale del 10° secolo », 🏖, 🏊, 🚗, 🎾 – 🖭 🕹 🖭 🗚 🖇 ⓞ 🐼 *VISA* **JCB**. 🕸
marzo-15 novembre – **Pasto** *(solo su prenotazione)* carta 60/105000 – **15 cam** 🖵 150/300000 – ½ P 200000.

ASTI *14100* P 428 H 6 *G. Italia – 73 159 ab. alt. 123.*

Vedere *Battistero di San Pietro*★ CY.

Dintorni *Monferrato*★ per ①.

🛈 *piazza Alfieri 34 ℰ 0141 530557, Fax 0141 538200.*

A.C.I. *piazza Medici 21 ℰ 0141 593534.*

Roma 615 ② – Alessandria 38 ② – Torino 60 ④ – Genova 116 ② – Milano 127 ② – Novara 103 ②.

Piante pagine seguenti

🏨🏨🏨 **Salera,** via Monsignor Marello 19 ℰ 0141 410169, *salera@tin.it*, Fax 0141 410372 – 🛗 ▤ 📺 P – 🔬 100. 🝙 🗄 ⓞ 🕫 *VISA*　per strada Fortino BY
Pasto *(solo su prenotazione la domenica sera)* 35/60000 – **48 cam** ☷ 150/220000, 2 suites.

🏨🏨 **Palio** senza rist, via Cavour 106 ℰ 0141 34371, *hotelpalio@inwind.it*, Fax 0141 34373 – 🛗 ▤ 📺 ⇌ – 🔬 25. 🝙 🗄 ⓞ 🕫 *VISA*　BZ b
chiuso dal 23 dicembre al 6 gennaio e dal 1° al 21 agosto – **29 cam** ☷ 140/240000.

🏨🏨 **Lis** senza rist, viale Fratelli Rosselli 10 ℰ 0141 595051, *hotellis@tin.it*, Fax 0141 353845 – ▤ 📺 ⇌, 🝙 🗄 ⓞ 🕫 *VISA*　CY r
29 cam ☷ 120/180000.

🏨🏨 **Reale** senza rist, piazza Alfieri 6 ℰ 0141 530240, Fax 0141 34357 – 🛗 📺 ⅙. 🝙 🗄 ⓞ 🕫 *VISA*　BY e
27 cam ☷ 130/230000.

🏨🏨 **Aleramo** senza rist, via Emanuele Filiberto 13 ℰ 0141 595661, *haleramo@tin.it*, Fax 0141 30039 – 🛗 ▤ 📺 ⇌ – 🔬 60. 🝙 🗄 ⓞ 🕫 *VISA*　BZ a
chiuso dal 21 al 27 dicembre e dal 1° al 17 agosto – ☷ 20000 – **42 cam** 130/190000.

🏨 **Rainero** senza rist, via Cavour 85 ℰ 0141 353866, Fax 0141 594985 – 🛗 ▤ 📺 ⇌ – 🔬 100. 🝙 🗄 ⓞ 🕫 *VISA*　BZ c
chiuso dal 1° al 15 gennaio – ☷ 15000 – **53 cam** 100/150000.

XXX **Gener Neuv,** lungo Tanaro 4 ℰ 0141 557270, *generneuv@atilink.it*, Fax 0141 436723, ✿ solo su prenotazione – ▤ P. 🝙 🗄 ⓞ 🕫 *VISA* *JCB*. 🌾　per ③
chiuso dal 24 dicembre al 7 gennaio, agosto, domenica e lunedì da gennaio a luglio, domenica sera e lunedì negli altri mesi – **Pasto** 90/110000 e carta 85/130000
Spec. Animelle ai carciofi e Moscato d'Asti passito (aprile-ottobre). Lasagne rustiche alle verdure. Rane con intingolo alle erbe (maggio-settembre).

XX **L'Angolo del Beato,** via Guttuari 12 ℰ 0141 531668, Fax 0141 531668 – ▤. 🝙 🗄 ⓞ 🕫 *VISA*. 🌾　BZ c
chiuso dal 1° al 10 gennaio, dal 1° al 25 agosto e domenica – **Pasto** carta 50/90000.

XX **Falcon Vecchio,** via Mameli 9 ℰ 0141 593106, Fax 0141 593106 – ▤. 🝙 🗄 ⓞ 🕫 *VISA*
chiuso domenica sera, lunedì e dal 9 al 21 agosto – **Pasto** carta 45/60000.　BY a

X **L'Altra Campana,** via Sella 2 ℰ 0141 437083, *altracampana@tin.it*, Fax 0141 531923 – ▤. 🝙 🗄 ⓞ 🕫 *VISA* *JCB*　BZ x
chiuso martedì – **Pasto** carta 45/75000.

X **Il Convivio Vini e Cucina,** via G.B. Giuliani 6 ℰ 0141 594188, Fax 0141 594188, Coperti limitati; prenotare – ▤. 🝙 🗄 ⓞ 🕫 *VISA*　BZ f
chiuso dal 24 dicembre al 6 gennaio, dal 15 al 30 agosto e domenica – **Pasto** carta 45/65000.

X **La Greppia,** corso Alba 140 ℰ 0141 593262, Fax 0141 538153 – P. 🝙 🗄 ⓞ 🕫 *VISA*
chiuso lunedì – **Pasto** carta 40/65000.　AZ

sulla strada statale 10 *per ④ : 3 km (Valle Benedetta) :*

🏨🏨 **Hasta Hotel** 🐾, Valle Benedetta 25 ✉ 14100 ℰ 0141 213312, Fax 0141 219580, ≼, « Servizio rist. estivo in giardino » – ▤ 📺 P – 🔬 100. 🝙 🗄 ⓞ 🕫 *VISA* *JCB*. 🌾 cam
chiuso dal 26 dicembre al 6 gennaio e dal 9 al 15 agosto – **Pasto** *(chiuso domenica sera)* carta 55/70000 – ☷ 18000 – **26 cam** 130/180000 – ½ P 185000.

Do not mix up:

Comfort of hotels	: 🏨🏨🏨🏨 ... 🏨, 🏠
Comfort of restaurants	: XXXXX ... X
Quality of the cuisine	: ✿✿✿, ✿✿, ✿, 🍴

ASTI

Alfieri (Corso Vittorio) . **ACY**
Alfieri (Piazza Vittorio) . . **BY**
Aliberti (Via) . . . . **ABY** 3
Battisti (Via Cesare) . . . **BY** 5
Berruti (Via F.) . . . . **AY** 7
Bottallo (Via) . . . . **BY** 8
Brofferio (Via) . . . . **ABZ**
Cagni (Piazza) . . . . **AZ** 10
Cairoli (Piazza) . . . . . . **AY** 12
Caracciolo (Via) . . . . . . **AY** 14
Carmine (Via del) . . . . . **AZ** 15
Castello (Via al) . . . . . . **AY** 17
Catena (Piazza) . . . . . . **AY** 18
Cattedrale (Via) . . . . . . **AY** 20
Cavour (Via) . . . . **BZ** 21
Dante (Corso) . . . . **ABY**
Filiberto (Via E.) . . . . . . **BZ** 24
Garetti (Via) . . . . **ABY** 26
Garibaldi (Via Giuseppe) **BY** 27
Giolitti (Cavalcavia G.) . . **AY** 29
Grandi (Via) . . . . **BY** 30
Hope (Via) . . . . **ABY** 33
Libertà (Piazza della) . . **BYZ** 37
Martiri della Liberazione
  (Largo) . . . . **BY** 39
Mazzini (Via) . . . . **AYZ** 41
Medici (Piazza) . . . . . . **BY** 43
Ospedale (Via) . . . . . . **BY** 50
Roma (Piazza) . . . . **AY** 58
Rosselli (Viale Flli) . . . . **CY** 60
S. Giuseppe (Piazza) . . **AZ** 63
S. Secondo (Piazza) . . **BY** 66
Santuario (Viale al) . . . . **AZ** 68
Statuto (Piazza) . . . . . . **BZ** 70
Vittoria (Piazzale) . . . . . **CY** 77
1° Maggio (Piazza) . . . . **CY** 79

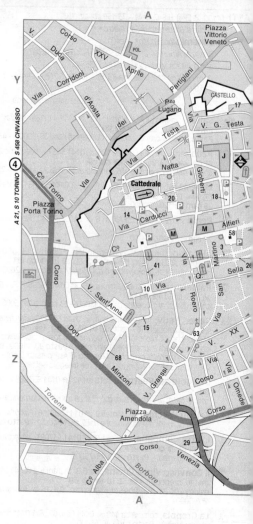

*Per l'inserimento in **guida**,*
***Michelin** non accetta*
né favori, né denaro!

ATENA LUCANA 84030 Salerno **431** F 28 – 2 299 ab. alt. 642.
   Roma 346 – Potenza 54 – Napoli 140 – Salerno 89.

   🏠 **Magic Hotel**, contrada Maglianello 13 Sud : 2 km ℘ 0975 71292, Fax 0975 71292 – 📶 📺
   🍴 ✆ 🕭 🅿. 🖭 🕭 ① *VISA*
   Pasto carta 30/45000 – ☷ 5000 – **28 cam** 60/80000 – ½ P 75000.

in prossimità casello autostrada A 3 :

   🏠 **Kristall Palace**, ✉ 84030 ℘ 0975 71152, Fax 0975 71153, ← – 📶 🔲 📺 ✆ ☎ 🅿 –
   🍴 🛗 700. 🖭 🕭 ① 🕭 *VISA* **JCB**
   Pasto (chiuso lunedì) carta 25/40000 – ☷ 6000 – **22 cam** 90/110000 – ½ P 80000.

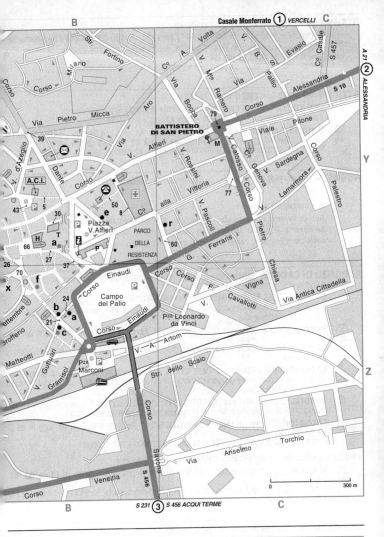

BATTISTERO
DI SAN PIETRO

ATRANI 84010 Salerno 431 F 25 *G. Italia – 997 ab. alt. 12.*

Roma 270 – Napoli 69 – Amalfi 2 – Avellino 59 – Salerno 23 – Sorrento 36.

✗ **'A Paranza**, via Traversa Dragone 1 ☎ 089 871840, *Fax 089 873107, prenotare –* ▤. Æ ◪
① ◍ ◉ VISA JCB. ⋇
chiuso dall'8 al 25 dicembre e martedì (escluso dal 15 giugno al 15 settembre) – **Pasto**
specialità di mare carta 50/70000.

ATRI 64032 Teramo 430 O 23 *G. Italia – 11 397 ab. alt. 442.*

Vedere Cattedrale★.

Dintorni Paesaggio★★ (Bolge) Nord-Ovest verso Teramo.

Roma 203 – Ascoli Piceno 80 – Pescara 26 – Teramo 45.

▥ **Du Parc**, viale Umberto I, 6 ☎ 085 870260, *duparc@webrone.it, Fax 085 8798326,* ☍ – ▐⃗,
▤ rist, ▥ ⬌ – 益 200. Æ ◪ ① ◍ ◉ VISA. ⋇ rist
Pasto *(marzo-ottobre)* carta 30/45000 – **49 cam** ☷ 100/150000 – ½ P 105000.

107

ATRIPALDA *83042 Avellino* 🔢 *E 26 – 11 490 ab..*

Roma 251 – Avellino 4 – Benevento 40 – Caserta 62 – Foggia 120 – Napoli 62 – Salerno 39.

🏨 **Civita**, via Manfredi 124 ☎ *0825 610471, hcivita@tin.it, Fax 0825 622513* – 📶 🔳 📺 ☎ ♿
🚗 �P – 🔼 80. 🖭 🕄 ⓞ 🕲 *VISA*. ⚘
Pasto carta 35/70000 – **28 cam** ⊇ 110/150000, 3 suites – ½ P 110000.

ATTIGLIANO *05012 Terni* 🔢 *O 18 – 1 714 ab. alt. 95.*

Dintorni *Sculture★ nel parco della villa Orsini a Bomarzo Sud-Ovest : 6 km.*
Roma 87 – Viterbo 27 – Orvieto 34 – Terni 42.

🏨 **Umbria**, in prossimità casello autostrada A1 ☎ *0744 994222, humbria@tin.it,*
🚗 *Fax 0744 994340,* ⤢, ⚘, ⚒ – 📶 🔳 📺 🚗 �P – 🔼 60. 🖭 🕄 ⓞ 🕲 *VISA*. ⚘
Pasto (rist. e pizzeria) carta 35/60000 – ⊇ 14000 – **62 cam** 90/140000 – ½ P 100000.

AUGUSTA *Siracusa* 🔢 *P 27 – Vedere Sicilia alla fine dell'elenco alfabetico.*

Un consiglio **Michelin***:*

per la buona riuscita di un viaggio, preparatelo in anticipo.
Le **carte** *e le* **guide Michelin** *vi danno tutte le indicazioni*
utili su: itinerari, curiosità, sistemazioni, prezzi, ecc.

AURONZO DI CADORE *32041 Belluno* 🔢 *C 19 – 3 739 ab. alt. 864 – Sport invernali : 864/*
1 600 m ✦5, ⚐ *(vedere anche Misurina).*
🛈 *via Roma 10* ✉ *32041* ☎ *0435 9359, Fax 0435 400161.*
Roma 663 – Cortina d'Ampezzo 34 – Belluno 62 – Milano 402 – Tarvisio 135 – Treviso 123 –
Udine 124 – Venezia 152.

🏨 **Panoramic** ⤢, via Padova 17 ☎ *0435 400198, Fax 0435 400578,* ≤, 🚗 – 📺 �P, 🕲 *VISA*.
🚗 ⚘
20 giugno-20 settembre – **Pasto** carta 35/55000 – ⊇ 15000 – **30 cam** 110/140000 –
½ P 130000.

🏨 **La Montanina,** via Monti 3 ☎ *0435 400005, Fax 0435 400090,* 🚗 – �P, 🕄 ⓞ 🕲 *VISA*. ⚘
🚗 *16 dicembre-aprile e 16 giugno-ottobre* – **Pasto** carta 30/45000 – ⊇ 7000 – **17 cam**
90/110000 – ½ P 90000.

🏨 **Victoria** senza rist, via Cella 23 ☎ *0435 99933, Fax 0435 400305,* ≤ lago e monti, 🚗 – �P
chiuso dal 5 all'11 giugno e dal 1° al 15 novembre – **18 cam** ⊇ 90/140000.

✗ **Cacciatori** con cam, via Ligonto 26 ☎ *0435 97017, Fax 0435 97103,* ≤, 🚗 – 📺 �P. 🖭 🕄
ⓞ 🕲 *VISA*. ⚘
Pasto carta 40/80000 – ⊇ 15000 – **14 cam** 80/130000 – ½ P 130000.

a Palus San Marco *Sud-Est : 12 km –* ✉ *32041 Auronzo di Cadore :*

🏨 **Al Cervo** ⤢, ☎ *0435 497000, Fax 0435 497116,* ≤ Dolomiti – 📺 �P. 🖭 🕄 ⓞ 🕲 *VISA*.
🚗 ⚘ rist
Pasto *(chiuso martedì escluso da giugno a settembre)* carta 30/55000 – **9 cam** ⊇ 95/
190000 – ½ P 120000.

AVELENGO (HAFLING) *39010 Bolzano* 🔢 *C 15,* 🔢 ㉚ *G. Italia – 678 ab. alt. 1 290 – Sport inver-*
nali : a Merano 2000 : 1 946/2 302 m ✦3 ✦5, ⚐.
🛈 *via Falzeben 1* ☎ *0473 279457, Fax 0473 279540.*
Roma 680 – Bolzano 37 – Merano 15 – Milano 341.

🏨 **Viktoria** ⤢, via Falzeben 9 ☎ *0473 279422, info@hotel-viktoria.com, Fax 0473 279522,*
≤, 🌅, « Giardino con laghetto artificiale », ℔, 🗣, 🏊, ⚒ – 📺 �P.
chiuso dal 10 novembre al 20 dicembre – **Pasto** carta 45/80000 – **30 cam** ⊇ 145/235000 –
½ P 170000.

🏨 **Viertlerhof** ⤢, via Falzeben 126 ☎ *0473 279428, viertlerhof@sudtirol.com,*
Fax 0473 279446, ≤, 🗣, 🏊, 🚗 – 📶 📺 🚗 �P. ⚘ rist
chiuso dal 6 novembre al 25 dicembre – **Pasto** (solo per alloggiati e *chiuso a mezzogiorno)*
– **27 cam** ⊇ 60/100000 – ½ P 100000.

🏨 **Mesnerwirt** ⤢, via Chiesa 2 ☎ *0473 279493, info@mesnerwirt.it, Fax 0473 279530,* ≤,
🚗 🌅, ℔, 🗣 – 📺 🚗 �P. ⚘ rist
chiuso dal 15 novembre al 20 dicembre – **Pasto** *(chiuso lunedì)* carta 30/60000 – **12 cam**
⊇ 85/170000, 5 suites – ½ P 90000.

AVELLINO 83100 🅿 431 E 26 – 56 166 ab. alt. 351.

🛈 piazza Libertà 50 ℘ 0825 74732, Fax 0825 74757.

A.C.I. contrada Baccanico 16 ℘ 0825 36459.

Roma 245 – Napoli 57 – Benevento 39 – Caserta 58 – Foggia 118 – Potenza 138 – Salerno 38.

🏨🏨🏨 **De la Ville** M, via Palatucci 20 ℘ 0825 780911, Fax 0825 780921 – 🛗, ⇌ cam, 🗏 📺 ⚙ 🕭, ⇌ 🅿 – 🔬 400. 🖭 🕄 ① 🐵 🚾 🔤

    Pasto carta 45/85000 (10 %) – **63 cam** ⊇ 210/270000, 6 suites – ½ P 185000.

🏨🏨 **Jolly**, via Tuoro Cappuccini 97/a ℘ 0825 25922, avellino@jollyhotels.it, Fax 0825 780029 – 🛗, ⇌ cam, 🗏 📺 🅿 – 🔬 300. 🖭 🕄 ① 🐵 🚾 🛠 rist

    Pasto carta 50/90000 – **72 cam** ⊇ 170/200000 – ½ P 145000.

sulla strada statale 88 Sud-Ovest : 5 km :

🏨 **Hermitage Il Castello** ⑤, strada statale Dei Due Principati km 29,550 ⊠ 83020 Contrada ℘ 0825 674788, hermitage@globenet.it, Fax 0825 674772, ⇐, « Costruzione del XVII secolo in un parco », ⬛, ⛿ – 🛗, 🗏 rist, 📺 🅿 – 🔬 250. 🖭 🕄 ① 🐵 🚾 🛠 rist

    aprile-ottobre – **Pasto** carta 45/65000 – **30 cam** ⊇ 190/230000 – ½ P 185000.

Lesen Sie die Einleitung, sie ist der Schlüssel zu diesem Führer.

AVENA (Monte) Belluno 429 D 17 – Vedere Pedavena.

AVEZZANO 67051 L'Aquila 430 P 22 – 39 355 ab. alt. 697.

Roma 105 – L'Aquila 52 – Latina 133 – Napoli 188 – Pescara 107.

🏨🏨 **Dei Marsi**, via Cavour 79/B (Sud : 3 km) ℘ 0863 4601, Fax 0863 4600100, 🖫 – 🛗 ⇌ 🗏 📺 🅿 – 🔬 250. 🖭 🕄 ① 🐵 🚾 🔤 🛠

    Pasto al Rist. *Il Canestro* carta 35/50000 – **116 cam** ⊇ 105/130000, 4 suites – ½ P 90000.

🏨🏨 **Velino**, via Montello 9 ℘ 0863 412696, Fax 0863 34263 – 🗏 rist, 📺 ⇌. 🖭 🕄 ① 🐵 🚾 🛠 rist

    Pasto al Rist. *Le Due Lanterne* carta 35/60000 – **25 cam** ⊇ 100/130000 – ½ P 80000.

✗✗✗ **Le Jardin**, via Sabotino 40 ℘ 0863 414710, prenotare, « Servizio estivo in giardino » – 🖭 🕄 ① 🐵 🚾

    chiuso domenica – **Pasto** carta 50/80000.

✗✗ **Napoleone**, via Tiburtina Valeria al km 112.700 ℘ 0863 413687, Fax 0863 413687, solo su prenotazione la sera – 🗏 🅿. 🖭 🕄 ① 🐵 🚾 🔤 🛠

    Pasto carta 35/50000.

AVIGLIANA 10051 Torino 428 G 4 – 10 977 ab. alt. 390.

Dintorni Sacra di San Michele★★★ : ⇐★★★ Nord-Ovest : 13,5 km.

🖫ₐ Le Fronde (chiuso martedì, gennaio e febbraio) ℘ 011 9328053, Fax 011 9320928.

🛈 piazza del Popolo 2 ℘ 011 9328650, Fax 011 9328650.

Roma 689 – Torino 26 – Milano 161 – Col du Mont Cenis 59 – Pinerolo 33.

✗✗ **Corona Grossa,** piazza Conte Rosso 38 ℘ 011 9328371, Fax 011 9328355, prenotare la sera – 🗏. 🖭 🕄 ① 🐵 🚾

    chiuso dal 1° al 7 gennaio, dal 7 al 31 agosto, domenica e lunedì – **Pasto** 30/40000 (a mezzogiorno) 65/75000 (la sera) e carta 45/70000.

AYAS 11020 Aosta 428 E 5, 219 ④ – 1 293 ab. alt. 1 453 – Sport invernali : 1 267/2 714 m ⛷ 1 ⛷ 15, ⛷.

Roma 732 – Aosta 61 – Ivrea 57 – Milano 170 – Torino 99.

a Periasc Nord : 3 km – – ⊠ 11020

🏨 **Monte Rosa** senza rist, rue Periasc La Val 7 ℘ 0125 305735, Fax 0125 305101, ⇐, 🐎 – 🛗 📺 🕭, ⇌ 🅿. 🕄 🚾. 🛠

    chiuso da maggio al 15 giugno e da ottobre al 15 novembre – **20 cam** ⊇ 130/200000.

ad Antagnod Nord : 3,5 km – alt. 1 699 – ⊠ 11020 Ayas – a.s. febbraio-Pasqua, luglio-agosto e Natale :

🏨 **Petit Prince** ⑤ senza rist, route Tchavagnod 1 ℘ 0125 306662, petit.prince@flashnet.it, Fax 0125 306662, ⇐ Monte Rosa e vallata, 🐎 – 🛗 📺 🕭 🅿. 🖭 🕄 ① 🐵 🚾

    chiuso dal 10 al 28 giugno e dal 5 ottobre a novembre – **24 cam** ⊇ 125/220000, suite.

🏨 Santa San, senza rist, via Barmasc 1 ℘ 0125 306597, Fax 0125 306597, ⇐ Monte Rosa e vallata – 📺 ⇌ 🅿. 🖭

    12 cam.

AZZATE 21022 Varese 428 E 8, 219 ⑦ – 3 856 ab. alt. 332.
Roma 622 – Como 30 – Bellinzona 63 – Lugano 42 – Milano 54 – Novara 56 – Stresa 43.

🏠 **Locanda dei Mai Intees** ♨, via Nobile Claudio Riva 2 ℘ 0332 457223, maiintees@tin.it,
Fax 0332 459339– ☰ 📺 ✆ 🅿. AE 🕲 ⓪ 🐠 VISA
Pasto (chiuso a mezzogiorno) carta 75/115000 – **8 cam** ☷ 350/450000, suite.

BACOLI 80070 Napoli 431 E 24 G. Italia – 27 916 ab. – a.s. luglio-settembre.
Vedere Cento Camerelle★ – Piscina Mirabile★.
Dintorni Terme★★ di Baia.
Roma 242 – Napoli 27 – Formia 77 – Pozzuoli 8.

XXX **La Misenetta**, via Lungolago 2 ℘ 081 5234169, Fax 081 5231510, « Giardino d'inverno »
– AE 🕲 ⓪ 🐠 VISA. ⬥
chiuso dal 23 dicembre al 3 gennaio, agosto e lunedì – **Pasto** carta 80/130000.

XX **A Ridosso**, via Mercato di Sabato 320 ℘ 081 8689233, Fax 081 8689233, Coperti limitati;
prenotare – 🅿. AE 🕲 ⓪ 🐠 VISA
chiuso dal 23 dicembre al 4 gennaio, dal 13 al 28 agosto, domenica sera e lunedì – **Pasto**
70/100000 e carta 55/95000.

a Capo Miseno Sud-Est : 2 km – ✉ 80070 :

🏠 **Cala Moresca** ♨, via del Faro 44 ℘ 081 5235595, hcmoresca@tin.it, Fax 081 5235557,
⬥ golfo e costa, 🏖, 🔁, 🐎, ⬥ – 🛗 ☰ 📺 🅿 – 🔼 70. AE 🕲 ⓪ 🐠 VISA. ⬥ rist
Pasto carta 60/90000 – **27 cam** ☷ 130/200000 – ½ P 140000.

Keine Aufnahme in den Michelin-Führer durch
– Beziehungen oder
– Bezahlung!

BADALUCCO 18010 Imperia 428 K 5 – 1 284 ab. alt. 179.
Roma 643 – Imperia 31 – Cuneo 124 – San Remo 24 – Savona 103.

XX **Il Ponte**, via Ortai 3/5 ℘ 0184 408000, Fax 0184 408000, prenotare – AE 🕲 ⓪ 🐠 VISA
chiuso gennaio o febbraio, dal 1°al 20 novembre e mercoledì – **Pasto** 40000.

BADIA (ABTEI) Bolzano 429 C 17 – 2 971 ab. – a.s. Pasqua, agosto e Natale – Sport invernali :
1 315/2 085 m ✦ 4 ⬥ 54, ✦.
Da Pedraces : Roma 712 – Cortina d'Ampezzo 35 – Belluno 92 – Bolzano 71 – Milano 366 –
Trento 132.

a Pedraces (Pedratsches) – alt. 1 315 – ✉ 39036.
🖪 frazione Pedraces 64 ℘ 0471 839695, Fax 0471 839573 :

🏨 **Sporthotel Teresa,** ℘ 0471 839623, sporthotel.teresa@acomedia.it, Fax 0471 839823,
⬥, maneggio, 🔼, 🕿, 🔁, 🐎, ⬥ – 🛗, ☰ rist, 📺 🚗 🅿. VISA. ⬥
chiuso maggio e novembre – **Pasto** (chiuso lunedì) carta 60/90000 – ☷ 25000 – **42 cam**
160/330000, 12 suites – ½ P 310000.

🏠 **Serena** ♨, Pedraces 31 ℘ 0471 839664, Fax 0471 839854, ⬥ Dolomiti, 🔼, 🕿, 🔁, 🐎 –
🛗, ⬥ rist, 📺 🚗 🅿. ⬥ rist
16 dicembre-25 marzo e 23 giugno-23 settembre – **Pasto** carta 30/50000 – **44 cam**
☷ 90/150000 – ½ P 160000.

🏠 **Lech da Sompunt** ♨, Sud-Ovest : 3 km ℘ 0471 847015, lech.sompunt@altabadia.it,
Fax 0471 847464, ⬥, 🏖, « Parco e laghetto naturale con pesca sportiva e pattinaggio in
inverno », 🕿 – 📺 🅿. 🕲 ⓪ 🐠 VISA. ⬥ cam
dicembre-aprile e giugno-settembre – **Pasto** carta 40/60000 – **35 cam** ☷ 135/245000 –
½ P 165000.

🏠 **Gran Ander** ♨, via Runcac 29 ℘ 0471 839718, granander@altabadia.it,
Fax 0471 839741, ⬥ Dolomiti, 🏖 – 🛗, ☰ rist, 📺 🅿. 🕲 🐠 VISA. ⬥ rist
6 dicembre-31 marzo e 15 giugno-30 settembre – **Pasto** (solo per clienti alloggiati) 35/50000
– **21 cam** ☷ 125/230000 – ½ P 130000.

a La Villa (Stern) Sud : 3 km – alt. 1 484 – ✉ 39030.
🖪 via Principale ℘ 0471 847037, Fax 0471 847277 :

🏨 **Christiania**, via Colz 109 ℘ 0471 847016, christiania@altabadia.it, Fax 0471 847056, ⬥
Dolomiti, 🕿, 🐎 – 🛗 📺 🅿. AE 🕲 VISA. ⬥ rist
4 dicembre-26 marzo e luglio-24 settembre – **Pasto** (solo per alloggiati) – ☷ 28000 –
27 cam 240/460000 – ½ P 270000.

110

🏨 **La Villa** ॐ, strada Bosc da Plan 176 ℘ 0471 847035, *Fax 0471 847393*, ≤ Dolomiti, « Giardino-pineta », ℔, ☎ – ☕ 🅿 ᵛⁱˢᵃ. ℀
7 dicembre-16 aprile e 23 maggio-14 ottobre – **Pasto** 35/55000 e al Rist. **Blumine** Coperti limitati; prenotare carta 55/75000 – **27 cam** ☲ 120/240000 – ½ P 160000.

🏨 **Dolasilla** ॐ, via Rottonara 30 ℘ 0471 847006, *dolasilla@alta badia.it, Fax 0471 847349*, ≤ Dolomiti, « Giardino panoramico », ☎ – ☕ ⅙ rist, ▤ rist, 🆀 ᶜ 🅿 ᵛⁱˢᵃ. ℀
dicembre-marzo e luglio-settembre – **Pasto** 30/35000 – **32 cam** ☲ 160/320000 – ½ P 210000.

XX **Ciastel Colz** ॐ con cam, via Marin 80 ℘ 0471 847511, *colz.wieser@rolmail.net, Fax 0471 844120*, ≤, « In un castello del Cinquecento », ☎, ☞ – 🆀 🅿 🄰🄴 🅂 🅾 🆎 ᵛⁱˢᵃ. ℀
chiuso maggio e novembre – **Pasto** *(chiuso martedì e a mezzogiorno)* 85000 e carta 70/105000 – **4 cam** ☲ 250/340000.

a San Cassiano (St. Kassian) *Sud-Est : 6 km – alt. 1 535 –* ⊠ *39030.*
🛈 *frazione San Cassiano 126 ℘ 0471 849422, Fax 0471 849249 :*

🏨 **Rosa Alpina,** Str Micura de Rü 20 ℘ 0471 841111, *info@rosalpina.it, Fax 0471 849377*, ≤, centro benessere, ℔, ☎, 🔲, ☞ – ☕ 🆀 ⅙ ⟵ 🅿 🅂 🅾 🆎 ᵛⁱˢᵃ. ℀ rist
dicembre-4 aprile e 15 giugno-10 ottobre – **Pasto** *(chiuso a mezzogiorno)* 55/85000 e vedere anche Rist **St. Hubertus** – **42 cam** ☲ 370/680000, 12 suites – ½ P 480000.

🏨 **Armentarola,** Sud-Est : 2 km ℘ 0471 849522, *info@armentarola.com, Fax 0471 849389*, ≤ pinete e Dolomiti, 🌣, « Grande baita stile anni '30 sulle piste da sci », ℔, ☎, 🔲, ☞, ℀ – ☕ 🆀 ⟵ 🅿, ᵛⁱˢᵃ
4 dicembre-16 aprile e 12 giugno-10 ottobre – **Pasto** 50/120000 – **42 cam** ☲ 250/520000, 8 suites – ½ P 280000.

🏨 **Ciasa Salares** ॐ, via Prè de Vi 31 (Sud-Est : 2 km) ℘ 0471 849445, *salares@altabadia.it, Fax 0471 849369*, ≤ pinete e Dolomiti, 🌣, ℔, ☎, 🔲, ☞ – 🆀 ⟵ 🅿 🄰🄴 🅂 🅾🅾
ᵛⁱˢᵃ. ℀
6 dicembre-2 aprile e 15 giugno-settembre – **Pasto** carta 80/110000 e vedere anche rist **La Siriola** – ☲ 35000 – **41 cam** 220/400000, 3 suites – ½ P 280000.

🏨 **Fanes** ॐ, Pecei 19 ℘ 0471 849470, *hotelfanes@hotelfanes.it, Fax 0471 849403*, ≤ pinete e Dolomiti, Centro benessere, ℔, ☎, ☷, 🔲, ☞, ℀ – ☕ ⅙ ▤ 🆀 ⟵ 🅿.
℀ rist
dicembre-10 aprile e 20 giugno-10 ottobre – **Pasto** carta 45/70000 – **50 cam** ☲ 185/420000 – ½ P 250000.

🏠 **Gran Ancëi** ॐ, Sud-Est : 2,5 km ℘ 0471 849540, *granancei@rolmail.net, Fax 0471 849210*, ≤ Dolomiti, 🌣, « In pineta », ☎, ☞ – ☕, ▤ rist, 🆀 🅿, 🅂 ᵛⁱˢᵃ.
℀
4 dicembre-20 aprile e 10 giugno-10 ottobre – **Pasto** carta 55/80000 – **29 cam** ☲ 60/90000 – ½ P 160000.

🏠 **Ciasa Antersìes** ॐ, via Soplà 12 ℘ 0471 849417, *antersies@rolmail.net, Fax 0471 849319*, ≤ pinete e Dolomiti, ☞ – ☕, ⅙ rist, 🆀 🅿, 🅂 ᵛⁱˢᵃ.
15 dicembre-10 aprile e 11 luglio-settembre – **Pasto** *(solo per alloggiati e chiuso a mezzogiorno)* 30/60000 – **16 cam** ☲ 160/180000, 8 suites – ½ P 160000.

🏠 **La Stüa** ॐ, strada Micurà de Rü 31 ℘ 0471 849456, *lastua@rolmail.net, Fax 0471 849311*, ≤ pinete e Dolomiti, ☎ – ⅙ rist, ▤ rist, 🆀 🅿, 🅂 ᵛⁱˢᵃ. ℀ rist
16 dicembre-25 marzo e 30 giugno-23 settembre – **Pasto** 25/35000 – **25 cam** ☲ 145/290000 – ½ P 170000.

🏠 **Ciasa Roby** senza rist, via Micurà de Rü 67 ℘ 0471 849525, *Fax 0471 849260*, ≤ – 🆀 🅿.
℀ cam
dicembre-aprile e luglio-settembre – **25 cam** ☲ 70/135000.

XXX **La Siriola** - Hotel Ciasa Salares, Sud-Est : 2 km ℘ 0471 849445, *Fax 0471 849369*, Coperti limitati; prenotare – 🅿, 🄰🄴 🅂 🅾 🅾🅾 ᵛⁱˢᵃ. ℀
6 dicembre-16 aprile e 20 giugno-settembre – **Pasto** 80/140000 e carta 90/130000.

XX **St. Hubertus** - Hotel Rosa Alpina, Str Micura de Rü 20 ℘ 0471 849500, *Fax 0471 849377*,
🕸 Coperti limitati; prenotare – 🅿, 🅂 🅾 🅾🅾 ᵛⁱˢᵃ
dicembre-4 aprile e 15 giugno-10 ottobre chiuso martedì – **Pasto** 70000 (a mezzogiorno) 110000 (la sera) e carta 75/120000
Spec. Terrina di fegato grasso d'oca alla griglia con chutney di frutta. Risotto al pino mugo con piccione saltato in lavanda. Filetto di manzo in crosta di sale, fieno ed erbe di montagna con verdure al forno.

BADIA DI DULZAGO *Novara – Vedere Bellinzago Novarese.*

BAGNACAVALLO 48012 Ravenna **429**, **430** I 17 – 16 057 ab. alt. 11.
  Roma 360 – Ravenna 23 – Bologna 61 – Faenza 16 – Ferrara 64 – Forlì 33.
XX **Al Palazzo Tesorieri,** via Garibaldi 75 ✆ 0545 61156, Fax 0545 60681, 🏠, prenotare –
  AE S ⚪ ⓶ VISA JCB
  chiuso lunedì e a mezzogiorno (escluso i giorni) festivi – **Pasto** 65/80000 e carta 70/120000.

BAGNAIA 01031 Viterbo **430** O 18 G. Italia – alt. 441.
  Vedere Villa Lante★★.
  Roma 109 – Viterbo 5 – Civitavecchia 63 – Orvieto 52 – Terni 57.
X **Biscetti** con cam, via Gen Gandin 11/A ✆ 0761 288252, reception@hotelbiscetti.it,
🕿 Fax 0761 289254, 🏠 – 🛗 🅟. AE S ⚪ ⓶ VISA. ✵ rist
  chiuso dal 5 al 30 luglio – **Pasto** (chiuso giovedì) carta 30/50000 (10%) – ☐ 8000 – **15 cam**
  90/120000 – ½ P 95000.

BAGNAIA Livorno **430** N 13 – Vedere Elba (Isola d') : Rio nell'Elba.

BAGNARA CALABRA 89011 Reggio di Calabria **431** M 29 – 11 125 ab. alt. 50.
  Roma 64 – Reggio Calabria 35 – Catanzaro 130 – Cosenza 160.
XX **Taverna Kerkira,** corso Vittorio Emanuele 217 ✆ 0966 372260, Fax 0966 372260, pre-
  notare – 🍽. AE ⚪ VISA
  chiuso dal 21 dicembre al 10 gennaio, agosto, lunedì e martedì – **Pasto** specialità di mare e
  cucina greca carta 40/70000.

Se cercate un albergo tranquillo,
oltre a consultare le carte dell'introduzione,
individuate nell'elenco degli esercizi quelli con il simbolo 🏖 o 🏖.

BAGNI DI TIVOLI Roma **430** Q 20 – Vedere Tivoli.

BAGNO A RIPOLI 50012 Firenze **430** K 15 – 25 800 ab. alt. 77.
  Roma 270 – Firenze 9 – Arezzo 74 – Montecatini Terme 63 – Pisa 106 – Siena 71.
XX **Centanni** 🏖 con cam, via di Centanni 8/7 ✆ 055 630122, Fax 055 6510445, ≤ colline,
  « Servizio estivo serale in giardino », 🌊 – 🔲 🆅 📞 🅟 – 🛗 40. AE S ⓶ VISA
  Pasto (chiuso sabato a mezzogiorno, domenica ed agosto) carta 60/90000 – ☐ 20000 –
  10 suites 300/500000.

BAGNO DI ROMAGNA 47021 Forlì-Cesena **429**, **430** K 17 – 6 154 ab. alt. 491 – Stazione termale
  (marzo-novembre), a.s. 10 luglio-20 settembre.
  🖪 via Fiorentina 38 ✆ 0543 911046, Fax 0543 911026.
  Roma 289 – Rimini 90 – Arezzo 65 – Bologna 125 – Firenze 90 – Forlì 62 – Milano 346 –
  Ravenna 86.
🏨 **Tosco Romagnolo,** piazza Dante 2 ✆ 0543 911260, hotel.tosco@comunic.it,
  Fax 0543 911014, Centro benessere, « Terrazza-solarium con 🌊 », ℱ₅, 🕿 – 🛗 🔲 🆅 🕭
  🚗 🅟 AE S ⚪ ⓶ VISA. ✵ rist
  Pasto 50000 vedere anche rist **Paolo Teverini** – **49 cam** ☐ 250/350000, 2 suites –
  ½ P 215000.
🏨 **Gd H. Terme Roseo,** piazza Ricasoli 2 ✆ 0543 911016, Fax 0543 911360, Centro benes-
  sere, ℱ₅, 🔲, 👗 – 🛗 🍽 rist, 🆅 AE S ⚪ ⓶ VISA JCB. ✵
  Pasto carta 40/60000 – **70 cam** ☐ 140/220000 – ½ P 150000.
🏠 **Balneum,** via Lungosavio 15/17 ✆ 0543 911085, Fax 0543 911252 – 🛗, 🍽 rist, 🆅 🚗. AE
🕿 S ⚪ ⓶ VISA
  marzo-dicembre – **Pasto** carta 35/55000 – **40 cam** ☐ 100/150000 – ½ P 120000.
XXX **Paolo Teverini** - Hotel Tosco Romagnolo, piazza Dante 2 ✆ 0543 911260,
🕸 Fax 0543 911014, Coperti limitati; prenotare – 🍽. AE S ⚪ ⓶ VISA. ✵
  chiuso dal 10 gennaio al 10 febbraio, dal 15 novembre al 1°dicembre, lunedì e martedì
  escluso luglio-agosto – **Pasto** 70/110000 e carta 85/130000
  Spec. Panzanella ai gamberi di fiume (giugno-settembre). Petto d'anatra arrostita al man-
  go con spezie dolci e melanzana al forno. Torta di pomodoro e rose con sorbetto al basilico.

a San Piero in Bagno Nord-Est : 2,5 km – ✉ 47026 :
XX **Locanda al Gambero Rosso,** via Verdi 5 ✆ 0543 903405 – 🍽. AE S ⚪ ⓶ VISA. ✵
🕸 chiuso lunedì escluso luglio e agosto – **Pasto** carta 45/65000.

ad Acquapartita *Nord-Est : 8 km – alt. 806 – ⊠ 47026 San Piero in Bagno :*

Miramonti Ⓜ, via Acquapartita 103 ℰ 0543 903640, *miramonti@selecthotels.it,* Fax 0543 903640, « Laghetto con pesca sportiva », Ⅰ₆, ⇌, 🏊, 🎾 – 🛗 🗏 📺 ✆ ᕒ, ⇌ 🅿 – 🔬 150. 🖭 🖸 ⓪ 💴 . ✄ rist
24 dicembre-2 gennaio e 25 aprile-ottobre – **Pasto** carta 45/85000 – **46 cam** ⇆ 180/255000 – ½ P 130000.

BAGNOLO IN PIANO 42011 Reggio nell'Emilia ⓭⓮⓯ H 14 – 7 856 ab. alt. 32.
Roma 433 – Parma 38 – Modena 30 – Reggio nell'Emilia 8.

Garden Cristallo Ⓜ senza rist, via Borri 5 ℰ 0522 953888, Fax 0522 957111 – 🛗 🗏 📺 ✆ ᕒ, ⇌ 🅿 – 🔬 60. 🖭 🖸 ⓪ 💴 💴 🗷. ✄
chiuso dal 23 dicembre al 2 gennaio, Pasqua ed agosto – **56 cam** ⇆ 125/165000.

Trattoria da Probo, via Provinciale nord 13 ℰ 0522 951001, Fax 0522 951300 – 🗏 🅿. 🖭 🖸 ⓪ 💴 💴 🗷. ✄
chiuso dal 5 al 20 agosto, domenica sera e lunedì – **Pasto** carta 40/60000.

BAGNOLO SAN VITO 46031 Mantova ⓭⓮⓰, ⓭⓮⓯ G 14 – 5 408 ab. alt. 18.
Roma 460 – Verona 48 – Mantova 13 – Milano 188 – Modena 58.

Villa Eden, via Gazzo 2 ℰ 0376 415684, Fax 0376 415738, 🎋, prenotare, 🎾 – 🗏 🅿 – 🔬 30. 🖸 💴 💴. ✄
chiuso dal 6 al 27 agosto e martedì – **Pasto** carta 50/80000.

BAGNOREGIO 01022 Viterbo ⓭⓰⓪ O 18 – 3 817 ab. alt. 485.
Roma 125 – Viterbo 28 – Orvieto 20 – Terni 82.

Da Nello il Fumatore, piazza Marconi 5 ℰ 0761 792642, Fax 0761 792642 – 🖸 💴 💴.
✄
chiuso dal 15 al 30 giugno, venerdì e la sera da ottobre a marzo – **Pasto** carta 35/50000.

Hostaria del Ponte, località Mercatello 11 ℰ 0761 793565 – 🖭 🖸 ⓪ 💴 💴 🗷. ✄
chiuso dal 22 febbraio al 7 marzo, lunedì e domenica sera (escluso da maggio a settembre) – **Pasto** carta 35/60000.

BAGNO VIGNONI Siena ⓭⓰⓪ M 16 – Vedere San Quirico d'Orcia.

BAIA DOMIZIA 81030 Caserta ⓭⓰⓪ S 23 – a.s. 15 giugno-15 settembre.
Roma 167 – Frosinone 98 – Caserta 53 – Gaeta 29 – Abbazia di Montecassino 53 – Napoli 67.

Della Baia ☜, via dell'Erica ℰ 0823 721344, Fax 0823 721556, ≤, 🏖, 🎾, ✖ – 🗏 📺 🅿. 🖭 🖸 ⓪ 💴 💴 🗷. ✄ rist
12 maggio-settembre – **Pasto** 60000 – ⇆ 15000 – **56 cam** 115/170000 – ½ P 170000.

BAIA SARDINIA Sassari ⓭⓰⓰ D 10 – Vedere Sardegna (Arzachena : Costa Smeralda) alla fine dell'elenco alfabetico.

BALDISSERO TORINESE 10020 Torino ⓭⓮⓰ G 5 – 3 199 ab. alt. 421.
Roma 656 – Torino 13 – Asti 42 – Milano 140.

Osteria del Paluch, via Superga 44 (Ovest : 3 km) ℰ 011 9408750, *info@paluch.it,* Fax 011 9407592, 🎋, solo su prenotazione, « Servizio estivo all'aperto » – 🅿. 🖭 🖸 ⓪ 💴 💴
chiuso domenica sera e lunedì escluso da giugno a settembre – **Pasto** 80000 e carta 50/100000.

a Rivodora *Nord-Ovest : 5 km – ⊠ 10099 :*

Torinese, via Torino 42 ℰ 011 9460025, Fax 011 9460006, 🎋 – 🖭 🖸 ⓪ 💴 💴. ✄
chiuso dal 2 al 14 agosto, martedì, mercoledì e a mezzogiorno (escluso sabato-domenica) – **Pasto** carta 35/55000.

BALLABIO 23811 Lecco ⓭⓮⓲ E 10, ⓶⓵⓽ ⑩ – 3 250 ab. alt. 732.
Roma 617 – Bergamo 41 – Como 38 – Lecco 6 – Milano 60 – Sondrio 90.

Sporting Club, via Confalonieri 46, a Ballabio Superiore Nord : 1 km ℰ 0341 530185, *sporting.club@tiscalinet.it,* Fax 0341 530185 – 🛗 📺 🅿. 🖭 🖸 ⓪ 💴 💴 🗷
chiuso dal 1° al 20 giugno – **Pasto** carta 45/70000 – ⇆ 15000 – **14 cam** 90/140000 – ½ P 90000.

BANCHETTE D'IVREA Torino ⓭⓮⓰ F 5 – Vedere Ivrea.

BARAGAZZA Bologna 429, 430 J 15 – Vedere Castiglione dei Pepoli.

BARANO D'ISCHIA Napoli 431 E 23 – Vedere Ischia (Isola d').

BARBARANO Brescia – Vedere Salò.

BARBARESCO 12050 Cuneo 428 H 6 – 642 ab. alt. 274.
Roma 642 – Genova 129 – Torino 57 – Alessandria 63 – Asti 28 – Cuneo 64 – Savona 101.

XX **Antinè**, via Torino 34/a 𝒫 0173 635294, Coperti limitati prenotare – ▤. Æ 🔄 ⓪ 🐵 𝒱𝒮𝒜. ⅀
chiuso dal 27 dicembre al 15 gennaio e mercoledì – **Pasto** carta 45/70000.

XX **Rabayà**, via Rabayà 9 𝒫 0173 635223, rabayà@tiscalinet.it, Fax 0173 635226, Coperti limitati; prenotare, « Servizio estivo in terrazza con ≤ sulle langhe » – ▤ 🅿. Æ 🔄 ⓪ 🐵 𝒱𝒮𝒜. ⅀
chiuso dal 15 al 28 febbraio, dal 20 al 30 agosto e giovedì – **Pasto** 50/60000 e carta 40/80000.

XX **Al Vecchio Tre Stelle** con cam, via Rio Sordo 13, località Tre Stelle Sud : 3 km
ⓢ 𝒫 0173 638192, ristorante@vecchiotrestelle.it, Fax 0173 638282, Coperti limitati; prenotare – 📺. Æ 🔄 ⓪ 🐵 𝒱𝒮𝒜. ⅀
chiuso gennaio e dal 10 al 23 luglio – **Pasto** (chiuso martedì) 45/65000 bc e carta 50/90000
– **9 cam** ⫘ 110/135000 – ½ P 100000
Spec. Lingua di vitello al giardino. Tajarin alla moda di Langa. Brasato di vitello al Barbaresco.

BARBERINO DI MUGELLO 50031 Firenze 429, 430 J 15 – 9 268 ab. alt. 268.
Roma 308 – Firenze 34 – Bologna 79 – Milano 273 – Pistoia 49.

in prossimità casello autostrada A 1 Sud-Ovest : 4 km :

XX **Cosimo de' Medici**, viale del Lago 19 ⊠ 50030 Cavallina 𝒫 055 8420370, Fax 055 8420370 – ▤ 🅿. Æ 🔄 ⓪ 🐵 𝒱𝒮𝒜
chiuso dal 1° al 15 agosto e lunedì – **Pasto** carta 45/65000 (10%).

BARBERINO VAL D'ELSA 50021 Firenze 430 L 15 G. Toscana – 100 ab. alt. 373.
Roma 260 – Firenze 32 – Siena 36 – Livorno 109.

a Petrognano Ovest : 3 km – ⊠ 50021 Barberino Val d'Elsa :

XX **Il Paese dei Campanelli**, località Petrognano 4 𝒫 055 8075318, Fax 055 8075318, 🈂,
prenotare, « In una vecchia cantina di campagna » – 🅿. 🔄 ⓪ 🐵 𝒱𝒮𝒜 🎴
chiuso gennaio, novembre, domenica e a mezzogiorno – **Pasto** carta 70/80000.

BARBIANELLO 27041 Pavia 428 G 9 – 821 ab. alt. 67.
Roma 557 – Piacenza 45 – Alessandria 68 – Milano 56 – Pavia 18.

X **Da Roberto**, via Barbiano 21 𝒫 0385 57396, info@daroberto.it – ▤. Æ 🔄 ⓪ 𝒱𝒮𝒜
ⓢ chiuso dal 1° al 7 gennaio, agosto, lunedì e la sera (escluso venerdì e sabato) – **Pasto** 35/40000 e carta 30/50000.

BARBIANO Parma – Vedere Felino.

BARCELLONA POZZO DI GOTTO Messina 432 M 27 – Vedere Sicilia alla fine dell'elenco alfabetico.

BARCUZZI Brescia – Vedere Lonato.

BARDASSANO Torino – Vedere Gassino Torinese.

BARDINETO 17057 Savona 428 J 6 – 633 ab. alt. 711.
Roma 604 – Genova 100 – Cuneo 84 – Imperia 65 – Milano 228 – Savona 59.

🏠 **Piccolo Ranch**, località Cascinazzo 10 𝒫 019 7907038, pranch@lnet.it, Fax 019 7907377,
ⓢ ≤ – 🛗 📺 🚗 🅿 – 🔬 100. Æ 🔄 ⓪ 🐵 𝒱𝒮𝒜. ⅀
chiuso dal 2 gennaio al 15 marzo – **Pasto** (chiuso mercoledì) carta 30/50000 – **23 cam**
⫘ 110/150000 – ½ P 120000.

🏠 **Maria Nella,** via Cave 1 ☎ 019 7907017, Fax 019 7907018, 🛠 – 🛗 📺 **P.** AE S ① ◑ 𝕍𝕀𝕊𝔸.
✏
chiuso novembre e dicembre – **Pasto** (chiuso venerdì escluso da giugno a settembre) carta
30/50000 – ☑ 10000 – **52 cam** 75/100000 – ½ P 90000.

BARDOLINO 37011 Verona 𝟜𝟚𝟠 , 𝟜𝟚𝟡 F 14 G. Italia – 6 299 ab. alt. 68.

Vedere Chiesa★.

🏌₁₈ Cà degli Ulivi a Marciaga di Costermano ✉ 37010 ☎ 045 6279030, Fax 045 6279039,
Nord : 7 km.

🯄 piazza Aldo Moro 1 ☎ 045 7210078, Fax 045 7210872.

Roma 517 – Verona 27 – Brescia 60 – Mantova 59 – Milano 147 – Trento 84 – Venezia 145.

🏨 **San Pietro,** via Madonnina 15 ☎ 045 7210588, Fax 045 7210023, 🛝, 🛠 – 🛗 ☰ 📺 **P.** AE
S ◑ 𝕍𝕀𝕊𝔸. ✏
20 marzo-15 novembre – **Pasto** (chiuso a mezzogiorno) carta 45/60000 – **48 cam** ☑ 130/
220000 – ½ P 135000.

🏨 **Kriss Internazionale,** lungolago Cipriani 3 ☎ 045 6212433, kriss@kriss.it,
Fax 045 7210242, ≤, 🏝, 🛶₆, 🛠 – 🛗 ✖ ☰ 📺 🚗 **P.** – 🔬 35. AE 𝕍𝕀𝕊𝔸. ✏ rist
chiuso dicembre e gennaio **Pasto** (chiuso martedì) carta 40/60000 – **33 cam** ☑ 170/285000
– ½ P 165000.

🏨 **Cristina,** via dell'Alpino 2 ☎ 045 6210857, info@hotelcristina.it, Fax 045 6212697, 🛝, 🛠 –
🛗 ☰ 📺 **P.** S 𝕍𝕀𝕊𝔸. ✏
aprile-15 ottobre – **Pasto** (solo per alloggiati e chiuso a mezzogiorno) 40/45000 – **48 cam**
☑ 145/250000 – ½ P 145000.

🏠 **Benacus** senza rist, via Madonnina 11 ☎ 045 6210282, Fax 045 6210283 – 🛗 📺 **P.**
28 marzo-16 ottobre – **12 cam** ☑ 110/140000.

🏠 **Bologna,** via Mirabello 13 ☎ 045 7210003, Fax 045 7210564 – 🛗 ☰ **P.** AE ①. ✏
10 marzo-20 ottobre – **Pasto** (chiuso a mezzogiorno e venerdì) carta 50/85000 – ☑ 15000
– **21 cam** 95/130000 – ½ P 95000.

✗✗ **Il Giardino delle Esperidi,** via Mameli 1 ☎ 045 6210477, « Servizio estivo in terrazza »
– ☰. AE S ① ◑ 𝕍𝕀𝕊𝔸
chiuso gennaio – **Pasto** carta 40/65000.

BARDONECCHIA 10052 Torino 𝟜𝟚𝟠 G 2 – 3 055 ab. alt. 1 312 – a.s. 13 febbraio-7 aprile e luglio-
agosto – Sport invernali : 1 312/2 740 m 🚠 19, 🎿.

🯄 viale della Vittoria 4 ☎ 0122 99032, Fax 0122 980612.

Roma 754 – Briançon 46 – Milano 226 – Col du Mont Cenis 51 – Sestriere 36 – Torino 89.

🏠 **I Larici,** via Montenero 28 ☎ 0122 902490, Fax 0122 96518, « Piccolo parco », ☎ – 🛗 📺
P. AE S ◑ 𝕍𝕀𝕊𝔸. ✏
Pasto (25 giugno-3 settembre; solo per alloggiati) – ☑ 18000 – **12 cam** 115/165000 –
½ P 140000.

🏠 **La Nigritella,** via Melezet 96 ☎ 0122 980477, nigritella@libero.it, Fax 0122 980054, 🛠 –
📺 **P.** S 𝕍𝕀𝕊𝔸. ✏ rist
Pasto (24 dicembre-25 aprile e 20 giugno-agosto; solo per alloggiati) – **7 cam** ☑ 110/
150000 – ½ P 110000.

🏠 **Bucaneve,** viale della Vecchia 2 ☎ 0122 999332, hbucaneve@tin.it, Fax 0122 999980 – 📺
P. S ◑ 𝕍𝕀𝕊𝔸. ✏ rist
dicembre-aprile e 15 giugno-15 settembre – **Pasto** 25/50000 – ☑ 20000 – **17 cam** 85/
120000 – ½ P 110000.

a Melezet Sud-Ovest : 2 km – ✉ 10052 Bardonecchia :

✗ **La Ciaburna,** ☎ 0122 999849, Fax 0122 999849 – **P.** AE S ① ◑ 𝕍𝕀𝕊𝔸
chiuso dal 15 al 30 maggio, dal 15 al 30 ottobre e mercoledì in bassa stagione – **Pasto** carta
40/65000.

BAREGGIO 20010 Milano 𝟜𝟚𝟠 F 8, 𝟚𝟙𝟡 ⑱ – 15 826 ab. alt. 138.

Roma 590 – Milano 19 – Novara 33 – Pavia 49.

✗ **Joe il Marinaio,** via Roma 69 ☎ 02 9028693 – **P.** AE S ① ◑ 𝕍𝕀𝕊𝔸. ✏
chiuso dal 1° al 10 gennaio, dal 16 agosto all'8 settembre, lunedì e martedì a mezzogiorno –
Pasto specialità di mare 70/120000 e carta 55/90000 (10 %) solo venerdì e sabato sera).

---

*Pour être inscrit au **guide Michelin***

- pas de piston,

- pas de pot-de-vin !

BARGA 55051 Lucca 四28, 四29, 四30 J 13 *G. Toscana – 10 021 ab. alt. 410.*
Roma 385 – Pisa 58 – Firenze 111 – Lucca 37 – Massa 56 – Milano 277 – Pistoia 71 – La Spezia 95.

🏛 **La Pergola**, via S. Antonio 1 ℰ 0583 711239, *Fax 0583 710433* – 🛗 📺 **P**. 歴. ⋙
Pasto vedere rist *La Pergola* – ☲ 13000 – **23 cam** 85/110000.

XX **Alpino** con cam, via Pascoli 41 ℰ 0583 723336, *alpino@bargaholiday.com*, *Fax 0583 723792* – 🛗, ≣ cam, 📺. 歴 🛈 ◑◐ *VISA*. ⋙
chiuso novembre – **Pasto** carta 40/60000 – ☲ 10000 – **7 cam** 85/110000, 2 suites – ½ P 95000.

X **La Pergola**, via Del Giardino 1 ℰ 0583 723086, *Fax 0583 710433* – **P**. 歴. ⋙
⊜ *chiuso dal 15 novembre al 10 febbraio e venerdì* – **Pasto** carta 35/55000.

BARGE 12032 Cuneo 四28 H 3 – *7 117 ab. alt. 355.*
Roma 694 – Torino 61 – Cuneo 50 – Sestriere 75.

XX **San Giovanni**, piazza San Giovanni 10 ℰ 0175 346078, *Fax 0175 346109*, Coperti limitati; prenotare – 🛐 🛈 ◑◐ *VISA*
chiuso dal 10 al 25 gennaio, dal 25 agosto al 15 settembre, lunedì e martedì a mezzogiorno – **Pasto** carta 40/55000.

XX **D'Andrea**, via Bagnolo 37 ℰ 0175 345735 – **P**. 歴 ◑◐ *VISA*
chiuso dal 7 al 15 gennaio, 15 al 31 agosto e mercoledì – **Pasto** carta 50/70000.

a Crocera *Nord-Est : 8 km* – ⊠ *12032 Barge :*
XX **D'la Picocarda**, via Cardè 49 ℰ 0175 30300, *Fax 0175 30300*, Casa colonica seicentesca, prenotare – **P**. 歴 🛐 ◑◐ *VISA*. ⋙
chiuso agosto, lunedì sera e martedì – **Pasto** carta 50/80000.

BARGECCHIA Lucca 四28, 四29, 四30 K 12 – *Vedere Massarosa.*

BARGHE 25070 Brescia 四28, 四29 E 13 – *1 100 ab. alt. 295.*
Roma 564 – Brescia 32 – Gardone Riviera 23 – Milano 122 – Verona 79.

XX **Da Girelli Benedetto**, via Nazionale 17 ℰ 0365 84140, prenotare – 歴 🛐 🛈 *VISA*. ⋙
chiuso Natale, Pasqua, dal 15 al 30 giugno e martedì – **Pasto** carta 60/80000 (15%).

BARGNI Pesaro e Urbino 四29, 四30 K 20 – *Vedere Serrungarina.*

BARI 70100 **P** 四31 D 32 *G. Italia – 331 848 ab. – a.s. 21 giugno-settembre.*
Vedere *Città vecchia★* CDY : *basilica di San Nicola★★* DY, *Cattedrale★* DY **B**, *castello★* CY – *Cristo★ in legno nella pinacoteca* BX **M**.

🇷 Barialto a Casamassima ⊠ 70010 ℰ 080 6977105, *Fax 080 6977076*, per ② : 12 km.
🛪 *di Palese per viale Europa : 9 km* AX ℰ 080 5316138, *Fax 080 5316212* – Alitalia, via Argiro 56 ⊠ 70121 ℰ 080 5216511, *Fax 080 5244732*.
🇧 piazza Aldo Moro 32/a ⊠ 70122 ℰ 080 5242045, *Fax 080 5242329*.
A.C.I. via Serena 26 ⊠ 70126 ℰ 080 5531717.
Roma 449 ④ – Napoli 261 ④.

Pianta pagina seguente

🏨 **Palace Hotel**, via Lombardi 13 ⊠ 70122 ℰ 080 5216551, *palaceh@tim.it*, *Fax 080 5211499*, 🏨 – 🛗, ⋙ cam, ≣ 📺 ⟷ – 🛗 420. 歴 🛐 🛈 ◑◐ *VISA* *JCB*. ⋙ rist
Pasto al Rist. *Murat (chiuso agosto)* carta 50/75000 – **189 cam** ☲ 290/410000, 6 suites – ½ P 255000.
CY **b**

🏨 **Sheraton Nicolaus Hotel**, via Cardinale Agostino Ciasca 27 ⊠ 70124 ℰ 080 5042626, *Fax 080 5042058*, ⅙, ≋, 🔲, ⌗ – 🛗, ⋙ cam, ≣ 📺 ⟷ – 🛗 1000. 歴 🛐 🛈 ◑◐ *VISA*. ⋙ rist
Pasto al Rist. *Le Stagioni* carta 45/70000 – **172 cam** ☲ 330/410000, 3 suites.
AX **e**

🏨 **Mercure Villa Romanazzi Carducci**, via Capruzzi 326 ⊠ 70124 ℰ 080 5427400, *mercure@villaromanazzi.com*, *Fax 080 5560297*, « Parco con 🛀 » – 🛗 ≣ 📺 🛀 ⟷ **P** – 🛗 500. 歴 🛐 🛈 ◑◐ *VISA* *JCB*. ⋙ rist
Pasto *(chiuso agosto)* carta 60/85000 – **116 cam** ☲ 210/320000, suite – ½ P 200000.
CZ **c**

🏨 **Boston** senza rist, via Piccinni 155 ⊠ 70122 ℰ 080 5216633, *Fax 080 5246802* – 🛗 ≣ 📺 ⟷ – 🛗 50. 歴 🛐 🛈 ◑◐ *VISA* *JCB*
70 cam ☲ 170/230000.
CY **e**

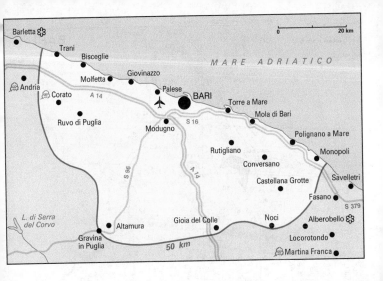

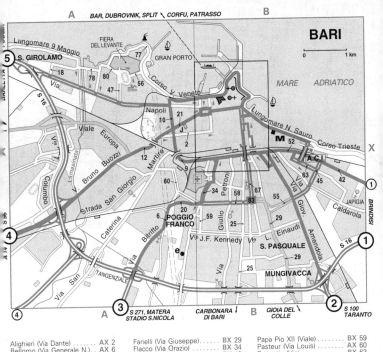

Alighieri (Via Dante)	**AX**	2
Bellomo (Via Generale N.) . .	**AX**	6
Brigata Bari (Via)	**AX**	9
Brigata Regina (Via)	**AX**	10
Buozzi (Sottovia Bruno)	**AX**	12
Costa (Via Nicola)	**AX**	18
Cotugno (Via Domenico) . . .	**AX**	20
Crispi (Via Francesco)	**AX**	21
De Gasperi (Corso Alcide) . .	**BX**	25

Fanelli (Via Giuseppe)	**BX**	29
Flacco (Via Orazio)	**BX**	34
Japigia (Viale)	**BX**	42
Magna Grecia (Via)	**BX**	45
Maratona (Via di)	**AX**	47
Oberdan (Via Guglielmo) . . .	**BX**	52
Omodeo (Via Adolfo)	**AX**	55
Orlando (Viale V.E.)	**AX**	56
Papa Giovanni XXIII (Viale) .	**BX**	58

Papa Pio XII (Viale)	**BX**	59
Pasteur (Via Louis)	**AX**	60
Peucetia (Via)	**BX**	63
Repubblica (Viale della)	**BX**	67
Starita (Lungomare		
Giambattista)	**AX**	77
Van Westerhout (Viale)	**AX**	78
Verdi (Via Giuseppe)	**AX**	80
2 Giugno (Largo)	**BX**	83

117

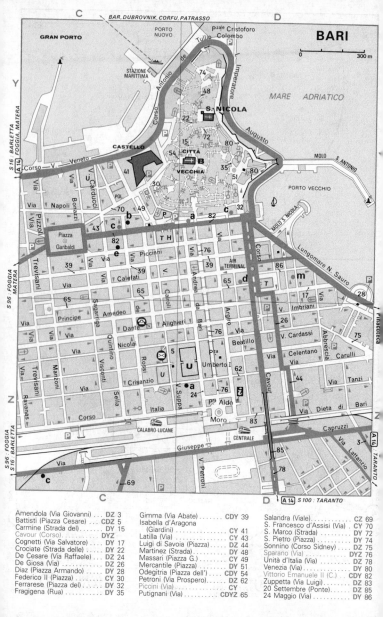

Amendola (Via Giovanni) . . . **DZ** 3	
Battisti (Piazza Cesare) . . . . **CDZ** 5	
Carmine (Strada del) . . . . . . **DY** 15	
Cavour (Corso) . . . . **DYZ**	
Cognetti (Via Salvatore) . . . . **DY** 17	
Crociate (Strada delle) . . . . . **DY** 22	
De Cesare (Via Raffaele) . . . **DZ** 24	
De Giosa (Via) . . . . **DZ** 26	
Diaz (Piazza Armando) . . . . . **DY** 28	
Federico II (Piazza) . . . . **CY** 30	
Ferrarese (Piazza del) . . . . . **DY** 32	
Fragigena (Rua) . . . . **DY** 35	

Gimma (Via Abate) . . . . **CDY** 39	
Isabella d'Aragona	
(Giardini) . . . . **CY** 41	
Latilla (Via) . . . . **CY** 43	
Luigi di Savoia (Piazza) . . . . **DZ** 44	
Martinez (Strada) . . . . **DY** 48	
Massari (Piazza G.) . . . . **DY** 49	
Mercantile (Piazza) . . . . **DY** 51	
Odegitria (Piazza dell') . . . . **CDY** 54	
Petroni (Via Prospero) . . . . . **DZ** 62	
Piccini (Via) . . . . **CY**	
Putignani (Via) . . . . **CDYZ** 65	

Salandra (Viale) . . . . **CZ** 69	
S. Francesco d'Assisi (Via) . **CY** 70	
S. Marco (Strada) . . . . **DY** 72	
S. Pietro (Piazza) . . . . **DY** 74	
Sonnino (Corso Sidney) . . . . **DZ** 75	
Sparano (Via) . . . . **DYZ** 76	
Unità d'Italia (Via) . . . . **DZ** 78	
Venezia (Via) . . . . **DY** 80	
Vittorio Emanuele II (C.) . . . **CDY** 82	
Zuppetta (Via Luigi) . . . . **DZ** 83	
20 Settembre (Ponte) . . . . . . **DZ** 85	
24 Maggio (Via) . . . . **DY** 86	

Costa senza rist, via Crisanzio 12 ⊠ 70122 ℰ 080 5219015, *Fax 080 5210006* – |≋| **TV**. **AE** **S**
① **MO** **VISA**. ≪
≅ 15000 – **33 cam** 120/170000.
DZ **a**

La Pignata, corso Vittorio Emanuele 173 ⊠ 70122 ℰ 080 5232481, *Fax 080 5543526* –
≋. **AE** **S** **①** **MO** **VISA** **JCB**
chiuso agosto e lunedì – **Pasto** specialità di mare carta 50/75000.
CY **c**

118

XX **Ai 2 Ghiottoni**, via Putignani 11 ✉ 70121 ℰ 080 5232240, *Fax 080 5233330* – 🗏. 🖭 🖸
① ⓦ🄼 *VISA*. ⅍
chiuso domenica – **Pasto** carta 60/90000.

DY d

XX **Al Sorso Preferito**, via Vito Nicola De Nicolò 46 ✉ 70121 ℰ 080 5235747, prenotare –
🗏. 🖭 🖸 ① ⓦ🄼
chiuso domenica sera e mercoledì – **Pasto** carta 35/60000.

DY m

X **Alberosole**, corso Vittorio Emanuele 13 ✉ 70122 ℰ 080 5235446, *Fax 080 5235446* – 🗏.
🖭 🖸 ① ⓦ🄼 *VISA*
chiuso dal 1° al 10 gennaio, dal 20 luglio al 20 agosto e lunedì – **Pasto** carta 55/80000.

DY c

X **Lo Sprofondo**, corso Vittorio Emanuele 111 ✉ 70122 ℰ 080 5213697,
Fax 080 5213697, 😌, Rist. con pizzeria serale – 🗏. 🖭 🖸 ① ⓦ🄼 *VISA*. ⅍
chiuso dal 9 al 20 agosto e domenica, in luglio-agosto chiuso anche sabato a mezzogiorno
– **Pasto** carta 45/75000.

DY a

sulla tangenziale sud-uscita 15 *Sud-Est : 5 km per* ① :

🏨 **Majesty**, via Gentile 97/B ✉ 70126 ℰ 080 5491099, *majesty.hotel@interbusiness.it*,
Fax 080 5492397, 😌, ⅍ – 🛗 🗏 📺 🅿 – 🔬 150. 🖭 🖸 ① ⓦ🄼 *VISA*. ⅍
chiuso dal 29 luglio al 20 agosto – **Pasto** carta 35/50000 – **75 cam** ⏍ 150/225000 –
½ P 140000.

a Carbonara di Bari *Sud : 6,5 km* BX – ✉ 70012 :

XX **Taberna**, via Ospedale di Venere 6 ℰ 080 5650557, *Fax 080 5654577*, « Ambiente caratte-
ristico » – 🗏 🅿. 🖭 🖸 ① ⓦ🄼 *VISA* JCB. ⅍
chiuso agosto e lunedì – **Pasto** carta 50/80000.

*Keine Aufnahme in den **Michelin-Führer** durch*

- *Beziehungen oder*

- *Bezahlung!*

BARLETTA 70051 Bari 431 D 30 G. Italia – 91 904 ab. – a.s. 21 giugno-settembre.
Vedere *Colosso★★* AY – *Castello★* BY – *Museo Civico★* BY M – *Reliquiario★* nella basilica di
San Sepolcro AY.
🛈 corso Garibaldi 208 ℰ 0883 331331, Fax 0883 531170.
Roma 397 ③ – Bari 69 ② – Foggia 79 ③ – Napoli 208 ③ – Potenza 128 ③ – Taranto 145 ②.

Pianta pagina seguente

🏨 **Dei Cavalieri** 🅼, via Foggia 24 ℰ 0883 571461, *hoteldeicavalieri@ba.dada.it*,
Fax 0883 526640, 😌, ⅍ – 🛗 🗏 📺 🕭 🚗 🅿 – 🔬 100. 🖭 🖸 ① ⓦ🄼 *VISA*.
⅍ rist
per ④
Pasto *(chiuso domenica)* carta 35/60000 – **51 cam** ⏍ 115/180000, 2 suites – ½ P 145000.

🏨 **Itaca**, viale Regina Elena 30 ℰ 0883 347741, *itaca@itacahotel.it*, Fax 0883 347786, ≤, 😌,
⅀, ⅍ – 🛗 🗏 📺 🚗 🅿 – 🔬 300. 🖭 🖸 ① ⓦ🄼 *VISA*. ⅍
per ①
Pasto *(chiuso lunedì a mezzogiorno)* carta 35/55000 – **27 cam** ⏍ 120/190000 –
½ P 125000.

🏨 **Artù**, piazza Castello 67 ℰ 0883 332121, *Fax 0883 332214*, 😌 – 🗏 📺 🅿. 🖭 🖸 ① ⓦ🄼 *VISA*
JCB. ⅍
BY b
Pasto *(chiuso domenica sera)* carta 45/60000 – ⏍ 15000 – **32 cam** 105/160000 –
½ P 160000.

🏨 **Royal** senza rist, via Leontina de Nittis 13 ℰ 0883 531139, *Fax 0883 331466* – 🛗 🗏 📺
🚗. 🖭 🖸 ① ⓦ🄼 *VISA* JCB
AZ e
34 cam ⏍ 110/180000.

XX **Il Brigantino**, litoranea di Levante ℰ 0883 533345, *Fax 0883 533248*, ≤, 😌, ⅀, 🛝, ⅍
– 🗏 🅿 – 🔬 100. 🖭 🖸 ① ⓦ🄼 *VISA*
per ①
chiuso gennaio e mercoledì (escluso da maggio a settembre) – **Pasto** 40000 e carta
45/70000 (15 %).

XX **Antica Cucina**, via Milano 73 ℰ 0883 521718, *Fax 0883 521718*, prenotare – 🗏. 🖭 🖸 ①
ⓦ🄼 *VISA*. ⅍
AZ f
chiuso luglio, lunedì e la sera dei giorni festivi – **Pasto** carta 50/75000.

XX **L'Approdo**, litoranea di Levante 92 ℰ 0883 347924, *Fax 0883 347921*, 😌, Rist. e pizzeria.
🖭 🖸 ① ⓦ🄼 *VISA*. ⅍
per ①
chiuso novembre e martedì (escluso da luglio a settembre) – **Pasto** carta 40/70000.

X **Baccosteria**, via San Giorgio 5 ℰ 0883 534000, *Fax 0883 533100*, Coperti limitati; preno-
tare – 🗏. 🖭 🖸 ① ⓦ🄼 *VISA* JCB
AY a
❀ *chiuso chiuso dal 1° al 20 agosto, domenica sera e lunedì* – **Pasto** carta 40/65000
Spec. Spaghetti ai ricci di mare. Calamari farciti di ricotta. Mousse di fichi d'India al rabar-
baro.

119

BARLETTA

Baccarini (Via)............. AY 2
Brigata Barletta (Via)....... AZ 3
Caduti in Guerra (Piazza dei) AY 4
Colombo (Via Cristoforo) ... BY 6
Consalvo da Cordova (Via.. AY 7
Conteduca (Piazza) .... AZ 8
Discanno (Via Geremia).. ABY 10
Duomo (Via del) .... BY 12

Ferdinando d'Aragona (Via) BYZ 13
Fieramosca (Via E.) .... BY 15
Garibaldi (Corso) .... ABY
Giannone (Viale)........... AZ 16
Leonardo da vinci (Viale) ... AZ 17
Marina (Piazza).......... BY 19
Monfalcone (Via) .... AZ 20
Municipio (Via) .... AY 21
Nanula (Via A.) .... ABY 23
Nazareth (Via) .... ABY 24
Palestro (Via)............. AY 25

Pier delle Vigne (Via)...... AY 27
Plebiscito (Piazza) .... AY 28
Principe Umberto
  (Piazza)............... AY 29
Regina Elena (Via) .... BY 31
San Andrea (Via) .... BY 33
San Antonio (Via)......... BY 35
Trani (Via) .... BY 36
Vittorio Emanuele (Corso).. AY
3 Novembre (Via) .... BY 37
20 Settembre (Via) ...... AYZ 39

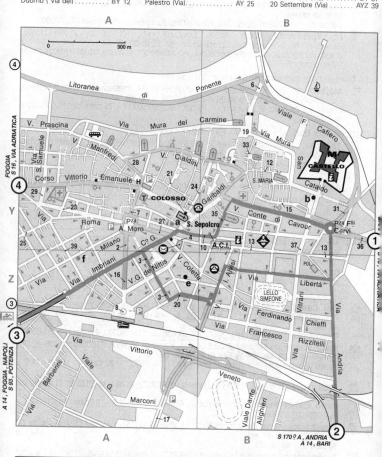

BAROLO

12060 Cuneo **428** I 5 – 688 ab. alt. 301.

Roma 627 – *Cuneo 68* – Asti 42 – Milano 164 – Savona 83 – Torino 72.

Barolo ⊗, via Lomondo 2 ℘ 0173 56354, Fax 0173 560026, ≤, 🏠 – 🛗 �📺 🅿. 🖭 🕃 ⓪ ◑◉
VISA

chiuso dal 1° al 15 febbraio – **Pasto** al Rist. **Brezza** *(chiuso martedì)* carta 45/70000 – ☷
10000 – **31 cam** 100/140000 – ½ P 115000.

Locanda nel Borgo Antico, piazza Municipio 2 ℘ 0173 56355, Fax 0173 56355, 🏠,
Coperti limitati; prenotare – 🖭 🕃 ⓪ ◑◉ **VISA**. ✵
chiuso dal 22 febbraio al 15 marzo, dal 7 al 31 luglio, mercoledì e giovedì, solo mercoledì in
ottobre-novembre – **Pasto** 50/75000 e carta 60/90000
Spec. Fassone magro battuto a coltello. Finanziera. Piccolo zuccotto al gelato Gianduia e
crema al caffè.

120

BARONE CANAVESE 10010 Torino 219 ⑭, 428 G 5 – 606 ab. alt. 325.
Roma 673 – Torino 48 – Aosta 86 – Ivrea 18 – Milano 116.

 ※ **Al Girasol**, via Roma 8 ℘ 011 9898565, 🍴 –
 ⊖ chiuso dal 15 al 31 gennaio e lunedì – **Pasto** carta 35/50000.

BARZANÒ 23891 Lecco 428 E 9, 219 ⑲ – 4 737 ab. alt. 370.
Roma 605 – Como 29 – Bergamo 36 – Lecco 19 – Milano 34.

 🏠 **Redaelli**, via Garibaldi 77 ℘ 039 955312, albergo@mboxbrianza.net, Fax 039 955312 – 📺
 ⊖ 🅿 🆎 🕄 ⑩ ⓶ VISA. ⅍
 chiuso dal 5 al 26 agosto – **Pasto** (chiuso venerdì) carta 35/55000 – ☲ 15000 – **16 cam**
 90/130000, 4 suites – ½ P 110000.

BASCHI 05023 Terni 430 N 18 – 2 670 ab. alt. 165.
Roma 118 – Viterbo 46 – Orvieto 10 – Terni 70.

sulla strada statale 448 :

 ※※※※ **Vissani**, Nord : 12 km ☒ 05020 Civitella del Lago ℘ 0744 950396, Fax 0744 950396,
 ⊕⊕ Coperti limitati; prenotare – 🍴 ☰ 🅿. 🆎 🕄 ⑩ ⓶ VISA JCB. ⅍
 chiuso domenica sera, mercoledì e giovedì a mezzogiorno – **Pasto** 230/280000 e carta
 200/300000 (15 %)
 Spec. Quaglia farcita di rapette bianche, zuppa d'uva, cipolla, julienne di porro fritto.
 Lasagna di ostriche, brunoise di peperoni, tartufo nero, Parmigiano e foie gras. Mandarine
 duck al Porto e tartufo nero, risotto alla milanese..

a Civitella del Lago Nord-Est : 12 km – ☒ 05020 :

 ※※ **Trippini**, via Italia 14 ℘ 0744 950316, Fax 0744 950316, ≤ lago e dintorni – 🆎 🕄 ⑩ ⓶
 VISA. ⅍
 chiuso gennaio e lunedì – **Pasto** 80/100000 e carta 60/80000.

BASELGA DI PINÈ 38042 Trento 429 D 15 – 4 321 ab. alt. 964 – a.s. Pasqua e Natale.
 🔋 a Serraia via Cesare Battisti 98 ℘ 0461 557028, Fax 0461 557577.
Roma 606 – Trento 19 – Belluno 116 – Bolzano 75 – Milano 260 – Padova 136 – Venezia 169.

 🏠 **Edera**, via Principale 19, a Tressilla ℘ 0461 557221, Fax 0461 558977, ≤ – ⴗ 📺 🕭 🅿. 🆎 🕄
 ⊖ ⑩ ⓶ VISA. ⅍
 chiuso novembre – **Pasto** (chiuso lunedì escluso Natale-6 gennaio, Pasqua e luglio-settem-
 bre) carta 35/60000 – **42 cam** ☲ 60/120000 – ½ P 90000.

 🏠 **Villa Anita**, via Cesare Battisti 120, a Serraia ℘ 0461 557106, Fax 0461 558694, ⟂ – ⴗ,
 ⊖ ☰ rist, 📺 🅿. 🆎 🕄 ⑩ ⓶ VISA. ⅍ rist
 chiuso dal 1° al 10 giugno e dal 10 al 20 settembre – **Pasto** (chiuso giovedì) carta 20/30000 –
 23 cam ☲ 75/120000 – ½ P 110000.

 ※※ **2 Camini** con cam, via Pontara 352, a Vigo ℘ 0461 557200, Fax 0461 558833, 🐎 – 📺 🅿.
 🆎 🕄 ⑩ ⓶ VISA
 chiuso dal 15 ottobre al 15 novembre – **Pasto** (chiuso domenica sera e lunedì escluso dal
 15 giugno al 15 settembre) carta 40/60000 – ☲ 10000 – **10 cam** 150000 – ½ P 120000.

BASSANO DEL GRAPPA 36061 Vicenza 429 E 17 G. Italia – 39 973 ab. alt. 129.
 Vedere Museo Civico★.
 Escursioni Monte Grappa★★★ Nord-Est : 32 km.
 🔋 largo Corona d'Italia 35 ℘ 0424 524351, Fax 0424 525301.
Roma 543 – Padova 45 – Belluno 80 – Milano 234 – Trento 88 – Treviso 47 – Venezia 76 –
Vicenza 35.

 🏨 **Belvedere**, piazzale Gaetano Giardino 14 ℘ 0424 529845 e rist. ℘ 0424 524988, belveder
 ehotel@bonotto.it, Fax 0424 529849 – ⴗ, 🍴 cam, ☰ 📺 🚗 – 🛣 280. 🆎 🕄 ⑩ ⓶ VISA.
 ⅍
 Pasto carta 65/85000 – **87 cam** ☲ 180/255000.

 🏨 **Palladio** senza rist, via Gramsci 2 ℘ 0424 523777, palladiohotel@bonotto.it,
 Fax 0424 524050, 🝳, 🖀 – ⴗ, 🍴 cam, ☰ 📺 🚗 🅿 – 🛣 180. 🆎 🕄 ⑩ ⓶ VISA. ⅍
 66 cam ☲ 195/250000.

 🏠 **Brennero** senza rist, via Torino 7 ℘ 0424 228538, Fax 0424 227021 – ☰ 📺 🕭. 🆎 🕄 ⑩
 ⓶ VISA
 23 cam ☲ 90/150000.

 🏠 **Victoria** senza rist, viale Diaz 33 ℘ 0424 503620, victoriahotel@pn.itnet.it,
 Fax 0424 503130 – ⴗ ☰ 📺 🅿. 🆎 🕄 ⑩ ⓶ VISA
 ☲ 10000 – **23 cam** 90/150000.

🏠 **Al Castello** senza rist, piazza Terraglio 19 ℰ 0424 228665, Fax 0424 228665 – 🗏 📺. 🖭 🕲
🕲 **VISA**. 🛠
 ☲ 10000 – **11 cam** 80/150000.

XX **Bauto,** via Trozzetti 27 ℰ 0424 34696, fiozanon@tin.it, Fax 0424 34696 – 🗏. 🖭 🕲 ◑ 🕲
🕲 **VISA**. 🛠
 chiuso dal 1° al 7 gennaio, dal 9 al 23 agosto e domenica – **Pasto** 30/45000 (solo a
 mezzogiorno) carta 45/70000.

XX **Al Sole-da Tiziano,** via Vittorelli 41/43 ℰ 0424 523206 – 🖭 🕲 ◑ 🕲 **VISA**
 chiuso dal 15 luglio al 15 agosto e lunedì – **Pasto** carta 45/65000 (10%).

X **Al Giardinetto,** via Fontanelle 30 (Nord : 1,5 km) ℰ 0424 502277, Fax 0424 501866,
 « Servizio estivo in giardino » – 🅿. 🖭 🕲 ◑ 🕲 **VISA**
 chiuso martedì sera e mercoledì – **Pasto** carta 45/65000.

sulla strada statale 47 :

🏛 Al Camin, via Valsugana 64 (Sud-Est : 2 km) ⊠ 36022 Cassola ℰ 0424 566134,
 Fax 0424 566822, « Servizio rist. estivo in giardino » – 🛗 🗏 📺 🅿 – 🔬 80
 45 cam.

BASTIA UMBRA 06083 Perugia **430** M 19 – 17 802 ab. alt. 201.
 Roma 176 – Perugia 17 – Assisi 9,5 – Terni 77.

sulla strada statale 147 Assisana :

🏠 **Campiglione,** via Campiglione 11 ⊠ 06083 ℰ 075 8010767, hotel@hotel-campiglione.it,
🕲 Fax 075 8010768 – 🛗 🗏 📺 📞 🕭 🅿. 🖭 🕲 ◑ 🕲 **VISA**. 🛠
 Pasto (chiuso a mezzogiorno ed in gennaio-febbraio anche sabato-domenica) carta 35/
 65000 – ☲ 10000 – **42 cam** 90/130000, 🗏 15000 – ½ P 95000.

ad Ospedalicchio Ovest : 5 km – ⊠ 06080 :

🏛 **Lo Spedalicchio,** piazza Bruno Buozzi 3 ℰ 075 8010323, Fax 075 8010323, « In una
 fortezza trecentesca », 🛲 – 🛗 🗏 📺 🅿 – 🔬 80. 🖭 🕲 ◑ 🕲 **VISA**. 🛠
 Pasto (chiuso dal 15 al 30 luglio e lunedì) carta 45/65000 – ☲ 16000 – **25 cam** 130/180000
 – ½ P 140000.

BAVENO 28831 Verbania **428** E 7 G. Italia – 4 605 ab. alt. 205.
 ⛴ per le Isole Borromee giornalieri (15 mn) – Navigazione Lago Maggiore, via Matteotti 6
 ℰ 0323 923552.
 🖪 piazza Dante Alighieri 14 (Palazzo Comunale) ℰ 0323 924632, Fax 0323 924632.
 Roma 661 – Stresa 4 – Domodossola 37 – Locarno 51 – Milano 84 – Novara 60 – Torino 137.

🏨🏨 **Gd H. Dino,** corso Garibaldi 20 ℰ 0323 922201, Fax 0323 922515, ≼ isole Borromee,
 « Imponente struttura in riva al lago con ampio giardino e terrazze panoramiche », 🖟, 🕿,
 🛝, 🏊, 🛠 – 🛗 🗏 📺 📞 🕭 🅿 – 🔬 1300. 🖭 🕲 ◑ 🕲 **VISA**. 🛠 rist
 chiuso sino al 15 marzo – **Pasto** carta 70/110000 – **316 cam** ☲ 360/480000, 65 suites –
 ½ P 340000.

🏛 **Simplon,** corso Garibaldi 52 ℰ 0323 924112, centralreservation@zaccherahotels.com,
 Fax 0323 916507, ≼, « Parco ombreggiato in riva al lago con ≼ sulle isole Borromee », 🛝,
 🛠 – 🛗 🗏 📺 🅿. 🖭 🕲 ◑ 🕲 **VISA**. 🛠 rist
 23 marzo-7 novembre – **Pasto** 70/90000 – **109 cam** ☲ 290/350000, 15 suites –
 ½ P 240000.

🏛 **Lido Palace,** strada statale del Sempione 30 ℰ 0323 924444, info@lidopalace.com,
 Fax 0323 924744, ≼ Isole Borromee e lago, « In una villa liberty del 1700 con ampio parco »,
 🛝, 🏊, 🛠 – 🛗 🗏 📺 📞 🅿 – 🔬 300. 🖭 🕲 ◑ 🕲 **VISA**. 🛠 rist
 aprile-ottobre – **Pasto** 50/80000 – ☲ 40000 – **104 cam** 160/240000, 2 suites – ½ P 180000.

🏛 **Splendid,** via Sempione 12 ℰ 0323 924583, centralreservation@zaccherahotels.com,
 Fax 0323 922200, ≼ lago e monti, « Giardino ombreggiato in riva al lago con 🏊 e 🛠 », 🏊
 – 🛗 🗏 📺 🅿. 🖭 🕲 ◑ 🕲 **VISA**. 🛠 rist
 20 marzo-ottobre – **Pasto** carta 60/95000 – **101 cam** ☲ 260/360000 – ½ P 240000.

🏠 **Rigoli** ⋟, via Piave 48 ℰ 0323 924756, Fax 0323 925156, ≼ lago e isole Borromee, « Ter-
 razza-giardino sul lago », 🏊 – 🛗 📺 🅿. 🖭 🕲 🕲 **VISA**. 🛠 rist
 Pasqua-ottobre – **Pasto** carta 40/70000 – ☲ 18000 – **31 cam** 130/160000 – ½ P 130000.

🏠 **Villa Azalea** senza rist, via Domo 6 ℰ 0323 924300, Fax 0323 922065, 🛲 – 🛗 📺 🕭 🅿. 🕲
🕲 🕲 **VISA**
 ☲ 10000 – **32 cam** 100/120000.

XX **Ascot,** via Libertà 9 ℰ 0323 925226, Fax 0323 925226 – 🖭 🕲 ◑ 🕲 **VISA**. 🛠
🕲 chiuso mercoledì escluso da luglio a settembre – **Pasto** 30000 e carta 50/80000.

X **Il Gabbiano,** via I Maggio 19 ℰ 0323 924496, Fax 0323 924496, prenotare la sera – 🝙 🕄
🝙 🕄 🝙 *VISA*
chiuso dal 15 gennaio al 15 febbraio, mercoledì e giovedì a mezzogiorno (escluso dal 15 giugno al 15 settembre) – **Pasto** carta 35/60000.

BAZZANO 40053 Bologna **429**, **430** I 15 – *5 962 ab. alt. 93.*
Roma 382 – Bologna 24 – Modena 23 – Ostiglia 86.

🏛 **Alla Rocca** 🖲, via Matteotti 76 ℰ 051 831217, roccait@iname.com, Fax 051 830690, ⇪
– ⫴ 🕃 📺 💳 ₺ 👡 🝙 – 🝙 150. 🝙 🕄 🝙 🝙 *VISA*. 🝙 cam
chiuso agosto – **Pasto** *(chiuso domenica sera)* carta 45/65000 – **50 cam** 🗕 190/250000, 5 suites.

X **Trattoria al Parco,** viale Carducci 13/a ℰ 051 830800, prenotare la sera – 🕄 🝙 *VISA*. 🝙
chiuso dal 1° al 25 agosto, alla sera (escluso sabato e domenica) e martedì – **Pasto** carta 45/60000.

BEDIZZOLE 25081 Brescia **428**, **429** F 13 – *9 089 ab. alt. 184.*
Roma 539 – Brescia 17 – Milano 111 – Verona 54.

XX **Borgo Antico,** via Gioia 8, località Masciaga Ovest : 1 km ℰ 030 674291 – 🝙 🝙 🝙 🕄 🝙
🝙 *VISA* *JCB*
chiuso lunedì sera – **Pasto** 30/60000 e carta 35/65000.

I prezzi	Per ogni chiarimento sui prezzi riportati in guida, consultate le pagine dell'introduzione.

BEE 28813 Verbania **428** E 7, **219** ⑦ – *621 ab. alt. 594.*
Roma 682 – Stresa 27 – Locarno 50 – Milano 116 – Novara 86 – Torino 161 – Verbania 10.

XX **La Piazzetta,** via Maggiore 20 ℰ 0323 56430, Fax 0323 56430, prenotare, « Servizio estivo in piazzetta con ≤ lago » – 🕄 🝙 🝙 🝙
chiuso dal 7 al 30 gennaio, dal 10 al 25 novembre, martedì e mercoledì a mezzogiorno escluso luglio e agosto – **Pasto** carta 45/75000.

BELGIRATE 28832 Verbania **428** E 7, **219** ⑦ – *505 ab. alt. 200.*
Roma 651 – Stresa 6 – Locarno 61 – Milano 74 – Novara 50 – Torino 127.

🏛 **Villa Carlotta,** via Sempione 121/125 ℰ 0322 76461, Fax 0322 76705, ≤, ⇪, « Grande parco secolare con 🝙 riscaldata », 🝙 – ⫴, 🝙 rist, 📺 ₺ 🝙 – 🝙 550. 🝙 🕄 🝙 🝙 *VISA*.
🝙 rist
Pasto carta 50/80000 – 🗕 18000 – **128 cam** 170/230000 – ½ P 190000.

🏛 **Milano,** via Sempione 4/8 ℰ 0322 76525, Fax 0322 76295, ≤, « Servizio rist. estivo in terrazza sul lago », 🝙 – ⫴, 🝙 rist, 📺 🝙 – 🝙 40. 🝙 🕄 🝙 🝙 *VISA*
Pasto carta 50/80000 – 🗕 18000 – **44 cam** 130/195000 – ½ P 165000.

BELLAGIO 22021 Como **428** E 9 *G. Italia* – *2 961 ab. alt. 216.*
Vedere *Posizione pittoresca*★★★ – *Giardini*★★ *di Villa Serbelloni* – *Giardini*★ *di Villa Melzi.*
🝙 per Varenna giornalieri (da 15 a 30 mn) – Navigazione Lago di Como, al pontile ℰ 031 950180.
🗓 piazza della Chiesa 14 ℰ 031 950204, Fax 031 950204.
Roma 643 – Como 29 – Bergamo 55 – Lecco 22 – Lugano 63 – Milano 78 – Sondrio 104.

🏛 **Gd H. Villa Serbelloni** 🝙, via Roma 1 ℰ 031 950216, inforequest@villaserbelloni.it, Fax 031 951529, ≤ lago e monti, ⇪, darsena privata, « Parco digradante sul lago », 🝙,
🝙, 🝙, 🝙, 🝙 – ⫴ 🝙 📺 💳 ₺ 👡 🝙 – 🝙 400. 🝙 🕄 🝙 🝙 *VISA* *JCB*. 🝙 rist
aprile-15 novembre – **Pasto** carta 110/140000 – **79 cam** 🗕 470/820000, 13 suites –
½ P 520000.

🏛 **Belvedere,** via Valassina 31 ℰ 031 950410, belveder@tin.it, Fax 031 950102, ⇪, « Giardino degradante sul lago con 🝙 e ≤ lago e circondario » – ⫴ 📺 🝙 – 🝙 90. 🝙 🕄 🝙 🝙 *VISA*.
🝙 rist
aprile-ottobre – **Pasto** carta 60/95000 – **69 cam** 🗕 260/290000, suite – ½ P 195000.

🏛 **Florence,** piazza Mazzini 46 ℰ 031 950342, hotflore@tin.it, Fax 031 951722, ≤, « Servizio rist. estivo in terrazza ombreggiata in riva al lago » – ⫴ 📺 🝙 🕄 🝙 *VISA*
aprile-ottobre – **Pasto** carta 70/105000 – **30 cam** 🗕 200/320000, 2 suites – ½ P 210000.

🏛 **Du Lac,** piazza Mazzini 32 ℰ 031 950320, Fax 031 951624, ≤ lago e monti, « Terrazza roof-garden » – ⫴ 🝙 📺. 🕄 🝙 *VISA*. 🝙 rist
aprile-3 novembre – **Pasto** carta 60/100000 – **48 cam** 🗕 170/300000 – ½ P 180000.

Silvio, via Carcano 10/12 (Sud-Ovest : 2 km) ✆ 031 950322, *belsilv@tin.it, Fax 031 950912,* « Servizio ristorante in veranda con ← sul lago » – 📺 🚗 🅿.
chiuso dal 10 gennaio al 20 febbraio – **Pasto** carta 45/80000 – ☕ 10000 – **21 cam** 100/120000 – 1/2 P 100000.

Barchetta, salita Mella 13 ✆ 031 951389, *Fax 031 951986,* 🏖, prenotare la sera – AE 🅢 ⓓ 🅜 VISA. ✂
15 marzo-25 ottobre; chiuso martedì a mezzogiorno escluso dal 15 giugno al 15 settembre – **Pasto** 50000 bc (15 %) solo a mezzogiorno 70000 (15 %) e carta 60/110000 (15 %).

a Piano Rancio *Sud : 12 km – ✉ 22021 Bellagio :*

Chalet Gabriele, strada per Monte San Primo ✆ 031 963624, ←, 🏖 – 🅿. AE 🅢 ⓓ 🅜 VISA
chiuso martedì – **Pasto** cucina tradizionale casalinga carta 40/80000.

BELLAMONTE *38030 Trento* 429 D 16 – *alt. 1 372 – a.s. 23 gennaio-Pasqua e Natale – Sport invernali : 1 372/1 700 m* 🚡1 ⛷4, ⛷.

ℹ *(Natale-Pasqua e giugno-settembre) via Nazionale* ✆ *0462 576047.*
Roma 668 – Belluno 75 – Bolzano 61 – Cortina d'Ampezzo 90 – Milano 322 – Trento 84.

Sole 🌿, via de l'Or 8 ✆ 0462 576299, *hotel.sole@softcom.it, Fax 0462 576394,* ←, 🌳 – 🛗 📺 ♿ 🅿. 🅢 🅜 VISA. ✂
dicembre-Pasqua e giugno-settembre – **Pasto** carta 35/75000 – ☕ 15000 – **56 cam** 140/300000 – 1/2 P 150000.

Les prix — Pour toutes précisions sur les prix indiqués dans ce guide, reportez-vous aux pages de l'introduction.

BELLARIA *Modena* 428, 429 H 14 – *Vedere San Possidonio.*

BELLARIA IGEA MARINA *Rimini* 429, 430 J 19 – *13 287 ab. – a.s. 15 giugno-agosto.*

Roma 350 – Ravenna 39 – Rimini 15 – Bologna 111 – Forlì 49 – Milano 321 – Pesaro 55.

a Bellaria – ✉ *47814 :*

ℹ *(aprile-settembre) via Leonardo da Vinci 2* ✆ *0541 344108 fax 0541 345491*

Miramare, lungomare Colombo 37 ✆ 0541 344131, *Fax 0541 347316,* ←, 🏊 – 🛗, 🚭 cam, ▤ 📺 🅿. 🅢 ⓓ 🅜 VISA. ✂ rist
15 maggio-25 settembre – **Pasto** 40/75000 – **64 cam** ☕ 95/190000 – 1/2 P 150000.

Ermitage, via Ala 11 ✆ 0541 347633, *hermitage@dada.it, Fax 0541 343083,* ←, 🏋, 🧖, 🏊 riscaldata – 🛗 ▤ 📺 🅿. AE 🅢 ⓓ 🅜 VISA. ✂ rist
chiuso dal 15 ottobre al 27 dicembre – **Pasto** *(aprile-settembre)* 35/60000 – **60 cam** ☕ 110/200000, 4 suites – 1/2 P 130000.

Elizabeth, via Rovereto 11 ✆ 0541 344119, *Fax 0541 345680,* ←, 🏊 riscaldata – 🛗 ▤ 📺 🚗 🅿. AE 🅢 ⓓ 🅜 VISA JCB. ✂
marzo-novembre e 28 dicembre-4 gennaio – **Pasto** 35/45000 – **54 cam** ☕ 90/170000 – 1/2 P 125000.

Nautic e Riccardi, viale Panzini 128 ✆ 0541 345600, *Fax 0541 344299,* 🏋, 🏊, 🌳 – 🛗, ▤ rist, 📺 🅿. AE 🅢 ⓓ 🅜 VISA. ✂
maggio-20 settembre – **Pasto** carta 40/70000 – ☕ 10000 – **60 cam** 110/130000 – 1/2 P 105000.

Semprini, via Volosca 18 ✆ 0541 346337, *Fax 0541 346564,* ←, 🏖 – 🛗, ▤ rist, 🚗 🅿. ✂ rist
15 maggio-settembre – **Pasto** 25/30000 – **45 cam** ☕ 90/110000 – 1/2 P 95000.

Orizzonte, via Rovereto 10 ✆ 0541 344298, *Fax 0541 346804,* ←, 🌳 – 🚭 rist, ▤ rist, 📺 🅿. AE 🅢 ⓓ 🅜 VISA. ✂
maggio-settembre – **Pasto** (solo per alloggiati) – **40 cam** ☕ 100/170000, 3 suites – 1/2 P 100000.

Rosa Maria, via Italia 27 ✆ 0541 346915, *Fax 0541 346915,* 🏊, 🏖, 🌳 – 🛗, ▤ rist, 🅿. AE 🅢 VISA. ✂ rist
maggio-settembre – **Pasto** (solo per alloggiati) 25/50000 – **35 cam** ☕ 90/170000 – 1/2 P 110000.

Orchidea, viale Panzini 37 ✆ 0541 347425, *orchidea@iper.net, Fax 0541 340120,* « Giardino ombreggiato », 🏊 – ▤ rist, 📺 🅿. AE 🅢 ⓓ 🅜 VISA JCB. ✂ rist
maggio-settembre – **Pasto** 30/60000 – ☕ 18000 – **33 cam** 100/120000 – 1/2 P 105000.

Elite, viale Italia 29 ✆ 0541 346615, *Fax 0541 346716,* ← – 🛗, ▤ rist, 🅿. AE 🅢 VISA. ✂ rist
15 maggio-settembre – **Pasto** *(solo per alloggiati)* 25/30000 – **31 cam** ☕ 100/120000 – 1/2 P 90000.

a Igea Marina – ⊠ 47813.

🖪 (aprile-settembre), viale Pinzon 196 ℘ 0541 340181 :

🏦 **K 2,** viale Pinzon 212 ℘ 0541 330064, hotelk2@tin.it, Fax 0541 331828, ≤, ♨ – ⧈, ☰ rist, 📺 **🅿**. ⚙ 🕟 ⓪ ⑳ ⱴⱭⱯ. ⚘
maggio-settembre – **Pasto** (solo per alloggiati) – ☷ 15000 – **62 cam** 65/100000 – ½ P 90000.

🏦 **Strand Hotel,** viale Pinzon 161 ℘ 0541 331726, strandhotel@libero.it, Fax 0541 331900, ≤, ♨, 🖘 – ⧈ ☰ 📺 **🅿**. ⚘ rist
marzo-settembre – **Pasto** (solo per alloggiati) – **39 cam** ☷ 80/150000 – ½ P 110000.

🏦 **Agostini,** viale Pinzon 68 ℘ 0541 331510, agostini@iper.net, Fax 0541 330085, ≤, ♨, 🖘, ⠤ riscaldata – ⧈ ☰ 📺 **🅿**. ⚙ 🕟 ⑳ ⱴⱭⱯ. ⚘ rist
aprile-settembre – **Pasto** (solo per alloggiati) 30/50000 – **69 cam** ☷ 110/130000 – ½ P 110000.

🏦 **Globus,** viale Pinzon 193 ℘ 0541 330195, Fax 0541 330864, ≤ – ⧈, ☰ rist, 📺 ⱴ **🅿**. ⚙ 🕟 ⓪ ⑳ ⱴⱭⱯ Ɑⱸⱬ. ⚘ rist
10 maggio-25 settembre – **Pasto** (solo per alloggiati) 25/35000 – ☷ 12000 – **57 cam** 70/80000 – ½ P 75000.

🏦 **Touring,** viale Pinzon 217 ℘ 0541 331619, touspi@tin.it, Fax 0541 330319, ≤, ⠤, 🖘 – ⧈ 📺 **🅿**. ⚙ 🕟 ⑳ ⱴⱭⱯ
aprile-settembre – **Pasto** carta 40/60000 – ☷ 18000 – **39 cam** 120/180000 – ½ P 105000.

BELLINZAGO NOVARESE 28043 Novara ꪪꙅꙅ F 7 – 8 332 ab. alt. 191.

🟢 Novara località Castello di Cavagliano ⊠ 28043 Bellinzago Novarese ℘ 0321 927834, Fax 0321 927834, Sud : 3 km.
Roma 634 – Milano 60 – Novara 15 – Varese 45.

a Badia di Dulzago Ovest : 3 km – ⊠ 28043 Bellinzago Novarese :

Ⅹ **Osteria San Giulio,** ℘ 0321 98101, prenotare la sera, « In un'antica abbazia rurale » – ⚘
chiuso dal 26 dicembre al 7 gennaio, agosto, domenica sera e lunedi – **Pasto** carta 30/50000.

BELLUN Aosta – Vedere Sarre.

BELLUNO 32100 **ℙ** ꪪꙅꙅ D 18 G. Italia – 35 077 ab. alt. 389.

Vedere Piazza del Mercato★ 8 – Piazza del Duomo★ 2 : palazzo dei Rettori★ **ℙ**, polittico★ nel Duomo – Via del Piave : ≤★.

🖪 piazza dei Martiri 8 ℘ 0437 940083, Fax 0437 940073.

A.C.I. piazza dei Martiri 46 ℘ 0437 943132.
Roma 617 ① – Cortina d'Ampezzo 71 ① – Milano 320 ② – Trento 112 ② – Udine 117 ① – Venezia 106 ① – Vicenza 120 ②.

🏦 **Delle Alpi** senza rist, via Jacopo Tasso 13 ℘ 0437 940545, Fax 0437 940565 – ⧈ ☰ 📺. ⚙ 🕟 ⓪ ⱴⱭⱯ a **38 cam** ☷ 145/185000, 2 suites.

🏦 **Alle Dolomiti** senza rist, via Carrera 46 ℘ 0437 941660, Fax 0437 941436 – ⧈ 📺 ⱴ ⚙ 🕟 ⓪ ⑳ ⱴⱭⱯ Ɑⱸⱬ s ☷ 10000 – **33 cam** 85/130000.

BELLUNO

Duomo (Pza)	2
Gabelli (Via A.)	3
Grappa (Via M.)	4
Martiri (Piazza dei)	6
Matteotti (Via)	7
Mercato (Pza del)	8
Rialto (Via)	10

0   200 m

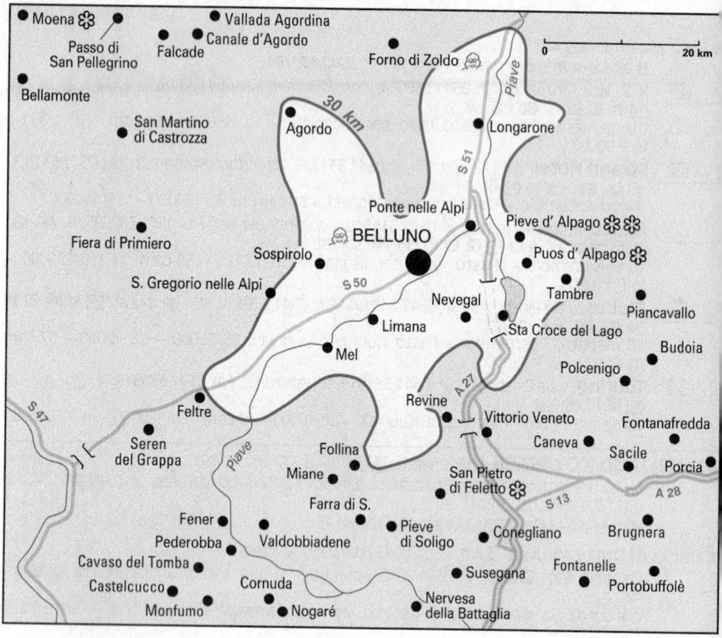

XXX **Delle Alpi,** via Jacopo Tasso 15 ☎ 0437 940302, 🏡 – [AE] [$] [D] [MC] [VISA] a
chiuso dal 1º al 7 gennaio, dal 1º al 15 agosto e domenica – **Pasto** 45/60000 e carta 60/75000.

XX **Al Borgo,** via Anconetta 8 ☎ 0437 926755, *alborgo@dolomiti.it, Fax 0437 926411,* 🏡,
« Villa settecentesca in un parco » – [P]. [AE] [$] [D] [MC] [VISA] per via M. Grappa
chiuso dal 17 al 30 gennaio, lunedì sera e martedì – **Pasto** carta 45/60000.

XX **Al Sasso,** via del Cansiglio 12 ☎ 0437 27783, *Fax 0437 27783* – [AE] [$] [D] [MC] [VISA] [JCB] c
chiuso dal 15 al 30 agosto, domenica sera e lunedì – **Pasto** carta 35/60000.

BELMONTE CALABRO *87033 Cosenza* [431] *J 30 – 3 013 ab. alt. 262.*
Roma 513 – Cosenza 36 – Catanzaro 74 – Reggio di Calabria 166.

Villaggio Albergo Belmonte ⛰, via Piane (Nord : 1,5 km) ☎ 0982 400177, *vabbelmonte@tiscalinet.it, Fax 0982 400301,* 🏊, 🏖, 🏡, 🎾 ▤ [TV] ♿ [P] – 🏛 100. [AE] [$] [D] [MC] [VISA]. 🐕
Pasto carta 50/75000 – **48 cam** ☕ 150/240000 – ½ P 140000.

BELVEDERE MARITTIMO *87021 Cosenza* [431] *I 29 – 9 164 ab. alt. 150.*
Roma 453 – Cosenza 71 – Castrovillari – Catanzaro 130 – Sapri 69.

XX **Lido Sabbiadoro,** località Piano delle Donne (Nord : 5 km) ☎ 0985 88456, *Fax 0985 88456,* ←, 🏡, Rist. e pizzeria – ▤ [P]. [AE] [$] [D] [MC] [VISA]
chiuso Natale-Epifania e martedì – **Pasto** carta 40/60000.

BENACO – *Vedere Garda (Lago di).*

BENEVENTO *82100* [P] [430] *S 26,* [431] *D 26 G. Italia – 63 284 ab. alt. 135.*
Vedere *Arco di Traiano*** – *Museo del Sannio** : *Chiostro**.
[i] *piazza Roma 11 ☎ 0824 319938, Fax 0824 312309.*
[A.C.I.] *via Salvator Rosa 24/26 ☎ 0824 314849.*
Roma 241 – Napoli 71 – Foggia 111 – Salerno 75.

Gd H. Italiano, viale Principe di Napoli 137 ☎ 0824 24111, *Fax 0824 21758* – |‡| ▤ [TV] [P] – 🏛 70. [AE] [$] [D] [MC] [VISA]. 🐕
chiuso dal 6 al 20 agosto – **Pasto** carta 45/60000 – **71 cam** ☕ 130/190000, 2 suites – ½ P 150000.

BERCETO 43042 Parma **428**, **429**, **430** I 11 – 2 507 ab. alt. 790.
Roma 463 – Parma 60 – La Spezia 65 – Bologna 156 – Massa 80 – Milano 165.

※ **Vittoria-da Rino** con cam, via Marconi 5 ℘ 0525 64306, Fax 0525 64306 – 📺 🖭 🆂 ◎
🕮 🆅🆂🅰 🆃🅲🅱. ✸
chiuso dal 20 dicembre a febbraio – **Pasto** *(chiuso lunedì escluso dal 20 giugno a settembre)* carta 50/90000 – ☑ 15000 – **15 cam** 90/105000 – 1/2 P 85000.

in prossimità dello svincolo autostrada A 15 : *Ovest : 5 km*

※※ **La Foresta di Bard** con cam, località Prà Grande 64 ⊠ 43042 ℘ 0525 60248,
Fax 0525 64477, prenotare, « Al limitare di un bosco » – 🅿 – 🏛 40. 🕮 🆂 ◎ 🆅🆂🅰
chiuso dal 17 al 31 dicembre – **Pasto** *(chiuso martedì)* 40/45000 e carta 45/60000 – ☑ 6000
– **8 cam** 80/110000 – 1/2 P 80000.

BERGAMO 24100 🅿 **428** E 11 *G. Italia* – 117 837 ab. alt. 249.
Vedere *Città alta*★★★ ABY – *Piazza del Duomo*★★ AY 12 : *Cappella Colleoni*★★, *Basilica
di Santa Maria Maggiore*★ : *arazzi*★★, *arazzo della Crocifissione*★★, *pannelli*★★, *abside*★,
Battistero★ – *Piazza Vecchia*★ AY 38 – ≤★ *dalla Rocca* AY – *Città bassa*★ : *Accademia
Carrara*★★ BY M1 – *Quartiere vecchio*★ BYZ – *Piazza Matteotti*★ BZ 19.

🏌 *Parco dei Colli (chiuso lunedì)* ℘ 035 4548811, Fax 035 260444;

🏌 *Bergamo L'Albenza (chiuso lunedì) ad Almenno San Bartolomeo* ⊠ 24030 ℘ 035
640028, Fax 035 643066, per ⑧ : 15 km;

🏌 *La Rossera (chiuso martedì) a Chiuduno* ⊠ 24060 ℘ 035 838600, Fax 035 4427047 per
② : 15 km.

✈ *di Orio al Serio per* ③ : 3,5 km ℘ 035 326111, Fax 035 326339.

🛈 *viale Vittorio Emanuele II 20* ⊠ 24121 ℘ 035 210204, Fax 035 230184.

A.C.I. *via Angelo Maj 16* ⊠ 24121 ℘ 035 285985.
Roma 601 ④ – Brescia 52 ④ – Milano 47 ④.

Pianta pagina seguente

🏨 **Radisson SAS Hotel Bergamo** 🅼, via Borgo Palazzo 154 ⊠ 24125
℘ 035 308111 e rist ℘ 035 308218, Fax 035 308308, *Ⅰ₆* – 🛗 🗏 📺 🕭 🖕 🕮 🆂
◎ 🕮 🆅🆂🅰   1,5 km per ②
Pasto al Rist. **Relais Bonaparte** carta 50/90000 – **80 cam** ☑ 250/390000, 4 suites –
1/2 P 300000.

🏨 **Starhotel Cristallo Palace,** via Betty Ambiveri 35 ⊠ 24126 ℘ 035 311211, *cristallo.bg
@starhotels.it, Fax 035 312031 –* 🛗, ✸ cam, 🗏 📺 🕭 – 🏛 450. 🕮 🆂 ◎ 🕮 🆅🆂🅰 🆃🅲🅱. ✸
Pasto al Rist. **L'Antica Perosa** *(chiuso domenica)* carta 80/135000 – **90 cam** ☑ 295/
390000 – 1/2 P 260000.   per via San Giovanni Bosco BZ

🏨 **Excelsior San Marco,** piazza della Repubblica 6 ⊠ 24122 ℘ 035 366111, *info@hotelsa
nmarco.com, Fax 035 223201, « Servizio estivo in rist. roof-garden »*, *Ⅰ₆*, 🕭 – 🛗, ✸ cam,
🗏 📺 🕭 🕮 ◎ 🕮 – 🏛 400. 🕮 🆂 ◎ 🕮 🆅🆂🅰 ✸ rist   AZ a
Pasto al Rist. **Colonna** *(chiuso agosto e domenica)* 55/75000 e carta 80/105000 – **155 cam**
☑ 250/350000, 8 suites – 1/2 P 225000.

🏨 **Arli** senza rist, largo Porta Nuova 12 ⊠ 24122 ℘ 035 222014, *arli@spm.it, Fax 035 239732*
– 🛗 🗏 📺 🕭, 🕮 🆂 ◎ 🕮 🆅🆂🅰. ✸   BZ s
☑ 22000 – **56 cam** 140/180000.

※※※ **Da Vittorio,** viale Papa Giovanni XXIII 21 ⊠ 24121 ℘ 035 213266, *Fax 035 210805,* preno-
❀❀ tare – ✸ 🗏. 🕮 🆂 ◎ 🕮   BZ b
chiuso agosto e mercoledì – **Pasto** 70000 *(solo a mezzogiorno)* 180000 e carta 140/240000
Spec. Carpaccio di scampi con purea di cipolle *(primavera-estate)*. Spaghettoni con arago-
sta e bottarga di muggine. Maialino croccante con raviolo di lardo, patate e salsa al Porto.

※※※ **Ar.Ti.,** via Previtali 5/7 ⊠ 24122 ℘ 035 252020, *Fax 035 400960,* prenotare – 🅿. 🕮 🆂 ◎
🕮 🆅🆂🅰. ✸   AZ d
chiuso dal 1° al 6 gennaio, dal 5 al 25 agosto, domenica e lunedì a mezzogiorno – **Pasto**
specialità di mare 60000 *(solo a mezzogiorno)* 80000 e carta 65/110000.

※※ **Taverna Valtellinese,** via Tiraboschi 57 ⊠ 24122 ℘ 035 243331, 🏡 – 🗏. 🕮 🆂 ◎ 🕮
🆅🆂🅰   BZ r
chiuso lunedì – **Pasto** cucina valtellinese carta 50/70000.

※※ **Öl Giopì e la Margì,** via Borgo Palazzo 27 ⊠ 24125 ℘ 035 242366, *ristorante@giopimar
gi.com, Fax 035 249206 –* 🗏. 🕮 🆂 ◎ 🕮 🆅🆂🅰. ✸   BZ c
chiuso dal 1° all'8 gennaio, agosto, domenica sera e lunedì – **Pasto** cucina tipica bergama-
sca 45/60000.

※ **Osteria D'Ambrosio,** via Broseta 58/a ⊠ 24128 ℘ 035 402926, *Fax 035 402926,* 🏡,
🕭 prenotare – ✸   AZ b
chiuso Natale, Pasqua, dal 5 al 25 agosto, sabato a mezzogiorno e domenica – **Pasto** 15000
bc *(a mezzogiorno)* 30000 bc *(alla sera)*.

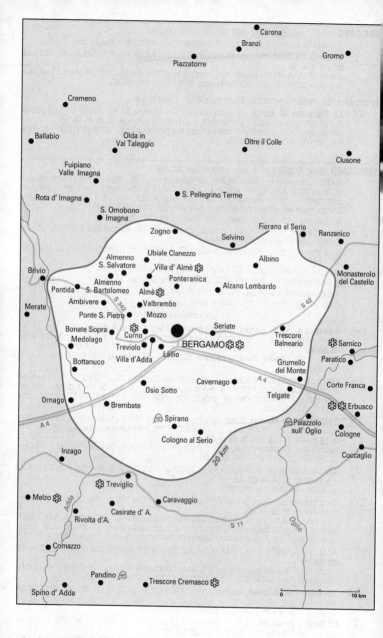

alla città alta – *alt. 366* :.

🛈 *vicolo Aquila Nera 2* ✉ *24129* ✆ *035 242226, Fax 035 242994*

🏨 **San Lorenzo** ⚘ *senza rist, piazzale Mascheroni 9/a* ✆ *035 237383, Fax 035 237958,* ≤ –
📶 ▤ 📺 ⚅. 🅰🄴 🅂 ⓘ 🅾🅴 *VISA*
25 cam ⚏ *180/270000.*

AY **d**

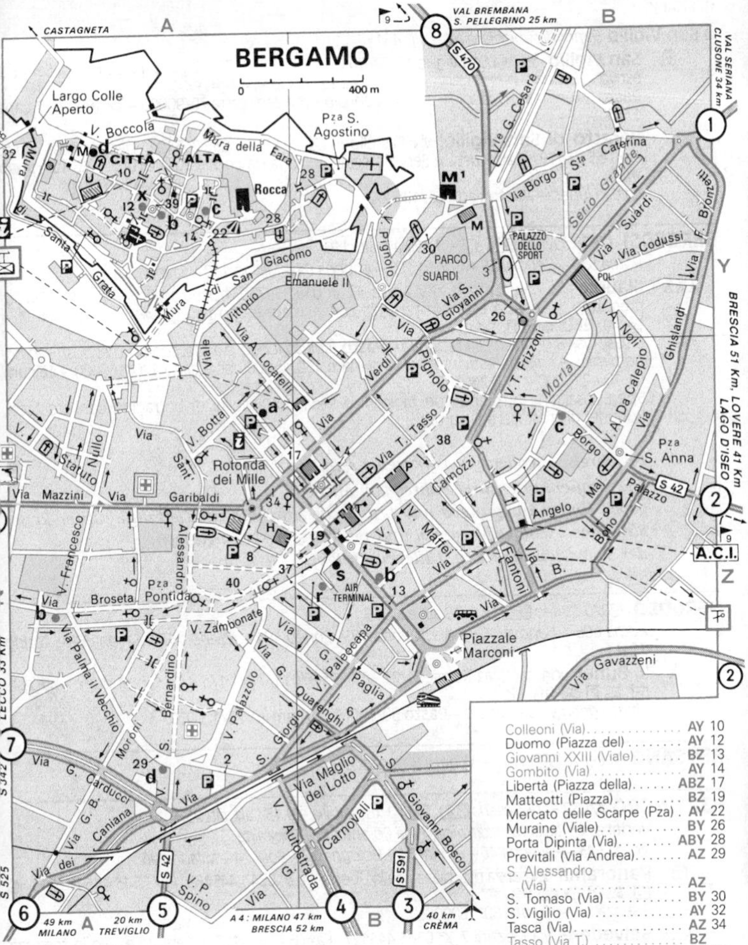

Baschenis (Via Evaristo)	AZ 2
Battisti (Via C.)	BY 3
Belotti (Largo Bortolo)	BZ 4
Bonomelli (Via G.)	BZ 6
Borgo Canale (Via)	AY 7
Borfuro (Via)	AZ 8
Brembate (Via P. da)	BZ 9
Camozzi (Via)	BZ
Colleoni (Via)	AY 10
Duomo (Piazza del)	AY 12
Giovanni XXIII (Viale)	BZ 13
Gombito (Via)	AY 14
Libertà (Piazza della)	ABZ 17
Matteotti (Piazza)	BZ 19
Mercato delle Scarpe (Pza)	AY 22
Muraine (Viale)	BY 26
Porta Dipinta (Via)	ABY 28
Previtali (Via Andrea)	AZ 29
S. Alessandro (Via)	AZ
S. Tomaso (Via)	BY 30
S. Vigilio (Via)	AY 32
Tasca (Via)	AZ 34
Tasso (Via T.)	BZ
Tiraboschi (Via)	BZ 37
Tre Passi (Via Contrada dei)	BZ 38
Vecchia (Piazza)	AY 39
20 Settembre (Via)	AZ 40

Circolazione stradale regolamentata nella « Città Alta »

🍴🍴🍴 **Taverna Colleoni dell'Angelo,** piazza Vecchia 7 ✉ 24129 ☎ 035 232596, *colleonidell angelo@uninetcom.it, Fax 035 231991*, 🏖, prenotare, « In un antico palazzo in piazza Vecchia » – ▤. [AE] $ ⊙ [MC] [VISA] [JCB]. ✻ — AY x
chiuso lunedì – **Pasto** 50000 (a mezzogiorno) 100000 (alla sera) e carta 70/110000.

🍴🍴 **Trattoria Sant'Ambröeus,** piazza Vecchia 2 ✉ 24129 ☎ 035 237494, *Fax 035 237494*, 🏖 – ▤. [AE] $ [MC] [VISA] — AY b
chiuso dal 1º al 20 gennaio e mercoledì – **Pasto** 45000 e carta 60/95000.

🍴🍴 La Marianna, largo Colle Aperto 2/4 ✉ 24129 ☎ 035 247997, *Fax 035 211314*, « Servizio estivo in terrazza-giardino » – ✻ — AY d

🍴🍴 **L'Osteria di via Solata,** via Solata 8 ✉ 24129 ☎ 035 271993, *Fax 035 4227208* – ▤. [AE] $ ⊙ [MC] [VISA] — AY c
chiuso dal 5 al 25 agosto e martedì – **Pasto** carta 80/100000.

a San Vigilio *5 mn; di funicolare AY – alt. 461 :*

🏠 **San Vigilio** ⊗, via San Vigilio 15 ⊠ 24129 ℘ 035 253179, Fax 035 402081, ≤, « Servizio estivo in terrazza panoramica » – 📺 ℗. 🅰 🕄 ① ◑ 💳 🚾 ✵, ⚸
AY
Pasto (prenotare, chiuso dal 1° al 10 gennaio e martedì) carta 70/90000 – ⊋ 18000 – **7 cam** 175000.

✕ **Baretto di San Vigilio,** via Castello 1 ⊠ 24129 ℘ 035 253191, baretto@baretto.it, Fax 035 253191, Caffè-rist., « Servizio estivo in terrazza con ≤ sulla città » – 🅰 🕄 ① ◑ 💳 🚾
per via San Vigilio AY
chiuso lunedì – **Pasto** carta 65/105000.

BERGEGGI 17028 Savona 🟦🟦🟦 J 7 – 1 192 ab. alt. 110.
Roma 556 – Genova 58 – Cuneo 102 – Imperia 63 – Milano 180 – Savona 11.

✕✕✕ **Claudio** ⊗ con cam, via XXV Aprile 37 ℘ 019 859750, hclaudio@tin.it, Fax 019 859750,
🕸 prenotare, « Servizio estivo in terrazza con ≤ mare e costa », 🏊, 🛥 – 🗏 📺 🚗 ℗ –
🛂 40. 🅰 🕄 ◑ 💳 🚾 ✵
chiuso dall'8 gennaio al 4 febbraio – **Pasto** *(chiuso lunedì e a mezzogiorno escluso sabato, domenica e i giorni festivi)* specialità di mare 130/150000 bc e carta 120/160000 – **16 cam** ⊋ 160/270000 – ½ P 260000
Spec. Insalatina di polpo con fagiolini e sedano. Tagliolini di borragine con crostacei. Bouquet di crostacei agli agrumi.

Ferienreisen wollen gut vorbereitet sein.

Die Straßenkarten und Führer von Michelin

geben Ihnen Anregungen und praktische Hinweise zur Gestaltung Ihrer Reise:
Streckenvorschläge, Auswahl und Besichtigungsbedingungen
der Sehenswürdigkeiten, Unterkunft, Preise... u. a. m.

BERGOLO 12070 Cuneo 🟦🟦🟦 I 6 – 78 ab. alt. 616.
Roma 606 – Genova 107 – Alessandria 60 – Cuneo 104 – Milano 167 – Savona 68 – Torino 104.

✕ **'L Bunet** con cam, via Roma 24/27 ℘ 0173 87013, Fax 0173 87013, prenotare – 🗏 rist,
📺. 🅰 🕄 ◑ 🚾 ✵
chiuso gennaio e febbraio – **Pasto** 50/60000 – **8 cam** ⊋ 75/100000.

BERSANO Piacenza 🟦🟦🟦 H 12 – Vedere Besenzone.

BERTINORO 47032 Forlì-Cesena 🟦🟦🟦, 🟦🟦🟦 J 18 G. Italia – 9 131 ab. alt. 257.
Vedere ≤★ dalla terrazza vicino alla Colonna dell'Ospitalità.
Roma 343 – Ravenna 46 – Rimini 54 – Bologna 77 – Forlì 14 – Milano 296.

🏠 **Panorama** ⊗ senza rist, piazza della Libertà 11 ℘ 0543 445465, Fax 0543 445465, ≤ – 📳
📺. 🅰 🕄 ◑ 💳 🚾 ✵
– senza ⊋ – **16 cam** 80/160000.

✕✕ **Belvedere,** via Mazzini 7 ℘ 0543 445127, Fax 0543 445127, « Servizio estivo in terrazza panoramica » – 🅰 🕄 ① ◑ 💳 🚾 💳
chiuso novembre e mercoledì – **Pasto** carta 45/70000.

BESENZONE 29010 Piacenza 🟦🟦🟦 H 11 – 977 ab. alt. 48.
Roma 472 – Parma 44 – Piacenza 23 – Cremona 23 – Milano 90.

a Bersano Est : 5,5 km – ⊠ 29010 Besenzone :

✕✕ **La Fiaschetteria,** via Bersano 59/bis ℘ 0523 830444, Fax 0523 830444, Coperti limitati;
🕸 solo su prenotazione a mezzogiorno, « In una casa colonica di fine '600 » – 🗏 ℗. 🅰 🕄 ◑
🚾 ✵
chiuso dal 23 dicembre al 5 gennaio, dal 5 al 31 agosto, lunedì e martedì – **Pasto** 75000 e carta 60/85000
Spec. Savarin di riso (autunno-primavera). Caramelle ripiene di stracotto. Batù d'oca (autunno-inverno).

BESNATE 21010 Varese 🟦🟦🟦 E 8, 🟦🟦🟦 ⑰ – 4 848 ab. alt. 300.
Roma 622 – Stresa 37 – Gallarate 7 – Milano 45 – Novara 40 – Varese 17.

✕✕ **La Maggiolina,** via per Gallarate 9 ℘ 0331 274225, Fax 0331 273070 – 🗏 ℗. 🅰 🕄 ① ◑
🚾
chiuso dal 24 dicembre al 5 gennaio, agosto e martedì – **Pasto** carta 55/75000.

BESOZZO *21023 Varese* **428** *E 7,* **219** ⑦ *– 8 071 ab. alt. 279.*
Roma 645 – Stresa 43 – Bellinzona 63 – Como 40 – Lugano 40 – Milano 68 – Novara 59 – Varese 14.

※ **Osteria del Sass**, via Sant'Antonio 17/B, località Besozzo Superiore ✆ 0332 771005, ≤, 余 – AE ᔒ ◑◐ *VISA*. ※
chiuso dal 15 al 28 febbraio, dal 3 al 17 ottobre, lunedì e martedì a mezzogiorno – **Pasto** carta 55/100000.

BETTOLA *29021 Piacenza* **428**, **429** *H 10 – 3 289 ab. alt. 329.*
Roma 546 – Piacenza 34 – Bologna 184 – Milano 99.

※※ **Agnello**, piazza Colombo 53 ✆ 0523 917760, 余 – ※
⊜ chiuso febbraio e martedì – **Pasto** carta 35/45000.

BETTOLLE *Siena* **430** *M 17 – Vedere Sinalunga.*

BETTONA *06084 Perugia* **430** *M 19 – 3 704 ab. alt. 355.*
Roma 167 – Perugia 21 – Assisi 15 – Orvieto 71 – Terni 78.

a Passaggio *Nord-Est : 3 km –* ⊠ *06080 :*

※ **Il Poggio degli Olivi** ⚘ con cam, località Montebalacca Sud : 3 km ✆ 075 9869023, info@poggiodegliolivi.com, Fax 075 9869023, ≤ vallata ed Assisi, « Servizio estivo serale in terrazza panoramica », �](, 余, ※ – ⊡ ℗. AE ᔒ ◑◐ *VISA*. ※ rist
chiuso dall'8 gennaio al 10 febbraio – **Pasto** (chiuso mercoledì) carta 45/65000 – 6 cam ⚏ 125/175000 – ½ P 120000.

BEVAGNA *06031 Perugia* **430** *N 19 – 4 794 ab. alt. 225.*
Roma 148 – Perugia 35 – Assisi 24 – Macerata 100 – Terni 59.

🏨 **Palazzo Brunamonti** senza rist, corso Matteotti 79 ✆ 0742 361932, hotel@brunamont i.com, Fax 0742 361948, « In un palazzo nobiliare del centro storico » – 🛗 ≣ ⊡ & ℗ – 🔾 50. AE ᔒ ◑◐ *VISA*. ※
16 cam ⚏ 160/200000.

※※ **Ottavius**, via del Gonfalone 4 ✆ 0742 360555 – ≣. AE ᔒ ◑ ◐◐ *VISA*. ※
chiuso dal 7 al 14 gennaio, dal 1° al 7 luglio e lunedì – **Pasto** carta 45/70000.

BIAGIANO - SAN FORTUNATO *Perugia – Vedere Assisi.*

BIBBIENA *52011 Arezzo* **429**, **430** *K 17 G. Toscana – 11 370 ab. alt. 425.*
🖪 via Berni 25 ✆ 0575 593098, Fax 0575 593098.
Roma 249 – Arezzo 32 – Firenze 60 – Rimini 113 – Ravenna 122.

🏨 **Relais il Fienile** ⚘ senza rist, località Gressa Nord : 6 km ✆ 0575 593396, info@relaisilfi enile.it, Fax 0575 569979, ≤ monti e vallata, ⍙, 余 – ⊡ ℗. AE ᔒ ◐◐ *VISA* JCB
chiuso dal 10 gennaio al 10 febbraio – **6 cam** ⚏ 140/180000.

🏨 **Borgo Antico** senza rist, via Bernado Dovizi 18 ✆ 0575 536445, borgoantico@brami.com, Fax 0575 536447 – 🛗 ⊡ – 🔾 30. AE ᔒ ◑ ◐◐ *VISA*
chiuso novembre – **16 cam** ⚏ 90/120000.

a Soci *Nord : 4 km –* ⊠ *52010 :*

🏨 **Le Greti** ⚘ senza rist, via Privata le Greti Ovest : 1,5 km ✆ 0575 561744, legreti@lina.it, Fax 0575 561808, ≤ colline e dintorni, ⍙, 余 – ⊡ & ℗. AE ᔒ ◐◐ *VISA*. ※
16 cam ⚏ 85/140000.

BIBBONA (Marina di) *57020 Livorno* **430** *M 13.*
Roma 285 – Cecina 14 – Grosseto 92 – Livorno 45 – Piombino 43 – Siena 100.

🏨 **Hermitage**, via dei Melograni 13 ✆ 0586 600218, Fax 0586 600760, 余, ⍙, ≣ – ⊡ ✆ ℗. ᔒ ◐◐ *VISA*. ※
aprile-ottobre – **Pasto** carta 40/70000 (15 %) – **39 cam** ⚏ 190/280000 – ½ P 185000.

※※ **La Pineta**, via dei Cavalleggeri Nord 27 ✆ 0586 600016, ≤, prenotare, 🐟 – ≣ ℗. AE ᔒ ◑ ◐◐ *VISA*
chiuso da ottobre al 15 novembre e lunedì – **Pasto** carta 60/90000.

BIBIONE 30020 Venezia **429** F 21.

🎌 *via Maja 37/39 t° 0431 442111, Fax 0431 439997 – (aprile-ottobre) viale Aurora 111*
℘ 0431 442111, fax 0431 439997.
Roma 613 – Udine 59 – Latisana 19 – Milano 352 – Treviso 89 – Trieste 98 – Venezia 102.

🏨🏨 **Savoy Beach**, corso Europa 51 *℘ 0431 437317, Fax 0431 437320*, ≤, ⤢, ▲▲, – 📶 ☰ 📺
& ⟵ 📶 – 🔥 300. 🅰🅴 🆂 ⓞ ◍ 𝚅𝙸𝚂𝙰 &
chiuso dall'8 gennaio al 2 febbraio – **Pasto** carta 40/70000 – **136 cam** ⇋ 230/360000 –
½ P 190000.

🏨🏨 **Principe**, via Ariete 41 *℘ 0431 43256, dotto@principehotel.it, Fax 0431 439234*, ≤, ⤢,
▲▲, ✕ – 📶 ☰ 📺 🅿. 🅰🅴 🆂 ⓞ ◍ 𝚅𝙸𝚂𝙰. ✕ rist
12 aprile-settembre – **Pasto** (solo per alloggiati) 30000 – **80 cam** ⇋ 165/310000 –
½ P 160000.

🏨🏨 **Corallo**, via Pegaso 38 *℘ 0431 43222, corallo@bibione.it, Fax 0431 439928*, ≤, ⤢, ▲▲,
☂, ✕ – 📶 ☰ 📺 🅿. 🅰🅴 🆂 ◍ 𝚅𝙸𝚂𝙰. ✕
10 maggio-20 settembre – **Pasto** (solo per alloggiati) – **80 cam** ⇋ 200/320000 – P 200000.

🏨 **Excelsior**, via Croce del Sud 2 *℘ 0431 43377, info@hotel-excelsior.it, Fax 0431 430384*,
≤, ⤢, ▲▲, ✕ – ☰ rist, 📺 🅿. 🆂 ◍ 𝚅𝙸𝚂𝙰. ✕ rist
19 maggio-22 settembre – **Pasto** 35000 – ⇋ 15000 – **92 cam** 120/210000 – ½ P 120000.

🏨 **Italy**, via delle Meteore 2 *℘ 0431 43257, Fax 0431 439258*, ≤, « Giardino ombreggiato »,
⤢, ▲▲, ☂ – 📶 ☰ 📺 🅿. 🅰🅴 🆂 ◍ 𝚅𝙸𝚂𝙰. ✕
12 maggio-23 settembre – **Pasto** (solo per alloggiati) 40000 – **67 cam** ⇋ 125/230000 –
½ P 120000.

🏨 **Palace Hotel Regina**, corso Europa 7 *℘ 0431 43422, regina@bibione.nanta.it*,
Fax 0431 438377, ⤢, ▲▲, – 📶 ☰ 📺 ⟵. 🆂 ◍ ✕
aprile-settembre – **Pasto** carta 70/95000 – ⇋ 30000 – **49 cam** 220/240000 – ½ P 150000.

🏨 **Leonardo da Vinci**, corso Europa 76 *℘ 0431 43416, Fax 0431 438009*, ⤢, ▲▲, – 📶 ☰
📺 🅿. 🅰🅴 🆂 ◍ 𝚅𝙸𝚂𝙰. ✕ rist
20 maggio-15 settembre – **Pasto** (solo per alloggiati) 35/45000 – ⇋ 15000 – **54 cam**
130/200000 – ½ P 115000.

🏨 **Concordia**, via Maia 149 *℘ 0431 43433, Fax 0431 439260*, ≤, ⤢ riscaldata, ▲▲, – 📶,
☰ rist, 📺 🅿. ✕ rist
20 maggio-20 settembre – **Pasto** (solo per alloggiati) 35000 – **44 cam** ⇋ 85/155000 –
½ P 110000.

a Bibione Pineda *Ovest : 5 km* – ⊠ *30020 Bibione.*

🎌 *(maggio-settembre) viale dei Ginepri 244 ℘ 0431 442111, fax 0431 439997*

🏨 **San Marco** ⌕, via delle Ortensie 2 *℘ 0431 43301, mail@sanmarco.org, Fax 0431 438381*,
« Giardino pineta con ⤢ », ▲▲, – 📶 ☰ 📺 🅿. ✕
15 maggio-15 settembre – **Pasto** 35/45000 – ⇋ 20000 – **60 cam** 110/220000 –
½ P 130000.

BIELLA 13900 **P** **428** F 6 – 47 353 ab. alt. 424.

🏌 *Le Betulle (aprile-novembre; chiuso lunedì) a Magnano* ⊠ *13887 ℘ 015 679151, Fax 015*
679276, per ④; 18 km.
🎌 *piazza Vittorio Veneto 3 ℘ 015 351128, Fax 015 34612.*
A.C.I. *viale Matteotti 11 ℘ 015 351047.*
Roma 676 ② – Aosta 88 ④ – Milano 102 ② – Novara 56 ② – Stresa 72 ① – Torino 74 ③ –
Vercelli 42 ②.

Pianta pagina a lato

🏨🏨 **Agorà Palace** Ⓜ, via Lamarmora 13 *℘ 015 8407324, Fax 015 8407423* – 📶 ☰ 📺 📺 &
⟵ – 🔥 80. 🅰🅴 🆂 ⓞ ◍ 𝚅𝙸𝚂𝙰 🅹🅲🅱. ✕ cam   Z e
Pasto 50/65000 e al Rist. **Athena Cafe** (chiuso lunedì) carta 45/70000 – **56 cam** ⇋ 160/
190000, 2 suites – ½ P 130000.

🏨🏨 **Astoria** senza rist, viale Roma 9 *℘ 015 402750, astoria@astoriabiella.com*,
Fax 015 8491691 – 📶 ☰ 📺 – 🔥 60. 🅰🅴 🆂 ⓞ ◍ 𝚅𝙸𝚂𝙰. ✕   Z v
chiuso agosto – **50 cam** ⇋ 150/190000.

🏨 **Michelangelo**, piazza Adua 5 *℘ 015 8492362, inf@hotelmichelangelo.com*,
Fax 015 8492649, Rist. a buffet – 📶 ☰ 📺 ✕ – 🔥 30. 🅰🅴 🆂 ⓞ ◍ 𝚅𝙸𝚂𝙰. ✕   Z r
Pasto (chiuso sabato e domenica) 50000 – **21 cam** ⇋ 150/190000.

🏨 **Augustus** ⌕ senza rist, via Orfanotrofio 6 *℘ 015 27554, Fax 015 29257* – 📶 ☰ 📺 ✕ 🅿.
🅰🅴 ⓞ ◍ 𝚅𝙸𝚂𝙰 🅹🅲🅱   Y s
chiuso dal 25 dicembre al 6 gennaio ed agosto – **38 cam** ⇋ 120/160000.

🏨 **Bugella**, via Cottolengo 65 *℘ 015 406607, Fax 015 405543* – 📶 ☰ 📺 ✕ & 🅿. 🅰🅴 🆂 ⓞ ◍
𝚅𝙸𝚂𝙰   per ③
Pasto (chiuso dal 1° al 20 agosto e domenica) carta 40/70000 – **24 cam** ⇋ 120/170000.

Amedeo d'Aosta (Piazza)	Z 2	Garibaldi (Via)	Y 9	Marconi (Via)	Y 15
Cossato (Piazza G. B.)	Z 4	Italia (Via)	Y	Martiri della Libertà (Piazza)	Y 16
Duomo (Piazza)	Y 7	Lamarmora (Piazza A.)	Y 12	San Giovanni Bosco (Piazza)	Y 18
				20 Settembre (Via)	Y 21

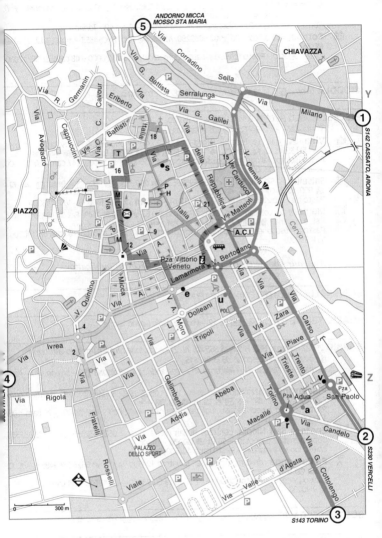

✕✕ **Prinz Grill da Beppe e Teresio,** via Torino 14 ℰ 015 23876, Coperti limitati; prenotare
— ⒜Ⓔ Ⓢ Ⓞ ⓂⒼ 𝑽𝑰𝑺𝑨. ⌘   Z u
chiuso dal 1º al 10 gennaio, agosto e domenica – **Pasto** carta 55/80000.

✕✕ **San Paolo,** viale Roma 4 ℰ 015 8493236, *Fax 015 8401602*, prenotare – ▣. ⒜Ⓔ Ⓢ Ⓞ ⓂⒼ
𝑽𝑰𝑺𝑨. ⌘   Z a
chiuso agosto e venerdì – **Pasto** 75/90000 e carta 55/95000.

BIGOLINO *Treviso* – *Vedere Valdobbiadene.*

BINASCO 20082 Milano **428** G 9 – 6 941 ab. alt. 101.

↑₁₈ Ambrosiano (chiuso martedì) a Bubbiano ⌧ 20080 ℘ 02 90840820, Fax 02 90849365 Ovest : 8 km;

↑₇₇ Castello di Tolcinasco (chiuso lunedì) località Tolcinasco ⌧ 20090 Pieve Emanuele ℘ 02 90467201, Fax 02 90467226, Nord-Est : 12 km.

Roma 573 – Milano 21 – Alessandria 76 – Novara 63 – Pavia 19 – Torino 152.

🏠 **Corona**, via Matteotti 20 ℘ 02 9052280, htc@iol.it, Fax 02 9054353 – ⬦ 🖭 📺 🅿 🖭 🕄 ⓞ ⓞ **VISA**. ℅ rist
chiuso agosto – **Pasto** (chiuso sabato e domenica) carta 40/70000 – **48 cam** ⌑ 90/120000 – ½ P 85000.

BIODOLA Livorno **430** N 12 – Vedere Elba (Isola d') : Portoferraio.

BISCEGLIE 70052 Bari **431** D 31 G. Italia – 50 937 ab..

Roma 422 – Bari 39 – Foggia 105 – Taranto 124.

🏘 **Villa** ⬎, viale La Testa 2 (Nord-Ovest : 2 km) ℘ 080 3980031, hvilla@incomm.it, Fax 080 3980212, ↕₅, ⇌, ⌿, ⌾ – ⬦ 🖭 📺 🕭 🅿 – 🕿 40. 🖭 🕄 ⓞ ⓞ **VISA** **JCB**. ℅
Pasto (solo per alloggiati e chiuso mercoledì) 45/55000 – ⌑ 19000 – **47 cam** 120/160000, 5 suites – ½ P 130000.

🏠 **Salsello**, via Siciliani 32/33 ℘ 080 3955953, Fax 080 3955951, 🛱, ⌿ – ⬦ 🖭 📺 ⇌ 🅿 – 🕿 500. 🖭 🕄 ⓞ ⓞ **VISA**. ℅ rist
Pasto (rist. e pizzeria) carta 50/70000 (10 %) – **52 cam** ⌑ 130/160000 – ½ P 115000.

⊠⊠ **Memory** ⬎ con cam, Panoramica Paternostro 63 ℘ 080 3980149, Fax 080 3980304, 🛱, Rist. e pizzeria – ⬦ 🖭 📺 🅿 🖭 🕄 ⓞ ⓞ **VISA** **JCB**. ℅
Pasto (chiuso lunedì escluso luglio-agosto) carta 35/70000 – ⌑ 5000 – **8 cam** 80/110000 – ½ P 95000.

Ask your bookseller for the catalogue of Michelin publications.

BLESSAGLIA Venezia **429** E 20 – Vedere Pramaggiore.

BOARIO TERME Brescia **428**, **429** E 12 – Vedere Darfo Boario Terme.

BOBBIO 29022 Piacenza **428** H 10 – 3 865 ab. alt. 272 – Stazione termale (maggio-ottobre).
🅱 piazza San Francesco ℘ 0523 962815.
Roma 558 – Genova 90 – Piacenza 45 – Alessandria 84 – Bologna 196 – Milano 110 – Pavia 88.

🏠 **Piacentino**, piazza San Francesco 19 ℘ 0523 936563, info@hotelpiacentino.com, Fax 0523 936266, 🛱 – ⬦ 📺 🅿 🖭 🕄 ⓞ ⓞ **VISA** **JCB**. ℅
Pasto (chiuso lunedì escluso luglio-agosto) carta 45/75000 – ⌑ 12000 – **20 cam** 100/140000 – ½ P 110000.

⊠⊠ **Enoteca San Nicola**, contrada di San Nicola 11/a ℘ 0523 932355, Fax 0523 932355, Coperti limitati; prenotare – 🖭 🕄 ⓞ ⓞ **VISA** **JCB**. ℅
chiuso lunedì e martedì – **Pasto** carta 40/60000.

⊠ **Ra Ca' Longa** con cam, località San Salvatore 10 (Sud : 4 km) ℘ 0523 936948, ≤ – 🅿 🖭 🕄 ⓞ ⓞ **VISA**. ℅
chiuso gennaio – **Pasto** (chiuso lunedì) carta 50/75000 – ⌑ 12000 – **11 cam** 80/90000 – ½ P 90000.

BOCALE SECONDO Reggio di Calabria **431** M 28 – Vedere Reggio di Calabria.

BOCCA DI MAGRA 19030 La Spezia **428**, **429**, **430** J 11.

Roma 404 – La Spezia 22 – Genova 110 – Lucca 60 – Massa 21 – Milano 227.

🏠 **Sette Archi**, via Fabbricotti 242 ℘ 0187 609017, Fax 0187 609028, 🛱, ⌿ – 📺 🕄 ⓞ ⓞ **VISA**. ℅ rist
marzo-ottobre – **Pasto** carta 40/100000 – **24 cam** ⌑ 100/180000 – ½ P 130000.

⊠⊠ Capannina Ciccio, via Fabbricotti 71 ℘ 0187 65568, Fax 0187 609000, ≤, 🛱
Pasto specialità di mare.

BOGLIACO Brescia **428** E 13 – Vedere Gargnano.

134

BOGLIASCO *16031 Genova* 428 I 9 – *4 575 ab.*.
Roma 491 – Genova 13 – Milano 150 – Portofino 23 – La Spezia 92.

a San Bernardo *Nord : 4 km* – ✉ *16031 Bogliasco :*

XX **Il Tipico,** via Poggio Favaro 20 ✆ 010 3470754, *Fax 010 3471061,* ≤ mare e costa – ▤. AE ⑤ ⓞ ⓜⓒ VISA. ✻
chiuso dall'8 al 31 gennaio, dal 12 al 23 agosto e lunedì – **Pasto** 85000 bc carta 60/90000.

BOGNANCO (Fonti) *28030 Verbania* 428 D 6 – *359 ab. alt. 986.*
Roma 709 – Stresa 40 – Domodossola 11 – Milano 132 – Novara 102 – Torino 176.

Villa Elda, via Marconi 45 ✆ 0324 46975, *Fax 0324 46975* – |‡|. ✻
Pasqua-settembre – **Pasto** 35/50000 – **40 cam** ☐ 60/90000 – 1/2 P 85000.

BOJANO *86021 Campobasso* 430 R 25 – *8 629 ab. alt. 488.*
Roma 197 – Campobasso 24 – Benevento 56 – Isernia 29 – Napoli 134.

Pleiadi's, via Molise 40 ✆ 0874 773088, *Fax 0874 773088* – |‡| ▤ TV P – 🔔 200. AE ⑤ ⓞ ⓜⓒ VISA JCB. ✻ rist
Pasto carta 30/50000 – **34 cam** ☐ 95/120000 – 1/2 P 90000.

BOLETO *Novara* 428 E 7, 219 ⑥ – *alt. 696.*
Vedere *Santuario della Madonna del Sasso*★★ *Nord-Ovest : 4 km.*

BOLLATE *20021 Milano* 428 F 9, 219 ⑱ ⑲ – *46 999 ab. alt. 154.*
Roma 595 – Milano 10 – Como 37 – Novara 45 – Varese 40.

Pianta d'insieme di Milano.

La Torretta, via Trento 111 (S.S N. 233 Varesina Nord-Ovest : 2 km) ✆ 02 3505996, *htltorretta@tin.it, Fax 02 33300826,* ☂ – |‡| ▤ TV P – 🔔 100. AE ⑤ ⓞ ⓜⓒ VISA. ✻ AO d
Pasto *(chiuso dal 6 al 27 agosto, venerdì e domenica sera)* carta 55/80000 – ☐ 16000 – **60 cam** 140/200000, suite.

BOLOGNA *40100* P 429, 430 I 15 *G. Italia* – *381 161 ab. alt. 55.*
Vedere *Piazza Maggiore* CY **57** *e del Nettuno*★★★ CY **76**: *fontana del Nettuno*★★, *basilica di San Petronio*★★ CY **A**, *Palazzo Comunale*★ BY **H**, *palazzo del Podestà*★ CY **B** – *Piazza di Porta Ravegnana*★★ CY **93**: *Torri Pendenti*★★ (✻★★) – *Mercanzia*★ CY **C** – *Chiesa di Santo Stefano*★ CY **F** – *Museo Civico Archeologico*★★ CY **M1** – *Pinacoteca Nazionale*★★ DY **M2** – *Chiesa di San Giacomo Maggiore*★ CY **D** – *Strada Maggiore*★ CDY – *Chiesa di San Domenico*★ CZ **K**: *arca*★★ *del Santo, tavola*★ *di Filippino Lippi* – *Palazzo Bevilacqua*★ BY **E** – *Postergale*★ *nella chiesa di San Francesco* BY **N**.
Dintorni *Madonna di San Luca: portico*★, ≤★ *su Bologna e gli Appennini Sud-Ovest : 5 km* FV.
18 *(chiuso lunedì) a Chiesa Nuova di Monte San Pietro* ✉ *40050* ✆ *051 969100, Fax 051 6720017, Ovest : 16 km* EV;
9 *Casalunga (chiuso lunedì) a Castenaso* ✉ *40055* ✆ *051 6050164, Fax 051 6050164, Est : 10 km.*
✈ *Bologna-G. Marconi Nord-Ovest : 6 km* EFU ✆ *051 6479615 – Alitalia, via Riva di Reno 65* ✉ *40122* ✆ *051 6300270.*
ℹ *piazza Maggiore 6* ✉ *40121* ✆ *051 239660, Fax 051 231454 – Stazione Ferrovie Stato* ✉ *40121* ✆ *051 246541, Fax 051 251947 – Aeroporto* ✆ *051 6472036, Fax 051 6472036.*
A.C.I. *via Marzabotto 2* ✉ *40133* ✆ *051 389908.*
Roma 379 ⑥ – Firenze 105 ⑥ – Milano 210 ⑧ – Venezia 152 ①.

In occasione di alcune manifestazioni commerciali o turistiche i prezzi degli alberghi potrebbero subire un sensibile aumento (informatevi al momento della prenotazione)

Piante pagine seguenti

Gd H. Baglioni, via dell'Indipendenza 8 ✉ 40121 ✆ 051 225445, *ghb.bologna@baglionihotels.com, Fax 051 234840* – |‡|, ⇔ cam, ▤ TV – 🔔 80. AE ⑤ ⓞ ⓜⓒ VISA JCB. ✻ CY e
Pasto vedere rist ***I Carracci*** – **119 cam** ☐ 520/840000, 6 suites – 1/2 P 470000.

Royal Hotel Carlton, via Montebello 8 ✉ 40121 ✆ 051 249361, *carltoncomm@tin.it, Fax 051 249724* – |‡|, ⇔ cam, ▤ TV ♿ 🚗 – 🔔 450. AE ⑤ ⓞ ⓜⓒ VISA. ✻ rist CX g
Pasto *(chiuso domenica)* carta 60/135000 – **203 cam** ☐ 380/660000, 27 suites.

Sofitel, viale Pietramellara 59 ✉ 40121 ✆ 051 248248, *sofitel.bologna@accor-hotels.it, Fax 051 249421* – |‡|, ⇔ cam, ▤ TV ♿ – 🔔 80. AE ⑤ ⓞ ⓜⓒ VISA. ✻ CX q
Pasto vedere rist ***Risbò*** – **244 cam** ☐ 375/465000.

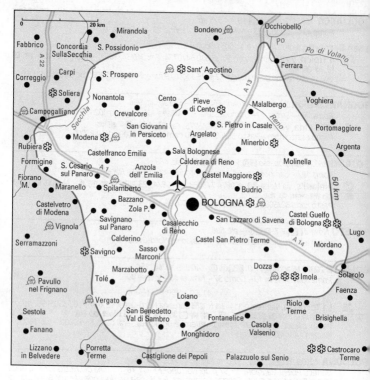

Jolly, piazza 20 Settembre 2 ✉ 40121 ℰ 051 248921, *bologna@jollyhotels.it*, Fax 051 249764 – ⬚, ⬚ cam, ≡ 🔲 – ⛟ 350. 🆎 🆂 ⓞ ⓒⓞ 𝘝𝘐𝘚𝘈. ⚡ rist CX a
Pasto al Rist. *Amarcord (chiuso domenica)* carta 70/110000 – **147 cam** ⚏ 400/590000, 8 suites – ½ P 470000.

Boscolo Hotel Tower Ⓜ, viale Lenin 43 ✉ 40138 ℰ 051 6005555, *htower@tin.it*, Fax 051 6005550, 𝟦, ⬚ – ⬚, ⬚ cam, ≡ 🔲 ⬚ – ⛟ 450. 🆎 🆂 ⓞ ⓒⓞ 𝘝𝘐𝘚𝘈. ⚡ rist HV e
Pasto carta 55/80000 – **136 cam** ⚏ 380/490000 – ½ P 290000.

Holiday Inn Bologna City, piazza della Costituzione 1 ✉ 40128 ℰ 051 41666, *tiziana. zullo@basshotels.com*, Fax 051 41665, ⚘, ⓳, ⬚ – ⬚, ⬚ cam, ≡ 🔲 ⬚ – ⛟ 350. 🆎 🆂 ⓞ ⓒⓞ 𝘝𝘐𝘚𝘈 𝙅𝘾𝘽. ⚡ rist GU h
Pasto al Rist. *la Meridiana* carta 60/95000 – ⚏ 35000 – **162 cam** 330/420000, suite.

Internazionale senza rist, via dell'Indipendenza 60 ✉ 40121 ℰ 051 245544, Fax 051 249544 – ⬚ ⬚ ≡ 🔲 ⬚. 🆎 🆂 ⓞ ⓒⓞ 𝘝𝘐𝘚𝘈 CX p
116 cam ⚏ 290/420000.

Corona d'Oro 1890 senza rist, via Oberdan 12 ✉ 40126 ℰ 051 236456, *hotcoro@tin.it*, Fax 051 262679 – ⬚ ≡ 🔲 ⬚ – ⛟ 30. 🆎 🆂 ⓞ ⓒⓞ 𝘝𝘐𝘚𝘈 𝙅𝘾𝘽. ⚡ CY r
chiuso dal 22 luglio al 29 agosto – **35 cam** ⚏ 370/525000.

Al Cappello Rosso senza rist, via de' Fusari 9 ✉ 40123 ℰ 051 261891, Fax 051 227179 – ⬚ ≡ 🔲 ⬚ ⬚ – ⛟ 25. 🆎 🆂 ⓞ ⓒⓞ 𝘝𝘐𝘚𝘈 BY v
33 cam ⚏ 360/510000.

Savoia, via San Donato 161 ✉ 40127 ℰ 051 6332366, *savoia@savoia.it*, Fax 051 6332366, ⚘, ⚘ – ⬚ ≡ 🔲 ⬚ ⬚ – ⛟ 400. 🆎 🆂 ⓞ ⓒⓞ 𝘝𝘐𝘚𝘈. ⚡ rist HU a
chiuso dal 24 dicembre al 6 gennaio e dal 5 al 24 agosto – **Pasto** *(chiuso domenica sera e lunedì)* carta 45/60000 – **43 cam** ⚏ 200/300000.

Roma, via Massimo d'Azeglio 9 ✉ 40123 ℰ 051 226322, Fax 051 239909 – ⬚ ≡ 🔲 ⬚. 🆎 🆂 ⓞ ⓒⓞ 𝘝𝘐𝘚𝘈 𝙅𝘾𝘽. ⚡ rist BY x
Pasto *(chiuso domenica ed agosto)* carta 55/80000 – **82 cam** ⚏ 190/280000, 5 suites.

Tre Vecchi senza rist, via dell'Indipendenza 47 ✉ 40121 ℰ 051 231991, *trevecchi@dada.it*, Fax 051 224143 – ⬚ ⬚ ≡ 🔲 – ⛟ 30. 🆎 🆂 ⓞ ⓒⓞ 𝘝𝘐𝘚𝘈 𝙅𝘾𝘽 CY a
96 cam ⚏ 210/300000.

🏨 **Orologio,** senza rist, via IV Novembre 10 ⬚ 40123 𝒫 051 231253, *hotoro@tin.it*, *Fax 051 260552* – 📶 ▤ 📺 📞. 🅰🅴 🕄 ⓞ 🕠 *VISA* 🄹🄲🄱. 🕉
BY a
27 cam 🖃 350/550000, 5 suites.

🏨 **Dei Commercianti** senza rist, via de' Pignattari 11 ⬚ 40124 𝒫 051 233052, *hotcom@ti n.it, Fax 051 224733* – 📶 ▤ 📺 📞 🚗. 🅰🅴 🕄 ⓞ 🕠 *VISA* 🄹🄲🄱
BY n
34 cam 🖃 370/525000.

🏨 **Regina** senza rist, via dell'Indipendenza 51 ⬚ 40121 𝒫 051 248878, *Fax 051 247986* – 📶 ▤ 📺. 🅰🅴 🕄 ⓞ 🕠 *VISA* 🄹🄲🄱
CY a
61 cam 🖃 170/260000.

🏨 **Hotel Residence Executive** senza rist, via Ferrarese 161 ⬚ 40128 𝒫 051 372960, *hot el.executive@iol.it, Fax 051 372127* – 📶 📺 🕭 🅿. 🅰🅴 🕄 ⓞ 🕠 *VISA* 🄹🄲🄱
GU a
40 cam 🖃 240/330000.

🏨 **Donatello** senza rist, via dell'Indipendenza 65 ⬚ 40121 𝒫 051 248174, *Fax 051 248174* – 📶 ▤ 📺. 🅰🅴 🕄 ⓞ 🕠 *VISA*
CX c
38 cam 🖃 180/250000.

🏨 **Re Enzo** senza rist, via Santa Croce 26 ⬚ 40122 𝒫 051 523322, *reenzo.bo@bestwestern.it, Fax 051 554035* – 📶 ▤ 📺 🚗 – 🔬 200. 🅰🅴 🕄 ⓞ 🕠 *VISA*. 🕉
AY a
51 cam 🖃 180/240000.

🏨 **City Hotel** senza rist, via Magenta 10 ⬚ 40128 𝒫 051 372676, *Fax 051 372032*, 🚗 – 📶 ▤ 📺 🚗 🅿 – 🔬 40. 🅰🅴 🕄 ⓞ *VISA*. 🕉
GU e
🖃 25000 – **60 cam** 245/360000.

🏨 **Maggiore** senza rist, via Emilia Ponente 62/3 ⬚ 40133 𝒫 051 381634, *maggiore.bo@bes twestern.it, Fax 051 312161* – 📶 ▤ 📺 🕭 🅿 – 🔬 30. 🅰🅴 🕄 ⓞ 🕠 *VISA*. 🕉
FU c
chiuso dal 24 dicembre al 3 gennaio e dall'8 al 27 agosto – **56 cam** 🖃 180/295000.

🏨 **San Donato** senza rist, via Zamboni 16 ⬚ 40126 𝒫 051 235395, *sandonato.bo@bestwes tern.it, Fax 051 230547* – 📶 ▤ 📺 🅿 – 🔬 40. 🅰🅴 🕄 ⓞ 🕠 *VISA*. 🕉
CY d
chiuso dal 10 al 19 agosto e dal 21 al 26 dicembre – **59 cam** 🖃 300/400000.

🏨 **Nuovo Hotel Del Porto** senza rist, via del Porto 6 ⬚ 40122 𝒫 051 247926, *newhot@ti n.it, Fax 051 247386* – 📶 🛏 cam, ▤ 📺 🕭. 🅰🅴 🕄 ⓞ 🕠 *VISA*
BX a
36 cam 🖃 300/380000.

🏠 **Touring** senza rist, via dè Mattuiani 1/2 ⬚ 40124 𝒫 051 584305, *Fax 051 334763*, « Piccola terrazza-solarium con ≤ città » – 📶 📺. 🅰🅴 🕄 ⓞ 🕠 *VISA*
BZ b
39 cam 🖃 190/340000.

🏠 **Il Guercino** senza rist, via Luigi Serra 7 ⬚ 40129 𝒫 051 369893, *guercino@guercino.it, Fax 051 369893* – 📶 ▤ 📺 🕭 – 🔬 30. 🅰🅴 🕄 ⓞ 🕠 *VISA* 🄹🄲🄱
GU d
40 cam 🖃 160/280000.

🗙🗙🗙🗙 **I Carracci** - Gd H. Baglioni, via Manzoni 2 ⬚ 40121 𝒫 051 222049 – ▤. 🅰🅴 🕄 ⓞ 🕠 *VISA* 🄹🄲🄱. 🕉
CY e
chiuso domenica in agosto – **Pasto** 55/75000 (a mezzogiorno) 70/95000 (la sera) e carta 65/120000.

🗙🗙🗙 **Battibecco,** via Battibecco 4 ⬚ 40123 𝒫 051 223298, *Fax 051 263579*, prenotare – ▤. 🅰🅴 🕄 ⓞ 🕠 *VISA* 🄹🄲🄱. 🕉
£3
BY v
chiuso domenica – **Pasto** carta 125/175000
Spec. Risotto con code di scampi e Champagne. Linguine con fricassea d'astice. Spigola al sale marino.

🗙🗙🗙 **Pappagallo,** piazza della Mercanzia 3 c ⬚ 40125 𝒫 051 231200, *Fax 051 232807*, Confort accurato; prenotare – 🛏 ▤. 🅰🅴 🕄 ⓞ 🕠 *VISA* 🄹🄲🄱
CY n
chiuso agosto – **Pasto** carta 70/115000 (12 %).

🗙🗙 **Bitone,** via Emilia Levante 111 ⬚ 40139 𝒫 051 546110 – ▤. 🅰🅴 ⓞ *VISA*. 🕉
£3
HV m
chiuso agosto, lunedì e martedì – **Pasto** carta 75/110000
Spec. Involtino di bresaola alla "Rossini" con sedano, formaggio Montasio, radicchio e funghi. Timballo di lasagne della tradizione bolognese. Filetto di vitello in crosta di patate con porri e pepe rosa.

🗙🗙 **Franco Rossi,** via Goito 3 ⬚ 40126 𝒫 051 238818, *Fax 051 238818*, Coperti limitati; prenotare – ▤. 🅰🅴 ⓞ *VISA*
CY p
chiuso dal 5 al 25 luglio, domenica (escluso da febbraio a maggio e da settembre a dicembre) – **Pasto** carta 65/120000 (10 %).

🗙🗙 **Da Sandro al Navile,** via del Sostegno 15 ⬚ 40131 𝒫 051 6343100, *Fax 051 6347592*, �です, Rist. con enoteca, prenotare – ▤ 🅿 – 🔬 50. 🅰🅴 🕄 ⓞ 🕠 *VISA*. 🕉
FU r
chiuso dal 29 dicembre al 6 gennaio, agosto e domenica – **Pasto** carta 60/70000.

Amaseo (Via R.) .... GU 6
Arno (Via) .... HV 9
Artigiano (Via d.) .... GU 10
Bandiera (Via I.) .... FV 12

Barbieri (Via F.) .... GU 13
Barca (Via d.) .... FV 15
Battaglia (Via d.) .... HU 16
Bentivogli (Via G.) .... GV 19
Beverara
  (Via della) .... FU 20
Cadriano (Via) .... GHU 21
Castiglione (Via) .... HU 25
Cavazzoni (Via F.) .... HV 27

Codivilla (Via) .... GV 3
Colombo (Via C.) .... FU 3
Coubertin (Via de) .... FV 3
Dagnini (Via G.) .... GV 3
Firenze (Via) .... HV 4
Foscherara (Via d.) .... GV 4
Gagarin (Via Y.) .... FU 4
Gandhi
  (Viale M. K.) .... FU 49

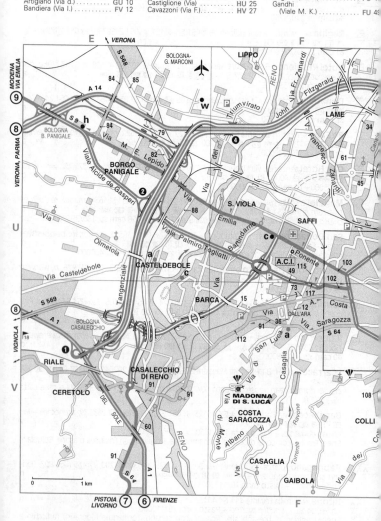

$\begin{array}{l}\chi\chi\end{array}$ **La Pernice e la Gallina,** via dell'Abbadia 4 ⊠ 40122 ℰ 051 236415, *Fax 051 269922,*
Coperti limitati; prenotare – 🗐. 🖭 🕄 ⊙ 🐼 💳. ⋘   BY d
chiuso dal 15 agosto al 15 settembre, domenica e a mezzogiorno da lunedì a venerdì –
Pasto 80/150000 e carta 65/140000.

$\begin{array}{l}\chi\chi\end{array}$ **Grassilli,** via del Luzzo 3 ⊠ 40125 ℰ 051 222961, *Fax 051 222961,* 🚵, Coperti limitati;
prenotare – 🗐. 🖭 🕄 ⊙ 🐼 💳. ⋘   CY b
chiuso dal 1° al 21 gennaio, dal 15 luglio al 10 agosto, domenica e mercoledì in
luglio-agosto, mercoledì e le sere dei giorni festivi negli altri mesi – **Pasto** carta 55/
70000.

Marco Polo (Via) . . . . FU 60
Mario (Via A.) . . . . GV 63
Martelli (Via T.) . . . . HV 66
Matteotti (Via). . . . . GU 67
Mazzini (Via) . . . . GV 69
Mezzofanti (Via G.). . . . . . . GV 70
Montefiorino (Via) . . . . FV 73
Ospedaletto (Via d.) . . . . . . EU 79
Palagi (Via P.). . . . . GV 81
Panigale (Via) . . . . EU 82
Persicetana (Via) . . . . EU 84
Persicetana Vecchia (Via) . . . . EU 85
Pietra (Via d.) . . . . EU 88
Pirandello (Via L.) . . . . HU 90
Porrettana (Via) . . . . FVE 91
Putti (Via V.) . . . . GV 96
Sabbioni (Via d.) . . . . GV 100
Sabotino (Via) . . . . FUV 102
Saffi (Via A.) . . . . FU 103
S. Barbara (Via) . . . . GV 105
S. Mamolo (Via) . . . . FV 108
Sigonio (Via C.) . . . . GV 111
Sturzo (Via Don L.) . . . . FV 112
Timavo (Via d.) . . . . FU 115
Tolmino (Via) . . . . FV 117
Tosarelli (Via B.) . . . . HU 118

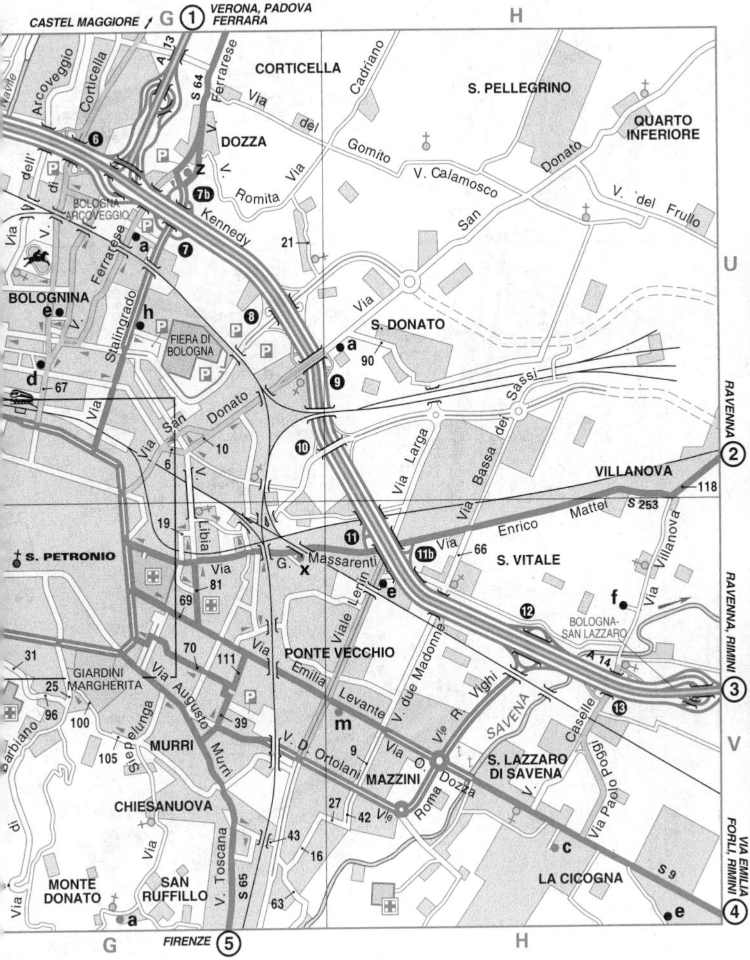

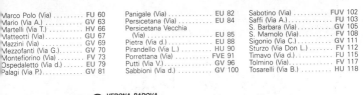

🍴🍴 **Diana,** via dell'Indipendenza 24 ✉ 40121 ☎ 051 231302, *Fax 051 228162*, – ▤. [AE] [S] [D] [MC] [VISA]. CY s
chiuso dal 1° al 15 gennaio, dal 1° al 28 agosto e lunedì – **Pasto** carta 70/85000.

🍴🍴 **Biagi alla Grada,** via Della Grada 6 ☎ 051 553025, *ristorantebiagiallagrada@hotmail.com, Fax 051 553409* – ▤. [AE] [S] [D] [MC] [VISA] [JCB] AX n
chiuso dal 27 dicembre al 5 gennaio e martedì – **Pasto** cucina bolognese carta 60/90000.

🍴🍴 **Risbò** - Hotel Sofitel, viale Pietramellara 59/A ✉ 40121 ☎ 051 246270, – ▤. [AE] [S] [D] [MC] [VISA] [JCB]. CX q
chiuso il 25-26 dicembre, 1° gennaio, Ferragosto e domenica – **Pasto** carta 40/70000.

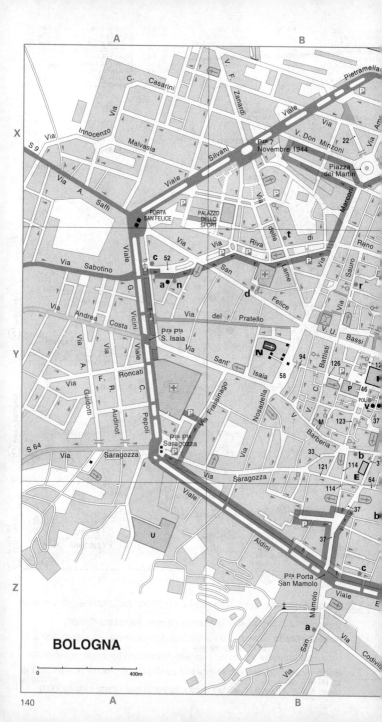

BOLOGNA

0 — 400m

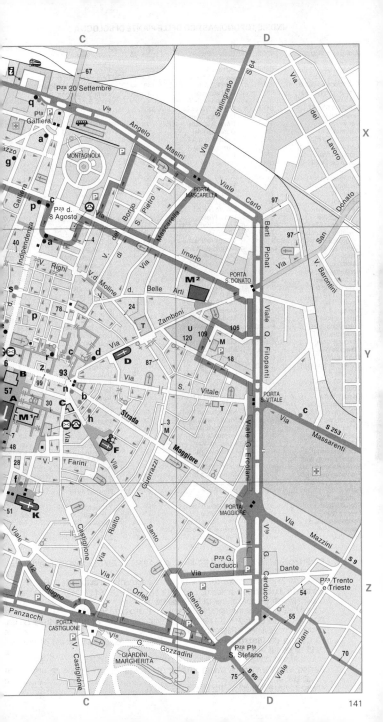

INDICE TOPONOMASTICO DELLE PIANTE DI BOLOGNA

Aldini (Viale) . . . **ABZ**
Aldrovandi (Piazza) . . . **CY** 3
Alessandrini (Via) . . . **CX** 4
Amaseo (Via R.) . . . **GU** 6
Amendola (Via) . . . **BX**
Archiginnasio (Via d.) . . . **CY** 7
Arcoveggio (Via d.) . . . **GU**
Arno (Via) . . . **HV** 9
Artigiano (Via d.) . . . **GU** 10
Audinot (Via R.) . . . **AY**
Bandiera (Via I.) . . . **FV** 12
Barberia (Via) . . . **BY**
Barbieri (Via F.) . . . **GU** 13
Barca (Via d.) . . . **FV** 15
Barontini (Via) . . . **DY**
Bassa dei Sassi (Via) . . . **HUV**
Bassi (Via U.) . . . **BY**
Battaglia (Via d.) . . . **HU** 16
Battindarno (Via) . . . **FUV**
Battisti (Via C.) . . . **BY**
Belle Arti (Via d.) . . . **CDY**
Belmeloro (Via) . . . **DY** 18
Bentivogli (Via G.) . . . **GV** 19
Berti Pichat (Via C.) . . . **DXY**
Beverara (Via della) . . . **FU** 20
Borgo di S. Pietra (Via del) **CXY**
Cadriano (Via) . . . **GHU** 21
Cairoli (Via) . . . **BX** 22
Calamosco (Via) . . . **HU**
Carducci (Piazza G.) . . . **DZ**
Carducci (Viale) . . . **DZ**
Casaglia (Via di) . . . **FV**
Casarini (Via C.) . . . **AX**
Caselle (Via) . . . **HV**
Castagnoli (Via de) . . . **CY** 24
Casteldebole (Via) . . . **EUV**
Castiglione (Via) . . . **HU** 25
Cavazzoni (Via F.) . . . **HV** 27
Cavour (Piazza) . . . **CY** 28
Clavature (Via) . . . **CY** 30
Codivilla (Via) . . . **GV** 31
Collegio di Spagna (Via) . . . **BY** 33
Colli (Via d.) . . . **FV**
Colombo (Via C.) . . . **FU** 34
Corticella (Via di) . . . **GU**
Costa (Via A.) . . . **AY**
Coubertin (Via de) . . . **FV** 36
D'Azeglio (Via M.) . . . **BZ** 37
Dagnini (Via G.) . . . **GV** 39
Dante (Via) . . . **DZ**
Don Minzoni (Via) . . . **BX**
Dozza (Via O.) . . . **HV**
Due Madonne (Via) . . . **HV**
Emilia Levante (Via) . . . **GHV**
Emilia Ponente (Via) . . . **EFU**
Ercolani (Viale G.) . . . **DY**
Falegnami (Via d.) . . . **CY** 40
Farini (Via) . . . **CY**
Ferrarese (Via) . . . **GU**
Filopanti (Via) . . . **DY**
Firenze (Via) . . . **HV** 42
Foscherara (Via d.) . . . **GV** 43
Frassinago (Via) . . . **ABY**
Frullo (Via d.) . . . **HU**
Gagarin (Via Y.) . . . **FU** 45
Galileo (Piazza) . . . **BY** 46
Galliera (Piazza) . . . **CX**
Galliera (Via) . . . **BCXY**
Galvani (Piazza) . . . **CY** 48
Gandhi (Viale M. K.) . . . **FU** 49
Garibaldi (Via) . . . **CZ** 51
Gasperi (Viale A. de) . . . **EU**
Gomito (Via del) . . . **GHU**
Gozzadini (Viale G.) . . . **CDZ**
Grada (Via della) . . . **AY** 52
Guerrazzi (Via) . . . **CYZ**
Guidotti (Via A.) . . . **AY**
Guinizelli (Via) . . . **DZ** 54
Indipendenza (Via d.) . . . **CXY**
Irnerio (Via) . . . **CDXY**
Kennedy (Tangenziale J. F.) . . . **EV, HV**
Lame (Via delle) . . . **BXY**
Lana (Via J. della) . . . **DZ** 55
Larga (Via) . . . **HU**
Lavora (Via d.) . . . **DX**
Lenin (Viale) . . . **HV**
Lepido (Via M. E.) . . . **EU**
Libia (Via) . . . **GUV**
Maggiore (Piazza) . . . **CY** 57
Maggiore (Strada) . . . **CDY**
Malpighi (Piazza) . . . **BY** 58
Malvasia (Via I.) . . . **AX**
Marco Polo (Via) . . . **FU** 60
Marconi (Via G.) . . . **EV** 61
Marconi (Via) . . . **BXY**
Mario (Via A.) . . . **GV** 63
Marsili (Via) . . . **BYZ** 64
Martelli (Via T.) . . . **HV** 66
Martiri (Piazza dei) . . . **BX**
Mascarella (Via) . . . **CXY**
Masini (Viale A.) . . . **CDX**
Massarenti (Via) . . . **GHV**
Mattei (Via E.) . . . **HV**
Matteotti (Via) . . . **GU** 67
Mazzini (Via) . . . **GV** 69
Mezzofanti (Via G.) . . . **GV** 70
Milazzo (Via) . . . **BCX**
Mille (Via dei) . . . **CX** 72
Moline (Via d.) . . . **CY**
Monte Albano (Via di) . . . **FV**
Montefiorino (Via) . . . **FV** 73
Murri (Via A.) . . . **DZ** 75
Nettuno (Piazza d.) . . . **CY** 76
Nosadella (Via) . . . **BY**
Oberdan (Via) . . . **CY** 78
Olmetola (Via) . . . **EU**
Orfeo (Via) . . . **CZ**
Oriani (Viale) . . . **DZ**
Ortolani (Via D.) . . . **GHV**
Ospedaletto (Via d.) . . . **EU** 79
Palagi (Via P.) . . . **GV** 81
Panigale (Via) . . . **EU** 82
Panzacchi (Viale E.) . . . **BCZ**
Pepoli (Viale C.) . . . **AY**
Persicetana (Via) . . . **EU** 84
Persicetana Vecchia (Via) . . **EU** 85
Petroni (Via G.) . . . **CY** 87
Pietra (Via d.) . . . **EU** 88
Pietramellara (Viale) . . . **BX**
Pirandello (Via L.) . . . **HU** 90
Poggi (Via P.) . . . **HU**
Porrettana (Via) . . . **FVE** 91
Porta Ravegnana (Piazza) . . **CY** 93
Porta S. Isaia (Piazza) . . . **AY**
Porta S. Mamolo (Piazza) . . **BZ**
Porta S. Stefano (Piazza) . . **DZ**
Porta Saragozza (Piazza) . . . **AY**
Portanova (Via) . . . **BY** 94
Pratello (Via del) . . . **ABY**
Putti (Via V.) . . . **GV** 96
Ranzani (Via) . . . **DXY** 97
Rialto (Via) . . . **CZ**
Righi (Via) . . . **CY**
Riva di Reno (Via) . . . **BY**
Rizzoli (Via) . . . **CY** 99
Roma (Viale) . . . **HV**
Romito (Via) . . . **GU**
Roncati (Via F.) . . . **AY**
Sabbioni (Via d.) . . . **GV** 100
Sabotino (Via) . . . **FUV** 102
Saffi (Via A.) . . . **FU** 103
S. Barbara (Via) . . . **GV** 105
S. Donato (Via) . . . **GHU**
S. Felice (Via) . . . **ABY**
S. Giacomo (Via) . . . **DY** 106
S. Isaia (Via) . . . **ABY**
S. Luca (Via di) . . . **FV**
S. Mamolo (Via) . . . **FV** 108
S. Stefano (Via) . . . **CDYZ**
S. Vitale (Via) . . . **CDY**
Saragozza (Via) . . . **ABY**
Sauro (Via N.) . . . **BY**
Selmi (Via) . . . **DY** 109
Sepelunga (Via) . . . **HU**
Sigonio (Via C.) . . . **GV** 111
Silvani (Viale) . . . **ABX**
Stalingrado (Via) . . . **DX**
Sturzo (Via Don L.) . . . **FV** 112
Tagliapietre (Via) . . . **BYZ** 114
Timavo (Via d.) . . . **FU** 115
Togliatti (Viale P.) . . . **EFU**
Tolmino (Via) . . . **FV** 117
Tosarelli (Via B.) . . . **HU** 118
Toscana (Via) . . . **HU**
Trento e Trieste (Piazza) . . . **DZ**
Triumvirato (Via d.) . . . **EFU**
Trombetti (Via) . . . **CDY** 120
Urbana (Via) . . . **BY** 121
Val d'Aposa (Via) . . . **BY** 123
Venezian (Via G.) . . . **BY** 124
Vicini (Viale G.) . . . **AY**
Vighi (Viale R.) . . . **HV**
Villanova (Via) . . . **HV**
Zamboni (Via) . . . **CDY**
Zanardi (Via F.) . . . **EU**
4 Novembre (Via) . . . **BY** 126
7 Novembre 1944 (Piazza) . . . **BX**
8 Agosto (Piazza d.) . . . **CX**
12 Giugno (Viale) . . . **CZ**
20 Settembre (Piazza) . . . **CX**

XX **Re Enzo,** via Riva di Reno 79 d ✉ 40121 ☎ 051 234803, *Fax 051 234803*, Coperti limitati; prenotare – [AE] [S] [D] [MC] [VISA]. 🚫 — **BY b**
chiuso dal 23 al 30 dicembre, dal 10 al 25 agosto e domenica – **Pasto** carta 65/95000.

XX **Rosteria Luciano,** via Nazario Sauro 19 ✉ 40121 ☎ 051 231249, *Fax 051 260948*, Coperti limitati; prenotare – ≡. [AE] [S] [D] [MC] [VISA]. 🚫 — **BY r**
chiuso Natale, Capodanno, agosto e mercoledì – **Pasto** carta 50/90000.

XX **Posta,** via della Grada 21/a ✉ 40122 ☎ 051 6492106, *Fax 051 6491022* – [AE] [S] [D] [MC] [VISA] — **AY c**
chiuso agosto e lunedì – **Pasto** specialità toscane carta 45/75000.

XX **La Cesoia-da Pietro,** via Massarenti 90 ✉ 40138 ☎ 051 342854, *Fax 051 342854* – ≡. [AE] [S] [D] [MC] [VISA] [JCB]. 🚫 — **DY c**
chiuso agosto, domenica sera e lunedì – **Pasto** specialità umbro-laziali carta 60/85000.

XX **Benso,** vicolo San Giobbe 3/d ✉ 40126 ☎ 051 263618, *Fax 051 223904*, ☂ – ⇹. [AE] [S] [D] [MC] [VISA]. 🚫 — **CY c**
chiuso agosto e domenica – **Pasto** carta 55/80000.

XX **Silverio,** via Mirasole 19 ⊠ 40124 *ℰ* 051 585857, Fax 051 585857 – 🗉. 🗚 🚯 ⑩ ⓒⓞ ᵛⁱˢᵃ
🇯🇨🇧, ⅏ BZ c
chiuso dal 1° al 7 gennaio, agosto e domenica – Pasto carta 45/60000.

XX **Panoramica,** via San Mamolo 31 ⊠ 40136 *ℰ* 051 580337, Fax 051 580337, 🛱 – 🗚 🚯
⑩ ⓒⓞ ᵛⁱˢᵃ 🇯🇨🇧 BZ a
chiuso domenica – Pasto 30/40000 e carta 50/75000.

XX **Cesari,** via de' Carbonesi 8 ⊠ 40123 *ℰ* 051 237710, abolognadacesari@iol.it,
Fax 051 226769 – 🗉. 🗚 🚯 ⑩ ⓒⓞ ᵛⁱˢᵃ. ⅏ BY b
chiuso dal 1° al 5 gennaio, dal 1°al 21 agosto, domenica ed in luglio anche sabato – Pasto
carta 45/60000.

XX **Al Cambio,** via Stalingrado 150 ⊠ 40128 *ℰ* 051 328118 – 🗉 🇵. 🗚 🚯 ⑩ ⓒⓞ ᵛⁱˢᵃ 🇯🇨🇧. ⅏
chiuso dal 24 dicembre al 20 gennaio, dal 1° al 21 agosto e domenica – Pasto carta
50/85000. GU z

XX **Trattoria da Leonida,** vicolo Alemagna 2 ⊠ 40125 *ℰ* 051 239742, Fax 051 6271850,
🛱, prenotare – 🗉. 🗚 🚯 ⑩ ⓒⓞ ᵛⁱˢᵃ. ⅏ CY h
chiuso agosto e domenica – Pasto carta 50/70000.

XX **Il Cantuccio,** via Volturno 4 ⊠ 40121 *ℰ* 051 233424, solo su prenotazione a mezzogior-
no – 🗉. 🗚 🚯 ⑩. ⅏ CY s
chiuso agosto e lunedì – Pasto specialità di mare carta 75/90000.

X **Da Bertino,** via delle Lame 55 ⊠ 40122 *ℰ* 051 522230, Fax 051 522230, Trattoria d'habi-
tués – 🗉. 🗚 🚯 ⑩ ⓒⓞ ᵛⁱˢᵃ. ⅏ BY t
*chiuso Natale, Capodanno, dal 4 al 31 agosto, domenica, sabato sera dal 20 giugno a luglio e
lunedì sera negli altri mesi –* Pasto carta 40/55000.

X **Trattoria Meloncello,** via Saragozza 240/a ⊠ 40135 *ℰ* 051 6143947, 🛱 – ⅏ FV a
chiuso dal 7 al 15 gennaio, dal 5 al 20 agosto, lunedì sera e martedì – Pasto carta 40/50000.

X **La Terrazza,** via del Parco 20 ⊠ 40138 *ℰ* 051 531330, Fax 051 6011055, 🛱, Coperti
limitati; prenotare – 🗉. 🗚 🚯 ⑩ ⓒⓞ ᵛⁱˢᵃ GV x
chiuso dal 10 al 20 agosto e domenica – Pasto carta 65/85000.

X **L'Anatra e l'Arancia,** via Rolandino 1/2 ⊠ 40124 *ℰ* 051 225505, anatraarancia@tizeta.it,
🛱, Rist.-bistrot – 🗚 🚯 ⑩ ⓒⓞ ᵛⁱˢᵃ. ⅏ CYZ f
chiuso dal 10 al 20 agosto e domenica – Pasto carta 90/150000.

X **Teresina,** via Oberdan 4 ⊠ 40126 *ℰ* 051 228985, Fax 051 228985, 🛱, Coperti limitati;
prenotare CY z
chiuso dal 5 al 23 agosto e domenica – Pasto 55/70000 bc.

X **Il Paradisino,** via Coriolano Vighi 33 ⊠ 40133 *ℰ* 051 566401, «Servizio estivo
all'aperto» – 🗚 🚯 ⑩ ⓒⓞ ᵛⁱˢᵃ 🇯🇨🇧. ⅏ EU c
*chiuso dal 6 al 31 gennaio, martedì (escluso da giugno a settembre) ed a mezzogiorno dal
7 al 21 agosto –* Pasto carta 40/55000.

X **Monte Donato,** via Siepelunga 118, località Monte Donato Sud : 4 km ⊠ 40141
ℰ 051 472901, Fax 051 473940, 🛱 – 🗚 🚯 ⓒⓞ ᵛⁱˢᵃ. ⅏ GV a
chiuso domenica in luglio-agosto, lunedì negli altri mesi – Pasto carta 45/65000.

a Casteldebole Ovest : 7 km EU – ⊠ 40132 Bologna :

XX **Antica Trattoria del Cacciatore,** via Caduti di Casteldebole 25 *ℰ* 051 564203,
Fax 051 567128, Ambiente rustico – 🗚 🚯 ⑩ ⓒⓞ ᵛⁱˢᵃ. ⅏ EU a
chiuso dal 1° all' 8 gennaio, dal 20 agosto, domenica sera e lunedì – Pasto carta
60/75000 (13 %).

a Borgo Panigale Nord-Ovest : 7,5 km EU – ⊠ 40132 Bologna :

🏨 **Sheraton Bologna,** via dell'Aeroporto 34/36 *ℰ* 051 400056, sheraton.bologna@tiscalin
et.it, Fax 051 404017 – 🛗, ⅏ cam, 🗉 📺 🕭 🇵 – 🔏 500. 🗚 🚯 ⑩ ⓒⓞ ᵛⁱˢᵃ 🇯🇨🇧. ⅏ EU w
Pasto (solo per alloggiati) 60/130000 – **173 cam** ⊇ 270/350000 – ½ P 235000.

🏨 **Holiday Inn Bologna-via Emilia,** via Lepido 203/214 *ℰ* 051 409211, holidayinn.bolog
naemilia@alliancealberghi.com, Fax 051 405969 – 🛗, ⅏ cam, 🗉 📺 🕭 ⇌ 🇵 – 🔏 200. 🗚
🚯 ⑩ ⓒⓞ ᵛⁱˢᵃ 🇯🇨🇧. ⅏ EU h
Pasto carta 55/80000 – **143 cam** ⊇ 300/340000.

a Villanova Est : 7,5 km HV – ⊠ 40050 :

🏨 **Novotel Bologna,** via Villanova 31 *ℰ* 051 6053434, novotelbologna@accor-hotels.it,
Fax 051 6053300, 🏊, ⅏ – 🛗, ⅏ cam, 🗉 📺 🕭 🇵 – 🔏 400. 🗚 🚯 ⑩ ⓒⓞ ᵛⁱˢᵃ. ⅏ rist
Pasto al Rist. **La Terrazza** carta 50/80000 – **206 cam** ⊇ 420/445000. HV f

We suggest:
*for a successful tour, that you prepare it in advance. **Michelin maps** and **guides**,*
will give you much useful information on route planning,
places of interest, accommodation, prices etc.

BOLSENA 01023 Viterbo 430 O 17 G. Italia – 4 166 ab. alt. 348.

Vedere *Chiesa di Santa Cristina★*.

Roma 138 – Viterbo 31 – Grosseto 121 – Siena 109.

🏨 **Royal** senza rist, piazzale Dante Alighieri 8/10 ℰ 0761 797048, *info@atihotels.it*, Fax 0761 796000, ⌫, 룮 – 🛗 🗏 🗏 ও P – 🕍 50. 🖭 🕥 ⬤ VISA JCB, ⬤
⌫ 18000 – **37 cam** 175/255000.

🏨 **Columbus**, viale Colesanti 27 ℰ 0761 799009, *hotelcolumbus@atihotels.it*
Fax 0761 798172 – 🛗 🗏 🔟 P – 🕍 50. 🕥 ⬤ VISA. ⬤
Pasto al Rist. *La Conchiglia* (aprile-ottobre) carta 50/80000 – ⌫ 14000 – **39 cam** 165000 – ½ P 105000.

🏨 **Lido**, via Cassia Nord-Ovest : 1,5 km ℰ 0761 799026, Fax 0761 798479, ≤, ☂, 룮 – 🗏 🔟
P – 🕍 250. 🕥 ⬤ VISA
Pasto (chiuso mercoledì escluso da Pasqua ad ottobre) carta 45/95000 – ⌫ 15000 –
12 cam 130/170000, 🗏 15000 – ½ P 120000.

🍴 **Angela e Piero**, via della Rena 98/d ℰ 0761 799264, Fax 0761 799264, ≤ lago, 斎, 룮 –
P
chiuso ottobre e martedì – **Pasto** carta 30/50000 (15 %).

BOLZANO (BOZEN) 39100 P 429 C 16 G. Italia – 97 232 ab. alt. 262.

Vedere *Via dei Portici★* B – *Duomo★* B – *Pala★* nella chiesa dei Francescani B – Pala d'altare
scolpita★ nella chiesa parrocchiale di Gries per corso Libertà A.

Dintorni *Gole della Val d'Ega★* Sud-Est per ①.

Escursioni *Dolomiti★★★* Est per ①.

🛈 piazza Walther 8 ℰ 0471 307000, Fax 0471 980128.

A.C.I. corso Italia 19/a ℰ 0471 261047.

*Roma 641 ② – Innsbruck 118 ① – Milano 283 ② – Padova 182 ② – Venezia 215 ② – Verona
154 ②.*

Pianta pagina seguente

🏨 **Park Hotel Laurin**, via Laurin 4 ℰ 0471 311000, *info@laurin.it*, Fax 0471 311148, « Parco fiorito con servizio rist. estivo », ☂ riscaldata – 🛗 🗏 🔟 – 🕍 200. 🖭 🕥 ⬤ VISA
JCB. ⬤ rist
B e
Pasto (chiuso domenica e a mezzogiorno) carta 60/85000 – **96 cam** ⌫ 335/415000 –
½ P 240000.

🏨 **Greif** senza rist, piazza Walther ℰ 0471 318000, *info@greif.it*, Fax 0471 318148 – 🛗 ⬤ 🗏
🔟 ও ও – 🕍 25. 🖭 🕥 ⬤ VISA JCB
B n
33 cam ⌫ 290/415000.

🏨 **Alpi**, via Alto Adige 35 ℰ 0471 970535, *alpi@sudtirol.com*, Fax 0471 971929 – 🛗 🗏 🔟 –
🕍 100. 🖭 🕥 ⬤ VISA. ⬤ rist
B u
Pasto (chiuso domenica) carta 40/65000 – **111 cam** ⌫ 190/280000 – ½ P 170000.

🏨 **Luna-Mondschein**, via Piave 15 ℰ 0471 975642, *info@hotelluna.it*, Fax 0471 975577,
« Parco-giardino con servizio rist. estivo » – 🛗 🔟 ⬤ – 🕍 80. 🖭 🕥 ⬤ VISA. ⬤ rist
Pasto (chiuso dal 24 al 28 dicembre) 40/45000 – ⌫ 19000 – **80 cam** 145/225000, 4 suites –
½ P 170000.
B c

🏨 **Magdalenerhof**, via Rencio 48 ℰ 0471 978267, *magdalenerhof@dnet.it*,
Fax 0471 981076, ≤, 斎, ☂, 룮 – 🛗 ⬤ 🔟 ও ও ⬤ P. 🖭 🕥 ⬤ VISA JCB.
⬤ rist
per via Renon B
Pasto (chiuso lunedì) carta 50/85000 – **36 cam** ⌫ 150/240000, 3 suites – ½ P 130000.

🏨 **Scala-Stiegl**, via Brennero 11 ℰ 0471 976222, *info@scalahot.com*, Fax 0471 981141, 斎,
« Giardino ombreggiato con ☂ » – 🛗, ⬤ cam, 🔟 ও ⬤ P – 🕍 60. 🖭 🕥 ⬤ VISA
chiuso dal 2 al 22 gennaio – **Pasto** carta 50/80000 – **75 cam** ⌫ 140/240000, suite –
½ P 160000.
B b

🏨 **Rentschner Hof**, via Rencio 70 ℰ 0471 975346, Fax 0471 977098, ≤, 斎, ☂ riscaldata –
🛗 🔟 P. 🖭 🕥 ⬤ VISA. ⬤ rist
per via Renon B
Pasto carta 45/75000 – **21 cam** ⌫ 95/160000 – ½ P 110000.

🏨 **Gurhof** ⬤, via Rafenstein 17 ℰ 0471 975012, Fax 0471 975247, ≤, 斎 – 🛗 🔟 ⬤ P. 🖭
🕥 ⬤ VISA
per via Cadorna A
Pasto (chiuso mercoledì) carta 30/40000 – **18 cam** ⌫ 80/140000 – ½ P 90000.

🍴🍴 **Da Abramo**, piazza Gries 16 ℰ 0471 280141, Fax 0471 288214, « Servizio estivo
all'aperto » – 🖭 🕥 ⬤ VISA
per corso Libertà A
chiuso dal 1° al 7 gennaio, dal 1° al 20 agosto e domenica – **Pasto** specialità di mare
45/65000 e carta 60/95000.

🍴🍴 **Rastbichler**, via Cadorna 1 ℰ 0471 261131, Fax 0471 261131, « Servizio estivo
all'aperto » – P. 🖭 🕥 ⬤ VISA. ⬤
A b
chiuso dal 15 al 31 gennaio, dal 15 al 31 agosto, sabato a mezzogiorno e domenica – **Pasto**
carta 60/80000.

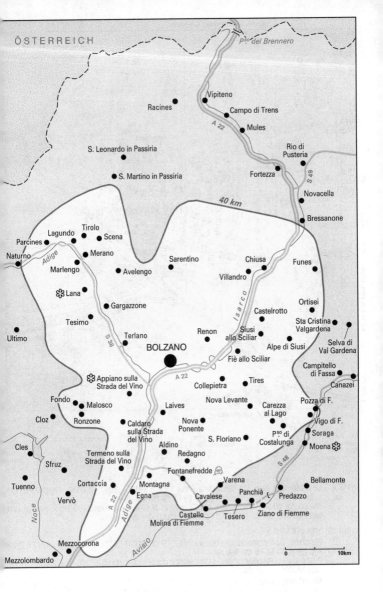

P.so del Brennero

Vipiteno
Racines
Campo di Trens
Mules
Rio di Pusteria
S. Leonardo in Passiria
S. Martino in Passiria
Fortezza
Novacella
40 km
Bressanone
Tirolo
Lagundo
Scena
Parcines
Merano
Chiusa
Funes
Naturno
Sarentino
Marlengo
Villandro
Avelengo
Lana
Ortisei
Gargazzone
Castelrotto
Sta Cristina Valgardena
Tesimo
Renon
Siusi allo Sciliar
Ultimo
Terlano
Alpe di Siusi
Selva di Val Gardena
BOLZANO
Fiè allo Sciliar
Campitello di Fassa
Appiano sulla Strada del Vino
Collepietra
Tires
Canazei
Fondo
Malosco
Laives
Nova Levante
Pozza di F.
Cloz
Ronzone
Carezza al Lago
Vigo di F.
Caldaro sulla Strada del Vino
Nova Ponente
P.so di Costalunga
Soraga
Cles
Aldino
S. Floriano
Moena
Sfruz
Termeno sulla Strada del Vino
Redagno
Tuenno
Cortaccia
Fontanefredde
Bellamonte
Vervò
Montagna
Varena
Egna
Cavalese
Panchià
Predazzo
Castello
Tesero
Ziano di Fiemme
Molina di Fiemme
Mezzocorona
Mezzolombardo
Avisio

0   10km

✕ **Vögele,** via Goethe 3 ☎ 0471 973938, *Fax 0471 973938*, 🍴 , « Ambiente tipico » – 🚫, 🏠
B f
🔟 *VISA*
chiuso dal 15 al 30 luglio, sabato sera e domenica – **Pasto** cucina tradizionale locale carta 40/80000.

sulla strada statale 12 *per ② : 4 km :*

🏨 **Park Hotel Werth** senza rist, via Maso della Pieve 19 ✉ 39100 ☎ 0471 250103, *info@hotelwerth.com, Fax 0471 251514*, 🛋, 🌊, 🌳, ✕ – 📶 📺 ⅋ 🔜 🅿 🅰🅴 🔟 🔟 *VISA* 🃏
57 cam ☕ 160/260000.

BOLZANO

0   400 m

GÚNCINA, SARENTINO, S.GENESIO

Alto Adige (Via) .... B 2	Garibaldi (Via) .... B 10	Parrocchia (Piazza) .... B 1
Brennero (Via) .... B 3	Marconi (Via G.) .... A 14	Portici (Via) .... B
Dodiciville (Via) .... B 7	Mostra (Via della) .... B 15	Stazione (Viale) .... B 1
Domenicani (Piazza) .... B 8	Museo (Via) .... AB	Streiter (Via Dottor) .... B 2
Erbe (Piazza) .... B	Ospedale (Via) .... A 16	Walther (Piazza) .... B 2

XX   **Lewald** con cam, via Maso della Pieve 17 ⊠ 39100 ℰ 0471 250330, Fax 0471 251916
     « Servizio estivo all'aperto » – ᴛᴠ 🅿 . ⅋ 🆂 🄾 ⓪ 🆚🆂🅰 🕽🄲🄱
     chiuso dal 10 al 25 febbraio e dal 21 giugno al 10 luglio – **Pasto** (chiuso a mezzogiorno
     carta 60/80000 – 🖵 12000 – **17 cam** 100/180000 – 1/2 P 120000.

sulla strada statale 38 per ③ :

🏠   **Pircher**, via Merano 52 (per ③ : 4 km) ⊠ 39100 ℰ 0471 917513, Fax 0471 202433, ⺊, ⻗
     – ᑌ ᶘ ᴛᴠ 🅿 . ⅋ 🆂 🄾 🆚🆂🅰 . 🛇
     Pasto al Rist. **Pircher** (chiuso sabato sera e domenica) carta 50/65000 – 🖵 15000 – **24 cam**
     120/180000 – 1/2 P 120000.

X   **Moritzingerhof**, via Merano 113 (per ③ : 5 km) ⊠ 39100 ℰ 0471 932202, moritzinger
     of@rolmail.net, Fax 0471 505434, 🛱 – 🅿 . ⅋ 🆂 🄾 ⓪ 🆚🆂🅰 . 🛇
     chiuso domenica sera e lunedi – **Pasto** carta 40/55000.

BOLZANO VICENTINO 36050 Vicenza ᠘᠘᠘ F 16 – 5 225 ab. alt. 44.
     Roma 539 – Padova 41 – Treviso 54 – Vicenza 9.

🏠   **Locanda Grego**, via Roma 24 ℰ 0444 350588, grego@protec.it, Fax 0444 350695 – ▤
     ᴛᴠ 🅿 – ⅋ 35. ⅋ 🆂 ⓪ 🆚🆂🅰 🕽🄲🄱 . 🛇
     chiuso dal 26 dicembre all'8 gennaio – **Pasto** (chiuso agosto e le sere di domenica
     mercoledi, a luglio solo domenica) carta 40/70000 – 🖵 10000 – **20 cam** 90/150000 –
     1/2 P 110000.

OLZONE Cremona – Vedere Ripalta Cremasca.

ONAGIA Trapani **432** M 19 – Vedere Sicilia (Valderice) alla fine dell'elenco alfabetico.

ONASSOLA 19011 La Spezia **428** J 10 – 1 001 ab..
Roma 456 – La Spezia 38 – Genova 83 – Milano 218.

🏠 **Delle Rose**, via Garibaldi 8 ℘ 0187 813713, *lerose@sp.itline.it*, Fax 0187 814268 – 🛗,
≡ rist, 📺, ⅅⅇ 🕃 ⓞ ⓪ 🆅🅸🆂🅰 🅹🅲🅱. ✇ cam
aprile-ottobre – **Pasto** 30/40000 – ☟ 10000 – **27 cam** 100/160000 – ½ P 115000.

ONATE SOPRA 24040 Bergamo **428** E 10 – 6 008 ab. alt. 230.
Roma 583 – Bergamo 11 – Lecco 27 – Milano 50.

XX **Favaron**, via Como 9 (Nord : 1 km) ℘ 035 993242, 🌐, Rist. e pizzeria – 🅿.

ONDENO 44012 Ferrara **429** H 16 – 16 034 ab. alt. 11.
Roma 443 – Bologna 69 – Ferrara 20 – Mantova 72 – Milano 227 – Modena 57 – Rovigo 52.

X **Tassi** con cam, viale Repubblica 23 ℘ 0532 893030, Fax 0532 893030 – 📺 🅿. ⅅⅇ 🕃 ⓞ ⓪
🆅🅸🆂🅰. ✇ cam
Pasto (chiuso dal 1° al 5 gennaio, dal 1° al 27 luglio e lunedi) 30000 (a mezzogiorno) 45000 e
carta 45/60000 – **10 cam** ☟ 90/120000 – ½ P 110000.

ONDONE (Monte) Trento **428**, **429** D 15 – 670 ab. alt. 2 098 – a.s. Pasqua e Natale – Sport
invernali : 1 181/2 090 m ✳ 1 ✳ 7, ✰.
🅱 (dicembre-aprile e luglio-agosto) a Vaneze ℘ 0461 947128, Fax 0461 947188.
Roma 611 – Trento 24 – Bolzano 78 – Milano 263 – Riva del Garda 57.

◀ **Vason** Nord : 2 km – alt. 1 680 – ☒ 38040 Vaneze :

🏠 **Montana**, ℘ 0461 948200, *info@hotelmontana.it*, Fax 0461 948177, ≼ gruppo di Brenta,
♨, ≘s, 🌡, ✇, ✵ – 🛗 📺 ⇌ 🅿. ⅅⅇ 🕃 ⓞ ⓪ 🆅🅸🆂🅰 🅹🅲🅱. ✇ rist
dicembre-15 aprile e 15 giugno-15 settembre – **Pasto** carta 30/45000 – **46 cam** ☟ 90/
150000 – ½ P 125000.

ONFERRARO 37060 Verona **428**, **429** G 15 – alt. 20.
Roma 481 – Verona 35 – Ferrara 35 – Mantova 17 – Modena 79.

XX **Sarti**, via Don Giovanni Benedini 1 ℘ 045 7320233, Fax 045 7320023 – ≡ 🅿. ⅅⅇ 🕃 ⓞ ⓪
🆅🅸🆂🅰. ✇
chiuso dal 1° al 18 agosto e martedi – **Pasto** carta 40/80000.

ORDIGHERA 18012 Imperia **428** K 4 G. Italia – 10 720 ab..
Vedere Località★★.
🅱 via Vittorio Emanuele 174 ℘ 0184 262322, Fax 0184 264455.
Roma 654 – Imperia 45 – Genova 155 – Milano 278 – Monte Carlo 32 – San Remo 12 –
Savona 109.

🏨 **Gd H. del Mare** ⟷, via Portico della Punta 34 (Est : 2 km) ℘ 0184 262201, *info@grandho
teldelmare.it*, Fax 0184 262394, ≼ mare, « Giardino pensile con 🌡 con acqua di mare », ♨,
≘s, ⟷s, ✵ – 🛗 ≡ 📺 🅿 – 🔏 180. ⅅⅇ 🕃 ⓞ ⓪ 🆅🅸🆂🅰 🅹🅲🅱. ✇ rist
chiuso dal 16 ottobre al 23 dicembre – **Pasto** carta 80/100000 – **100 cam** ☟ 400/500000,
7 suites – ½ P 330000.

🏨 **Parigi**, lungomare Argentina 16/18 ℘ 0184 261405, Fax 0184 260421, ≼, ≘s, ⟷s – 🛗 📺
🔥. ⅅⅇ 🕃 ⓪ 🆅🅸🆂🅰. ✇ rist
Pasto carta 55/95000 – ☟ 18000 – **55 cam** 250/320000, suite – ½ P 215000.

🏠 **Piccolo Lido**, lungomare Argentina 2 ℘ 0184 261297, *hplido@masterweb.it*,
Fax 0184 262316, ≼ – 🛗 ≡ 📺 🔥 ⇌. ⅅⅇ 🕃 ⓞ ⓪ 🆅🅸🆂🅰. ✇ rist
chiuso dal 15 ottobre al 22 dicembre – **Pasto** (solo per alloggiati) 60/70000 – **33 cam**
☟ 200/260000 – ½ P 175000.

🏠 **Villa Elisa**, via Romana 70 ℘ 0184 261313, *villaelisa@masterweb.it*, Fax 0184 261942,
« Giardino fiorito », ≘s, 🌡 – 🛗 📺 🅿. ⅅⅇ 🕃 ⓞ ⓪ 🆅🅸🆂🅰. ✇ rist
chiuso da novembre al 20 dicembre – **Pasto** (solo per alloggiati) 55/70000 – ☟ 20000 –
35 cam 150/210000 – ½ P 185000.

🏠 **Centrohotel**, piazza Eroi della Libertà 10 ℘ 0184 265265, *centrohotel@libero.it*,
Fax 0184 265265, ≘s – 🛗, ✇ cam, 📺. ⅅⅇ 🕃 ⓞ ⓪ 🆅🅸🆂🅰
Pasto 50000 – ☟ 15000 – **38 cam** 110/185000 – ½ P 140000.

🏠 **Aurora** ♨, via Pelloux 42/b ✆ 0184 261311, *Fax 0184 261312*, « Terrazza-solarium pano
rama » – 🛗 📺 🅿. ⚖ 🕤 ⓪ ◑◐ *VISA*. ✀
chiuso dal 21 ottobre al 19 dicembre – **Pasto** (solo per alloggiati) 35/55000 – **30 car**
⊒ 120/200000 – ½ P 140000.

XXX **La Via Romana**, via Romana 57 ✆ 0184 266681, *viaromana@masterweb.*
☆ *Fax 0184 267549*, prenotare – 🍽. ⚖ 🕤 ⓪ ◑◐ *VISA* **JCB**
chiuso dal 1° al 21 ottobre, la sera di Natale, 1° gennaio, mercoledì e giovedì a mezzogiorn
– **Pasto** 110000 e carta 95/145000
Spec. Pescato e gamberi al vapore d'erbe. Cappon magro tiepido. Filetti di triglia
peperoncino dolce con gazpacho.

XXX **Carletto**, via Vittorio Emanuele 339 ✆ 0184 261725, Coperti limitati; prenotare – 🍽. ⚖ ▮
☆ ⓪ ◑◐ *VISA* **JCB**
chiuso dal 20 giugno al 12 luglio, dal 5 novembre al 20 dicembre e mercoledì – **Past**
100/140000 e carta 95/145000
Spec. Antipasti caldi di mare. Lasagnette con gamberi e carciofi (ottobre-giugno). Sa
Pietro con foie gras d'anatra spadellato e cipolle di Tropea brasate.

XX **Mimmo**, via Vittorio Emanuele II 302 ✆ 0184 261840, �, Coperti limitati; prenotare – 🍽
🕤 ⓪ ◑◐ *VISA*
chiuso dal 5 novembre al 5 dicembre, dal 30 giugno al 10 luglio e mercoledì – **Past**
specialità di mare carta 70/130000.

X **Piemontese**, via Roseto 8 ✆ 0184 261651, *Fax 0184 261651* – ⚖ 🕤 ◑◐ *VISA*
chiuso dal 5 novembre al 5 dicembre e martedì – **Pasto** carta 40/65000.

X **Magiargè**, piazza Giacomo Viale (centro storico) ✆ 0184 262946, Osteria con cucin.
⊘ Coperti limitati; prenotare – 🍽. ⚖ 🕤 ⓪ ◑◐ *VISA*
chiuso mercoledì e a mezzogiorno in luglio-agosto – **Pasto** carta 35/55000.

BORGARELLO 27010 Pavia 🔢🔢🔢 G 9 – *1 387 ab. alt. 91.*
Roma 564 – Alessandria 72 – Bergamo 86 – Milano 34 – Pavia 6 – Piacenza 58.

XX **La Locanda degli Eventi**, via Principale 4/6 ✆ 0382 933303, *Fax 0382 933303*, prenc
☆ tare – 🍽. ⚖ 🕤 ⓪ ◑◐ *VISA* **JCB**. ✀
chiuso dal 1° al 7 gennaio, dal 9 al 29 agosto, mercoledì e a mezzogiorno (escluso i giorn
festivi) – **Pasto** carta 65/100000
Spec. Risotto al ragù d'anatra, fave e pancetta croccante (primavera). Rognone di vitell
à la coque su tortino di patate e mandorle tostate (autunno-inverno). Gocce gelate all
marasche.

BORGARO TORINESE 10071 Torino 🔢🔢🔢 G 4 – *12 660 ab. alt. 254.*
Roma 689 – Torino 10 – Milano 142.

🏨 **Atlantic**, via Lanzo 163 ✆ 011 4500055, *atlantic@hotelatlantic.com*, *Fax 011 470178.*
« Terrazza panoramica con ⛲ » – 🛗 🍽 📺 👤 🚗 🅿 – 🔏 500. ⚖ 🕤 ⓪ ◑◐ *VISA*
Pasto vedere rist **Rubino** – **110 cam** ⊒ 210/320000.

🏨 **Pacific**, viale Martiri della Libertà 76 ✆ 011 4704666, *hpacific@tin.it*, *Fax 011 4703293* – 🛗
🍽 📺 📞 👤 🚗 🅿 – 🔏 50. ⚖ 🕤 ⓪ ◑◐ *VISA* **JCB**. ✀
Pasto (solo per alloggiati e *chiuso sabato, domenica e a mezzogiorno*) carta 40/60000 – ⊒
18000 – **58 cam** 210/300000 – ½ P 180000.

XX **Rubino** - Hotel Atlantic, via Lanzo 165 ✆ 011 4500055 – 🍽 📺 🅿. ⚖ 🕤 ⓪ ◑◐ *VISA*. ✀
chiuso dal 5 al 25 agosto e domenica – **Pasto** carta 45/85000.

BORGATA SESTRIERE Torino – *Vedere Sestriere.*

BORGHETTO Piacenza 🔢🔢🔢 G 10 – *Vedere Piacenza.*

BORGHETTO Verona – *Vedere Valeggio sul Mincio.*

BORGHETTO D'ARROSCIA 18020 Imperia 🔢🔢🔢 J 5 – *509 ab. alt. 155.*
Roma 604 – Imperia 28 – Genova 105 – Milano 228 – Savona 59.

a Gazzo Nord-Ovest : 6 km – alt. 610 – ✉ 18020 Borghetto d'Arroscia :

XX **La Baita**, ✆ 0183 31083, *Fax 0183 31083*, prenotare – 🅿. ⚖ 🕤 ⓪ ◑◐ *VISA* **JCB**
chiuso da lunedì a mercoledì in luglio-settembre, da lunedì a giovedì negli altri mesi – **Pasto**
60000 bc.

BORGIO VEREZZI 17022 Savona 428 J 6 – 2 244 ab..

🇮 (maggio-settembre) via Matteotti 158 ℘ 019 610412, Fax 019 610412.
Roma 574 – Genova 75 – Imperia 47 – Milano 198 – Savona 29.

XXX **Doc**, via Vittorio Veneto 1 ℘ 019 611477, doc@ivg.it, Fax 019 611477, 斧, Coperti limitati; prenotare, � – 🖭 🕄 ◑ 🅾 💳 🎗
chiuso lunedì e martedì a mezzogiorno, anche a mezzogiorno in luglio-agosto escluso sabato-domenica – **Pasto** carta 80/100000.

XX **Da Casetta**, piazza San Pietro 12 ℘ 019 610166, Coperti limitati; prenotare – 🖭 🕄 ◑ 🅾 💳 🎗
chiuso a mezzogiorno (escluso i giorni festivi da ottobre a marzo) e martedì – **Pasto** carta 40/60000.

BORGO A MOZZANO 55023 Lucca 428, 429, 430 K 13 G. Toscana – 7 328 ab. alt. 97.
Roma 368 – Pisa 42 – Firenze 96 – Lucca 22 – Milano 296 – Pistoia 65.

🏨 **Milano**, via del Brennero, località Socciglia Est : 1,5 km ℘ 0583 889191, Fax 0583 889180,
斧 – 🗏 📺 🕹 🅿 – 🛗 100. 🖭 🕄 ◑ 🅾 💳
chiuso novembre – **Pasto** (chiuso lunedì) carta 30/55000 – 🖵 10000 – **34 cam** 80/150000 –
½ P 95000.

BORGO FAITI Latina 430 R 20 – Vedere Latina.

Europe Se il nome di un albergo è stampato in carattere magro,
chiedete al vostro arrivo le condizioni che vi saranno praticate.

BORGOFRANCO D'IVREA 10013 Torino 428 F 5, 219 ⑭ – 3 699 ab. alt. 253.
Roma 688 – Aosta 62 – Ivrea 6 – Milano 121 – Torino 56.

XX **Casa Vicina**, via Palma 146/a, località Ivozio ℘ 0125 752180, Fax 0125 751888, ≤, prenotare a mezzogiorno, « Servizio estivo in terrazza panoramica » – 🅿. 🖭 🕄 ◑ 🅾 💳
chiuso dal 24 al 31 gennaio, dal 1° al 12 agosto e mercoledì – **Pasto** 60/90000 e carta 60/110000.

BORGOMANERO 28021 Novara 428 E 7 – 19 512 ab. alt. 306.
🏌 Castelconturbia (chiuso martedì e gennaio) ad Agrate Conturbia ⊠ 28010 ℘ 0322 832093, Fax 0322 832428, Sud-Est : 10 km;
🏌 e 🏌 a Bogogno ⊠ 28010 ℘ 0322 863794, Fax 0322 863798, Sud-Est : 12 km.
Roma 647 – Stresa 27 – Domodossola 59 – Milano 70 – Novara 32 – Torino 106 – Varese 38.

🏨 **Ramoverde**, via Matteotti 1 ℘ 0322 81479, hotelramoverde@tiscalinet.it,
Fax 0322 844594, � – 🗏, ✲ cam, 📺 🅿. 🖭 🕄 ◑ 🅾 💳 🎗 rist
chiuso dal 22 dicembre al 7 gennaio – **Pasto** (solo per alloggiati, chiuso dal 27 luglio al 26 agosto e a mezzogiorno) carta 45/70000 – 🖵 15000 – **40 cam** 85/125000 – ½ P 115000.

XXX **Pinocchio**, via Matteotti 147 ℘ 0322 82273, pinocchio@intercom.it, Fax 0322 835075,
⌖ 斧, prenotare, « Giardino » – 🅿 🖭 🕄 ◑ 🅾 💳 🎗
chiuso dal 24 al 30 dicembre, dal 1° al 20 agosto, lunedì e martedì a mezzogiorno – **Pasto**
60000 (a mezzogiorno) 110000 e carta 90/140000
Spec. Scaloppa di fegato d'oca alla mostarda di uva. Panissia alla novarese. Colombaccio di cascina arrostito con macedonia alla Vespolina Novarese (primavera-estate).

XXX **Il Bersagliere**, corso Mazzini 11 ℘ 0322 82277, info@bersagliere.com, Fax 0322 82277,
斧, prenotare – 🖭 🕄 ◑ 🅾 💳 🎗
chiuso dal 1° al 20 agosto e dal 2 al 7 gennaio – **Pasto** carta 60/90000.

XX **San Pietro**, piazza Martiri della Libertà 6 ℘ 0322 82285, sanpietrorist@libero.it,
Fax 0322 82285, 斧 – 🖭 🕄 ◑ 🅾 💳 🎗
chiuso dal 1° al 10 gennaio, dal 5 al 25 agosto e giovedì – **Pasto** carta 50/85000.

BORGO MOLARA Palermo – Vedere Sicilia (Palermo) alla fine dell'elenco alfabetico.

BORGONOVO VAL TIDONE 29011 Piacenza 428 G 10 – 6 783 ab. alt. 114.
Roma 528 – Piacenza 23 – Genova 137 – Milano 67 – Pavia 41.

XX **Vecchia Trattoria Agazzino**, località Agazzino 335 (Nord-Est : 7 km) ℘ 0523 887102 –
▤ 🅿. 🖭 🕄 ◑ 🅾 💳 🎗
chiuso dal 26 dicembre al 6 gennaio, dal 10 luglio al 10 agosto, lunedì sera e martedì –
Pasto carta 35/65000.

BORGO PACE 61040 Pesaro e Urbino **429** , **430** L 18 – 669 ab. alt. 469 – a.s. 25 giugno-agosto.
Roma 291 – Rimini 99 – Ancona 134 – Arezzo 69 – Pesaro 74 – San Marino 67 – Urbino 38.

※ **Da Rodolfo-la Diligenza,** piazza del Pino 9 🖉 0722 89124, Fax 0722 816021 – 🕼 🖭 𝕍𝕀𝕊𝔸
chiuso dal 1° al 15 settembre e mercoledi – **Pasto** carta 40/50000.

BORGO PANIGALE Bologna **430** I 15 – Vedere Bologna.

BORGO PRIOLO 27040 Pavia **428** H 9 – 1 421 ab. alt. 139.
Roma 558 – Alessandria 60 – Genova 106 – Milano 70 – Pavia 31 – Piacenza 51.

※ **Torrazzetta** ⊗ con cam, frazione Torrazzetta 1 (Nord-Ovest : 2 km) 🖉 0383 871041, ac
⊜ itorr@maxidata.it, Fax 0383 871041, 🏤 , prenotare, 🏊 , 🐖 – 🏗 – 🏊 100. 🖭 🕼 🖭 💿 ⑳ 𝕍𝕀𝕊𝔸
🛠
chiuso dal 1° al 7 gennaio e dal 6 al 13 agosto – **Pasto** (chiuso lunedi) 35/65000 – **15 cam**
⊒ 85/130000 – ½ P 120000.

BORGO SAN LORENZO 50032 Firenze **429** , **430** K 16 G. Toscana – 15 814 ab. alt. 193.
🔟 Poggio dei Medici a Scarperia ⊠ 50038 🖉 055 8430436, Fax 055 8430439, Nord-Ovest
12 km.
Roma 308 – Firenze 25 – Bologna 89 – Forli 97.

🏨 **Park Hotel Ripaverde** 🅼, viale Giovanni XXIII, 36 🖉 055 8496003 e rist 🖉 055 8459854
Fax 055 8459379, 🕼, 🖨 – 🛊 🗏 🔟 🕭 𝙋, – 🏊 120. 🖭 🕼 💿 ⑳ 𝕍𝕀𝕊𝔸 𝐉𝐂𝐁, 🛠
Pasto al Rist. **L'O di Giotto** (chiuso domenica a mezzogiorno) carta 55/80000 – **51 cam**
⊒ 260/330000, 6 suites.

sulla strada statale 302 Sud-Ovest : 15 km :

🏠 **Casa Palmira** senza rist, località Feriolo ⊠ 50032 🖉 055 8409749, Fax 055 8409749
« Rustico in campagna », 🐖 – 𝙋. 🛠
chiuso dal 10 gennaio al 10 marzo – **6 cam** ⊒ 110/140000.

※※ **Il Feriolo,** via Faentina 32 ⊠ 50032 🖉 055 8409928, 🏤 , « In un edificio del 1300 » – 𝙋
🖭 🕼 💿 ⑳ 𝕍𝕀𝕊𝔸. 🛠
chiuso dal 10 al 25 gennaio e martedi – **Pasto** carta 45/65000.

BORGOSESIA 13011 Vercelli **428** E 6 – 14 123 ab. alt. 354.
Roma 665 – Stresa 51 – Biella 45 – Milano 91 – Novara 45 – Torino 107 – Vercelli 51.

🏨 **La Campagnola,** via Varallo 244 (Nord : 2 km) 🖉 0163 22676, info@hotelcapitol.it
⊜ Fax 0163 25448 – 🛊 🔟 𝙋. – 🏊 120. 🖭 🕼 💿 ⑳ 𝕍𝕀𝕊𝔸
Pasto (chiuso venerdi) carta 35/65000 – ⊒ 12000 – **33 cam** 85/100000 – ½ P 85000.

BORGO VERCELLI 13012 Vercelli **428** F 7 – 2 088 ab. alt. 126.
Roma 640 – Alessandria 59 – Milano 68 – Novara 15 – Pavia 62.

※※ **Osteria Cascina dei Fiori,** regione Forte - Cascina dei Fiori 🖉 0161 32827
Fax 0161 329928, Coperti limitati; prenotare – 🗏 𝙋. 🖭 🕼 ⑳ 𝕍𝕀𝕊𝔸 𝐉𝐂𝐁. 🛠
chiuso gennaio, luglio, domenica, lunedi e giovedi a mezzogiorno – **Pasto** carta 65/155000.

BORMIO 23032 Sondrio **428** , **429** C 13 – 4 128 ab. alt. 1 225 – Stazione termale – Sport invernali
1 225/3 012 m ⟨ 3 ⟩ 18, 🎿.
🔟 (aprile-ottobre) 🖉 0342 910730, Fax 0342 919665.
🛈 via Roma 131/b 🖉 0342 903300, Fax 0342 904696.
Roma 763 – Sondrio 64 – Bolzano 123 – Milano 202 – Passo dello Stelvio 20.

🏨 **Palace Hotel,** via Milano 54 🖉 0342 903131, palace@valtline.it, Fax 0342 903366, 🏤
« Piccolo parco », 🕼, 🖨 , 🛋 , 🛠 – 🛊 , 🗏 rist, 🔟 🕭 🚗 𝙋 – 🏊 90. 🖭 🕼 💿 ⑳ 𝕍𝕀𝕊𝔸. 🛠
chiuso maggio, ottobre e novembre – **Pasto** 45/80000 – ⊒ 20000 – **71 cam** 250/320000,
12 suites – ½ P 250000.

🏨 **Posta,** via Roma 66 🖉 0342 904753, Fax 0342 904484, 🏤 , 🕼, 🖨 , 🛋 – 🛊 🔟 – 🏊 30. 🖭
🕼 💿 ⑳ 𝕍𝕀𝕊𝔸. 🛠 rist
dicembre-aprile e 20 giugno-settembre – **Pasto** carta 50/75000 (15%) – ⊒ 20000 –
52 cam 170/260000, 2 suites – ½ P 240000.

🏨 **Rezia**, via Milano 9 ℰ 0342 904721, *Fax 0342 905197*, ☎, ☞ – 🛗 📺 🚗 🅿 – 🔬 45. 🆎 🆂
⓪ ⓪ 🆅🆂🅰 🆁🅲🅱 . ⚕ rist
chiuso maggio e novembre – **Pasto** 40/60000 – **45 cam** 🖙 150/240000 – ½ P 190000.

🏨 **Baita Clementi**, via Milano 46 ℰ 0342 904473, *Fax 0342 903649*, 🛴, ☎, ☞ – 🛗 📺 🅿 .
🆎 🆂 ⓪ ⓪ 🆅🆂🅰 . ⚕ rist
dicembre-aprile e giugno-settembre – **Pasto** carta 45/60000 – **42 cam** 🖙 220/320000 –
½ P 160000.

🏨 **Baita dei Pini**, via Peccedi 15 ℰ 0342 904346, *baitadeipini@baitadeipini.it*,
Fax 0342 904700, 🛴, ☎ – 🛗 📺 🚗 🅿 – 🔬 100. 🆎 🆂 ⓪ ⓪ 🆅🆂🅰 . ⚕
dicembre-20 aprile e 15 giugno-20 settembre – **Pasto** 45/50000 – 🖙 20000 – **43 cam**
150/240000, 3 suites – ½ P 205000.

🏨 Sant'Anton, via Leghe Grigie 1 ℰ 0342 901906, *Fax 0342 919308*, ≤ – 🛗, 🍴 rist, 📺 🕭 🚗
🅿.
stagionale – **27 cam**.

🏨 **Alù**, via Btg. Morbegno 20 ℰ 0342 904504, *hotelalu@valtline.it*, *Fax 0342 910444*, ≤, ☞ –
🛗 📺 🚗 🅿 . 🆅🆂🅰 . ⚕
4 dicembre-aprile e 15 giugno-15 settembre – **Pasto** carta 50/85000 – 🖙 15000 – **30 cam**
150/220000 – ½ P 160000.

🏨 **Larice Bianco**, via Funivia 10 ℰ 0342 904693, *Fax 0342 904614*, ☞ – 🛗 📺 🅿 . 🆎 🆂 ⓪
⓪ 🆅🆂🅰 . ⚕
dicembre-Pasqua e giugno-settembre – **Pasto** 45000 – 🖙 20000 – **45 cam** 100/180000 –
½ P 160000.

🏨 Genzianella, via Funivie ℰ 0342 904485, *Fax 0342 904158*, ☎ – 🛗 📺 🅿
stagionale – **35 cam**.

🏨 **Silene**, via Roma 121 ℰ 0342 905455, *Fax 0342 905455* – 🛗 📺 🚗 🅿 . ⚕
chiuso maggio e novembre – **Pasto** carta 40/50000 – 🖙 12000 – **15 cam** 110/140000 –
½ P 125000.

🏨 **La Baitina dei Pini** senza rist, via Peccedi 26 ℰ 0342 903022, *baitina@valtline.it*,
Fax 0342 903022, ☞ – 📺 🚗 🅿 . ⚕
dicembre-20 aprile e giugno-20 settembre – **10 cam** 🖙 120/180000.

🍴🍴 **Taulà**, via Dante 6 ℰ 0342 904771, *Fax 0342 904771*, « Ambiente caratteristico in un
fienile del 1600 » – 🆎 🆂 ⓪ ⓪ 🆅🆂🅰 . ⚕
chiuso maggio, novembre, martedì-mercoledì a mezzogiorno in bassa stagione – **Pasto**
carta 65/90000.

a Ciuk *Sud-Est : 5,5 km o 10 mn di funivia – alt. 1 690 –* ⊠ *23030 Valdisotto :*

🍴 **Baita de Mario** 🐾 con cam, ℰ 0342 901424, *baitademario@valtline.it*,
🍴 *Fax 0342 910880*, ≤, 🌁 – 🛗 📺 🅿 . ⚕ cam
dicembre-25 aprile e luglio-20 settembre – **Pasto** carta 35/50000 – 🖙 12000 – **22 cam**
80/120000 – ½ P 130000.

BORNO 25042 Brescia 🗺🗺 E 12 – 2 822 ab. alt. 903 – a.s. febbraio, Pasqua, 14 luglio-18 agosto
e Natale – Sport invernali : 903/1 780 m ⚡ 1 ⚡ 5, ⚡.
Roma 634 – Brescia 79 – Bergamo 72 – Bolzano 171 – Milano 117.

🍴 **Belvedere**, viale Giardini 30 ℰ 0364 311623, *hotel-belvedere@libero.it*, *Fax 0364 41052* –
🍴 🅿 . 🆎 🆂 🆅🆂🅰
chiuso dal 15 settembre al 15 ottobre e mercoledì – **Pasto** carta 35/55000.

BORROMEE (Isole) Verbania 🗺🗺 E 7, 🗺🗺 ⑦ *G. Italia – alt. 200 – a.s. aprile e luglio-
15 settembre.*

Vedere *Isola Bella*★★★ *– Isola Madre*★★★ *– Isola dei Pescatori*★★.

🚢 *per Baveno, Verbania-Pallanza e Stresa giornalieri (da 10 a 40 mn) – Navigazione Lago
Maggiore: Isola Bella* ℰ *0323 30391 e Isola dei Pescatori* ℰ *0323 30392.*

Pianta pagina seguente.

Isola Superiore o dei Pescatori – ⊠ *28049 Stresa :*

🏨 **Verbano** 🐾, via Ugo Ara 12 ℰ 0323 30408, *hotelverbano@gse.it*, *Fax 0323 33129*, ≤ Isola
Bella e lago, servizio motoscafo, « Servizio rist. estivo in terrazza », ☞ – 🌂 . 🆎 🆂 ⓪ ⓪
🆅🆂🅰
Z e
chiuso dal 7 gennaio al 20 febbraio – **Pasto** *(chiuso mercoledì escluso dal 15 aprile a
ottobre)* carta 60/95000 – **12 cam** 🖙 250000 – ½ P 180000.

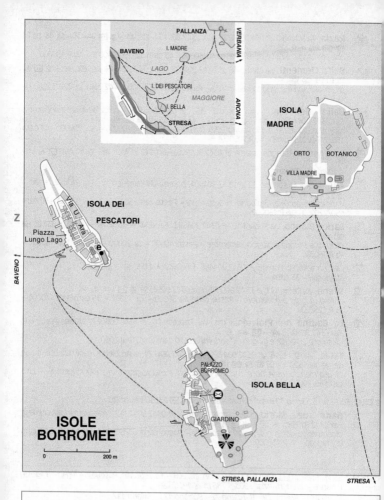

BOSA *Nuoro* **433** *G 7 – Vedere Sardegna alla fine dell'elenco alfabetico.*

BOSCO *Perugia – Vedere Perugia.*

BOSCO CHIESANUOVA 37021 Verona **428**, **429** F 15 – 3 133 ab. alt. 1 104 – Sport invernali :
1 104/1 805 m ⚡ 6.
🄱 piazza della Chiesa 34 ℘ 045 7050088, Fax 045 7050088.
Roma 534 – Verona 32 – Brescia 101 – Milano 188 – Venezia 145 – Vicenza 82.
🏠 **Lessinia**, piazzetta degli Alpini 2/3 ℘ 045 6780151, Fax 045 6780098 – 📶 📺 🚗. 🅂 🆎
🆚🅂🅰. ✸✸ rist
chiuso dal 1° al 20 giugno e dal 10 al 20 settembre – **Pasto** (chiuso mercoledì) carta
30/45000 – **20 cam** ⇆ 60/100000 – ½ P 85000.

BOSCO MARENGO 15062 Alessandria **428** H 8 – 2 425 ab. alt. 121.
Roma 575 – Alessandria 18 – Genova 80 – Milano 95 – Pavia 69 – Piacenza 99.

X **Locanda dell'Olmo,** piazza Mercato 7 ℘ 0131 299186, Fax 0131 299186, Coperti limitati; prenotare – ⇔ 🗏 **AE** **S** **VISA**
chiuso agosto, lunedì e martedì sera – **Pasto** carta 45/70000.

BOSCO VERDE Belluno **429** C 17 – Vedere Rocca Pietore.

BOSSOLASCO 12060 Cuneo **428** I 6 – 707 ab. alt. 757.
Roma 606 – Cuneo 65 – Asti 61 – Milano 185 – Savona 63 – Torino 90.

🏠 **La Panoramica,** via Circonvallazione 1/bis ℘ 0173 793401, Fax 0173 793401, ≤, � – 🛗
🕎 📺 ᕓ, 🚗 **P** **AE** **S** **CO** **VISA**. 🛠
chiuso dal 20 gennaio al 20 febbraio – **Pasto** *(chiuso martedì escluso da giugno a settembre)* carta 35/55000 – **23 cam** 🖵 120/150000, suite – ½ P 90000.

Wenn Sie ein ruhiges Hotel suchen,
benutzen Sie zuerst die Karte in der Einleitung
oder wählen Sie im Text ein Hotel mit dem Zeichen ⑤ oder ⑤.

BOTTANUCO 24040 Bergamo – 4 548 ab. alt. 211.
Roma 597 – Bergamo 21 – Milano 41 – Lecco 45.

🏨 **Cavour,** via Cavour 49 ℘ 035 907242, Fax 035 906434 – 🛗 🗏 📺 **P.** **AE** **S** **O** **CO** **VISA**
chiuso dal 3 al 9 gennaio ed agosto – **Pasto** *(chiuso domenica sera e lunedì)* carta 50/125000 – 🖵 15000 – **16 cam** 130/200000 – ½ P 150000.

BOTTICINO Brescia **428**, **429** F 12 – 9 709 ab. alt. 160 – ⊠ 25080 Botticino Mattina.
Roma 560 – Brescia 9 – Milano 103 – Verona 44.

X **Eva,** via Gazzolo 75, località Botticino Mattina Nord-Est : 2,5 km ℘ 030 2691522, Fax 030 2694522 – **P.** **AE** **S** **O** **VISA** **JCB**. 🛠
chiuso dal 1° al 15 gennaio, dal 1° al 20 agosto, martedì sera e mercoledì – **Pasto** carta 55/80000.

BOVES 12012 Cuneo **428** J 4 – 9 161 ab. alt. 590.
🏌 Cuneo *(marzo-novembre; chiuso mercoledì escluso da giugno a settembre)* ℘ 0171 387041, Fax 0171 387512.
Roma 645 – Cuneo 15 – Milano 225 – Savona 100 – Colle di Tenda 32 – Torino 103.

a Fontanelle Ovest : 2 km – ⊠ 12012 Fontanelle di Boves :

XXX **Della Pace,** via Santuario 97 ℘ 0171 380398, Fax 0171 387604, Coperti limitati; prenotare
🕸 – **AE** **S** **CO** **VISA** **JCB**
chiuso dal 7 al 15 gennaio, dal 15 al 30 giugno, domenica sera e lunedì – **Pasto** 75000 bc *(solo a mezzogiorno)* 95000 e carta 65/110000
Spec. Spallotto d'agnello disossato al forno. Ravioli di patate e funghi porcini (estate). Uovo in cocotte al tartufo bianco d'Alba (autunno).

X **Fontanelle-da Politano** con cam, via Santuario 125 ℘ 0171 380383, Fax 0171 380383,
🐾 – 🗏 rist, 📺 **P.** **S** **CO** **VISA**. 🛠 rist
Pasto *(chiuso lunedì sera e martedì)* carta 30/50000 – 🖵 8000 – **14 cam** 70/105000 –
½ P 75000.

a San Giacomo Sud : 6 km – ⊠ 12012 San Giacomo di Boves :

XXX **Al Rododendro,** via San Giacomo 73 ℘ 0171 380372, Fax 0171 387822, solo su prenota-
🕸 zione – **AE** **S** **O** **CO** **VISA** **JCB**. 🛠
chiuso dal 10 al 30 giugno, domenica sera e lunedì – **Pasto** 90/140000 e carta 75/120000
Spec. Crespelle di patate con fonduta e tartufo (autunno). Zuppa di funghi (estate-autunno). Quaglia farcita alle castagne (autunno).

BOVOLONE 37051 Verona **429** G 15 – 14 046 ab. alt. 24.
Roma 498 – Verona 23 – Ferrara 76 – Mantova 41 – Milano 174 – Padova 74.

🏨 **Sasso,** via San Pierino 318 (Sud-Est : 3 km) ℘ 045 7100228, Fax 045 7100433 – 🛗 🗏 📺 📞
P. **AE** **S** **O** **CO** **VISA**. 🛠
Pasto *(chiuso sabato,domenica sera e dal 2 al 20 gennaio)* carta 35/55000 – 🖵 12000 –
33 cam 110/160000 – ½ P 120000.

153

BOZEN = Bolzano.

BRA *12042 Cuneo* **428** *H 5 – 27 636 ab. alt. 280.*
　　Roma 648 – Cuneo 47 – Torino 49 – Asti 46 – Milano 170 – Savona 103.

  ※ **Boccondivino,** *via Mendicità 14* ℘ *0172 425674 –* ﾑﾓ ｓ ⑩ ⑩⑩ **VISA**
    chiuso luglio, domenica e lunedì a mezzogiorno – **Pasto** *30000 (a mezzogiorno) 50000 (la sera) e carta 45/70000.*

  ※ **Battaglino,** *piazza Roma 18* ℘ *0172 412509, Fax 0172 412874, prenotare.* ﾑﾓ ｓ ⑩ ⑩⑩
    VISA **JCB**
    chiuso dal 7 al 17 gennaio, agosto, domenica sera e lunedì – **Pasto** *carta 45/65000.*

a Pollenzo *Sud-Est : 7 km –* ✉ *12060 :*

  ※※ **La Corte Albertina,** *piazza Vittorio Emanuele 3* ℘ *0172 458189, Fax 0172 458189, prenotare, « Portico ristrutturato situato all'interno del complesso neogotico Carlo Albertino del XIX sec. » –* ▤ **P.** ﾑﾓ ｓ ⑩ **VISA**
    chiuso dal 6 al 31 gennaio, luglio o agosto e mercoledì – **Pasto** *50000 (a mezzogiorno) 75000 (la sera) e carta 50/80000.*

BRACCHIO *Verbania* **428** *E 7 – Vedere Mergozzo.*

BRACIGLIANO *84082 Salerno* **431** *E 26 – 5 341 ab. alt. 320.*
　　Roma 250 – Napoli 54 – Avellino 23 – Salerno 24.

  🏠 **La Canniccia,** *via Cardaropoli 13* ℘ *081 969797, Fax 081 969797,* ⌫ *–* ▤ ⑦ **P.** ⁒
    Pasto *carta 25/55000 –* **10 cam** ⊊ *70/90000 – ½ P 70000.*

    Un consiglio Michelin:
    per la buona riuscita di un viaggio, preparatelo in anticipo.
    Le carte e le guide Michelin vi danno tutte le indicazioni
    utili su: itinerari, curiosità, sistemazioni, prezzi, ecc.

BRAIES (PRAGS) *39030 Bolzano G. Italia – 634 ab. alt. 1 383.*
　　Vedere Lago★★★.
　　Roma 744 – Cortina d'Ampezzo 47 – Bolzano 106 – Brennero 97 – Milano 405 – Trento 166.

  🏠🏠 **Erika,** ℘ *0474 748684, hotel.erika@dnet.it, Fax 0474 748755,* ≤, ☎ *–* ⑂ ⁒ ⑦ ᰔ **P.** ﾑﾓ
    ｓ ⑩ ⑩⑩ **VISA** **JCB**, ⁒ *rist*
    20 dicembre-20 aprile e 15 giugno-2 novembre – **Pasto** *carta 45/55000 –* ⊊ *12000 –*
    28 cam *65/120000 – ½ P 125000.*

BRALLO DI PREGOLA *27050 Pavia* **428** *H 9 – 963 ab. alt. 951.*
　　Roma 586 – Genova 82 – Piacenza 65 – Milano 110 – Pavia 78 – Varzi 17.

  🏠 **Normanno,** ℘ *0383 550038, Fax 0383 500196 –* ⑦ **P.** ⁒ *rist*
    Pasto *(chiuso venerdì sera) carta 35/60000 –* ⊊ *6000 –* **25 cam** *60/100000 – ½ P 70/80000.*

BRANZI *24010 Bergamo* **428, 429** *D 11 – 767 ab. alt. 874 – a.s. luglio-agosto.*
　　Roma 650 – Bergamo 48 – Foppolo 9 – Lecco 71 – Milano 91 – San Pellegrino Terme 24.

  🏠 **Branzi,** *via Umberto I, 23* ℘ *0345 71121, Fax 0345 70500 –* ⑂ ⑦ **P.** ﾑﾓ ｓ ⑩ ⑩⑩ **VISA** **JCB**
    Pasto *(chiuso martedì) carta 35/55000 –* ⊊ *8000 –* **24 cam** *70/100000 – ½ P 90000.*

BRATTO *Bergamo* **428** *I 11 – Vedere Castione della Presolana.*

BREGUZZO *38081 Trento* **428, 429** *D 14 – 583 ab. alt. 798 – a.s. 22 gennaio-19 marzo, Pasqua e Natale.*
　　Roma 617 – Trento 45 – Bolzano 107 – Brescia 83 – Milano 174.

  🏠🏠 **Carlone,** *via Roma 40* ℘ *0465 901014, hotelcarlone@hotelcarlone.it, Fax 0465 901014 –*
    ⑂, ▤ *rist* ⑦ **P.** *–* ⚓ *45.* ｓ ⑩⑩ **VISA**
    chiuso novembre – **Pasto** *(chiuso martedì) carta 35/50000 –* **60 cam** ⊊ *60/120000 –*
    ½ P 90000.

BREMBATE 24041 Bergamo 428 F 10 – 7 033 ab. alt. 173.
Roma 537 – Bergamo 13 – Lecco 44 – Milano 41.

in prossimità casello autostrada A 4 - Capriate Nord : 2 km :

Guglielmotel senza rist, via delle Industrie 1 ⊠ 24041 ℘ 035 4826248, Fax 035 4826222 – 🛗 🗐 📺 ᕳ 🕭 ☞ 🖭 🕮 🕤 ⓘ ⓒ VISA
84 cam ☑ 170/270000.

BRENO 25043 Brescia 428, 429 E 12 – 5 052 ab. alt. 340.
Roma 593 – Brescia 65 – Bergamo 66 – Bolzano 144 – Milano 113 – Sondrio 75.

XX **Gralì**, via Mazzini 38 ℘ 0364 21180, prenotare – 🕮 🕤 ⓘ ⓒ VISA JCB, ⚘
chiuso dal 10 al 25 luglio e le sere di domenica e lunedì – **Pasto** carta 55/75000

BRENTA (Gruppo di) Trento 428, 429 D 14 G. Italia.

BRENTONICO 38060 Trento 428, 429 E 14 – 3 541 ab. alt. 693.
🖪 via Mantova 4 ℘ 0464 395149, Fax 0464 395149.
Roma 550 – Trento 22 – Brescia 107 – Milano 197 – Verona 70.

a San Giacomo Sud-Ovest : 6,5 km – alt. 1 196 – ⊠ 38060 Brentonico :

San Giacomo, via Graziani 1 ℘ 0464 391560, Fax 0464 391633, ≤, 🖪, 🚖, 🖳 – 🛗,
⚶ cam, 📺 ᕳ 🅿 – 🔏 60. 🕤 ⓒ VISA, ⚘
chiuso dal 10 al 28 ottobre – **Pasto** carta 40/60000 – **34 cam** ☑ 110/180000 – ½ P 120000.

BRENZONE 37010 Verona 428, 429 E 14 – 2 402 ab. alt. 75.
🖪 (giugno-settembre) via Gardesana, località Assenza 4 ℘ 045 7420076.
Roma 547 – Verona 50 – Brescia 85 – Mantova 86 – Milano 172 – Trento 69 – Venezia 172.

Piccolo Hotel ♨, via Lavesino 12 ℘ 045 7420024, Fax 045 7420688, ≤, 🍽 – ⚶ rist,
🗐 rist, 📺 🅿. ⚘
chiuso fino ad aprile – **Pasto** carta 30/50000 – ☑ 15000 – **20 cam** 70/120000 –
½ P 100000.

XX **Giuly**, via XX Settembre 34 ℘ 045 7420477, Fax 045 6594000, 🍽, « Servizio estivo in riva
al lago » – ⚶. 🕮 🕤 ⓘ ⓒ VISA
chiuso novembre e lunedì – **Pasto** specialità di mare carta 40/85000.

a Castelletto di Brenzone Sud-Ovest : 3 km – ⊠ 37010 Brenzone :

Rabay, via Vespucci 89 ℘ 045 6599027, Fax 045 6599103, ≤, 🍽, 🖳, 🚗 – 🛗 🗐 📺 🅿.
⚘ rist
10 marzo-20 ottobre – **Pasto** (solo per alloggiati) 30000 – **37 cam** ☑ 95/170000 –
½ P 95000.

XX **Alla Fassa**, via Nascimbeni 13 ℘ 045 7430319, Fax 045 7430319, ≤, 🍽 – 🅿. 🕤 ⓒ VISA.
⚘
chiuso dal 6 gennaio al 4 marzo e martedì (escluso da luglio a settembre) – **Pasto** carta
40/55000.

BRESCIA *25100* [P] [428], [429] F 12 *G. Italia – 191 317 ab. alt. 149.*

Vedere *Piazza della Loggia*★ **BY 9** *-Duomo Vecchio*★ **BY** – *Pinacoteca Tosio Martinengo*★ **CZ** – *Via dei Musei*★ **CY** – *Croce di Desiderio*★★ *nel monastero*★ *di San Salvatore e Santa Giulia* **CY** – *Chiesa di San Francesco*★ **AY** – *Facciata*★ *della chiesa di Santa Maria dei Miracoli* **AYZ A** – *Incoronazione della Vergine*★ *nella chiesa dei SS. Nazaro e Celso* **AZ** – *Annunciazione*★ *e Deposizione dalla Croce*★ *nella chiesa di Sant'Alessandro* **BZ** – *Interno*★, *polittico*★ *e affresco*★ *nella chiesa di Sant'Agata* **BY**.

⛳ [27] *Franciacorta (chiuso martedì escluso agosto)* ✉ *25040 Nigoline di Corte Franca* ☎ *030 984167, Fax 030 984393, per* ⑤ *: 20 km.*

✈ *di Montichiari* ☎ *030 9656511, Fax 030 9656514.*

[i] *corso Zanardelli 34* ✉ *25121* ☎ *030 43418, Fax 030 293284.*

[A.C.I.] *via 25 Aprile 16* ✉ *25123* ☎ *030 37461.*

Roma 535 ④ *– Milano 93* ⑤ *– Verona 66* ②.

🏨 **Vittoria,** via delle 10 Giornate 20 ✉ 25121 ☎ 030 280061, *info@hotelvittoria.com, Fax 030 280065* – 🛗 ▤ 📺 – 🏛 200. AE $ ⦿ ⦿ VISA JCB. ✂ **BY a**
Pasto al Rist. ***Miosotis*** *(chiuso agosto e domenica)* carta 60/100000 – **66 cam** ☕ 300/400000 – ½ P 270000.

🏨 **Park Hotel Ca' Nöa,** via Triumplina 66 ✉ 25123 ☎ 030 398762, *hotelcanoa@tin.it, Fax 030 398764,* 🌳, ⛱ – 🛗 ▤ 📺 ♿ 🚗 [P] – 🏛 200. AE $ ⦿ ⦿ VISA JCB. ✂ 2,5; km per ①
Pasto vedere rist ***Antica Trattoria Ca' Nöa*** – **80 cam** ☕ 180/260000.

🏨 **Novotel Brescia 2,** via Pietro Nenni 22 ✉ 25124 ☎ 030 2425858, *novotel.brescia@accor-hotels.it, Fax 030 2425959,* ⛱, 🌳 – 🛗, 🚭 cam, ▤ 📺 ♿ 🚗 [P] – 🏛 160. AE $ ⦿ ⦿ VISA. ✂ rist per via C. Zima **CZ**
Pasto carta 50/75000 – **120 cam** ☕ 200/265000 – ½ P 175000.

🏨 **Radisson SAS Hotel Brescia,** viale Europa 45 ✉ 25133 ☎ 030 2091824, *bhgbs@tin.it, Fax 030 2009741* – 🛗 ▤ 📺 🚗 [P] – 🏛 120. AE $ ⦿ ⦿ 2 km per via Lombroso **CY**
Pasto carta 45/90000 – **145 cam** ☕ 275/345000 – ½ P 225000.

🏨 **Ambasciatori,** via Crocifissa di Rosa 92 ✉ 25128 ☎ 030 399114, *ambascia@tin.it, Fax 030 381883* – 🛗, 🚭 cam, ▤ 📺 ☎ ♿ 🚗 [P] – 🏛 200. AE $ ⦿ ⦿ VISA. ✂ rist
Pasto *(chiuso sabato e domenica)* carta 50/70000 – ☕ 16000 – **64 cam** 120/180000 – ½ P 155000. **CY**

XXX **Castello Malvezzi,** via Colle San Giuseppe 1 ✉ 25133 ☎ 030 2004224, *info@castellomalvezzi.it, Fax 030 2004208,* prenotare, « Casa di caccia cinquecentesca con servizio estivo in terrazza panoramica » – [P]. AE $ ⦿ VISA. ✂ 6 km per via Lombroso **CY**
chiuso dal 15 al 31 gennaio, dal 9 al 25 agosto, lunedì e martedì – **Pasto** carta 65/110000.

XXX **La Sosta,** via San Martino della Battaglia 20 ✉ 25121 ☎ 030 295603, *Fax 030 292589,* « Edificio del 17° secolo con servizio estivo all'aperto » – ▤. AE $ ⦿ ⦿ VISA **BZ n**
chiuso dal 1° all'8 gennaio, dal 6 al 28 agosto, domenica sera e lunedì – **Pasto** carta 90/135000.

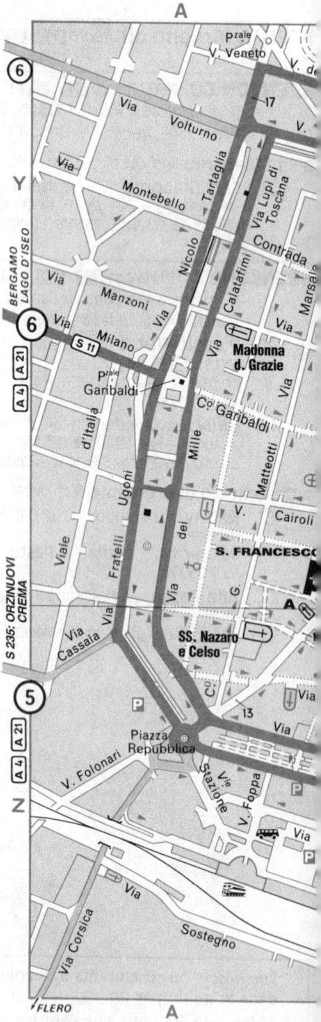

Castellini (Via N) .... CZ 3
Fratelli Porcellaga (Via) .... BY 7
Loggia (Piazza della) .... BY 9

XXX **Il Labirinto**, via Corsica 224 ⊠ 25125 ℰ 030 3541607, Fax 030 3532387 – ☰ 🅿. 🆎 🆂 ⓪
⓪ ᵛᶦˢᵃ. ⁣⁣⁣%
AZ
chiuso dal 1° al 15 gennaio e domenica – **Pasto** carta 60/145000.

XX **Il Lorenzaccio**, via Cipro 78 ⊠ 25124 ℰ 030 220457, Fax 030 2479834 – ☰. 🆎 🆂 ⓪ ⓪
ᵛᶦˢᵃ. ⁣%
per cavalcavia Kennedy BZ
*chiuso dal 23 dicembre al 10 gennaio, agosto, sabato a mezzogiorno e domenica, da
giugno a luglio anche sabato sera* – **Pasto** carta 65/100000.

XX **Eden**, piazzale Corvi ⊠ 25128 ℰ 030 303397, Fax 030 303397, prenotare – ☰. 🆎 🆂 ⓪
⓪ ᵛᶦˢᵃ. ⁣%
2,5 km per via Lombroso CY
chiuso dal 1° al 7 gennaio – **Pasto** carta 60/105000.

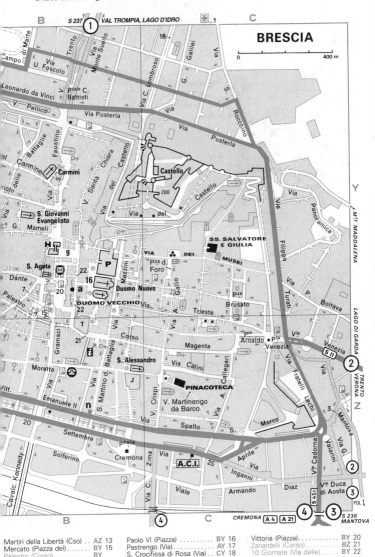

Martiri della Libertà (Cso) .. **AZ** 13	Paolo VI (Piazza) .... **BY** 16	Vittoria (Piazza) .... **BY** 20
Mercato (Piazza del) .... **BY** 15	Pastrengo (Via) .... **AY** 17	Zanardelli (Corso) .... **BZ** 21
Palestro (Corso) .... **BY**	S. Crocifissa di Rosa (Via) .. **CY** 18	10 Giornate (Via delle) ..... **BY** 22

157

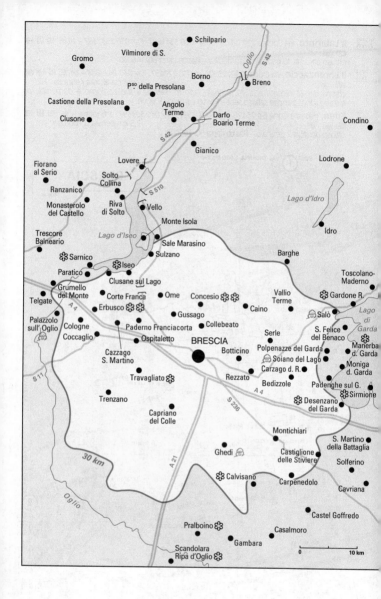

XX **Antica Trattoria Ca' Nöa** - Hotel Park Hotel Ca' Nöa, via Branze 61 ⊠ 25123 *℘* 030 381528, *Fax 030 382774*, 🍴 – 🗏 **P.** 🖭 ⊙ ◉ 𝘝𝘐𝘚𝘈 2,5 km per ①
Pasto carta 50/90000.

X **La Campagnola,** via Val Daone 25 ⊠ 25123 *℘* 030 300678, *030 300678*, « Servizio estivo all'aperto » – **P.** ⚘ 2 km per via Lombroso **CY**
chiuso dal 10 al 20 agosto, lunedì sera e martedì – **Pasto** carta 40/70000.

X **Trattoria Rigoletto,** via Fontane 54/b ⊠ 25133 *℘* 030 2004140 – 🗏. 🖪 ◉◉ 𝘝𝘐𝘚𝘈
chiuso agosto e lunedì – **Pasto** carta 45/95000. 2,5 km per via Lambroso **CY**

X **Trattoria Briscola,** via Costalunga 18/G ⊠ 25123 *℘* 395232 397214, « Servizio estivo
⊛ sotto un pergolato con ≼ sulla città » – **P.** 🖪 ◉◉ 𝘝𝘐𝘚𝘈. ⚘ per via Lombroso **CY**
Pasto carta 35/50000.

Sant'Eufemia della Fonte *per ② : 2 km – ⊠ 25135 :*

XXX **La Piazzetta,** via Indipendenza 87/c *℘* 030 362668, *Fax 030 362668*, Coperti limitati;
prenotare – 🗏 **P.** 🖭 🖪 ⊙ ◉◉ 𝘝𝘐𝘚𝘈 𝐉𝐂𝐁. ⚘
chiuso dal 1º al 7 gennaio, dal 7 al 20 agosto, sabato a mezzogiorno e domenica – **Pasto**
specialità di mare 40000 (solo a mezzogiorno) 70/90000 e carta 50/100000.

XX **Hosteria,** via 28 Marzo 2/A *℘* 030 360605, *Fax 030 360605*, Coperti limitati; prenotare –
🗏. 🖭 🖪 ⊙ ◉◉ 𝘝𝘐𝘚𝘈 𝐉𝐂𝐁
chiuso dall'8 al 18 gennaio, dal 1º al 25 agosto e martedì – **Pasto** carta 60/90000 (6 %).

a Roncadelle *per ⑤ : 7 km – ⊠ 25030 :*

🏨 **President,** via Roncadelle 48 *℘* 030 2584444, *Fax 030 2780260* – |🛗| 🗏 📺 ⏚ ⇌ **P.** –
🏛 500. 🖭 🖪 ⊙ ◉◉ 𝘝𝘐𝘚𝘈
Pasto *(chiuso domenica)* carta 55/80000 – **102 cam** ⊇ 140/300000, 2 suites – ½ P 200000.

🏨 **Continental** senza rist, via Martiri della Libertà 267 *℘* 030 2582721, *Fax 030 2583108* – |🛗|
🗏 📺 ⇌ – 🏛 80. 🖭 🖪 ⊙ ◉◉ 𝘝𝘐𝘚𝘈 𝐉𝐂𝐁
chiuso dall'1 al 24 agosto – **80 cam** ⊇ 170/230000.

a Castenedolo *per ③ : 7 km – ⊠ 25014 :*

🏨 **Majestic,** via Brescia 49 *℘* 030 2130222, *Fax 030 2130077* – |🛗| 🗏 📺 ⏚ **P.** – 🏛 250. 🖭 🖪
⊙ ◉◉ 𝘝𝘐𝘚𝘈. ⚘
Pasto carta 50/70000 – ⊇ 12000 – **70 cam** 130/200000 – ½ P 130000.

Si vous cherchez un hôtel tranquille,
consultez d'abord les cartes de l'introduction
ou repérez dans le texte les établissements indiqués avec le signe ⑳ ou ⑳.

BRESSANONE (BRIXEN) 39042 Bolzano 𝟒𝟐𝟗 B 16 *G. Italia* – *18 379 ab. alt. 559* – Sport invernali : a
La Plose-Plancios : 1 900/2 502 m ≼ 1 ≸ 9, ≴.
Vedere Duomo : chiostro★ **A** – Palazzo Vescovile : cortile★, museo Diocesano★, sculture
lignee★★, pale scolpite★, collezione di presepi★, tesoro★.
Dintorni Plose★★★ : ⚲★★★ Sud-Est per via Plose.
🛈 viale Stazione 9 *℘* 0472 836401, *Fax 0472 836067.*
Roma 681 ② – Bolzano 40 ② – Brennero 43 ① – Cortina d'Ampezzo 109 ② – Milano 336 ②
– Trento 100 ②.

Pianta pagina seguente

🏨 **Elefante,** via Rio Bianco 4 *℘* 0472 832750, *elephant.brixen@acs.it.,* *Fax 0472 836579,* 🍴,
« Magione del 16° secolo, parco-frutteto con ⊒ e ⚒ » – 🗏 rist, 📺 ⇌ **P.** – 🏛 50. 🖭 🖪
⊙ ◉◉ 𝘝𝘐𝘚𝘈. ⚘ rist a
chiuso dal 10 gennaio al 15 marzo – **Pasto** *(chiuso lunedì escluso dal 30 luglio al*
10 novembre) carta 70/110000 – ⊇ 25000 – **44 cam** 150/350000 – ½ P 240000.

🏨 **Dominik** ⑳, via Terzo di Sotto 13 *℘* 0472 830144, *info@hoteldominik.com,*
Fax 0472 836554, ≼, « Servizio rist. estivo sotto un pergolato », 🛐, 🔲, 🖈 – |🛗| ⇆ cam,
🗏 rist, 📺 🖪 🖭 🖪 ⊙ ◉◉ 𝘝𝘐𝘚𝘈. ⚘ rist b
chiuso dal 7 gennaio al 28 marzo – **Pasto** *(chiuso martedì escluso agosto)* carta 65/110000
– **36 cam** ⊇ 340/420000, 3 suites – ½ P 260000.

🏨 **Grüner Baum,** via Stufles 11 *℘* 0472 274100, *info@gruenerbaum.it,* *Fax 0472 274101,*
⊛ 🍴, « Giardino con ⊒ riscaldata », 🛐, 🔲 – |🛗|, ⇆ cam, 🗏 rist, 📺 ⇌ – 🏛 100. 🖭 🖪 ⊙
◉◉ 𝘝𝘐𝘚𝘈. ⚘ rist e
chiuso dal 25 marzo al 6 aprile e dal 4 al 30 novembre – **Pasto** carta 30/55000 – ⊇ 20000 –
80 cam 150/240000 – ½ P 210000.

BRESSANONE

Angelo Custode (Via) 2
Bastioni Maggiori
 (Via) 3
Bastioni Minori (Via) 4
Bruno (Via G.) 8
Duomo (Piazza) 10
Fienili (Via) 12
Guggenberg
 (Via Otto V.) 13
Hartwig (Via) 14
Lungo Rienza 15
Mercato Vecchio (Via) 16
Platsch (Via) 17
Ponte Aquila (Via) 18
Ponte Widmann
 (Via) 19
Portici Maggiori 22
Portici Minori 23
Rio Bianco (Via) 25
Roncato (Via) 26
San Albuino (Via) 27
Seminario (Via del) 28
Stufles (Via) 29
Torre Bianca (Via) 30
Tratten (Via) 31

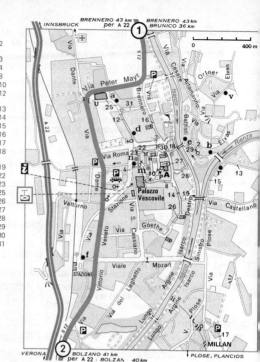

Temlhof ⊗, via Elvas 76 ℘ 0472 8366580, *Fax 0472 835539,* ≤ monti e città, « Giardino
con ⊥; raccolta di attrezzi agricoli e mobili antichi », ⇌, ⅀ – 📺 🅿. 🅰🅴 🆂 ⓪ ⓪ 🆅🅸🆂🅰,
※ rist
chiuso dal 6 novembre al 2 dicembre e dal 10 gennaio al 1° aprile – **Pasto** *(chiuso a
mezzogiorno e martedì; solo su prenotazione)* carta 55/80000 – **47 cam** ⊇ 105/240000, 4
suites – ½ P 140000.

Senoner-Unterdrittl, lungo Rienza 22 ℘ 0472 832525, *Fax 0472 832436,* 😊, 🚲 – 📺
⇌ 🅿. 🅰🅴 🆂 ⓪ ⓪ 🆅🅸🆂🅰. ※ rist
Pasto *(chiuso novembre e lunedì)* carta 40/65000 – **22 cam** ⊇ 95/170000 – ½ P 145000.

Corona-Krone, via Fienili 4 ℘ 0472 835154, *info@hotelkrone.it, Fax 0472 835014,* 😊 –
🛗 📺 🆅 🕭 ⇌ 🅿. 🆂 ⓪ 🆅🅸🆂🅰. ※ rist
chiuso dal 7 gennaio al 2 febbraio e dal 4 al 23 novembre – **Pasto** *(chiuso lunedì e da
ottobre a marzo anche domenica sera)* carta 40/60000 – **31 cam** ⊇ 150/200000, 2 suites –
½ P 140000.

Sole-Sonne senza rist, via Sant'Erardo 8 ℘ 0472 836271, *Fax 0472 837347* – 🛗 📺. 🅰🅴 🆂
⓪ ⓪ 🆅🅸🆂🅰
chiuso dal 7 gennaio a marzo – **16 cam** ⊇ 100/160000.

Jarolim, piazza Stazione 1 ℘ 0472 836230, *Fax 0472 833155,* « Giardino ombreggiato con
⊥ » – 🛗 📺 🆅 🅿. 🅰🅴 🆂 ⓪ ⓪ 🆅🅸🆂🅰. ※ rist
Pasto *(chiuso giovedì)* carta 45/55000 – **35 cam** ⊇ 95/160000 – ½ P 110000.

Oste Scuro-Finsterwirt, vicolo del Duomo 3 ℘ 0472 835343, *info@finsterwirt.com,
Fax 0472 835624,* « Ambiente tipico tirolese con arredamento antico » – ✑. 🅰🅴 🆂 ⓪ ⓪
🆅🅸🆂🅰 🄹🄲🄱
chiuso dal 10 gennaio al 5 febbraio, dal 15 al 30 giugno, domenica sera e lunedì – **Pasto**
carta 40/80000.

Sunnegg, via Vigneti 67 ℘ 0472 834760, *Fax 0472 208357,* « Servizio estivo all'aperto con
≤ monti » – ✑. ▤ 🅿 🅰🅴 🆂 ⓪ ⓪ 🆅🅸🆂🅰   1 km per via Cesare Battisti
*chiuso dal 10 gennaio al 10 febbraio, dal 15 giugno al 4 luglio, mercoledì e giovedì a
mezzogiorno –* **Pasto** 30/55000 e carta 50/80000.

Fink, via Portici Minori 4 ℘ 0472 834883, *Fax 0472 835268* – ▤. 🆂 ⓪ 🆅🅸🆂🅰
*chiuso dal 1° al 14 febbraio, dal 1° al 14 luglio, martedì sera (escluso luglio-agosto) e
mercoledì –* **Pasto** carta 45/70000.

ad Elvas *Nord-Est : 4 km – alt. 814 –* ⊠ *39042 Bressanone :*

🏠 **Hofstatt** ⓢ, Elvas 26 ℰ 0472 835420, *info@hofstatt.com*, Fax 0472 836249, ≤ – 📺 🚗 🅿. 🕃 ⓘ 🐵 𝑉𝐼𝑆𝐴. ⅏
chiuso da novembre al 25 dicembre e dal 10 gennaio al 28 febbraio – **Pasto** *(solo per alloggiati) –* **18 cam** ⊇ 65/110000 – ½ P 75000.

a Cleran (Klerant) *Sud : 5 km – alt. 856 –* ⊠ *39040 Sant'Andrea in Monte :*

🏠🏠 **Fischer** ⓢ, Cleran 196 ℰ 0472 852075, Fax 0472 852060, ≤ Bressanone e valle d'Isarco, 🍴, ⓢ – 🛗 📺 🅿. 🕃 🐵 𝑉𝐼𝑆𝐴. ⅏ rist
chiuso dal 10 novembre al 5 dicembre – **Pasto** *(chiuso lunedì)* carta 55/95000 – **23 cam** ⊇ 140/240000 – P 140000.

I prezzi	Per ogni chiarimento sui prezzi riportati in guida, consultate le pagine dell'introduzione.

BREUIL-CERVINIA *11021 Aosta* 🮲🮯🮰 *E 4 G. Italia – alt. 2 050 – a.s. 27 marzo-10 aprile, agosto e Natale – Sport invernali : 2 050/3 474 m ⬧ 8 ⬧ 21,* ⬧ *(anche sci estivo).*
Vedere *Località★★.*

🮏 Cervino *(giugno-settembre)* ℰ 0166 949131, Fax 0166 9497131.
🯁 *via Carrel 29* ℰ 0166 949136, Fax 0166 949731.
Roma 749 – Aosta 55 – Biella 104 – Milano 187 – Torino 116 – Vercelli 122.

🏔🏔 **Hermitage** ⓢ, strada Cristallo ℰ 0166 948998, *info@hotelhermitage.com*, Fax 0166 949032, ≤ Cervino e Grandes 90Murailles, 🍴, Eleganza e tradizione nell'atmosfera di un chalet di montagna, 🖟, ⓢ, 🖳, 🏊 – 🛗 📺 ⓥ ⅙ 🚗 🅿 – 🔬 40. 🅰🅴 ⓘ 🐵 𝑉𝐼𝑆𝐴 𝐽𝐶𝐵. ⅏
dicembre-1° maggio e luglio-2 settembre – **Pasto** *(chiuso a mezzogiorno)* carta 80/130000 – **33 cam** ⊇ 500/600000, 7 suites – ½ P 50000.

🏔 **Sertorelli Sporthotel**, piazza Guido Rey 28 ℰ 0166 949797, *sertorelli@libero.it*, Fax 0166 948155, ≤ Cervino e Grandes Murailles, 🖟, ⓢ – 🛗 📺 ⅙ 🅿. 🅰🅴 🕃 🐵 𝑉𝐼𝑆𝐴. ⅏
20 novembre-5 maggio e 20 giugno-20 settembre – **Pasto** 50/60000 – ⊇ 20000 – **65 cam** 140/240000, suite – ½ P 160000.

🏠 **Excelsior-Planet**, piazzale Planet 1 ℰ 0166 949426, *hotel.excelsior@galactica.it*, Fax 0166 948827, ≤ Cervino e Grandes Murailles, ⓢ – 🛗 📺 🚗 🅿. 🕃 🐵 𝑉𝐼𝑆𝐴. ⅏
novembre-aprile e luglio-agosto – **Pasto** *(chiuso giovedì)* carta 50/80000 – ⊇ 25000 – **21 cam** 190/210000, 25 suites 160/270000 – ½ P 185000.

🏠 **Bucaneve**, piazza Jumeaux 10 ℰ 0166 949119, *info@hotel-bucaneve.it*, Fax 0166 948308, ≤ Cervino e Grandes Murailles, 🍴, 🖟, ⓢ – 🛗 📺 🚗 🅿. 🅰🅴 🕃 🐵 𝑉𝐼𝑆𝐴 𝐽𝐶𝐵. ⅏
15 novembre-aprile e luglio-15 settembre – **Pasto** 60000 – ⊇ 20000 – **22 cam** 150/300000, 4 suites – ½ P 230000.

🏠🏠 **Punta Maquignaz**, piazza Guide Maquignaz ℰ 0166 949145, *hotel.punta.maquignaz@galactica.it*, Fax 0166 948055, ≤ Cervino e Grandes Murailles, 🍴, ⓢ – 🛗 📺 🅿. 🅰🅴 🕃 𝑉𝐼𝑆𝐴. ⅏
dicembre-aprile e luglio-settembre – **Pasto** al Rist. **Ymeletrob** *(dicembre-aprile)* carta 75/105000 – **33 cam** ⊇ 250/390000 – ½ P 250000.

🏠🏠 **Mignon**, via Carrel 50 ℰ 0166 949344, *hotel.mignon@galactica.it*, Fax 0166 949687 – 🛗 📺 ⅙. 🕃 🐵 𝑉𝐼𝑆𝐴. ⅏
novembre-1° maggio e luglio-10 settembre – **Pasto** *(solo per alloggiati e chiuso a mezzogiorno)* 40/50000 – **20 cam** ⊇ 150/300000 – ½ P 190000.

🏠 **Jumeaux** senza rist, piazza Jumeaux 8 ℰ 0166 949044, *info@hotel-jumeaux.com*, Fax 0166 949886, ≤ Cervino – 🛗 📺 🚗 🅿. 🕃 🐵 𝑉𝐼𝑆𝐴. ⅏
novembre-maggio e luglio-settembre – **29 cam** ⊇ 120/190000, suite.

🏠 **Cime Bianche** ⓢ, località La Vieille ℰ 0166 949046, *le.cime.bianche@galactica.it*, Fax 0166 949046, ≤ Cervino e Grandes Murailles, 🍴, prenotare, « Ambiente tipico » – 📺 🚗 🅿. 🕃 🐵 𝑉𝐼𝑆𝐴. ⅏
chiuso dal 15 maggio al 31 luglio e dal 15 settembre ad ottobre – **Pasto** carta 50/85000 – **15 cam** ⊇ 140/280000 – ½ P 180000.

🏠 **Breithorn**, via Guido Rey ℰ 0166 949042, Fax 0166 948363, ≤ Cervino e Grandes Murailles – 🛗 📺 🚗. 🅰🅴 🕃 ⓘ 🐵 𝑉𝐼𝑆𝐴. ⅏ rist
novembre-15 maggio e luglio-25 settembre – **Pasto** *(chiuso a mezzogiorno)* carta 50/75000 – ⊇ 15000 – **24 cam** 90/180000 – ½ P 140000.

🍴 **Maison de Saussure**, via Gorret 20 ℰ 0166 948259, prenotare – 🕃 🐵 𝑉𝐼𝑆𝐴. ⅏
novembre-maggio e luglio-agosto; chiuso nei giorni festivi e a mezzogiorno escluso venerdì, sabato, domenica, luglio e agosto – **Pasto** cucina tipica valdostana carta 60/85000 (10%).

sulla strada regionale 46 :

Chalet Valdôtain, località Lago Blu 2 (Sud-Ovest : 1,4 km) ⊠ 11021 ℘ 0166 949428, *jvl* *erna@tin.it*, Fax 0166 948874, ≼ Cervino e Grandes Murailles, *L₆*, ≋, 🔲, ⋗ – 📶 📺 ⇌ 🅿️ 🄰🄴 🔢 ① ⑩ *VISA*, ⋘
dicembre-aprile e giugno-settembre – **Pasto** carta 45/70000 – ⊇ 25000 – **35 cam** 170/ 320000 – ½ P 250000.

Les Neiges d'Antan ≫, Cret de Perreres 10 (Sud-Ovest : 4,5 km) ⊠ 11021 ℘ 0166 948775, Fax 0166 948852, ≼ Cervino e Grandes Murailles – 📺 🅿️ 🔢 *VISA* *6 dicembre-1° maggio e luglio-3 settembre* – **Pasto** carta 60/100000 – **28 cam** ⊇ 150/ 220000 – ½ P 170000.

Lac Bleu, località Lago Blu Sud-Ovest : 1 km ⊠ 11021 ℘ 0166 949103, *hotel.lacbleu@cerv* *inia.alpcom.it*, Fax 0166 949902, ≼ monti e, Cervino, 佘, ⋗ – 📶 📺 🔥 ⇌ 🅿️ 🔢 ⑩ *VISA* ⋘ rist
3 dicembre-aprile e luglio-25 settembre – **Pasto** *(chiuso lunedì)* carta 30/60000 – ⊇ 20000 – **20 cam** 80/150000 – ½ P 130000.

BRIAGLIA *12080 Cuneo* 🟦🟨🟦 *I 5 – 282 ab. alt. 557.*
Roma 608 – Cuneo 31 – Savona 68 – Torino 80.

Marsupino, piazza Serra 20 ℘ 0174 563888, Fax 0174 563888, prenotare – ⋞⋗. 🄰🄴 🔢 ⑩ *VISA*
chiuso dall'8 al 31 gennaio, dal 12 al 22 settembre, mercoledì e giovedì a mezzogiorno – **Pasto** carta 35/65000.

BRINDISI *72100* 🅿️ 🟥🟨🟥 *F 35 G. Italia – 93 454 ab. – a.s. 18 luglio-settembre.*
Vedere Colonna romana★ (termine della via Appia) Y **A.**
≫ *di Papola-Casale per* ④ : *6 km* ℘ 0831 418805, Fax 0831 413436.
🄱 *lungomare Regina Margherita* ℘ 0831 523072.
🄰.🄲.🄸. *via Aldo Moro 61* ℘ 0831 583053.
Roma 563 ④ *– Bari 113* ④ *– Napoli 375* ④ *– Taranto 72* ③.

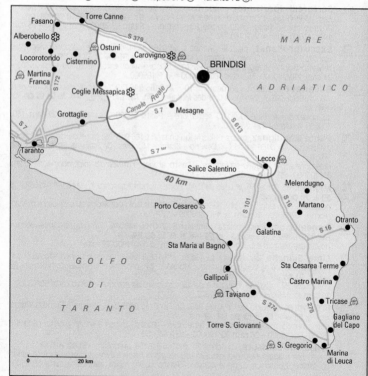

BRINDISI

Amalfi (Via) .... V 3
Balsamo (Via Grazia) ... X 4
Bono (Via Eduardo dal) . X 10
Caduti (Viale) .... X 7
Canova (Via Antonio) ... X 13
Caravaggio (Viale) ..... X 16
Ciciriello (Via Ettore) ... V 18

Commenda (Viale) .... X 22
Duca degli Abruzzi (Viale) .... V 25
Fani (Via) .... X 27
Imperatore Augusto (Via) .... X 28
Maddalena (Viale Umberto) ... V 30
Magaldi (Via Nicola) .... X 34
Marche (Via) .... X 36
Maria Ausiliatrice (Via) ..... X 37
Osanna (Via) .... VX 42
Pace Brindisina (Via) ...... X 45

Pellizza da Volpedo
  (Via G.) .... X 46
Ruggero di Flores (Via) ...... V 51
S. Angelo (Via) .... X 52
S. Giovanni Bosco
  (Via) .... X 57
Soldati (Via Anastasio) ...... X 63
Tirolo (Via) .... X 66
Togliatti (Viale Palmiro) ..... X 67
Villafranca (Via) .... X 70

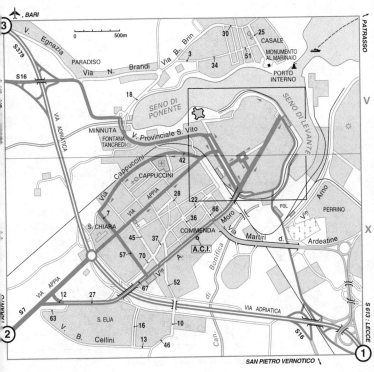

🏨🏨 **Orientale** Ⓜ senza rist, corso Garibaldi 40 ℘ 0831 568451, Fax 0831 568460 – ▮ ≣ 📺 Y c
🚗 🄿 – 🛆 140. 🄰🄴 🔂 ① 🐵 🆅🅸🆂🄰. ⁓
50 cam ⇆ 170/230000.

🏨🏨 **Majestic**, corso Umberto I 151 ℘ 0831 597941, Fax 0831 524071 – ▮ ≣ 📺 🄿 – 🛆 80. 🄰🄴 Z a
🔂 ① 🐵 🆅🅸🆂🄰. ⁓
Pasto 40/45000 – **68 cam** ⇆ 165/235000 – ½ P 150000.

🏨 **La Rosetta**, via San Dionisio 2 ℘ 0831 590461, Fax 0831 563110 – ▮ ≣ 📺. 🄰🄴 🔂 ① 🐵 Y g
🆅🅸🆂🄰. ⁓ rist
Pasto al Rist. *Le Privè* (chiuso dal 12 al 26 agosto e domenica) carta 45/65000 – ⇆ 15000 –
40 cam 130/195000, suite – ½ P 180000.

🍴🍴🍴 **La Lanterna**, via Tarantini 14 ℘ 0831 564026, Fax 0831 524950, 🌣, « In un antico Y d
palazzo con servizio estivo in giardino » – ≣. 🄰🄴 🔂 ① 🐵 🆅🅸🆂🄰
chiuso dal 10 al 30 agosto e domenica – **Pasto** carta 55/65000.

🍴🍴 **Pantagruele**, Salita di Ripalta 1/5 ℘ 0831 560605 – ≣. 🄰🄴 🔂 ① 🐵 🆅🅸🆂🄰. ⁓ Y b
chiuso sabato a mezzogiorno e domenica – **Pasto** carta 45/70000.

Michelin cura il costante e scrupoloso aggiornamento delle sue
pubblicazioni turistiche, in vendita nelle librerie.

163

BRINDISI

Amena (Via) .... Y
Annunziata (Via) ...... Y 6
Betolo (Via) .... Z 9
Cappellini (Via) ...... Z 15
Cittadella (Via) ...... Y 19
Colonne (Via) .... Y 21
Commenda (Viale) ..... Z 22

De Marco (Via C.) .... Z 24
Garibaldi (Corso) .... Y
Madonna della Neve (Via) .... Y 31
Madonna della Scala (Via) .... Z 33
Matteotti (Piazza) .... Z 39
Montenegro (Via) .... Y 40
Osanna (Via) .... Z 42
Pozzo Traiano (Via) .... Y 47
Provinciale San Vito
    (Via) .... Y 48

Regina Margherita
    (Lungomare) .... Y 49
S. Barbara (Via) .... Y 54
S. Dionisio (Via) .... Y 55
S. Margherita (Via) .... Y 58
Santi (Via) .... Y 60
Sauro (Via Nazario) .... Z 61
Tarantini (Via) .... Y 64
Tunisi (Via) .... Y 69
Umberto I (Corso) .... YZ

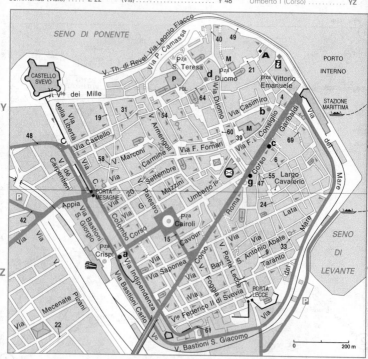

La guida cambia, cambiate la guida ogni anno.

BRIONA *28072 Novara* 428 *F 7,* 219 ⑯ *– 1 136 ab. alt. 216.*
Roma 636 – Stresa 51 – Milano 63 – Novara 17 – Vercelli 32.

a Proh *Sud-Est : 5 km –* ⊠ *28072 Briona :*

XX **Trattoria del Ponte**, via per Oleggio 1 ℘ 0321 826282, Fax 0321 826282 – ▤ 🅿. 🚾. ✻
    chiuso dal 25 dicembre al 13 gennaio, lunedì sera e martedì – **Pasto** carta 45/65000.

BRISIGHELLA *48013 Ravenna* 429, 430 *J 17 – 7 570 ab. alt. 115 – Stazione termale, a.s.*
20 luglio-settembre.

🛈 *piazza Porta Gabalo 5* ℘ *0546 81166, Fax 0546 81166.*
Roma 355 – Bologna 71 – Ravenna 48 – Faenza 13 – Ferrara 110 – Firenze 90 – Forlì 27 –
Milano 278.

🏠 **La Meridiana** ♨, viale delle Terme 19 ℘ 0546 81590, stefanosam63@libero.it,
    Fax 0546 81590, « Giardino ombreggiato » – 🛗 📺 ₺ 🅿 – 🔬 50. 🆎 🕄 ⓞ ⓒⓢ 🚾 🄛🄑.
    ✻ rist
    20 aprile-20 ottobre – **Pasto** (luglio-settembre; solo per alloggiati) – 🖙 15000 – **54 cam**
    120/200000 – ½ P 100000.

🏠 **Terme** ♨, viale delle Terme 37 ℘ 0546 81144, hotelterme@hoteltermebrisighella.it,
    Fax 0546 81144, ⇐, « Giardino ombreggiato », ♣ – 🛗 📺 🅿. 🆎 🕄 ⓞ ⓒⓢ 🚾 🄛🄑. ✻
    6 aprile-5 ottobre – **Pasto** (maggio-settembre) 25/50000 – **60 cam** 🖙 130/160000 –
    ½ P 90000.

XX **Gigiolè** con cam, piazza Carducci 5 ℘ 0546 81209, *Fax 0546 81275*, prenotare – 🛊 🗏 📺. 🖭 🕃 ① ⓪ⓞ 𝘝𝘐𝘚𝘈. ❄
chiuso dal 16 febbraio al 15 marzo – **Pasto** *(chiuso lunedì)* 50/70000 e carta 60/70000 – **8 cam** 🖙 160/250000, suite – ½ P 150000.

XX **La Grotta**, via Metelli 1 ℘ 0546 81829, *Fax 0546 994056*, prenotare – 🗏. 🖭 🕃 ① ⓪ⓞ 𝘝𝘐𝘚𝘈 𝘑𝘊𝘉. ❄
chiuso dal 7 al 16 gennaio, dal 20 luglio al 5 agosto e martedì – **Pasto** 60/80000 bc e carta 50/60000.

X **La Rocca** con cam, via Delle Volte 10 ℘ 0546 81180, *Fax 0546 80289*, 舎 – 🛊 📺. 🖭 🕃 ① ⓪ⓞ 𝘝𝘐𝘚𝘈. ❄
chiuso dall'8 gennaio al 23 febbraio – **Pasto** *(chiuso mercoledì)* carta 40/75000 – **19 cam** 🖙 70/110000.

a Cavina *Sud-Ovest : 8 km –* ⊠ *48013 Brisighella :*

🏠 **Torre Pratesi** ≫, ℘ 0546 84545, *torrep@tin.it*, *Fax 0546 84558*, ≤ monti e vallata, « In una torre di guardia medioevale », ⚓, ☞ – 🛊 🗏 📺 🅿. 🖭 🕃 ① ⓪ⓞ 𝘝𝘐𝘚𝘈 𝘑𝘊𝘉.
Pasto 75/85000 – **3 cam** 🖙 200/250000, 5 suites 300/350000 – ½ P 250000.

a La Strada Casale *Sud-Ovest : 8 km –* ⊠ *48010 Fognano :*

XX **Strada Casale**, via Statale 22 ℘ 0546 88054, 舎, Rist.-enoteca, prenotare – 🅿. 🖭 🕃 ① ⓪ⓞ 𝘝𝘐𝘚𝘈
chiuso dal 10 al 30 gennaio, dal 1° al 10 giugno, dal 10 al 20 settembre, mercoledì e a mezzogiorno (escluso sabato-domenica) – **Pasto** 40/60000.

BRIXEN = Bressanone.

BROGLIANO *36070 Vicenza* 𝟜𝟚𝟿 F16 – *2 830 ab..*
Roma 540 – Verona 54 – Venezia 90 – Vicenza 31.

🏠 **Locanda Perinella** ≫, Via Bregonza 34 ℘ 0445 947688, *Fax 0445 947688*, 舎 – 🛊 🗏 📺 📞 占 🅿. 🖭 🕃 ① ⓪ⓞ 𝘑𝘊𝘉. ❄
chiuso dal 1° all'8 gennaio e dal 7 al 23 agosto – **Pasto** *(chiuso domenica sera e lunedì)* carta 35/70000 – 🖙 10000 – **22 cam** 150/200000.

BRONI *27043 Pavia* 𝟜𝟚𝟠 G 9 – *9 451 ab. alt. 88.*
Roma 548 – Piacenza 37 – Alessandria 62 – Milano 58 – Pavia 20.

sulla strada statale 10 *Nord-Est : 2 km :*

🏠 **Liros**, quartiere Piave 104 ⊠ 27043 ℘ 0385 56231 e rist ℘ 0385 52300, *Fax 0385 51007* – 🗏 📺 🅿 – 🔬 120. 🖭 🕃 𝘝𝘐𝘚𝘈
Pasto *(chiuso dal 1° all'8 gennaio e lunedì)* carta 50/65000 – 🖙 10000 – **22 cam** 85/110000.

BRUCOLI *Siracusa* 𝟜𝟛𝟚 P 27 – *Vedere Sicilia (Augusta) alla fine dell'elenco alfabetico.*

BRUGNERA *33070 Pordenone* 𝟜𝟚𝟿 E 19 – *8 102 ab. alt. 16.*
Roma 564 – Belluno 59 – Pordenone 15 – Treviso 38 – Udine 68 – Venezia 64.

🏠 **Ca' Brugnera** M, via Villa Varda 4 ℘ 0434 613232, *cabrugnera@struinfo.it*, *Fax 0434 613456* – 🛊 🗏 📺 占 ⇔ 🅿 – 🔬 600. 🖭 🕃 ① ⓪ⓞ 𝘝𝘐𝘚𝘈
chiuso agosto – **Pasto** *(chiuso domenica sera e lunedì a mezzogiorno)* carta 50/75000 – **60 cam** 🖙 150/230000, 4 suites – ½ P 145000.

BRUNECK = Brunico.

BRUNICO (BRUNECK) *39031 Bolzano* 𝟜𝟚𝟿 B 17 *G. Italia – 13 628 ab. alt. 835 – Sport invernali : Plan de Corones : 835/2 273 m ✒ 12 ☂ 19, ☂.*
Vedere Museo etnografico★ di Teodone.
🯁 *via Europa 26 ℘ 0474 555722, Fax 0474 555544.*
Roma 715 – Cortina d'Ampezzo 59 – Bolzano 77 – Brennero 68 – Dobbiaco 28 – Milano 369 – Trento 137.

🏠 **Andreas Hofer**, via Campo Tures 1 ℘ 0474 551469, *hotel@andreashofer.it*, *Fax 0474 551283*, ≤, 🛁, ≈, ⚓, ☞ – 🛊 📺 ⇔ 🅿. 🕃 ⓪ⓞ 𝘝𝘐𝘚𝘈. ❄
chiuso dal 10 al 24 dicembre e dal 1° al 20 maggio – **Pasto** *(chiuso sabato)* carta 40/65000 – 🖙 12000 – **54 cam** 105/170000 – ½ P 120000.

🏠 **Rosa d'Oro-Goldene Rose** M senza rist, via Bastioni 36/b ℘ 0474 413000, *Fax 0474 413099* – 🛊 ❄ 📺 占 ⇔ – 🔬 30. 🖭 🕃 ① ⓪ⓞ 𝘝𝘐𝘚𝘈 𝘑𝘊𝘉
21 cam 🖙 200/300000.

a Stegona (Stegen) *Nord-Ovest : 2 km – alt. 817 – ⊠ 39031 Brunico :*

🏨 **Langgenhof,** via San Nicolò 11 ℰ 0474 553154, *hotel@langgenhof.com*
Fax 0474 552110, ⓢ, ☞ – 🛗, ₣ rist, 📺 ℅ ሌ ⇔ 🄿, 🅢. ℅ rist
Pasto carta 35/70000 – **27 cam** � 150/230000 – ½ P 140000.

a San Giorgio (St. Georgen) *Nord : 2 km – alt. 823 – ⊠ 39031 Brunico :*

🏨 **Gissbach** ⑤, via Gissbach 27 ℰ 0474 551173, *info@gissbach.com*, Fax 0474 550714, ⓢ,
🄺 – 🛗 📺 ⇔ 🄿, 🅢. ℅ rist
dicembre-Pasqua e giugno-ottobre – **Pasto** carta 45/70000 – **26 cam** ⊇ 200/310000,
9 suites – ½ P 155000.

a Riscone (Reischach) *Sud-Est : 3 km – alt. 960 – ⊠ 39031 :*

🏩 **Royal Hotel Hinterhuber** ⑤, via Ried 1/A ℰ 0474 541000, *info@royal-hinterhuber.com*,
Fax 0474 548048, ⪡ monti e pinete, « Parco con ⛱ riscaldata e ℅ », ₭, ⓢ, 🄺 – 🛗,
℞ rist, ☷ rist, 📺 ⇔ 🄿, 🄰🄴 🅢 🟠 🟠 🆅🆂🅰. ℅ rist
2 dicembre-18 aprile e giugno-7 ottobre – **Pasto** (solo per alloggiati) 40/50000 – **55 cam**
⊇ 160/280000 – ½ P 200000.

🏩 **Rudolf,** via Riscone 33 ℰ 0474 570570, *info@hotel-rudolf.com*, Fax 0474 550806, ⪡ Plan
de Corones, ₭, ⓢ, 🄺, ☞ – 🛗, ℞ cam, 📺 ⇔ 🄿, 🄰🄴 🅢 🟠 🟠 🆅🆂🅰. ℅ rist
Pasto (chiuso novembre) carta 45/90000 – **32 cam** ⊇ 250/320000, 4 suites – ½ P 160000.

🏨 **Majestic** ⑤, Im Gelande 20 ℰ 0474 410993, *info@hotel-majestic.it*, Fax 0474 550821, ⪡
Plan de Corones ⓢ, 🄺 riscaldata, ☞ – 🛗, ℞ rist, 📺 🄿, 🅢 🟠 🆅🆂🅰. ℅ rist
7 dicembre-21 aprile e 20 maggio-4 novembre – **Pasto** 30/50000 – **33 cam** ⊇ 135/250000
– ½ P 145000.

*Per l'inserimento in **guida**,*
***Michelin** non accetta*
né favori, né denaro!

BRUSIMPIANO 21050 Varese 🗺 E 8, 🗺 ⑧ – 1 062 ab. alt. 290.
Roma 638 – Como 41 – Lugano 19 – Milano 70 – Varese 18.

✕✕ **La Vecchia Valigia,** via Repubblica 2 ℰ 0332 934593, *lavecchiavaligia@tin.it*, 🎐 – ☷. 🄰🄴
🅢 🟠 🟠 🆅🆂🅰
*chiuso dal 15 al 31 ottobre, martedì e a mezzogiorno (escluso sabato e domenica) da
ottobre a marzo, martedì e mercoledì a mezzogiorno da aprile a settembre* – **Pasto** 50000
e carta 50/75000.

BRUSSON 11022 Aosta 🗺 E 5 – 906 ab. alt. 1 331 – a.s. Pasqua, febbraio, marzo e Natale – Sport
invernali : 1 331/2 714 m ≤2, ⚐.
🄱 piazza Municipio 1 ℰ 0125 300240, Fax 0125 300691.
Roma 726 – Aosta 53 – Ivrea 51 – Milano 164 – Torino 93.

🏨 **Laghetto,** località Diga ℰ 0125 300179, Fax 0125 300613, ⪡ – 🄿, 🄰🄴 🅢 🟠 🆅🆂🅰. ℅ cam
chiuso da novembre al 7 dicembre – **Pasto** (chiuso mercoledì) carta 40/55000 – ⊇ 15000 –
18 cam 55/90000 – ½ P 90000.

BUCCINASCO 20090 Milano 🗺 F 9, 🗺 ⑲ – 25 287 ab. alt. 112.
Roma 575 – Milano 13 – Alessandria 88 – Novara 63 – Pavia 30 – Vigevano 36.

✕✕ **Molin de la Paja,** via Petrarca 23 ℰ 02 4406231, Fax 02 45101454, Rist. e pizzeria,
« Servizio estivo all'aperto » – 🄿, 🄰🄴 🅢 🟠 🟠 🆅🆂🅰 🅹🅲🅱
chiuso sabato a mezzogiorno e lunedì – **Pasto** carta 50/60000.

BUDOIA 33070 Pordenone 🗺 D 19 – 2 070 ab. alt. 140.
Roma 600 – Belluno 65 – Pordenone 32 – Treviso 58 – Udine 69 – Venezia 90.

🏨 **Ciasa de Gahja,** via Anzolet 13 ℰ 0434 654897, Fax 0434 654815, « In un'antica
residenza di caccia », 🄺, ☞ – 📺 🄿, 🄰🄴 🅢 🟠 🆅🆂🅰
Pasto carta 60/85000 – ⊇ 15000 – **16 cam** 140/200000 – ½ P 155000.

✕✕ **Il Rifugio,** località Val de Croda Nord-Ovest : 3 km ℰ 0434 654915, *il.rifugio@libero.it*,
prenotare, « Servizio estivo ai confini del bosco », ☞ – 🄿, 🄰🄴 🅢 🟠 🟠 🆅🆂🅰. ℅
*chiuso dal 2 al 16 gennaio, dal 12 al 26 giugno, mercoledì e giovedì a mezzogiorno (escluso
luglio e agosto)* – **Pasto** carta 45/70000.

BUDONI Nuoro 🗺 E 11 – *Vedere Sardegna alla fine dell'elenco alfabetico.*

BUDRIO 40054 Bologna 428, 429, 430 I 16 – 15 346 ab. alt. 25.
Roma 401 – Bologna 22 – Ferrara 46 – Ravenna 66.

🏠 **Sport Hotel** senza rist, via Massarenti 10 ℰ 051 803515, Fax 051 803580 – 📳 📺 🄿 🖭 🕄
🕚 📷 *VISA*. ⚽
chiuso dal 23 dicembre al 3 gennaio e dal 10 al 20 agosto – **31 cam** ⊇ 180/250000.

%% **Centro Storico**, via Garibaldi 10 ℰ 051 801678, Coperti limitati; prenotare – 🗐. 🖭 🕄 🕚
🚯 *VISA* 🖵🖸. ⚽
chiuso domenica sera e lunedì – **Pasto** carta 50/75000.

BULLA (PUFELS) Bolzano – Vedere Ortisei.

BURAGO DI MOLGORA 20040 Milano 428 F 10, 219 ⑲ – 4 168 ab. alt. 182.
Roma 591 – Milano 22 – Bergamo 37 – Lecco 33 – Monza 9.

🏠🏠 **Brianteo**, via Martin Luther King 3/5 ℰ 039 6082118 e rist. ℰ 039 6080436,
Fax 039 6084338 – 📳 🗐 📺 🄿 – 🔬 60. 🖭 🕄 🕚 📷 *VISA*. ⚽
chiuso dal 23 dicembre al 6 gennaio e dal 1° al 24 agosto – **Pasto** (prenotare) carta
50/80000 – ⊇ 15000 – **50 cam** 120/180000, 2 suites – ½ P 170000.

BURANO Venezia – Vedere Venezia.

BURGSTALL = Postal.

BURGUSIO (BURGEIS) Bolzano 428 B 13, 218 ⑧ – Vedere Malles Venosta.

BUSALLA 16012 Genova 428 I 8 – 6 228 ab. alt. 358.
Roma 513 – Genova 26 – Alessandria 59 – Milano 123.

🏠 **Vittoria**, via Vittorio Veneto 177 ℰ 010 9761284, Fax 010 9760635 – 📳 📺 🕭. 🕄 📷 *VISA*.
⚽
Pasto carta 55/80000 – **10 cam** ⊇ 100/150000 – ½ P 115000.

%% **Grit**, piazza Garibaldi 9 ℰ 010 9641798, 🏮 – 🖭 🕄 📷 *VISA*
chiuso dal 15 al 30 agosto e lunedì – **Pasto** carta 40/85000.

BUSCATE 20010 Milano 428 F 8, 219 ⑰ – 4 250 ab. alt. 177.
Roma 611 – Milano 38 – Gallarate 15 – Novara 21.

🏠🏠 **Scià on Martin**, viale 2 Giugno, 1 ℰ 0331 803000, sciaonmartin@betanet.it,
Fax 0331 803500 – 🗐 cam, 📺 🄿 🖭 🕄 🕚 *VISA*. ⚽
chiuso agosto e Natale – **Pasto** (chiuso sabato a mezzogiorno e domenica) carta 60/80000
– **12 cam** ⊇ 140/200000, suite – ½ P 190000.

BUSSANA Imperia – Vedere San Remo.

BUSSETO 43011 Parma 428, 429 H 12 – 6 826 ab. alt. 39.
🖪 piazza Verdi 10 ℰ 0524 92487.
Roma 490 – Parma 35 – Piacenza 32 – Bologna 128 – Cremona 25 – Fidenza 15 – Milano 93.

🏠🏠 **I Due Foscari**, piazza Carlo Rossi 15 ℰ 0524 930031, Fax 0534 91625, 🏮, 🚗 – 🗐 📺 🄿 –
🔬 150. 🖭 🕄 🕚 📷 *VISA*. ⚽
chiuso dal 1° al 14 gennaio e dal 10 al 25 agosto – **Pasto** (chiuso lunedì) carta 50/90000 – ⊇
15000 – **20 cam** 120/150000 – ½ P 135000.

%% **Ugo**, via Mozart 1 ℰ 0524 92307, Fax 0524 931414, Coperti limitati; prenotare
🖘 chiuso dal 2 al 15 gennaio, dal 15 luglio al 7 agosto, lunedì e martedì sera – **Pasto** carta
35/60000.

a Frescarolo Est : 3 km – ⊠ 43011 Busseto :

% **Vernizzi**, via Frescarolo 24 ℰ 0524 92423, « Ambiente tipico » – 🄿 ⚽
🖘 chiuso dal 24 dicembre al 7 gennaio, agosto, lunedì e martedì – **Pasto** carta 30/50000.

a Samboseto Est : 8 km – ⊠ 43011 Busseto :

%%% **Palazzo Calvi** 🔊 con cam, via Samboseto 26 ℰ 0524 90211, palazzo.calvi@libero.it,
Fax 0524 90213, 🏮, « In un palazzo del 17° secolo » – 🗐 📺 🄿 – 🔬 60. 🖭 🕚 📷 *VISA*
Pasto (chiuso lunedì e martedì a mezzogiorno) carta 55/95000 – ⊇ 20000 – **4 cam**
180/220000, 2 suites.

167

XX **Vecchia Samboseto**, via Samboseto 47 ℘ 0524 90136, *Fax 0524 90234* – **P.** ⌶ Ⓢ ⓪
Ⓜ⑩ *VISA*. ※
chiuso dal 24 dicembre al 7 gennaio, dal 20 luglio al 15 agosto, domenica sera e lunedì –
Pasto *specialità di mare e di terra* carta 45/75000 (10 %).

BUSSOLENGO 37012 Verona 🌃🌃🌃, 🌃🌃🌃 F 14 – 16 555 ab. alt. 127.
Roma 504 – *Verona 13 – Garda 20 – Mantova 43 – Milano 150 – Trento 87 – Venezia 128.*

🏨 **Montresor Hotel Tower** Ⓜ, via Mantegna 30 ℘ 045 6761000, *hotels@montresor.it*,
Fax 045 6761000 – 🛗, ✻ cam, 🗏 📺 👫 🚗 **P.** – ⚿ 500. ⌶ Ⓢ ⓪ Ⓜ⑩ *VISA*. ※
Pasto carta 40/65000 – ⌷ 10000 – **144 cam** 265/330000.

🏨 **Krystal** Ⓜ senza rist, via Dante Alighieri 8 ℘ 045 6700433, *Fax 045 6700447* – 🛗 🗏 📺 👫
🚗 **P.** ⌶ Ⓢ ⓪ Ⓜ⑩ *VISA* ⌡⌫🄱. ※
60 cam ⌷ 150/210000.

sulla strada statale 11 *Sud : 3 km :*

🏨 **Crocioni Hotel Rizzi** senza rist, località Crocioni 46 a/b ✉ 37012 ℘ 045 6700200, *croci
oni@hotelrizzi.com, Fax 045 6767490,* « Giardino con laghetto » – 🛗, ✻ cam, 🗏 📺 🚗 **P.**
– ⚿ 40. ⌶ Ⓢ ⓪ Ⓜ⑩ *VISA*. ※
chiuso dal 22 dicembre al 10 gennaio – **62 cam** ⌷ 130/170000.

BUSTO ARSIZIO 21052 Varese 🌃🌃🌃 F 8 – 78 045 ab. alt. 224.
🏌🄸🄸 Le Robinie via per Busto Arsizio ✉ 21058 Solbiate Olona ℘ 0331 329260, Fax 0331
329266.
Roma 611 – *Milano 35 – Stresa 52 – Como 40 – Novara 30 – Varese 27.*

🏨 **Pineta**, via Sempione 150 (Nord : 2 km) ℘ 0331 381220 e rist ℘ 0331 685343,
Fax 0331 381220, ➹ – 🛗 🗏 📺 **P.** – ⚿ 100. ⌶ Ⓢ ⓪ Ⓜ⑩ *VISA*
Pasto al Rist. ***Mosaico 2*** *(chiuso domenica e lunedì a mezzogiorno)* carta 55/95000 –
58 cam ⌷ 250/300000.

XXX **Antica Osteria I 5 Campanili**, via Maino 18 ℘ 0331 630493, *antonio.pagani@galactica.
it, Fax 0331 630493,* 😊 – ⌶ Ⓢ ⓪ Ⓜ⑩ *VISA* ⌡⌫🄱
chiuso lunedì – **Pasto** carta 70/100000.

BUTTRIO 33042 Udine 🌃🌃🌃 D 21 – 3 762 ab. alt. 79.
Roma 641 – *Udine 12 – Gorizia 26 – Milano 381 – Trieste 57.*

🏨 **Locanda alle Officine**, via Nazionale 46/48 (Sud-Est : 1 km) ℘ 0432 673304, *localleoffic
ine@nauta.it, Fax 0432 673408,* ⚺, 🕿 – 🛗 🗏 📺 👫 🚗 **P.** ⌶ Ⓢ ⓪ Ⓜ⑩ *VISA*. ※ rist
Pasto *(chiuso domenica)* carta 40/70000 – ⌷ 15000 – **38 cam** 150/200000 – ½ P 130000.

X **Trattoria al Parco**, via Stretta del Parco 1 ℘ 0432 674025, *Fax 0432 673369,* « Servizio
estivo in giardino e parco con laghetto » – **P.** ⌶ Ⓢ Ⓜ⑩ *VISA*
chiuso dal 2 al 10 gennaio, dal 5 al 25 agosto, martedì sera e mercoledì – **Pasto** specialità
alla brace carta 40/60000.

CABRAS Oristano 🌃🌃🌃 H 7 – Vedere Sardegna alla fine dell'elenco alfabetico.

CACCAMO Palermo 🌃🌃🌃 N 22 – Vedere Sicilia alla fine dell'elenco alfabetico.

CA' DE FABBRI Bologna 🌃🌃🌃, 🌃🌃🌃 I 16 – Vedere Minerbio.

CADEO 29010 Piacenza 🌃🌃🌃, 🌃🌃🌃 H 11 – 5 486 ab. alt. 67.
Roma 501 – *Piacenza 15 – Cremona 34 – Milano 76 – Parma 46.*

🏨 **Le Ruote** Ⓜ, via Emilia 204, località Roveleto Sud-Est : 2 km ℘ 0523 500427,
🍽 *Fax 0523 509334* – 🛗 🗏 📺 👫 👫 **P.** – ⚿ 150. ⌶ Ⓢ ⓪ Ⓜ⑩ *VISA*
Pasto al Rist. ***Le Ruote*** carta 35/70000 – **80 cam** ⌷ 170/220000, 4 suites.

X **Lanterna Rossa**, via Ponte 10, località Saliceto Nord-Est : 4 km ℘ 0523 509774, *ristlante
rnarossa@libero.it, Fax 0523 500563,* 😊, solo su prenotazione, ➹ – 🗏 **P.** ⌶ Ⓢ ⓪ Ⓜ⑩ *VISA*.
※
chiuso dal 1° al 10 gennaio, agosto, lunedì sera e martedì – **Pasto** specialità di mare carta
45/75000.

CADIPIETRA (STEINHAUS) Bolzano – Vedere Valle Aurina.

CAERANO DI SAN MARCO 31031 Treviso 429 E 17 – 7 032 ab. alt. 123.
Roma 548 – Padova 50 – Belluno 59 – Milano 253 – Trento 109 – Treviso 26 – Venezia 57 – Vicenza 48.

🏨 **Europa** senza rist, via Don Sturzo 17 ☏ 0423 650341, Fax 0423 650397 – 🛗 🖭 📺 🚗. 🆎 🕃 ① ⑥⑥ 𝘝𝘐𝘚𝘈. ⁂
24 cam ⬚ 100/150000.

CAFRAGNA Parma 428, 429, 430 H 12 – Vedere Collecchio.

CAGLIARI P 433 J 9 – Vedere Sardegna alla fine dell'elenco alfabetico.

CAIANELLO 81040 Caserta 431 D 24 – 1 760 ab. alt. 185.
Roma 166 – Campobasso 100 – Avellino 95 – Benevento 76 – Caserta 44 – Napoli 71.

in prossimità casello autostrada A 1 : Est : 3 km :
🍴 **Maracuja,** via Ceraselle 130/132 ☏ 0823 922545, 🍽 – 🅿. 🆎 🕃 ① ⑥⑥ 𝘝𝘐𝘚𝘈. ⁂
chiuso giovedì – **Pasto** carta 50/80000.

CAINO 25070 Brescia 428, 429 F 12 – 1 481 ab. alt. 398.
Roma 539 – Brescia 15 – Bergamo 62 – Milano 110.

sulla strada statale 237 Est : 3 km :
🍴🍴 Il Miramonti, via Nazionale 130 ⊠ 25070 ☏ 030 6830023 – 🅿.

CAIRO MONTENOTTE 17014 Savona 428 E 4 – 13 749 ab. alt. 320.
Roma 566 – Genova 72 – Alba 69 – Cuneo 76 – Imperia 81 – Savona 25.

🏨 **City,** via Brigate Partigiane 5 M ☏ 019 505182, Fax 019 505182, 🕿 – 🛗 🖭 📺 🛎 🕭 🅿 –
🔏 150. 🆎 🕃 ① ⑥⑥ 𝘝𝘐𝘚𝘈
Pasto (chiuso dal 5 al 15 agosto e lunedì) carta 35/60000 – **19 cam** ⬚ 170/200000 –
½ P 150000.

🍴🍴 **La Bruschetta,** viale Martiri della Libertà 151 ☏ 019 504023, Fax 019 501455, prenotare,
« Raccolta di quadri e ceramiche » – 🖭. 🆎 🕃 ① ⑥⑥ 𝘝𝘐𝘚𝘈. ⁂
chiuso dal 10 al 25 gennaio, dal 15 al 30 agosto, domenica sera e lunedì – **Pasto** carta
40/60000.

CALA DI VOLPE Sassari 433 D 10 – Vedere Sardegna (Arzachena : Costa Smeralda) alla fine dell'elenco alfabetico.

CALA GONONE Nuoro 433 G 10 – Vedere Sardegna (Dorgali) alla fine dell'elenco alfabetico.

CALALZO DI CADORE 32042 Belluno 429 C 19 – 2 517 ab. alt. 806.
🅱 bivio Stazione 9 ☏ 0435 32348, Fax 0435 32349.
Roma 646 – Cortina d'Ampezzo 34 – Belluno 45 – Milano 388 – Venezia 135.

🏨 **Ferrovia,** bivio Stazione 4 ☏ 0435 500705, Fax 0435 500384, 🕿 – 🛗 🖭 🚗 🅿 – 🔏 60.
🆎 🕃 ⑥⑥ 𝘝𝘐𝘚𝘈. ⁂
Pasto (chiuso domenica) carta 35/50000 – ⬚ 10000 – **36 cam** 130/160000, 3 suites –
½ P 110000.

CALAMANDRANA 14042 Asti 428 H 7 – 1 579 ab. alt. 314.
Roma 599 – Alessandria 38 – Genova 98 – Asti 35 – Milano 130 – Torino 95.

🍴 **Violetta,** valle San Giovanni 1 (Nord : 2,5 km) ☏ 0141 769011, Fax 0141 769011, prenotare
– 🅿. ⁂
chiuso gennaio, domenica sera e mercoledì – **Pasto** carta 45/65000.

CALA MORESCA Grosseto – Vedere Porto Santo Stefano.

CALA PICCOLA Grosseto 430 O 15 – Vedere Porto Santo Stefano.

CALASETTA Cagliari 433 J 7 – Vedere Sardegna alla fine dell'elenco alfabetico.

CALAVINO 38072 Trento – 1 210 ab. alt. 409 – a.s. Pasqua e Natale.
Roma 605 – Trento 15 – Bolzano 77 – Brescia 100.

XX **Da Cipriano,** via Graziadei 13 ℘ 0461 564720, 🏠 – 🖭 🖪 ◍◉ 𝘝𝘐𝘚𝘈
ⓢ chiuso a mezzogiorno – **Pasto** carta 30/50000.

CALCERANICA AL LAGO 38050 Trento 429 D 15 – 1 165 ab. alt. 463 – a.s. Pasqua e Natale.
🛈 (giugno-settembre) piazza Municipio ℘ 0461 723301.
Roma 606 – Trento 18 – Belluno 95 – Bolzano 75 – Milano 260 – Venezia 147.

🏠 **Micamada,** via San Pietro 3 ℘ 0461 723328, Fax 0461 723349, �̃ – 🔥, 🖪. 🛠 rist
aprile-settembre – **Pasto** carta 40/55000 – **20 cam** � 70/135000 – ½ P 90000.

CALDARO SULLA STRADA DEL VINO (KALTERN AN DER WEINSTRASSE) 39052 Bolzano
429 C 15 – 6 727 ab. alt. 426.
🛈 piazza Principale 8 ℘ 0471 963169, Fax 0471 963469.
Roma 635 – Bolzano 15 – Merano 37 – Milano 292 – Trento 53.

🏠🏠 **Kartheiner,** strada del Vino 22 ℘ 0471 968000, Fax 0471 963145, ⇌, ⅂, ⅃, ▲ – ▮ ⭤
🔌 🖪. 🖭 🖪 ◍ ◍◉ 𝘝𝘐𝘚𝘈. 🛠 rist
Pasto carta 55/80000 – **48 cam** � 140/220000 – ½ P 110/150000.

🏠 **Cavallino Bianco-Weisses Rössl,** piazza Principale 11 ℘ 0471 963137,
Fax 0471 964069, �̃ – ▮ ⭤ 🖪
marzo-novembre – **Pasto** (chiuso mercoledì) carta 45/75000 – **20 cam** � 75/140000.

XX **Ritterhof,** strada del Vino 1 ℘ 0471 963330, Fax 0471 964872 – 🖪. 🖭 🖪 ◍ ◍◉ 𝘝𝘐𝘚𝘈
chiuso dall'11 luglio all'11 agosto, domenica sera (escluso settembre-ottobre) e lunedì –
Pasto 55/65000 e carta 55/105000.

al lago Sud : 5 km :

🏠🏠🏠 **Seeleiten,** strada del Vino 30 ✉ 39052 ℘ 0471 960200, info@seeleiten.it,
Fax 0471 960064, ⇐, Centro benessere, « Giardino con laghetto-piscina e vigneto », 𝟳𝟱,
⇌, ⅂, ▲ – ▮, ⭤ cam, ⭤ 🔌 🔥 ⭤ 🖪. 🖭 🖪 ◍ ◍◉ 𝘝𝘐𝘚𝘈. 🛠 rist
15 marzo-20 novembre – **Pasto** carta 55/85000 – **49 cam** � 180/270000, 14 suites –
½ P 150000.

🏠🏠 **Seehof-Ambach** 🛇, via Klughammer 3 ✉ 39052 ℘ 0471 960098, hotel.seehof@rolma
il.net, Fax 0471 960099, ⇐, �̃, « Pregevole architettura anni '70 in riva al lago », ▲, �̃ –
⭤ 🖪. 🛠 rist
aprile-2 novembre – **Pasto** carta 45/70000 – **29 cam** � 140/260000 – ½ P 190000.

🏠🏠 **Seegarten** 🛇, lago di Caldaro 17 ✉ 39052 ℘ 0471 960260, seegarten@rolmail.net,
ⓢ Fax 0471 960066, ⇐ lago e monti, « Servizio rist. estivo in terrazza », ▲, �̃ – ▮ ⭤ 🖪. 🖪
◍ ◍◉ 𝘝𝘐𝘚𝘈
aprile-ottobre – **Pasto** (chiuso mercoledì) carta 35/55000 – **30 cam** � 120/240000 –
½ P 135000.

a San Giuseppe al lago (Sankt Joseph am see) Sud : 6 km – ✉ 39052 Caldaro sulla Strada del
Vino :

🏠🏠 **Haus Am Hang** 🛇, via San Giuseppe al lago 57 ℘ 0471 960086, hotel_haus_am_hang@rol
mail.net, Fax 0471 960012, ⇐ vallata e lago, �̃, ⇌, ⅂ riscaldata, ▲, �̃ – ▮ ⭤ 🖪. 🖭 🖪 ◍ ◍◉
𝘝𝘐𝘚𝘈. 🛠
aprile-15 novembre – **Pasto** carta 50/70000 – **29 cam** � 130/205000 – ½ P 140000.

CALDERARA DI RENO 40012 Bologna 429, 430 I 15 – 11 756 ab. alt. 30.
Roma 373 – Bologna 11 – Ferrara 54 – Modena 40.

🏠🏠 **Meeting Hotel,** via Garibaldi 4 (Sud : 1 km) ℘ 051 720729 e rist ℘ 051 720250, meeting.
ⓢ bo@bestwestern.it, Fax 051 720478 – ▮ ▤ ⭤ ⭤ 🖪 – ⛽ 240. 🖭 🖪 ◍ ◍◉ 𝘝𝘐𝘚𝘈. 🛠 rist
Pasto al Rist. **Europa** (chiuso dal 13 al 19 agosto e domenica) carta 35/50000 – **95 cam**
� 320/355000.

CALDERINO 40050 Bologna 429, 430 I 15 – alt. 112.
Roma 373 – Bologna 16 – Milano 213 – Modena 45.

X **Nuova Roma,** via Olivetta 87 (Sud : 1 km) ℘ 051 6760140, Fax 051 6760326, �̃, �̃ – 🖪.
🖭 🖪 ◍ ◍◉ 𝘝𝘐𝘚𝘈. 🛠
chiuso dal 1° all'8 gennaio, agosto, martedì e mercoledì a mezzogiorno – **Pasto** carta
45/85000.

Leggete attentamente l'introduzione : è la « chiave » della guida.

170

CALDIERO 37042 Verona 429 F 15 – 5 496 ab. alt. 44.
Roma 517 – Verona 15 – Milano 174 – Padova 66 – Venezia 99 – Vicenza 36.

🏠 **Bareta** senza rist, via Strà 88 ℘ 045 6150722, hbareta@tin.it, Fax 045 6150723 – 🛗 🔳 📺
🚗 🅿 – 🔏 35. 🖭 🕄 ⓪ 👀 *VISA*. 🛠
chiuso dal 20 dicembre al 7 gennaio e dal 17 al 25 agosto – 🖙 13000 – **34 cam** 120/180000.

sulla strada statale 11 *Nord-Ovest : 2,5 km :*

🍴🍴 **Renato,** località Vago ☒ 37042 ℘ 045 982572, ristrenato@yahoo.it, Fax 045 982209 – 🔳
🅿. 🖭 🕄 ⓪ 👀 *VISA*
chiuso agosto, lunedì sera e martedì – **Pasto** specialità di mare carta 55/95000.

CALDOGNO 36030 Vicenza 429 F 16 – 9 979 ab. alt. 54.
Roma 548 – Padova 48 – Trento 86 – Vicenza 8.

🏠 **Marco Polo,** via Roma 20 ℘ 0444 905533, Fax 0444 905544, 🕰 – 🔳 📺 🅿. 🖭 🕄 ⓪ 👀
VISA. 🛠
chiuso agosto – **Pasto** *(chiuso domenica)* 75000 e carta 40/90000 – 🖙 10000 – **15 cam**
85/110000.

🍴🍴 **Molin Vecio,** via Giaroni 56 ℘ 0444 585168, Fax 0444 905447, 🏠 , « Mulino del 500 con
servizio estivo in riva ad un laghetto » – 🛠 🅿. 🖭 🕄 👀 *VISA*. 🛠
chiuso dal 7 al 15 gennaio, lunedì sera e martedì – **Pasto** cucina tipica vicentina carta
50/60000 (10 %).

| Europe | Se il nome di un albergo è stampato in carattere magro, chiedete al vostro arrivo le condizioni che vi saranno praticate. |

CALDONAZZO 38052 Trento 429 E 15 – 2 698 ab. alt. 485 – a.s. Pasqua e Natale.
🄱 *(aprile-settembre)* piazza Vecchia 15 ℘ 0461 723192.
Roma 598 – Trento 22 – Belluno 93 – Bolzano 77 – Milano 262 – Venezia 145.

🏠 **Due Spade,** piazza Municipio 2 ℘ 0461 723113, Fax 0461 723113, 🏊 , 🌳 – 🛗 📺. 🕄 👀
VISA. 🛠
26 dicembre-15 gennaio e aprile-settembre – **Pasto** 30000 – **24 cam** 🖙 60/110000 –
½ P 75000.

CALENZANO 50041 Firenze 429 , 430 K 15 – 15 177 ab. alt. 109.
Roma 290 – Firenze 15 – Bologna 94 – Milano 288 – Prato 6.

Pianta di Firenze : percorsi di attraversamento.

🏠 **Valmarina** senza rist, via Baldanzese 146 ℘ 055 8825336, Fax 055 8825250 – 🛗 🔳 📺 🕭
🚗. 🖭 🕄 ⓪ 👀 *VISA*. 🛠   AR f
🖙 15000 – **34 cam** 160/210000.

🍴 **La Terrazza,** via del Castello 25 ℘ 055 8873302, ← – 🅿. 🖭 🕄 ⓪ 👀 *VISA*   AR e
chiuso dal 25 dicembre al 1° gennaio, agosto, domenica e lunedì – **Pasto** carta 40/75000.

a Carraia *Nord : 4 km –* ☒ 50041 Calenzano :

🍴 **Gli Alberi,** via Bellini 173 ℘ 055 8819912, Fax 055 8819912, 🏠 – 🅿. 🖭 🕄 ⓪ 👀 *VISA*. 🛠
chiuso martedì – **Pasto** carta 50/75000.

a Croci di Calenzano *Nord : 11 km – alt. 427 –* ☒ 50041 Calenzano :

🍴🍴 **Carmagnini del 500,** via di Barberino 242 ℘ 055 8819930, Fax 055 8819611, 🏠 – 🅿 –
🔏 40. 🖭 🕄 ⓪ 👀 *VISA*. 🛠
chiuso dal 15 al 28 febbraio e lunedì – **Pasto** carta 45/65000.

CALESTANO 43030 Parma 428 I 12 – 1 772 ab. alt. 417.
Roma 488 – Parma 36 – La Spezia 88.

🍴 **Locanda Mariella,** località Fragnolo (Sud-Est : 5 km) ℘ 0525 52102, 🏠 , prenotare – 🅿.
🕄 *VISA*
chiuso lunedì e martedì – **Pasto** carta 45/70000.

CALICE LIGURE 17020 Savona 428 J 6 – 1 419 ab. alt. 70.
Roma 570 – Genova 76 – Cuneo 91 – Imperia 52 – Savona 31.

🍴🍴 **Al Tre,** piazza IV Novembre 3 ℘ 019 65388, prenotare – 🔳. 🖭 🕄 👀 *VISA*
chiuso mercoledì e a mezzogiorno (escluso domenica e i giorni festivi) – **Pasto** carta
45/75000.

171

CALIZZANO 17057 Savona 428 J 6 – 1 579 ab. alt. 660.

Roma 588 – Genova 94 – Alba 75 – Cuneo 69 – Imperia 70 – Savona 49.

🏠 **Villa Elia** 🦢, via Valle 26 𝒫 019 79619, Fax 019 79633, 🌳 – 📳 📺 🅿. AE 🚫 ⓜⓞ VISA. 🛇 rist
☜ **Pasto** carta 35/55000 – **35 cam** (aprile-ottobre) ☑ 90/120000 – ½ P 95000.

🏠 **Miramonti**, via 5 Martiri 6 𝒫 019 79604, Fax 019 79796, 🌳 – 📳 📺. AE 🚫 ⓞ ⓜⓞ VISA.
🛇 cam
chiuso da dicembre a marzo – **Pasto** (chiuso lunedì escluso da giugno a settembre)
40/50000 bc – **35 cam** ☑ 70/120000 – ½ P 90000.

🍴🍴 **Mse' Tutta**, via Garibaldi 8 𝒫 019 79647 – AE 🚫 ⓞ ⓜⓞ VISA
chiuso a mezzogiorno escluso i festivi e lunedì – **Pasto** 60000.

CALLIANO 38060 Trento 429 E 15 – 975 ab. alt. 186 – a.s. dicembre-aprile.

Roma 570 – Trento 17 – Milano 225 – Riva del Garda 31 – Rovereto 9.

🏠 **Aquila**, via 3 Novembre 11 𝒫 0464 834566, Fax 0464 834110, « Giardino con ⛲ » – 📳,
☰ rist, 📺 🅿. AE 🚫 ⓞ ⓜⓞ VISA JCB 🛇
Pasto (chiuso domenica) carta 45/60000 – **43 cam** ☑ 110/200000 – ½ P 130000.

CALTAGIRONE Catania 432 P 25 – Vedere Sicilia alla fine dell'elenco alfabetico.

CALTANISSETTA 🅿 432 O 24 – Vedere Sicilia alla fine dell'elenco alfabetico.

In questa guida

uno stesso simbolo, una stessa parola
stampati in rosso o in **nero**, in magro o in *grassetto*
hanno un significato diverso.

Leggete attentamente le pagine dell'introduzione.

CALTIGNAGA 28010 Novara 219 ⑰ – 2 276 ab. alt. 179.

Roma 633 – Stresa 53 – Milano 59 – Novara 8,5 – Torino 99.

🍴🍴 **Cravero** con cam, via Novara 8 𝒫 0321 652696, Fax 0321 652696, 🌳 – ☰ 📺 📞 🅿. AE 🚫
ⓜⓞ VISA. 🛇
chiuso dal 1° al 15 gennaio ed agosto – **Pasto** (chiuso martedì) carta 60/95000 – ☑ 15000 –
12 cam 100/140000 – ½ P 140000.

CALUSO 10014 Torino 428 G 5 – 7 296 ab. alt. 303.

Roma 678 – Torino 32 – Aosta 88 – Milano 121 – Novara 75.

🍴🍴 **Gardenia**, corso Torino 9 𝒫 011 9832249, Fax 011 9833297, �うち, Coperti limitati; prenota-
❀ re – 🅿. AE 🚫 ⓞ ⓜⓞ VISA
chiuso dal 25 luglio al 25 agosto, giovedì e venerdì a mezzogiorno – **Pasto** 60/100000 e
carta 60/80000
Spec. Millefoglie di lingua e fegato d'oca con giardiniera di verdure. Tortelli verdi di Seirass
di capra, ratatouja al basilico. Fritto misto della tradizione.

CALVIGNANO 27045 Pavia 428 H 9 – 147 ab. alt. 274.

Roma 566 – Alessandria 56 – Piacenza 55 – Milano 63 – Pavia 26 – Genova 114.

🍴 **Antica Osteria di Calvignano** via Roma 6 𝒫 0383 871121, �うち – 🅿. 🚫 ⓜⓞ VISA
☜ chiuso gennaio e martedì – **Pasto** 35/40000 e carta 45/70000.

CALVISANO 25012 Brescia 428, 429 F 13 – 7 327 ab. alt. 63.

Roma 523 – Brescia 27 – Cremona 44 – Mantova 55 – Milano 117 – Verona 66.

🍴🍴🍴 **Gambero**, via Roma 11 𝒫 030 968009, Fax 030 9968161, Coperti limitati; prenotare – ☰.
❀ 🚫 ⓞ ⓜⓞ VISA. 🛇
chiuso 24 dicembre, dall'8 al 12 gennaio, agosto e mercoledì – **Pasto** carta 70/100000
Spec. Lumache in terrina alle erbe fini. Risotto con asparagi e crema di formaggi. Quaglia
disossata ripiena di amaretto e ginepro con fegato d'oca grigliato (inverno).

🍴🍴 **Fiamma Cremisi**, via De Gasperi 37, località Viadana Nord : 2 km 𝒫 030 9686300, �うち,
prenotare – 🅿. AE 🚫 ⓞ ⓜⓞ VISA JCB. 🛇
chiuso dal 1° all'8 gennaio, agosto, lunedì sera e martedì – **Pasto** carta 45/65000.

CAMAIORE 55041 Lucca 428, 429, 430 K 12 *G. Toscana* – 30 491 ab. alt. 47 – *a.s. Carnevale, Pasqua, 15 giugno-15 settembre e Natale.*

Roma 376 – Pisa 29 – Livorno 51 – Lucca 18 – La Spezia 59.

XX **Emilio e Bona,** località Lombrici 22 (Nord : 3 km) *&* 0584 989289, *Fax 0584 989289,* « Vecchio frantoio in riva ad un torrente » – ℙ. ᴀᴇ 🖪 ⑩ ◑⑧ 𝘝𝘐𝘚𝘈. ⚘
chiuso gennaio e lunedì (escluso luglio-agosto) – **Pasto** carta 55/75000.

XX **Locanda le Monache** con cam, piazza XXIX Maggio 36 *&* 0584 989258, *lemonache@ca en.it, Fax 0584 984011 –* |₿| 🆃🆅. ᴀᴇ 🖪 ⑩ ◑⑧ 𝘝𝘐𝘚𝘈
Pasto *(chiuso novembre o dicembre, mercoledì e giovedì a mezzogiorno)* carta 40/80000 – **12 cam** � 90/130000 – 1/2 P 105000.

X **Il Centro Storico** con cam, via Cesare Battisti 66 *&* 0584 989786, 😤 – ℙ. ᴀᴇ 🖪 ⑩ ◑⑧ 𝘝𝘐𝘚𝘈 🅹🅲🅱. ⚘
Pasto *(chiuso lunedì)* carta 45/65000 – py 7000 – **8 cam** 70/100000 – 1/2 P 85000.

a Capezzano Pianore *Ovest : 4 km –* ⊠ 55040 :

X **Il Campagnolo,** via Italica 332 *&* 0584 913675, *Fax 0584 913675,* 😤, Rist. e pizzeria – ᴀᴇ 🖪 ⑩ ◑⑧ 𝘝𝘐𝘚𝘈. ⚘
chiuso dal 7 al 25 gennaio, dal 1° al 12 novembre e mercoledì – **Pasto** carta 40/70000.

a Nocchi *Sud-Est : 4 km –* ⊠ 55063 :

🏠 **Villa gli Astri** ♨, via di Nocchi 35 *&* 0584 951590, *Fax 0584 951590,* 😤, « Villa sette-centesca, giardino con ⛴ » – ℙ. 🖪 ⑩ ◑⑧ 𝘝𝘐𝘚𝘈. ⚘
9 aprile-settembre – **Pasto** *(solo per alloggiati e chiuso a mezzogiorno)* 35000 – **14 cam** py 115/190000 – 1/2 P 130000.

a Montemagno *Sud-Est : 6 km –* ⊠ 55040 :

XX **Le Meraviglie,** via Provinciale 13 *&* 0584 951750, Rist. e pizzeria – ▤ ℙ. ᴀᴇ 🖪 ⑩ ◑⑧ 𝘝𝘐𝘚𝘈 🅹🅲🅱. ⚘
chiuso dal 12 al 20 gennaio, dal 4 al 26 novembre e mercoledì – **Pasto** carta 35/60000.

CAMALDOLI 52010 Arezzo 429, 430 K 17 *G. Toscana* – alt. 816.
Vedere *Località*★★ – *Eremo*★ *Nord : 2,5 km.*

Roma 261 – Rimini 99 – Arezzo 46 – Firenze 71 – Forlì 90 – Perugia 123 – Ravenna 113.

a Moggiona *Sud-Ovest : 5 km – alt. 708 –* ⊠ 52010 :

X **Il Cedro,** via di Camaldoli 20 *&* 0575 556080, *Fax 0575 556080,* ≼, prenotare i giorni festivi
chiuso Natale, Capodanno e lunedì escluso dal 15 luglio ad agosto – **Pasto** carta 35/50000.

CAMARDA L'Aquila 430 O 22 – Vedere L'Aquila.

CAMBIANO 10020 Torino 428 H 5 – 5 715 ab. alt. 257.
Roma 651 – Torino 19 – Asti 41 – Cuneo 76.

Pianta d'insieme di Torino.

X **Il Cigno,** via IV Novembre 4 *&* 011 9441456, *Fax 011 9440607 –* ℙ. ᴀᴇ 🖪 ⑩ ◑⑧ 𝘝𝘐𝘚𝘈. ⚘
chiuso dal 1° al 15 gennaio, dal 7 al 30 agosto, lunedì e a mezzogiorno (escluso sabato-domenica) – **Pasto** carta 40/80000. HU **b**

CAMERANO 60021 Ancona 430 L 22 – 6 462 ab. alt. 231.
Roma 280 – Ancona 19 – Gubbio 112 – Macerata 48 – Pesaro 84.

sulla strada statale 16 : *Est : 3 km :*

🏩 **Concorde,** via Aspio Terme 191 ⊠ 60021 Camerano *&* 071 95270, *concordehotel@libero .it, Fax 071 959476 –* |₿| ▤ 🆃🆅 ✆ 🕭 ℙ. ᴀᴇ 🖪 ⑩ ◑⑧ 𝘝𝘐𝘚𝘈. ⚘
chiuso dal 24 al 26 dicembre e dal 31 dicembre al 6 gennaio – **Pasto** *(chiuso domenica)* carta 60/95000 – py 10000 – **22 cam** 160/200000 – 1/2 P 140000.

CAMERINO 62032 Macerata 430 M 16 – 7 297 ab. alt. 661.
🖪 *piazza Cavour 19 (portico Varano) &* 0737 632534, *fax 0737 632534.*
Roma 203 – Ascoli Piceno 82 – Ancona 90 – Fabriano 37 – Foligno 52 – Macerata 46 – Perugia 85.

🏠 **I Duchi,** via Varino Favorino 72 *&* 0737 630440, *Fax 0737 630440 –* 🆃🆅 – 🕮 60. 🖪 ⑩ ◑⑧ 𝘝𝘐𝘚𝘈. ⚘
Pasto carta 35/75000 – py 7000 – **49 cam** 80/110000 – 1/2 P 80000.

X **Osteria dell'Arte,** via dell'Arco della Luna 7 *&* 0737 633558, *Fax 0737 633558 –* ᴀᴇ 🖪 ⑩ ◑⑧ 𝘝𝘐𝘚𝘈
chiuso gennaio o febbraio e venerdì – **Pasto** 35/45000 e carta 35/70000.

CAMIGLIATELLO SILANO 87052 Cosenza **431** | 31 – alt. 1 272 – Sport invernali : 1 272/1 786 m
✓ 1 ✓ 2, 🎿.
Escursioni Massiccio della Sila★★ Sud.
🛈 via Roma ℘ 0984 578091.
Roma 553 – Cosenza 32 – Catanzaro 128 – Rossano 83.

🏨 **Sila**, via Roma 7 ℘ 0984 578484, Fax 0984 578286, ⇔s – 🛗 📺 🚗 – 🔥 40. 🖭 🕄 ⓞ 🐠 *VISA*. ✀
Pasto carta 40/60000 – **36 cam** ⇆ 100/180000 – ½ P 120000.

🏨 **Aquila-Edelweiss**, via Stazione 11 ℘ 0984 578044, haquila@fidad.it, Fax 0984 578753,
prenotare – 🛗 📺 – 🔥 35. 🕄 🐠 *VISA*. ✀
chiuso novembre e dicembre – Pasto (chiuso lunedì) carta 45/75000 – ⇆ 10000 – **48 cam**
90/150000 – ½ P 120000.

🏠 **Cozza**, via Roma 77 ℘ 0984 578034, Fax 0984 578034 – 🛗 📺. 🖭 🕄 ⓞ 🐠 *VISA*. ✀
Pasto carta 30/45000 – ⇆ 6000 – **40 cam** 65/110000 – ½ P 95000.

a Croce di Magara Est : 5 km – ⌧ 87052 :

🏨 **Magara** ⌨, via del Fallistro ℘ 0984 578712, magarahotel@tiscalinet.it, Fax 0984 578115,
🔥, ⇔s, ➡ – 🛗 📺 🚗 📁 – 🔥 150. 🖭 🕄 ⓞ 🐠 *VISA*. ✀
Pasto carta 40/55000 – **101 cam** ⇆ 150/170000 – ½ P 150000.

verso il lago di Cecita : Nord-Est : 5 km – ⌧ 87052 Camigliatello Silano :

✗ **La Tavernetta**, contrada Campo San Lorenzo Nord-Est : 5 km ⌧ 87052 Camigliatello
Silano ℘ 0984 579026, Fax 0984 579026 – 📁. 🖭 🕄 ⓞ 🐠 *VISA* ᴊᴄʙ. ✀
chiuso dal 15 al 30 novembre e mercoledì – Pasto carta 45/70000.

Europe	Si le nom d'un hôtel figure en petits caractères, demandez à l'arrivée les conditions à l'hôtelier.

CAMIN Padova – Vedere Padova.

CAMNAGO VOLTA Como – Vedere Como.

CAMOGLI 16032 Genova **428** | 9 G. Italia – 5 909 ab. – a.s. Pasqua, 15 giugno-ottobre e Natale.
Vedere Località★★.
Dintorni Penisola di Portofino★★★ – San Fruttuoso★★ Sud-Est : 30 mn di motobarca.
🛈 via 20 Settembre 33/r ℘ 0185 771066, Fax 0185 771066.
Roma 486 – Genova 26 – Milano 162 – Portofino 15 – Rapallo 11 – La Spezia 88.

🏩 **Cenobio dei Dogi** ⌨, via Cuneo 34 ℘ 0185 7241, reception@cenobio.it,
Fax 0185 772796, < mare e Camogli, « Parco e terrazze sul mare », ⊼ acqua di mare, 🏖,
✗ – 🛗 ▤ 📺 📁 – 🔥 200. 🖭 🕄 ⓞ 🐠 *VISA*. ✀ rist
Pasto carta 75/115000 – **103 cam** ⇆ 250/530000, 4 suites – ½ P 330000.

✗✗ **Rosa**, largo Casabona 11 ℘ 0185 773411, Fax 0185 771088, < porticciolo e golfo Paradiso,
🌣, « Servizio estivo in terrazza panoramica » – 🖭 🕄 ⓞ 🐠 *VISA*
chiuso dall'8 gennaio al 9 febbraio, dal 12 novembre al 6 dicembre e martedì – Pasto carta
70/100000.

✗✗ **Vento Ariel**, calata Castelletto 1 ℘ 0185 771080, Fax 0185 771080, Coperti limitati; pre-
notare – 🖭 🕄 ⓞ 🐠 *VISA* ᴊᴄʙ
chiuso dal 2 al 15 gennaio e mercoledì – Pasto specialità di mare carta 70/90000.

✗ **Da Paolo**, via San Fortunato 14 ℘ 0185 773595, angelo@ifree.it, Coperti limitati; pre-
notare – ▤. 🖭 🕄 ⓞ 🐠 *VISA* ᴊᴄʙ. ✀
chiuso novembre, dal 5 al 20 febbraio e lunedì – Pasto specialità di mare carta 60/110000.

a Ruta Est : 4 km – alt. 265 – ⌧ 16030.
Vedere Portofino Vetta★★ Sud : 2 km (strada a pedaggio) – Trittico★ nella chiesa di San
Lorenzo a San Lorenzo della Costa Est : 1 km.

✗ **Bana**, via Costa di Bana 26 ℘ 0185 772478, <, 🌣, prenotare – 📁. ✀
chiuso dal 9 gennaio al 12 febbraio, lunedì, martedì e i mezzogiorno di mercoledì e giovedì
– Pasto carta 40/60000.

a San Rocco Sud : 6 km – alt. 221 – ⌧ 16030 San Rocco di Camogli.
Vedere Belvedere★★ dalla terrazza della chiesa.

✗ **La Cucina di Nonna Nina**, via Molfino 126 ℘ 0185 773835, 🌣, Coperti limitati;
prenotare – 🖭 🕄 *VISA*. ✀
chiuso a mezzogiorno (escluso sabato-domenica) e mercoledì – Pasto carta 45/90000.

CAMPAGNA 84022 Salerno 431 E 27 – 14 826 ab. alt. 280.
Roma 295 – Potenza 75 – Avellino 73 – Napoli 94 – Salerno 40.

🏨 **Capital,** piazza Mercato 🏨 0828 45945, *infohc@tiscalinet.it*, Fax 0828 45995, 🛁, 🚗 – 📶
📺 🏠 🅿. �😠 🎆 ⓪ 🐵 VISA. 🦯
Pasto (solo per alloggiati) 35000 – **36 cam** ⚏ 100/150000 – ½ P 110000.

CAMPAGNA Novara 428 E 7 – Vedere Arona.

CAMPAGNA LUPIA 30010 Venezia 429 F 18 – 6 251 ab..
Roma 500 – Padova 27 – Venezia 32 – Ferrara 87.

a Lughetto *Nord-Est : 7,5 km –* ✉ *30010 Campagna Lupia :*
XX **Cera,** via Marghera 26 🏨 041 5185009, *Fax 041 5185009*, prenotare – 📶 🅿. �😠 🎆 ⓪ 🐵
✿ VISA. 🦯
chiuso dal 1° al 15 gennaio, agosto, domenica sera e lunedì – **Pasto** specialità di mare
140000 e carta 70/140000
Spec. Crudo di branzino all'olio e limone. Tagliatelle con calamaretti, scampi e fiori di zucca
(maggio-giugno). Cicchetto veneziano (fritto della laguna con polenta).

CAMPAGNATICO 58042 Grosseto 430 N 15.
Roma 198 – Grosseto 24 – Perugia 158 – Siena 59.

XX **Locanda del Glicine,** con cam, piazza Garibaldi 6 🏨 0564 996490, *info@locandadelglici*
ne.com, Fax 0564 996916 – 📶 📺. ঋ 🐵 VISA. 🦯
chiuso dall'8 gennaio a marzo – **Pasto** (chiuso lunedì e a mezzogiorno escluso domenica e i
giorni festivi) carta 60/85000 – **4 cam** ⚏ 140/280000, 2 suites – ½ P 200000.

CAMPALTO Venezia – Vedere Mestre.

CAMPEGINE 42040 Reggio nell'Emilia 428, 429 H 13 – 4 380 ab. alt. 34.
Roma 442 – Parma 22 – Mantova 59 – Reggio nell'Emilia 16.

in prossimità strada statale 9 - via Emilia *Sud-Ovest : 3,5 km :*
XX **Trattoria Lago di Gruma,** vicolo Lago 7 ✉ 42040 🏨 0522 679336, *Fax 0522 679336*,
🌳, Coperti limitati; prenotare – 🅿. ঋ 🐵 VISA. 🦯
chiuso gennaio, luglio e martedì – **Pasto** carta 65/100000.

CAMPELLO SUL CLITUNNO 06042 Perugia 430 N 20 – 2 356 ab. alt. 290.
Vedere Fonti del Clitunno★ Nord : 1 km – Tempietto di Clitunno★ Nord : 3 km.
Roma 141 – Perugia 53 – Foligno 16 – Spoleto 11 – Terni 42.

🏨 **Benedetti,** via Giuseppe Verdi 32 🏨 0743 520080, *benedetti@mail.caribusiness.it*,
Fax 0743 520045 – 📶 📺 🅿. ঋ 🎆 ⓪ 🐵 VISA. 🦯 cam
Pasto (chiuso martedì e dal 15 al 31 luglio) carta 40/70000 – **22 cam** ⚏ 100/150000 –
½ P 100000.

XX **Le Casaline** 🌺 con cam, località Casaline, verso Silvignano Est : 4 km ✉ 06049 Spoleto
🏨 0743 521113, *Fax 0743 275099*, 🌳, « In un tipico casolare di campagna », 🚗 – 📺 🅿.
ঋ 🎆 ⓪ 🐵 VISA
Pasto (chiuso lunedì) 40/80000 bc (10%) e carta 40/75000 (10%) – ⚏ 10000 – **7 cam**
70/100000 – ½ P 90000.

CAMPESE Grosseto 430 O 14 – Vedere Giglio (Isola del) : Giglio Porto.

CAMPESTRI Firenze – Vedere Vicchio.

CAMPIANI Brescia – Vedere Collebeato.

CAMPI BISENZIO 50013 Firenze 429, 430 K 15 – 37 387 ab. alt. 41.
Roma 291 – Firenze 12 – Livorno 97 – Pistoia 20.

🏨 **Starhotel Vespucci** 🅼, via S. Quirico 292/A 🏨 055 89551, *vespucci.fi@starhotels.it*,
Fax 055 8986085 – 📶, 🛏 cam, 📶 📺 ঊ – 🔦 60. ঋ 🎆 ⓪ 🐵 VISA JCB. 🦯
Pasto al Rist. *La Polena* carta 60/100000 – **80 cam** ⚏ 285/375000 – ½ P 255000.

🏨 **Kristal** senza rist, via Barberinese 109 🏨 055 890999, Fax 055 8951123 – 📶 📶 📺 ঊ 🚗.
ঋ 🐵 VISA
29 cam ⚏ 165/230000.

XX **L'Ostrica Blu,** via Vittorio Veneto 6 ℰ 055 891036, *Fax 055 891003*, prenotare – 🍽. 🗚 🗟 🔘 ⊕⊚ 𝗩𝗜𝗦𝗔 . ⁂
chiuso agosto, sabato a mezzogiorno e domenica – **Pasto** specialità di mare carta 70/100000.

CAMPIGLIA *19023 La Spezia* 𝟰𝟮𝟴 , 𝟰𝟯𝟬 J 11 – *alt. 382.*
Roma 427 – *La Spezia 8* – Genova 110 – Milano 229 – Portovenere 15.

X **La Lampara,** via Tramonti 4 ℰ 0187 758035, ≤, 🏠 , prenotare
chiuso dal 7 gennaio al 7 marzo, dal 25 settembre al 25 ottobre e lunedì – **Pasto** specialità di mare carta 45/60000.

CAMPIGLIA MARITTIMA *57021 Livorno* 𝟰𝟯𝟬 M 13 *G. Toscana – 12 545 ab. alt. 276.*
Roma 252 – Grosseto 65 – Livorno 68 – Piombino 18 – Siena 101.

X **Dal Cappellaio Pazzo,** località Sant'Antonio Nord : 2,2 km ℰ 0565 838358, prenotare, « Servizio estivo in giardino » – 🅿. 🗚 🗟 🔘 ⊕⊚ 𝗩𝗜𝗦𝗔
chiuso dall'8 gennaio al 12 febbraio e martedì escluso dal 15 giugno al 15 settembre – **Pasto** carta 60/85000.

CAMPIONE D'ITALIA *22060 (e CH 6911) Como* 𝟰𝟮𝟴 E 8 *G. Italia – 2 395 ab. alt. 280.*
Roma 648 – *Como 27* – Lugano 10 – Milano 72 – Varese 30.

I prezzi sono indicati in franchi svizzeri.

XX **Da Candida,** via Marco 4 ℰ 091 di Lugano, dall'Italia 00.41.91 6497541, *Fax 091 di Luga-*
⊛ *no, dall'Italia 00.41.91 6497541*, Coperti limitati; prenotare – 🗚 🗟 🔘 ⊕⊚ 𝗩𝗜𝗦𝗔 . ⁂
chiuso a Carnevale, dal 5 luglio al 3 agosto, lunedì e martedì a mezzogiorno – **Pasto** 54/90 e carta 60/90
Spec. Insalata all'aceto balsamico con finferli e porcini caldi con crostini (giugno-novembre). Scaloppa di foie gras d'anatra delle Landes con mele golden caramellate. Filetto d'anatra in salsa di miele e lavanda.

Dans ce guide

un même symbole, un même mot,
imprimé en rouge ou en **noir**, en maigre ou en *gras*,
n'ont pas tout à fait la même signification.

Lisez attentivement les pages explicatives.

CAMPITELLO DI FASSA *38031 Trento* 𝟰𝟮𝟵 C 17 – *726 ab. alt. 1 442 – a.s. febbraio-Pasqua e Natale – Sport invernali : 1 411/2 424 m (passo Sella)* ⚡ 1 ≤ 5, ⚡.
🛈 *via Dolomiti 46* ℰ 0462 750500, *Fax 0462 750219.*
Roma 684 – *Bolzano 48* – Cortina d'Ampezzo 61 – Milano 342 – Moena 13 – Trento 102.

🏨 **Aritz** ⚑ senza rist, via Pent de Sera 36 ℰ 0462 752100, *info@residencehotel.it,
Fax 0462 752200,* ☎ – 📶 📺 👶 , ⇔ 🅿. 🗚 🗟 ⁂
19 dicembre-26 marzo e 9 luglio-3 settembre – **39 cam** ⊇ 180/240000.

🏨 **Gran Paradis,** via Dolomiti 2 ℰ 0462 750135, *Fax 0462 750148,* ≤ Catinaccio, 🖎, ☎, 🔲,
⇔ 🌳 – 📶 📺 🅿. ⁂
16 dicembre-16 aprile e 16 giugno-7 ottobre – **Pasto** carta 35/60000 – ⊇ 15000 – **39 cam** 90/150000 – ½ P 145000.

🏨 **Salvan,** via Dolomiti 20 ℰ 0462 750307, *hotel.salvan@softcom.it, Fax 0462 750199,* ≤ Dolomiti, 🖎, ☎, 🔲, 🌳 – 📶 📺 🅿. 🗟 🔘 ⊕⊚ 𝗩𝗜𝗦𝗔 . ⁂
dicembre-17 aprile e 20 giugno-25 settembre – **Pasto** carta 40/50000 – ⊇ 15000 – **27 cam** 105/190000 – ½ P 130000.

🏩 **Alaska,** via Dolomiti 42 ℰ 0462 750430, *info@hotelalaskavaldifassa.com,
⇔ Fax 0462 750503,* ≤ Dolomiti, ☎, 🔲 – 📺 🅿. ⁂
18 dicembre-20 aprile e giugno-settembre – **Pasto** carta 30/50000 – ⊇ 15000 – **30 cam** 85/140000 – ½ P 120000.

CAMPO ALL'AIA *Livorno* – Vedere Elba (Isola d') : Marciana Marina.

CAMPOBASSO *86100* 🅿 𝟰𝟯𝟬 R 25, 𝟰𝟯𝟭 C 25 – *51 413 ab. alt. 700.*
🛈 *piazza Vittoria 14* ℰ 0874 415662, *Fax 0874 415370.*
A.C.I. *via Cavour 14* ℰ 0874 92941.
Roma 226 – Benevento 63 – Foggia 88 – Isernia 49 – Napoli 131 – Pescara 161.

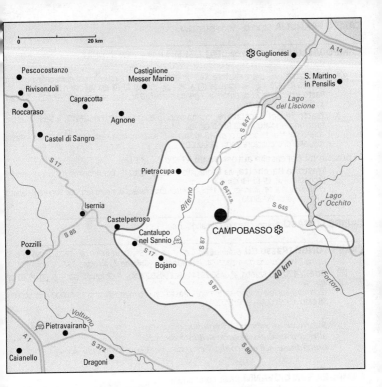

CAMPOBASSO

🏨 **Eden,** contrada Colle delle Api Nord : 3 km 📞 0874 698441, *hoteleden@ciaoweb.it*,
  Fax 0874 698443, 🛖, 🐎 – 🛗, 🍽 rist, 📺 🅿 – 🛎 500. 🆎 🅂 ⓪ ⓶ 🆅🅸🆂🅰
  Pasto carta 30/60000 – 🖵 10000 – **58 cam** 80/130000 – ½ P 90000.

🍴🍴 **Vecchia Trattoria da Tonino,** corso Vittorio Emanuele 8 📞 0874 415200, 🛖, Coperti
  limitati; prenotare – 🍽. 🆎 🅂 ⓪ ⓶ 🆅🅸🆂🅰 🅹🅲🅱. ⚘
  chiuso luglio, domenica e in agosto anche sabato – **Pasto** carta 50/70000
  Spec. Pancotto croccante con crema di fagioli, patate e bietole. Cupola del cardinale
  (sformatino di bucatini con olive e capperi in sfoglia di peperoni rossi) (marzo-ottobre).
  Palettella di vitello brasato con aceto di vino e mosto cotto.

🍴 **Aciniello,** via Torino 4 📞 0874 94001 – 🍽. 🆎 🅂. ⚘
  chiuso dal 10 al 22 agosto e domenica – **Pasto** carta 30/40000.

a Ferrazzano *Sud-Est : 4 km – alt. 872* – ✉ 86010 :

🍴🍴 **Da Emilio,** piazza Spensieri 21 📞 0874 416576, 🛖 – 🅂 ⓪ ⓶ 🆅🅸🆂🅰. ⚘
  chiuso dal 1° al 15 luglio e martedì – **Pasto** carta 35/50000.

CAMPO CARLO MAGNO *Trento* 👪👪👪 ⑱ ⑲ – *Vedere Madonna di Campiglio.*

CAMPO DI TRENS (FREIENFELD) *39040 Bolzano* 👪👪👪 *B 16 – 2 454 ab. alt. 993.*
  Roma 703 – Bolzano 62 – Brennero 19 – Bressanone 25 – Merano 94 – Milano 356.

🏨 **Bircher** ⏦, località Maria Trens Ovest : 0,5 km 📞 0472 647122, *Fax 0472 647350*, 🛖, 🛌,
  🔲 – 🛗 📺 🅿 🅂 ⓶ 🆅🅸🆂🅰
  chiuso dal 20 novembre al 26 dicembre – **Pasto** *(chiuso martedì)* carta 45/75000 – **34 cam**
  🖵 110/170000 – ½ P 115000.

CAMPOFELICE DI ROCCELLA *Palermo* 👪👪👪 *N 23 – Vedere Sicilia alla fine dell'elenco alfabetico.*

CAMPO FISCALINO (FISCHLEINBODEN) *Bolzano – Vedere Sesto.*

CAMPO FRANSCIA Sondrio – Vedere Lanzada.

CAMPOGALLIANO 41011 Modena **428**, **429**, **430** H 14 – 7 484 ab. alt. 43.
Roma 412 – Bologna 50 – Milano 168 – Modena 11 – Parma 54 – Verona 94.

🏨 **Mercure,** via del Passatore 160 ℘ 059 851505, mercure.modena@accor-hotels.it,
Fax 059 851377 – 🗐, ✼ cam, 🗏 📺 & 🖭 – 🏄 180. 🖭 🕄 ⓞ ⓐⓞ 𝚅𝙸𝚂𝙰, ✼ rist
Pasto (chiuso dal 21 dicembre al 6 gennaio e dal 10 al 26 agosto) carta 50/90000 – **97 cam**
⚏ 220/280000, 3 suites.

✕ **Trattoria del Cacciatore,** località Saliceto Buzzalino ℘ 059 526227, « Servizio estivo
sotto un pergolato » – 🖭 🕄 ⓞ ⓐⓞ 𝚅𝙸𝚂𝙰, ✼
chiuso dal 1º al 15 gennaio, dal 18 agosto al 15 settembre, lunedì e mercoledì sera – **Pasto**
specialità di cacciagione carta 45/60000.

in prossimità del casello autostradale A1 Sud-Est : 3,5 km :

✕ **Trattoria Barchetta,** via Magnagallo Est 20 ℘ 526218, giacador@tin.it, Coperti limitati;
🏵 prenotare – 🖭. 🖭 🕄 ⓞ ⓐⓞ 𝚅𝙸𝚂𝙰
chiuso dal 7 al 14 gennaio, dal 1º al 21 settembre, lunedì e la sera (escluso venerdì-sabato)
– **Pasto** carta 35/65000.

CAMPO LOMASO Trento – Vedere Comano Terme.

CAMPOLONGO (Passo di) Belluno **429** C 17 – alt. 1 875 – Sport invernali : 1 875/2 095 m ✺4.
Roma 711 – Cortina d'Ampezzo 41 – Belluno 78 – Bolzano 70 – Milano 367 – Trento 131.

🏨 **Boé,** ⊠ 32020 Arabba ℘ 0436 79144, Fax 0436 79275, ⟨ Dolomiti, ⛩ – 🗐 📺 🖭. 🕄 ⓐⓞ
ⓢ 𝚅𝙸𝚂𝙰, ✼
dicembre-aprile e giugno-settembre – **Pasto** (chiuso martedì) carta 35/50000 – ⚏ 30000 –
36 cam 95/200000 – ½ P 170000.

Se cercate un albergo tranquillo,
oltre a consultare le carte dell'introduzione,
individuate nell'elenco degli esercizi quelli con il simbolo 🐾 o 🐾.

CAMPORA SAN GIOVANNI 87030 Cosenza **431** J 30.
Roma 522 – Cosenza 58 – Catanzaro 59 – Reggio di Calabria 152.

🏠 Comfortable, corso Francia 29 ℘ 0982 46048, Fax 0982 48106, ᴢ – 🗐 📺 🖭
38 cam.

CAMPOTOSTO 67013 L'Aquila **430** O 22 – 811 ab. alt. 1 442.
Roma 162 – L'Aquila 47 – Pescara 111 – Rieti 92 – Teramo 63.

✕ **Valle,** via Roma 57 ℘ 0862 900119, ⟨ lago e Gran Sasso – 🖭. ✼
chiuso lunedì escluso da marzo a settembre – **Pasto** carta 35/50000.

CAMPO TURES (SAND IN TAUFERS) 39032 Bolzano **429** B 17 – 4 787 ab. alt. 874 – Sport inver-
nali : a Monte Spico : 874/2 253 m ✺4, ⚐.
🖪 via Jungmann 8 ℘ 0474 678076, Fax 0474 678922.
Roma 730 – Cortina d'Ampezzo 73 – Bolzano 92 – Brennero 83 – Dobbiaco 43 – Milano 391
– Trento 131.

🏨 **Feldmüellerhof** 🐾, via Castello 9 ℘ 0474 677100, info@feldmuellerhof.com,
Fax 0474 677320, ⟨, ⛩, ᴢ, 🔲, ⇗ – 🗐 📺 🖭. 🕄 ⓐⓞ 𝚅𝙸𝚂𝙰, ✼
5 dicembre-20 aprile e 15 maggio-ottobre – **Pasto** (solo per alloggiati e chiuso lunedì)
45/60000 – **48 cam** ⚏ 185/280000 – ½ P 145000.

🏨 **Alphotel Stocker,** via dei Prati 41 ℘ 0474 678113, stocker@iol.it, Fax 0474 679030, ♨,
Ⅰ₆, ⛩ – 🗐, ✼ rist, 📺 ⇌ 🖭. 🕄 ⓐⓞ 𝚅𝙸𝚂𝙰, ✼ rist
chiuso dal 10 novembre al 7 dicembre e dall'11 al 24 aprile – **Pasto** (solo per alloggiati) –
43 cam ⚏ 160/220000 – ½ P 270000.

✕✕ **Alte Mühle** con cam, via San Maurizio 1/2 ℘ 0474 678077, alte-muehle@dnet.it,
Fax 0474 679568, ⇗ – 📺 🖭. 🕄 ⓐⓞ 𝚅𝙸𝚂𝙰, ✼ rist
chiuso giugno e da novembre al 5 dicembre – **Pasto** (chiuso martedì) carta 55/85000 –
12 cam ⚏ 80/140000 – ½ P 90000.

✕ **Leuchtturm,** vicolo Bayer 12 ℘ 0474 678143, Fax 0474 686836 – 🕄 𝚅𝙸𝚂𝙰
chiuso dal 14 giugno al 4 luglio, dal 1º al 15 novembre, giovedì e venerdì a mezzogiorno –
30/35000 (a mezzogiorno) 60000 (alla sera) e carta 60/80000.

CANALE *12043 Cuneo* 428 *H 5 – 5 113 ab. alt. 193.*
Roma 637 – Torino 50 – Asti 24 – Cuneo 68.

XX **All'Enoteca,** via Roma 57 ℰ 0173 95857, Fax 0173 95857, 🕌, Coperti limitati; prenotare
🌸 – 🛗 🗐. 🕙 ⑩ *VISA*
  chiuso gennaio, agosto, mercoledì e giovedì a mezzogiorno – **Pasto** 70000 e carta 60/
  85000
  Spec. Ravioli del "plin" al sugo d'arrosto. Piccione disossato con fagotto di frutta e verdura.
  Meringa con gelato al rosmarino e fragole calde.

CANALE D'AGORDO *32020 Belluno* 429 *C 17 – 1 288 ab. alt. 976.*
Roma 625 – Belluno 47 – Cortina d'Ampezzo 55 – Bolzano 69 – Trento 86.

X **Alle Codole,** via 20 Agosto 27 ℰ 0437 590396, allecodole@libero.it, Fax 0437 590396,
  prenotare – 🔤 🕙 ⑩ ⓪ *VISA*. 🎇
  chiuso dal 1º al 15 giugno e novembre – **Pasto** carta 40/65000.

CANALICCHIO *06050 Perugia* 430 *M 19 – alt. 420.*
Roma 158 – Perugia 29 – Assisi 41 – Orvieto 66 – Terni 63.

🏨 **Relais Il Canalicchio** ♨, via della Piazza 4 ℰ 075 8707325, relais@ntt.it,
  Fax 075 8707296, ≤ colli e vallate, 🕌, « In un piccolo borgo medievale », 🅵₆, 🚑, 🔟, – 🛗 🗐
  🆃🆅 🕭 🖎 – 🛁 100. 🅰🅴 🕙 ⑩ ⓪ *VISA*. 🎇
  Pasto al Rist. *Il Pavone* 60000 e carta 80/110000 – **30 cam** 😳 240/370000, 3 suites –
  ½ P 245000.

CANAZEI *38032 Trento* 429 *C 17 G. Italia – 1 788 ab. alt. 1 465 – a.s. 22 gennaio-Pasqua e Natale –*
Sport invernali : 1 465/2 958 m ✈2 ✓7, ✍.
Dintorni *Passo di Sella★★★ : ✳★★★ Nord : 11,5 km – Passo del Pordoi★★★ Nord-Est :*
12 km.
Escursioni ≤★★ *dalla strada S 641 sulla Marmolada Sud-Est.*
🅱 *via Roma 34 ℰ 0462 601113, Fax 0462 602502.*
Roma 687 – Bolzano 51 – Belluno 85 – Cortina d'Ampezzo 58 – Milano 345 – Trento 105.

🏨 **Astoria,** via Roma 88 ℰ 0462 601302, hotelastoria@acomedia.it, Fax 0462 601687, ≤,
  Centro benessere, 🅵₆, 🚑 – 🛗 🆃🆅 🅰🅴 🕙 ⑩ ⓪ *VISA*. 🎇 rist
  4 dicembre-2 maggio e 15 giugno-30 ottobre – **Pasto** al Rist. *De Tòfi* carta 45/75000 –
  39 cam 😳 160/280000 – ½ P 210000.

🏨 **Croce Bianca,** via Roma 3 ℰ 0462 601111, office@hotelcrocebianca.com,
  Fax 0462 602646, ≤, Centro benessere, 🅵₆, 🚑, 🌼 – 🛗 🆃🆅 🖎. 🅰🅴 🕙 ⑩ ⓪ *VISA*. 🎇 rist
  6 dicembre-22 aprile e giugno-settembre – **Pasto** *(chiuso lunedì)* 40000 ed al Rist. *Husky*
  (chiuso a mezzogiorno dal 6 dicembre al 22 aprile) 55000 e carta 45/75000 – **45 cam**
  😳 160/330000 – ½ P 230000.

🏨 **La Perla,** via Pareda 26 ℰ 0462 602453, info@hotellaperla.net., Fax 0462 602501, ≤ Dolo-
  miti, Centro benessere, 🚑, 🔟, – 🛗 🆃🆅 🖎 🕙 ⓪ *VISA*. 🎇 rist
  Pasto carta 40/70000 – **37 cam** 😳 200/340000 – ½ P 210000.

🏨 **Andreas,** via Dolomiti 36 ℰ 0462 602106, info@andreas.it, Fax 0462 602284, ≤, 🅵₆, 🚑 –
  🛗 🆃🆅 🖎 🚗 🖎 🅰🅴 🕙 ⑩ ⓪ *VISA*. 🎇
  20 dicembre-6 aprile e luglio-settembre – **Pasto** carta 45/85000 – 😳 45000 – **32 cam**
  155/255000 – ½ P 215000.

🏨 **Faloria,** via Pareda 103 ℰ 0462 601118, Fax 0462 602715, ≤, 🌼 – 🛗 🆃🆅 🖎. 🕙 ⓪ *VISA*.
⊚ 🎇 rist
  dicembre-aprile e giugno-settembre – **Pasto** carta 35/55000 – **35 cam** 😳 100/200000 –
  ½ P 150000.

🏨 **Stella Alpina** senza rist, via Antermont 4 ℰ 0462 601127, stella.alpina@softcom.it,
  Fax 0462 602172, 🚑 – 🛗 🆃🆅. 🅰🅴 🕙 ⓪ *VISA*. 🎇
  chiuso dal 3 al 23 maggio e dal 16 ottobre al 4 dicembre – **8 cam** 😳 125/220000.

ad Alba *Sud-Est : 1,5 km –* ⊠ *38030.*
🅱 *via Costa 46 ℰ 0462 601354 :*

🏨 **La Cacciatora** ♨, via Costa 298 ℰ 0462 601411, hotel@lacacciatora.it, Fax 0462 601718,
  ≤, 🅵₆, 🚑, 🔟 – 🛗 🆃🆅 🖎 🅰🅴 🕙 ⓪ *VISA*. 🎇
  Pasto carta 45/80000 – **38 cam** 😳 115/210000 – ½ P 175000.

🏨 **Miramonti,** via Costa 229 ℰ 0462 601325, Fax 0462 601066, 🚑, 🌼 – 🛗 🆃🆅 🖎 🖎 🕙 ⑩
⊚ ⓪ *VISA*. 🎇
  chiuso novembre – **Pasto** carta 30/50000 – **28 cam** 😳 55/110000 – ½ P 130000.

CANDELI *Firenze* 430 *K 16 – Vedere Firenze.*

CANDELO 13878 Biella **428** F 6, **219** ⑮ – 7 743 ab. alt. 340.

Roma 671 – Aosta 96 – Biella 5 – Milano 97 – Novara 51 – Torino 77 – Vercelli 37.

XX **Angiulli**, via Sandigliano 112 *℘* 015 2538998, *Fax 015 2538998*, Coperti limitati; solo su
✿ prenotazione – 🗐, 🖭 ⓞ ⓬ *VISA*. 🛠
chiuso agosto, lunedì e a mezzogiorno (escluso sabato-domenica) – **Pasto** 85/95000 e
carta 80/110000
Spec. Zuppetta di legumi e cereali con code di gamberi. Cavatelli al ragù di frattaglie di
capretto (ottobre-maggio). Fonduta di cioccolato con friandises e frutta (ottobre-maggio).

X **Fuori le Mura**, via Marco Pozzo 4 *℘* 015 2536155, *Fax 015 2536155*, Coperti limitati;
prenotare – 🖭. 🛠
chiuso Capodanno, dal 1° al 15 agosto e lunedì – **Pasto** 25000 (solo a mezzogiorno) e carta
40/60000.

CANDIA CANAVESE 10010 Torino **428** G 5 – 1 345 ab. alt. 285.

Roma 658 – Torino 33 – Aosta 90 – Milano 115 – Novara 70.

🏠 **Residenza del Lago**, via Roma 48 *℘* 011 9834885, *hotel.lacresid@flashnet.it*,
Fax 011 9834886, « In una tipica casa colonica canavesana » – 🖭 🕭 🅿. 🖭. 🛠
Pasto (chiuso dal 1° al 20 agosto; prenotare) 50/65000 – **11 cam** 🖙 120/140000 –
½ P 100000.

XX **Al Cantun**, piazza 7 Martiri 3 *℘* 011 9834540, prenotare – 🗐. 🖭 🕏 ⓞ ⓬ *VISA*
chiuso dall'8 al 15 gennaio, dal 31 luglio al 27 agosto e lunedì – **Pasto** carta 45/75000.

Lisez attentivement l'introduction : c'est la clé du guide.

CANELLI 14053 Asti **428** H 6 – 10 326 ab. alt. 157.

Roma 603 – Alessandria 43 – Genova 104 – Asti 29 – Milano 131 – Torino 92.

🏠 **Asti** 🕭 senza rist, viale Risorgimento 174 *℘* 0141 824220, *Fax 0141 822449* – 🛗 🖭 🚗 🅿.
🖭 🕏 ⓞ ⓬ *VISA* 🇯🇨🇧
24 cam 🖙 110/160000.

XXX **San Marco**, via Alba 136 *℘* 0141 823544, *rist_sanmarco@libero.it*, *Fax 0141 829205*, Co-
✿ perti limitati; prenotare – 🗐. 🖭 🕏 ⓞ ⓬ *VISA*
chiuso dal 20 luglio al 12 agosto, martedì sera e mercoledì – **Pasto** 35000 (solo a mezzo-
giorno) 65/100000 e carta 60/100000
Spec. Taglierini fatti in casa con tartufo bianco (autunno-inverno). Filetto di vitello alla
pastora con salsa di nocciole. Tortino al Gianduia con zabaglione al Moscato d'Asti.

CANEVA 33070 Pordenone **428** E 19 – 6 264 ab..

Roma 588 – Belluno 52 – Pordenone 24 – Portogruaro 47 – Treviso 44 – Udine 80.

🏠 **Ca' Damiani** 🕭 senza rist, via Vittorio Veneto 3, località Stevenà *℘* 0434 799092,
Fax 0434 799333, « Villa settecentesca in un parco secolare » – 🖭 🕭 🅿. 🖭 🕏 ⓞ ⓬ *VISA*
11 cam 🖙 170/250000.

CANICATTÌ Agrigento **432** O 23 – Vedere Sicilia alla fine dell'elenco alfabetico.

CANNA 87070 Cosenza **431** G 31 – 924 ab. alt. 417.

Roma 488 – Castrovillari 86 – Cosenza 132 – Crotone 174 – Lagonegro 107.

X **Le Logge**, via Roma 26/b *℘* 0981 934507 – 🗐
🐝 *chiuso dal 1° al 10 ottobre, lunedì e a mezzogiorno* – **Pasto** carta 25/40000.

CANNERO RIVIERA 28821 Verbania **428** D 8 *G. Italia* – 1 128 ab. alt. 225.

Vedere Insieme★★.

Roma 687 – Stresa 30 – Locarno 25 – Milano 110 – Novara 87 – Torino 161.

🏠 **Cannero** 🕭, piazza Umberto I 2 *℘* 0323 788046 e rist *℘* 0323 788047, *Fax 0323 788048*,
≤ lago e monti, 🍴, 🏊 riscaldata, 🛠 – 🛗, 🕭 rist, 🗐 rist, 🕭 🅿. 🖭 🕏 ⓞ ⓬ *VISA*. 🛠 rist
9 marzo-5 novembre – **Pasto** al Rist. *I Castelli* carta 60/115000 – **40 cam** 🖙 200/280000 –
½ P 150000.

🏠 **Park Hotel Italia** 🕭, viale delle Magnolie 19 *℘* 0323 788488, *parkhot-cannero@iol.it*,
Fax 0323 788498, ≤ lago e monti, 🍴, « Terrazza-giardino con 🏊 », 🛠 – 🛗 🖭 🅿. 🕏 ⓞ ⓬
VISA 🇯🇨🇧. 🛠 rist
7 aprile-21 ottobre – **Pasto** carta 45/75000 – **25 cam** 🖙 245/290000 – ½ P 175000.

CANNETO SULL'OGLIO 46013 Mantova 428 , 429 G 13 – 4 558 ab. alt. 35.
Roma 493 – Parma 44 – Brescia 51 – Cremona 32 – Mantova 38 – Milano 123.

🏨 **Margot** senza rist, via Tazzoli, strada statale Asolana ℘ 0376 709011, Fax 0376 723961 – 📱
🔲 📺 📞 ♿ 🅿 🟦 🖪 ⑩ ⑩ 🆚
23 cam ⚏ 100/190000.

🍴🍴 **Alla Torre,** piazza Matteotti 5 ℘ 0376 70121, Fax 0376 70121 – 🔲. 🟦 🖪 ⑩ ⑩ 🆚. 🎉
chiuso dall'8 al 29 agosto e mercoledì – **Pasto** carta 45/75000.

verso Carzaghetto Nord-Ovest : 3 km :

🍴🍴🍴🍴 **Dal Pescatore,** ⋈ 46013 ℘ 0376 723001, santini@dalpescatore.com, Fax 0376 70304,
🌼🌼🌼 Confort accurato; prenotare, « Servizio serale estivo in giardino » – 🔲 🅿. 🟦 🖪 ⑩ ⑩ 🆚
🄹🄲🄱. 🎉
chiuso dal 1º al 21 gennaio, da agosto al 5 settembre, lunedì, martedì e mercoledì a
mezzogiorno – **Pasto** 195000 e carta 140/225000
Spec. Tinca e anguilla in carpione al profumo di arancia. Tortelli di erbette, burrata pugliese
e Parmigiano Reggiano. Petto d'anatra all'aceto balsamico tradizionale e mostarda di
frutta.

CANNIGIONE Sassari 433 D 10 – Vedere Sardegna (Arzachena) alla fine dell'elenco alfabetico.

CANNIZZARO Catania 432 O 27 – Vedere Sicilia alla fine dell'elenco alfabetico.

CANNOBIO 28822 Verbania 428 D 8 G. Italia – 5 122 ab. alt. 224.
Vedere Orrido di Sant'Anna★ Ovest : 3 km.
🄱 viale Vittorio Veneto 4 ℘ 0323 71212, fax 0323 71212.
Roma 694 – Stresa 37 – Locarno 18 – Milano 117 – Novara 94 – Torino 168.

🏨 **Pironi** senza rist, via Marconi 35 (nel centro storico) ℘ 0323 70624, hotel.pironi@cannobio
.net, Fax 0323 72184, « In un monastero del 1400 » – 📱 🟦 🖪 ⑩ ⑩ 🆚. 🎉
marzo-novembre – **12 cam** ⚏ 200/250000.

🏠 **Villa Belvedere** ⌂, via Casali Cuserina 2 (Ovest : 1 km) ℘ 0323 70159, hotel.villabelvede
re@cannobio.net, Fax 0323 71991, 🎏, « Parco giardino con ⊒ riscaldata » – 📺 🅿. 🟦 🖪
⑩ 🆚 rist
20 marzo-10 ottobre – **Pasto** (solo per alloggiati e chiuso a mezzogiorno) – **18 cam**
⚏ 130/220000 – ½ P 125000.

🍴🍴🍴 **Scalo,** piazza Vittorio Emanuele 32 ℘ 0323 71480, Fax 0323 738800, 🎏, prenotare – 🟦
🖪 ⑩ ⑩ 🆚. 🎉
chiuso dall'8 gennaio al 13 febbraio, lunedì e martedì a mezzogiorno; in agosto aperto
lunedì sera – **Pasto** 60/75000 e carta 70/110000.

sulla strada statale 34 :

🍴🍴🍴 **Del Lago** con cam, via Nazionale 2, località Carmine Inferiore ⋈ 28822 ℘ 0323 70595, lag
🌼 o@cannobio.net, Fax 0323 70595, ≤, 🎏, prenotare, « Terrazze e giardino in riva al lago »,
🅰⌂ – 📺 🅿. 🟦 🖪 ⑩ ⑩ 🆚. 🎉
marzo-novembre – **Pasto** (chiuso martedì e mercoledì a mezzogiorno) 80/120000 e carta
80/155000 – ⚏ 15000 – **10 cam** 145/170000
Spec. Spaghetti al nero di seppia con gamberi al profumo di erba cipollina. Rombo in salsa
di scalogno con caviale. Piccione al forno profumato al moscato.

in Valle Cannobina :

🍴🍴 **Mulini del Mater,** via Mulini del Mater 2 (Nord-Ovest : 4,5 km) 28822 ℘ 0323 77290, 🎏,
prenotare. 🎉
16 marzo-15 novembre; chiuso lunedì escluso dal 15 luglio ad agosto – **Pasto** carta
60/110000.

CANONICA Milano 428 F 9, 219 ⑲ – alt. 231 – ⋈ 20050 Triuggio.
Roma 597 – Como 34 – Milano 35 – Bergamo 37 – Lecco 31 – Monza 9.

🍴 **La Zuccona,** via Immacolata 29 (Nord : 2 km) ℘ 0362 919720 – 🟦 🖪 ⑩ ⑩ 🆚. 🎉
chiuso agosto, lunedì sera e martedì – **Pasto** specialità risotti carta 55/75000.

CANTALUPO Milano – Vedere Cerro Maggiore.

CANTALUPO NEL SANNIO 86092 Isernia 430 R 25, 431 C 25 – 766 ab. alt. 587.
Roma 227 – Campobasso 32 – Foggia 120 – Isernia 19 – Napoli 132.

🍴 **Antica Trattoria del Riccio,** via Sannio 7 ℘ 0865 814246 – 🎉
chiuso dal 5 al 12 giugno, la sera e lunedì – **Pasto** carta 30/40000.

CANTELLO 21050 Varese **428** E 8, **219** ⑧ – 4 192 ab. alt. 404.

　　Roma 640 – Como 26 – Lugano 29 – Milano 59 – Varese 9.

XX **Madonnina** con cam, largo Lanfranco 1, località Ligurno ℰ 0332 417731, elmado@worki
　　ng.it, Fax 0332 418403, 斎, « Parco-giardino » – 🆃🆅 🅿 – 🔏 100. 🖭 🕄 ① 🐠 🚾. ⋘
　　Pasto (chiuso lunedì) carta 60/85000 – 🖙 16000 – **14 cam** 120/170000, 2 suites –
　　½ P 180000.

X **L'Osteria**, via Roma 4 ℰ 0332 418672, Fax 0332 417802 – 🖭 🕄 🚾
　　chiuso Natale, agosto e mercoledì – **Pasto** 20000 (a mezzogiorno) 55000 (la sera) e carta
　　25/55000.

CANTÙ 22063 Como **428** E 9 – 35 595 ab. alt. 369.

　　Roma 608 – Como 10 – Bergamo 53 – Lecco 33 – Milano 38.

🏨 **Canturio** senza rist, via Vergani 28 ℰ 031 716035, Fax 031 720211 – 🛗 🗏 🆃🆅 🅿 – 🔏 35.
　　🖭 🕄 ① 🐠 🚾. ⋘
　　chiuso dal 24 dicembre al 6 gennaio ed agosto – 🖙 25000 – **30 cam** 150/200000.

XX **Al Ponte**, via Vergani 25 ℰ 031 712561 – 🕄 🚾
　　chiuso agosto e lunedì – **Pasto** carta 40/60000.

XX **La Scaletta** con cam, via Milano 30 ℰ 031 716540, Fax 031 716540 – 🆃🆅 🅿. 🖭 🕄 ① 🐠
　　🚾. ⋘
　　chiuso dal 1° all'8 gennaio e dal 5 agosto al 5 settembre – **Pasto** (chiuso venerdì sera e
　　sabato a mezzogiorno) carta 45/70000 – **8 cam** 🖙 90/130000 – ½ P 120000.

XX **Le Querce**, località Mirabello Sud-Est : 2 km ℰ 031 731336, Fax 031 735038, 斎, « Nel
　　bosco », 庵 – 🅿. 🖭 🕄 ① 🚾
　　chiuso dal 1° al 10 gennaio, dal 1° al 28 agosto, lunedì sera e martedì – **Pasto** 50/90000 e
　　carta 60/90000.

CANZANO 64020 Teramo **430** O 23 – 1 857 ab. alt. 448.

　　Roma 176 – Ascoli Piceno 67 – Pescara 56 – Ancona 144 – L'Aquila 57 – Teramo 27.

X **La Tacchinella**, via Roma 18 ℰ 0861 555107, Fax 0861 555625, « In due sale del 1200 ».
　　🖭 🕄 🚾. ⋘
　　chiuso lunedì (escluso 15 giugno-agosto) – **Pasto** carta 30/45000.

CANZO 22035 Como **428** E 9, **219** ⑨ – 4 917 ab. alt. 387.

　　Roma 620 – Como 20 – Bellagio 20 – Bergamo 56 – Lecco 23 – Milano 52.

🏨 **Volta**, via Volta 58 ℰ 031 681225, Fax 031 670167 – 🛗 🆃🆅 🅿. 🖭 🕄 ① 🐠 🚾. ⋘ rist
　　Pasto carta 45/65000 – **16 cam** 🖙 90/140000 – ½ P 115000.

CANZOLINO Trento – Vedere Pergine Valsugana.

CAORLE 30021 Venezia **429** F 20 – 11 416 ab. – a.s. luglio-agosto.

　　🇬 Prà delle Torri (10 febbraio-novembre; chiuso martedì escluso da maggio a settembre)
　　località Valle Altanea ⊠ 30020 Porto Santa Margherita ℰ 0421 299570, Fax 0421 299570.
　　🇮 calle delle Liburniche 16 ℰ 0421 81085, Fax 0421 218623.
　　Roma 587 – Udine 74 – Milano 326 – Padova 96 – Treviso 63 – Trieste 112 – Venezia 76.

🏨 **Airone**, via Pola 1 ℰ 0421 81570, Fax 0421 82074, ≼, « Parco-pineta con 🛏 e ⋘ », 🏖 –
　　🛗 🗏 🆃🆅 🅿. 🕄 🚾. ⋘
　　15 maggio-20 settembre – **Pasto** 50000 – **70 cam** 🖙 165/260000, suite – ½ P 170000.

🏨 **International Beach Hotel**, viale Santa Margherita 57 ℰ 0421 81112, info@internatio
　　nalbeachhotel.it, Fax 0421 211005, 🛏 – 🛗 🗏 🆃🆅 🅿. 🕄 🐠 🚾. ⋘
　　aprile-15 ottobre – **Pasto** carta 45/50000 – **62 cam** 🖙 130/220000.

🏨 **Savoy**, riviera Marconi ℰ 0421 81879, savoy@savoyhotel.it, Fax 0421 83379, ≼, 🛏, 🏖 –
　　🛗, 🗏 rist, 🆃🆅 🅿. ⋘
　　19 dicembre-settembre – **Pasto** carta 50/70000 – **54 cam** 🖙 125/225000 – ½ P 125000.

🏨 **Splendid**, viale Santa Margherita 31 ℰ 0421 81316, splendid@splendidhotel.it,
　　Fax 0421 83379, « Terrazza-solarium con ≼ mare e costa », 🎬, 🏖 – 🛗, 🗏 rist, 🆃🆅 🅿.
　　⋘ rist
　　10 maggio-20 settembre – **Pasto** (solo per alloggiati) 30/35000 – 🖙 20000 – **47 cam**
　　110/220000 – ½ P 115000.

🏨 **Sara**, piazza Veneto 6 ℰ 0421 81123, Fax 0421 210378, ≼, 🏖 – 🛗 🗏 🆃🆅 🅿. 🖭 🕄 ① 🐠
　　🚾. ⋘ rist
　　marzo-15 ottobre – **Pasto** carta 45/110000 – **46 cam** 🖙 115/180000 – ½ P 115000.

🏨 **Stellamare,** via del Mare 8 ℰ 0421 81203, *stellama@alfa.it,* Fax 0421 83752, ≤, **Ⅰ₅, ≦s,**
🔼s – ⅋ ≡ TV ⇔ 🅿. 🖭 🛐 ⑩ ⑳ VISA. ℅ rist
Pasqua-2 novembre – **Pasto** *(Pasqua-settembre)* carta 50/70000 – 🖙 25000 – **33 cam**
135/190000 – ½ P 115000.

🏨 **Janeiro,** via Emilia 5 ℰ 0421 81056, Fax 0421 82126, 🔼s – ≡ rist, TV 🅿. 🛐 ⑩ ⑳ VISA. ℅ rist
25 maggio-18 settembre – **Pasto** 35000 – **28 cam** 🖙 110/180000 – ½ P 110000.

🏨 **Marzia,** viale Dante Alighieri 2 ℰ 0421 81477, *marzia@alfa.it,* Fax 0421 210611 – ≡ TV 🅿.
🖭 🛐 ⑩ ⑳ VISA. ℅
Carnevale e 21 marzo-ottobre – **Pasto** (solo per alloggiati) – **26 cam** 🖙 150/200000, 3
suites – ½ P 115000.

🏨 **Serena** senza rist, lungomare Trieste 39 ℰ 0421 81133, Fax 0421 210830, ≤, 🔼s – ⅋ TV
🅿. ℅
Pasqua-settembre – **32 cam** 🖙 100/200000.

🍴🍴 **Duilio** con cam, strada Nuova 19 ℰ 0421 210361, Fax 0421 210089, 🏵, prenotare, 🍴 🖸
– ≡ TV 🅿 – 🔼 50. 🖭 🛐 ⑩ ⑳ VISA JCB. ℅ cam
Pasto *(chiuso dall'11 al 28 gennaio e lunedì escluso da giugno al 20 settembre)* carta
45/80000 – **28 cam** 🖙 100/130000 – ½ P 90000.

a Porto Santa Margherita *Sud-Ovest : 6 km oppure 2 km e traghetto* – ✉ 30021 Caorle.
🅱 *(maggio-settembre) corso Genova 21* ℰ 0421 260230

🏨🏨 **Hotel San Giorgio,** via dei Vichinghi 1 ℰ 0421 260050, *s.giorgio@eahotels.it,*
Fax 0421 261077, ≤, « Parco-pineta con 🔲 », 🔼s, ℅ – ⅋ ≡ TV 🅿. 🖭 🛐 ⑩ ⑳ VISA.
℅ rist
20 maggio-20 settembre – **Pasto** (solo per alloggiati) 40000 – **100 cam** 🖙 170/220000 –
½ P 165000.

🏨🏨 **Ausonia** ◑ senza rist, Centro Vacanze Prà delle Torri Sud-Ovest : 3 km ℰ 0421 299445,
pratorri@alfa.it, Fax 0421 299035, **Ⅰ₅,** 🔲riscaldata, 🔼s, ℅, – ⅋ ≡ TV 🅿 – 🔼 100. 🖭 🛐 ⑩ ⑳
VISA. ℅
12 aprile-settembre – **68 cam** 🖙 115/200000.

🏨 **Oliver,** viale Lepanto 3 ℰ 0421 260002, *oliver@alfa.it,* Fax 0421 261330, ≤, « Piccola pine-
ta », 🔲, 🔼s, 🍴 – ≡ rist, TV 🅿. 🖭 🛐 VISA. ℅
maggio-settembre – **Pasto** carta 45/65000 – 🖙 16000 – **66 cam** 110/190000 –
½ P 130000.

a Duna Verde *Sud-Ovest : 10 km* – ✉ 30021 Caorle :

🏨🏨 **Playa Blanca,** viale Cherso 80 ℰ 0421 299282, *info@playablanca.it,* Fax 0421 299283, ≤,
« Piccola pineta con 🔲 » – ⅋ TV 🅿. 🛐 ⑳ VISA. ℅ rist
18 maggio-16 settembre – **Pasto** (solo per alloggiati) 30/35000 – **45 cam** 🖙 160/210000 –
½ P 115000.

a San Giorgio di Livenza *Nord-Ovest : 12 km* – ✉ 30020 :

🍴🍴 **Al Cacciatore,** corso Risorgimento 35 ℰ 0421 80331, Fax 0421 290233 – ≡ 🅿. 🖭 🛐 ⑩
⑳ VISA JCB. ℅
chiuso mercoledì e dal 1° al 25 luglio – **Pasto** specialità di mare carta 55/90000.

CAPACCIO SCALO *Salerno* 🔢 F 27 – *Vedere Paestum.*

CAPALBIO *58011 Grosseto* 🔢 O 16 *G. Toscana* – *3 867 ab. alt. 217* – *a.s. Pasqua e 15 giugno-15
settembre.*
Roma 139 – *Grosseto 60* – *Civitavecchia 63* – *Orbetello 25* – *Viterbo 75.*

🏨🏨 **Valle del Buttero** ◑ senza rist, via Silone 21 ℰ 0564 896097, *info@valledelbuttero.it,*
Fax 0564 896518, ≤ – TV 🅿 – 🔼 30. 🖭 🛐 ⑩ ⑳ VISA. ℅
chiuso dal 21 al 25 dicembre – 🖙 12000 – **42 cam** 90/200000.

🍴🍴 **Il Cantinone,** piazza Porticina 4 ℰ 0564 896073, *cantinone@nevib.it,* Fax 0564 896613,
🏵 – 🖭 🛐 ⑩ ⑳ VISA
chiuso dal 14 febbraio al 15 marzo e lunedì (escluso luglio-agosto) – **Pasto** carta 40/75000
(10 %).

🍴🍴 **Tullio,** via Nuova 27 ℰ 0564 896196, 🏵 – ≡. 🛐 ⑳ VISA
chiuso dal 5 al 20 novembre e mercoledì – **Pasto** carta 45/65000.

CAPANNETTE DI PEY *Piacenza* – *Vedere Zerba.*

CAPANNORI *Lucca* 🔢, 🔢 K 13 – *Vedere Lucca.*

CAPEZZANO PIANORE *Lucca* 🔢, 🔢, 🔢 K 12 – *Vedere Camaiore.*

CAPIAGO INTIMIANO 22070 Como **428** E 9, **219** ⑨ – 4 796 ab. alt. 424.

Roma 600 – Como 4 – Bergamo 65 – Lecco 27 – Milano 41.

XX **Grillo**, località Chigollo Nord-Est : 1,3 km ℘ 031 460185, Fax 031 560132, 🏠, Elegante trattoria di campagna, « Servizio estivo all'aperto » – **P.** 🖭 🚯 ⓪ ⓪ **VISA**
chiuso dal 1° al 20 gennaio, lunedì sera e martedì – **Pasto** carta 65/105000.

CAPO D'ORLANDO Messina **432** M 26 – Vedere Sicilia alla fine dell'elenco alfabetico.

CAPO D'ORSO Sassari – Vedere Sardegna (Palau) alla fine dell'elenco alfabetico.

CAPO LA GALA Napoli – Vedere Vico Equense.

CAPOLAGO Varese **219** ⑦ ⑧ – Vedere Varese.

CAPOLIVERI Livorno **430** N 13 – Vedere Elba (Isola d').

CAPOLONA 52010 Arezzo **430** L 17 – 4 733 ab. alt. 254.

Roma 223 – Rimini 131 – Siena 75 – Arezzo 15 – Firenze 90 – Perugia 87.

XXX **Acquamatta**, piazza della Vittoria 13 ℘ 0575 420999, acquamatta@ats.it,
🕸 Fax 0575 421807, Coperti limitati; solo su prenotazione a mezzogiorno – 🖭 🚯 ⓪ ⓪ **VISA**
JCB. 🛠
chiuso dal 7 al 21 gennaio, dal 14 al 20 agosto, domenica e lunedì – **Pasto** 80/95000 e carta 80/100000
Spec. Scampi gratinati con pecorino di Pienza su sfoglie di patate e tartufo. Farfalle di pasta pomodoro farcite con branzino, salvia e lardo di Colonnata (primavera-estate). Suprema di pernice in casseruola con salsa di Cassis.

In this guide

a symbol or a character,
printed in red or **black**, in light or *bold* type,
does not have the same meaning.

Pay particular attention to the explanatory pages.

CAPO MISENO Napoli – Vedere Bacoli.

CAPO TAORMINA Messina **432** N 15 – Vedere Sicilia (Taormina) alla fine dell'elenco alfabetico.

CAPO VATICANO Vibo Valentia **431** L 29 – Vedere Tropea.

CAPRACOTTA 86082 Isernia **430** Q 24 – 1 175 ab. alt. 1421.

Roma 212 – Campobasso 86 – Avezzano 127 – Isernia 43 – Pescara 107.

🏠 **Capracotta**, via Vallesorda ℘ 0865 945140 e rist. ℘0865 945368, Fax 0865 945140, ≤
🐾 monti e dintorni – 🛗 🖭 🚗 **P.** – 🔏 80. 🖭 🚯 ⓪ ⓪ **VISA**. 🛠
chiuso novembre – **Pasto** al Rist. *Il Ginepro* carta 45/55000 – **25 cam** 🖙 100/140000 –
½ P 85000.

CAPRESE MICHELANGELO 52033 Arezzo **429**, **430** L 17 G. Toscana – 1 593 ab. alt. 653.

Roma 260 – Rimini 121 – Arezzo 45 – Firenze 123 – Perugia 95 – Sansepolcro 26.

X **Buca di Michelangelo** 🐾 con cam, via Roma 51 ℘ 0575 793921, Fax 0575 793941, ≤
🐾 – 🖭 🖭 🚯 ⓪ **VISA**. 🛠
chiuso dal 10 al 25 febbraio – **Pasto** (chiuso mercoledì) carta 30/50000 – 🖙 8000 – **19 cam**
60/90000 – ½ P 90000.

X Il Rifugio, località Lama 367 (Ovest : 2 km) ℘ 0575 793968, Fax 0575 793752.

ad Alpe Faggeto Ovest : 6 km – alt. 1 177 – ⊠ 52033 Caprese Michelangelo

X **Fonte della Galletta** 🐾 con cam, ℘ 0575 793925, Fax 0575 793925, ≤ val Tiberina, 🌲
– 🖭 **P.** 🖭 🚯 ⓪ ⓪ **VISA**. 🛠
Pasqua-6 gennaio; chiuso martedì escluso luglio-agosto – **Pasto** 40/60000 e carta 50/
65000 – 🖙 15000 – **19 cam** 90/120000 – ½ P 95000.

CAPRI (Isola di) *Napoli* 431 F 24 *G. Italia – 13 158 ab. alt. da 0 a 589 (monte Solaro) – a.s. Pasqua e giugno-settembre.*

La limitazione d'accesso degli autoveicoli è regolata da norme legislative.

Vedere *Marina Grande*★ **BY** – *Escursioni in battello : giro dell'isola*★★★ **BY**, *grotta Azzurra*★★ **BY** *(partenza da Marina Grande).*

per Napoli (1 h 15 mn) e Sorrento (45 mn), giornalieri – Caremar-agenzia Angelina, Marina Grande ☎ *081 8370700, Fax 081 8376147.*

per Sorrento giornalieri (da 20 a 50 mn) e Ischia aprile-ottobre giornalieri (40 mn) – Alilauro, Marina Grande 2/4 ☎ *081 8376995, Fax 081 8376995; per Sorrento giornalieri (20 mn).*

– Navigazione Libera del Golfo, Marina Grande ☎ *081 8370819; per Napoli giornalieri (45 mn) – a Marina Grande, Aliscafi SNAV-agenzia Staiano* ☎ *081 8377577, Caremar-agenzia Angelina* ☎ *081 8370700, Fax 081 8376147 e Navigazione Libera del Golfo* ☎ *081 8370819.*

CAPRI

Camerelle (Via)	BZ	
Certosa (Via)	BZ	6
Croce (Via)	BZ	
Fenicia (Scala)	BY	8
Fuorlovado (Via)	BZ	9
Le Botteghe (Via)	BZ	10
Madre Serafina (Via)	BZ	12
S. Francesco (V.)	BZ	14
Serena (Via)	BZ	16
Sopramonte (V.)	BZ	17
Tiberio (Via)	BZ	18
Tragara (Via)	BZ	21
Umberto I° (Pza)	BZ	
Vittorio Emanuele (Via)	BZ	23

ANACAPRI

Munthe (V. A.)	AZ	13
Vittoria (Pza d.)	AZ	27

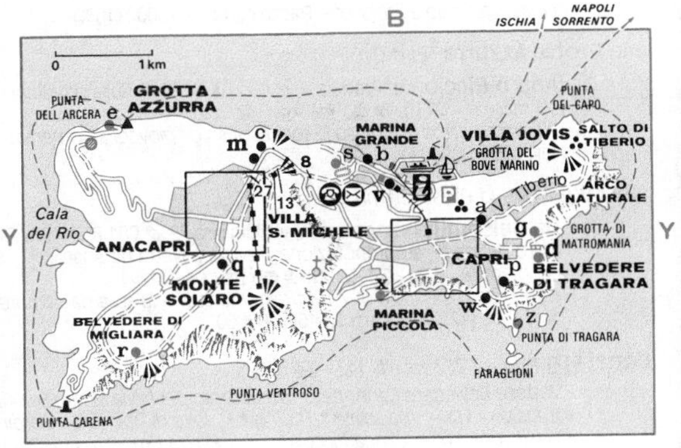

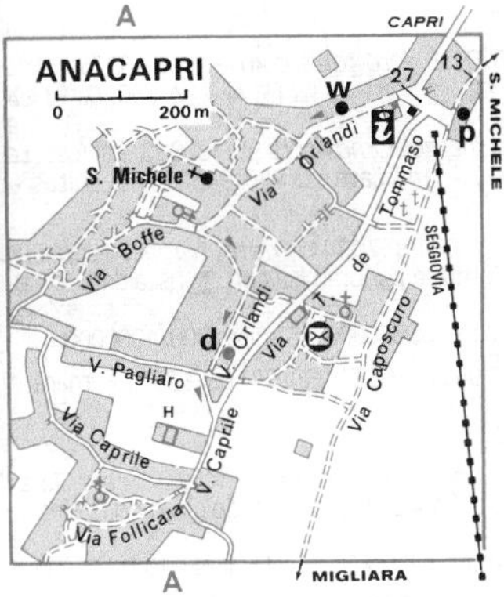

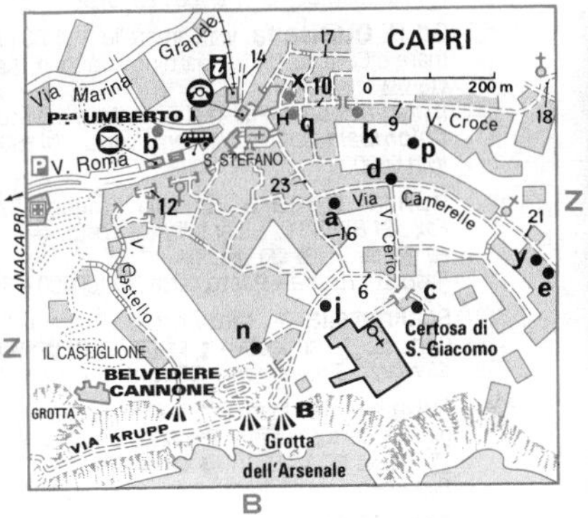

Anacapri 431 F 24 – *5 894 ab. alt. 275* – ✉ *80071.*

Vedere *Monte Solaro*★★★ **BY** : ✻★★★ *per seggiovia 15 mn – Villa San Michele*★ **BY** : ✻★★★ *– Belvedere di Migliara*★ **BY** *1 h AR a piedi – Pavimento in maiolica*★ *nella chiesa di San Michele* **AZ.**

via Orlandi 19/a ☎ *081 8371524*

Capri Palace Hotel, via Capodimonte 2 ☎ 081 8373800, *info@capri-palace.com, Fax 081 8373191,* ←, , Camere con piccola piscina privata, « Terrazze fiorite con », , , – – 200. AE VISA JCB. AZ p *aprile-ottobre* – **Pasto** al Rist. ***L'Olivo*** 100000 e carta 100/160000 – **80 cam** 360/550000, 3 suites – ½ P 355000.

🏨 Caesar Augustus ⬙ senza rist, via Orlandi 4 ☏ 081 8371421, *info@caesar-augustus.cc m*, Fax 081 8371444, « Posizione panoramica a strapiombo sul mare », ⌐, – 📱 **P**. AE ⑤ ⓪ ⓌⓈ **VISA JCB**
aprile-ottobre – ☑ 25000 – **51 cam** 250/400000, 5 suites.
BY c

🏨 Biancamaria senza rist, via Orlandi 54 ☏ 081 8371000, Fax 081 8372060, ≤ – 📱 **TV**. AE ⑤ **VISA**. ⌗
aprile-ottobre – **23 cam** ☑ 180/240000.
AZ w

🏨 Bellavista, via Orlandi 10 ☏ 081 8371463, Fax 081 8370957, ≤ golfo di Napoli, 🚗 – **P**. AE ⑤ ⓪ ⓌⓈ **VISA**. ⌗
Pasqua-ottobre – **Pasto** carta 40/55000 – **13 cam** ☑ 160/280000, 2 suites.
BY m

🏨 Il Girasole ⬙, via Linciano 47 ☏ 081 8372351, *ilgirasole@capri.it*, Fax 081 8373880, 🏛, Navetta su prenotazione, « Terrazze-giardino con ⌐ » – **TV**. AE ⑤ ⓪ ⓌⓈ **VISA**. ⌗
Pasto carta 30/40000 – **23 cam** ☑ 160/250000 – 1/2 P 130000.
BY q

XX La Rondinella, via Orlandi 245 ☏ 081 8371223, 🏛, Rist. e pizzeria alla sera – AE ⑤ ⓪ ⓌⓈ **VISA**
chiuso gennaio e febbraio – **Pasto** carta 45/70000 (10 %).
AZ d

alla Grotta Azzurra Nord-Ovest : 4,5 km :

X Add'ò Riccio, via Gradula 4 ☏ 081 8371380, « Sulla scogliera; servizio estivo in terrazza sul mare » – AE ⑤ ⓪ ⓌⓈ **VISA JCB**. ⌗
20 marzo-ottobre; chiuso la sera escluso da giovedì a domenica in giugno-agosto – **Pasto** carta 65/100000 (12 %).
BY e

alla Migliara Sud-Ovest : 30 mn a piedi :

X Da Gelsomina ⬙ con cam, via Migliara 72 ☏ 081 8371499, Fax 081 8371499, ≤ Ischia e golfo di Napoli, su prenotazione servizio navetta da Anacapri, « Servizio estivo in terrazza panoramica », ⌐ – **TV**. AE ⑤ ⓪ ⓌⓈ **VISA**. ⌗ cam
chiuso dal 7 gennaio al 7 febbraio, martedì e la sera da ottobre a maggio – **Pasto** carta 40/75000 (12 %) – **5 cam** ☑ 160/180000.
BY r

Capri 431 F 24 – 7 252 ab. alt. 142 – ⬚ 80073.

Vedere Belvedere Cannone★★ BZ accesso per la via Madre Serafina★ BZ 12 – Belvedere di Tragara★★ BY – Villa Jovis★★ BY : ✳★★, salto di Tiberio★ – Giardini di Augusto ≤★★ BZ B – Via Krupp★ BZ – Marina Piccola★ BY – Piazza Umberto I★ BZ – Via Le Botteghe★ BZ 10 – Arco Naturale★ BY.

🛈 piazza Umberto I 1 ☏ 081 8370686

🏨 Gd H. Quisisana, via Camerelle 2 ☏ 081 8370788, *info@quisi.com*, Fax 081 8376080, ≤ mare e Certosa, 🏛, « Giardino con ⌐ », ⒗, ≘, ⌐, ✻ – 📱 🖵 **TV** ✆ – ⚿ 550. AE ⑤ ⓪ ⓌⓈ **VISA**. ⌗
marzo-ottobre – **Pasto** al Rist. **Quisi** (chiuso a mezzogiorno) carta 95/180000 e al Rist. **La Colombaia** (chiuso la sera) carta 70/150000 – **143 cam** ☑ 420/945000, 7 suites – 1/2 P 560000.
BZ a

🏨 Punta Tragara ⬙, via Tragara 57 ☏ 081 8370844, *hotel.tragara@capri.it*, Fax 081 8377790, ≤ Faraglioni e costa, 🏛, « Terrazza panoramica con ⌐ riscaldata » – 📱 🖵 ⓪ ⓌⓈ **VISA**. ⌗
Pasqua-ottobre – **Pasto** carta 70/100000 – **35 cam** ☑ 650000, 15 suites 800/1000000.
BY p

🏨 Scalinatella ⬙ senza rist, via Tragara 8 ☏ 081 8370633, Fax 081 8378291, ≤ mare e Certosa, ⌐ riscaldata – 📱 🖵 **TV**. AE ⑤ ⓪ ⓌⓈ **VISA**
15 novembre-30 marzo – **30 cam** ☑ 650/920000.
BZ e

🏨 Luna ⬙, viale Matteotti 3 ☏ 081 8370433, *luna@capri.it*, Fax 081 8377459, ≤ mare, Faraglioni e Certosa, 🏛, « Terrazza con ≤ mare, Faraglioni e Certosa; grande giardino fiorito », ⌐ – 📱 🖵 **TV** ✆. AE ⑤ ⓪ ⓌⓈ **VISA**. ⌗
Pasqua-ottobre – **Pasto** carta 65/85000 – **50 cam** ☑ 480/600000, 4 suites – 1/2 P 370000.
BZ j

🏨 Casa Morgano ⬙ senza rist, via Tragara 6 ☏ 081 8370158, *casamorgano@capri.it*, Fax 081 8370681, ≤ mare e Certosa, « Terrazze fiorite in pineta », ⌐ riscaldata – 📱 🖵 **TV**. AE ⑤ ⓪ ⓌⓈ **VISA**
26 marzo-5 novembre – **28 cam** ☑ 370/740000.
BZ y

🏨 La Pazziella ⬙ senza rist, via Giuliani 4 ☏ 081 8370044, Fax 081 8370085, « Giardino fiorito » – 🖵 **TV**. AE ⑤ ⓪ ⓌⓈ **VISA**. ⌗
aprile-ottobre – **18 cam** ☑ 280/400000, suite.
BZ p

🏨 Villa Brunella ⬙, via Tragara 24 ☏ 081 8370122, *villabrunella@capri.it*, Fax 081 8370430, ≤ mare e costa, 🏛, « Terrazze fiorite con ⌐ riscaldata » – 📱 🖵 **TV**. AE ⑤ ⓪ ⓌⓈ **VISA JCB**. ⌗
19 marzo-5 novembre – **Pasto** al Rist. **Brunella Terrace** (prenotare) carta 55/95000 (12 %) – **20 cam** ☑ 380/540000.
BY w

🏨 **Syrene,** via Camerelle 51 ℰ 081 8370102, *syrene@capri.it*, Fax 081 8370957, ≼, 🛖, « Giardino-limonaia con 🍸 » – 📞 🗏 📺 🗚 🖪 ⓪ ⓰ 𝘝𝘐𝘚𝘈. ⋇ BZ **d**
aprile-ottobre – **Pasto** *(chiuso martedì escluso da giugno a settembre)* carta 55/70000 – **34 cam** ⊊ 330/520000 – ½ P 280000.

🏨 **Canasta** senza rist, via Campo di Teste 6 ℰ 081 8370561, *canasta@capri.it*, Fax 081 8376675 – 📞 🗲 🗚 🖪 ⓪ ⓰ 𝘝𝘐𝘚𝘈. ⋇ BZ **c**
chiuso dal 15 gennaio al 15 marzo – **17 cam** ⊊ 160/320000.

🏠 **Villa Sarah** ⌂ senza rist, via Tiberio 3/a ℰ 081 8377817, *info@villasarah.it*, Fax 081 8377215, ≼, « Giardino ombreggiato » – 📺 🗚 🖪 ⓪ ⓰ 𝘝𝘐𝘚𝘈. ⋇ BY **a**
Pasqua-ottobre – **20 cam** ⊊ 220/320000.

🏠 **Villa Krupp** ⌂ senza rist, via Matteotti 12 ℰ 081 8370362, Fax 081 8376489, ≼ Faraglioni e costa – 🖪 ⓰ 𝘝𝘐𝘚𝘈. ⋇ BZ **n**
15 marzo-30 ottobre – **12 cam** ⊊ 145/260000.

🏠 **Florida** ⌂ senza rist, via Fuorlovado 34 ℰ 081 8370710, Fax 081 8370042, 🛖 – 📺 🗚 🖪 ⓪ ⓰ 𝘝𝘐𝘚𝘈 𝘑𝘊𝘉 BZ **k**
marzo-novembre – ⊊ 19000 – **19 cam** 100/170000.

🍴🍴 **La Capannina,** via Le Botteghe 12 bis/14 ℰ 081 8370732, *capannina@capri.it.*, Fax 081 8376990, prenotare la sera – 🗏. 🗚 🖪 ⓪ ⓰ 𝘝𝘐𝘚𝘈. ⋇ BZ **q**
27 dicembre-5 gennaio e 10 marzo-10 novembre – **Pasto** carta 65/90000 (15 %).

🍴🍴 **Aurora,** via Fuorlovado 18 ℰ 081 8370181, Fax 081 8376533, 🛖, Rist. e pizzeria – 🗚 🖪 ⓪ ⓰ 𝘝𝘐𝘚𝘈 BZ **k**
chiuso da gennaio a marzo – **Pasto** carta 55/110000 (15 %).

🍴 **Da Tonino,** via Dentecala 12 ℰ 081 8376718, « Servizio estivo in terrazza » – 🗚 🖪 ⓪ ⓰ 𝘝𝘐𝘚𝘈 BY **d**
chiuso dal 16 gennaio al 14 marzo – **Pasto** carta 45/70000.

🍴 **Buca di Bacco-da Serafina,** via Longano 35 ℰ 081 8370723, Rist. e pizzeria, prenotare – 🗏. 🗚 🖪 ⓪ ⓰ 𝘝𝘐𝘚𝘈. ⋇ BZ **x**
chiuso novembre e mercoledì, ad agosto aperto mercoledì sera – **Pasto** carta 35/65000.

🍴 **Verginiello,** via Lo Palazzo 25/a ℰ 081 8370944, Fax 081 8370944, ≼ mare e costa, Rist. e pizzeria, « Servizio estivo in terrazza panoramica » – 🗏. 🗚 🖪 ⓪ ⓰ 𝘝𝘐𝘚𝘈 𝘑𝘊𝘉. ⋇
chiuso dal 10 al 25 novembre – **Pasto** carta 35/75000. BZ **b**

all'arco naturale Est : 20 mn a piedi :
🍴 **Le Grottelle,** via Arco Naturale 13 ℰ 081 8375719, ≼ mare, « In una grotta naturale, servizio estivo in terrazza panoramica » – 🗚 BY **g**
Pasqua-ottobre; chiuso giovedì escluso luglio-settembre – **Pasto** carta 45/90000 (12 %).

ai Faraglioni Sud-Est : 30 mn a piedi oppure 10 mn di barca da Marina Piccola :
🍴 **Da Luigi,** via Faraglioni 5 ℰ 081 8370591, Fax 081 8370649, Rist. e stabilimento balneare, « Servizio estivo all'aperto con ≼ Faraglioni e mare », 🏖 – 🗚 🖪 ⓪ ⓰ 𝘝𝘐𝘚𝘈 𝘑𝘊𝘉. ⋇
Pasqua-settembre; chiuso la sera – **Pasto** carta 65/100000. BY **z**

Marina Grande 80073 🗺 F 24.
🗓 banchina del Porto ℰ 081 8370634
🏨 **Palatium,** via Provinciale 225 ℰ 081 8376144, *palatium@mbox.caprinet.it*, Fax 081 8376150, ≼ golfo di Napoli, 🛖, 🍸 d'acqua di mare – 📞 🗏 📺 📽 – 🏛 150. 🗚 🖪 ⓪ ⓰ 𝘝𝘐𝘚𝘈. ⋇ BY **b**
aprile-ottobre – **Pasto** al Rist. **La Scogliera** carta 75/120000 – **29 cam** ⊊ 280/540000, 14 suites 540/650000.

🏨 **Relais Maresca,** senza rist, via Provinciale ℰ 081 8379619, *info@relaismaresca.it*, Fax 081 8377040, ≼ – 📞 🗏 📺 🗚 🖪 ⓪ ⓰ 𝘝𝘐𝘚𝘈 𝘑𝘊𝘉 BY **v**
chiuso dal 24 al 26 dicembre, dall'8 gennaio al 18 marzo e dal 16 al 30 novembre – **27 cam** ⊊ 380/450000.

🍴 **Da Paolino,** via Palazzo a Mare 11 ℰ 081 8376102, Fax 081 8375611, « Servizio estivo in giardino-limonaia » – 🗚 🖪 ⓪ ⓰ 𝘝𝘐𝘚𝘈 𝘑𝘊𝘉 BY **s**
Pasqua-ottobre; chiuso a mezzogiorno da giugno a settembre – **Pasto** carta 55/85000.

Marina Piccola 🗺 F 24 – ✉ 80073 Capri:
🍴🍴 **Canzone del Mare,** via Marina Piccola 93 ℰ 081 8370104, Fax 081 8377504, ≼ Faraglioni e mare, 🛖, « Stabilimento balneare con 🍸 » – 🗚 🖪 ⓪ ⓰ 𝘝𝘐𝘚𝘈 𝘑𝘊𝘉. ⋇ BY **x**
Pasqua-ottobre; chiuso la sera escluso agosto – **Pasto** carta 70/120000.

CAPRIANO DEL COLLE 25020 Brescia 🗺, 🗺 F 12 – *3 808 ab. alt. 116.*
Roma 538 – Brescia 13 – Cremona 43 – Milano 80 – Verona 78.
🍴🍴 **Antica Trattoria La Pergolina,** via Trento 86, località Fenili Belasi ℰ 030 9748002, Fax 030 9748004 – 🗏 📽 🗚 🖪 ⓪ ⓰ 𝘝𝘐𝘚𝘈. ⋇
chiuso dal 27 dicembre al 6 gennaio, agosto, domenica sera e lunedì – **Pasto** carta 50/75000.

CAPRILE *Belluno – Vedere Alleghe.*

CARAGLIO *12023 Cuneo* 428 *I 4 – 6 105 ab. alt. 575.*
Roma 655 – Cuneo 12 – Alessandria 138 – Genova 156 – Torino 106.

🏨 **Quadrifoglio,** via C.L.N. 20 ℰ 0171 817666 e rist. ℰ 0171 619685, Fax 0171 817666 – 📶
📺 🅿 – 🏄 150. 🅰🅴 🆂 ⓞ 🐗 𝘝𝘐𝘚𝘈. 🕸 rist
Pasto al Rist. *Il Quadrifoglio* (chiuso dal 7 al 28 gennaio e lunedì) carta 40/50000 – ☑
12000 – **40 cam** 85/115000, 2 suites – ½ P 80000.

✕✕ **Il Portichetto,** via Roma 178 ℰ 0171 817575 – 🅿. 🅰🅴 🆂 ⓞ 𝘝𝘐𝘚𝘈. 🕸
chiuso dal 5 al 25 agosto e lunedì – **Pasto** 40/55000 e carta 40/65000.

CARAMANICO TERME *65023 Pescara* 430 *P 23 – 2 170 ab. alt. 700 – Stazione termale (aprile
ottobre).*
🅱 *corso Bernardi 39 ℰ 085 922202, Fax 085 922202.*
Roma 202 – Pescara 54 – L'Aquila 88 – Chieti 43 – Sulmona 45.

🏨 **La Reserve** 🅼 🕭, via Santa Croce ℰ 085 92391, *informazioni@lareserve.it,*
Fax 085 9239510, ≤, 🎣, ≘s, ⌥ termale, 🔲, 🎇, ♣ – 📶, ≡ rist, 📺 ✆ 㐂 🅿. 🅰🅴 🆂 ⓞ 🐗 𝘝𝘐𝘚𝘈
🅹🅲🅱. 🕸 rist
aprile-dicembre – **Pasto** 60000 – **78 cam** ☑ 290/500000 – ½ P 250000.

🏨 **Cercone,** viale Torre Alta 17/19 ℰ 085 922372, Fax 085 922271, ⌥ – 📶 📺 🅿. 🅰🅴 🆂 𝘝𝘐𝘚𝘈
🕸 rist
maggio-novembre – **Pasto** (solo per alloggiati) carta 35/45000 – **38 cam** ☑ 100/180000 –
½ P 95000.

CARANO *38033 Trento* 429 *D 16 – 933 ab. alt. 1 086 – a.s. 23 gennaio-Pasqua e Natale.*
🅱 *(luglio-settembre) via Giovanelli 38 ℰ 0462 232281.*
Roma 648 – Trento 62 – Bolzano 46 – Cortina d'Ampezzo 100.

🏨 **Bagni e Miramonti,** via Giovanelli 67/a ℰ 0462 340220, *hotelbagni@tin.it,*
🍽 *Fax 0462 340210,* ≤ monti e vallata, ≘s, 🎇 – 📶 📺 🅿. 🅰🅴 🆂 ⓞ 🐗 𝘝𝘐𝘚𝘈. 🕸 rist
15 dicembre-15 aprile e giugno-15 ottobre – **Pasto** carta 35/60000 – ☑ 22000 – **38 cam**
85/160000 – ½ P 105000.

CARASCO *16040 Genova* 428 *I 10 – 3 131 ab. alt. 31.*
Roma 466 – Genova 53 – Parma 164 – Portofino 27 – La Spezia 72.

✕ **Beppa,** via Vecchia Provinciale 89/91, località Graveglia Est : 3 km ℰ 0185 380725 – 🅿. 🆂
🍽 𝘝𝘐𝘚𝘈. 🕸
chiuso martedì e dal 10 al 31 gennaio – **Pasto** carta 35/50000.

CARATE BRIANZA *20048 Milano* 428 *E 9,* 219 ⑲ *– 16 104 ab. alt. 252.*
Roma 598 – Como 28 – Bergamo 38 – Milano 31 – Monza 12.

✕✕ **Taverna degli Artisti,** via Stanga Busca 3, località Costa Lambro Nord : 2 km
ℰ 0362 902729, Fax 0362 907225, « In un vecchio fienile » – 🅰🅴 🆂 🐗 𝘝𝘐𝘚𝘈
chiuso dal 15 al 25 gennaio , dal 6 al 26 agosto e lunedì – **Pasto** carta 60/95000.

CARAVAGGIO *24043 Bergamo* 428 *F 10 – 14 293 ab. alt. 111.*
Roma 564 – Bergamo 26 – Brescia 55 – Crema 19 – Cremona 57 – Milano 37 – Piacenza 57.

al Santuario *Sud-Ovest : 1,5 km :*

🏨 **Belvedere dei Tre Re,** via Beata Vergine 1 ✉ 24040 Misano di Gera d'Adda
ℰ 0363 340695, Fax 0363 340695, 🎇 📶 ≡ 📺 㐂 🅿. 🅰🅴 🆂 ⓞ 🐗 𝘝𝘐𝘚𝘈
Pasto carta 50/75000 – ☑ 10000 – **14 cam** 90/120000.

CARBONARA DI BARI *Bari* 431 *D 32 – Vedere Bari.*

CARBONARA DI PO *46020 Mantova* 429 *G 15 – 1 341 ab. alt. 14.*
Roma 457 – Verona 58 – Ferrara 51 – Mantova 55 – Modena 59.

🏨 **Passacör,** strada provinciale Ferrarese 4 ℰ 0386 41461, Fax 0386 41895 – 📶 ≡ 📺 㐂 🅿.
🍽 🅰🅴 🆂 ⓞ 🐗 𝘝𝘐𝘚𝘈. 🕸 rist
Pasto (chiuso a mezzogiorno) carta 35/70000 – ☑ 10000 – **37 cam** 100/140000 –
½ P 85000.

CARBONARA SCRIVIA *15050 Alessandria* [428] *H 8 – 998 ab. alt. 177.*
Roma 563 – Alessandria 27 – Genova 69 – Milano 79 – Piacenza 82 – Torino 118.

🍴🍴 **Locanda Malpassuti,** vicolo Cantù 11 ☎ 0131 892643, *Fax 0131 893000,* ⛱, Coperti limitati; prenotare, 🌳 – [P]. [AE] [S] 💳 [MC] [VISA]
chiuso martedì – **Pasto** 70000 e carta 60/90000.

CARBONIA *Cagliari* [433] J 7 – *Vedere Sardegna alla fine dell'elenco alfabetico.*

CARCOFORO *13026 Vercelli* [428] E 6, [219] ⑤ *– 75 ab. alt. 1 304.*
Roma 705 – Aosta 191 – Biella 85 – Milano 132 – Novara 85 – Torino 147 – Vercelli 91.

🍴🍴 **Scoiattolo,** via Casa del Ponte 3/b ☎ 0163 95612, *ristorantescoiattolo@libero.it,* ≤, ⛱, Coperti limitati; prenotare – [VISA]. ✂
chiuso dal 10 gennaio al 10 marzo, dal 10 al 20 giugno, dal 1° al 10 settembre, lunedì e martedì escluso in agosto – **Pasto** carta 35/60000.

CARDANO AL CAMPO *21010 Varese* [219] ⑰ *– 11 831 ab. alt. 238.*
Roma 620 – Stresa 45 – Gallarate 3 – Milano 43 – Novara 34 – Varese 21.

🏨 **Cardano** senza rist, via al Campo 10 ☎ 0331 261011, *cardano@working.it, Fax 0331 730829,* 🏊, 🌳 – |‡| ▤ [TV] 🚗 [P] – 🎪 70. [AE] [S] 💳 [MC] [VISA]
38 cam ☕ 210/270000.

Read carefully the introduction it is the key to the Guide.

CARDEDU *Nuoro* [433] H 10 – *Vedere Sardegna alla fine dell'elenco alfabetico.*

CAREZZA AL LAGO (KARERSEE) *Bolzano* [429] C 16 *G. Italia – alt. 1 609 –* ✉ *39056 Nova Levante – Sport invernali : 1 650/2 300 m* ⛷ *13,* ⛷ *(vedere anche Nova Levante e passo di Costalunga).*
Vedere Lago★.
⛳ *(maggio-ottobre) località Carezza* ✉ *39056 Nova Levante* ☎ *0471 612200, Fax 0471 612200.*
Roma 672 – Bolzano 26 – Passo Costalunga 2 – Milano 330 – Trento 91.

🏨 **Berghotel Moseralm** ⛰, via Bellavista 8 (Ovest : 3 km) ☎ 0471 612171, *hotel-moseralm@karersee.it, Fax 0471 612406,* ≤ monti Latemar e Catinaccio, ⛱, 🏋, ♨, 🏊, 🌳 – |‡|, 🚭 rist, ▤ rist, [TV] [P]. ✂
16 dicembre-22 aprile e 23 giugno-7 ottobre – **Pasto** carta 40/65000 – **35 cam** ☕ 160/280000 – ½ P 160000.

CAREZZA (Passo di) (KARERPASS) *Bolzano e Trento – Vedere Costalunga (Passo di).*

CARIGNANO *Lucca – Vedere Lucca.*

CARIMATE *22060 Como* [219] ⑲ *– 3 793 ab. alt. 296.*
⛳ *(chiuso lunedì)* ☎ *031 790226, Fax 031 790226.*
Roma 620 – Como 19 – Milano 30.

🍴🍴 **Al Torchio di Carimate,** piazza Castello 4 ☎ 031 791486, *Fax 031 791486,* prenotare – ▤. [AE] [S] 💳 [MC] [VISA]. ✂
chiuso dal 1° al 5 gennaio, agosto, domenica sera e lunedì – **Pasto** 35/40000 (a mezzogiorno) 60/70000 (la sera) e carta 65/100000.

CARISIO *13040 Vercelli* [428] F 6 *– 952 ab. alt. 183.*
Roma 648 – Torino 58 – Aosta 103 – Biella 26 – Novara 39 – Vercelli 26.

sulla strada statale 230 *Nord-Est : 6 km :*

🏨 La Bettola, località Fornace Crocicchio, strada statale Vercelli-Biella 9 ✉ 13040 ☎ 0161 858045, *Fax 0161 858100* – |‡| ▤ [TV] ♿ [P] – 🎪 50
39 cam.

CARLOFORTE *Cagliari* [433] J 6 – *Vedere Sardegna (San Pietro, isola di) alla fine dell'elenco alfabetico.*

CARMAGNOLA 10022 Torino **428** H 5 – 24 845 ab. alt. 240.

    I Girasoli (chiuso martedì dicembre e gennaio) *℘ 011 9795942, Fax 011 9795228, località Ternavasso Est : 4 km;*

    La Margherita (chiuso martedì) *℘ 011 9795113, Fax 011 9795204, località Pralormo Est 12 km.*

    Roma 663 – Torino 29 – Asti 58 – Cuneo 71 – Milano 184 – Savona 118 – Sestriere 92.

XXX **La Carmagnole**, via Sottotenente Chiffi 31 *℘ 011 9712673, solo su prenotazione, « In un antico palazzo »* – **P**.
    chiuso agosto, domenica sera, lunedì e a mezzogiorno (escluso domenica) – **Pasto** 13000
    Spec. Galantina di faraona e gamberi di fiume in salsa alla paprica dolce. Riso Basmati alle telline e vongole con aragosta flambé all'Armagnac. Filetto di cinghiale in sella di conigli con mostarda d'uva alle zenzero (inverno).

CARMIGNANO 59015 Prato **429** , **430** K 15 *G. Toscana* – 11 441 ab. alt. 200.
    Roma 298 – Firenze 24 – Milano 305 – Pistoia 23 – Prato 15.

ad Artimino *Sud : 7 km – alt. 260 – ✉ 59015 :*

  Paggeria Medicea ⌂, viale Papa Giovanni XXIII *℘ 055 875141, hotel@artimino.com, Fax 055 8751470, ≼, « Edificio del 1500, giardino con ⌗ », ⁚ – ▤ TV P – ⚖ 200. AE ⑤ ⑩ ⑳ VISA*
    chiuso dal 18 al 27 dicembre – **Pasto** vedere rist **Biagio Pignatta** – ☷ 25000 – **37 cam** 270/300000 – 1/2 P 200000.

XX **Da Delfina**, via della Chiesa 1 *℘ 055 8718119, Fax 055 8718175, prenotare, « Servizio estivo in terrazza con ≼ colline »* – **P**. ⁂
    chiuso dal 28 dicembre al 10 gennaio, agosto, domenica sera e lunedì – **Pasto** carta 55/85000 (10%).

XX **Biagio Pignatta** - Hotel Paggeria Medicea, viale Papa Giovanni XXIII, 1 *℘ 055 8751406, ≼, ⛱ – P. AE ⑤ ⑩ ⑳ VISA*
    chiuso dal 1° al 25 novembre e i mezzogiorno di mercoledì-giovedì – **Pasto** carta 60/90000

X **La Cantina dei Redi**, via 5 Martiri *℘ 055 8751408, « Servizio estivo all'aperto con ≼ colline e dintorni ». AE ⑤ ⑩ ⑳ VISA*
    chiuso gennaio, martedì e a mezzogiorno (escluso domenica) – **Pasto** carta 45/65000

CARMIGNANO DI BRENTA 35010 Padova **429** F 17 – 6 985 ab. alt. 45.
    Roma 505 – Padova 33 – Belluno 96 – Tarvisio 47 – Venezia 57.

  Zenit, piazza del Popolo 5 *℘ 049 9430388, Fax 049 9430297* – ▤ ▤ TV P. AE ⑤ ⑩ ⑳ VISA.
    ⁂
    chiuso dal 2 al 7 gennaio – **Pasto** (chiuso agosto) carta 35/50000 – ☷ 8000 – **23 cam** 90/130000 – 1/2 P 120000.

CARONA 24010 Bergamo **428** D 11 – 395 ab. alt. 1110.
    Roma 636 – Sondrio 90 – Bergamo 53 – Brescia 101 – Lecco 63 – Milano 104.

  Carona, via Bianchi 22 *℘ 0345 77125, albergocarona@tin.it, Fax 0345 77125, ⛱ – P. AE ⑤ ⑩ ⑳ VISA JCB. ⁂ – chiuso giugno ed ottobre* – **Pasto** (chiuso martedì) carta 35/55000
    – ☷ 8000 – **9 cam** 60/100000 – 1/2 P 90000.

CARONNO PERTUSELLA 21042 Varese **428** F 9, **219** ⑱ – 11 920 ab. alt. 192.
    Roma 593 – Milano 19 – Bergamo 61 – Como 29 – Novara 54 – Varese 33.

XX **Da Piero**, corso Della Vittoria 439 *℘ 02 96451376, Fax 02 96451376* ▤. AE ⑤ ⑩ ⑳ VISA
    JCB
    chiuso dal 24 dicembre al 7 gennaio, dal 10 al 30 agosto, sabato a mezzogiorno e domenica
    – **Pasto** specialità di mare carta 65/120000.

CAROVIGNO 72012 Brindisi **431** E 34 – 15 392 ab. alt. 171.
    Roma 538 – Brindisi 28 – Bari 88 – Taranto 61.

  Villa Jole, via Ostuni 45 (Ovest : 1 km) *℘ 0831 991311, Fax 0831 996888, ⛱ – ▤ ▤ TV P. AE ⑤ ⑩ ⑳ VISA. ⁂*
    Pasto (chiuso dal 2 al 19 novembre) carta 40/55000 – **32 cam** ☷ 85/140000 – 1/2 P 100000.

XX **Già Sotto l'Arco**, corso Vittorio Emanuele 71 *℘ 0831 996286, sottolarco@libero.it, Fax 0831 996286* – ▤. AE ⑤ ⑩ ⑳ VISA JCB. ⁂
    chiuso dal 15 al 30 giugno, dal 20 al 30 novembre e lunedì – **Pasto** carta 45/65000
    Spec. Ricotta al sesamo su vellutata di zucchine. Costolette di agnello nella rete (autunno-inverno). "Sporcamusi" (sfogliatine calde con crema pasticcera).

190

CARPANETO PIACENTINO 29013 Piacenza 428, 429 H 11 – 6 798 ab. alt. 110.
Roma 508 – Piacenza 19 – Alessandria 114 – Genova 151 – Milano 92 – Parma 37.

XX **Hostaria del Mercato,** via Scotti da Vigoleno 40 ℰ 0523 850909, Fax 0823 850909, prenotare – ⏃ 🔄 ⓞ 𝘝𝘐𝘚𝘈
chiuso lunedì – **Pasto** 75000 e carta 60/100000.

Travazzano Sud-Est : 5 km – ⊠ 29021 Carpaneto Piacentino :

XX **Antica Osteria della Pesa,** via Valle 195 ℰ 0523 852875, ost.pesa@libero.it – 🅿. ⏃ 🔄 ⓞ ⓞ◯ 𝘝𝘐𝘚𝘈
chiuso dal 17 al 31 gennaio, dal 24 al 30 settembre e mercoledì – **Pasto** 40/60000 e carta 55/105000.

CARPENEDOLO 25013 Brescia 428, 429 F 13 – 10 244 ab. alt. 122.
Roma 503 – Brescia 27 – Cremona 53 – Mantova 42 – Parma 72 – Verona 55.

XX **Borgo Antico,** via Garibaldi 127 ℰ 030 9965943, prenotare – 🗏. 🔄 ⓞ 𝘝𝘐𝘚𝘈. ⚘
chiuso 24 dicembre, agosto e martedì – **Pasto** carta 40/70000.

CARPI 41012 Modena 428, 429 H 14 G. Italia – 61 154 ab. alt. 28.
Vedere Piazza dei Martiri★ – Castello dei Pio★.
Roma 424 – Bologna 60 – Ferrara 73 – Mantova 53 – Milano 176 – Modena 18 – Reggio nell'Emilia 27 – Verona 87.

🏨 **Duomo** senza rist, via Cesare Battisti 25 ℰ 059 686745, Fax 059 686745 – 🛗 🗏 📺 🖧 🅿.
⏃ 🔄 ⓞ ⓞ◯ 𝘝𝘐𝘚𝘈. ⚘
chiuso dall'8 al 23 agosto – **16 cam** ⊇ 110/170000.

in prossimità del casello autostradale Sud-Ovest : 4 km:

XXX **L'Incontro,** via per Correggio 43 ⊠ 41012 ℰ 059 664581, Fax 059 664581, prenotare, « Servizio estivo in giardino » – 🗏 🅿. ⏃ 🔄 ⓞ◯ 𝘝𝘐𝘚𝘈. ⚘
chiuso dal 1° al 7 gennaio, dal 10 al 23 agosto e domenica – **Pasto** carta 55/115000.

CARRAIA Firenze – Vedere Calenzano.

CARRARA 54033 Massa-Carrara 428, 429, 430 J 12 G. Toscana – 65 564 ab. alt. 80.
Dintorni Cave di marmo di Fantiscritti★★ Nord-Est : 5 km – Cave di Colonnata★ Est : 7 km.
Roma 400 – La Spezia 31 – Firenze 126 – Massa 7 – Milano 233 – Pisa 55.

XX **Ninan,** via Lorenzo Bartolini 3 ℰ 0585 74741, ninan@tiscalinet.it, Fax 0585 74741, Coperti
🕸 limitati; prenotare – 🗏. ⏃ 🔄 ⓞ ⓞ◯ 𝘝𝘐𝘚𝘈 𝘑𝘊𝘉
chiuso domenica escluso la sera da giugno a settembre – **Pasto** 50/70000 e carta 70/100000
Spec. Scampi in padella con cipolle di Tropea e aceto balsamico tradizionale. Gnocchi di patate ripieni di pomodoro e frutti di mare. Trancio di tonno in padella con julienne di legumi.

CARRARA (Marina di) 54036 Massa-Carrara 430 J 12 – a.s. Pasqua e luglio-agosto.
Roma 396 – La Spezia 26 – Carrara 7 – Firenze 122 – Massa 10 – Milano 229 – Pisa 53.

🏨 **Mediterraneo,** via Genova 2/h ℰ 0585 785222, mediterraneohotel@mediterraneohotel
.com, Fax 0585 785290, 🌪 – 🛗 🗏 📺 &. – 🔬 80. ⏃ 🔄 ⓞ ⓞ◯ 𝘝𝘐𝘚𝘈 𝘑𝘊𝘉. ⚘
Pasto carta 50/80000 – **48 cam** ⊇ 150/210000, suite – ½ P 150000.

🏨 **Carrara,** via Petacchi 21 (Avenza) ⊠ 54031 Avenza ℰ 0585 52371, hotelcarrara@tremmei.
com, Fax 0585 50344 – 🛗 📺 🅿. ⏃ 🔄 ⓞ ⓞ◯ 𝘝𝘐𝘚𝘈 𝘑𝘊𝘉. ⚘ rist
Pasto (solo per alloggiati e chiuso a mezzogiorno) 25/50000 – ⊇ 13000 – **32 cam** ⊇ 115/180000 – ½ P 115000.

XX **Il Muraglione,** via Fivizzano 13 (Avenza) ⊠ 54031 Avenza ℰ 0585 52337,
Fax 0585 52337, 🎋, prenotare – 🗏 🅿. 🔄 ⓞ◯ 𝘝𝘐𝘚𝘈
chiuso dal 1° al 10 gennaio, dal 1° al 10 settembre e domenica – **Pasto** carta 80/135000.

CARRÈ 36010 Vicenza 429 E 16 – 3 151 ab. alt. 219.
Roma 545 – Padova 66 – Trento 63 – Belluno 106 – Treviso 73 – Verona 72 – Vicenza 29.

🏨 **La Rua** ⚲, località Cà Vecchia Est : 4 km ℰ 0445 893088, Fax 0445 893147, « Servizio
🍽 estivo in terrazza panoramica » – 📺 🅿. ⏃ 🔄 ⓞ◯ 𝘝𝘐𝘚𝘈. ⚘ rist
Pasto (chiuso martedì) carta 35/45000 – **10 cam** ⊇ 85/130000 – ½ P 110000.

CARRÙ 12061 Cuneo 428 | 5 – 3 988 ab. alt. 364.
Roma 620 – Cuneo 31 – Milano 203 – Savona 75 – Torino 74.

X **Moderno,** via Misericordia 12 ℰ 0173 75493 – VISA
chiuso agosto, martedì e le sere di lunedì-mercoledì – **Pasto** carta 45/60000.

X **Vascello d'Oro,** via San Giuseppe 9 ℰ 0173 75478, Fax 0173 75478, prenotare
« Ambiente tipico » – ⚞
chiuso dal 1° al 15 febbraio, luglio, domenica sera e lunedì – **Pasto** 35/60000 e carta
35/70000.

CARSOLI 67061 L'Aquila 430 P 21 – 5 184 ab. alt. 640.
Roma 68 – L'Aquila 63 – Avezzano 45 – Frosinone 81 – Rieti 56.

XX **L'Angolo d'Abruzzo,** piazza Aldo Moro ℰ 0863 997429, angolodiabruzzo@tin.it
Fax 0863 995004 – AE S ① OO VISA. ⚞
chiuso dal 23 al 30 dicembre, dal 1° al 15 luglio e lunedì – **Pasto** carta 50/80000
Spec. Sella di coniglio al tartufo bianco d'Abruzzo (ottobre-dicembre). Ragù d'agnello
leggero, fili di pecorino d'alpeggio (marzo-settembre). Pappardelle alla pecora.

XX **Al Caminetto,** via degli Alpini 95 ℰ 0862 995105, info@al-caminetto.it, Fax 0863 995479
⚞, Rist. e pizzeria serale – ⚞. AE S ① OO VISA JCB
chiuso dal 20 luglio al 2 agosto, e lunedì (escluso luglio-agosto) – **Pasto** carta 40/70000.

in prossimità dello svincolo Carsoli-Oricola Sud-Ovest : 2 km :

X **Nuova Fattoria** con cam, via Tiburtina km 68,3 ✉ 67061 ℰ 0863 997388
Fax 0863 992173, ⚞, « Giardino ombreggiato » – TV P. AE S ① OO VISA JCB
Pasto carta 40/65000 – **17 cam** ⚌ 80/100000, 2 suites – ½ P 90000.

CARTOCETO 61030 Pesaro e Urbino 429, 430 K 20 – 6 220 ab. alt. 235.
Roma 271 – Rimini 69 – Ancona 75 – Pesaro 28 – Urbino 35.

XXX **Symposium,** via Cartoceto 38 (Ovest : 1,5 km) ℰ 0721 898320, Fax 0721 898493, Coperti
limitati; prenotare, « Giardino fiorito » – P. AE S ① OO VISA JCB
chiuso dall'8 gennaio al 10 febbraio, lunedì e martedì; dal 10 luglio al 20 agosto aperto
martedì sera – **Pasto** 150/200000 bc e carta 110/180000
Spec. Panzanella con basilico e scampi (marzo-giugno). "Ta-taki" di tonno con la sua
bottarga in passata di San Marzano (giugno-settembre). Beccaccia alla "Santa Alleanza"
(ottobre-marzo).

CARTOSIO 15015 Alessandria 428 | 7 – 812 ab. alt. 236.
Roma 578 – Genova 83 – Acqui Terme 13 – Alessandria 47 – Milano 137 – Savona 46 – Torino
115.

XX **Cacciatori** ⚞ con cam, via Moreno 30 ℰ 0144 40123, Fax 0144 40524, Coperti limitati;
prenotare – P. S OO VISA. ⚞
chiuso dal 23 dicembre al 24 gennaio e dal 1° al 15 luglio – **Pasto** (chiuso giovedì e venerdì a
mezzogiorno) carta 45/75000 – ⚌ 15000 – **12 cam** 70/100000, 2 suites.

CARZAGO 25080 Brescia 428 F 13 – alt. 202.
Roma 542 – Brescia 23 – Verona 57.

🏨 **Palazzo Arzaga** ⚞, ℰ 030 680600, arzaga@arzaga.it, Fax 030 6806473, ≤, ⚞, Centro
benessere e campi da golf, « Monastero del 15° secolo », 🛌, ⚓, ⚖, ⚑, % – ≡ TV ⚓ P –
🏛 200. AE S ① OO VISA JCB. ⚞ rist
Pasto al Rist. **Il Moretto** (solo su prenotazione e chiuso a mezzogiorno) carta 85/140000 al
Rist. **Club House** (solo su prenotazione e chiuso la sera) buffet 40/60000 e al Rist. **La
Taverna** (solo su prenotazione e chiuso a mezzogiorno) buffet 50000 – **81 cam** ⚌ 800000
– ½ P 475000.

CASAGIOVE 81022 Caserta 431 D 25 – 14 241 ab. alt. 53.
Roma 190 – Napoli 29 – Avellino 58 – Benevento 49 – Campobasso 99.

X **Le Quattro Fontane,** via Quartier Vecchio 60 ℰ 0823 468970, ⚞ – ≡. AE S ① OO
VISA. ⚞
chiuso dal 23 dicembre al 2 gennaio, agosto e domenica – **Pasto** cucina casalinga regionale
carta 35/55000.

Le **carte stradali Michelin** sono costantemente aggiornate.

CASALBUTTANO ED UNITI 26011 Cremona 428 G 11 – 4 101 ab. alt. 61.
Roma 531 – Brescia 45 – Piacenza – 42 – Bergamo 62 – Cremona 16 – Mantova 80 – Parma 83.

× **La Granda,** via Jacini 51 ℘ 0374 362406, *lagranda@libero.it,* Fax 0374 362405, 🏠 , prenotare – 🖭 🖪 ⓞ ⓔ 🖾. ⅙
chiuso gennaio, dal 2 al 30 agosto e mercoledì – **Pasto** carta 40/70000.

CASALECCHIO DI RENO 40033 Bologna 429, 430 I 15 – 33 182 ab. alt. 60.
🖪 *autostrada A 1-Cantagallo ℘ 051 572263.*
Roma 372 – Bologna 6 – Firenze 98 – Milano 205 – Modena 36.

Pianta d'insieme di Bologna.

🏠 **Pedretti,** via Porrettana 255 ℘ 051 572149, Fax 051 578286, 🏠 – 🖭 🖫 – 🏄 30. 🖭 🖪 ⓞ
ⓔ 🖾 🗺. ⅙   DU n
Pasto *(chiuso venerdì e dal 1° al 15 agosto)* carta 45/75000 – 🖙 10000 – **24 cam** 120/180000.

CASALE CORTE CERRO 28881 Verbania 428 E 7, 219 ⑥ – 3 273 ab. alt. 372.
Roma 671 – Stresa 14 – Domodossola 32 – Locarno 53 – Milano 94 – Novara 61 – Torino 135.

×× **Da Cicin** con cam, via Novara 1/31 (strada statale Est : 1 km) ℘ 0323 840045, Fax 0323 840046, ⅙ – 🖭 🖫 – 🏄 120. 🖭 🖪 ⓞ ⓔ 🖾. ⅙
chiuso dal 4 al 30 agosto – **Pasto** *(chiuso lunedì)* carta 40/65000 – 🖙 8000 – **26 cam** 55/80000 – ½ P 70000.

CASALE MONFERRATO 15033 Alessandria 428 G 7 – 37 029 ab. alt. 116.
🖪 *piazza Castello ℘ 0142 444330.*
Roma 611 – Alessandria 31 – Asti 42 – Milano 75 – Pavia 66 – Torino 70 – Vercelli 23.

🏠🏠🏠 **Candiani** senza rist, via Candiani d'Olivola 36 ℘ 0142 418728, *hotelcandiani@libero.it,* Fax 0142 418722 – 🖟 🗏 🖭 🖫 🖪 – 🏄 500. 🖭 🖪 ⓞ ⓔ 🖾
47 cam 🖙 150/200000, 2 suites.

🏠🏠 **Business** senza rist, strada per Valenza 4/G ℘ 0142 456400, *business.hotel@tiscalinet.it,* Fax 0142 456446, 🖾 – 🖟 🗏 🖭 🖫 ⓦ 🖪 🖪 – 🏄 40. 🖭 🖪 ⓞ ⓔ 🖾
chiuso dal 22 al 28 dicembre – 🖙 15000 – **87 cam** 95/130000.

××× **La Torre,** via Garoglio 3 per salita Sant'Anna ℘ 0142 70295, Fax 0142 70295 – 🗏 🖫 🖪 🖪
ⓞ ⓔ 🖾 🖭
chiuso dal 24 dicembre al 6 gennaio, dal 1° al 20 agosto e mercoledì – **Pasto** 65/85000 e carta 60/110000.

CASALINCONTRADA 66012 Chieti 430 P 24 – 2 916 ab. alt. 300.
Roma 216 – Pescara 31 – Campobasso 130 – Chieti 13 – L'Aquila 110.

× **La Buca del Grano,** largo degli Alberelli 1 ℘ 0871 370016, Fax 0871 370016, solo su prenotazione da domenica sera a giovedìsolo su prenotazione a mezzogiorno e da lunedì a mercoledì, « Ambiente caratteristico » – 🖪 🖾
Pasto carta 45/65000.

CASALMAGGIORE 26041 Cremona 428, 429 H 13 – 13 668 ab. alt. 26.
Roma 46 – Parma 24 – Brescia 69 – Cremona 40 – Mantova 41 – Piacenza 75.

🏠🏠 **Bifi Hotel,** strada statale 420 km; 36, località Rotonda ℘ 0375 200938, Fax 0375 200690 –
🖟 🗏 🖭 🖪 ⇔ 🖫 – 🏄 200. 🖭 🖪 ⓞ ⓔ 🖾 🖭. ⅙
chiuso dal 23 al 27 dicembre e dall'11 al 16 agosto – **Pasto** *(chiuso martedì)* carta 60/85000
– **82 cam** 🖙 95/140000 – ½ P 100000.

CASALMORO 46040 Mantova 428, 429 G 13 – 1 925 ab. alt. 47.
Roma 502 – Brescia 38 – Cremona 42 – Mantova 45 – Parma 61 – Piacenza 77 – Verona 67.

🏠🏠 **Park Hotel,** via Asola 1 ℘ 0376 737706, Fax 0376 737174 – 🖟 🗏 🖭 🖪 🖫 – 🏄 50. 🖭 🖪
ⓔ 🖾. ⅙
Pasto carta 35/50000 – **35 cam** 🖙 80/130000, 🗏 5000 – ½ P 90000.

CASAL VELINO 84040 Salerno 431 G 27 – 4 632 ab. alt. 170.
Roma 346 – Potenza 148 – Salerno 87 – Sapri 74.

× **Le Giare,** via bivio Acquavella Nord-Est : 5 km ℘ 0974 907990 – 🖫 🖭 🖪 ⓞ 🖾. ⅙
chiuso dal 30 settembre al 15 ottobre e martedì (escluso luglio-agosto) – **Pasto** carta 30/50000.

CASAMICCIOLA TERME Napoli **431** E 23 – Vedere Ischia (Isola d').

CASANOVA DEL MORBASCO Cremona – Vedere Sesto ed Uniti.

CASARSA DELLA DELIZIA 33072 Pordenone **429** E 20 – 7 878 ab. alt. 44.
Roma 608 – Udine 40 – Pordenone 20 – Venezia 95.

🏠 **Al Posta**, via Valvasone 12/14 *&* 0434 870808, alposta@friulalberghi.it, Fax 0434 870804
🍴, 🐟 – 📺 **P** – 🔬 50. 🆎 🕙 ⑩ ⑥ ⑥ **VISA** **JCB**
chiuso dal 1° al 15 agosto – **Pasto** (chiuso lunedì) carta 45/80000 – **32 cam** ⚏ 90/140000 –
½ P 100000.

CASARZA LIGURE 16030 Genova **428** J 10 – 5 296 ab. alt. 34.
Roma 457 – Genova 50 – Portofino 38 – La Spezia 59.

🍴🍴 **San Giovanni**, via Monsignor Podestà 1 *&* 0185 467244, prenotare, « Servizio estivo ir
giardino » – **P**. 🆎 🕙 ⑩ ⑥ **VISA**
chiuso dal 7 gennaio al 7 febbraio, lunedì e da luglio al 15 settembre anche a mezzogiorno
escluso sabato e domenica – **Pasto** specialità di mare carta 60/80000.

CASATENOVO 23880 Lecco **428** E 9, **219** ⑲ – 11 895 ab. alt. 359.
Roma 590 – Como 31 – Bergamo 47 – Lecco 21 – Milano 30.

🍴🍴 **La Fermata**, via De Gasperi 2 (Sud : 1,5 km) *&* 039 9205411, ristorante.lafermata@promo.
⊛ it, Fax 039 9202715, solo su prenotazione – 🍽 **P**. 🆎 🕙 ⑩ ⑥ **VISA**. �ُ
chiuso dal 20 al 30 gennaio, dal 1° al 20 luglio, lunedì e martedì – **Pasto** 40000 (solo a
mezzogiorno) e carta 70/130000
Spec. Riso, foie gras e caramello di Marsala. Orata in pasta di sale, salsa di cotiche e verza
(inverno). Pollo in tre servizi (primavera-estate).

CASCIA 06043 Perugia **430** N 21 – 3 274 ab. alt. 645.
Roma 138 – Ascoli Piceno 75 – Perugia 104 – Rieti 60 – Terni 66.

🏠 **Monte Meraviglia**, via Roma 15 *&* 0743 76142, Fax 0743 71127 – 🛗 📺 🔬 **P** – 🔬 150.
🕙 ⑥ **VISA**. 🌿 rist
Pasto al Rist. **Il Tartufo** carta 55/75000 – ⚏ 15000 – **140 cam** 120/160000 – ½ P 100000.

🏠 **Cursula**, viale Cavour 3 *&* 0743 76206, Fax 0743 76262 – 🛗 📺 **P**. 🆎 🕙 ⑩ ⑥ **VISA**
chiuso gennaio e febbraio – **Pasto** carta 40/70000 – **31 cam** ⚏ 70/120000 – ½ P 90000.

a Roccaporena Ovest : 6 km – alt. 707 – ⊠ 06043 Cascia :

🏠 **Roccaporena**, *&* 0743 7549, Fax 0743 754800, ≤, 🕼, 🐟 – 🛗 📺 🔬 **P** – 🔬 600. 🆎 🕙
⊛ ⑩ ⑥ **VISA**. 🌿
aprile-ottobre – **Pasto** carta 35/45000 – ⚏ 10000 – **71 cam** 85/100000 – ½ P 80000.

CASCIANA TERME 56034 Pisa **428**, **430** L 13 G. Toscana – 3 462 ab. alt. 125 – Stazione termale
(giugno-settembre).
🚩 via Cavour 9 *&* 0587 646258, Fax 0587 646258.
Roma 335 – Pisa 39 – Firenze 77 – Livorno 41 – Pistoia 61 – Siena 100.

🏠 **Villa Margherita**, via Marconi 20 *&* 0587 646113, Fax 0587 646153, « Giardino ombreg-
giato », 🏊 – 🛗 📺 🔬 **P** – 🔬 150. 🆎 🕙 ⑩ ⑥ **VISA**. 🌿
aprile-novembre – **Pasto** (solo per alloggiati) 30/60000 – ⚏ 20000 – **40 cam** 130/160000 –
½ P 150000.

🏠 **Roma**, via Roma 13 *&* 0587 646225, Fax 0587 645233, « Giardino ombreggiato », 🏊 – 🛗,
🍽 rist, 📺 🆎 🕙 ⑥ **VISA**. 🌿 rist
chiuso dicembre – **Pasto** 35/45000 – **36 cam** ⚏ 90/150000 – ½ P 120000.

🏠 **La Speranza**, via Cavour 44 *&* 0587 646215, lasperanza@tolnet.it, Fax 0587 646000, 🐟 –
🛗, 🍽 rist, 📺 **P** – 🔬 100. 🆎 🕙 ⑩ **VISA**. 🌿 rist
Pasto 35/40000 – **43 cam** ⚏ 110/130000 – ½ P 95000.

CASCIANO DI MURLO 53010 Siena **430** M 15 – alt. 452.
Roma 244 – Siena 25 – Grosseto 57 – Perugia 117.

🏠 **Mirella**, strada provinciale di Casciano 43 *&* 0577 817667, Fax 0577 817575, ≤, 🏊, 🐟 – 🛗
⊛ 📺 **P**. 🆎 🕙 ⑥ **VISA**. 🌿
marzo-9 novembre – **Pasto** (chiuso mercoledì ed a mezzogiorno da lunedì a venerdì) carta
30/50000 – ⚏ 10000 – **28 cam** 85/140000 – ½ P 95000.

CASCINA 56021 Pisa 428, 430 K 13 – 37 843 ab. .

Roma 334 – Pisa 21 – Firenze 63 – Livorno 29 – Pistoia 50 – Siena 101.

📭 **Eurohotel** M, allo svincolo della superstrada Firenze-Pisa-Livorno 𝄐 050 710494, euroh @tiscalinet.it, Fax 050 710570, 🌤, ℹ️, 🕿 – 🛗 🗏 ⊡ 📞 🕭 🖸 – 🔬 350. 🖭 🕄 ⑩ ⑭ 🖼
Pasto carta 40/65000 – **68 cam** ☲ 150/180000 – ½ P 110000.

CASEI GEROLA 27050 Pavia 428 G 8 – 2 587 ab. alt. 81.

Roma 574 – Alessandria 36 – Milano 57 – Novara 61 – Pavia 36.

📭 **Bellinzona**, via Mazzini 71 𝄐 0383 61525, Fax 0383 61374 – 🛗 🗏 ⊡ 🚙 📭 🖭 🕄 ⑩ ⑭ 🖼
Pasto (chiuso sabato) carta 50/85000 – ☲ 15000 – **18 cam** 90/110000 – ½ P 130000.

CASELLE TORINESE 10072 Torino 428 G 4 – 15 404 ab. alt. 277.

✈ Città di Torino Nord : 1 km 𝄐 011 5678091.
Roma 691 – Torino 13 – Milano 144.

📭 **Jet Hotel**, via Della Zecca 9 𝄐 011 9913733 e rist 𝄐 011 9961403, Fax 011 9961544, « Edi-ficio del 16° secolo » – 🛗 🗏 ⊡ 📭 – 🔬 200. 🖭 🕄 ⑩ ⑭ 🖼. 🛠 rist
chiuso dal 6 al 28 agosto – **Pasto** al Rist. **Antica Zecca** (chiuso lunedì) carta 65/95000 – **79 cam** ☲ 195/280000.

CASE NUOVE Varese – Vedere Somma Lombardo.

Lesen Sie die Einleitung, sie ist der Schlüssel zu diesem Führer.

CASERE (KASERN) Bolzano – Vedere Valle Aurina.

CASERTA 81100 ℙ 431 D 25 G. Italia – 74 459 ab. alt. 68.

Vedere La Reggia★★.
Dintorni Caserta Vecchia★ Nord-Est : 10 km – Museo Campano★ a Capua Nord-Ovest : 11 km.
🛈 corso Trieste 39 (angolo piazza Dante) 𝄐 0823 321137.
🅰.🅲.🅸. via Nazario Sauro 10 𝄐 0823 321442.
Roma 192 – Napoli 31 – Avellino 58 – Benevento 48 – Campobasso 114 – Abbazia di Montecassino 81.

📭 **Jolly**, via Vittorio Veneto 9 𝄐 0823 325222, Fax 0823 354522 – 🛗, 🌤 cam, 🗏 ⊡ 🕭 – 🔬 100. 🖭 🕄 ⑩ ⑭ 🖼. 🛠 rist
Pasto carta 60/95000 – **103 cam** ☲ 220/250000, 4 suites – ½ P 175000.

📭 **Europa**, via Roma 19 𝄐 0823 325400, Fax 0823 325400 – 🛗 🗏 ⊡ 🚙 – 🔬 150
Pasto vedere rist **Via Roma** – **58 cam**, suite.

🎌 **Le Colonne**, via Nazionale Appia 7-13 𝄐 0823 467494 – 🗏 – 🔬 300. 🖭 🕄 ⑩ 🖼
chiuso dal 12 al 31 agosto, martedì e la sera – **Pasto** carta 40/65000 (15 %).

🎌 **Via Roma**, via Roma 21 𝄐 0823 443629 – 🗏 – 🔬 80. 🖭 🕄 ⑩ ⑭ 🖼. 🛠
chiuso domenica sera – **Pasto** carta 45/75000.

🎌 **Antica Locanda**, piazza della Seta, località San Leucio Nord-Ovest : 4 km
𝄐 0823 305444, Fax 0823 301102 – 🗏. 🖭 🕄 ⑩ ⑭ 🖼. 🛠
chiuso dal 5 al 28 agosto, domenica sera e lunedì – **Pasto** carta 35/60000.

🎌 **Leucio**, via Panoramica, località San Leucio Nord-Ovest : 4 km ⊠ 81020 San Leucio
𝄐 0823 301241, Fax 0823 301241 – 📭. 🖭 🕄 ⑩ 🖼
chiuso Natale, Pasqua, dal 10 al 24 agosto, domenica sera e lunedì – **Pasto** specialità di mare carta 35/70000 (15 %).

in prossimità casello autostrada A 1 - Caserta Sud Sud : 6 km :

📭 **Gd H. Vanvitelli**, via Carlo III, località Cantone ⊠ 81020 San Marco Evangelista
𝄐 0823 421330, info@grandhotelvanvitelli.it, ℤ – 🛗, 🌤 cam, 🗏 📭 – 🔬 500. 🖭 🕄 ⑩ ⑭
🖼. 🛠
Pasto carta 50/85000 – **111 cam** ☲ 235/260000, 8 suites – ½ P 190000.

📭 **Novotel Caserta Sud** M, strada statale 87 Sannitica ⊠ 81020 Capodrise
𝄐 0823 826553, novotel.caserta@accorhotels.it, Fax 0823 827238, ℤ – 🛗, 🌤 cam, 🗏 ⊡ 🕭 📭 – 🔬 250. 🖭 🕄 ⑩ ⑭ 🖼. 🛠 rist
Pasto carta 50/65000 – **126 cam** ☲ 260/320000.

CASIER 31030 Treviso 429 F 18 – *8 113 ab.*.
Roma 539 – Venezia 32 – Padova 52 – Treviso 6.

a Dosson Sud-Ovest : 3,5 km – ⊠ 31030 :

XX **Alla Pasina** con cam, via Marie 3 ℘ 0422 382112, Fax 0422 382112, prenotare, 🐎 – 📱 ▤
📺 📱 🕭 40. 🖭 🖪 ⑩ ⓸ 🆅🆂🅰. ⅍
chiuso lunedì sera e martedì – **Pasto** 50/70000 (solo alla sera) e carta 35/60000 (solo a
mezzogiorno) – **7 cam** ☑ 140000.

CASINO DI TERRA Pisa – Vedere Guardistallo.

CASIRATE D'ADDA 24040 Bergamo 428 F 10 – *3 330 ab. alt. 115.*
Roma 574 – Bergamo 26 – Brescia 59 – Cremona 60 – Milano 34 – Piacenza 60.

XX **Il Portico**, via Rimembranze 9 ℘ 0363 87574, Fax 0363 87574, 😭 – 📱 🖭 🖪 ⑩ ⓸ 🆅🆂🅰
🅹🅲🅱. ⅍
chiuso agosto, lunedì e martedì – **Pasto** specialità di mare 30/70000 (a mezzogiorno)
40/100000 (alla sera) e carta 60/85000.

CASOLA VALSENIO 48010 Ravenna 429, 430 J 16 – *2 847 ab. alt. 195.*
🖪 (aprile-settembre) via Roma 50 ℘ 0546 73033.
Roma 380 – Bologna 64 – Firenze 82 – Forlì 42 – Milano 277 – Ravenna 60.

XX **Mozart**, via Montefortino 3 ℘ 0546 73508, *ristorantemozart@libero.it*, Coperti limitati;
prenotare, 🐎 – 📱 🖭 🖪 ⑩ ⓸ 🆅🆂🅰. ⅍
chiuso dal 2 gennaio al 10 febbraio, lunedì e martedì a mezzogiorno – **Pasto** 25/40000 bc
(solo a mezzogiorno) 50/60000 e carta 50/70000.

X **Valsenio**, località Valsenio Nord-Est : 2 km ℘ 0546 73179 – 📱. ⅍
chiuso dal 10 gennaio al 12 febbraio, lunedì e a mezzogiorno (escluso sabato-domenica) –
Pasto carta 30/40000.

CASOLE D'ELSA 53031 Siena 430 L 15 – *2 796 ab. alt. 417.*
Roma 269 – Siena 48 – Firenze 63 – Livorno 97.

🏠 **Gemini**, via Provinciale 4 ℘ 0577 948622, *gemini@gemini-lapergola.it*, Fax 0577 948241,
≤, 😭, 🏊, 🐎 – 📱 📺 ☕ 📱 🖭 🖪 ⑩ ⓸ 🆅🆂🅰. ⅍ cam
chiuso gennaio e febbraio – **Pasto** *(chiuso martedì a mezzogiorno)* carta 45/75000 –
42 cam ☑ 160/170000 – ½ P 115000.

XX **Il Colombaio**, località Colombaio ℘ 0577 949002, *colombaio@supereva.it*,
Fax 0577 949900, 😭 – 📱 🖭 🖪 ⑩ ⓸ 🆅🆂🅰 🅹🅲🅱. ⅍
chiuso dla 7 gennaio al 23 febbraio, lunedì e martedì a mezzogiorno – **Pasto** 55/100000 e
carta 60/95000.

a Pievescola Sud-Est : 12 km – ⊠ 53030 :

🏨🏨🏨 **Relais la Suvera** ⌕, via La Suvera ℘ 0577 960300, Fax 0577 960220, ≤ dintorni, 😭,
« Complesso nobiliare del 16° secolo con giardino all'italiana », 🏊 riscaldata, ℀ – 📱 ▤ 📺
☕ 📱 🕭 70. 🖭 🖪 ⑩ ⓸ 🆅🆂🅰. ⅍
20 aprile-5 novembre – **Pasto** al Rist. *Oliviera* carta 75/130000 – **17 cam** ☑ 800000,
18 suites 1000/1200000 – ½ P 510000.

CASORATE SEMPIONE 21011 Varese 219 ⑰, 428 F 2 – *4 892 ab. alt. 272.*
Roma 612 – Stresa 40 – Como 47 – Milano 44 – Novara 42 – Varese 26.

XX **Le Querce**, via Ronchetto 6 (Sud-Ovest : 2 km) ℘ 0331 763055, ℀ – 📱. 🖭 🖪 ⑩ ⓸ 🆅🆂🅰.
⅍
chiuso domenica sera e lunedì – **Pasto** carta 55/85000.

CASSANIGO Ravenna – Vedere Cotignola.

CASSINASCO 14050 Asti 428 H 6 – *615 ab. alt. 447.*
Roma 594 – Alessandria 49 – Genova 95 – Asti 34 – Milano 137 – Torino 98.

XX **I Caffi**, reg. Caffi Ovest : 2 km ℘ 0141 826900, *icaffi@inwind.it*, Fax 0141 826900, Coperti
limitati; prenotare – 🖭 🖪 ⑩ ⓸ 🆅🆂🅰. ⅍
*chiuso dal 1° al 25 gennaio, domenica sera, mercoledì e a mezzogiorno (escluso sabato-
domenica)* – **Pasto** 90000 e carta 60/100000.

CASSINETTA DI LUGAGNANO Milano 428 F 8, 219 ⑱ – Vedere Abbiategrasso.

CASSINO 03043 Frosinone 👁👁👁 R 23 – 35 048 ab. alt. 45.

Dintorni Abbazia di Montecassino★★ – Museo dell'abbazia★★ Ovest : 9 km.

🛈 piazza De Gasperi 10 ℘ 0776 21292, Fax 0776 25692.

Roma 130 – Frosinone 53 – Caserta 71 – Gaeta 47 – Isernia 48 – Napoli 98.

🏨 **Rocca,** via Sferracavallo 105 ℘ 0776 311212, hotel.rocca@flashnet.it, Fax 0776 25427, Parco acquatico con ≤, ↰, ≘s, 🏋 – 🛗 🔟 🕭, 🅿, 🅰🅴 🕲 🅾 🅾🅾 🆅🅸🆂🅰. 🕸 chiuso 24 e 25 dicembre – **Pasto** carta 35/50000 – ⊇ 8000 – **57 cam** 85/115000 – ½ P 100000.

🏨 **Alba,** via G. di Biasio 53 ℘ 0776 21873 e rist. ℘ 0776 22558, hotelalba@officine.it, Fax 0776 270000, 🏤 – 🔟 🕭 ⟵ 🅿 – 🔬 50. 🅰🅴 🕲 🅾 🅾🅾 🆅🅸🆂🅰. 🕸 **Pasto** al Rist. **Da Mario** carta 40/75000 – **30 cam** 120/150000 – ½ P 100000.

🏨 **Al Boschetto,** via Ausonia 54 (Sud-Est : 2 km) ℘ 0776 39131, al boschetto@publimedenet.it, Fax 0776 301315, 🏤, 🍽 – 🛗 🔟 🅿 – 🔬 400. 🅰🅴 🕲 🅾 🅾🅾 🆅🅸🆂🅰. 🕸 **Pasto** carta 35/65000 – ⊇ 15000 – **46 cam** 100/125000 – ½ P 110000.

CASTAGNETO CARDUCCI 57022 Livorno 👁👁👁 M 13 G. Toscana – 8 288 ab. alt. 194 – a.s. 15 giugno-15 settembre.

Roma 272 – Firenze 143 – Grosseto 84 – Livorno 57 – Piombino 33 – Siena 119.

🏨 **Zi Martino,** località San Giusto 264/a (Ovest : 2 km) ℘ 0565 766000, infol@zimartino.com, Fax 0565 763444, 🏤 – 🛗 🔟 🕭, 🅿, 🅰🅴 🕲 🅾 🅾🅾 🆅🅸🆂🅰. 🕸 chiuso ottobre e novembre – **Pasto** (chiuso lunedi) carta 35/50000 – **23 cam** ⊇ 140/250000 – ½ P 165000.

a Donoratico Nord-Ovest : 6 km – ✉ 57024 :

🏨 **Nuovo Hotel Bambolo** senza rist, via del Bambolo 31, (Nord : 1 km) ℘ 0565 775206, Fax 0565 775346, ↰, ≘s, ↰, 🍽 – 🔟 🅿, 🅰🅴 🕲 🅾 🅾🅾 🆅🅸🆂🅰 🅹🅲🅱. 🕸 chiuso dicembre – **38 cam** ⊇ 195/275000, 🔳 10000.

a Marina di Castagneto Nord-Ovest : 9 km – ✉ 57024 Donoratico.

🛈 (giugno-settembre) via della Marina 6 ℘ 0565 744276, Fax 0565 746012

🏨 **Alle Dune** ≫, via Milano 14 ℘ 0565 746611, alledune@alledune.com, Fax 0565 746659, « Parco-pineta », ↰, ≘s, ↰, 🍂 – 🔟 🕭, 🅿 – 🔬 150. 🕲 🆅🅸🆂🅰. 🕸 chiuso dicembre e gennaio – **Pasto** (chiuso martedi) carta 45/80000 – ⊇ 15000 – **25 cam** 110/145000, 6 suites – ½ P 280000.

🏨 **Villa II Tirreno,** via della Triglia 4 ℘ 0565 744036, hotel.iltirreno@etruscan.li.it, Fax 0565 744187 – 🔳 rist, 🔟, 🅰🅴 🕲 🅾 🅾🅾 🆅🅸🆂🅰. 🕸 febbraio-ottobre – **Pasto** carta 45/65000 – **30 cam** ⊇ 150/170000 (solo ½ P in luglio-agosto) – ½ P 160000.

🍴 **La Tana del Pirata,** via Milano 17 ℘ 0565 744143, Fax 0565 744548, 🏤, ↰, 🍂 – 🅿, 🅰🅴 🕲 🅾 🅾🅾 🆅🅸🆂🅰 🅹🅲🅱 10 aprile-10 ottobre; chiuso martedi escluso da giugno a settembre – **Pasto** carta 60/110000.

CASTAGNETO PO 10090 Torino 👁👁👁 G 5 – 1 418 ab. alt. 473.

Roma 685 – Torino 26 – Aosta 105 – Milano 122 – Novara 77 – Vercelli 59.

🍴 **La Pergola,** via delle Scuole 2 ℘ 011 912933, Fax 011 912933, 🏤 – 🕲 🅾🅾 🆅🅸🆂🅰 chiuso dal 27 dicembre al 12 febbraio, martedi a mezzogiorno in luglio-agosto, tutto il giorno negli altri mesi – **Pasto** carta 40/65000.

CASTAGNITO 12050 Cuneo 👁👁👁 H 6 – 1 711 ab. alt. 350.

Roma 641 – Torino 59 – Asti 27 – Cuneo 67 – Alessandria 62.

🍴 **Ostu Di Djun,** via San Giuseppe 1 ℘ 0173 213600, solo su prenotazione – 🅿 chiuso dal 25 dicembre al 6 gennaio, dal 15 agosto al 4 settembre, domenica e a mezzogiorno – **Pasto** 40/100000.

CASTEGGIO 27045 Pavia 👁👁👁 G 9 – 6 705 ab. alt. 90.

Roma 549 – Alessandria 47 – Genova 101 – Milano 59 – Pavia 21 – Piacenza 51.

🍴🍴 **Ai Colli di Mairano,** località Mairano ℘ 0383 83296 – 🅿, 🅰🅴 🕲 🅾 🅾🅾 🆅🅸🆂🅰 🅹🅲🅱. 🕸 chiuso dal 7 al 15 gennaio, luglio e lunedi – **Pasto** carta 40/55000.

CASTELBELLO CIARDES (KASTELBELL TSCHARS) 39020 Bolzano 👁👁👁, 👁👁👁 C 14, 👁👁👁⑲ – 2 316 ab. alt. 586.

🛈 via Nazionale ℘ 0473 624193, Fax 0473 624559.

Roma 688 – Bolzano 51 – Merano 23.

XX **Kuppelrain** con cam, piazza Stazione 16 ℰ 0473 624103, Fax 0473 624103, 斧, Coper
limitati; prenotare – ■ rist, 🅿. ℀ rist
chiuso dal 10 luglio al 3 agosto – **Pasto** *(chiuso domenica e lunedì a mezzogiorno)* 110000
carta 80/130000 – **4 cam** ⊇ 60/120000 – ½ P 100000.

sulla strada statale 38 :

🏨 **Sand,** via Molino 2 (Est : 4,5 km) ⊠ 39020 ℰ 0473 624130, *sand@dnet.i*
Fax 0473 624406, ≤, « Giardino-frutteto con campo pratica golf e beach volley », 𝓕ₒ, ≘s
🔼, 🔲, ℀ – 🛊, ■ rist, 🆅 🅿. 🄰🄴 🅂 ◍ ◍◍ 🆅🆂🄰. ℀ rist
15 marzo-15 novembre – **Pasto** *(chiuso mercoledì)* carta 55/75000 – **35 cam** ⊇ 130
240000 – ½ P 180000.

X **Petersilie,** Via Nazionale 43 (Est : 1,3 km) ℰ 0473 624029, Fax 0473 624029 – 🅿. 🅂 ◍ ◍◍
🆅🆂🄰
chiuso lunedì – **Pasto** carta 65/90000.

CASTELBUONO *Palermo* 🐼🐼 *N 24 – Vedere Sicilia alla fine dell'elenco alfabetico.*

CASTELCUCCO *31030 Treviso* 🐼🐼 *E 17 – 1 836 ab. alt. 189.*
Roma 555 – Belluno 55 – Padova 62 – Treviso 36 – Trento 100 – Venezia 71.

🏨 Monte Grappa, via Monte Grappa 8 ℰ 0423 563123, Fax 0423 563123, 斧 – ■ rist, 🆅 🅿.
17 cam –

CASTEL D'APPIO *Imperia – Vedere Ventimiglia.*

CASTEL D'ARIO *46033 Mantova* 🐼🐼 , 🐼🐼 *G 14 – 4 094 ab. alt. 24.*
Roma 478 – Verona 47 – Ferrara 96 – Mantova 15 – Milano 188.

XX **Edelweiss** con cam, via Roma 109 (Ovest : 1 km) ℰ 0376 665885, Fax 0376 665893, 斧 –
■ rist, 🆅 🅿. 🄰🄴 🅂 ◍ ◍◍ 🆅🆂🄰 🄹🄲🄱. ℀
chiuso dal 1° al 22 gennaio – **Pasto** *(chiuso mercoledì)* carta 50/80000 – ⊇ 15000 – **7 cam**
100/120000 – ½ P 80000.

X **Stazione,** via Rimembranze 56 ℰ 0376 660217 – ■. ℀
chiuso dal 1° al 15 gennaio, luglio, lunedì sera e martedì – **Pasto** 25000 (a mezzogiorno) e
carta 40/60000.

CASTEL D'AZZANO *37060 Verona* 🐼🐼 , 🐼🐼 *F 14 – 10 012 ab. alt. 44.*
Roma 495 – Verona 12 – Mantova 32 – Milano 162 – Padova 92.

🏨 **Cristallo,** via Scuderlando 122 ℰ 045 8520932, *info@cristahovr.com*, Fax 045 8520244 –
🛊 ■ 🆅 🕭 – 🛦 60. 🄰🄴 🅂 ◍ ◍◍ 🆅🆂🄰. ℀
chiuso dal 20 dicembre al 5 gennaio – **Pasto** (solo per alloggiati) carta 35/50000 – **91 cam**
⊇ 200/220000 – ½ P 140000.

CASTELDEBOLE *Bologna – Vedere Bologna.*

CASTEL DEL PIANO *58033 Grosseto* 🐼🐼 *N 16 – 4 309 ab. alt. 632 – Sport invernali : .*
Roma 196 – Grosseto 56 – Orvieto 72 – Siena 71 – Viterbo 95.

a Prato delle Macinaie *Est : 9 km – alt. 1 385 –* ⊠ *58033 Castel del Piano :*

🏨 **Le Macinaie,** via Pozzo Stella 57 ℰ 0564 959001, *macinaie@amiata.net*, Fax 0564 959013
– 🆅 🅿. 🅂 ◍◍ 🆅🆂🄰. ℀
6 dicembre-30 marzo e 15 giugno-30 settembre – **Pasto** 35/50000 – **17 cam** ⊇ 105/
150000 – ½ P 115000.

CASTELDIMEZZO *61100 Pesaro e Urbino* 🐼🐼 , 🐼🐼 *K 20 – alt. 197.*
Roma 312 – Rimini 27 – Milano 348 – Pesaro 12 – Urbino 41.

XX **Taverna del Pescatore,** ℰ 0721 208116, *mbaffoni@tin.it*, Fax 0721 208408, pre-
notare, « Servizio estivo in terrazza con ≤ mare e dintorni » – 🄰🄴 🅂 ◍ ◍◍ 🆅🆂🄰. ℀
aprile-settembre; chiuso a mezzogiorno da lunedì a giovedì e mercoledì sino al 7 giugno –
Pasto specialità di mare carta 80/115000.

CASTEL DI SANGRO *67031 L'Aquila* 🐼🐼 *Q 24,* 🐼🐼 *B 24 – 5 757 ab. alt. 800.*
Roma 206 – Campobasso 80 – Chieti 101 – L'Aquila 109 – Sulmona 42.

🏨 Don Luis 🌿, Parco del Sangro ℰ 0864 847061 e rist ℰ 0864 841121, Fax 0864 847061, ≤,
斧 – 🛊 🆅 🕭 🅿.
40 cam, 3 suites.

CASTEL DI TUSA Messina 432 M 24 – Vedere Sicilia alla fine dell'elenco alfabetico.

CASTELFRANCO DI SOPRA 52020 Arezzo 429, 430 L 16 – 2 724 ab. alt. 280.
Roma 238 – Firenze 43 – Siena 68 – Arezzo 46 – Forlì 140.

XX **Vicolo del Contento,** via Ponte a Mandri 38 (Nord : 1,5 km) ℘ 055 9149277, vicolo@val.
it, Fax 055 9149906, 🏠 , prenotare – 🅿. ⅍ 🕸 🕦 🕸 ☑. ℀
chiuso lunedì, martedì ed a mezzogiorno escluso domenica – **Pasto** 80000 e carta 70/
105000
Spec. Carpaccio di merluzzo marinato alle erbe. Tagliatelline con gamberoni rossi e
zucchine. Gran piatto di pesce misto al profumo di rosmarino.

CASTELFRANCO EMILIA 41013 Modena 429, 430 I 15 – 23 753 ab. alt. 42.
Roma 398 – Bologna 25 – Ferrara 69 – Firenze 125 – Milano 183 – Modena 13.

🏨 **Aquila** senza rist, via Leonardo da Vinci 5 ℘ 059 923208, Fax 059 927159 – 🛗 🗏 ☑ 🕭 🅿.
⅍ 🕸 🕦 🕸 ☑. ℀
�… 20000 – **30 cam** 150/200000.

X **La Lumira,** corso Martiri 74 ℘ 059 926550, « Ristorante caratteristico » – 🅿. ⅍ 🕸 🕦 🕸
☑. ℀
chiuso dal 1° al 7 gennaio, Pasqua, agosto, domenica e lunedì a mezzogiorno – **Pasto** carta
50/75000.

a Rastellino Nord-Est : 6 km – ⊠ 41013 Castelfranco Emilia :

XX **Rastellino,** via Enrico Toti 5/7/9 ℘ 059 937151, « Servizio estivo all'aperto » – 🅿. ⅍ 🕸
🕦 🕸 ☑. ℀
chiuso dal 7 al 24 gennaio, dal 4 al 25 settembre e lunedì – **Pasto** carta 55/70000.

CASTELFRANCO VENETO 31033 Treviso 429 E 17 G. Italia – 31 162 ab. alt. 42.
Vedere Madonna col Bambino★★ del Giorgione nella Cattedrale.
🏌 e 🏌 Ca' Amata ℘ 0423 493537, Fax 0423 721842.
Roma 532 – Padova 34 – Belluno 74 – Milano 239 – Trento 109 – Treviso 27 – Venezia 56 –
Vicenza 34.

🏨 **Alla Torre** senza rist, piazzetta Trento e Trieste 7 ℘ 0423 498707, Fax 0423 498737 – 🛗 🗏
☑ 🚗 – 🕿 70. ⅍ 🕸 🕦 🕸 ☑. ℀
�… 16000 – **39 cam** 110/180000.

🏨 **Al Moretto** senza rist, via San Pio X 10 ℘ 0423 721313, Fax 0423 721066, 🐎 – 🛗 🗏 ☑ 🅿
– 🕿 40. ⅍ 🕸 🕦 🕸 ☑. ℀
chiuso dal 24 dicembre al 10 gennaio e dal 6 al 22 agosto – �… 15000 – **35 cam** 140/180000.

XX **Alle Mura,** via Preti 69 ℘ 0423 498098, « Servizio estivo in giardino » – ⅍ 🕦 🕸 ☑
chiuso dal 10 al 30 gennaio, agosto e giovedì – **Pasto** specialità tradizionali e di mare 50000
bc (a mezzogiorno) 90/120000 bc (la sera) e carta 65/105000.

a Salvarosa Nord-Est : 3 km – ⊠ 31033 Castelfranco Veneto :

🏨🏨 **Fior** 🀰 , via dei Carpani 18 ℘ 0423 721212, Fax 0423 498771, « Grande giardino con 🏊 e
🎾 », 🏖 , 🏊 riscaldata – 🛗 🗏 ☑ 🚗 🅿 – 🕿 250. ⅍ 🕸 🕦 🕸 ☑. ℀
Pasto (chiuso lunedì) carta 50/70000 – **43 cam** ≈ 140/190000.

XX **Barbesin,** via Montebelluna 41 ℘ 0423 490446, Fax 0423 490261 – 🗏 🅿. ⅍ 🕸 🕦 🕸 ☑.
℀
chiuso dal 28 dicembre all'11 gennaio, dal 31 luglio al 24 agosto, mercoledì sera e giovedì –
Pasto carta 40/60000.

XX **Da Rino Fior,** via Montebelluna 27 ℘ 0423 490462, Fax 0423 720280, 🏠 – 🗏 🅿. ⅍ 🕸 🕸
🕦 🕸 ☑ JCB. ℀
chiuso dal 1° all'8 gennaio, dal 29 luglio al 22 agosto, lunedì sera e martedì – **Pasto** carta
40/55000.

CASTEL GANDOLFO 00040 Roma 430 Q 19 G. Roma – 8 347 ab. alt. 426.
🏌 ℘ 06 9312301, Fax 06 9312244.
Roma 25 – Anzio 36 – Frosinone 76 – Latina 46 – Terracina 80.

🏨 **Castelvecchio,** viale Pio XI, 23 ℘ 06 9360308, Fax 06 9360579, ≤ lago e colli, « Roof-
garden con 🏊 », 🏊 – 🛗 ☑ 🅿 – 🕿 150. ⅍ 🕸 🕦 🕸 ☑. ℀
Pasto carta 50/60000 – **49 cam** ≈ 150/250000 – ½ P 160000.

XX **Antico Ristorante Pagnanelli,** via Gramsci 4 ℘ 06 9361740, pagnanelli.ri@flashnet.it,
Fax 06 93021877, ≤ lago, 🏠 , « Caratteristiche cantine-enoteca con servizio rist. » – ⅍ 🕸
🕦 🕸 ☑. ℀
chiuso martedì – **Pasto** carta 60/95000.

CASTEL GOFFREDO *46042 Mantova* [428], [429] *G 13 – 9 571 ab. alt. 56.*

Roma 490 – Brescia 40 – Cremona 51 – Parma 70 – Piacenza 85 – Verona 68.

XX 💰 **La Beffa,** viale Europa 19 ☎ 0376 779253, Coperti limitati; prenotare – ❄. [AE] [S] [D] [MC] VISA JCB. 🚭
chiuso dal 5 al 25 agosto e domenica – **Pasto** specialità di mare 35/50000 bc (a mezzogiorno) 70/120000 bc (la sera) e carta 60/125000.

CASTEL GUELFO DI BOLOGNA *40023 Bologna* [429] *I 17 – 3 381 ab. alt. 32.*

Roma 404 – Bologna 28 – Ferrara 74 – Firenze 136 – Forlì 57 – Ravenna 60.

XXX ✿✿ **Locanda Solarola** 🌿 con cam, via Santa Croce 5 (Ovest : 7 km) ☎ 0542 670102, *solarola@imola.queen.it, Fax 0542 670222*, Coperti limitati; prenotare, « Casa di campagna nel verde », 🏊 – ❄ 📺 🅿. [AE] [S] [D] [MC] VISA JCB. 🚭
Pasto *(chiuso lunedì e martedì a mezzogiorno)* 120/200000 e carta 160/215000 – **15 cam** ☕ 380/400000 – ½ P 320000
Spec. Rollè di galletto in porchetta in salsa all'aglio (primavera). Soufflè di baccalà in salsa di patate affumicate (inverno). Bigné fritti e caramellati in salsa inglese e arance.

CASTELLABATE *84048 Salerno* [431] *G 26 – 7 607 ab. alt. 278 – a.s. luglio-agosto.*

Roma 328 – Potenza 126 – Agropoli 13 – Napoli 122 – Salerno 71 – Sapri 123.

a Santa Maria *Nord-Ovest : 5 km – ✉ 84072 :*

🏨 **Villa Sirio,** via Lungomare De Simone 15 ☎ 0974 960162, *Fax 0974 961099*, 🏖 – 🛗 ❄ 📺 🚗 🅿. [AE] [S] [D] [MC] VISA. 🚭 rist
20 marzo-4 novembre – **Pasto** al Rist. ***Le Arche*** *(aprile-ottobre)* carta 45/80000 (10 %) – **14 cam** ☕ 285/360000 – ½ P 210000.

XX **La Taverna del Pescatore,** via Lamia ☎ 0974 968293, *Fax 0974 968293*, ⛱, prenotare – [AE] [S] [D] [MC] VISA. 🚭
marzo-novembre; chiuso lunedì escluso dal 15 giugno al 15 settembre – **Pasto** specialità di mare carta 35/60000 (10 %).

XX **I Due Fratelli,** via Sant'Andrea (Nord : 1,5 km) ☎ 0974 968004, ≤, ⛱ – 🅿. [AE] [S] [D] [MC] VISA. 🚭
chiuso mercoledì escluso dal 15 giugno al 15 settembre – **Pasto** carta 40/70000 (10 %).

a San Marco *Sud-Ovest : 5 km – ✉ 84071 :*

🏠 **Giacaranda** 🌿, contrada Cenito (Sud : 1 km) ☎ 0974 966130, *giaca@costacilento.it, Fax 0974 966800*, ⛱, solo su prenotazione, « In campagna tra il verde », 🌳, 🎾 – 📺. [AE] [S] [D] [MC] VISA JCB. 🚭
chiuso dal 23 al 26 dicembre – **Pasto** (solo per alloggiati) 65/90000 – **4 cam** ☕ 140/220000, 2 suites 250/280000 – ½ P 160000.

CASTELLAMMARE DEL GOLFO *Trapani* [432] M 20 – *Vedere Sicilia alla fine dell'elenco alfabetico.*

CASTELLAMMARE DI STABIA *80053 Napoli* [431] E 25 *G. Italia – 65 869 ab. – Stazione termale, a.s. luglio-settembre.*

Vedere *Antiquarium*★.

Dintorni *Scavi di Pompei*★★★ *Nord : 5 km – Monte Faito*★★ : ✳★★★ *dal belvedere dei Capi e* ✳★★★ *dalla cappella di San Michele (strada a pedaggio).*

ℹ *piazza Matteotti 34/35 ☎ 081 8711334.*

Roma 238 – Napoli 31 – Avellino 50 – Caserta 55 – Salerno 31 – Sorrento 19.

🏨 **La Medusa** 🌿, via Passeggiata Archeologica 5 ☎ 081 8723383, *info@lamedusahotel.com, Fax 081 8717009*, ≤, ⛱, « Villa ottocentesca in un vasto giardino-agrumeto con 🏊 » – 🛗 📺 🅿 – 🎤 180. [AE] [S] [D] [MC] VISA. 🚭
Pasto carta 70/110000 – **53 cam** ☕ 200/290000, suite – ½ P 180000.

CASTELLANA GROTTE *70013 Bari* [431] E 33 *G. Italia – 18 386 ab. alt. 290.*

Vedere *Grotte*★★★ *Sud-Ovest : 2 km.*

Roma 488 – Bari 40 – Brindisi 82 – Lecce 120 – Matera 65 – Potenza 154 – Taranto 60.

🏠 💰 **Le Soleil,** via Conversano 157 (Nord : 1 km) ☎ 080 4965133, *Fax 080 4961409*, 🏊 – 📺 🅿 – 🎤 120. [AE] [S] [D] [MC] VISA JCB. 🚭
Pasto carta 35/50000 – ☕ 10000 – **57 cam** 110000 – ½ P 110000.

XX **Le Jardin** 🌿 con cam, contrada Scamardella 59 ☎ 080 4966300, *le jardin@mail-media.it, Fax 080 4965520*, ⛱, prenotare – ❄ 📺 🅿. [S] [D] [MC] VISA JCB. 🚭
Pasto *(chiuso lunedì)* carta 40/75000 – **10 cam** ☕ 130/210000 – ½ P 140000.

✗ **Da Ernesto e Rosa-Taverna degli Artisti,** via Vito Matarrese 23/27, alle grotte
Sud-Ovest : 2 km ℘ 080 4968234, Fax 080 4968234, 龠 – 🖭 🟦 ⓪ 🚾 🟥 ЈСВ. ✗
chiuso dicembre, la sera da gennaio al 15 marzo e giovedì escluso da luglio a settembre –
Pasto carta 35/50000 (10%).

CASTELL' APERTOLE *Vercelli – Vedere Livorno Ferraris.*

CASTELLARO LAGUSELLO *Mantova* 428 , 429 *F 13 – Vedere Monzambano.*

CASTELL'ARQUATO *29014 Piacenza* 428 , 429 *H 11 – 4 606 ab. alt. 225.*
🏌 *(chiuso martedì) località Bacedasco Terme* ⊠ *29014 Alseno* ℘ *0523 895547, Fax 0523*
895544.
🛈 *(aprile-settembre; chiuso lunedì) viale Remondini 1* ℘ *0523 803091, fax 803091.*
Roma 495 – Piacenza 34 – Bologna 134 – Cremona 39 – Milano 96 – Parma 41.

✗✗ **La Rocca-da Franco,** via Asilo 4 ℘ 0523 805154, Fax 0523 806026, ≤, prenotare – 🖭 🟦
⓪ 🟦 🚾
chiuso gennaio, luglio, martedì sera e mercoledì – **Pasto** 40/50000 e carta 40/60000.

✗✗ **Maps,** piazza Europa 3 ℘ 0523 804411, Fax 0523 803031, Coperti limitati; prenotare,
« Servizio estivo all'aperto » – 🖭 🟦 ⓪ 🟦 🚾. ✗
chiuso dal 1° al 20 gennaio, dal 20 agosto al 5 settembre, Natale, martedì e da novembre a
marzo anche lunedì sera – **Pasto** carta 65/90000.

✗ **Da Faccini,** località Sant'Antonio Nord : 3 km ℘ 0523 896340, Fax 0523 896470, 龠 – 🅿.
🖭 🟦 ⓪ 🟦 🚾 ЈСВ. ✗
chiuso dal 20 al 30 gennaio, dal 4 al 15 luglio e mercoledì – **Pasto** carta 50/70000.

CASTELLETTO DI BRENZONE *Verona* 428 *E 14 – Vedere Brenzone.*

CASTELLINA IN CHIANTI *53011 Siena* 430 *L 15 – 2 619 ab. alt. 578.*
Roma 251 – Firenze 61 – Siena 24 – Arezzo 67 – Pisa 98.

🏨 **Villa Casalecchi** ⬙, località Casalecchi (Sud : 1 km) ℘ 0577 740240, Fax 0577 741111,
≤, « Villa ottocentesca con arredi in stile », 🔟, 🐎, ✗ – 🗏 🖭 ✔ 🅿. 🖭 🟦 ⓪ 🟦 🚾.
✗ rist
28 marzo-ottobre – **Pasto** *(chiuso martedì)* carta 75/130000 – **16 cam** ⊇ 380/410000,
3 suites.

🏨 **Palazzo Squarcialupi** senza rist, via Ferruccio 26 ℘ 0577 741186, Fax 0577 740386, ≤,
« In un edificio del 1400 », ✗ – 🛗 🗏 🖭 🗪 🅿. 🖭 🟦 🟦 🚾
chiuso da novembre al 27 dicembre e dal 15 gennaio al 15 marzo – **17 cam** ⊇ 290000.

🏨 **Salivolpi** ⬙ senza rist, via Fiorentina 89 (Nord-Est : 1 km) ℘ 0577 740484, *info@hotelsali*
volpi.com, Fax 0577 740998, ≤, 🔟, 🐎 – 🖭 🅿. 🖭 🟦 🟦 🚾. ✗
19 cam ⊇ 175000.

✗✗ **Albergaccio di Castellina,** via Fiorentina 63 ℘ 0577 741042, *posta@albergacciocast*
.com, Fax 0577 741250, 龠, prenotare – 🅿. ✗
chiuso domenica ed a mezzogiorno da martedì a giovedì – **Pasto** 40000 (solo a mezzogior-
no) 75000 e carta 55/90000.

a Ricavo *Nord : 4 km –* ⊠ *53011 Castellina in Chianti :*

🏨 **Tenuta di Ricavo** ⬙, località Ricavo 4 ℘ 0577 740221, *ricavo@ricavo.com,*
Fax 0577 741014, ≤, 龠, « Caratteristico borgo medioevale », 🛵, 🔟, 🐎 – 🗏 🖭 🅿. 🟦 🟦
🚾. ✗
marzo-novembre – **Pasto** *(chiuso martedì; prenotare)* carta 70/100000 – **16 cam** ⊇ 440/
450000, 6 suites.

a San Leonino *Sud : 9 km –* ⊠ *53011 Castellina in Chianti :*

🏨 **Belvedere di San Leonino** ⬙, ℘ 0577 740887, *info@hotelsanleonino.com,*
Fax 0577 740924, ≤, 龠, « In un'antica casa colonica », 🔟, 🐎 – 🖭 🅿 🖭 🟦 🟦 🚾. ✗
aprile-novembre – **Pasto** (solo per alloggiati; *chiuso a mezzogiorno*) 30/45000 – **28 cam**
⊇ 200000 – ½ P 130000.

a Piazza *Nord : 10 km –* ⊠ *53011 Castellina in Chianti :*

🏨 **Poggio al Sorbo** ⬙ senza rist, località Poggio al Sorbo 48 (Ovest : 1 km)
℘ 0577 749731, *poggioalsorbo.residence@tin.it, Fax 0577 749731,* ≤ colline e borghi circo-
stanti, « Fattoria con origini del XIV secolo », 🔟, 🐎 – 🅿. 🖭 🟦 🟦 🚾. ✗
chiuso dal 15 gennaio al 28 febbraio – 4 suites ⊇ 345/400000.

CASTELLINA MARITTIMA 56040 Pisa 430 L 13 – *1 854 ab. alt. 375.*
Roma 308 – Pisa 49 – Firenze 105 – Livorno 40 – Pistoia 89 – Siena 103.

🏠 **Il Poggetto** ⤷, via dei Giardini 2 ℰ 050 695205, Fax 050 695246, ≤, « Giardino ombreggiato », ⤶, ※ – 📺 📮 ⚞ ⑨ ⚌ 𝘝𝘐𝘚𝘈 𝘑𝘊𝘉 𝄪
chiuso gennaio – Pasto (chiuso domenica sera e lunedì escluso da luglio a settembre) carta
40/60000 – 🖙 13000 – **31 cam** 90/130000 – ½ P 95000.

CASTELLO Brescia 428, 429 F 13 – Vedere Serle.

CASTELLO DI BRIANZA 23884 Lecco 219 ⑲ – *2 125 ab. alt. 394.*
Roma 598 – Como 26 – Bergamo 35 – Lecco 14 – Milano 37.

✕✕ **La Piana,** via San Lorenzo 1 (Nord-Est : 1 km) ℰ 039 5311553, Fax 039 5311553, prenotare – 🔤 ⚞ ⑨ 𝘝𝘐𝘚𝘈 𝄪
chiuso dal 1° al 15 gennaio, dal 15 al 30 giugno, lunedì e martedì a mezzogiorno – **Pasto**
carta 50/75000.

CASTELLO MOLINA DI FIEMME 38030 Trento 429 D 16 – *1 997 ab. alt. 963 – a.s. 23 gennaio-Pasqua e Natale.*
🅱 *(luglio-settembre)* ℰ 0462 241150.
Roma 645 – Bolzano 41 – Trento 64 – Belluno 95 – Cortina d'Ampezzo 100 – Milano 303.

🏨 **Los Andes** ⤷, via Dolomiti 5 ℰ 0462 340098, info@los-andes.it, Fax 0462 342230, ≤, ₰,
⊜, ⛌ – 📳 📺 📮 ⚞ ⑨ ⚌ 𝘝𝘐𝘚𝘈 𝄪
dicembre-aprile e giugno-ottobre – **Pasto** 35000 – 🖙 18000 – **42 cam** 120/160000 –
½ P 130000.

CASTELLUCCIO INFERIORE 85040 Potenza 431 G 29 – *2 383 ab. alt. 479.*
Roma 402 – Cosenza 118 – Potenza 138 – Salerno 146.

✕✕ **Il Beccaccino,** largo Marconi ℰ 0973 662129, Fax 0973 662129 – ▤ 📮 ⚞ ⚞ ⑨ ⚌ 𝘝𝘐𝘚𝘈
𝘑𝘊𝘉 𝄪
chiuso dall'8 al 14 giugno, dal 10 al 30 novembre emercoledì – **Pasto** carta 30/45000.

CASTEL MADAMA 00024 Roma 430 Q 20 – *6 691 ab. alt. 453.*
Roma 42 – Avezzano 70.

✕ **Sgommarello,** via Sant'Anna 77, a Collerminio Sud-Ovest : 4 km ℰ 0774 411431,
Fax 0774 411115, ≤, �, 🦋 – ▤ 📮 ⚞ ⑨ ⚌ 𝘝𝘐𝘚𝘈 𝄪
chiuso dal 25 luglio al 10 agosto e mercoledì – **Pasto** carta 35/55000.

✕ **Porta Luisa,** via Aniene 6 ℰ 0774 449405 – ▤ ⚞ ⚞ ⑨ ⚌ 𝘝𝘐𝘚𝘈
chiuso dal 4 al 31 agosto e martedì – **Pasto** carta 40/50000.

CASTEL MAGGIORE 40013 Bologna 429, 430 I 16 – *15 716 ab. alt. 20.*
Roma 387 – Bologna 10 – Ferrara 38 – Milano 214.

🏨 **Olimpic,** via Galliera 23 ℰ 051 700102 e alb. ℰ 051 4178111, Fax 051 700776 – 📳 ▤ 📺 📞 ⇔ 📮 – 🔏 40. ⚞ ⚞
⑨ ⚌ 𝘝𝘐𝘚𝘈 𝘑𝘊𝘉 𝄪 rist
Pasto *(chiuso agosto)* carta 30/40000 – 🖙 10000 – **62 cam** 90/120000.

✕✕ **Alla Scuderia,** località Castello Est : 1,5 km ℰ 051 713302, Fax 051 713302, prenotare –
▤ 📮 ⚞ ⑨ ⚌ 𝘝𝘐𝘚𝘈 𝄪
chiuso dal 6 al 27 agosto e domenica – **Pasto** carta 50/60000.

a Trebbo di Reno Sud-Ovest : 6 km – ⊠ 40013 :

✕✕ **Il Sole-Antica Locanda del Trebbo** con cam, via Lame 67
❀ ℰ 051 700102 e alb. ℰ 051 4178111, ilsolebo@tin.it, Fax 051 700290, 🌤, Coperti limitati;
prenotare – ▤ 📺 𝘝𝘐𝘚𝘈 ⚞ ⑨ ⚌ 𝘝𝘐𝘚𝘈 𝄪
Pasto *(chiuso dal 1° al 10 gennaio, Pasqua, dal 7 al 31 agosto, sabato a mezzogiorno e
domenica)* 95000 e carta 70/135000 – **23 cam** 🖙 110/160000
Spec. Tataki di tonno alle erbe fini. Risotto al piccione e timo con aceto balsamico tradizionale di Modena e Castelmagno. Petto di germano reale (autunno-inverno).

CASTELMOLA Messina – Vedere Sicilia (Taormina) alla fine dell'elenco alfabetico.

CASTELNOVATE Varese – Vedere Vizzola Ticino.

CASTELNOVO DI BAGANZOLA Parma – Vedere Parma.

CASTELNOVO DI SOTTO 42024 Reggio nell'Emilia **428**, **429** H 13 – 7 616 ab. alt. 27.
Roma 440 – Parma 26 – Bologna 78 – Mantova 56 – Milano 142 – Reggio nell'Emilia 15.

🏛 **Poli**, via Puccini 1 ℘ 0522 683168, hotelpoli@hotelpoli.it, Fax 0522 683774, ☞ – 🛗 ▤ 📺
     ♦ 🅿 – 🔬 120. 🖭 🗗 ◑ ◐ 𝕍𝕀𝕊𝔸. ⁛
     Pasto vedere rist ***Poli-alla Stazione*** – **55 cam** ⌑ 120/180000.

XXX **Poli-alla Stazione**, viale della Repubblica 10 ℘ 0522 682342, Fax 0522 683774, 🏵, 🔬 –
     🅿. 🖭 🗗 ◑ ◐ 𝕍𝕀𝕊𝔸. ⁛
     chiuso domenica sera ed agosto – **Pasto** carta 60/90000.

CASTELNOVO NE' MONTI 42035 Reggio nell'Emilia **428**, **429**, **430** I 13 – 9 933 ab. alt. 700 –
a.s. luglio-13 settembre.
     🖪 piazza Martiri della Libertà 12 ℘ 0522 810430, Fax 0522 810430.
     Roma 470 – Parma 58 – Bologna 108 – Milano 180 – Reggio nell'Emilia 43 – La Spezia 90.

🏠 **Bismantova**, via Roma 73 ℘ 0522 812218, Fax 0522 810989 – 🛗 📺. 🖭 🗗 ◑ ◐ 𝕍𝕀𝕊𝔸.
     ⁛ cam
     chiuso novembre – **Pasto** (chiuso martedì escluso luglio-agosto) carta 30/50000 – ⌑
     13000 – **18 cam** ⌑ 75/95000 – ½ P 85000.

X **Locanda da Cines** con cam, piazzale Rovereto 2 ℘ 0522 812462, Fax 0522 812462,
     prenotare, ☞ – 📺. 🖭 🗗 ◑ ◐ 𝕍𝕀𝕊𝔸. ⁛
     chiuso gennaio, febbraio e dal 1° al 10 ottobre – **Pasto** (chiuso sabato) carta 40/55000 – ⌑
     10000 – **10 cam** 60/110000 – ½ P 95000.

> | Europe | If the name of the hotel is not in bold type, |
> | --- | --- |
> | | on arrival ask the hotelier his prices. |

CASTELNUOVO Padova **429** G 17 – Vedere Teolo.

CASTELNUOVO BERARDENGA 53019 Siena **430** L 16 *G. Toscana* – 7 378 ab. alt. 351.
     Roma 215 – Siena 19 – Arezzo 50 – Perugia 93.

🏯 **Relais Villa Arceno** ⑤, località Arceno-San Gusmè Nord : 4,5 km ⊠ 53010 San Gusmè
     ℘ 0577 359292, Fax 0577 359276, ≤, 🏵, « Villa seicentesca con parco e laghetto », 🔬,
     ☞, ⁛ – 🛗 ▤ 📺 🅿 🖭 🗗 ◑ ◐ 𝕍𝕀𝕊𝔸. ⁛ rist
     aprile-3 novembre – **Pasto** carta 100/140000 – **12 cam** ⌑ 430/530000, 4 suites –
     ½ P 470000.

🏯 **Relais Borgo San Felice** ⑤, località San Felice Nord-Ovest : 10 km ℘ 0577 359260,
     borgosfelice@flashnet.it, Fax 0577 359089, ≤, 🏵, « In un antico borgo tra i vigneti », 🔬,
     🔬 riscaldata, ☞, ⁛ – ▤ 📺 🅿 – 🔬 60. 🖭 🗗 ◑ ◐ 𝕍𝕀𝕊𝔸. ⁛
     aprile-ottobre – **Pasto** carta 105/175000 – **33 cam** ⌑ 355/515000, 12 suites – ½ P 390000.

XX **Da Antonio**, via Fiorita 38 ℘ 0577 355321, prenotare, « Servizio estivo in terrazza »
     Pasto specialità di mare.

X **La Bottega del 30**, via Santa Caterina 2, località Villa a Sesta Nord : 5 km ℘ 0577 359226,
     Fax 0577 359226, 🏵, Coperti limitati; prenotare – 🗗 ◐ 𝕍𝕀𝕊𝔸 𝙅𝘾𝘽. ⁛
     chiuso a mezzogiorno (escluso domenica ed i giorni festivi), martedì e mercoledì – **Pasto**
     85/105000
     Spec. Spaghetti fatti a mano con funghi porcini, nepitella e salsa di ortica e basilico
     (maggio-ottobre). Anatra al finocchio selvatico cotta con vin Santo e rosmarino. Ricottina
     delle Crete Senesi con limone e amaretti su salsa di lamponi.

a Colonna del Grillo Sud-Est : 5 km – ⊠ 53019 Castelnuovo Berardenga :

🏠 **Posta del Chianti**, ℘ 0577 353000 e rist. ℘ 0577 355169, postachianti@mail.xoom.it,
     Fax 0577 353050, ☞ – 📺 🅿. 🖭 🗗 ◑ ◐ 𝕍𝕀𝕊𝔸. ⁛
     chiuso dal 6 al 20 novembre – **Pasto** al Rist. ***Hostaria Molino del Grillo*** (chiuso lunedì)
     carta 40/70000 (10%) – **16 cam** ⌑ 150/220000.

CASTELNUOVO DEL GARDA 37014 Verona **429** F 14 – 8 379 ab. alt. 130.
     Roma 520 – Verona 19 – Brescia 51 – Mantova 46 – Milano 140 – Trento 87 – Venezia 133.

🏛 **Dorè**, via Milano 23 ℘ 045 7571341, hoteldore@graff.net, Fax 045 6461693, 🔬, 🕿 – 🛗 ▤
     📺 ♦ 🅿 🖭 🗗 ◑ ◐ 𝕍𝕀𝕊𝔸. ⁛
     Pasto carta 45/80000 – **33 cam** ⌑ 155/210000 – ½ P 135000.

🏠 **La Meridiana**, via Zamboni 11 località Sandrà (Nord-Est : 3 km) ℘ 045 7596306,
     Fax 045 7596313, 🏵, ☞ – ▤ 📺 ♦ 🅿. 🖭 🗗 ◑ ◐ 𝕍𝕀𝕊𝔸
     chiuso dal 1° al 10 gennaio – **Pasto** (chiuso gennaio e mercoledì) carta 30/60000 – **12 cam**
     ⌑ 90/110000 – ½ P 80000.

CASTELNUOVO DELLA DAUNIA 71034 Foggia **431** C 27 – 1 825 ab. alt. 553.

Roma 332 – Foggia 38 – San Severo 31 – Termoli 78.

XX **Il Cenacolo,** piazza Guglielmi 3 ℰ 0881 559587, 佘, Coperti limitati; prenotare – ﾑ ﾗ ⬤
⬤ *VISA* ⅙
chiuso dal 15 al 30 luglio, dal 1º al 10 novembre, domenica sera e lunedì – **Pasto** carta
45/60000.

CASTELNUOVO DEL ZAPPA Cremona **428**, **429** G 12 – Vedere Castelverde.

CASTELNUOVO DI GARFAGNANA 55032 Lucca **428**, **429**, **430** J 13 – 6 130 ab. alt. 277.

Roma 395 – Pisa 67 – Bologna 141 – Firenze 121 – Lucca 47 – Milano 263 – La Spezia 81.

🏨 **La Lanterna,** località alle Monache-Piano Pieve (Est : 1,5 km) ℰ 0583 62272,
Fax 0583 62272, 佘 – ⓘ, 🍴 rist, ⓣⓥ ⅙ 🄿. ﾑ ﾗ ⬤ ⬤ *VISA*
Pasto (chiuso dal 7 al 23 gennaio e martedì escluso in luglio-agosto) carta 35/55000 –
22 cam ⚏ 85/150000 – ½ P 110000.

CASTELNUOVO DON BOSCO 14022 Asti **428** G 5 – 2 984 ab. alt. 306.

Roma 655 – Torino 31 – Asti 33 – Cuneo 93 – Vercelli 78.

X **Nuovo Monferrato,** via Marconi 16 ℰ 011 9876284 – ﾑ ﾗ ⬤ ⬤ *VISA*
chiuso martedì sera e mercoledì – **Pasto** carta 35/55000.

CASTELNUOVO FOGLIANI Piacenza **428**, **429** H 11 – Vedere Alseno.

CASTELNUOVO MAGRA 19030 La Spezia **428**, **429**, **430** J 12 – 8 009 ab. alt. 188.

Roma 404 – La Spezia 24 – Pisa 61 – Reggio nell'Emilia 149.

X **Armanda,** piazza Garibaldi 6 ℰ 0187 674410, Coperti limitati; prenotare – ﾑ ﾗ ⬤ ⬤
VISA ⅙
chiuso dal 24 dicembre al 6 gennaio, dal 15 al 30 giugno e mercoledì – **Pasto** 50000 e carta
40/65000.

CASTELPETROSO 86090 Isernia **431** C 25 – 1 733 ab. alt. 871.

Roma 179 – Campobasso 32 – Benevento 74 – Foggia 121 – Isernia 14 – Napoli 120.

🏨 **La Fonte dell'Astore,** via Santuario Sud-Ovest : 4 km ℰ 0865 936085, Fax 0865 936006
– ⓘ 🍴 ⓣⓥ ⅙ 🚗 🄿. 🛗 100. ﾑ ﾗ ⬤ ⬤ *VISA* *JCB* ⅙
Pasto carta 30/45000 – **36 cam** ⚏ 80/110000 – ½ P 90000.

CASTELRAIMONDO 62022 Macerata **430** M 21 – 4 489 ab. alt. 307.

Roma 217 – Ancona 85 – Fabriano 27 – Foligno 60 – Macerata 42 – Perugia 93.

a Sant'Angelo Sud-Ovest : 7 km – ⊠ 62022 Castelraimondo :

XX **Il Giardino degli Ulivi** ⅍ con cam, via Crucianelli 54 ℰ 0737 642121, Fax 0737 640441,
≤ colline, prenotare, « In un antico casolare » – 🄿. *VISA*. ⅙
chiuso dal 15 novembre al 5 dicembre e dal 9 al 30 gennaio – **Pasto** (chiuso martedì)
35/50000 a mezzogiorno e 40/50000 la sera – **5 cam** ⚏ 100/200000 – ½ P 120000.

CASTEL RIGONE 06060 Perugia **430** M 18 – alt. 653.

Roma 208 – Perugia 26 – Arezzo 58 – Siena 90.

🏨 **Relais la Fattoria** ⅍, via Rigone 1 ℰ 075 845322, info@relaislafattoria.com,
Fax 075 845197, « In un piccolo borgo medievale », 🏊 – ⓘ ⓣⓥ 🄿 – 🛗 120. ﾑ ﾗ ⬤ ⬤ *VISA*
⅙
Pasto al Rist. **La Corte** (chiuso dal 7 al 21 gennaio) carta 55/80000 – **29 cam** ⚏ 160/360000
– ½ P 210000.

CASTELROTTO (KASTELRUTH) 39040 Bolzano **429** C 16 – 5 969 ab. alt. 1 060 – Sport invernali :
vedere Alpe di Siusi.

🛈 piazza Kraus 1 ℰ 0471 706333, Fax 0471 705188.

Roma 667 – Bolzano 26 – Bressanone 25 – Milano 325 – Ortisei 12 – Trento 86.

🏨 **Posthotel Lamm,** piazza Krausen 3 ℰ 0471 706343, info@posthotellamm.it,
Fax 0471 707063, ≤, ⓢ, 🄽 – ⓘ, 🍴 rist, ⓣⓥ 🄿. ﾗ ⬤ ⬤ *VISA* *JCB*
chiuso dal 28 aprile al 12 maggio e dal 7 novembre al 18 dicembre – **Pasto** (chiuso lunedì)
carta 45/75000 – **42 cam** ⚏ 205/360000, 4 suites – ½ P 190000.

🏨 **Alpenflora,** via Wolkenstein 32 ☎ 0471 706326, *info@alpenflora.com, Fax 0471 707173,* ≤, ⛲, 🏊, 🌳 – 🛗, 🚭 rist, [TV] ♿ [P]. [AE] [$] [MC] [VISA]. ✗ rist
chiuso dal 15 novembre al 15 dicembre – **Pasto** 45/60000 solo bufet a mezzogiorno – **32 cam** ☕ 150/280000 – ½ P 160000.

🏨 **Cavallino d'Oro,** piazza Krausen ☎ 0471 706337, *cavallino@cavallino.it, Fax 0471 707172,* ≤, « Ambiente tipico tirolese », ⛲ – 🚭 rist, [TV]. [AE] [$] [D] [MC] [VISA]. ✗ rist
chiuso dal 10 novembre al 5 dicembre – **Pasto** *(chiuso martedì)* carta 40/60000 – **25 cam** ☕ 115/165000 – ½ P 135000.

🏨 **Silbernagl Haus** 🐦 senza rist, via Bullaccia 1 ☎ 0471 706699, *gsilber@tin.it, Fax 0471 706699,* ≤, ⛲, 🏊, 🌳 – [TV] [P]
Pasqua e giugno-ottobre – **12 cam** ☕ 80/160000.

🏨 **Villa Gabriela** 🐦 senza rist, San Michele 31/1 (Nord-Est : 4 km) ☎ 0471 700077, *villa.gabriela@dnet.it, Fax 0471 700077,* ≤, 🌳 – [TV] [P]. ✗ rist
chiuso dal 25 aprile all'8 maggio e dal 7 al 21 novembre – **6 cam** ☕ 85/150000.

CASTEL SAN GIMIGNANO *Siena* [430] L 15 – *Vedere San Gimignano.*

CASTEL SAN PIETRO TERME *40024 Bologna* [429], [430] I 16 – *19 163 ab. alt. 75 – Stazione termale (aprile-novembre), a.s. luglio-13 settembre.*

⛳18 *Le Fonti (chiuso martedì) ☎ 051 6351958, Fax 051 6351958.*

[i] *piazza 20 Settembre 3 ☎ 051 6954135, Fax 051 6954141.*

Roma 395 – Bologna 24 – Ferrara 67 – Firenze 109 – Forlì 41 – Milano 235 – Ravenna 55.

🏨 **Castello,** viale delle Terme 1010/b ☎ 051 943509, *hotelcastello@mail.asianet.it, Fax 051 944573* – 🛗 ▤ [TV] [P] – 🎓 50. [AE] [$] [D] [MC] [VISA]. ✗
Pasto vedere rist ***Da Willy*** – ☕ 20000 – **54 cam** 240/310000, 3 suites.

🏨 **Park Hotel,** viale Terme 1010 ☎ 051 941101, *Fax 051 944374,* 🌳 – 🛗 ▤ [TV] [P] – 🎓 50. [AE] [$] [MC] [VISA]. ✗
chiuso dal 15 dicembre al 6 febbraio – **Pasto** (solo per alloggiati) – ☕ 12000 – **40 cam** 115/165000 – P 100000.

🍴🍴 Maraz, piazzale Vittorio Veneto 1 ☎ 051 941236, *Fax 051 944422,* ☂.

🍴🍴 **Da Willy** - Hotel Castello, via Terme 1010/b ☎ 051 944264, *Fax 051 944264,* ☂ – ▤. [AE] [$] [D] [MC] [VISA]. ✗
chiuso lunedì – **Pasto** carta 40/50000.

🍴 **Trattoria Trifoglio,** località San Giovanni dei Boschi Nord : 13 km ☎ 051 949066, *Fax 051 949266,* ☂ – [P]. [AE] [$] [D] [MC] [VISA]. ✗
chiuso agosto e lunedì – **Pasto** carta 35/60000.

CASTELSARDO *Sassari* [433] E 8 – *Vedere Sardegna alla fine dell'elenco alfabetico.*

CASTEL TOBLINO *Trento* [429] D 14 – *alt. 243 – ✉ 38070 Sarche – a.s. dicembre-Pasqua.*

Roma 605 – Trento 18 – Bolzano 78 – Brescia 100 – Milano 195 – Riva del Garda 25.

🍴🍴 **Castel Toblino,** via Caffaro 1 ☎ 0461 864036, *Fax 0461 340563,* ☂, « In un castello medioevale; piccolo parco » – [P]. [$] [MC] [VISA]. ✗
3 marzo-6 novembre; chiuso martedì escluso agosto – **Pasto** 55000 e carta 55/85000.

CASTELVECCANA *21010 Varese* [428] E 8, [219] [7] – *1 935 ab. alt. 281.*

Roma 666 – Bellinzona 46 – Como 59 – Milano 87 – Novara 79 – Varese 29.

🏨 **Da Pio** 🐦, località San Pietro ☎ 0332 520511, *locanda.pio@libero.it, Fax 0332 522014,* ☂ – 🛗 [TV] ♿ [P]. [AE] [$] [MC] [VISA] [JCB]. ✗
Pasto *(chiuso martedì dal 15 maggio a settembre, da lunedì a giovedì negli altri mesi)* carta 55/85000 – **10 cam** ☕ 100/150000.

CASTELVERDE *26022 Cremona* [428], [429] G 11 – *4 872 ab. alt. 53.*

Roma 515 – Parma 71 – Piacenza 40 – Bergamo 70 – Brescia 61 – Cremona 9 – Mantova 71.

a Castelnuovo del Zappa *Nord-Ovest : 3 km – ✉ 26022 Castelverde :*

🍴 **Valentino,** via Manzoni 27 ☎ 0372 427557 – ▤. [$] [MC] [VISA]. ✗
chiuso agosto, lunedì sera e martedì – **Pasto** carta 30/50000.

Wenn der Name eines Hotels dünn gedruckt ist,
hat uns der Hotelier Preise und Öfnungszeiten nicht angegeben.

CASTELVETRO DI MODENA 41014 Modena **428**, **429**, **430** I 14 – 9 279 ab. alt. 152.
Roma 406 – Bologna 50 – Milano 189 – Modena 19.

🏠 **Locanda del Feudo,** via Traversale 2 ℰ 059 708711, locfeudo@tiscalinet.i.
Fax 059 708717 – 🔟 📺 📞 🖭 🕃 🔟 🐠 🕕 *VISA*. ⚹
chiuso dall'8 al 14 gennaio ed agosto – **Pasto** (solo per alloggiati e chiuso domenica)
35/50000 – 6 suites 🕳 180/300000 – ½ P 175000.

🏠 **Zoello,** via Modena 181, località Settecani Nord : 5 km ℰ 059 702635, zoello@tin.i.
Fax 059 702000, 🏠, 🐧, ⚹ – 📲 🔟 📺 🖭 🕃 🔟 🐠 🕕 *VISA*. ⚹
chiuso dal 24 dicembre al 6 gennaio ed agosto – **Pasto** (chiuso venerdì) carta 35/50000 – 🕳
10000 – **50 cam** 90/130000 – ½ P 100000.

CASTELVETRO PIACENTINO 29010 Piacenza **428**, **429** G 11 – 4 739 ab. alt. 39.
Roma 505 – Parma 62 – Piacenza 35 – Brescia 61 – Cremona 7 – Genova 179 – Milano 89.

🏠 **Parco** senza rist, strada statale Due Ponti 5 e via Matteotti 20 ℰ 0523 825013
Fax 0523 825442 – 📼 📺 ໄ. 🖭 🕃 🔟 🐠 🕕 *VISA*
20 cam 🕳 100/140000.

CASTEL VOLTURNO 81030 Caserta **431** D 23 – 18 611 ab. – a.s. 15 giugno-15 settembre.
🏌 Volturno (chiuso lunedì) ℰ 081 5095150, Fax 081 5095855.
Roma 190 – Napoli 40 – Caserta 37.

🏨 **Holiday Inn Resort** 🅼 ⚘, via Domiziana km 35,300 (Sud : 5 km) ℰ 081 5095150, holid.
yinncastel@iol.it, Fax 081 5095855, 🏠, « 🐧 con acqua di mare e piccola pineta », 🔏, 🏖
⚹, – 📲, ➡ cam, 🖭 📺 ໄ. ➡ 🖭 – 🏊 1200. 🖭 🕃 🔟 🐠 🕕 *VISA*. ⚹
Pasto carta 70/100000 – 🕳 25000 – **122 cam** 265/320000, 14 suites – ½ P 210000.

XX **Scalzone,** via Domiziana al km 34,200 (Sud : 4 km) ℰ 0823 851217, Fax 0823 851172 – 📼
🖭 🖭 🕃 🔟 🐠 *VISA*. ⚹
chiuso lunedì – **Pasto** carta 40/60000.

Leggete attentamente l'introduzione : è la « chiave » della guida.

CASTENEDOLO Brescia **428**, **429** F 12 – Vedere Brescia.

CASTIADAS Cagliari **433** J 10 – Vedere Sardegna alla fine dell'elenco alfabetico.

CASTIGLIONCELLO 57012 Livorno **430** L 13 G. Toscana – a.s. 15 giugno-15 settembre.
🄱 (giugno-settembre) via Aurelia 967 ℰ 0586 752291, Fax 0586 752291.
Roma 300 – Pisa 40 – Firenze 137 – Livorno 21 – Piombino 61 – Siena 109.

🏠 **Atlantico** ⚘, via Martelli 12 ℰ 0586 752440, hatlant@tin.it, Fax 0586 752494, 🌿 – 📲 📼
📺 🖭 🕃 🔟 🐠 *VISA*. ⚹
marzo-ottobre – **Pasto** 30/60000 – 🕳 10000 – **50 cam** 100/200000 – ½ P 150000.

🏠 **Martini** ⚘, via Martelli 3 ℰ 0586 752140, Fax 0586 752140, 🏠, « Giardino ombreg-
giato » – 📲 📺 🖭 🕃 🔟 🐠 *VISA*. ⚹ rist
aprile-settembre – **Pasto** carta 50/65000 – **40 cam** 🕳 140/200000, 3 suites – ½ P 120000.

🏠 **Villa Parisi** ⚘, via Monti 10 ℰ 0586 751698, Fax 0586 751167, ≼, « Parco con discesa a
mare », 🐧, ⚹ – 📲 📼 🖭 – 🏊 50
20 cam.

XX **Torre Medicea,** piazza della Torre 8 ℰ 0586 754260, torre.medicea@tiscalinet.it,
Fax 0586 759977, 🏠 – 🖭 🕃 🔟 🐠 *VISA*. ⚹
chiuso dal 1° al 25 novembre e martedì a mezzogiorno, anche la sera da dicembre a marzo
– **Pasto** 80000 e carta 60/90000.

X **Nonna Isola,** statale Aurelia 558 ℰ 0586 753800, Coperti limitati; prenotare – 🖭. 🕃 🐠
VISA
chiuso da novembre al 15 dicembre, dal 15 gennaio al 28 febbraio e lunedì (escluso agosto)
– **Pasto** specialità di mare carta 45/70000.

CASTIGLIONE DEI PEPOLI 40035 Bologna **429**, **430** J 15 – 6 059 ab. alt. 691.
Roma 328 – Bologna 54 – Firenze 60 – Ravenna 134.

a Baragazza Est : 6 km – ⊠ 40031 :

🏠 **Bellavista,** via Sant'Antonio 123 ℰ 0534 898166, Fax 0534 898166, 🏠 – 📲 📺 🖭 🕃 🔟
🐠 *VISA*. ⚹ rist
Pasto (chiuso martedì) carta 50/70000 – 🕳 13000 – **19 cam** 90/125000 – ½ P 90000.

CASTIGLIONE DEL LAGO 06061 Perugia 430 M 18 – 13 982 ab. alt. 304.

[9] *Lamborghini Panicale (chiuso mercoledì escluso da marzo ad ottobre) località Panicale*
☒ *06064 Panicale ℰ 075 837582, Fax 075 837582, Sud , 8 km.*

🛈 *piazza Mazzini 10 ℰ 075 9652484, Fax 075 9652763.*

Roma 182 – Perugia 46 – Arezzo 46 – Firenze 126 – Orvieto 74 – Siena 78.

🏠 **Miralago,** piazza Mazzini 6 ℰ 075 951157 e rist. 075 9653235, Fax 075 951924, « Servizio
rist. estivo in giardino con ≤ lago » – 🔟 📺. 🖭 🕄 ⓞ ⓒ 🚾 ᴊᴄʙ
chiuso dal 7 gennaio al 15 marzo – **Pasto** al Rist. **La Fontana** *(chiuso da gennaio
all'8 febbraio e lunedì)* carta 50/80000 – **19 cam** ⚏ 140/160000 – ½ P 110000.

🏠 **Duca della Corgna,** via Buozzi 143 ℰ 075 953238, *hotelcorgna@libero.it,*
Fax 075 9652446, ⤓, ᾱ – 🔟 🕭 ⟵ 🅿 – ᾰ 60. 🕄 ⓞ 🚾. ✵ rist
Pasto *(Pasqua-ottobre; solo per alloggiati)* 40000 (10%) – **25 cam** ⚏ 110/160000 –
½ P 105000.

✕✕ **L'Acquario,** via Vittorio Emanuele 69 ℰ 075 9652432 – 🖭 🕄 ⓞ 🚾. ✵
chiuso da gennaio al 15 febbraio, mercoledì e da novembre a marzo anche martedì – **Pasto**
carta 45/65000.

CASTIGLIONE DELLA PESCAIA 58043 Grosseto 430 N 14 *G. Toscana* – 7 387 ab. – a.s. Pasqua
e 15 giugno-15 settembre.

🛈 *piazza Garibaldi 6 ℰ 0564 933678, Fax 0564 933954.*

Roma 205 – Grosseto 23 – Firenze 162 – Livorno 114 – Siena 94 – Viterbo 141.

🏛 **L'Approdo,** via Ponte Giorgini 29 ℰ 0564 933466, Fax 0564 933086, ≤ – 🛗 🔟 📺 🕭 –
ᾰ 230. 🖭 🕄 ⓞ ⓒ 🚾. ✵
Pasto 40000 – **48 cam** ⚏ 295000 – ½ P 180000.

🏠 **Miramare,** via Veneto 35 ℰ 0564 933524, Fax 0564 933695, ≤, ᾱ⊝ – 🛗, 🔟 cam, 📺. 🖭
🕄 ⓞ ⓒ 🚾. ✵
Pasqua-novembre – **Pasto** carta 50/90000 – **35 cam** ⚏ 170/200000 – ½ P 160000.

🏠 **Piccolo Hotel,** via Montecristo 7 ℰ 0564 937081, Fax 0564 937081, ꧁ – 🛗 🔟 🅿. 🖭 🕄
ⓒ 🚾. ✵
Pasqua e 15 maggio-settembre – **Pasto** 45000 – **24 cam** ⚏ 165/185000 – ½ P 140000.

🏠 **Corallo,** via Nazario Sauro 1 ℰ 0564 933668, Fax 0564 936268, ꧁ – 🛗 🔟 📺 🕭. 🖭 🕄 ⓞ
ⓒ 🚾. ✵ cam
chiuso dicembre e gennaio – **Pasto** *(chiuso martedì escluso da Pasqua ad ottobre)*
specialità di mare carta 60/95000 – **14 cam** ⚏ 110/180000 – ½ P 130000.

🏠 **Sabrina,** via Ricci 12 ℰ 0564 933568, Fax 0564 933592, ᾱ – 🔟 📺 🅿. 🖭 🕄 ⓞ ⓒ 🚾. ✵
giugno-settembre – **Pasto** *(solo per alloggiati)* 45000 – **37 cam** ⚏ 150/160000 –
½ P 135000.

🏠 **Perla,** via dell'Arenile 3 ℰ 0564 938023 – 🅿. 🕄 🚾. ✵
Pasqua-ottobre – **Pasto** *(solo per alloggiati)* 35000 – ⚏ 15000 – **13 cam** 75/105000 –
½ P 105000.

✕✕ **Pierbacco,** piazza Repubblica 24 ℰ 0564 933522, Fax 0564 932064, ꧁ – 🔟. 🖭 🕄 ⓞ ⓒ
🚾 ᴊᴄʙ
*chiuso gennaio, a mezzogiorno in luglio-agosto e mercoledì (escluso da maggio a settem-
bre)* – **Pasto** specialità di mare carta 55/80000.

✕✕ **Da Romolo,** corso della Libertà 10 ℰ 0564 933533, *0564 933533,* ꧁ – 🔟. 🖭 🕄 ⓞ ⓒ
🚾
chiuso novembre e martedì – **Pasto** carta 50/80000.

a Riva del Sole *Nord-Ovest : 2 km* – ☒ *58043 Castiglione della Pescaia :*

🏛 **Riva del Sole,** viale Kennedy ℰ 0564 928111, *info@rivadelsole.it,* Fax 0564 935607, ꧁,
« In pineta », Ᾰ₆, ⤓riscaldata, ᾱ⊝, ᾱ, ✵ – 🔟 🕭 🅿 – ᾰ 300. 🖭 🕄 ⓞ ⓒ 🚾. ✵
aprile-ottobre – **Pasto** 45/55000 – **175 cam** ⚏ 195/330000 – ½ P 205000.

CASTIGLIONE DELLE STIVIERE 46043 Mantova 428 F 13 – 18 139 ab. alt. 116.

Roma 509 – Brescia 28 – Cremona 57 – Mantova 38 – Milano 122 – Verona 49.

🏠 **La Grotta** ⟲ senza rist, viale dei Mandorli 22 ℰ 0376 632530, Fax 0376 639295, ᾱ – 🔟
🔟 🅿. 🖭 🕄 ⓞ ⓒ 🚾
27 cam ⚏ 95/160000.

✕✕ **Hostaria Viola,** via Verdi 32, località Fontane ℰ 0376 670000, Fax 0376 638538, Coperti
limitati; prenotare – ✵ 🔟 🅿. 🖭 🕄 ⓞ ⓒ 🚾 ᴊᴄʙ. ✵
chiuso dal 10 luglio al 20 agosto, lunedì e da Pasqua a ottobre anche domenica sera – **Pasto**
carta 45/65000.

✕✕ **Osteria da Pietro,** via Chiassi 19 ℰ 0376 673718, Fax 0367 673718 – 🔟. 🖭 🕄 ⓞ ⓒ
🚾. ✵
chiuso dal 10 al 26 gennaio, dal 14 al 30 agosto e mercoledì – **Pasto** 60000 e carta 55/90000.

a Grole Sud-Est : 3 km – ⊠ 46043 Castiglione delle Stiviere :

XX **Tomasi,** via Solferino 77 ℰ 0376 632968, info@tomasi.it, Fax 0376 672586, prenotare, 🚗
– ☰ 🄿. 🕰 🕃 ⓪ ⑩ 𝘝𝘐𝘚𝘈, 🛠
chiuso dal 1° al 7 gennaio, dal 1° al 21 agosto e lunedì – **Pasto** carta 45/75000.

CASTIGLIONE FALLETTO 12060 Cuneo **428** I 5 – 614 ab. alt. 350.
Roma 614 – Cuneo 68 – Torino 70 – Asti 39 – Savona 74.

🏠 **Residence Le Torri** senza rist, via Roma 29 ℰ 0173 62961, hotel.letorri@tin.it
Fax 0173 62961, ≤ colline e vigneti – 🖵 🚗. 🕰 🕃 ⓪ ⑩ 𝘝𝘐𝘚𝘈
chiuso dal 1° al 15 gennaio e dal 1° al 15 febbraio – 🖙 15000 – **9 cam** 120/160000, 8 suite
140/180000.

CASTIGLIONE MESSER MARINO 66033 Chieti **430** Q 25 – 2 342 ab. alt. 1 081.
Roma 224 – Campobasso 74 – Isernia 56 – Termoli 86.

a Santa Maria del Monte Nord-Ovest : 7 km – ⊠ 66033 Castiglione Messer Marino :

X **Rifugio del Cinghiale** ⤳ con cam, contrada Madonna del monte ℰ 0873 978675,
Fax 0873 978675, ≤, prenotare – ☎ 🚗 🄿.
Pasto (chiuso lunedì) carta 40/60000 – 🖙 6000 – **13 cam** 50/90000 – ½ P 75000.

*Keine Aufnahme in den **Michelin-Führer** durch*

- Beziehungen oder

- Bezahlung!

CASTIGLION FIORENTINO 52043 Arezzo **430** L 17 – 11 644 ab. alt. 345.
Roma 198 – Perugia 57 – Arezzo 17 – Chianciano Terme 51 – Firenze 93 – Siena 59.

🏠🏠 **Relais San Pietro in Polvano** ⤳, località Polvano 3 (Est : 8 km) ℰ 0575 650100, polva
no@technet.it, Fax 0575 650255, ≤ colline e vallate, « Servizio ristorante estivo in terrazza
panoramica », 🟰, 🚗 – 🕭 🄿. 🕰 🕃 ⑩ 𝘝𝘐𝘚𝘈, 🛠
15 marzo-5 novembre – **Pasto** carta 70/110000 (12 %) – **7 cam** 🖙 200/380000.

X **Da Muzzicone,** piazza San Francesco 7 ℰ 0575 658403, Fax 0575 658813, 🏠 – 🕰 🕃 ⓪
⑩ 𝘝𝘐𝘚𝘈, 🛠
chiuso martedì – **Pasto** carta 40/65000 (13 %).

CASTIGNANO 63032 Ascoli Piceno **430** N 22 – 3 003 ab. alt. 474.
Roma 225 – Ascoli Piceno 34 – Ancona 120 – Pescara 95.

🏠 **Teta,** via Borgo Garibaldi 122 ℰ 0736 821412, Fax 0736 821593, ≤, 🚗 – 🕭 🖵 🄿. 🕰 🕃 ⓪
⑩ 𝘝𝘐𝘚𝘈, 🛠
Pasto 35/45000 – **19 cam** 🖙 60/120000 – ½ P 80000.

CASTIONE DELLA PRESOLANA 24020 Bergamo **428** E 12 – 3 293 ab. alt. 870 – a.s. luglio-
agosto e Natale – Sport invernali : al Monte Pora : 1 376/1 875 m ≼ 7, ≰.
Roma 643 – Brescia 89 – Bergamo 42 – Edolo 75 – Milano 88.

🏠🏠 **Aurora,** via Sant'Antonio 19 ℰ 0346 60004, hotel.aurora@cooraltur.it, Fax 0346 60246, ≤,
🔥, 🛠 – 🕭 🖵 🄿. 🕰 🕃 ⓪ 𝘝𝘐𝘚𝘈, 🛠 rist
Pasto (chiuso martedì) carta 45/65000 – **26 cam** 🖙 150/160000 – ½ P 130000.

a Bratto Nord-Est : 2 km – alt. 1 007 – ⊠ 24020 :

🏠🏠🏠 **Milano,** via Silvio Pellico 3 ℰ 0346 31211, info@hotelmilano.it, Fax 0346 36236, ≤, « Pic-
colo parco ombreggiato », 🔥 – 🕭 🖸 🖵 ℃ ᕘ, 🄿 – 🕭 180. 🕰 🕃 ⓪ ⑩ 𝘝𝘐𝘚𝘈, 🛠 rist
Pasto al Rist. **Al Caminone** (chiuso lunedì) carta 50/85000 – **59 cam** 🖙 210/280000,
4 suites – ½ P 210000.

🏠🏠 **Eurohotel,** via Provinciale 36 ℰ 0346 31513, Fax 0346 30701, ≤ – 🕭 🖵 🖸 🖵 🄿. 🕰 🕃 ⓪ ⑩
𝘝𝘐𝘚𝘈 𝘑𝘊𝘉, 🛠
chiuso dal 15 settembre al 15 ottobre – **Pasto** 45/55000 – **26 cam** 🖙 110/150000 –
½ P 135000.

XX **Cascina delle Noci,** via Provinciale 22 ℰ 0346 31251, Fax 0346 36246, prenotare,
« Giardino ombreggiato con minigolf » – 🄿. 🕃 ⓪ ⑩ 𝘝𝘐𝘚𝘈
chiuso dal 7 al 31 gennaio, lunedì e martedì (escluso luglio-agosto) – **Pasto** 40/65000 e
carta 65/90000.

CASTROCARO TERME 47011 Forlì-Cesena 429, 430 J 17 – 5 513 ab. alt. 68 – Stazione termale (aprile-novembre), a.s. 15 luglio-settembre.

🛈 *via Garibaldi 1 ℘ 0543 767162, Fax 0543 769326.*

Roma 342 – Bologna 74 – Ravenna 40 – Rimini 65 – Firenze 98 – Forlì 11 – Milano 293.

🏰 **Gd H. Terme**, via Roma 2 ℘ 0543 767114, Fax 0543 768135, « Parco ombreggiato », ⊼, ⌇ – 📶 🏬 🖧 🖭 – 🕍 150. 🖭 🕄 ① ⓿ 🗺️ 🗾. ⊗ rist
chiuso sino ad aprile – **Pasto** 45/70000 – **95 cam** ⊇ 180/280000, suite – ½ P 180000.

🏨 **Ambasciatori**, via Cantarelli 10 ℘ 0543 767345, *ambasciatori@libero.it*, Fax 0543 767345, ⌂, ⊼, ☞ – 📶 🖭 🖭. 🖭 🕄 ① ⓿ 🗺️. ⊗ rist
chiuso gennaio – **Pasto** carta 40/60000 – **28 cam** ⊇ 90/130000 – ½ P 80000.

🏨 **Garden**, via Cantarelli 14 ℘ 0543 766366, *hgarden@tiscalinet.it*, Fax 0543 766366, ⊼, ☞ – 📶 🖭 – 🕍 60. 🖭 🕄 ① ⓿ 🗺️. ⊗
Pasto *(chiuso da dicembre a marzo)* carta 40/50000 – **29 cam** ⊇ 90/140000 – ½ P 80000.

🏠 **Eden** 📶, via Samory 11 ℘ 0543 767600, *hoteleden@comunic.it*, Fax 0543 768233, ≤, ☞ – 📶 🖭, 🖭 🕄 ① ⓿ 🗺️. ⊗
aprile-15 novembre – **Pasto** carta 40/50000 – **32 cam** ⊇ 80/120000 – ½ P 80000.

XXXX **La Frasca**, viale Matteotti 34 ℘ 0543 767471, Fax 0543 766625, Coperti limitati; prenotare, « Servizio estivo in giardino », ☞ – 🖭 – 🕍 30. 🖭 🕄 ① ⓿ 🗺️. ⊗
😋😋 *chiuso dal 1º al 20 gennaio, dal 16 al 30 agosto e martedì* – **Pasto** 80000 (solo a mezzogiorno) 125/140000 e carta 125/140000
Spec. Tortino di gamberi, melanzane e pomodoro. Cosciotto di castrato farcito. Fagottini di patate e pecorino di fossa.

XX **Antica Osteria degli Archi**, piazzetta San Nicolò 2 ℘ 0543 768281, « Servizio estivo in terrazza » – ⊗. 🖭 🕄 ① ⓿ 🗺️
chiuso lunedì – **Pasto** 60/80000 e carta 50/80000.

CASTROCIELO 03030 Frosinone 430 R 23 – 3 754 ab. alt. 250.

Roma 116 – Frosinone 42 – Caserta 85 – Gaeta 61 – Isernia 82 – Napoli 112.

XX **Villa Euchelia**, via Giovenale ℘ 0776 799930, *villaeuchelia@publimedia.com*, Fax 0776 799829, ☞ – 🖭. 🖭 🕄 ① ⓿ 🗺️
chiuso dal 10 al 28 gennaio, martedì e mercoledì a mezzogiorno – **Pasto** 45/75000 e carta 50/75000.

XX **Al Mulino**, via Casilina 47 (Sud : 2 km) ℘ 0776 79306, Fax 0776 79824, 🌫 – 🍽 🖭. 🖭 🕄 ① ⓿ 🗺️. ⊗
chiuso dal 23 dicembre al 10 gennaio – **Pasto** specialità di mare carta 50/90000.

CASTROCUCCO Potenza 431 H 29 – Vedere Maratea.

CASTRO MARINA 73030 Lecce 431 G 37 G. Italia– 2 469 ab. – a.s. luglio-agosto.

Roma 660 – Brindisi 86 – Bari 199 – Lecce 48 – Otranto 23 – Taranto 125.

🏨 **Degli Ulivi**, litoranea per Santa Cesarea Terme ℘ 0836 943037, *hulivi@libero.it*, Fax 0836 943084, ≤, 🌫 – 📶, 🍽 rist, 🖭 🖭. 🖭 🕄 ① ⓿ 🗺️. ⊗ cam
Pasto carta 45/70000 – **25 cam** ⊇ 100/150000 – ½ P 110000.

alla grotta Zinzulusa Nord : 2 km G. Italia.

🏨 **Orsa Maggiore** 📶, litoranea per Santa Cesarea Terme 303 ⊠ 73030 ℘ 0836 947028, Fax 0836 947766, ≤, ☞ – 📶 🍽 🖭 – 🕍 50. 🖭 🕄 ① ⓿ 🗺️
Pasto carta 35/50000 – ⊇ 10000 – **30 cam** 110/155000 – ½ P 120000.

CASTROVILLARI 87012 Cosenza 431 H 30 – 23 265 ab. alt. 350.

🛈 *sull'autostrada SA-RC, area servizio Frascineto Ovest ℘ 0981 32710, Fax 0981 32710.*

Roma 453 – Cosenza 74 – Catanzaro 168 – Napoli 247 – Reggio di Calabria 261 – Taranto 152.

🏨 **La Locanda di Alia** 📶, via Jetticelle 55 ℘ 0981 46370, *alia@sirfin.it*, Fax 0981 46370, 🌫, ☞ – 🍽 🖭 – 🕍 70. 🖭 🕄 ① ⓿ 🗺️. ⊗ rist
😋 **Pasto** *(chiuso domenica)* carta 60/100000 – **11 cam** ⊇ 130/180000, 3 suites – ½ P 180000
Spec. Insalata di baccalà affumicato, lardo di Calabria e ortaggi caldi. Panzerotti in salsa di semi di anice. Fagottino di zucchine e mazzancolle imperiali.

CATABBIO Grosseto – Vedere Semproniano.

CATANIA 🅿 432 O 27 – Vedere Sicilia alla fine dell'elenco alfabetico.

CATANZARO 88100 P 431 K 31 *G. Italia – 96 700 ab. alt. 343.*

Vedere *Villa Trieste★ Z – Pala★ della Madonna del Rosario nella chiesa di San Domenico Z.*

🏌 *Porto d'Orra località Simeri (chiuso martedì dal 15 giugno al 15 settembre)* ⊠ 8806
Catanzaro Lido 𝒫 0961 793803, Fax 0961 793921, Nord-Est : 7 km.

🖪 *via Spasari 3 (Galleria Mancuso)* 𝒫 0961 741764, Fax 0961 727973.

A.C.I. *viale dei Normanni 99* 𝒫 0961 754131.

*Roma 612 ② – Cosenza 97 ② – Bari 364 ② – Napoli 406 ② – Reggio di Calabria 161 ②
Taranto 298 ②.*

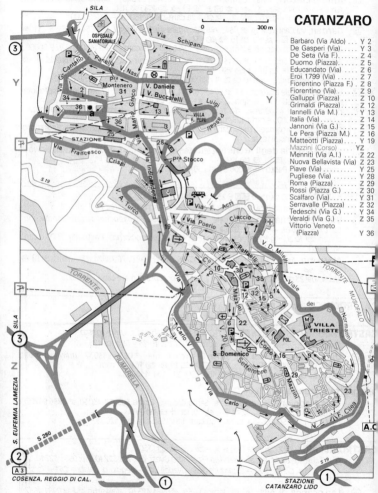

CATANZARO

Barbaro (Via Aldo)	Y 2
De Gasperi (Via)	Y 3
De Seta (Via F.)	Z 4
Duomo (Piazza)	Z 5
Educandato (Via)	Z 6
Eroi 1799 (Via)	Z 7
Fiorentino (Piazza F.)	Z 8
Fiorentino (Via)	Z 9
Galluppi (Piazza)	Z 10
Grimaldi (Piazza)	Z 12
Iannelli (Via M.)	Y 13
Italia (Via)	Z 14
Jannoni (Via G.)	Z 15
Le Pera (Piazza M.)	Z 16
Matteotti (Piazza)	Y 19
Mazzini (Corso)	YZ
Menniti (Via A.I.)	Z 22
Nuova Bellavista (Via)	Z 23
Piave (Via)	Y 25
Pugliese (Via)	Y 28
Roma (Piazza)	Y 29
Rossi (Piazza G.)	Z 30
Scalfaro (Via)	Z 31
Serravalle (Piazza)	Z 32
Tedeschi (Via G.)	Y 34
Veraldi (Via G.)	Z 35
Vittorio Veneto (Piazza)	Y 36

🏨 **Guglielmo,** via Tedeschi 1 𝒫 0961 741922, Fax 0961 722181 – 🛗 🗏 📺 ⟵ – 🔏 150. 🖭
🟦 ⑩ 🐵 𝐕𝐈𝐒𝐀 JCB. ⟋⟍ rist
Pasto carta 50/80000 – **46 cam** ⊇ 200/260000 – ½ P 210000.

a Catanzaro Lido *per ① : 14 km –* ⊠ *88063 :*

🏨 **Stillhotel** ⟋, via Melito di Porto Salvo 102/A 𝒫 0961 32851 e rist 𝒫 0961 31340,
Fax 0961 33818, ≤, 🏤 – 🗏 📺 🕭 🅿 🖭 🟦 ⑩ 🐵 𝐕𝐈𝐒𝐀 JCB. ⟋⟍
Pasto al Rist. **La Brace** *(chiuso dal 1° al 12 luglio e lunedì da ottobre ad aprile)* carta
40/65000 – **32 cam** ⊇ 100/150000 – ½ P 90000.

CATTOLICA 47841 Rimini 429, 430 K 20 – 15 641 ab. – a.s. 15 giugno-agosto.

🖪 piazza Nettuno 1 ℘ 0541 963341, Fax 0541 963344.

Roma 315 – Rimini 22 – Ancona 92 – Bologna 130 – Forlì 69 – Milano 341 – Pesaro 17 – Ravenna 74.

🏨 **Carducci 76** M, via Carducci 76 ℘ 0541 954677, info@carducci76.it, Fax 0541 831557, ≼, « Arredi minimalisti in stile orientale », ⌁ riscaldata, 🐾 – 🛊 🗏 �📺 🖐 🚗. 🝙 🕄 ⓪ ◍◎ VISA JCB. 🛠 rist
Pasto carta 75/120000 – **36 cam** ⌑ 280/350000, 2 suites.

🏨 **Kursaal** senza rist, piazza Iº Maggio 2 ℘ 0541 962305, Fax 0541 962414, ≼ – 🛊 🗏 �📺 ⅙ ⌫ – 🔬 100. 🝙 🕄 ⓪ ◍◎ VISA
56 cam ⌑ 180/250000, suite.

🏨 **Negresco**, viale del Turismo 6 ℘ 0541 963281, Fax 0541 954932, ≼, 🔲 – 🛊 🗏 �📺 🅿 – 🔬 100. 🝙 🕄 ◍◎ VISA. 🛠 rist
maggio-settembre – **Pasto** carta 50/75000 – ⌑ 20000 – **80 cam** 130/205000 – ½ P 135000.

🏨 **Victoria Palace**, viale Carducci 24 ℘ 0541 962921, victoria@victoriapalace-hotel.it, Fax 0541 962904, ≼, ⌁₆, 🕿 – 🛊 🗏 �📺 🅿. 🝙 🕄 ⓪ ◍◎ VISA JCB. 🛠 rist
Pasto (solo per alloggiati) 40000 – ⌑ 15000 – **88 cam** 205/290000 – ½ P 170000.

🏨 **Gabbiano**, viale Carducci 133 ℘ 0541 954267, Fax 0541 961217, 🕿, ⌁ riscaldata – 🛊 🗏 �📺 ⅙ ⌫ 🅿 🕄. VISA. 🛠 rist
Pasto 30/40000 – ⌑ 20000 – **48 cam** 100/150000 – ½ P 130000.

🏨 **Napoleon**, viale Carducci 52 ℘ 0541 963439, napoleon@hi-net.it, Fax 0541 961434, ≼, ⌁₆, ⌁, 🐾 – 🛊 🗏 �📺 ⌫ 🅿. 🝙 🕄 ◍◎ VISA. 🛠
aprile-ottobre – **Pasto** 55000 – ⌑ 20000 – **55 cam** 160/240000, 🗏 10000 – ½ P 180000.

🏨 **Park Hotel**, lungomare Rasi Spinelli 46 ℘ 0541 953732, info@parkhotels.it, Fax 0541 961503, ⌁, – 🛊 🗏 �📺 ⌫ – 🔬 80. 🝙 🕄 ◍◎ VISA. 🛠 rist
Pasto 50000 – **58 cam** ⌑ 180/280000 – ½ P 185000.

🏨 **Europa Monetti**, via Curiel 39 ℘ 0541 954159, infhotel@europamonetti.com, Fax 0541 958176, ⌁₆, 🕿, ⌁, – 🛊 🗏 �📺 ⌫ 🅿 – 🔬 30. 🝙 🕄 ◍◎ VISA. 🛠 rist
Pasqua e 15 maggio-20 settembre – **Pasto** (solo per alloggiati) – **77 cam** ⌑ 100/170000 – ½ P 145000.

🏨 **Aurora**, via Genova 26 ℘ 0541 830464, Fax 0541 830464, ⌁₆, 🕿 – 🛊 🗏 🅿. 🝙 🕄 VISA. 🛠
aprile-ottobre – **Pasto** (solo per alloggiati) 35/70000 – ⌑ 12000 – **18 cam** 100/200000, 🗏 10000 – ½ P 140000.

🏨 **Regina**, viale Carducci 40 ℘ 0541 954167, regina@cattolicaturismo.com, Fax 0541 961261, ≼, ⌁ riscaldata, 🐾 – 🛊 🗏 �📺 🅿. ◍◎ VISA. 🛠
15 maggio-27 settembre – **Pasto** (solo per alloggiati) 25/30000 – ⌑ 15000 – **62 cam** 95/140000 – ½ P 125000.

🏨 **Beaurivage**, viale Carducci 82 ℘ 0541 963101, info@hotelbeaurivage.com, Fax 0541 963101, ≼, ⌁₆, 🕿, 🐾 – 🛊, 🗏 rist, �📺 🅿. 🝙 🕄 ⓪ ◍◎ VISA. 🛠 rist
maggio-settembre – **Pasto** carta 45/65000 – **69 cam** ⌑ 110/190000 – ½ P 145000.

🏨 **Moderno-Majestic**, via D'Annunzio 15 ℘ 0541 954169, Fax 0541 953292, ≼, 🔲 – 🛊 �📺 🅿. 🝙 🕄 ◍◎ VISA. 🛠 rist
20 maggio-20 settembre – **Pasto** 30/50000 – ⌑ 15000 – **60 cam** 90/170000 – ½ P 125000.

🏨 **Maxim**, via Facchini 7 ℘ 0541 962137, maxim@hi-net.it, Fax 0541 967650, ⌁₆, 🕿, ⌁ – 🛊, 🗏 rist, �📺 🅿. 🝙 🕄 ◍◎ VISA. 🛠 rist
20 maggio-20 settembre – **Pasto** carta 35/45000 – **66 cam** ⌑ 85/140000 – ½ P 115000.

🏨 **Columbia**, lungomare Rasi Spinelli 36 ℘ 0541 953122, Fax 0541 952355, ≼, ⌁₆, 🕿, ⌁ – 🛊, 🗏 rist, �📺 ⌫ 🅿. 🛠
maggio-settembre – **Pasto** (solo per alloggiati) 40/45000 – ⌑ 18000 – **52 cam** 95/150000 – ½ P 115000.

🏨 **Belsoggiorno**, viale Carducci 88 ℘ 0541 963133, Fax 0541 963133, ≼, 🐾 – 🛊 🅿. 🕄 ◍◎ VISA. 🛠
20 maggio-20 settembre – **Pasto** (solo per alloggiati) 35000 – ⌑ 10000 – **53 cam** 85/115000 – ½ P 105000.

🏨 **Sole**, via Verdi 7 ℘ 0541 961248, sole@cattolicaturismo.com, Fax 0541 963946 – 🛊, 🗏 rist, �📺 ⌫. 🝙 🕄 ⓪ ◍◎ VISA. 🛠 rist
20 maggio-20 settembre – **Pasto** (solo per alloggiati) – ⌑ 12000 – **46 cam** 80/140000 – ½ P 100000.

✗✗ **Protti** con cam, via Emilia Romagna 185 ℰ 0541 958161, Fax 0541 954457 – ⊫ ▤ 📺 🅿. 🄰 🖪 ⑩ ⓒⓔ *VISA* ⌨ ⅏ rist
Pasto *(chiuso lunedì escluso dal 16 maggio a settembre)* carta 40/65000 – ☷ 6000 – **25 cam** 70/90000.

CAVA DE' TIRRENI 84013 Salerno 🕮 E 26 – 53 385 ab. alt. 196 – a.s. Pasqua, giugno-settembre e Natale.

🄱 *piazza Ferrovia* ℰ 089 341605, Fax 089 463723.
Roma 254 – Napoli 47 – Avellino 43 – Caserta 76 – Salerno 8.

✗✗ **L'Incanto**, via Pineta La Serra, località Annunziata Nord-Est : 3 km ℰ 089 561820, Fax 089 561820, « Servizio estivo in terrazza con ≤ dintorni » – 🅿. ⅏
chiuso dal 20 dicembre al 15 gennaio, martedì e a mezzogiorno (escluso sabato-domenica) – **Pasto** carta 50/95000.

✗ **Taverna Scacciaventi**, corso Umberto I 38/40 ℰ 089 443173 – 🄰🄴 🖪 ⑩ ⓒⓔ *VISA*. ⅏
☜ *chiuso lunedì* – **Pasto** 25/45000 bc.

a Corpo di Cava Sud-Ovest : 4 km – alt. 400 – ⊠ 84010 Badia di Cava de' Tirreni :

🏛 **Scapolatiello** ⌖, ℰ 089 443611, Fax 089 443611, ≤, « Terrazze-giardino con ⊒ » – ⊫ 📺 🅿. – 🛆 80. 🄰🄴 🖪 ⑩ ⓒⓔ *VISA*. ⅏ rist
Pasto carta 60/95000 (15%) – ☷ 15000 – **45 cam** 180/220000, 3 suites – ½ P 150000.

CAVAGLIÀ 13881 Biella 🕮 F 6 – 3 702 ab. alt. 272.

🛆 *(chiuso mercoledì, dal 24 dicembre al 6 gennaio e dal 3 al 24 agosto)* ℰ 0161 966949, Fax 0161 966620.
Roma 657 – Torino 54 – Aosta 99 – Milano 93 – Vercelli 28.

sulla strada statale 143 Sud-Est : 3,5 km :

🏛 **Green Park Hotel**, località Navilotto 75 ⊠ 13881 ℰ 0161 966771, direzione@greenpark -hotel.com, Fax 0161 966620, ⊒, ⌖, ✗ – ⊫ ▤ 📺 ⇔ 🅿. – 🛆 40. 🄰🄴 🖪 ⑩ ⓒⓔ *VISA*. ⅏
chiuso dal 1° al 20 agosto – **Pasto** *(chiuso domenica)* carta 50/80000 – **36 cam** ☷ 150/ 220000 – ½ P 150000.

CAVAGLIETTO 28010 Novara 🕮 F 7, 🕮 ⑯ – 398 ab. alt. 233.
Roma 647 – Stresa 42 – Milano 74 – Novara 22.

✗✗✗ **Arianna** ⌖ con cam, via Umberto 4 ℰ 0322 806134, Fax 0322 806134, prenotare – ▤ rist, 🅿. 🄰🄴 🖪 ⓒⓔ *VISA*. ⅏
chiuso dal 24 dicembre al 14 gennaio e dal 12 luglio al 5 agosto – **Pasto** *(chiuso martedì e mercoledì a mezzogiorno)* 70000 e carta 60/105000 – ☷ 10000 – **6 cam** 60/80000.

CAVAGNANO Varese 🕮 ⑧ – Vedere Cuasso al Monte.

CAVAION VERONESE 37010 Verona 🕮, 🕮 F 14 – 4 065 ab. alt. 190.
Roma 521 – Verona 24 – Brescia 81 – Milano 169 – Trento 74.

🏠 **Andreis**, via Berengario 26 ℰ 045 7235035, Fax 045 7236609, ⊒, ⌖ – 📺 🅿. 🄰🄴 🖪 ⑩ ⓒⓔ *VISA*. ⅏
Pasto *(chiuso lunedì escluso da luglio a settembre)* carta 40/55000 – ☷ 10000 – **22 cam** 80/100000 – ½ P 90000.

✗✗ **San Fiorenzo**, via Vittorio Veneto 18 ℰ 045 7235141 – 🅿. 🖪 ⑩ ⓒⓔ *VISA*. ⅏
chiuso domenica sera e lunedì – **Pasto** carta 50/65000.

Ferienreisen wollen gut vorbereitet sein.

*Die **Straßenkarten** und **Führer** von **Michelin***

geben Ihnen Anregungen und praktische Hinweise zur Gestaltung Ihrer Reise:
Streckenvorschläge, Auswahl und Besichtigungsbedingungen
der Sehenswürdigkeiten, Unterkunft, Preise... u. a. m.

CAVALESE 38033 Trento **429** D 16 G. Italia – 3 629 ab. alt. 1 000 – a.s. 25 gennaio-Pasqua e Natale – Sport invernali : ad Alpe Cermis : 1 000/2 230 m ⚡2 ⚡9, 🎿.

🚩 via Fratelli Bronzetti 60 ☏ 0462 241111, Fax 0462 241199.

Roma 648 – Bolzano 43 – Trento 50 – Belluno 92 – Cortina d'Ampezzo 97 – Milano 302.

🏨 **Park Hotel Villa Trunka Lunka**, via De Gasperi 4 ☏ 0462 340233, Fax 0462 340544, ⟳, ☞ – ⊡ ⇌ 🅿. 🕃 ⓜ 𝗩𝗜𝗦𝗔. ⪼
20 dicembre-30 aprile 20 giugno-settembre – **Pasto** (solo per alloggiati) 25/35000 – 🍴 15000 – **22 cam** 100/150000 – ½ P 150000.

🏨 **La Roccia**, via Marco 53 ☏ 0462 231133, Fax 0462 231135, < vallata e monti, 𝐿𝑠, ⟳, ☞ – ⧈ ⊡ ⇌ 🅿. 🕃 ⓞ ⓜ 𝗩𝗜𝗦𝗔 𝗝𝗖𝗕. ⪼
dicembre-Pasqua e giugno-settembre – **Pasto** 40000 – 🍴 20000 – **35 cam** 105/150000 – ½ P 135000.

✕✕ **El Molin**, piazza Cesare Battisti 11 ☏ 0462 340074, Fax 0462 231312, Coperti limitati; prenotare, « Ambiente tipico in un mulino seicentesco » – ⚏ 🕃 ⓞ ⓜ 𝗩𝗜𝗦𝗔 𝗝𝗖𝗕. ⪼
chiuso giugno, novembre, martedì e a mezzogiorno da ottobre a marzo – **Pasto** 65/85000 e carta 55/100000.

✕✕ **Costa Salici**, via Costa dei Salci 10 ☏ 0462 340140, costasalici@cr-surfing.net, Fax 0462 340140, 🌣, prenotare a mezzogiorno – ▤ 🅿. ⚏ 🕃 ⓞ ⓜ 𝗩𝗜𝗦𝗔. ⪼
chiuso giugno, ottobre, lunedì sera e martedì escluso Natale, Pasqua ed agosto – **Pasto** carta 65/95000.

CAVALLINO 30013 Venezia **429** F 19.
⛴ da Treporti (O : 11 km) per le isole di : Burano (20 mn), Torcello (25 mn), Murano (1 h) e Venezia-Fondamenta Nuove (1 h 10 mn), giornalieri – Informazioni : ACTV-Azienda Consorzio Trasporti Veneziano, piazzale Roma ✉ 30135 ☏ 041 5287886, Fax 041 5207135.
Roma 571 – Venezia 53 – Belluno 117 – Milano 310 – Padova 80 – Treviso 61 – Trieste 136 – Udine 105.

🏨 **Park Hotel Union Lido** ⪼, via Fausta 270 ☏ 041 968043 e rist. ☏ 041 968129, info@unionlido.com, Fax 041 5370355, 🌣, 🏊 riscaldata, 𝘈𝘰, ☞, ✕ – ⧈ ⊡ 🕃 🅿 – 🏥 200. 🕃 ⓞ ⓜ 𝗩𝗜𝗦𝗔. ⪼
Pasqua-settembre – **Pasto** al Rist. e pizzeria **Ai Pini** carta 40/75000 – **94 cam** 🍴 160/210000, 24 suites – ½ P 130000.

✕✕ **Trattoria Laguna**, via Pordelio 444 ☏ 041 968058, trattoria.laguna@libero.it, Fax 041 968058 – ▤. ⚏ 🕃 ⓞ ⓜ 𝗩𝗜𝗦𝗔. ⪼
chiuso gennaio, giovedì a mezzogiorno dal 15 giugno al 15 settembre, tutto il giorno negli altri mesi – **Pasto** carta 60/100000.

✕ **Da Achille**, piazza Santa Maria Elisabetta 16 ☏ 041 968005, Fax 041 968178, 🌣 – ▤. ⚏ 🕃 ⓞ ⓜ 𝗩𝗜𝗦𝗔. ⪼
chiuso dal 6 gennaio al 15 febbraio, lunedì a mezzogiorno da giugno a settembre, tutto il giorno negli altri mesi – **Pasto** carta 50/85000.

CAVA MANARA 27051 Pavia **428** G 9 – 5 363 ab. alt. 79.
Roma 560 – Alessandria 61 – Genova 117 – Milano 46 – Pavia 8 – Piacenza 62.

sulla strada statale 35 Sud-Est : 2 km :

🏨 **Le Gronde**, località Tre Re ✉ 27051 ☏ 0382 553942, Fax 0382 553943 – ⧈ ▤ ⊡ ⇌ 🅿 – 🏥 200. ⚏ 🕃 ⓞ ⓜ 𝗩𝗜𝗦𝗔. ⪼
chiuso dal 10 al 25 agosto – **Pasto** (chiuso martedì) carta 40/70000 – 🍴 15000 – **28 cam** 110/160000 – ½ P 115000.

✕✕ **Bixio**, via Turati 23, località Tre Re ✉ 27051 ☏ 0382 553588, Coperti limitati; prenotare – 🅿. ⚏ 🕃 𝗩𝗜𝗦𝗔
chiuso dal 15 luglio al 31 agosto e lunedì – **Pasto** carta 45/80000.

CAVANELLA D'ADIGE Venezia – Vedere Chioggia.

CAVASO DEL TOMBA 31034 Treviso **429** E 17 – 2 564 ab. alt. 248.
Roma 550 – Belluno 51 – Padova 67 – Treviso 40 – Venezia 71.

✕ **Locanda alla Posta** con cam, piazza 13 Martiri, 13 ☏ 0423 543112, Fax 0423 543112, 🌣, prenotare – ⊡. ⚏ 🕃 ⓞ ⓜ 𝗩𝗜𝗦𝗔 𝗝𝗖𝗕
chiuso dal 20 giugno al 10 luglio – **Pasto** (chiuso mercoledì sera e giovedì) carta 40/55000 – **7 cam** 🍴 55/90000.

CAVAZZALE Vicenza – Vedere Vicenza.

CAVERNAGO 24050 Bergamo 428, 429 F 11 – 1 586 ab. alt. 202.
Roma 600 – Bergamo 13 – Brescia 45 – Milano 54.

XX **Giordano** ⹫ con cam, via Leopardi 1 ℰ 035 840266, Fax 035 840212, 😭 – 🗏 rist, 📺 📳. 🖪 ⓪⊙ 𝘝𝘐𝘚𝘈. ⋘
chiuso dal 26 dicembre al 6 gennaio ed agosto – **Pasto** specialità toscane carta 60/100000 – ☷ 15000 – **22 cam** 90/135000.

CAVI Genova 428 J 10 – Vedere Lavagna.

CAVINA Ravenna – Vedere Brisighella.

CAVO Livorno 430 N 13 – Vedere Elba (Isola d') : Rio Marina.

CAVOUR 10061 Torino 428 H 4 – 5 353 ab. alt. 300.
Roma 698 – Torino 54 – Asti 93 – Cuneo 51 – Sestriere 67.

🏠 **Locanda La Posta**, via dei Fossi 4 ℰ 0121 69989, posta@locandalaposta.it ⹫ Fax 0121 69790 – 🗏 📺 📳. 🖪 📳 ⓪ ⓪⊙ 𝘝𝘐𝘚𝘈 𝘑𝘊𝘉
Pasto (chiuso dal 28 luglio al 10 agosto e venerdì) carta 40/65000 – **20 cam** ☷ 90/120000 – ½ P 90000.

CAVRIAGO 42025 Reggio nell'Emilia 428, 429, 430 H 13 – 8 792 ab. alt. 78.
Roma 436 – Parma 26 – Milano 145 – Reggio nell'Emilia 9.

XXX **Picci**, via XX Settembre 4 ℰ 0522 371801, Fax 0522 577180, Coperti limitati; prenotare – 🗏. 🖪 📳 ⓪ ⓪⊙ 𝘝𝘐𝘚𝘈. ⋘
chiuso dal 26 dicembre al 7 gennaio e dal 4 al 21 agosto, domenica sera e lunedì – **Pasto** 45/70000 e carta 60/90000.

CAVRIANA 46040 Mantova 428, 429 F 13 – 3 614 ab. alt. 170.
Roma 502 – Brescia 39 – Verona 42 – Mantova 32 – Milano 131.

XXX **La Capra**, via Pieve 2 ℰ 0376 82101, Fax 0376 82002, Coperti limitati; prenotare – 📳. 📳 ⓪ ⓪⊙ 𝘝𝘐𝘚𝘈. ⋘
chiuso dal 1º al 15 gennaio, dal 1º al 14 agosto e martedì – **Pasto** carta 55/90000.

CAVRIGLIA 52022 Arezzo 430 L 16 – 7 516 ab. alt. 312.
Roma 238 – Firenze 58 – Siena 41 – Arezzo 49.

XX **Il Cenacolo**, via del Riposo 6 ℰ 055 9166123, 😭 – 📳. 🖪 📳 ⓪ ⓪⊙ 𝘝𝘐𝘚𝘈. ⋘
chiuso dal 16 al 31 gennaio e lunedì – **Pasto** carta 45/70000.

CAZZAGO SAN MARTINO 25046 Brescia 428, 429 F 12 – 9 612 ab. alt. 200.
Roma 560 – Brescia 17 – Bergamo 40 – Milano 81.

🏠 **Papillon**, via Padana Superiore 100 (strada statale Sud : 2,5 km) ℰ 030 7750843, Fax 030 7750843, ⋘ – 🛗 🗏 📺 🕹. 📳 – 🛆 40. 🖪 ⓪ ⓪⊙ 𝘝𝘐𝘚𝘈. ⋘
chiuso agosto – **Pasto** (chiuso domenica) carta 45/60000 – ☷ 12000 – **44 cam** 80/130000 – ½ P 110000.

XX **Il Priore**, via Sala 70, località Calino Ovest : 1 km ℰ 030 7254665, Fax 030 7254665, « Servizio estivo in terrazza panoramica » – 📳. 📳 ⓪ ⓪⊙ 𝘝𝘐𝘚𝘈 𝘑𝘊𝘉.
chiuso dal 7 al 30 gennaio e martedì – **Pasto** 90000 e carta 60/120000.

CECCHINI DI PASIANO Pordenone 429 E 19 – Vedere Pasiano di Pordenone.

CECINA 57023 Livorno 430 M 13 G. Toscana – 26 341 ab. alt. 15.
Roma 285 – Pisa 55 – Firenze 122 – Grosseto 98 – Livorno 36 – Piombino 46 – Siena 98.

🏠 **Il Palazzaccio** senza rist, via Aurelia Sud 300 ℰ 0586 682510, Fax 0586 686221 – 🛗 🗏 📺 🕹. 📳. 🖪 📳 ⓪ ⓪⊙ 𝘝𝘐𝘚𝘈. ⋘
☷ 17000 – **35 cam** 130/180000.

🏠 **Posta** senza rist, piazza Gramsci 12 ℰ 0586 686338, Fax 0586 680724 – 🛗 🗏 📺 🕹. 🖪 📳 ⓪ ⓪⊙ 𝘝𝘐𝘚𝘈. ⋘
☷ 15000 – **14 cam** 125/190000.

XX **Scacciapensieri,** via Verdi 22 ℰ 0586 680900, *Fax 0586 680900*, Coperti limitati; preno-
❄ tare – ■. 🖭 ⓪ ⓪ 🆅🆂🅰 🅹🅲🅱. ⁒
 chiuso dal 5 al 28 ottobre e lunedì – **Pasto** specialità di mare carta 75/100000
 Spec. Zuppa di frutti di mare in zimino di moscardini. Tagliolini con triglie alla livornese.
 Dentice in teglia con patate.

XX **La Cinquantina,** via Guerrazzi (Nord : 1 km) ℰ 0586 669004, *Fax 0586 669599*, 🏤, 🛲 –
 🅿. 🖭 🕄 ⓪ ⓪ 🆅🆂🅰. ⁒
 Pasto carta 45/70000.

XX **Trattoria Senese,** via Diaz 23 ℰ 0586 680335, *Fax 0586 680335* – ■. 🖭 🕄 ⓪ ⓪ 🆅🆂🅰.
 *chiuso dal 10 al 31 gennaio, martedì e in luglio anche a mezzogiorno (escluso sabato-
 domenica)* – **Pasto** specialità di mare carta 60/90000.

CECINA (Marina di) 57023 Livorno 🐠🐠🐠 M 13 – *a.s. 15 giugno-15 settembre.*
 🚹 piazza Sant'Andrea 6 ℰ 0586 620678.
 Roma 288 – Pisa 57 – Cecina 3 – Firenze 125 – Livorno 39.

🏨 **Tornese,** viale Galliano 36 ℰ 0586 620790, *hoteltornese@multinet.it, Fax 0586 620645*, ≤
 – 🛗 ■ 📺 🅿. 🖭 🕄 ⓪ ⓪ 🆅🆂🅰. ⁒
 Pasto *(chiuso domenica e lunedì escluso da giugno a settembre)* 70000 – 🖵 10000 –
 42 cam 230/280000 – ½ P 240000.

🏨 **Settebello,** viale della Vittoria 91 ℰ 0586 620039, *Fax 0586 621290*, 🏤 – 🛗, ■ cam, &
 🅿. 🖭 🕄 ⓪ ⓪ 🆅🆂🅰.
 chiuso dicembre e gennaio – **Pasto** carta 40/55000 – 🖵 17000 – **40 cam** 120/170000 –
 ½ P 140000.

XX **Olimpia-da Gianni,** viale della Vittoria 68 ℰ 0586 621193, *Fax 0586 621193*, 🏤 – ■. 🖭
 🕄 ⓪ 🆅🆂🅰. ⁒
 chiuso novembre, lunedì e da ottobre a maggio anche domenica sera – **Pasto** 60/90000 e
 carta 70/135000.

XX **Bagatelle,** via Ginori 51 ℰ 0586 620089, *facreat@tin.it, Fax 0586 661135*, 🏤 – ■. 🖭 🕄
 ⓪ ⓪ 🆅🆂🅰. ⁒
 chiuso lunedì – **Pasto** carta 60/95000.

X **El Faro,** viale della Vittoria 70 ℰ 0586 620164, *Fax 0586 620274*, ≤, 🏤, 🛶 – 🖭 🕄 ⓪ ⓪
 🆅🆂🅰. ⁒
 chiuso novembre e mercoledì – **Pasto** specialità di mare carta 70/95000.

CEFALÙ Palermo 🐠🐠🐠 M 24 – *Vedere Sicilia alla fine dell'elenco alfabetico.*

CEGLIE MESSAPICA 72013 Brindisi 🐠🐠🐠 F 34 – *20 400 ab. alt. 303.*
 Roma 564 – Brindisi 38 – Bari 92 – Taranto 38.

XX **Al Fornello-da Ricci,** contrada Montevicoli ℰ 0831 377104, *Fax 0831 377104*, « Servi-
❄ zio estivo in giardino » – 🅿. 🖭 🕄 ⓪ ⓪ 🆅🆂🅰. ⁒
 chiuso dal 1º al 10 febbraio, dal 10 al 30 settembre, lunedì sera e martedì – **Pasto** 50/70000
 (a mezzogiorno) 75000 (la sera) e carta 50/80000
 Spec. Zuppa di cicerchia con rondelle di cipolle rosse fritte. Lombatina di maiale di Murgia in
 crosta. Croccantino alle noci.

X **Da Gino,** contrada Montevicoli ℰ 0831 377916, *Fax 0831 388956* – 🅿. 🖭 🕄 ⓪ ⓪ 🆅🆂🅰. ⁒
 chiuso settembre e venerdì – **Pasto** carta 40/65000.

sulla strada provinciale 581 per San Vito dei Normanni Est : 8 km

🏨 **La Fontanina,** contrada Palagogna ✉ 72013 ℰ 0831 380932, *lafontanina@lafontanina
 .it, Fax 0831 380933*, 🏊 – ■ 📺 🖤 🅿. 🖭 🕄 ⓪ ⓪ 🆅🆂🅰 🅹🅲🅱. ⁒
 Pasto vedere rist **La Fontanina** – **41 cam** 🖵 90/150000 – ½ P 100000.

XX **La Fontanina,** contrada Palagogna ✉ 72013 ℰ 0831 380932, 🏤, prenotare – ■ 🅿. 🖭
 🕄 ⓪ ⓪ 🆅🆂🅰 🅹🅲🅱. ⁒
 chiuso a mezzogiorno (escluso da maggio a settembre) e domenica sera – **Pasto** 35/50000
 (a mezzogiorno) 40/70000 (alla sera) e carta 45/80000.

Non confondete :

Confort degli alberghi	:	🏨🏨🏨 ... 🏠, 🏡
Confort dei ristoranti	:	XXXXX ... X
Qualità della tavola	:	❀❀❀, ❀❀, ❀, 🍴

CELANO 67043 L'Aquila 480 P 22 – 11 567 ab. alt. 800.
Roma 118 – L'Aquila 44 – Avezzano 16 – Pescara 94.

🏨 **Lory,** via Ranelletti 279 ℰ 0863 793656, loryhotel@libero.it, Fax 0863 793055 – 🛗 ≡ 📺 &
⟵ 🅿 – 🔬 50. 🖭 🕄 ⓞ ⓦ 🚾 . 🕸 rist
Pasto carta 35/50000 – **34 cam** ☲ 100/150000 – ½ P 120000.

🏨 **Le Gole,** via Sardellino Sud : 1,5 km ⊠ 67041 Aielli ℰ 0863 711009, info@hotellegole.it
Fax 0863 711101, « Giardino ombreggiato » – 🛗 ≡ 📺 ⟵ 🅿. 🖭 🕄 ⓞ ⓦ 🚾 ᴶᶜᴮ
Pasto vedere rist **Le Gole-da Guerrinuccio** – **39 cam** ☲ 120/150000 – P 150000.

🍴🍴 **Le Gole-da Guerrinuccio,** via Sardellino Sud : 1,5 km ⊠ 67041 Aielli ℰ 0863 791471,
Fax 0863 711033 – 🅿. 🖭 🕄 ⓞ ⓦ 🚾 ᴶᶜᴮ
chiuso lunedì – **Pasto** carta 30/45000.

CELLE LIGURE 17015 Savona 428 I 7 – 5 381 ab..
🅱 via Boagno (palazzo Comunale) ℰ 019 990021, Fax 019 9999798.
Roma 538 – Genova 40 – Alessandria 86 – Milano 162 – Savona 7,5.

🏨 **La Giara** senza rist, via Dante Alighieri 3 ℰ 019 993773, Fax 019 993973 – 🛗, ≡ rist, 📺 🅿.
🖭 🕄 ⓞ ⓦ 🚾 ᴶᶜᴮ. 🕸
chiuso dal 15 novembre al 24 dicembre e dal 10 gennaio a febbraio – ☲ 15000 – **13 cam**
160000, 2 suites.

🏨 **San Michele,** via Monte Tabor 26 ℰ 019 990017, Fax 019 993311, 🏊 – 🛗 📺 🅿. 🖭 🕄 ⓞ
ⓦ 🚾. 🕸 rist
giugno-settembre – **Pasto** 40/60000 – ☲ 25000 – **44 cam** 150/170000 – ½ P 140000.

🏨 **Ancora,** via De Amicis 3 ℰ 019 990052, Fax 019 993249 – 🛗 📺 🅿. 🖭 🕄 🚾. 🕸
Pasqua-20 settembre – **Pasto** (giugno-20 settembre) carta 55/70000 – ☲ 15000 – **16 cam**
100/130000 – ½ P 100000.

🍴🍴 **Charly Max,** piazza dell'Assunta 23 ℰ 019 992934, Coperti limitati; prenotare – 🖭 🕄 ⓦ
🚾 . 🕸 – chiuso mercoledì (escluso luglio-agosto) ed a mezzogiorno (escluso domenica) –
Pasto 70000 e carta 65/95000.

🍴🍴 **Mosè,** via Colla 30 ℰ 019 991560, prenotare – ≡. 🖭 🕄 ⓞ ⓦ 🚾. 🕸
chiuso dal 15 ottobre al 15 dicembre e mercoledì – **Pasto** carta 50/80000.

🍴 **L'Acqua Dolce,** via Pescetto 5/A ℰ 019 994222, Coperti limitati; prenotare – ≡. 🖭 🕄
ⓞ ⓦ 🚾 ᴶᶜᴮ
chiuso a mezzogiorno escluso sabato e domenica – **Pasto** carta 80/120000.

CELLORE Verona – Vedere Illasi.

CEMBRA 38034 Trento 429 D 15 – 1 750 ab. alt. 677 – a.s. Pasqua e Natale.
🅱 piazza Toniolli 2 ℰ 0461 683110, Fax 0461 683257.
Roma 611 – Trento 22 – Belluno 130 – Bolzano 63 – Milano 267.

🏨 **Europa** 🕭, via San Carlo 19 ℰ 0461 683032, Fax 0461 683032, ≤, 🌳 – 🛗 📺 & 🅿. 🕄 ⓦ
🚾. 🕸
Pasto (chiuso domenica) carta 30/45000 – **30 cam** ☲ 80/110000 – ½ P 75000.

CENERENTE Perugia – Vedere Perugia.

CENOVA Imperia 428 J 5 – alt. 558 – ⊠ 18020 Rezzo.
Roma 613 – Imperia 27 – Genova 114.

🏨 **Negro** 🕭, via Canada 10 ℰ 0183 34089, Fax 0183 324800, ≤ monti, « In un rustico di
paese ristrutturato », 🏊 – 📺 🅿. 🖭 🕄 ⓦ 🚾. 🕸
8 aprile-9 gennaio – **Pasto** 40/60000 e al Rist. **I Cavallini** (chiuso mercoledì escluso dal
15 giugno al 15 settembre; prenotare) carta 50/70000 – ☲ 15000 – **12 cam** 65/80000 –
½ P 80000.

CENTO 44042 Ferrara 429 H 15 – 29 330 ab. alt. 15.
🕭 (chiuso lunedì) località Parco del Reno ⊠ 44042 Cento ℰ 051 6830504, Fax 051 6830504.
Roma 410 – Bologna 34 – Ferrara 35 – Milano 207 – Modena 37 – Padova 103.

🏨 **Europa,** via 4 Novembre 16 ℰ 051 903319, Fax 051 902213 – 🛗 ≡ 📺 🅿. 🕄 ⓞ ⓦ 🚾.
🕸
Pasto (chiuso venerdì) carta 35/55000 – ☲ 15000 – **44 cam** 130/185000 – ½ P 145000.

🏨 **Al Castello,** via Giovannina 57 (Ovest : 2 km) ℰ 051 6836066, Fax 051 6835990 – 🛗 ≡ 📺
🅿. 🖭 🕄 ⓞ ⓦ 🚾. 🕸 rist
Pasto (chiuso venerdì) 40000 – ☲ 13000 – **66 cam** 90/140000, 2 suites, ≡ 15000 –
½ P 100000.

EPRANO 03024 Frosinone 430 R 22 – 8 634 ab. alt. 120.
Roma 99 – Frosinone 23 – Avezzano 84 – Isernia 78 – Latina 71 – Napoli 122.

Ida, in prossimità casello autostrada A 1 ℰ 0775 950040, *info@hotelida.it*, Fax 0775 919422, « Servizio rist. estivo in giardino » – 🛗 🔲 📺 ⟵ 🅿 – 🛗 80. ⅂Ⅎ 🕄 ⓪ ◑◐ VISA ⿻
Pasto carta 35/55000 – ⇆ 7000 – **42 cam** 110/140000 – ½ P 100000.

ERBAIA Firenze 430 K 15 – Vedere San Casciano in Val di Pesa.

ERCENASCO 10060 Torino 428 H 4 – 1 760 ab. alt. 256.
Roma 689 – Torino 34 – Cuneo 60 – Milano 183 – Sestriere 70.

%% **Centro**, via Vittorio Emanuele 8 ℰ 011 9809247, 🏠 – ⅂Ⅎ 🕄 ⓪ ◑◐ VISA
chiuso dal 1º al 10 agosto e mercoledì – **Pasto** carta 40/75000.

ERES 10070 Torino 428 G 4, 219 ⑫ – 1 010 ab. alt. 704.
Roma 699 – Torino 38 – Aosta 141 – Ivrea 78 – Vercelli 104.

% **Valli di Lanzo** con cam, via Roma 15 ℰ 0123 53397, Fax 0123 53753, 🏠 – 📺. ⿻
chiuso dal 1º al 15 settembre – **Pasto** (chiuso mercoledì escluso luglio ed agosto) carta 45/85000 – **8 cam** ⇆ 70/130000 – P 150000.

ERESE DI VIRGILIO Mantova 428 G 14 – Vedere Mantova.

ERESOLE REALE 10080 Torino 428 F 3 – 165 ab. alt. 1 620.
Roma 738 – Torino 77 – Aosta 126 – Milano 176.

🏠 **Blanchetti** �, borgata Prese 13 ℰ 0124 953174, Fax 0124 953126, ≤ – 🕄 VISA
chiuso dal 10 novembre al 7 dicembre – **Pasto** carta 40/75000 – **12 cam** ⇆ 100/120000 – ½ P 110000.

ERIGNOLA 71042 Foggia 431 D 29 – 56 355 ab. alt. 124.
Roma 366 – Foggia 31 – Bari 90 – Napoli 178.

%% **Il Bagatto**, via Giovanni Gentile 7 ℰ 0885 427850, Fax 0885 427850 – 🔲. ⅂Ⅎ 🕄 ⓪ ◑◐ VISA
chiuso dal 10 al 25 luglio, domenica sera e lunedì – **Pasto** carta 50/110000.

ERMENATE 22072 Como 428 E 9, 219 ⑱ – 8 682 ab. alt. 332.
Roma 612 – Como 15 – Milano 32 – Varese 28.

🏠 **Gardenia** senza rist, via Europa Unita ℰ 031 722571, Fax 031 722570 – 🛗 🔲 📺 ⅋ 🅿 – 🛗 100. ⅂Ⅎ 🕄 ⓪ ◑◐ VISA
⇆ 20000 – **34 cam** 160/220000.

% **Castello**, via Castello 26/28 ℰ 031 771563, Fax 031 770608, prenotare – 🅿. ⅂Ⅎ 🕄 ⓪ ◑◐ VISA
chiuso dal 24 dicembre al 6 gennaio, agosto, lunedì e martedì sera – **Pasto** carta 60/90000.

ERNOBBIO 22012 Como 428 E 9 G. Italia – 6 995 ab. alt. 202.
🏠 Villa d'Este (chiuso gennaio, febbraio e martedì escluso agosto) a Montorfano ✉ 22030 ℰ 031 200200, Fax 031 200786, Sud-Est : 11 km.
🛈 via Regina 33/b ℰ 031 510198.
Roma 630 – Como 5 – Lugano 33 – Milano 53 – Sondrio 98 – Varese 30.

🏰🏰🏰 **Villa d'Este** �, via Regina 40 ℰ 031 3481, Fax 031 348844, ≤, 🏠, « Grande parco digradante sul lago », 🏋, 🛝, 🛟, 🔲, ⿻ – 🛗 🔲 📺 ⅋ ⟵ 🅿 – 🛗 250. ⅂Ⅎ 🕄 ⓪ ◑◐ VISA JCB. ⿻ rist
marzo-novembre – **Pasto** al Rist. **La Veranda** carta 150/240000 e al Rist. **Grill** (aprile-ottobre; chiuso lunedì e a mezzogiorno) carta 120/180000 – **153 cam** ⇆ 765/1155000, 11 suites.

🏨 **Asnigo** �, via Noseda 2, Nord-Est : 2 km ℰ 031 510062, *asnigo@galactica.it*, Fax 031 510249, ≤ lago e monti, « Terrazza panoramica » – 🛗, 🔲 rist, 📺 ⟵ 🅿 – 🛗 60. ⅂Ⅎ 🕄 ⓪ ◑◐ VISA. ⿻ rist
Pasto carta 60/125000 – **26 cam** ⇆ 205/315000, 4 suites – ½ P 180000.

🏠 **Miralago**, piazza Risorgimento 1 ℰ 031 510125, *info@hotelmiralago.it*, Fax 031 342088, ≤ – 🛗, 🔲 rist, 📺. ⅂Ⅎ 🕄 ⓪ ◑◐ VISA. ⿻ rist
chiuso da novembre a febbraio – **Pasto** carta 60/90000 – **42 cam** ⇆ 140/215000 – ½ P 155000.

🏨 **Centrale**, via Regina 39 ☎ 031 511411, *info@albergo-centrale.com*, Fax 031 341900, Terrazza ombreggiata – 📺 📞 AE 🅂 ⓞ ⓦⓞ *VISA* JCB, ⚒ cam
Pasto *(chiuso martedì escluso da giugno a settembre)* carta 50/90000 – **20 cam** ⊇ 125/205000.

XX **Trattoria del Vapore**, via Garibaldi 17 ☎ 031 510308, Fax 031 510308, prenotare la sera – AE 🅂 ⓞ ⓦⓞ *VISA*
chiuso dal 25 dicembre al 25 gennaio e martedì – **Pasto** carta 50/85000 (10%).

a Rovenna *Nord-Est : 2,5 km* – ✉ 22012 Cernobbio :

X **Gatto Nero**, via Monte Santo 69 ☎ 031 512042, Fax 031 512860, Rist. tipico, prenotare la sera, « Servizio estivo in terrazza con ≤ lago e monti ». AE ⓞ ⓦⓞ *VISA*
chiuso lunedì e martedì a mezzogiorno – **Pasto** specialità regionali carta 55/90000.

CERNUSCO LOMBARDONE 23870 Lecco 428 E 10, 219 ⑳ – 3 611 ab. alt. 267.
Roma 593 – Como 35 – Bergamo 28 – Lecco 19 – Milano 37.

XX **Osteria Santa Caterina**, via Lecco 34 ☎ 039 9902396, Fax 039 9902396, 🏠, prenotare – AE 🅂 ⓞ ⓦⓞ *VISA*. ⚒
chiuso lunedì, dal 6 al 20 gennaio e dal 16 al 30 agosto – **Pasto** carta 45/70000.

CERNUSCO SUL NAVIGLIO 20063 Milano 428 F 10, 219 ⑲ – 27 624 ab. alt. 133.
🏌 Molinetto *(chiuso lunedì)* ☎ 02 92105128, Fax 02 92106635.
Roma 583 – Milano 14 – Bergamo 38.

XXX **Vecchia Filanda**, via Pietro da Cernusco 2/A ☎ 02 9249200, Coperti limitati; prenotare – ▤ AE 🅂 ⓞ ⓦⓞ *VISA*. ⚒
chiuso dal 24 dicembre al 7 gennaio, Pasqua, 25 aprile, 1°maggio, agosto, sabato a mezzogiorno e domenica – **Pasto** carta 95/160000.

Europe	Se il nome di un albergo è stampato in carattere magro, chiedete al vostro arrivo le condizioni che vi saranno praticate.

CERRINA MONFERRATO 15020 Alessandria 428 G 6 – 1 585 ab. alt. 225.
Roma 626 – Alessandria 49 – Torino 56 – Asti 37 – Milano 98 – Vercelli 40.

a Montalero *Ovest : 3 km* – ✉ 15020 :

XX **Castello di Montalero**, via al Castello 10 ☎ 0142 94146, solo su prenotazione, « Costruzione settecentesca in un parco ombreggiato » – 📞 ⓞ. ⚒
chiuso lunedì – **Pasto** 65000.

CERRO AL LAMBRO 20077 Milano – 4 349 ab. alt. 84.
Roma 558 – Milano 23 – Piacenza 56 – Lodi 14 – Pavia 32.

XX **Hostaria le Cascinette**, località Cascinette ☎ 02 9832159, Fax 02 98231096 – ▤ 📞 A 🅂 ⓞ *VISA*. ⚒
chiuso dal 10 al 25 gennaio, dal 16 al 31 agosto, lunedì sera e martedì – **Pasto** carta 60/100000.

CERRO MAGGIORE 20023 Milano 219 ⑱ – 14 115 ab. alt. 206.
Roma 603 – Milano 26 – Como 31 – Varese 32.

a Cantalupo *Sud-Ovest : 3 km* – ✉ 20020 :

XXX **Corte Lombarda**, piazza Matteotti 9 ☎ 0331 535604, *cortelombarda@libero.it*, Fax 0331 533575, « In una vecchia cascina con servizio estivo all'aperto » – 📞 AE 🅂 ⓞ ⓦⓞ *VISA*
chiuso dal 26 dicembre al 10 gennaio, dal 5 al 23 agosto, domenica sera e lunedì – **Pasto** 55/80000 e carta 70/100000.

X **Tana del Lupo**, via Risorgimento 8 ☎ 0331 535148, Fax 0331 535148 – 🅂 ⓦⓞ *VISA*
chiuso mercoledì e sabato a mezzogiorno – **Pasto** cucina lombarda carta 55/65000.

CERTALDO 50052 Firenze 430 L 15 *G. Toscana* – 15 792 ab. alt. 67.
Roma 270 – Firenze 57 – Siena 42 – Livorno 75.

XX **Charlie Brown**, via Guido Rossa 13 ☎ 0571 664534, prenotare – ▤ 🅂 ⓞ ⓦⓞ *VISA*
⊜ *chiuso dal 10 al 20 agosto, domenica da giugno a luglio , martedì negli altri mesi* – **Pasto** carta 35/60000.

CERTOSA DI PAVIA *27012 Pavia* [428] G 9 *G. Italia – 3 374 ab. alt. 91.*
Vedere *Certosa*** Est : 1,5 km.*
Roma 572 – Alessandria 74 – Bergamo 84 – Milano 31 – Pavia 9 – Piacenza 62.

🍴🍴🍴 ✿ **Locanda Vecchia Pavia "Al Mulino",** via al Monumento 5 ☎ 0382 925894, *Fax 0382 933300,* ⛱, Coperti limitati; prenotare – ▤ [P]. [AE] [$] ⓓ [MC] [VISA]. ✂
chiuso dal 1° al 22 gennaio, dall'8 al 23 agosto, lunedì e mercoledì a mezzogiorno – **Pasto** 100000 e carta 75/125000
Spec. Scampi al lardo di Colonnata e capesante in giardino di verdure al balsamico. Fantasia di tagliolini ai gamberi rossi e peperoni glassati. Petto d'anatra laccato al miele e peperoncino con pere glassate.

CERVERE *12040 Cuneo* [428] I 5 – *1 818 ab. alt. 304.*
Roma 656 – Cuneo 43 – Torino 58 – Asti 52.

🏨 **La Tour** senza rist, via Cavour 3 ☎ 0172 474691, *Fax 0172 474693,* 🚗 – [ascensore] [TV] [P]. [AE] [$] ⓓ [MC] [VISA]. ✂
☕ 12000 – **13 cam** 100/130000.

🍴🍴 **Antica Corona Reale-da Renzo,** via Fossano 13 ☎ 0172 474132, *Fax 0172 474132,* prenotare – [$] ⓓ [MC] [VISA]. ✂
chiuso dal 26 dicembre al 6 gennaio, dal 1° al 25 agosto, martedì sera e mercoledì – **Pasto** carta 55/95000.

CERVESINA *27050 Pavia* [428] G 9 – *1 182 ab. alt. 72.*
Roma 580 – Alessandria 46 – Genova 102 – Milano 72 – Pavia 25.

🏨 **Castello di San Gaudenzio** 🐌, via Mulino 1, località San Gaudenzio Sud : 3 km ☎ 0383 3331, *info@castellosangaudenzio.com, Fax 0383 333409,* « Castello del 14° secolo in un parco », [piscina] – ▤ rist, [TV] ♿ [P] – 🧑‍🏫 400. [AE] [$] ⓓ [MC] [VISA]. ✂
Pasto *(chiuso martedì; prenotare)* carta 45/75000 – ☕ 15000 – **42 cam** 170/250000, 3 suites – ½ P 200000.

CERVETERI *00052 Roma* [430] Q 18 *G. Italia – 25 763 ab. alt. 81.*
Vedere *Necropoli della Banditaccia** Nord : 2 km.*
Dintorni *Circuito intorno al lago di Bracciano**.*
Roma 42 – Civitacecchia 34.

🍴 **Antica Locanda Le Ginestre,** piazza Santa Maria 5 ☎ 06 9940672, *Fax 06 9940665,* « Servizio estivo all'aperto sulla piazzetta » – [AE] [$] ⓓ [MC] [VISA]
chiuso lunedì – **Pasto** carta 50/80000.

CERVIA *48015 Ravenna* [429], [430] J 19 – *25 591 ab. – Stazione termale (aprile-ottobre), a.s. Pasqua, luglio-agosto e ottobre-dicembre.*
⛳18 *(chiuso dal 7 gennaio all'11 febbraio e lunedì escluso da marzo a ottobre)* ☎ *0544 992786, Fax 0544 993410.*
[i] *(maggio-settembre) viale dei Mille 65* ☎ *0544 974400, Fax 0544 977194.*
Roma 382 – Ravenna 22 – Rimini 31 – Bologna 96 – Ferrara 98 – Forlì 28 – Milano 307 – Pesaro 76.

🏨 **Grand Hotel Cervia,** lungomare Grazia Deledda 9 ☎ 0544 970500, *grandhotel@cervia.com, Fax 0544 972086,* <, [spiaggia] – [ascensore] ▤ [TV] ☎ [P] – 🧑‍🏫 500. [AE] [$] ⓓ [MC] [VISA]. ✂
Pasto carta 85/125000 – ☕ 25000 – **88 cam** 390/490000, 3 suites – ½ P 290000.

🏨 **Nettuno,** lungomare D'Annunzio 34 ☎ 0544 971156, *info@hotelnettuno.it, Fax 0544 972082,* <, [piscina] riscaldata, 🚗 – [ascensore], ✂ rist, ▤ [TV] [P]. [$] [MC] [VISA]. ✂
aprile-15 ottobre – **Pasto** 60/80000 – ☕ 15000 – **45 cam** 140/180000.

🏨 **K 2 Cervia,** viale dei Mille 98 ☎ 0544 971025, *hk2@cervia.com, Fax 0544 971028,* [spiaggia], 🚗 – [ascensore] [TV] [P] – 🧑‍🏫 70. [AE] [$] ⓓ [MC] [VISA]. ✂ rist
marzo-ottobre – **Pasto** 35/45000 – **55 cam** ☕ 90/150000 – ½ P 120000.

🏨 **Strand e Gambrinus,** lungomare Grazia Deledda 104 ☎ 0544 971773, *Fax 0544 973984,* <, [palestra], [bagno turco] – [ascensore] ▤ [P] – 🧑‍🏫 50. [AE] [$] ⓓ [MC] [VISA]. ✂
marzo-settembre – **Pasto** (solo per alloggiati) 40000 – ☕ 12000 – **100 cam** 70/120000 – ½ P 130000.

🏨 [bici] **Universal,** lungomare Grazia Deledda 118 ☎ 0544 71418, *universal@selecthotels.it, Fax 0544 971746,* <, [piscina] riscaldata – [ascensore] ▤ [TV] [garage] [P]. [AE] [$] ⓓ [MC] [VISA]. ✂ rist
marzo-ottobre – **Pasto** carta 35/45000 – ☕ 12000 – **42 cam** 100/150000 – ½ P 125000.

🏨 [bici] **Beau Rivage,** lungomare Grazia Deledda 116 ☎ 0544 971010, <, [piscina] riscaldata – [ascensore] ▤ [TV] [P]. [AE] [$] ⓓ [MC] [VISA]. ✂ rist
Pasqua-settembre – **Pasto** carta 35/45000 – ☕ 12000 – **40 cam** 100/150000 – ½ P 125000.

🏠 **Ascot**, viale Titano 14 ℰ 0544 72318, ⊥, 🐎 – 📱, 🗏 rist, 📺 🅿. ✻
15 maggio-15 settembre – **Pasto** (solo per alloggiati) 35000 – ☲ 12000 – **30 cam** 9〔
120000 – ½ P 85000.

✗✗ **Al Teatro**, via 20 Settembre 169 ℰ 0544 71639, *Fax 0544 71639*, 🏵, prenotare – 🗏. 🗓
🕄 ⓸ ⓴ 𝗩𝗜𝗦𝗔. ✻
chiuso dal 1º al 15 gennaio, dal 1º al 15 settembre e lunedì – **Pasto** specialità di mar
35/80000.

✗ **Nautilus da Franco**, via Nazario Sauro 116 ℰ 0544 976486 – 𝔸𝔼 🕄 ⓸ ⓴ 𝗩𝗜𝗦𝗔. ✻
chiuso dal 23 dicembre al 10 gennaio e lunedì – **Pasto** 80/90000.

a Pinarella *Sud : 2 km* – ⊠ 48015 Pinarella di Cervia.
🛈 *(maggio-settembre)* viale Titano 51 ℰ 0544 988869, *Fax 0544 980728*

🏠🏠 **Garden**, viale Italia 250 ℰ 0544 987144, *severihotels@cervia.com, Fax 0544 980006*, ⊦⊲
🕿, ⊥ riscaldata, ☁⊙, 🐎, ✗ – 📱 🗏 📺 🅿. 🕄 𝗩𝗜𝗦𝗔. ✻
marzo-ottobre – **Pasto** 50/50000 – ☲ 15000 – **65 cam** 90/140000, 🗏 14000 – ½ P 13000〔

🏠🏠 **Cinzia**, viale Italia 252 ℰ 0544 987241, *severihotels@cervia.com, Fax 0544 987620*, « ⊐
riscaldata in terrazza panoramica », ⊦⊲, 🕿, ☁⊙ – 📱 🗏 📺 𝔸𝔼 🕄 ⓸ ⓴ 𝗩𝗜𝗦𝗔. ✻ rist
marzo-ottobre – **Pasto** 40/50000 – ☲ 15000 – **33 cam** 75/120000, 🗏 14000 – ½ P 11500〔

🏠🏠 **Buratti**, viale Italia 194 ℰ 0544 987549, *hburatti@libero.it, Fax 0544 987549*, ☁⊙, 🐎 – 〗
🗏 📺 🅿. ✻
15 marzo-settembre – **Pasto** 35000 – **43 cam** ☲ 80/120000 – ½ P 95000.

a Milano Marittima *Nord : 2 km* – ⊠ 48016 Cervia - Milano Marittima.
🛈 *(aprile-settembre)* viale Matteotti 39/41 ℰ 0544 993435, *Fax 0544 993226*

🏠🏠🏠 **Mare e Pineta**, viale Dante 40 ℰ 0544 992262, *Fax 0544 992739*, « Parco pineta », ⊦⊲
⊥ riscaldata, ☁⊙, ✗ – 📱 🗏 📺 ⅓ 🅿 – 🔬 250. 𝔸𝔼 🕄 ⓸ ⓴ 𝗩𝗜𝗦𝗔. ✻ rist
aprile-settembre – **Pasto** carta 80/105000 – ☲ 25000 – **163 cam** 210/370000, 5 suites
½ P 320000.

🏠🏠🏠 **Aurelia**, viale 2 Giugno 34 ℰ 0544 975451, *Fax 0544 972773*, ≤, « Giardino », ⊥, ☁⊙, 🐎
✗ – 📱 🗏 📺 🅿 – 🔬 150. 𝔸𝔼 🕄 ⓸ ⓴ 𝗩𝗜𝗦𝗔. ✻ rist
15 marzo-ottobre – **Pasto** *(maggio-settembre)* carta 55/80000 – **104 cam** ☲ 270/30000
– ½ P 215000.

🏠🏠🏠 **Le Palme**, VII Traversa 12 ℰ 0544 994661, *lepalme@hotellepalme.com, Fax 0544 99417〕
≤, 🏵, « Giardino ombreggiato », ⊦⊲, 🕿, ⊥ riscaldata, ✗ – 📱 🗏 📺 ⇆ 🅿 – 🔬 300. 𝔸
🕄 ⓸ ⓴ 𝗩𝗜𝗦𝗔. ✻
Pasto *(aprile-ottobre; solo per alloggiati)* 45/60000 – **103 cam** ☲ 200/300000
½ P 235000.

🏠🏠🏠 **Exclusive Waldorf**, VII Traversa 17 ℰ 0544 994343, *info@exclusivewaldorf.i〕
Fax 0544 993428*, ≤, 🕿, ⊥ riscaldata – 📱 🗏 📺 🅿. 𝔸𝔼 🕄 ⓸ ⓴ 𝗩𝗜𝗦𝗔. ✻
aprile-novembre – **Pasto** *(maggio-settembre)* 70/80000 – ☲ 23000 – **24 cam** 180/28000〔
– ½ P 250000.

🏠🏠🏠 **Miami**, III Traversa 31 ℰ 0544 991628, *h.miami@cervia.com, Fax 0544 992033*, ≤, ⊥ risca
data, ☁⊙, 🐎 – 📱 🗏 📺 🅿 – 🔬 250. 𝔸𝔼 🕄 ⓸ ⓴ 𝗩𝗜𝗦𝗔. ✻ rist
aprile-settembre – **Pasto** (solo per alloggiati) 45/60000 – **76 cam** ☲ 250/330000
½ P 220000.

🏠🏠🏠 **Rouge Internationale**, III Traversa 26 ℰ 0544 992201, *Fax 0544 994379*, ≤, ⊥ risca
data, 🐎, ✗ – 📱 🗏 📺 🅿. 🕄 ⓸ ⓴ 𝗩𝗜𝗦𝗔. ✻ rist
aprile-ottobre – **Pasto** carta 70/100000 – **78 cam** ☲ 120/190000 – ½ P 190000.

🏠🏠🏠 **Gallia**, piazzale Torino 16 ℰ 0544 994692, *gallia@selecthotels.it, Fax 0544 998421*, « Giar
dino ombreggiato », ⊥ riscaldata, ✗ – 📱 🗏 📺 🅿. 𝔸𝔼 🕄 ⓸ ⓴ 𝗩𝗜𝗦𝗔. ✻ rist
Pasqua-settembre – **Pasto** 55/80000 – **99 cam** ☲ 180/320000 – ½ P 230000.

🏠🏠🏠 **Globus**, viale 2 Giugno 59 ℰ 0544 992115, *baldisserihotels@tin.it, Fax 0544 992931*, ⊦⊲
🕿, ⊥ riscaldata, 🐎 – 📱 🗏 📺 ⅓ 🅿 – 🔬 100. 𝔸𝔼 🕄 ⓸ ⓴ 𝗩𝗜𝗦𝗔. ✻ rist
aprile-settembre – **Pasto** 55/65000 – ☲ 20000 – **55 cam** 140/195000 – ½ P 160000.

🏠🏠🏠 **Michelangelo**, viale 2 Giugno 113 ℰ 0544 994470, *mail@hotel-michelangelo.com*
Fax 0544 993534, « Giardino ombreggiato », ⊥ riscaldata – 📱 🗏 📺 ⅓ 🅿. 𝔸𝔼 🕄 ⓸ ⓴ 𝗩𝗜𝗦𝗔
✻ rist
aprile-ottobre – **Pasto** 55/80000 – ☲ 20000 – **50 cam** 180/240000 – ½ P 190000.

🏠🏠🏠 **Deanna Golf Hotel**, viale Matteotti 131 ℰ 0544 991365, *info@deannagolfhotel.c〕
Fax 0544 994251*, « Giardino », ⊥ riscaldata – 📱, 🗏 rist, 📺 🅿 – 🔬 150. 𝔸𝔼 🕄 ⓴ 𝗩𝗜𝗦𝗔
✻ rist
marzo-ottobre – **Pasto** carta 65/75000 – **68 cam** ☲ 120/180000 – ½ P 135000.

🏠🏠🏠 **Metropolitan**, via XVII Traversa 7 ℰ 0544 994735, *Fax 0544 994735*, ≤, ⊦⊲, 🕿, ⊥ riscal
data – 📱 🗏 📺 🅿. 🕄 ⓴ 𝗩𝗜𝗦𝗔. ✻
Pasqua-25 settembre – **Pasto** (solo per alloggiati) – ☲ 22000 – **82 cam** 120/165000
½ P 145000.

🏨 **Ariston,** viale Corsica 16 ℘ 0544 994659, *ariston@queen.it, Fax 0544 991555,* ≤, ⌇, 🐎 –
📳 🔟 🔟 **P.** 🆂 ⓦ **VISA**. ❄ rist
10 maggio-settembre – **Pasto** 35000 – **68 cam** ⊇ 105/210000 – ½ P 160000.

🏨 **Acapulco,** VI Traversa 19 ℘ 0544 992396, *info@acapulcohotels.it, Fax 0544 993833,* ≤,
⌇, ⌇ riscaldata – 📳 🔟 **P.** 🆎 🆂 **VISA**. ❄ rist
15 maggio-20 settembre – **Pasto** (solo per alloggiati) 35000 – ⊇ 10000 – **41 cam** 90/
120000 – ½ P 165000.

🏨 **Alexander,** viale 2 Giugno 68 ℘ 0544 991516, *baldisserihotels@tin.it, Fax 0544 991516,*
« Terrazza-solarium », ⌇ riscaldata, 🐎 – 📳 🔟 **P.** 🆎 🆂 **VISA**. ❄ rist
aprile-20 settembre – **Pasto** 50/60000 – ⊇ 18000 – **52 cam** 120/155000 – ½ P 135000.

🏨 **Kent,** viale 2 Giugno 142 ℘ 0544 992048, *info@hotelkent.it, Fax 0544 994472,* « Piccolo
giardino ombreggiato » – 📳 🔟 **P.** 🆎 🆂 ⓞ ⓦ **VISA**. ❄ rist
aprile-settembre – **Pasto** 45000 – ⊇ 20000 – **35 cam** 90/150000, 2 suites – ½ P 140000.

🏨 **Sorriso e Carillon,** VIII Traversa 19 ℘ 0544 994063, *Fax 0544 993123,* 🔽, ⌇, ⌇ riscal-
data – 📳 🔟 🔟 **P.** 🆂 ⓦ **VISA**. ❄
15 marzo-settembre – **Pasto** (solo per alloggiati) 40/45000 – ⊇ 25000 – **71 cam** 120/
150000 – ½ P 145000.

🏨 **Majestic,** X Traversa 23 ℘ 0544 994122, *majestic@hotelmajestic.it, Fax 0544 994123,* ≤,
⌇ riscaldata, 🔲 – 📳 🔟 🔟 **P.** 🆂 **VISA**. ❄
Pasqua-6 ottobre – **Pasto** 50000 – ⊇ 15000 – **50 cam** 140/160000, 🔲 5000 – ½ P 105000.

🏨 **Mazzanti,** via Forlì 51 ℘ 0544 991207, *Fax 0544 991258,* ≤, ⌇ riscaldata, 🐎 – 📳 🔟 🔟
P. 🆎 🆂 ⓞ ⓦ **VISA**. ❄ rist
10 maggio-20 settembre – **Pasto** (solo per alloggiati) 35000 – **45 cam** ⊇ 70/130000,
🔲 8000 – ½ P 125000.

🏨 **Nadir,** viale Cadorna 3 ℘ 0544 991322, *Fax 0544 991431,* ⌇ – 📳 🔟 🔟 **P.** 🆎 🆂 ⓞ ⓦ **VISA**.
❄
chiuso dal 25 dicembre al 7 gennaio e da aprile al 15 ottobre – **Pasto** 30/40000 – **49 cam**
⊇ 110/170000, 6 suites – ½ P 150000.

🏠 **Mocambo,** VI Traversa 17 ℘ 0544 991265, *Fax 0544 993833,* 📳, 🔲 rist, 🔟 **P.** 🆎 🆂 **VISA**.
❄ rist
maggio-settembre – **Pasto** (solo per alloggiati) 30000 – ⊇ 10000 – **41 cam** 90/120000 –
½ P 105000.

🏠 **Ridolfi,** anello del Pino 18 ℘ 0544 994547, *Fax 0544 991506,* ⌇, 🐎 – 📳, 🔲 rist, 🔟 **P.** 🆎
🆂 ⓞ ⓦ **VISA**. ❄ rist
maggio-settembre – **Pasto** (solo per alloggiati) 30/40000 – ⊇ 10000 – **36 cam** 65/110000 –
½ P 110000.

🏠 **Abahotel,** IV Traversa 19 ℘ 0544 991701, *abahotel@libero.it, Fax 0544 993969* – 📳,
🔲 rist, 🔟 **P.** 🆂 ⓞ ⓦ **VISA**. ❄
maggio-settembre – **Pasto** (solo per alloggiati) 25/35000 – **34 cam** ⊇ 75/120000 –
½ P 115000.

🏠 **Isabella** senza rist, IX Traversa 152 ℘ 0544 994068, *Fax 0544 995034* – 📳 🔲 🔟 **P.** 🆂 **VISA**.
❄
aprile-ottobre – **31 cam** ⊇ 95/140000, 🔲 5000.

🏠 **Santiago,** viale 2 Giugno 42 ℘ 0544 975477, *Fax 0544 975477* – 📳 🔲 🔟. 🆎 🆂 ⓞ ⓦ
VISA. ❄ rist
Pasto (solo per alloggiati) 35/40000 – ⊇ 15000 – **27 cam** 100/140000 – ½ P 100000.

XXX **Al Caminetto,** viale Matteotti 46 ℘ 0544 994479, Rist. e pizzeria, « Servizio estivo
all'aperto » – 🆂 ⓞ ⓦ **VISA**
15 novembre-Epifania e 4 marzo-ottobre; chiuso a mezzogiorno escluso i giorni festivi –
Pasto carta 85/120000.

a Tagliata *Sud-Est : 3,5 km* – ✉ 48015 Tagliata di Cervia.
🛈 *(maggio-settembre) via Sicilia 61 ℘ 0544 987945, Fax 0544 982315*

XX **La Tortuga,** viale Sicilia 26 ℘ 0544 987193, *tortugaristorante@libero.it,* Rist. e pizzeria,
« Servizio estivo in giardino » – **P.** 🆎 🆂 ⓞ ⓦ **VISA**
chiuso gennaio e mercoledì (escluso da giugno a settembre) – **Pasto** carta 45/75000.

CERVIGNANO DEL FRIULI 33052 Udine 🔢 E 21 – *12 168 ab.*.
Roma 627 – Udine 34 – Gorizia 28 – Milano 366 – Trieste 47 – Venezia 116.

🏨 **Internazionale,** via Ramazzotti 2 ℘ 0431 30751, *info@hotelinternazionale.it,*
Fax 0431 34801 – 📳 🔲 🔟 🔟 ✓ **P.** – 🔬 450. 🆎 🆂 ⓞ ⓦ **VISA** **JCB**. ❄
Pasto al Rist. *La Rotonda (chiuso dal 1° al 21 agosto, domenica sera e lunedì)* carta
50/85000 – **69 cam** ⊇ 130/200000 – ½ P 155000.

X **Al Campanile,** via Fredda 3, località Scodovacca Est : 1,5 km ℘ 0431 32018, 🏡 – **P.** ❄
chiuso settembre o ottobre, lunedì e martedì – **Pasto** carta 40/50000.

CERVINIA Aosta 219 ③ – Vedere Breuil-Cervinia.

CERVO 18010 Imperia 428 K 6 – 1 238 ab. alt. 66.

🛈 piazza Santa Caterina 2 (nel Castello) ℰ 0183 408197, Fax 0183 408197.

Roma 605 – Imperia 10 – Alassio 12 – Genova 106 – Milano 228 – San Remo 35.

XXX **San Giorgio** con cam, via Alessandro Volta 19 (centro storico) ℰ 0183 400175,
Fax 400175, ≼, prenotare, « Servizio estivo in terrazza panoramica » – ▤. 🖫 🐠 VISA
🛇 cam

chiuso dal 10 al 31 gennaio, novembre, lunedì sera e martedì dal 20 ottobre a Pasqua, solo
martedì a mezzogiorno dal 20 giugno al 10 settembre – **Pasto** specialità di mare 60000 b(
(escluso sabato e i giorni festivi) 80000 e carta 75/120000 – 2 suites ☲ 250/350000 –
½ P 250000.

CESANA TORINESE 10054 Torino 428 H 2 – 973 ab. alt. 1 354 – a.s. febbraio-Pasqua, luglio
agosto e Natale – Sport invernali : a Sansicario, Monti della Luna e Claviere : 1 354/2 701 m
≼ 2 ≴ 29, ⚐ (Comprensorio Via Lattea).

🛈 piazza Vittorio Amedeo 3 ℰ 0122 89202, Fax 0122 89202.

Roma 752 – Bardonecchia 25 – Briançon 21 – Milano 224 – Sestriere 11 – Torino 87.

a Mollières Nord : 2 km – ⊠ 10054 Cesana Torinese :

X **La Selvaggia,** frazione Mollieres 43 ℰ 0122 89290 – ℙ. 🖭 🖫 🐠 VISA. 🛇
chiuso dal 1° al 15 giugno, novembre e mercoledì – **Pasto** carta 45/70000.

a Champlas Seguin Est : 7 km – alt. 1 776 – ⊠ 10054 Cesana Torinese :

X **La Locanda di Colomb,** frazione Champlais Seguin 27 ℰ 0122 832944, paolo.colomb@
libero.it, Fax 0122 832944, prenotare – ℙ. 🖫 VISA. 🛇
chiuso maggio, ottobre e lunedì (escluso dicembre e agosto) – **Pasto** carta 40/60000.

CESANO BOSCONE 20090 Milano 428 F 9, 219 ⑱ – 24 833 ab. alt. 120.

Roma 582 – Milano 10 – Novara 48 – Pavia 35 – Varese 54.

Pianta d'insieme di Milano.

▵▵▵ **Roma,** via Poliziano 2 ℰ 02 4581805, Fax 02 4500473 – ▯ ▤ 📺 ♿ ℙ – ⚠ 25. 🖭 🖫 🐠 🐠
VISA JCB
AP k
chiuso dal 10 al 20 agosto – **Pasto** vedere rist **Mon Ami** – ☲ 25000 – **34 cam** 350/500000,
2 suites –.

XX **Mon Ami,** via Roma 101 ℰ 02 4500124, Fax 02 45864909, Rist. e pizzeria a mezzogiorno –
▤. 🖭 🖫 🐠 🐠 VISA JCB. 🛇
chiuso i mezzogiorno di sabato-domenica – **Pasto** carta 60/105000.

Halten Sie beim Betreten des Hotels oder des Restaurants
den Führer in der Hand.
Sie zeigen damit, daß Sie aufgrund dieser Empfehlung gekommen sind.

CESANO MADERNO 20031 Milano 428 F 9, 219 ⑲ – 32 804 ab. alt. 198.

Roma 613 – Milano 20 – Bergamo 52 – Como 29 – Novara 61 – Varese 41.

▵▵ **Parco Borromeo** 🖩, via Borromeo 29 ℰ 0362 551796 e rist ℰ 0362 540930, info@hot
elparcoborromeo.it, Fax 0362 550182, 🌲, « Adiacente al parco e palazzo Borromeo » – ▯
▤ 📺 🚗 – ⚠ 80. 🖭 🖫 🐠 🐠 VISA. 🛇
chiuso dal 4 al 27 agosto – **Pasto** al Rist. **Il Fauno** (chiuso dal 1° al 6 gennaio, dal 27 luglio a
27 agosto e lunedì a mezzogiorno) carta 65/125000 – **40 cam** ☲ 190/260000.

CESENA 47023 Forlì-Cesena 429 , 430 J 18 G. Italia – 89 852 ab. alt. 44.

Vedere Biblioteca Malatestiana★.

🛈 piazza del Popolo 11 ℰ 0547 356327, Fax 0547 356329.

Roma 336 – Ravenna 31 – Rimini 30 – Bologna 89 – Forlì 19 – Milano 300 – Perugia 168 –
Pesaro 69.

▵▵▵ **Casali,** via Benedetto Croce 81 ℰ 0547 22745, hotelcasali@iol.it, Fax 0547 22828, ⌕ – ▯
▤ 📺 ℆ 🚗 – ⚠ 180. 🖭 🖫 🐠 🐠 VISA. 🛇 rist
Pasto al Rist. **Casali** (chiuso dal 22 luglio al 22 agosto) carta 45/60000 – ☲ 16000 – **45 cam**
140/190000, 3 suites.

🏨 **Meeting Hotel** senza rist, via Romea 545 ℘ 0547 333160, *Fax 0547 334394* – 🛗 🖵 📺 🅿.
– 🛗 60. 🕃 ⓞ ⓦ *VISA*. ⚘
chiuso dal 20 al 30 dicembre – � 15000 – **26 cam** 130/180000, 🛏 10000.

🏨 **Alexander**, piazzale Karl Marx 10 ℘ 0547 27474, *hotelalexander@iol.it, Fax 0547 27874* –
🛗 🖵 📺 🕻 🕭 🕭 🅿 – 🛗 30. 🕮 🕃 ⓞ ⓦ *VISA*. ⚘ rist
chiuso dal 20 dicembre al 6 gennaio – **Pasto** *(chiuso giugno, luglio, agosto e a mezzogiorno)* carta 30/40000 – ⊐ 14000 – **32 cam** 135/195000 – ½ P 150000.

💥 **Il Circolino**, corte Dandini 10 ℘ 0547 21875, *Fax 0547 21875*, 😁 , Coperti limitati; prenotare – 🕮 🕃 *VISA*. ⚘
chiuso gennaio e martedì – **Pasto** carta 50/75000.

💥 **Gianni**, via Dell'Amore 9 ℘ 0547 21328, *rist.gianni@iol.it, Fax 0547 21328*, 😁 , Rist. e pizzeria – 🛏. 🕮 🕃 ⓞ ⓦ *VISA* *JCB*
chiuso giovedì – **Pasto** carta 40/80000.

💥 **La Grotta**, vicolo Cesuola 19 ℘ 0547 22734 – 🛏. 🕮 ⓦ *VISA*
chiuso dal 25 luglio al 22 agosto, lunedì sera e martedì – **Pasto** carta 45/75000.

We suggest:
for a successful tour, that you prepare it in advance. **Michelin maps** *and* **guides,**
will give you much useful information on route planning,
places of interest, accommodation, prices etc.

CESENATICO 47042 Forli-Cesena 429 , 430 J 19 – 21 669 ab. – a.s. 21 giugno-agosto.
🖪 *viale Roma 112 ℘ 0547 674411, Fax 0547 80129.*
Roma 358 – Ravenna 31 – Rimini 22 – Bologna 98 – Milano 309.

🏨 **Pino**, via Anita Garibaldi 7 ℘ 0547 80645, *Fax 0547 84788* – 🛗 🛏 📺 – 🛗 40. 🕮 🕃 ⓞ ⓦ
VISA. ⚘
Pasto *(chiuso dal 15 novembre al 15 dicembre e lunedì escluso luglio-agosto)* carta 65/85000 – ⊐ 15000 – **52 cam** 120/210000, 8 suites – ½ P 170000.

🏨 **Britannia**, viale Carducci 129 ℘ 0547 672500, *h.britannia@libero.it, Fax 0547 81799*, ≤,
« Giardino-terrazza », 🛬, 🕭 – 🛗 🛏 📺 🕭 🅿 – 🛗 50. 🕮 🕃 ⓞ ⓦ *VISA*. ⚘
aprile-20 settembre – **Pasto** *(chiuso sino al 21 maggio)* carta 45/70000 – ⊐ 20000 –
41 cam 160/250000 – ½ P 175000.

🏨 **Residenza Lido**, viale Carducci 51 ang. via Ferrara 14 ℘ 0547 672194, *info@residenzalido.it, Fax 0547 672723*, ≤, 🕭, 🛬 riscaldata – 🛏 📺 🕻 🕭. 🕮 🕃 ⓞ ⓦ *VISA*. ⚘
Pasto *(solo per alloggiati)* – ⊐ 15000 – **66 cam** 140/220000 – ½ P 145000.

🏨 **Internazionale**, via Ferrara 7 ℘ 0547 673344, *info@hinternazionale.it, Fax 0547 672363*,
≤, 🛬 riscaldata, 🕭, 💥 – 🛗 📺 🅿. 🕃 ⓦ *VISA*. ⚘ rist
maggio-settembre – **Pasto** *(solo per alloggiati)* 35/50000 – **60 cam** ⊐ 120/200000 –
½ P 155000.

🏨 **Sirena**, viale Zara 42 ℘ 0547 80548, *info@hotelsirene.it, Fax 0547 672742* – 🛗 🛏 📺 🕭
🕭 – 🛗 80. 🕮 🕃 ⓞ ⓦ *VISA*. ⚘
Pasto *(chiuso a mezzogiorno da ottobre a maggio escluso i festivi)* carta 50/70000 –
37 cam ⊐ 140/180000 – ½ P 120000.

🏨 **Torino**, viale Carducci 55 ℘ 0547 80044, *Fax 0547 672510*, ≤, 🛬 – 🛗, 🛏 rist, 📺 🅿. 🕮 🕃
ⓞ ⓦ *VISA* *JCB*. ⚘
15 maggio-settembre – **Pasto** *(solo per alloggiati)* 40/70000 – ⊐ 20000 – **51 cam** 120/
190000 – ½ P 150000.

🏨 **Miramare**, viale Carducci 2 ℘ 0547 80006, *Fax 0547 84785*, ≤, 🛬 – 🛗 🛏 📺 🅿 – 🛗 60.
🕮 🕃 ⓞ ⓦ *VISA*. ⚘ rist
Pasto *(chiuso martedì escluso da aprile ad ottobre)* carta 45/70000 – ⊐ 20000 – **30 cam**
175/210000, 🛏 10000 – ½ P 165000.

🏨 **Sporting**, viale Carducci 191 ℘ 0547 83082, *info@hotelsporting.it, Fax 0547 672172*, ≤,
🕭 – 🛗, 🛏 rist, 📺 🅿. 🕮 🕃 ⓦ *VISA*. ⚘
20 maggio-20 settembre – **Pasto** *(solo per alloggiati)* – **48 cam** ⊐ 100/130000 –
½ P 110000.

🏨 **Atlantica**, viale Bologna 28 ℘ 0547 83630, *info@hotelatlantica.it, Fax 0547 75758*, ≤ – 🛗,
🛏 rist, 📺 🅿. 🕮 🕃 ⓦ *VISA*. ⚘
Pasqua-settembre – **Pasto** carta 60/95000 – ⊐ 18000 – **35 cam** 120/190000 – ½ P 140000.

🏨 **Zeus**, viale Carducci 46 ℘ 0547 80247, *Fax 0547 80247* – 🛗 🛏 📺. 🕮 🕃 ⓞ ⓦ *VISA* *JCB*. ⚘
Pasto *(solo per alloggiati)* 30/45000 – ⊐ 15000 – **28 cam** 90/140000 – ½ P 120000.

🏨 **Piccolo Hotel,** viale Carducci 180 ℰ 0547 672757, *Fax 0547 672240* – |‡|, ₩ rist, ▤ ▥ 🅿. ஊ 🖪 ⓞ ⓌⓌ 𝗩𝗜𝗦𝗔. ⚘ rist
aprile-settembre – **Pasto** (solo per alloggiati) – **26 cam** ⇆ 95/130000 – ½ P 105000.

🏨 **Domus Mea** senza rist, via del Fortino 7 ℰ 0547 82119, *Fax 0547 82441*, *Ⅰ₅* – |‡| ▤ ▥ ⚏ ஊ 🖪 ⓞ ⓌⓌ 𝗩𝗜𝗦𝗔. ⚘
maggio-settembre – ⇆ 7500 – **29 cam** 95/120000.

🏨 **New Bristol Sport,** viale del Fortino 9 ℰ 0547 672444, *info@newbristol.it* *Fax 0547 673051*, *Ⅰ₅* – |‡| ▤ ▥. ஊ 🖪 ⓞ ⓌⓌ 𝗩𝗜𝗦𝗔. ⚘ rist
20 dicembre-8 gennaio e 10 aprile-ottobre – **Pasto** (solo per alloggiati) 30/50000 – ⇆ 20000 – **51 cam** 155/180000, ▤ 10000 – ½ P 135000.

💥💥 **Lido Lido,** viale Carducci ang. Via Ferrara 12 ℰ 0547 673311, *info@lidolido.com* *Fax 0547 673311*, 🌤 – ▤. ஊ 🖪 ⓞ ⓌⓌ 𝗩𝗜𝗦𝗔. ⚘
chiuso a mezzogiorno (escluso domenica, festivi e luglio-agosto) e lunedì – **Pasto** 50 70000 e carta 80/125000.

💥💥 **La Buca,** corso Garibaldi 41 ℰ 0547 82474, *Fax 0547 82474*, 🌤 – ▤. ஊ 🖪 ⓞ ⓌⓌ 𝗩𝗜𝗦𝗔. ⚘
chiuso lunedì e dal 2 al 10 gennaio – **Pasto** specialità di mare70/110000, carta 50/80000 e a Rist. **Osteria del Gran Fritto** 25/45000.

💥💥 **Al Gallo,** via Baldini 21 ℰ 0547 81067, *Fax 0547 672454*, 🌤 – ஊ 🖪 ⓞ 𝗩𝗜𝗦𝗔. ⚘
chiuso dal 7 al 16 gennaio, dal 31 ottobre al 7 novembre e mercoledì – **Pasto** specialità c mare carta 65/100000.

💥 **Vittorio,** porto turistico Onda Marina, via Andrea Doria 3 ℰ 0547 672588, 🌤 – 🅿. ஊ 🖪 ⓌⓌ 𝗩𝗜𝗦𝗔. ⚘
chiuso dal 10 dicembre al 6 gennaio, dal 23 al 31 maggio, dal 7 al 15 settembre, martedì mercoledì a mezzogiorno – **Pasto** specialità di mare carta 90/125000
Spec. Crudità dell'Adriatico (ottobre-maggio). Lasagne al ragù di mazzola. Scampi all buzara.

a Valverde *Sud : 2 km* – ⊠ *47042 Cesenatico :*

🏨 **Caesar,** viale Carducci 290 ℰ 0547 86500, *hcaesar@it*, *Fax 0547 86654*, ≼, *Ⅰ₅*, ⇖, ⅃ riscaldata – |‡|, ₩ rist, ▤ ▥ 🅿. ஊ 🖪 ⓞ 𝗩𝗜𝗦𝗔. ⚘ rist
15 aprile-settembre – **Pasto** (solo per alloggiati) 35/60000 – ⇆ 18000 – **65 cam** 120 150000, ▤ 10000 – ½ P 140000.

🏨 **Colorado,** viale Carducci 306 ℰ 0547 86242, *hotelcolorado@cesenatico.com* *Fax 0547 680194*, ⅃ – |‡|, ▤ rist, ▥ 🅿. ஊ 🖪 ⓞ 𝗩𝗜𝗦𝗔. ⚘
maggio-settembre – **Pasto** (solo per alloggiati) 50/70000 – **55 cam** ⇆ 105/190000 – ½ P 135000.

🏨 **Wivien,** via Guido Reni angolo via Canova 89 ℰ 0547 85388, *Fax 0547 85455*, « Terrazze solarium », *Ⅰ₅*, ⇖, ⅃ – |‡| ▤ ▥ ⚏ ஊ. ⚘ rist
aprile-15 ottobre – **Pasto** (solo per alloggiati) 25/35000 – ⇆ 15000 – **46 cam** 80/130000 ▤ 10000 – ½ P 125000.

🏨 **Tridentum,** viale Michelangelo 25 ℰ 0547 86287, *info@hoteltridentum.it* *Fax 0547 87522*, *Ⅰ₅*, ⇖, ⅃, ⌂ – |‡| ▥ 🅿. ஊ 🖪 ⓌⓌ 𝗩𝗜𝗦𝗔. ⚘ rist
28 dicembre-2 gennaio e marzo-ottobre – **Pasto** 40/60000 – **65 cam** ⇆ 80/130000 – ½ P 120000.

a Zadina Pineta *Nord : 2 km* – ⊠ *47042 Cesenatico :*

🏨 **Beau Soleil-Wonderful** 🕊, viale Mosca 43/45 ℰ 0547 82209, *Fax 0547 82069*, ⇖ ⅃ riscaldata – |‡| ▤ ▥ 🅿. ஊ 🖪 ⓞ ⓌⓌ 𝗩𝗜𝗦𝗔. ⚘ rist
aprile-22 settembre – **Pasto** (solo per alloggiati) – **86 cam** ⇆ 120/190000 – ½ P 120000.

🏨 **Renzo** 🕊, viale dei Pini 55 ℰ 0547 82316, *Fax 0547 82316*, ⌂ – |‡|, ▤ rist, ▥ 🅿. ஊ 🖪 ⓌⓌ 𝗩𝗜𝗦𝗔. ⚘
maggio-20 settembre – **Pasto** (solo per alloggiati) 35000 – ⇆ 15000 – **24 cam** 60/100000 – ½ P 90000.

💥 **La Scogliera-da Roberto,** via Londra 36 ℰ 0547 83281, 🌤, prenotare – ▤ 🅿. ⚘
chiuso novembre e lunedì – **Pasto** specialità di mare 70/120000.

a Villamarina *Sud : 3 km* – ⊠ *47042 Cesenatico :*

🏨 **David,** viale Carducci 297 ℰ 0547 86154, *hoteldavid@libero.it*, *Fax 0547 86154*, ≼, « Gran de terrazza con ⅃ riscaldata » – |‡|, ▤ rist, ▥ 🅿. ⓌⓌ 𝗩𝗜𝗦𝗔. ⚘
chiuso da novembre al 15 dicembre – **Pasto** 35/65000 – ⇆ 15000 – **43 cam** 110/220000 – ½ P 160000.

🏨 **Duca di Kent,** viale Euclide 23 ℰ 0547 86307, *info@ducadikent.it*, *Fax 0547 86488*, *Ⅰ₅* ⇖, ⅃, ⌂ – |‡| ▤ rist, ▥ 🅿. ஊ 🖪 ⓞ ⓌⓌ 𝗩𝗜𝗦𝗔. ⚘ rist
15 maggio-25 settembre – **Pasto** (solo per alloggiati) 35/60000 – ⇆ 15000 – **40 cam** 120/180000 – ½ P 140000.

ESSALTO 31040 Treviso [429] E 19 – 3 110 ab..
Roma 562 – Venezia 48 – Belluno 81 – Milano 301 – Treviso 33 – Udine 77.

Romana ⚘ senza rist, via Donegal 16/1 ℘ 0421 327194, Fax 0421 327194 – ▤ ☎ ⴤ. ⵙ
⵿ⵙ ⵗⵘⵙⵄ. ⵯ
chiuso dal 24 dicembre al 3 gennaio – **18 cam** ⴥ 60/100000.

ESUNA 36010 Vicenza [429] E 16 – alt. 1 052.
Roma 582 – Trento 72 – Asiago 8 – Milano 263 – Venezia 114 – Vicenza 48.

Belvedere, via Armistizio 19 ℘ 0424 67000, Fax 0424 67309 – ☎ ⴤ. ⵯ rist
Pasto (chiuso martedì da ottobre a novembre e da aprile a maggio) carta 35/55000 – ⴥ
15000 – **30 cam** 80/150000 – ½ P 100000.

CETARA 84010 Salerno [431] F 26 – 2 388 ab. alt. 15.
Roma 255 – Napoli 56 – Amalfi 15 – Avellino 45 – Salerno 10 – Sorrento 49.

Cetus, strada statale 163 ℘ 089 261388, info@hotelcetus.it, Fax 089 261388, « A picco sul
mare con ≤ sul golfo di Salerno », ⴰ⬀ – ⴘ▮, ▤ rist, ☎ ⴤ – ⴲ 70. ⴀⴇ ⵙ ⵡ ⵿ⵙ ⵗⵘⵙⵄ.
ⵯ rist
aprile-ottobre – **Pasto** carta 50/75000 – **40 cam** ⴥ 330000 – ½ P 210000.

San Pietro, piazzetta San Francesco 2 ℘ 089 261091, ⵆ – ⵙ ⵡ ⵿ⵙ ⵗⵘⵙⵄ. ⵯ
chiuso febbraio e martedì – **Pasto** specialità di mare carta 45/60000.

CETONA 53040 Siena [430] N 17 G. Toscana – 2 862 ab. alt. 384.
Roma 155 – Perugia 59 – Orvieto 62 – Siena 89.

La Frateria di Padre Eligio ⚘ con cam, al Convento di San Francesco Nor-Ovest :
1 km ℘ 0578 238261, frateria@ftbcc.it, Fax 0578 239220, ≤ val di Chiana, ⵆ, Coperti
limitati; prenotare, « Convento francescano medioevale in un parco » – ▤ cam, ⴤ. ⴀⴇ ⵙ
ⵡ ⵿ⵙ
chiuso dal 7 gennaio al 10 febbraio e dal 5 novembre al 5 dicembre – **Pasto** (chiuso
martedì) 100/160000 – **5 cam** ⴥ 260/380000, 2 suites 500000.

Osteria Vecchia, via Cherubini 11 ℘ 0578 239040, Fax 0578 239040 – ▤. ⴀⴇ ⵙ ⵡ ⵡⵙ
⵿ⵙ. ⵯ
chiuso dal 20 gennaio al 10 febbraio e martedì (escluso dal 15 giugno al 15 settembre) –
Pasto carta 45/60000.

CETRARO 87022 Cosenza [431] I 29 – 10 794 ab. alt. 120.
⚑ San Michele, località Bosco ⵙⴽ 87022 Cetraro ℘ 0982 91012, Fax 0982 91430, Nord-
Ovest : 6 km.
Roma 466 – Cosenza 55 – Catanzaro 115 – Paola 21.

sulla strada statale 18 Nord-Ovest : 6 km :

Gd H. San Michele ⚘, ⵙⴽ 87022 ℘ 0982 91012, sanmichele@brutium.it,
Fax 0982 91430, ≤ mare e costa, ⵆ, « Giardino-frutteto ed ascensore per la spiaggia »,
⵿, ⴰ⬀, ⵯ, ⚑ – ⴘ▮ ▤ ☎ ⴤ – ⴲ 220. ⴀⴇ ⵙ ⵡ ⵡⵙ ⵿ⵙ. ⵯ rist
chiuso novembre – **Pasto** carta 75/100000 – **61 cam** ⴥ 280/350000, 6 suites –
½ P 370000.

CHAMPLAS JANVIER Torino – Vedere Sestriere.

CHAMPLAS SEGUIN Torino – Vedere Cesana Torinese.

CHAMPOLUC *11020 Aosta* **428** *E 5 – alt. 1 570 – a.s. 13 febbraio-aprile, luglio-agosto e Natale - Sport invernali : 1 570/2 714 m ≰ 1 ≴ 7, ≵.*

🛈 *via Varasch* ℰ *0125 307113, Fax 0125 307785.*

Roma 737 – Aosta 64 – Biella 92 – Milano 175 – Torino 104.

🏨 **Ayas** ⤢, rue de Guides 19 bis ℰ 0125 308128, *hotelayas@hotelayas.com*, Fax 0125 308133, < Monte Rosa, **ƒ₆**, ⩊, ⩩ – |ᐧ| **TV** & **P.** **AE** **ⓢ** **ⓞ** **ⓦⓖ** **VISA**. ⫣ rist
chiuso maggio, giugno, ottobre e novembre – **Pasto** *(solo per alloggiati)* – **28 cam** ⩮ 240. 300000 – ½ P 160000.

🏨 **Villa Anna Maria** ⤢, via Croues 5 ℰ 0125 307128, *hotelannamaria@ftiscalinet.it*, Fax 0125 307984, < monti, « Giardino e pineta » – **TV** **ℰ** **P.** **ⓞⓖ** **VISA**. ⫣
Pasto *(5 dicembre-25 aprile e 20 giugno-20 settembre)* carta 40/55000 – **21 cam** ⩮ 120. 180000 – ½ P 135000.

🏨 **Petit Tournalin**, località Villy 2 ℰ 0125 307530, Fax 0125 307347, , ⩩ – |ᐧ| **TV** & ⇦ **P.** **ⓢ** **ⓞ** **ⓦⓖ** **VISA**. ⫣ rist
Pasto carta 40/65000 – ⩮ 15000 – **19 cam** 100/160000 – ½ P 140000.

🏨 **Bellevue** ⤢ senza rist, via Ramey 16 A ℰ 0125 308710, Fax 0125 308428, ⩊ – |ᐧ| **TV** ⇦ **P.** **AE** **ⓢ** **ⓞ** **ⓦⓖ** **VISA**
dicembre-aprile e giugno-settembre – **12 cam** ⩮ 155/220000.

CHANAVEY *Aosta* **428** *F 3,* **219** ⑪ ⑫ – *Vedere Rhêmes Notre Dame.*

CHATILLON *11024 Aosta* **428** *E 4 – 4 748 ab. alt. 549 – a.s. luglio-agosto.*

Roma 723 – Aosta 28 – Breuil-Cervinia 27 – Milano 160 – Torino 89.

🏰 **Relais du Foyer**, località Panorama 37 ℰ 0166 511251, Fax 0166 513598, <, **ƒ₆**, ⩊ – |ᐧ| ≡ **TV** **ℰ** & ⇦ **P.** – 🕿 60. **AE** **ⓢ** **ⓞ** **ⓦⓖ** **VISA** **JCB**. ⫣ rist
Pasto al Rist. *Sylchri* *(chiuso mercoledì)* carta 65/105000 (10 %) – **32 cam** ⩮ 170/240000 – ½ P 150000.

XX **Parisien**, regione Panorama 1 ℰ 0166 537053, Coperti limitati; prenotare – ≡ **P.** **AE** **ⓢ** **ⓞ** **ⓦⓖ** **VISA**
chiuso dal 7 al 25 luglio, giovedì e a mezzogiorno (escluso i giorni festivi e prefestivi) – **Pasto** 80/100000 e carta 75/115000.

CHERASCO *12062 Cuneo* **428** *I 5 – 7 054 ab. alt. 288.*

🏌 *(chiuso martedì e gennaio)* località Fraschetta ⊠ *12062 Cherasco* ℰ *0172 489772, Fax 0172 488304.*

Roma 646 – Cuneo 52 – Torino 53 – Asti 51 – Savona 97.

🏨 **Napoleon**, via Aldo Moro 1 ℰ 0172 488238, *hotel-napoleon@libero.it*, Fax 0172 488435 – |ᐧ|, ≡ cam, **TV** & **P.** – 🕿 200. **ⓢ** **ⓞ** **ⓦⓖ** **VISA**. ⫣ rist
chiuso dal 1° al 15 agosto – **Pasto** al Rist. *L'Escargot* *(chiuso dal 3 al 23 agosto e mercoledì a mezzogiorno)* carta 35/75000 – **22 cam** ⩮ 120/160000.

X **La Lumaca**, via San Pietro ℰ 0172 489421, Fax 0172 489421, prenotare – **ⓢ** **ⓞⓖ** **VISA**
chiuso dal 26 dicembre al 5 gennaio, luglio, lunedì e martedì – **Pasto** carta 30/50000.

CHIANCIANO TERME *53042 Siena* **430** *M 17 G. Toscana – 7 203 ab. alt. 550 – Stazione termale (15 aprile-ottobre).*

🛈 *piazza Italia 67* ℰ *0578 63648, Fax 0578 63277.*

Roma 167 – Siena 74 – Arezzo 73 – Firenze 132 – Milano 428 – Perugia 65 – Terni 120 – Viterbo 104.

🏨 **Gd H. Excelsior**, via Sant'Agnese 6 ℰ 0578 64351, *direzione@grandhotelexcelsior.it*, Fax 0578 63214, ♨ riscaldata, ⩩ – |ᐧ|, ⫣⩩ rist, ≡ **TV** **P.** – 🕿 700. **AE** **ⓢ** **VISA**. ⫣
Pasqua-ottobre – **Pasto** 60000 – ⩮ 20000 – **66 cam** 200/240000, 9 suites – ½ P 200000.

🏨 **Grande Albergo Le Fonti**, viale della Libertà 523 ℰ 0578 63701, *info@grandealbergolefonti.com*, Fax 0578 63701, < – |ᐧ| ≡ **TV** ⇦ **P.** – 🕿 250. **ⓢ** **ⓞⓖ** **VISA**. ⫣ rist
Pasto carta 50/70000 – ⩮ 20000 – **75 cam** 140/250000, 3 suites – ½ P 200000.

🏨 **Moderno** Ⓜ, viale Baccelli 10 ℰ 0578 63754, Fax 0578 60656, « Parco con tennis e ♨ riscaldata » – |ᐧ| ≡ **TV** **ℰ** ⇦ **P.** **ⓢ** **ⓞ** **ⓦⓖ** **VISA**. ⫣
Pasto 40000 – ⩮ 15000 – **70 cam** 120/200000 – ½ P 180000.

🏨 **Michelangelo** ⤢, via delle Piane 146 ℰ 0578 64004, Fax 0578 60480, < dintorni, « Parco ombreggiato con ♨ riscaldata », ⩊, ⧈ – |ᐧ| ≡ **TV** **P.** – 🕿 40. **AE** **ⓢ** **ⓞ** **ⓦⓖ** **VISA**. ⫣ rist
Pasqua-5 novembre – **Pasto** 55/80000 – ⩮ 25000 – **63 cam** 125/175000 – ½ P 165000.

🏨 **Raffaello** ॐ, via dei Monti 3 ℘ 0578 657000, *h-raffaello@ftbcc.it, Fax 0578 64923*, « Giardino con 🏊 », 🎾 – |📶| 🗐 🖵 ☏ 🛏 🖭. 🅰🅴 🕙 ⑩ ⑩ 🆚🆂🅰 🅹🅲🅱. 🎇 rist
15 aprile-ottobre – **Pasto** 45/50000 – 🖙 15000 – **70 cam** 130/180000 – ½ P 150000.

🏨 **Gd H. Capitol,** viale della Libertà 492 ℘ 0578 64681, *Fax 0578 64686*, « 🏊 in terrazza panoramica », 🛋 – |📶| 🗐 🖵 🛏 – 🛁 100. 🅰🅴 🕙 ⑩ ⑩ 🆚🆂🅰 🅹🅲🅱. 🎇
Pasqua-ottobre – **Pasto** (solo per alloggiati) – 🖙 15000 – **68 cam** 120/180000 –
½ P 140000.

🏨 **Ambasciatori,** viale della Libertà 512 ℘ 0578 64371, *ambasciatori@barbettihotels.it, Fax 0578 64371,* a 1,5 km campi tennis e calcetto, « 🏊 riscaldata in terrazza panoramica », 🗓, 🎾 – |📶| 🗐 🖵 🛏 – 🛁 350. 🅰🅴 🕙 ⑩ ⑩ 🆚🆂🅰. 🎇
Pasto 45000 – **111 cam** 🖙 150/200000, 4 suites – ½ P 165000.

🏨 **Sole ed Esperia,** via delle Rose 40 ℘ 0578 60194, *hsole@libero.it, Fax 0578 60196*, « Giardino ombreggiato » – |📶| 🗐 🖵 🄿 – 🛁 100. 🅰🅴 🕙 ⑩ 🆚🆂🅰. 🎇 rist
Pasqua-ottobre – **Pasto** 30/45000 – 🖙 12000 – **104 cam** 95/150000, 4 suites –
½ P 130000.

🏨 **Milano,** viale Roma 46 ℘ 0578 63227, *milano@barbettihotels.it, Fax 0578 63227*, 🌺 – |📶|
🗐 🄿. 🅰🅴 🕙 ⑩ ⑩ 🆚🆂🅰. 🎇 rist
Pasqua-15 novembre – **Pasto** 45000 – **57 cam** 🖙 130/180000 – ½ P 160000.

🏨 **Alba,** viale della Libertà 288 ℘ 0578 64300, *albahotel@libero.it, Fax 0578 60577*, 🌺 – |📶|,
🗐 rist, 🖵 🄿 – 🛁 200. 🅰🅴 🕙 ⑩ ⑩ 🆚🆂🅰. 🎇 rist
Pasto carta 45/65000 – 🖙 10000 – **68 cam** 120/150000 – ½ P 120000.

🏨 **Montecarlo,** viale della Libertà 478 ℘ 0578 63903, *hotelmontecarlo@libero.it, Fax 0578 63093,* « 🏊 in terrazza panoramica », 🌺 – |📶|, 🗐 rist, 🖵 🛏 🄿. 🕙 ⑩ ⑩ 🆚🆂🅰.
🎇 rist
maggio-ottobre – **Pasto** carta 35/45000 – 🖙 10000 – **41 cam** 80/120000 – ½ P 105000.

🏨 **Ricci,** via Giuseppe di Vittorio 51 ℘ 0578 63906, *hotelricci@tin.it, Fax 0578 63660,* 🌺 – |📶|,
🗐 rist, 🖵 🄿 – 🛁 250. 🅰🅴 🕙 ⑩ ⑩ 🆚🆂🅰. 🎇
chiuso gennaio – **Pasto** carta 35/60000 – 🖙 10000 – **60 cam** 100/130000 – ½ P 100000.

🏨 **Carlton Elite,** via Ugo Foscolo 21 ℘ 0578 64395, *Fax 0578 64440,* 🏊, 🌺 – |📶| 🖵 🄿. 🕙 ⑩
⑩ 🆚🆂🅰. 🎇 rist
aprile-ottobre – **Pasto** 35/45000 – 🖙 15000 – **51 cam** 80/110000 – ½ P 110000.

🏨 **Golf Hotel** ॐ, via Veneto 7 ℘ 0578 63321, *Fax 0578 63352* – |📶|, 🗐 rist, 🖵 🕭 🄿. 🕙 ⑩
⑩ 🆚🆂🅰. 🎇 rist
aprile-novembre – **Pasto** 25/35000 – 🖙 10000 – **28 cam** 80/120000 – ½ P 90000.

🏨 **Cristina,** via G. di Vittorio (ang. via Adige) ℘ 0578 60552, *Fax 0578 60552,* 🌺 – |📶| 🗐 🖵 🕭
🛏 🄿. 🕙 🆚🆂🅰. 🎇 rist
aprile-ottobre – **Pasto** 30/35000 – 🖙 10000 – **43 cam** 70/100000 – ½ P 85000.

🏨 **Irma,** viale della Libertà 302 ℘ 0578 63941, *Fax 0578 63941,* 🌺 – |📶|, 🗐 rist, 🖵 🄿.
🎇 rist
maggio-ottobre – **Pasto** 40000 – 🖙 10000 – **75 cam** 100/120000 – ½ P 105000.

🏨 **Aggravi,** viale Giuseppe di Vittorio 118 ℘ 0578 64032, *hotelaggravi@ftbcc.it, Fax 0578 63456,* 🗓 – |📶|, 🗐 rist, 🖵 🛏 🄿 – 🛁 50. 🕙 ⑩ 🆚🆂🅰. 🎇
aprile-ottobre – **Pasto** 30/40000 – 🖙 8000 – **34 cam** 80/120000 – ½ P 85000.

🏨 **San Paolo,** via Ingegnoli 22 ℘ 0578 60221, *hsanpaolo@ftbcc.it, Fax 0578 63753* – |📶|,
🗐 rist, 🖵 🄿. 🅰🅴 🕙 ⑩ 🆚🆂🅰. 🎇
marzo-novembre – **Pasto** (solo per alloggiati) – **38 cam** 🖙 70/100000 – ½ P 85000.

🏨 **Bellaria,** via Verdi 57 ℘ 0578 64691, *Fax 0578 63979,* 🌺 – |📶|, 🔄 rist, 🗐 rist, 🄿. 🕙 ⑩
🆚🆂🅰.
27-31 dicembre e aprile-ottobre – **Pasto** 30000 – **54 cam** 🖙 65/90000 – ½ P 85000.

🍴 **Il Buco,** via Della Pace 39 ℘ 0578 30230, Rist. e pizzeria – 🗐. 🅰🅴 🕙 ⑩ ⑩ 🆚🆂🅰. 🎇
chiuso novembre e mercoledì – **Pasto** carta 40/55000.

CHIARAMONTE GULFI *Ragusa* 🔢 P 26 – *Vedere Sicilia alla fine dell'elenco alfabetico.*

CHIARAVALLE *60033 Ancona* 🔢, 🔢 L 21 – *13 919 ab. alt. 22.*
Roma 265 – Ancona 18 – Macerata 62 – Pesaro 58 – Perugia 124.

🍴 **Spazio Verde,** viale Montessori 41 ℘ 071 743908, Rist. e pizzeria serale, « Servizio estivo in giardino » – 🅰🅴 🕙 ⑩ 🆚🆂🅰
chiuso lunedì – **Pasto** carta 45/75000.

CHIASSA SUPERIORE *Arezzo* 🔢 L 17 – *Vedere Arezzo.*

CHIAVARI 16043 Genova 428 J 9 *G. Italia* – 28 692 ab..

Vedere *Basilica dei Fieschi*★.

🇮 *corso Assarotti 1* ℰ 0185 325198, Fax 0185 324796.

Roma 467 – Genova 38 – Milano 173 – Parma 134 – Portofino 22 – La Spezia 69.

🏛 **Monte Rosa,** via Monsignor Marinetti 6 ℰ 0185 314853, Fax 0185 312868 – 🛗 📺 🚗
🛗 80. 🖭 🕄 ⓞ ⓥ 🎴 ⬛
chiuso dal 20 novembre al 15 dicembre – **Pasto** carta 50/70000 anche self-service
mezzogiorno – **70 cam** ⬚ 140/200000 – ½ P 150000.

XXX **Lord Nelson** con cam, corso Valparaiso 27 ℰ 0185 302595, Fax 0185 310397, ≤, Copert
limitati; prenotare, « Veranda sulla passeggiata a mare » – 🍽 cam, 📺 🖭 🕄 ⓞ ⓥ 🎴
chiuso dal 1° al 15 novembre – **Pasto** *(chiuso mercoledì escluso agosto)* 85000 bc e cart
80/130000 – 5 suites ⬚ 350/400000.

XX **Vecchio Borgo,** piazza Gagliardo 15/16 ℰ 0185 309064, � – 🖭 🕄 ⓞ ⓥ
chiuso dal 6 gennaio al 7 febbraio e martedì (escluso agosto) – **Pasto** carta 55/100000.

XX **Camilla,** corso Colombo 87 ℰ 0185 324844 – 🕄 ⓞ ⓥ ⬛
chiuso dal 10 al 20 novembre e lunedì – **Pasto** carta 45/75000.

X **Creuza de mä,** piazza Cademartori 34 ℰ 0185 301419, �, Coperti limitati; prenotare -
🍽 🖭 🕄 ⓞ ⓥ
lunedì e a mezzogiorno – Pasto 40/45000.

X **Da Felice,** via Risso 71 ℰ 0185 308016, Coperti limitati; prenotare – 🍽. 🖭 🕄 ⓞ ⓥ
⬛
chiuso novembre, lunedì e a mezzogiorno dal 15 giugno al 15 settembre – **Pasto** specialità
di mare carta 35/65000.

X **Da Renato,** corso Valparaiso 1 ℰ 0185 303033, � – 🖭 🕄 ⓞ ⓥ ⬛
chiuso dal 5 al 15 novembre e mercoledì (escluso agosto) – **Pasto** carta 55/75000.

a Leivi *Nord : 6,5 km – alt. 300 –* ✉ *16040 :*

XX **Cà Peo** ⬛ con cam, sulla strada panoramica, via dei Caduti 80 ℰ 0185 319696
Fax 0185 319671, ≤ mare e città, Coperti limitati; prenotare – 🍽 rist, 📺 🅿 🖭 🕄 ⓞ ⓥ
🌀 🖭 ⬛ rist
chiuso novembre – **Pasto** *(chiuso lunedì e martedì a mezzogiorno)* carta 85/130000 – ⬚
15000 – 5 suites 150/250000
Spec. Insalatina di pesce a vapore con verdurine di stagione all'olio extravergine di oliva
Lasagnette di farina di castagne al pesto di mortaio con patate e broccoletti. Porcini al
forno su sottili sfoglie di patate, leggermente croccanti (15 maggio-novembre).

CHIAVENNA 23022 Sondrio 428 D 10 *G. Italia* – 7 340 ab. alt. 333.

Vedere *Fonte battesimale*★ *nel battistero.*

🇮 *corso Vittorio Emanuele II, 2* ℰ 0343 36384, Fax 0343 31112.

*Roma 684 – Sondrio 61 – Bergamo 96 – Como 85 – Lugano 77 – Milano 115 – Saint
Moritz 49.*

🏛 **Aurora,** via Rezia 73, località Campedello Est : 1 km ℰ 0343 32708, info@albergoaurora.it
Fax 0343 35145, 🏊 riscaldata, 🌲 – 🛗 📺 & 🅿 – 🛗 600. 🖭 🕄 ⓞ ⓥ 🎴 ⬛
Pasto carta 40/75000 – ⬚ 17000 – **48 cam** 100/120000 – ½ P 100000.

🏛 **Crimea,** viale Pratogiano 16 ℰ 0343 34343, crimea@clavis.it, Fax 0343 35935 – 🛗 📺.
🕄 ⓞ ⓥ ⬛ ⬛ rist
chiuso dal 1° al 27 ottobre – **Pasto** *(chiuso giovedì)* carta 40/75000 – ⬚ 15000 – **30 cam**
75/110000 – ½ P 95000.

XXX **Passerini,** palazzo Salis, via Dolzino 128 ℰ 0343 36166, Fax 0343 36166, Coperti limitati;
prenotare – 🖭 🕄 ⓞ ⓥ ⬛
chiuso dal 26 giugno al 13 luglio, dal 18 al 23 novembre e lunedì – **Pasto** 55/80000 e carta
50/85000.

XX **Al Cenacolo,** via Pedretti 16 ℰ 0343 32123, �, Coperti limitati; prenotare – 🖭 🕄 ⓞ ⓥ
⬛
chiuso giugno, martedì sera e mercoledì – **Pasto** 35000 e carta 55/80000.

a Mese *Sud-Ovest : 2 km –* ✉ *23020 :*

X **Crotasc,** via Don Primo Lucchinetti 67 ℰ 0343 41003, Fax 0343 41521, « Servizio estivo in
terrazza ombreggiata », 🌀 – 🅿 🖭 🕄 ⓞ ⓥ ⬛ ⬛
chiuso dal 5 al 23 giugno, lunedì e martedì – **Pasto** carta 35/50000.

We distinguish for your use

certain hotels (🏠 ... 🏨) and restaurants (X ... XXXXX)

by awarding them 🐸, 🌼, 🌼🌼 or 🌼🌼🌼.

CHIAVERANO 10010 Torino 428 F 5, 219 ⑭ – 2 202 ab. alt. 329.

Roma 689 – Aosta 69 – Torino 55 – Biella 32 – Ivrea 6.

🏠 **Castello San Giuseppe** ⬩, località Castello San Giuseppe Ovest : 1 km ℘ 0125 424370, *castellosangiuseppe@libero.it*, Fax 0125 641278, ≤ vallata e laghi, 🏤, « Convento del 17° secolo in un parco » – 📺 **P** – 🕿 25. 🖭 🕃 🕦 🕦 *VISA*
chiuso dal 7 al 31 gennaio – **Pasto** *(chiuso a mezzogiorno e domenica)* carta 55/80000 – **18 cam** ⚏ 160/250000 – ½ P 180000.

✗ **Vecchio Cipresso**, via Lago Sirio 19 (Ovest : 2 km) ℘ 0125 45555, « Servizio estivo in terrazza sul lago » – 🖭 **P**. 🖭 🕃 🕦 *VISA*
chiuso novembre e mercoledì – **Pasto** 40/45000.

CHIERI 10023 Torino 428 G 5 *G. Italia* – 32 954 ab. alt. 315.

Roma 649 – Torino 18 – Asti 35 – Cuneo 96 – Milano 159 – Vercelli 77.

🏠 **La Maddalena**, via Fenoglio 4 ℘ 011 9413025, *hotel.maddalena@tiscalinet.it*, Fax 011 9472729 – 📺 ⬚ **P**. 🖭 🕃 🕦 *VISA*. ⬩
chiuso dal 10 al 25 agosto – **Pasto** *(chiuso venerdì)* 35000 – ⚏ 7500 – **17 cam** 110/140000 – ½ P 95000.

✗✗✗ **Sandomenico**, via San Domenico 2/b ℘ 011 9411864, Coperti limitati; prenotare – 🝙. 🖭 🕃 🕦 🕦 *VISA* JCB
chiuso agosto, domenica sera e lunedì – **Pasto** 40000 *(solo a mezzogiorno)* e carta 75/145000.

Prezzo del pasto : salvo indicazione specifica « bc »,
le bevande non sono comprese nel prezzo.

CHIESA IN VALMALENCO 23023 Sondrio 428, 429 D 11 – 2 759 ab. alt. 1 000 – Sport invernali : 1 000/2 330 m ⚿ 1 ⚿ 5, ⚐.

🛈 *piazza Santi Giacomo e Filippo 1 ℘ 0342 451150, Fax 0342 452505.*

Roma 712 – Sondrio 14 – Bergamo 129 – Milano 152.

🏠 **Tremoggia**, via Bernina 6 ℘ 0342 451106, *tremoggia.so@bestwestern.it*, Fax 0342 451718, ≤, 🖪, 🕿, 🖛 – 🝙 📺 ⬩ **P** – 🕿 80. 🖭 🕃 🕦 🕦 *VISA*
chiuso novembre – **Pasto** *(chiuso mercoledì)* carta 40/55000 – **39 cam** ⚏ 140/240000, 4 suites – ½ P 150000.

🏠 **La Lanterna**, via Bernina 88 ℘ 0342 451438, Fax 0342 451801 – 📺 **P**. 🖭 🕃 🕦 *VISA*.
⬩
dicembre-aprile e luglio-settembre – **Pasto** carta 35/50000 – ⚏ 10000 – **16 cam** 50/100000 – ½ P 80000.

✗✗ **Il Vassallo**, via Vassalini 27 ℘ 0342 451200, « Caratteristico edificio in pietra di origine cinquecentesca » – 🖭 🕃 🕦 🕦 *VISA*
chiuso lunedì – **Pasto** carta 45/60000.

✗✗ **Malenco**, via Funivia 20 ℘ 0342 452182, Fax 0342 454647, ≤ – **P**. 🖭 🕃 🕦 🕦 *VISA*
chiuso dal 20 giugno al 5 luglio, dal 23 al 30 novembre e mercoledì – **Pasto** 30/40000 e carta 40/60000.

CHIETI 66100 **P** 430 O 24 *G. Italia* – 56 768 ab. alt. 330 – a.s. 20 giugno-agosto.

Vedere Giardini⋆ della Villa Comunale – Guerriero di Capestrano⋆ nel museo Archeologico degli Abruzzi **M1**.

🛇 *Abruzzo (chiuso lunedì) a Brecciarola ⬚ 66010 ℘ 0871 684969, Fax 0871 684969, Ovest : 2 km.*

🛈 *via B. Spaventa 29 ℘ 0871 63640, Fax 0871 63647.*

A.C.I. *piazza Garibaldi 3 ℘ 0871 345304.*

Roma 205 ③ – Pescara 14 ① – L'Aquila 101 ③ – Ascoli Piceno 103 ① – Foggia 186 ① – Napoli 244 ③.

Pianta pagina seguente

sulla strada statale 5 Tiburtina - località Brecciarola *Sud-Ovest : 9 km :*

✗ **Nonna Elisa**, via per Popoli 265 ℘ 0871 684152, Fax 0871 684152 – 🝙 **P**. 🖭 🕃 🕦 🕦 *VISA*. ⬩
chiuso dal 1°al 15 luglio e lunedì – **Pasto** carta 30/45000.

✗ **Da Gilda**, via Aterno 464 ⬚ 66010 Brecciarola ℘ 0871 684157, Fax 0871 684727 – 🝙 **P**. 🖭 🕃 🕦 🕦 *VISA* JCB. ⬩
chiuso lunedì e la sera (escluso giovedì, venerdì e sabato) – **Pasto** carta 35/70000.

CHIETI

Barbella (Largo) .... Y 2
Marcello
  (Via M. V.) .... Z 7
Marrucino (Corso) ...... YZ 9

Porta Monacisca .... Z 12
Porta Napoli .... Z 13
Principessa di Piemonte (V.) . Z 15
Ravizza (V. Gennaro) .... Z 19
Smeraldo Zecca (Via)....... Z 22
Spaventa (V.)............. Z 24

Toppi (V. Nicolò) .... Y 26
Trento e Trieste (Piazza) .... Z 27
Valignani
  (V. Padre Alessandro) .... Y 29
Vittorio Emmanuelle II
  (Piazza) .... Z 30

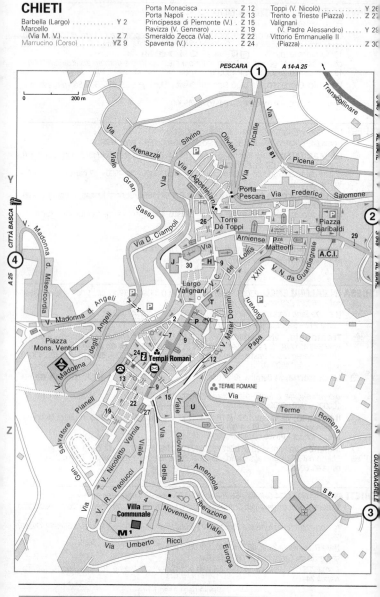

CHIGNOLO PO 27013 Pavia 𝟒𝟐𝟖 G 10 – 3 233 ab. alt. 71.
  Roma 537 – Piacenza 29 – Cremona 48 – Lodi 22 – Milano 55 – Pavia 30.

sulla strada statale 234 Nord-Est : 3 km :

  ※※ **Da Adriano,** via Cremona 18 ⊠ 27013 ℘ 0382 76119, Fax 0382 76119, 斎, 寿 – 圓 🅿. 🖭
    🕃 🐵 𝘝𝘐𝘚𝘈. ※
    chiuso dal 2 al 10 gennaio, dal 1º al 20 agosto, lunedì sera e martedì – **Pasto** specialità di
    mare carta 50/80000.

CHIOGGIA *30015 Venezia* **429** *G 18 G. Venezia – 52 039 ab..*

Vedere *Duomo*★.

Roma 510 – Venezia 53 – Ferrara 93 – Milano 279 – Padova 42 – Ravenna 98 – Rovigo 55.

🏭 **Grande Italia,** rione Sant'Andrea 597 (piazzetta Vigo 1) *℘ 041 400515, hgi@hotelgrande italia.com, Fax 041 400185,* ≼, ⅃₆, ≘ – 🛊 ≡ 🔟 ⚙ & . 🕮 🕃 ⓞ ⓒⓞ ⓥⓢⓐ. ⅌ rist
Pasto al Rist. *Alle Baruffe Chiozzotte (chiuso martedì escluso da giugno a settembre)*
carta 40/70000 – **54 cam** ⊇ 280/300000 – 1/2 P 250000.

XX **El Fontego,** piazzetta XX Settembre 497 *℘ 041 5500953, Fax 041 5509098,* 😚, Rist. e
pizzeria, prenotare – ≡ . 🕮 🕃 ⓞ ⓒⓞ ⓥⓢⓐ. ⅌
chiuso dal 7 al 21 novembre e lunedì – **Pasto** carta 50/70000.

X **El Gato,** corso del Popolo 653 *℘ 041 401806, Fax 041 405224,* 😚 – ≡ . 🕮 🕃 ⓞ ⓒⓞ ⓥⓢⓐ.
⅌
chiuso dal 28 dicembre al 12 febbraio, lunedì e martedì a mezzogiorno – **Pasto** carta
50/85000.

a Lido di Sottomarina *Est : 1 km –* ⊠ *30019 Sottomarina.*
🛈 *lungomare Adriatico 101 ℘ 041 401068, Fax 041 5540855 :*

🏭 **Bristol,** lungomare Adriatico 46 *℘ 041 5540389, reservations@hotelbristol.net,*
Fax 041 5541813, ≼, ⅃, 🐝, 🐝 – 🛊 ≡ 🔟 🅿 . 🕮 🕃 ⓞ ⓥⓢⓐ. ⅌ rist
Pasto *(giugno-agosto)* 50/60000 – **65 cam** ⊇ 160/240000 – 1/2 P 165000.

🏭 **Airone,** lungomare Adriatico 50 *℘ 041 492266, Fax 041 5541325,* « Giardino con ⅃ »,
🐝 – 🛊 ≡ 🔟 ⇌ 🅿 – 🕍 500. 🕮 🕃 ⓞ ⓒⓞ ⓥⓢⓐ ⌡ⅭⒷ. ⅌
Pasto *(solo per alloggiati)* – **97 cam** ⊇ 165/210000 – 1/2 P 145000.

🏠 **Ritz,** lungomare Adriatico 48 *℘ 041 491700, Fax 041 493900,* ≼, ⅃, 🐝, 🐝 – 🛊 ≡ 🔟 🅿
– 🕍 150. 🕮 🕃 ⓞ ⓒⓞ ⓥⓢⓐ. ⅌ rist
marzo-ottobre – **Pasto** carta 60/85000 – **88 cam** ⊇ 130/220000 – 1/2 P 160000.

🏠 **Park,** lungomare Adriatico 74 *℘ 041 4965032, Fax 041 490111,* ≼, 🐝, 🐝 – 🛊 ≡ 🔟 🅿.
🕮 🕃 ⓞ ⓒⓞ ⓥⓢⓐ. ⅌ rist
Pasto carta 35/55000 – **41 cam** ⊇ 110/130000 – 1/2 P 115000.

XX **Garibaldi,** via San Marco 1924 *℘ 041 5540042, Fax 041 5540042,* Coperti limitati; preno-
tare – ≡ . 🕮 🕃 ⓞ ⓒⓞ ⓥⓢⓐ. ⅌
*chiuso dal 7 all'11 gennaio, dal 27 ottobre al 27 novembre, lunedì e da dicembre a febbraio
anche domenica sera* – **Pasto** specialità di mare carta 65/100000.

sulla strada statale 309 - Romea *Sud : 8 km :*
X **Al Bragosso del Bepi el Ciosoto** con cam, via Romea 120 ⊠ 30010 Sant'Anna di
Chioggia *℘ 041 4950395 –* ≡ 🔟 🅿. 🕃 ⓒⓞ ⓥⓢⓐ. ⅌
chiuso gennaio – **Pasto** *(chiuso mercoledì)* specialità di mare carta 40/55000 – ⊇ 8000 –
8 cam 60/90000.

a Cavanella d'Adige *Sud : 13 km –* ⊠ *30010 :*
XX **Al Centro da Toni,** via Centro 62 *℘ 041 497501, Fax 041 497661 –* ≡ . 🕃 ⓒⓞ ⓥⓢⓐ. ⅌
chiuso dal 27 dicembre al 12 gennaio, dal 25 giugno al 6 luglio e lunedì – **Pasto** specialità di
mare alla griglia carta 55/120000.

CHIRIGNAGO *Venezia – Vedere Mestre.*

CHIUSA (KLAUSEN) *Bolzano* **429** *C 16 G. Italia – 4 548 ab. alt. 525 –* ⊠ *39043 Chiusa d'Isarco.*
🛈 *piazza Tinne 6 ℘ 0472 847424, Fax 0472 847244.*
Roma 671 – Bolzano 30 – Bressanone 11 – Cortina d'Ampezzo 98 – Milano 329 – Trento 90.

🏠 **Parkhotel Post-Posta,** piazza Tinne 3 *℘ 0472 847514, parkhotel.post@dnet.it,*
Fax 0472 846251, « Giardino con ⅃ », ≘ – 🛊, ⅌ rist, 🔟. 🕃 ⓒⓞ ⓥⓢⓐ
chiuso dal 10 novembre al 26 dicembre – **Pasto** *(chiuso a mezzogiorno e giovedì)* carta
35/65000 – **59 cam** ⊇ 90/160000 – 1/2 P 95000.

🏠 **Ansitz Fonteklaus** 🐝, Est : 3,6 km, alt. 897 *℘ 0471 655654, fonteklaus@rolmail.net,*
Fax 0471 655045, ≼ monti, « Laghetto-piscina naturale », 🐝 – 🅿. 🕃 ⓒⓞ ⓥⓢⓐ. ⅌ rist
aprile-novembre – **Pasto** *(chiuso giovedì)* carta 50/90000 – **9 cam** ⊇ 80/125000, 2 suites –
1/2 P 85000.

X **Unterwirt** 🐝 con cam, località Gudon (Gufidaun) Nord-Est : 4 km *℘ 0472 844000,*
Fax 0472 844065, « Giardino fiorito con ⅃ » – 🔟 ⇌ 🅿.
chiuso da gennaio a marzo, martedì e mercoledì – **Pasto** carta 55/95000 – ⊇ 15000 –
6 cam 50/100000.

CHIUSI *53043 Siena* **430** *M 17 G. Toscana – 8 664 ab. alt. 375.*
Vedere *Museo Etrusco*★.
*Roma 159 – Perugia 52 – Arezzo 67 – Chianciano Terme 12 – Firenze 126 – Orvieto 51 –
Siena 79.*

XX **Zaira,** via Arunte 12 ℰ 0578 20260, *ristorantezaira@tin.it*, Fax 0578 21638, « Cantina ricavata in camminamenti etruschi » – ▤. ﷼ 🕭 ① ⓪ⓒ 𝘝𝘐𝘚𝘈. ⅏
chiuso lunedì escluso da aprile a novembre – **Pasto** carta 45/65000.

X **Osteria La Solita Zuppa,** via Porsenna 21 ℰ 0578 21006, *rl@lasolitazuppa.it*, Fax 0578 21006, prenotare – ﷼ 🕭 ① ⓪ⓒ 𝘝𝘐𝘚𝘈
chiuso dal 15 gennaio al 10 marzo e martedì – **Pasto** carta 40/60000.

al lago Nord : 3,5 km :

X **La Fattoria** ⤳ con cam, località Paccianese ⊠ 53043 ℰ 0578 21407, *lafattoria@ftbcc.it*, Fax 0578 20644, ≤, « Servizio estivo in terrazza panoramica », ☛ – ▤ 🖵 🄿. ﷼ 🕭 ① ⓪ⓒ
𝘝𝘐𝘚𝘈 ᴊᴄʙ
chiuso dal 10 gennaio al 10 febbraio – **Pasto** *(chiuso lunedì escluso luglio-settembre)* carta
40/75000 – **8 cam** ⊊ 140/180000 – ½ P 140000.

CHIVASSO 10034 Torino 𝟺𝟸𝟾 G 5 – 23 992 ab. alt. 183.
Roma 684 – Torino 22 – Aosta 103 – Milano 120 – Vercelli 57.

🏨 **Ritz** senza rist, via Roma 17 ℰ 011 9102191, Fax 011 9116068 – ▦ 🖵 ⅋ 🄿 – 🔬 80. ﷼ 🕭
① ⓪ⓒ 𝘝𝘐𝘚𝘈
⊊ 18000 – **38 cam** 110/140000.

🏨 **Europa,** piazza d'Armi 5 ℰ 011 9171886 e rist. ℰ 011 9171825, *hotel.europa@tiscalinet.it*,
Fax 011 9102025 – ▦ 🖵 🄿. – 🔬 80. ﷼ 🕭 ① ⓪ⓒ 𝘝𝘐𝘚𝘈
Pasto al Rist. *La Verna (chiuso martedì)* carta 30/55000 – ⊊ 15000 – **42 cam** 120/150000 –
½ P 115000.

X **Locanda del Sole,** via del Collegio 8/a ℰ 011 9101724 – ▤. 🕭 ⓪ⓒ 𝘝𝘐𝘚𝘈
chiuso agosto e lunedì – **Pasto** carta 35/55000.

CIAMPINO Roma 𝟺𝟹𝟶 Q 19 – Vedere Roma.

CICOGNARA Mantova 𝟺𝟸𝟾, 𝟺𝟸𝟿 H 13 – Vedere Viadana.

CIMADOLMO 31010 Treviso 𝟺𝟸𝟿 E 19 – 3 259 ab. alt. 32.
Roma 556 – Venezia 50 – Belluno 71 – Pordenone 36 – Treviso 21.

🍴 **Enoboutique Bar,** via Mazzini ℰ 0422 743004, Fax 0422 743004 – ⤳ cam, 🖵 ⑩ 🄿. 🕭
⓪ⓒ 𝘝𝘐𝘚𝘈. ⅏
chiuso agosto – **Pasto** *(chiuso domenica)* cucina casalinga carta 30/55000 – ⊊ 5000 –
6 cam 45/70000 – ½ P 55000.

CIMA SAPPADA Belluno – Vedere Sappada.

CIMEGO 38082 Trento 𝟺𝟸𝟿 E 13 – 422 ab. alt. 557.
Roma 605 – Trento 55 – Brescia 70125 – Sondrio 143 – Verona.

🏠 **Aurora,** località Casina dei Pomi 139 ℰ 0465 621064, Fax 0465 621771, 🔟, ☛ – ▦ ▤ 🖵
🄿. 🕭 ⓪ⓒ 𝘝𝘐𝘚𝘈. ⅏ rist
Pasto *(chiuso lunedì)* carta 40/55000 – ⊊ 10000 – **19 cam** 55/100000 – ½ P 80000.

CINGOLI 62011 Macerata 𝟺𝟹𝟶 L 21 – 10 172 ab. alt. 631 – a.s. 10 luglio-13 settembre.
🅱 via Ferri 17 ℰ 0733 602444, Fax 0733 602444.
Roma 250 – Ancona 52 – Ascoli Piceno 122 – Gubbio 96 – Macerata 30.

🏠 **Diana,** via Cavour 21 ℰ 0733 602313, Fax 0733 603479 – 🖵. ﷼ 🕭 ① ⓪ⓒ 𝘝𝘐𝘚𝘈 ᴊᴄʙ. ⅏ rist
chiuso febbraio ed ottobre – **Pasto** *(chiuso lunedì)* carta 40/55000 – ⊊ 13000 – **15 cam**
80/100000 – ½ P 85000.

CINISELLO BALSAMO 20092 Milano 𝟺𝟸𝟾 F 9, 𝟸𝟷𝟿 ⑲ – 74 770 ab. alt. 154.
Roma 583 – Milano 13 – Bergamo 42 – Como 41 – Lecco 44 – Monza 7.

Pianta d'insieme di Milano.

🏨 **Lincoln** senza rist, via Lincoln 65 ℰ 02 6172657, *hlincoln@iol.it*, Fax 02 6185524 – ▦ ▤ 🖵
🄿. ﷼ 🕭 ① ⓪ⓒ 𝘝𝘐𝘚𝘈 ᴊᴄʙ. ⅏
BO k
chiuso dal 10 al 16 agosto – ⊊ 10000 – **18 cam** 160/200000.

CINQUALE Massa 𝟺𝟸𝟾, 𝟺𝟹𝟶 K 12 – Vedere Montignoso.

CIOCCARO Asti 𝟺𝟸𝟾 G 6 – Vedere Moncalvo.

CIPRESSA *18010 Imperia* [428] K 5 – *1 183 ab. alt. 240.*
Roma 628 – Imperia 19 – San Remo 12 – Savona 83.

🍴 **La Torre,** piazza Mazzini 2 ☎ 0183 98000 – [S] [D] [MC] [VISA]
16 febbraio-14 ottobre – **Pasto** carta 40/60000.

CIRELLA *87020 Cosenza* [431] H 29 – *alt. 27.*
Roma 430 – Cosenza 83 – Castrovillari 80 – Catanzaro 143 – Sapri 60.

🏨 **Ducale Villa Ruggieri,** via Vittorio Veneto 254 ☎ 0985 86051, *Fax 0985 86401,* 🏖 – ❄ [P]. [AE] [S] [D] [MC] [VISA]. 🚫 rist
Pasto *(maggio-15 ottobre)* 35/50000 – ☕ 10000 – **22 cam** 90/130000 – 1/2 P 150000.

CIRIÉ *10073 Torino* [428] G 4 – *18 412 ab. alt. 344.*
Roma 698 – Torino 20 – Aosta 113 – Milano 144 – Vercelli 74.

🏨 **Gotha** [M], via Torino 53 ☎ 011 9212059, *Fax 011 9203661,* 🏋 – |‡| ❄ [TV] ♿ 🚗 [P] – 🎤 150. [AE] [S] [D] [MC] [VISA]. 🚫
Pasto *(chiuso lunedì)* carta 55/80000 – **44 cam** ☕ 200/280000.

🍴🍴 **Mario,** corso Martiri della Libertà 41 ☎ 011 9203490, *Fax 011 9202577,* prenotare – ❄. [AE] [S] [D] [MC] [VISA] [JCB]. 🚫
chiuso agosto, domenica sera e lunedì – **Pasto** 35000 (a mezzogiorno) 60/65000 (la sera) e carta 60/70000.

🍴🍴 ✿ **Dolce Stil Novo,** via San Pietro 71/73 località Devesi Ovest : 2 km ☎ 011 9211110, *Fax 011 9211110,* Coperti limitati; prenotare – ❄. [AE] [S] [D] [MC] [VISA]. 🚫
chiuso dall'8 al 31 agosto, domenica sera, lunedì e martedì a mezzogiorno – **Pasto** carta 95/140000
Spec. Triglie di scoglio scottate con Parmigiano e melanzane viola. Guancia di vitello in crosta di prezzemolo. Cilindro di mele renette morbide e secche con nocciole caramellate e gelato di vaniglia.

🍴 **Roma,** via Roma 17 ☎ 011 9203572 – ❄. [AE] [S] [MC] [VISA]. 🚫
chiuso agosto e mercoledì – **Pasto** carta 55/65000.

CIRÒ MARINA *88072 Crotone* [431] I 33 – *13 742 ab..*
Roma 561 – Cosenza 133 – Catanzaro 114 – Crotone 36 – Taranto 210.

🏨 **Il Gabbiano** 🔇, località Punta Alice Nord : 2 km ☎ 0962 31339, *Fax 0962 31338,* ≤, 🌴, 🏊, 🏖, 🌳 – ❄ [TV] [P] – 🎤 150. [AE] [S] [D] [VISA]. 🚫 rist
Pasto 40/50000 – **40 cam** ☕ 105/155000 – 1/2 P 140000.

CISTERNA D'ASTI *14010 Asti* [428] H 6 – *1 293 ab. alt. 357.*
Roma 626 – Torino 46 – Asti 21 – Cuneo 82.

🍴 **Garibaldi** con cam, via Italia 3 ☎ 0141 979118, *Fax 0141 979118,* « Ambiente famigliare con oggetti d'epoca » – ❄ cam, [TV] [P]. [AE] [S] [D] [MC] [VISA]. 🚫
Pasto *(chiuso mercoledì)* carta 40/60000 – **7 cam** ☕ 50/100000 – 1/2 P 70000.

CISTERNINO *72014 Brindisi* [431] E 34 – *12 241 ab. alt. 393.*
Roma 524 – Brindisi 56 – Bari 74 – Lecce 87 – Matera 87 – Taranto 42.

🏨 **Lo Smeraldo** 🔇, località Monti Nord-Est : 3 km ☎ 080 4448709, *Fax 080 4448044,* ≤ mare e costa, 🏊, 🌳, 🎾 – |‡| ❄ [TV] [P] – 🎤 250. [AE] [S] [D] [MC] [VISA]. 🚫
Pasto *(chiuso martedì escluso luglio ed agosto)* 30/40000 – **51 cam** ☕ 100/150000 – 1/2 P 100000.

verso Ceglie Messapica *Sud-Est : 2 km :*

🏠 **Villa Cenci** 🔇, ✉ 72014 ☎ 080 4448208, *Fax 080 4443329,* « Piccola masseria con casa padronale e trulli », 🏊, 🌳 – [P]. [S] [MC] [VISA]. 🚫 rist
Pasqua-settembre – **Pasto** 30/45000 – **23 cam** ☕ 100/170000.

CITARA *Napoli – Vedere Ischia (Isola d') : Forio.*

CITERNA *06010 Perugia* [430] L 18 – *3 136 ab. alt. 482.*
Roma 232 – Perugia 64 – Arezzo 29 – Pesaro 109 – Ravenna 131.

🏠 **Sobaria** 🔇, via della Pineta 2 ☎ 075 8592118, *sobaria@technet.it, Fax 075 8593410,* ≤, 🌴, 🏋, 🏊, [TV] – 🎤 150. [AE] [S] [D] [MC] [VISA]
Pasto al rist. ***La Rocca*** carta 35/60000 – **25 cam** ☕ 120/170000, suite – 1/2 P 125000.

CITTADELLA 35013 *Padova* [429] F 17 *G. Italia – 18 605 ab. alt. 49.*

Vedere *Cinta muraria*★.

Roma 527 – Padova 31 – Belluno 94 – Milano 227 – Trento 102 – Treviso 38 – Venezia 66 – Vicenza 22.

Filanda [M] ⛰, via Palladio 34 ☎ 049 9400000, *filanda@tin.it, Fax 049 9402111,* 🏋, 🛁 – 🛗 ▤ [TV] ♿ [P] – 🎤 140. [AE] [S] ⬤ [MC] [VISA]. ✗
Pasto al Rist. ***San Bassiano*** *(chiuso domenica sera e lunedì)* carta 60/90000 – **70 cam** ☕ 175/250000.

🍴🍴🍴 **2 Mori** con cam, borgo Bassano 149 ☎ 049 9401422, *Fax 049 9400200,* « Servizio rist. estivo in giardino » – 🚭 rist, ▤ [TV] ♿ [P] – 🎤 300. [AE] [S] ⬤ [MC] [VISA] [JCB]. ✗
Pasto *(chiuso dal 1° al 15 gennaio, dal 1° al 20 agosto, domenica sera e lunedì)* carta 50/75000 – ☕ 10000 – **26 cam** 90/130000 – 1/2 P 110000.

CITTADELLA DEL CAPO 87020 *Cosenza* [431] I 29 – *alt. 23.*

Roma 451 – Cosenza 61 – Castrovillari 65 – Catanzaro 121 – Sapri 71.

Palazzo del Capo ⛰, via Cristoforo Colombo 5 ☎ 0982 95674, *Fax 0982 95674,* ≤, 🌳, « Residenza storica fortificata sul mare », 🏊, 🏖, 🌞 – 🛗 ▤ [TV] [P] – 🎤 150. [AE] [S] ⬤ [MC] [VISA]. ✗
Pasto (solo su prenotazione) carta 65/80000 – **14 cam** ☕ 240/350000, 2 suites – 1/2 P 240000.

Die Namen der wichtigsten Einkaufsstraßen sind am Anfang des Straßenverzeichnisses in Rot aufgeführt.

CITTÀ DI CASTELLO 06012 *Perugia* [430] L 18 – *38 476 ab. alt. 288.*

[i] *piazza Matteotti-logge Bufalini ☎ 075 8554922.*

Roma 258 – Perugia 49 – Arezzo 42 – Ravenna 137.

Tiferno, piazza Raffaello Sanzio 13 ☎ 075 8550331, *hoteltiferno@lineanet.net, Fax 075 8521196* – 🛗, 🚭 cam, ▤ [TV] – 🎤 100. [AE] [S] ⬤ [MC] [VISA] [JCB]. ✗
Pasto al Rist. ***Le Logge*** *(chiuso dal 1° al 15 agosto, domenica e lunedì a mezzogiorno)* carta 50/75000 – **38 cam** ☕ 140/220000 – 1/2 P 155000.

Le Mura via Borgo Farinario 24/26 ☎ 075 8521070, *Fax 075 8521350* – 🛗 ▤ [TV] ♿ [P] – 🎤 90. [AE] [S] ⬤ [MC] [VISA]
Pasto al Rist. ***Raffaello*** *(chiuso dal 2 al 9 gennaio)* carta 30/60000 – **35 cam** ☕ 90/140000 – 1/2 P 100000.

Garden, viale Bologni Nord-Est : 1 km ☎ 075 8550587, *garden@mail.tline.net, Fax 075 8550593,* 🏊, 🌞 – 🛗 ▤ [TV] 🚗 [P] – 🎤 100. [AE] [S] ⬤ [MC] [VISA] [JCB]. ✗ rist
Pasto carta 40/65000 – **59 cam** ☕ 95/140000 – 1/2 P 95000.

🍴🍴🍴 **Il Postale di Marco e Barbara,** via De Cesare 8 ☎ 075 8521356, *il.postale@libero.it, Fax 075 8521356,* 🌳, « In una autorimessa ristrutturata ed arredata modernamente » – ▤ [P]. [AE] [S] ⬤ [MC] [VISA] [JCB]
✿ *chiuso dal 10 al 25 gennaio, sabato a mezzogiorno e lunedì* – **Pasto** 50/70000 e carta 60/110000
Spec. Triglia farcita con mousse di rombo avvolta nel lardo di Colonnata (primavera). Ravioli di zucchine al profumo di maggiorana con salsa al Grana e limone (estate). Piccione arrostito con la sua coscia farcita su tortino di patate.

🍴🍴 **Il Bersaglio,** viale Orlando 14 ☎ 075 8555534, *Fax 075 8520766,* prenotare – [P]. [AE] [S] ⬤ [MC] [VISA]. ✗
chiuso dal 1° al 15 gennaio, dal 1° al 15 luglio e mercoledì – **Pasto** 50/60000 e carta 45/75000.

CITTADUCALE 02015 *Rieti* [430] O 20 – *6 747 ab. alt. 450.*

Roma 84 – Terni 41 – L'Aquila – Pescara 154 – Viterbo.

a Santa Rufina *Nord-Ovest : 6 km – alt. 514 – ✉ 02010 :*

Quinto Assio [M] senza rist, viale delle Scienze 16/A ☎ 0746 607257, *qassio@tin.it, Fax 0746 606674* – 🛗 ▤ [TV] ♿ 🚗 [P] – 🎤 100. [S] ⬤ [MC] [VISA] [JCB]. ✗
40 cam ☕ 85/120000.

CITTÀ SANT'ANGELO 65013 *Pescara* [430] O 24 – *11 403 ab. alt. 320 – a.s. luglio-agosto.*

Roma 223 – Pescara 25 – L'Aquila 120 – Chieti 34 – Teramo 58.

🍴 **Locanda dell'Arte,** vico II Santa Chiara 7 ☎ 085 96669, 🌳 – [S] ⬤ [MC] [VISA]. ✗
chiuso domenica escluso da giugno a settembre – **Pasto** carta 30/60000.

n prossimità casello autostrada A 14 *Est : 9,5 km :*

🏨 **Villa Nacalua** senza rist, contrada Fonte Umano ⊠ 65013 ℘ 085 959225, *nacalua@nacal ua.com, Fax 085 959263,* 🔆, 🐎 – 📳 🗏 📺 🅿 – 🔬 90. 🖭 🚯 ⓪ 🐠 💳 🖽. 🛠
32 cam 🖙 300/350000, 2 suites.

🏨 **Giardino dei Principi,** contrada Moscarola ⊠ 65013 ℘ 085 950235, *Fax 085 950254,*
🐎 – 📳 🗏 📺 ℃ 🕭 🅿 – 🔬 50. 🖭 🚯 ⓪ 🐠 💳. 🛠
Pasto carta 40/70000 – **34 cam** 🖙 95/160000.

CITTIGLIO *21033 Varese* 🗺🄰🄷 *E 7,* 🄰🄷🄰 ⑦ – *3 737 ab. alt. 275.*
Roma 650 – Stresa 53 – Bellinzona 52 – Como 45 – Milano 73 – Novara 65 – Varese 18.

💥💥 **La Bussola** con cam, via Marconi 28 ℘ 0332 602291, *Fax 0332 610250,* Rist. e pizzeria
serale, 🐎 – 🗏 rist, 📺 ☎ 🅿. 🖭 🚯 ⓪ 🐠 💳
Pasto *(chiuso dal 5 al 20 agosto e martedì)* carta 60/75000 (10%) – 🖙 10000 – **26 cam**
100/140000 – ½ P 85000.

CIUK *Sondrio* 🗺🄰🄷 ⑰ – *Vedere Bormio.*

CIVATE *23862 Lecco* 🗺🄰🄷 *E 10,* 🄰🄷🄰 ⑨ – *3 780 ab. alt. 269.*
Roma 619 – Como 24 – Bellagio 23 – Lecco 5 – Milano 51.

💥 **Cascina Edvige,** via Roncaglio 11 ℘ 0341 550350, *Fax 0341 550350,* « In un cascinale »
– 🅿. 🖭 🚯 ⓪ 🐠 💳. 🛠
chiuso agosto e martedì – **Pasto** carta 40/60000.

CIVIDALE DEL FRIULI *33043 Udine* 🗺🄰🄷 *D 22 G. Italia – 11 292 ab. alt. 138.*
Vedere Tempietto★★ – Museo Archeologico★★.
🛈 *corso D'Aquileia 10* ℘ 0432 731461, *Fax 0432 731398.*
Roma 655 – Udine 16 – Gorizia 30 – Milano 394 – Tarvisio 102 – Trieste 65 – Venezia 144.

🏨 **Roma** senza rist, piazza Picco 14/a ℘ 0432 731871, *Fax 0432 701033* – 📳 📺 🅿. 🖭 🚯 ⓪
🐠 💳.
🖙 15000 – **50 cam** 100/150000.

💥💥 **Al Fortino,** via Carlo Alberto 46 ℘ 0432 731217, *Fax 0432 731192* – 🅿. 🖭 🚯 ⓪ 🐠 💳
💳. 🛠
chiuso lunedì sera e martedì – **Pasto** carta 50/75000.

💥💥 **Locanda al Castello** 🌭 con cam, via del Castello 20 (Nord-Ovest : 1,5 km)
℘ 0432 733242, *castello@ud.nettunus.it, Fax 0432 700901,* ≼, 🍴, 🐎 – 📳 📺 ℃ 🅿 – 🔬 40.
🖭 🚯 ⓪ 🐠 💳 💳. 🛠 rist
chiuso dal 1° al 15 novembre – **Pasto** *(chiuso mercoledì)* carta 40/75000 – 🖙 15000 –
17 cam 120/160000 – ½ P 140000.

CIVITA CASTELLANA *01033 Viterbo* 🗺🄷🄾 *P 19 G. Italia – 15 955 ab. alt. 145.*
Vedere Portico★ del Duomo.
Roma 55 – Viterbo 50 – Perugia 119 – Terni 50.

💥💥💥 **L'Altra Bottiglia,** via delle Palme 18 ℘ 0761 517403, *info@laltrabottiglia.com,*
🎄 *Fax 0761 517403,* Coperti limitati; prenotare – 🗏. 🖭 🚯 ⓪ 🐠 💳. 🛠
chiuso Natale, Capodanno, dal 1° al 20 agosto, domenica sera, mercoledì e a mezzogiorno –
Pasto 90/120000 e carta 80/170000
Spec. Trippa al forno con patate, pomodori e rosmarino. Tagliatelle con guanciale e pecori-
no romano su passata di fagioli rossi. Capretto al forno con carciofi (novembre-maggio).

💥💥 **La Giaretta,** via Ferretti 108 ℘ 0761 513398, *Fax 0761 513398* – 🖭 🚯 ⓪ 🐠 💳. 🛠
chiuso dal 5 al 25 agosto, domenica sera e lunedì – **Pasto** carta 40/65000.

💥💥 **Val Sia Rosa,** via Nepesina al km 1 ℘ 0761 517891, *valsiarosa@tin.it, Fax 0761 571891,*
🍴, 🐎 – 🅿. 🖭 🚯 ⓪ 🐠 💳. 🛠
chiuso dal 24 al 27 dicembre, dal 10 al 16 agosto e mercoledì – **Pasto** carta 45/75000.

a Quartaccio *Nord-Ovest : 5,5 km* – ⊠ *01034 Fabrica di Roma :*

🏨 **Aldero,** ℘ 0761 514757, *Fax 0761 549413,* 🐎 – 📳 🗏 📺 ☎ 🅿 – 🔬 170. 🖭 🚯 ⓪ 🐠
🐖 💳. 🛠 cam
Pasto *(chiuso dal 5 al 20 agosto e domenica)* carta 35/55000 – **65 cam** 🖙 100/170000,
suite – ½ P 100000.

CIVITANOVA ALTA *Macerata* 🗺🄷🄾 *M 23 – Vedere Civitanova Marche.*

CIVITANOVA MARCHE 62012 Macerata 430 M 23 – 38 780 ab. – a.s. luglio-agosto.

🖸 corso Garibaldi 7 ℰ 0733 813967, Fax 0733 815027.

Roma 276 – Ancona 47 – Ascoli Piceno 79 – Macerata 27 – Pescara 113.

🏨 **Miramare**, viale Matteotti 1 ℰ 0733 811511, info@miramarecivitanova.it Fax 0733 810637, 🚓, 🚗 – 📳, ⇔ cam, 🔟 🏊 ⇔ – 🔼 100. 🖭 🕄 🐠 🥨 ☑️ 📇. ⅏
Pasto (chiuso domenica in bassa stagione) carta 55/85000 – ⌑ 18000 – **77 cam** 125/190000, 2 suites – ½ P 130000.

🏨 **Palace** senza rist, piazza Rosselli 6 ℰ 0733 810464, palace@timropa.com Fax 0733 810769 – 📳 🗐 🔟 ⇔. 🖭 🕄 🐠 🥨 ☑️ 📇
⌑ 15000 – **37 cam** 130/190000.

🏠 **Girasole**, via Cristoforo Colombo 204 ℰ 0733 771316, Fax 0733 816100 – 🗐 🔟 🅿 – 🔼 70. 🖭 🕄 🥨 ☑️. ⅏
Pasto (chiuso dal 1° al 15 settembre e venerdì) carta 35/50000 – ⌑ 10000 – **30 cam** 80/120000 – ½ P 110000.

%% **Acquamarina** con cam, viale Matteotti 47 ℰ 0733 810810, Fax 0733 810485 – 📳 🗐 🔟 🖭 🕄 🐠 🥨 ☑️.
Pasto carta 45/90000 – ⌑ 15000 – **14 cam** 90/125000 – ½ P 120000.

%% **Il Gatto che Ride**, viale Vittorio Veneto 115 ℰ 0733 816667, Fax 0733 811076 – 🗐. 🖭 🕄 🐠 🥨 ☑️. ⅏
chiuso mercoledì – **Pasto** specialità di mare carta 55/90000.

a Civitanova Alta Ovest : 5 km – ⌧ 62012 :

% **Maximilian I**, piazza XXV Luglio 4 ℰ 0733 890306, « In un ex carbonaia del '400 » – 🖭 🕄 🐠 🥨 ☑️. ⅏
chiuso lunedì e dal 15 al 30 settembre – **Pasto** carta 50/75000 (10 %).

Read carefully the introduction it is the key to the Guide.

CIVITAVECCHIA 00053 Roma 430 P 17 G. Italia – 50 945 ab..

⚓ per Golfo Aranci 26 marzo-settembre giornaliero (7 h) – Sardinia Ferries, Calata Laurenti ℰ 0766 500714, Fax 0766 500718; per Cagliari giornaliero (14 h 30 mn), Olbia giornaliero (da 4 h a 8 h) ed Arbatax 21 luglio-14 settembre venerdì e domenica, negli altri mesi mercoledì e venerdì (10 h 30 mn) – Tirrenia Navigazione, Stazione Marittima ℰ 1478 99000, Fax 0766 28804.

🖸 viale Garibaldi 42 ℰ 0766 25348, Fax 0766 21834.

Roma 78 – Viterbo 59 – Grosseto 111 – Napoli 293 – Perugia 186 – Terni 117.

🏨 **De la Ville** 🅼, viale della Repubblica 4 ℰ 0766 580507, Fax 0766 29282 – 📳 🗐 🔟 🅿 – 🔼 120. 🖭 🕄 🐠 🥨 ☑️ 📇. ⅏ rist
Pasto al Rist. **Filippo III** (chiuso luglio) carta 65/100000 – **42 cam** ⌑ 230/300000, 3 suites – ½ P 200000.

%% **La Scaletta**, lungoporto Gramsci 65 ℰ 0766 24334, Fax 0766 24334, 🈂 – 🖭 🕄 🐠 🥨 ☑️. ⅏
chiuso martedì – **Pasto** specialità di mare carta 60/90000.

%% **L'Angoletto**, via Pietro Guglielmotti 2 ang. viale della Vittoria ℰ 0766 32825, Fax 0766 32825 – 🗐. 🖭 🕄 🐠 🥨 ☑️
chiuso dal 3 al 18 gennaio e lunedì – **Pasto** specialità di mare carta 40/80000.

% **Alla Lupa**, viale della Vittoria 45 ℰ 0766 25703 – 🗐. 🖭 🕄 🐠 🥨 ☑️ 📇. ⅏
chiuso dal 22 al 28 dicembre, dal 1° al 15 settembre e martedì – **Pasto** specialità di mare carta 30/55000.

CIVITELLA ALFEDENA 67030 L'Aquila 430 Q 23, 431 B 23 – 292 ab. alt. 1 110.
Roma 162 – Frosinone 76 – L'Aquila 122 – Caserta 122 – Isernia 51.

🏠 **Antico Borgo La Torre**, via Castello ℰ 0864 890121, Fax 0864 890210 – 🗐 🔟. ⅏
Pasto (solo per alloggiati) carta 30/40000 – ⌑ 7500 – **22 cam** 65/90000 – ½ P 75000.

CIVITELLA CASANOVA 65010 Pescara 430 O 23 – 2 051 ab. alt. 400.
Roma 209 – Pescara 33 – L'Aquila 97 – Teramo 100.

%% **La Bandiera**, contrada Pastini 32 (Est : 4 km) ℰ 085 845219, Fax 085 845789, 🈂, prenotare – 🗐 🅿. 🖭 🕄 🐠 🥨 ☑️ 📇. ⅏
chiuso dal 1° al 14 febbraio, dal 1° al 15 luglio, mercoledì e domenica sera – **Pasto** 45/55000 e carta 40/65000.

CIVITELLA DEL LAGO Terni 430 O 18 – Vedere Baschi.

CIVITELLA DEL TRONTO 64010 Teramo **430** N 23 – 5 459 ab. alt. 580.
Roma 200 – Ascoli Piceno 24 – Ancona 123 – Pescara 75 – Teramo 18.

XX **Zunica** con cam, piazza Filippi Pepe 14 ℘ 0861 91319, *hotelzunica@valvibrata.net*, Fax 0861 918150, ≼ vallata – |馨|, ≣ rist, 📺 🝢 🕩 🕦 🕥 VISA JCB
chiuso dal 10 al 30 novembre – **Pasto** *(chiuso mercoledì)* carta 45/75000 – **21 cam** ☑ 95/150000 – ½ P 80000.

CIVITELLA IN VAL DI CHIANA 52040 Arezzo **430** L 17 – 8 565 ab. alt. 523.
Roma 209 – Siena 52 – Arezzo 18 – Firenze 72.

X **L'Antico Borgo**, via di Mezzo 35 ℘ 0575 448160, Coperti limitati; prenotare – 🕤 🕦 VISA
chiuso lunedì, martedì e a mezzogiorno – **Pasto** carta 50/75000.

CLANEZZO Bergamo **428** E 11 – Vedere Ubiale Clanezzo.

CLAVIERE 10050 Torino **428** H 2 – 161 ab. alt. 1760 – a.s. febbraio-Pasqua, luglio-agosto e Natale – Sport invernali : ai Monti della Luna, Cesana Torinese e Sansicario : 1 354/2 701 m ≼ 2 ≴ 29, ≰ (Comprensorio Via Lattea).
🝢 *(giugno-settembre)* ℘ 011 2398346, Fax 011 2398324.
🝢 *(chiuso mercoledì)* via Nazionale 30 ℘ 0122 878856, Fax 0122 878888.
Roma 758 – Bardonecchia 31 – Briançon 15 – Milano 230 – Sestriere 17 – Susa 40 – Torino 93.

XX **'I Gran Bouc**, via Nazionale 24/a ℘ 0122 878830, Fax 0122 878730, Rist. e pizzeria – 🕤 🕤 🕩 🕦 🕥 VISA JCB
chiuso maggio, novembre e mercoledì in bassa stagione – **Pasto** 35/65000 e carta 45/70000.

CLERAN (KLERANT) Bolzano – Vedere Bressanone.

CLES 38023 Trento **428**, **429** C 15 – 6 349 ab. alt. 658 – a.s. Pasqua e Natale.
Dintorni *Lago di Tovel★★★ Sud-Ovest : 15 km.*
Roma 626 – Bolzano 68 – Passo di Gavia 73 – Merano 57 – Milano 284 – Trento 44.

🏠 **Cles**, piazza Navarrino 7 ℘ 0463 421300, *albergocles@tin.it*, Fax 0463 424342, ⇷, ≼ – |馨| 📺 🝢, 🕤 🕤 🕩 🕦 🕥 VISA, ⬚ rist
chiuso dal 1º al 15 giugno – **Pasto** *(chiuso domenica in bassa stagione)* carta 40/55000 – ☑ 10000 – **37 cam** 90/125000 – ½ P 85000.

CLOZ 38020 Trento **429** C 15 – 717 ab. alt. 793 – a.s. dicembre-aprile.
Roma 647 – Bolzano 44 – Brescia 167 – Trento 50.

XX **Al Molin**, via Santa Maria 32 ℘ 0463 874617, Coperti limitati; prenotare – 🕤 🕦 VISA. ⬚
chiuso dal 29 giugno al 15 luglio, dal 15 al 30 ottobre e giovedì in bassa stagione – **Pasto** carta 35/60000.

CLUSANE SUL LAGO 25040 Brescia **428**, **429** F 12 – alt. 195.
Roma 580 – Brescia 29 – Bergamo 34 – Iseo 5 – Milano 75.

XX **Punta-da Dino**, via Punta 39 ℘ 030 989037, Fax 030 989037, ⇷ – 🅿 🕤 🕤 🕩 🕦 🕥 VISA JCB. ⬚
chiuso novembre e mercoledì (escluso da giugno al 15 settembre) – **Pasto** carta 40/65000.

X **Al Porto**, piazza Porto dei Pescatori ℘ 030 989014, Fax 030 9829090, prenotare – ≣. 🕤 🕤 🕩 🕦 🕥 VISA JCB
chiuso dal 7 al 28 gennaio e mercoledì (escluso da giugno ad agosto) – **Pasto** carta 50/70000.

X **Villa Giuseppina**, via Risorgimento 2 (Ovest : 1 km) ℘ 030 989172, Fax 030 989172, ⇷, prenotare – 🅿. 🕤 🕤 🕩 🕦 🕥 VISA JCB. ⬚
chiuso dal 10 gennaio al 1º febbraio e mercoledì – **Pasto** carta 45/75000.

CLUSONE 24023 Bergamo **428**, **429** E 11 – 8 076 ab. alt. 648 – a.s. luglio-agosto.
Roma 635 – Bergamo 36 – Brescia 64 – Edolo 74 – Milano 80.

🏠 **Erica**, viale Vittorio Emanuele II ℘ 0346 21667, Fax 0346 25268 – |馨| 📺 🝢 🅿. 🕤 🕤 🕩 🕦 🕥 VISA. ⬚
chiuso dal 15 febbraio al 15 marzo – **Pasto** carta 60/75000 – ☑ 8500 – **23 cam** 75/130000 – ½ P 110000.

COCCAGLIO 25030 Brescia 428, 429 F 11 – 7 078 ab. alt. 162.

Roma 573 – Bergamo 35 – Brescia 20 – Cremona 69 – Milano 77 – Verona 88.

🏨 **Touring**, strada statale 11, via Vittorio Emanuele 40 🖉 030 7721084, Fax 030 723453, ℩ₛ, ⇌₅, ⅃, 🐎, ✗ – 🛗 🗏 📺 ᵭ 🚗 🅿 – 🔬 300. 🝏 🕏 ⓞ ⓜ 🅥🅸🅂🅰 🅹🅲🅱, ✗
Pasto carta 40/55000 – 🖵 15000 – **80 cam** 120/140000 – ½ P 90000.

COCCONATO 14023 Asti 428 G 6 – 1 569 ab. alt. 491.

Roma 649 – Torino 50 – Alessandria 67 – Asti 32 – Milano 118 – Vercelli 50.

✗✗ **Cannon d'Oro** con cam, piazza Cavour 21 🖉 0141 907024, cannondoro@tin.it, Fax 0141 907024 – 📺, 🝏 🕏 ⓞ ⓜ 🅥🅸🅂🅰. ✗ cam
chiuso dal 10 gennaio al 10 febbraio – **Pasto** (chiuso lunedi sera e martedi) 40/55000 e carta 45/75000 – **15 cam** 🖵 85/160000 – ½ P 150000.

COCQUIO TREVISAGO 21034 Varese 219 ⑦ – 4 698 ab. alt. 319.

Roma 636 – Stresa 52 – Milano 67 – Varese 13.

✗ **Chat Bottè**, via Roma 74 🖉 0332 700041, prenotare – 🝏 🕏 ⓞ ⓜ 🅥🅸🅂🅰 🅹🅲🅱
chiuso lunedi – **Pasto** carta 55/60000.

CODEMONDO Reggio nell'Emilia – Vedere Reggio nell'Emilia.

CODIGORO 44021 Ferrara 429 H 18 – 13 205 ab..

Roma 404 – Ravenna 56 – Bologna 93 – Chioggia 53 – Ferrara 42.

✗ **La Capanna** località Ponte Vicini Nord-Ovest : 8 km 🖉 0533 712154, Fax 0533 713410,
✿ Coperti limitati; prenotare – 🗏 🅿 🝏 🕏 ⓞ ⓜ 🅥🅸🅂🅰. ✗
chiuso dal 15 agosto al 12 settembre, mercoledi sera e giovedi – **Pasto** carta 55/90000
Spec. Anguilla "arost in umad". "Schille" (gamberetti) con polenta bianca (ottobre-febbraio). Germano di valle con cipolla al vino rosso (inverno).

CODROIPO 33033 Udine 429 E 20 – 14 295 ab. alt. 44.

Roma 612 – Udine 29 – Belluno 93 – Milano 351 – Treviso 86 – Trieste 77.

🏨 **Ai Gelsi**, via Circonvallazione Ovest 12 🖉 0432 907064, Fax 0432 908512 – 🛗 🗏 📺 🅿 – 🔬 300. 🝏 🕏 ⓞ ⓜ 🅥🅸🅂🅰. ✗ rist
Pasto (chiuso lunedi) carta 45/60000 – 🖵 10000 – **38 cam** 120/170000 – ½ P 130000.

COGNE 11012 Aosta 428 F 4 – 1 466 ab. alt. 1 534 – a.s. 9 gennaio-marzo, Pasqua e Natale – Sport invernali : 1 534/2 245 m ≼ 1 ≴ 2, ≵.

🄳 piazza Chanoux 36 🖉 0165 74040, Fax 0165 749125.

Roma 774 – Aosta 27 – Courmayeur 52 – Colle del Gran San Bernardo 60 – Milano 212.

🏨🏨 **Bellevue**, via Gran Paradiso 22 🖉 0165 74825, info@hotelbellevue.it, Fax 0165 749192, ≼ Gran Paradiso, « Piccolo museo d'arte popolare valdostana », ⇌ₛ, ⅃, 🐎 – 🛗 🗏 🚗 🅿. 🝏 🕏 ⓞ ⓜ 🅥🅸🅂🅰 🅹🅲🅱. ✗
chiuso dal 30 settembre al 21 dicembre – **Pasto** al Rist. *Le Petit Restaurant* (Coperti limitati; prenotare) 60/90000 e carta 75/130000 – **18 cam** 🖵 440/480000, 17 suites 440/600000 – ½ P 270000.

🏨🏨 **Miramonti**, viale Cavagnet 31 🖉 0165 74030, miramonti@miramonticogne.com, Fax 0165 749378, ≼ Gran Paradiso, 🐎 – 🛗 📺 🚗 – 🔬 100. 🝏 🕏 ⓜ 🅥🅸🅂🅰. ✗ rist
Pasto al Rist. *Coeur de Bois* carta 60/95000 – **46 cam** 🖵 275/310000 – ½ P 220000.

🏨 **Petit Hotel**, viale Cavagnet 19 🖉 0165 74010, Fax 0165 749131, ≼ Gran Paradiso, ℩ₛ, ⇌ₛ, ⅃ – 🛗 📺 🚗 🅿. 🝏 🕏 ⓞ ⓜ 🅥🅸🅂🅰. ✗
19 dicembre-15 marzo; 24 maggio-27 settembre – **Pasto** (chiuso mercoledi) 30000 – **24 cam** 🖵 110/220000 – ½ P 135000.

🏨 **Sant'Orso**, via Bourgeois 2 🖉 0165 74821, Fax 0165 749500, ≼ Gran Paradiso, « Giardino-solarium », ℩ₛ, ⇌ₛ – 🛗 📺 🚗. 🝏 🕏 ⓞ ⓜ 🅥🅸🅂🅰. ✗
Pasto carta 40/60000 – **30 cam** 🖵 140/245000 – ½ P 170000.

🏨 **La Madonnina del Gran Paradiso**, via Laydetré 7 🖉 0165 74078, madonnina@cogne
⇌ₛ .org, Fax 0165 749392, ≼ monti e vallata, 🐎 – 🛗 📺 🚗. 🝏 🕏 ⓜ 🅥🅸🅂🅰. ✗ rist
11 dicembre-Pasqua e 16 giugno-9 ottobre – **Pasto** (chiuso mercoledi) carta 35/60000 – **22 cam** 🖵 100/180000 – ½ P 160000.

🏨 **Grand Paradis**, via Grappein 45 🖉 0165 74070, Fax 0165 749507, 🐎 – 🛗 📺 🅿. 🝏 🕏 ⓞ ⓜ 🅥🅸🅂🅰. ✗ rist
21 dicembre-7 gennaio, febbraio-15 aprile e giugno-settembre – **Pasto** carta 40/60000 – **30 cam** 🖵 120/195000 – ½ P 145000.

🏠 **Lo Stambecco** senza rist, via des Clementines 21 ℘ 0165 74068, *Fax 0165 74684*, ≤ – 🛗 📺 ᕁ. 🅿. 🕭 🖾 *VISA*. ⁓
giugno-settembre – **16 cam** ⌑ 160/200000.

🏠 **Le Bouquet** senza rist, via Gran Paradiso 61/a ℘ 0165 749600, *hotel-lebouquet@tiscaline t.it*, *Fax 0165 749900*, ≤, 🛲 – 🛗 📺 ᕁ ⟷ 🅿. 🕭 🖘 ⊕ 🖾 *VISA*
6-11 dicembre, 23 dicembre-8 gennaio, febbraio, Pasqua e 28 giugno-24 settembre – **12 cam** ⌑ 200/250000.

🍴🍴 **Lou Ressignon,** via des Mines 23 ℘ 0165 74034, *Fax 0165 74034* – 🅿. 🕭 🖘 ⊕ 🖾 *VISA*
chiuso dal 27 maggio all'8 giugno, dal 23 settembre al 5 ottobre, dal 4 novembre al 1° dicembre, lunedì sera e martedì in bassa stagione – **Pasto** 45000 e carta 40/60000 (5 %).

a Cretaz *Nord : 1,5 km* – ⊠ *11012 Cogne* :

🏠 **Notre Maison**, ℘ 0165 74104, *hotel@notremaison.it*, *Fax 0165 749186*, ≤, « Caratteristico chalet; giardino-solarium », 🚃, 🔲 – 🛗 📺 🚗 🅿. 🕭 🖘 ⊕ 🖾 *VISA*. ⁓ rist
chiuso ottobre e novembre – **Pasto** *(chiuso lunedì)* carta 40/70000 – **21 cam** ⌑ 170/ 280000, 2 suites – ½ P 170000.

a Lillaz *Sud-Est : 4 km – alt. 1 615* – ⊠ *11012 Cogne* :

🍴 **Lou Tchappè**, ℘ 0165 749291, *Fax 0165 74379*, 🎄 – 🅿. 🕭 🖘 🖾 *VISA*. ⁓
chiuso maggio, novembre e lunedì (escluso luglio-agosto) – **Pasto** carta 35/50000.

in Valnontey *Sud-Ovest : 3 km* – ⊠ *11012 Cogne* :

🏠 **La Barme** ⤸ ℘ 0165 749177, *labarme@tiscalinet.it*, *Fax 0165 749213*, ≤ Gran Paradiso, 🚃, 🛲 – 🅿. 🕭 🖾 *VISA*. ⁓
chiuso ottobre e novembre – **Pasto** carta 35/70000 – **14 cam** ⌑ 100/160000 – ½ P 115000.

COGNOLA *Trento – Vedere Trento.*

COGOLETO *16016 Genova* 🗺️ *I 7 – 9 540 ab..*
Roma 527 – Genova 28 – Alessandria 75 – Milano 151 – Savona 19.

🍴 **Trattoria Benita**, Via Aurelia di Ponente 84 ℘ 010 9181916, prenotare – 🕭 🖘 ⊕ 🖘 *VISA*
chiuso dal 20 giugno al 3 luglio e martedì – **Pasto** carta 45/70000.

COGOLLO DEL CENGIO *36010 Vicenza* 🗺️ *E 16 – 3 302 ab. alt. 357.*
Roma 559 – Trento 58 – Bassano del Grappa 42 – Rovereto 41 – Vicenza 39.

sulla strada statale 350 *Nord-Ovest : 3 km* :

🍴🍴 **All'Isola** via Schiro 14 ⊠ 36010 ℘ 0445 880341, Coperti limitati; prenotare – 🖃 🅿. 🕭 🖘 ⊕ 🖾 *VISA*. ⁓
chiuso dal 12 al 27 agosto, domenica e mercoledì sera – **Pasto** carta 45/50000.

COGOLO *Trento* 🗺️, 🗺️ *C 14 – Vedere Peio.*

COLFIORITO *06030 Perugia* 🗺️ *M 20 – alt. 760.*
Roma 182 – Perugia 62 – Ancona 121 – Foligno 26 – Macerata 66.

🏠 **Villa Fiorita**, via del Lago 9 ℘ 0742 681326, *villa.fiorita@cline.it*, *Fax 0742 681327*, ≤, 🔲, 🛲 – 🛗 📺 🅿. – 🛖 130. 🕭 🖘 ⊕ 🖘 *VISA*
Pasto *(chiuso venerdì)* carta 30/50000 – **40 cam** ⌑ 90/130000 – ½ P 90000.

COLFOSCO (KOLFUSCHG) *Bolzano – Vedere Corvara in Badia.*

COLICO *Lecco* 🗺️ *D 10 – alt. 209.*
Vedere *Lago di Como ★★★.*
Roma 661 – Chiavenna 26 – Como 66 – Lecco 41 – Milano 97 – Sondrio 42.

COL INDES *Belluno* 🗺️ *D 19 – Vedere Tambre.*

COLLALBO (KLOBENSTEIN) *Bolzano – Vedere Renon.*

COLLE *Vedere nome proprio del colle.*

COLLEBEATO 25060 Brescia 428 F 12 – 4 457 ab. alt. 187.
Roma 534 – Brescia 8 – Bergamo 54 – Milano 96 – Verona 73.

a Campiani *Ovest : 2 km –* ⊠ *25060 Collebeato :*

XXXX   **Carlo Magno**, via Campiani 9 ℘ 030 2511107, *Fax 030 2511107* – 🅿 ⚠ 🕄 ⓞ 🐼 𝗩𝗜𝗦𝗔 ⚹
chiuso dal 1º al 15 gennaio, dall'8 al 20 agosto, martedì e mercoledì a mezzogiorno – **Pasto**
carta 75/135000.

COLLECCHIO 43044 Parma 428, 429 H 12 – 11 765 ab. alt. 106.
🔟₈ *La Rocca (chiuso lunedì e gennaio) a Sala Baganza* ⊠ *43038 ℘ 0521 834037, Fax 0521 834575, Sud-Est : 4 km.*
Roma 469 – Parma 11 – Bologna 107 – Milano 126 – Piacenza 65 – La Spezia 101.

🏥   **Ilga Hotel** senza rist, via Pertini 39 ℘ 0521 802645, *info@ilgahotel.it, Fax 0521 802484* –
📶 ▤ 🖵 ⚙ & 🚗 – 🔬 150. ⚠ 🕄 ⓞ 🐼 𝗩𝗜𝗦𝗔 🄹🄲🄱
chiuso dall'8 al 28 agosto – **48 cam** � 120/170000.

🏥   **Campus**, senza rist, via Mulattiera 1 ℘ 0521 802680, *info@hotelcampus.com*
Fax 0521 802684 – 📶, 🌿 cam, ▤ 🖵 ⚙ & 🅿 ⚠ 🕄 ⓞ 🐼 𝗩𝗜𝗦𝗔 🄹🄲🄱
chiuso dal 24 dicembre al 5 gennaio – **50 cam** � 130/180000.

XXXX   **Villa Maria Luigia-di Ceci**, via Galaverna 28 ℘ 0521 805489, *villamarialuigia@iol.it*,
✿   *Fax 0521 805711*, « Villa ottocentesca in un parco, servizio estivo all'aperto » – 🌿 🅿 –
🔬 100. ⚠ 🕄 ⓞ 🐼 𝗩𝗜𝗦𝗔 ⚹
chiuso dall'11 al 31 gennaio, mercoledì sera e giovedì – **Pasto** 75/120000 e carta 60/110000.
Spec. Scaloppa di fegato d'oca con fettucce di crespelle di castagna e salsa al Recioto.
Risotto con la quaglia (autunno-primavera). Filetto di bue grasso di Carrù farcito al tartufo
con salsa di Lambrusco e midollo (autunno-inverno).

a Gaiano *Sud-Ovest : 5 km –* ⊠ *43030 :*

XX   **Podere Miranta**, via Libertà 54 ℘ 0521 309401, *Coperti limitati; prenotare* – 🅿
chiuso dal 24 al 27 dicembre, dal 25 luglio ad agosto, mercoledì e a mezzogiorno – **Pasto**
carta 65/95000.

a Cafragna *Sud-Ovest : 9 km –* ⊠ *43030 Gaiano :*

XX   **Trattoria di Cafragna-Camorali**, ℘ 0525 2363, *Fax 0525 39898, Coperti limitati; pre-*
🍃   *notare*, « Servizio estivo all'aperto » – 🅿 ⚠ 🕄 ⓞ 🐼 𝗩𝗜𝗦𝗔 ⚹
chiuso dal 24 dicembre al 15 gennaio, agosto, lunedì, domenica sera e in luglio anche
domenica a mezzogiorno – **Pasto** carta 55/85000.

COLLE DI VAL D'ELSA 53034 Siena 430 L 15 *G. Toscana* – 18 916 ab. alt. 223.
🄱 *via Campana 43 ℘ 0577 922791, Fax 0577 922621.*
Roma 255 – Firenze 50 – Siena 24 – Arezzo 88 – Pisa 87.

🏩   **Relais della Rovere**, via Piemonte 10 ℘ 0577 924696, *dellarovere@chiantiturismo.it*,
Fax 0577 924489, ≼, « In un'antica dimora cardinalizia », 🌊, 🌳 – 📶 ▤ 🖵 ⚙ & 🅿 ⚠ 🕄 ⓞ
🐼 𝗩𝗜𝗦𝗔 ⚹
Pasto (chiuso mercoledì) carta 55/85000 – **30 cam** ⊡ 380/540000 – ½ P 320000.

🏥   **La Vecchia Cartiera** senza rist, via Oberdan 5/9 ℘ 0577 921107, *cartiera@chiantiturismo
.it, Fax 0577 923688* – 📶 ▤ 🖵 🚗 – 🔬 70. ⚠ 🕄 ⓞ 🐼 𝗩𝗜𝗦𝗔 ⚹
⊡ 15000 – **38 cam** 130/180000.

XXXX   **Arnolfo** con cam, via XX Settembre 52 ℘ 0577 920549, *Fax 0577 920549, Coperti limitati;*
✿✿   *prenotare*, « Servizio estivo serale in terrazza » – ▤ 🖵 ⚠ 🕄 ⓞ 🐼 𝗩𝗜𝗦𝗔 ⚹
chiuso dal 10 gennaio al 10 febbraio e dal 1º al 10 agosto – **Pasto** (chiuso martedì e
mercoledì a mezzogiorno) 110/120000 e carta 100/150000 – **4 cam** ⊡ 250/300000 –
½ P 270000.
Spec. Tortelli di ricotta con pesto leggero al dragoncello e pecorino di Pienza (primavera).
Piccione con cosciotto farcito ai fegatini e cipolle in agrodolce. Zuccotto alla senese con
zabaione al Vin Santo (autunno-inverno).

XXXX   **L'Antica Trattoria**, piazza Arnolfo 23 ℘ 0577 923747, *Fax 0577 923747*, �, *Coperti*
limitati; prenotare – ⚠ 🕄 ⓞ 🐼 𝗩𝗜𝗦𝗔 ⚹
chiuso dal 22 dicembre al 10 gennaio e martedì – **Pasto** carta 70/120000.

COLLEFERRO 00034 Roma 430 Q 21 – 21 377 ab. alt. 238.
Roma 52 – Frosinone 38 – Fiuggi 33 – Latina 48 – Tivoli 44.

XX   **Muraccio di S. Antonio**, via Latina Ovest : 2 km ℘ 06 97304011, ≼, �, 🌳 – ▤ 🅿 ⚠
🕄 ⓞ 🐼 𝗩𝗜𝗦𝗔 🄹🄲🄱 ⚹
chiuso mercoledì – **Pasto** carta 40/75000.

Lesen Sie die Einleitung, sie ist der Schlüssel zu diesem Führer.

COLLEPIETRA (STEINEGG) 39050 Bolzano 428 C 16 – alt. 820.
  Roma 656 – Bolzano 15 – Milano 314 – Trento 75.

🏠 **Steineggerhof** ॐ, Collepietra 128 (Nord-Est : 1 km) ℘ 0471 376573, Fax 0471 376661,
≤ Dolomiti, ₤₅, ≋, 🔄, ☞ – 🛗 📺 🅿, 🆎 🐄 VISA, ❄
22 dicembre-6 gennaio e 8 aprile-2 novembre – **Pasto** carta 45/70000 – **34 cam** ⊇ 120/
185000 – ½ P 105000.

COLLE SAN PAOLO Perugia 430 M 18 – Vedere Panicale.

COLLESECCO Perugia 430 N 19 – Vedere Gualdo Cattaneo.

COLLEVALENZA Perugia – Vedere Todi.

COLLI DEL TRONTO 63030 Ascoli Piceno 430 N 23 – 3 021 ab. alt. 168.
  Roma 210 – Ascoli Piceno 19 – Ancona 1143 – Pescara 78 – Teramo 45.

🏨 **Casale** 🅼 ॐ, via Casale Superiore 146 (Sud-Ovest : 2,5 km) ℘ 0736 814720, *info@hotelca
sale.it*, Fax 0736 814946, ≤, Centro benessere, ₤₅, ≋, 🔄, 🔄, ☞, ❀ – 🛗 🗏 📺 ❤ ₤ ᴄᴀ
🅿 – 🕍 400. 🆎 🅂 ① 🐄 VISA JCB. ❄
Pasto carta 50/90000 – **193 cam** ⊇ 160/380000, 16 suites – ½ P 220000.

COLLODI Pistoia 428 , 429 , 430 K 13 *G. Toscana* – alt. 120.
  Vedere *Villa Garzoni★★ e giardino★★★ – Parco di Pinocchio★*.

COLLOREDO DI MONTE ALBANO 33010 Udine 429 D 21 – 2 179 ab. alt. 213.
  Roma 652 – Udine 15 – Tarvisio 80 – Trieste 85 – Venezia 141.

❀❀❀ **La Taverna**, piazza Castello 2 ℘ 0432 889045, Fax 0432 889676, ≤, « Servizio estivo in
   ❀ terrazza-giardino » – 🆎 🅂 ① 🐄 VISA
chiuso domenica sera e mercoledì – **Pasto** carta 85/135000
Spec. Petto e coscia di quaglia, pasta croccante e ratatouille di verdure (estate). Carré
d'agnello arrosto. Ravioli di guanciale di manzo e verdure brasate (autunno).

a Mels *Nord-Ovest : 3 km* – ⊠ 33030 :

❀❀ **La di Petrôs**, piazza del Tiglio 14 ℘ 0432 889626, Fax 0432 889626, 🏡, Coperti limitati;
   prenotare – 🗏 🅿 🆎 🅂 ① 🐄 VISA
chiuso luglio e martedì – **Pasto** carta 55/85000.

COLMEGNA Varese 219 ⑦ – Vedere Luino.

COLOGNA VENETA 37044 Verona 429 G 16 – 7 854 ab. alt. 24.
  Roma 482 – Verona 39 – Mantova 62 – Padova 61 – Vicenza 36.

🏠 **La Torre**, via Torcolo 8/10 ℘ 0442 410111, Fax 0442 419245 – 🗏 📺. 🆎 🅂 ① 🐄 VISA. ❄
chiuso dal 1° al 20 agosto – **Pasto** *(chiuso martedì sera e mercoledì)* carta 45/75000 –
11 cam ⊇ 100/150000 – ½ P 100000.

COLOGNE 25033 Brescia 428 , 429 F 11 – 6 263 ab. alt. 184.
  Roma 575 – Bergamo 31 – Brescia 27 – Cremona 72 – Lovere 33 – Milano 74.

❀❀❀ **Cappuccini** ॐ con cam, via Cappuccini 54 (Nord : 1,5 km) ℘ 030 7157254, *cappuccini@
numerica.it*, Fax 030 7157257, prenotare, « In un convento del 16° secolo » – 🛗, 🗏 rist, 📺
🅿 – 🕍 60. 🆎 🅂 ① 🐄 VISA JCB. ❄
chiuso dal 1° al 20 gennaio e dal 1° al 20 agosto – **Pasto** *(chiuso a mezzogiorno e mercoledì)*
90000 e carta 75/130000 – ⊇ 25000 – **6 cam** 200/300000, suite – ½ P 260000.

COLOGNO AL SERIO 24055 Bergamo 428 F 11 – 9 501 ab. alt. 156.
  Roma 581 – Bergamo 14 – Brescia 45 – Milano 47 – Piacenza 66.

🏨 **Antico Borgo la Muratella**, località Muratella ℘ 035 4872233, *info@lamuratella.com*,
Fax 035 4872885, « Antico complesso rurale e padronale ristrutturato » – 🛗 🗏 📺 ❤ ₤ 🅿.
🆎 🅂 ① 🐄 VISA. ❄
Pasto *(chiuso lunedì)* carta 55/85000 (6 %) – **31 cam** ⊇ 180/250000 – ½ P 185000.

Richiedete in libreria il catalogo delle **pubblicazioni Michelin**.

COLOGNOLA AI COLLI *37030 Verona* **429** *F 15 – 6 894 ab. alt. 177.*
Roma 519 – Verona 17 – Milano 176 – Padova 68 – Venezia 101 – Vicenza 38.

sulla strada statale 11 *Sud-Ovest : 2,5 km :*

XX **Posta Vecia** con cam, via Strà 142 ⊠ 37030 ℰ 045 7650243, *Fax 045 6150859,*
« Ambiente caratteristico in edificio cinquecentesco; piccolo zoo » – 🖻 📺 **P** – 🖾 80. ₳Ɛ
🕄 ⓪ ⓿ ✆⃝ ✆𝐼𝑆𝐴. ✦
chiuso agosto – **Pasto** *(chiuso domenica sera e lunedi)* carta 50/100000 – 🖙 15000 –
13 cam 110/180000, suite – ½ P 160000.

COLOMBARE *Brescia* **428** *F 13 – Vedere Sirmione.*

COLOMBARE *Cremona* **428** *G 12 – Vedere Moscazzano.*

COLOMBARO *Brescia* **429** *F 11 – Vedere Corte Franca.*

COLONNA DEL GRILLO *Siena* **430** *M 16 – Vedere Castelnuovo Berardenga.*

Un consiglio **Michelin:**
per la buona riuscita di un viaggio, preparatelo in anticipo.
Le **carte** *e le* **guide Michelin** *vi danno tutte le indicazioni*
utili su: itinerari, curiosità, sistemazioni, prezzi, ecc.

COLORNO *43052 Parma* **428**, **429** *H 13 – 7 932 ab. alt. 29.*
Roma 466 – Parma 16 – Bologna 104 – Brescia 79 – Cremona 49 – Mantova 47 – Milano 130.

🏠 **Versailles** senza rist, via Saragat 3 ℰ 0521 312099, *info@hotelversailles.it,*
Fax 0521 816960 – 📳 🖻 📺 🕭 **P** ₳Ɛ 🕄 ⓪ ⓿ ✆𝐼𝑆𝐴. ✦
chiuso dal 23 dicembre al 10 gennaio ed agosto – 🖙 14000 – **48 cam** 100/130000.

a Vedole *Sud-Ovest : 2 km – ⊠ 43052 Colorno :*

XX **Al Vedel**, via Vedole 68 ℰ 0521 816169, *Fax 0521 312059* – **P**. ₳Ɛ 🕄 ⓪ ⓿ ✆𝐼𝑆𝐴
🍽 *chiuso dal 10 al 20 gennaio, luglio, lunedi e martedi –* **Pasto** carta 40/65000.

a Sacca *Nord : 4 km – ⊠ 43052 Colorno :*

X **Stendhal-da Bruno**, ℰ 0521 815493, *Fax 0521 814887*, « Servizio estivo all'aperto » –
P. ₳Ɛ 🕄 ⓪ ⓿ ✆𝐼𝑆𝐴. ✦
chiuso dal 1° al 15 gennaio, dal 22 luglio all'8 agosto e martedi – **Pasto** carta 50/80000.

COL SAN MARTINO *Treviso* **429** *E 18 – Vedere Farra di Soligo.*

COMABBIO *21020 Varese* **428** *E 8,* **219** ⑦ *– 961 ab. alt. 307.*
Roma 634 – Stresa 35 – Laveno Mombello 20 – Milano 57 – Sesto Calende 10 – Varese 23.

al lago *Sud : 1,5 km :*

XX **Cesarino**, via Labiena 1861 ⊠ 21020 ℰ 0331 968472, *Fax 0331 968826*, ≤ – **P**. ₳Ɛ 🕄 ⓪
⓿ ✆𝐼𝑆𝐴. ✦
chiuso dal 1° al 13 febbraio, dal 12 al 30 agosto e mercoledi – **Pasto** carta 65/100000.

COMACCHIO *44022 Ferrara* **429**, **430** *H 18 G. Italia – 21 812 ab. – 20 giugno-agosto.*
Dintorni *Abbazia di Pomposa★★ Nord : 15 km – Regione del Polesine★ Nord.*
🖪 *piazza Folegatti 28 ℰ 0533 310161.*
Roma 419 – Ravenna 37 – Bologna 93 – Ferrara 53 – Milano 298 – Venezia 121.

XX **La Barcaccia**, piazza XX Settembre 41 ℰ 0533 311081, *Fax 0533 311081* – 🖻. ₳Ɛ 🕄 ⓪
⓿ ✆𝐼𝑆𝐴. ✦
chiuso dal 7 al 15 gennaio, novembre e lunedi – **Pasto** 60/70000 e carta 55/85000.

a Porto Garibaldi *Est : 5 km – ⊠ 44029.*

🖪 *(maggio-settembre) via Ugo Bassi 36/38 ℰ 0533 310225 :*

XX **Pacifico-da Franco**, via Caduti del Mare 10 ℰ 0533 327169, *ristorante.pacifico@libero*
.it, Fax 0533 351175 – 🖻. ₳Ɛ 🕄 ⓪ ⓿ ✆𝐼𝑆𝐴. ✦
chiuso da Capodanno al 7 gennaio – **Pasto** specialità di mare carta 65/90000.

✗ **Da Pericle,** via dei Mille 205 ℘ 0533 327314, Fax 0533 327314, 🍽 – ▤ 🄿. 🄰🄴 🅂 ⓞ ⓪🔟
🆅🅸🆂🅰. ⚘
chiuso dal 15 al 30 novembre e lunedì – **Pasto** carta 45/90000.

✗ **Milano,** via Ugo Bassi 7 ℘ 0533 327179 – ▤. 🄰🄴 🅂 ⓞ ⓪🔟 🆅🅸🆂🅰 🄹🄲🄱. ⚘
chiuso dal 1° al 15 gennaio, dal 30 agosto al 15 settembre, mercoledì e da ottobre a marzo anche martedì sera – **Pasto** specialità di mare carta 55/95000.

✗ **Bagno Sole,** via dei Mille 28 ℘ 0533 327924, Fax 0533 380913, 🍽, 🏊 – 🄿. 🄰🄴 🅂 ⓞ ⓪🔟
🆅🅸🆂🅰 🄹🄲🄱. ⚘
chiuso dal 6 al 15 novembre, martedì (escluso dal 15 giugno a settembre) – **Pasto** carta 65/95000.

✗ **Europa,** viale dei Mille 8 ℘ 0533 327362, Fax 0533 326656, 🏊 – ▤. 🄰🄴 🅂 ⓞ ⓪🔟 🆅🅸🆂🅰. ⚘
chiuso settembre e venerdì – **Pasto** specialità di mare carta 60/85000.

a Lido degli Estensi *Sud-Est : 7 km –* ✉ 44024.

🛈 *(giugno-settembre) viale Carducci 32* ℘ 0533 327464 :

🏨 **Logonovo** senza rist, viale delle Querce 109 ℘ 0533 327520, logonovo@libero.it,
Fax 0533 327531, ⟂, – ▤ 🄿 – 🔺 50. 🄰🄴 🅂 ⓞ ⓪🔟 🆅🅸🆂🅰
⛲ 15000 – **44 cam** 100/140000.

a Lido di Spina *Sud-Est : 9 km –* ✉ 44024 Lido degli Estensi :

🏨 **Caravel,** viale Leonardo 56 ℘ 0533 330106, hotelcaravel@tin.it, Fax 0533 330107,
« Giardino ombreggiato » – 📶, ▤ rist, 📺 🄿. 🅂 ⓞ ⓪🔟 🆅🅸🆂🅰. ⚘ rist
chiuso dal 24 dicembre al 6 gennaio – **Pasto** (aprile-settembre; solo per alloggiati) carta
40/65000 – ⛲ 14000 – **22 cam** 85/140000 – ½ P 130000.

✗✗ **Aroldo,** viale delle Acacie 26 ℘ 0533 330948, belsandro@libero.it, Fax 0533 330050, 🍽,
Rist. e pizzeria – 🄰🄴 🅂 ⓞ ⓪🔟 🆅🅸🆂🅰. ⚘
chiuso martedì escluso dal 15 maggio al 15 settembre – **Pasto** specialità di mare 90000 e
carta 60/100000.

COMANO TERME *Trento* 🄰🄰🄰 , 🄰🄰🄰 *D 14 – alt. 395 –* ✉ 38077 Ponte Arche – Stazione termale,
a.s. Pasqua e Natale.
Roma 586 – Trento 24 – Brescia 103 – Verona 106.

a Ponte Arche *– alt. 400 –* ✉ 38077 :.

🛈 *via Cesare Battisti 38* ℘ 0465 702626, Fax 0465 702281 :

🏨 **Cattoni-Plaza,** via Battisti 19 ℘ 0465 701442, Fax 0465 701444, ≤, 🛁, 🚣, 🔲, 🌳, ✗ –
📶, ⟂ rist, ▤ rist, 📺 🍽 🄿 – 🔺 80. 🅂 ⓞ ⓪🔟 🆅🅸🆂🅰. ⚘
20 dicembre-10 gennaio e aprile-ottobre – **Pasto** 40/45000 – ⛲ 20000 – **75 cam** 100/
180000, 2 suites – ½ P 145000.

🏨 **Hotel Angelo,** piazza Mercato 6 ℘ 0465 701438, Fax 0465 701145, 🌳 – 📶 📺 🄿. 🅂 ⓞ
⓪🔟 🆅🅸🆂🅰. ⚘
21 dicembre-10 gennaio e aprile-ottobre – **Pasto** carta 40/60000 – ⛲ 15000 – **75 cam**
80/135000 – ½ P 115000.

🏠 **Bel Sit,** via Marconi 34 ℘ 0465 701220, Fax 0465 701458, 🌳 – 📶, ▤ rist, 📺 🔟 🄿. 🄰🄴 🅂 ⓞ
⓪🔟 🆅🅸🆂🅰. ⚘ rist
aprile-ottobre – **Pasto** carta 40/55000 – ⛲ 12000 – **52 cam** 75/145000 – ½ P 95000.

a Campo Lomaso *– alt. 492 –* ✉ 38070 Vigo Lomaso :

🏨 **Villa Luti** ⚜, piazza Risorgimento 40 ℘ 0465 702061, Fax 0465 702410, « Dimora patrizia
dell'800 con parco ombreggiato », 🛁, 🚣, ✗ – 📶 📺 🄿 – 🔺 40. 🄰🄴 🅂 ⓞ ⓪🔟 🆅🅸🆂🅰 🄹🄲🄱. ⚘
20 dicembre-10 gennaio e aprile-ottobre – **Pasto** carta 55/65000 – ⛲ 15000 – **40 cam**
90/160000 – ½ P 120000.

COMELICO SUPERIORE *32040 Belluno* 🄰🄰🄰 *C 19 – 2 597 ab. alt. (frazione Candide) 1 210.*
Roma 678 – Cortina d'Ampezzo 52 – Belluno 77 – Dobbiaco 32 – Milano 420 – Venezia 167.

a Padola *Nord-Ovest : 4 km da Candide –* ✉ 32040 :

🏠 **D'la Varda** ⚜, via Martini 29 ℘ 0435 67031, ≤ – 🄿. ⚘
🐎 *dicembre-15 aprile e 15 giugno-settembre –* **Pasto** carta 30/40000 – ⛲ 8000 – **22 cam**
70/130000 – ½ P 95000.

COMERIO 21025 Varese **219** ⑦ – 2 447 ab. alt. 382.

Roma 631 – Stresa 54 – Lugano 39 – Milano 63 – Varese 10.

XX **Da Beniamino**, via Garibaldi 36 🖉 0332 737046, da_beniamino@libero.it, Fax 0332 737620, 🏤 – 🖭 � 🕚 👀 🚾
chiuso martedì, mercoledì a mezzogiorno, in agosto aperto solo la sera – **Pasto** cucina internazionale carta 65/95000.

COMMEZZADURA 38020 Trento **218** ⑲ – 913 ab. alt. 852.

🛈 (dicembre-aprile e giugno-settembre) frazione Mestriago 1 🖉 0463 974840, Fax 0463 974840.

Roma 656 – Bolzano 86 – Passo del Tonale 35 – Peio 32 – Pinzolo 54 – Trento 84.

🏠 **Tevini** ⬎, località Almazzago 🖉 0463 974985, htevini@tiscalinet.it, Fax 0463 974892, ≤, 🛲 ⬎ 🖽, 🖙 – ❙ 🖭 🕭 🖘 🇵 🖇 🕚 👀 🚾, ✕
dicembre-Pasqua e giugno-settembre – **Pasto** carta 30/40000 – **51 cam** ⏁ 130/200000 – ½ P 135000.

COMO 22100 🅿 **428** E 9 G. Italia – 82 989 ab. alt. 202.

Vedere Lago★★★ – Duomo★★ Y – Broletto★★ Y **A** – Chiesa di San Fedele★ Y – Basilica di Sant'Abbondio★ Z – ≤★ su Como e il lago da Villa Olmo 3 km per ④.

🖭 Villa d'Este (chiuso gennaio, febbraio e martedì escluso agosto) a Montorfano ⊠ 22030 🖉 031 200200, Fax 031 200786, per ② : 6 km;

🖭 e 🖭 Monticello (chiuso lunedì) a Monticello di Cassina Rizzardi ⊠ 22070 🖉 031 928055, Fax 031 880207, per ③ : 10 km;

🖭 (chiuso lunedì) a Carimate ⊠ 22060 🖉 031 790226, Fax 031 790226, per ③ : 18 km;

🖭 La Pinetina (chiuso martedì) ad Appiano Gentile ⊠ 22070 🖉 031 933202, Fax 031 890342, per ③ : 15 km.

🚢 per Tremezzo-Bellagio-Colico giornalieri (da 1 h 30 mn a 3 h 30 mn) e Tremezzo-Bellaggio (da 35 mn a 1 h 40 mn) – Navigazione Lago di Como, piazza Cavour 🖉 031 579211, Fax 031 570080.

🛈 piazza Cavour 17 🖉 031 269712, Fax 031 240111.

A.C.I. viale Masia 79 🖉 031 573433.

Roma 625 ③ – Bergamo 56 ② – Milano 48 ③ – Monza 42 ② – Novara 76 ③.

Pianta pagina seguente

🏨 **Grand Hotel di Como** M, via per Cernobbio 🖉 031 5161, info@grandhoteldicomo .com, Fax 031 516600, 🛲, 🖇 – ❙ ≣ 🖭 🖘 – 🕭 300. 🖭 🕄 🕚 👀 🚾
chiuso dal 18 dicembre al 6 gennaio – **Pasto** al Rist. **Il Botticelli** carta 80/125000 – **153 cam** ⏁ 300/425000.   1,5 km per ④

🏨 **Terminus** M, lungo Lario Trieste 14 🖉 031 329111, larioterminus@galactica.it, Fax 031 302550, ≤ lago e monti, 🏤, « In un palazzo in stile liberty », 🛲 – ❙ ≣ 🖭 🖘 🇵 🖭 🕄 🕚 👀 🚾, ✕ rist   Y c
Pasto al Rist. **Bar delle Terme** carta 60/80000 – ⏁ 27000 – **37 cam** 240/360000, suite.

🏨 **Villa Flori**, via per Cernobbio 12 🖉 031 33820, lariovillaflori@galactica.it, Fax 031 570379, ≤ lago, monti e città, 🏤, « Giardino e terrazze » 🖇 – ❙ ≣ 🖭 🖘 🇵 – 🕭 100. 🖭 🕄 🕚 👀 🚾, ✕ rist   1 km per ④
chiuso da dicembre a febbraio – **Pasto** al Rist. **Raimondi** (chiuso lunedì e dal 20 dicembre al 15 febbraio) carta 65/90000 – ⏁ 27000 – **44 cam** 285/360000, suite.

🏨 **Metropole Suisse** senza rist, piazza Cavour 19 🖉 031 269444, suisse@galactica.it, Fax 031 300808, ≤, 🛲 – ❙ ≣ 🖭, 🖭 🕄 🕚 👀 🚾 ᴊᴄʙ   Y e
chiuso dal 15 dicembre al 15 gennaio – ⏁ 22000 – **68 cam** 220/290000, 3 suites.

🏨 **Barchetta Excelsior**, piazza Cavour 1 🖉 031 3221, inf.2@hotelbarchetta.com, Fax 031 302622, ≤ – ❙, ✕ cam, ≣ 🖭 🖘 – 🕭 60. 🖭 🕄 🕚 👀 🚾 ᴊᴄʙ   Y a
Pasto carta 55/95000 – **80 cam** ⏁ 350/400000, 4 suites – ½ P 260000.

🏨 **Le Due Corti**, piazza Vittoria 12/13 🖉 031 328111 e rist 🖉 031 265226, Fax 031 328800, ⬎ riscaldata – ❙, ✕ cam, ≣ 🖭 🕭 🖘 🇵 – 🕭 80. 🖭 🕄 🕚 👀 🚾   Z a
Pasto al Rist. **Sala Radetzky** carta 65/95000 – ⏁ 22000 – **60 cam** 200/280000, 5 suites – ½ P 180000.

🏨 **Palace Hotel**, lungo Lario Trieste 16 🖉 031 303303, aproser@tin.it, Fax 031 303170, ≤ – ❙ ≣ 🖭 🕭 🖘 🇵 – 🕭 250. 🖭 🕄 🕚 👀 🚾, ✕ rist   Y c
Pasto (solo per alloggiati) 50000 – **100 cam** ⏁ 210/320000.

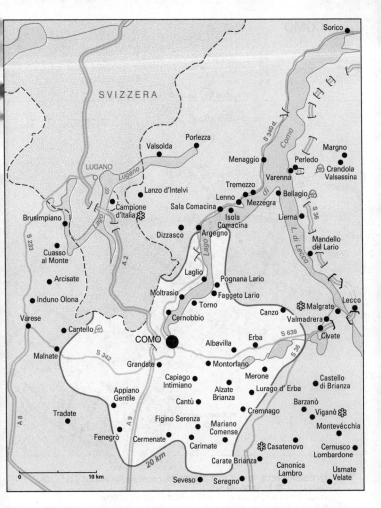

🏨 **Como,** via Mentana 28 ℘ 031 266173, *hcomo@hcomo.it*, Fax 031 266020, « Terrazza fiorita e panoramica con ⛄ riscaldata » – 🛗 🗐 📺 ⅙ 🚗 🅿 – 🕍 80. 🖭 🛐 ① ⓦ 🚾 JCB.
⚇ rist
Z f
chiuso dal 16 dicembre al 14 gennaio – **Pasto** al Rist. *Il Pavone* carta 60/85000 – **76 cam**
⚆ 200/250000, 3 suites – ½ P 165000.

🏨 **Firenze** senza rist, piazza Volta 16 ℘ 031 300333, *info@albergofirenze.it*, Fax 031 300101
– 🛗 📺 ⅙. 🖭 🛐 ① ⓦ 🚾 JCB
Y v
44 cam ⚆ 125/190000.

🏨 **Tre Re,** via Boldoni 20 ℘ 031 265374, *trere@tin.it*, Fax 031 241349 – 🛗 📺 🅿. 🛐 ⓦ 🚾.
⚇ rist
Y d
chiuso dal 18 dicembre al 5 gennaio – **Pasto** carta 40/60000 – ⚆ 15000 – **41 cam**
140/170000 – ½ P 140000.

XXX **Sant'Anna 1907,** via Turati 3 ℘ 031 505266, *santanna.1907@tin.it*, Fax 031 505266, prenotare la sera – 🗐. 🖭 🛐 ① ⓦ 🚾. ⚇
per ③
chiuso agosto, sabato a mezzogiorno e domenica – **Pasto** 45000 (a mezzogiorno) 100000
(la sera) e carta 65/105000.

XXX **Imbarcadero,** piazza Cavour 20 ℘ 031 270166, 🍽 – 🗐. 🖭 🛐 ① ⓦ 🚾 JCB. ⚇
Y r
chiuso dal 26 dicembre al 7 gennaio – **Pasto** 45000 e carta 65/100000.

COMO

Ambrosoli (V.) . . . . Z 2
Battisti (Vle Cesare) . . . . Z 3
Carcano (Via) . . . . Y 5
Castelnuovo (Via) . . . . Z 6
Cattaneo (Viale C.) . . . . Z 7
Cavallotti (Viale) . . . . Y 8

Gallio (Via T.) . . . . Y 14
Garibaldi (Via) . . . . Y 15
Giulio Cesare (Vle) . . . . Z 16
Leoni (Via Leone) . . . . Z 18
Lucini (Via) . . . . Y 19
Manzoni (Via) . . . . Y 21
Masia (Viale M.) . . . . Y 22
Plinio (Via) . . . . Y 26
Piave (Via) . . . . Z 27

Recchi (Via) . . . . Y 29
Rosselli (Viale F.) . . . . Y 30
S. Bartolomeo (Pza) . . . . . . Z 32
S. Rochetto (Pzale) . . . . Y 33
Trento (Lgo Lario) . . . . Y 36
Trieste (Lgo Lario) . . . . Y 37
Vittorio (Piazza) . . . . Y 39
Vittorio Emanuele II (Via) . . Y 40
Volta (Piazza) . . . . Y 42

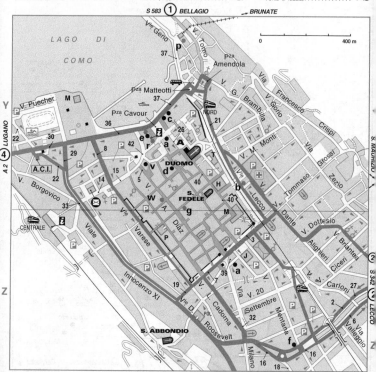

XXX **La Colombetta**, via Diaz 40 *ℰ* 031 262703, *colombetta@fremail.it*, Fax 031 262703, 斧, prenotare – ℀ 🅢 🅞 🅜🅢 ⅥⅯⅤⅩ. ☆
Y w
chiuso dal 10 al 20 agosto e domenica – **Pasto** carta 70/105000.

XX **Il Solito Posto**, via Lambertenghi 9 *ℰ* 031 271352, Fax 031 265340, prenotare – ▤. ℀ 🅢 🅞 🅜🅢 ⅥⅰⅤⅩ ⅉⅭⅈ
Y g
chiuso lunedì escluso da giugno a settembre – **Pasto** carta 60/95000.

XX **Terrazzo Perlasca**, piazza De Gasperi 8 *ℰ* 031 303936, Fax 031 303936, ≼ – ▤. ℀ 🅢 🅞 🅜🅢 ⅥⅰⅤⅩ. ☆
Y p
chiuso dal 6 al 20 agosto e lunedì – **Pasto** 45000 (solo a mezzogiorno) e carta 65/95000.

XX **L'Angolo del Silenzio**, viale Lecco 25 *ℰ* 031 3372157, Fax 031 302495, 斧 – ℀ 🅢 🅞 🅜🅢 ⅥⅰⅤⅩ
Y b
chiuso dal 10 al 24 gennaio, dal 10 al 24 agosto e lunedì – **Pasto** carta 50/65000.

XX **Crotto del Lupo**, località Cardina via Pisani Dossi 17 *ℰ* 031 570881, Fax 031 570881, prenotare la sera, « Servizio estivo in terrazza ombreggiata » – 🅿. ℀ 🅢 🅞 🅜🅢 ⅥⅰⅤⅩ. ☆
chiuso agosto e lunedì – **Pasto** carta 45/60000.
3 km per ④

X **Al Giardino**, via Monte Grappa 52 *ℰ* 031 265016, Fax 031 300143, Osteria con cucina, Coperti limitati; prenotare, « Servizio estivo in terrazza-giardino » – ℀ 🅢 🅞 🅜🅢 ⅥⅰⅤⅩ
per viale Giulio Cesare Z
chiuso dal 7 al 20 gennaio, dal 16 al 31 agosto e lunedì – **Pasto** carta 50/75000.

X **Osteria Rusticana**, via Carso 69 *ℰ* 031 306590, 斧 – ℀ 🅢 🅞 🅜🅢 ⅥⅰⅤⅩ. ☆
chiuso dal 1° al 7 gennaio, dal 14 al 28 agosto e domenica – **Pasto** 30000 (solo a mezzogiorno) 55000 bc e carta 55/80000.
per via Valeggio Z

a Camnago Volta per ② : 3 km – ⊠ 22030 :

XXX **Navedano,** via Pannilani 🕿 031 308080, Fax 031 3319016, prenotare la sera, « Servizio estivo in terrazza », 🎤 – 🅿. 🖭 🗄 🕦 🐠 ᴠɪѕᴀ. 🛠
chiuso dall'8 al 26 gennaio, dal 6 al 22 agosto e martedì – **Pasto** carta 90/140000 (10%).

sulla strada per Brunate Nord-Est : 10 km :

X **Falchetto** 🐎 con cam, salita Peltrera 37 🕿 031 3365000, Fax 031 364184, 🎤, prenotare, « Rustico immerso nel verde con ≤ lago Cernobbio e dintorni », 🎤 – 🖭 🕭 🅿. 🗄 🐠 ᴠɪѕᴀ
chiuso novembre – **Pasto** *(chiuso lunedì)* cucina casalinga carta 45/75000 – **8 cam** ⊇ 90/110000 – ½ P 90000.

COMO (Lago di) o LARIO Como 🌠 E 9 G. Italia.

CONCA DEI MARINI 84010 Salerno 🌠 F 25 – 700 ab. – a.s. Pasqua, giugno-settembre e Natale.
Roma 272 – Napoli 58 – Amalfi 5 – Salerno 30 – Sorrento 35.

🏨 **Belvedere** 🐎, via Smeraldo 19 🕿 089 831282, belvedere@belvederehotel.it, Fax 089 831439, ≤ mare e costa, 🎤, « Terrazza con 🗻 d'acqua di mare », 🐎 – 🖟 🖭 🖭 🅿. 🖭 🕦 🐠 ᴠɪѕᴀ. 🛠
12 aprile-22 ottobre – **Pasto** carta 70/100000 – ⊇ 15000 – **35 cam** 210/260000 – ½ P 195000.

CONCESIO 25062 Brescia 🌠, 🌠 F 12 – 12 800 ab. alt. 218.
Roma 544 – Brescia 10 – Bergamo 50 – Milano 91.

XXX **Miramonti l'Altro,** via Crosette 34, località Costorio 🕿 030 2751063, prenotare – ▤ 🅿. – 🛠 ⛄ ⛄ 🕭 25. 🗄 🐠 ᴠɪѕᴀ. 🛠
chiuso agosto e lunedì – **Pasto** 90/130000 e carta 80/135000
Spec. Sfogliatina di lumache e funghi alla curcuma (maggio-ottobre). Risotto ai formaggi dolci di montagna. Agnello in crosta di erbe aromatiche.

CONCO 36062 Vicenza 🌠 E 16 – 2 280 ab. alt. 830.
Roma 556 – Padova 72 – Belluno 94 – Trento 64 – Treviso 67 – Venezia 104 – Vicenza 39.

🏨 **La Bocchetta,** sulla strada per Asiago località Bocchetta 6 (Nord : 5 km) 🕿 0424 700024, Fax 0424 700024, 🐎, 🖪 – 🖟 🖭 🅿. 🖭 🕦 🐠 ᴠɪѕᴀ. 🛠 rist
chiuso dal 10 al 20 novembre – **Pasto** *(chiuso lunedì e martedì)* carta 45/70000 – ⊇ 15000 – **12 cam** 110/160000, 13 suites 140/200000 – ½ P 140000.

CONCORDIA SULLA SECCHIA 41033 Modena 🌠 H 14 – 8 314 ab. alt. 22.
Roma 429 – Bologna 68 – Ferrara 63 – Mantova 54 – Modena 45 – Parma 67.

XX **Vicolo del Teatro,** via della Pace 94 🕿 0535 40330 – ▤. 🖭 🗄 🕦 🐠 ᴠɪѕᴀ. 🛠
chiuso dal 1° al 23 agosto e lunedì – **Pasto** 50000 e carta 60/105000.

CONCOREZZO 20049 Milano 🌠 F 10, 🌠 ⑲ – 13 962 ab. alt. 171.
Roma 587 – Milano 26 – Bergamo 33 – Como 43.

XX **Via del Borgo,** via Libertà 136 🕿 039 6042615, info@viadelborgo.com, Fax 039 6040823, Coperti limitati; prenotare, « Servizio estivo sotto il portico » – 🅿. 🖭 🗄 🕦 🐠 ᴠɪѕᴀ ᴊᴄʙ
chiuso dal 26 dicembre al 7 gennaio, agosto, domenica sera e lunedì – **Pasto** 35000 (solo a mezzogiorno) 45/70000 e carta 60/100000.

CONDINO 38083 Trento 🌠, 🌠 E 13 – 1 478 ab. alt. 444.
Roma 598 – Brescia 65 – Milano 155 – Trento 64.

🏨 **Rita,** via Roma 140 🕿 0465 621225, Fax 0465 621225, ≤, 🎤 – 🖭 🚗 🅿. 🗄 🐠 ᴠɪѕᴀ. 🛠
Pasto *(chiuso lunedì)* carta 35/55000 – ⊇ 15000 – **18 cam** 75/100000 – ½ P 85000.

CONEGLIANO 31015 Treviso 🌠 E 18 G. Italia – 35 192 ab. alt. 65.
Vedere Sacra Conversazione★ nel Duomo – ⁂★ dal castello – Affreschi★ nella Scuola dei Battuti.
🖪 via XX Settembre 61 🕿 0438 21230, Fax 0438 428777.
Roma 571 – Belluno 54 – Cortina d'Ampezzo 109 – Milano 310 – Treviso 28 – Udine 81 – Venezia 60 – Vicenza 88.

🏨 **Sporting Hotel Ragno d'Oro** 🐾 senza rist, via Diaz 37 ℰ 0438 412300, *ragnodoro@s evenonline.it*, Fax 0438 412310, « Giardino con 🧊 e 🌂 », 🚘, 🌂 – 🗏 📺 🚗 🄿 – 🛗 30.
🝒 🖭 🕙 🕤 🕥 *VISA*. 🕸
🔲 10000 – **17 cam** 115/160000.

🏨 **Canon d'Oro,** via 20 Settembre 131 ℰ 0438 34246 e rist ℰ 0438 415166, *canondoro@se venonline.it*, Fax 0438 34246, « Terrazza fiorita » – 🛗 🗏 📺 🄿. 🖭 🕙 🕤 🕥 *VISA*. 🕸
Pasto *(chiuso venerdì da maggio a settembre e domenica in giugno, luglio ed agosto)* carta 40/70000 – 🔲 15000 – **52 cam** 130/170000.

🏨 **Città di Conegliano,** via Parrilla 1 ℰ 0438 21440, *imbolivar@libero.it*, Fax 0438 410950 –
🛗 🗏 📺 🚗 – 🛗 40. 🖭 🕙 🕤 🕥 🕤 *VISA*. 🕸
chiuso dal 3 al 23 agosto – **Pasto** *(solo per alloggiati; chiuso a mezzogiorno e sabato)*
30/45000 – 🔲 15000 – **57 cam** 100/150000 – 1/2 P 125000.

XX **Tre Panoce,** via Vecchia Trevigiana 50 (Ovest : 2 km) ℰ 0438 60071, Fax 0438 62230,
prenotare, 🌇 – 🗏 🄿. 🖭 🕙 🕤 🕥 *VISA*. 🕸
chiuso dal 1° al 15 gennaio, agosto, domenica sera e lunedì – **Pasto** 50000 e carta
45/55000.

XX **Al Salisà,** via 20 Settembre 2 ℰ 0438 24288, Fax 0438 35639, prenotare – 🖭 🕤 🕙 🕥
VISA. 🕸
chiuso agosto e mercoledì – **Pasto** carta 55/90000.

XX **Città di Venezia,** via 20 Settembre 77/79 ℰ 0438 23186, 🏠 – 🍴 🗏 🄿. 🖭 🕤 🕙 🕥
VISA. 🕸
chiuso dal 10 al 30 agosto, domenica sera e lunedì – **Pasto** specialità di mare carta
45/80000.

CONERO (Monte) Ancona 430 L 22 – Vedere Sirolo.

CONSUMA 50060 Firenze ed Arezzo 430 K 16 – alt. 1 058.
Roma 279 – Firenze 34 – Arezzo 57 – Pontassieve 16.

X **Sbaragli,** via Consuma 3 ℰ 055 8306500 – 🄿. *VISA*. 🕸
aprile-ottobre; chiuso martedì escluso giugno-settembre – **Pasto** carta 45/55000.

CONTIGLIANO 02043 Rieti 430 O 20 – 3 407 ab. alt. 488.
Roma 88 – Terni 26 – L'Aquila 68 – Avezzano 81 – Rieti 10.

🏨 **Le Vigne,** via della Repubblica 14 ℰ 0746 706213, Fax 0746 707077, 🌇 – 📺 🕭 🄿. 🖭 🕤
🕙 🕥 *VISA*. 🕸
Pasto *(chiuso lunedì)* carta 35/55000 – 🔲 10000 – **19 cam** 85/105000 – 1/2 P 80000.

CONVENTO Vedere nome proprio del convento.

CONVERSANO 70014 Bari 431 E 33 – 23 969 ab. alt. 219.
Roma 440 – Bari 31 – Brindisi 87 – Matera 68 – Taranto 80.

🏨 **Gd H. D'Aragona,** strada provinciale per Cozze ℰ 080 4952344, *info@grandhoteldarago na.it*, Fax 080 4954265, 🧊, 🌇 – 🛗 🗏 📺 🄿 – 🛗 1000. 🖭 🕤 🕙 🕥 *VISA* JCB. 🕸
Pasto carta 45/70000 – 🔲 12000 – **68 cam** 155000 – 1/2 P 120000.

CORATO 70033 Bari 431 D 31 – 45 478 ab. alt. 232.
Roma 414 – Bari 44 – Barletta 27 – Foggia 97 – Matera 64 – Taranto 132.

XX **Il Mulino,** via Castel del Monte 135 (Sud-Ovest : 1 km) ℰ 080 8723925, Fax 080 8723925,
🏠 – 🗏 🄿. 🖭 🕤 🕙 🕥 *VISA*. 🕸
chiuso dal 15 al 27 gennaio e lunedì – **Pasto** carta 40/65000.

sulla strada statale 98 Sud : 3 km :

🏨 **Appia Antica,** ✉ 70033 ℰ 080 8722504, *appia@corato.net*, Fax 080 8724053, 🌇 – 🛗 🗏
📺 🄿 – 🛗 60. 🖭 🕤 🕙 🕥 *VISA*. 🕸
Pasto *(chiuso domenica sera)* carta 35/45000 – **50 cam** 🔲 115/140000, 2 suites –
1/2 P 120000.

I prezzi del pernottamento e della pensione possono subire aumenti
in relazione all'andamento generale del costo della vita;
quando prenotate fatevi precisare il prezzo dall'albergo.

CORBETTA *20011 Milano* **428** *F 8 – 13 522 ab. alt. 140.*
Roma 589 – Milano 24 – Novara 23 – Pavia 59.

XXX **La Corte del Re-al Desco,** via Parini 4 𝒫 02 9771600, *cortedelre@libero.it,*
Fax 02 9771600, 🈵 – 🗏 – 🏛 100. 🌐 🕤 ⑩ 🌕 *VISA*. ⛎
chiuso dal 25 dicembre al 10 gennaio, dal 2 al 28 agosto, domenica sera e lunedì – **Pasto**
70000 e carta 65/95000.

COREZZO *Arezzo* **429** , **430** *K 17 – alt. 760 – ✉ 52010 Biforco :.*
Roma 255 – Rimini 107 – Arezzo 50 – Firenze 67 – Forlì 92 – Perugia 119.

X **Corazzesi,** 𝒫 0575 518012, solo su prenotazione nei giorni festivi e da ottobre a marzo –
⛏ ⛎
chiuso martedì – **Pasto** carta 25/45000.

CORGENO *Varese* **219** ⑰ *– alt. 270 – ✉ 21029 Vergiate.*
Roma 631 – Stresa 35 – Laveno Mombello 25 – Milano 54 – Sesto Calende 7 – Varese 22.

XXX **La Cinzianella** 🛏 con cam, via Lago 26 𝒫 0331 946337, *lacinzianella@libero.it,*
Fax 0331 948890, ≼, « Servizio estivo in terrazza panoramica », 🎿 – 📺 🅿 – 🏛 80. 🌐 🕤
⑩ 🌕 *VISA* *JCB*. ⛎
chiuso da gennaio all'8 febbraio – **Pasto** *(chiuso martedì e da ottobre ad aprile anche
lunedì sera)* carta 70/105000 – **10 cam** ⚏ 140/180000 – ½ P 140000.

CORIANO VERONESE *Verona – Vedere Albaredo d'Adige.*

CORICA *Cosenza – Vedere Amantea.*

CORIGLIANO CALABRO *87064 Cosenza* **431** *I 31 – 36 634 ab. alt. 219.*
Roma 498 – Cosenza 80 – Potenza 204 – Taranto 147.

sulla strada statale 106 r *Nord : 12 km* :

X **Zio Serafino,** contrada Salice ✉ 87064 𝒫 0983 851304, Fax 0983 851313 – 🗏 🅿 –
⛏ 🏛 800. 🌐 🕤 ⑩ 🌕 *VISA*
chiuso lunedì escluso dal 15 giugno a settembre – **Pasto** carta 35/70000.

CORLO *Modena – Vedere Formigine.*

CORMONS *34071 Gorizia* **429** *E 22 – 7 532 ab. alt. 56.*
🛈 *Enoteca Comunale piazza 24 Maggio 21 𝒫 0481 630371, Fax 0481 630371.*
Roma 645 – Udine 25 – Gorizia 13 – Milano 384 – Trieste 49 – Venezia 134.

🏨 **Felcaro,** via San Giovanni 45 𝒫 0481 60214, *hfelcaro@tin.it,* Fax 0481 630255, 🛒, 🏊, ⛹
⛏ – ✿ 📺 🅿 – 🏛 120. 🌐 🕤 ⑩ 🌕 *VISA* *JCB*
Pasto *(chiuso dal 3 al 24 gennaio, dal 23 al 30 giugno, dal 14 al 21 novembre e lunedì)* carta
35/70000 – **58 cam** ⚏ 105/185000 – ½ P 120000.

XX **Al Cacciatore-della Subida,** località Monte 22 (Nord-Est : 2 km) 𝒫 0481 60531,
Fax 0481 61616, 🈵, « Ambiente caratteristico », 🎿 – 🅿. 🌕 *VISA*
*chiuso dal 1° al 15 febbraio, dal 1° al 10 luglio, martedì, mercoledì e a mezzogiorno (escluso
sabato-domenica) –* **Pasto** carta 55/75000.

XX **Al Giardinetto** con cam, via Matteotti 54 𝒫 0481 60257, *algiardinetto@yahoo.it,*
Fax 0481 630704, 🈵, Coperti limitati; prenotare – 📺 🅿. 🌐 🕤 ⑩ 🌕 *VISA*. ⛎ cam
chiuso luglio – **Pasto** *(chiuso lunedì e martedì)* 55/70000 e carta 55/85000 – **3 suites**
⚏ 130/180000.

CORNAIANO (GIRLAN) *Bolzano* **218** ⑳ *– Vedere Appiano sulla Strada del Vino.*

CORNEDO VICENTINO *36073 Vicenza* **429** *F 16 – 10 347 ab. alt. 200.*
Roma 559 – Verona 58 – Milano 212 – Venezia 93 – Vicenza 29.

sulla strada statale 246 *Sud-Est : 4 km :*

XX **Due Platani,** via Campagnola 16 ✉ 36073 𝒫 0445 947007, Fax 0445 947022, Coperti
limitati; prenotare – 🗏 🅿. 🌐 🕤 ⑩ 🌕 *VISA*. ⛎
chiuso agosto e domenica – **Pasto** carta 50/90000.

CORNIGLIANO LIGURE *Genova – Vedere Genova.*

CORNIOLO *Forlì-Cesena* **429** , **430** *K 17 – Vedere Santa Sofia.*

CORNUDA *31041 Treviso* **429** *E 18 – 5 642 ab. alt. 163.*
Roma 553 – Belluno 54 – Milano 258 – Padova 62 – Trento 109 – Treviso 28 – Venezia 58 – Vicenza 58.

X **Cavallino,** via 8/9 Maggio, 23 *℘ 0423 83301, Fax 0423 83301,* 😤 – **P.** 🖭 🕃 ⓪ ⓸ 🚾 🔤 🔤 🚭
chiuso dal 6 al 28 agosto, domenica sera e lunedì – **Pasto** specialità di mare carta 45/65000.

CORONA *Gorizia – Vedere Mariano del Friuli.*

CORPO DI CAVA *Salerno* **431** *E 26 – Vedere Cava de' Tirreni.*

CORREGGIO *42015 Reggio nell'Emilia* **428**, **429** *H 14 – 20 623 ab. alt. 33.*
Roma 422 – Bologna 60 – Milano 167 – Verona 88.

🏨 **Dei Medaglioni,** corso Mazzini 8 *℘ 0522 632233, deimedaglioni.re@bestwestern.it, Fax 0522 693258 –* 🛗 🗐 🖭 🕭. 🖭 🕃 ⓪ ⓸ 🚾 🔤 🚭
chiuso agosto e Natale – **Pasto** vedere rist **Il Correggio** – 35 cam ⌷ 200/260000, 3 suites.

🏨 **President** M, via Don Minzoni 61 *℘ 0522 633711, Fax 0522 633777 –* 🛗 🗐 🖭 🚗 **P.** – 🔺 150. 🖭 🕃 ⓪ ⓸ 🚾 🚭 rist
chiuso dal 22 dicembre al 7 gennaio e dal 1° al 20 agosto – **Pasto** carta 50/80000 – **78 cam** ⌷ 150/200000, 3 suites – ½ P 160000.

XX **Il Correggio** - Hotel Dei Medaglioni, corso Mazzini 6 *℘ 0522 641000, Fax 0522 693258 –* 🗐. 🖭 🕃 ⓪ ⓸ 🚾 🚭
chiuso agosto, sabato a mezzogiorno e domenica – **Pasto** carta 75/105000.

Jährlich eine neue Ausgabe
Aktuellste Informationen, jährlich für Sie!

CORRIDONIA *62014 Macerata* **430** *M 22 – 13 415 ab. alt. 255.*
Roma 261 – Ancona 71 – Ascoli Piceno 107 – Macerata 10.

🏨 **Grassetti,** via Romolo Murri 1 *℘ 0733 281261, Fax 0733 281261 –* 🛗 🗐 🖭 **P.** – 🔺 80. 🖭 🕃 ⓪ ⓸ 🚾 🔤 🚭
Pasto carta 35/55000 – **60 cam** ⌷ 120/170000 – ½ P 110000.

CORROPOLI *64013 Teramo* **430** *N 23 – 3 815 ab. alt. 120.*
Roma 219 – Ascoli Piceno 49 – Ancona 113 – L'Aquila 99 – Pescara 67 – Teramo 48.

X **Locanda della Tradizione Abruzzese,** Contrada Piane (strada statale 259 Sud-Est : 3 km) *℘ 0861 810129, locanda@vacanzeitaliane.it, Fax 0861 810129,* 😤, Rist. e pizzeria, 🚗 – **P.** 🖭 🕃 ⓪ ⓸ 🚾 🔤 🚭
chiuso dal 23 ottobre al 2 novembre e mercoledì escluso dal 15 giugno al 15 settembre – **Pasto** carta 40/55000.

CORTACCIA SULLA STRADA DEL VINO (KURTATSCH AN DER WEINSTRASSE) *39040 Bolzano* **429** *D 15,* **218** ㉒ *– 1 896 ab. alt. 333.*
🛈 *piazza Schweiggl 8 ℘ 0471 880100, Fax 0471 880451.*
Roma 623 – Bolzano 20 – Trento 37.

🏨 **Schwarz-Adler Turmhotel** M, Kirchgasse 2 *℘ 0471 880600, info@turmhotel.it, Fax 0471 880601,* ≤ monti e valle, « Giardino con 🏊 », 😤 – 🛗 🖭 🚗 **P.** 🖭 🕃 ⓪ ⓸ 🚾
🚭
chiuso dal 23 al 28 dicembre – **Pasto** (solo per alloggiati) – **24 cam** ⌷ 180/310000 – ½ P 125000.

CORTALE *Udine – Vedere Reana del Roiale.*

CORTE FRANCA *25040 Brescia* **429** *F 11 – 6 036 ab. alt. 214.*
🏌 *Franciacorta (chiuso martedì escluso agosto) località Castagnola ⊠ 25040 Corte Franca ℘ 030 984167, Fax 030 984393, Sud : 2 km.*
Roma 576 – Bergamo 32 – Brescia 28 – Milano 76.

a Timoline *Est : 1 km – ⊠ 25040 Corte Franca :*

XX **Santa Giulia,** via Cesare Battisti 7 *℘ 030 9828348, pizzini@galactica.it, Fax 030 9828348,* « Cascina di campagna » – **P.** 🖭 🕃 ⓪ ⓸ 🚾 🚭
chiuso lunedì sera e martedì – **Pasto** carta 40/70000.

a Colombaro *Nord : 2 km –* ⊠ *25040 Corte Franca :*

🏨🏨 **Relaisfranciacorta** ⤜, via Manzoni 29 ℘ 030 9884234 e rist. ℘ 030 9826481, *crisarpa @tin.it, Fax 030 9884224,* ≤, « *Cascina seicentesca in un vasto prato* » – 🛗 ▤ 🔟 ৬ 🅿 – 🛗 190. 🖭 🕃 ⓿ ◑◐ 𝘝𝘐𝘚𝘈 𝑱𝑪𝑩. ⚘
Pasto al Rist. *La Colombara (chiuso lunedì sera e martedì)* carta 60/90000 – **48 cam** ⊇ 240/320000.

CORTEMAGGIORE *29016 Piacenza* ⓸⓶⓼, ⓸⓶⓽ *H 11 – 4 214 ab. alt. 50.*
Roma 486 – Parma 42 – Piacenza 21 – Cremona 25 – Milano 88.

🍴🍴 **Antica Corte**, via Manfredi 5 ℘ 0523 836833, *anticacorte@libero.it, Fax 0523 836293 –* ▤. 🖭 🕃 ⓿ 𝘝𝘐𝘚𝘈. ⚘
chiuso dal 1° al 25 agosto, dal 25 dicembre al 6 gennaio, lunedì sera e martedì – **Pasto** carta 45/70000.

CORTEMILIA *12074 Cuneo* ⓸⓶⓼ *I 6 – 2 546 ab. alt. 247 – a.s. giugno-agosto.*
Roma 613 – Genova 108 – Alessandria 71 – Cuneo 106 – Milano 166 – Savona 68 – Torino 90.

🏨🏨 **Villa San Carlo**, corso Divisioni Alpine 41 ℘ 0173 81546, *Fax 0173 81235,* 🌂, « *Giardino con* ⤳ » – 🛗 🔟 🅿. 🖭 🕃 ⓿ ◑◐ 𝘝𝘐𝘚𝘈.
chiuso dal 15 al 23 dicembre e dal 5 gennaio al 25 febbraio – **Pasto** al Rist. *San Carlino (solo su prenotazione; chiuso lunedì e martedì a mezzogiorno)* 50/65000 e carta 55/75000 – **23 cam** ⊇ 115/180000.

CORTERANZO *Alessandria – Vedere Murisengo.*

CORTINA *Piacenza – Vedere Alseno.*

CORTINA D'AMPEZZO *32043 Belluno* ⓸⓶⓽ *C 18 G. Italia – 6 467 ab. alt. 1 224 – a.s. febbraio-10 aprile e Natale – Sport invernali : 1 224/3 243 m ⬰ 6 ⬱ 26, ⬱.*
Vedere *Posizione pittoresca★★★.*
Dintorni *Tofana di Mezzo : ⚘★★★ 15 mn di funivia – Tondi di Faloria : ⚘★★★ 20 mn di funivia – Belvedere Pocol : ⚘★★ 6 km per ③.*
Escursioni *Dolomiti★★★ per ③.*
🅗 *piazzetta San Francesco 8 ℘ 0436 3231, Fax 0436 3235.*
Roma 672 ② – Belluno 71 ② – Bolzano 133 ① – Innsbruck 165 ① – Milano 411 ② – Treviso 132 ②.

Pianta pagina seguente

🏨🏨🏨 **Miramonti Majestic** ⤜, località Pezziè 103 ℘ 0436 4201, *Fax 0436 867019,* ≤ conca di Cortina e Dolomiti, Golf 6 buche, 🗗, ☎, 🔲, ⚒ – 🛗 🔟 ⟺ 🅿 – 🛗 120. 🖭 🕃 ⓿ ◑◐ 𝘝𝘐𝘚𝘈. ⚘
2 km per ②
22 dicembre-marzo e luglio-agosto – **Pasto** carta 65/90000 – **102 cam** ⊇ 330/600000, 3 suites – ½ P 410000.

🏨🏨 **Park Hotel Faloria**, località Zuel 46 ℘ 0436 2959, *phfaloria@sunrise.it, Fax 0436 866483,* ≤, 🗗, ☎, 🔲, 🌂 – 🛗 🔟 ✆ ⟺. 🖭 🕃 ⓿ 𝘝𝘐𝘚𝘈. ⚘
dicembre-aprile e giugno-settembre – **Pasto** al Rist. *Il Meloncino (20 dicembre-Pasqua e 15 luglio-10 settembre)* carta 65/95000 – **31 suites** ⊇ 260/670000 – ½ P 340000.
2,5 km per ②

🏨🏨 **Bellevue**, corso Italia 197 ℘ 0436 883400, *h.bellevue@cortinanet.it, Fax 0436 867510 –* 🔟 ⟺ – 🛗 70. 🖭 🕃 ⓿ 𝘝𝘐𝘚𝘈. ⚘ rist   Y a
dicembre-aprile e luglio-settembre – **Pasto** carta 45/100000 – **19 cam** ⊇ 550/570000, 44 suites 720/1860000 – ½ P 330000.

🏨🏨 **De la Poste**, piazza Roma 14 ℘ 0436 4271, *posta@hotel.cortina.it, Fax 0436 868435,* ≤ Dolomiti – 🛗 🔟 ⟺ 🅿. 🖭 🕃 ⓿ ◑◐ 𝘝𝘐𝘚𝘈. ⚘ rist   Z s
20 dicembre-25 aprile e 15 giugno-28 settembre – **Pasto** 70/120000 e al Rist. *Grill del Posta (20 dicembre-25 aprile e 20 luglio-15 settembre)* carta 80/150000 – **86 cam** ⊇ 400/540000, 3 suites – ½ P 370000.

🏨🏨 **Lajadira**, via Riva 43 ℘ 0436 5745, *lajadira@sunrise.it, Fax 0436 868224,* ≤, 🌮 – 🛗 🔟 ✆ ⟺ 🅿. 🖭 🕃 ⓿ 𝘝𝘐𝘚𝘈. ⚘   1,5 km per ②
dicembre-aprile e giugno-ottobre – **Pasto** *(solo per alloggiati)* – **13 cam** ⊇ 380/400000, 10 suites 400/550000 – ½ P 240000.

🏨🏨 **Ancora**, corso Italia 62 ℘ 0436 3261, *info@hotelancoracortina.com, Fax 0436 3265,* ≤ Dolomiti – 🛗 🔟 🅿. 🖭 🕃 ⓿ ◑◐ 𝘝𝘐𝘚𝘈 𝑱𝑪𝑩. ⚘ rist   Z t
20 dicembre-Pasqua e giugno-settembre – **Pasto** carta 60/80000 – **51 cam** ⊇ 320/600000, 11 suites – ½ P 350000.

251

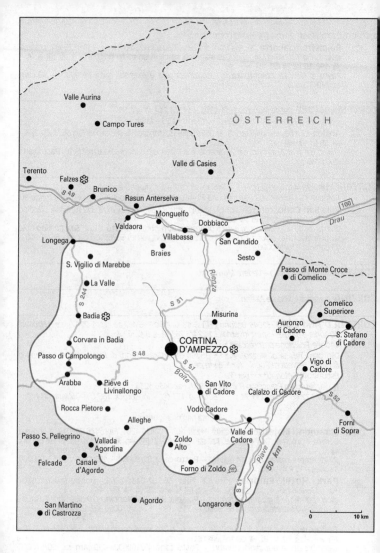

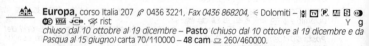

Europa, corso Italia 207 ℰ 0436 3221, *Fax 0436 868204,* ≤ Dolomiti – 🛗 📺 🅿. 🅰🅴 🆂 ⓪ ⓌⓄ *VISA* Ｊ⒞ℬ, ⅜ rist
Y g
chiuso dal 10 ottobre al 19 dicembre – **Pasto** *(chiuso dal 10 ottobre al 19 dicembre e da Pasqua al 15 giugno)* carta 70/110000 – **48 cam** ⫨ 260/460000.

Franceschi Park Hotel, via Cesare Battisti 86 ℰ 0436 867041, *h.franceschi@cortinanet .it, Fax 0436 2909,* ≤ Dolomiti, « Parco », 🚡, ⅜ – 🛗, ⅛ rist, 📺 🅿. 🅰🅴 🆂 ⓪ ⓌⓄ *VISA*. ⅜
Y k
22 dicembre-25 marzo e 22 giugno-16 settembre – **Pasto** 45/75000 – ⫨ 12000 – **43 cam** 240/470000, 4 suites – ½ P 310000.

Columbia senza rist, via Ronco 75 ℰ 0436 3607, *hcolumbia@sunrise.it, Fax 0436 3001,* ≤ Dolomiti, 🚲 – 📺 🅿. 🆂 ⓌⓄ *VISA*. ⅜
Y c
dicembre-18 aprile e 9 giugno-14 ottobre – ⫨ 15000 – **20 cam** 165/240000.

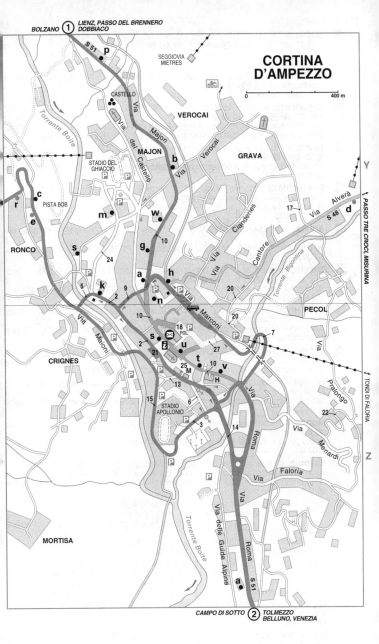

CORTINA D'AMPEZZO

Battisti (V. Cesare)	YZ	2
Campi (Via dei)	Z	3
Corona (Ponte)	Y	5
Difesa (Via della)	Z	6
Franchetti (Via B.)	Z	7
Grohmann (Via)	Y	9
Italia (Corso)	YZ	10
Mercato (Via)	Z	13
Olimpia (Vial)	Z	14
Parco (Via del)	Z	15
Pierosà (Via)	Y	17
Poste (Largo delle)	Z	18
Ria de Zeto (Via)	YZ	20
Roma (Piazza)	Z	21
Spiga (Via)	Z	22
Stadio (Via dello)	Y	24
Venezia (Piazza)	Z	25
29 Maggio (Via)	Z	27

Menardi, via Majon 110 ℘ 0436 2400, hmenardi@tin.it, Fax 0436 862183, ≤ Dolomiti, « Parco ombreggiato » – 📺 🚗 🅿 📳 ⑩ 🐿 𝖵𝖨𝖲𝖠. ⅋   Y p
22 dicembre-6 aprile e 20 giugno-21 settembre – **Pasto** carta 40/60000 – **49 cam** ⊇ 200/380000 – ½ P 230000.

Concordia Parc Hotel, corso Italia 28 ℘ 0436 4251, Fax 0436 868151, ≤, « Parco ombreggiato » – 📺 📺 🚗 🅿.   Z v
stagionale – **58 cam**.

Capannina, via dello Stadio 11 ℘ 0436 2950, hotelcapannina@tin.it, Fax 0436 868317, 🛱, 🗫 – 📳 📺 🚗 🅿 📳 ⑩ 🐿 𝖵𝖨𝖲𝖠. ⅋   Y m
6 dicembre-marzo e luglio-10 settembre – **Pasto** (chiuso a mezzogiorno e solo su prenotazione alla sera) carta 65/95000 – **28 cam** ⊇ 210/370000, 2 suites – ½ P 280000.

Fanes, via Roma 136 ℘ 0436 3427, fanes@sunrise.it, Fax 0436 5027, ≤ Dolomiti, 🗫 – 📺 🅿. 📶 📳 ⑩ 🐿 𝖵𝖨𝖲𝖠 𝖩𝖢𝖡.   Z a
21 dicembre-marzo e luglio-settembre – **Pasto** carta 40/75000 (15%) – **25 cam** ⊇ 190/300000.

Pontechiesa ⤶, via Marangoni 3 ℘ 0436 2523, hotelpontechiesa@dolomiti.it, Fax 0436 867343, ≤ Dolomiti, 🗫 – 📳 📺 🅿. 📳 ⑩ 𝖵𝖨𝖲𝖠. ⅋   Y s
dicembre-13 aprile e 15 giugno-27 settembre – **Pasto** 40/50000 – **31 cam** ⊇ 120/210000 – ½ P 225000.

Aquila, corso Italia 168 ℘ 0436 2618, Fax 0436 867315, ≤, 🛱, 🔄 – 📳 📺 🅿. 📳 ⑩ 🐿 𝖵𝖨𝖲𝖠. ⅋   Y n
20 dicembre-16 aprile e 20 giugno-15 settembre – **Pasto** 40/60000 – **39 cam** ⊇ 250/300000 – ½ P 240000.

Trieste, via Majon 28 ℘ 0436 2245, trieste@hotels.cortina.it, Fax 0436 868173, ≤ Dolomiti, 🛱, 🗫 – 📳 📺 🅿. 📶 📳 ⑩ 🐿 𝖵𝖨𝖲𝖠. ⅋   Y b
20 dicembre-marzo e luglio-20 settembre – **Pasto** 35/65000 – ⊇ 25000 – **33 cam** 180/260000 – ½ P 240000.

Nord Hotel, via alla Verra 1 ℘ 0436 4707, nord@cortinanet.it, Fax 0436 868164, ≤ Dolomiti e conca di Cortina, 🗫 – 📺 🅿. 📶 📳 ⑩ 🐿 𝖵𝖨𝖲𝖠. ⅋ rist   1,5 km per ①
6 dicembre-10 aprile e 20 giugno-20 settembre – **Pasto** 40/60000 – ⊇ 20000 – **33 cam** 170/240000 – ½ P 200000.

Natale senza rist, corso Italia 229 ℘ 0436 861210, Fax 0436 867730, 🛱 – 📳 📺 🅿. 📳 🐿 𝖵𝖨𝖲𝖠. ⅋   Y w
dicembre-5 maggio e giugno-5 novembre – **14 cam** ⊇ 200/300000.

Cornelio, via Cantore 1 ℘ 0436 2232, cornelio@sunrise.it, Fax 0436 867360 – 📳 📺 🅿. 📶 📳 𝖵𝖨𝖲𝖠. ⅋   Y h
dicembre-Pasqua e giugno-settembre – **Pasto** carta 45/80000 – **21 cam** ⊇ 180/320000 – ½ P 190000.

Montana senza rist, corso Italia 94 ℘ 0436 862126, Fax 0436 868211 – 📳 📺 🅿. 📶 📳 ⑩ 🐿 𝖵𝖨𝖲𝖠 𝖩𝖢𝖡. ⅋   Z u
chiuso dal 25 maggio al 25 giugno e dal 10 novembre al 15 dicembre – **30 cam** ⊇ 110/210000.

XXX **El Toulà**, via Ronco 123 ℘ 0436 3339, ≤ conca di Cortina e Dolomiti, 🌣, prenotare, « Ambiente caratteristico ricavato in un vecchio fienile » – 🅿. 📶 📳 ⑩ 🐿 𝖵𝖨𝖲𝖠   Y r
20 dicembre-12 aprile e 20 luglio-5 settembre; chiuso lunedì in gennaio – **Pasto** carta 60/90000 (13%).

XX **Tivoli**, località Lacedel 34 ℘ 0436 866400, Fax 0436 3413, ≤ Dolomiti, Coperti limitati; ⅋ prenotare, « Servizio estivo in terrazza » – 🅿. 📶 📳 ⑩ 🐿 𝖵𝖨𝖲𝖠 𝖩𝖢𝖡
7 dicembre-Pasqua e 15 luglio-15 settembre; chiuso lunedì in gennaio, luglio e settembre.
– **Pasto** carta 65/120000   2 km per ③
Spec. Tortelli di patate con lardo croccante e salsa di patate. Filetto di cervo grigliato con patata speziata (inverno). Sfera di cioccolato e caffè noir fondente.

XX **Baita Fraina** ⤶ con cam, via Fraina 1, località Fraina ℘ 0436 3634, Fax 0436 863761, ≤ Dolomiti, « Servizio estivo in terrazza », 🛱, 🗫 – 📺 🅿. 📳 ⑩ 🐿 𝖵𝖨𝖲𝖠 𝖩𝖢𝖡. ⅋
15 dicembre-20 aprile e luglio-28 settembre – **Pasto** (chiuso lunedì in bassa stagione) carta 60/90000 – **6 cam** ⊇ 130/200000 – ½ P 150000.   2 km per ②

XX **Lago Scin**, località lago Scin ℘ 0436 2391, 🌣 – 🅿. 📶 📳 ⑩ 🐿 𝖵𝖨𝖲𝖠. ⅋
5 dicembre-15 aprile e 10 giugno-settembre; chiuso mercoledì da gennaio al 15 febbraio – **Pasto** carta 50/80000.   3,5 km per S 48

XX **Da Beppe Sello** con cam, via Ronco 68 ℘ 0436 3236, beppesello@libero.it, Fax 0436 3237, ≤ Dolomiti – 📺 🅿. 📶 📳 ⑩ 🐿 𝖵𝖨𝖲𝖠. ⅋ rist   Y e
novembre-9 aprile e 16 maggio-20 settembre – **Pasto** (chiuso martedì) carta 55/90000 – **13 cam** ⊇ 180/300000.

X **Leone e Anna**, via Alverà 112 ℘ 0436 2768, Cucina sarda, prenotare – 📶 📳 ⑩ 🐿 𝖵𝖨𝖲𝖠
dicembre-aprile e luglio-ottobre – **Pasto** (chiuso martedì) carta 55/85000.   Y d

a Pocol *per ③ : 6 km – alt. 1 530 –* ✉ *32043 Cortina d'Ampezzo :*

🏨 **Villa Argentina,** ☎ 0436 5641, hargenti@tin.it, Fax 0436 5078, ≤ Dolomiti, ☎, 🌲 – 🛗 📷. ⓪ 📷. ⚡ rist
20 dicembre-8 aprile e luglio-10 settembre – **Pasto** carta 50/70000 – ☑ 15000 – **95 cam** 160/260000 – ½ P 210000.

🏨 **Pocol,** ☎ 0436 2602, hpocol@tin.it, Fax 0436 2707, ≤ Dolomiti, ☎ – 🛗 🚗 📷. 🔋 ⓪ 📷 📷
dicembre-marzo e giugno-settembre – **Pasto** carta 50/70000 – ☑ 15000 – **30 cam** 140/ 260000 – ½ P 165000.

sulla strada statale 51 *per ① : 11 km :*

🍴 **Ospitale,** via Ospitale 1 ✉ 32043 ☎ 0436 4585 – 📷. 🅰🅴 🔋 ⓪ 📷 📷
dicembre-aprile e luglio-ottobre; chiuso lunedì in dicembre e da luglio ad ottobre – **Pasto** carta 50/85000.

CORTONA 52044 Arezzo 430 M 17 G. Toscana – 22 436 ab. alt. 650.

Vedere *Museo Diocesano*★★ – *Palazzo Comunale : sala del Consiglio*★ **H** – *Museo dell'Accademia Etrusca*★ *nel palazzo Pretorio*★ **M1** – *Tomba della Santa*★ *nel santuario di Santa Margherita* – *Chiesa di Santa Maria del Calcinaio*★ *3 km per ②.*

🛈 *via Nazionale 42* ☎ 0575 630352, Fax 0575 630656.

Roma 200 ② – Perugia 51 ② – Arezzo 29 ② – Chianciano Terme 55 ② – Firenze 117 ② – Siena 70 ②.

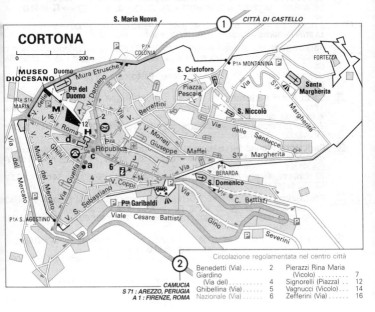

CORTONA
0   200 m

Circolazione regolamentata nel centro città

Benedetti (Via)	2	Pierazzi Rina Maria (Vicolo)	7
Giardino (Via del)	4	Signorelli (Piazza)	12
Ghibellina (Via)	5	Vagnucci (Vicolo)	14
Nazionale (Via)	6	Zefferini (Via)	16

CAMUCIA
S 71 : AREZZO, PERUGIA
A 1 : FIRENZE, ROMA

🏨 **San Michele** senza rist, via Guelfa 15 ☎ 0575 604348, sanmichele@ats.it, Fax 0575 630147, « In un palazzo cinquecentesco » – 🛗 ≡ 📺 🚗. 🅰🅴 🔋 ⓪ 📷 📷. ⚡
chiuso dal 10 gennaio al 1° marzo – **37 cam** ☑ 160/250000, 3 suites.   a

🍴🍴🍴 **Il Falconiere** ⟳ con cam, località San Martino 370 (Nord : 3 km) ☎ 0575 612679, il falcon@ilfalconiere.com, Fax 0575 612927, prenotare, « Servizio estivo in terrazza con ≤ Cortona e vallata », 🌊, 🌲 – 🛗 ≡ 📺 ⚡ 📷. 🅰🅴 🔋 ⓪ 📷 📷 🅹🅲🅱. ⚡
Pasto *(chiuso lunedì da gennaio a febbraio)* 85/110000 e carta 95/160000 – **10 cam** ☑ 400/520000, 2 suites – ½ P 350000.

🍴🍴 **Il Melone,** località il Sodo Case Sparse 38 ☎ 0575 631133, Fax 0575 630001, 🍸, 🌊, 🌲 – ⚡ rist, ≡ ⚡ 📷. 🅰🅴 🔋 ⓪ 📷 📷. ⚡   1 km per ②
chiuso novembre e martedì – **Pasto** carta 60/80000.

XX **Preludio,** via Guelfa 11 ☎ 0575 630104, *Fax 0575 631682* – AE ⑤ ⓓ ⓜⓒ VISA
chiuso a mezzogiorno e lunedì (escluso da aprile a settembre) – **Pasto** carta 55/85000.

XX **Il Cacciatore,** via Roma 11/13 ☎ 0575 630552, *Fax 0575 630552* – ▤. AE ⑤ ⓓ ⓜⓒ VISA JCB. ✻
chiuso da gennaio al 15 febbraio e mercoledì – **Pasto** carta 45/65000.

X **La Grotta,** piazzetta Baldelli 3 ☎ 0575 630271, 🍴. AE ⑤ ⓓ ⓜⓒ VISA
chiuso gennaio e martedì – **Pasto** carta 30/70000.

verso Mercatale :

X **Locanda del Molino** con cam, località Montanare Est : 8 km ✉ 52040 ☎ 0575 614192, *Fax 0575 614054*, 🍴, 🏊 – ▤ cam, TV. ⑤ ⓜⓒ VISA
Pasto *(chiuso a mezzogiorno escluso sabato e domenica)* carta 50/70000 – **8 cam** ☕ 150/200000 – ½ P 150000.

CORVARA IN BADIA *39033 Bolzano* 429 C 17 *G. Italia* – *1 270 ab. alt. 1 568* – *a.s. Pasqua, agosto e Natale* – *Sport invernali : 1 568/2 530 m* 🚡 *3* ⛷ *54,* ⛷.

⛳9 *Alta Badia (giugno-ottobre) località Tranzus* ✉ *39033 Corvara in Badia* ☎ *0471 836655, Fax 0471 836922.*

🅘 *Municipio* ☎ *0471 836176, Fax 0471 836540.*

Roma 704 – Cortina d'Ampezzo *36* – *Belluno 85* – *Bolzano 65* – *Brunico 37* – *Milano 364* – *Trento 125.*

La Perla, via Col Alt 105 ☎ 0471 836132, *perla@altabadia.it, Fax 0471 836568,* ≤ Dolomiti, bar aprè ski, « Giardino con 🏊 riscaldata », 🏋, ≘s, 🏊 – 🛗, ▤ rist, TV 🚗 🅿. AE ⑤ ⓜⓒ VISA. ✻
2 dicembre-aprile e 23 giugno-23 settembre – **Pasto** carta 80/130000 vedere anche Rist. ***La Stüa de Michil*** – **46 cam** ☕ 320/600000, 6 suites – ½ P 320000.

Sassongher 🐌, strada Sassongher 45 ☎ 0471 836085, *sassongher@altabadia.it, Fax 0471 836542,* ≤ gruppo Sella e vallata, 🏋, ≘s, 🏊 – 🛗, ▤ rist, TV 🅿 – 🎤 70. ⑤ ⓜⓒ VISA. ✻
dicembre-10 aprile e 20 giugno-settembre – **Pasto** carta 50/90000 – **46 cam** ☕ 350/500000, 6 suites – ½ P 340000.

Sport Hotel Panorama 🐌, via Sciuz 1 ☎ 0471 836083, *info@sporthotel-panorama.com, Fax , Fax 0471 836449,* ≤ gruppo Sella e vallata, ≘s, 🏊, 🌳, 🎾 – 🛗, ▤ rist, TV 🚗 🅿. ⑤ ⓜⓒ VISA. ✻
2 dicembre-marzo e 28 giugno-23 settembre – **Pasto** carta 45/75000 – ☕ 30000 – **35 cam** 235/440000 – ½ P 275000.

Park Hotel Planac 🐌, via Planac 13 (Sud : 2,5 km) ✉ 39033 ☎ 0471 836210, *parkhotel-planac@acomedia.it, Fax 0471 836598,* ≤ gruppo Sella, 🏋, ≘s, 🌳, – 🛗 TV 🅿. AE ⑤ ⓓ ⓜⓒ VISA. ✻ rist
20 dicembre-10 aprile e giugno-10 ottobre – **Pasto** carta 45/65000 – **34 cam** ☕ 230/460000, suite – ½ P 255000.

Posta-Zirm, strada Col Alto 95 ☎ 0471 836175, *postzirm@altabadia.it, Fax 0471 836580,* ≤ gruppo Sella, 🏋, ≘s, 🏊 – 🛗, ▤ rist, TV 🚗 🅿. AE ⑤ ⓜⓒ VISA. ✻
chiuso aprile, maggio e dal 10 ottobre a novembre – **Pasto** 45/50000 – **60 cam** ☕ 220/410000, 10 suites – ½ P 225000.

Villa Eden, strada Col Alt 47 ☎ 0471 836041, *eden@altabadia.it, Fax 0471 836489,* ≤ gruppo Sella e Sassongher, ≘s, 🌳 – 🛗 TV 🅿. ⑤ ⓜⓒ VISA. ✻ rist
18 dicembre-10 aprile e 25 giugno-20 settembre – **Pasto** (solo per alloggiati) 35/45000 – **33 cam** ☕ 160/310000 – ½ P 190000.

Col Alto, strada Col Alto 9 ☎ 0471 836009, *hotel.colalto@rolmail.net, Fax 0471 836066,* ≤ gruppo Sella, ≘s, 🏊 – 🛗 TV 🅿. AE ⑤ VISA. ✻
chiuso dal 15 aprile a maggio e novembre – **Pasto** carta 40/60000 – **62 cam** ☕ 140/250000 – ½ P 160000.

XXX **La Stüa de Michil,** strada Col Alt 105 ☎ 0471 836132, *perla@altabadia.it, Fax 0471 836568,* Coperti limitati; prenotare – 🚭 🅿. AE ⑤ ⓜⓒ VISA. ✻
15 dicembre-aprile; chiuso a mezzogiorno e lunedì – **Pasto** 95/120000 e carta 90/140000.

a Colfosco (Kolfuschg) *Ovest : 3 km* – *alt. 1 645* – ✉ *39030.*

🅘 ☎ *0471 836145, Fax 0471 836744*

Cappella e Residence, strada Pecei 17 ☎ 0471 836183, *cappella@altabadia.it, Fax 0471 836561,* ≤ gruppo Sella e vallata, « Mostra d'arte permanente, giardino », 🏋, ≘s, 🏊, 🎾 – 🛗, ▤ rist, TV 🚗 🅿. AE ⑤ ⓓ ⓜⓒ VISA. ✻
20 dicembre-25 marzo e 22 giugno-23 settembre – **Pasto** *(chiuso lunedì)* carta 50/80000 – **53 cam** ☕ 240/420000, 11 suites – ½ P 300000.

🏨 **Colfosco-Kolfuschgerhof** 🌄, via Ronn 7, verso Passo Gardena Ovest : 2 km ☎ 0471 836188, *kolfuschgerhof@altabadia.it, Fax 0471 836351*, ← gruppo Sella, ☕, 🏋, ⛲, 🛁, 🌳 – 🛗, ✈ rist, ▤ rist, [TV] ♿ 🚗 [P]. [S] 🅜 [VISA]. 🐕
2 dicembre-marzo e 14 giugno-settembre – **Pasto** carta 60/90000 – **30 cam** ☕ 295/540000, 30 suites 160/295000 – ½ P 290000.

🏨 **Mezdì**, strada Pecei 20 ☎ 0471 836079, *mezdi@altabadia.it, Fax 0471 836657*, ← Gruppo Sella, ⛲ – 🛗, ▤ rist, [TV] 🚗. 🐕 rist
15 dicembre-marzo e luglio-15 settembre – **Pasto** carta 35/50000 – **30 cam** ☕ 160/240000 – ½ P 200000.

🍴 **Stria**, via Val 18 ☎ 0471 836620, prenotare la sera – [AE] [S] ⓓ 🅜 [VISA]. 🐕
chiuso novembre, domenica sera e lunedì in aprile-maggio – **Pasto** carta 65/90000.

The names of main shopping streets are indicated in red at the beginning of the list of streets.

COSENZA *87100* [P] [431] J 30 *G. Italia – 74 185 ab. alt. 237.*
Vedere *Tomba d'Isabella d'Aragona★ nel Duomo* **Z**.
[i] *corso Mazzini 92 ☎ 0984 27485, Fax 0984 27304.*
[A.C.I.] *via Tocci 2/a ☎ 0984 72834.*
Roma 519 [5] – Napoli 313 [5] – Reggio di Calabria 190 [5] – Taranto 205 [5].

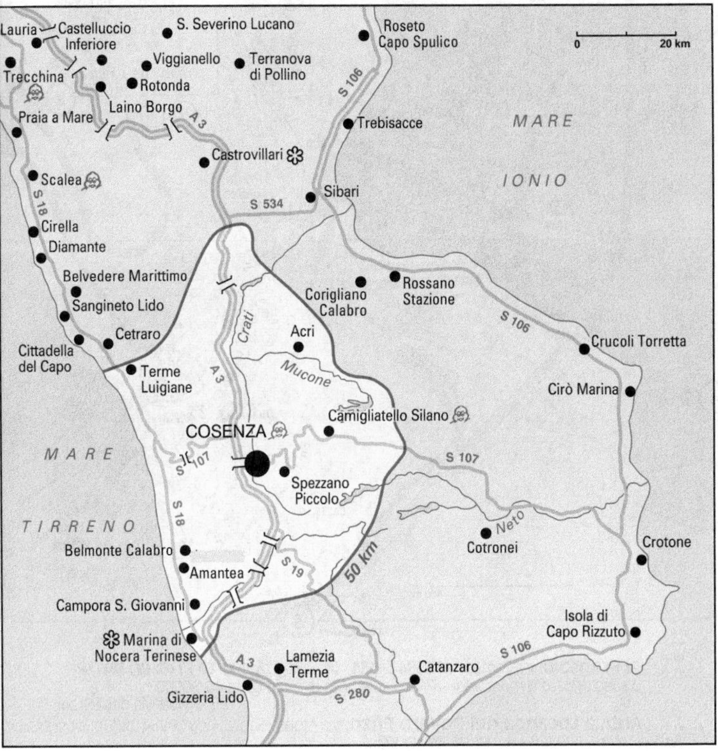

🏨 **Royal**, via Molinella 24/e ☎ 0984 412165, *royal@diemme.it, Fax 0984 412461* – 🛗 ▤ [TV] [P] – 🏛 25. [AE] [S] ⓓ 🅜 [VISA] [JCB]. 🐕 Y a
Pasto carta 40/55000 – **44 cam** ☕ 105/150000 – ½ P 100000.

🍴 L'Arco Vecchio, piazza Archi di Ciaccio 21 (centro storico) ☎ 0984 72564, *Fax 0984 28837*, prenotare, « Servizio estivo all'aperto » – ▤ Z c

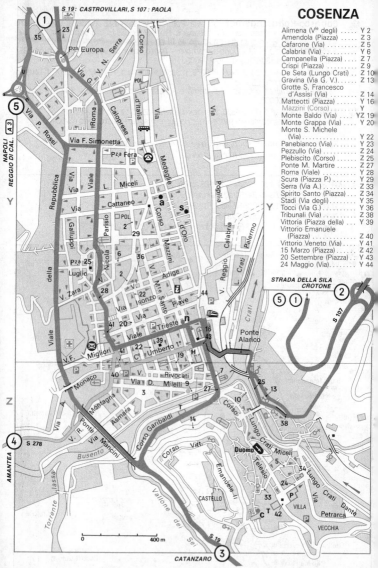

COSENZA

Alimena (V.le degli) . . . . . Y 2
Amendola (Piazza) . . . . . Z 3
Cafarone (Via) . . . . Z 5
Calabria (Via) . . . . Y 6
Campanella (Piazza) . . . Z 7
Crispi (Piazza) . . . . Z 9
De Seta (Lungo Crati) . . Z 10
Gravina (Via G. V.) . . . . . Y 13
Grotte S. Francesco
   d'Assisi (Via) . . . . Z 14
Matteotti (Piazza) . . . . . Y 16
Mazzini (Corso) . . . . Y
Monte Baldo (Via) . . . . YZ 19
Monte Grappa (Via) . . . Y 20
Monte S. Michele
   (Via) . . . . Y 22
Panebianco (Via) . . . . . . Y 23
Pezzullo (Via) . . . . Z 24
Plebiscito (Corso) . . . . . Z 25
Ponte M. Martire . . . . . Z 27
Roma (Viale) . . . . Z 28
Scura (Piazza P.) . . . . . . Y 29
Serra (Via A.) . . . . Y 33
Spirito Santo (Piazza) . . Z 34
Stadi (Via degli) . . . . . . Y 35
Tocci (Via G.) . . . . Y 36
Tribunali (Via) . . . . Z 38
Vittoria (Piazza della) . . Y 39
Vittorio Emanuele
   (Piazza) . . . . Z 40
Vittorio Veneto (Via) . . . Y 41
15 Marzo (Piazza) . . . . . Z 42
20 Settembre (Piazza) . . Y 43
24 Maggio (Via) . . . . Y 44

STRADA DELLA SILA
CROTONE

XX **Al Frantoio**, via Temesa ℰ 0984 31131, 斎 – 🅿 – 🄐 100. 🆎 🆂 ① 🐽 VISA. ⅍
chiuso agosto e mercoledi – **Pasto** specialità di mare carta 40/80000.
1,5 km per via degli Stadi

XX **Antica Locanda del Povero Enzo**, via Monte Santo 42 ℰ 0984 28861, sibersas@it,
Fax 0984 29265 – 🔳. 🆎 🆂 ① 🐽 VISA   Y n
chiuso sabato a mezzogiorno e domenica, da ottobre a marzo aperto domenica a mezzo-
giorno – **Pasto** specialità toscane carta 35/65000.

in prossimità uscita A 3 Cosenza Nord - Rende :

🏨 **Executive** Ⓜ, via Marconi 59 ✉ 87036 Rende ℰ 0984 401010, nhotel@tin.it,
Fax 0984 402020, ⚲ – 🛗 🔳 📺 📞 ⇐ 🚗 🅿 – 🄐 300. 🆎 🆂 ① 🐽 VISA. ⅍
Pasto carta 45/75000 – **96 cam** ⇌ 220/300000, 2 suites – ½ P 190000.

🏨 **San Francesco,** via Ungaretti 2, contrada Commenda ⊠ 87036 Rende ℘ 0984 461721, *hsf@hsf.it,* Fax 0984 464520 – 🛗 ▤ 📺 **P** – 🛦 500. 🖭 🛐 ➊ ➌ *VISA*. ✀
Pasto 40/55000 – **120 cam** ⊑ 150/210000, 13 suites – ½ P 170000.

🏨 Sant'Agostino, senza rist, via Modigliani 49, contrada Roges ⊠ 87036 Rende
℘ 0984 461782, Fax 0984 465358 – ▤ 📺 **P**.
25 cam.

✗ **Il Setaccio-Osteria del Tempo Antico,** contrada Santa Rosa 62 ⊠ 87036 Rende
℘ 0984 837211, Fax 0984 402090 – 🖭 **P**. 🖭 🛐 ➊ ➌ *VISA*
chiuso dal 10 al 20 agosto e domenica – **Pasto** carta 30/45000.

a Rende *Nord-Ovest : 10 km alt. 481* – ⊠ *87036* :

✗ **Hostaria de Mendoza,** piazza degli Eroi 3 ℘ 0984 444022, Coperti limitati; prenotare,
« Servizio estivo in gazebo »
chiuso dal 10 al 18 agosto, domenica in luglio-agosto e mercoledì negli altri mesi – Pasto
25/35000 bc.

COSSANO BELBO *12054 Cuneo* 🗺️ *I 6 – 1 091 ab. alt. 244.*
Roma 614 – Genova 114 – Torino 90 – Alessandria 52 – Asti 31 – Cuneo 89.

✗ **Della Posta-da Camulin,** via F.lli Negro 3 ℘ 0141 88126, Fax 0141 88559 – 🖭 🛐 ➊
VISA. ✀
chiuso dal 24 dicembre al 5 gennaio, dal 15 luglio al 13 agosto, domenica sera e lunedì –
Pasto carta 45/65000.

COSSOGNO *28801 Verbania* 🗺️ *E 7 – 558 ab. alt. 380.*
Roma 689 – Stresa 22 – Locarno 47 – Novara 81 – Verbania 7.

✗ **Antica Osteria di Cossogno,** piazza Vittorio Emanuele II 8 ℘ 0323 468408, 🏡 – 🛐
➌ *VISA*
chiuso dal 3 gennaio al 3 febbraio, lunedì e martedì a mezzogiorno – **Pasto** carta 40/
70000.

COSTABISSARA *36030 Vicenza* 🗺️ *F 16 – 5 632 ab. alt. 51.*
Roma 546 – Padova 47 – Milano 209 – Venezia 78 – Vicenza 7.

✗ **Da Lovise** con cam, via Marconi 17/22 ℘ 0444 971026, Fax 0444 971402, « Servizio estivo
in giardino e all'ombra di un glicine centenario » – ▤ 📺 **P**. 🖭 🛐 ➊ ➌ *VISA*
chiuso dal 6 al 25 agosto – **Pasto** *(chiuso lunedì)* carta 40/60000 – **18 cam** ⊑ 90/120000.

COSTA DORATA *Sassari* 🗺️ *E 10 – Vedere Sardegna (Porto San Paolo) alla fine dell'elenco
alfabetico.*

COSTALOVARA (WOLFSGRUBEN) *Bolzano* – Vedere Renon.

COSTALUNGA (Passo di) (KARERPASS) *Trento* 🗺️ *C 16 G. Italia– alt. 1 753* – ⊠ *38039 Vigo di
Fassa – a.s. febbraio-Pasqua e Natale – Sport invernali : 1 735/2 041 m ⚡3 (vedere anche
Nova Levante e Carezza al Lago).*
Vedere ⩽★ *sul Catinaccio – Lago di Carezza***★ Ovest : 2 km.*
Roma 674 – Bolzano 28 – Cortina d'Ampezzo 81 – Milano 332 – Trento 93.

🏨 **Savoy,** ℘ 0471 612124, Fax 0471 612132, ⩽ Dolomiti e pinete, 🚠, 🏊, 🎾 – 🛗 📺 🛏 **P**.
🖭 🛐 ➊ ➌ *VISA* 🗾. ✀ rist
chiuso novembre – **Pasto** carta 40/60000 – **35 cam** ⊑ 120/160000 – ½ P 160000.

COSTA MERLATA *Brindisi* 🗺️ *E 34 – Vedere Ostuni.*

COSTA REI *Cagliari* 🗺️ *J 10 – Vedere Sardegna (Castiadas) alla fine dell'elenco alfabetico.*

COSTA SMERALDA *Sassari* 🗺️ *D 10 – Vedere Sardegna (Arzachena) alla fine dell'elenco
alfabetico.*

259

COSTERMANO 37010 Verona 428 , 429 F 14 – 2 830 ab. alt. 254.

    Cà degli Ullivi a Marciaga di Costermano ⊠ 37010 ℰ 045 6279030, Fax 045 6279039.
    Roma 531 – Verona 35 – Brescia 68 – Mantova 69 – Trento 78.

🏨 **Hotel Sporting Club** ⬎ senza rist, via Boffenigo 6 ℰ 045 7200178, gestgarda@tin.it,
    Fax 045 7200281, ≤, ℒ₅, ☎, ⊿, ☞, ✗ – ⊡ 🅿. 🄰🄴 🅂 ① 🆅🅸🅂🄰. ✗ rist
    aprile-settembre – **18 cam** ☞ 110/190000.

a Gazzoli *Sud-Est : 2,5 km –* ⊠ *37010 Costermano :*

✗✗ **Da Nanni**, via Gazzoli ℰ 045 7200080, Fax 045 6200415, ☞ – ↩ ≡ 🅿. 🄰🄴 🅂 ① 🆀🆂 🆅🅸🅂🄰.
    ✗
    chiuso dal 19 febbraio al 5 marzo, dal 13 al 26 novembre e lunedì – **Pasto** carta 60/90000.

a Marciaga *Nord : 3 km –* ⊠ *37010 Costermano :*

🏨 **Madrigale** ⬎, via Ghiandare 1 ℰ 045 6279001, madrigale@madrigale.it,
    Fax 045 6279125, ≤ lago, ☞, ⊿, ☞ – 🛗 ≡ 🔟 🅿. – 🛦 80. 🄰🄴 🅂 ① 🆀🆂 🆅🅸🅂🄰. ✗
    marzo-novembre – **Pasto** carta 55/75000 – **58 cam** ☞ 255/330000, suite – ½ P 185000.

verso San Zeno di Montagna :

✗✗ **La Casa degli Spiriti**, via Monte Baldo 28 (Nord-Ovest : 5 km) ℰ 045 6200766, sirfreder
    ch@casadeglispiriti.it, Fax 045 6200760, ≤ lago – 🅿. 🄰🄴 🅂 ① 🆀🆂 🆅🅸🅂🄰 🇯🇨🇧. ✗
    chiuso lunedì (escluso luglio-agosto) e a mezzogiorno escluso i giorni festivi e prefestivi –
    Pasto 80/130000 (15 %) e carta 70/130000 (15 %).

COSTIERA AMALFITANA Napoli e Salerno 431 F 25 *G. Italia.*

COSTIGLIOLE D'ASTI 14055 Asti 428 H 6 – 5 861 ab. alt. 242.
    Roma 629 – Torino 77 – Acqui Terme 34 – Alessandria 51 – Asti 15 – Genova 108.

✗✗✗ **Guido**, piazza Umberto I 27 ℰ 0141 966012, Fax 0141 966012, solo su prenotazione – 🄰🄴
  £3 🅂 ① 🆀🆂 🆅🅸🅂🄰
    chiuso dal 23 dicembre al 10 gennaio, dal 1° al 20 agosto, domenica, i giorni festivi e a
    mezzogiorno – **Pasto** 120000
    Spec. Agnolotti di Costiglie al sugo d'arrosto. Capretto di Roccaverano con olio e rosma-
    rino (marzo-giugno). Cardo gobbo di Nizza Monferrato con fonduta e tartufi (novembre-
    dicembre).

✗ **La Madia**, strada Asti 40 (Nord : 1 km) ℰ 0141 961170, ☞, prenotare – 🅿. 🅂 🆀🆂 🆅🅸🅂🄰. ✗
    chiuso gennaio, dal 18 agosto al 1° settembre e lunedì – **Pasto** 35/50000.

COSTOZZA Vicenza – *Vedere Longare.*

COTIGNOLA 48010 Ravenna 429 , 430 I 17 – 6 876 ab. alt. 19.
    Roma 396 – Ravenna 26 – Bologna 53 – Forlì 28.

a Cassanigo *Sud-Ovest : 8 km –* ⊠ *48010 Cotignola :*

✗ **Mazzoni**, ℰ 0545 78332, Fax 0545 78332, « Servizio estivo in giardino », ☞ – 🅿. 🄰🄴 🅂
    ① 🆀🆂 🆅🅸🅂🄰. ✗
    chiuso dal 16 luglio al 14 agosto e mercoledì – **Pasto** carta 30/40000.

COTRONEI 88836 Crotone 431 J 32 – 5 568 ab. alt. 535.
    Roma 576 – Cosenza 90 – Catanzaro 115.

al lago Ampollino *Nord-Ovest 20 km :*

🏨 **Del Lago**, ⊠ 88836 ℰ 0962 46075, hoteldellago@iol.it, Fax 0962 46076 – 🛗 🔟 🅿. 🅂 ①
    🆀🆂 🆅🅸🅂🄰 🇯🇨🇧. ✗
    Pasto carta 35/55000 – **36 cam** ☞ 110/130000 – ½ P 120000.

COURMAYEUR 11013 Aosta 428 E 2 *G. Italia* – 3 014 ab. alt. 1 228 – *a.s. 26 marzo-Pasqua,*
15 luglio-agosto e Natale – Sport invernali : 1 224/2 755 m ≰ 7 ≴ 10, ↯; anche sci estivo.
Vedere Località★★.
    Escursioni *Valle d'Aosta★★ : ≤★★★ per ②.*

    (luglio-10 settembre) in Val Ferret ⊠ 11013 Courmayeur ℰ 0165 89103, Fax 0165 89103,
    Nord-Est : 4 km BX.
    🄱 piazzale Monte Bianco 3 ℰ 0165 842060, Fax 0165 842072.
    Roma 784 ② – Aosta 35 ② – Chamonix 24 ① – Colle del Gran San Bernardo 70 ② – Milano
    222 ② – Colle del Piccolo San Bernardo 28 ②.

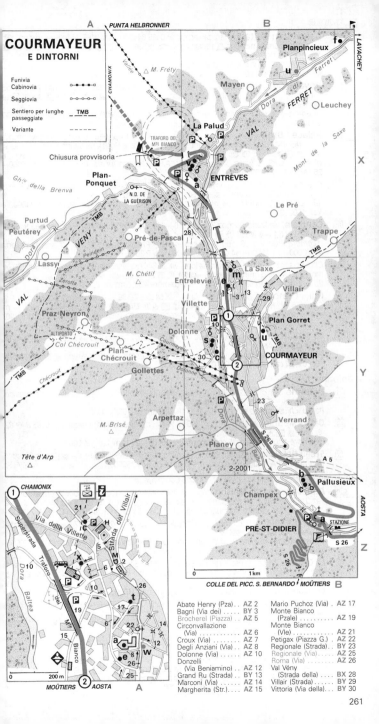

COURMAYEUR
E DINTORNI

Funivia Cabinovia	•—•—•—•
Seggiovia	o—o—o—o
Sentiero per lunghe passeggiate	TMB
Variante	– – – – –

Chiusura provvisoria

PUNTA HELBRONNER

Planpincieux **f**

LAVACHEY

△ M. Fréty

Mayen

Dora di Ferret VAL FERRET

u

Leuchey

La Palud

ENTRÈVES

TRAFORO DEL MTE BIANCO

Le Pré

Mont de la Saxe

Trappe

Plan-Ponquet

Ghio della Brenva

N.D. DE LA GUÉRISON

VAL VENY TMB

Pré-de-Pascal

28

La Saxe

m
e

Villair

29

Purtud
Peutérey

Lassy

M. Chétif
△

Entrelevie

Villette

13

3

COURMAYEUR

Plan Gorret

u

VAL

Praz-Neyron

ALTIPORTO

Col Chécrouit

Plan-
Chécrouit

Dolonne

s

c

30

1

10

Courmayeur

2

Gollettes

Dolonne

TMB

Y

M. Brisé
△

Arpettaz

23

Verrand

Planey

Tête d'Arp
△

2-2001

A 5

Pallusieux

Champex

b
c

AOSTA

PRÉ-ST-DIDIER

a

STAZIONE

M

S 26

0   1 km

COLLE DEL PICC. S. BERNARDO / MOÛTIERS   B

CHAMONIX

21

c

H

Via della Villette

Strada del Villair

Superstrada

Traforo del Bianco

Dora Baltea

X

M

D

7

6

6

26

t

17

14

22

12

a

W

8

26

25

0   200 m

MOÛTIERS AOSTA

Abate Henry (Pza) . .	**AZ** 2
Bagni (Via dei)	**BY** 3
Brocherel (Piazza) . .	**AZ** 5
Circonvallazione (Via)	**AZ** 6
Croux (Via)	**AZ** 7
Degli Anziani (Via) . .	**AZ** 8
Dolonne (Via)	**AZ** 10
Donzelli (Via Beniamino) . .	**AZ** 12
Grand Ru (Strada) . .	**BY** 13
Marconi (Via)	**AZ** 14
Margherita (Str.)	**AZ** 15
Mario Puchoz (Via) . .	**AZ** 17
Monte Bianco (Pzale)	**AZ** 19
Monte Bianco (Vle)	**AZ** 21
Petigax (Piazza G.) . .	**AZ** 22
Regionale (Strada) . .	**BY** 23
Regionale (Via)	**AZ** 25
Roma (Via)	**AZ** 26
Val Vény (Strada della)	**BX** 28
Villair (Strada)	**BY** 29
Vittoria (Via della) . .	**BY** 30

Gallia Gran Baita M, Strada Larzey ℘ 0165 844040, Fax 0165 844805, ≤ monti, 🏦 « Terrazza panoramica con ⊾ riscaldata », ≘, ⊠, 🐎 – 🛊 🗹 ఉ ☎ – 🔏 100. 🖭 🖽 🐵 ◑ **VISA JCB**. ⋘ rist　　　　　　　　　　　　　　　　　　　　　　　　　BY e
6 dicembre-16 aprile e luglio-2 settembre – **Pasto** carta 80/120000 – **50 cam** ☲ 280,
480000 – ½ P 290000.

Royal e Golf, via Roma 87 ℘ 0165 831611, info@hotelroyalgolf.com, Fax 0165 842093,
≤ monti e ghiacciai, « Giardino-solarium con ⊾ riscaldata », ≘ – 🛊 🗹 🅿 – 🔏 90. 🖭 🖽 ◑
☎ VISA JCB. ⋘ rist　　　　　　　　　　　　　　　　　　　　　　　　　　AZ i
dicembre-Pasqua e luglio-20 settembre – **Pasto** 65/80000 – **80 cam** ☲ 535/670000 –
6 suites – ½ P 400000.

Palace Bron ⑤, a Plan Gorret Est : 2 km ℘ 0165 846742, hotelpb@tin.it,
Fax 0165 844015, ≤ Dente del Gigante, monti e vallata, « Posizione panoramica in pineta »,
🐎 – 🛊 🗹 🅿. 🖭 🖽 ◑ ☎ **VISA**. ⋘ rist　　　　　　　　　　　　　　　　　BY u
dicembre-aprile e luglio-24 settembre – **Pasto** (chiuso lunedì) 45/75000 – ☲ 25000 –
26 cam 190/360000, suite – ½ P 270000.

Cresta et Duc, via Circonvallazione 7 ℘ 0165 842585, hotelcrestaetduc@netvallee.it,
Fax 0165 842591, ≤ monti – 🛊, 🗏 rist, 🗹 🅿. 🖭 🖽 ◑ ☎ **VISA**. ⋘ rist　　　　AZ e
18 dicembre-21 aprile e 24 giugno-9 settembre – **Pasto** 30000 – **39 cam** ☲ 240000 –
½ P 160000.

Centrale, via Mario Puchoz 7 ℘ 0165 846644, hotelcentrale@libero.it, Fax 0165 846403,
≤, 🐎 – 🛊 🗹 ☎ 🅿. 🖭 🖽 ◑ ☎ **VISA**. ⋘ rist　　　　　　　　　　　　　　AZ t
dicembre-Pasqua e 20 giugno-15 settembre – **Pasto** (chiuso sino al 10 dicembre) carta
45/70000 – ☲ 18000 – **34 cam** 140/185000 – ½ P 200000.

Croux senza rist, via Circonvallazione 94 ℘ 846735, info@hotelcroux.it, Fax 845180, ≤
monti, « Giardino ombreggiato » – 🛊 🗹 🅿. 🖭 🖽 ◑ ☎ **VISA**. ⋘　　　　　AZ x
20 dicembre-15 aprile e 20 giugno-23 settembre – **33 cam** ☲ 125/195000.

Dei Camosci, località La Saxe ℘ 0165 842338, hoteldeicamosci@netvallee.it,
Fax 0165 842124, ≤ Monte Bianco, 🐎 – 🛊 🗹 ఉ. 🖭 🖽 ◑ ☎ **VISA**. ⋘ rist　　BY m
4 dicembre-aprile e 20 giugno-22 settembre – **Pasto** carta 40/55000 – **23 cam** ☲ 90/
135000 – ½ P 110000.

Lo Scoiattolo, viale Monte Bianco 48 ℘ 0165 846721, Fax 0165 843785, ≤ – 🛊 🗹 🅿. 🖭
🖽 ◑ ☎ **VISA**. ⋘　　　　　　　　　　　　　　　　　　　　　　　　AZ c
Pasto (solo per alloggiati; chiuso a mezzogiorno escluso dal 20 giugno al 20 settembre)
30000 – **24 cam** ☲ 120/160000 – ½ P 135000.

a Dolonne :

Dolonne ⑤, ℘ 0165 846674, Fax 0165 846671, ≤ monti e valle, « In una casa rustica del
16° secolo » – 🗹 ☎ 🅿. 🖭 🖽 ◑ ☎ **VISA JCB**. ⋘　　　　　　　　　　　BY s
Pasto (chiuso mercoledì) carta 55/85000 – **26 cam** ☲ 200/320000.

Ottoz Meublé ⑤ senza rist, ℘ 0165 846681, hotelottoz@tiscalinet.it, Fax 0165 846682,
≤, 🐎 – 🛊 🗹 ఉ. 🐎 🖽. 🖽 **VISA**. ⋘　　　　　　　　　　　　　　　　BY s
dicembre-aprile e luglio-15 settembre – ☲ 20000 – **25 cam** 120/180000.

Stella del Nord senza rist, strada della Vittoria 2 ℘ 0165 848039, ≤ – 🛊 🗹 ☎ 🅿. ⋘
dicembre-aprile e luglio-settembre – **13 cam** ☲ 180/250000.　　　　　BY c

ad Entrèves Nord : 4 km – alt. 1 306 – ⊠ 11013 Courmayeur :

Auberge de la Maison ⑤, ℘ 0165 869811, aubergemaison@courmayeur.net,
Fax 0165 869759, ≤ Monte Bianco, 🔱, ≘, 🐎 – 🛊 🗹 ☎ 🅿. 🖭 🖽 ◑ ☎ **VISA**. ⋘ BX a
chiuso maggio – **Pasto** (solo per alloggiati) 50000 – **33 cam** ☲ 240/380000 – ½ P 230000.

Pilier d'Angle, ℘ 0165 869760, info@pilierdangle.it, Fax 0165 869770, ≤ Monte Bianco –
🗹 ☎ 🅿. 🖭 🖽 ◑ ☎ **VISA**. ⋘　　　　　　　　　　　　　　　　　　BX v
chiuso maggio, ottobre e novembre – **Pasto** al Rist. **Taverna del Pilier** carta 50/80000 –
☲ 20000 – **20 cam** 140/220000, 3 suites – ½ P 190000.

La Grange ⑤ senza rist, strada La Brenva 1 ℘ 0165 869733, lagrange@courmayeur.valdi
gne.com, Fax 0165 869744, ≤ Monte Bianco, « In una fienile del 14° secolo », 🔱, ≘ – 🛊
🗹 🅿. 🖭 🖽 ◑ ☎ **VISA**. ⋘　　　　　　　　　　　　　　　　　　　BX v
dicembre-aprile e luglio-settembre – **23 cam** ☲ 180/230000.

La Brenva ⑤ con cam, scorciatoia La Palud 12 ℘ 0165 869780, info@labrenva.com,
Fax 0165 869726, ≤ Monte Bianco – 🗹. 🖭 🖽 ◑ ☎ **VISA**. ⋘ rist　　　　ABX v
chiuso maggio e ottobre – **Pasto** (chiuso lunedì) 35/55000 e carta 45/90000 – **12 cam**
☲ 180/250000 – ½ P 180000.

in Val Ferret :

Miravalle ⑤, località Planpincieux Nord : 7 km ℘ 0165 869777, hotelmiravalle@netvallee
.it, Fax 0165 869729, ≤ Monte Bianco e Grandes Jorasses, 🏦 – 🗹 🅿. 🖽 ◑ ☎ **VISA**. ⋘ cam
dicembre-aprile e luglio-settembre – **Pasto** (chiuso martedì in bassa stagione) carta 45/
85000 – **11 cam** ☲ 120/165000 – ½ P 125000.　　　　　　　　　　　BX f

XX **La Clotze,** a Planpincieux Nord : 7 km alt. 1 400 ⊠ 11013 ℰ 0165 869720, Fax 0165 869785, 🛖 – 🅿. ⅏
BX u
chiuso dal 29 maggio al 30 giugno, dal 18 settembre al 6 ottobre, mercoledì e a mezzogiorno da luglio al 18 settembre – **Pasto** carta 60/100000.

CRANDOLA VALSASSINA 23832 Lecco **219** ⑩ – 270 ab. alt. 769.
Roma 647 – Como 59 – Lecco 30 – Milano 87 – Sondrio 65.

XX **Da Gigi** con cam, piazza IV Novembre 4 ℰ 0341 840124, ≤ – 🔟 *VISA*. ⅏
chiuso dal 15 al 30 giugno – **Pasto** *(chiuso mercoledì)* specialità e formaggi della Valsassina 45000 e carta 60/80000 – � 10000 – **9 cam** 65/85000 – ½ P 80000.

CRAVANZANA 12050 Cuneo **428** I 6 – 409 ab. alt. 583.
Roma 610 – Genova 122 – Alessandria 74 – Cuneo 48 – Mondovì 42 – Savona 72 – Torino 88.

X **Mercato-da Maurizio** ⏵ con cam, via San Rocco 16 ℰ 0173 855019, Fax 0173 855019, 🛖 , prenotare – 🅿. ⅏ ⅏ ⅏ ⅏ *VISA*
chiuso dal 10 al 30 gennaio e dal 27 giugno al 5 luglio – **Pasto** *(chiuso mercoledì e giovedì a mezzogiorno)* carta 40/60000 – **8 cam** ⊋ 80/100000.

CREMA 26013 Cremona **428** F 11 – 33 218 ab. alt. 79.
🅱 *(chiuso martedì e gennaio)* ⊠ 26013 Crema ℰ 0373 230270, Fax 0373 230635.
Roma 546 – Piacenza 40 – Bergamo 40 – Brescia 51 – Cremona 38 – Milano 44 – Pavia 52.

🏨 **Il Ponte di Rialto,** via Cadorna 5 ℰ 0373 82342, pontedirialto@libero.it, Fax 0373 83520 – 📶, ⅏ cam, 🍽 🔟 ⅏ ⟶ 🅿 – 🛔 130. ⅏ ⅏ ⅏ ⅏ *VISA*
chiuso agosto – **Pasto** *(chiuso domenica sera)* carta 50/120000 – **25 cam** ⊋ 120/160000 – ½ P 120000.

🏨 **Park Hotel Residence** senza rist, via IV Novembre 51 ℰ 0373 86353, Fax 0373 85082 – 📶 🍽 🔟 ⅏ 🅿 – 🛔 100. ⅏ ⅏ ⅏ ⅏ *VISA* *JCB*. ⅏
chiuso dall'8 al 23 agosto – **53 cam** ⊋ 130/175000, suite.

🏨 **Palace Hotel** senza rist, via Cresmiero 10 ℰ 0373 81487, Fax 0373 86876 – 📶 🍽 🔟. ⅏ ⅏ ⅏ ⅏ *VISA*. ⅏
chiuso agosto – **43 cam** ⊋ 140/210000.

X **Il Ridottino,** via A. Fino 1 ℰ 0373 256891, 🛖 , « In un palazzo del '700 » – 🍽. ⅏ ⅏ ⅏ ⅏ *VISA*
chiuso dal 7 al 15 gennaio, agosto, domenica sera e lunedì – **Pasto** 55/70000 e carta 70/115000.

CREMENO 23814 Lecco **428** E 10, **219** ⑩ – 984 ab. alt. 797 – Sport invernali : a Piani di Artavaggio : 650/1 910 m ⅏ 1 ⅏ 6, ⅏ .
Roma 635 – Bergamo 49 – Como 43 – Lecco 14 – Milano 70 – Sondrio 83.

a Maggio Sud-Ovest : 2 km – ⊠ 23814 :

🏠 **Maggio,** piazza Santa Maria 20 ℰ 0341 910504, Fax 0341 910554, 🍽 , 🐎 – ⅏ cam, 🅿. ⅏ ⅏ *VISA*. ⅏
Pasto *(chiuso martedì escluso luglio-agosto)* carta 40/60000 – **14 cam** ⊋ 65/120000 – ½ P 80000.

CREMNAGO 22040 Como **219** ⑲ – alt. 335.
Roma 605 – Como 17 – Bergamo 44 – Lecco 23 – Milano 37.

X Vignetta, ℰ 031 698212, « Servizio estivo all'aperto » – 🅿.

CREMOLINO 15010 Alessandria **428** I 7 – 959 ab. alt. 405.
Roma 559 – Genova 61 – Alessandria 50 – Milano 124 – Savona 71 – Torino 135.

XX **Bel Soggiorno,** via Umberto I, 69 ℰ 0143 879012, Fax 0143 879921, ≤ colline, prenotare – 🅿. ⅏ ⅏ ⅏ ⅏ *VISA*. ⅏
chiuso dal 10 al 25 gennaio, dal 15 al 30 luglio e mercoledì – **Pasto** carta 50/85000.

Les hôtels ou restaurants agréables sont indiqués
dans le guide par un signe rouge.
Aidez-nous en nous signalant les maisons où, par expérience,
vous savez qu'il fait bon vivre.
Votre guide Michelin sera encore meilleur.

CREMONA 26100 **P** 428, 429 G 12 *G. Italia* – 71 611 ab. alt. 45.

Vedere *Piazza del Comune★★* BZ : *campanile del Torrazzo★★★*, *Duomo★★*, *Battistero★* BZ **L** – *Palazzo Fodri★* BZ **D** – *Museo Stradivariano* ABY – *Ritratti★ e ancona★ nella chiesa d'* *Sant'Agostino* AZ **B** – *Interno★ della chiesa di San Sigismondo 2 km per ③*.

🏌 *Il Torrazzo (chiuso lunedì e gennaio)* ℰ 0372 471563, Fax 0372 471563.

🛈 *piazza del Comune 5* ℰ 0372 23233, Fax 0372 534080.

A.C.I. *via 20 Settembre 19* ℰ 0372 41911.

Roma 517 ④ – Parma 65 ③ – Piacenza 34 ④ – Bergamo 98 ② – Brescia 52 ② – Genova 180 ④ – Mantova 66 ② – Milano 95 ④ – Pavia 86 ④.

CREMONA

Boccaccino (Via)	BZ 3
Cadorna (Piazza L.)	AZ 4
Campi (Corso)	BZ 5
Cavour (Corso)	BZ 6
Comune (Piazza del)	BZ 7
Garibaldi (Corso)	AYZ
Geromini (Via Felice)	BY 9
Ghinaglia (Via F.)	AY 12
Ghisleri (Via A.)	BY 13
Libertà (Piazza della)	BY 14
Mantova (Via)	BY 17
Manzoni (Via)	BY 18
Marconi (Piazza)	BZ 19
Marmolada (Via)	BZ 22
Matteotti (Corso)	BYZ
Mazzini (Corso)	BZ 23
Melone (Via Altobello)	BZ 24
Mercatello (Via)	BZ 25
Monteverdi (Via Claudio)	BZ 27
Novati (Via)	BZ 28
Risorgimento (Piazza)	AY 29
S. Maria in Betlem (Via)	BZ 32
S. Rocco (Via)	BZ 33
Spalato (Via)	AY 35
Stradivari (Piazza)	BZ 37
Tofane (Via)	BZ 39
Ugolani Dati (Via)	BY 40
Vacchelli (Corso)	BZ 42
Verdi (Via)	BZ 43
Vittorio Emanuele II (Corso)	AZ 45
4 Novembre (Piazza)	BZ 46
20 Settembre (Corso)	BZ 48

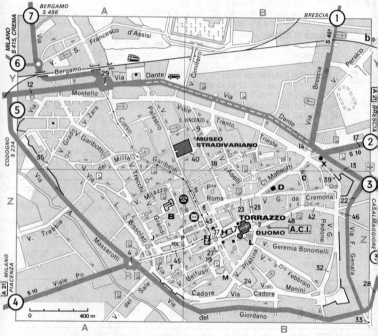

🏨 **Continental**, piazza della Libertà 26 ℰ 0372 434141, *reception.hc@hotelcontinentalcre mona.it*, Fax 0372 454873 – 🛗 🗐 📺 – 🕍 120. 🖭 🗊 ⑩ ⓾ 𝘝𝘐𝘚𝘈
BY **x**
Pasto carta 55/85000 – **57 cam** ⊇ 150/200000 – ½ P 160000.

🏨 **Ibis** senza rist, via Mantova ℰ 0372 452222, Fax 0372 452700 – 🛗, ⇆ cam, 🗐 📺 ✆ ⑃ 🚗
🅿 – 🕍 100. 🖭 🗊 ⑩ ⓾ 𝘝𝘐𝘚𝘈
BY **a**
chiuso dal 25 dicembre al 6 gennaio e dal 1º al 21 agosto – **100 cam** ⊇ 145/180000.

🍴🍴 **Alla Borgata**, via Bergamo 205 ℰ 0372 560960, Fax 0372 560960 – 🅿 – 🕍 50. 🖭 🗊 ⓾
𝘝𝘐𝘚𝘈 JCB
2 km per ⑦
chiuso dall'8 al 15 gennaio, agosto, lunedì sera e martedì – **Pasto** carta 50/65000.

🍴 **La Locanda**, via Pallavicino 4 ℰ 0372 457835, Fax 0372 457834, prenotare la sera – 📺 🖭
🗊 ⑩ ⓾ 𝘝𝘐𝘚𝘈. ⅏
BYZ **c**
chiuso dal 10 al 31 agosto e martedì – **Pasto** carta 50/65000.

X **Alba,** via Persico 40 ☎ 0372 433700, Fax 0372 433700, prenotare – ■. 🕃 🚱 𝘝𝘐𝘚𝘈.
☾ ⚭
BY b
chiuso dal 24 dicembre al 7 gennaio, agosto, domenica e lunedì – **Pasto** carta 30/45000.

CRESPINO 45030 Rovigo 𝟺𝟸𝟿 H 17 – 2 126 ab..
Roma 460 – Padova 62 – Ravenna 100 – Ferrara 39 – Rovigo 17.

XX **Rizzi,** via Passodoppio 31 (Ovest : 3 km) ☎ 0425 77238, 🖼, Coperti limitati; prenotare, 🚗
– ■ 🅿. 🕮 🕃 ⓄⒷ 𝘝𝘐𝘚𝘈. ⚭
chiuso martedì – **Pasto** carta 40/65000.

CRETAZ Aosta 𝟺𝟸𝟾 F 4, 𝟸𝟷𝟿 ⑫ – Vedere Cogne.

CREVALCORE 40014 Bologna 𝟺𝟸𝟿 H 15 – 11 704 ab. alt. 20.
Roma 402 – Bologna 31 – Ferrara 49 – Milano 195 – Modena 25.

XX **Antica Trattoria Papi,** via Paltrinieri 62 ☎ 051 981651, 🖼 – 🅿. 🕮 🕃 Ⓞ ⓄⒷ 𝘝𝘐𝘚𝘈. ⚭
chiuso dal 25 dicembre al 6 gennaio, Pasqua, agosto, domenica e i giorni festivi – **Pasto**
carta 45/70000.

CREVOLADOSSOLA 28035 Verbania 𝟺𝟸𝟾 D 6, 𝟸𝟷𝟿 ⑥ – 4 675 ab. alt. 337.
Roma 714 – Stresa 49 – Domodossola 6 – Locarno 48 – Verbania 50.

X **La Stella,** località Preglia ☎ 0324 33167 – ■. 🕮 🕃 🚱 𝘝𝘐𝘚𝘈
chiuso gennaio e martedì – **Pasto** specialità di mare carta 45/80000.

a Oira Nord : 2,5 km – ✉ 28865 Crevoladossola :

X **Le Arcate,** via Valle Formazza 15/17 ☎ 0324 338951, « Servizio estivo in terrazza » – 🅿.
☾ 🕮 🕃 Ⓞ ⓄⒷ 𝘝𝘐𝘚𝘈
chiuso lunedì – **Pasto** carta 35/55000.

CROCE DI MAGARA Cosenza 𝟺𝟹𝟷 J 31 – Vedere Camigliatello Silano.

CROCERA Cuneo 𝟺𝟸𝟾 H 4 – Vedere Barge.

CROCI DI CALENZANO Firenze 𝟺𝟹𝟶 K 15 – Vedere Calenzano.

CRODO 28862 Verbania 𝟺𝟸𝟾 D 6, 𝟸𝟷𝟽 ⑲ – 1 526 ab. alt. 508.
Roma 712 – Stresa 46 – Domodossola 14 – Milano 136 – Novara 105 – Torino 179.

a Viceno Nord-Ovest : 4,5 km – alt. 896 – ✉ 28862 Crodo :

🏠 **Edelweiss** ☺, ☎ 0324 618791, edelweiss@verbania.com, Fax 0324 600001, ≦, 🏋, 🚡,
🖼, 🚗 – 📳 📺 📞 ♧ 🅿. 🕮 🕃 Ⓞ ⓄⒷ 𝘝𝘐𝘚𝘈
chiuso dal 10 al 28 gennaio e dal 6 al 24 novembre – **Pasto** *(chiuso mercoledì escluso dal
15 giugno al 15 settembre)* carta 35/55000 – ⏐ 5000 – **30 cam** 60/100000 – ½ P 85000.

X **Pizzo del Frate** ☺ con cam, località Foppiano Nord-Ovest : 3,5 km alt. 1 250
☾ ☎ 0324 61233, ≦ monti, prenotare, 🚗 – 🅿. 🕮 🕃 Ⓞ 𝘝𝘐𝘚𝘈. ⚭
chiuso dal 5 al 30 novembre – **Pasto** *(chiuso martedì escluso dal 15 giugno al 15 settembre)*
carta 35/55000 – ⏐ 6500 – **15 cam** 45/80000 – ½ P 75000.

CROSA Vercelli 𝟺𝟸𝟾 E 6, 𝟸𝟷𝟿 ⑥ – Vedere Varallo.

CROTONE 88900 🅿 𝟺𝟹𝟷 J 33 G. Italia – 59 705 ab..
✈ Sant'Anna ☎ 0962 794388, Fax 0962 794368.
🚺 via Torino 138 ☎ 0962 23185, Fax 0962 26700.
A.C.I. via Corrado Alvaro (Palazzo Ruggero) A/2 ☎ 0962 26554.
Roma 593 – Cosenza 112 – Catanzaro 73 – Napoli 387 – Reggio di Calabria 228 –
Taranto 242.

🏠 **Helios,** via per Capocolonna Sud : 2 km ☎ 0962 901291, kroton@freedomland.it,
☾ Fax 0962 27997, 🏊, ⚭ – ♧ 📺 🅿. 🅰 70. 🕮 🕃 Ⓞ ⓄⒷ 𝘝𝘐𝘚𝘈. ⚭
Pasto carta 35/50000 – **42 cam** ⏐ 120/190000 – ½ P 120000.

XX **La Sosta da Marcello,** via Corrado Alvaro ☎ 0962 902243, Fax 0962 901083 – ■. 🕮 🕃
Ⓞ 𝘝𝘐𝘚𝘈
chiuso domenica escluso da giugno a settembre – **Pasto** carta 50/80000 (15 %).

XX **Da Ercole,** viale Gramsci 122 ☎ 0962 901425, *Fax 0962 901425,* – ▤. AE 🅂 ⓓ MC VISA JCB. ✗
chiuso mercoledì (escluso luglio ed agosto) – **Pasto** specialità di mare carta 55/110000.

X **Casa di Rosa,** via Colombo 117 ☎ 0962 21946, *Fax 0962 21946* – ▤. AE 🅂 ⓓ MC VISA JCB
chiuso dal 20 dicembre al 6 gennaio e domenica – **Pasto** carta 35/75000.

CRUCOLI TORRETTA *88812 Crotone* 431 I 33 – *alt. 367.*
Roma 576 – Cosenza 120 – Catanzaro 120 – Crotone 51.

X **Pollo d'Oro** con cam, corso Garibaldi 87/89 ☎ 0962 34005, *Fax 0962 34005* – TV P. AE 🅂 ⓓ MC VISA. ✗ rist
chiuso domenica escluso da maggio a settembre – **Pasto** carta 30/55000 – **18 cam** ☕ 60/90000 – ½ P 80000.

CUASSO AL MONTE *21050 Varese* 428 E 8, 219 ⑧ – *3 023 ab. alt. 532.*
Roma 648 – Como 43 – Lugano 31 – Milano 72 – Varese 16.

X **Al Vecchio Faggio,** via Garibaldi 8, località Borgnana Est : 1 km ☎ 0332 938040, « Servizio estivo all'aperto con ⋞ » – P. AE 🅂 MC VISA. ✗
chiuso dal 7 al 22 gennaio, dal 15 al 30 giugno e mercoledì – **Pasto** carta 30/75000.

a Cavagnano *Sud-Ovest : 2 km* – ✉ *21050 Cuasso al Monte :*

Alpino ⛰, via Cuasso al Piano 1 ☎ 0332 939083, *Fax 0332 939094,* – |‡| TV P. 🅂 MC VISA. ✗ cam
Pasto carta 45/75000 – **14 cam** ☕ 100/140000 – ½ P 90000.

a Cuasso al Piano *Sud-Ovest : 4 km* – ✉ *21050 :*

XX **Molino del Torchio,** via Molino del Torchio 17 ☎ 0332 920318, « In un vecchio mulino » – P. AE 🅂 ⓓ MC VISA JCB
chiuso dal 1° al 25 gennaio, dal 16 al 30 agosto, lunedì e martedì – **Pasto** 50000.

CUNEO *12100* P 428 I 4 – *54 624 ab. alt. 543.*
ℹ *piazza Boves ☎ 0171 693258, Fax 0171 693258.*
A.C.I. *corso Brunet 19/b ☎ 0171 695962.*
Roma 643 ② – Alessandria 126 ① – Briançon 198 ① – Genova 144 ② – Milano 216 ① – Nice 126 ③ – San Remo 111 ③ – Savona 98 ② – Torino 94 ①.

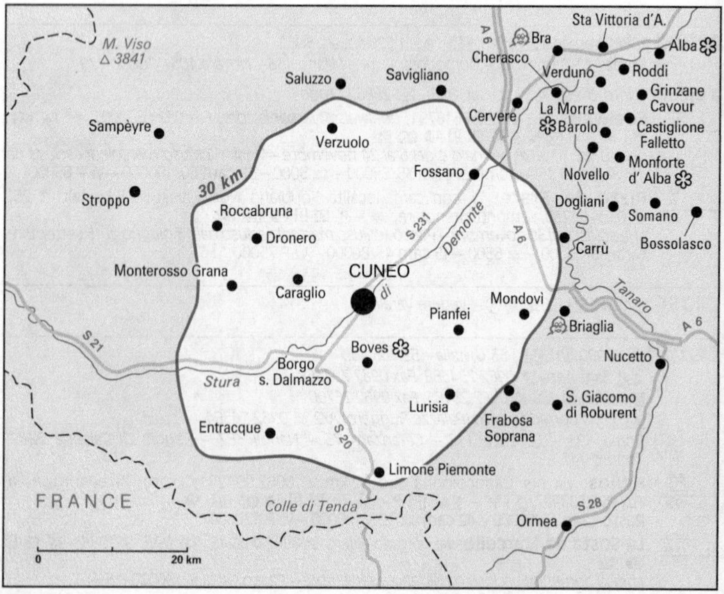

CUNEO

Alba (Via) . . . . **Y** 2
Audiffredi (Largo) . . . . **Y** 3
Boves (Piazza) . . . . **Y** 6
De Amicis (Largo Edmondo) . **Y** 7

Dronero (Via) . . . . **Y** 10
Foro Boario (Piazza) . . . . **Y** 12
Galimberti (Piazza) . . . . **Z** 13
Garibaldi (Corso) . . . . **Z** 14
Giovanni XXIII
(Lungo Gesso) . . . . **YZ** 15

Martiri d. Libertà (Piazza) . . . . **Z** 16
Nizza (Corso) . . . . **Z**
Roma (Via) . . . . **Y** 21
Santa Maria (Via) . . . . **Y** 23
Savigliano (Via) . . . . **Y** 24
Virginio (Piazza) . . . . **Y** 26

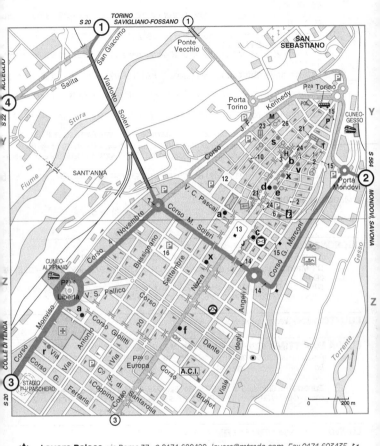

Lovera Palace, via Roma 37 ℘ 0171 690420, *lovera@mtrade.com, Fax 0171 603435,* ⅃₫,
♣ – 🛗 ⅍ cam, 🗏 🗺 ⅍ ⌂ 🚗. ⅍ 🕄 ⓪ ⑩⑥ 𝘝𝘐𝘚𝘈   **Y d**
Pasto vedere rist ***Antiche Contrade*** – **54 cam** ⌷ 210/270000 – ½ P 160000.

Principe senza rist, piazza Galimberti 5 ℘ 0171 693355, *principe@cnnet.it,*
Fax 0171 67562 – 🛗 🗏 🗺 ⅍ ⅍ ⅍ – 🛆 40. ⅍ 🕄 ⓪ ⑩⑥ 𝘝𝘐𝘚𝘈   **Z c**
⌷ 15000 – **42 cam** 160/210000.

Royal Superga senza rist, via Pascal 3 ℘ 0171 693223, *Fax 0171 699101* – 🛗 🗺 ⅍ ⌂.
⅍ 🕄 ⓪ ⑩⑥ 𝘝𝘐𝘚𝘈   **Y a**
⌷ 13000 – **29 cam** 100/130000.

Smeraldo senza rist, corso Nizza 27 ℘ 0171 696367, *Fax 0171 698076* – 🗺. ⅍ 🕄 ⓪ ⑩⑥
𝘝𝘐𝘚𝘈 𝘑𝘊𝘉. ✼   **Z f**
21 cam ⌷ 105/145000.

Fiamma senza rist, via Meucci 36 ℘ 0171 66651, *Fax 0171 66652* – 🛗 🗺. ⅍ 🕄 ⓪ ⑩⑥ 𝘝𝘐𝘚𝘈
⌷ 15000 – **13 cam** 110/140000.   **Z a**

Siesta senza rist, via Vittorio Amedeo II, 2 ℘ 0171 681960, *Fax 0171 697128* – 🛗 🗺. 🕄 ⑩⑥
𝘝𝘐𝘚𝘈. ✼   **Z x**
⌷ 10000 – **20 cam** 100/120000.

CUNEO

🏠 **Ligure,** via Savigliano 11 ℘ 0171 681942, Fax 0171 634545 – 📺 🄿 🖭 🖪 ⓪ 🕪 💳 💳
⊝ chiuso dal 10 gennaio al 1° febbraio – **Pasto** (chiuso domenica sera) carta 35/50000 – ⊑
10000 – **26 cam** 80/100000 – ½ P 85000.

XXX **Antiche Contrade** - Hotel Lovera Palace, via Savigliano 12 ℘ 0171 690429 – 🗏. 🖭 🖪 ⓪
🕪 💳 ⅜
Y ε
chiuso dal 1° al 18 agosto, lunedì e sabato a mezzogiorno – **Pasto** 55/80000 e carta
60/90000.

XX **San Michele,** contrada Mondovì 2 ℘ 0171 681962, Fax 0171 681962, Coperti limitati
prenotare – 🗏. 🖭 🖪 ⓪ 🕪 💳. ⅜
Y ⫽
chiuso dal 20 al 28 febbraio, dal 10 al 20 settembre e lunedì – **Pasto** 50/70000 e carta
55/80000.

XX **Osteria della Chiocciola,** via Fossano 1 ℘ 0171 66277, prenotare – 🖭 🖪 ⓪ 🕪 💳
💳
Y s
chiuso dal 7 al 15 gennaio, dal 10 al 20 agosto e domenica – **Pasto** 50/60000 e carta
40/65000.

X **Nonsolovino,** corso Vittorio Emanuele II 31 ℘ 0171/698320, prenotare – 🎇 🗏. 🖪 ⓪
💳
per corso Nizza Z
chiuso dal 10 al 25 agosto, sabato a mezzogiorno e domenica – **Pasto** carta 45/60000.

X **Torrismondi,** via Coppino 33 ℘ 0171 630861, Fax 0171 443267 – 🗏. 🖭 🖪 ⓪ 💳 Z r
chiuso dal 1° al 10 gennaio, dal 12 al 20 giugno, dal 1° al 15 agosto, lunedì sera e domenica –
Pasto carta 40/70000.

X **Lo Zuavo,** via Roma 23 ℘ 0171 602020, Fax 0171 630898 – 🖭 🖪 💳 💳
Y b
⊝ chiuso dal 1° al 7 luglio e mercoledì – **Pasto** 30/50000 e carta 40/60000.

a Madonna dell'Olmo per ① : 3 km – ⊠ 12020 :

XX **Locanda da Peiu,** via Valle Po 10 ℘ 0171 412174 – 🄿. 🖪 ⓪ 🕪 💳
⊝ chiuso agosto e lunedì – **Pasto** carta 35/60000.

CUORGNÈ 10082 Torino 🔢🔢 F 4 – 10 012 ab. alt. 414.
Roma 700 – Torino 38 – Aosta 86 – Ivrea 24 – Milano 137 – Novara 90.

XX **Da Mauro,** piazza Martiri della Libertà ℘ 0124 666001, Fax 0124 666001, 🏦 – 🖭 🖪 ⓪
⊝ 🕪 💳
chiuso dal 1° al 7 luglio, le sere del 25-26 dicembre, domenica sera e lunedì escluso da
giugno a settembre – **Pasto** 35/55000 e carta 40/50000.

CUOTTO Napoli – Vedere Ischia (Isola d') : Forio.

CUPRA MARITTIMA 63012 Ascoli Piceno 🔢🔢 M 23 G. Italia – 4 936 ab. – a.s. luglio-agosto.
Dintorni Montefiore dell'Aso : polittico★★ del Crivelli nella chiesa Nord-Ovest : 12 km.
Roma 240 – Ascoli Piceno 47 – Ancona 80 – Macerata 60 – Pescara 78 – Porto San
Giorgio 19.

🏠 **Europa,** via Gramsci 8 ℘ 0735 778034, Fax 0735 778033, 🐜 – 🖨 📺 🚗 🖪 🕪 💳 ⅜
⊝ chiuso dal 1° al 20 novembre – **Pasto** (chiuso lunedì) carta 35/60000 – **30 cam** ⊑ 70/90000
– ½ P 85000.

CURNO 24035 Bergamo 🔢🔢 E 10, 🔢🔢 ⑳ – 7 040 ab. alt. 242.
Roma 607 – Bergamo 6 – Lecco 28 – Milano 49.

XX **Trattoria del Tone,** via Roma 4 ℘ 035 613166, Fax 035 613166, prenotare – 🗏 🄿. 🖭 🖪
🌼 ⓪ 🕪 💳. ⅜
chiuso dal 1° al 21 agosto, martedì e mercoledì – **Pasto** carta 50/90000
Spec. Casoncelli alla bergamasca. Coniglio al rosmarino con polenta. Astice al vapore con
sugo d'arrosto.

CUSAGO 20090 Milano 🔢🔢 F 9 – 2 944 ab. alt. 126.
Roma 582 – Milano 12 – Novara 45 – Pavia 40.

🏨 **Le Moran,** viale Europa 90 (Sud-Est : 2 km) ℘ 02 90119894, info@hotel-lemoran.com,
Fax 02 9016207 – 🖨 🗏 📺 ⭐ 🄿 – 🔏 300. 🖭 🖪 ⓪ 🕪 💳. ⅜
Pasto carta 80/90000 – **78 cam** ⊑ 320/420000, 2 suites – ½ P 370000.

XX **Da Orlando,** piazza Soncino 19 ℘ 02 90390318, daorlando@tiscalinet.it,
🌼 Fax 02 90394879, 🏦 – 🖭 🖪 ⓪ 🕪 💳. ⅜
chiuso dal 25 dicembre al 2 gennaio, agosto, sabato a mezzogiorno e domenica – **Pasto**
95000 (alla sera) e carta 75/125000
Spec. Bavette alla crema di cipollotti e foie gras d'oca (primavera-estate). Sella di coniglio
allo zenzero e miele d'acacia. Budino al caffè con crema zabaione alla sambuca.

CUSSIGNACCO *Udine* **429** *D 21 – Vedere Udine.*

CUTIGLIANO *51024 Pistoia* **428**, **429**, **430** *J 14 G. Toscana – 1 733 ab. alt. 670 – a.s. Pasqua, luglio-agosto e Natale – Sport invernali : a Doganaccia : 1 600/1 800 m ≰ 2 ≴ 3; a Pian di Novello : 1 136/1 771 m ≴ 1, ≴.*

🖪 *via Roma 25 ℘ 0573 68029, Fax 0573 68200.*
Roma 348 – Firenze 70 – Pisa 72 – Lucca 52 – Milano 285 – Modena 111 – Montecatini Terme 44 – Pistoia 38.

🏠 **Italia**, piazza Ferrucci 5 ℘ 0573 68008, *Fax 0573 68008*, « Giardino ombreggiato » *stagionale* – **26 cam.**

✕ **Trattoria da Fagiolino,** via Carega 1 ℘ 0573 68014, *Fax 0573 68210* – **AE 🅂 ⓄⓄ VISA JCB.**
chiuso novembre, martedì sera e mercoledì – Pasto carta 35/60000.

CUVIO *21030 Varese* **428** *E 8,* **219**⑦ *– 1 511 ab. alt. 309.*
Roma 652 – Stresa 57 – Luino 16 – Milano 75 – Novara 67 – Varese 20.

🏠 **Corona,** largo Cappia 6 ℘ 0332 624150, *Fax 0332 624189 –* **TV P. AE 🅂 ⓄⓄ VISA.** ⅙
*Pasto (chiuso lunedì) carta 35/55000 – **24 cam** ⊊ 80/110000 – ½ P 75000.*

DARFO BOARIO TERME *25047 Brescia* **428**, **429** *E 12 – 13 467 ab. alt. 221 – Stazione termale, a.s. giugno-settembre.*
🖪 *a Boario Terme, piazza Einaudi 2 ℘ 0364 531609, Fax 0364 532280.*
Roma 613 – Brescia 54 – Bergamo 54 – Bolzano 170 – Milano 99 – Sondrio 89.

a Boario Terme – ⊠ *25041 :*

🏨 **Rizzi,** via Carducci 5/11 ℘ 0364 531617, *Fax 0364 536135,* ≈ – 📶, ☰ rist, **TV** ✆ & ⇔. **AE 🅂 Ⓞ ⓄⓄ VISA.** ⅙ rist
10 maggio-10 ottobre – Pasto carta 55/90000 – ⊊ *12000 – **65 cam** 130/170000 – ½ P 130000.*

🏠 **Brescia,** via Zanardelli 6 ℘ 0364 531409, *Fax 0364 532969 –* 📶 **TV** ⇔ **P. – 🔏** *50.* **AE 🅂 Ⓞ ⓄⓄ VISA.** ⅙ rist
Pasto (chiuso venerdì da novembre a maggio) 35/45000 – ⊊ *12000 – **50 cam** 85/150000 – P 110000.*

🏠 **Excelsior** via Galilei 1 ℘ 0364 531741, *excelsiorboarioterme@libero.it, Fax 0364 531741,* ⅙, ≈ – 📶, ☰ rist, **TV P. AE 🅂 Ⓞ ⓄⓄ VISA.** ⅙ rist
*20 aprile-15 ottobre – Pasto 30/45000 – **75 cam** ⊊ 115/130000 – ½ P 95000.*

🏠 **Diana,** via Manifattura 10 ℘ 0364 531403, *Fax 0364 531403 –* 📶, ☰ rist, **TV P. 🅂 Ⓞ ⓄⓄ VISA.** ⅙ rist
aprile-ottobre – Pasto carta 35/50000 – ⊊ *10000 – **43 cam** 65/100000 – ½ P 80000.*

🏠 **Armonia,** via Manifattura 11 ℘ 0364 531816, *hotelarmonia@tiscalinet.it, Fax 0364 531816,* ≈, ⅀, ⇔ **P. AE 🅂 Ⓞ ⓄⓄ VISA.** ⅙ rist
*Pasto carta 35/45000 – **28 cam** ⊊ 70/90000 – ½ P 75000.*

🏠 **La Montanina,** via Colombo 57 ℘ 0364 531020, *Fax 0364 531020,* ⅙ – 📶 **TV P.** ⅙ rist
Pasto carta 35/55000 – ⊊ *10000 – **51 cam** 70/120000 – ½ P 80000.*

a Montecchio *Sud-Est : 2 km –* ⊠ *25047 Darfo Boario Terme*

✕✕ **La Storia,** via Fontanelli 1 ℘ 0364 538787 – ☰ rist, **P. AE 🅂 ⓄⓄ VISA.** ⅙
chiuso mercoledì – Pasto carta 40/65000.

DEIVA MARINA *19013 La Spezia* **428** *J 10 – 1 486 ab..*
Roma 450 – Genova 74 – Passo del Bracco 14 – Milano 202 – La Spezia 52.

🏠 **Clelia,** corso Italia 23 ℘ 0187 815827, *hotel@clelia.it, Fax 0187 816234,* ≈, ⅀ *riscaldata,* ≈ – 📶 **TV** ✆ ⇔ **P. AE 🅂 Ⓞ ⓄⓄ VISA.** ⅙ rist
*chiuso dal 5 novembre al 20 dicembre – Pasto (chiuso dal 5 novembre al 18 marzo) carta 40/85000 – **28 cam** ⊊ 140/210000 – ½ P 140000.*

🏠 **Riviera,** località Fornaci 12 ℘ 0187 815805, *hotelriviera@mbox.itsyn.it, Fax 0187 816433,* ≈ – ☰ rist, **TV. 🅂** ⅙
*Pasqua-settembre – Pasto carta 40/55000 – **27 cam** ⊊ 120/160000 – ½ P 150000.*

✕✕ **Lido,** con cam, località Fornaci 15 ℘ 0187 815997, *hotel.lido@libero.it, Fax 0187 826891,* ≤ – **TV P. AE 🅂 Ⓞ ⓄⓄ VISA.** ⅙
*Pasqua-ottobre – Pasto carta 55/95000 – **12 cam** ⊊ 120/200000 – ½ P 140000.*

La guida cambia, cambiate la guida ogni anno.

DENICE 15010 Alessandria 428 17 – 214 ab. alt. 387.

Roma 608 – Genova 94 – Alessandria 56 – Asti 62 – Milano 147 – Torino 122.

X **Cacciatori**, piazza Castello 7 ℘ 0144 92025, ≤, solo su prenotazione – 🕃 ⓪ ⓪ VISA
chiuso dal 24 al 30 dicembre, dal 15 luglio al 10 agosto, mercoledì e a mezzogiorno (esclus
i giorni festivi) – **Pasto** carta 70/140000.

DERUTA 06053 Perugia 430 N 19 – 8 001 ab. alt. 218.

Roma 153 – Perugia 20 – Assisi 33 – Orvieto 54 – Terni 63.

🏛 **Melody**, strada statale 3 bis-E 45 (Sud-Ovest : 1,5 km) ℘ 075 9711022, melody@cronos.it
🍽 Fax 075 9711018 – 劇, ≣ rist, 🆃 🕭, 🚗 🅿 – 🔬 60. 🕭 🕃 ⓪ ⓪ VISA
Pasto carta 30/55000 – 🖙 15000 – **53 cam** 100/130000 – ½ P 100000.

DESENZANO DEL GARDA 25015 Brescia 428 , 429 F 13 G. Italia – 23 790 ab. alt. 96 – a.s
Pasqua e luglio-15 settembre.

Vedere Ultima Cena★ del Tiepolo nella chiesa parrocchiale – Mosaici romani★ nella Vill
Romana.

🐓 Gardagolf (chiuso lunedì da novembre a marzo) a Soiano del Lago ⊠ 25080 ℘ 036
674707, Fax 0365 674788, Sud-Est : 10 km;

🐓 Arzaga località Carzago ⊠ 25080 Cavalgese ℘ 030 680600, Fax 030 6806168, Nord
Ovest : 10 km.

🚹 via Porto Vecchio 34 (Palazzo del Turismo) ℘ 030 9141510, Fax 030 9144209.

Roma 528 – Brescia 31 – Mantova 67 – Milano 118 – Trento 130 – Verona 43.

🏨 **Park Hotel**, lungolago Cesare Battisti 19 ℘ 030 9143494, Fax 030 9142280, ≤ – 劇 ≣ 🆃
🕭 ☎, 🚗 🅿 – 🔬 80. 🕭 🕃 ⓪ ⓪ VISA. ⋘
chiuso dal 1º al 10 gennaio – **Pasto** carta 60/90000 – 🖙 18000 – **49 cam** 180/235000
8 suites – ½ P 170000.

🏨 **Lido International**, via Dal Molin 63 ℘ 030 9141027, info@lido-international.com,
Fax 030 9143736, ≤, 🏤, « Terrazza-giardino in riva al lago », 🛋 – ≣ 🆃 🅿. 🕭 🕃 ⓪ ⓪
VISA. ⋘ rist
Pasto (chiuso domenica escluso da aprile ad ottobre) carta 50/85000 – **25 cam** 🖙 120/
295000 – ½ P 180000.

🏨 **Desenzano** senza rist, viale Cavour 40/42 ℘ 030 9141414, Fax 030 9140294 – 劇 ≣ 🆃
🚗 🅿 – 🔬 150. 🕭 🕃 ⓪ ⓪ VISA JCB. ⋘
40 cam 🖙 160/200000.

🏨 **Aquila d'Oro**, via Francesco Agello 47/49, località Rivoltella
℘ 030 9902253 e rist ℘ 030 9901222, Fax 030 9902263, ≤, 🏤 – 劇 ≣ 🆃 🕭, 🚗 🅿 – 🔬 50.
🕭 🕃 ⓪ ⓪ VISA. ⋘
Pasto (chiuso gennaio e a mezzogiorno da novembre a marzo) carta 70/100000 – **21 cam**
🖙 190/240000 – ½ P 135000.

🏨 **Piccola Vela**, via Dal Molin 36 ℘ 030 9914666, piccola-vela@gardalake.it,
Fax 030 9914666, 🛋, 🏤 – 劇 ≣ 🆃 ☎, 🚗 🅿 – 🔬 30. 🕭 🕃 ⓪ ⓪ VISA. ⋘
Pasto carta 50/70000 – **43 cam** 🖙 160/220000 – ½ P 140000.

🏨 **Enrichetta**, via Agello 12, località Rivoltella Est : 1,5 km ⊠ 25010 ℘ 030 9119231,
Fax 030 9901132 – 劇 ≣ 🆃 ☎, 🚗 🅿. 🕭 🕃 ⓪ ⓪ VISA. ⋘ rist
Pasto al Rist. *Il Latino* carta 50/75000 – 🖙 15000 – **24 cam** 180000 – ½ P 110000.

🏨 **City** senza rist, via Nazario Sauro 29 ℘ 030 9911704, info@hotelcity.it, Fax 030 9912837 –
劇 ≣ 🆃 🅿. 🕭 🕃 ⓪ ⓪ VISA JCB
chiuso dal 20 dicembre al 20 gennaio – **39 cam** 🖙 120/190000.

XXX **Esplanade**, via Lario 10 ℘ 030 9143361, Fax 030 9143361, ≤, « Servizio estivo in riva al
lago » – 🅿. 🕭 🕃 ⓪ ⓪ VISA. ⋘
€3
chiuso mercoledì, le sere di Natale, Capodanno e Pasqua – **Pasto** 80/95000 e carta 75/
120000
Spec. Rotolini d'anguilla con giardiniera profumata all'aceto di dragoncello. Gnocchi di
zucca con fegato grasso d'oca, radicchio rosso e nocciole tostate (inverno). Filetto di
manzo al sale e pepe con olio aromatizzato al timo.

XXX **Cavallino**, via Gherla 30 ang. via Murachette ℘ 030 9120217, Fax 030 9912751, 🏤 – 🕭
🕃 ⓪ ⓪ VISA. ⋘
chiuso dal 5 al 25 novembre, lunedì e martedì a mezzogiorno – **Pasto** 75/120000 e carta
75/130000.

XX **Bagatta alla Lepre**, via Bagatta 33 ℘ 030 9142313 e wine-bar ℘ 030 9142259, Rist. e
wine-bar serale, prenotare – ≣. 🕭 🕃 ⓪ ⓪ VISA
chiuso martedì – **Pasto** 45/80000 e carta 50/100000.

X **La Bicocca**, vicolo Molini 6 ℘ 030 9143658, Fax 030 9120734 – 🕭 🕃 ⓪ ⓪ VISA. ⋘
chiuso giovedì – **Pasto** carta 45/85000 (10%).

ESIO 20033 Milano [428] F 9 – 35 255 ab. alt. 196.
Roma 590 – Milano 20 – Bergamo 49 – Como 32 – Lecco 35 – Novara 62.

🏠 **Selide,** via Matteotti 1 ℘ 0362 624441, Fax 0362 627406 – 🛗 🗏 📺 🗣 🚗 – 🔬 100. 🆎 🕄 ⓪ ⓴ 𝑉𝐼𝑆𝐴. ✻ rist
Pasto (chiuso domenica, dal 24 dicembre al 6 gennaio ed agosto) carta 40/65000 – ☷ 15000 – **72 cam** 130/210000 – ½ P 130000.

DEUTSCHNOFEN = Nova Ponente.

DEVINCINA Trieste – Vedere Sgonigo.

DIAMANTE 87023 Cosenza [431] H 29 – 5 487 ab..
Roma 444 – Cosenza 78 – Castrovillari 88 – Catanzaro 137 – Sapri 60.

🏠🏠 **Ferretti,** da Poseidone 4 ℘ 0985 81428, ferrettihotel@tiscalinet.it, Fax 0985 81114, ≤, « Servizio rist. estivo sulla spiaggia », ♨, ♠ₒ, ℀ – 🛗 🗏 📺 𝐏. 🆎 🕄 ⓪ ⓴ 𝑉𝐼𝑆𝐴. ✻ rist
maggio-settembre – Pasto carta 50/70000 – **45 cam** ☷ 150/240000 – ½ P 175000.

✗ **Lo Scoglio,** via Colombo ℘ 0985 81345, 🏠, Rist. e pizzeria – 🗏. 🆎 🕄 ⓪ ⓴ 𝑉𝐼𝑆𝐴 𝐽𝐶𝐵. ✻
chiuso dicembre e lunedi escluso dal 15 giugno al 15 settembre – Pasto specialità di mare carta 45/65000.

DIANO MARINA 18013 Imperia [428] K 6 G. Italia – 6 246 ab..
🅱 piazza Martiri della Libertà 1 ℘ 0183 496956, Fax 0183 494365.
Roma 608 – Imperia 6 – Genova 109 – Milano 232 – San Remo 31 – Savona 63.

🏠🏠🏠 **Gd H. Diana Majestic** ♨, via degli Oleandri 15 ℘ 0183 402727, grandhotel@dianamajestic.com, Fax 0183 403040, ≤, « Giardino-uliveto con ♨ », ♠ₒ – 🛗 🗏 📺 🕭 𝐏 – 🔬 40. 🆎 🕄 ⓪ ⓴ 𝑉𝐼𝑆𝐴. ✻
chiuso dal 13 ottobre al 23 dicembre – Pasto 65/80000 – **80 cam** ☷ 350/370000 – ½ P 230000.

🏠🏠🏠 **Bellevue et Mediterranée,** via Generale Ardoino 2 ℘ 0183 4093, info@ahb-dianomarina.it, Fax 0183 409385, ≤, ♨ con acqua di mare riscaldata, ♠ₒ – 🛗, 🗏 cam, 📺 𝐏. 🆎 🕄 ⓪ ⓴ 𝑉𝐼𝑆𝐴. ✻ rist
chiuso da ottobre al 20 dicembre – Pasto (solo per alloggiati) 50/60000 – ☷ 20000 – **70 cam** 160/190000 – ½ P 170000.

🏠🏠 **Gabriella** ♨, via dei Gerani 9 ℘ 0183 403131, info@hotelgabriella.com, Fax 0183 405055, ♨ riscaldata, ♠ₒ, 🌳 – 🛗, 🗏 rist, 📺 𝐏. 🆎 🕄 ⓪ ⓴ 𝑉𝐼𝑆𝐴. ✻ rist
chiuso da novembre al 27 dicembre – Pasto 35/45000 – ☷ 10000 – **46 cam** 170/240000 – ½ P 155000.

🏠🏠 **Caravelle** ♨, via Sausette 24 ℘ 0183 405311, info@hotel-caravelle.com, Fax 0183 405657, ≤, ☎, ♨ con acqua di mare, ♠ₒ, 🌳, ℀ – 🛗 📺 🚗 𝐏. 🕄 ⓴ 𝑉𝐼𝑆𝐴. ✻ rist
maggio-settembre – Pasto 55/65000 – ☷ 23000 – **58 cam** 200/235000 – ½ P 170000.

🏠🏠 **Torino,** via Milano 42 ℘ 0183 495106, info@htorino.com, Fax 0183 493602, ♨ – 🛗, ✻ rist, 📺 – 🔬 40. 🆎 🕄 ⓪ ⓴ 𝑉𝐼𝑆𝐴. ✻
chiuso novembre e dicembre – Pasto 45/50000 – ☷ 18000 – **83 cam** 120/170000 – ½ P 110000.

🏠🏠 **Jasmin,** viale Torino 3 ℘ 0183 495300, info@hoteljasmin.com, Fax 0183 495964, ≤, ♠ₒ, 🌳 – 🛗 📺 𝐏. 🕄 ⓪ ⓴ 𝑉𝐼𝑆𝐴. ✻ rist
chiuso dal 15 ottobre al 20 dicembre – Pasto (solo per alloggiati) – ☷ 15000 – **30 cam** 105/135000 – ½ P 145000.

🏠 **Sasso** senza rist, via Biancheri 7 ℘ 0183 494319, hotelsasso@iol.it, Fax 0183 494310 – 🛗 📺 𝐏. 🕄 𝑉𝐼𝑆𝐴
chiuso dal 30 ottobre al 21 dicembre – ☷ 12000 – **25 cam** 85/120000.

🏠 **Caprice,** corso Roma est 19 ℘ 0183 498021, caprice@uno.it, Fax 0183 495061 – 🛗 🗏 📺 𝐏. 🆎 🕄 𝑉𝐼𝑆𝐴 𝐽𝐶𝐵. ✻
chiuso novembre – Pasto carta 45/90000 – ☷ 15000 – **20 cam** 90/110000 – ½ P 100000.

🏠 **Arc en Ciel,** viale Torino 21 ℘ 0183 495283, arcogreco@libero.it, Fax 0183 496930, ≤, « Terrazze sul mare », ♠ₒ – 🛗 📺. 🆎 🕄 ⓪ ⓴ 𝑉𝐼𝑆𝐴. ✻ rist
Pasqua-15 ottobre – Pasto 45000 – ☷ 15000 – **48 cam** 130/170000 – ½ P 140000.

🏠 **Golfo e Palme,** viale Torino 12 ℘ 0183 495096, Fax 0183 494304, ≤, ♠ₒ – 🛗, 🗏 rist, 📺 𝐏. 🆎 🕄 ⓪ ⓴ 𝑉𝐼𝑆𝐴. ✻ rist
aprile-ottobre – Pasto (solo per alloggiati) 45000 – ☷ 18000 – **41 cam** 115/145000 – ½ P 160000.

XX **Il Caminetto,** via Olanda 1 ℰ 0183 494700, « Servizio estivo serale in un fresco giard
no » – P. AE S ⓞ VISA JCB.
chiuso dal 10 gennaio al 10 febbraio e lunedì (escluso giugno-settembre) – **Pasto** cart
60/80000.

DIGONERA Belluno – *Vedere Rocca Pietore.*

DIMARO 38025 Trento 429 D 14 – *1 145 ab. alt. 766.*
Roma 633 – *Trento 62 – Bolzano 61 – Madonna di Campiglio 19 – Passo del Tonale 25.*

🏠 **Holiday Inn "Garden Court",** via Campiglio 4 ℰ 0463 973330, info@holidayinndimar
ⓢ .com, Fax 0463 974287, ≤, ≲ – ⋈, ⋈ cam, ⊟ rist, ⓣⓥ ⓒ ⓑ, ⟵ P – 🏛 100. AE S ⓞ ⓒ
VISA JCB. ⋇
Pasto *(chiuso novembre)* carta 35/70000 – **83 cam** ⊂ 180/250000 – ½ P 165000.

🏠 **Sporthotel Rosatti,** via Campiglio 14 ℰ 0463 974885, info@sporthotel.i
Fax 0463 973328, ≤, 𝄃ⓢ, ≲, ⌧, 𝄈 – ⋈ ⓣⓥ ⓒ ⓑ, ⟵ P. AE S ⓞ ⓒ VISA. ⋇
dicembre-aprile e giugno-settembre – **Pasto** *(solo per alloggiati)* 20/30000 – **32 cam**
⊂ 90/140000 – ½ P 110000.

🏠 **Kaiserkrone** senza rist, piazza Serra 3 ℰ 0463 973326, Fax 0463 973016 – ⋈ ⓣⓥ ⓑ ⟵
AE S ⓞ ⓒ VISA
chiuso maggio – **7 cam** ⊂ 110/180000.

DIZZASCO 22060 Como – *450 ab. alt. 506.*
Roma 651 – *Como 25 – Lugano 31 – Milano 73 – Sondrio 87.*

X **La Brea,** via Provinciale, località Muronico ℰ 031 822020, Fax 031 822020, 𝄈, prenotare
– ⋇ P. AE S ⓒ VISA. ⋇
*chiuso dal 10 gennaio al 10 febbraio e a mezzogiorno (escluso sabato-domenica e i giorn
festivi) da ottobre a maggio* – **Pasto** carta 60/85000.

DOBBIACO (TOBLACH) 39034 Bolzano 429 B 18 *G. Italia* – *3 285 ab. alt. 1 243 – Sport invernali
1 243/1 615 m ≤ 1, 𝄈.*
🅱 via Dolomiti 3 ℰ 0474 972132, Fax 0474 972730.
Roma 705 – *Cortina d'Ampezzo 33 – Belluno 104 – Bolzano 105 – Brennero 96 – Lienz 47 –
Milano 404 – Trento 165.*

🏠 **Santer,** via Alemagna 4 ℰ 0474 972142, info@hotel-santer.com, Fax 0474 972797, ≤, 𝄃ⓢ
≲, ⌧, ⌧ – ⋈ ⓣⓥ P – 🏛 100. VISA. ⋇
chiuso da novembre al 5 dicembre – **Pasto** carta 65/85000 – **59 cam** ⊂ 195/360000,
4 suites – ½ P 220000.

🏠 **Cristallo,** via San Giovanni 37 ℰ 0474 972138, info@hotelcristallo.com, Fax 0474 972755,
≤ Dolomiti, 𝄃ⓢ, ≲, ⌧, ⌧, ⋇ cam, ⟵ P. AE S ⓞ ⓒ VISA. ⋇
21 dicembre-26 marzo e 10 giugno-8 ottobre – **Pasto** carta 40/60000 – ⊂ 16000 – **29 cam**
130/260000 – ½ P 210000.

🏠 **Park Hotel Bellevue,** via Dolomiti 23 ℰ 0474 972101, info@parkhotel-bellevue.com,
Fax 0474 972807, « Parco ombreggiato », 𝄃ⓢ, ⌧ – ⋈, ⋇ rist, ⓣⓥ ⓞ ⓒ VISA. ⋇
20 dicembre-Pasqua e giugno-settembre – **Pasto** carta 45/55000 – **46 cam** ⊂ 140/220000
– ½ P 160000.

🏠 **Laurin,** via al Lago 5 ℰ 0474 972206, info@hotel-laurin.com, Fax 0474 973096, ≤, 𝄃ⓢ, ⌧
– ⋈, ⊟ rist, ⓣⓥ P. AE S ⓞ ⓒ VISA. ⋇ rist
19 dicembre-15 marzo e 15 maggio-15 ottobre – **Pasto** *(solo per alloggiati)* 20/30000 –
27 cam ⊂ 85/140000 – ½ P 110000.

🏠 **Urthaler,** via Herbstenburg 5 ℰ 0474 972241, info@hotel-urthaler.com, Fax 0474 973050
– ⋈ ⓣⓥ P. VISA
chiuso novembre – **Pasto** *(chiuso martedì da marzo a giugno)* carta 50/65000 – **30 cam**
⊂ 100/180000 – ½ P 120000.

🏠 **Monica-Trogerhof** ⌂, via F.lli Baur 8 ℰ 0474 972216, hotel.monica@hochpustertal.it,
Fax 0474 972557, ≤ – ⟵ P. S ⓒ VISA. ⋇
9 dicembre-18 marzo e 23 giugno-25 ottobre – **Pasto** carta 40/65000 – **29 cam** ⊂ 110/
170000 – ½ P 135000.

sulla strada statale 49 :

🏠 **Hubertus Hof,** Sud-Ovest : 1 km ⊠ 39034 ℰ 0474 972276, hotelhubertushof@rolmail.n
et, Fax 0474 972313, ≤ Dolomiti, 𝄃ⓢ, ⌧ – ⓣⓥ P. ⋇ cam
20 dicembre-marzo e 25 maggio-20 ottobre – **Pasto** carta 50/80000 – **26 cam** ⊂ 200/
300000, 3 suites – ½ P 160000.

☆☆ **Gratschwirt,** Sud-Ovest : 1,5 km ⊠ 39034 ℰ 0474 972293, *info@gratschwirt.com,*
Fax 0474 972915, 🕿, 🚗 – 🛗 📺 🅿. 🖭 🕄 ⓘ ⓪ *VISA*
8 dicembre-Pasqua, maggio-15 giugno e luglio-ottobre – **Pasto** *(chiuso martedi)* carta
60/85000 – **19 cam** � 95/160000, 2 suites – ½ P 150000.

Santa Maria (Aufkirchen) *Ovest : 2 km –* ⊠ *39034 Dobbiaco :*

🏠 **Oberhammer** 🌭, Santa Maria 5 ℰ 0474 972195, *hotel.oberhammer@dnet.it,*
Fax 0474 972366, ≤ Dolomiti, 🎇, 🕿 – 📺 🅿. 🕄 ⓘ ⓪ *VISA*
chiuso da novembre al 5 dicembre – **Pasto** *(chiuso martedi e mercoledi a mezzogiorno
escluso febbraio e dal 15 luglio al 31 agosto)* carta 65/90000 – **21 cam** ⊒ 130/210000 –
½ P 130000.

Il monte Rota (Radsberg) *Nord-Ovest : 5 km – alt. 1 650 :*

🏠🏠 **Alpenhotel Ratsberg-Monte Rota** 🌭, via Monte Rota 12 ⊠ 39034
ℰ 0474 972213, *info@alpenhotel-ratsberg.com,* Fax 0474 972916, ≤ Dolomiti e vallata, 🎇,
🕿, 🔲, 🚗, 🎇 – 🗖 rist, 📺 🚗 🅿. 🎇 rist
23 dicembre-17 marzo e giugno-20 ottobre – **Pasto** carta 40/60000 – **32 cam** ⊒ 115/
220000 – ½ P 120000.

DOGANA NUOVA *Modena* **428** , **429** , **430** J 13 – *Vedere Fiumalbo.*

DOGLIANI *12063 Cuneo* **428** I 5 – 4 546 ab. alt. 295.
Roma 613 – Cuneo 42 – Asti 54 – Milano 178 – Savona 69 – Torino 70.

🏠 **Il Giardino** senza rist, viale Gabetti 106 ℰ 0173 742005, Fax 0173 742033, 🚗 – 📺 🚗 🅿.
🖭 🕄 ⓘ ⓪ *VISA*
chiuso dal 1° al 10 gennaio e dal 25 giugno al 5 luglio – **12 cam** ⊒ 80/120000.

DOLCEACQUA *18035 Imperia* **428** K 4, **115** ⑲ – 1 886 ab. alt. 57.
Roma 662 – Imperia 57 – Genova 163 – Milano 286 – San Remo 23 – Ventimiglia 9,5.

✗ **Trattoria Re,** via Patrioti Martiri 26 ℰ 0184 206137, Fax 0184 206137 – 🖭 🕄 ⓘ ⓪ *VISA*
chiuso dal 7 al 21 gennaio e giovedi – **Pasto** carta 45/70000.

DOLEGNA DEL COLLIO *34070 Gorizia* **429** D 22 – 457 ab. alt. 88.
Roma 656 – Udine 25 – Gorizia 25 – Milano 396 – Trieste 61.

🏠 **Venica e Venica-Casa Vino e Vacanze** 🌭 senza rist, via Mernico 42 (Nord : 1 km)
ℰ 0481 60177, *venica@venica.it,* Fax 0481 639906, In collina tra i vigneti, « Giardino con 🔲
e 🎇 » – 📺 🅿. 🖭 🕄 ⓘ ⓪ *VISA*. 🎇
20 marzo-novembre – ⊒ 20000 – **6 cam** 120/140000.

a Ruttars *Sud : 6 km –* ⊠ *34070 Dolegna del Collio :*

☆☆☆ **Al Castello dell'Aquila d'Oro,** via Ruttars 11 ℰ 0481 60545, prenotare, « Servizio
estivo all'aperto » – 🅿. 🖭 🕄 ⓘ ⓪ *VISA*. 🎇
chiuso Capodanno, dal 1° al 15 gennaio, dal 20 agosto al 10 settembre, domenica e lunedi –
Pasto carta 100/150000.

DOLO *30031 Venezia* **429** F 18 *G. Venezia – 14 524 ab..*
Dintorni *Villa Nazionale★ di Strà : Apoteosi della famiglia Pisani★★ del Tiepolo Sud-Ovest :
6 km.*
Escursioni *Riviera del Brenta★★ Est per la strada S 11.*
Roma 510 – Padova 18 – Chioggia 38 – Milano 249 – Rovigo 60 – Treviso 35 – Venezia 27.

🏠🏠 **Villa Ducale,** riviera Martiri della Libertà 75 (Est : 2 km) ℰ 041 5608020, *info@villaducale.it,*
Fax 041 5608020, « Villa settecentesca con piccolo parco » – 🗖 📺 📞 🅿 – 🔏 100. 🖭 🕄 ⓘ
⓪ *VISA* JCB. 🎇 rist
Pasto *(chiuso dal 6 al 22 agosto e martedi)* carta 70/110000 – **11 cam** ⊒ 220/360000.

☆☆ **Villa Goetzen** con cam, via Matteotti 6 ℰ 041 5102300, *villagoetzen@libero.it,*
Fax 041 412600, 🎇 – 🗖 📺 🅿. 🖭 🕄 ⓘ ⓪ *VISA*. 🎇
Pasto *(chiuso agosto, giovedi e domenica sera)* carta 45/70000 – ⊒ 10000 – **12 cam**
110/160000.

DOLOMITI *Belluno, Bolzano e Trento.*

DOLONNE *Aosta – Vedere Courmayeur.*

DOMAGNANO *– Vedere San Marino.*

DOMODOSSOLA 28845 Verbania 四2四 D 6 – 18 506 ab. alt. 277.

🛿 *piazza Matteotti (stazione ferroviaria)* ℘ 0324 248265, Fax 0324 248265.
Roma 698 – Stresa 32 – Locarno 78 – Lugano 79 – Milano 121 – Novara 92.

🏨 **Eurossola**, piazza Matteotti 36 ℘ 0324 481326, Fax 0324 248748, 😤 – 📳 📺 ℃ 🚗 🖳
AE 🕄 ➊ ➋ VISA. 🛠
Pasto carta 40/70000 – 🖵 10000 – **23 cam** 95/130000 – ½ P 100000.

🏨 **Corona**, via Marconi 8 ℘ 0324 242114, Fax 0324 242842 – 📳 ☰ 📺 🅿 – � 50. AE 🕄 ➊
➋ VISA JCB
Pasto carta 30/60000 – **32 cam** 🖵 100/180000 – ½ P 110000.

✗ **Sciolla** con cam, piazza Convenzione 5 ℘ 0324 242633, Fax 0324 242633, 😤 – 📺. AE 🕄
➊ ➋ VISA
chiuso dall'8 al 20 gennaio e dal 23 agosto all'11 settembre – **Pasto** (chiuso mercoledì)
cucina tipica locale carta 35/60000 – **6 cam** 🖵 50/100000 – ½ P 80000.

sulla strada statale 33 Sud : 1 km :

🏨 **Motel Internazionale** senza rist, regione Nosere 8 bis ✉ 28845 ℘ 0324 481180
Fax 0324 44586 – 📳 📺 ᴦ 🅿 – 🚙 100. AE 🕄 ➊ ➋ VISA
🖵 20000 – **43 cam** 120/150000.

DOMUS DE MARIA Cagliari 四3四 K 8 – Vedere Sardegna alla fine dell'elenco alfabetico.

DONNAS 11020 Aosta 四2四 F 5, 2四四 ⑭ – 2 628 ab. alt. 322.
Vedere Fortezza di Bard★ Nord-Ovest : 2,5 km.
Roma 701 – Aosta 49 – Ivrea 26 – Milano 139 – Torino 68.

✗ **Les Caves**, via Roma 99 ℘ 0125 806662, 😤 – 🅿. AE 🕄 VISA. 🛠
chiuso giovedì – **Pasto** carta 40/65000.

DONORATICO Livorno 四3四 M 13 – Vedere Castagneto Carducci.

DORGALI Nuoro 四3四 G 10 – Vedere Sardegna alla fine dell'elenco alfabetico.

DOSOLO 46030 Mantova 四2四, 四2四 H 13 – 3 085 ab. alt. 25.
Roma 449 – Parma 37 – Verona 74 – Mantova 35 – Modena 50.

✗✗ **Corte Brandelli**, via Argini dietro 11/A (Ovest : 2 km) ℘ 0375 89497, Fax 0375 89497
😤, prenotare – ☰ 🅿. AE 🕄 ➊ ➋ VISA
chiuso agosto, giovedì sera e domenica – **Pasto** carta 75/100000.

DOSSOBUONO Verona 四2四 F 14 – Vedere Villafranca di Verona.

DOSSON Treviso – Vedere Casier.

DOZZA 40050 Bologna 四2四, 四3四 I 16 – 5 474 ab. alt. 190.
Roma 392 – Bologna 32 – Ferrara 76 – Forlì 38 – Milano 244 – Ravenna 52.

🏨 **Monte del Re** 🏖, via Monte del Re 43 (Ovest : 3 km) ℘ 0542 678400, *montedelre@tiscal*.
net.it, Fax 0542 678444, ≼, « Convento ristrutturato del XIII secolo in collina », 🌄 – 📳 ☰
📺 ᴦ 🅿 – 🚙 200. AE 🕄 ➊ ➋ VISA. 🛠
Pasto (chiuso lunedì) carta 70/100000 – **34 cam** 🖵 270/350000, 4 suites.

✗✗ **Canè** con cam, via XX Settembre 27 ℘ 0542 678120, Fax 0542 678522, ≼, « Servizio estivo
in terrazza » – ☰ rist, 📺 🅿. AE 🕄 ➊ ➋ VISA JCB. 🛠
chiuso dal 7 al 31 gennaio – **Pasto** (chiuso lunedì) carta 45/80000 – 🖵 12000 – **10 cam**
65/95000 –.

DRAGA SANT'ELIA Trieste – Vedere Pesek.

DRAGONI 81010 Caserta 四3四 S 24, 四3四 D 24 – 2 306 ab. alt. 150.
Roma 177 – Campobasso 67 – Avellino 92 – Benevento 51 – Caserta 31 – Napoli 60.

🏨 **Villa de Pertis** 🏖, via Ponti 30 ℘ 0823 866619, *info@villadepertis.it*, Fax 0823 866619,
≼, « Dimora patrizia del 600 », 🌄 – AE 🕄 ➋ VISA. 🛠 rist
chiuso dal 9 gennaio al 26 marzo e dal 12 al 30 novembre – **Pasto** carta 35/55000 – **5 cam**
🖵 105/125000, 2 suites 210000 – ½ P 85000.

RONERO 12025 Cuneo 428 I 4 – 6 946 ab. alt. 619.
  Roma 655 – Cuneo 20 – Colle della Maddalena 80 – Torino 84.

🏠 **Cavallo Bianco,** piazza Manuel 18 ℰ 0171 916590, Fax 0171 916590 – 📺 . AE 🕄 ⑩ 🚾 ,
🚾 ⁘
  Pasto *(chiuso mercoledì)* carta 30/55000 – ☑ 8000 – **10 cam** 50/90000 – ½ P 70000.

RUENTO 10040 Torino 428 G 4 – 8 261 ab. alt. 285.
  Roma 678 – Torino 18 – Asti 73 – Pinerolo 38 – Susa 48.

XX **Rosa d'Oro,** viale Medici del Vascello 2 ℰ 011 9846675, Fax 011 9844383, 🍴 , prenotare
  – 📧 🅿 . AE 🕄 ⑩ 🚾 🚾 . ⁘
  chiuso agosto, domenica sera e lunedì – **Pasto** carta 65/90000.

DUE CARRARE 35020 Padova 429 G 17 – 7 842 ab..
  Roma 480 – Padova 14 – Ferrara 67 – Mantova 120 – Venezia 52.

XX **Alle Querce,** via San Pelagio 95 (Est : 2 km) ℰ 049 9100971, Fax 049 9100971, 🍴 – 📧 🅿 .
  AE 🕄 ⑩ 🚾 🚾 JCB
  chiuso gennaio, dal 28 luglio al 13 agosto, mercoledì e giovedì a mezzogiorno – **Pasto** carta
  50/70000.

DUINO AURISINA 34013 Trieste 429 E 22 – 8 633 ab..
  Roma 649 – Udine 50 – Gorizia 23 – Grado 32 – Milano 388 – Trieste 22 – Venezia 138.

🏨 **Holiday Inn Trieste Duino,** sull'autostrada A 4 o statale 14 ℰ 040 208273, holidayinn.t
  rieste@alliancealberghi.com, Fax 040 208836, 🍴 – 📳 , 🔄 cam, 📧 📺 🅿 – 🛗 80. AE 🕄 ⑩
  🚾 🚾 JCB . ⁘ rist
  Pasto carta 60/105000 – **77 cam** ☑ 240/280000 – ½ P 175000.

🏨 **Duino Park Hotel** 🍴 senza rist, frazione Duino 60/C ℰ 040 208184, Fax 040 208526,
  ≼, « Terrazze-giardino con 🛆 », 🏠 – 📳 📧 📺 🅿 . AE 🕄 ⑩ 🚾 🚾 JCB . ⁘
  chiuso dal 19 dicembre al 6 febbraio – ☑ 20000 – **17 cam** 170/220000.

X **Gruden,** località San Pelagio Nord : 3 km ✉ 34011 San Pelagio ℰ 040 200151,
🚾 Fax 040 200854, 🍴 – AE 🕄 ⑩ 🚾 🚾 . ⁘
  chiuso settembre, lunedì e martedì – **Pasto** cucina carsolina carta 35/50000.

DUNA VERDE Venezia – Vedere Caorle.

EAU ROUSSE Aosta 219 ⑫ – Vedere Valsavarenche.

EBOLI 84025 Salerno 431 F 27 – 36 106 ab. alt. 125.
  Roma 286 – Potenza 76 – Avellino 64 – Napoli 86 – Salerno 30.

🏨 **Konig Hotel Sentacruz,** località Pezzagrande Sud-Ovest : 2,5 km ℰ 0828 366642,
  Fax 0828 361062, 🛆 , 🍴 – 📳 📧 📺 🅿 – 🛗 800. AE 🕄 ⑩ 🚾 🚾 . ⁘
  Pasto carta 50/90000 – **33 cam** ☑ 110/160000 – ½ P 150000.

verso Paestum Sud : 8 km :

🏨 **Villa Antica** 🍴 , località Torretta ✉ 84025 Eboli ℰ 0828 625048, Fax 0828 625262, « Villa
🚾 settecentesca con parco-giardino ombreggiato », 🛆 , ⁘ – 📳 📧 📺 ♿ 🅿 . AE 🕄 ⑩ 🚾 🚾
  JCB . ⁘ rist
  Pasto *(prenotare)* carta 35/70000 – **18 cam** ☑ 110/150000 – ½ P 120000.

EGADI (Isole) Trapani 432 N 18 19 – Vedere Sicilia alla fine dell'elenco alfabetico.

EGNA (NEUMARKT) 39044 Bolzano 429 D 15, 218 ⑳ – 4 292 ab. alt. 213.
  Roma 609 – Bolzano 19 – Trento 42 – Belluno 120.

🏨 **Andreas Hofer,** via delle Vecchie Fondamenta 21-23 ℰ 0471 812653, Fax 0471 812953,
  🍴 – 📳 📺 ♿ 🅿 . AE 🕄 ⑩ 🚾 . ⁘
  chiuso dal 13 al 20 febbraio, dal 27 giugno al 10 luglio e dal 15 al 29 novembre – **Pasto**
  (chiuso domenica) carta 55/70000 – **30 cam** ☑ 90/150000 – ½ P 100000.

---

*Keine Aufnahme in den **Michelin-Führer** durch*

- Beziehungen oder

- Bezahlung!

ELBA (Isola d') *Livorno* 430 *N 12 13* *G. Toscana – 25 781 ab. alt. da 0 a 1 019 (monte Capanne)*
Stazione termale a San Giovanni (20 aprile-31 ottobre), a.s. 15 giugno-15 settembre.

🌓 *Acquabona (chiuso lunedì)* ⊠ *57037 Portoferraio* ℰ *0565 940066, Fax 0565 94006*
Sud-Est : 7 km da Portoferraio.

✈ *a Marina di Campo località La Pila (marzo-ottobre)* ℰ *0565 976011.*

⛴ *vedere Portoferraio e Rio Marina.*

⛴ *vedere Portoferrario e Cavo.*

🛈 *vedere Portoferraio*

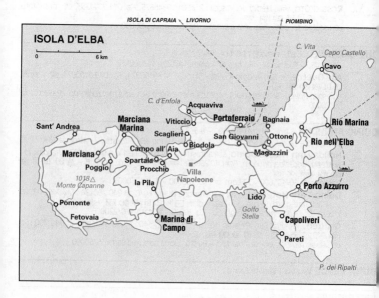

Capoliveri 430 *N 13 – 3 077 ab. –* ⊠ *57031.*

Vedere ☀★★ *dei Tre Mari.*

Porto Azzurro 5 – Portoferraio 16.

✗ **Il Chiasso,** vicolo Nazario Sauro 13 ℰ 0565 968709, Fax 0565 968709, 🎋, Coperti limitati;
prenotare, « Ambiente caratteristico ». AE 🔂 ⓞ ⓒⓞ ꕚ. ✂
aprile-settembre; chiuso a mezzogiorno – **Pasto** carta 55/95000 (10%).

a Pareti *Sud : 4 km –* ⊠ *57031 Capoliveri :*

🏠 **Dino** ⌖, ℰ 0565 939103, hoteldino@elbalink.it, Fax 0565 968172, ≤ mare e costa, 🎋,
🏖♨ – ⚡ 🄿, 🔂 ⓒⓞ ꕚ. ✂
Pasqua-ottobre – **Pasto** 45000 – ⊑ 30000 – **30 cam** 125/190000 – ½ P 160000.

a Lido *Nord-Ovest : 7,5 km –* ⊠ *57031 Capoliveri :*

🏨 **Antares** ⌖, ℰ 0565 940131, Fax 0565 940084, ≤, 🎋, ⽔, 🏖♨, 🌊, ✗ – ⚡ 🄿. ✂
27 aprile-7 ottobre – **Pasto** solo buffet a mezzogiorno 30000 e 60000 la sera – **49 cam**
⊑ 280000 – ½ P 200000.

Marciana 430 *N 12 – 2 271 ab. alt. 375 –* ⊠ *57030.*

Vedere ≤★.

Dintorni *Monte Capanne*★★ : ☀★★.

Porto Azzurro 37 – Portoferraio 28.

a Poggio *Est : 3 km – alt. 300 –* ⊠ *57030 :*

✗✗ **Publius,** piazza XX Settembre 6/7 ℰ 0565 99208, Fax 0565 904174, ≤ Marciana e golfo –
🅰🔂 ⓞ ⓒⓞ ꕚ
20 marzo-6 novembre; chiuso lunedì in bassa stagione – **Pasto** carta 55/90000.

Sant'Andrea *Nord-Ovest : 6 km –* ✉ *57030 Marciana :*

🏨🏨 **Da Giacomino** ॐ, ℘ 0565 908010, *hgiacomino@tiscalinet.it, Fax 0565 908294*, ≤ mare, « Giardino pineta sul mare », ⤸ con acqua di mare, ❦ – 🅿. 🖪 🚅 ⑩ 🅔 **VISA**. ﹪
Pasqua-ottobre – **Pasto** carta 40/65000 – ☲ 25000 – **33 cam** 100/130000 – ½ P 145000.

🏨🏨 **Cernia** ॐ, ℘ 0565 908210, *info@elbahotelcernia.it, Fax 0565 908253*, ≤, « Giardino fiorito sul mare e orto botanico con ⤸ », ❦ – 📺 🅿. 🖪 🚅 ⑩ 🅔 **VISA**. ﹪ rist
10 aprile-15 ottobre – **Pasto** 35/50000 – **27 cam** ☲ 180/220000 – ½ P 160000.

🏨🏨 **Gallo Nero** ॐ, ℘ 0565 908017, *gallonero@elbalink.it, Fax 0565 908078*, ≤, « Terrazza-giardino con ⤸ », ❦ – 🖪 rist, 📺 🅿. 🖪 🚅 🅔 **VISA**. ﹪ rist
Pasqua-ottobre – **Pasto** carta 40/60000 – ☲ 30000 – **29 cam** 150/180000 – ½ P 160000.

🏨 **Piccolo Hotel Barsalini** ॐ, ℘ 0565 908013, *barsalini@elbalink.it, Fax 0565 908264*, « Giardino con ⤸ » – 📺 🅿. 🖪 🚅 🅔 **VISA**. ﹪ rist
20 marzo-20 ottobre – **Pasto** carta 40/65000 – **32 cam** ☲ 120/170000 – ½ P 155000.

Spartaia *Est : 12 km –* ✉ *57030 Procchio :*

🏨🏨🏨 **Désirée** ॐ, ℘ 0565 907311, *Fax 0565 907884*, ≤, « Giardino in riva al mare », ⤸ con acqua di mare, ❦₆, ❦ – ▤ 📺 🅿. 🖪 🚅 ⑩ 🅔 **VISA**. ﹪ rist
maggio-10 ottobre – **Pasto** (solo per alloggiati) – **78 cam** ☲ 230/430000 – ½ P 295000.

🏨🏨 **Valle Verde,** ℘ 0565 907287, *valleverde@elbalink.it, Fax 0565 907965*, ≤, « Giardino alberato », ❦₆ – 📺 🅿. ﹪ rist
24 aprile-10 ottobre – **Pasto** solo buffet a mezzogiorno 30000 e 60000 la sera – **45 cam** ☲ 250/310000 – ½ P 200000.

Procchio *Est : 13,5 km –* ✉ *57030 :*

🏨🏨🏨 **Hotel del Golfo,** ℘ 0565 907565, *info@elba4star.it, Fax 0565 907898*, ≤, « Giardino con ⤸ con acqua di mare », ❦₆, ❦, ❦ – 📺 🅿. 🖪 🚅 ⑩ 🅔 **VISA**. ﹪ rist
maggio-ottobre – **Pasto** carta 55/85000 – **103 cam** ☲ 200/500000 – ½ P 345000.

Campo all'Aia *Est : 15 km –* ✉ *57030 Procchio :*

🏨 **Brigantino** ॐ, via Di Gualdarone 9 ℘ 0565 907453, *brigantino@elbalink.it, Fax 0565 907994*, ❦, ⤸, ❦₆, ❦, ❦ – 🛗 📺 🅖 🅿. 🖪 ⑩ 🅔 **VISA** **JCB**. ﹪ rist
23 marzo-20 ottobre – **Pasto** (solo per alloggiati) 30/50000 – **45 cam** ☲ 140/240000 – ½ P 150000.

Pomonte *Sud-Ovest : 15 km –* ✉ *57030 :*

🏨 **Da Sardi,** via Maestrale 1 ℘ 0565 906045, *sardi@elbalink.it, Fax 0565 906253* – ▤ rist, 📺 🅿. 🖪 🚅 🅔 **VISA**. ﹪
Natale e marzo-4 novembre – **Pasto** (solo per alloggiati e *chiuso mercoledì in bassa stagione*) 40/45000 – **22 cam** ☲ 150/180000 – ½ P 130000.

🏨 **Corallo** ॐ, via del Passatoio 25 ℘ 0565 906042, *corallo@elbalink.it, Fax 0565 906270*, ❦ – ▤ rist, 📺 🅿. 🖪 ⑩ 🅔 **VISA**. ﹪ rist
marzo-10 novembre – **Pasto** carta 35/55000 – **12 cam** ☲ 130/230000 – ½ P 120000.

Marciana Marina 〖430〗 N 12 – *1 889 ab.* – ✉ *57033.*
Porto Azzurro 29 – Portoferraio 20.

🏨🏨🏨 **Gabbiano Azzurro 2** Ⓜ senza rist, viale Amedeo 94 ℘ 0565 997035, *Fax 0565 997034*, « Giardino con ⤸ », ❦₆, ☎, 🖽 – 🛗 ▤ 📺 🅖 ⇔ 🅿. 🖪 🚅 ⑩ 🅔 **VISA**. ﹪
aprile-14 ottobre – **13 cam** ☲ 265/410000, 7 suites.

🏨🏨 **Marinella,** viale Margherita 38 ℘ 0565 99018, *Fax 0565 996895*, ≤, ⤸, ❦, ❦ – 🛗 📺 🅿 – 🅖 60. 🖪 🚅 🅔 **VISA**. ﹪
aprile-ottobre – **Pasto** (solo per alloggiati) 30000 – **55 cam** ☲ 200/260000 – ½ P 160000.

🍴🍴🍴 **Capo Nord,** al porto, località La Fenicia ℘ 0565 996983, *Fax 0565 996983*, ≤ scogliera, ❦, prenotare – ▤. 🖪 🚅 ⑩ 🅔 **VISA**
chiuso da gennaio a marzo, a mezzogiorno da giugno a settembre, lunedì negli altri mesi – **Pasto** carta 80/115000.

🍴🍴 **La Vecchia Marina,** piazza Vittorio Emanuele 18 ℘ 0565 99405, *Fax 0565 998735*, ❦ – ▤. 🖪 🚅 ⑩ 🅔 **VISA**
chiuso dal 15 gennaio al 15 febbraio – **Pasto** carta 40/75000 (10 %).

🍴 **La Fenicia,** viale Principe Amedeo ℘ 0565 996611, *Fax 0565 904107*, ❦, prenotare – 🖪 🚅 ⑩ 🅔 **VISA**
chiuso dall'8 gennaio al 28 febbraio e mercoledì (escluso luglio-agosto) – **Pasto** carta 60/85000.

🍴 **Da Loris,** via 20 Settembre 29 ℘ 0565 99496, ❦ – 🖪 🚅 ⑩ 🅔 **VISA**. ﹪
Pasqua-ottobre; chiuso lunedì – **Pasto** carta 40/75000.

🍴 **Rendez-Vous da Marcello,** piazza della Vittoria 1 ℘ 0565 99251, *Fax 0565 99298*, ≤, ❦ – ▤. 🖪 🚅 ⑩ 🅔 **VISA** **JCB**
chiuso da novembre a febbraio e mercoledì in bassa stagione – **Pasto** carta 50/85000.

Marina di Campo `430` N 12 – ✉ 57034.
Marciana Marina 13 – Porto Azzurro 26 – Portoferraio 17.

🏨 **Riva del Sole,** viale degli Eroi 11 ℘ 0565 976316, *Fax 0565 976778* – |≡ ≣ 🆃🆅 🅿. 🅰🅴 🕃 ⓘ
🐾🔉 🆅🆂🅰 🅹🅲🅱. ⌘
aprile-15 ottobre – **Pasto** 25/35000 – **54 cam** ⊊ 190/335000 – ½ P 200000.

🏨 **Dei Coralli,** viale degli Etruschi ℘ 0565 976336, *hcoralli@tin.it, Fax 0565 977748,* ⌇, 🐎
⌘ – |≡ ≣ 🆃🆅 🅿. 🅰🅴 🕃 ⓘ 🐾🔉 🆅🆂🅰 ⌘ rist
15 aprile-15 ottobre – **Pasto** (solo per alloggiati) – **62 cam** ⊊ 190/350000 – ½ P 195000.

🏨 **Meridiana** senza rist, viale degli Etruschi 465 ℘ 0565 976308, *meridi@elbalink.it*
Fax 0565 977191, 🐎 – |≡ 🆃🆅 & 🅿. 🅰🅴 🕃 ⓘ 🐾🔉 🆅🆂🅰
aprile-20 ottobre – **36 cam** ⊊ 300000.

🏠 **Puntoverde** senza rist, viale degli Etruschi 23 ℘ 0565 977482, *puntoverde@elbalink.it*
Fax 0565 977486 – 🆃🆅 🅿. 🅰🅴 🕃 ⓘ 🐾🔉 🆅🆂🅰. ⌘
Pasqua-15 ottobre – **34 cam** ⊊ 185/260000.

✗ **La Lucciola,** viale degli Eroi 2 ℘ 0565 976395, *Fax 0565 979819,* 🌦, 🐾 – 🅰🅴 🕃 🐾🔉 🆅🆂🅰
⌘
Pasqua-settembre; chiuso mercoledì in bassa stagione – **Pasto** carta 55/75000.

a La Pila *Nord : 2,5 km –* ✉ *57034 Marina di Campo :*
✗ **La Cantina,** via Giovanni XXIII, 37 ℘ 0565 977200, *Fax 0565 977200 –* ≣. 🅰🅴 🕃 ⓘ 🐾🔉 🆅🆂🅰
Pasqua-ottobre; chiuso a mezzogiorno – **Pasto** carta 45/60000.

a Fetovaia *Ovest : 8 km –* ✉ *57030 Seccheto :*
🏠 **Montemerlo** 📎, ℘ 0565 988051, *Fax 0565 988051,* ⌇, 🐎 – ≣ rist, 🆃🆅 🅿. 🕃 🐾🔉 🆅🆂🅰
⌘ rist
aprile-ottobre – **Pasto** (solo per alloggiati) 35000 – ⊊ 20000 – **36 cam** 120/180000 –
½ P 150000.

🏠 **Galli,** ℘ 0565 988035, *hotelgalli@elbalink.it, Fax 0565 988029,* ≤, 🐎 – ≣ 🆃🆅 🅿. 🕃 🐾🔉 🆅🆂🅰
⌘
aprile-20 ottobre – **Pasto** (solo per alloggiati) 40000 – ⊊ 15000 – **30 cam** 120/200000 –
½ P 150000.

Porto Azzurro `430` N 13 – *3 383 ab. –* ✉ *57036 :*
✗ **La Lanterna Magica,** via Vitaliani 5 ℘ 0565 958394, *Fax 0565 921077 –* ≣. 🅰🅴 🕃 ⓘ 🐾🔉
🆅🆂🅰
chiuso dicembre, gennaio e lunedì (escluso da giugno a settembre) – **Pasto** carta 50/
65000.

Portoferraio `430` N 12 – *11 935 ab. –* ✉ *57037.*
Dintorni Villa Napoleone di San Martino★ Sud-Ovest : 6 km.
Escursioni Strada per Cavo e Rio Marina : ≤★★.
🚢 *per Piombino giornalieri (1 h) – Toremar-agenzia Palombo, calata Italia 22 ℘ 0565
918080, Fax 0565 917444; Navarma-Moby Lines, viale Ninci 1 ℘ 0565 918101, Fax 0565
916758 – per Piombino aprile-settembre giornalieri (25 mn); Elba Ferries, al porto ℘ 0565
930676, Fax 0565 930673.*
🚢 *per Piombino giornalieri (30 mn) – Toremar-agenzia Palombo, calata Italia 22 ℘ 0565
918080, Fax 0565 917444.*
🛈 *calata Italia 26 ℘ 0565 914671, Fax 0565 916350.*
Marciana Marina 20 – Porto Azzurro 15.

🏨 **Acquamarina** senza rist, località Padulella Ovest : 1,2 km ℘ 0565 914057, *acquamarina@
elbalink.it, Fax 0565 914057,* ≤ – |≡ 🆃🆅 🅿. 🕃 ⓘ 🐾🔉 🆅🆂🅰 🅹🅲🅱. ⌘
Pasqua-ottobre – ⊊ 40000 – **35 cam** 140/205000.

🏨 **Villa Ombrosa,** via De Gasperi 3 ℘ 0565 914363, *Fax 0565 915672,* 🐾 – |≡ 🆃🆅 🅿. 🕃 ⓘ
🐾🔉 🆅🆂� ⌘
Pasto (solo per alloggiati) 30/50000 – **38 cam** ⊊ 160/270000 – ½ P 180000.

✗ **Trattoria da Lido,** salita del Falcone 2 ℘ 0565 914650, *ristorante_lido@tin.it,* 🌦, pre-
notare – ≣. 🅰🅴 🕃 ⓘ 🐾🔉 🆅🆂🅰 🅹🅲🅱
chiuso dal 15 dicembre a gennaio e lunedì – **Pasto** carta 55/75000 (10%).

✗ **La Barca,** via Guerrazzi 60-62 ℘ 0565 918036, 🌦 – ≣. 🅰🅴 🕃 ⓘ 🐾🔉 🆅🆂🅰. ⌘
*chiuso febbraio e mercoledì a mezzogiorno in luglio ed agosto, tutto il giorno negli altri
mesi –* **Pasto** carta 45/70000 (10%).

a San Giovanni *Sud : 3 km –* ✉ *57037 Portoferraio :*
🏨 **Airone** 📎, ℘ 0565 929111, *airone@elbalink.it, Fax 0565 917484,* ≤, 🌦, ⌇ con acqua di
mare, 🐾🔉, 🐎, ⌘, ♣ – |≡ ≣ 🆃🆅 🅿 – 🔏 120. 🅰🅴 🕃 ⓘ 🐾🔉 🆅🆂🅰. ⌘ rist
Pasto solo buffet a mezzogiorno 30000 e 60/70000 la sera – **85 cam** ⊊ 250/350000 –
½ P 235000.

ad Acquaviva *Ovest : 4 km –* ⊠ *57037 Portoferraio :*

🏨 **Acquaviva Park Hotel** ⤐, 𝒑 0565 915392, *acquaviva@elbalink.it*, *Fax 0565 916903*, ≤, �, « Percorsi nel bosco », 🔟 – ⭤ 🄿. 🖭 🕃 ⓞ 🐠 𝑽𝑰𝑺𝑨 𝑱𝑪𝑩. 🕉
28 aprile-5 ottobre – **Pasto** (solo per alloggiati e *chiuso a mezzogiorno*) – � 16000 –
39 cam 210/310000 – ½ P 185000.

a Viticcio *Ovest : 5 km –* ⊠ *57037 Portoferraio :*

🏨 **Viticcio**, 𝒑 0565 939058, *hviticcio@elbalink.it*, *Fax 0565 939032*, 🌆, « Giardino-solarium
con ≤ costa e mare » – ⭤ rist, 🖭 🄿. 🕃 🐠 𝑽𝑰𝑺𝑨. 🕉 rist
aprile-ottobre – **Pasto** solo buffet a mezzogiorno 25/50000 e 45/70000 la sera – **31 cam**
⊒ 215/330000 – ½ P 225000.

a Magazzini *Sud-Est : 8 km –* ⊠ *57037 Portoferraio :*

🏨 **Fabricia** ⤐, 𝒑 0565 933181, *fabricia@elbalink.it*, *Fax 0565 933185*, ≤ golfo e Portofer-
raio, « Grande giardino sul mare con 🔟 », 🗚, 🞋, 🕂 – ⭤ 🖭 🄿 – 🅰 80. 🖭 🕃 ⓞ 🐠 𝑽𝑰𝑺𝑨.
🕉 rist
aprile-ottobre – **Pasto** (solo per alloggiati) 35/70000 – **76 cam** ⊒ 300/480000 –
½ P 315000.

a Biodola *Ovest : 9 km –* ⊠ *57037 Portoferraio :*

🏨 **Hermitage** ⤐, 𝒑 0565 936911, *info@elba4star.it*, *Fax 0565 969984*, ≤ baia, Golf
6 buche, « Parco-giardino con 🔟 con acqua di mare », 🞋, 🕂 – 🕴 ⭤ 🖭 🄿 – 🅰 300. 🖭
🕃 🐠 𝑽𝑰𝑺𝑨. 🕉 rist
aprile-ottobre – **Pasto** 55/90000 – **134 cam** ⊒ 335/820000, 4 suites – ½ P 500000.

🏨 **Biodola** ⤐, 𝒑 0565 936811, *info@elba4star.it*, *Fax 0565 969852*, ≤ mare e costa, Golf 6
buche, « Giardino fiorito con 🔟 », 🞋, 🕂 – 🕴 ⭤ 🖭 🄿 🖭 🕃 🐠 𝑽𝑰𝑺𝑨. 🕉 rist
aprile-ottobre – **Pasto** 55/85000 – **90 cam** ⊒ 275/500000 ½ P 345000.

🏨 **Casa Rosa** ⤐ 𝒑 0565 969931, « Parco digradante verso il mare », 🔟, 🞻, 🕂 – ⭤ 🕭 🄿.
🕉
aprile-ottobre – **Pasto** 25000 – **38 cam** ⊒ 160/240000 – ½ P 150000.

a Scaglieri *Ovest : 9 km –* ⊠ *57037 Portoferraio :*

🏨 **Danila** ⤐, 𝒑 0565 969915, *danila@elbalink.it*, *Fax 0565 969865*, 🞻 – 🖭 🄿. 🕃 🐠 𝑽𝑰𝑺𝑨.
🕉 rist
aprile-15 ottobre – **Pasto** 40/60000 – ⊒ 20000 – **27 cam** 130/200000 – ½ P 195000.

ad Ottone *Sud-Est : 11 km –* ⊠ *57037 Portoferraio :*

🏨 **Villa Ottone** ⤐, 𝒑 0565 933042, *hotel@villaottone.com*, *Fax 0565 933257*, ≤, 🌆, solo
su prenotazione, « Parco ombreggiato », 🔟, 🞋, 🕂 – 🕴 ⭤ 🖭 🕭 🄿. 🖭 🕃 ⓞ 🐠 𝑽𝑰𝑺𝑨.
🕉 rist
5 maggio-settembre – **Pasto** 50/75000 – ⊒ 20000 – **73 cam** 215/570000, 2 suites –
½ P 330000.

Rio Marina 430 N 13 – *2 283 ab. –* ⊠ *57038.*

🚢 *per Piombino giornalieri (45 mn) – Toremar-agenzia Palombo, banchina dei Voltoni
4 𝒑 0565 962073, Fax 0565 962073.*
🚢 *a Cavo, per Piombino giornalieri (15 mn) – Toremar-agenzia Serafini, via Appalto 114
𝒑 0565 949871, Fax 0565 949871.*
Porto Azzurro 12 – Portoferraio 20.

🏨 **Mini Hotel Easy Time** ⤐, via Panoramica del Porticciolo 𝒑 0565 962531, *easytime@tis
calinet.it*, *Fax 0565 925691*, ≤, 🌆 – 🖭 🄿. 🕃 🐠 𝑽𝑰𝑺𝑨. 🕉 rist
Pasto *(aprile-settembre; solo per alloggiati)* – ⊒ 23000 – **8 cam** 120/195000 – ½ P 140000.

🍴 **La Canocchia**, via Palestro 3 𝒑 0565 962432, prenotare – ⭤. 🕃 🐠 𝑽𝑰𝑺𝑨 𝑱𝑪𝑩. 🕉
febbraio-ottobre; chiuso lunedì in bassa stagione – **Pasto** carta 55/85000.

a Cavo *Nord : 7,5 km –* ⊠ *57030 :*

🏨 **Marelba** ⤐, via Pietri 𝒑 0565 949900, *Fax 0565 949776*, 🌆, « Giardino ombreggiato » –
🖭 🄿. 🕉
15 maggio-20 settembre – **Pasto** (solo per alloggiati) 35000 – **52 cam** ⊒ 135/200000 –
½ P 155000.

🏨 **Pierolli**, Lungomare Kennedy 1 𝒑 0565 931188, *Fax 0565 931044*, 🞻 – 🖭 🄿. 🖭 🕃 ⓞ 🐠
𝑽𝑰𝑺𝑨 𝑱𝑪𝑩. 🕉
aprile-settembre – **Pasto** carta 60/75000 – ⊒ 20000 – **22 cam** 140/240000 – ½ P 155000.

ELBA (Isola d')

Rio nell'Elba *Livorno* 430 N 13 – *943 ab. alt. 165 –* ⊠ *57039.*
Porto Azzurro 8 – Porto Ferraio 15.

a Bagnaia *Sud-Est : 12 km –* ⊠ *57039 Rio nell'Elba :*

🏨 **Locanda del Volterraio-Residenza Sant'Anna** *senza rist,* 𝒫 *0565 961236, blurifl*
sso@elbalink.it, Fax 0565 961289, 🕸, « *Nel verde fra uliveti e giardini fioriti* », 🚔, 🍸, 🅰🕳
🐎, 🍽 – 🗐 📺 🕭 ⇔ 🅿 – 🔬 40. 🕄 🐠 𝘝𝘐𝘚𝘈. 🛠
aprile-settembre – **18 cam** ⊒ *250/340000.*

ELVAS *Bolzano – Vedere Bressanone.*

EMPOLI *50053 Firenze* 429, 430 K 14 *G. Toscana – 43 887 ab. alt. 27.*
Roma 294 – Firenze 30 – Livorno 62 – Siena 68.

🍴🍴 **Cucina Sant'Andrea,** *via Salvagnoli 47* 𝒫 *0571 73657, cucinasantandrea@tin.it –* 🗐. 🅰
🕄 🐠 𝘝𝘐𝘚𝘈. 🛠
chiuso agosto e lunedì – **Pasto** *carta 45/70000.*

🍴 **La Panzanella,** *via dei Cappuccini 10* 𝒫 *0571 922182 –* 🅰🕮 🕄 🐠 𝘝𝘐𝘚𝘈 𝘑𝘊𝘉. 🛠
🐟 *chiuso dal 24 dicembre al 2 gennaio, dal 10 al 20 agosto, sabato a mezzogiorno e domenica*
– **Pasto** *specialità toscane carta 35/60000.*

ENNA 🅿 432 O 24 – *Vedere Sicilia alla fine dell'elenco alfabetico.*

ENTRACQUE *12010 Cuneo* 428 J 4, 115 ⑦ – *873 ab. alt. 904 – a.s. luglio-agosto e Natale.*
Roma 667 – Cuneo 24 – Milano 240 – Colle di Tenda 40 – Torino 118.

🏨 **Miramonti,** *viale Kennedy 2* 𝒫 *0171 978222, Fax 0171 978222,* ≤ – 📺 🅿. 🛠 *rist*
chiuso dal 10 al 25 novembre – **Pasto** *(solo per alloggiati e chiuso martedì) –* ⊒ *10000 -*
16 cam *90/115000 – ½ P 90000.*

ENTRÈVES *Aosta* 428 E 2 – *Vedere Courmayeur.*

EOLIE (Isole) *Messina* 431 K 26 27, 432 L 26 27 – *Vedere Sicilia alla fine dell'elenco alfabetico.*

EPPAN AN DER WEINSTRASSE = *Appiano sulla Strada del Vino.*

EQUI TERME *54022 Massa-Carrara* 428, 429, 430 J 12 *G. Toscana – alt. 250.*
Roma 437 – Pisa 80 – La Spezia 45 – Massa 48 – Parma 122.

🍴 **La Posta** *con cam, via Provinciale 15* 𝒫 *0585 97937, Fax 0585 97938,* 🕸 – 📺 🅿. 🅰🕮 🕄 ①
🐟 🐠 𝘝𝘐𝘚𝘈. 🛠
chiuso dal 7 gennaio al 25 marzo – **Pasto** *(chiuso martedì) carta 30/40000 –* **7 cam**
⊒ *60/80000 – ½ P 65000.*

ERACLEA *30020 Venezia* 429 F 20 – *12 528 ab..*
🚩 *via Marinella 56* 𝒫 *0421 66134, Fax 0421 66500.*
Roma 569 – Udine 79 – Venezia 46 – Belluno 102 – Milano 308 – Padova 78 – Treviso 45 -
Trieste 120.

a Torre di Fine *Sud-Est : 8 km –* ⊠ *30020 :*

🍴 **Da Luigi** 🐚 *con cam, via Dante 25* 𝒫 *0421 237407, Fax 0421 237447 –* 🗐 📺 🅿. 🕄 🐠
🐟 𝘝𝘐𝘚𝘈. 🛠
chiuso ottobre – **Pasto** *(chiuso mercoledì escluso da giugno ad agosto) specialità di mare*
alla griglia carta 35/60000 – **10 cam** ⊒ *100000.*

ad Eraclea Mare *Sud-Est : 10 km –* ⊠ *30020 :*

🏨 **Park Hotel Pineta** 🐚, *via della Pineta 30* 𝒫 *0421 66063, info@parkhotelpineta.com*
Fax 0421 66196, « *Giardino-pineta* », 🍸, 🅰🕳 – 🗐 *rist,* 📺 🅿. 𝘝𝘐𝘚𝘈. 🛠
15 maggio-25 settembre – **Pasto** *(solo per alloggiati) carta 40/50000 –* **45 cam** ⊒ *120/*
180000 – ½ P 125000.

ERBA *22036 Como* 428 E 9 – *16 456 ab. alt. 323.*
Roma 622 – Como 14 – Lecco 15 – Milano 44.

🏨 **Leonardo da Vinci,** *via Leonardo da Vinci* 𝒫 *031 611556, info@hotelleonardodavinc*
.com,, Fax 031 611423, 🕭, 🚔, 🔲 – 🎓🗐 📺 🕭 🅿 – 🔬 220. 🅰🕮 ① 🐠 𝘝𝘐𝘚𝘈. 🛠
Pasto *(chiuso domenica sera) carta 70/100000 –* **56 cam** ⊒ *130/180000 – ½ P 150000.*

🍴🍴 **Rovere,** *via Carlo Porta 1 b* 𝒫 *031 644847, Fax 031 644847 –* 🗐. 🕄 ① 🐠 𝘝𝘐𝘚𝘈 𝘑𝘊𝘉. 🛠
chiuso agosto, lunedì sera e martedì – **Pasto** *carta 50/95000.*

✗ **La Vispa Teresa,** via XXV Aprile 115 ℰ 031 640141, *Fax 031 641667,* 佘, Rist. e pizzeria, prenotare – 圖. 匪 🕄 ⓪ ◑ 𝘝𝘐𝘚𝘈
chiuso agosto e lunedì – **Pasto** carta 60/100000.

ERBUSCO *25030 Brescia* 𝟦𝟤𝟪, 𝟦𝟤𝟫 *F 11 – 6 837 ab. alt. 251.*
Roma 578 – Bergamo 35 – Brescia 22 – Milano 69.

🏛 **L'Albereta** ⯭, via Vittorio Emanuele 11, località Bellavista Nord : 1,5 km
ℰ 030 7760550, *albereta@terramoretti.it, Fax 030 7760573,* « In collina tra i vigneti », *Lₐ,*
🚗, 🔲, 屄, ✗ – 🛗 ↫ 圖 🔟 ⇐ 🄿 – 🔬 250. 匪 🕄 ⓪ ◑ 𝘝𝘐𝘚𝘈 ✵
Pasto *vedere rist* **Gualtiero Marchesi** – 😅 35000 – **38 cam** 365/460000, 3 suites.

✗✗✗✗ **Gualtiero Marchesi,** via Vittorio Emanuele 11, località Bellavista Nord : 1,5 km
🍀🍀 ℰ 030 7760562, *ristorante@marchesi.it, Fax 030 7760379,* ≼ *lago e monti,* Confort
accurato; prenotare – 圖 🄿 匪 🕄 ⓪ ◑ 𝘝𝘐𝘚𝘈 𝘑𝘊𝘉. ✵
chiuso dall'8 gennaio al 4 febbraio – **Pasto** 200/240000 e carta 135/210000
Spec. Riso, oro e zafferano. Filetto di vitello alla Rossini secondo Gualtiero Marchesi.
Pomodori canditi allo zenzero e cannella, gelato all'arancia.

✗✗ **La Mongolfiera dei Sodi,** via Cavour 7 ℰ 030 7268303, *info@mongolfiera.it,*
Fax 030 7768329, 佘, Coperti limitati; prenotare – 匪 🕄 ⓪ ◑ 𝘝𝘐𝘚𝘈
chiuso dal 1º al 11 gennaio, dal 5 al 26 agosto, giovedì e la sera del 24-25-26 dicembre e di
Pasqua – **Pasto** carta 65/115000.

ERCOLANO *80056 Napoli* 𝟦𝟥𝟣 *E 25 G. Italia– 57 638 ab..*
Vedere Terme★★★ – Casa a Graticcio★★ – Casa dell'Atrio a mosaico★★ – Casa Sannitica★★ –
Casa del Mosaico di Nettuno e Anfitrite★★ – Pistrinum★★ – Casa dei Cervi★★ – Casa del
Tramezzo carbonizzato★ – Casa del Bicentenario★ – Casa del Bel Cortile★ – Casa del Mobilio
carbonizzato★ – Teatro★ – Terme Suburbane★ .
Dintorni Vesuvio★★★ Nord-Est : 14 km e 45 mn a piedi AR.

ERICE *Trapani* 𝟦𝟥𝟤 *M 19 – Vedere Sicilia alla fine dell'elenco alfabetico.*

ESTE *35042 Padova* 𝟦𝟤𝟫 *G 16 G. Italia– 17 031 ab. alt. 15.*
Vedere Museo Nazionale Atestino★ – Mura★.
Roma 480 – Padova 33 – Ferrara 64 – Mantova 76 – Milano 220 – Rovigo 29 – Venezia 69 –
Vicenza 45.

🏛 **Beatrice d'Este,** viale delle Rimembranze 1 ℰ 0429 600533, *beatrice@posta2000.com,*
😅 *Fax 0429 601957* – 🔟 cam, 🔟 🄿 – 🔬 150. 匪 🕄 ⓪ ◑ 𝘝𝘐𝘚𝘈 𝘑𝘊𝘉. ✵ rist
Pasto *(chiuso domenica sera)* carta 30/50000 – 😅 10000 – **30 cam** 75/115000, 🛏 10000 –
½ P 80000.

ETNA *Catania* 𝟦𝟥𝟤 *N 26 – Vedere Sicilia alla fine dell'elenco alfabetico.*

ETROUBLES *11014 Aosta* 𝟦𝟤𝟪 *E 3,* 𝟤𝟣𝟫② *– 413 ab. alt. 1280 – a.s. Pasqua, 15 giugno-8 settembre*
e Natale.
Roma 760 – Aosta 14 – Colle del Gran San Bernardo 18 – Milano 198 – Torino 127.

✗ **Croix Blanche,** via Nazionale Gran San Bernardo 10 ℰ 0165 78238, *Fax 0165 78219,* 佘,
« In una locanda del 17º secolo » – 🄿. 🕄 ◑ 𝘝𝘐𝘚𝘈 𝘑𝘊𝘉
chiuso dal 6 al 28 giugno, dal 6 novembre al 6 dicembre e mercoledì (escluso luglio-agosto)
– **Pasto** carta 45/75000.

FABBRICO *42042 Reggio nell'Emilia* 𝟦𝟤𝟪, 𝟦𝟤𝟫 *H 14 – 5 374 ab. alt. 25.*
Roma 438 – Bologna 81 – Mantova 37 – Modena 43 – Verona 76.

🏛 **San Genesio** *senza rist,* via Piave 35 ℰ 0522 665240, *Fax 0522 650033* – 🛏 🔟. 匪 🕄 ⓪
◑ 𝘝𝘐𝘚𝘈
chiuso dal 23 dicembre al 7 gennaio ed agosto – **16 cam** 😅 105/150000.

FABRIANO *60044 Ancona* 𝟦𝟥𝟢 *L 20 G. Italia– 29 523 ab. alt. 325.*
Vedere Piazza del Comune★ – Piazza del Duomo★ .
Dintorni Grotte di Frasassi★★ Nord : 11 km.
🅱 corso della Republica 70 ℰ 0732 5387, Fax 629791.
Roma 216 – Perugia 72 – Ancona 76 – Foligno 58 – Gubbio 36 – Macerata 69 – Pesaro 116.

🏛 **Gentile da Fabriano,** via Di Vittorio 13 ℰ 0732 627190, *Fax 0732 627190* – 🛗 圖 🔟 ₺.
🄿 – 🔬 300. 匪 🕄 ⓪ ◑ 𝘝𝘐𝘚𝘈 𝘑𝘊𝘉. ✵
Pasto *(chiuso dal 6 al 20 agosto)* carta 45/70000 – **87 cam** 😅 115/170000, 3 suites –
½ P 110000.

sulla strada statale 76 :

XX **Marchese del Grillo** ⬙ con cam, località Rocchetta Bassa Nord-Est : 6 km ✉ 6004
✆ 0732 625690, *marchesedelgrillo@libero.it*, Fax 0732 627958, « Villa patrizia del 18° secol◄
con servizio serale estivo in terrazza » – 🖿 cam, 📺 🄿. 🗟 🄾 VISA. ❦
chiuso dal 7 al 22 gennaio – **Pasto** *(chiuso domenica sera e lunedì)* carta 55/75000 – **6 car**
⊡ 130/190000, 2 suites.

FAENZA 48018 Ravenna 429 , 430 J 17 *G. Italia* – 53 452 ab. alt. 35.

Vedere *Museo Internazionale della Ceramica★★*.

🏌 *La Torre (chiuso martedì) a Riolo Terme* ✉ 48025 ✆ 0546 74035, Fax 0546 74076, per ④
17 km.

🄱 *piazza del Popolo 1* ✆ 0546 25231, Fax 0546 25231.

Roma 368 ② – *Bologna 58* ④ – *Ravenna 35* ① – *Firenze 104* ③ – *Milano 264* ①
Rimini 67 ①.

FAENZA

Garibaldi (Corso)	
Libertà (Piazza d.)	2

Martiri della Libertà (Piazza)	3
Martiri Ungheresi (Via)	5
Matteotti (Corso)	
Mazzini (Corso Giuseppe)	

Popolo (Piazza del)	8
Saffi (Corso)	
Severoli (Via)	9
2 Giugno (Piazza)	1

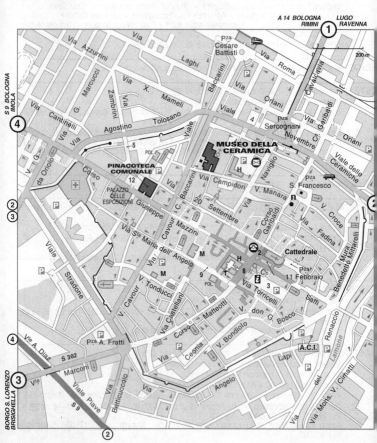

🏨 **Vittoria,** corso Garibaldi 23 ℘ 0546 21508 e rist. ℘ 0546 667493, *hvittoria@connectivy.it,*
Fax 0546 29136, 佘 – 劇 ■ ▥ – 🛦 150. 歴 🖸 ⓞ ⓬ 呕 ⑯ ☞ rist   **n**
Pasto specialità di mare al Rist. ***Millenium*** *(chiuso dal 15 al 31 agosto e mercoledi)* carta
40/70000 – **49 cam** ☑ 130/200000.

🏨 Cavallino, via Forlivese 185 ℘ 0546 634411, Fax 0546 634440 – 劇 ■ ▥ ﻕ 🖪 – 🛦 150
80 cam.   1 km per ②

l casello autostrada A 14 *Nord-Est : 2 km :*

🏨 **Classhotel,** via San Silvestro 171 ✉ 48018 Faenza ℘ 0546 46662 e rist. ℘0546 46700,
classfa@tin.it, Fax 0546 46676 – 劇, ⟵ cam, ■ ▥ ﻕ 🖪 – 🛦 120. 歴 🖸 ⓞ ⓬ 呕 ⑯ ☞
Pasto al Rist. ***Sapori di Romagna*** *(chiuso domenica a mezzogiorno in luglio e agosto)*
carta 40/60000 – **69 cam** ☑ 180/230000.

AGAGNA *33034 Udine* ⓭ *D 21 – 6 056 ab. alt. 177.*
Roma 634 – Udine 14 – Gemona del Friuli 30 – Pordenone 54.

🏨 **Roma,** via Zoratti 22 ℘ 0432 810371, Fax 0432 810309, 佘 – 劇 ■ ▥ ﻕ ⇦ 🖪 – 🛦 100.
⌖ 歴 🖸 ⓞ ⓬ 呕 ⑯ ☞ rist
chiuso luglio – **Pasto** *(chiuso domenica sera e lunedi)* carta 30/50000 – **17 cam** ☑ 85/
130000 – ½ P 95000.

❌ **Al Castello,** via S. Bartolomeo 18 ℘ 0432 800185, Fax 0432 800185, ≤ – 🖪. 歴 🖸 ⓞ ⓬
呕 ☞
chiuso dal 12 al 31 gennaio e lunedi – **Pasto** carta 45/65000.

AGGETO LARIO *22020 Como* ⓶⓲ ⑨ – 1 164 ab. alt. 533.
Roma 624 – Como 12 – Milano 57.

❌ **Hostaria Antica Molina,** piazza S. Antonio 2 ✉ 22020 Lemna ℘ 031 309950, *ristorant*
e@anticamolina.com, Fax 031 309956, prenotare – ⟵. 歴 🖸 ⓞ ⓬ 呕
chiuso dal 10 al 20 giugno, dal 20 settembre al 10 ottobre e martedi – **Pasto** carta
45/70000.

AI DELLA PAGANELLA *38010 Trento* ⓭ *D 15 – 899 ab. alt. 958 – a.s. Natale, febbraio,*
Pasqua e luglio-agosto – Sport invernali : 1 033/2 120 m ⟨ 1 ⟨ 8, ⟨ (vedere anche
Andalo e Moleno).
🅑 *via Villa 1 ℘ 0461 583130, Fax 0461 583410.*
Roma 616 – Trento 33 – Bolzano 55 – Milano 222 – Riva del Garda 57.

🏨 **Arcobaleno,** via Cesare Battisti 29 ℘ 0461 583306, Fax 0461 583535, ≤ – 劇, ■ rist, ▥
⌖ ⇦ 🖪 – 🛦 120. 歴 🖸 ⓞ ⓬ 呕 ☞
chiuso da novembre all'8 dicembre – **Pasto** carta 25/50000 – ☑ 10000 – **36 cam** 85/
130000 – ½ P 130000.

🏨 **Negritella** ⍟, via Benedetto Tonidandel 29 ℘ 0461 583145, Fax 0461 583145, ≤ – ▥ 🖪.
☞ rist
dicembre-Pasqua e giugno-settembre – **Pasto** 30/40000 – ☑ 12000 – **20 cam** 65/115000
– ½ P 100000.

AITO (Monte) *Napoli* ⓭ *E 25 G. Italia – alt. 1 103.*
Vedere ⁕⁕⁕ *dal Belvedere dei Capi –* ⁕⁕⁕ *dalla cappella di San MicheleCastellammare*
di Stabia 15 (per strada a pedaggio) oppure 10 mn di funivia.

ALCADE *32020 Belluno* ⓭ *C 17 – 2 241 ab. alt. 1 145 – Sport invernali : 1 145/2 550 m ⟨ 1 ⟨ 7,*
⟨.
🅑 *piazza Municipio 1 ℘ 0437 599241, Fax 0437 599242.*
Roma 667 – Belluno 52 – Cortina d'Ampezzo 59 – Bolzano 64 – Milano 348 – Trento 108 –
Venezia 156.

🏛 **Molino** ⍟, via Scola 16, località Molino ℘ 0437 599070, Fax 0437 599588, ≤, ⩸, 🏊 – 劇
  ▥ ﻕ 🖪
stagionale – **48 cam.**

🏛 **Belvedere,** via Garibaldi 28 ℘ 0437 599021, *belvedere@dolomiti.com,* Fax 0437 599081,
≤ monti e vallata, « Caratteristiche "stue" d'epoca », 🛁, ⩸ – 劇 ▥ ﻕ 🖪 – 🛦 50. 歴 🖸 ⓞ
⓬ 呕 ⑯ ☞ rist
dicembre-Pasqua e 15 giugno-15 settembre – **Pasto** *(chiuso martedi)* carta 45/70000 –
37 cam ☑ 120/240000 – ½ P 170000.

🏨 **Mulaz** ⍟ senza rist, via Agostino Murer 2 ℘ 0437 599556, Fax 0437 599648 – 劇 ▥ ⇦ 🖪
dicembre-aprile e luglio-settembre – ☑ 10000 – **13 cam** 80/150000.

FALCONARA MARITTIMA *60015 Ancona* [429], [430] L 22 – *28 540 ab. – a.s. luglio-agosto.*
✈ *Ovest : 0,5 km* ☎ *071 28271, Fax 071 2070096.*
Roma 279 – Ancona 13 – Macerata 61 – Pesaro 63.

🏨 **Touring** 🔇, via degli Spagnoli 18 ☎ 071 9160005, *info@touringhotel.it, Fax 071 91300*
🏊 riscaldata da giugno a settembre – |‡|, ▤ cam, [TV] 🚗 [P] – 🎤 200. [AE] [S] ⓓ ⓜ [VISA]
Pasto vedere rist ***Il Camino*** – **75 cam** ☕ 120/190000 – ½ P 120000.

🍴🍴 **Villa Amalia** 🔇 con cam, via degli Spagnoli 4 ☎ 071 9160550, *Fax 071 912045* – ▤ [TV]
🎤 25. [AE] [S] ⓓ ⓜ [VISA] [JCB]
✿ **Pasto** *(chiuso martedì e da ottobre a maggio anche domenica sera)* carta 60/90000
7 cam ☕ 120/170000
Spec. Involtini di triglie e prosciutto con salsa di sedano rapa (autunno-primavera). Tagliat di branzino con composta di verdure e salsa al tartufo. Rombo grigliato con vinaigrette c sedano, melissa e mandorle tostate (autunno-primavera).

🍴🍴 **Il Camino** via Tito Speri 2 ☎ 071 9171647, *Fax 071 9164912* – [AE] [S] ⓓ ⓜ [VISA] [JCB]
chiuso domenica sera e lunedì a mezzogiorno escluso agosto – **Pasto** carta 40/75000.

FALZES **(PFALZEN)** *39030 Bolzano* [429] B 17 – *2 218 ab. alt. 1 022 – Sport invernali : Plan o Corones : 1 022/2 273 m* 🚡 *12* ⛷ *19,* ⛷.
[i] *piazza del Municipio 1* ☎ *0474 528159, Fax 0474 528413.*
Roma 711 – Cortina d'Ampezzo 64 – Bolzano 65 – Brunico 5.

ad Issengo (Issing) *Nord-Ovest : 1,5 km* – ✉ *39030 Falzes :*

🍴🍴 **Al Tanzer** 🔇 con cam, via del Paese 1 ☎ 0474 565366, *info@tanzer.it, Fax 0474 56564*
prenotare, « Eleganti stube », ≘s, 🌳 – [P]. [AE] [S] ⓓ ⓜ [VISA]
chiuso dal 10 novembre al 4 dicembre – **Pasto** *(chiuso martedì e mercoledì a mezzogiorno)* carta 50/95000 – **20 cam** ☕ 110/190000 – ½ P 155000.

a Molini (Mühlen) *Nord-Ovest : 2 km* – ✉ *39030 Chienes :*

🍴🍴 **Schöneck,** via Castello Schöneck 11 ☎ 0474 565550, *restaurant.schoeneck@dnet.i*
Fax 0474 564167, ≤, 🌳, prenotare – 🚭 [P]. [AE] [S] ⓓ ⓜ [VISA]. ✂
✿ *chiuso dal 27 febbraio al 3 aprile, lunedì e martedì a mezzogiorno* – **Pasto** 60/90000 (solo sera) e carta 70/130000
Spec. Fettine di petto d'anatra e fegato grasso d'oca affumicato caldo con vinaigrette a tartufo (primavera-estate). Tasca croccante di patate e porcini su carpaccio di porcir (estate). Crème bruleé di ricotta di capra con lamponi marinati (estate-autunno).

FANANO *41021 Modena* [428], [429], [430] J 14 – *2 896 ab. alt. 634.*
Roma 384 – Bologna 75 – Firenze 116 – Lucca 97 – Modena 72.

🏨 **Park Hotel** 🔇, via Campo del Lungo 198 ☎ 0536 69898, *Fax 0536 69740,* ≤, 🏋, ≘s,
– |‡| 🚭 [TV] ♿ 🚗 [P] – 🎤 80. [AE] [S] ⓓ ⓜ [VISA] [JCB]. ✂
chiuso dal 25 ottobre al 20 novembre – **Pasto** 30/50000 – **43 cam** ☕ 100/160000 ½ P 100000.

FANNA *33092 Pordenone* [429] D 20 – *1 513 ab. alt. 272.*
Roma 620 – Udine 50 – Belluno 75 – Pordenone 29.

🏨 **Al Giardino,** via Circonvallazione Nuova 3 ☎ 0427 77178, *algiard@tiscalinet.i*
Fax 0427 778055, 🌳 – ▤ [TV] 📞 ♿ [P] – 🎤 40. [AE] [S] ⓓ ⓜ [VISA]. ✂
Pasto *(chiuso martedì e dal 10 gennaio al 10 febbraio)* carta 45/70000 – ☕ 15000 – **25 can** 100/160000 – ½ P 120000.

FANO *61032 Pesaro e Urbino* [429], [430] K 21 *G. Italia* – *56 175 ab. – a.s. 25 giugno-agosto.*
Vedere *Corte Malatestiana*★ **Z M** – *Dipinti del Perugino*★ *nella chiesa di Santa Maria Nuov* **Z**.
[i] *viale Cesare Battisti 10* ☎ *0721 803534, Fax 0721 824292.*
Roma 289 ③ – Ancona 65 ② – Perugia 123 ③ – Pesaro 11 ④ – Rimini 51 ②.

Pianta pagina a lato

🏨 **Elisabeth Due,** piazzale Amendola 2 ☎ 0721 823146 e rist ☎ 0721 805992
Fax 0721 823147, ≤ – |‡| ▤ [TV] [P]. [AE] [S] ⓓ ⓜ [VISA]. ✂ Y
Pasto al Rist. ***Il Galeone*** carta 60/95000 – ☕ 15000 – **28 cam** 170/220000, 4 suites ½ P 190000.

🏨 **Corallo,** via Leonardo da Vinci 3 ☎ 0721 804200, *corallo@mobilia.it, Fax 0721 803637* – |‡|
▤ [TV]. [AE] [S] ⓓ ⓜ [VISA]. ✂ Y
chiuso dal 24 dicembre al 6 gennaio – **Pasto** carta 45/60000 – ☕ 12000 – **34 car** 85/105000, 3 suites – ½ P 100000.

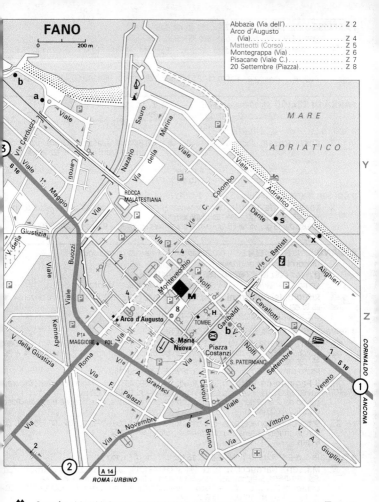

FANO

0   200 m

Abbazia (Via dell').	Z 2
Arco d'Augusto	
(Via).	Z 4
Matteotti (Corso).	Z 5
Montegrappa (Via).	Z 6
Pisacane (Viale C.).	Z 7
20 Settembre (Piazza).	Z 8

🏨 **Angela,** viale Adriatico 13 ℰ 0721 801239, *Fax 0721 803102,* ≼, 🐾 – 🛗 📺. 🖭 🕄 ⓪ ⓿ 🆚. ⚡
YZ **x**
Pasto *(chiuso dal 20 dicembre al 10 gennaio)* carta 45/80000 – ☑ 12000 – **37 cam** 75/105000 – ½ P 105000.

🏨 **Excelsior,** via Simonetti 57 ℰ 0721 803558, *Fax 0721 803558,* ≼, 🍽, – 🛗 📺 🅿 – 🛗 50. 🖭 🕄 ⓪ ⓿ 🆚. ⚡
Y **b**
maggio-settembre – **Pasto** carta 45/80000 – ☑ 12000 – **27 cam** 95/130000 – ½ P 100000.

XX **Casa Nolfi,** via Gasparoli 59 ℰ 0721 827066, *Fax 0721 837217,* prenotare – 🍽. 🖭 🕄 ⓪ ⓿ 🆚. ⚡
Z **b**
chiuso domenica sera e lunedì – **Pasto** 65/90000 e carta 50/90000.

FARINI 29023 Piacenza 🐼🐑 H 10 – *1 958 ab. alt. 426.*
Roma 560 – Piacenza 43 – Genova 123.

XX **Georges Cogny-Locanda Cantoniera,** strada statale 654 (Sud : 4,5 km)
✿ ℰ 0523 919113, solo su prenotazione – 🖭 🕄 ⓪ ⓿ 🆚
chiuso mercoledì escluso luglio-agosto – **Pasto** carta 70/105000
Spec. Ambroisie di fegato d'oca, mostarda di frutta e verdura. Cotechino di piedini di maiale, purea di porro. Soufflé "mi-cuit" al cioccolato.

FARNESE *01010 Viterbo* **430** O 17 – *1 765 ab. alt. 343.*

Roma 139 – Viterbo 43 – Grosseto 85 – Siena 128.

Il Voltone ⟫, località Voltone Farnese Nord : 10 km ℘ 0761 422540, *voltone@ilvoltone.it*, Fax 0761 422540, ⟨, ⛱, « Piccolo borgo con parco », ⟁ – **P.** ⚹ 100. ⬛ ◍◍ **VISA**. ⋊ rist
7 aprile-7 novembre – **Pasto** carta 55/75000 – **29 cam** ⊇ 150/240000 – ½ P 170000.

FARRA DI SOLIGO *31010 Treviso* **429** E 18 – *7 776 ab. alt. 163.*

Roma 590 – Belluno 40 – Treviso 35 – Venezia 72.

a Soligo *Est : 3 km –* ⊠ *31020 :*

Casa Rossa, località San Gallo ℘ 0438 840131, *casarossa@itinerarium.com* Fax 0438 840016, ⟨ vallata, « Servizio estivo in terrazza-giardino » – **P.** ⬛ ⬛ ◍ ◍◍ **VIS** **JCB**.
chiuso dal 15 gennaio a febbraio, mercoledì da giugno a settembre, anche giovedì mezzogiorno negli altri mesi – **Pasto** carta 45/75000.

a Col San Martino *Sud-Ovest : 3 km –* ⊠ *31010 Farra di Soligo :*

Locanda da Condo, via Fontana 134 ℘ 0438 898106, *info@locandadacondo.i* Fax 0438 989701, ⛱ – ⤢, ⬛ ◍ ◍◍ **VISA**. ⋊
chiuso dal 15 giugno al 15 luglio, mercoledì sera e giovedì – **Pasto** carta 40/50000.

FASANO *72015 Brindisi* **431** E 34 – *40 280 ab. alt. 111 – a.s. 20 giugno-agosto.*

Dintorni Regione dei Trulli★★★ *Sud.*

🛈 *piazza Ciaia 10* ℘ 080 4413086, Fax 080 4413086.

Roma 507 – Bari 60 – Brindisi 56 – Lecce 96 – Matera 86 – Taranto 49.

Rifugio dei Ghiottoni, via Nazionale dei Trulli 116 ℘ 080 4414800, Rist. e pizzeria – ⬛ ⬛ ⬛ ◍◍ **VISA**. ⋊
chiuso dal 1° al 20 luglio e mercoledì – **Pasto** carta 40/55000.

a Selva *Ovest : 5 km – alt. 396 –* ⊠ *72010 Selva di Fasano*

Sierra Silvana ⟫, via Don Bartolo Boggia 5 ℘ 080 4331322, *htlsierra@mail.media.i* Fax 080 4331207, « Palazzine e trulli in un giardino mediterraneo », ⟁ – ⟦ ⬛ ⬛ 🅫 ❤ ⚿ **P.** ⚹ 350. ⬛ ⬛ ◍ ◍◍ **VISA** **JCB**. ⋊ rist
Pasto carta 35/55000 – **120 cam** ⊇ 180/235000 – ½ P 160000.

Il Fagiano-da Vittorio, viale Toledo 13 ℘ 080 4331157, *ilfagianodavittorio@libero.i* Fax 080 4331211, « Servizio estivo in giardino » – **P.** ⬛ ⬛ ◍ ◍◍ **VISA**
chiuso dal 2 al 29 gennaio, dal 28 ottobre al 20 novembre, lunedì sera e martedì – **Past** carta 50/75000 (10 %).

Selva Club-Monacelle ⟫ con cam, Nord : 2 km ℘ 080 9309942, Fax 080 9307291, ⛱ « In un'antica masseria con caratteristici trulli », ⤢ – ⬛ **P.**
8 cam.

a Speziale *Sud-Est : 3 km – alt. 84 –* ⊠ *72016 Montalbano di Fasano :*

Masseria Narducci, via Lecce 131 ℘ 080 4810185, *agriturismo_narducci@yahoo.com* Fax 080 4810185, Piccolo azienda agrituristica, « Giardino-solarium » – ⬛ **P.** ⋊
chiuso dal 1° al 10 ottobre – **Pasto** *(chiuso domenica sera e lunedì; prenotare)* 40/50000 ⊇ 10000 – **9 cam** 100000 – ½ P 100000.

FASANO DEL GARDA *Brescia – Vedere Gardone Riviera.*

FAVARI *Torino – Vedere Poirino.*

FAVIGNANA (Isola di) *Trapani* **432** N 18 – *Vedere Sicilia (Egadi, isole) alla fine dell'elenc* *alfabetico.*

FEISOGLIO *12050 Cuneo* **428** I 6 – *410 ab. alt. 706.*

Roma 616 – Genova 117 – Alessandria 69 – Cuneo 60 – Milano 163 – Savona 75 – Torino 87

Piemonte-da Renato, via Firenze 19 ℘ 0173 831116, solo su prenotazione – **P.** *Pasqua-15 dicembre* – **Pasto** *(menu suggeriti dal proprietario)* 60/65000.

FELINO *43035 Parma* [428], [429], [430] H 12 – *6 943 ab. alt. 187.*
Roma 469 – Parma 17 – Cremona 74 – La Spezia 113 – Modena 76.

XX ✿ **La Cantinetta,** via Calestano 14 ☎ 0521 831125, *Fax 0521 831125,* ☂, prenotare – [P]. [AE] [S] ⓓ ⓜ VISA JCB
chiuso Natale, agosto, sabato a mezzogiorno e lunedì; in luglio chiuso domenica ed aperto sabato a mezzogiorno – **Pasto** specialità di mare carta 80/100000
Spec. Granpiatto di crostacei e verdure. Bavettine al calamaro velo e basilico fresco. Ombrina di lenza al sale grigio di Normandia.

X ☺ **Antica Osteria da Bianchini,** via Marconi 4/a ☎ 0521 831165, ☂ – [S] ⓓ ⓜ VISA JCB
chiuso dal 10 al 25 gennaio, lunedì sera e martedì – **Pasto** carta 40/60000.

a Barbiano *Sud : 4 km* – ✉ *43035 :*

X **Trattoria Leoni,** via Riccò 42 ☎ 0521 831196, *Fax 0521 836641,* « Servizio estivo in terrazza panoramica » – [P]. [AE] [S] ⓓ ⓜ VISA JCB. ✂
chiuso dal 25 dicembre al 10 gennaio, dal 1° al 20 settembre e lunedì – **Pasto** carta 40/60000.

FELTRE *32032 Belluno* [429] D 17 *G. Italia – 19 404 ab. alt. 324.*
Vedere *Piazza Maggiore★ – Via Mezzaterra★.*
[i] *piazzetta Trento e Trieste 9 ☎ 0439 2540, Fax 0439 2839.*
Roma 593 – Belluno 32 – Milano 288 – Padova 93 – Trento 81 – Treviso 58 – Venezia 88 – Vicenza 84.

🏨 **Doriguzzi** senza rist, viale Piave 2 ☎ 0439 2003, *Fax 0439 83660* – [lift] [TV] 🚗 [P] – 👥 60. [AE] [S] ⓓ ⓜ VISA. ✂
☕ 15000 – **23 cam** 100/140000.

🏨 Nuovo, senza rist, vicolo Fornere Pazze 5 ☎ 0439 2110, *Fax 0439 89241* – [lift] [TV] [P]
23 cam.

FENEGRÒ *22070 Como* [219] ⑱ – *2 533 ab. alt. 290.*
Roma 604 – Como 26 – Milano 34 – Saronno 10 – Varese 24.

XX **In,** via Monte Grappa 20 ☎ 031 935702, *Fax 031 935702,* prenotare – ▤ [P]. [AE] [S] ⓓ ⓜ VISA
chiuso dal 26 dicembre al 4 gennaio, agosto, domenica sera e lunedì – **Pasto** carta 55/85000.

FENER *32030 Belluno* [429] E 17 – *alt. 198.*
Roma 564 – Belluno 42 – Milano 269 – Padova 63 – Treviso 39 – Venezia 69.

🏨 **Tegorzo,** via Nazionale 25 ☎ 0439 779740 e rist. ☎ 0439 779547, *htltegorzo@tin.it,, Fax 0439 779706,* 🍴 – [lift] [TV] ♿ [P] – 👥 50. [AE] [S] ⓓ ⓜ VISA. ✂
Pasto *(chiuso domenica sera escluso luglio-settembre)* carta 50/65000 – ☕ 15000 – **30 cam** 100/150000 – ½ P 100000.

FENIS *11020 Aosta* [428] E4, [219] ③ *G. Italia – 1 591 ab. alt. 537.*
Roma 722 – Aosta 20 – Breuil-Cervinia 36 – Torino 82.

🏨 **Comtes de Challant** 🔇, frazione Chez Sapin 95 ☎ 0165 764353, *hcdc@ats.it, Fax 0165 764762* – [lift], ▤ rist, [TV] ♿ 🚗 [P] – 👥 40. [AE] [S] ⓓ ⓜ VISA. ✂
chiuso dal 7 al 30 gennaio e dal 25 giugno al 7 luglio – **Pasto** *(chiuso lunedì)* carta 45/80000 – ☕ 15000 – **28 cam** 100/140000 – ½ P 120000.

FERENTILLO *05034 Terni* [430] O 20 *G. Italia – 1 923 ab. alt. 252.*
Roma 122 – Terni 18 – Rieti 54.

a Monterivoso *Est : 2 km* – ✉ *05034 Ferentillo :*

🏨 **Monterivoso,** via Case Sparse 5 ☎ 0744 780772, *Fax 0744 780725,* 🎣 – [lift] [TV] ♿ [P]. [AE] [S] ⓓ ⓜ VISA. ✂ rist
Pasto *(chiuso martedì)* pizzeria solo serale carta 50/70000 – **19 cam** ☕ 80/110000 – ½ P 70000.

FERENTINO *03013 Frosinone* [430] Q 21 – *20 318 ab. alt. 393.*
Dintorni *Anagni : cripta★★★ nella cattedrale★★, quartiere medioevale★, volta★ del palazzo Comunale Nord-Ovest : 15 km.*
Roma 75 – Frosinone 14 – Fiuggi 23 – Latina 66 – Sora 42.

🏨 **Bassetto** [M], via Casilina Sud al km 74,600 ☎ 0775 244931, *hotel.bassetto@flashnet.it, Fax 0775 244399* – [lift] ▤ [TV] ♿ [P] – 👥 40. [AE] [S] ⓓ ⓜ VISA JCB. ✂
Pasto carta 50/70000 – **99 cam** ☕ 110/150000 – ½ P 90000.

FERIOLO 28835 Verbania 428 E 7, 219 ⑥ – alt. 195 – a.s. 28 giugno-15 settembre.
Roma 664 – Stresa 7 – Domodossola 35 – Locarno 48 – Milano 87 – Novara 63.

🏠 **Carillon** senza rist, strada nazionale del Sempione 2 ℰ 0323 28115, hotelcarillon@tiscali.
et.it, Fax 0323 28550, ≤ lago, « Giardino in riva al lago », 🛵 – 🛊 📺 📗 🕃 ⓞ ⓒⓞ 𝘝𝘐𝘚𝘈
Pasqua-ottobre – ⇌ 18000 – **32 cam** 120/140000.

�XXX **Il Battello del Golfo**, strada statale n. 33 ℰ 0323 28122, Fax 0323 28122, ≤, prenotare
« Su un battello ancorato a riva » – 🔲 📗 ⒶⒺ 🕃 ⓞ ⓒⓞ 𝘝𝘐𝘚𝘈
chiuso ottobre e martedì – **Pasto** carta 55/95000 (10%).

XX **Serenella** con cam, via San Carlo 1 ℰ 0323 28112, Fax 0323 28350, 😤, 🐎 – 📺 📗 ⒶⒺ 🕃
ⓞ ⓒⓞ 𝘝𝘐𝘚𝘈 𝙅𝘾𝘽
chiuso gennaio e febbraio – **Pasto** (chiuso mercoledì escluso da aprile ad ottobre) cart
45/60000 – ⇌ 10000 – **14 cam** 80/105000 – ½ P 90000.

FERMIGNANO 61033 Pesaro e Urbino 430 K 19 – 7 435 ab. alt. 199.
Roma 258 – Rimini 70 – Ancona 99 – Gubbio 49 – Pesaro 43 – Urbino 8.

🏠 **Bucci** senza rist, via dell'Industria 18 (Nord-Est : 3,6 km) ℰ 0722 356050, hotelbucci@lib
ro,it, Fax 0722 356050 – 🔲 📺 🕭 🚙 📗 ⒶⒺ 🕃 ⓞ ⓒⓞ 𝘝𝘐𝘚𝘈 𝙅𝘾𝘽. 🏂
chiuso dal 23 al 26 dicembre – ⇌ 5000 – **16 cam** 75/110000, 🔲 5000.

FERMO 63023 Ascoli Piceno 430 M 23 G. Italia – 35 617 ab. alt. 321 – a.s. luglio-13 settembre.
Vedere Posizione pittoresca★ – ≤★★ dalla piazza del Duomo★ – Facciata★ del Duomo.
🚩 piazza del Popolo 6 ℰ 0734 228738, Fax 0734 228325.
Roma 263 – Ascoli Piceno 75 – Ancona 69 – Macerata 41 – Pescara 102.

al lido Est : 8 km :
🏠🏠 **Royal**, piazza Piccolomini 3 ⊠ 63023 ℰ 0734 642244, royal@timropa.com
Fax 0734 642254, ≤, 😤, « Terrazza solarium con piccola piscina » – 🛊, 🌤 cam, 🔲 📺 🕭
🚙 – 🔬 230. ⒶⒺ 🕃 ⓞ ⓒⓞ 𝘝𝘐𝘚𝘈 𝙅𝘾𝘽. 🏂
Pasto al Rist. **Nautilus** (chiuso lunedì da ottobre a marzo) carta 60/90000 – ⇌ 15000 –
56 cam 180/240000 – ½ P 130000.

a Torre di Palme Sud-Est : 9 km : – ⊠ 63017 :
X **Osteria il Galeone**, via Piave 10 ℰ 0734 53631, 😤, Coperti limitati; prenotare, « Servi
zio estivo in terrazza con ≤ mare » – ⒶⒺ 🕃 ⓞ ⓒⓞ 𝘝𝘐𝘚𝘈. 🏂
chiuso dal 20 dicembre all'8 gennaio, ottobre, lunedì e a mezzogiorno (escluso domenica) –
Pasto carta 50/75000.

FERRARA 44100 🅿 429 H 16 G. Italia – 132 127 ab. alt. 10.
Vedere Duomo★★ BYZ – Castello Estense★ B – Palazzo Schifanoia★ E : affreschi★★
– Palazzo dei Diamanti★ BY : pinacoteca nazionale★, affreschi★★ nella sala d'onore – Corso
Ercole I d'Este★ BY – Palazzo di Ludovico il Moro★ BZ M1 – Casa Romei★ BZ – Palazzina
Marfisa d'Este★ BZ N.
🏌 ℰ 0532 752553, Fax 0532 753308.
🚩 Castello Estense ℰ 0532 209370, Fax 0532 212266.
A.C.I. via Padova 17 ℰ 0532 52722.
Roma 423 ③ – Bologna 51 ③ – Milano 252 ③ – Padova 73 ④ – Venezia 110 ④ –
Verona 102 ④.

Pianta pagina a lato

🏠🏠🏠 **Duchessa Isabella**, via Palestro 70 ℰ 0532 202121, isabella@tin.it, Fax 0532 202638
😤, « In un palazzo del 15° secolo », 🐎 – 🛊 🔲 📺 📗 ⒶⒺ 🕃 ⓞ ⓒⓞ 𝘝𝘐𝘚𝘈 𝙅𝘾𝘽   BY
chiuso agosto – **Pasto** (chiuso le sere di domenica e lunedì) carta 90/150000 (20%) –
21 cam ⇌ 490/570000, 6 suites – ½ P 360000.

🏠🏠 **Annunziata** senza rist, piazza Repubblica 5 ℰ 0532 201111, annunzia@tin.it
Fax 0532 203233 – 🛊 🔲 📺 🕭 – 🔬 50. ⒶⒺ 🕃 ⓞ ⓒⓞ 𝘝𝘐𝘚𝘈 𝙅𝘾𝘽   BY
23 cam ⇌ 230/330000, suite.

🏠🏠 **Astra**, viale Cavour 55 ℰ 0532 206088, astra@mbox.4net.it, Fax 0532 247002 – 🛊 🔲 📺
🕭 – 🔬 120. ⒶⒺ 🕃 ⓞ ⓒⓞ 𝘝𝘐𝘚𝘈 𝙅𝘾𝘽. 🏂 rist   AY
Pasto (chiuso dal 1° al 20 agosto) carta 50/75000 – **66 cam** ⇌ 270/380000, 3 suites.

🏠🏠 **Ripagrande**, via Ripagrande 21 ℰ 0532 765250, ripahotel@mbox.4net.it
Fax 0532 764377, « Palazzo del 16° secolo; servizio estivo in cortile » – 🛊 🔲 📺
🔬 80. ⒶⒺ 🕃 ⓞ ⓒⓞ 𝘝𝘐𝘚𝘈. 🏂 rist   ABZ
Pasto (chiuso dal 10 al 25 agosto e lunedì) carta 50/70000 (10%) – **40 cam** ⇌ 250/330000

🏠 **Principessa Leonora**, via Mascheraio 39 ℰ 0532 206020, « Dimora del 15° secolo »
🛵, 🐎 – 🛊 🔲 📺 🕭 🚙 – 🔬 80. ⒶⒺ 🕃 ⓞ ⓒⓞ 𝘝𝘐𝘚𝘈 𝙅𝘾𝘽   BY
chiuso dal 10 gennaio al 20 febbraio – **Pasto** vedere Hotel Duchessa Isabella – ⇌ 25000 –
22 cam 180/300000.

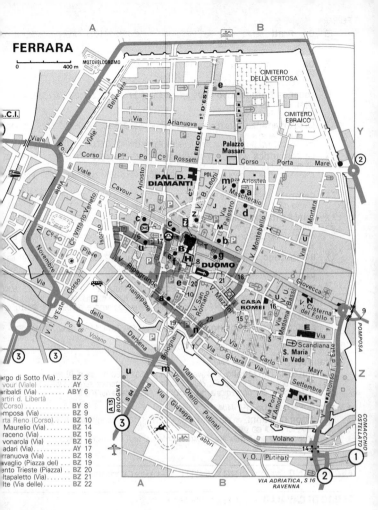

FERRARA

MOTOVELODROMO

CIMITERO
DELLA CERTOSA

CIMITERO
EBRAICO

Palazzo
Massari

PAL. D.
DIAMANTI

CASA
ROMEI

S. Maria
in Vado

VIA ADRIATICA, S 16
RAVENNA

Borgo di Sotto (Via)	BZ 3
Cavour (Viale)	AY
Garibaldi (Via)	ABY 6
Martiri d. Libertà	
(Corso)	BY 8
Comacchio (Via)	BZ 9
Porta Reno (Corso)	BZ 10
Maurelio (Via)	BZ 14
Saraceno (Via)	BZ 15
Savonarola (Via)	BZ 16
Spadari (Via)	AY 17
Arianuova (Via)	BZ 18
Travaglio (Piazza del)	BZ 19
Trento Trieste (Piazza)	BZ 20
Voltapaletto (Via)	BZ 21
Volte (Via delle)	BZ 22

🏨 **Nettuno Hotel Ferrara** Ⓜ, via Pigna 5/7 ℰ 0532 977155, *Fax 0532 977154* – 🛗, 🔆 cam, 🍴 📺 🔥 🅿 – 🔼 150. 🌐 🔄 ⑩ ⓥ 🎳 . 🛠   2 km per ③
Pasto carta 45/70000 – **68 cam** ➡ 300000 – ½ P 180000.

🏨 **Carlton** senza rist, via Garibaldi 93 ℰ 0532 211130, *hotelcarlton@sestantenet.it*, *Fax 0532 205766* – 🛗 🍴 📺 🔥 – 🔼 60. 🌐 🔄 ⑩ ⓥ 🎳   AY u
58 cam ➡ 140/220000.

🏨 **Europa** senza rist, corso della Giovecca 49 ℰ 0532 205456, *Fax 0532 212120*, « Palazzo settecentesco con affreschi originali » – 🛗 🍴 📺 🅿 – 🔼 60. 🌐 🔄 ⑩ ⓥ 🎳 . 🛠
39 cam ➡ 125/195000.   BY b

🏨 **Locanda della Duchessina,** vicolo del Voltino 11 ℰ 0532 206981, *Fax 0532 202638* – 🍴 📺 🅿. 🌐 🔄 ⑩ ⓥ 🎳 🇯🇨🇧   BY m
chiuso agosto – **Pasto** vedere Hotel Duchessa Isabella – ➡ 25000 – **5 cam** 140/220000.

🏨 **Touring** senza rist, viale Cavour 11 ℰ 0532 206200, *touring@mbox.4net.it*, *Fax 0532 212000* – 🛗 📺. 🌐 🔄 ⑩ ⓥ 🎳   BY c
57 cam ➡ 125/200000.

De Prati senza rist, via Padiglioni 5 ℰ 0532 241905, *info@hoteldeprati.cc*
Fax 0532 241966 – 🛗 🗏 📺 📞. 🖭 🕄 ⑪ ⓪❸ *VISA*   BY
12 cam ☞ 125/195000, suite.

Daniela senza rist, via Arginone 198/A ℰ 0532 773104, Fax 0532 771398 – 🗏 📺 🛗 🅿.
🕄 ⑪ ⓪❸ *VISA*   per ④
☞ 10000 – **28 cam** 90/120000.

Locanda Borgonuovo senza rist, via Cairoli 29 ℰ 0532 211100, Fax 0532 24800 –
📺 📞. 🖭 🕄 ⓪❸ *VISA*   BY
4 cam ☞ 120/180000.

XX **La Provvidenza,** corso Ercole I d'Este 92 ℰ 0532 205187, Fax 0532 205018, � – 🗏.
🕄 ⑪ ⓪❸ *VISA* 🗲ᴄᴮ. 🦐   BY
chiuso dal 21 luglio al 10 agosto e lunedì – **Pasto** carta 55/75000.

XX **La Romantica,** via Ripagrande 36 ℰ 0532 765975, Fax 0532 761648, � – 🗲✕ 🗏. 🖭
⑪ ⓪❸ *VISA*. 🦐   ABZ
chiuso dal 1° al 15 gennaio, dal 1° al 22 luglio, mercoledì e domenica sera – **Pasto** ca
45/85000.

XX **Centrale,** via Boccaleone 8 ℰ 0532 206735, Fax 0532 206735, 🌫 – 🕄 ⑪ ⓪❸ *VISA*
chiuso dal 1° al 15 luglio, domenica e mercoledì sera – **Pasto** carta 50/70000.   BZ

XX **Quel Fantastico Giovedì,** via Castelnuovo 9 ℰ 0532 760570, Fax 0532 760570, Cope
limitati; prenotare – 🗲✕ 🗏. 🖭 🕄 ⑪ ⓪❸ *VISA* 🗲ᴄᴮ. 🦐
chiuso dal 20 al 30 gennaio, dal 20 luglio al 20 agosto e mercoledì – **Pasto** 35/60000 e ca
50/70000.   BZ

XX **Il Bagattino,** via Correggiari 6 ℰ 0532 206387, Fax 0532 206387, 🌫 – 🗏. 🖭 🕄 ⑪ ❋
VISA   BZ
Pasto carta 40/65000.

X **Trattoria il Testamento del Porco,** via Mulinetto 109-111 ℰ 0532 7604●
Fax 0532 760460, Coperti limitati; prenotare – 🗏. 🖭 🕄 ⑪ ⓪❸ *VISA*. 🦐   AZ
chiuso dal 18 febbraio all'11 marzo, sabato a mezzogiorno e domenica – **Pasto** ca
45/80000.

X **Antica Trattoria Volano,** viale Volano 20 ℰ 0532 761421, Fax 0532 798436, 🌫 – ❋
🗏. 🖭 🕄 ⑪ ⓪❸ *VISA*. 🦐   ABZ
chiuso venerdì – **Pasto** carta 45/60000 (15 %).

a Gaibana per ② : 10 km – ⊠ 44040 :

XX **Trattoria Lanzagallo,** via Ravenna 1048 ℰ 0532 718001 – 🗏 🅿. 🕄 *VISA*. 🦐
chiuso dal 15 al 31 gennaio, dal 15 al 31 luglio, domenica sera e lunedì, da giugno
settembre anche domenica a mezzogiorno – **Pasto** carta 45/70000.

a Marrara per ② : 17 km – ⊠ 44040 :

XX **Il Don Giovanni,** via del Primaro 86 ℰ 0532 421064, *ildongio@tin.it,* Fax 0532 42106●
🗏 🅿. 🖭 🕄 ⑪ ⓪❸ *VISA*
chiuso dall'8 al 16 gennaio, agosto, domenica sera e lunedì – **Pasto** 45/85000 e ca
60/105000.

FERRAZZANO Campobasso **430** R 26, **431** C 26 – Vedere Campobasso.

FERRO DI CAVALLO Perugia **430** M 19 – Vedere Perugia.

FETOVAIA Livorno **430** N 12 – Vedere Elba (Isola d') : Marina di Campo.

FIANO ROMANO 00065 Roma **430** P 19 – 7 833 ab. alt. 107.
Roma 39 – L'Aquila 110 – Terni 81 – Viterbo 81.

in prossimità casello autostrada A 1 di Fiano Romano Sud : 5 km :

🏨 **Eurohotel** Ⓜ senza rist, località Bei Poggi ⊠ 00065 ℰ 0765 455511, Fax 0765 455333,
– 🛗 🗏 📺 🕭 🅿 – 🔏 80. 🖭 🕄 ⑪ ⓪❸ *VISA*
97 cam ☞ 160/215000.

FIASCHERINO La Spezia **428**, **429**, **430** J 11 – Vedere Lerici.

---

*Per l'inserimento in **guida**,*
***Michelin** non accetta*
né favori, né denaro!

IDENZA 43036 Parma 428, 429 H 12 *G. Italia* – *23 066 ab. alt. 75.*

Vedere *Duomo★ : portico centrale★★.*

Roma 478 – Parma 21 – Piacenza 43 – Bologna 116 – Cremona 47 – Milano 103.

XX **I Gemelli**, via Gialdi 14 *𝒫 0524 528506* – ▤. ᴀᴇ 🖪 ① ◑◐ 𝘝𝘐𝘚𝘈. ⌘
chiuso dall'8 giugno al 1° luglio e lunedì – **Pasto** specialità di mare 45/70000 e carta 60/75000.

X **Ugolini** con cam, via Malpeli 90 *𝒫 0524 83264, Fax 0524 522422* – 📺. ᴀᴇ 🖪 ① ◑◐ 𝘝𝘐𝘚𝘈 JCB. ⌘
chiuso dal 24 dicembre al 5 gennaio e dal 5 al 15 agosto – **Pasto** *(chiuso giovedì)* carta 50/75000 – ⌷ 13000 – **13 cam** 70/95000 – 1/2 P 90000.

ſÉ ALLO SCILIAR (VÖLS AM SCHLERN) 39050 Bolzano 429 C 16 – *3 000 ab. alt. 880.*

🛈 *via Bolzano 4 𝒫 0471 725047, Fax 0471 725488.*

Roma 657 – Bolzano 16 – Bressanone 40 – Milano 315 – Trento 76.

🏨 **Emmy** ⤸, via Putzes 5 *𝒫 0471 725006, info@hotel-emmy.com, Fax 0471 725484,* ≼ monti e pinete, 🍽, Centro salute ossigenoterapia, 𝑓₆, ▢ – 🛌, 🅴 rist, ▤ rist, 📺 ⅙ ☚. 🖪 ◑◐ 𝘝𝘐𝘚𝘈. ⌘ rist
chiuso dal 4 novembre al 20 dicembre – **Pasto** carta 75/115000 – **45 cam** ⌷ 340/470000 – 1/2 P 280000.

🏨 **Turm** ⤸, piazza della Chiesa 9 *𝒫 0471 725014, turm@romantik.de, Fax 0471 725474,* ≼ monti e vallata, « Edificio civile medievale con raccolta di quadri d'autore », ≤ₛ, ⅃, ▢, 🐎 – 🛗 🖪 ◑◐ 𝘝𝘐𝘚𝘈. ⌘ rist
chiuso dal 5 novembre al 22 dicembre – **Pasto** *(chiuso giovedì)* carta 65/95000 – **26 cam** ⌷ 305/345000, 5 suites – 1/2 P 200000.

🏨 **Heubad** ⤸, via Sciliar 12 *𝒫 0471 725020, hotel.heubad@dnet.it, Fax 0471 725425,* ≼, 🍽, Cura bagni di fieno, « Caratteristiche stuben », ≤ₛ, ⅃ riscaldata, 🐎 – 🛗 📺 ☚ 🄿. 🖪 ◑◐ 𝘝𝘐𝘚𝘈
chiuso dal 4 novembre al 18 dicembre e dal 12 al 30 gennaio – **Pasto** *(chiuso mercoledì)* carta 45/70000 – **43 cam** ⌷ 170/270000 – 1/2 P 150000.

🏨 **Völser Hof**, via del Castello 1 *𝒫 0471 725421, info@volserhof.it, Fax 0471 725602,* ≼, 🍽, ⅃, 🐎 – 🛗 📺 🄿. ᴀᴇ 🖪 ① ◑◐ 𝘝𝘐𝘚𝘈. ⌘ rist
chiuso dal 7 novembre al 20 dicembre – **Pasto** carta 50/80000 – **26 cam** ⌷ 115/260000 – 1/2 P 150000.

San Costantino (St. Konstantin) Nord : 3 km – ✉ 39040 Siusi :

🏨 **Parc Hotel Miramonti** ⤸, San Costantino 14 *𝒫 0471 707035, parchotel.miramonti@dnet.it, Fax 0471 705422,* ≼, 𝑓₆, ≤ₛ, ⅃, ▢, 🐎 – 🛗, ▤ rist, 📺 🄿.
chiuso dal 10 novembre al 18 dicembre – **Pasto** *(chiuso lunedì)* carta 45/80000 – **60 cam** ⌷ 180/300000 – 1/2 P 185000.

IERA DI PRIMIERO 38054 Trento 429 D 17 – *528 ab. alt. 717 – a.s. Pasqua e Natale.*

🛈 *via Dante 6 𝒫 0439 62407, Fax 0439 62992.*

Roma 616 – Belluno 65 – Bolzano 99 – Milano 314 – Trento 101 – Vicenza 103.

🏨 **Iris Park Hotel**, via Roma 26, frazione Tonadico *𝒫 0439 762000, info@parkhoteliris.com, Fax 0439 762204,* ≼, « Giardino ombreggiato », ≤ₛ – 🛗 📺 🄿. ᴀᴇ 🖪 ① ◑◐ 𝘝𝘐𝘚𝘈. ⌘
5 dicembre-24 aprile e giugno-settembre – **Pasto** 35/55000 – **63 cam** ⌷ 115/200000 – 1/2 P 155000.

🏨 **Castel Pietra** ⤸, via Venezia 28 *𝒫 0439 616911, Fax 0439 616901,* 🐎 – 🛗 📺 🄿. ᴀᴇ 🖪 ① ◑◐ 𝘝𝘐𝘚𝘈. ⌘
dicembre-Pasqua e giugno-ottobre – **Pasto** carta 35/65000 – **14 cam** ⌷ 120/130000, 7 suites 225/350000.

🏨 **Tressane**, via Roma 30, frazione Tonadico *𝒫 0439 762205, Fax 0439 762204,* « Giardino ombreggiato » – 🛗 📺 🄿. ᴀᴇ 🖪 ① ◑◐ 𝘝𝘐𝘚𝘈. ⌘
Pasto 35/55000 – **37 cam** ⌷ 90/160000 – 1/2 P 130000.

🏨 **Mirabello**, viale Montegrappa 2 *𝒫 0439 64241, info@hotelmirabello.it, Fax 0439 762366,* ≼, ≤ₛ, ▢ – 🛗 📺 🄿. ⌘ rist
20 dicembre-Pasqua e giugno-10 ottobre – **Pasto** 30/50000 – ⌷ 15000 – **43 cam** 110/170000 – 1/2 P 140000.

🏨 **La Perla** ⤸, via Venezia 26, frazione Transacqua *𝒫 0439 762115, Fax 0439 762839* – 🛗 📺 ☚ 🄿. ᴀᴇ 🖪 ① ◑◐ 𝘝𝘐𝘚𝘈. ⌘ rist
Pasto carta 30/50000 – **60 cam** ⌷ 55/110000 – 1/2 P 100000.

ſ Val Canali Nord-Est : 7 km :

XX **Rifugio Chalet Piereni** ⤸ con cam, alt. 1 300 ✉ 38054 *𝒫 0439 62348, Fax 0439 64792,* ≼ Pale di San Martino, 🍽 – 🛗 📺 🄿. ᴀᴇ 🖪 ① ◑◐ 𝘝𝘐𝘚𝘈. ⌘ rist
chiuso dal 10 gennaio a marzo – **Pasto** *(chiuso mercoledì in bassa stagione)* 25/30000 e carta 35/60000 – **24 cam** ⌷ 70/120000 – 1/2 P 105000.

FIESOLE *50014 Firenze* 429, 430 *K 15 G. Toscana – 14 876 ab. alt. 295.*

Vedere *Paesaggio*★★★ – *≤*★★ *su Firenze* – *Convento di San Francesco*★ – *Duomo*★ *interno*★ *e opere*★ *di Mino da Fiesole* – *Zona archeologica : sito*★, *Teatro romano*★ *museo*★ *D* – *Madonna con Bambino e Santi*★ *del Beato Angelico nella chiesa di S₂ Domenico Sud-Ovest : 2,5 km* BR*(pianta di Firenze).*

🔒 *via Portigiani 3 ℰ 055 598720, Fax 055 598822.*

Roma 285 – Firenze 8 – Arezzo 89 – Livorno 124 – Milano 307 – Pistoia 45 – Siena 76.

Pianta di Firenze : percorsi di attraversamento.

 Villa San Michele ⌂,
via Doccia 4
ℰ 055 5678200, *reservati
on@villasanmichele.net,
Fax 055 5678250,* ≤ Firenze e colli, 佳, « Costruzione quattrocentesca con
parco e giardino », ℔,
⌧ riscaldata – 🔲 📺 🅿. ⅍
🅢 ① ⓜⓞ 𝘝𝘐𝘚𝘈 ᴊᴄʙ,
﹪ BR **b**
9 marzo-3 dicembre – **Pasto** *carta 145/210000* –
24 cam *solo ½ P 1810000,
14 suites.*

Badia Fiesolana, San Domenico ↘ *FIRENZE*

 Villa Fiesole *senza rist,
via Beato Angelico 35
ℰ 055 597252, info@villafi
esole.it, Fax 055 599133,*
≤ Firenze e colli, ⌧ riscaldata, ✿ – 🔁 🔲 📺 ₲ 🅿. ⅍ 🅢 ① ⓜⓞ 𝘝𝘐𝘚𝘈
⌑ 20000 – **28 cam** *420/450000.* BR

🏠 **Bencistà** ⌂, *via Benedetto da Maiano 4 ℰ 055 59163, bencistà@uol.it, Fax 055 59163,*
Firenze e colli, « Vecchia villa fra gli oliveti », ✿ – ✄ rist, 🅿. ﹪ rist BR
Pasto *(solo per alloggiati) – 43 cam solo ½ P 160000.*

❌❌ **Carpe Diem**, *via Mantellini 2/b ℰ 055 599595, Fax 055 599008,* « Servizio estivo
⊝ terrazza », ✿ – 🔲 📺 ⅍ 🅢 ① ⓜⓞ 𝘝𝘐𝘚𝘈 *1,5 km per via Fra da Fiesole
chiuso dal 10 al 17 agosto e lunedì* – **Pasto** *carta 90/125000 e al Rist.* **Osteria Carpe Die**
carta 35/50000.

❌ **l' Polpa**, *piazza Mino da Fiesole 21/22 ℰ 055 59485, i'polpa@hotmail.com, prenotare –* ⌊
🅢 ① ⓜⓞ 𝘝𝘐𝘚𝘈 ᴊᴄʙ
chiuso agosto e mercoledì – **Pasto** *carta 50/75000.*

a Montebeni *Est : 5 km* FT – ✉ *50014 Fiesole :*

❌ **Tullio a Montebeni**, *via Ontignano 48 ℰ 055 697354,* 佳.

ad Olmo *Nord-Est : 9 km* FT – ✉ *50014 Fiesole :*

🏠 **Dino**, *via Faentina 329 ℰ 055 548932, Fax 055 548934,* ≤, ❌ – 📺 ⇦ 🅿. ⅍ 🅢 ① ⓜⓞ 𝘝𝘐𝘚
⊝ ﹪ rist
Pasto *(chiuso mercoledì escluso giugno-settembre) carta 30/45000 (12 %) –* ⌑ *10000*
18 cam *120/150000 – ½ P 115000.*

FIESSO D'ARTICO *30032 Venezia* 429 *F 18 G. Venezia – 5 749 ab..*
Roma 508 – Padova 15 – Milano 247 – Treviso 42 – Venezia 30.

🏠 **Villa Giulietta** *senza rist, via Riviera del Brenta 169 ℰ 041 5161500, villagiulietta@libero.*
Fax 041 5161212, ✿ – 🔲 📺 ₲ 🅿. ⅍ 🅢 ① ⓜⓞ 𝘝𝘐𝘚𝘈. ﹪
⌑ 15000 – **36 cam** *120/180000.*

❌❌ **Da Giorgio**, *via Riviera del Brenta 228 ℰ 041 5160204 –* 🔲 📺 ⅍ 🅢 ① ⓜⓞ 𝘝𝘐𝘚𝘈. ﹪
chiuso agosto e mercoledì – **Pasto** *specialità di mare carta 55/85000.*

FIGINO SERENZA *22060 Como* 428 *E 9,* 219 ⑲ – *4 599 ab. alt. 330.*
Roma 622 – Como 14 – Milano 34.

🏠 **Park Hotel e Villa Argenta**, *via XXV Aprile 5/14 ℰ 031 780792, Fax 031 780117,* ✿
🔁 📺 ⇦ 🅿 – ⚫ 200. ⅍ 🅢 ① ⓜⓞ 𝘝𝘐𝘚𝘈 ᴊᴄʙ
chiuso agosto e dal 24 dicembre al 7 gennaio – **Pasto** *(chiuso domenica) carta 50/90000*
⌑ 15000 – **40 cam** *155/215000.*

LANDARI 89851 Vibo Valentia **431** L 30 – 1 885 ab. alt. 440.
Roma 594 – Reggio di Calabria 89 – Catanzaro 81 – Cosenza 111 – Gioia Tauro 34.

Mesiano Nord-Ovest : 3 km – ⊠ 89851 Filandari :

※ **Frammmichè,** contrada Ceraso ℰ 0338 8707476, 🏤, solo su prenotazione – 🅿. ✦
🍴 chiuso a mezzogiorno, domenica da luglio a settembre e, lunedì negli altri mesi – **Pasto** carta 35/50000.

ILIANO 85020 Potenza **431** E 29 – 3 264 ab. alt. 600.
Roma 381 – Potenza 31 – Foggia 83 – Napoli 191.

ulla strada statale 93 Nord : 2 km :

🏨 **Dei Castelli,** contrada Iscalunga 25 ⊠ 85020 ℰ 0971 88210, Fax 0971 88256, 🏊, ✦ – 🛗
🍴 ■ 🆅 🅿 – 🛎 200. ᴀᴇ 🖪 ◑ ◍ 🆅🆂🅰. ✦ rist
Pasto carta 30/45000 – ⊇ 6000 – **32 cam** 85/130000 – ½ P 110000.

ILICUDI Messina **432** L 25 – Vedere Sicilia (Eolie, isole) alla fine dell'elenco alfabetico.

---

*Un conseil **Michelin** :*
pour réussir vos voyages, préparez-les à l'avance.
*Les **cartes** et **guides Michelin** vous donnent toutes indications utiles sur :*
itinéraires, visite des curiosités, logement, prix, etc.

INALE LIGURE 17024 Savona, **428** J 7 G. Italia – 12 297 ab..
Vedere Finale Borgo★ Nord-Ovest : 2 km.
Escursioni Castel San Giovanni : ≤★ 1 h a piedi AR (da via del Municipio).
🛈 via San Pietro 14 ℰ 019 681019, Fax 019 681804.
Roma 571 – Genova 72 – Cuneo 116 – Imperia 52 – Milano 195 – Savona 26.

🏨 **Punta Est,** via Aurelia 1 ℰ 019 600611, Fax 019 600611, ≤, 🏤, « Antica dimora in un parco ombreggiato », 🏊 – 🛗, ■ rist, 🆅 🅿 – 🛎 60. ᴀᴇ 🖪 ◍ 🆅🆂🅰. ✦
maggio-settembre – **Pasto** 60/120000 – ⊇ 20000 – **42 cam** 250/400000, 5 suites – ½ P 300000.

🏨 **Internazionale,** via Concezione 3 ℰ 019 692054, hinternazionale@tiscalinet.it, Fax 019 692053 – ■ 🆅. ᴀᴇ 🖪 ◍ 🆅🆂🅰. ✦
chiuso dal 3 novembre al 28 dicembre – **Pasto** (solo per alloggiati) 45/50000 – ⊇ 22000 – **32 cam** 130/170000 – ½ P 155000.

🏨 **Medusa,** vico Bricchieri 7 ℰ 019 692545, hmedusa@ivg.it, Fax 019 695679 – 🛗, ■ rist, 🆅 🕭 ⟷ 🅿 ᴀᴇ 🖪 ◑ ◍ 🆅🆂🅰. ✦
Pasto (solo per alloggiati e chiuso novembre) 35/40000 – **28 cam** ⊇ 120/180000 – ½ P 135000.

🏨 **Rosita** ⟩, via Mànie 67 (Nord-Est : 3 km) ℰ 019 602437, Fax 019 601762, « Servizio rist. estivo in terrazza con ≤ mare » – 🅿. ✦
chiuso dal 5 al 20 gennaio e novembre – **Pasto** (chiuso martedì e mercoledì) carta 40/60000 – ⊇ 12000 – **9 cam** 80/100000 – ½ P 85000.

※※ **Harmony,** corso Europa 67 ℰ 019 601728, ristoranteharmony@libero.it, Fax 019 700411689, 🏤 – ᴀᴇ 🖪 ◑ ◍ 🆅🆂🅰. ✦
chiuso novembre e martedì (escluso agosto) – **Pasto** carta 55/75000.

※ **La Lampara,** vico Tubino 4 ℰ 019 692430, prenotare – 🖪 ◍ 🆅🆂🅰
chiuso novembre e mercoledì – **Pasto** carta 80/90000.

Finalborgo Nord-Ovest : 2 km – ⊠ 17024 Finale Ligure :

※※ **Ai Torchi,** via dell'Annunziata 12 ℰ 019 690531, Fax 019 681783, prenotare – ᴀᴇ 🖪 ◑ ◍ 🆅🆂🅰. ✦
chiuso dal 7 gennaio al 10 febbraio e martedì (escluso agosto) – **Pasto** specialità di mare carta 70/115000.

IORANO AL SERIO 24040 Bergamo **428** E 11 – 2 748 ab. alt. 395.
Roma 597 – Bergamo 22 – Brescia 65 – Milano 70.

※※ **Del Sole,** piazza San Giorgio 20 ℰ 035 711443 – 🖪 ◑ ◍ 🆅🆂🅰
chiuso agosto, lunedì sera e martedì – **Pasto** 30000 (solo a mezzogiorno) 50/75000 e carta 50/90000.

FIORANO MODENESE 41042 Modena **428** , **429** , **430** I 14 – 15 951 ab. alt. 155.
Roma 421 – Bologna 57 – Modena 15 – Reggio nell'Emilia 35.

🏨 **Executive,** circondariale San Francesco 2 ℘ 0536 832010 e rist. ℘ 0536 832673, *info@otel-executive.it, Fax 0536 830229* – 🛗 ▤ 📺 📞 ◚ 🅿 – 🔏 150. ㏂ 🖪 ① ◑ ㎷. ⋘
chiuso dal 9 al 23 agosto – **Pasto** al Rist. **Exè** *(chiuso sabato a mezzogiorno e domenica)* carta 55/85000 – � 19000 – **51 cam** 180/275000, 9 suites.

🏨 **Alexander** senza rist, via della Resistenza 46, località Spezzano Ovest : 3 km ✉ 41040 Spezzano ℘ 0536 845911, *Fax 0536 845183* – 🛗 ▤ 📺 ⌖ 🅿. ㏂ 🖪 ① ◑ ㎷. ⋘
chiuso dal 10 al 20 agosto – � 12000 – **48 cam** 110/160000.

FIORENZUOLA D'ARDA 29017 Piacenza **428** , **429** H 11 – 13 431 ab. alt. 82.
Roma 495 – Piacenza 24 – Cremona 31 – Milano 87 – Parma 37.

🏨 **Concordia** senza rist, via XX Settembre 54 ℘ 0523 982827, *concordia@agonet.., Fax 0523 981098* – 📺. ㏂ 🖪 ① ◑ ㎷ �
20 cam ☤ 90/130000, 2 suites.

✕ **Mathis** con cam, via Matteotti 68 ℘ 0523 982850 – ▤ rist. 📺 🅿. ㏂ 🖪 ① ◑ ㎷ �
chiuso dal 10 al 20 agosto – **Pasto** *(chiuso domenica sera e lunedì)* carta 60/90000 – **16 cam** ☤ 120/150000 – ½ P 140000.

✕ **La Campana,** viale Prospero Verani 11 (via Emilia) ℘ 0523 943833, *ristlacampana@libe.. .it* – ▤. ㏂ 🖪 ① ◑ ㎷. ⋘
chiuso luglio e martedì – **Pasto** carta 45/70000.

FIRENZE

50100 ℙ **429** , **430** K 15 *G. Toscana* – 376 662 ab. alt. 49.

Roma 277 ③ – Bologna 105 ⑦ – Milano 298 ⑦.

INFORMAZIONI PRATICHE

🛈 *via Cavour 1 r* ✉ 50129 ℰ 055 290832, Fax 055 2760383.

A.C.I. *viale Amendola 36* ✉ 50121 ℰ 055 24861.

✈ *Amerigo Vespucci Nord-Ovest : 4 km* AR ℰ 055 30615, Fax 055 2788400.

Alitalia, vicolo dell'Oro 1, ✉ 50123 ℰ 055 27881, Fax 055 2788400.

🏌 *Dell'Ugolino (chiuso lunedì da ottobre a marzo) a Grassina* ✉ 50015 ℰ 055 2301009, Fax 055 2301141 Sud : 12 km BS.

LUOGHI DI INTERESSE

Duomo★★★ Y : *esterno dell'abside*★★★, *cupola*★★★ (❊★★) – *Campanile*★★★ Y B : ❊★★ – Battistero★★★ Y A : *porte*★★★, *mosaici*★★★ – *Museo dell'Opera del Duomo*★★ Y M⁵ – *Piazza della Signoria*★★ Z – *Loggia della Signoria*★★ Z K : *Perseo*★★ *di B. Cellini*

Palazzo Vecchio★★★ Z H – *Galleria degli Uffizi*★★★ EU M³ – *Palazzo e museo del Bargello*★★★ EU M¹⁰

San Lorenzo★★★ DU V : *chiesa*★★, *Biblioteca Laurenziana*★★, *tombe dei Medici*★★★ *nelle Cappelle Medicee*★★ – *Palazzo Medici-Riccardi*★★ EU S² : *Cappella*★★★, *sala di Luca Giordano*★★

Chiesa di Santa Maria Novella★★ DU W : *affreschi del Ghirlandaio*★★★ – *Ponte Vecchio*★★ Z – Palazzo Pitti★★ DV : *galleria Palatina*★★★, *museo degli Argenti*★★, *opere dei Macchiaioli*★★ *nella galleria d'Arte Moderna*★ – *Giardino di Boboli*★ DV : ❊★ *dal Forte del Belvedere*

Museo delle Porcellane★ DV – *Convento e museo di San Marco*★★ ET : *opere*★★★ *del Beato Angelico* – *Galleria dell'Accademia*★★ ET : *galleria delle opere di Michelangelo*★★★

Piazza della Santissima Annunziata★ ET **168** : *affreschi*★ *nella chiesa, portico*★★ *ornato di medaglioni*★★ *nell'Ospedale degli Innocenti*★ – *Chiesa di Santa Croce*★★ EU : *Cappella dei Pazzi*★★ – *Passeggiata ai Colli*★★ : ❊★★★ *da piazzale Michelangiolo* EFV, *chiesa di San Miniato al Monte*★★ EFV.

Palazzo Strozzi★★ DU S⁴ – *Palazzo Rucellai*★★ DU S³ – *Affreschi di Masaccio*★★ *nella Cappella Brancaccia Santa Maria del Carmine* DUV – *Cenacolo di Fuligno (Ultima Cena*★ *)* DT, *Cenacolo di San Salvi*★ BS G – *Orsanmichele*★ EU R : *tabernacolo*★★ *dell'Orcagna* – *La Badia* EU E : *campanile*★, *bassorilievo in marmo*★★, *tombe*★, *Apparizione della Madonna a San Bernardo*★ *di Filippino Lippi* – *Cappella Sassetti*★★ *e cappella dell'Annunciazione*★ *nella chiesa di Santa Trinità* DU X – *Chiesa di Santo Spirito*★ DUV

Cenacolo★ *di Sant'Apollonia* ET – *Ognissanti* DU : *Cenacolo*★ *del Ghirlandaio* – *Palazzo Davanzati*★ Z M⁴ – *Loggia del Mercato Nuovo*★ Z L – *Musei : Archeologico*★★ *(Chimera di Arezzo*★★ *Vaso François*★★ *)* ET, *di Storia della Scienza*★ EU M⁶ – *Museo Marino Marini*★ Z M⁷ – *Museo Bardini*★ EV – *Museo La Specola*★ DV – *Casa Buonarroti*★ EU M¹ – *Opificio delle Pietre Dure*★ ET M⁹ – *Crocifissione*★ *del Perugino* EU C.

DINTORNI

Ville Medicee★ BR B : *villa della Petraia*★, *villa di Castello*★ AR C, *villa di Poggio a Caiano*★★ *per S 66 : 17 km* – *Certosa del Galluzzo*★★ ABS.

In occasione di alcune manifestazioni commerciali o turistiche i prezzi degli alberghi potrebbero subire un sensibile aumento (informatevi al momento della prenotazione).

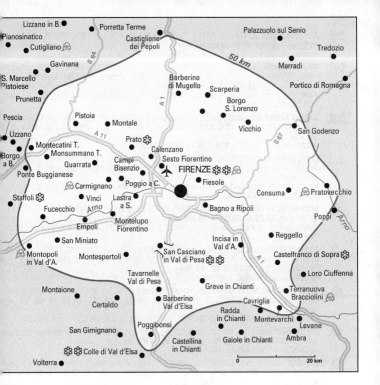

 The Westin Excelsior, piazza Ognissanti 3 ⊠ 50123 ✆ 055 264201, *Fax 055 210278 –* 劇, ✎ cam, ▤ 🖵 ✆ – 🛆 150. 🖭 🕄 ➊ ⓜ 🎴 ✳
                                                        DU b
    Pasto carta 115/180000 – ⴾ 75000 – **152 cam** 990/1195000, 16 suites.

Grand Hotel, piazza Ognissanti 1 ⊠ 50123 ✆ 055 288781, *Fax 055 217400 –* 劇, ✎ cam,
   ▤ 🖵 ✆ – 🛆 220. 🖭 🕄 ➊ ⓜ 🎴 🎴 ✳   DU a
    Pasto carta 120/185000 – ⴾ 75000 – **90 cam** 795/1195000, 17 suites.

Savoy, [M], piazza della Repubblica 7 50123 ✆ 055 27351, *reservations@hotelsavoy.it,*
   Fax 055 2735888, 帝 – 劇 ▤ ✆ ✆ – 🛆 80. 🖭 🕄 ➊ ⓜ 🎴 🎴 ✳   Z q
    Pasto carta 90/180000 – ⴾ 49500 – **98 cam** 590/1050000, 9 suites.

Villa Medici, via Il Prato 42 ⊠ 50123 ✆ 055 2381331, *villa.medici@italyhotel.com,*
   Fax 055 2381336, 帝, ᴵ♨, ⴾ, ⯈, 🖈 – 劇 ▤ 🖵 – 🛆 90. 🖭 🕄 ➊ ⓜ 🎴 🎴 ✳   CT c
    Pasto carta 100/160000 – ⴾ 50000 – **89 cam** 530/850000, 14 suites.

Regency, piazza Massimo D'Azeglio 3 ⊠ 50121 ✆ 055 245247, *info@regency-hotel.com,*
   Fax 055 2346735, 帝, 🖈 – 劇 ▤ 🖵 ⇔. 🖭 🕄 ➊ ⓜ 🎴 🎴 ✳   FU a
    Pasto al Rist. *Relais le Jardin* (prenotare) carta 90/140000 – **33 cam** ⴾ 685/765000,
    2 suites.

Helvetia e Bristol, via dei Pescioni 2 ⊠ 50123 ✆ 055 287814, *reservation–hbf@char-*
   minghotels.it, Fax 055 288353 – 劇 ▤ 🖵 🎴 🎴 ✳   Z b
    Pasto carta 70/120000 – ⴾ 40000 – **34 cam** 495/870000, 15 suites 970/2090000.

Albani, via Fiume 12 ⊠ 50123 ✆ 055 26030, *hotelbani@firenzealbergo.it,*
   Fax 055 211045 – 劇, ✎ cam, ▤ 🖵 – 🛆 300. 🖭 🕄 ➊ ⓜ 🎴 🎴 ✳ rist   DT a
    Pasto carta 60/90000 – **99 cam** ⴾ 390/560000, 4 suites.

Gd H. Minerva, [M], piazza Santa Maria Novella 16 ⊠ 50123 ✆ 055 27230,
   Fax 055 268281, ⴾ – 劇 ▤ 🖵 – 🛆 90. 🖭 🕄 ➊ ⓜ 🎴 🎴   Y n
    Pasto carta 70/110000 – **102 cam** ⴾ 370/680000, 6 suites.

Astoria Palazzo Gaddi, via del Giglio 9 ⊠ 50123 ℘ 055 2398095, Fax 055 214632 –
🖧 📺 & – 🍴 130. ᴀᴇ 🕄 ➊ ➏ ᴠɪsᴀ ᴊᴄʙ. ✼ Y
Pasto carta 65/95000 – **100 cam** ⊇ 490/570000, 6 suites – ½ P 335000.

Brunelleschi, piazza Santa Elisabetta 3 ⊠ 50122 ℘ 055 27370, info@hotelbrunelleschi.
, Fax 055 219653, ≤, « Piccolo museo privato in una torre di origine bizantina » – 🖧
✼ cam, 🖧 📺 – 🍴 100. ᴀᴇ 🕄 ➊ ➏ ᴠɪsᴀ ᴊᴄʙ. ✼
Pasto (solo per alloggiati e chiuso domenica sera) – **89 cam** ⊇ 410/560000, 7 suites
½ P 340000.

Grand Hotel Baglioni, piazza Unità Italiana 6 ⊠ 50123 ℘ 055 23580, info@hotelbagl.
ni.it, Fax 055 2358895, « Rist roof-garden con ≤ città » – 🖧 🖧 📺 – 🍴 200. ᴀᴇ 🕄 ➊ ➊
ᴠɪsᴀ ᴊᴄʙ. ✼ Y
Pasto carta 70/110000 – **195 cam** ⊇ 390/510000, 2 suites.

Lungarno, borgo Sant'Jacopo 14 ⊠ 50125 ℘ 055 27261, lungarno@lungarnhotels.con
Fax 055 268437, ≤, « Collezione di quadri moderni » – 🖧 🖧 📺 ✆ – 🍴 40. 🕄 ➊ ➏ ᴠɪs
ᴊᴄʙ. ✼ rist Z
Pasto (chiuso agosto, domenica e a mezzogiorno) specialità di mare carta 80/100000
57 cam ⊇ 580/650000, suite.

Sofitel Ⓜ, via de' Cerretani 10 ⊠ 50123 ℘ 055 2381301, sofitel@tin.it, Fax 055 2381312
🖧, ✼ cam, 🖧 📺 &. ᴀᴇ 🕄 ➊ ➏ ᴠɪsᴀ ᴊᴄʙ. ✼ Y
Pasto al Rist. **Il Patio** 55/65000 e carta 55/80000 – **83 cam** ⊇ 490/630000, suite
½ P 385000.

Gallery Hotel Art Ⓜ senza rist, piazzetta dell'Oro 5 ⊠ 50123 ℘ 055 27263, gallery@lu
garnohotels.com, Fax 055 268557, « Design contemporaneo e arte cosmopolita » – 🖧
✼ cam, 🖧 📺 &. ᴀᴇ 🕄 ➊ ➏ ᴠɪsᴀ ᴊᴄʙ Z
60 cam ⊇ 520/590000, 2 suites.

Starhotel Michelangelo, viale Fratelli Rosselli 2 ⊠ 50123 ℘ 055 2784, michelangelo.
@starhotels.it, Fax 055 2382232 – 🖧, ✼ cam, 🖧 📺 – 🍴 250. ᴀᴇ 🕄 ➊ ➏ ᴠɪsᴀ ᴊᴄʙ
✼ CT
Pasto (solo per alloggiati) carta 70/140000 – **119 cam** ⊇ 490/560000 – ½ P 345000.

De la Ville senza rist, piazza Antinori 1 ⊠ 50123 ℘ 055 2381805, delaville@firenze.ne
Fax 055 2381809 – 🖧 🖧 📺 ✆ – 🍴 60. ᴀᴇ 🕄 ➊ ➏ ᴠɪsᴀ Y
⊇ 35000 – **67 cam** 480/660000, 4 suites.

Londra, via Jacopo da Diacceto 18 ⊠ 50123 ℘ 055 27390, info@hotellondra.con
Fax 055 210682, 🏛, ℔, ☎ – 🖧, ✼ cam, 🖧 📺 🚗 – 🍴 200. ᴀᴇ 🕄 ➊ ➏ ᴠɪsᴀ ᴊᴄʙ
✼ rist DT
Pasto carta 60/85000 – **158 cam** ⊇ 380/480000 – ½ P 280000.

J and J senza rist, via di Mezzo 20 ⊠ 50121 ℘ 055 263121, jandj@dada.it, Fax 055 24028
– 🖧 📺. ᴀᴇ 🕄 ➊ ➏ ᴠɪsᴀ. ✼ EU
15 cam ⊇ 500000, 5 suites.

Continental senza rist, lungarno Acciaiuoli 2 ⊠ 50123 ℘ 055 27262, continental@lunga
nohotels.com, Fax 055 283139, « Terrazza fiorita con ≤ » – 🖧 🖧 📺 & – 🍴 400. ᴀᴇ 🕄
➏ ᴠɪsᴀ ᴊᴄʙ Z m
⊇ 380/510000, suite.

Montebello Splendid, via Montebello 60 ⊠ 50123 ℘ 055 2398051, hms@tin.i
Fax 055 211867, 🏛 – 🖧 🖧 📺 – 🍴 100. ᴀᴇ 🕄 ➊ ➏ ᴠɪsᴀ ᴊᴄʙ. ✼ rist CU
Pasto carta 65/115000 – ⊇ 35000 – **54 cam** 390/550000, suite – ½ P 320000.

Berchielli senza rist, lungarno Acciaiuoli 14 ⊠ 50123 ℘ 055 264061, info@berchielli.i
Fax 055 218636, ≤ – 🖧 🖧 📺 – 🍴 100. ᴀᴇ 🕄 ➊ ➏ ᴠɪsᴀ ᴊᴄʙ. ✼ Z
73 cam ⊇ 495/545000, 3 suites.

Pierre senza rist, via De' Lamberti 5 ⊠ 50123 ℘ 055 216218, pierre@venere.i
Fax 055 2396573 – 🖧 🖧 📺. ᴀᴇ 🕄 ➊ ➏ ᴠɪsᴀ ᴊᴄʙ. ✼ Z
40 cam ⊇ 480/530000.

Rivoli senza rist, via della Scala 33 ⊠ 50123 ℘ 055 282853, hotel.rivoli@firenzealbergo.i
Fax 055 294041, 🏛 – 🖧 🖧 📺 & – 🍴 100. ᴀᴇ 🕄 ➊ ➏ ᴠɪsᴀ ᴊᴄʙ. ✼ DU n
65 cam ⊇ 350/510000.

Executive senza rist, via Curtatone 5 ⊠ 50123 ℘ 055 217451, info@hotelexecutive.i
Fax 055 268346 – 🖧 🖧 📺 – 🍴 50. ᴀᴇ 🕄 ➊ ➏ ᴠɪsᴀ ᴊᴄʙ CU
38 cam ⊇ 330/480000.

Principe senza rist, lungarno Vespucci 34 ⊠ 50123 ℘ 055 284848, Fax 055 283458, ≤
🏛 – 🖧 🖧 📺. ᴀᴇ 🕄 ➊ ➏ ᴠɪsᴀ ᴊᴄʙ. ✼ CU
18 cam ⊇ 370/500000, 2 suites.

Il Guelfo Bianco senza rist, via Cavour 29 ⊠ 50129 ℘ 055 288330, info@ilguelfobianco
.it, Fax 055 295203 – 🖧 🖧 📺 &. ᴀᴇ 🕄 ➏ ᴠɪsᴀ. ✼ ET n
30 cam ⊇ 235/320000.

FIRENZE
PERCORSI DI
ATTRAVERSAMENTO E
DI CIRCONVALLAZIONE

gnelli (Via Giovanni)	**BS** 4
lberti (Piazza L.B.)	**BS** 6
retina (V.)	**BS** 13

Chiantigiana (Via)	**BS** 36
Colombo (Lung C.)	**BS** 37
D'Annunzio (Via G.)	**BS** 41
De Amicis (Viale E.)	**BS** 45
Europa (Viale)	**BS** 49
Giannotti (Viale D.)	**BS** 58
Guidoni (Viale A.)	**AR** 67
Mariti (Via G. F.)	**BR** 81
Novoli (Via di)	**AR** 91
Panche (Via delle)	**BR** 100

Paoli (Via)	**AS** 103
Paoli (Viale Pasquale)	**BS** 105
Pietro Leopoldo (Piazza) ...	**BR** 114
Poggio Imperiale (Viale) ...	**BS** 118
Pollaiuolo (Via A. del)	**AS** 121
Salviati (Via)	**BR** 144
S. Domenico (Via)	**BR** 147
Villamagna (Via di)	**BS** 196

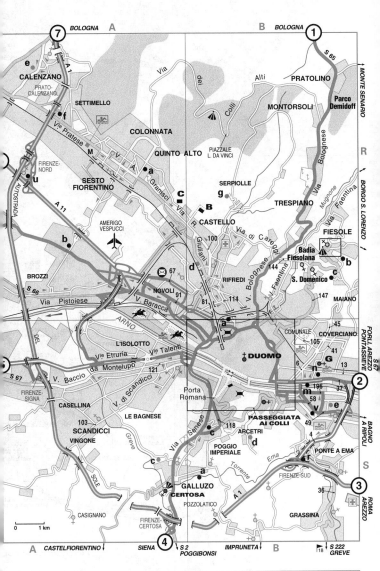

Don't get lost, use **Michelin Maps** which are kept up to date.

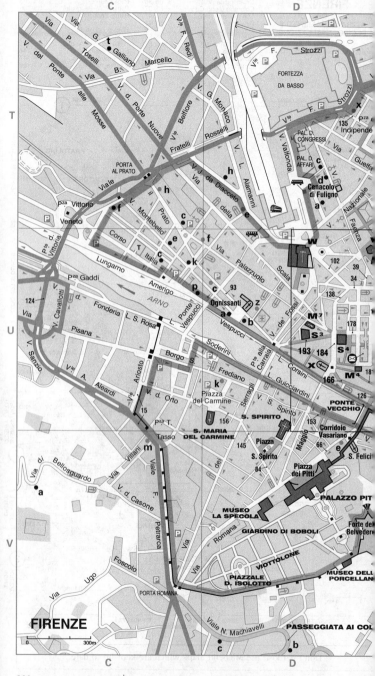

FIRENZE

300m

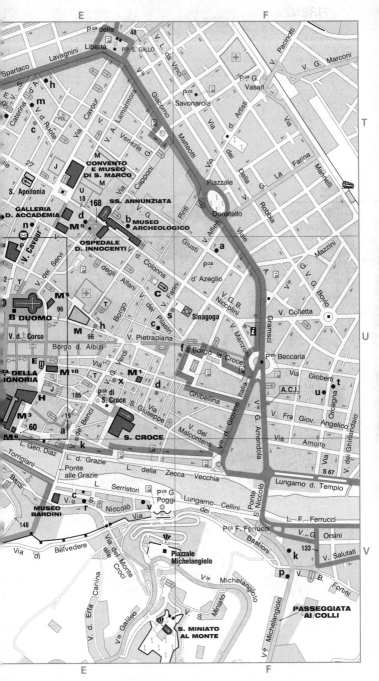

FIRENZE

Agli (Via degli) .... Y 3
Antinori (Piazza degli) ...... Y 10
Archibusieri (Lungarno) ...... Z 12
Avelli (Via degli) .... Y 16
Brunelleschi (Via de') .... YZ 22
Calimala .... Z 24
Calzaiuoli (Via dei) .... YZ
Canto de' Nelli
  (Via del) .... Y 27
Castellani (Via de') .... Z 31
Dante Alighieri (Via) .... Z 42
Davanzati (Piazza) .... Z 43
Fiordaliso (Via del) .... Z 52

Gondi (Via dei) .... Z 61
Lambertesca (Via) .... Z 69
Leoni (Via dei) .... Z 70
Madonna degli Aldobrandini
  (Piazza di) .... Y 75
Magazzini (Via dei) .... Z 76
Melarancio (Via del) .... Y 85
Monalda (Via) .... Z 88
Orsanmichele (Via) .... Z 99
Parte Guelfa
  (Piazza di) .... Z 106
Pellicceria (Via) .... Z 109
Pescioni (Via de') .... YZ 111
Por S. Maria (Via) .... Z 126
Porta Rossa (Via) .... Z
Roma (Via) .... YZ

Rondinelli (Via de') .... Y 13
S. Giovanni (Piazza) .... Y 15
S. Jacopo (Borgo) .... Z
S. Trinita (Piazza) .... Z 16
Sassetti (Via de') .... Z 17
Spada (Via della) .... Z 17
Speziali (Via degli) .... Z 17
Strozzi (Piazza) .... Z 17
Strozzi (Via degli) .... Z
Tavolini (Via dei) .... Z 18
Terme (Via delle) .... Z 18
Tornabuoni (Via) .... Z
Trebbio (Via del) .... Y 18
Uffizi (Piazzale degli) ...... Z 18
Vacchereccia (Via) .... Z 18
Vecchio (Ponte) .... Z

Circolazione regolamentata nel centro città

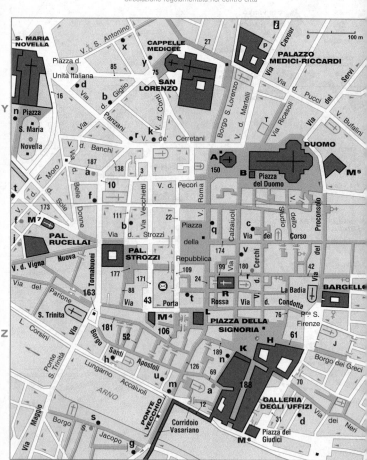

Le Ottime Tavole

Per voi abbiamo contraddistinto

alcuni alberghi (🏠 ... 🏨🏨) e ristoranti (✕ ... ✕✕✕✕✕) con 🍴, ❀, ❀❀ o ❀❀❀.

INDICE TOPONOMASTICO DELLE PIANTE DI FIRENZE

cciaiuoli (Lungarno) . . . . Z
gli (Via dei) . . . . Y 3
gnelli (Via G.) . . . . BS 4
lamanni (Via L.) . . . . DT
lberti (Piazza L. B.) . . . . . . BS 6
lbizi (Borgo degli) . . . . EU
leardi (Viale A.) . . . . CU
lfani (Via degli) . . . . ETU
lfieri (Via V.) . . . . FTU
mendola (Viale G.) . . . . FUV
ntinori (Piazza degli) . . . . . . Y 10
rchibusieri (Lungarno) . . . . . Z 12
retina (Via) . . . . BS 13
riosto (Viale F.) . . . . CU 15
rnolfo (Via) . . . . FV
rtisti (Via degli) . . . . FT
velli (Via degli) . . . . Y 16
zeglio (Piazza d') . . . . FU
accio da Montelupo
  (Via) . . . . AS
anchi (Via del) . . . . Y
ardi (Via de) . . . . DEV
arraca (Via) . . . . AR
astioni (Via dei) . . . . EFV
attisti (Via C.) . . . . ET 18
eccaria (Piazza) . . . . FU
elle Donne (Via delle) . . . . . . Y
ellosguardo (Via di) CV
elvedere (Via di) . . . . EV
enci (Via de') . . . . EUV
entaccordi (Via della) . . . . . EU 19
olognese (Via) . . . . BR
ovio (Via B.) . . . . FU
runelleschi (Via de') . . . . . . YZ 22
ufalini (Via) . . . . Y
alimala . . . . Z 24
alzaiuoli (Via dei) . . . . YZ
anto de' Nelli
  (Via del) . . . . Y 27
apponi (Via G.) . . . . ET
areggi (Via di) . . . . BR
arraia (Ponte alla) . . . . DU
asone (Via del) CV
astellani (Via de') . . . . Z
avallotti (Via F.) . . . . CU
avour (Via) . . . . ETU
ellini (Lungarno) . . . . FV
erchi (Via de') . . . . Z
erretani (Via de') . . . . DU 34
hiantigiana (Via) . . . . BS 36
olletta (Via P.) . . . . FU
olli Alti (Via dei) . . . . ABR
olombo (Lungarno C.) . . . . BS 37
olonna (Via della) . . . . EU
ondotta (Via della) . . . . Z
onti (Via de') . . . . DU 39
orsini (Lungarno) . . . . Z
orso (Via del) . . . . Z
roce (Borgo la) . . . . FU
'Annunzio (Via G.) . . . . . . BS 41
ante Alighieri (Via) . . . . Z 42
avanzati (Piazza) . . . . Z 43
De Amicis (Viale E.) . . . . . . BS 45
Della Robbia (Via dei) . . . . . . FT
Diacceto (Via J. da) . . . . DT
Diaz (Lungarno Generale) . . . . . Z
Don G. Minzoni (Via) . . . . . ET 48
Donatello (Piazzale) . . . . FT
Duomo (Piazza del) . . . . Y
Etruria (Viale) . . . . AS
Europa (Viale) . . . . BS 49
Faentina (Via) . . . . BR
Faenza (Via) . . . . DTU
Farina (Via G. La) . . . . FT
Farini (Via) . . . . EFU
Ferrucci (Lungarno F.) . . . . . . FV
Ferrucci (Piazza) . . . . FV
Fiordaliso (Via del) . . . . Z 52
Fonderia (Via della) . . . . CU
Fortini (Via B.) . . . . FV
Fossi (Via dei) . . . . DU
Fratelli Rosselli (Viale) . . . . CDT
Gaddi (Piazza) . . . . CU
Galileo (Viale) . . . . EV
Galliano (Via G.) . . . . CT
Ghibellina (Via) . . . . EFU

Giannotti (Viale D.) . . . . . . BS 58
Giglio (Via del) . . . . Y
Gioberti (Via V.) . . . . FU
Giovine Italia
  (Viale della) . . . . FUV
Giudici (Piazza dei) . . . . . . EU 60
Giuliani (Via R.) . . . . ABR
Gondi (Via dei) . . . . Z 61
Gramsci (Viale) . . . . FTU
Grazie (Lungarno delle) . . . . . EV
Grazie (Ponte alle) . . . . EV
Greci (Borgo dei) . . . . Z
Guelfa (Via) . . . . DET
Guicciardini (Lungarno) . . . . . DU
Guicciardini (Via de') . . . . . DV 66
Guidoni (Viale A.) . . . . AR 67
Indipendenza
  (Piazza della) . . . . DT
Italia (Corso) . . . . CU
Lamarmora (Via A.) . . . . ET
Lambertesca (Via) . . . . Z 69
Lavagnini (Viale S.) . . . . . . DET
Leoni (Via dei) . . . . Z 70
Libertà (Piazza della) . . . . . . ET
Machiavelli (Viale N.) . . . . . CDV
Madonna degli Aldobrandini
  (Piazza di) . . . . Y 75
Magazzini (Via dei) . . . . Z 76
Maggio (Via il) . . . . Z
Malcontenti (Via dei) . . . . . FUV
Mannelli (Via) . . . . FT
Manzoni (Via A.) . . . . FU
Marcello (Via B.) . . . . CT
Marconi (Via G.) . . . . FT
Mariti (Via G. F.) . . . . BR 81
Martelli (Via de') . . . . EU 82
Matteotti (Viale G.) . . . . . . EFT
Mazzetta (Via) . . . . DV 84
Mazzini (Viale G.) . . . . FU
Melarancio (Via del) . . . . . . Y 85
Michelangiolo (Piazzale) . . . . EFV
Michelangiolo (Viale) . . . . FV
Monaco (Via G.) . . . . CDT
Monalda (Via) . . . . Z 88
Monte alle Croci (Via del) . . EV
Montebello (Via) . . . . CTU
Moro (Via del) . . . . Y
Nazionale (Via) . . . . DT
Neri (Via dei) . . . . Z
Niccolini (Via G. B.) . . . . . . FU
Novoli (Via di) . . . . AR 91
Ognissanti (Borgo) . . . . . . DU 93
Orcagna (Via) . . . . FUV
Oriuolo (Via d.) . . . . Y 96
Orsanmichele (Via) . . . . Z 99
Orsini (Via G.) . . . . FV
Orto (Via dell') . . . . CU
Pacinotti (Via A.) . . . . FT
Palazzuolo (Via) . . . . DU
Panche (Via delle) . . . . . . BR 100
Panzani (Via) . . . . DU 102
Paoli (Via) . . . . AS 103
Paoli (Viale P.) . . . . BS 105
Parione (Via del) . . . . Z
Parte Guelfa (Piazza di) . . . Z 106
Pecori (Via de') . . . . Y
Pellicceria (Via) . . . . Z 109
Pescioni (Via de') . . . . . . YZ 111
Petrarca (Viale F.) CV
Pietrapiana (Via) . . . . EU
Pietro Leopoldo (Piazza) . . BR 114
Pilastri (Via dei) . . . . EFU
Pinti (Borgo) . . . . EFTU
Pisana (Via) . . . . CU
Pistoiese (Via) . . . . AR
Pitti (Piazza dei) . . . . DV
Poggi (Piazza G.) . . . . EV
Poggio Imperiale
  (Viale del) . . . . CV 118
Pollaiuolo (Via A. del) . . . . AS 121
Ponte alle Mosse
  (Via del) . . . . CT
Ponte Sospeso (Via del) . . CU 124
Por S. Maria (Via) . . . . Z 126
Porta Rossa (Via) . . . . Z
Porte Nuove (Via delle) . . . . . CT
Pratese (Viale) . . . . AR

Prato (il) . . . . CT
Proconsolo (Via del) . . . . . . ZY
Pucci (Via de') . . . . Y
Redi (Viale F.) . . . . CT
Repubblica (Piazza della) . . DU 132
Ricasoli (Via) . . . . Y
Ricorboli (Via di) . . . . FV 133
Ridolfi (Via C.) . . . . DT 135
Roma (Via) . . . . DU 136
Romana (Via) . . . . CDV
Rondinelli (Via de') . . . . Y 138
Ruote (Via delle) . . . . ET
Salutati (Via C.) . . . . EU
Salviati (Via) . . . . BR 144
S. Agostino (Via) . . . . DUV 145
S. Antonino (Via) . . . . Y
S. Caterina
  d'Alessandria (Via) . . . . . . ET
S. Croce (Piazza di) . . . . EU
S. Domenico (Via) . . . . . . BR 147
S. Firenze (Piazza) . . . . Z
S. Frediano (Borgo) . . . . . . CDU
S. Giorgio (Costa di) . . . . . EV 148
S. Giovanni (Piazza) . . . . . . Y 150
S. Giuseppe (Via di) . . . . EU
S. Jacopo (Borgo) . . . . . . DU 153
S. Leonardo (Via di) . . . . . DV 154
S. Lorenzo (Borgo) . . . . Y
S. Maria Novella (Piazza) . . . . Y
S. Monaca (Via) . . . . DU 156
S. Niccolò (Ponte) . . . . FV
S. Niccolò (Via) . . . . EV
S. Rosa (Lungarno di) . . . . . . CU
S. Spirito (Piazza) . . . . DV
S. Spirito (Via) . . . . DU
S. Trinità (Piazza) . . . . Z 163
S. Trinità (Ponte) . . . . Z 165
Santi Apostoli (Borgo) . . . . DU 166
Santissima Annunziata
  (Piazza della) . . . . ET 168
Sanzio (Viale R.) . . . . CU
Sassetti (Via de') . . . . Z 171
Savonarola (Piazza) . . . . FT
Scala (Via della) . . . . DTU
Scandicci (Via di) . . . . AS
Senese (Via) . . . . ABS
Serragli (Via de') . . . . DUV
Serristori (Lungarno) . . . . . . EV
Servi (Via dei) . . . . Y
Signoria (Piazza della) . . . . . Z
Soderini (Lungarno) . . . . . . CDU
Sole (Via del) . . . . YZ
Spada (Via della) . . . . Z 173
Speziali (Via degli) . . . . . . Z 174
Strozzi (Piazza) . . . . Z 177
Strozzi (Via degli) . . . . . . DU 178
Strozzi (Viale F.) . . . . DT
Studio (Via dello) . . . . YZ
Talenti (Viale) . . . . AS
Tasso (Piazza T.) . . . . CUV
Tavolini (Via dei) . . . . Z 180
Tempio (Lungarno del) . . . . . FV
Terme (Via delle) . . . . Z 181
Tornabuoni (Via) . . . . DTU 184
Torrigiani (Lungarno) . . . . . . EV
Torta (Via) . . . . EU 186
Toselli (Via P.) . . . . CT
Trebbio (Via del) . . . . Y 187
Uffizi (Piazzale degli) . . . . . Z 188
Unità Italiana (Piazza d.) . . . . Y
Vacchereccia (Via) . . . . Z 189
Valfonda (Via) . . . . DT
Vasari (Piazza G.) . . . . FT
Vecchietti (Via de') . . . . YZ
Vecchio (Ponte) . . . . Z
Veneto (Piazza Vittorio) . . . . CT
Verdi (Via G.) . . . . EU
Vespucci (Lungarno A.) . . . CDU
Vespucci (Ponte) . . . . CU
Vigna Nuova (Via della) . . . . Z 193
Villamagna (Via di) . . . . . . BS 196
Villani (Via) CV
Vinci (Via L. da) . . . . EFT
Vittoria (Ponte della) . . . . . . CU
Zecca Vecchia
  (Lungarno della) . . . . EFV
27 Aprile (Via) . . . . ET

Michelin cura il costante e scrupoloso aggiornamento delle sue pubblicazioni turistiche, in vendita nelle librerie.

🏨 **Porta Faenza** senza rist, via Faenza 77 ✉ 50123 ℰ 055 217975, *hfaenza@pn.itnet.i*
Fax 055 210101 – 🛗, ⤞ cam, 🗏 🖦 🔥 🚗 – 🔒 30. 🗚 🗿 ⓪ ⓪ 𝚅𝙸𝚂𝙰 𝙹𝙲𝙱   DT
25 cam ⫐ 350/380000.

🏨 **Botticelli** senza rist, via Taddea 8 ✉ 50123 ℰ 055 290905, *botticelli@italyhotel.com*
Fax 055 294322 – 🛗 🗏 🖦 🔥. 🗚 🗿 ⓪ ⓪ 𝚅𝙸𝚂𝙰 𝙹𝙲𝙱   ET
34 cam ⫐ 230/370000.

🏨 **Palazzo Benci** senza rist, piazza Madonna degli Aldobrandini 3 ✉ 5012
ℰ 055 2382821, *palazzobenci@iol.it*, Fax 055 288308, ⤞ – 🛗 🗏 🖦 – 🔒 30. 🗚 🗿 ⓪ ⓪
𝚅𝙸𝚂𝙰 𝙹𝙲𝙱. ⫷   Y
35 cam ⫐ 230/350000.

🏨 **Royal** senza rist, via delle Ruote 52 ✉ 50129 ℰ 055 483287, Fax 055 490976, « Giardino »
– 🛗 🗏 🖦 🅿 🗚 🗿 ⓪ ⓪ 𝚅𝙸𝚂𝙰 𝙹𝙲𝙱   ET n
39 cam ⫐ 220/350000.

🏨 **De Rose Palace Hotel** senza rist, via Solferino 5 ✉ 50123 ℰ 055 2396818, *info@hotel*
erose.it, Fax 055 268249 – 🛗 🗏 🖦. 🗚 🗿 ⓪ ⓪ 𝚅𝙸𝚂𝙰 𝙹𝙲𝙱   CU
18 cam ⫐ 260/400000.

🏨 **Loggiato dei Serviti** senza rist, piazza SS. Annunziata 3 ✉ 50122 ℰ 055 289592
Fax 055 289595, « In un edificio cinquecentesco » – 🛗 🗏 🖦. 🗚 🗿 ⓪ ⓪ 𝚅𝙸𝚂𝙰 𝙹𝙲𝙱 ET
25 cam ⫐ 250/370000, 4 suites.

🏨 **Malaspina** senza rist, piazza dell'Indipendenza 24 ✉ 50129 ℰ 055 489869, *info@malasp*
nahotel.it, Fax 055 474809 – 🛗 🗏 🖦 🔥. 🗚 🗿 ⓪ ⓪ 𝚅𝙸𝚂𝙰. ⫷   ET
31 cam ⫐ 220/340000.

🏨 **Select** senza rist, via Giuseppe Galliano 24 ✉ 50144 ℰ 055 330342, *hotelselect@dada.it*
Fax 055 351506 – 🛗, ⤞ cam, 🗏 🗿 ⓪ ⓪ 𝚅𝙸𝚂𝙰 𝙹𝙲𝙱 – 🔒 25. 🗚 🗿 ⓪ ⓪
chiuso dal 20 al 27 dicembre – **39 cam** ⫐ 240/340000.   CT

🏨 **Villa Liberty** senza rist, viale Michelangiolo 40 ✉ 50125 ℰ 055 6810581, *info@hotelvilla*
berty.com, Fax 055 6812595, ⤞ – 🛗 ⤞ 🗏 🖦 🅿. 🗚 🗿 ⓪ ⓪ 𝚅𝙸𝚂𝙰. ⫷   FV
15 cam ⫐ 270/340000, 2 suites.

🏨 **Calzaiuoli** senza rist, via Calzaiuoli 6 ✉ 50122 ℰ 055 212456, *info@calzaiuoli.it*
Fax 055 268310 – 🛗 🗏 🖦. 🗚 🗿 ⓪ ⓪ 𝚅𝙸𝚂𝙰   Z
45 cam ⫐ 310/400000.

🏨 **Grifone** senza rist, via Pilati 22 ✉ 50136 ℰ 055 623300, *info@grifone.com*
Fax 055 677628 – 🛗 🗏 🖦 🅿. 🗚 🗿 ⓪ ⓪ 𝚅𝙸𝚂𝙰 𝙹𝙲𝙱. ⫷   BS r
67 cam ⫐ 200/300000, 9 suites.

🏨 **Ville sull'Arno,** lungarno Colombo 3 ✉ 50136 ℰ 055 670971, *hotel@villesullarno.it*
Fax 055 678244, ⩽, « Piccolo giardino con ⛲ » – 🗏 🖦 🔥 🚗 🅿 – 🔒 25. 🗚 🗿 ⓪ ⓪ 𝚅𝙸𝚂𝙰
⫷ rist   BS m
Pasto (solo per alloggiati) carta 65/95000 – **47 cam** ⫐ 260/420000 – ½ P 245000.

🏨 **Laurus** senza rist, via de' Cerretani 8 ✉ 50123 ℰ 055 2381752, *laurus@unahotels.com*
Fax 055 268308 – 🛗 🗏 🖦. 🗚 🗿 ⓪ ⓪ 𝚅𝙸𝚂𝙰 𝙹𝙲𝙱. ⫷   Y k
59 cam ⫐ 275/380000.

🏨 **Pitti Palace** senza rist, via Barbadori 2 ✉ 50125 ℰ 055 2398711, *pittipalace@vivahotels*
.com, Fax 055 2398867, « Terrazza con ⩽ » – 🛗 🗏 🖦. 🗚 🗿 ⓪ ⓪ 𝚅𝙸𝚂𝙰 𝙹𝙲𝙱. ⫷   Z g
72 cam ⫐ 240/350000, suite.

🏨 **Rosary Garden** senza rist, via di Ripoli 169 ℰ 055 6800136, *info@rosarygarden.it*
Fax 055 6800458 – 🗏 🖦 🅿 🗚 🗿 ⓪ ⓪ 𝚅𝙸𝚂𝙰   BS v
14 cam ⫐ 190/330000.

🏨 **City** senza rist, via Sant'Antonino 18 ✉ 50123 ℰ 055 211543, *info@hotelcity.net*,
Fax 055 295451 – 🛗 🗏 🖦. 🗚 🗿 ⓪ ⓪ 𝚅𝙸𝚂𝙰 𝙹𝙲𝙱   Y x
20 cam ⫐ 270/340000.

🏨 **Morandi alla Crocetta** senza rist, via Laura 50 ✉ 50121 ℰ 055 2344747, *welcome@ho*
telmorandi.it, Fax 055 2480954 – 🗏 🖦. 🗚 🗿 ⓪ ⓪ 𝚅𝙸𝚂𝙰   ET b
⫐ 20000 – **10 cam** 180/290000.

🏨 **David** senza rist, viale Michelangiolo 1 ✉ 50125 ℰ 055 6811695, *david@italyhotel.com*,
Fax 055 680602, ⤞ – 🛗 🗏 🖦 🅿. 🗚 🗿 ⓪ ⓪ 𝚅𝙸𝚂𝙰 𝙹𝙲𝙱. ⫷   FV k
25 cam ⫐ 170/290000.

🏨 **Unicorno** senza rist, via dei Fossi 27 ✉ 50123 ℰ 055 287313, *hotel.unicorno@usa.net*,
Fax 055 268332 – 🛗, ⤞ cam, 🗏 🖦 🗚 🗿 ⓪ ⓪ 𝚅𝙸𝚂𝙰 𝙹𝙲𝙱   Y t
28 cam ⫐ 205/335000.

🏨 **Rapallo** senza rist, via di Santa Caterina d'Alessandria 7 ✉ 50129 ℰ 055 472412,
Fax 055 470385 – 🛗 🗏 🖦. 🗚 🗿 ⓪ ⓪ 𝚅𝙸𝚂𝙰   ET g
⫐ 25000 – **27 cam** 210/320000.

🏨 **Vasari** senza rist, via Cennini 9/11 ✉ 50123 ℰ 055 212753, Fax 055 294246 – 🛗 🗏 🖦 🔥
🅿 🗚 🗿 ⓪ ⓪ 𝚅𝙸𝚂𝙰 𝙹𝙲𝙱   DT c
30 cam ⫐ 220/290000.

🏠 **Relais Uffizi** senza rist, chiasso de' Baroncelli-chiasso del Buco 16 ⊠ 50122
℘ 055 2676239, *relais.uffici@flashnet.it*, Fax 055 2657909 – 🛗 🗏 📺. 🖭 🕄 ⓪ ⓬ 𝚅𝙸𝚂𝙰   Z n
8 cam ⊑ 250/300000.

🏠 **Silla** senza rist, via dei Renai 5 ⊠ 50125 ℘ 055 2342888, *hotelsilla@tin.it*, Fax 055 2341437
– 🛗 🗏 📺 🛏. 🖭 🕄 ⓪ ⓬ 𝚅𝙸𝚂𝙰. ✁   EV r
36 cam ⊑ 210/290000.

🏠 **Sanremo** senza rist, lungarno Serristori 13 ⊠ 50125 ℘ 055 2342823, *hotelsanremo.fi@d
ada.it*, Fax 055 2342269 – 🛗 🗏 📺. 🖭 🕄 ⓪ ⓬ 𝚅𝙸𝚂𝙰   EV v
chiuso dal 15 gennaio al 15 febbraio – 20 cam ⊑ 190/260000.

🏠 **Orcagna** senza rist, via Orcagna 57 ⊠ 50121 ℘ 055 669959, Fax 055 669959 – 🛗 🗏 📺.
🖭 🕄 ⓪ ⓬ 𝚅𝙸𝚂𝙰   FU u
18 cam ⊑ 200/220000.

🏠 **Jane** senza rist, via Orcagna 56 ⊠ 50121 ℘ 055 677382, *hotel-jane@tin.it*, Fax 055 677383
– 🛗 🗏 📺. 🖭 🕄 ⓪ ⓬ 𝚅𝙸𝚂𝙰. ✁   FU t
24 cam ⊑ 160/240000.

🏠 **Fiorino** senza rist, via Osteria del Guanto 6 ⊠ 50122 ℘ 055 210579, Fax 055 210580 – 📺.
🖭 🕄 ⓬ 𝚅𝙸𝚂𝙰   Z d
⊑ 15000 – 23 cam 140/200000.

🏠 **Residenza Johanna** senza rist, via Cinque Giornate 12 ⊠ 50129 ℘ 055 473377, *cinque
giornate@johanna.it*, Fax 055 473377 – 🅿. ✁   BR a
6 cam ⊑ 140000.

🏠 **Residenza Hannah e Johanna** senza rist, via Bonifacio Lupi 14 ⊠ 50129
℘ 055 481896, *lupi@johanna.it*, Fax 055 482721 – 🛗. ✁   ET h
11 cam ⊑ 80/130000.

XXXXX **Enoteca Pinchiorri**, via Ghibellina 87 ⊠ 50122 ℘ 055 242777, Fax 055 244983, Coperti
🕄🕄 limitati; prenotare, « Servizio estivo in un fresco cortile » – 🗏. 🖭 🕄 ⓬ 𝚅𝙸𝚂𝙰 𝙹𝙲𝙱   EU x
chiuso agosto, Natale, Capodanno, lunedì e martedì a mezzogiorno – **Pasto**
150000 (a mezzogiorno) 250000 (la sera) e carta 200/330000
Spec. Filetto di rombo in crosta con pomodoro gratinato all'origano. Tortelli con ragù di
salsiccia d'agnello, fagioli freschi e cipolla candita. Composizione di coniglio croccante al
semolino con fagiolini e salsa alle olive taggiasche.

XXX **Don Chisciotte**, via Ridolfi 4 r ⊠ 50129 ℘ 055 475430, Fax 055 485305, Coperti limitati;
prenotare – 🗏. 🖭 🕄 ⓪ ⓬ 𝚅𝙸𝚂𝙰 𝙹𝙲𝙱   DT x
chiuso agosto, domenica e lunedì a mezzogiorno – **Pasto** carta 75/115000 (10%).

XXX **Taverna del Bronzino**, via delle Ruote 25/27 r ⊠ 50129 ℘ 055 495220,
Fax 055 4620076, prenotare – 🗏. 🖭 🕄 ⓪ ⓬ 𝚅𝙸𝚂𝙰 𝙹𝙲𝙱   ET c
chiuso Natale, Pasqua, agosto e domenica – **Pasto** carta 90/120000.

XX **Cibreo**, via dei Macci 118/r ⊠ 50122 ℘ 055 2341100, *cibreo.fi@tin.it*, Fax 055 244966,
prenotare – 🗏. 🖭 🕄 ⓪ ⓬ 𝚅𝙸𝚂𝙰 𝙹𝙲𝙱   FU f
chiuso dal 31 dicembre al 6 gennaio, dal 26 luglio al 6 settembre, domenica e lunedì –
Pasto carta 90/100000 e vedere anche rist **Vineria Cibreino**.

XX **Osteria n. 1**, via del Moro 18/22 r ⊠ 50123 ℘ 055 284897, Fax 055 294318 – 🗏. 🖭 🕄 ⓪
⓬ 𝚅𝙸𝚂𝙰   Z f
chiuso dal 3 al 26 agosto, domenica e lunedì a mezzogiorno – **Pasto** carta 75/120000.

XX **Buca Lapi**, via del Trebbio 1 r ⊠ 50123 ℘ 055 213768, Fax 055 284862, prenotare la sera
– 🗏. 🖭 🕄 ⓪ ⓬ 𝚅𝙸𝚂𝙰 𝙹𝙲𝙱   Y a
chiuso agosto, domenica e lunedì a mezzogiorno – **Pasto** carta 70/110000 (10%).

XX **Enoteca Pane e Vino**, via San Niccolò 70 a/r ⊠ 50125 ℘ 055 2476956, *paneevino@yah
oo.it*, Fax 055 2476956 – 🗏. 🖭 🕄 ⓪ ⓬ 𝚅𝙸𝚂𝙰. ✁   EV c
chiuso dal 7 al 21 agosto,domenica e a mezzogiorno – **Pasto** 50000 e carta 55/85000.

XX **I 4 Amici**, via degli Orti Oricellari 29 ⊠ 50123 ℘ 055 215413, *iquattroamici@accademiadel
gusto.it*, Fax 055 289767 – 🗏. 🖭 🕄 ⓪ ⓬ 𝚅𝙸𝚂𝙰 𝙹𝙲𝙱. ✁   DT e
Pasto specialità di mare carta 75/125000 (12%).

XX **Mamma Gina**, borgo Sant'Jacopo 37 r ⊠ 50125 ℘ 055 2396009, *mammagin@ats.it*,
Fax 055 213908 – 🗏. 🖭 🕄 ⓪ ⓬ 𝚅𝙸𝚂𝙰 𝙹𝙲𝙱   Z s
chiuso dal 7 al 21 agosto e domenica – **Pasto** carta 55/90000.

XX **Paoli**, via dei Tavolini 12 r ⊠ 50122 ℘ 055 216215, Fax 055 216215, « Decorazioni imitanti
lo stile trecentesco » – 🗏. 🖭 🕄 ⓪ ⓬ 𝚅𝙸𝚂𝙰 𝙹𝙲𝙱   Z r
chiuso agosto e martedì – **Pasto** carta 55/90000.

XX **La Baraonda**, via Ghibellina 67 r ⊠ 50122 ℘ 055 2341171, *labaraonda@tin.it*,
Fax 055 2341171, prenotare – 🖭 🕄 ⓪ ⓬ 𝚅𝙸𝚂𝙰. ✁   EU d
chiuso dal 3 al 9 gennaio, agosto, domenica e lunedì a mezzogiorno – **Pasto** carta
55/80000 (10%).

X **Fiorenza,** via Reginaldo Giuliani 51 r ⊠ 50141 ℰ 055 416903, *Fax 055 416903* – 🗐. 🖭 🖺
🕽 🚳 VISA JCB. 🛠
BR
chiuso agosto e domenica – **Pasto** giovedì, venerdì e sabato solo specialità di mare cart
55/80000.

X **Vineria Cibreino** - Rist. Cibreo, via dei Macci 122/r ⊠ 50122 ℰ 055 2341100, Coper
limitati, senza prenotazione – 🗐
FU
chiuso dal 31 dicembre al 6 gennaio, dal 26 luglio al 6 settembre, domenica e lunedì
Pasto carta 45/60000.

X **Il Profeta,** borgo Ognissanti 93 r ⊠ 50123 ℰ 055 212265 – 🗐. 🖭 🖺 🕽 🚳 VISA. 🛠
chiuso dal 15 al 31 agosto e domenica – **Pasto** carta 65/85000.
DU

X **Baldini,** via il Prato 96 r ⊠ 50123 ℰ 055 287663, *Fax 055 287663* – 🗐. 🖭 🖺 🕽 🚳 VISA
🛠
CT
*chiuso dal 24 dicembre al 3 gennaio, dal 1° al 20 agosto, sabato e domenica sera, i
giugno-luglio anche domenica a mezzogiorno* – **Pasto** carta 45/60000.

X **Del Fagioli,** corso Tintori 47 r ⊠ 50122 ℰ 055 244285, Trattoria tipica toscana – 🛠
chiuso agosto, sabato e domenica
EV
Pasto carta 45/55000.

X **Cantina Barbagianni,** via Sant'Egidio 13 r ⊠ 50122 ℰ 055 2480508, *Fax 055 248050*
– 🗐. 🖭 🖺 🕽 🚳 VISA
EU
chiuso dal 1° al 7 agosto e domenica – **Pasto** carta 50/80000 (10 %).

X **Antico Fattore,** via Lambertesca 1/3 r ⊠ 50122 ℰ 055 288975, *Fax 055 283341* 🗐. 🖺
🖺 🕽 🚳 VISA
Z
chiuso dal 15 luglio al 15 agosto e domenica – **Pasto** carta 45/80000 (12 %).

X **Del Carmine,** piazza del Carmine 18 r ⊠ 50124 ℰ 055 218601, 🏠, prenotare – 🖭 🖺 🕽
🚳 VISA
DU
chiuso dal 7 al 21 agosto e domenica – **Pasto** carta 40/50000.

X **Osteria de' Benci,** via de' Benci 10/13 r ⊠ 50122 ℰ 055 2344923, *Fax 055 2344932*
🏠, prenotare – 🗐. 🖭 🖺 🕽 🚳 VISA JCB
EU
chiuso domenica – **Pasto** carta 40/85000 (10 %).

X **Il Latini,** via dei Palchetti 6 r ⊠ 50123 ℰ 055 210916, *Fax 055 289794*, Trattoria tipica – 🖺
🖺 🕽 🚳 VISA JCB. 🛠
Z
chiuso dal 24 dicembre al 5 gennaio e lunedì – **Pasto** carta 45/60000.

X **Alla Vecchia Bettola,** viale Ludovico Ariosto 32 r ⊠ 50124 ℰ 055 224158
Fax 055 223061, « Ambiente caratteristico » – 🛠
CV m
chiuso dal 23 dicembre al 2 gennaio, agosto, domenica e lunedì – **Pasto** carta 45/60000.

X **La Carabaccia,** via Palazzuolo 190 r ⊠ 50123 ℰ 055 214782, *Fax 055 213203*, prenotare
– 🗐. 🖭 🖺 🕽 🚳 VISA JCB
CDU
chiuso domenica e lunedì a mezzogiorno – **Pasto** carta 50/80000.

X **Da Carmine-il Pizzaiuolo,** via De' Macci 113 r ⊠ 50122 ℰ 055 241171, Rist. e pizzeria
prenotare – 🗐. 🛠
FU
Pasto specialità napoletane carta 45/80000.

X **Ruth's,** via Farini 2 ⊠ 50121 ℰ 055 2480888, prenotare – 🗐
EU s
chiuso venerdì sera, sabato a mezzogiorno e le festività ebraiche – **Pasto** cucina ebraica
carta 25/50000.

X **Da Mamma Elissa,** via D'Angiò 60/62 ⊠ 50126 ℰ 055 6801370, *Fax 055 6801370* – 🗐
🖭 🖺 🕽 🚳 VISA. 🛠
BS e
chiuso agosto e domenica sera, da giugno ad agosto domenica tutto il giorno – **Pasto**
specialità di mare carta 50/75000.

sui Colli :

🏛 **Gd H. Villa Cora** 🐎, viale Machiavelli 18 ⊠ 50125 ℰ 055 2298451, *Fax 055 229086*, 🏠
Servizio navetta per il centro città, « Dimora ottocentesca in un parco fiorito con 🔲 » – 🛗
🗐 📺 🅿 – 🔬 150. 🖭 🖺 🕽 🚳 VISA JCB. 🛠 rist
DV b
Pasto al Rist. *Taverna Machiavelli* carta 120/205000 – **33 cam** ⊒ 520/950000, 15 suites
1200/1600000.

🏛 **Torre di Bellosguardo** 🐎 senza rist, via Roti Michelozzi 2 ⊠ 50124 ℰ 055 2298145, *tc
rredibellosguardo@dada.it, Fax 055 229008*, ⁑ città e colli, « Parco con giardino botanico
voliere e 🔲 » – 🛗 🅿. 🖭 🖺 🕽 🚳 VISA
CV a
⊒ 35000 – **10 cam** 480000, 7 suites 580/680000.

🏛 **Villa Belvedere** 🐎 senza rist, via Benedetto Castelli 3 ⊠ 50124 ℰ 055 222501,
Fax 055 223163, ⁑ città e colli, « Parco-giardino con 🔲 », 🛠 – 🛗 🗐 📺 🅿. 🖭 🖺 🕽 🚳 VISA
🛠
BS c
marzo-novembre – **23 cam** ⊒ 240/360000, 3 suites.

🏛 **Classic** senza rist, viale Machiavelli 25 ⊠ 50125 ℰ 055 229351, *Fax 055 229353*, 🌳 – 🛗 📺
🅿. 🖭 🖺 🕽 🚳 VISA
DV c
⊒ 12000 – **19 cam** 160/250000, 3 suites.

ad Arcetri *Sud : 5 km* BS – ⊠ *50125 Firenze :*

※ **Omero**, via Pian de' Giullari 11 r ℘ 055 220053, *Fax 055 2336183*, Trattoria di campagna con ⪡, « Servizio estivo serale in terrazza » – 匤 🕄 ① ⓪ *VISA* JCB. ※ BS **d**
chiuso agosto e martedì – **Pasto** carta 60/75000 (13 %).

a Galluzzo *Sud : 6,5 km* BS – ⊠ *50124 Firenze :*

🏠 **La Torricella** ⋙ senza rist, via Vecchia di Pozzolatico 25 ℘ 055 2321818, *latorricella@tisc alinet.it, Fax 055 2047402* – 📺 🅿 🕄 ⓪ *VISA* BS **a**
chiuso dal 20 gennaio al 28 febbraio e dal 20 novembre al 20 dicembre – **8 cam** ⊇ 180/260000.

※ **Trattoria Bibe**, via delle Bagnese 15 ℘ 055 2049085, *Fax 055 2047167*, « Servizio estivo all'aperto » – 🅿. 匤 🕄 ⓪ *VISA* AS **c**
chiuso dal 15 al 28 febbraio, dal 10 al 25 novembre, mercoledì e giovedì a mezzogiorno – **Pasto** carta 45/60000.

a Candeli *Est : 7 km* – ⊠ *50012 :*

🏨 **Villa La Massa** ⋙, via La Massa 24 ℘ 055 62611, *Fax 055 633102*, ⪡, 斎, « Dimora seicentesca con arredamento in stile », ⊥, 🐎 – 🛗 🗏 📺 🕭 🅿 – 🔬 60. 匤 🕄 ① ⓪ *VISA* JCB. ※
15 marzo-15 novembre – **Pasto** al Rist. *Il Verrocchio* carta 135/215000 – **34 cam** ⊇ 620/830000, 7 suites.

a Settignano *Est : 7 km* – ⊠ *50135 :*

※ **La Sosta del Rossellino**, via del Rossellino 2 r ℘ 055 697245, *enoteca@design.com, Fax 055 697245*, Enoteca-osteria con degustazione di formaggi, prenotare a mezzogiorno – 匤 🕄 ⓪ *VISA*
chiuso domenica e a mezzogiorno (escluso da aprile ad ottobre) – **Pasto** carta 50/80000.

a Serpiolle *Nord : 8 km* BR – ⊠ *50141 Firenze :*

✗✗✗ **Lo Strettoio**, via di Serpiolle 7 ℘ 055 4250044, *Fax 055 4250044*, 斎, prenotare, « Villa seicentesca fra gli olivi; servizio estivo con ⪡ città » – 🅿. 匤 🕄 ⓪ *VISA*. ※ BR **g**
chiuso agosto, domenica e lunedì – **Pasto** carta 70/100000.

sull'autostrada al raccordo A 1 - A 11 Firenze Nord *Nord-Ovest : 10 km* AR :

🏨 **Holiday Inn Firenze Nord**, ⊠ 50013 Campi Bisenzio ℘ 055 447111, *Fax 055 4219015* – 🛗, 🍴 cam, 🗏 📺 🕭 🅿 – 🔬 200. 匤 🕄 ① ⓪ *VISA* JCB. ※ AR **u**
Pasto *(chiuso domenica)* carta 60/90000 – **148 cam** ⊇ 240/360000 – ½ P 210000.

in prossimità casello autostrada A1 Firenze Sud *Sud-Est : 6 km;* BS :

🏨 **Sheraton Firenze Hotel**, ⊠ 50126 ℘ 055 64901, *sheraton@dada.it, Fax 055 6490769*, ⊥, ✗✗ – 🛗, 🍴 cam, 🗏 📺 🕭 ⇔ 🅿 – 🔬 1500. 匤 🕄 ① ⓪ *VISA* JCB. ※
Pasto al Rist. *Il Cortile (chiuso la sera)* 60000 e al Rist. *Primavera (chiuso a mezzogiorno)* carta 70/120000 – **319 cam** ⊇ 375/450000. BS **r**

FISCHLEINBODEN = Campo Fiscalino.

FIUGGI 03014 Frosinone 430 Q 21 – 8 853 ab. alt. 747 – Stazione termale (aprile-novembre).
🏌 *(chiuso lunedì) a Fiuggi Fonte* ⊠ *03015* ℘ *0775 515250, Fax 077 5 506742, Sud : 4 km.*
Roma 82 – Frosinone 33 – Avezzano 94 – Latina 88 – Napoli 183.

🏠 **Anticoli**, via Verghetti 70 ℘ 0775 515667, *Fax 0775 515667*, ⪡, 🐎 – 🛗 📺. 匤 🕄 ① ⓪ *VISA* JCB. ※
chiuso dal 10 gennaio a febbraio – **Pasto** carta 45/75000 – ⊇ 10000 – **18 cam** 65/100000 – ½ P 75000.

✗✗ **La Torre**, piazza Trento e Trieste 29 ℘ 0775 515382, *Fax 0775 547212*, 斎 – 🗏. 匤 🕄 ① ⓪ *VISA*. ※
chiuso dal 25 giugno al 2 luglio, dal 7 al 28 novembre e martedì – **Pasto** 75/85000 e carta 60/90000.

✗✗ **Il Rugantino**, via Diaz 300 ℘ 0775 515400, *Fax 0775 505196* – 🅿. 匤 🕄 ① ⓪ *VISA* JCB. ※
chiuso mercoledì escluso da maggio a settembre – **Pasto** carta 30/40000.

✗ **La Locanda**, via Padre Stanislao 4 ℘ 0775 505855, « Ambiente caratteristico ». 🕄 ⓪ *VISA*. ※
chiuso lunedì – **Pasto** carta 35/55000.

a Fiuggi Fonte *Sud : 4 km – alt. 621 – ✉ 03015.*

[i] *(aprile-novembre) piazza Frascara 4 ☎ 0775 515019 :*

Palazzo della Fonte 🏞, via dei Villini 7 ☎ 0775 5081, *palazzo@mclink.it* *Fax 0775 506752*, ←, « Parco con 🏊 », 🏋, 🏊, 🏊, 🎾 – 🛗 ❄ 📺 ☎ ♿ 🅿 – 👥 600. AE $ ⓓ ⓜ VISA JCB. ✗ rist
15 marzo-15 dicembre – **Pasto** carta 80/125000 – ☕ 25000 – **145 cam** 480/605000, suite – ½ P 415000.

Silva Hotel Splendid, corso Nuova Italia 40 ☎ 0775 515791, *Fax 0775 506546*, « Giardino ombreggiato con 🏊 », 🏋, 🏊 – 🛗 📺 ♿ 🅿 – 👥 250. AE $ ⓓ ⓜ VISA JCB. ✗ rist
chiuso gennaio e febbraio – **Pasto** 55000 – **120 cam** ☕ 190/320000 – ½ P 220000.

Fiuggi Terme, via Prenestina 9 ☎ 0775 515212, *hotel.fiuggiterme@libero.it*, *Fax 0775 506566*, 🏊, 🌳, 🎾 – 🛗 ❄ 📺 ♿ 🅿 – 👥 250. AE $ ⓓ ⓜ VISA. ✗ rist
Pasto carta 55/75000 – **60 cam** ☕ 220/300000, 4 suites – ½ P 200000.

Ambasciatori, via dei Villini 8 ☎ 0775 514351, *Fax 0775 504282*, « Terrazza-giardino » – 🛗 ❄ 📺 🚗 🅿 – 👥 500. AE $ ⓓ VISA. ✗
maggio-ottobre – **Pasto** 45000 – **86 cam** ☕ 150/250000 – P 140000.

Casina dello Stadio, via 4 Giugno 19 ☎ 0775 515027, *info@casinastadio.it*, *Fax 0775 515176*, 🌳 – 🛗, ❄ rist, 📺 🚗 🅿 – 👥 20. AE $ ⓓ ⓜ VISA. ✗
chiuso dal 1° al 21 dicembre – **Pasto** carta 60/85000 – ☕ 20000 – **44 cam** 130/180000 – ½ P 150000.

San Marco, via Prenestina 1 ☎ 0775 504516, *Fax 0775 506787*, 🌳 – 🛗, ❄ rist, 📺 ♿ 🅿 $ ⓓ ⓜ VISA JCB. ✗ rist
maggio-settembre – **Pasto** (solo per alloggiati) 35/50000 – ☕ 16000 – **96 cam** 140/180000 – ½ P 160000.

San Giorgio, via Prenestina 31 ☎ 0775 515313, *hotelsangiorgio@libero.it*, *Fax 0775 515012*, « Giardino ombreggiato » – 🛗, ❄ rist, 📺 🅿. AE $ ⓓ ⓜ VISA JCB. ✗
maggio-ottobre – **Pasto** carta 40/55000 – **85 cam** ☕ 150/250000 – ½ P 135000.

Argentina, via Vallombrosa 22 ☎ 0775 515117, *hotel.argentina@libero.it*, *Fax 0775 515748*, « Piccolo parco ombreggiato », 🏊 – 🛗 ❄ 📺 🅿. $ ⓜ VISA. ✗
chiuso dal 10 gennaio al 25 febbraio – **Pasto** 25/50000 – **54 cam** ☕ 80/110000 – ½ P 85000.

Belsito, via Fiume 4 ☎ 0775 515038, *Fax 0775 515850*, 🌳 – 🛗 📺 🅿. AE $ ⓜ VISA. ✗ rist
maggio-ottobre – **Pasto** (solo per alloggiati) 30/35000 – **31 cam** ☕ 80/100000 – ½ P 70000.

FIUMALBO *41022 Modena* [428], [429], [430] *J 13 – 1 415 ab. alt. 935 – a.s. luglio-agosto e Natale.*

Roma 369 – Pisa 95 – Bologna 104 – Lucca 73 – Massa 101 – Milano 263 – Modena 88 – Pistoia 59.

a Dogana Nuova *Sud : 2 km – ✉ 41020 :*

Val del Rio, via Giardini 221 ☎ 0536 73901, *Fax 0536 73901*, ←, 🏋 – 🛗 📺 ♿ 🅿. AE $ ⓓ ⓜ VISA. ✗ rist
chiuso maggio – **Pasto** carta 40/85000 – ☕ 15000 – **30 cam** 100/150000 – ½ P 120000.

Bristol, via Giardini 274 ☎ 0536 73912, *Fax 0536 74136*, ←, 🌳 – 📺 🅿. AE $ ⓓ ⓜ VISA JCB. ✗ rist
chiuso ottobre e novembre – **Pasto** carta 40/50000 – **23 cam** ☕ 75/130000 – ½ P 100000.

FIUME VENETO *33080 Pordenone* [429] *E 20 – 10 048 ab. alt. 20.*

Roma 590 – Udine 51 – Pordenone 6 – Portogruaro 20 – Treviso 57 – Trieste 105.

L'Ultimo Mulino 🏞, via Molino 45, località Bannia ☎ 0434 957911, *fllonder@tin.it*, *Fax 0434 958483*, « In un vecchio mulino di fine 1600 in zona verdeggiante con parco e laghetto » – ❄ 📺 🅿 – 👥 50. AE $ ⓓ ⓜ VISA. ✗ rist
chiuso dal 1° al 10 gennaio ed agosto – **Pasto** *(chiuso a mezzogiorno e domenica)* carta 60/80000 – **8 cam** ☕ 150/240000.

FIUMICELLO DI SANTA VENERE *Potenza* [431] *H 29 – Vedere Maratea.*

FIUMICINO *00054 Roma* [430] *Q 18.*

✈ *Leonardo da Vinci, Nord-Est : 3,5 km ☎ 06 65631.*

⛴ *per Arbatax 19 luglio-15 settembre lunedì e mercoledì giornaliero (4 h 45 mn) e Golfo Aranci 18 giugno-5 settembre giornalieri (4 h) – Tirrenia Navigazione-agenzia Vacanzando, viale Traiano 97/a ☎ 06 6523738, Fax 06 6523572.*

Roma 31 – Anzio 52 – Civitavecchia 66 – Latina 78.

🏨🏨🏨🏨 **Hilton Rome Airport** [M], via Arturo Ferrarin ☎ 06 65258, *sales_rome_apt@hilton.com*, *Fax 06 65256525*, 🏋, ≋, 🏊, ✂ – ⇅, 🚭 cam, ≡ [TV] ✆ [P] – 👥 650. [AE] [S] [O] [VISA] [JCB]. 🐕
Pasto carta 80/155000 – ☕ 30000 – **513 cam** 620/720000, 4 suites.

🍴🍴🍴 **Al Molo,** via della Torre Clementina 312 ☎ 06 6505358, *Fax 06 6507210*, ⩤, ⛱ – [AE] [S] [O] [MC] [VISA]
chiuso lunedì – **Pasto** specialità di mare carta 85/115000.

🍴🍴 **Bastianelli dal 1929,** via Torre Clementina 86/88 ☎ 06 6505095, *ristorazioni93@libero.it*, *Fax 06 6507113* – ≡. [AE] [S] [O] [MC] [VISA] [JCB]
Pasto specialità di mare carta 60/80000 bc.

🍴🍴 **La Perla** con cam, via Torre Clementina 214 ☎ 06 6505038, *Fax 06 6507701*, ⛱ – [TV] [P]. [AE] [S] [O] [MC] [VISA]. 🐕
Pasto *(chiuso dal 20 agosto al 15 settembre e martedì)* specialità di mare carta 75/95000 – ☕ 14000 – **7 cam** 80/100000, suite.

FIUMINATA *62025 Macerata* [430] M 20 – *1 541 ab. alt. 479.*
Roma 200 – L'Aquila 182 – Ancona 88 – Gubbio 56 – Macerata 55 – Perugia 78.

🍴 **Graziella,** piazza Vittoria 16 ☎ 0737 54428 – ≡ [S] [MC] [VISA]. 🐕
◎ *chiuso mercoledì escluso luglio ed agosto* – **Pasto** carta 25/45000.

FIVIZZANO *54013 Massa-Carrara* [428], [429], [430] J 12 – *9 309 ab. alt. 373.*
Roma 437 – La Spezia 40 – Firenze 163 – Massa 41 – Milano 221 – Parma 116 – Reggio nell'Emilia 94.

🏨 **Il Giardinetto,** via Roma 151 ☎ 0585 92060, *Fax 0585 92060*, « Terrazza-giardino
◎ ombreggiata » – [TV]. [S] [MC] [VISA]. 🐕
chiuso dal 4 al 30 ottobre – **Pasto** *(chiuso lunedì da novembre a giugno)* carta 25/40000 – ☕ 7000 – **19 cam** 40/70000 – 1/2 P 70000.

Leggete attentamente l'introduzione : è la « chiave » della guida.

FOGGIA *71100* [P] [431] C 28 *G. Italia – 154 891 ab. alt. 70 – a.s. Pasqua e agosto-settembre –*
Elicotteri: *per Isole Tremiti - ☎ 0881 617916.*
[i] *via Perrone 17 ☎ 0881 723141, Fax 0881 725536.*
[A.C.I.] *via Mastelloni (Palazzo Insalata) ☎ 0881 632838.*
Roma 363 ④ – Bari 132 ① – Napoli 175 ④ – Pescara 180 ①.

Pianta pagina seguente

🏨🏨🏨 **Cicolella,** viale 24 Maggio 60 ☎ 0881 566111, *hotelcicolella@isnet.it*, *Fax 0881 778984* – ⇅ ≡ [TV] ♿ – 👥 150. [AE] [S] [O] [MC] [VISA] [JCB] Y c
Pasto *(chiuso dal 24 dicembre al 6 gennaio e dal 1° al 20 agosto)* carta 50/70000 – ☕ 5000 – **93 cam** 210/320000, 13 suites – 1/2 P 220000.

🏨🏨🏨 **White House** senza rist, via Monte Sabotino 24 ☎ 0881 721644, *Fax 0881 721646* – ⇅ ≡ [TV]. [AE] [S] [O] [MC] [VISA] Y b
☕ 15000 – **40 cam** 200/330000.

🏨🏨 **President,** via degli Aviatori 130 ☎ 0881 618010, *Fax 0881 617930* – ⇅ ≡ [TV] 🚗 [P] – 👥 500. [AE] [S] [O] [MC] [VISA]. 🐕 rist X a
Pasto carta 40/55000 – **126 cam** ☕ 140/180000 – 1/2 P 165000.

🏨 **Atleti,** via Bari al Km 2,3 ☎ 0881 630100, *hotelatleti@isnet.it*, *Fax 0881 630101* – ⇅ ≡ [TV] [P]. [AE] [S] [O] [MC] [VISA]. 🐕 2,5 km per ③
Pasto *(chiuso domenica e a mezzogiorno)* 25000 – **42 cam** ☕ 105/150000 – 1/2 P 100000.

🍴🍴 **Il Ventaglio,** via Postiglione 6 ☎ 0881 661500, *Fax 0881 661500*, ⛱ – ≡. [AE] [S] [O] [VISA]. 🐕 X d
✿ *chiuso dal 23 al 31 dicembre, dal 13 al 30 agosto, sabato-domenica dal 21 giugno al 27 agosto e domenica sera-lunedì negli altri mesi* – **Pasto** carta 60/90000
Spec. Conchigliette al prezzemolo con sugo di pescatrice. Spigola all'aceto balsamico. Mandorlato al miele e arancia.

🍴🍴 **In Fiera-Cicolella,** viale Fortore angolo via Bari ☎ 0881 632166, *Fax 0881 632167*, ⛱, 🚗 – ≡ [P]. [AE] [S] [O] [MC] [VISA] X r
chiuso dal 7 al 24 novembre, lunedì e martedì – **Pasto** carta 50/70000.

🍴🍴 **La Pietra di Francia,** viale 1° Maggio 2 ☎ 0881 634880 – ≡. [AE] [S] [O] [MC] [VISA]. 🐕
chiuso dal 23 dicembre al 7 gennaio, dal 6 al 26 agosto, domenica sera, lunedì e in luglio-agosto anche domenica a mezzogiorno – **Pasto** carta 40/60000 (10%). X q

🍴🍴 **Giordano-Da Pompeo,** vico al Piano 14 ☎ 0881 724640, *Fax 0881 724640* – ≡. 🐕
☺ *chiuso dal 15 al 31 agosto e domenica* – **Pasto** carta 35/55000. Y a

FOGGIA

Aporti (Viale Ferrante) . . . . . . Z 2
Arpi (Via) . . . . Y
Conte Appiano (Via) . . . . . . Y 4
Dante (Via) . . . . Y 7
Della Rocca
(Via Vincenzo) . . . . Z 8
Di Vittorio (Viale G.) . . . . . . X 9
Fuiani (Via Pasquale) . . . . . Y 1.
Galliani (Via) . . . . Z 1.
Giardino (Via) . . . . Z 1.
La Marmora (Via A.) . . . . . . Z 15
Lanza (Via V.) . . . . Y 16
Lucera (Via) . . . . X,Y 19
Michelangelo (Viale) . . . . . . X 20
Oberdan (Via Guglielmo) . . Y 2:
Puglia (Piazzale) . . . . Z 2.
S. Lorenzo (Via) . . . . Z 25
Scillitani (Via L.) . . . . X,Y 2:
Tiro a Segno (Via) . . . . Z 28
Vittime Civili (Via) . . . . . . X,Z 29
Vittorio Emanuele II
(Corso) . . . . Y
1° Maggio (Viale) . . . . X 30
4 Novembre (Via) . . . . Z 3
20 Settembre (Piazza) . . . . . Y 32

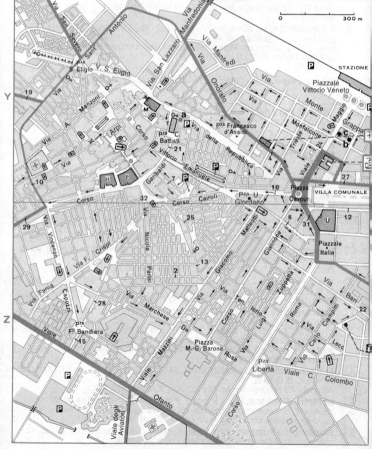

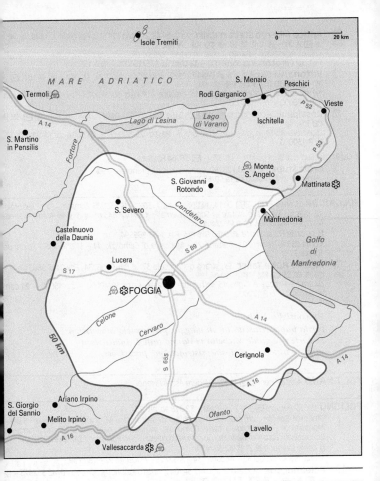

FOIANA (VOLLAN) *Bolzano* 218 ⑳ – *Vedere Lana.*

FOIANO DELLA CHIANA 52045 *Arezzo* 430 M 17 – 8 267 ab. alt. 318.
Roma 187 – Siena 55 – Arezzo 30 – Perugia 59.

🏨 **Forum** M, località Forniole Sud : 3 km ℰ 0575 64071, *hotelforum@hotelforum.net*,
Fax 0575 6407444, ㉘ – ⊫ ▤ 🆃🆅 ὅ, ⇔ 🄿 – ⛾ 60. 🄰🄴 🆂 ⑩ 🆆⑧ *VISA* 🄹🄲🄱, 🛠 rist
Pasto al Rist **Giano** *(chiuso lunedì e solo su prenotazione a mezzogiorno)* carta 65/105000
– ⊑ 18000 – **43 cam** 120/230000, 6 suites – ½ P 130000.

FOLGARIA 38064 *Trento* 429 E 15 – 3 134 ab. alt. 1 168 – a.s. 4 febbraio-18 marzo, Pasqua e Natale
– Sport invernali : 1 183/2 007 m ⟋₁ ⟍ 1 ⟋ 14 ⟑.

🛈₉ *(15 aprile-15 novembre)* ℰ 0464 720480, Fax 0464 720480, Nord-Est : 2 km.

🖪 via Roma 67 ℰ 0464 721133, Fax 0464 720250.
Roma 582 – Trento 29 – Bolzano 87 – Milano 236 – Riva del Garda 42 – Rovereto 20 – Verona
95 – Vicenza 73.

🏨 **Villa Wilma** ⑤, via della Pace 12 ℰ 0464 721278, *villawilma@tin.it*, Fax 0464 720054, ≤,
⇔ 🐾 – ⊫ 🆃🆅 🄿 🆂 ⑩ 🆆⑧ *VISA* 🛠
dicembre-marzo e 15 giugno-20 settembre – **Pasto** carta 35/45000 – ⊑ 12000 – **24 cam**
100/180000 – ½ P 135000.

🏨 **Antico Albergo Stella d'Italia,** via Colpi 48 ℘ 0464 721135, Fax 0464 721848, ≤, 🐴 -
📶 📺 ᴚ 🄿 - 🛔 100. 🄰🄴 🅂 🄾 🄼🄾 ❤ rist
chiuso novembre – **Pasto** *(chiuso martedì escluso dicembre-aprile e giugno-settembre) a*
Rist. **La Carozza** carta 35/60000 – **42 cam** 😄 175/250000 – ½ P 155000.

🏨 **Vittoria,** via Cadorna 2/6 ℘ 0464 721122, Fax 0464 720227, ≤, 🍴, 😋 – 📶, 📺 ᴚ rist, 📺 ᴚ
🄿 – 🛔 50. 🄰🄴 🅂 🄾 🄼🄾 ❤ rist
10 dicembre-15 aprile e giugno-15 ottobre – **Pasto** 30/60000 – 😄 20000 – **42 cam**
120/190000 – ½ P 145000.

🏨 **Rosalpina** ❤, via Strada Nuova 8 ℘ 0464 721240, Fax 0464 721240, ≤, 🐴 – 📶 📺. 🄰🄴 🅂
🄼🄾 🆅🄸🆂🄰. ❤
dicembre-aprile e giugno-settembre – **Pasto** 25/30000 – **26 cam** 😄 110/180000 -
½ P 130000.

a Guardia *Sud-Ovest : 11,5 km – alt. 875 – ⊠ 38064 Folgaria :*

🍴 **Grott Stube**, ℘ 0464 720190, Coperti limitati; prenotare – 🄾
chiuso lunedì – **Pasto** carta 50/65000.

FOLGARIDA *Trento* 🗺🗺🗺, 🗺🗺🗺 *D 14,* 🗺🗺🗺 ⑲ – *alt. 1 302* – ⊠ *38025 Dimaro – a.s. febbraio*
12 marzo, Pasqua e Natale – Sport invernali : 1 270/2 143 m ≰ 3 ≰ 11 (vedere anche
Mezzana-Marilleva), ≰ a Mezzana.
🄱 *piazzale Folgarida 18 ℘ 0463 986113, Fax 0463 986594.*
Roma 653 – Trento 70 – Bolzano 75 – Madonna di Campiglio 11 – Milano 225 – Passo del
Tonale 33.

🏨 **Piccolo Hotel Taller** ❤, strada del Roccolo 37 ℘ 0463 986234, Fax 0463 986219, ≤ –
📺 🄿. 🄰🄴 🅂 🄼🄾 🆅🄸🆂🄰. ❤
dicembre-Pasqua e luglio-15 settembre – **Pasto** carta 30/40000 – 😄 15000 – **21 cam**
90/150000 – ½ P 120000.

Un consiglio Michelin:
per la buona riuscita di un viaggio, preparatelo in anticipo.
Le carte e le guide Michelin vi danno tutte le indicazioni
utili su: itinerari, curiosità, sistemazioni, prezzi, ecc.

FOLIGNANO *Ascoli Piceno* 🗺🗺🗺 *N 22 – Vedere Ascoli Piceno.*

FOLIGNO *06030 Perugia* 🗺🗺🗺 *N 20 G. Italia – 52 318 ab. alt. 234.*
Dintorni Spello★ : affreschi★★ nella chiesa di Santa Maria Maggiore Nord-Ovest : 6 km –
Montefalco★ : ❅★★★ dalla torre Comunale, affreschi★★ nella chiesa di San Francesco
(museo), affresco★ di Benozzo Gozzoli nella chiesa di San Fortunato Sud-Ovest : 12 km.
🄱 *corso Cavour 126 ℘ 0742 354459.*
Roma 158 – Perugia 36 – Ancona 134 – Assisi 18 – Macerata 92 – Terni 59.

🏨 **Poledrini,** viale Mezzetti 2 ℘ 0742 341041, htl@folignohotel.com, Fax 0742 352973 – 📶
📺 📺 🄿 – 🛔 200. 🄰🄴 🅂 🄾 🄼🄾 ❤
Pasto carta 40/75000 – **43 cam** 😄 150/180000 – ½ P 125000.

🏨 **Holiday Inn Express** 🄼 senza rist, via M. Arcamone 16 ℘ 0742 321666, fogit@foligno.
net, Fax 0742 321640 – 📶, ❤ cam, 📺 📺 ᴞ ᴚ 🄿 – 🛔 60. 🄰🄴 🅂 🄾 🄼🄾 🆅🄸🆂🄰 🅹🄲🄱
89 cam 😄 145/180000.

🏨 **Le Mura,** via Bolletta 27 ℘ 0742 357344 e rist. ℘ 0742 354648, albmura@bcsnet.it,
Fax 0742 353327 – 📺 ᴚ 🚗 – 🛔 80. 🄰🄴 🅂 🄾 🄼🄾 🆅🄸🆂🄰. ❤
Pasto *(chiuso dal 20 al 30 luglio e martedì)* carta 35/55000 – **29 cam** 😄 120/140000 –
½ P 100000.

🍴🍴 **Villa Roncalli** ❤ con cam, via Roma 25 (Sud : 1 km) ℘ 0742 391091, Fax 0742 391001,
🌴, prenotare, « In una villa patrizia,parco con ≋ e servizio estivo all'aperto », ≋, 🐴 –
📶 cam, 📺 ᴞ 🄿 – 🛔 30. 🄰🄴 🅂 🄾 🄼🄾 🆅🄸🆂🄰. ❤
Pasto *(chiuso dall'11 al 26 agosto e lunedì)* 60/80000 (a mezzogiorno) 70/100000 (la sera) e
carta 65/100000 – **10 cam** 😄 110/160000 – ½ P 150000.

🍴🍴 **Osteria del Teatro,** via Petrucci 8 ℘ 0742 350745, Fax 0742 350745, « In un palazzo del
'500 » – 📶. 🄰🄴 🅂 🄾 🄼🄾 🆅🄸🆂🄰. ❤
chiuso dal 13 al 19 agosto e mercoledì – **Pasto** carta 55/105000.

sulla strada statale 77 *Nord-Est : 10 km*

🏨 **Guesia,** località Ponte Santa Lucia 46 ⊠ 06030 Foligno ℘ 0742 311515, info@guesia.com,
Fax 0742 660216, ≋, 🐴 – 📶 📺 📺 ᴚ 🄿 – 🛔 130. 🄰🄴 🅂 🄾 🄼🄾 🆅🄸🆂🄰. ❤
Pasto *(chiuso lunedì)* carta 40/60000 – **13 cam** 😄 130/190000, 4 suites – ½ P 140000.

FOLLINA *31051 Treviso* 🔢 *E 18 – 3 611 ab. alt. 200.*

Roma 590 – Belluno 30 – Trento 119 – Treviso 36 – Venezia 72.

🏨 **Villa Abbazia**, via Martiri della Libertà ✆ *0438 971277, info@hotel abbazia.it, Fax 0438 970001*, « Piccolo giardino fiorito » – ✦ cam, 🗏 📺 🚗 🅿. 🆎 🕃 ⓞ ⓒⓞ 💳. ⁓ rist
chiuso dall'8 gennaio al 4 febbraio – **Pasto** *(chiuso a mezzogiorno) carta 65/100000 –* � 25000 – **12 cam** 205/300000, 6 suites 390/450000.

✕ **Al Caminetto**, via Martiri della Libertà 2 ✆ *0438 970402, Fax 0438 970402 –* 🗏. 🆎 🕃 ⓞ ⓒⓞ 💳 💳
chiuso Natale, dal 10 al 20 gennaio, luglio e lunedì – **Pasto** *carta 45/65000.*

a Pedeguarda *Sud-Est : 3 km – ⊠ 31050 :*

🏨 **Villa Guarda** *senza rist,* via Pedeguarda 46 ✆ *0438 980834, info@villaguarda.it, Fax 0438 980854*, 🐎 – 🗏 📺 🚗 🅿 🆎 🕃 ⓞ ⓒⓞ 💳 💳
chiuso dal 1° al 15 agosto – � 15000 – **20 cam** 90/140000.

FOLLONICA *58022 Grosseto* 🔢 *N 14 G. Toscana – 21 433 ab. – a.s. Pasqua e 15 giugno-15 settembre.*

🅸 *Toscana (chiuso mercoledì) a Gavorrano ⊠ 58022 ✆ 0566 820471, Fax 0566 820472, Est : 13 km.*

🅱 *via Giacomelli 11 ✆ 0566 52012, Fax 0566 53833.*

Roma 234 – Grosseto 47 – Firenze 152 – Livorno 91 – Pisa 110 – Siena 84.

🏨 **Giardino**, piazza Vittorio Veneto 10 ✆ *0566 41546, Fax 0566 44457*, a 4 km spiaggia e pineta con servizio ristorante a mezzogiorno – 🔉, 🗏 rist, 📺. 🆎 🕃 ⓒⓞ 💳. ⁓
Pasto *45000 –* � 15000 – **43 cam** 110/180000 – ½ P 160000.

🏨 **Aziza** *senza rist,* lungomare Italia 142 ✆ *0566 44441, Fax 0566 40413*, ≤, « Giardino ombreggiato », 🚗 – 📺. 🕃 ⓒⓞ 💳
Pasqua-ottobre – **20 cam** � 170/220000.

🏨 **Parco dei Pini**, via delle Collacchie 7 ✆ *0566 53280, parcpini@ouverture.it, Fax 0566 53218 –* 🔉 📺 🅿. 🆎 🕃 ⓞ ⓒⓞ 💳 💳. ⁓ rist
chiuso gennaio e febbraio – **Pasto** *(chiuso martedì) carta 40/60000 –* � 15000 – **25 cam** 110/150000 – ½ P 145000.

✕✕ **Da Paolino**, piazza XXV Aprile 33 ✆ *0566 57360, Fax 0566 50126 –* 🗏. 🆎 🕃 ⓞ ⓒⓞ 💳 💳
chiuso domenica sera e lunedì escluso luglio-agosto – **Pasto** *carta 35/75000.*

✕✕ **Il Siciliano**, via Giacomelli 2 ✆ *0566 41265*, 🍴, Coperti limitati; prenotare – 🆎 🕃 ⓒⓞ 💳. ⁓
chiuso novembre e mercoledì – **Pasto** *specialità di mare e siciliane carta 70/85000.*

✕ **San Leopoldo**, via IV Novembre 6/8 ✆ *0566 40645*, 🍴 – 🆎 🕃 ⓞ 💳. ⁓
chiuso mercoledì escluso dal 16 giugno a settembre – **Pasto** *specialità di mare carta 45/80000 bc.*

✕ **Il Veliero**, località Puntone Vecchio Sud-Est : 3 km ✆ *0566 866219, info@ristoranteilvelier o.it, Fax 0566 867700*, prenotare – 🗏 🅿. 🆎 🕃 ⓞ ⓒⓞ 💳 💳. ⁓
chiuso mercoledì a mezzogiorno in luglio-agosto, tutto il giorno negli altri mesi – **Pasto** *specialità di mare carta 50/100000.*

FONDI *04022 Latina* 🔢 *R 22 – 33 258 ab..*

Roma 131 – Frosinone 60 – Latina 59 – Napoli 110.

✕✕ **Vicolo di Mblò**, corso Appio Claudio 11 ✆ *0771 502385, Fax 0771 502385*, « Rist. caratteristico » – 🆎 🕃 ⓞ ⓒⓞ 💳 💳
chiuso dal 23 al 30 dicembre e martedì – Pasto *carta 45/65000.*

sulla strada statale 213 *Sud-Ovest : 14 km :*

🏨 **Villa dei Principi**, via Flacca km 1 località Salto ⊠ *04020 Salto di Fondi ✆ 0771 57399, Fax 0771 57624*, ≤, 🚗, 🐎, ✕ – 🗏 📺 🔥 🅿 – 🔸 80. 🆎 🕃 ⓞ ⓒⓞ 💳. ⁓
Pasto *carta 45/75000 –* **32 cam** � 220/250000 – ½ P 200000.

FONDO *38013 Trento* 🔢 *C 15 – 1 421 ab. alt. 988 – a.s. 5 febbraio-5 marzo, Pasqua e Natale.*

🅱 *piazza San Giovanni 14 ✆ 0463 830133, Fax 0463 830161.*

Roma 637 – Bolzano 36 – Merano 39 – Milano 294 – Trento 55.

🏨 **Lady Maria**, via Garibaldi 20 ✆ *0463 830380, ladymar@tin.it, Fax 0463 831013*, 🐎 – 🔉, 🗏 rist, 📺 🔥 🅿 – 🔸 100. 🆎 🕃 ⓞ ⓒⓞ 💳. ⁓ rist
chiuso dal 15 novembre al 15 dicembre – **Pasto** *carta 30/50000 –* � 15000 – **42 cam** 80/130000, suite – ½ P 90000.

FONDOTOCE Verbania **428**, **429** E 7, **219** ⑥ – Vedere Verbania.

FONNI Nuoro **433** G 9 – Vedere Sardegna alla fine dell'elenco alfabetico.

FONTANA BIANCA (Lago di) (WEISSBRUNNER SEE) Bolzano **428**, **429** C 14, **218** ⑲ – Vedere Ultimo-Santa Gertrude.

FONTANAFREDDA 33074 Pordenone **429** E 19 – 9 379 ab..
　　Roma 596 – Belluno 60 – Pordenone 9 – Portogruaro 36 – Treviso 51 – Udine 63.

🏠　**Luna** senza rist., Via B. Osoppo 127, località Vigonovo ✆ 0434 565535, holte.luna@tin.it Fax 0434 565537, ☞ – ⇌ cam, 🔟 🔟 🗴 **P** – 🔬 60. 🖭 🖪 **⊕⊙** **VISA**. ✸
　　chiuso dal 24 al 30 dicembre – **34 cam** ⊑ 85/150000, 2 suites.

FONTANE Treviso – Vedere Villorba.

FONTANE BIANCHE Siracusa **432** Q 27 – Vedere Sicilia (Siracusa) alla fine dell'elenco alfabetico.

FONTANEFREDDE (KALTENBRUNN) Bolzano **429** D 16 – alt. 950 – ⊠ 39040 Montagna.
　　Roma 638 – Bolzano 32 – Belluno 102 – Milano 296 – Trento 56.

🏠　**Pausa**, sulla statale Nord-Ovest : 1 km ✆ 0471 887035, Fax 0471 887038, ≤, ☞ – 🛗
☺　⇌ rist, **P**, 🖪 **⊕⊙** **VISA**, ✸ rist
　　chiuso dal 10 al 25 gennaio e dal 10 al 25 giugno – Pasto (chiuso martedì sera e mercoledì) carta 35/50000 – ⊑ 15000 – **30 cam** 75/110000 – ½ P 90000.

FONTANELICE 40025 Bologna **429**, **430** J 16 – 1 767 ab. alt. 165.
　　Roma 338 – Bologna 52 – Firenze 75 – Forlì 75 – Ravenna 63.

XX　**Osteria I Vecchi Leoni**, piazza Roma 7 ✆ 0542 92430, 🌫, prenotare – 🖭 🖪 **⊕⊙** **VISA**
✸
　　chiuso mercoledì e a mezzogiorno (escluso domenica da maggio a settembre) – Pasto carta 55/135000.

FONTANELLATO 43012 Parma **428**, **429** H 12 – 6 279 ab. alt. 43.
　　Roma 470 – Parma 17 – Cremona 46 – Milano 114 – Piacenza 54.

X　**Locanda Nazionale**, via A. Costa 7 ✆ 0521 822602, 🌫, prenotare – 🖪 **⊕⊙** **VISA**
☜　chiuso dal 24 dicembre al 16 gennaio e lunedì – Pasto carta 30/65000.

FONTANELLE 31043 Treviso **429** E 19 – 5 356 ab. alt. 19.
　　Roma 580 – Belluno 58 – Portogruaro 36 – Treviso 36 – Udine 88.

XX　**La Giraffa**, via Roma 20 ✆ 422 809303, Fax 0422 749018, 🌫 – 🔟 **P**. 🖭 🖪 **⊕⊙** **VISA**. ✸
　　chiuso lunedì sera e martedì – Pasto specialità di mare 30/50000 (a mezzogiorno) 70/90000 (la sera) e carta 45/65000.

FONTANELLE Cuneo **428** J 4 – Vedere Boves.

FONTANELLE Parma **428**, **429** H 12 – Vedere Roccabianca.

FONTANETO D'AGOGNA 28010 Novara **428** F 7, **219** ⑯ – 2 595 ab. alt. 260.
　　Roma 630 – Stresa 30 – Milano 71 – Novara 33.

X　**Hostaria della Macina**, via Borgomanero 7, località Molino Nuovo ✆ 0322 863582, hos
　_ macina@libero.it, 🌫, prenotare, ☞ – **P**. 🖭 🖪 **⊕** **⊕⊙** **VISA**. ✸
　　chiuso dal 7 al 22 gennaio, dal 1° al 20 luglio, lunedì sera e martedì – Pasto carta 40/60000.

FONTEBLANDA 58010 Grosseto **430** O 15 – – a.s. Pasqua e 15 giugno-15 settembre.
　📇 Maremmello località Maremmello ⊠ 58010 Fonteblanda ✆ 0564 88543, Fax 0564 885463, Nord-Est : 9 km.
　　Roma 163 – Grosseto 24 – Civitavecchia 87 – Firenze 164 – Orbetello 19 – Orvieto 112.

🏠　**Rombino** senza rist, via Aurelia Vecchia 40 ✆ 0564 885516, Fax 0564 885524, 🛏 – 🛗 🔟
　　🔟 🗴 **P**. 🖭 🖪 **⊕⊙** **VISA**. ✸
　　40 cam ⊑ 180000.

sulla strada statale 1-via Aurelia *Sud : 2 km :*

🏨🏨🏨 **Corte dei Butteri** 🔇 via Aurelia km 156 ✉ 58010 ☎ 0564 885546, *corte_dei_butteri-@virgilio.it, Fax 0564 886282*, <, ⛱, « Parco con laghetti, 🏊 riscaldata direttamente sul mare », 🏋, ♨, 🎾, 🍴 – 🛗 ❄ [TV] 🚗 [P] – 👥 80. AE [S] [DC] [MC] VISA. 🚫 rist
maggio-ottobre – **Pasto** carta 60/85000 – **54 cam** ☕ 310/575000, 24 suites 595/625000 – ½ P 360000.

a Talamone *Sud-Ovest : 4 km – ✉ 58010 :*

🏨🏨 **Baia di Talamone** senza rist, via della Marina 23 ☎ 0564 887310, *hotelbaia@tiscalinet.it, Fax 0564 887389*, < – 🛗 ❄ [TV] ♿ [P]. [S] [MC] VISA. 🚫
marzo-ottobre – ☕ 7000 – **10 cam** 170/210000, 6 suites.

🏨🏨 **Il Telamonio** senza rist, piazza Garibaldi 4 ☎ 0564 887008, *gitaunet@tin.it, Fax 0564 887380*, « Terrazza-solarium con < » – ❄ [TV]. [S] [MC] VISA. 🚫
Pasqua-settembre – ☕ 15000 – **30 cam** 180/260000.

🏨 **Capo d'Uomo** 🔇 senza rist, via Cala di Forno ☎ 0564 887077, *hotelcapoduomo@libero.it, Fax 0564 887298*, < mare e scogliere, « Giardino fiorito » – [TV] [P]. [S] [MC] VISA JCB. 🚫
aprile-7 ottobre – **24 cam** ☕ 180/210000.

XX **Da Flavia,** piazza 4 Novembre 1/12 ☎ 0564 887091, *Fax 0564 887756*, « Servizio ristorante estivo in terrazza » – AE [S] [DC] [MC] VISA. 🚫
chiuso dal 15 gennaio al 15 febbraio e martedì (escluso luglio-agosto) – **Pasto** specialità di mare carta 55/80000.

X **La Buca,** piazza Garibaldi 1/3 ☎ 0564 887067, ⛱ – ❄. AE [S] [DC] [MC] VISA JCB
chiuso novembre e lunedì (escluso luglio-agosto) – **Pasto** specialità di mare carta 50/90000.

FONTE CERRETO *L'Aquila* [430] O 22 – *Vedere Assergi.*

FOPPOLO *24010 Bergamo* [428], [429] D 11 – *207 ab. alt. 1 515 – a.s. luglio-agosto e Natale – Sport invernali : 1 500/2 120 m* 🚡 *9,* ⛷.
Roma 659 – Sondrio 93 – Bergamo 58 – Brescia 110 – Lecco 80 – Milano 100.

🏨 **Des Alpes,** via Cortivo 9 ☎ 0345 74037, *hoteldesalpes@libero.it, Fax 0345 74078*, < – 🛗 [TV] 📞 [P] – 👥 40. AE [S] [DC] [MC] VISA. 🚫 rist
8 dicembre-25 aprile e 26 giugno-10 settembre – **Pasto** 30/35000 – **30 cam** ☕ 90/150000 – ½ P 115000.

🏨 **Rododendro,** via Piave 2 ☎ 0345 74015, *Fax 0345 74015*, < – 🛗 [TV]. AE [S] [DC] [MC] VISA. 🚫 rist
Pasto carta 45/60000 – ☕ 12000 – **10 cam** 70/120000 – ½ P 115000.

XX **K 2,** via Fopelle 42 ☎ 0345 74105, *Fax 0345 74333*, < – AE [S] VISA. 🚫
chiuso maggio-giugno ed ottobre-novembre (escluso sabato-domenica) – **Pasto** carta 50/80000.

FORIO *Napoli* [431] E 23 – *Vedere Ischia (Isola d').*

FORLÌ *47100* [P] [429], [430] J 18 *G. Italia – 107 475 ab. alt. 34.*
✈ *Luigi Ridolfi per ② : 6 km ☎ 0543 474990, Fax 0543 474924.*
ℹ *corso della Repubblica 23 ☎ 0543 712435, Fax 0543 712434.*
[A.C.I.] *via Monteverdi 1 ☎ 0543 782449.*
Roma 354 ③ – Ravenna 29 ① – Rimini 54 ② – Bologna 63 ④ – Firenze 109 ③ – Milano 282 ①.

Pianta pagina seguente

🏨🏨🏨 **Michelangelo** senza rist, via Buonarroti 4/6 ☎ 0543 400233, *Fax 0543 400615* – 🛗 ❄ [TV] ♿ [P]. AE [S] [DC] [MC] VISA JCB. 🚫 b
21 cam ☕ 190/210000, 5 suites.

🏨🏨 **Della Città et De La Ville,** corso Repubblica 117 ☎ 0543 28297, *direzione@hoteldellacitta.fo.it, Fax 0543 30630*, 🏋 – 🛗 ❄ [TV] [P] – 👥 300. AE [S] [DC] [MC] VISA JCB. 🚫 r
Pasto carta 45/65000 – ☕ 10000 – **60 cam** 165/200000, ❄ 20000 – ½ P 150000.

XX 😋 **Le Querce,** via Ravegnana 472 ✉ 47100 ☎ 0543 795695, Rist. con pizzeria serale, « Servizio estivo in giardino » – ❄ [P]. AE [S] [DC] [MC] VISA JCB. 🚫 3 km per ①
chiuso dal 2 al 20 gennaio e mercoledì – **Pasto** carta 35/70000.

X 😋 **Casa Rusticale dei Cavalieri Templari,** viale Bologna 275 (per ④ : *1 km*) ☎ 0543 701888, ⛱ – [P]. AE [S] [DC] [MC] VISA. 🚫
chiuso dal 24 dicembre al 3 gennaio, agosto, domenica e lunedì – **Pasto** 30/60000 e carta 50/75000.

X **Amarcörd,** via Solferino 1/3 ☎ 0543 27349, ⛱ – AE [S] [DC] [MC] VISA s
chiuso dal 1° al 15 luglio e mercoledì – **Pasto** carta 40/55000.

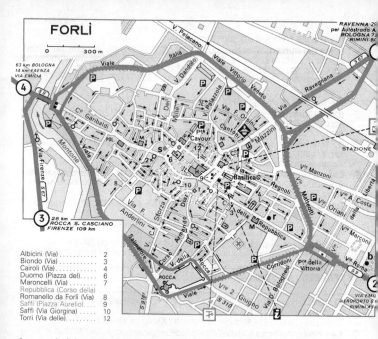

FORLÌ

0   300 m

63 km BOLOGNA
14 km FAENZA
VIA EMILIA

28 km
ROCCA S. CASCIANO
FIRENZE 109 km

RAVENNA 29
per Autostrada A
BOLOGNA 73
RIMINI 49

Albicini (Via)	2
Biondo (Via)	3
Cairoli (Via)	4
Duomo (Piazza del)	6
Maroncelli (Via)	7
Repubblica (Corso della)	
Romanello da Forlì (Via)	8
Saffi (Piazza Aurelio)	9
Saffi (Via Giorgina)	10
Torri (Via delle)	12

in prossimità casello autostrada A 14 per ① : 4 km :

S. Giorgio, via Ravegnana 538/d ⊠ 47100 ℰ 0543 796699, Fax 0543 796799 – 🛗 🗐 📺 📞
– 🏛 110. 🝔 🕄 ① 🐠 🚾 ᴊᴄʙ, ⋪
Pasto (chiuso agosto e domenica sera) carta 35/70000 – ⚏ 15000 – **36 cam** 125/190000 –
½ P 160000.

FORLIMPOPOLI 47034 Forlì-Cesena 429, 430 J 18 – 11 313 ab. alt. 30.
Roma 362 – Ravenna 42 – Rimini 50 – Bologna 71 – Cesena 11 – Forlì 8 – Milano 290 –
Pesaro 80.

Edo con cam, via Mazzini 10 ℰ 0543 745175, Fax 0543 745249 – 🗐 rist, 📺 🚗 🅿 –
🏛 100. 🝔 🕄 ① 🐠 🚾 ⋪
Pasto (chiuso dal 10 al 20 agosto, sabato e domenica sera) carta 30/50000 – ⚏ 10000 –
20 cam 70/100000.

FORMAZZA 28863 Verbania 428 C 7, 219 ⑲ – 441 ab. alt. 1 280.
Roma 738 – Domodossola 40 – Milano 162 – Novara 131 – Torino 205 – Verbania 81.

Corno Brunni, località Ponte Formazza ℰ 0324 63114, Fax 0324 63114, < monti – 📺 🅿.
🝔 🕄 🐠 🚾
Pasto (chiuso martedì escluso da giugno a settembre) carta 35/60000 – **14 cam** ⚏ 50/
90000 – ½ P 75000.

FORMIA 04023 Latina 430 S 22 – 36 702 ab. – a.s. Pasqua e luglio-agosto.
🚢 per Ponza giornalieri (2 h 30 mn) – Caremar-agenzia Jannaccone, banchina Azzurra
ℰ 0771 22710, Fax 0771 21000.
🚤 per Ponza giornalieri (1 h 10 mn) – Caremar-agenzia Jannaccone, banchina Azzurra
ℰ 0771 22710, Fax 0771 21000 e Agenzia Helios, banchina Azzurra ℰ 0771 700710, Fax
0771 700711.
🚩 viale Unità d'Italia 30/34 ℰ 0771 771490, Fax 0771 771386.
Roma 153 – Frosinone 90 – Caserta 71 – Latina 76 – Napoli 86.

Grande Albergo Miramare, via Appia 44 (Est : 2 km) ℰ 0771 320047,
Fax 0771 320050, <, « Villa d'epoca in un grande parco », 🏊, 🏖 – 🛗, 🗐 rist, 📺 🅿 –
🏛 120. 🝔 🕄 ① 🐠 🚾 ᴊᴄʙ, ⋪
Pasto carta 60/95000 – ⚏ 16000 – **58 cam** 160/190000 – ½ P 180000.

Appia Grand Hotel Ⓜ, via Appia, angolo Mergataro Est : 3 km ℘ 0771 726041, Fax 0771 722156, *Ⅰⓢ, ⓢ, 氺, ◥, 庵, ※ – ⓫ ▤ ▥ Ⓟ – 益 200. ⒶⒺ Ⓢ ① ◐◐ ⱽⒾⓈⒶ. ※*
Pasto carta 55/75000 – **73 cam** ⧠ 180/200000, 6 suites – ½ P 140000.

Fagiano Palace, via Appia 80 (Est : 3 km) ℘ 0771 720900, Fax 0771 723517, ≼, 庵, ♠ₛ, 氺, ※ – ⓫ ▤ ▥ Ⓟ – 益 150. ⒶⒺ Ⓢ ① ◐◐ ⱽⒾⓈⒶ.
Pasto carta 40/85000 – **51 cam** ⧠ 130/170000 – ½ P 160000.

Bajamar, lungomare Santo Janni 5 (Est : 4 km) ℘ 0771 720441, hotelbajamar@libero.it, Fax 0771 725169, ≼, ♠ₛ, 氺 – ⓫ ▤ ▥ ♿ Ⓟ. ⒶⒺ Ⓢ ① ◐◐ ⱽⒾⓈⒶ. ※ rist
Pasto carta 35/60000 (15%) – ⧠ 12000 – **81 cam** 110/140000 – ½ P 160000.

XXX **Castello Miramare** ♤ con cam, via Balze di Pagnano ℘ 0771 700138, info@hotelcastel lomiramare.it, Fax 0771 700139, ≼ golfo di Gaeta, 庵, « Parco-giardino » – ▤ ▥ ♦ Ⓟ – 益 80. ⒶⒺ Ⓢ ① ◐◐ ⱽⒾⓈⒶ ⱼⒸⒷ. ※ rist
chiuso 24-25 dicembre – **Pasto** carta 50/95000 – ⧠ 18000 – **10 cam** 160/200000 – ½ P 190000.

XXX **Italo**, via Unità d'Italia Ovest : 2 km ℘ 0771 771264, Fax 0771 21529 – ▤ Ⓟ. ⒶⒺ Ⓢ ① ◐◐ ⱽⒾⓈⒶ. ※
chiuso dal 21 dicembre al 4 gennaio e martedì – **Pasto** carta 45/80000.

XX **Da Veneziano**, via Tosti 120 ℘ 0771 771818, ristveneziano@libero.it – ▤. ⒶⒺ Ⓢ ① ◐◐ ⱽⒾⓈⒶ
chiuso lunedì – **Pasto** specialità di mare carta 50/95000.

XX **Sirio**, via Unità d'Italia Ovest : 3,5 km ℘ 0771 790047, Fax 0771 772705, 庵 – ▤ ▥ ⒶⒺ Ⓢ ① ◐◐ ⱽⒾⓈⒶ ⱼⒸⒷ. ※
chiuso dal 3 al 10 novembre, lunedì sera e martedì (escluso da aprile a settembre), martedì e mercoledì a mezzogiorno da giugno a settembre – **Pasto** carta 45/75000.

XX **Il Gatto e la Volpe**, via Tosti 83 ℘ 0771 21354, 庵, « Rist. caratteristico » – ▤. ⒶⒺ Ⓢ ① ◐◐ ⱽⒾⓈⒶ. ※
chiuso dal 21 dicembre al 5 gennaio e mercoledì (escluso luglio-agosto) – **Pasto** solo specialità di mare carta 40/60000 (10%).

X **Chinappi**, via Anfiteatro 8 ℘ 0771 790002, 庵 – ▤ Ⓟ. ⒶⒺ Ⓢ ① ◐◐ ⱽⒾⓈⒶ ⱼⒸⒷ
chiuso giovedì escluso da giugno a settembre e dicembre – Pasto carta 50/80000.

FORMIGINE 41043 Modena 428, 429, 430 I 14 – 29 275 ab. alt. 82.
Roma 415 – Bologna 48 – Milano 181 – Modena 11.

La Fenice senza rist, via Gatti 3/73 ℘ 059 573344, fenicehotel@libero.it, Fax 059 573455 – ⓫ ▤ ▥ ♿ ⇐ Ⓟ – 益 120. ⒶⒺ Ⓢ ① ◐◐ ⱽⒾⓈⒶ ⱼⒸⒷ
48 cam ⧠ 95/160000.

a Corlo Ovest : 3 km – ✉ 41040 :

Due Pini, strada statale 486 (Est : 0,5 km) ℘ 059 572697, info@hotelduepini.it, Fax 059 556904, 氺 – ⓫, ▤ cam, ▥ ♿ Ⓟ – 益 60. ⒶⒺ Ⓢ ① ◐◐ ⱽⒾⓈⒶ. ※
Pasto carta 35/55000 – ⧠ 15000 – **56 cam** 90/140000 – ½ P 100000.

FORNI DI SOPRA 33024 Udine 429 C 19 – 1 165 ab. alt. 907 – a.s. 15 luglio-agosto e Natale – Sport invernali : 907/2 065 m ≼6, ☃.
🅱 via Cadore 1 ℘ 0433 886767, Fax 0433 886686.
Roma 676 – Cortina d'Ampezzo 64 – Belluno 75 – Milano 418 – Tolmezzo 43 – Trieste 165 – Udine 95.

Edelweiss, via Nazionale 11 ℘ 0433 88016, edelweiss_forni@libero.it, Fax 0433 88017, ≼, 氺 – ⓫ ▥ Ⓟ. ⒶⒺ Ⓢ ① ◐◐ ⱽⒾⓈⒶ ⱼⒸⒷ. ※
chiuso ottobre e novembre – **Pasto** carta 40/60000 – ⧠ 15000 – **23 cam** 80/140000 – ½ P 110000.

X **Nuoitas** ♤ con cam, località Nuoitas Nord-Ovest : 2,8 km ℘ 0433 88387, polentaefrico@l ibero.it, Fax 0433 886956, ≼, 氺 – ♯ rist. ▥ ⒶⒺ Ⓢ ① ◐◐ ⱽⒾⓈⒶ. ※
chiuso dal 7 al 18 maggio – **Pasto** (chiuso martedì in aprile-maggio e ottobre-novembre) carta 30/50000 – **15 cam** ⧠ 65/120000.

FORNO DI ZOLDO 32012 Belluno 429 C 18 – 2 921 ab. alt. 848.
🅱 via Roma 10/a ℘ 0437 787349, Fax 0437 787340.
Roma 638 – Belluno 34 – Cortina d'Ampezzo 42 – Milano 380 – Pieve di Cadore 31 – Venezia 127.

Corinna, via ai Pez 3 ℘ 0437 78564, corinna@dolomiti.it, Fax 0437 787593, ≼, 氺 – ▥ ⇐ Ⓟ. ⒶⒺ Ⓢ ⱽⒾⓈⒶ. ※
10 novembre-15 aprile e 10 giugno-20 settembre – **Pasto** (chiuso lunedì) carta 40/65000 – **30 cam** ⧠ 110/180000 – ½ P 125000.

a Mezzocanale Sud-Est : 10 km – alt. 620 – ⊠ 32012 Forno di Zoldo :

※
🍴 **Mezzocanale-da Ninetta**, ℘ 0437 78240, Fax 0437 78379, « Ambiente famigliare » –
P. ⬭

chiuso dal 20 al 30 giugno, settembre e mercoledì – Pasto carta 40/75000.

FORNOVO DI TARO 43045 Parma 🔢🔢, 🔢🔢 H 12 – 6 003 ab. alt. 140.

Roma 481 – Parma 22 – La Spezia 89 – Milano 131 – Piacenza 71.

※※ **Osteria Baraccone**, piazza del Mercato 2 ℘ 0525 3427, Fax 0525 400185 – 🗐. 🖫 ⓬
VISA. ⬭

chiuso dal 23 dicembre al 7 gennaio, agosto e lunedì – Pasto carta 50/85000.

FORTE DEI MARMI 55042 Lucca 🔢🔢, 🔢🔢, 🔢🔢 K 12 G. Toscana – 8 620 ab. – a.s. Carnevale,
Pasqua, 15 giugno-15 settembre e Natale.

🏕 Versilia (chiuso novembre e martedì escluso da aprile ad ottobre) a Pietrasanta ⊠ 55045
℘ 0584 881574, Fax 0584 752272, Est : 1 km.

🖪 viale Achille Franceschi 8/b ℘ 0584 80091, Fax 0584 83214.

Roma 378 – Pisa 35 – La Spezia 42 – Firenze 104 – Livorno 54 – Lucca 34 – Massa 10 – Milano
241 – Viareggio 14.

🏨 **Augustus**, viale Morin 169 ℘ 0584 787200, augustus@versilia.toscana.it,
Fax 0584 787102, « Parco fiorito con ⚊ riscaldata », 🏖 – 🛊 🗐 📺 **P** – 🕍 120. 🖭 🖫 ⓪
⓬ **VISA** ⬭ rist

12 aprile-14 ottobre – Pasto (solo per alloggiati) carta 80/115000 – **70 cam** ⊇ 470/700000,
5 suites – ½ P 425000.

Augustus Lido (🏨), viale Morin 72 ℘ 0584 787442, augustus@versilia.toscana.it,
Fax 0584 787102, « Giardino ombreggiato e servizio rist. in spiaggia », 🏖 – 🛊 📺
⬦ **P**. 🖭 🖫 ⓪ ⓬ **VISA**. ⬭ rist

12 aprile-14 ottobre – Pasto vedere Hotel Augustus – ⊇ 35000 – **17 cam** 480/690000, 2
suites – ½ P 425000.

🏨 **Byron**, viale Morin 46 ℘ 0584 787052, Fax 0584 787152, ≤, 🍴, « Giardino con ⚊ » – 🛊
🗐 📺 **P** – 🕍 40. 🖭 🖫 ⓪ ⓬ **VISA**. ⬭
Pasto al Rist. **La Magnolia** carta 65/105000 – ⊇ 45000 – **24 cam** 475/600000, 6 suites –
½ P 490000.

🏨 **California Park Hotel** ⬭, via Colombo 32 ℘ 0584 787121, info@californiaparkhotel
.com, Fax 0584 787268, « Ampio giardino ombreggiato con ⚊ » – 🛊, 🗐 cam, 📺 ⬦ **P** –
🕍 200. 🖭 🖫 ⓪ ⓬ **VISA**. ⬭
aprile-ottobre – Pasto (solo per alloggiati) 50/80000 – **42 cam** ⊇ 420/620000 –
½ P 380000.

🏨 **Villa Roma Imperiale** ⬭ senza rist, via Corsica 9 ℘ 0584 78830, info@villaromaimperia
le.com, Fax 0584 80841, « Giardino con ⚊ riscaldata » – 🛊 🗐 📺 ⬦ ⬦ **P**. 🖭 🖫 ⓪ ⓬ **VISA**.
⬭
aprile-15 ottobre – **28 cam** ⊇ 600/650000.

🏨 **Hermitage** ⬭, via Cesare Battisti 50 ℘ 0584 787144, hermitage@versilia.toscana.it,
Fax 0584 787044, 🍴, « Giardino con ⚊ », 🏖 – 🛊 🗐 📺 **P**. 🖭 🖫 ⓪ ⓬ **VISA**. ⬭ rist
11 maggio-29 settembre – Pasto (solo per alloggiati) 60/85000 – ⊇ 35000 – **54 cam**
300/500000, 3 suites – ½ P 340000.

🏨 **President**, via Caio Duilio ang. viale Morin ℘ 0584 787421, Fax 0584 787519, 🏖, ⬦ – 🛊
🗐 📺 📺 🖭 🖫 ⓪ ⓬ **VISA**. ⬭
Pasqua-settembre – Pasto (solo per alloggiati) 70/120000 – ⊇ 20000 – **43 cam** 310/
340000 – ½ P 305000.

🏨 **Il Negresco**, viale Italico 82 ℘ 0584 78820, info@hotelilnegresco.com, Fax 0584 787535,
≤, ⚊ – 🛊 🗐 📺 **P**. – 🕍 60. 🖭 🖫 ⓪ ⓬ **VISA**. ⬭
Pasto carta 50/70000 – **34 cam** ⊇ 350/500000 – ½ P 290000.

🏨 **Ritz**, via Flavio Gioia 2 ℘ 0584 787531, ritzfdm@versilia.net, Fax 0584 787522, 🍴, ⚊, ⬦ –
🛊, 🗐 cam, 📺 🖫 ⓪ ⓬ **VISA**. ⬭
Pasto carta 55/100000 – **32 cam** ⊇ 300/500000 – ½ P 320000.

🏨 **Principe**, viale Morin 67 ℘ 0584 787143, hotel-principe@iol.it, Fax 0584 787143, « Giardi-
no ombreggiato » – 🛊 📺 **P**. 🖭 🖫 ⓪ ⓬ **VISA**. ⬭ rist
26 maggio-20 settembre – Pasto (solo per alloggiati) 70/90000 – **30 cam** ⊇ 270/300000 –
½ P 260000.

🏨 **St. Mauritius**, via 20 Settembre 28 ℘ 0584 787131, info@stmauritiushotel.com,
Fax 0584 787157, « Giardino con ⚊ » – 🛊 🗐 📺 ⬦ **P**. 🖭 🖫 ⓪ ⓬ **VISA** **JCB**. ⬭ rist
aprile-15 ottobre – Pasto carta 55/70000 – ⊇ 25000 – **48 cam** 180/280000 – ½ P 270000.

🏨 **Alcione,** viale Morin 137 ℰ 0584 787452, *Fax 0584 787097,* ⌿ – 🛗 ▤ 📺 📶. 🅰🅴 🆂 🅾 🆆🅾 *VISA* JCB. ⋘
12 maggio-15 ottobre – **Pasto** (solo per alloggiati) 40/60000 – **39 cam** ⊑ 250/400000 –
½ P 280000.

🏨 **Raffaelli Park Hotel,** via Mazzini 37 ℰ 0584 787294, *infohotels@raffaelli.com,*
Fax 0584 787418, ⌿, alla spiaggia, ⚞ – 🛗 ▤ 📺 ❤ 🅿 – 🕿 90. 🅰🅴 🆂 🅾 🆆🅾 *VISA*. ⋘ rist-
chiuso dal 21 dicembre al 7 gennaio – **Pasto** *(aprile-ottobre)* carta 60/85000 – **28 cam**
⊑ 250/440000 – ½ P 245000.

🏨 **Mignon,** via Carducci 58 ℰ 0584 787495, *delhotel@versilia.net, Fax 0584 787494,* « Gra-
zioso giardino », 🎣, 🛋, ⌿ – 🛗 ▤ 📺 🅿. 🅰🅴 🆂 🅾 🆆🅾 *VISA*. ⋘ rist
marzo-novembre – **Pasto** (solo per alloggiati) carta 50/90000 – **34 cam** ⊑ 230/290000,
▤ 10000 – ½ P 200000.

🏨 **Sonia,** via Matteotti 42 ℰ 0584 787146, *Fax 0584 787409,* ⚞ – ▤ cam, 📺. 🅰🅴 🆂 🅾 🆆🅾
VISA. ⋘
Pasto (solo per alloggiati) 35/55000 – ⊑ 15000 – **20 cam** 220/250000 – ½ P 170000.

🏨 **Kyrton** ⚘, via Raffaelli 16 ℰ 0584 787461, *Fax 0584 89632,* 🛋, ⌿, ⚞ – 🛗 ▤ 📺 ⚙ 🅿.
🅰🅴 🆂 🅾 🆆🅾 *VISA*. ⋘ rist
aprile-settembre – **Pasto** (solo per alloggiati) – ⊑ 20000 – **29 cam** 200/280000 –
½ P 210000.

🏨 **Tirreno,** viale Morin 7 ℰ 0584 787444, *Fax 0584 787137,* 🍴, « Giardino ombreggiato » –
📺. 🅰🅴 🆂 🅾 🆆🅾 *VISA*. ⋘
Pasqua-settembre – **Pasto** (solo per alloggiati) carta 50/80000 – **59 cam** ⊑ 160/270000 –
½ P 220000.

🏨 **Piccolo Hotel,** viale Morin 24 ℰ 0584 787433, *piccoloh@versilia.toscana.it,*
Fax 0584 787503, ⚞ – 🛗 ▤ 📺 🅿. 🅰🅴 🆂 🆆🅾 *VISA*. ⋘ rist
aprile-settembre – **Pasto** *(maggio-settembre e* solo per alloggiati*)* carta 50/70000 – ⊑
20000 – **32 cam** 250/340000 – ½ P 250000.

🏨 **Tarabella** ⚘, viale Versilia 13/b ℰ 0584 787070, *htarabel@versilia.toscana.it,*
Fax 0584 787260, ⌿, ⚞ – 🛗, ▤ cam, 📺 ❤ 🅿. 🆂 🆆🅾 *VISA*. ⋘
Pasqua-ottobre – **Pasto** (solo per alloggiati) 40/60000 – **27 cam** ⊑ 150/270000 –
½ P 185000.

🏨 **Le Pleiadi** ⚘, via Civitali 51 ℰ 0584 881188, *lepleiadi@versilia.toscana.it,*
Fax 0584 881653, « Giardino-pineta » – 🛗 📺 🅿. 🅰🅴 🆂 🅾 🆆🅾 *VISA*. ⋘
aprile-10 ottobre – **Pasto** 40/70000 – **30 cam** ⊑ 170/270000 – ½ P 185000.

🏨 **Viscardo,** via Cesare Battisti 4 ℰ 0584 787188, *Fax 0584 787026,* ⚞ – 📺 🅿. 🅰🅴 🆂 🅾 🆆🅾
VISA. ⋘
10 maggio-settembre – **Pasto** 40/45000 – ⊑ 15000 – **17 cam** 150/200000 – ½ P 160000.

XX **Bistrot,** viale Franceschi 14 ℰ 0584 89879, *Fax 0584 89963,* 🍴, prenotare – 🅰🅴 🆂 🅾 🆆🅾
VISA. ⋘
chiuso dall'11 al 30 ottobre, martedì e a mezzogiorno (escluso sabato e domenica) – **Pasto**
carta 80/140000.

XX **Lorenzo,** via Carducci 61 ℰ 0584 84030, *Fax 0584 84030,* prenotare – ▤. 🅰🅴 🆂 🅾 🆆🅾
❀ *VISA*. ⋘
chiuso dal 15 dicembre a gennaio, lunedì e a mezzogiorno in luglio-agosto – **Pasto**
85/130000 e carta 90/125000 (10 %)
Spec. Scampi al vapore con fagioli di Sorana. Bavette sul pesce con crostacei e molluschi.
Coda di rospo in gremolada con sformatino di riso al nero di seppia.

XX **La Barca,** viale Italico 3 ℰ 0584 89323, *Fax 0584 83141,* 🍴 – ▤ 🅿. 🅰🅴 🆂 🅾 *VISA*
*chiuso dal 20 novembre al 5 dicembre, lunedì e martedì a mezzogiorno dal 15 giugno al
15 settembre; lunedì o martedì negli altri mesi –* **Pasto** 85000 e carta 70/105000.

XX **Gilda,** via Arenile 85 ℰ 0584 880397, 🍴, 🛥 – ▤ 🅿. 🆂 🆆🅾 *VISA* JCB. ⋘
chiuso dal 7 al 28 gennaio, novembre e mercoledì (escluso da giugno a settembre) – **Pasto**
60000 e carta 55/90000.

in prossimità casello autostrada A 12 - Versilia :

🏨 **Versilia Holidays,** via G.B. Vico 142 ⊠ 55042 ℰ 0584 787100, *Fax 0584 787468,* 🍴, ⌿,
⚞, 🍽 – 🛗 ▤ 📺 ❤ 🅿 – 🕿 400. 🅰🅴 🆂 🅾 🆆🅾 *VISA* JCB. ⋘ rist
Pasto 70/90000 e al Rist. *La Vela* carta 65/110000 – ⊑ 25000 – **78 cam** 240/320000 –
P 320000.

Segnalateci il vostro parere sui ristoranti che
raccomandiamo, indicandoci le loro specialità
ed i vini di produzione locale da essi serviti.

319

FORTEZZA (FRANZENSFESTE) *39045 Bolzano* [429] B 16 – *868 ab. alt. 801.*
Roma 688 – Bolzano 50 – Brennero 33 – Bressanone 10 – Brunico 33 – Milano 349 – Trento 110.

🏨 **Posta-Reifer,** via Stazione 1 ☎ 0472 458639, *hotelpostreifer@dnet.it, Fax 0472 458828*, ☂, ≋ – 🛗 [P]. [AE] [S] ⓓ [MC] [VISA]
chiuso dal 16 novembre al 6 dicembre – **Pasto** *(chiuso lunedì)* carta 55/80000 – ☕ 12000 – **31 cam** 70/90000 – ½ P 90000.

FOSSALTA MAGGIORE *Treviso* [429] E 19 – ✉ *31040 Chiarano.*
Roma 568 – Venezia 53 – Milano 307 – Pordenone 34 – Treviso 36 – Trieste 115 – Udine 84.

🍴🍴 **Tajer d'Oro,** via Roma ☎ 0422 746392, *Fax 0422 746122*, « Arredamento stile marina inglese » – ▤ [P]. [AE] [S] ⓓ [MC] [VISA]. ⚔
chiuso dal 15 al 30 gennaio, dal 1° al 20 agosto, lunedì a mezzogiorno e martedì – **Pasto** specialità di mare 60/100000 e carta 80/100000.

FOSSANO *12045 Cuneo* [428] I 5 – *23 828 ab. alt. 377.*
Roma 631 – Cuneo 26 – Asti 65 – Milano 191 – Savona 87 – Sestriere 112 – Torino 70.

🍴🍴 **La Porta del Salice,** viale della Repubblica 8 ☎ 0172 693570, *Fax 0172 691850*, ☂, 🚗 – ▤ [P]. [AE] [S] ⓓ [MC] [VISA]
chiuso dal 1° al 15 gennaio, dal 1° al 20 agosto e lunedì – **Pasto** carta 45/70000.

FRABOSA SOPRANA *12082 Cuneo* [428] J 5 – *922 ab. alt. 891 – a.s. giugno-agosto e Natale – Sport invernali : 900/1 800 m* ⛷6, ⛷.
[i] *piazza Municipio ☎ 0174 244010, Fax 0174 244632.*
Roma 632 – Cuneo 35 – Milano 228 – Savona 87 – Torino 96.

🏨 **Miramonti** ⛰, via Roma 84 ☎ 0174 244533, *Fax 0174 244534*, ←, « Piccolo parco e terrazza », 🏋, 🎾 – 🛗 [TV] ☎ 🚗 [P]. [AE] [S] [MC] [VISA]. ⚔ rist
chiuso ottobre – **Pasto** (prenotare) 30/50000 – ☕ 10000 – **48 cam** 75/110000 – ½ P 90000.

FRANCAVILLA AL MARE *66023 Chieti* [430] O 24 – *24 418 ab. – a.s. 20 giugno-agosto.*
[i] *piazza Sirena ☎ 085 817169, Fax 085 816649.*
Roma 216 – Pescara 7 – L'Aquila 115 – Chieti 19 – Foggia 171.

🏨 **Sporting Hotel Villa Maria** ⛰, contrada Pretaro Nord-Est : 3 km ☎ 085 4511001, *Fax 085 693042*, ←, ☂, navetta per la spiaggia, « Parco ombreggiato », 🏋, 🏊 riscaldata – 🛗 ▤ [TV] ♿ [P] – 🏛 220. [AE] [S] ⓓ [MC] [VISA]. ⚔
Pasto carta 55/80000 – **66 cam** ☕ 180/250000, 4 suites – ½ P 160000.

🏨 **Punta de l'Est,** viale Alcione 188 ☎ 085 4982076, *info@puntadelest.it, Fax 085 4981689*, ←, 🏖 – ▤ [TV] [P]. [AE] [S] ⓓ [VISA]. ⚔ rist
10 maggio-settembre – **Pasto** carta 40/75000 – **52 cam** ☕ 160/190000 – ½ P 135000.

🏨 **La Fenice,** viale Nettuno 125 ☎ 085 810580, *Fax 085 815815* – ▤ [TV] – 🏛 80. [AE] [S] ⓓ [MC] [VISA]. ⚔ rist
chiuso dal 23 al 28 dicembre – **Pasto** *(chiuso martedì)* carta 40/65000 – **22 cam** ☕ 100/180000 – ½ P 120000.

🍴🍴 **La Nave,** viale Kennedy 2 ☎ 085 817115, *Fax 085 815688*, ←, ☂ – 🏛 40. [AE] [S] ⓓ [MC] [VISA]
chiuso mercoledì escluso luglio-agosto – **Pasto** specialità di mare carta 50/85000.

FRANZENSFESTE = Fortezza.

FRASCATI *00044 Roma* [430] Q 20 *G. Roma – 20 674 ab. alt. 322.*
Vedere *Villa Aldobrandini★.*
Escursioni *Castelli romani★★ Sud, Sud-Ovest per la strada S 216 e ritorno per la via dei Laghi (circuito di 60 km).*
[i] *piazza Marconi 1 ☎ 06 9420331, Fax 06 9425498.*
Roma 19 – Castel Gandolfo 10 – Fiuggi 66 – Frosinone 68 – Latina 51 – Velletri 22.

🏨 **Flora** senza rist, viale Vittorio Veneto 8 ☎ 06 9416110, *Fax 06 9416546*, 🚗 – 🛗 ▤ [TV] [P]. [AE] [S] ⓓ [MC] [VISA] [JCB]. ⚔
☕ 15000 – **37 cam** 185/215000.

🏨 **Colonna** senza rist, piazza del Gesù 12 ☎ 06 94018088, *hotelcolonna@hotelcolonna.it, Fax 06 94018730* – 🚭 ▤ [TV] ♿ 🚗. [AE] [S] ⓓ [MC] [VISA] [JCB]. ⚔
19 cam ☕ 170/220000, suite.

🏠 **Poggio Regillo**, senza rist, via di Pietra Porzia 26 (Nord-Est : 2,5 km) ℰ 06 9417800, *pog gioregillo@microelettra.it*, Fax 06 94289422 – ⁕ 🔟 🕭 🅿. 🖭 🕄 ⑩ ⑩ ⑲ *VISA*. ⁕
chiuso dal 10 al 30 gennaio – **23 cam** ⊇ 110/135000.

🏠 **Giadrina**, via Diaz 15 ℰ 06 9419415, *Fax 06 9420440*, ≼ – |🛊| 🔟. 🖭 🕄 ⑩ ⑩ ⑲ *VISA*. ⁕
Pasto vedere rist *Cacciani* – **22 cam** ⊇ 120/140000.

XX **Cacciani**, via Diaz 13 ℰ 06 9420378, *Fax 06 9420440*, « Servizio estivo in terrazza con ≼ dintorni » – 🖭 🕄 ⑩ ⑩ ⑲ *VISA*. ⁕
chiuso dal 7 al 17 gennaio, dal 17 al 27 agosto, la sera dei giorni festivi (escluso da giugno a settembre) e lunedì – **Pasto** carta 55/90000.

X **Zarazà**, viale Regina Margherita 45 ℰ 06 9422053, *Fax 06 9422053*, Coperti limitati; prenotare – 🖭 ⑩ ⑩ *VISA* 🕼🕮
chiuso agosto, domenica sera (escluso da maggio a settembre) e lunedì – **Pasto** specialità tipiche romane carta 40/55000.

FRATTA TODINA 06054 Perugia 🖽 N 19 – *1 731 ab. alt. 214.*
Roma 139 – Perugia 43 – Assisi 55 – Orvieto 43 – Spoleto 53 – Terni 50 – Viterbo 96.

🏠 **Altieri** M, via Tuderte 54/a ℰ 075 8745350, *Fax 075 8745353*, ≼ – |🛊| 🗏 🔟 🕭 ⬛ 🅿 –
🍴 120. 🖭 🕄 ⑩ ⑩ *VISA*. ⁕
Pasto carta 35/55000 – **30 cam** ⊇ 125/165000 – ½ P 120000.

FREGENE 00050 Roma 🖽 Q 18 – *a.s. 15 giugno-luglio.*
Roma 37 – Civitavecchia 52 – Rieti 106 – Viterbo 97.

🏠 **La Conchiglia**, lungomare di Ponente 4 ℰ 06 6685385, *conhotel@ats.it*,
Fax 06 66563185, ≼, « Servizio rist. estivo in giardino » – 🗏 🔟 🅿 – 🍴 40. 🖭 🕄 ⑩ ⑩ *VISA*.
⁕
Pasto carta 55/75000 – ⊇ 12000 – **42 cam** 160/250000 – ½ P 160000.

FREIBERG Bolzano – Vedere Merano.

FREIENFELD = Campo di Trens.

FRESCAROLO Parma – Vedere Busseto.

FRONTONE 61040 Pesaro e Urbino 🖽 L 20 – *1 312 ab. alt. 416.*
Roma 227 – Rimini 87 – Ancona 92 – Perugia 77 – Pesaro 65.

X **Taverna della Rocca**, via Leopardi 20/22 (al castello) ℰ 0721 786218, *Fax 0721 786218*,
Taverna rustica – 🗏. 🖭 🕄 ⑩ ⑩ *VISA*. ⁕
chiuso dal 1º al 20 ottobre e mercoledì – **Pasto** carta 35/45000.

FROSINONE 03100 🅿 🖽 R 22 – *47 742 ab. alt. 291.*
Dintorni Abbazia di Casamari★★ Est : 15 km.
🛈 via Aldo Moro 469 ℰ 0775 83381, Fax 0775 833837.
A.C.I. via Firenze 51/57 ℰ 0775 250006.
Roma 83 – Avezzano 78 – Latina 55 – Napoli 144.

🏨 **Henry**, via Piave 10 ℰ 0775 211222, *henryh@fr.flashnet.it*, Fax 0775 853713, 🛋 – |🛊| 🗏
🔟 🅿 – 🍴 350. 🖭 🕄 ⑩ ⑩ *VISA* 🕮. ⁕
Pasto carta 45/75000 – **63 cam** ⊇ 150/220000 – ½ P 140000.

🏨 **Cesari**, in prossimità casello autostrada A 2 ℰ 0775 291581, Fax 0775 293322 – |🛊| 🗏 🔟 🅿
– 🍴 200. 🖭 🕄 ⑩ ⑩ *VISA*. ⁕ rist
Pasto carta 40/75000 – **60 cam** ⊇ 150/190000 – P 180000.

🏠 **Astor**, via Marco Tullio Cicerone 220 ℰ 0775 270132, *astor@fr.flashnet.it*, Fax 0775 270135
– |🛊| 🗏 🔟 ⬛ 🅿 – 🍴 100. 🖭 🕄 ⑩ ⑩ *VISA*. ⁕
Pasto carta 40/60000 – **53 cam** ⊇ 125/165000, suite – ½ P 110000.

XXX **Palombella**, via Maria 234 ℰ 0775 873549, *Fax 0775 270402*, 🏶 – 🅿. 🖭 🕄 ⑩ ⑩ *VISA*
🕮. ⁕
Pasto 35000 e carta 40/60000.

XX Hostaria Tittino, vicolo Cipresso 2/4 ℰ 0775 251227 – 🗏.

XX **Il Quadrato**, piazzale De Matthaeis 53 ℰ 0775 874474 – 🅿. 🖭 🕄 ⑩ ⑩ *VISA*. ⁕
chiuso dal 9 al 15 agosto e domenica – **Pasto** carta 35/50000.

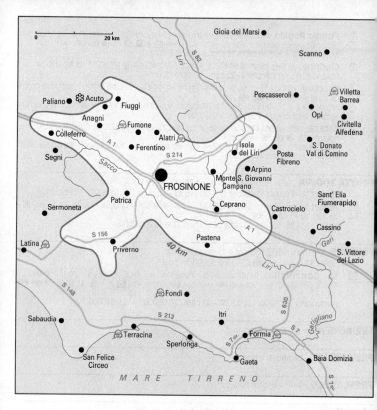

| I prezzi | Per ogni chiarimento sui prezzi riportati in guida, consultate le pagine dell'introduzione. |

FUCECCHIO *50054 Firenze* 428, 429, 430 *K 14 – 21 040 ab. alt. 25.*
Roma 302 – Firenze 38 – Pisa 49 – Livorno 52 – Pistoia 31 – Siena 72.

a **Ponte a Cappiano** *Nord-Ovest : 4 km –* ⊠ *50050 :*

XX **Le Vedute,** via Romana Lucchese 121 ℘ 0571 297498, Fax 0571 297201, 😊, 🐴 – 🅿. 🆎 🖪 ⓞ ⓶ *VISA.* ❄
chiuso dal 1° al 7 gennaio, agosto e lunedì – **Pasto** carta 60/100000 (12 %).

FUILE MARE *Nuoro – Vedere Sardegna (Orosei) alla fine dell'elenco alfabetico.*

FUMANE *37022 Verona* 429 *F 14 – 3 736 ab. alt. 196.*
Roma 515 – Verona 18 – Brescia 69 – Mantova 52 – Trento 83.

X **Enoteca della Valpolicella,** via Osan 45 ℘ 0456 839146, *enoteca@valpolicella.it,*
Fax 0456 845111 – 🅿. 🆎 🖪 ⓞ ⓶ *VISA* JCB. ❄
chiuso domenica sera e lunedì – **Pasto** carta 55/75000.

FUMONE *03010 Frosinone* 430 *Q 21 – 2 171 ab. alt. 783.*
Roma 95 – Frosinone 24 – Avezzano 87 – Latina 65 – Pescara 93.

XX **La Vecchia Mola,** via Vicinale Piè del Monte Fumone sud:3 Km. ℘ 0775 49771,
Fax 0775 49771 – 🅿. 🆎 🖪 ⓞ ⓶ *VISA* JCB. ❄
chiuso dall'8 al 20 gennaio, dal 30 giugno al 20 luglio e lunedì – **Pasto** specialità di mare carta 45/65000.

UNES (VILLNOSS) 39040 Bolzano **429** C 17 – 2 386 ab. alt. 1 159.

🛈 frazione San Pieto 11 ℘ 0472 840180, Fax 0472 841515.

Roma 680 – Bolzano 38 – Bressanone 19 – Milano 337 – Ortisei 33 – Trento 98.

🏨 **Sport Hotel Tyrol** ⤬, località Santa Maddalena 105 ℘ 0472 840104, hotel_tyrol@dnet.it, Fax 0472 840536, < gruppo delle Odle e pinete, 🚣, 🔟 riscaldata, 🚗 – 📳 📺 ᴧ 🖭 – 🕍 50. 🕄 🐠 �📧 . ⤬
20 maggio-4 novembre – **Pasto** carta 45/60000 – **30 cam** ⊂ 95/170000 – ½ P 130000.

🏨 **Kabis** ⤬, località San Pietro 9 ℘ 0472 840126, hotel.kabis@rolmail.net, Fax 0472 840395, <, 🚿, ᴧ, 🚣, 🚗 – 📳 📺 🚐 🖭. 🕄 🐠 📧 . ⤬ rist
marzo-ottobre – **Pasto** (chiuso mercoledì fino a giugno ed ottobre) 35/40000 – **39 cam** ⊂ 90/160000 – ½ P 105000.

UNO Bologna – Vedere Argelato.

FURLO (Gola del) Pesaro e Urbino **430** L 20 – alt. 177 – a.s. 25 giugno-agosto.

Roma 259 – Rimini 87 – Ancona 97 – Fano 38 – Gubbio 43 – Pesaro 49 – Urbino 19.

🍴🍴 **La Ginestra** ⤬ con cam, via Furlo 17 ⊠ 61041 Acqualagna ℘ 0721 797033, Fax 0721 700040, 🔟, 🚗, 🍴 – 📳, 📧 rist, 📺 🖭 – 🕍 130. 🕄 🕄 🐠 📧 . ⤬
Pasto (chiuso gennaio e lunedì escluso luglio-agosto) carta 45/70000 – ⊂ 10000 – **10 cam** 65/100000 – ½ P 90000.

🍴 **Furlo**, via Furlo 66 ⊠ 61041 Acqualagna ℘ 0721 700096, Fax 0721 700117 – 🖭. 🕄 🐠 🐠 📧 .
chiuso lunedì sera e martedì – **Pasto** carta 60/90000.

FURORE 84010 Salerno **431** F 25 G. Italia – 892 ab. alt. 300 – a.s. luglio-agosto.

Vedere Vallone★★.

Roma 264 – Napoli 55 – Salerno 35 – Sorrento 40.

🏠 **Hostaria di Bacco**, via Lama 9 ℘ 089 830360 e rist ℘ 089 830352, info@baccofurore.it, Fax 089 830352, < mare, « Servizio rist. estivo in terrazza panoramica » – 📺 🖭. 🕄 🐠 🐠 📧 . ⤬
chiuso Natale – **Pasto** (chiuso venerdì in bassa stagione) carta 40/70000 – ⊂ 10000 – **17 cam** 90/130000 – ½ P 110000.

FUSIGNANO 48010 Ravenna **429** I 17 – 7 425 ab..

Roma 372 – Bologna 68 – Ravenna 29 – Faenza 26 – Ferrara 64 – Forlì 43.

🏨 **Cà Ruffo**, via Leardini 8 ℘ 0545 954034, alfredo@ca_ruffo.com, Fax 0545 954034 – 📳 📧 📺 🖭. 🕄 🕄 🐠 🐠 📧 .
Pasto vedere rist **La Voglia Matta** – **8 cam** ⊂ 170/240000 – ½ P 220000.

🍴🍴 **La Voglia Matta** – Hotel Cà Ruffo, via Vittorio Veneto 21 ℘ 0545 50258, barbara@lavogli amatta.com, prenotare – 📧. 🕄 🕄 🐠 🐠 📧 . ⤬
🍃 chiuso domenica – **Pasto** carta 70/110000
Spec. Gamberi rosa con zenzero in vellutata di fagioli (marzo-luglio). Agnolotti delle Langhe con sugo d'arrosto, fonduta di Parmigiano e tartufo (ottobre-gennaio). Rana pescatrice con tempura di verdure e fiori di zucca (giugno-agosto).

GABICCE MARE 61011 Pesaro e Urbino **429**, **430** K 20 – 5 343 ab. – a.s. 25 giugno-agosto.

🛈 viale della Vittoria 41 ℘ 0541 954424, Fax 0541 953500.

Roma 316 – Rimini 23 – Ancona 93 – Forlì 70 – Milano 342 – Pesaro 16.

🏨🏨 **Gd H. Michelacci**, piazza Giardini Unità d'Italia 1 ℘ 0541 954361, michelacci@gabiccema re.com, Fax 0541 954544, 🚣, 🔟, 🏊 – 📳 📧 📺 🖭 – 🕍 100. 🕄 🕄 🐠 🐠 📧 . ⤬ rist
marzo-ottobre – **Pasto** carta 50/80000 – **64 cam** ⊂ 170/330000, 4 suites – ½ P 175000.

🏨🏨 **Alexander**, via Panoramica 35 ℘ 0541 954166, alexander@gabiccemare.com, Fax 0541 960144, <, 🔟 riscaldata, 🚗 – 📳 📧 📺 🖭. 🕄 🕄 🐠 🐠 📧 . ⤬ rist
Pasqua e maggio-settembre – **Pasto** 40000 – ⊂ 15000 – **48 cam** 130/190000 – ½ P 140000.

🏨 **Majestic**, via Balneare 10 ℘ 0541 953744, Fax 0541 961358, <, 🚣, 🔟 riscaldata – 📳 📧 📺 🖭. 🕄 🕄 🐠 🐠 📧 . ⤬ rist
10 maggio-settembre – **Pasto** (solo per alloggiati) 30/45000 – ⊂ 15000 – **55 cam** 110/180000 – ½ P 160000.

🏨 **Losanna**, piazza Giardini Unità d'Italia 3 ℘ 0541 950367, Fax 0541 960120, 🔟 riscaldata, 🚗 – 📳 📧 📺 🖭. 🕄 🕄 🐠 🐠 📧 . ⤬ rist
10 maggio-settembre – **Pasto** 30/50000 – ⊂ 15000 – **67 cam** 110/180000 – ½ P 170000.

🏨 **Bellavista**, piazza Giardini Unità d'Italia 9 ℘ 0541 954640, *bellavista@gabiccemare.com*
Fax 0541 950224, ≤ – 🛗, 🗐 rist, 🗚 ⬛ 🖭 📵 🞀 🞀
Pasqua-26 settembre – **Pasto** 30/75000 – **65 cam** ☑ 85/135000 – ½ P 125000.

🏨 **Marinella**, via Vittorio Veneto 127 ℘ 0541 954571, *marinella@gabiccemare.com*
Fax 0541 950426, ≤ – 🛗, 🗐 rist, 🗚 ⬛ 🟰 🖭 ⓘ 🞀 🞀 🞀 JCB. 🞀 rist
Pasqua-settembre – **Pasto** carta 35/50000 – **46 cam** ☑ 100/150000, 5 suites -
½ P 120000.

🏨 **Nobel**, via Vittorio Veneto 99 ℘ 0541 950640, Fax 0541 954039, ≤ – 🛗, 🗐 rist, 🗚 🖭 🖭
🞀 🞀 rist
15 maggio-settembre – **Pasto** 50000 – ☑ 10000 – **42 cam** 95/160000 – ½ P 120000.

🏨 **Thea**, via Vittorio Veneto 11 ℘ 0541 950052, Fax 0541 954518 – 🛗 🗚 🞀 🟰 🖭 🖭 🞀 🞀
🞀 rist
Pasqua-1° ottobre – **Pasto** carta 30/55000 – **30 cam** ☑ 85/160000 – ½ P 105000.

XX **Bayon da Romano**, via del Porto 20 ℘ 0541 950105, prenotare, « Servizio estivo
all'aperto » – 🟰 🖭 ⓘ 🞀 🞀 🞀 JCB. 🞀
chiuso dal 15 dicembre al 15 gennaio e lunedì (escluso da giugno a settembre) – **Pasto**
specialità di mare carta 65/100000.

XX **Il Traghetto**, via del Porto 27 ℘ 0541 958151, Fax 0541 833543 – 🟰. 🟰 🖭 ⓘ 🞀 🞀 🞀 🞀.
chiuso dal 15 novembre a dicembre e martedì (escluso da giugno a settembre) – **Pasto**
carta 55/85000.

a **Gabicce Monte** Est : 2,5 km – alt. 144 – ⊠ 61011 Gabicce Mare :

X **Osteria della Miseria**, via Dei Mandorli 2 ℘ 0541 958308, Fax 0541 838224 – 🖭. 🟰 🖭
ⓘ 🞀 🞀 🞀
chiuso dal 1° al 7 gennaio, dal 1° al 7 giugno, lunedì e martedì dal 21 giugno al 21 settembre
– **Pasto** carta 50/75000.

Un consiglio Michelin:

per la buona riuscita di un viaggio, preparatelo in anticipo.
Le carte e le guide Michelin vi danno tutte le indicazioni
utili su: itinerari, curiosità, sistemazioni, prezzi, ecc.

GABICCE MONTE Pesaro 🟦🟦🟦, 🟦🟦🟦 K 20 – *Vedere Gabicce Mare.*

GAETA 04024 Latina 🟦🟦🟦 S 23 *G. Italia* – 22 687 ab. – *a.s. Pasqua e luglio-agosto.*
Vedere *Golfo★ – Duomo : Candelabro pasquale★.*
🟦 corso Cavour 16 ℘ 0771 461165.
Roma 141 – Frosinone 99 – Caserta 79 – Latina 74 – Napoli 94.

🏨🏨🏨 **Gd H. Villa Irlanda** ⬙, lungomare Caboto 6 (Nord : 4 km) ℘ 0771 712581, *villairlanda@v*
illairlanda.com, Fax 0771 712172, « 🞀 in un parco con villa e convento d'inizio secolo » – 🛗
🟰 🗚 🖭 – 🛗 150. 🟰 🖭 ⓘ 🞀 🞀 🞀.
Pasto carta 50/80000 – **40 cam** ☑ 160/240000, 5 suites – ½ P 160000.

XX **Antico Vico**, vico 2 del Cavallo 2/4 ℘ 0771 465116, Fax 0771 744382, 🞀 – 🟰. 🟰 🖭 ⓘ
🞀 🞀 JCB. 🞀
chiuso novembre e mercoledì – **Pasto** specialità di mare 50/70000 e carta 65/90000.

X **Taverna del Marinaio**, viá Faustina 36 ℘ 0771 461342, Fax 0771 461342, 🞀 – 🟰. 🟰
🖭 ⓘ 🞀 🞀 🞀
chiuso mercoledì escluso dal 15 giugno al 15 settembre – **Pasto** carta 30/50000.

X **Trattoria la Cianciola**, vico 2 Buonomo 16 ℘ 0771 466190. 🟰 🖭 ⓘ 🞀 🞀 🞀 JCB. 🞀
chiuso dal 2 al 31 ottobre – **Pasto** specialità di mare carta 30/50000.

sulla strada statale 213 :

🏨🏨🏨 **Grand Hotel Le Rocce** ⬙, via Flacca km 23,300 (Ovest : 6,8 km) ⊠ 04024
℘ 0771 740985, *lerocce@lerocce.com, Fax 0771 741633*, ≤ mare e costa, 🞀, « Terrazze
fiorite sul mare », 🞀, 🞀 – 🗚 🖭. 🟰 🖭 ⓘ 🞀 🞀 🞀. 🞀
maggio-settembre – **Pasto** carta 60/85000 – **53 cam** ☑ 280/370000, 4 suites –
½ P 250000.

🏨🏨 **Summit**, via Flacca Km 23 (Ovest : 7,1 km) ⊠ 04024 ℘ 0771 741741, *summithotel@sum*
mithotel.it, Fax 0771 741741, ≤ mare e costa, « Terrazza-giardino », 🞀, 🞀, 🞀 – 🛗 🟰 🗚
🖭 – 🛗 280. 🟰 🖭 ⓘ 🞀 🞀 🞀. 🞀
marzo-ottobre – **Pasto** carta 55/105000 – **81 cam** ☑ 360/380000 – ½ P 320000.

🏨🏨 **Il Ninfeo** ⬙, via Flacca km 22,700 (Ovest : 7,4 km) ⊠ 04024 ℘ 0771 742291, *info@grand*
hotelilninfeo.it, Fax 0771 740736, ≤ mare e costa, 🞀, 🞀 – 🟰 🗚 🖭. 🟰 🖭 ⓘ 🞀 🞀 🞀. 🞀
aprile-ottobre – **Pasto** carta 45/75000 – ☑ 15000 – **40 cam** 135/220000 – ½ P 180000.

GAGGIANO 20083 Milano 〖428〗 F 9 – 8 160 ab. alt. 116.

Roma 580 – Alessandria 92 – Milano 14 – Novara 37 – Pavia 33.

XX **Rattattù**, via Marta da Lodi 54, località San Vito Nord-Ovest : 2 km ℘ 02 9081598, Fax 02 90844913, 🏠 – 🗏. 🕸
chiuso dal 1° al 25 agosto, dal 28 ottobre al 6 novembre, martedì sera, mercoledì e sabato a mezzogiorno – **Pasto** specialità di mare carta 65/115000.

X **Re Artù**, via Roma 138 ℘ 02 9085123, Fax 02 90844034, « Servizio estivo in giardino » – 🖭 🕃 ⓸ ⓰ 𝘝𝘐𝘚𝘈
chiuso dal 9 al 29 agosto, mercoledì e giovedì a mezzogiorno – **Pasto** carta 50/70000.

X **Trattoria Fratellanza**, località San Vito Nord Ovest : 2 km ℘ 9085287, « Servizio estivo sotto un pergolato » – 🖭 𝘝𝘐𝘚𝘈. 🕸
chiuso dal 24 dicembre al 7 gennaio, agosto, lunedì sera e martedì – **Pasto** specialità milanesi e lombarde carta 50/65000.

a **Vigano** Sud : 3 km – ⊠ 20083 Gaggiano :

XX **Antica Trattoria del Gallo**, via Kennedy 1/3 ℘ 02 9085276, Fax 02 9085276, 🏠 – 🄿. 🖭 🕃 ⓸ 𝘝𝘐𝘚𝘈 🕸
chiuso lunedì e martedì – **Pasto** carta 55/85000.

GAGLIANO DEL CAPO 73034 Lecce 〖431〗 H 37 – 5 793 ab. alt. 144.

Roma 629 – Brindisi 103 – Gallipoli 47 – Lecce 67 – Taranto 150.

XX **Re Sole**, strada statale 275 (Sud : 1,5 km) ℘ 0833 548057, *resole2000@libero.it*, Fax 0833 548057, 🏠 – 🄿. 🖭 🕃 ⓸ ⓰ 𝘝𝘐𝘚𝘈. 🕸
chiuso lunedì escluso luglio-agosto – **Pasto** carta 50/70000.

<table>
<tr><td>Les prix</td><td>Pour toutes précisions sur les prix indiqués dans ce guide, reportez-vous aux pages de l'introduction.</td></tr>
</table>

GAIANO Parma 〖428〗, 〖429〗 H 12 – Vedere Collecchio.

GAIBANA Ferrara 〖429〗 H 16 – Vedere Ferrara.

GAIOLE IN CHIANTI 53013 Siena 〖430〗 L 16 G. Toscana – 2 395 ab. alt. 356.

Roma 252 – Firenze 60 – Siena 28 – Arezzo 56.

🏛 **Castello di Spaltenna** 🏖, località Spaltenna 13 ℘ 0577 749483, *info@spaltenna.it*, Fax 0577 749269, ≤ colline e campagna, 🏠, « Monastero fortificato del 1200 », 🐚, 🛥, ⅁, 🔲, 🌳, 🕸 – ▤ 🖻 🄿 – 🕍 30. 🖭 🕃 ⓸ 𝘝𝘐𝘚𝘈. 🕸
chiuso dal 15 gennaio al 15 marzo – **Pasto** carta 75/130000 – ⲐⲲ 30000 – **35 cam** 310/690000, 2 suites – ½ P 440000.

🏠 **L'Ultimo Mulino** 🏖, località La Ripresa di Vistarenni Ovest : 6 km ℘ 0577 738520, Fax 0577 738659, « In un antico mulino medioevale », ⅁, 🌳 – ▤ 🖻 🕭 🄿. 🖭 🕃 ⓸ ⓰ 𝘝𝘐𝘚𝘈 21 marzo-novembre – **Pasto** (solo per alloggiati e chiuso a mezzogiorno) carta 45/95000 – **12 cam** ⲐⲲ 380/400000, suite – ½ P 270000.

XX **Badia a Coltibuono**, località Coltibuono Nord-Est : 5,5 km ℘ 0577 749424, *ristbadia@chiantinet.it*, Fax 0577 749031, « Servizio estivo in terrazza con ≤ colline e dintorni » – 🄿. 🕃 ⓰ 𝘝𝘐𝘚𝘈
chiuso dal 10 gennaio al 1° marzo e lunedì (escluso maggio-ottobre) – **Pasto** carta 55/80000.

a **San Sano** Sud-Ovest : 9,5 km – ⊠ 53010 Lecchi :

🏠 **San Sano** 🏖, località San Sano 6 ℘ 0577 746130, *hotelsansano@chiantinet.it*, Fax 0577 746126, ≤, 🏠, « In un antico borgo », ⅁, 🌳 – ▤ 🕭 🄿. 🖭 🕃 ⓸ ⓰ 𝘝𝘐𝘚𝘈 🄹🄲🄱 15 marzo-15 novembre – **Pasto** (solo per alloggiati e chiuso a mezzogiorno) 40000 – **14 cam** ⲐⲲ 220/250000 – ½ P 165000.

a **Poggio San Polo** Sud-Ovest : 12 km – ⊠ 53010 Lecchi :

X **Il Poggio-da Giannetto**, ℘ 0577 746135, Fax 0577 746120 – 🄿. 🖭 🕃 ⓸ ⓰ 𝘝𝘐𝘚𝘈
chiuso dal 31 dicembre a a febbraio e lunedì – **Pasto** carta 50/60000.

località Argenina per strada statale 408 Sud : 12 km – ⊠ 53013 Gaiole in Chianti :

🏠 **Borgo Argenina** 🏖 senza rist, ℘ 0577 747117, Fax 0577 747117, ≤ colline e vigneti, « In un borgo medioevale », 🌳 – 🄿. 🕸
6 cam ⲐⲲ 220/280000.

GALATI MAMERTINO Messina 〖432〗 M 26 – Vedere Sicilia alla fine dell'elenco alfabetico.

GALATINA 73013 Lecce **431** G 36 *G. Italia – 28 669 ab. alt. 78.*
Roma 588 – Brindisi 58 – Gallipoli 22 – Lecce 20 – Taranto 95.

XX **Borgo Antico,** via Siciliani 80 ℘ 0836 566800, Fax 0836 566800 – ▤. ᴁ 🅢 ⑩ 🐵 �🆅🆂 🄹🄲🄱
chiuso dal 10 al 25 agosto e lunedì sera – **Pasto** carta 30/50000.

GALEATA 47010 Forlì-Cesena **429**, **430** K 17 – *2 234 ab. alt. 235.*
Roma 308 – Rimini 85 – Firenze 99 – Forlì 34 – Perugia 134.

X **Locanda Romagna,** via Zannetti 19 ℘ 0543 981695 – ❋
chiuso dal 4 al 24 giugno e sabato – **Pasto** carta 40/70000.

GALLARATE 21013 Varese **428** F 8 – *46 428 ab. alt. 238.*
Roma 617 – Stresa 43 – Como 50 – Milano 40 – Novara 34 – Varese 18.

🏨 **Jet Hotel** senza rist, via Tiro a Segno 22 ℘ 0331 772100, *jethotel@jethotel.com*
Fax 0331 772686, ⌿ – 🛗 ▤ 📺 🚗 – 🔬 30. ᴁ 🅢 ⑩ 🐵 🆅🆂🅰
40 cam � 300/400000.

🏨 **Astoria** senza rist, piazza Risorgimento 9/A ℘ 0331 791043, *astoria@logic.it*
Fax 0331 772671 – 🛗 ▤ 📺 📞 ᴁ 🅢 ⑩ 🐵 🆅🆂🅰
50 cam ☲ 170/230000.

GALLICANO 55027 Lucca **430** J 13 – *3 794 ab. alt. 186.*
Roma 377 – Pisa 60 – Firenze 102 – La Spezia 80.

X **Ritrovo del Platano** con cam, località Ponte di Campia Nord-Est : 4 km
℘ 0583 766142 e hotel ℘ 0583 766039, Fax 0583 766432, ⌿ – 📺 🅿. 🅢 ⑩ 🆅🆂🅰. ❋
Pasto *(chiuso mercoledì)* carta 40/70000 – **17 cam** ☲ 65/100000 – ½ P 95000.

GALLICO MARINA 89055 Reggio di Calabria **431** M 28.
Roma 700 – Reggio di Calabria 9 – Catanzaro 156 – Gambarie d'Aspromonte 32 – Villa San Giovanni 7.

🏨 **President,** via Petrarca 16 ℘ 0965 372201, Fax 0965 372201 – 🛗 ▤ 📺 ⌖ 🅿. – 🔬 50. ᴁ
🅢 ⑩ 🐵 🆅🆂🅰 🄹🄲🄱. ❋
Pasto carta 30/50000 (10%) – **43 cam** ☲ 120/150000 – ½ P 100000.

GALLIERA VENETA 35015 Padova **429** F 17 – *6 613 ab. alt. 30.*
Roma 535 – Padova 37 – Trento 109 – Treviso 32 – Venezia 71 – Vicenza 34.

XX **Al Palazzon,** via Cà Onorai 2 località Mottinello Nuovo ℘ 049 5965020, Fax 049 5965931,
⌿ , solo su prenotazione domenica sera – ▤ 🅿. ᴁ 🅢 ⑩ 🆅🆂🅰. ❋
chiuso agosto e lunedì – **Pasto** carta 40/70000 (solo a mezzogiorno) e carta 40/60000.

GALLIO 36032 Vicenza **429** E 16 – *2 363 ab. alt. 1090.*
Roma 577 – Trento 68 – Belluno 88 – Padova 94 – Treviso 82 – Vicenza 61.

🏨 **La Lepre Bianca,** via Camona 46 ℘ 0424 445666, *lalepre@telemar.it*, Fax 0424 445667 –
📺 🅿. 🅢 ⑩ 🐵 🆅🆂🅰. ❋
chiuso maggio o novembre – **Pasto** *(chiuso lunedì e martedì escluso dicembre-gennaio e luglio-agosto)* carta 60/80000 – **13 cam** ☲ 150/250000.

GALLIPOLI 73014 Lecce **431** G 35 *G. Italia – 20 966 ab..*
Vedere Interno⋆ della chiesa della Purissima.
Roma 628 – Brindisi 78 – Bari 190 – Lecce 37 – Otranto 47 – Taranto 93.

XX **Il Bastione,** riviera Nazario Sauro 28 ℘ 0833 263836, Fax 0833 263836, ≤, prenotare,,
« Servizio estivo in terrazza con ≤ mare e costa » – ᴁ 🅢 ⑩ 🐵 🆅🆂🅰
chiuso lunedì escluso dal 15 giugno al 15 settembre – **Pasto** specialità di mare carta 40/70000.

sulla strada Litoranea *Sud-Est : 6 km :*

🏨 **Gd H. Costa Brada** ≫, litoranea per Santa Maria di Leuca ✉ 73014 ℘ 0833 202551, *direzione@grandhotelcostabrada.it*, Fax 0833 202555, ≤, « Giardino ombreggiato », ₰, ≋,
🌊, 🅟, 🐴, ❀ – 🛗 ▤ 📺 🚗 🅿 – 🔬 200. ᴁ 🅢 ⑩ 🐵 🆅🆂🅰 🄹🄲🄱. ❋
Pasto carta 55/75000 – **89 cam** ☲ 180/300000 (solo ½ P luglio-agosto) – ½ P 300000.

🏨 **Le Sirenuse** ≫, litoranea per Santa Maria di Leuca ✉ 73014 ℘ 0833 202536,
Fax 0833 202539, « In riva al mare circondato da una verde pineta », 🌊, 🐴, ⌿, ❀ – 🛗
▤ 📺 🅿 – 🔬 300. ᴁ 🅢 ⑩ 🐵 🆅🆂🅰. ❋ rist
Pasto carta 60/80000 – **120 cam** ☲ 165/235000 – ½ P 200000.

326

GALLUZZO Firenze **430** K 15 – Vedere Firenze.

GALZIGNANO TERME 35030 Padova **429** G 17 – 4 178 ab. alt. 22 – Stazione termale (marzo-novembre).

   ⓖ (chiuso gennaio e febbraio) a Valsanzibio di Galzignano ⊠ 35030 ℘ 049 9195100, Fax 049 9195660, Sud : 3 km.

   Roma 477 – Padova 20 – Mantova 94 – Milano 255 – Rovigo 34 – Venezia 60.

verso Battaglia Terme Sud-Est : 3,5 km :

🏨 **Sporting Hotel Terme** ॐ, viale delle Terme 82 ⊠ 35030 ℘ 049 9195000, prenotazioni @galzignano.it, Fax 049 9195250, ≤, Ⅰ₆, ≘s, ⌺, riscaldata, ⌺, ☞, ※, ₊ – 嶨 ☰ 📺 ⇦ 🅿. ⓒⓒ ⓥⓘⓢⓐ. ※
   chiuso sino al 3 marzo – **Pasto** (solo per alloggiati) 35000 – **110 cam** ⊇ 170/410000, 2 suites – ½ P 190000.

🏨 **Splendid Hotel Terme** Ⓜ ॐ, viale delle Terme 90 ⊠ 35030 ℘ 049 9196000, prenotazioni@galzignano.it, Fax 049 9196250, ≤, « Giardino ombreggiato con ⌺ termale », ≘s, ⌺, ※, ₊ – 嶨 ☰ 📺 ⚑ 🅿. ※
   18 febbraio-25 novembre – **Pasto** (solo per alloggiati) 35000 – **90 cam** ⊇ 170/310000, suite – ½ P 180000.

🏨 **Majestic Hotel Terme** ॐ, viale delle Terme 84 ⊠ 35030 ℘ 049 9194000, prenotazioni @galzignano.it, Fax 049 9194250, ≤, « Giardino ombreggiato con ⌺ termale », Ⅰ₆, ≘s, ⌺, ※, ₊ – 嶨 ☰ 📺 ♿ 🅿 – 🔬 100. ⓒⓒ ⓥⓘⓢⓐ. ※
   11 marzo-18 novembre – **Pasto** (solo per alloggiati) 35000 – **116 cam** ⊇ 170/310000, 3 suites – ½ P 190000.

🏨 **Green Park Hotel Terme** ॐ, viale delle Terme 80 ⊠ 35030 ℘ 049 9197000, prenotazioni@galzignano.it, Fax 049 9197250, ≤, « Giardino ombreggiato con ⌺ riscaldata », ⌺, ※, ₊ – 嶨 ☰ 📺 🅿. ⓒⓒ ⓥⓘⓢⓐ. ※
   11 marzo-18 novembre – **Pasto** (solo per alloggiati) 35000 – **93 cam** ⊇ 150/250000, suite – ½ P 180000.

GAMBARA 25020 Brescia **428** , **429** G 12 – 4 420 ab. alt. 51.
   Roma 530 – Brescia 42 – Cremona 29 – Mantova 63 – Milano 97.

🏨 **Gambara** senza rist, via Campo Fiera 22 ℘ 030 9956260, Fax 030 9956271 – 嶨 ☰ 📺 ♿ 🅿 – 🔬 20. ⓢ ⓒⓒ ⓥⓘⓢⓐ. ※
   ⊇ 10000 – **12 cam** 90/120000.

GAMBARIE D'ASPROMONTE 89050 Reggio di Calabria **431** M 29 – alt. 1 300.
   Roma 672 – Reggio di Calabria 43.

🏨 **Miramonti**, via degli Sci 10 ℘ 0965 743048, Fax 0965 743190, ☞ – 嶨 📺 🅿 – 🔬 200. 🖭 ⓢ ⓞ ⓒⓒ ⓥⓘⓢⓐ
   Pasto carta 40/50000 – **42 cam** ⊇ 80/100000 – ½ P 90000.

🏨 **Centrale**, piazza Mangeruca 23 ℘ 0965 743133, Fax 0965 743141 – 嶨 📺 🅿. ⓢ ⓞ ⓒⓒ ⓥⓘⓢⓐ
   Pasto carta 40/60000 – ⊇ 10000 – **48 cam** 80/100000 – ½ P 90000.

GAMBOLÒ 27025 Pavia **428** G 8 – 8 170 ab. alt. 104.
   Roma 586 – Alessandria 71 – Milano 43 – Novara 36 – Pavia 32 – Vercelli 44.

✕ **Da Carla**, frazione Molino d'Isella 3 (Est : 3 km) ℘ 0381 930006, ☞ – ☰ 🅿. 🖭 ⓢ ⓞ ⓒⓒ ⓥⓘⓢⓐ. ※
   chiuso mercoledì – **Pasto** carta 35/65000.

GARBAGNATE MILANESE 20024 Milano **428** F 9, **219** ⑱ – 28 093 ab. alt. 179.
   Roma 588 – Milano 16 – Como 33 – Novara 48 – Varese 36.

✕✕✕ **La Refezione**, via Milano 166 ℘ 02 9958942, Coperti limitati; prenotare – ☰ 🅿. 🖭 ⓢ ⓒⓒ ⓥⓘⓢⓐ
   chiuso dal 25 dicembre al 6 gennaio, agosto, domenica e lunedì a mezzogiorno – **Pasto** 80000 e carta 90/105000.

Wenn Sie ein ruhiges Hotel suchen,
benutzen Sie zuerst die Karte in der Einleitung
oder wählen Sie im Text ein Hotel mit dem Zeichen ॐ oder ॐ.

327

GARDA 37016 Verona **428**, **429** F 14 *G. Italia – 3 617 ab. alt. 68.*

Vedere *Punta di San Vigilio*★★ *Ovest : 3 km.*

☍₁₈ *Cà degli Ulivi a Marciaga di Costermano* ⊠ 37010 ℘ 045 6279030,Fax 045 6279039, *Nord : 3 km.*

🛃 *via Don Gnocchi 23* ℘ 045 6270384, Fax 045 7256120.

Roma 527 – Verona 30 – Brescia 64 – Mantova 65 – Milano 151 – Trento 82 – Venezia 151.

🏨🏨 **Regina Adelaide**, via San Franceso d'Assisi 23 ℘ 045 7255977, hotel@regina-adelaide.it, Fax 045 7256263, 😚, « Giardino con ⊒ », ℔, ⇋, ▨ – 🛗, 🍴 rist, 🆀 ⅙ 🄿 – 🔬 60. 🄰🄴 🗓 ⑩ ⓿⓿ 🆅🆂🅰 ⅙ rist
Pasto *(chiuso dal 5 al 20 febbraio e dal 5 al 20 novembre)* carta 55/80000 – **51 cam** ⊒ 225/290000, 8 suites – ½ P 185000.

🏨🏨 **Poiano** ⊗, via Fioria 7 (Est : 2 km) ℘ 045 7200100, Fax 045 7200900, ≤, 😚, « In collina tra il verde », ℔, ⇋, ⊒, ℁ – 🛗 🔬 200. 🄰🄴 🗓 ⑩ ⓿⓿ 🆅🆂🅰 🅹🅲🅱. ⅙ *aprile-ottobre* – **Pasto** 45/70000 – **91 cam** ⊒ 325000 – ½ P 180000.

🏨🏨 **Flora** ⊗ *senza rist*, via Giorgione 27 ℘ 045 7255348, info@hotelflora.net, Fax 045 7256623, « Giardino con piscine e minigolf », ℁ – 🛗 🆀 ⥅ 🄿. ⓿⓿ 🆅🆂🅰. ⅙ *18 maggio-settembre* – ⊒ 20000 – **50 cam** 200/320000.

🏨🏨 **Bisesti**, corso Italia 36 ℘ 045 7255766, bisesti.infogarda.com, Fax 045 7255927, ⊒, ☞ – 🛗 🆀 🄿 – 🔬 150. 🗓 ⓿⓿ 🆅🆂🅰. ⅙ rist
7 aprile-14 ottobre – **Pasto** 25/60000 – **90 cam** ⊒ 120/210000 – ½ P 130000.

🏨🏨 **Gabbiano** ⊗, via dei Cipressi 24 ℘ 045 7256655, Fax 045 7255363, ⊒, ☞ – 🛗 🆀 🄿. 🗓 ⓿⓿ 🆅🆂🅰. ⅙
aprile-settembre – **Pasto** *(solo per alloggiati e chiuso a mezzogiorno)* – **42 cam** ⊒ 95/190000 – ½ P 100000.

🏨 **San Marco**, largo Pisanello 3 ℘ 045 7255008, hotelsanmarco@sunnet.it, Fax 045 7256749 – ⥤ rist, 🆀 🄿. 🗓 ⓿⓿ 🆅🆂🅰. ⅙
marzo-ottobre – **Pasto** *(solo per alloggiati)* – **15 cam** ⊒ 160000 – ½ P 100000.

🏨 **Ancora** *senza rist*, via Manzoni 7 ℘ 045 7255202, ≤ – 🛗. ⅙
15 marzo-25 ottobre – ⊒ 15000 – **18 cam** 85/110000.

🍴🍴 **Tobago** *con cam*, via Bellini 1 ℘ 045 7256340, Fax 045 7256753, 😚, ☞ – 🆀 🄿. 🄰🄴 🗓 ⑩ ⓿⓿ 🆅🆂🅰 🅹🅲🅱
Pasto *(chiuso martedì da ottobre ad aprile)* specialità di mare 55/90000 e carta 70/130000 – **10 cam** ⊒ 130/180000 – ½ P 120000.

GARDA (Lago di) o BENACO Brescia, Trento e Verona **428**, **429** F 13 *G. Italia.*

GARDONE RIVIERA 25083 Brescia **428**, **429** F 13 *G. Italia – 2 521 ab. alt. 85 – a.s. Pasqua e luglio-15 settembre.*

Vedere *Posizione pittoresca*★★ – *Tenuta del Vittoriale*★ *(residenza e tomba di Gabriele d'Annunzio) Nord-Est : 1 km.*

☍₉ *Bogliaco (chiuso martedì escluso agosto)* ⊠ 25088 Toscolano Maderno ℘ 0365 643006, Fax 0365 643006, *Est : 10 km.*

🛃 *corso Repubblica 39* ℘ 0365 20347, Fax 0365 20347.

Roma 551 – Brescia 34 – Bergamo 88 – Mantova 90 – Milano 129 – Trento 91 – Verona 66.

🏨🏨 **Grand Hotel**, corso Zanardelli 84 ℘ 0365 20261, ghg@grangardone.it, Fax 0365 22695, ≤, 😚, « Terrazza-giardino fiorita sul lago con ⊒ riscaldata », ▲₆ – 🛗 🆀 ⅙ 🄿 – 🔬 300. 🄰🄴 🗓 ⑩ ⓿⓿ 🆅🆂🅰. ⅙
aprile-ottobre – **Pasto** carta 60/95000 – **180 cam** ⊒ 210/380000 – ½ P 230000.

🏨🏨 **Savoy Palace** 🅼, via Zanardelli 2/4 ℘ 0365 290588, savoypalace@tin.it, Fax 0365 290556, ≤, « Giardino con ⊒ sul lungolago », ℔, ⇋, ☞ – 🛗 🆀 ⅙ ⥤ – 🔬 90. 🄰🄴 🗓 ⑩ ⓿⓿ 🆅🆂🅰. ⅙
aprile-ottobre – **Pasto** carta 65/105000 – **60 cam** ⊒ 260/380000 – ½ P 240000.

🏨🏨 **Villa Capri** *senza rist*, corso Zanardelli 172 ℘ 0365 21537, Fax 0365 22720, ≤, « Parco in riva al lago con ⊒ », ▲₆ – 🛗 🆀 🄿. 🗓 ⓿⓿ 🆅🆂🅰. ⅙
aprile-ottobre – **55 cam** ⊒ 200/350000.

🏨🏨 **Du Lac**, via Repubblica 58 ℘ 0365 21558, info@hotel-dulac.net, Fax 0365 21966, ≤, 😚 – 🛗 🆀. 🗓 ⓿⓿ 🆅🆂🅰. ⅙
Pasto *(aprile-ottobre)* carta 40/70000 – **39 cam** ⊒ 150/210000 – ½ P 135000.

🏨🏨 **Bellevue**, corso Zanardelli 81 ℘ 0365 290088, hbellevue@tin.it, Fax 0365 290080, ≤, 😚, « Giardino fiorito con ⊒ » – 🛗 🆀 🄿. 🆅🆂🅰. ⅙
aprile-10 ottobre – **Pasto** 40000 – **32 cam** ⊒ 120/175000 – ½ P 115000.

XXX ☼ **Villa Fiordaliso** con cam, corso Zanardelli 150 ☎ 0365 20158, info@villafiordaliso.it, Fax 0365 290011, ≤, « Villa storica in un piccolo parco; servizio estivo in terrazza sul lago » – 🗐 cam, 🔟 🅿 🖭 🕄 🛈 ◍ 𝚅𝙸𝚂𝙰 𝙹𝙲𝙱. ✧
chiuso dal 20 novembre al 10 febbraio – **Pasto** (chiuso lunedì e martedì a mezzogiorno) 150000 e carta 100/200000 – **6 cam** ⇆ 700000, suite
Spec. Noci di cappesante, ricci di mare e olive al fior di sale (primavera-autunno). Risotto con gamberi di fiume e crescione d'orto. Anguilla del lago alla brace, corona d'aglio e finocchio candito.

X **Agli Angeli** con cam, piazza Garibaldi 2, località Vittoriale ☎ 0365 20832, Fax 0365 20746, 🍽 – 🖭 🕄 𝚅𝙸𝚂𝙰
chiuso dal 10 gennaio al 10 febbraio e dal 15 novembre al 15 dicembre – **Pasto** (chiuso lunedì e martedì dal 15 ottobre al 15 marzo; solo lunedì dal 16 marzo al 15 aprile) carta 55/85000 – **9 cam** ⇆ 90/140000.

■ **Fasano del Garda** Nord-Est : 2 km – ✉ 25080 :

🏨 **Gd H. Fasano e Villa Principe,** corso Zanardelli 190 ☎ 0365 290220, info@grand-hotel-fasano.it, Fax 0365 290221, ≤ lago, 🍽, « Terrazza-giardino sul lago con 🏊 riscaldata », ✕ – 🛗 🖭 🅿 – 🔬 150. ✧ rist
15 maggio-settembre – **Pasto** al Rist. **Il Fagiano** (15 maggio-settembre; chiuso a mezzogiorno) solo su prenotazione carta 75/105000 – **75 cam** (Villa Principe 12 cam aprile-novembre) ⇆ 280/480000 – ½ P 330000.

🏨 **Villa del Sogno** ⑤, corso Zanardelli 107 ☎ 0365 290181, Fax 0365 290230, ≤ lago, 🍽, « Parco e terrazze con 🏊 », ✕ – 🛗 🗐 🔟 🅿 – 🔬 30. 🖭 🕄 🛈 ◍ 𝚅𝙸𝚂𝙰. ✧
aprile-15 ottobre – **Pasto** 100000 – **31 cam** ⇆ 370/550000, 4 suites – ½ P 330000.

Ferienreisen wollen gut vorbereitet sein.

*Die **Straßenkarten** und **Führer** von **Michelin***

geben Ihnen Anregungen und praktische Hinweise zur Gestaltung Ihrer Reise:
Streckenvorschläge, Auswahl und Besichtigungsbedingungen
der Sehenswürdigkeiten, Unterkunft, Preise... u. a. m.

GARGANO (Promontorio del) Foggia 𝟺𝟹𝟷 B 28 30.
Vedere Guida Verde Italia.

GARGAZON = Gargazzone.

GARGAZZONE (GARGAZON) 39010 Bolzano 𝟺𝟸𝟿 C 15, 𝟸𝟷𝟾 ⑳ – 1 342 ab. alt. 267.
Roma 563 – Bolzano 17 – Merano 11 – Milano 315 – Trento 75.

🏠 **Alla Torre-Zum Turm,** via Nazionale 5 ☎ 0473 292325, Fax 0473 292399, 🍽, « Giardino-frutteto con 🏊 riscaldata » – 🔟 🅿 🕄 𝚅𝙸𝚂𝙰. ✧ rist
chiuso dal 15 gennaio al 15 marzo – **Pasto** (chiuso giovedì) carta 45/75000 – **14 cam** ⇆ 65/130000 – ½ P 90000.

GARGNANO 25084 Brescia 𝟺𝟸𝟾 , 𝟺𝟸𝟿 E 13 G. Italia – 3 009 ab. alt. 98 – a.s. Pasqua e luglio-15 settembre.
🏌 Bogliaco (chiuso martedì escluso agosto) ✉ 25088 Toscolano Maderno ☎ 0365 643006, Fax 0365 643006, Sud : 1,5 km.
Roma 563 – Verona 51 – Bergamo 100 – Brescia 46 – Milano 141 – Trento 79.

🏨 **Villa Giulia** ⑤, viale Rimembranza 20 ☎ 0365 71022, Fax 0365 72774, ≤, 🍽, « Giardino in riva al lago », 🍴, 🏊, 🛶 – 🔟 🅿 🖭 🕄 𝚅𝙸𝚂𝙰. ✧
8 aprile-15 ottobre – **Pasto** (solo per alloggiati) carta 65/95000 – **25 cam** ⇆ 400000.

🏨 **Meandro,** via Repubblica 40 ☎ 0365 71128, info@hotelmeandro.it, Fax 0365 72012, ≤, 🍴, 🏊, 🌊 – 🛗 🔟 🅿 🖭 🕄 🛈 ◍ 𝚅𝙸𝚂𝙰
chiuso dal 15 dicembre a febbraio – **Pasto** carta 45/65000 – **38 cam** ⇆ 140/190000 – ½ P 120000.

🏠 **Palazzina,** via Libertà 10 ☎ 0365 71118, hotel-palazzina@gardalake.it, Fax 0365 71528, ≤ lago, 🍽, « 🏊 su terrazza panoramica », 🌊 – 🛗 🅿 🖭 🕄 🛈 ◍ 𝚅𝙸𝚂𝙰. ✧
aprile-10 ottobre – **Pasto** (chiuso a mezzogiorno da aprile a maggio) carta 35/45000 – ⇆ 15500 – **25 cam** 95/135000 – ½ P 100000.

XXX **La Tortuga,** via XXIV Maggio 5 ℘ 0365 71251, *Fax 0365 71938*, Coperti limitati; solo s
✿ prenotazione a mezzogiorno – AE ⑤ ⓓ ⓜ VISA. ✂
chiuso dal 23 al 29 dicembre, dal 15 gennaio al 1º marzo, lunedì (escluso da giugno a settembre) e martedì – **Pasto** 110/130000 e carta 105/170000
Spec. Filetti di persico con panatura al profumo di rosmarino. Risotto ai fiori di zucchine e pistilli di zafferano (estate). Filetto mignon, salsa al Porto e fegato d'oca.

a Villa *Sud : 1 km – ✉ 25084 Gargnano :*

XX Baia d'Oro ⛵ con cam, via Gamberera 13 ℘ 0365 71171, *Fax 0365 72568*, ≤, Coperti limitati; prenotare, « Servizio estivo in terrazza sul lago » – ▤ cam, TV ⇔
stagionale – **13 cam.**

a Bogliaco *Sud : 1,5 km – ✉ 25080 :*

XX **Allo Scoglio,** via Barbacane 3 ℘ 0365 71030, « Servizio estivo in terrazza-giardino sul lago » – ✂
chiuso gennaio, febbraio e venerdì – **Pasto** carta 60/80000.

GARGONZA *Arezzo* 430 M 17 – *Vedere Monte San Savino.*

GARLASCO *27026 Pavia* 428 G 8 – *9 203 ab. alt. 94.*

Roma 585 – Alessandria 61 – Milano 44 – Novara 40 – Pavia 22 – Vercelli 48.

🏨 **I Diamanti** senza rist, via Leonardo da Vinci 59 ℘ 0382 822777, *Fax 0382 800981* – |♦| ▤ TV ♿ ⇔ P – 🏛 50. AE ⑤ VISA. ✂
☕ 10000 – **39 cam** 100/135000.

GARLENDA *17038 Savona* 428 J 6 – *904 ab. alt. 70.*

⛳18 *(chiuso mercoledì escluso luglio-agosto) ℘ 0182 580012, Fax 0182 580561.*
Roma 592 – Imperia 37 – Albenga 10 – Genova 93 – Milano 216 – Savona 47.

🏨 **La Meridiana** ⛵, via ai Castelli ℘ 0182 580271, *meridiana@relaischateaux.fr*, *Fax 0182 580150*, ⛱, « Residenza di campagna », ⛺, ⛱, ⛳ – |♦| TV ☎ ♿ P – 🏛 45. AE ⑤ ⓓ ⓜ VISA. ✂ rist
marzo-novembre – **Pasto** al Rist. ***Il Rosmarino*** *(chiuso a mezzogiorno escluso da giugno a settembre; prenotare)* carta 95/150000 – ☕ 34000 – **12 cam** 320/440000, 18 suites 500/1300000 – ½ P 800000.

🏨 **Hermitage,** via Roma 152 ℘ 0182 582976, *Fax 0182 582975*, coperti limitati; prenotare, « Giardino alberato » – ▤ TV ⇔ P. ⑤ ⓓ ⓜ VISA. ✂ cam
chiuso gennaio – **Pasto** *(chiuso lunedì e a mezzogiorno)* carta 65/105000 – ☕ 15000 – **11 cam** 140/220000 – ½ P 150000.

GASSINO TORINESE *10090 Torino* 428 G 5 – *8 907 ab. alt. 219.*

Roma 665 – Torino 16 – Asti 52 – Milano 130 – Vercelli 60.

a Bardassano *Sud-Est : 5 km – ✉ 10090 Gassino Torinese :*

X **Ristoro Villata,** via Val Villata 25 (Sud : 1 km) ℘ 011 9605818, *Fax 011 9605818*, ⛱, solo su prenotazione – P. ✂
chiuso dal 12 al 28 agosto, venerdì e a mezzogiorno (escluso i giorni festivi) – **Pasto** menu tipico piemontese 80000 e carta 80/120000.

GATTEO A MARE *47043 Forlì-Cesena* 429, 430 J 19 – *5 992 ab. – a.s. 21 giugno-agosto.*

ℹ *piazza Libertà 10 ℘ 0547 86083, Fax 0547 85393.*
Roma 353 – Ravenna 35 – Rimini 18 – Bologna 102 – Forlì 41 – Milano 313.

🏨 **Miramare,** viale Giulio Cesare 63 ℘ 0547 87313, *info@miramarehotel.com*, *Fax 0547 87614*, ≤, ⛱ – |♦|, ▤ rist, TV P. AE ⑤ ⓜ VISA. ✂ rist
maggio-settembre – **Pasto** (solo per alloggiati) – ☕ 15000 – **56 cam** 110/170000 – ½ P 105000.

🏨 **Flamingo,** viale Giulio Cesare 31 ℘ 0547 87171, *Fax 0547 680532*, ≤, Lδ, ⛱ riscaldata, 🎾 – |♦|, ▤ rist, TV ⇔ P. ⑤ ⓓ ⓜ VISA. ✂ rist
Pasqua-ottobre – **Pasto** (solo per alloggiati) – ☕ 15000 – **48 cam** 110/160000 – ½ P 135000.

🏨 **Estense,** via Gramsci 30 ℘ 0547 87068, *Fax 0547 87489* – |♦| ▤ TV P – 🏛 70. AE ⑤ VISA. ✂ rist
chiuso novembre – **Pasto** 35/45000 – ☕ 8000 – **36 cam** 65/105000 – ½ P 90000.

🏨 **Imperiale,** viale Giulio Cesare 82 ℘ 0547 86875, *Fax 0547 86875* – |≑|, ≣ rist, 🆃🆅 🅰🅴 🆂 ⓞ
🍽 🆂 **VISA**. ❀ rist
maggio-settembre – **Pasto** carta 30/45000 – **37 cam** ⊋ 120/180000 – ½ P 110000.

🏨 **Sant'Andrea,** viale Matteotti 66 ℘ 0547 85360, *Fax 0547 680741* – ≣ rist, 🅿. 🅰🅴 🅼🆂 **VISA**.
❀ rist
22 maggio-20 settembre – **Pasto** 25/40000 – **20 cam** ⊋ 50/80000 – ½ P 90000.

🏨 **Magnolia,** via Trieste 31 ℘ 0547 86814, *albmagnolia@libero.it, Fax 0547 87285,* ⬚, ⇆ –
|≑| 🅿. 🅰🅴 🅼🆂 **VISA**. ❀ rist
15 maggio-20 settembre – **Pasto** (solo per alloggiati) 30/40000 – **38 cam** ⊋ 85/125000 –
½ P 90000.

🏨 **Fantini,** viale Matteotti 10 ℘ 0547 87009, *hfantini@cesenatico.com, Fax 0547 87009* – |≑|,
≣ rist, 🆃🆅 🅿. ❀ rist
aprile-20 settembre – **Pasto** (solo per alloggiati) 20/30000 – ⊋ 10000 – **44 cam** 65/100000
– ½ P 75000.

GAVI *15066 Alessandria* 🔢 *H 8 – 4 519 ab. alt. 215.*

🔟 *Colline del Gavi (chiuso gennaio e martedì escluso da maggio a settembre)* ⊠ *15060*
Tassarolo ℘ *0143 34226, Fax 0143 342342, Nord : 5 km.*
Roma 554 – Alessandria 34 – Genova 48 – Acqui Terme 42 – Milano 97 – Savona 84 – Torino
136.

🍴 **Cantine del Gavi,** via Mameli 69 ℘ 0143 642458, *Coperti limitati; prenotare* – 🅰🅴 🆂 ⓞ
🅼🆂 **VISA**. ❀
chiuso dal 7 al 20 gennaio, dal 10 al 25 luglio e lunedì – **Pasto** carta 65/90000.

GAVINANA *51025 Pistoia* 🔢, 🔢, 🔢 *J 14 G. Toscana – alt. 820 – a.s. luglio-agosto.*
Roma 337 – Firenze 60 – Pisa 75 – Bologna 87 – Lucca 53 – Milano 288 – Pistoia 27.

🏨 **Franceschi,** piazza Ferrucci 121 ℘ 0573 66451, *ristfram@tin.it, Fax 0573 66452* – |≑| 🆃🆅.
🅰🅴 🆂 ⓞ 🅼🆂 **VISA**. ❀
chiuso dal 10 al 30 novembre – **Pasto** carta 40/65000 – **28 cam** ⊋ 95/145000 – ½ P 95000.

GAVIRATE *21026 Varese* 🔢 *E 8 – 9 370 ab. alt. 261.*
Roma 641 – Stresa 53 – Milano 66 – Varese 10.

🍴 **Tipamasaro,** via Cavour 31 ℘ 0332 743524, *prenotare i giorni festivi, « Servizio estivo*
sotto un fresco gazebo » – 🅿.
chiuso dal 16 al 31 agosto e lunedì – **Pasto** carta 40/60000.

GAVOI *Nuoro* 🔢 *G 9 – Vedere Sardegna alla fine dell'elenco alfabetico.*

GAZOLDO DEGLI IPPOLITI *46040 Mantova* 🔢, 🔢 *G 13 – 2 502 ab. alt. 35.*
Roma 490 – Parma 59 – Brescia 58 – Mantova 21 – Verona 45.

🍴 **Trattoria dell'Agrifoglio,** via San Pio X 34, *verso Piubega Nord-Ovest : 1,5 km*
℘ 0376 657092, *solo su prenotazione la sera escluso venerdì e sabato* – 🅿. 🆂 🅼🆂 **VISA** 🅹🅲🅱.
❀
chiuso dal 24 dicembre al 6 gennaio, agosto e lunedì – **Pasto** carta 40/55000.

GAZZO *Imperia – Vedere Borghetto d'Arroscia.*

GAZZOLI *Verona* 🔢, 🔢 *F 14 – Vedere Costermano.*

GELA *Caltanissetta* 🔢 *P 24 – Vedere Sicilia alla fine dell'elenco alfabetico.*

GEMONA DEL FRIULI *33013 Udine* 🔢 *D 21 – 11 210 ab. alt. 272.*
Roma 665 – Udine 26 – Milano 404 – Tarvisio 64 – Trieste 98.

🏨 **Pittini** senza rist, piazzale della Stazione 1 ℘ 0432 971195, *Fax 0432 971380* – |≑| 🆃🆅 ⇆
🅿. 🅰🅴 🆂 🅼🆂 **VISA**. ❀
⊋ 10000 – **16 cam** 80/120000.

GENOVA *16100* [P] [428] I 8 *G. Italia – 659 754 ab..*

Vedere *Porto*★★ **AXY** – *Quartiere dei marinai*★ **BY** – *Piazza San Matteo*★ **BY** 85 – *Cattedrale di San Lorenzo*★ : *facciata*★★ **BY** K – *Via Garibaldi*★ : *galleria dorata*★ *nel palazzo Cataldi* **BY** B, *pinacoteca*★ *nel palazzo Bianco* **BY** D, *galleria d'arte*★ *nel palazzo Rosso* **BY** E – *Palazzo dell'Università*★ **AX** U – *Galleria Nazionale di palazzo Spinola*★ *Adorazione dei Magi*★★ *di Joos Van Cleve* **BY** – *Acquario*★ **AY** – *Campanile*★ *della chiesa di San Donato* **BY** L – *San Sebastiano*★ *di Puget nella chiesa di Santa Maria di Carignano* **BZ** N – *Villetta Di Negro* **CXY** : ≤★ *sulla città e sul mare, museo Chiossone*★ M1 – ≤★ *sulla città dal Castelletto* **BX** *per ascensore – Cimitero di Staglieno*★ F.

Escursioni *Riviera di Levante*★★★ *Est e Sud-Est.*

✈ *Cristoforo Colombo di Sestri Ponente per* ④ : *6 km* ☎ *010 60151 – Alitalia, via XX Ottobre 12* ✉ *16121* ☎ *010 54931.*

⛴ *per Cagliari luglio-9 settembre giovedì e domenica (20 h) ed Olbia 19 giugno-5 settembre giornaliero e negli altri mesi lunedì, mercoledì e venerdì (da 6 h a 13 h 15 mn), per Arbatax giugno-settembre mercoledì e venerdì, negli altri mesi lunedì e venerdì (19 h) e Porto Torres giornalieri (da 6 h a 13 h) – Tirrenia Navigazione, Stazione Marittima, Pontile Colombo* ✉ *16126* ☎ *1478 99000, Fax 010 2698241; per Porto Torres (10 h), Olbia (10 h) 24 giugno-18 settembre giornalieri e per Palermo giornaliero, escluso domenica (20 h) – Grimaldi-Grandi Navi Veloci, via Fieschi 17* ✉ *16128* ☎ *010 589331, Fax 010 509225.*

[i] *Stazione Principe* ✉ *16126* ☎ *010 2462633 – all'Aeroporto* ✉ *16154* ☎ *010 6015247 – via al Porto Antico (Palazzina S. Maria)* ✉ *16126* ☎ *010 248711, Fax 010 2467658 – (maggio-settembre) Stazione Marittima-Terminal Crociere* ☎ *010 2463686.*

[A.C.I.] *viale Brigate Partigiane 1/a* ✉ *16129* ☎ *010 53941.*

Roma 501 ② *– Milano 142* ⑦ *– Nice 194* ⑤ *– Torino 170* ⑤.

In occasione di alcune manifestazioni commerciali o turistiche i prezzi degli alberghi potrebbero subire un sensibile aumento (informatevi al momento della prenotazione)

Piante pagine seguenti

🏨 **Starhotel President** [M], corte Lambruschini 4 ✉ 16129 ☎ 010 5727, *president.ge@starhotels.it, Fax 010 5531820* – 🛗, ⊬ cam, ❄ 📺 📞 🚗 – 🎤 450. AE [S] ⓓ MC VISA JCB. ⊬ — DZ c
Pasto carta 75/145000 – **193 cam** ☕ 435/530000 – ½ P 330000.

🏨 **Jolly Hotel Plaza,** via Martin Piaggio 11 ✉ 16122 ☎ 010 83161, *genova@jollyhotels.it, Fax 010 8391850* – 🛗, ⊬ cam, ❄ 📺 📞 ♿ – 🎤 140. AE [S] ⓓ MC VISA JCB. ⊬ rist — CY d
Pasto carta 60/105000 – **143 cam** ☕ 330/420000, suite.

🏨 **City Hotel,** via San Sebastiano 6 ✉ 16123 ☎ 010 5545, *city.ge@bestwestern.it, Fax 010 586301* – 🛗, ⊬ cam, ❄ 📺 📞 – 🎤 70. AE [S] ⓓ MC VISA JCB — CY e
Pasto vedere rist ***Le Rune*** – **63 cam** ☕ 350/450000, 3 suites.

🏨 Bristol, via 20 Settembre 35 ✉ 16121 ☎ 010 592541, *Fax 010 561756,* « Caratteristici ambienti fine 800 » – 🛗 ❄ 📺 📞 – 🎤 200. JCB — CY r
Pasto solo snack – **128 cam**, 5 suites.

🏨 **Moderno Verdi,** piazza Verdi 5 ✉ 16121 ☎ 010 5532104, *info@modernoverdi.it, Fax 010 581562* – 🛗 ❄ 📺 📞 ♿ 🚗. AE [S] ⓓ MC VISA JCB. ⊬ rist — DY b
Pasto *(chiuso dicembre, agosto, venerdì, sabato, domenica e a mezzogiorno)* carta 45/85000 – **87 cam** ☕ 300/390000 – ½ P 230000.

🏨 **Novotel Genova Ovest,** via Cantore 8/C ✉ 16126 ☎ 010 64841, *novotelgenova@accor-hotels.it, Fax 010 6484844,* 🏊 – 🛗, ⊬ cam, ❄ 📺 ♿ 🚗 – 🎤 200. AE [S] ⓓ MC VISA ⊬ rist — E b
Pasto carta 65/95000 – ☕ 30000 – **223 cam** 330/470000 – ½ P 250000.

🏨 **Britannia** senza rist, via Balbi 38 ✉ 16126 ☎ 010 26991, *britannia@britannia.it, Fax 010 2462942,* 🏋, ♨ – 🛗 ❄ 📺 – 🎤 40. AE [S] ⓓ MC VISA JCB — AX a
61 cam ☕ 300/440000, 36 suites 320/480000.

🏨 **Columbus Sea,** via Milano 63 ✉ 16126 ☎ 010 265051, *columbussea@mclink.it, Fax 010 255226,* ≤ – 🛗 ❄ 📺 ♿ [P] – 🎤 90. AE [S] ⓓ MC VISA JCB. ⊬ rist — E a
Pasto *(chiuso sabato e domenica a mezzogiorno)* carta 60/100000 – **77 cam** ☕ 275/390000, 3 suites – ½ P 250000.

🏨 **Metropoli** senza rist, piazza Fontane Marose ✉ 16123 ☎ 010 2468888, *metropoli.ge@bestwestern.it, Fax 010 2468686* – 🛗 ❄ 📺. AE [S] ⓓ MC VISA — BY c
48 cam ☕ 155/270000.

🏨 **Europa** 🐌 senza rist, via Monachette 8 ✉ 16126 ☎ 010 2463537, *Fax 010 261047* – 🛗 ❄ 📺 [P]. AE [S] ⓓ MC VISA JCB. ⊬ — AX t
38 cam ☕ 160/270000.

🏨 **Alexander** senza rist, via Bersaglieri d'Italia 19 ✉ 16126 ☎ 010 261371, *Fax 010 265257* – 🛗 ❄ 📺. AE [S] ⓓ MC VISA — AX u
– **35 cam** ☕ 140/190000.

🏨 **Galles** senza rist, via Bersaglieri d'Italia 13 ✉ 16126 ☎ 010 2462820, *Fax 010 2462822* – 🛗 ❄ 📺. AE [S] ⓓ MC VISA — AX s
☕ 15000 – **20 cam** 110/150000.

Viale Sauli senza rist, viale Sauli 5 ⊠ 16121 ℰ 010 561397, *htl.sauli@mclink.it*, Fax 010 590092 – 📵 🗏 📺. 🕮 🕄 ⓪ ◑◐ 𝘝𝘐𝘚𝘈　　　　CY f
56 cam ☑ 160/220000.

Agnello d'Oro ॐ senza rist, via Monachette 6 ⊠ 16126 ℰ 010 2462084, *hotelagnellod oro@libero.it*, Fax 010 2462327 – 📵 📺 ⇌. 🕮 🕄 ⓪ ◑◐ 𝘝𝘐𝘚𝘈 𝘑𝘊𝘉　　　　AX t
☑ 15000 – 35 cam 150/170000.

XXXX **Gran Gotto**, viale Brigate Bisagno 69 r ⊠ 16129 ℰ 010 564344, Fax 010 564344, prenotare – 🗏. 🕮 🕄 ⓪ ◑◐ 𝘝𝘐𝘚𝘈　　　　DZ m
🕄 chiuso dal 12 al 31 agosto, sabato a mezzogiorno, domenica e i giorni festivi – **Pasto** carta 75/125000
Spec. Lasagnetta croccante con bianco di pesce, verdura di stagione e coulis di crostacei. Taglierini al basilico con vongole, pinoli e maggiorana. Scampi e gamberi con riso nero integrale all'aceto balsamico.

XXXX **La Bitta nella Pergola**, via Casaregis 52 r ⊠ 16129 ℰ 010 588543, Fax 010 588543 – ⊱ 🗏. 🕮 🕄 ⓪ ◑◐ 𝘝𝘐𝘚𝘈 𝘑𝘊𝘉　　　　DZ a
🕄 chiuso dal 1° al 7 gennaio, dall'8 al 31 agosto, domenica sera e lunedì – **Pasto** 70000 (solo a mezzogiorno) 100000 e carta 80/140000
Spec. Triglie e gamberoni della Riviera con capperi, pomodoro, basilico, olive e olio di frantoio ligure. Gnocchetti di patate e borragine con crema di pinoli. Gallinella di mare in casseruola alla moda ligure.

XXX **Edilio**, corso De Stefanis 104/r ⊠ 16139 ℰ 010 880501, Fax 010 811260 – 🗏 🄿. 🕮 🕄 ⓪ ◑◐ 𝘝𝘐𝘚𝘈　　　　DX a
🕄 chiuso dal 1° al 22 agosto, domenica sera e lunedì – **Pasto** carta 85/125000
Spec. Gnocchetti di patate al bianco di orata e crema al basilico. Filetto di pesce di giornata in crosta di patate e mandorle. Semifreddo al pistacchio in composta di amarene.

XXX **Vittorio al Mare**, Belvedere Edoardo Firpo 1, a Boccadasse ⊠ 16146 ℰ 010 3760141, Fax 010 3760141, ≤ – 🗏. 🕮 🕄 ⓪ ◑◐ 𝘝𝘐𝘚𝘈　　　　G w
Pasto carta 80/115000 e *pizzeria La Cambusetta* (chiuso lunedì) carta 50/70000.

XX **Le Rune** - Hotel City, vico Domoculta 14 r ⊠ 16123 ℰ 010 594951, Fax 010 586301 – 🗏. 🕮 🕄 ◑◐ 𝘝𝘐𝘚𝘈. ⪥　　　　BY d
Pasto 50000 bc e carta 55/105000.

XX **Zeffirino**, via XX Settembre 20 ⊠ 16121 ℰ 010 591990, Fax 010 586464, Rist. rustico moderno – 🗏. 🕮 🕄 ⓪ ◑◐ 𝘝𝘐𝘚𝘈 𝘑𝘊𝘉　　　　CY b
Pasto 60/90000 e carta 90/130000.

XX **Ippogrifo**, via Gestro 9/r ⊠ 16129 ℰ 010 592764, *ippogr@tin.it*, Fax 010 593185, prenotare – 🗏. 🕮 🕄 ⓪ ◑◐ 𝘝𝘐𝘚𝘈. ⪥　　　　DZ n
chiuso giovedì – **Pasto** carta 70/100000.

XX **Papageno**, via Assarotti 60 r ⊠ 16122 ℰ 010 8392999, Coperti limitati; prenotare – 🗏. 🕮 🕄 ⓪ ◑◐ 𝘝𝘐𝘚𝘈 𝘑𝘊𝘉　　　　CY h
chiuso dal 1° al 7 gennaio e dal 15 al 25 agosto, sabato a mezzogiorno e domenica – **Pasto** carta 65/100000.

XX **Pansön dal 1790**, piazza delle Erbe 5 r ⊠ 16123 ℰ 010 2468903, Fax 010 2468903, 🍽 – 🗏. 🕮 🕄 ⓪ ◑◐ 𝘝𝘐𝘚𝘈　　　　BY a
chiuso dall'11 al 24 agosto e domenica – **Pasto** carta 50/145000.

XX **Rina**, via Mura delle Grazie 3 r ⊠ 16128 ℰ 010 2466475, Fax 010 2466475 – 🗏. 🕮 🕄 ⓪ 𝘝𝘐𝘚𝘈. ⪥　　　　BY b
chiuso agosto e lunedì – **Pasto** carta 55/90000.

XX **Al Veliero**, via Ponte Calvi 10 r ⊠ 16124 ℰ 010 2465773, prenotare – 🗏. 🕮 🕄 ⓪ ◑◐ 𝘝𝘐𝘚𝘈　　　　ABX b
chiuso dal 1° al 7 gennaio, agosto e lunedì – **Pasto** specialità di mare carta 60/90000.

XX **Le Chiocciole**, piazza Negri 5 r ⊠ 16123 ℰ 010 2511289, Fax 010 2511289, 🍽, prenotare – 🕮 🕄 ⓪ ◑◐ 𝘝𝘐𝘚𝘈 𝘑𝘊𝘉　　　　BY f
chiuso dal 15 agosto al 7 settembre, domenica e a mezzogiorno – **Pasto** carta 35/60000.

XX **Santa Chiara**, via Capo Santa Chiara 69 r, a Boccadasse ⊠ 16146 ℰ 010 3770081, ≤, « Servizio estivo in terrazza sul mare » – 🕮 🕄 ⓪ ◑◐ 𝘝𝘐𝘚𝘈　　　　G w
chiuso dal 20 dicembre al 7 gennaio, dal 5 al 25 agosto e domenica – **Pasto** carta 70/85000.

X **Lupo Antica Trattoria**, vico Monachette 20 r ⊠ 16128 ℰ 010 267036 – 🕮 🕄 ⓪ ◑◐ 𝘝𝘐𝘚𝘈　　　　AX r
Pasto carta 50/90000.

X **Sola**, via Carlo Barabino 120 r ⊠ 16129 ℰ 010 594513, *info@vinotecasola.it*, Fax 010 594513, Rist.-enoteca – 🗏. 🕮 🕄 ⓪ ◑◐ 𝘝𝘐𝘚𝘈 𝘑𝘊𝘉　　　　DZ d
chiuso dal 1° al 22 agosto e domenica – **Pasto** carta 55/85000.

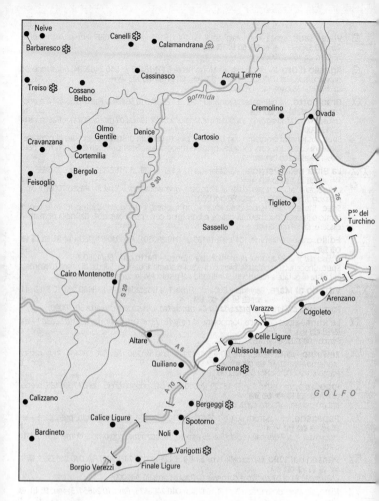

X Pintori, via San Bernardo 68 r ⊠ 16123 ℰ 010 2757507, prenotare la sera – ⒶⒺ Ⓢ ⓪ ⑩ ⑩ⓢ
⒱⒤⒮⒜. ⅋⅋
BY e
chiuso dal 24 dicembre al 7 gennaio, dal 1° al 22 agosto, domenica e lunedì – **Pasto** carta
50/85000.

X **Da Tiziano**, via Granello 27 r ⊠ 16121 ℰ 010 541540, Fax 010 541540 – ☰. ⒶⒺ Ⓢ ⑩ⓢ
⒱⒤⒮⒜
chiuso dal 7 agosto al 6 settembre e domenica – **Pasto** carta 55/90000. CZ b

X **Da Mannori**, via Galata 70 r ⊠ 16121 ℰ 010 588461, 斎, Trattoria toscana, « Servizio
estivo sotto un pergolato » – Ⓢ ⒱⒤⒮⒜
CY a
chiuso agosto, domenica e i giorni festivi – **Pasto** carta 50/90000.

X **Antica Osteria di Vico Palla,** vico Palla 15 r ⊠ 16128 ℰ 010 2466575,
Fax 010 3624458 – ☰. ⒶⒺ Ⓢ ⓪ ⑩ⓢ ⒱⒤⒮⒜
AY m
chiuso lunedì – **Pasto** carta 45/75000.

verso Molassana per ① : 6 km :

XX **La Pineta**, via Gualco 82, a Struppa ⊠ 16165 ℰ 010 802772, Fax 010 802772 – Ⓟ. ⒶⒺ Ⓢ
⓪ ⑩ⓢ ⒱⒤⒮⒜. ⅋⅋ – *chiuso dal 21 al 28 febbraio, agosto, domenica sera e lunedì* – **Pasto**
specialità alla brace carta 45/55000.

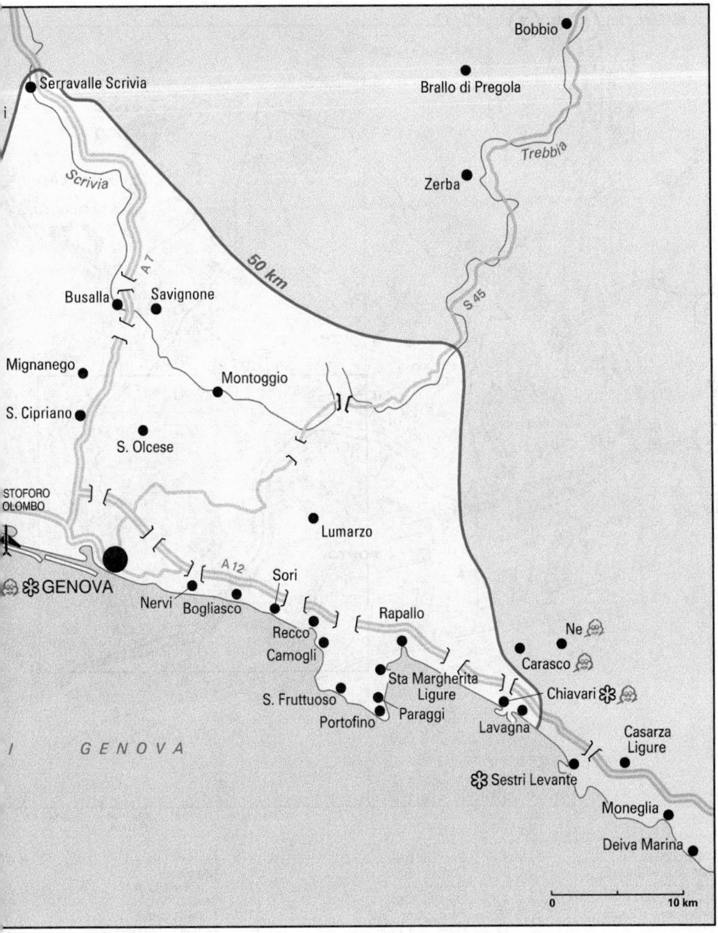

all'aeroporto Cristoforo Colombo *per ④ : 6 km* E :

🏨 **Sheraton Genova** Ⓜ, via Pionieri ed Aviatori d'Italia 44 ✉ 16154 ✆ 010 65491, *direzion e@sheratongenova.com, Fax 010 6549055*, ≤, ⚒, ≘ – |♦|, ⚹ cam, ▤ 📺 ✆ ♿ 🚗 🅿 – 🏛 1000. AE 💲 ⓓ ⓜⓒ VISA. ✈ rist
Pasto al Rist. ***Il Portico*** carta 70/105000 – **280 cam** ☕ 420/510000, 2 suites.

a Quarto dei Mille *per ② o ③ : 7 km* GH – ✉ *16148 Genova* :

🏠 **Iris** senza rist, via Rossetti 3/5 ✆ 010 3760703, *hoteliris@melink.it, Fax 010 3773914* – |♦| ▤ 📺 🅿. AE 💲 ⓓ ⓜⓒ VISA JCB – **20 cam** ☕ 140/195000.
G e

XXX **Antica Osteria del Bai,** via Quarto 12 ✆ 010 387478, *bai@publinet.it, Fax 010 392684*, ≤, prenotare – ⚹ ▤. AE 💲 ⓓ ⓜⓒ VISA. ✈ H d
✿ *chiuso dal 10 al 20 gennaio, dal 1º al 20 agosto e lunedì* – **Pasto** 65/110000 e carta 70/110000
Spec. Composizione di triglie brasate con pomodoro fresco e olive taggiasche. Maccheroncini al torchio con fonduta di cipolle e gamberetti. Gamberoni di Santa Margherita con riso Basmati al profumo di peperone e salsa al basilico.

XX **7 Nasi,** via Quarto 16 ✆ 010 3731344, *Fax 010 3731342*, ⛱, Rist. a mare con ≤, 🏊, 🏖 – 🅿. AE 💲 ⓓ ⓜⓒ VISA – *chiuso novembre e martedì* – **Pasto** carta 60/85000. H f

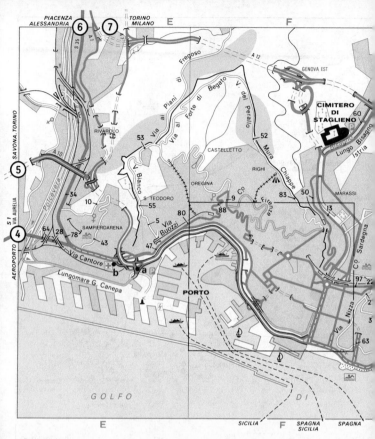

Albaro (Via)	F 3	Caprera (Via)	G 18	Gianelli (Via A.)	H 41
Angeli (Salita degli)	E 5	Casoni (Via)	F 22	Martinetti	
Barrili (Via)	G 6	Dassori (Via F.)	F 27	(Corso L. A.)	E 43
Bassi (Corso U.)	F 9	Degola (Via)	E 28	Milano (Via)	E 47
Belvedere (Corso)	E 10	Fereggiano (Via)	F 32	Mille (Via dei)	G 48
Bobbio (Via)	F 13	Fillak (Via W.)	E 34	Monaco Simone (Via)	G 49
Boselli (Via)	G 14	Fontanarossa (Via S.)	G 35	Montaldo (Via L.)	F 50

XX **Antica Osteria della Castagna**, via Romana della Castagna 20 r ℰ 010 3990265, Fax 010 3733507 – 🛎 25. 🖭 🕃 ⓞ ⓒⓞ 𝗩𝗜𝗦𝗔 𝗝𝗖𝗕. ⅏   H b chiuso dal 26 febbraio al 4 marzo, dal 7 al 31 agosto, domenica sera e lunedì – **Pasto** specialità di mare carta 75/90000.

a **Cornigliano Ligure** per ④ : 7 km – ⊠ 16152 Genova :

X **Da Marino**, via Rolla 36 r ℰ 010 6518891, Rist. d'habituès, solo su prenotazione la sera – 🖭 🕃 ⓞ 𝗩𝗜𝗦𝗔 – chiuso agosto, sabato e domenica – **Pasto** carta 60/85000.

a **San Desiderio** Nord-Est : 8 km per via Timavo H – ⊠ 16133 Genova :

XX **Bruxaboschi**, via Francesco Mignone 8 ℰ 010 3450302, bruxaboschi@libero.it, Fax 010 3451429, prenotare, « Servizio estivo in terrazza » – 🖭 🕃 ⓞ ⓒⓞ 𝗩𝗜𝗦𝗔   H a chiuso dal 24 dicembre al 5 gennaio, agosto, domenica sera e lunedì – **Pasto** carta 50/80000.

a **Sestri Ponente** per ④ : 10 km – ⊠ 16154 Genova :

XX **Baldin**, piazza Tazzoli 20 r ℰ 010 6531400, ristorante.baldin@it, Fax 010 6504818 – 🍽. 🖭 🕃 ⓞ ⓒⓞ 𝗩𝗜𝗦𝗔. ⅏ chiuso dal 1º al 6 gennaio, dal 6 al 21 agosto, domenica e lunedì sera – **Pasto** 50/70000 e carta 55/90000.

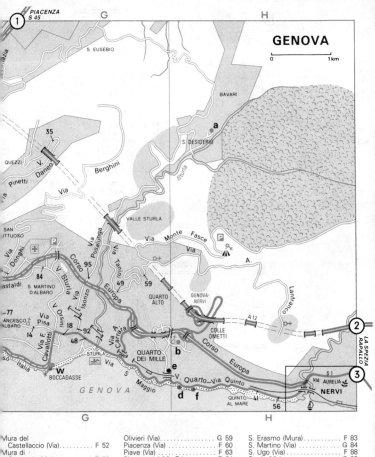

Mura del	Olivieri (Via) . . . . G 59	S. Erasmo (Mura) . . . . F 83
Castellaccio (Via) . . . . F 52	Piacenza (Via) . . . . F 60	S. Martino (Via) . . . . G 84
Mura di	Piave (Via) . . . . F 63	S. Ugo (Via) . . . . F 88
Granorolo (Via) . . . . E 53	Pieragostini (Via R.) . . . . G 64	Sturla (Via) . . . . G 92
Mura di	Ricci (Via) . . . . G 77	Timavo (Via) . . . . G 95
Porta Murata (Via delle) . . E 55	Rolando (Via C.) . . . . E 78	Tolemaide (Via) . . . . F 97
Murcarolo (Via) . . . . H 56	S. Benedetto (Via) . . . . EF 80	Torti (Via G.) . . . . G 98

XX **Toe Drüe,** via Corsi 44 r ℘ 010 6500100, *Fax 010 6500100,* prenotare – ▤. 𝔸𝔼 🖸 ⓞ ⓜⓞ
 VISA. ⅏
 chiuso dal 5 al 25 agosto, sabato a mezzogiorno e domenica – **Pasto** carta 45/85000.

a **Pegli** per ④ : 13 km – ⊠ 16155 Genova :

 🏯 **Torre Cambiaso** ⏚ , via Scarpanto 49 ⊠ 16157 Genova ℘ 010 665055, *info@torrecamb*
 iaso.com, Fax 010 6973022, ≤, « Antica villa e convento in posizione dominante; parco con
 🏊 » – ▤ 📺 🅿 – 🔏 140. 𝔸𝔼 🖸 ⓞ ⓜⓞ *VISA.* ⅏
 Pasto 80000 – **46 cam** ⊇ 190/250000, 6 suites – ½ P 210000.

a **Voltri** per ④ : 18 km – ⊠ 16158 Genova :

 🏨 **Sirenella,** via Don Giovanni Verità 4 r ℘ 010 6132760 e rist ℘ 010 6136406, *reception@si*
 renella.it, Fax 010 6132776, ≤, 🔥 – ⧉ ▤ 📺 🅿 – 🔏 45. 𝔸𝔼 🖸 ⓞ ⓜⓞ *VISA.* ⅏
 Pasto *(chiuso mercoledi)* carta 65/130000 (12%) – ⊇ 20000 – **21 cam** 150/200000, 2 suites.

 X **Ostaia da ü Santü,** via al Santuario delle Grazie 33 (Nord : 1,5 km) ℘ 010 6130477, ≤,
 ⊛ « Servizio estivo sotto un pergolato » – 🅿. 🖸 ⓜⓞ *VISA.* ⅏
 chiuso Natale, gennaio, dal 16 al 26 settembre, domenica sera, lunedi martedi e le sere di
 mercoledi e giovedi – Pasto carta 35/40000.

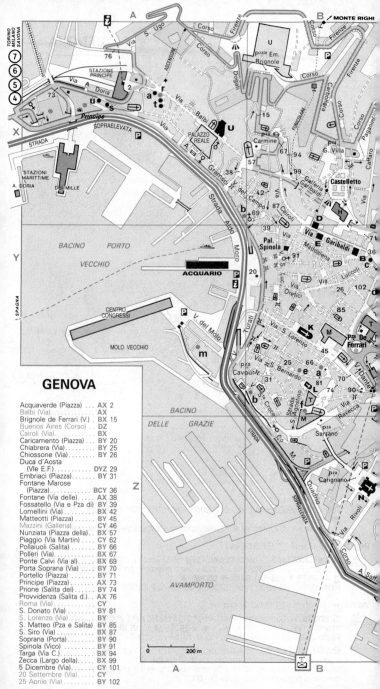

GENOVA

Acquaverde (Piazza) ... AX 2
Balbi (Via)............ AX
Brignole de Ferrari (V.) . BX 15
Buenos Aires (Corso) ... DZ
Cairoli (Via)............ BX
Caricamento (Piazza) ... BY 20
Chiabrera (Via)........ BY 25
Chiossone (Via)........ BY 26
Duca d'Aosta
   (Vle E.F.) .... DYZ 29
Embriaci (Piazza)....... BY 31
Fontane Marose
   (Piazza)............ BCY 36
Fontane (Via delle).... AX 38
Fossatello (Via e Pza di) BY 39
Lomellini (Via) .... BX 42
Matteotti (Piazza) ..... BY 45
Mazzini (Galleria) ..... CY 46
Nunziata (Piazza della). BX 57
Piaggio (Via Martin) ... CY 62
Pollaiuoli (Salita) ..... BY 66
Polleri (Via)........... BX 67
Ponte Calvi (Via al).... BY 69
Porta Soprana (Via) .... BY 70
Portello (Piazza) ...... BY 71
Principe (Piazza) ...... AX 73
Prione (Salita del)..... BY 74
Provvidenza (Salita d.).. AX 76
Roma (Via)............ CY
S. Donato (Via) .... BY 81
S. Lorenzo (Via)....... BY
S. Matteo (Pza e Salita) BY 85
S. Siro (Via) .... BX 87
Soprana (Porta) .... BY 90
Spinola (Vico) .... BY 91
Targa (Via C.)......... BY 94
Zecca (Largo della).... BX 99
5 Dicembre (Via)....... CY 101
20 Settembre (Via).... CY
25 Aprile (Via)........ BY 102

338

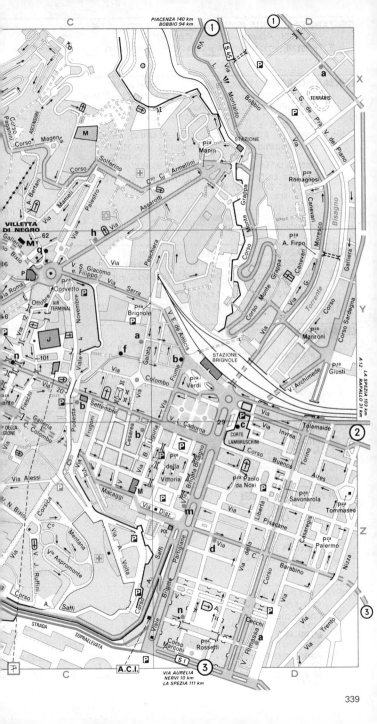

GENZANO DI LUCANIA 85013 Potenza **431** E 30 – 6 175 ab. alt. 588.

Roma 383 – Potenza 56 – Bari 98 – Foggia 101.

🏨 **Kristall**, piazza Municipio 8 ℰ 0971 775955, Fax 0971 774643 – 🗏 rist, 📺 🅿. 🛠 cam
😘 **Pasto** carta 25/45000 – 🖭 3000 – **16 cam** 40/65000 – ½ P 55000.

GENZANO DI ROMA 00045 Roma **430** Q 20 – 22 359 ab. alt. 435.

Roma 28 – Anzio 33 – Castel Gandolfo 7 – Frosinone 71 – Latina 39.

🏩 **Gd H. Primus** 🅼, via Giuseppe Pellegrino 12 ℰ 06 9364932, ghprimus@tiscalinet.
Fax 06 9364231, « 🏊 e solarium su terrazza panoramica » – 📳, 쓪 cam, 🗏 📺 🚗 🅿.
🔬 300. 🖭 🛐 ⓞ 🐠 𝓥𝓘𝓢𝓐. 🛠
Pasto al Rist. **Il Galeone** carta 50/70000 – **92 cam** 🖭 150/180000 – ½ P 125000.

🏨 **Villa Robinia**, viale Fratelli Rosselli 19 ℰ 06 9364400, hotelvillarobinia@4h.cor
😘 Fax 06 9396409, 😤, 🌼 – 📳 📺 🅿 – 🔬 50. 🖭 🛐 ⓞ 🐠 𝓥𝓘𝓢𝓐. 🛠
Pasto carta 35/60000 – 🖭 10000 – **31 cam** 80/100000 – ½ P 80000.

🕱🕱 **Enoteca La Grotta**, via Belardi 31 ℰ 06 9364224, Fax 06 9364224, 😤, Rist. enotec
prenotare – 🖭 🛐 ⓞ 🐠 𝓥𝓘𝓢𝓐. 🛠
chiuso mercoledì – **Pasto** carta 50/75000.

🕱 **Osteria dell'Infiorata**, via Belardi 55 ℰ 06 9399933, Fax 06 9363715, 😤, Rist. e pizze
😘 ria – 🗏 – 🔬 100. 🖭 🛐 ⓞ 🐠 𝓥𝓘𝓢𝓐
chiuso giovedì – **Pasto** carta 35/55000.

GERENZANO 21040 Varese **428** F 9, **219** ⑱ – 8 885 ab. alt. 225.

Roma 603 – Milano 26 – Como 24 – Lugano 53 – Varese 27.

🏨 **Concorde** senza rist, via Clerici 97/A ℰ 02 9682317, Fax 02 9681002 – 📳 🗏 📺 🚗 🅿.
🔬 100. 🖭 🛐 ⓞ 🐠 𝓥𝓘𝓢𝓐 𝓙𝓒𝓑
chiuso dal 5 al 20 agosto – **44 cam** 🖭 170/220000.

🕱🕱 La Croce d'Oro, via Clerici 97 ℰ 02 9689550, Fax 02 96481455, 😤 – 🅿.

GERMAGNANO 10070 Torino **428** G 4 – 1 308 ab. alt. 485.

Roma 689 – Torino 29 – Aosta 132 – Ivrea 68 – Vercelli 95.

🕱🕱 **La Locanda dell'Alambicco**, strada Viu 18, località Pian Bausano Ovest : 3 kr
ℰ 0123 27765, alambicco@ddreams.it, Fax 0123 27765, solo su prenotazione – 🗏 🅿. 🛐 ⓞ
🐠 𝓥𝓘𝓢𝓐
chiuso dal 10 gennaio al 10 febbraio, dal 5 al 12 settembre, lunedì e martedì – **Pasto**
20/30000 (a mezzogiorno) e 55/65000 (alla sera).

GEROLA ALTA 23010 Sondrio **428** D 10 – 261 ab. alt. 1 050.

Roma 689 – Sondrio 39 – Lecco 71 – Lugano 85 – Milano 127 – Passo dello Spluga 80.

🏨 **Pineta** ⌘, località di Fenile Sud-Est : 3 km alt. 1 350 ℰ 0342 690050, albergopineta@tin.i
Fax 0342 690500, ≤, 🌼 – 🅿. 🛐 𝓥𝓘𝓢𝓐. 🛠
chiuso novembre – **Pasto** (chiuso martedì escluso da giugno ad agosto) carta 40/65000 – 🖭
15000 – **20 cam** 50/70000 – ½ P 70000.

GHEDI 25016 Brescia **428**, **429** F 12 – 15 302 ab. alt. 85.

Roma 525 – Brescia 21 – Mantova 56 – Milano 118 – Verona 65.

🕱🕱 **Antico Castello**, via Trento 19 ℰ 030 9032542, Fax 030 9032542, prenotare – 🗏. 🛐 ⓞ
🐠 𝓥𝓘𝓢𝓐. 🛠
chiuso martedì – **Pasto** carta 45/75000.

🕱🕱 **Trattoria Santi**, via Calvisano 15 (Sud-Est : 4 km) ℰ 030 901345, Fax 030 901345, 😤, 🚗
😘 – 🅿 – 🔬 70. 🖭 🛐 ⓞ 𝓥𝓘𝓢𝓐. 🛠
chiuso gennaio, martedì sera e mercoledì – **Pasto** specialità alla brace carta 30/45000.

GHIFFA 28823 Verbania **428** E 7, **219** ⑦ – 2 399 ab. alt. 202.

Roma 679 – Stresa 22 – Locarno 37 – Milano 102 – Novara 78 – Torino 153.

🏨 **Ghiffa**, corso Belvedere 88 ℰ 0323 59285, info@hotelghiffa.com, Fax 0323 59585, ≤ lago
e monti, 😤, « Terrazza-giardino con 🏊 riscaldata », 🐜 – 📳 🗏 cam, 📺 ዿ 🅿. 🖭 🛐 ⓞ
🐠 𝓥𝓘𝓢𝓐. 🛠 rist
aprile-15 ottobre – **Pasto** 50000 – **39 cam** 🖭 220/280000 – ½ P 170000.

🏨 **Park Hotel Paradiso** ⌘, via Guglielmo Marconi 20 ℰ 0323 59548, Fax 0323 59878
😤, « Villa liberty con piccolo parco, ≤ lago e 🏊 riscaldata » – 🅿
20 marzo-ottobre – **Pasto** (solo per alloggiati) 50000 – 🖭 20000 – **16 cam** 125/190000 –
½ P 140000.

HIRLANDA *Grosseto – Vedere Massa Marittima.*

IANICO *25040 Brescia* 📖 *E 12 – 1 918 ab. alt. 281.*
   Roma 612 – Brescia 55 – Bergamo 55 – Bolzano 176 – Milano 102.

XX **Osteria di Bacco**, via Tadini 12 ℰ 0364 532976, *Fax 0364 532976*, Coperti limitati; pre-
🐘 notare – ☰. ዐፎ 🖪 ◑❹ 💳. ॐ
   chiuso dal 1° al 15 luglio e lunedì – **Pasto** *carta 35/45000.*

IARDINI NAXOS *Messina* 📖 *N 27 – Vedere Sicilia alla fine dell'elenco alfabetico.*

IAVENO *10094 Torino* 📖 *G 4 – 14 477 ab. alt. 506 – a.s. luglio-agosto.*
   Roma 698 – Torino 38 – Milano 169 – Susa 38.

XX **San Roch**, piazza San Rocco 5/6 ℰ 011 9376913, *Fax 011 9376913*, solo su prenotazione
   – ዐፎ 🖪 ◑❹ 💳 🄹🄲🄱. ॐ
   chiuso dal 22 al 30 agosto e lunedì – **Pasto** *40/80000 bc.*

X Valsangone, piazza Molines 45 ℰ 011 9376286, 😤.

GIGLIO (Isola del) *Grosseto* 📖 *O 14* G. Toscana *– 1 574 ab. alt. da 0 a 498 (Poggio della Pagana)
   – a.s. Pasqua e 15 giugno-15 settembre.*
   La limitazione d'accesso degli autoveicoli è regolata da norme legislative.

Giglio Porto 📖 *O 14 – ⊠ 58013.*
   🚢 *per Porto Santo Stefano giornalieri (1 h) – Toremar-agenzia Cavero, al porto* ℰ 0564
   809349, Fax 0564 809349.

🏨 **Demo's** 🏖, via Thaon De Revel ℰ 0564 809235, *Fax 0564 809319*, ≼, 😤, 🐾 – 🕃 ☰ 📺.
   ዐፎ 🖪 ◑❹ 💳
   aprile-ottobre – **Pasto** *carta 45/75000 –* **29 cam** ⊇ 115/230000 – ½ P 155000.

🏨 **Castello Monticello**, bivio per Arenella Nord : 1 km ℰ 0564 809252, *Fax 0564 809473*,
   ≼, 🐎, ☞ – ☰ cam, 📺 🄿. 🖪 ◑ ❹ 💳. ॐ rist
   aprile-settembre – **Pasto** (solo per alloggiati) – **29 cam** ⊇ 120/240000 – ½ P 160000.

🏨 **Arenella** 🏖, Nord-Ovest : 2,5 km ℰ 0564 809340, *Fax 0564 809443*, ≼ mare e costa, 🐎
   – 📺 🄿. ❹ 💳. ॐ
   aprile-ottobre – **Pasto** *carta 45/65000 –* **26 cam** ⊇ 110/220000 – ½ P 150000.

🏨 **Saraceno** 🏖, via del Saraceno 69 ℰ 0564 809006, *h.saraceno@tiscalinet.it*,
   Fax 0564 809007, ≼ mare e costa – ☰ 📺 🄿. 🖪 ◑ ❹ 💳. ॐ rist
   Pasqua-ottobre – **Pasto** (solo per alloggiati) – **44 cam** ⊇ 125/200000 – ½ P 135000.

🏨 **Bahamas** 🏖 senza rist, via Cardinale Oreglia 22 ℰ 0564 809254, *hotelb@tiscalinet.it*,
   Fax 0564 809254, ≼ – 📺 🄿. ዐፎ 🖪 ◑ ❹ 💳. ॐ
   chiuso dal 20 al 26 dicembre – **28 cam** ⊇ 80/150000.

X **La Vecchia Pergola**, via Thaon de Revel 31 ℰ 0564 809080, *Fax 0564 809080*, ≼, « Ser-
   vizio estivo sotto un pergolato » – 🖪 ◑❹ 💳
   marzo-ottobre; chiuso martedì – **Pasto** *carta 45/70000.*

a Giglio Castello *Nord-Ovest : 6 km – ⊠ 58012 Giglio Isola :*
   X **Da Maria**, via della Casa Matta ℰ 0564 806062, *Fax 0564 806105* – ዐፎ 🖪 ◑ ❹ 💳 🄹🄲🄱
   chiuso gennaio, febbraio e lunedì – **Pasto** *specialità di mare carta 50/75000.*

   X **Da Santi**, via Marconi 20 ℰ 0564 806188, *Fax 0564 806216*, Coperti limitati; prenotare –
   ዐፎ 🖪 ◑ ❹ 💳. ॐ
   chiuso febbraio e lunedì (escluso dal 15 giugno al 15 settembre) – **Pasto** *carta 50/80000.*

a Campese *Nord-Ovest : 8,5 km – ⊠ 58012 Giglio Isola :*
   🏨 **Campese** 🏖, ℰ 0564 804003, *Fax 0564 804093*, ≼, « Sulla spiaggia », 🐾 – ☰ 📺 🄿. 🖪
   💳. ॐ rist
   Pasqua-settembre – **Pasto** *carta 45/70000 –* **39 cam** ⊇ 110/195000 – ½ P 150000.

GIGNOD *11010 Aosta* 📖 *E 3 – 1 274 ab. alt. 994.*
   🏌 *Aosta Arsanières (aprile-novembre; chiuso mercoledì escluso agosto) località Arsanières
   ⊠ 11010 Gignod* ℰ 0165 56020, Fax 0165 56020.
   Roma 753 – Aosta 7 – Colle del Gran San Bernardo 25.

XX **La Clusaz** con cam, località La Clusaz Nord-Ovest : 4,5 km ℰ 0165 56075, *Fax 0165 56426*,
   🍂 solo su prenotazione, « In un antico ostello di fondazione medievale » – 📺 🄿. ዐፎ 🖪 ◑ ❹
   💳. ॐ rist
   chiuso dal 21 maggio al 22 giugno e dal 29 ottobre a novembre – **Pasto** (chiuso martedì e a
   mezzogiorno escluso sabato, i giorni festivi ed agosto) cucina tipica valdostana 40/70000 –
   ⊇ 10000 – **14 cam** 100/180000 – ½ P 130000.

GIOIA DEI MARSI 67055 L'Aquila⁴³⁰ Q 23 – 2 297 ab. alt. 735.

Roma 137 – Frosinone 93 – Isernia 90 – L'Aquila 83 – Pescara 102.

Filippone, via Duca degli Abruzzi ℘ 0863 88111, *filippone@filippone.it*, Fax 0863 88984
🏊, 🚗 – 📳 ≡ 📺 ℅ & 🅿 – 🔏 150. 🆎 ⑤ ⑩ ⑯ 💳. ⅍ cam
Pasto carta 30/45000 – **48 cam** ⊇ 120/180000 – ½ P 95000.

GIOIA DEL COLLE 70023 Bari⁴³¹ E 32 – 27 355 ab. alt. 358.

Roma 443 – Bari 39 – Brindisi 107 – Taranto 35.

Villa Duse, strada statale 100 km 39 ℘ 080 3481212, *villadus@tin.it*, Fax 080 3482112 –
≡ 📺 🅿 – 🔏 60. 🆎 ⑤ ⑩ ⑯ 💳. ⅍ rist
Pasto (chiuso dal 1° al 20 agosto) 40/80000 – **32 cam** ⊇ 145/195000 – ½ P 140000.

Svevo, via per Santeramo 319 ℘ 080 3482739, *hotelsvevo@joynet.it*, Fax 080 3482797
📳 ≡ 📺 🚗 🅿 – 🔏 150. 🆎 ⑤ ⑩ ⑯ 💳. ⅍
Pasto carta 45/65000 – **79 cam** ⊇ 155/195000, 2 suites – ½ P 135000.

Federico II, via Gioberti 35 ℘ 080 3430879 – ≡. ⅍
chiuso martedì – **Pasto** carta 30/45000.

Ciacco, corso Garibaldi 1 ℘ 080 3430450, 😊 – ≡. 🆎 ⑤ ⑩ ⑯ 💳. ⅍
chiuso dal 7 al 12 gennaio e dal 24 al 31 agosto – **Pasto** carta 25/30000.

GIOIA TAURO 89013 Reggio di Calabria⁴³¹ L 29 – 18 471 ab. alt. 23.

Roma 610 – Reggio di Calabria 57 – Catanzaro 107 – Cosenza 136.

Il Buco, via Lottizzazione Filicuso ℘ 0966 51512, Fax 0966 51281 – ≡. 🆎 ⑤ ⑩ ⑯ 💳
🄹🄲🄱
chiuso dal 1° al 15 settembre – **Pasto** specialità di mare carta 45/85000.

GIOVI Arezzo⁴³⁰ L 17 – Vedere Arezzo.

GIOVINAZZO 70054 Bari⁴³¹ D 32 G. Italia – 20 932 ab..

Dintorni Cattedrale* di Bitonto Sud : 9 km.

Roma 432 – Bari 21 – Barletta 37 – Foggia 115 – Matera 62 – Taranto 106.

La Luna nel Pozzo-Il Gastrò, via G. Sasso 6 (trasferimento previsto in via Lecce 20
℘ 080 3946554, Coperti limitati; prenotare – ≡. ⑤ ⑩ ⑯ 💳. ⅍
chiuso lunedì – **Pasto** carta 60/85000.

sulla strada statale 16 Sud-Est : 3 km :

Gd H. Riva del Sole ≫, strada statale 16 km. 787 ⊠ 70054 ℘ 080 3943166, *rivadelsol*
@dada.it, Fax 080 3943260, 😊, 🏊, 🏖, 🚗, ℅ – 📳 ≡ 📺 🅿 – 🔏 200. 🆎 ⑤ ⑩ ⑯ 💳. ⅍
Pasto carta 45/75000 – **90 cam** ⊇ 220/270000 – ½ P 170000.

GIULIANOVA LIDO 64022 Teramo⁴³⁰ N 23 – 21 865 ab. – a.s. luglio-agosto.

🄱 via Mamiani 2 ℘ 085 8003013, Fax 085 8003013.

Roma 209 – Ascoli Piceno 50 – Pescara 47 – Ancona 113 – L'Aquila 100 – Teramo 27.

Gd H. Don Juan, lungomare Zara 97 ℘ 085 8008341, *donjuan@ixpress.it*
Fax 085 8004805, ≤, 🏊, 🏖, 🚗, ℅ – 📳 ≡ 📺 & 🅿 – 🔏 250. 🆎 ⑤ ⑩ ⑯ 💳. ⅍ rist
15 maggio-24 settembre – **Pasto** 45/50000 – **148 cam** ⊇ 250/375000 – ½ P 200000.

Cristallo 🅼, lungomare Zara 73 ℘ 085 8003780, Fax 085 8005953, ≤, 🏖 – 📳 ≡ 📺 ℅ &
– 🔏 60. 🆎 ⑤ ⑩ ⑯ 💳. ⅍
Pasto (chiuso dal 21 dicembre al 2 gennaio) carta 40/85000 – **55 cam** ⊇ 150/250000
2 suites – ½ P 170000.

Promenade, lungomare Zara 119 ℘ 085 8003338, *info@hotelpromenade.com*
Fax 085 8005983, ≤, « Giardino-pineta con 🏊 », 🏖 – 📳 ≡ 📺 & 🅿. ⑤ ⑯ 💳. ⅍ rist
15 maggio-settembre – **Pasto** 40000 – ⊇ 15000 – **70 cam** 130/160000, ≡ 10000 –
½ P 130000.

Europa, lungomare Zara 57 ℘ 085 8003600, *info@htleuropa.it*, Fax 085 8000091, ≤, 🏖
– 📳 ≡ 📺 & – 🔏 100. 🆎 ⑤ ⑩ 💳. ⅍ rist
Pasto carta 40/80000 – **76 cam** ⊇ 90/140000 – ½ P 140000.

Ritz, via Quinto 3 ℘ 085 8008470, Fax 085 8004748, ≤, 🏖 – 📳 ≡ 📺 🅿
stagionale – **50 cam.**

Baltic, lungomare Zara ℘ 085 8008241, *baltic@libero.it*, Fax 085 8008241, « Giardino-pi-
neta con piscina », 🏖 – 📳 ≡ 📺 🅿 🆎 ⑤ ⑩ ⑯ 💳. ⅍ rist
20 maggio-settembre – **Pasto** 25/35000 – **45 cam** ⊇ 90/160000 – ½ P 160000.

🏠 **Fabiola,** lungomare Zara (ang. via Nervi) ℰ 085 8008908, *fabiola@dvialca.com,*
Fax 085 8000001, « Giardino-pineta », 🖼 – 📶, 🍴 rist, 📺 ﻉ 🅿 🕄 ⑩ ⓴ 🚾. ﻬ
10 aprile-20 ottobre – **Pasto** 30/45000 – ☑ 8000 – **48 cam** 100/120000 – ½ P 115000.

XXX **Da Beccaceci,** via Zola 18 ℰ 085 8003550, Fax 085 8007073 – 🍴. 🆎 🕄 ⑩ ⓴ 🚾. ﻬ
*chiuso dal 30 dicembre al 12 gennaio, lunedì e martedì a mezzogiorno in luglio-agosto,
domenica sera e lunedì negli altri mesi* – **Pasto** specialità di mare carta 70/110000.

XX **L'Ancora,** via Turati 142, angolo via Cermignani ℰ 085 8005321, Fax 085 8001715 – 🍴 🅿.
🖼 🆎 🕄 ⑩ ⓴ 🚾. ﻬ
chiuso dal 16 agosto al 7 settembre e domenica (escluso da giugno a settembre) – **Pasto**
specialità di mare carta 35/80000.

XX **Lucia** con cam, via Lampedusa 12 ℰ 085 8005807, Fax 085 8005807 – 📶 🍴 📺 ﻉ. 🆎 🕄 ⑩
🖼 ⓴ 🚾. ﻬ
chiuso novembre – **Pasto** *(chiuso lunedì escluso da giugno a settembre)* specialità di mare
carta 35/70000 – **26 cam** ☑ 60/110000 – ½ P 95000.

X **Martin Pescatore,** via La Spezia 5 ℰ 085 8003782, Fax 085 8003782, 🍧 – 🍴. 🆎 🕄 ⑩
🖼 ⓴ 🚾. ﻬ
chiuso dal 16 al 24 gennaio, dal 1° al 20 settembre e lunedì – **Pasto** specialità di mare carta
45/60000.

GIUSTINO Trento 429 D 14 – Vedere Pinzolo.

GIZZERIA LIDO 88040 Catanzaro 431 K 30 – 3 648 ab..
Roma 576 – *Cosenza 60* – Catanzaro 39 – Lamezia Terme (Nicastro) 13 – Paola 57 – Reggio di
Calabria 132.

sulla strada statale 18 :
XX **Pesce Fresco,** via Nazionale (Nord-Ovest : 2 km) ⊠ 88040 ℰ 0968 466200,
Fax 0968 466383 – 🍴 📺 🅿. 🆎 🕄 ⑩ ⓴ 🚾 🅾🅱
chiuso domenica sera – **Pasto** carta 45/65000.

| I prezzi | Per ogni chiarimento sui prezzi riportati in guida, consultate le pagine dell'introduzione. |

GLORENZA (GLURNS) 39020 Bolzano 428 , 429 C 13, 218 ⑧ – 872 ab. alt. 920.
🔋 Palazzo Comunale ℰ 0473 831097, Fax 0473 831097.
Roma 720 – *Sondrio 119* – Bolzano 83 – Milano 260 – Passo di Resia 24.

🏠 **Posta,** via Flora 15 ℰ 0473 831208, Fax 0473 830432, 🕿 – 📶 ﻉ 🅿 🆎 🕄 ⓴ 🚾
chiuso dal 7 gennaio al 20 marzo – **Pasto** carta 40/55000 – **30 cam** ☑ 70/120000 –
½ P 90000.

GLURNS = Glorenza.

GODIA Udine – Vedere Udine.

GOITO 46044 Mantova 428 , 429 G 14 – 9 404 ab. alt. 30.
Roma 487 – *Verona 38* – Brescia 50 – Mantova 16 – Milano 141.
XXX **Al Bersagliere,** via Statale Goitese 260 ℰ 0376 60007, Fax 0376 688363, 🍧, 🍴 – 🍴 🅿.
🏵 🆎 🕄 ⑩ ⓴ 🚾
*chiuso 24-25 dicembre, dal 6 al 29 agosto, lunedì e martedì a mezzogiorno; in gennaio e
febbraio anche martedì sera* – **Pasto** 170000 e carta 115/170000
Spec. Ostriche avvolte nel lardo dorato con insalata valeriana. Minestra di melone e basilico
con prosciutto crudo. Petto di faraona con insalata di mele, sedano, uvetta e mandorle.

GOLFO ARANCI Sassari 433 E 10 – Vedere Sardegna alla fine dell'elenco alfabetico.

GORGO AL MONTICANO 31040 Treviso 429 E 19 – 3 959 ab. alt. 11.
Roma 574 – *Venezia 60* – Treviso 32 – Trieste 116 – Udine 85.
🏨 **Villa Revedin** ﻬ, via Palazzi 4 ℰ 0422 800033, *info@villarevedin.it,* Fax 0422 800272,
🍧, « Villa veneta del 17° secolo in un parco » – 📶 🍴 📺 🅿 – 🔏 200. 🆎 🕄 ⑩ ⓴ 🚾. ﻬ
Pasto (solo piatti di pesce; *chiuso dal 2 al 14 gennaio, dal 2 al 24 agosto, domenica sera e
lunedì*) carta 60/80000 – ☑ 14000 – **32 cam** 130/185000 – ½ P 160000.

GORINO VENETO Rovigo 429 H 19 – ⊠ 45012 Ariano nel Polesine.
Roma 436 – Ravenna 82 – Ferrara 78 – Rovigo 62 – Venezia 97.

XX **Stella del Mare**, via Po 36 ℰ 0426 88195, stelladelmare@deltapocard.i.
Fax 0426 388323 – 🗏 🎹 🗜 🕦 🚳 VISA. ⋘
chiuso dal 1° al 15 novembre, lunedì e martedì a mezzogiorno, in luglio chiuso a mezzo
giorno (escluso sabato-domenica) – **Pasto** carta 50/105000.

GORIZIA 34170 🄿 429 E 22 – 37 190 ab. alt. 86.
⫘ di Ronchi dei Legionari Sud-Ovest : 25 km ℰ 0481 773241, Fax 0481 474150.
🖪 via Diaz 5 ℰ 0481 386225, Fax 0481 386277.
A.C.I. via Trieste 171 ℰ 0481 522061.
Roma 649 – Udine 35 – Ljubljana 113 – Milano 388 – Trieste 45 – Venezia 138.

X **Trattoria da Majda**, via Duca D'Aosta 71/73 ℰ 0481 30871, Fax 0481 530906, 🍽 – 🄰
⏋ 🚳 VISA
chiuso dal 13 al 27 agosto, sabato a mezzogiorno e domenica – **Pasto** carta 30/50000.

GOSSOLENGO 29020 Piacenza 428 G 10 – 3 658 ab. alt. 90.
Roma 525 – Piacenza 8 – Alessandria 102 – Genova 134 – Milano 85.

XX **La Rossia**, via Rossia 17 (Sud-Ovest : 1,5 km) ℰ 0523 778843, 🍽 – 🄿. ⋘
chiuso agosto, martedì, mercoledì a mezzogiorno (escluso domenica) – **Pasto** carta
45/70000.

Se cercate un albergo tranquillo,
oltre a consultare le carte dell'introduzione,
individuate nell'elenco degli esercizi quelli con il simbolo ॐ o ॐ.

GOZZANO Novara 428 E 7 – alt. 359.
Dintorni Santuario della Madonna del Sasso★★ Nord-Ovest : 12,5 km.
Roma 653 – Stresa 32 – Domodossola 53 – Milano 76 – Novara 38 – Torino 112 – Varese 44.

GRADARA 61012 Pesaro e Urbino 429, 430 K 20 G. Italia – 3 211 ab. alt. 142.
Vedere Rocca★.
Roma 315 – Rimini 28 – Ancona 89 – Forlì 76 – Pesaro 15 – Urbino 44.

🏨 **Villa Matarazzo** ॐ, via Farneto 1 ℰ 0541 964645, villamatarazzo@teamsystem.com,
Fax 0541 823056, « Terrazze con ≤ panoramica mare e costa », 🏊, 🔟 – 🗏 🗏 🎹 📞 🄿 –
🛦 120. 🄰🄴 🗜 🕦 VISA. ⋘ cam
Pasto al Rist. **Il Farneto** carta 60/90000 – **15 cam** ⊇ 200/250000, 2 suites.

XX **La Botte**, piazza 5 Novembre 11 ℰ 0541 964404, Fax 0541 964404, solo su prenotazione
a mezzogiorno, « Caratteristico ambiente medioevale; servizio estivo in giardino » – 🄰🄴 🗜
🕦 🚳 VISA JCB.
chiuso dal 7 al 25 novembre e mercoledì (escluso da giugno ad agosto) – **Pasto** 50000 e
carta 50/80000.

GRADISCA D'ISONZO 34072 Gorizia 429 E 22 – 6 747 ab. alt. 32 – a.s. agosto-settembre.
Roma 639 – Udine 33 – Gorizia 12 – Milano 378 – Trieste 42 – Venezia 128.

🏨 **Franz** 🅼 senza rist, viale Trieste 45 ℰ 0481 99211, info@hotelfranz.it, Fax 0481 960510 –
🖃🗏 🎹 📞 🕭 🄿 – 🛦 95. 🄰🄴 🗜 🕦 🚳 VISA
⊇ 18000 – **49 cam** 150/190000, suite.

🏨 **Al Ponte**, viale Trieste 124 (Sud-Ovest : 2 km) ℰ 0481 961116, Fax 0481 93795, 🍻 – 🗏,
⋙ cam, 🗏 🎹 🕭 🄿 – 🛦 50. 🄰🄴 🗜 🕦 🚳 VISA JCB. ⋘
chiuso dal 22 al 28 dicembre – **Pasto** vedere rist **Al Ponte** – ⊇ 17000 – **42 cam** 150/220000
– ½ P 150000.

XX **Al Ponte**, viale Trieste 122 (Sud-Ovest : 2 km) ℰ 0481 99213, Fax 0481 99213, « Servizio
estivo sotto un pergolato » – ⋙ 🗏 🄿. 🄰🄴 🗜 🕦 🚳 VISA JCB. ⋘
chiuso luglio, lunedì sera e martedì – **Pasto** carta 30/90000.

GRADISCUTTA Udine 429 E 20 – alt. 22 – ⊠ 33030 Varmo.
Roma 606 – Udine 37 – Milano 345 – Pordenone 35 – Trieste 88 – Venezia 95.

XX **Da Toni**, via Sentinis 1 ℰ 0432 778003, Fax 0432 778655, 🍽, « Giardino » – 🄿 – 🛦 80. 🄰🄴
🗜 🕦 🚳 VISA. ⋘
chiuso dal 25 luglio al 15 agosto e lunedì – **Pasto** carta 50/70000.

RADO *34073 Gorizia* **429** *E 22* *G. Italia* – *8 971 ab.* – *Stazione termale (giugno-settembre), a.s. luglio-agosto.*

Vedere *Quartiere antico* : postergale* nel Duomo.*

🏌 *località Rotta Primiero* ⊠ *34073 Grado* ℘ *0431 896896, Fax 0431 896897, Nord-Est : 5 km.*

�🛈 *viale Dante Alighieri 72* ℘ *0431 899220, Fax 0431 899278.*

Roma 646 – Udine 50 – Gorizia 43 – Milano 385 – Treviso 122 – Trieste 54 – Venezia 135.

🏨🏨🏨 **Gd H. Astoria**, largo San Grisogono 3 ℘ 0431 83550, Fax 0431 83355, Centro benessere, « Piscina riscaldata panoramica », 𝐼𝑠, 🏊, 🔲 – ☷ 🗐 📺 & 🚗 – 🏛 220. 🆎 🕄 ⓞ 🐠 𝘝𝘐𝘚𝘈. 🛇 rist
Capodanno e marzo-ottobre – **Pasto** al Rist. **Settimo Cielo** carta 50/80000 – **115 cam** ⊇ 170/280000, 5 suites – ½ P 195000.

🏨🏨 **Fonzari** Ⓜ senza rist, piazza Biagio Marin ℘ 0431 877753, Fax 0431 877746, « Terrazza con 🏊 » – ☷ 🗐 📺 & 🚗. 🆎 🕄 ⓞ 𝘝𝘐𝘚𝘈
aprile-ottobre – **60 suites** ⊇ 300/350000.

🏨🏨 **Metropole** senza rist, piazza San Marco 15 ℘ 0431 876207, hotelmet@tin.it, Fax 0431 876223 – ☷ 🗐 📺 ✓ &. 🆎 🕄 ⓞ 🐠 𝘝𝘐𝘚𝘈
chiuso dal 7 gennaio al 23 febbraio – **15 cam** ⊇ 160/220000, 4 suites.

🏨 **Hannover,** piazza 26 Maggio ℘ 0431 82264, hannover@wavenet.it, Fax 0431 82141, 𝐼𝑠, 🏊 – ☷ 🗐 📺 – 🏛 50. 🆎 🕄 ⓞ 🐠 𝘝𝘐𝘚𝘈. 🛇 rist
Pasto (solo per alloggiati) – **26 cam** ⊇ 250/280000.

🏨🏨 **Abbazia**, via Colombo 12 ℘ 0431 80038, info@hotel-abbazia.com, Fax 0431 81722, 🔲 – ☷ 🗐 📺 🚗. 🆎 🕄 ⓞ 🐠 𝘝𝘐𝘚𝘈. 🛇 rist
aprile-ottobre – **Pasto** 35/60000 – ⊇ 20000 – **51 cam** 170/280000 – ½ P 170000.

🏨🏨 **Diana**, via Verdi 1 ℘ 0431 82247, info@hoteldiana.it, Fax 0431 83330, 🏠 – ☷, 🗐 cam, 📺. 🆎 🕄 ⓞ 🐠 𝘝𝘐𝘚𝘈. 🛇 rist
marzo-11 novembre – **Pasto** carta 45/70000 – ⊇ 20000 – **63 cam** 160/260000 – ½ P 170000.

🏨🏨 **Eden**, via Marco Polo 2 ℘ 0431 80136, edengrado@adriacom.it, Fax 0431 82087, ≤ – ☷ 🗐 📺. 🆎 🕄 ⓞ 🐠 𝘝𝘐𝘚𝘈
Pasqua-ottobre – **Pasto** 35/50000 – ⊇ 15000 – **38 cam** 105/170000 – ½ P 125000.

🏨🏨 **Antares** senza rist, via delle Scuole 4 ℘ 0431 84961, Fax 0431 82385, 𝐼𝑠, 🏊 – ☷ 🗐 📺 🅿
chiuso dal 20 novembre al 10 febbraio – **19 cam** ⊇ 170/210000.

🏨🏨 **Park Spiaggia** senza rist, via Mazzini 1 ℘ 0431 82366, Fax 0431 85811 – ☷ 📺 &. 🕄 🐠 𝘝𝘐𝘚𝘈 𝙅𝘾𝘽
28 aprile-10 ottobre – ⊇ 15000 – **32 cam** 105/160000.

🏨 **Serena** senza rist, riva Sant'Andrea 31 ℘ 0431 80697, serenahotel@libero.it, Fax 0431 85199 – 📺 ✓. 🆎 🕄 ⓞ 🐠 𝘝𝘐𝘚𝘈. 🛇
24 marzo-4 novembre – **12 cam** ⊇ 130/180000.

🏨 **Villa Rosa** senza rist, via Carducci 12 ℘ 0431 81100, Fax 0431 83330 – 🗐 📺 🅿. 🆎 🕄 ⓞ 🐠 𝘝𝘐𝘚𝘈
marzo-11 novembre – ⊇ 20000 – **25 cam** 110/180000.

🏨 **Cristina**, viale Martiri della Libertà 11 ℘ 0431 80989, Fax 0431 85946, 🏠, 🌳 – 🅿. 🕄 𝘝𝘐𝘚𝘈. 🛇 rist
aprile-settembre – **Pasto** carta 40/65000 – ⊇ 10000 – **26 cam** 80/140000 – ½ P 95000.

🍴 **De Toni**, piazza Duca d'Aosta 37 ℘ 0431 80104, Fax 0431 877858, 🏠 – 🆎 🕄 ⓞ 🐠 𝘝𝘐𝘚𝘈. 🛇
chiuso gennaio e mercoledì (escluso luglio-agosto) – **Pasto** carta 50/85000.

🍴 **Al Canevon**, calle Corbatto 11 ℘ 0431 81662, Fax 0431 81662, 🏠 – 🗐. 🆎 🕄 ⓞ 🐠 𝘝𝘐𝘚𝘈
chiuso e mercoledì – **Pasto** carta 50/75000.

🍴 **Alla Buona Vite**, località Boscat N : 10 km ℘ 0431 88090, 0431 88305, « Servizio estivo sotto un pergolato e piccolo parco-giochi » – 🅿. 🆎 🕄 ⓞ 🐠 𝘝𝘐𝘚𝘈. 🛇
chiuso gennaio, febbraio e giovedì (escluso giugno-settembre) – **Pasto** carta 45/85000.

alla pineta *Est : 4 km :*

🏨 **Mar del Plata**, viale Andromeda 5 ℘ 0431 81081, Fax 0431 85400, « Giardino con 🏊 », 🏊 – ☷ 📺 🅿. 🆎 🕄 ⓞ 🐠 𝘝𝘐𝘚𝘈. 🛇 rist
15 maggio-settembre – **Pasto** 35/50000 – **35 cam** ⊇ 130/220000 – ½ P 125000.

GRADOLI *01010 Viterbo* **430** *O 17 – 1 519 ab. alt. 470.*
Roma 130 – Viterbo 42 – Siena 112.

🍴🍴 **La Ripetta** con cam, via Roma 38 ℘ 0761 456100, Fax 0761 456643, 🏠 – ☷ 📺 🅿. 🆎 🕄 ⓞ 🐠 𝘝𝘐𝘚𝘈 𝙅𝘾𝘽. 🛇
chiuso novembre – **Pasto** *(chiuso lunedì)* specialità di mare carta 45/70000 – **16 cam** ⊇ 80/140000 – ½ P 110000.

GRANCONA 36040 Vicenza 𝟜𝟚𝟡 F 16 – 1 726 ab. alt. 36.

Roma 553 – Padova 54 – Verona 42 – Vicenza 24.

a Pederiva Est : 1,5 km – ⊠ 36040 Grancona :

X **Isetta** con cam, via Pederiva 96 ℘ 0444 889521, Fax 0444 889992 – ▤ 📺 🄿. ☎ 🅢 ① ⑩ ⅦⅠⅩ. ⋘
chiuso luglio – Pasto (chiuso martedì sera e mercoledì) carta 50/75000 – ⚏ 20000
10 cam 60/80000.

sulla strata statale per San Vito Nord-Est : 3 km

XX **Vecchia Ostaria Toni Cuco,** via Arcisi 12 ⊠ 36040 ℘ 0444 889548, Fax 0444 88954⋯
🎇, Coperti limitati; prenotare – 🄿. ☎ 🅢 ⅦⅠⅩ. ⋘
chiuso dal 1° al 10 gennaio, agosto, lunedì sera e martedì – Pasto carta 50/90000.

GRANDATE 22070 Como 𝟜𝟚𝟠 E 9, 𝟚𝟙𝟡 ⑧ – 2 925 ab. alt. 342.

Roma 614 – Como 6 – Bergamo 65 – Lecco 35 – Milano 43.

X **Arcade,** strada statale dei Giovi 38 ℘ 031 450100, Fax 031 450100 – 🄿. ☎ 🅢 ① ⑩ ⅦⅠⅩ
⊛ chiuso agosto e domenica – Pasto 30000 e carta 40/60000.

GRAN SAN BERNARDO (Colle del) Aosta 𝟜𝟚𝟠 E 3, 𝟚𝟙𝟡 ② – alt. 2 469 – a.s. Pasqua, luglio
agosto e Natale.

Roma 778 – Aosta 41 – Genève 148 – Milano 216 – Torino 145 – Vercelli 151.

🏨 **Italia** ⊗, ⊠ 11010 Saint Rhémy ℘ 0165 780908, albergo.italia@valdata.com⋯
Fax 0165 780063, « Albergo alpino con caratteristici interni in legno » – 🄿. ☎ ⅦⅠⅩ. ⋘
giugno-25 settembre – Pasto carta 40/55000 – ⚏ 15000 – **14 cam** 60/110000
½ P 100000.

GRAPPA (Monte) Belluno, Treviso e Vicenza G. Italia – alt. 1 775.

Vedere Monte★★★.

GRAVINA IN PUGLIA 70024 Bari 𝟜𝟛𝟙 E 31 – 41 206 ab. alt. 350.

Roma 417 – Bari 58 – Altamura 12 – Matera 30 – Potenza 81.

X **Madonna della Stella,** via Madonna della Stella ℘ 080 3256383, Fax 080 3268147⋯
⊛ ⩽ città antica, 🎇, Rist. e pizzeria, « In una grotta naturale » – ▤ 🄿. ☎ 🅢 ① ⅦⅠⅩ. ⋘
chiuso martedì – Pasto carta 35/55000.

GRAZZANO BADOGLIO 14035 Asti 𝟜𝟚𝟠 G 6 – 665 ab. alt. 299.

Roma 616 – Alessandria 43 – Asti 25 – Milano 101 – Torino 68 – Vercelli 47.

XX **Il Giardinetto,** via Dante 16 ℘ 0141 925114, Fax 0141 925114, 🎇 – ▤ 🄿. ☎ 🅢 ① ⑩
ⅦⅠⅩ. ⋘
chiuso agosto e mercoledì – Pasto 50/65000 bc e carta 40/60000.

XX **Natalina-L'Albergotto** ⊗ con cam, viale Pininfarina 43, località Madonna dei Mont⋯
℘ 0141 925185, Fax 0141 925252, 🎇, Coperti limitati; prenotare – ▤ cam, 📺 🕭 🄿. ☎ 🅢
① ⑩ ⅦⅠⅩ. ⋘
chiuso gennaio – Pasto (chiuso giovedì e venerdì a mezzogiorno) 60/80000 – **9 cam**
⚏ 110/130000, 3 suites.

GRECCIO 02040 Rieti 𝟜𝟛𝟘 O 20 G. Italia – 1 445 ab. alt. 705.

Vedere Convento★.

Roma 94 – Terni 25 – Rieti 16.

X **Il Nido del Corvo,** via del Forno 15 ℘ 0746 753181, Fax 0746 753181, ⩽ monti e vallata,
🎇 – 🄿. ☎ 🅢 ① ⑩ ⅦⅠⅩ. ⋘
chiuso martedì – Pasto carta 45/60000.

GREMIASCO 15056 Alessandria – 385 ab. alt. 395.

Roma 563 – Alessandria 52 – Genova 70 – Piacenza 92.

X **Belvedere,** via Dusio 5 ℘ 0131 787159, 🎇, prenotare – ▤ 🄿. ☎ 🅢 ① ⑩ ⅦⅠⅩ. ⋘
⊛ chiuso dal 15 febbraio al 10 marzo e martedì – Pasto 55/60000 bc e carta 30/50000.

GRESSAN Aosta 𝟜𝟚𝟠 E 3, 𝟚𝟙𝟡 ② – Vedere Aosta.

GRESSONEY LA TRINITÉ

GRESSONEY LA TRINITÉ 11020 Aosta **428** E 5 – 274 ab. alt. 1 639 – a.s. 13 febbraio-13 marzo, luglio-agosto e Natale – Sport invernali : 1 637/2 861 m ≤ 3 ≤ 8 ≵.

🛈 Municipio ℰ 0125 366143, Fax 0125 366323.

Roma 733 – Aosta 86 – Ivrea 58 – Milano 171 – Torino 100.

🏨 **Jolanda Sport,** località Edelboden Superiore 31 ℰ 0125 366140, Fax 0125 366202, ≤, ⇔ – ▮ 🖂 🖭 🖇 🕮 🚾. ⊗
chiuso maggio, ottobre e novembre – **Pasto** carta 40/60000 – ⊑ 14000 – **31 cam** 140/180000 – ½ P 140000.

🏨 **Lysjoch,** località Fohre ℰ 0125 366150, htllysjoch@hotellysjoch.com, Fax 0125 366365, ≤, ⇔, 🚗 – 🖭 🅿 – 🖄 25. 🖇 🕮 🚾. ⊗
dicembre-aprile e 25 giugno-15 settembre – **Pasto** (solo per alloggiati) – **12 cam** ⊑ 90/170000 – ½ P 130000.

GRESSONEY SAINT JEAN

GRESSONEY SAINT JEAN 11025 Aosta **428** E 5 – 803 ab. alt. 1 385 – a.s. febbraio-Pasqua, luglio-agosto e Natale – Sport invernali : 1 385/2 020 m ≤ 1.

🚠 Monte Rosa (giugno-settembre) ℰ 0125 356314, Fax 0125 356348.

🛈 Villa Margherita ℰ 0125 355185, Fax 0125 355895.

Roma 727 – Aosta 80 – Ivrea 52 – Milano 165 – Torino 94.

🏨 **Gressoney** Ⓜ, via Lys 3 ℰ 0125 355986, Fax 0125 356427, ≤ Monte Rosa, ⇔, 🚗 – ▮ 🖭 🕭 🚗 🅿. 🕮 🖇 🕮 🚾. ⊗
dicembre-20 aprile e 15 giugno-15 settembre – **Pasto** 40/100000 – **25 cam** ⊑ 185/280000 – ½ P 205000.

🏨 **Gran Baita** ⋟, strada Castello Savoia 26, località Gresmatten ℰ 0125 356441, granbaita@netsurf.it, Fax 0125 356441, ≤ Monte Rosa, prenotare, « In una baita del XVIII secolo », 🗴, ⇔ – ▮ ⋇ 🖭 🕭 🅿. 🖇 🕮 🚾. ⊗
dicembre-aprile e 25 giugno-15 settembre – **Pasto** carta 50/85000 – ⊑ 12000 – **12 cam** 180000 – ½ P 160000.

🖄 **Il Braciere,** località Ondrò Verdebio 2 ℰ 0125 355526, Fax 0125 359977 – 🕮 🖇 🕮 🚾. ⊗
chiuso dal 1° al 15 giugno, da novembre al 4 dicembre e mercoledì (escluso luglio-agosto) – **Pasto** 35/40000 e carta 50/65000.

GREVE IN CHIANTI

GREVE IN CHIANTI 50022 Firenze **430** L 15 G. Toscana – 12 774 ab. alt. 241.

🛈 viale Giovanni da Verrazzano 33 ℰ 055 8546287, Fax 055 8546287.

Roma 260 – Firenze 31 – Siena 43 – Arezzo 64.

a Panzano Sud : 6 km – alt. 478 – ✉ 50020 :

🏨 **Villa Sangiovese,** piazza Bucciarelli 5 ℰ 055 852461, Fax 055 852463, ≤, « Servizio rist. estivo in terrazza-giardino panoramica », 🗴 – 🖭 🖇 🕮 🚾. ⊗
chiuso da Natale a febbraio – **Pasto** (chiuso mercoledì) carta 40/65000 – **17 cam** ⊑ 145/260000, 2 suites.

🏨 **Villa le Barone** ⋟, Est : 1,5 km ℰ 055 852621, villalebarone@libero.it, Fax 055 852277, ≤, « In un'antica dimora di campagna », 🗴, 🚗, ⋇ – 🅿. 🕮 🖇 🕭 🚾. ⊗
aprile-ottobre – **29 cam** solo ½ P 250000.

a Strada in Chianti Nord : 9 km – ✉ 50027 :

🖄 **Il Caminetto del Chianti,** via della Montagnola 52 (Nord : 1 km) ℰ 055 8588909, Fax 055 8588909, 🏠 – 🅿. 🕮 🖇 🕭 🕮 🚾. ⊗
chiuso a mezzogiorno (escluso domenica e martedì) dal 5 luglio ad agosto, solo mercoledì a mezzogiorno negli altri mesi – **Pasto** carta 40/70000.

GREZZANA

GREZZANA 37023 Verona **428** , **429** F 15 – 9 806 ab. alt. 166.

Roma 514 – Verona 12 – Milano 168 – Venezia 125.

🏨 **La Pergola,** via La Guardia 1 ℰ 045 907071, Fax 045 907111, 🏠, 🗴 – 🗐 🖭 🕭 🚗 🅿. 🕮 🖇 🕭 🚾
Pasto carta 35/55000 – ⊑ 18000 – **36 cam** 85/125000, 🗐 12000 – ½ P 125000.

a Stallavena Nord : 4 km – ✉ 37020 :

🖄 Antica Pesa, via Chiesuola 2 ℰ 045 907183, Fax 045 8650036.

*Un consiglio **Michelin**:*

per la buona riuscita di un viaggio, preparatelo in anticipo.

*Le **carte** e le **guide Michelin** vi danno tutte le indicazioni*

utili su: itinerari, curiosità, sistemazioni, prezzi, ecc.

GRIGNANO 34010 Trieste 429 E 23 – alt. 74.

Roma 677 – Udine 59 – Trieste 8 – Venezia 150.

🏨 **Riviera,** strada costiera 22 ℰ 040 224551, info@magesta.com, Fax 040 224300, ≤, « Servizio rist. estivo in terrazza panoramica; ascensore per la spiaggia », 🛶, – 📺 🅿 – 🔬 150
🖭 🔄 ⑩ 🐼 🚾. ✖
Pasto carta 60/90000 – **58 cam** ⇌ 180/260000 – ½ P 165000.

GRINZANE CAVOUR 12060 Cuneo 428 I 5 – 1 784 ab. alt. 260.

Roma 633 – Cuneo 71 – Torino 74 – Alessandria 75 – Asti 39 – Milano 163 – Savona 88.

✕✕ **Enoteca del Castello,** via Castello 5 ℰ 0173 262172, Fax 0173 262172, solo su prenotazione, « Castello-museo del 13° secolo » – 🅿. 🖭 🔄 ⑩ 🐼 🚾 🗲🗲. ✖
chiuso gennaio e martedì – **Pasto** 60/70000.

GRISIGNANO DI ZOCCO 36040 Vicenza 429 F 17 – 4 184 ab. alt. 23.

Roma 499 – Padova 17 – Bassano del Grappa 48 – Venezia 57 – Verona 63 – Vicenza 18.

🏨 **Magnolia,** via Mazzini 1 ℰ 0444 414222, Fax 0444 414227 – 📳 🗏 📺 🛏 🅿 – 🔬 60. 🖭 🔄
⑩ 🐼 🚾 🗲🗲. ✖
Pasto (chiuso dal 25 dicembre al 6 gennaio, agosto, venerdì, sabato e domenica) carta 35/60000 – ⇌ 20000 – **29 cam** 140/215000 – ½ P 155000.

GRÖDNER JOCH = Gardena (Passo di).

GROLE Mantova – Vedere Castiglione delle Stiviere.

GROMO 24020 Bergamo 428, 429 E 11 – 1 279 ab. alt. 675 – Sport invernali : 1 150/1 700 m ✔4 ✔.

Roma 623 – Bergamo 43 – Brescia 86 – Edolo 84 – Milano 85.

✕✕ **Posta al Castello,** piazza Dante 3 ℰ 0346 41002, Fax 0346 41002 – 🅿. 🖭 🔄 ⑩ 🐼 🚾 ✖
chiuso dall'8 al 22 gennaio e lunedì – **Pasto** carta 50/80000.

GROSIO 23033 Sondrio 428, 429 D 12 – 4 843 ab. alt. 653.

Roma 739 – Sondrio 40 – Milano 178 – Passo dello Stelvio 44 – Tirano 14.

✕✕ **Sassella** con cam, via Roma 2 ℰ 0342 847272, hotelsassella@libero.it, Fax 0342 847550 –
📳, 🗏 rist, 📺 ✔ – 🔬 50. 🖭 🔄 ⑩ 🐼 🚾
Pasto (chiuso lunedì dal 15 settembre al 15 giugno) 30000 e carta 45/65000 – ⇌ 12000 –
22 cam 60/100000 – ½ P 100000.

GROSSETO 58100 🅿 430 N 15 G. Toscana – 72 662 ab. alt. 10.

Vedere Museo Archeologico e d'Arte della Maremma★.

🖪 via Fucini 43/c ℰ 0564 414303, Fax 0564 454606.

🅰.🄲.🄸. via Mazzini 105 ℰ 0564 415777.

Roma 187 – Livorno 134 – Milano 428 – Perugia 176 – Siena 73.

🏨 **Bastiani Grand Hotel** senza rist, piazza Gioberti 64 ℰ 0564 20047, Fax 0564 29321 – 📳
🗏 📺. 🖭 🔄 ⑩ 🐼 🚾. ✖
⇌ 20000 – **48 cam** 270/320000, 3 suites.

🏨 **Granduca,** via Senese 170 ℰ 0564 453833, Fax 0564 453843 – 📳 🗏 📺 ♿ 🛏 🅿 –
🔬 180. 🖭 🔄 ⑩ 🐼 🚾. ✖ rist
Pasto carta 40/75000 – **54 cam** ⇌ 100/180000 – ½ P 120000.

🏨 **Nuova Grosseto** senza rist, piazza Marconi 26 ℰ 0564 414105, nuovagrosseto@tin.it,
Fax 0564 414105 – 📳 🗏 📺 🅿. 🖭 🔄 ⑩ 🐼 🚾
40 cam ⇌ 90/180000.

🏨 **Sanlorenzo** senza rist, via Piave 22 ℰ 0564 27918, Fax 0564 25338 – 📳 🗏 📺. 🖭 🔄 ⑩
🐼 🚾. ✖
⇌ 12000 – **31 cam** 100/180000.

✕✕ **Buca San Lorenzo-da Claudio,** via Manetti 1 ℰ 0564 25142, Fax 0564 25142, Coperti
limitati; prenotare, « Nelle mura medicee » – 🔄 ⑩ 🚾. ✖
chiuso dal 10 al 26 gennaio, dal 1° al 15 luglio e domenica – **Pasto** carta 45/70000.

a Istia d'Ombrone Est : 7 km – ✉ 58040 :

✕ **Terzo Cerchio,** piazza del Castello 2 ℰ 0564 409235, 🌤, prenotare – 🖭 🔄 ⑩ 🐼 🚾
chiuso lunedì – **Pasto** cucina tipica maremmana 60/80000 e carta 45/80000.

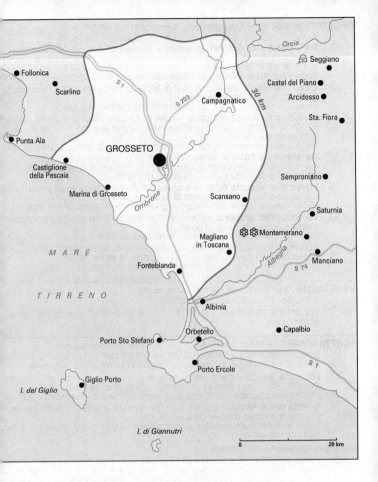

GROSSETO (Marina di) 58046 Grosseto **430** N 14 – *a.s. Pasqua e 15 giugno-15 settembre.*
Roma 196 – Grosseto 14 – Firenze 153 – Livorno 125 – Orbetello 53 – Siena 85.

🏠 **Rosmarina,** via delle Colonie 35 *℘* 0564 34408, *hotelrosi@dunia.it*, Fax 0564 34684, 🌊 –
🛗 🔲 📺 🕭, 🔤 🔂 🆗 **VISA**. 🛇
Pasto carta 45/60000 – 🖵 15000 – **21 cam** 150/190000 – ½ P 160000.

a **Principina a Mare** Sud : 6 km – ⊠ 58046 Marina di Grosseto :

🏨 **Principe** 🕱, via dello Squalo 100 *℘* 0564 31400 e rist. *℘* 0564 30215, *hotelprincipe@fa*
migliafacondini.it, Fax 0564 31027, « In pineta », 🕭, 🔟 riscaldata, 🐜, 🌊 – 🛗 🔲 📺 🅿 –
🏛 120. 🕭 🆗 **VISA**. 🛇
Pasqua-ottobre – **Pasto** 40/80000 e al Rist. **Il Putto** carta 55/100000 – 🖵 25000 – **57 cam**
210/320000, 3 suites.

GROTTA Parma – Vedere Salsomaggiore Terme.

GROTTA... GROTTE Vedere nome proprio della o delle grotte.

GROTTAFERRATA 00046 Roma **ERI** Q 20 *G. Roma – 18 251 ab. alt. 329*.
Roma 21 – Anzio 44 – Frascati 3 – Frosinone 71 – Latina 49 – Terracina 83.

🏨🏨 **Park Hotel Villa Grazioli** 🦢, via Umberto Pavoni 19 *&* 06 945400, *info@villagrazio
.com, Fax 06 9413506*, ≤ Roma, « Villa cinquecentesca con affreschi coevi », ♠ – 📳 🗏 ☐
&, 🅿 – 🔬 100. 🖭 🕄 ⑩ ⠛ 𝘝𝘐𝘚𝘈
Pasto al Rist. **Acquaviva** carta 90/120000 – **56 cam** ☲ 340/390000, 2 suites – ½ P 26500

🏨🏨 **Gd H. Villa Fiorio**, viale Dusmet 25 *&* 06 94548007, *Fax 06 94548009*, « Parco con ⚄
⚄ – 🗏 🗐 🅿 – 🔬 30. 🖭 🕄 ⑩ ⠛ 𝘝𝘐𝘚𝘈. 🍴
Pasto 60/110000 – ☲ 20000 – **21 cam** 260/420000, 3 suites – ½ P 320000.

✕✕ **Al Fico-La locanda dei Ciocca** con cam, via Anagnina 134 *&* 06 94315390, *info@al
o.it, Fax 06 9410133*, « Giardino-pineta con servizio estivo all'aperto » – 🗏 🗐 🅿 – 🔬 12
🖭 🕄 ⑩ ⠛ 𝘝𝘐𝘚𝘈 𝘑𝘊𝘉. 🍴
Pasto *(chiuso mercoledì e domenica sera)* carta 55/75000 – **20 cam** ☲ 220/380000, suite

✕✕ **Da Mario-La Cavola d'Oro**, via Anagnina 35 (Ovest : 1,5 km) *&* 06 9431575
Fax 06 94315755, « Servizio estivo in terrazza con ≤ » – 🗏 🅿. 🖭 🕄 ⑩ ⠛ 𝘝𝘐𝘚𝘈. 🍴
chiuso dal 7 al 24 agosto e lunedì – **Pasto** carta 45/75000.

✕✕ **Hostaria al Vecchio Fico**, via Anagnina 257 *&* 06 9459261, « Antico casale del 150
con servizio estivo all'aperto » – 🅿. 🖭 🕄 ⑩ ⠛ 𝘝𝘐𝘚𝘈. 🍴
chiuso martedì e il mezzogiorno di lunedì, giovedì e venerdì – **Pasto** carta 55/80000.

✕✕ **Taverna dello Spuntino**, via Cicerone 20 *&* 06 9459366, *Fax 06 94315985*, « Ambient
e cantina caratteristici » – 🗏. 🕄 ⑩ ⠛ 𝘝𝘐𝘚𝘈. 🍴
chiuso dal 10 al 31 agosto e mercoledì – **Pasto** carta 50/85000.

✕✕ **Nando**, via Roma 4 *&* 06 9459989, *ristorante.nando@flashnet.it, Fax 06 9459989*, « Colle
zione di cavatappi, cantina caratteristica » – 🗏. 🖭 🕄 ⑩ ⠛ 𝘝𝘐𝘚𝘈. 🍴
chiuso dal 25 giugno al 15 luglio e lunedì – **Pasto** carta 45/80000.

GROTTAGLIE 74023 Taranto **ERI** F 34 – *32 274 ab. alt. 133*.
Roma 514 – Brindisi 49 – Bari 96 – Taranto 22.

🏨 Gill, senza rist, via Brodolini 75 *&* 099 5638756, *Fax 099 5638207* – 📳 🗏 🗐 ⟋⟋⟋ – 🔬 40
48 cam.

GROTTAMMARE 63013 Ascoli Piceno **ERI** N 23 – *14 236 ab. – a.s. luglio-agosto*.
🛈 piazzale Pericle Fazzini 6 *&* 0735 631087, *Fax 0735 631087*.
Roma 236 – Ascoli Piceno 43 – Ancona 84 – Macerata 64 – Pescara 72 – Teramo 53.

✕✕ **Locanda Borgo Antico**, via Santa Lucia 1, Grottammare Alta *&* 0735 634357
Fax 0735 778255, 🍴, « In un antico frantoio » – 🖭 🕄 ⑩ ⠛ 𝘝𝘐𝘚𝘈. 🍴
chiuso a mezzogiorno e martedì escluso da giugno a settembre – **Pasto** carta 45/90000.

✕✕ **Osteria dell'Arancio**, piazza Peretti, Grottammare Alta *&* 0735 631059, 🍴, prenotare
« Locale caratteristico con menù tipico » – 🖭. 🍴
*chiuso 24-25 dicembre, mercoledì e a mezzogiorno (escluso i giorni festivi e da ottobre
luglio)* – **Pasto** 65000.

verso San Benedetto del Tronto :

🏨🏨 **Parco dei Principi**, lungomare De Gasperi 70 (Sud : 1 km) ✉ 63013 *&* 0735 735066
Fax 0735 735080, ⚄ riscaldata, ♠⊚, ♠, ✕ – 📳 🗏 🗐 &, 🅿 – 🔬 200. 🖭 🕄 ⑩ ⠛ 𝘝𝘐𝘚𝘈. 🍴
chiuso dal 21 dicembre al 15 gennaio – **Pasto** *(chiuso sabato e domenica in bassa stagione
carta 40/80000 – **54 cam** ☲ 150/190000 – ½ P 150000.

🏨 **Paradiso**, lungomare De Gasperi 134 (Sud : 2 km) ✉ 63013 *&* 0735 581412
📠 *Fax 0735 581257*, ≤, ⚄, ♠⊚, ♠ – 📳 🗏 🗐 ⟋⟋⟋ 🅿. 🖭 🕄 ⑩ ⠛ 𝘝𝘐𝘚𝘈 𝘑𝘊𝘉. 🍴
aprile-settembre – **Pasto** carta 30/40000 – **50 cam** ☲ 120/140000 – ½ P 125000.

✕✕ **Palmino**, via Ponza 3 (Sud : 2 km) ✉ 63013 *&* 0735 594720, 🍴 – 🗏. 🖭 🕄 ⑩ ⠛ 𝘝𝘐𝘚𝘈. 🍴
chiuso dal 7 al 20 gennaio e lunedì – **Pasto** specialità di mare carta 45/75000.

✕✕ **Lacchè** via Procida 1/3 (Sud : 2,5 km) ✉ 63013 *&* 0735 582728, 🍴 – 🗏. 🖭 🕄 ⑩ ⠛ 𝘝𝘐𝘚𝘈.
🍴
chiuso dal 24 dicembre al 2 gennaio e lunedì – **Pasto** specialità di mare 60/90000 e cart
50/90000.

✕✕ **Tropical**, lungomare De Gasperi 59 (Sud : 2 km) ✉ 63013 *&* 0735 581000
Fax 0735 581302, 🍴, ♠⊚ – 🖭 🕄 ⑩ ⠛ 𝘝𝘐𝘚𝘈
chiuso dal 24 dicembre al 15 gennaio, lunedì e domenica sera escluso luglio-agosto – **Pasto**
specialità di mare carta 50/80000.

GRUGLIASCO 10095 Torino **ERI** G 4 – *39 890 ab. alt. 293*.
Roma 672 – Torino 10 – Asti 68 – Cuneo 97 – Sestriere 92 – Vercelli 89.

Pianta d'insieme di Torino

✕✕ **L'Antico Telegrafo**, via G. Lupo 29 *&* 011 786048 – 🖭 🕄 ⑩ ⠛ 𝘝𝘐𝘚𝘈　　　　　　FT
chiuso agosto, domenica sera e lunedì – **Pasto** carta 55/95000.

GRUMELLO DEL MONTE 24064 Bergamo 428, 429 F 11 – 6 343 ab. alt. 208.

Roma 583 – Bergamo 19 – Brescia 32 – Cremona 80 – Milano 62.

XX **Cascina Fiorita**, via Mainoni d'Intignano 5 (Nord : 1 km) ℘ 035 830005, ☆, ☞ – 🅿. 🕙 *VISA*. ⅍
chiuso agosto, domenica sera e lunedì – **Pasto** carta 55/75000.

GSIES = Valle di Casies.

GUALDO CATTANEO 06035 Perugia 430 N 19 – 6 006 ab. alt. 535.

Roma 160 – Perugia 48 – Assisi 28 – Foligno 32 – Orvieto 77 – Terni 54.

a **Collesecco** Sud-Ovest : 9 km – ⊠ 06030 Marcellano :

X **La Vecchia Cucina**, via delle Scuole 2 ℘ 0742 97237 – 🅿. 🇦🇪 🕙 ⓪ ⓸ *VISA*. ⅍
chiuso dal 24 al 27 dicembre e dal 15 al 31 agosto – **Pasto** carta 35/60000.

a **San Terenziano** Sud-Ovest : 11 km – ⊠ 06058 :

🏠 **Dei Pini**, via Roma 9 ℘ 0742 98122, hoteldeipini@italy1.com, Fax 0742 98378, « Parco
con laghetto », 🏊, ⅍ – 🛗 🔟 🅿. 🇦🇪 🕙 ⓪ ⓸ *VISA*. ⅍
Pasto *(chiuso gennaio e febbraio)* carta 35/55000 – **48 cam** ⊇ 130/160000 – ½ P 120000.

GUALTIERI 42044 Reggio nell'Emilia 428, 429 H 13 – 6 134 ab. alt. 22.

Roma 450 – Parma 32 – Mantova 36 – Milano 152 – Modena 48 – Reggio nell'Emilia 25.

🏨 **A. Ligabue**, piazza 4 Novembre ℘ 0522 828120 e rist. ℘ 0522 828153, Fax 0522 829294
– 🖩 🔟 🅿. 🇦🇪 🕙 ⓪ ⓸ *VISA*. ⅍
chiuso Capodanno e dal 6 al 26 agosto – **Pasto** al Rist. **Osteria Ligabue** *(chiuso domenica)*
70000 e carta 60/90000 – ⊇ 10000 – **35 cam** 100/150000 – ½ P 100000.

GUARDIA Trento 429 E 15 – Vedere Folgaria.

GUARDIAGRELE 66016 Chieti 430 P 24 – 9 880 ab. alt. 577.

Roma 230 – Pescara 41 – Chieti 25 – Lanciano 23.

XX **Villa Maiella** con cam, via Sette Dolori 30 (Sud-Ovest : 1,5 km) ℘ 0871 809362, info@villa
maiella.it, Fax 0871 809319 – 🛗 ▤ 🔟 🅿. 🇦🇪 🕙 ⓪ ⓸ *VISA* 🇯🇨🇧. ⅍
chiuso dal 15 al 31 luglio, domenica sera e lunedì – **Pasto** carta 35/70000 – **14 cam**
⊇ 90/160000 – ½ P 100000.

XX **Ta Pù**, via Modesto della Porta 37 ℘ 0871 83140 – 🇦🇪 🕙 ⓪ ⓸ *VISA* 🇯🇨🇧. ⅍
chiuso lunedì – **Pasto** 45000 e carta 55/85000.

GUARDIA VOMANO 64020 Teramo 430 O 23 – alt. 192.

Roma 200 – Ascoli Piceno 73 – Pescara 46 – Ancona 137 – L'Aquila 85 – Teramo 26.

sulla strada statale 150 Sud : 1,5 km :

XX **3 Archi**, via Pianura Vomano 36 ⊠ 64020 ℘ 085 898140, Fax 085 898140 – ▤ 🅿. 🇦🇪 🕙 ⓪
VISA. ⅍
chiuso novembre, martedì sera e mercoledì – **Pasto** specialità alla griglia carta 45/60000.

GUARDISTALLO 56040 Pisa 430 M 13 – 1 021 ab. alt. 294.

Roma 276 – Pisa 65 – Grosseto 100 – Livorno 44 – Siena 83.

a **Casino di Terra** Nord-Est : 5 km – ⊠ 56040 :

XX **Mocajo**, strada statale 68 ℘ 0586 655018, Fax 0586 655018, ☆, coperti limitati; prenota-
re – ▤ 🅿. 🇦🇪 🕙 ⓪ *VISA*
chiuso febbraio e mercoledì – **Pasto** 50/55000 e carta 45/70000.

GUASTALLA 42016 Reggio nell'Emilia 428, 429 H 13 – 13 794 ab. alt. 25.

Roma 453 – Parma 35 – Bologna 91 – Mantova 33 – Milano 156 – Modena 51 – Reggio nell'Emilia 28.

sulla strada per Novellara Sud : 5 km :

XX **La Briciola**, via Sacco e Vanzetti 17 ℘ 0522 831378, Fax 0522 831378, ☆, ☞ – ▤ 🅿. 🇦🇪
🕙 ⓪ ⓸ *VISA* 🇯🇨🇧. ⅍
chiuso dal 9 al 23 gennaio e martedì – **Pasto** specialità di mare ed emiliane carta 40/55000.

GUBBIO 06024 Perugia **430** L 19 *G. Italia* – 31 483 ab. alt. 529.

Vedere *Città vecchia*★★ – *Palazzo dei Consoli*★★ **B** – *Palazzo Ducale*★ – *Affreschi*★ *Ottaviano Nelli nella chiesa di San Francesco* – *Affresco*★ *di Ottaviano Nelli nella chiesa Santa Maria Nuova.*

🛈 *piazza Oderisi 6 ℰ 075 9220693, Fax 075 9273409.*

Roma 217 ② – Perugia 40 ③ – Ancona 109 ② – Arezzo 92 ④ – Assisi 54 ③ – Pesaro 92 ④

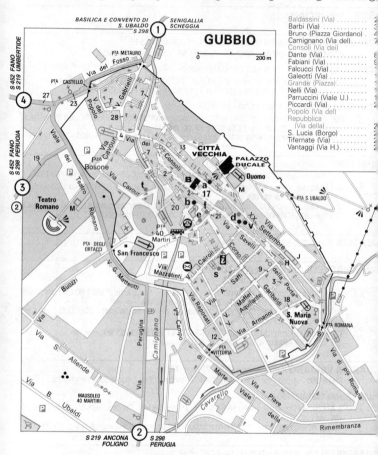

Baldassini (Via) ....
Barbi (Via) ....
Bruno (Piazza Giordano) .
Camignano (Via del).....
Consoli (Via dei)
Dante (Via)...............
Fabiani (Via) ....
Falcucci (Via) ....
Galeotti (Via) ....
Grande (Piazza) ....
Nelli (Via) ....
Parruccini (Viale U.) .....
Piccardi (Via) ....
Popolo (Via del)
Repubblica
  (Via della) ....
S. Lucia (Borgo) ....
Tifernate (Via) ....
Vantaggi (Via H.).........

🏨 **Park Hotel ai Cappuccini** Ⓜ ⌘, via Tifernate ℰ 075 9234, *inf@parkhotelaicappuccir .it*, Fax 075 9220323, ≤ città e campagna, « In un antico convento ristrut turato », ℺, ≘, ⬛, 🐾, ℀ – 🛗 ≡ 📺 ℃ ₺ 🚗 🅿 – 🔒 500. 🆎 🆂 ⓞ ◍ 💳 ⅃ᴄв. ℀ ris **Pasto** carta 55/90000 – **93 cam** ⊇ 320/470000 – ½ P 295000.   per ④

🏨 **Relais Ducale** ⌘ senza rist, via Galeotti 18 ℰ 075 9220157, Fax 075 9220159, « Giardir pensile con ≤ città e colline », 🐾 – 🛗 ≡ 📺 ₺ 🚗 🅿 – 🔒 50. 🆎 🆂 ⓞ ◍ 💳 ℀ **28 cam** ⊇ 220/340000, 4 suites – ½ P 200000.

🏨 **Villa Montegranelli** ⌘, località Monteluiano ℰ 075 9220185, *montegra@tin.it* Fax 075 9273372, ≤ città e campagna, ⌖, « Villa settecentesca di campagna », 🐾 – 🛗 📺 🅿 – 🔒 50. 🆎 🆂 ⓞ ◍ 💳 ℀   4 km per via Buozzi **Pasto** al rist. **Villa Montegranelli** carta 55/85000 – ⊇ 10000 – **21 cam** 160/200000, suite ½ P 165000.

🏨 **Bosone Palace** senza rist, via 20 Settembre 22 ℰ 075 9220688, Fax 075 9220552 – 🛗 📺. 🆎 🆂 ⓞ ◍ 💳 ℀ *chiuso dal 15 gennaio al 15 febbraio* – **27 cam** ⊇ 160/210000.

Gattapone senza rist, via Beni 11 ℰ 075 9272489, *mencarelli@mencarelligroup.com*, Fax 075 9272417, ⇐ – 🛗 📺 ♿. 🖭 🕃 ① ⓦ 🚾. ℀
chiuso dall'8 gennaio all'8 febbraio – **18 cam** ⇌ 140/190000 – ½ P 130000.

Taverna del Lupo, via Ansidei 6 ℰ 075 9274368, Fax 075 9271269, 🏤 – 🗐. 🖭 🕃 ① ⓦ 🚾. ℀
chiuso lunedì (escluso agosto e settembre) – **Pasto** 50/75000 (15%) a mezzogiorno 80/90000 (15%) la sera e carta 55/90000 (15%).

La Fornace di Mastro Giorgio, via Mastro Giorgio 2 ℰ 075 9221836, Fax 075 9276604 – 🖭 🕃 ① ⓦ 🚾. ℀
chiuso dal 7 al 31 gennaio, martedì, mercoledì a mezzogiorno (escluso da giugno a ottobre) – **Pasto** carta 65/110000.

Bosone Garden, via Mastro Giorgio 1 ℰ 075 9221246, « Servizio estivo in giardino » – 🖭 🕃 ① ⓦ 🚾. ℀
chiuso mercoledì escluso da giugno a settembre – **Pasto** carta 50/80000 (10%).

Fabiani, piazza 40 Martiri 26 A/B ℰ 075 9274639, Fax 075 9220638, 🏤 – 🖭 🕃 ① ⓦ 🚾 🗲🖵🖪
chiuso gennaio e martedì – **Pasto** carta 35/75000.

Federico da Montefeltro, via della Repubblica 35 ℰ 075 9273949, Fax 075 9272341, 🏤 – 🖭 🕃 ① ⓦ 🚾 🗲🖵🖪
chiuso febbraio e giovedì (escluso agosto-settembre) – **Pasto** 25000 e carta 55/80000.

Grotta dell'Angelo con cam, via Gioia 47 ℰ 075 9273438, Fax 075 9273438, 🏤 – 📺. 🖭 🕃 ① ⓦ 🚾. ℀
chiuso dal 10 al 31 gennaio – **Pasto** carta 40/55000 – ⇌ 6000 – **18 cam** 55/80000 – ½ P 90000.

Monte Ingino *per ① : 4 km – alt. 827 – ⊠ 06024 :*

La Rocca 🦢 senza rist, via Monte Ingino 15 ℰ 075 9221222, Fax 075 9221222, ⇐ Gubbio e dintorni – 📺 🅿. 🕃 ⓦ 🚾. ℀
11 cam ⇌ 130/150000, suite.

UGLIONESI *86034 Campobasso 📙 Q26 – 5 267 ab. alt. 370.*
Roma 271 – Campobasso 59 – Foggia 103 – Isernia 103 – Pescara 108 – Termoli 15.

erso Termoli *Nord-Est : 5,5 km :*

Ribo, contrada Malecoste 7 ⊠ 86034 ℰ 0875 680655, Fax 0875 680655, 🏤 – 🅿. 🖭 🕃 ① ⓦ 🚾. ℀
chiuso lunedì – **Pasto** 50/70000 e carta 35/75000
Spec. Scampi sgusciati con lardo aromatizzato. Tagliolini "Ribo" con frutti di mare e crostacei. Zuppa di pesce alla termolese.

USSAGO *25064 Brescia 📘, 📙 F 12 – 14 162 ab. alt. 180.*
Roma 539 – Brescia 14 – Bergamo 45 – Milano 86.

Artigliere, via Forcella 6 ℰ 030 2770373, Fax 030 2770373, prenotare – 🗐. 🖭 🕃 🚾. ℀
chiuso dal 7 al 17 gennaio, agosto, lunedì e martedì – **Pasto** 55/70000 e carta 65/95000.

AFLING = Avelengo.

ORO *25074 Brescia 📘, 📙 E 13 – 1 689 ab. alt. 391 – Pasqua e luglio-15 settembre.*
Roma 577 – Brescia 45 – Milano 135 – Salò 33.

Alpino 🦢 con cam, via Lungolago 20, località Crone ℰ 0365 83146, *alpino@lumetel.it*, Fax 0365 823143, ⇐ – 🛗 📺 🚗. 🖭 🕃 ① ⓦ 🚾. ℀
chiuso dal 7 gennaio al 15 febbraio – **Pasto** *(chiuso martedì)* carta 50/65000 – ⇌ 13000 – **24 cam** 85/110000 – ½ P 100000.

ESA *Siena – Vedere Monticiano.*

GEA MARINA *Rimini 📙 J 19 – Vedere Bellaria Igea Marina.*

LLASI *37031 Verona 📙 F 15 – 4 864 ab. alt. 174.*
Roma 517 – Verona 20 – Padova 74 – Vicenza 44.

Cellore *Nord : 1,5 km – ⊠ 37030 :*

Dalla Lisetta, via Mezzavilla 12 ℰ 045 7834059, Fax 045 7834059, 🏤 – 🗐 🅿. 🖭 🕃 ① ⓦ 🚾. ℀
chiuso dal 4 al 19 agosto, domenica sera e martedì – **Pasto** carta 35/50000.

IMOLA 40026 Bologna 429, 430 I 17 – 64 596 ab. alt. 47.

៤ La Torre (chiuso martedì) a Riolo Terme ⊠ 48025 ℰ 0546 74035, Fax 0546 740.
Sud-Est : 16 km.

Roma 384 – Bologna 35 – Ferrara 81 – Firenze 98 – Forlì 30 – Milano 249 – Ravenna 44.

血血 **Donatello Imola,** via Rossini 25 ℰ 0542 680800, *info@imolahotel.it,* Fax 0542 6805
🛋 – 🛗 ≡ 📺 ₺ ← 🅿 – 🔏 300. 🖭 🔝 ⓪ 🐠 𝘝𝘐𝘚𝘈. ⋘ rist
Pasto *(chiuso martedì)* carta 40/60000 – **142 cam** 🖙 165/220000 – ½ P 110000.

XXXX **San Domenico,** via Sacchi 1 ℰ 0542 29000, *sandomenico@e–mind.it,* Fax 0542 3900
🕸🕸 Coperti limitati; prenotare – ≡. 🖭 🔝 ⓪ 🐠 𝘝𝘐𝘚𝘈
chiuso domenica sera e lunedì, anche domenica a mezzogiorno da giugno ad agosto
Pasto 65000 (a mezzogiorno) 120000 (alla sera) e carta 135/215000
Spec. Taglio di branzino rosolato con purea di broccoli e guazzetto di olive taggiasch
Ravioli di ricotta e spinaci con crema di Parmigiano dolce. Piccione al forno con tartufo ne
di Norcia e radicchio trevigiano caramellato.

XX **Naldi,** via Santerno 13 ℰ 0542 29581, *ristorante.naldi@tin.it,* Fax 0542 22291 – ≡ 🅿. 🖭
⓪ 🐠 𝘝𝘐𝘚𝘈 𝗝𝗖𝗕
dal 1° al 7 gennaio, dal 17 al 29 agosto e domenica – **Pasto** 55000 e carta 55/75000.

XX **Osteria Callegherie,** via Callegherie 13 ℰ 0542 33507, Fax 0542 33507, Coperti limita
prenotare – ≡. 🖭 🔝 ⓪ 🐠 𝘝𝘐𝘚𝘈. ⋘
chiuso gennaio, agosto, sabato a mezzogiorno e domenica – **Pasto** carta 40/65000.

X **E Parlamintè,** via Mameli 33 ℰ 0542 30144, Fax 0542 30144, 🏤 – ≡. 🖭 🔝 ⓪ 🐠 𝘝𝘐𝘚𝘈
ⓐ *chiuso dal 25 dicembre al 6 gennaio, dal 15 luglio al 20 agosto, domenica sera e lunedì;*
maggio ad agosto anche domenica a mezzogiorno – Pasto carta 40/50000.

X **Osteria del Vicolo Nuovo,** vicolo Codronchi 6 ℰ 0542 32552, *ambra@vicolonuovo*
Rist.-enoteca – 🖭 🔝 ⓪ 🐠 𝘝𝘐𝘚𝘈 𝗝𝗖𝗕. ⋘
chiuso da luglio al 25 agosto, domenica e lunedì – **Pasto** carta 50/60000.

in prossimità casello autostrada A 14 *Nord : 4 km :*

血血 **Molino Rosso,** strada statale Selice 49 ⊠ 40026 ℰ 0542 63111, *info@molinorosso*
Fax 0542 631163, 🛋 riscaldata, ⋘ – 🛗 ≡ 📺 ₺ ← 🅿 – 🔏 200. 🖭 🔝 ⓪ 🐠 𝘝𝘐𝘚𝘈. ⋘ ris
Pasto carta 60/95000 (15 %) – **125 cam** 🖙 215/295000 – ½ P 200000.

IMPERIA 18100 🅿 428 K 6 – 40 293 ab..

🛈 viale Matteotti 37 ℰ 0183 660140, Fax 0183 666510.
A.C.I. piazza Unità Nazionale 23 ℰ 0183 720052.
Roma 615 ② – Genova 116 ② – Milano 239 ② – San Remo 23 ④ – Savona 70 ②
Torino 178 ②.

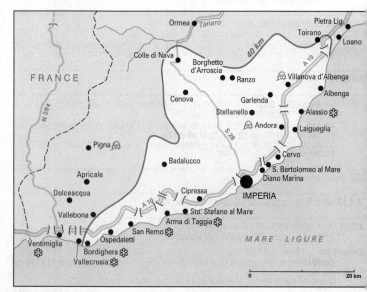

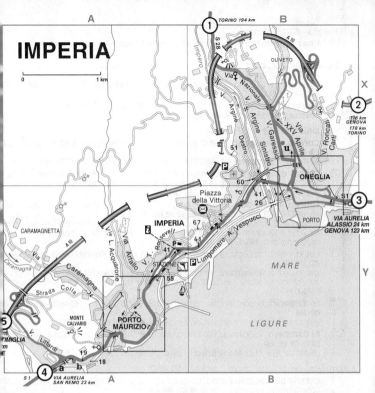

IMPERIA

TORINO 194 km

OLIVETO

ONEGLIA

Piazza della Vittoria

IMPERIA

PORTO

VIA AURELIA
ALASSIO 24 km
GENOVA 123 km

CARAMAGNETTA

MONTE CALVARIO

PORTO MAURIZIO

MARE

LIGURE

VENTIMIGLIA

VIA AURELIA
SAN REMO 23 km

116 km GENOVA
178 km TORINO

ONEGLIA

STAZIONE

A.C.I.

Unità Nazionale

V. Silvio Bonfante

V. de Sonnaz

Pza E De Amicis

PORTO

PORTO MAURIZIO

STAZIONE

Pza Roma

Cascione

C.° Garibaldi

V. Mazzini

V. Nizza

C.° Garibaldi

Belgrano (Via Gen.)	**AZ** 6	Des Geneys (Via)	**AZ** 25	Saffi (Via Aurelio)	**BZ** 49
Benza (Via Elia)	**BZ** 7	Delbecchi (Via A.)	**BY** 26	S. Agata (Strada)	**BX** 51
Berio (Via Giuseppe)	**AZ** 8	Don Abbo il Santo (Via)	**AZ** 30	S. Antonio (Piazza e Via)	**BZ** 52
Bonfante (Via Silvio)	**AZ**	Duomo (Piazza)	**BZ** 33	S. Giovanni (Via)	**AZ** 53
Carceri (Via)	**BZ** 14	Magenta (Via)	**AZ** 37	S. Lazzaro (Via)	**AY** 55
Carducci (Via Giosuè)	**BZ** 15	Maresca (Via)	**AZ** 38	S. Maurizio (Via)	**BZ** 56
Cascione (Via Felice)	**BZ**	Matteotti (Viale G.)	**BY** 41	Serrati (Via G.M.)	**AZ** 59
Colombo (Lungomare C.)	**AY** 18	Ospedale (Via dell')	**AZ** 44	Trento (Via)	**BX** 60
D'Annunzio (Via G.)	**AY** 19	Parrasio (Via)	**BZ** 45	Vianelli (Via A.)	**BZ** 64
Dante (Piazza A.)	**AZ** 22	Repubblica (Via della)	**AZ** 46	Vittorio Veneto (Vle)	**BY** 67

ad Oneglia – ⊠ *18100 Imperia* :

XX **Chez Braccio Forte**, via Des Genejs 46 🍴 0183 294752 – 🖹. 🖭 🛐 ① 🐵 *VISA*
AX
chiuso gennaio e lunedì – **Pasto** carta 60/100000 (10%).

XX **Salvo-Cacciatori**, via Vieusseux 12 🍴 0183 293763, *Fax 0183 765500*, Rist. di tradizion
– 🖭 🛐 ① 🐵 *VISA* JCB
AX
chiuso dal 7 al 21 luglio, domenica sera (escluso da giugno a settembre) e lunedì – **Pasto**
carta 45/85000.

X **Clorinda**, via Garessio 96 🍴 0183 291982, *Fax 0183 291982* – 🛐 🐵 *VISA*
BX
🍴 *chiuso agosto e lunedì* – **Pasto** carta 30/55000.

a Porto Maurizio – ⊠ *18100 Imperia* :

🏠 **Corallo**, corso Garibaldi 29 🍴 0183 666264, *Fax 0183 666265*, ≼ – ﹝‖ 🖵 🄿 – 🛗 35. 🖭 🛐
① 🐵 *VISA*. 🛠 rist
BZ
Pasto al rist *El Pizzarò* carta 50/75000 – 🖵 18000 – **42 cam** 170/235000 – ½ P 160000.

🏠 **Croce di Malta**, via Scarincio 148 🍴 0183 667020, *info@hotelcrocedimalta.com*
Fax 0183 63687, ≼, 🐾 – 🖈 – 🛗 100. 🖭 🛐 ① 🐵 *VISA*. 🛠 rist
BZ
Pasto carta 50/80000 – 🖵 15000 – **39 cam** 140/220000 – ½ P 150000.

XXX **Lanterna Blu-da Tonino**, borgo Marina, via Scarincio 32 🍴 0183 63859
Fax 0183 63859, prenotare – 🖹 🄿. 🖭 🛐 ① 🐵 *VISA* JCB. 🛠
BZ
*chiuso 24-25 dicembre, dal 5 al 20 giugno, dal 15 ottobre al 16 novembre, a mezzogiorno
da luglio al 28 agosto e mercoledì negli altri mesi* – **Pasto** 90000 (a mezzogiorno) 14000
(alla sera) e carta 110/170000.

XX **Lucio**, strada Lambroglia 16 (Borgo Prino) 🍴 0183 652523, *Fax 0183 62865* – 🖹. 🖭 🛐 ①
🐵 *VISA*. 🛠
AZ
*chiuso dal 2 al 18 novembre, a mezzogiorno da lunedì a giovedì in luglio-agosto, negli altr
mesi domenica sera e mercoledì* – **Pasto** cucina di tradizione marinara 50/65000 e cart
55/80000.

X **Le Tamerici**, lungomare Colombo 142 🍴 0183 667105, *Fax 0183 661483* – 🖹. 🖭 🛐 ①
🐵 *VISA*
AZ
chiuso dal 27 settembre all'11 ottobre e martedì – **Pasto** carta 55/105000.

X **Al Gambero**, via Scarincio 16/18 Borgo Marina 🍴 0183 667413, *Fax 0183 667413* – 🖹 🄿.
🖭 🛐 ① 🐵 *VISA*
BZ
chiuso dal 10 al 31 gennaio e lunedì – **Pasto** specialità di mare carta 60/85000.

a Piani *Nord-Ovest : 2,5 km per via Littardi* **AZ** – ⊠ *18100 Imperia* :

X **Osteria del Vecchio Forno**, piazza della Chiesa 🍴 0183 780269, *Fax 0183 780269*, 🌤
🍴 Coperti limitati; prenotare – 🖭 🛐 ① 🐵 *VISA* JCB. 🛠
chiuso dal 1° al 10 novembre, dal 1° al 10 giugno, mercoledì e a mezzogiorno – **Pasto** cart
45/60000.

INCISA IN VAL D'ARNO 50064 Firenze 🇮🇹🇮🇹🇮🇹, 🇮🇹🇮🇹🇮🇹 L 16 – *5 608 ab. alt. 122.*
Roma 248 – Firenze 30 – Siena 62 – Arezzo 52.

🏠 **Galileo**, località Prulli-in prossimità area di servizio Reggello 🍴 055 863341
🍴 *Fax 055 863238*, 🏊, 🛠 – 🖈 🖵 🕭 🐾 🄿 – 🛗 100. 🖭 🛐 ① 🐵 *VISA*. 🛠
Pasto *(chiuso domenica)* carta 35/50000 – 🖵 15000 – **63 cam** 100/160000 – ½ P 130000.

INDUNO OLONA 21056 Varese 🇮🇹🇮🇹🇮🇹 E 8, 🇮🇹🇮🇹🇮🇹 ⑧ – *9 727 ab. alt. 397.*
Roma 638 – Como 30 – Lugano 29 – Milano 60 – Varese 4,5.

🏛 **Villa Castiglioni**, via Castiglioni 1 🍴 0332 200201, *Fax 0332 201269*, 🌤, « Villa ottocen
tesca con parco secolare » – 🖵 🄿 – 🛗 140. 🖭 🛐 ① 🐵 *VISA*. 🛠
Pasto al Rist. *Al Bersò (chiuso domenica sera)* carta 65/90000 – **30 cam** 🖵 180/280000
5 suites – ½ P 265000.

XXX **2 Lanterne**, via Ferrarin 25 🍴 0332 200368, *Fax 0332 202349*, 🌤, prenotare, 🐾 – 🄿 –
🛗 60. 🖭 🛐 ① 🐵 *VISA*. 🛠
*chiuso il 26 dicembre, le sere di Natale e Capodanno, dal 9 al 20 gennaio, dal 1° al 20 agost
e lunedì* – **Pasto** carta 55/85000.

XXX **Olona-da Venanzio**, via Olona 38 🍴 0332 200333, *Fax 0332 200333*, prenotare, 🐾 – 🄿.
🖭 🛐 ① 🐵 *VISA*. 🛠
chiuso dall'8 al 22 gennaio – **Pasto** carta 50/95000 (5%).

INNICHEN = San Candido.

INTRA Verbania 🇮🇹🇮🇹🇮🇹 E 7, 🇮🇹🇮🇹🇮🇹 ⑦ – *Vedere Verbania.*

NVERNO-MONTELEONE 27010 Pavia **428** G 10 – 1 064 ab. alt. 74.
  Roma 543 – Piacenza 35 – Milano 44 – Pavia 30.

Monteleone – ⊠ 27010 :

✗ **Trattoria Righini,** via Miradolo 108 ℘ 0382 73032, Fax 0382 722521, prenotare venerdì,
   sabato e domenica – 🗏 **P.**
   chiuso dal 7 al 30 gennaio, agosto, domenica sera, lunedì, martedì e mercoledì – Pasto
   30/60000 (a mezzogiorno) e 35/65000 (la sera).

NZAGO 20065 Milano **428** F 10, **219** ⑳ – 8 878 ab. alt. 138.
  Roma 592 – Bergamo 27 – Milano 27.

✗ **Del Ponte,** via Marchesi 35 ℘ 02 9549319, 🏤 – **P.** 🆎 🆂 ① ❶❸ 🆅🆂🅰 🅹🅲🅱. ❄
   chiuso dal 7 al 27 agosto e domenica – **Pasto** carta 35/55000.

SCHIA DI CASTRO 01010 Viterbo **430** O 17 – 2 506 ab. alt. 410.
  Roma 135 – Viterbo 39 – Grosseto 80 – Siena 132.

✗ **Ranuccio II,** piazza Immacolata 26 ℘ 0761 425119, Fax 0761 425119 – 🆎 🆂 ❶❸ 🆅🆂🅰. ❄
   chiuso dal 1° al 15 luglio e giovedì (escluso agosto) – **Pasto** carta 55/100000.

SCHIA (Isola d') Napoli **431** E 23 G. Italia – 52 981 ab. alt. da 0 a 788 (monte Epomeo) – Stazione
  termale, a.s. luglio-settembre.
   La limitazione d'accesso degli autoveicoli è regolata da norme legislative.
     🚢 per Napoli (1 h 25 mn), Pozzuoli (1) e Procida (25 mn), giornalieri – Caremar-agenzia
   Travel and Holidays, banchina del Redentore ℘ 081 984818, Fax 081 5522011; per Pozzuoli
   (1 h) e Napoli (1 h 20 mn) giornalieri – Linee Lauro, banchina del Redentore ℘ 081 992803,
   Fax 081 991889.
     🚤 per Napoli giornalieri (da 30 mn a 40 mn) – Alilauro ℘ 081 991888, Fax 081 99178, Linee
   Lauro ℘ 081 992803, Fax 081 991990 al porto e Caremar-agenzia Travel and Holidays,
   banchina del Redentore ℘ 081 984818, Fax 081 5522011; per Capri aprile-ottobre giorna-
   liero (40 mn).
   – Alilauro, al porto ℘ 081 991888, Fax 081 991781; per Procida-Napoli giornalieri (40 mn) –
   Aliscafi SNAV-ufficio Turistico Romano, via Porto 5/9 ℘ 081 991215, Fax 081 991167; per
   Procida giornalieri (15 mn) – Caremar-agenzia Travel and Holidays, banchina del Redentore
   ℘ 081 984818, Fax 081 5522011.

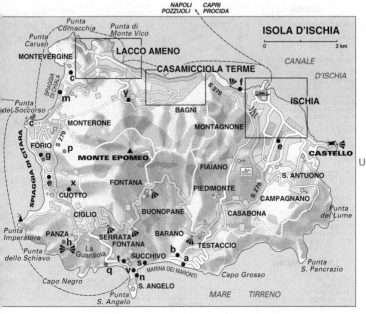

U

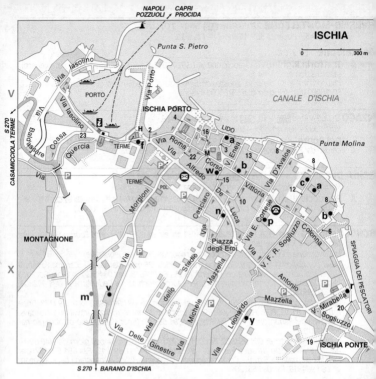

ISCHIA

Antica Reggia (Piazza) .... V 2
Battistessa (Via) .... V 3
Buonocore (Via F.) .... V 4
Champault (Via) .... X 6
Colombo
  (Lungomare Cristoforo) . VX 8
Colonna (Corso Vittoria) . VX
De Luca (Via Alfredo) ... VX
Gemito (Via V.) .... V 10
Gianturco (Via Emanuele) . X 12
Gianturco (Via Remigia) . . V 13
Gigante (Via G.) .... VX 15
Marone (Via Venanzio) ... V 16
Nuova Cartaromana
  (Via) .... X 19
Pontano (Via) .... X 20
Roma (Via) V
Terme (Via delle) .... V 22
Trieste (Piazzale) .... V 23

CASAMICCIOLA
TERME

Garibaldi (Corso) .... Y 24
Girardi (Via Salvatore) .... Y 25
Margherita (V. Principessa) Y 26
Marina (Piazza) .... Y 27
Morgera (Via) .... Y 28
Parrocchiale (Piazza) .... Y 29
Sant'Antonio (Calata) .... Y 30

LACCO AMENO

Fundera (Via) .... Z 31
Roma (Via) .... Z 32
San Montano (Via) .... Z 33
Santa Restituta (Piazza) ... Z 35
4 Novembre (Via) .... Z 36

358

Barano [431] E 23 – *8 214 ab. alt. 224* – ✉ *80070 Barano d'Ischia – a.s. luglio-settembre.*
Vedere *Monte Epomeo*★★★ *4 km Nord-Ovest fino a Fontana e poi 1 h e 30 mn a piedi AR.*

a Maronti *Sud : 4 km* – ✉ *80070 Barano d'Ischia :*

Parco Smeraldo Terme ⛰, spiaggia dei Maronti ☎ 081 990127, *Fax 081 905022*, ←, « Terrazza fiorita con 🏊 termale », Få, 🏖, 🎾, ⚕ – |♦| ≡ [TV] [P] – 🏛 50. [S] [MC] [VISA]. ✗ U a
7 aprile-28 ottobre – **Pasto** (solo per alloggiati) – **72 cam** ☐ 170/320000 – ½ P 190000.

San Giorgio Terme ⛰, spiaggia dei Maronti ☎ 081 990098, *Fax 081 990876*, ←, « Terrazza fiorita con 🏊 termale », 🏖, ⚕ – [TV] [P]. [S] [MC] [VISA]. ✗ U b
7 aprile-28 ottobre – **Pasto** (solo per alloggiati) – **81 cam** ☐ 110/220000 – ½ P 130000.

Casamicciola Terme [431] E 23 – *7 373 ab.* – ✉ *80074.*

Stefania Terme ⛰, piazzetta Nizzola 16 ☎ 081 994130, *Fax 081 994295*, Få, [🏊], ⚕ – [P]. [AE] [S] ⓓ [MC] [VISA]. ✗ Y d
aprile-ottobre – **Pasto** (solo per alloggiati) – **30 cam** solo ½ P 130000.

Forio [431] E 23 – *14 211 ab.* – ✉ *80075.*
Vedere *Spiaggia di Citara*★.

Grande Albergo Mezzatorre ⛰, via Mezzatorre 23, località San Montano Nord : 3 km ☎ 081 986111, *info@mezzatorre.it, Fax 081 986015*, ← mare, ⛱, « 🏊 con acqua di mare riscaldata in parco-pineta », Få, [🏊], 🏖, ⛱, 🎾, ⚕ – |♦| ≡ [TV] [P]. [AE] [S] ⓓ [MC] [VISA]. ✗ Z c
aprile-ottobre – **Pasto** carta 95/130000 – **55 cam** ☐ 660/760000, 4 suites – ½ P 400000.

La Bagattella Terme ⛰, via Tommaso Cigliano 8, località San Francesco ☎ 081 986072, *labagattella@flashnet.it, Fax 081 989637*, « Giardino fiorito con 🏊 », [🏊], ⚕ – |♦| ≡ [TV] [P]. [AE] [S] ⓓ [VISA]. ✗ U m
aprile-ottobre – **Pasto** (solo per alloggiati) – **51 cam** solo ½ P 170000, 4 suites.

Zaro ⛰, via Tommaso Cigliano 85, località San Francesco ☎ 081 987110, *Fax 081 989395*, ←, « Giardino con 🏊 riscaldata » – |♦| ≡ [P]. [AE] [S] ⓓ [MC] [VISA] [JCB]. ✗ rist U c
aprile-ottobre – **Pasto** 25000 – **61 cam** ☐ 130/220000, ≡ 10000 – ½ P 130000.

Umberto a Mare ⛰ con cam, via Soccorso 2 ☎ 081 997171, *Fax 081 997171*, ← mare, « Servizio estivo in terrazza a picco sul mare ». [AE] [S] ⓓ [MC] [VISA] [JCB]. ✗ U c
15 marzo-ottobre – **Pasto** carta 70/120000 – **12 cam** ☐ 160/220000.

Da "Peppina" di Renato, via Montecorvo 42 ☎ 081 998312, *Fax 081 998312*, Ambiente caratteristico, prenotare, « Servizio estivo in terrazza con ← mare » – [P]. [AE] [S] ⓓ [MC] [VISA] [JCB] U p
marzo-novembre; chiuso a mezzogiorno e mercoledì escluso da giugno a settembre – **Pasto** carta 45/65000.

a Citara *Sud : 2,5 km* – ✉ *80075 Forio :*

Providence Terme ⛰, via Giovanni Mazzella 1 ☎ 081 997477, *Fax 081 998007*, ←, « Terrazza-solarium con 🏊 termale », [🏊], ⚕ – |♦|, ≡ rist, [P]. ✗ U g
aprile-ottobre – **Pasto** 30/50000 – ☐ 15000 – **69 cam** 100/150000 – ½ P 130000.

Capizzo, via Provinciale Panza 161 ☎ 081 907168, *hcapizzo@tin.it, Fax 081 909019*, ←, « Terrazza con 🏊 termale » – [TV] [P]. [AE] [S] ⓓ [MC] [VISA]. ✗ U e
7 aprile-ottobre – **Pasto** (solo per alloggiati) 40000 – **34 cam** ☐ 140/210000 – ½ P 135000.

Il Melograno, via Giovanni Mazzella 110 ☎ 081 998450, *Fax 081 5071984*, Coperti limitati; prenotare, « Servizio estivo in giardino » – [P]. [AE] [S] ⓓ [MC] [VISA]. ✗ U g
chiuso dal 7 gennaio al 15 marzo, lunedì e martedì da novembre al 7 gennaio – **Pasto** carta 55/85000 (10 %).

a Cuotto *Sud : 3 km* – ✉ *80075 Forio :*

Hotel Paradiso Terme e Garden Resort ⛰, via San Giuseppe 10 ☎ 081 907014, *paradiso@pointel.it, Fax 081 907913*, ⛱, « 🏊 termale in terrazza-solarium con ← mare », Få, ⛩, [🏊], ⛱, 🎾, ⚕ – |♦|, ≡ rist, [TV] [P]. [S] [MC] [VISA]. ✗ U x
aprile-ottobre – **Pasto** (solo per alloggiati e *chiuso a mezzogiorno*) – ☐ 20000 – **72 cam** 140/240000 – ½ P 180000.

a Panza *Sud : 4,5 km – alt. 155* – ✉ *80070 :*

Da Leopoldo, via Scannella 12 (Ovest : 0,5 km) ☎ 081 907086, ←, Rist. e pizzeria, « Servizio estivo in terrazza panoramica » – [P]. [S] ⓓ [MC] [VISA]. ✗ U h
marzo-novembre – **Pasto** carta 35/60000 (10 %).

Ischia 431 E 23 – *18 105 ab. –* ✉ *80077 Porto d'Ischia.*

Vedere *Castello*★★.

🖪 *corso Colonna 116* ✆ *081 5074231*

🏨 **Gd H. Punta Molino Terme** ⬙, lungomare Cristoforo Colombo 23 ✆ 081 991544
Fax 081 991562, ≤ mare, 🏠, « Parco-pineta e terrazza fiorita con ⌁ termale », *ℓ₅*, ≘s
🔲, 🔊, ⅎ – 🛗 🔲 🔟 **P** – 🔏 150. 🆎 🆂 ① 🔞 *VISA*. ⸭
7 aprile-22 ottobre – **Pasto** carta 95/135000 – **90 cam** ⌸ 360/650000, 2 suites –
½ P 380000.

🏨 **Grand Hotel Excelsior** ⬙, via Emanuele Gianturco 19 ✆ 081 991522, *excelsior@poir
el.it, Fax 081 984100,* ≤, 🏠, « Parco-pineta con ⌁ riscaldata », *ℓ₅*, 🔲, 🔊, ⅎ – 🛗 🔲
🔊 **P** 🆎 🆂 ① 🔞 *VISA* **JCB**. ⸭
7 aprile-21 ottobre – **Pasto** (solo per alloggiati) 80/100000 – **78 cam** ⌸ 330/900000
6 suites – ½ P 460000.

🏨 **Continental Terme,** via Michele Mazzella 74 ✆ 081 991588, *contiterme@pointel.i
Fax 081 982929,* « Giardino fiorito con ⌁ termale », *ℓ₅*, ≘s, 🔲, ⸙, ⅎ – 🛗 🔲 🔟 **P**.
🔏 450. 🆎 🆂 ① 🔞 *VISA* **JCB**. ⸭
marzo-ottobre – **Pasto** 50/65000 – ⌸ 25000 – **244 cam** 175/290000 – ½ P 180000.

🏨 **Il Moresco** ⬙, via Emanuele Gianturco 16 ✆ 081 981355, *moresco@pointel.it
Fax 081 992338,* ≤, 🏠, « Giardino con ⌁ termale », 🔲, ⅎ – 🛗 🔟 🔟 **P**. 🆎 🆂 ① 🔞 *VISA*
JCB. ⸭
7 aprile-27 ottobre – **Pasto** 90000 – **73 cam** ⌸ 320/640000, suite – ½ P 370000.

🏨 **Hermitage e Park Terme** ⬙, via Leonardo Mazzella 68 ✆ 081 984242, *hermitage@f
bahtl.it, Fax 081 983506,* « Terrazze-giardino con ⌁ termale », *ℓ₅*, 🔲, ⸙, ⅎ – 🛗 🔟 🔟 **P**.
🔏 80. 🆎 🆂 ① 🔞 *VISA*. ⸭
aprile-ottobre – **Pasto** (solo per alloggiati) 70/100000 – **104 cam** ⌸ 240/430000 –
½ P 250000.

🏨 **Regina Palace Terme,** via Cortese 18 ✆ 081 991344, *regina@fabahtl.it
Fax 081 983597,* « Giardino con ⌁ termale », 🔲, ⅎ – 🛗, ⸯ cam, 🔟 🔟 **P** – 🔏 80. 🆎 🆂
① 🔞 *VISA* **JCB**. ⸭
chiuso sino al 7 aprile – **Pasto** 60000 – **63 cam** ⌸ 220/480000 – ½ P 220000.

🏨 **La Villarosa** ⬙, via Giacinto Gigante 5 ✆ 081 991316, *hotel@lavillarosa.it
Fax 081 992425,* 🏠, « Giardino ombreggiato con ⌁ termale », ⅎ – 🛗 🔟. 🆎 🆂 ① 🔞 *VISA*
⸭ rist
aprile-ottobre – **Pasto** (solo per alloggiati) 40/60000 – **37 cam** ⌸ 180/300000 –
½ P 200000.

🏨 **Floridiana Terme,** corso Vittoria Colonna 185 ✆ 081 991014, *floridiana@flashnet.i
Fax 081 981014,* ⌁ termale, 🔲, ⅎ – 🛗 🔟 🔟 **P**. 🆎 🆂 🔞 *VISA* **JCB**. ⸭ rist
14 aprile-28 ottobre – **Pasto** (solo per alloggiati) 60000 – ⌸ 20000 – **70 cam** 150/225000
½ P 190000.

🏨 **Central Park Terme,** via De Luca 6 ✆ 081 993517, *centralpark@pointel.i
Fax 081 984215,* ⌁ termale, ⸕, ⅎ – 🛗 🔟 🔟 **P**. 🆎 🆂 ① 🔞 *VISA*. ⸭
Pasqua-ottobre – **Pasto** 35/55000 – ⌸ 25000 – **44 cam** 140/240000, 🔟 18000 –
½ P 195000.

🏨 **Le Querce** ⬙, via Baldassarre Cossa 29 ✆ 081 982378, *info@albergolequerce.i
Fax 081 993261,* ≤ mare, 🏠, « Terrazze-giardino con ⌁ », 🔲 – 🔟 🔟 **P**. 🆎 🆂 🔞 *VISA* **JCB**.
⸭
15 marzo-ottobre – **Pasto** 50/80000 – **59 cam** ⌸ 210/390000, 4 suites – ½ P 210000.

🏨 **Mare Blu,** via Pontano 44 ✆ 081 982555, *info@hotelmareblu.it, Fax 081 982938,* ≤
⌁ termale, 🔊, ⸕, ⅎ – 🛗 🔟 🔟 **P**. 🆎 🆂 ① 🔞 *VISA*. ⸭
13 aprile-20 ottobre – **Pasto** (solo per alloggiati) carta 60/90000 – **44 cam** ⌸ 350/500000
½ P 240000.

🏨 **Solemar Terme** ⬙, via Battistessa 49 ✆ 081 991822, *info@hotelsolemar.it
Fax 081 991047,* ≤, ⌁ termale, 🔊, ⅎ – 🛗 🔟. 🆎 🆂 ① 🔞 *VISA*. ⸭ rist
aprile-ottobre – **Pasto** (solo per alloggiati) carta 30/50000 – **78 cam** ⌸ 190/380000 –
½ P 200000.

🏨 **Bellevue,** via Morgioni 95 ✆ 081 991851, *Fax 081 982922,* ≘s, ⌁ termale, 🔲, ⸕ – 🛗
🔟. 🆎 🆂 ① 🔞 *VISA* **JCB**. ⸭ rist
15 marzo-ottobre – **Pasto** (solo per alloggiati) – ⌸ 20000 – **59 cam** 130/170000 –
½ P 125000.

🏠 **Villa Hermosa,** via Osservatorio 4 ✆ 081 992078, *vill@inwind.it, Fax 081 992078 –* 🔟. 🔟
🆂 ① 🔞 *VISA*. ⸭
21 aprile-ottobre – **Pasto** (solo per alloggiati) – ⌸ 10000 – **20 cam** 100/160000 –
½ P 120000.

✕✕ **Damiano,** via Nuova Circumvallazione ✆ 081 983032, ≤ città e mare – 🆂 ① 🔞 *VISA*
aprile-ottobre; chiuso a mezzogiorno escluso domenica – **Pasto** carta 60/105000.

cco Ameno 431 E 23 – 4 319 ab. – ⊠ 80076

🏨🏨🏨 **Regina Isabella & Royal Sporting**, piazza Restituta 1 𝄐 081 994322, *info@reginaisabella.it*, Fax 081 900190, ≤ mare, 😋, ↳₆, 🕿, 🔽 termale, 🔲, ▲ₛ, 🖗, ♣ – ﾙ 🔲 🗐 P – 🏛 500. 🕮 🗐 ⓪ 𝗩𝗜𝗦𝗔. 🛠 rist
Z a
chiuso dal 9 gennaio al 31 marzo – **Pasto** 80/120000 – **127 cam** ≍ 510/1220000, 17 suites – ½ P 550000.

🏨🏨 **San Montano** 🐎, via Montevico Nord-Ovest : 1,5 km 𝄐 081 994033, *sanmontano@ischiagrandialberghi.it*, Fax 081 980242, ≤ mare e costa, 😋, « Terrazze ombreggiate con 🔽 termali », 🕿, 🖗, ♣ – ﾙ 🔲 P. 🕮 🗐 ⓪ ⓪ 𝗩𝗜𝗦𝗔. 🛠
Z b
aprile-ottobre – **Pasto** carta 80/100000 – **65 cam** ≍ 280/580000 – ½ P 330000.

🏨🏨 **Grazia Terme** 🐎, via Borbonica 2 (Sud : 1,5 km) 𝄐 081 994333, *info@hotelgrazia.it*, Fax 081 994153, ≤, 😋, « Terrazza solarium con 🔽 termali », ↳₆, 🖅, 🖗, ♣ – ﾙ 🔲 P – 🏛 50. 🕮 🗐 𝗩𝗜𝗦𝗔. 🛠 rist
U y
aprile-ottobre – **Pasto** (solo per alloggiati) carta 50/65000 – ≍ 13000 – **58 cam** 150/240000 – ½ P 170000.

🏨 **Villa Angelica**, via 4 Novembre 28 𝄐 081 994524, *angelica@pointel.it*, Fax 081 980184, 🔽 termale, 🖅 – 🕮 🗐 ⓪ ⓪ 𝗩𝗜𝗦𝗔. 🛠
Z t
15 marzo-ottobre – **Pasto** (solo per alloggiati) 30/40000 – **20 cam** ≍ 110/180000 – ½ P 140000.

nt'Angelo – ⊠ 80070.

Vedere *Serrara Fontana* : ≤★★ su Sant'Angelo Nord : 5 km.

🏨🏨 **Miramare** 🐎, via Comandante Maddalena 29 𝄐 081 999219, *hotel@hotelmiramare.it*, Fax 081 999325, ≤ mare, « A picco sul mare, servizio ristorante estivo in terrazza panoramica », ▲ₛ – 🔲. 🗐 ⓪ ⓪ 𝗩𝗜𝗦𝗔. 🛠
U n
marzo-ottobre – **Pasto** carta 75/95000 – **55 cam** ≍ 195/340000 – ½ P 215000.

🏨 **La Palma** 🐎, via Comandante Maddalena 15 𝄐 081 999215, *contact@lapalmatropical.it*, Fax 081 999526, ≤ mare, « Terrazze fiorite » – 🖹, 🔲 rist, 🔲. 🕮 🗐 ⓪ ⓪ 𝗩𝗜𝗦𝗔. 🛠 rist
U v
chiuso dal 10 gennaio a marzo – **Pasto** carta 55/75000 – **43 cam** ≍ 120/220000 – ½ P 185000.

🏨 **Loreley** 🐎, via Sant'Angelo 50 𝄐 081 999313, Fax 081 999065, ≤ mare e costa, « Terrazze solarium con 🔽 termale » – 🔲 rist. 🕮 🗐 ⓪ ⓪ 𝗩𝗜𝗦𝗔. 🛠
U s
Pasqua-ottobre – **Pasto** (solo per alloggiati) 25/30000 – **28 cam** ≍ 135/225000 – ½ P 140000.

🏨 **Casa Celestino** 🐎, via Chiaia di Rose 157 𝄐 081 999213, Fax 081 999805, ≤, 😋 – 🔲. 🛠 rist
U t
Pasqua-ottobre – **Pasto** carta 40/70000 – **20 cam** ≍ 100/210000 – ½ P 170000.

🍽 **Lo Scoglio,** via Cava Ruffano 58 𝄐 081 999529, *lo.scoglio@virgilio.it*, ≤ mare – 🕮 🗐 ⓪ ⓪ 𝗩𝗜𝗦𝗔
U q
aprile-novembre – **Pasto** carta 35/60000.

EO 25049 Brescia 428, 429 F 12 – 8 373 ab. alt. 198 – a.s. Pasqua e luglio-15 settembre.

Vedere *Lago*★.

Escursioni *Monte Isola*★★ : ⁂★★ *dal santuario della Madonna della Ceriola (in battello)*.
🛈 lungolago Marconi 2/c 𝄐 030 980209, Fax 030 981361.
Roma 581 – Brescia 22 – Bergamo 39 – Milano 80 – Sondrio 122 – Verona 96.

🏨🏨 **Iseolago** Ⓜ 🐎, via Colombera 2 Ovest : 1 km 𝄐 030 98891 e rist 030 9840545, *info@iseolagohotel.it*, Fax 030 9889299, accesso diretto al lago, ↳₆, 🕿, 🔽, 🖅 – 🖹, 🖖 cam, 🔲 🔲 ✆ 🕭 ⇐ P – 🏛 165. 🕮 🗐 ⓪ ⓪ 𝗩𝗜𝗦𝗔. 🛠
Pasto al Rist. *La Nicchia* (chiuso lunedì) carta 65/85000 – ≍ 25000 – **64 cam** 170/250000 – ½ P 175000.

🏨 **Ambra** senza rist, porto Gabriele Rosa 2 𝄐 030 980130, *ambrahotel@tiscalinet.it*, Fax 030 9821361, ≤ – 🖹 🔲. 🗐 ⓪ ⓪ 𝗩𝗜𝗦𝗔
≍ 15000 – **31 cam** 90/140000.

🍽🍽 **Il Paiolo,** piazza Mazzini 9 𝄐 030 9821074 – 🔲. 🕮 🗐 ⓪ ⓪ 𝗩𝗜𝗦𝗔
chiuso dal 3 al 28 febbraio e martedì – **Pasto** carta 45/70000.

🍽 **Al Castello,** via Mirolte 53 𝄐 030 981285, Fax 030 981285, « Servizio estivo all'aperto » – 🕮 🗐 ⓪ ⓪ 𝗩𝗜𝗦𝗔 𝗝𝗖𝗕. 🛠
chiuso dal 14 al 29 febbraio, dal 14 al 31 agosto, lunedì sera e martedì, a mezzogiorno (escluso i giorni festivi) in luglio-agosto – **Pasto** carta 50/80000.

🍽 **Il Volto,** via Mirolte 33 𝄐 030 981462, Fax 030 981874, prenotare – 🔲. 🗐 ⓪ ⓪ 𝗩𝗜𝗦𝗔. 🛠
chiuso dal 25 gennaio al 10 febbraio, dal 25 luglio al 10 agosto, mercoledì e giovedì a mezzogiorno – **Pasto** carta 65/105000
Spec. Sfogliatina di patate e caviale. Petto d'anatra con caponatina al cioccolato. Mousse di cioccolato bianco, salsa di cioccolato amaro.

7

sulla strada provinciale per Polaveno :

🏛 **I Due Roccoli** ⤷, via Silvio Bonomelli Est : 6 km ⊠ 25049 ⬦ 030 9822977, *relais@idue ccoli.com, Fax 030 9822980*, ≤ lago e colline, 🍽, « Elegante residenza di campagna co parco », ⊐, ⬩ – 🛏 📺 🅿 – 🔬 120. 🖭 🅱 ⓪ 🐵 𝑽𝑰𝑺𝑨, ✶ rist
15 marzo-ottobre – **Pasto** carta 60/85000 – ⊇ 16000 – **13 cam** 195/230000 – ½ P 17500(

ISERNIA 86170 🅿 430 R 24, 431 C 24 – *21 091 ab. alt. 457.*
🇪 *via Farinacci 9 ⬦ 0865 3992, Fax 0865 50771.*
A.C.I. *strada statale 17 38/40 ⬦ 0865 50732.*
Roma 177 – Campobasso 50 – Avezzano 130 – Benevento 82 – Latina 149 – Napoli 111 Pescara 147.

🏛 **Grand Hotel Europa** Ⓜ, strada statale per Campobasso (svincolo Isernia Nor ⬦ 0865 411450, *Fax 0865 413243* – 📶 🗐 📺 📞 ⅋ 🚗 🅿 – 🔬 210. 🖭 🅱 ⓪ ⓒ
𝑽𝑰𝑺𝑨
Pasto al Rist. ***Pantagruel*** carta 35/65000 – **67 cam** ⊇ 210000, 6 suites – ½ P 150000.

🏨 **La Tequila,** via San Lazzaro 85 (per strada statale 17 Nord : 1 km) ⬦ 0865 412345, *latequ @tin.it, Fax 0865 412345*, ⊐, 🌿 – 📶 📺 🚗 🅿 – 🔬 700. 🖭 🅱 ⓪ 🐵 𝑽𝑰𝑺𝑨 🇯🇨
✶ rist
Pasto carta 35/50000 – **60 cam** ⊇ 90/130000, suite – ½ P 90000.

a Pesche *Est : 3 km* – ⊠ *86090 :*

🏯 **Santa Maria del Bagno,** viale S. Maria del Bagno 1 ⬦ 0865 460136, Fax 0865 46012
≤, 🌿 – 📶 📺 🅿. 🖭 🅱 ⓪ 🐵 𝑽𝑰𝑺𝑨. ✶
Pasto *(chiuso lunedì)* carta 30/45000 – ⊇ 10000 – **42 cam** 75/100000 – ½ P 80000.

ISIATA *Venezia – Vedere San Donà di Piave.*

IS MOLAS *Cagliari – Vedere Sardegna (Pula) alla fine dell'elenco alfabetico.*

ISOLA... ISOLE *Vedere nome proprio della o delle isole.*

ISOLA COMACINA *Como* 219 ⑨ *– alt. 213 –* ⊠ *22010 Sala Comacina- Da Sala Comacina 5 mn barca.*

🍴🍴 Locanda dell'Isola, ⬦ 0344 55083, *Fax 0344 57022*, ≤, 🍽, prenotare, « Su un isolot disabitato; servizio e menù tipici »
stagionale.

ISOLA D'ASTI *14057 Asti* 428 H 6 – *2 033 ab. alt. 245.*
Roma 623 – Torino 72 – Asti 10 – Genova 124 – Milano 130.

sulla strada statale 231 *Sud-Ovest : 2 km :*

🍴🍴🍴 **Il Cascinalenuovo** con cam, statale Asti-Alba 15 ⊠ 14057 ⬦ 0141 958166, *info@ilcasc* ✿ *alenuovo.it, Fax 0141 958828*, 🍽, prenotare, ⊐, 🌿 – 🗐 📺 🅿. 🖭 🅱 ⓪ 🐵 𝑽𝑨
✶
chiuso dal 26 dicembre al 20 gennaio e dal 7 al 19 agosto – **Pasto** *(chiuso domenica se lunedì e in giugno-agosto anche a mezzogiorno)* 100/110000 e carta 80/130000 – ⊇ 200 – **5 cam** 150000, 10 suites 200000 – ½ P 220000
Spec. Tartare di tonno con insalata di pomodoro fresco e avocado (primavera). Ravi ripieni di melanzane e ricotta alla maggiorana (estate). Fegatelli di coniglio spadellati Porto con porcini e patate (autunno-inverno).

ISOLA DEL GRAN SASSO D'ITALIA *64045 Teramo* 430 O 22 – *4 966 ab. alt. 415.*
Escursioni Gran Sasso★★ Sud-Ovest : 6 km.
Roma 190 – L'Aquila 64 – Pescara 69 – Teramo 30.

🍴 **Insula,** borgo San Leonardo 78 ⬦ 0861 976202, *Fax 0861 976202*, ≤ – 🅱 ⓪ 🐵 𝑽𝑰𝑺𝑨. ✶
chiuso lunedì – **Pasto** carta 30/50000.

a San Gabriele dell'Addolorata *Nord : 1 km* – ⊠ *64048 :*

🏯 **Paradiso,** via San Gabriele ⬦ 0861 975864, *Fax 0861 975864* – 📶, 🗐 rist, 📺 🅿. 🖭 🅱 (
🐵 𝑽𝑰𝑺𝑨. ✶
Pasto *(chiuso mercoledì escluso da giugno ad ottobre)* carta 30/40000 – **30 cam** ⊇ 8 110000 – ½ P 65000.

SOLA DELLE FEMMINE *Palermo* [432] M 21 – *Vedere Sicilia alla fine dell'elenco alfabetico.*

SOLA DEL LIRI *03036 Frosinone* [430] Q 22 – *12 744 ab. alt. 217.*

Dintorni *Abbazia di Casamari*★★ *Ovest : 9 km.*

Roma 107 – Frosinone 23 – Avezzano 62 – Isernia 91 – Napoli 135.

🏨 **Scala**, piazza De' Boncompagni ☎ 0776 808384, *Fax 0776 808384* – [TV] [AE] [S] [DC] [MC] [VISA]
Pasto vedere rist ***Scala alla Cascata*** – ☕ 7000 – **11 cam** 50/80000.

🍴 **Ratafià,** vicolo Calderone 8 ☎ 0776 808033, ⛱, Coperti limitati; prenotare – [AE] [S] [DC] [MC] [VISA]
chiuso lunedì – **Pasto** 45000 e carta 45/65000.

🍴 **Scala alla Cascata,** piazza Gregorio VII ☎ 0776 808100, ⛱ – [AE] [S] [DC] [MC] [VISA]
chiuso mercoledì escluso da giugno a settembre – **Pasto** carta 35/50000.

SOLA DI CAPO RIZZUTO *88841 Crotone* [431] K 33 – *12 973 ab. alt. 196.*

Roma 612 – Cosenza 125 – Catanzaro 58 – Crotone 17.

Le Castella *Sud-Ovest : 10 km* – ✉ *88841 Isola di Capo Rizzuto :*

🏨 **Annibale,** ☎ 0962 795004, *Fax 0962 795384*, ⛱, 🌳, 🎾 – ❄ cam, [TV] [P] – 🏛 70. [AE] [S] [DC] [MC] [VISA] [JCB]. 🚫
Pasto carta 55/75000 – **20 cam** ☕ 140/160000 – ½ P 120000.

SOLA RIZZA *37050 Verona* [429] G 15 – *2 745 ab. alt. 23.*

Roma 487 – Verona 27 – Ferrara 91 – Mantova 55 – Padova 84.

🍴🍴🍴 ✿ **Perbellini,** via Muselle 11 ☎ 045 7135352, *pperbel@netbusiness.it, Fax 045 7103727*, prenotare – ❄ [P]. [AE] [S] [DC] [MC] [VISA]
chiuso dal 7 al 18 gennaio, dal 29 luglio al 22 agosto, domenica sera e lunedì, in luglio-agosto anche domenica a mezzogiorno – **Pasto** 130/140000 e carta 105/165000
Spec. Colori e sapori del mare . Spezzatino di manzo e foie gras su purè di patate con salsa all'Amarone. Genoise calda al cioccolato con salsa all'arancio (autunno-inverno).

SOLA SUPERIORE (dei Pescatori) *Novara* [219] ⑦ – *Vedere Borromee (Isole).*

SSENGO (ISSENG) *Bolzano – Vedere Falzes.*

SSOGNE *11020 Aosta* [428] F 5 *G. Italia – 1 354 ab. alt. 387.*

Vedere *Castello*★.

Roma 713 – Aosta 41 – Milano 151 – Torino 80.

🍴 **Al Maniero,** frazione Pied de Ville 58 ☎ 0125 929219, *almaniero@tiscalinet.it, Fax 0125 929219*, ⛱ – [P]. [AE] [S] [DC] [MC] [VISA]. 🚫
chiuso lunedì escluso dal 15 luglio ad agosto – **Pasto** carta 40/55000.

STIA D'OMBRONE *Grosseto* [430] N 15 – *Vedere Grosseto.*

TRI *04020 Latina* [430] S 22 – *8 980 ab. alt. 170.*

Roma 144 – Frosinone 65 – Latina 69 – Napoli 77.

🍴 **Il Grottone** con cam, corso Vittorio Emanuele II ☎ 0771 727014, *Fax 0771 728189* – ❄ [TV]. [AE] [S] [MC] [VISA]. 🚫
Pasto carta 35/50000 – ☕ 7500 – **8 cam** 50/80000 – ½ P 85000.

VREA *10015 Torino* [428] F 5 *G. Italia – 24 399 ab. alt. 267.*

[i] *corso Vercelli 1 ☎ 0125 618131, Fax 0125 618140.*

[A.C.I.] *via dei Mulini 3 ☎ 0125 641375.*

Roma 683 – Aosta 68 – Torino 49 – Breuil-Cervinia 74 – Milano 115 – Novara 69 – Vercelli 50.

Banchette d'Ivrea *Ovest : 2 km* – ✉ *10010 :*

🏨 **Ritz** senza rist, via Castellamonte 45 ☎ 0125 611200, *ritzhotel@iol.it, Fax 0125 611323* – [lift] [TV] ☎ ♿ [P] – 🏛 60. [AE] [S] [DC] [MC] [VISA]
57 cam ☕ 130/180000.

al lago Sirio *Nord : 2 km :*

🏨 **Sirio** 🐦, via lago Sirio 85 ✉ 10015 ☎ 0125 424247, *info@hotelsirio.it, Fax 0125 48980*, ≤, ⛱, 🌳 – [lift] [TV] 🚗 [P] – 🏛 40. [AE] [S] [DC] [MC]
Pasto *(chiuso dal 1° al 16 gennaio, dal 1° al 17 settembre, domenica e a mezzogiorno)* carta 60/75000 – **53 cam** ☕ 130/160000 – ½ P 125000.

a San Bernardo *Sud : 3 km –* ⊠ *10090 :*

🏠🏠 **La Villa** senza rist, via Torino 334 ℰ 0125 631697, *hotel.lavilla@flashnet.i*
Fax 0125 631950 – 🔲 📺 **P.** 🄰🄴 🖪 ⑩ ⓶⑧ *VISA*. 🎤
⊊ 15000 – **22 cam** 100/125000, 🔲 10000.

JESI 60035 Ancona 430 L 21 G. Italia – 39 182 ab. alt. 96.
Vedere *Palazzo della Signoria★ – Pinacoteca★.*
Roma 260 – Ancona 32 – Gubbio 80 – Macerata 41 – Perugia 116 – Pesaro 72.

🏠🏠🏠 **Federico II** ⚓, via Ancona 100 ℰ 0731 211079 e rist ℰ 0731 211084, *htl.federico@pier.*
isi.it, Fax 0731 57221, ⩽, 🛴, ⇆, 🛏 – 🛗 🔲 📺 📞 ﺝ, ⟲ **P.** – 🔏 480. 🄰🄴 🖪 ⑩ ⓶⑧ *VISA*
🎤 rist
Pasto carta 60/90000 – **108 cam** ⊊ 220/330000, 16 suites – ½ P 200000.

🏠🏠 **Mariani** senza rist, via Orfanotrofio 10 ℰ 0731 207286, *hmariani@tin.it,* Fax 0731 20001
– 🔲 📺 🕭, 🄰🄴 🖪 ⑩ ⓶⑧ *VISA*. 🎤
33 cam ⊊ 105/160000.

🍴🍴 **Italia** con cam, viale Trieste 28 ℰ 0731 4844, Fax 0731 59004 – 🔲 📺. 🖪 ⓶⑧ *VISA*. 🎤
Pasto *(chiuso dal 24 dicembre al 1° gennaio, dal 10 al 25 agosto e domenica)* specialità
mare carta 50/85000 – **13 cam** ⊊ 130/190000 – ½ P 110000.

JESOLO 30016 Venezia 429 F 19 – 22 329 ab. – luglio-settembre.
Roma 560 – Venezia 41 – Belluno 106 – Milano 299 – Padova 69 – Treviso 50 – Trieste 125 –
Udine 94.

🍴🍴🍴 **Da Guido,** via Roma Sinistra 25 ℰ 0421 350380, *daguido@libero.it,* Fax 0421 350380, 🎪
🎪 – 🔲 **P.** 🄰🄴 🖪 ⑩ ⓶⑧ *VISA*. 🎤
chiuso dal 15 dicembre al 15 gennaio, lunedì e martedì a mezzogiorno – **Pasto** 40000 (
mezzogiorno) 80000 e carta 60/120000.

🍴🍴 **Al Ponte de Fero,** via Colombo 1 ℰ 0421 350785, Fax 0421 350645, 🗨 – **P.** 🄰🄴 🖪
⊜ ⓶⑧ *VISA*
chiuso dal 15 gennaio al 15 febbraio e lunedì – **Pasto** 35/70000 e carta 35/70000.

KALTENBRUNN = Fontanefredde.

KALTERN AN DER WEINSTRASSE = Caldaro sulla Strada del Vino.

KARERPASS = Costalunga (Passo di).

KARERSEE = Carezza al Lago.

KASTELBELL TSCHARS = Castelbello Ciardes.

KASTELRUTH = Castelrotto.

KIENS = Chienes.

KLAUSEN = Chiusa.

KURTATSCH AN DER WEINSTRASSE = Cortaccia sulla Strada del Vino.

LABICO 00030 Roma 430 Q 20 – 3 337 ab. alt. 319.
Roma 39 – Avezzano 116 – Frosinone 44 – Latina 50 – Tivoli 41.

🍴🍴🍴 **Antonello Colonna,** via Roma 89 ℰ 06 9510032, Fax 06 9511000, Coperti limitati; pre
⚘ notare – 🔲. 🄰🄴 🖪 ⑩ ⓶⑧ *VISA* 𝕁𝔺𝔹
chiuso agosto, domenica sera e lunedì – **Pasto** carta 95/150000
Spec. Scaloppine di quaglia rosolate con piccola pasta di olive taggiasche. Tagliatelle d'aglio
polpetti e broccolo romano. Petto di faraona arrotolato con fegatelli e tartufo nero.

LA CALETTA Nuoro 433 F 11 – Vedere Sardegna (Siniscola) alla fine dell'elenco alfabetico.

LACCO AMENO Napoli 431 E 23 – Vedere Ischia (Isola d').

LACES (LATSCH) *39021 Bolzano* [428], [429] C 14, [218] ⑲ – *4 816 ab. alt. 639.*

ℹ *via Principale 38* ☎ *0473 623109, Fax 0473 622042.*

Roma 692 – Bolzano 54 – Merano 26 – Milano 352.

🏨 **Paradies** 🐦, via Sorgenti 12 ☎ 0473 622225, *info@hotelparadies.com, Fax 0473 622228,* ≤, Centro benessere, « Giardino-ombreggiato », 🏋, 🧖, 🏊, 🎾 – 🛗, ❄ rist, 📺 🅿. [S] [MC] [VISA]. 🚫 rist

aprile-4 novembre – **Pasto** carta 55/80000 – **33 cam** ☕ 185/335000, 7 suites – 1/2 P 170000.

LADISPOLI *00055 Roma* [430] Q 18 – *26 051 ab. – a.s. 15 giugno-agosto.*

Dintorni *Cerveteri : necropoli della Banditaccia★★ Nord : 7 km.*

ℹ *via Bracciano 11* ☎ *06 9913049.*

Roma 39 – Civitavecchia 34 – Ostia Antica 43 – Tarquinia 53 – Viterbo 79.

🏨 **La Posta Vecchia** 🐦, località Palo Laziale Sud : 2 km ☎ 06 9949501, *Fax 06 9949507,* ≤, « Dimora del 17° secolo in riva al mare con parco », 🏊, 🏖 – 🛗 ❄ 📺 🅿 – 🪑 50. [AE] [S] ⓓ [MC] [VISA]. 🚫 rist

5 aprile-novembre – **Pasto** (solo su prenotazione) carta 105/190000 – **9 cam** ☕ 990000, 8 suites 1550/2380000.

🍴 **Sora Olga,** via Odescalchi 99 ☎ 06 99222006, Rist. e pizzeria – ❄. [S] ⓓ [MC] [VISA]

chiuso mercoledì escluso da giugno a settembre – **Pasto** carta 50/80000.

LAGLIO *22010 Como* [428] E 9, [219] ⑨ – *907 ab. alt. 202.*

Roma 638 – Como 13 – Lugano 41 – Menaggio 22 – Milano 61.

🏨 **Plinio au Lac,** via Regina 101 ☎ 031 401271, *Fax 031 401278,* ≤, 🏢, 🧖 – 🛗 📺. [AE] [S] ⓓ [MC] [VISA]. 🚫

marzo-novembre – **Pasto** carta 60/95000 – **17 cam** ☕ 200/270000 – 1/2 P 185000.

LAGO *Vedere nome proprio del lago.*

LAGOLO *38072 Trento* [429] D 15 – *alt. 936.*

Roma 600 – Trento 28 – Bolzano 85 – Brescia 120 – Milano 213.

🏨 **Floriani** 🐦, via Lago 2 ☎ 0461 564241, *albergo.florian@tin.it, Fax 0461 563156,* ≤, « In riva al lago » – 🛗, ❄ rist, 📺 🅿. [AE] [S] ⓓ [MC] [VISA]. 🚫 rist

chiuso da novembre al 15 dicembre – **Pasto** *(chiuso martedì, da gennaio a maggio aperto venerdì-sabato-domenica)* carta 45/60000 – **18 cam** ☕ 85/140000 – 1/2 P 75000.

LAGO MAGGIORE o VERBANO *Novara, Varese e Cantone Ticino* [428] E 7 *G. Italia.*

LAGONEGRO *85042 Potenza* [431] G 29 – *6 148 ab. alt. 666.*

Roma 384 – Potenza 111 – Cosenza 138 – Salerno 127.

🏨 **San Nicola,** piazza della Repubblica ☎ 0973 41230, *Fax 0973 41230* – 🛗 ❄ 📺 🚗 🅿. [AE] [S] ⓓ [MC] [VISA]. 🚫

Pasto carta 30/45000 – ☕ 10000 – **48 cam** 75/110000 – 1/2 P 85000.

in prossimità casello autostrada A 3 - Lagonegro Sud *Nord : 3 km :*

🏨 **Midi,** viale Colombo 76 ✉ 85042 ☎ 0973 41188, *Fax 0973 41186,* 🎾 – 🛗, ❄ rist, 📺 🚗 🅿 – 🪑 250. [AE] [S] ⓓ [MC] [VISA]. 🚫

chiuso a Natale – **Pasto** carta 40/55000 – ☕ 8000 – **36 cam** 65/110000 – 1/2 P 85000.

LAGUNDO (ALGUND) *39022 Bolzano* [429] B 15, [218] ⑩ – *4 102 ab. alt. 400.*

ℹ *via Vecchia 33/b* ☎ *0473 448600, Fax 0473 448917.*

Roma 667 – Bolzano 30 – Merano 2 – Milano 328.

Pianta: Vedere Merano.

🏨 **Wiesenhof,** via Weingartner 16 ☎ 0473 446677, *info@wiesenhof.com, Fax 0473 220896,* « Giardino con 🏊 », 🧖, 🏊 – 🛗 📺 🚗 🅿 — A f

marzo-novembre – **Pasto** (solo per alloggiati) – **35 cam** ☕ 110/245000 – 1/2 P 140000.

🏨 Algunderhof 🐦, via Strada Vecchia 54 ☎ 0473 448558, *Fax 0473 447311,* ≤, « Giardino con 🏊 riscaldata » – 🛗 📺 🅿 — A a

stagionale – **27 cam**, 2 suites.

🏨 **Ludwigshof** 🐦, via Breitofen 9/A ☎ 0473 220355, *Fax 0473 220420,* ≤, « Giardino », 🧖, 🏊 – 🛗 🅿. 🚫 rist — A b

marzo-5 novembre – **Pasto** (solo per alloggiati e *chiuso a mezzogiorno*) – **28 cam** ☕ 105/120000 – 1/2 P 125000.

LAIGUEGLIA 17053 Savona **428** K 6 – 2 268 ab..

 🚹 via Roma 2 ℘ 0182 690059, Fax 0182 699191.
 Roma 600 – Imperia 19 – Genova 101 – Milano 224 – San Remo 44 – Savona 55.

🏨 **Splendid**, piazza Badarò 3 ℘ 0182 690325, Fax 0182 690894, ⅃, 🏖 – 🕭, 🍽 rist, 📺 **F**
 AE ᬅ ⓞ ⓪ VISA ⋘
 Pasqua-settembre – **Pasto** 40/60000 – **48 cam** ⊇ 150/270000 – ½ P 160000.

🏨 **Mambo**, via Asti 5 ℘ 0182 690122, Fax 0182 690907 – 🕭 📺 ᬅ 🅿 ⋘
 chiuso da ottobre al 20 dicembre – **Pasto** 30/35000 – **23 cam** ⊇ 80/130000 – ½ P 80000

XX **Baiadelsole**, piazza Cavour 8 ℘ 0182 690019, Fax 0182 690237, prenotare, « Servizi
 estivo in terrazza sul mare » – **AE ᬅ ⓞ ⓪ VISA**
 26 dicembre-8 gennaio, 28 febbraio-settembre; da marzo a giugno chiuso lunedì, martec
 e a mezzogiorno escluso domenica – **Pasto** carta 60/80000.

LAINATE 20020 Milano **428** F 9 – 23 181 ab. alt. 176.
 Roma 599 – Milano 19 – Como 32 – Novara 49 – Pavia 51.

XX **Armandrea**, via Litta 66 ℘ 02 9372057, armandrea@libero.it, Fax 02 9372899, Rist.
 pizzeria – ▤. **AE ᬅ ⓞ ⓪ VISA JCB.** ⋘
 chiuso agosto e mercoledì – **Pasto** carta 55/100000.

LAINO BORGO 87014 Cosenza – 2 319 ab. alt. 250.
 Roma 445 – Cosenza 115 – Potenza 131 – Lagonegro 54 – Mormanno 17 – Sala Consilina S
 – Salerno 185.

X **Chiar di Luna**, località Cappelle ℘ 0981 82550, Fax 0981 82797, 😤, 🦌 – ▤ 🅿. **AE ᬅ ⓒ**
 ⓪ **VISA JCB.** ⋘
 chiuso dal 5 al 15 novembre e martedì – **Pasto** carta 30/45000.

Europe	Se il nome di un albergo è stampato in carattere magro,
	chiedete al vostro arrivo le condizioni che vi saranno praticate.

LAIVES (LEIFERS) 39055 Bolzano **429** C 16, **218** ⑳ – 14 884 ab. alt. 257.
 Roma 634 – Bolzano 8 – Milano 291 – Trento 52.

🏨 **Rotwand** ⌂, via Gamper 2 (Nord-Est : 2 km) ⊠ 39050 Pineta di Laives ℘ 0471 954512,
 nfo@rotwand.com, Fax 0471 954295, ≤, 😤, ⅃ – 🕭 📺 🚗 🅿. ᬅ ⓞ ⓪ **VISA**.
 Pasto (chiuso dal 4 gennaio al 4 febbraio e lunedì) carta 35/75000 – **35 cam** ⊇ 90/160000
 ½ P 90000.

LALLIO 24040 Bergamo **428** E 11 – 3 496 ab. alt. 216.
 Roma 576 – Bergamo 7 – Lecco 34 – Milano 44 – Piacenza 105.

🏨 **Donizetti** Ⓜ senza rist, via Aldo Moro ℘ 035 201227, Fax 035 691361 – ▤ 📺 📞 ᬅ 🚗
 ᬅ 80. **AE ᬅ ⓞ ⓪ VISA JCB.** ⋘
 30 cam ⊇ 300/385000.

LAMA Taranto **431** F 33 – Vedere Taranto.

LA MAGDELEINE Aosta **428** E 4, **219** ③ – 90 ab. alt. 1 640 – ⊠ 11020 Antey Saint André – a.
 Pasqua, luglio-agosto e Natale.
 Roma 738 – Aosta 44 – Breuil-Cervinia 28 – Milano 174 – Torino 103.

X **Miravidi**, località Artaz ℘ 0166 548259, Fax 0166 548627, ≤ vallata, 🦌 – 🅿. **AE ᬅ ⓞ ⓪**
 VISA. ⋘
 chiuso maggio e novembre – **Pasto** carta 35/55000.

LAMA MOCOGNO 41023 Modena **428**, **429**, **430** J 14 – 3 024 ab. alt. 812.
 Roma 382 – Bologna 88 – Modena 58 – Pistoia 76.

X **Vecchia Lama**, via XXIV Maggio 11 ℘ 0536 44662 – **AE ᬅ ⓞ ⓪ VISA.** ⋘
 chiuso lunedì – **Pasto** carta 35/50000.

LAMEZIA TERME 88046 Catanzaro **431** K 30 – 71 331 ab. alt. 210 (frazione Nicastro).
 ✈ a Sant'Eufemia Lamezia ℘ 0968 51766 – Alitalia, via Aeroporto 1, ⊠ 88040 ℘ 096
 51641, Fax 0968 53687.
 Roma 580 – Cosenza 66 – Catanzaro 44.

Nicastro – ⊠ 88046 :

🏠 **Savant,** via Manfredi 8 ℘ 0968 26161, *Fax 0968 26161* – 📳 📼 🔇 – ⚫ 100. ⚙ 🕄 ⓞ 🐵
🍃 *VISA*. 🕸 rist
Pasto carta 35/60000 – **67 cam** ⊇ 140/180000, 2 suites – ½ P 100000.

✗ **Da Enzo,** via Generale Dalla Chiesa ℘ 0968 23349 – 📼 P. ⚙ 🕄 🐵 *VISA* JCB. 🕸
🍃 *chiuso dal 24 dicembre al 6 gennaio, dal 10 al 25 agosto, sabato sera e domenica* – **Pasto**
carta 30/50000.

A MORRA 12064 Cuneo 🔲 I 5 – 2 611 ab. alt. 513.
Roma 631 – Cuneo 62 – Asti 45 – Milano 171 – Torino 63.

✗✗ **Belvedere,** piazza Castello 5 ℘ 0173 50190, *Fax 0173 509580*, ← – ⚙ 🕄 ⓞ 🐵 *VISA*. 🕸
chiuso gennaio, febbraio, dal 23 al 31 luglio, domenica sera e lunedì – **Pasto** 60000 e carta
55/90000.

✗✗ **Bel Sit,** via Alba 17/bis ℘ 0173 50350, *Fax 0173 500900*, ← colline e vigneti, 🍴 – P. ⚙ 🕄
ⓞ 🐵 *VISA*
chiuso dal 18 giugno al 3 luglio, dal 27 dicembre al 9 gennaio, lunedì sera e martedì – **Pasto**
carta 45/70000.

AMPEDUSA (Isola di) Agrigento 🔲 U 19 – Vedere Sicilia alla fine dell'elenco alfabetico.

Europe	Si le nom d'un hôtel figure en petits caractères, demandez à l'arrivée les conditions à l'hôtelier.

ANA Bolzano 🔲 C 15 – 9 435 ab. alt. 289 – ⊠ 39011 Lana d'Adige – Sport invernali : a San Vigilio :
1 485/1 839 m ≰ 12 ≴ 19, ☇.
🍃 Lana Merano ℘ 0473 564696, Fax 0473 565399.
🏢 via Andreas Hofer 7/b ℘ 0473 561770, Fax 0473 561979.
Roma 661 – Bolzano 24 – Merano 9 – Milano 322 – Trento 82.

🏠 **Eichhof** 🖐, via Querce 4 ℘ 0473 561155, *info@eichhof.net*, Fax 0473 563710, 🍴,
« Giardino ombreggiato con 🏊 », 🖇, 🏊, 🕸 – 📼 P. 🕄 🐵 *VISA*. 🕸
aprile-15 novembre – **Pasto** (solo per alloggiati) – **21 cam** ⊇ 100/190000 – ½ P 125000.

🏠 **Rebgut** 🖐 senza rist, via Brandis 3 (Sud : 2,5 km) ℘ 0473 561430, *Fax 0473 565108*, 🖇,
🏊 riscaldata, 🖛 – 📼 P. 🕸
marzo-ottobre – **12 cam** ⊇ 110/160000.

Foiana (Völlan) Sud-Ovest : 5 km – alt. 696 – ⊠ 39011 Lana d'Adige :

🏠🏠🏠 **Völlanerhof** 🖐, via Prevosto Wieser 30 ℘ 0473 568033, *info@voellanerhof.com*,
Fax 0473 568143, ←, 🍴, « Giardino con 🏊 riscaldata », 🖈, 🖇, 🏊, 🕸 – 📳 📼 🔥 P. *VISA*.
🕸
24 marzo-4 novembre – **Pasto** (solo per alloggiati) 65/85000 – **42 cam** ⊇ 180/370000 –
½ P 220000.

🏠🏠🏠 **Waldhof** 🖐, via Mayenburg 32 ℘ 0473 568081, *info@waldhof.net*, Fax 0473 568142, ←
monti, 🍴, « Parco e collezione di minerali », 🖇, 🏊, 🕸, 🕸 – 📼 rist, 📼 P. ⚙ 🕄 ⓞ 🐵
VISA. 🕸 rist
aprile-15 novembre – **Pasto** (solo per alloggiati) 50/70000 – **20 cam** ⊇ 155/355000, 4
suites – ½ P 195000.

✗✗ **Kirchsteiger** con cam, via Prevosto Wieser 5 ℘ 0473 568044, *kirchsteiger@tophotels.net*,
❄ Fax 0473 568198, ←, 🍴, Coperti limitati; prenotare, 🖛 – 📼 rist, 📼 P. ⚙ 🕄 ⓞ 🐵 *VISA*.
🕸 rist
chiuso dall'8 gennaio al 10 febbraio – **Pasto** (chiuso giovedì) 65000, 100000 bc e carta
55/100000 – **8 cam** ⊇ 100/145000 – ½ P 100000
Spec. Carpaccio di tonno con verdure marinate e asparagi selvatici. Tagliatelle di timo al ragù
d'agnello da latte. Filetto di manzo con cipolline al vino rosso e purè di patate.

ANCIANO 66034 Chieti 🔲 P 25 – 35 559 ab. alt. 283 – a.s. 20 giugno-agosto.
Roma 199 – Pescara 51 – Chieti 48 – Isernia 113 – Napoli 213 – Termoli 73.

🏠🏠🏠 **Excelsior,** viale della Rimembranza 19 ℘ 0872 713013, *Fax 0872 712907* – 📳 📼 –
⚫ 100. ⚙ 🕄 ⓞ 🐵 *VISA* JCB. 🕸 rist
Pasto (chiuso venerdì) carta 45/60000 – **70 cam** ⊇ 150/200000, 4 suites – ½ P 130000.

🏠 **Anxanum** senza rist, via San Francesco d'Assisi 8/10 ℘ 0872 715142, *hotelanxanum@tin*
.*it*, Fax 0872 715142, 🏊 – 📳 📼 📼 ⇔ P. – ⚫ 100. ⚙ 🕄 ⓞ 🐵 *VISA* JCB
⊇ 15000 – **42 cam** 140/160000.

XXX **Corona di Ferro,** corso Roma 28 ℰ 0872 713029, Fax 0872 713029, 🎤, Coperti limitati prenotare – AE 🕤 ⓘ ⓥⓢ VISA. ✵
chiuso dal 3 al 14 gennaio, dal 13 al 16 agosto, domenica sera e lunedì – **Pasto** cart 45/60000.

XX **Ribot,** via Milano 58/60 ℰ 0872 712205, ristoranteribot@tin.it, Fax 0872 712205, 🎤 – ▤
AE 🕤 ⓘ ⓥⓢ VISA JCB
chiuso dal 20 al 30 dicembre, dal 20 luglio al 10 agosto e venerdì – **Pasto** carta 35/55000.

LANGHIRANO 43013 Parma 428, 429, 430 I 12 – 8 352 ab. alt. 262.
Roma 476 – Parma 23 – La Spezia 119 – Modena 81.

XX **La Ghiandaia,** località Berzola Sud : 3 km ℰ 0521 861059, Fax 0521 861059, ≼, 🎤
prenotare la sera – P. AE 🕤 ⓘ ⓦ VISA. ✵
chiuso gennaio, lunedì e martedì a mezzogiorno – **Pasto** specialità di mare carta 40/80000

a Pilastro *Nord : 9 km – alt. 176 – ⊠ 43010 :*

🏠 **Ai Tigli,** via Parma 44 ℰ 0521 639006, Fax 0521 637742, ⑁, 🖛 – 🖢 ▤ 🖵 ⇆ P – 🅰 100
AE 🕤 ⓘ ⓦ VISA. ✵ rist
chiuso agosto – **Pasto** *(chiuso lunedì)* 35/55000 – ☷ 12000 – **41 cam** 100/170000 –
½ P 110000.

LANGTAUFERS = Vallelunga.

Jährlich eine neue Ausgabe
Aktuellste Informationen, jährlich für Sie!

LANZADA 23020 Sondrio 428, 429 D 11, 218⑮ – 1 467 ab. alt. 981.
Roma 707 – Sondrio 16 – Bergamo 131 – Saint-Moritz 95.

a Campo Franscia *Nord-Est : 8 km – ⊠ 23020 Lanzada :*

🏠 **Fior di Roccia** ⑁, ℰ 0342 453303, alb.fiordiroccia@iol.it, Fax 0342 451008, 🎤 – 🖢 ⓓ
⇆ P. 🕤 ⓘ ⓦ VISA
Pasto *(chiuso martedì)* carta 40/55000 – ☷ 10000 – **16 cam** 50/90000 – ½ P 75000.

LANZO D'INTELVI 22024 Como 428 E 9, 219⑧ G. Italia – 1 306 ab. alt. 907.
*Dintorni Belvedere di Sighignola*** : ≼ sul lago di Lugano e le Alpi Sud-Ovest : 6 km.*
🏌 *(aprile-5 novembre; chiuso lunedì)* ℰ 031 839060, Fax 031 839060, Est : 1 km.
🖪 *piazza Novi (palazzo Comunale)* ℰ 031 840143.
Roma 653 – Como 30 – Argegno 15 – Menaggio 30 – Milano 83.

🏠 **Milano,** via Martino Novi 26 ℰ 031 840119, Fax 031 841200, « Giardino ombreggiato » –
🖢 🖵 P. 🕤 ⓦ VISA. ✵
chiuso novembre – **Pasto** *(chiuso mercoledì)* carta 35/50000 – ☷ 15000 – **30 cam** 80
140000 – ½ P 90000.

🏠 **Rondanino** ⑁, via Rondanino 1 (Nord : 3 km) ℰ 031 839858, rondanino@libero.it
Fax 031 833640, ≼, « Servizio estivo in terrazza », 🖛 – 🖵 P. AE 🕤 ⓘ ⓦ VISA
Pasto *(chiuso mercoledì escluso dal 15 giugno al 15 settembre)* carta 35/65000 – ☷ 10000
– **14 cam** 70/90000 – ½ P 85000.

LANZO TORINESE 10074 Torino 428 G 4 – 5 173 ab. alt. 515.
Roma 689 – Torino 28 – Aosta 131 – Ivrea 68 – Vercelli 94.

X **Trattoria del Mercato,** via Diaz 29 ℰ 0123 29320 – 🕤 ⓦ VISA. ✵
chiuso dal 15 al 30 giugno e giovedì – **Pasto** carta 40/65000.

LA PILA Livorno 430 N 12 – Vedere Elba (Isola d') : Marina di Campo.

L'AQUILA 67100 P 430 O 22 G. Italia – 69 839 ab. alt. 721.
*Vedere Basilica di San Bernardino** Y – Castello* Y : museo Nazionale d'Abruzzo** –
Basilica di Santa Maria di Collemaggio* Z : facciata** – Fontana delle 99 cannelle* Z.*
*Dintorni escursione al Gran Sasso***
🖪 *piazza Santa Maria di Paganica 5* ℰ 0862 410808, Fax 0862 65442 – via XX Settembre
ℰ 0862 22306, Fax 0862 27486.
A.C.I. *via Donadei 3* ℰ 0862 26028.
Roma 119①– Napoli 242① – Pescara 105② – Terni 94①.

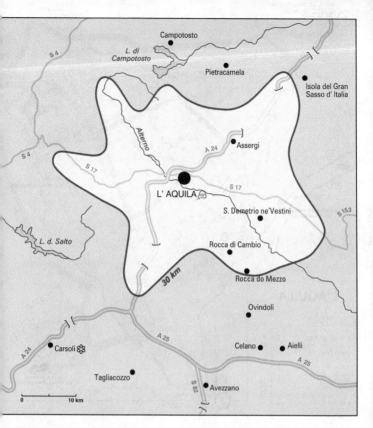

🏨	**Grand Hotel e del Parco**, corso Federico II 74 ℰ 0862 413248, *Fax 0862 65938*, ⇔ –
	🛗 📺 – 🛎 30. 🆎 🕃 ① ⓦ *VISA* Z c
	Pasto vedere rist *La Grotta di Aligi* – **36 cam** ⊠ 145/220000.
🏨	**Duomo** senza rist, via Dragonetti 10 ℰ 0862 410893, *Fax 0862 413058* – 🛗 📺. 🆎 🕃 ①
	ⓦ *VISA*. ⋘ Z d
	⊠ 12000 – **28 cam** 100/150000.
🍴🍴	**Tre Marie**, via Tre Marie 3 ℰ 0862 413191, « Caratteristico stile abruzzese » – 🕃 ①
	VISA ① *VISA* Z b
	chiuso 24 e 31 dicembre, domenica sera e lunedì (escluso agosto) – **Pasto** carta 50/65000
	(15%).
🍴🍴	La Grotta di Aligi, viale Rendina 2 ℰ 0862 65260, *Fax 0862 65260* – ▤ Z c
🍴	**Antiche Mura**, via XXV Aprile 2 ang. via XX Settembre ℰ 0862 62422, « Ambiente carat-
🏵	teristico » – 🄿. 🆎 ⓦ *VISA*. ⋘ Y b
	chiuso dal 23 al 29 dicembre, dal 10 al 20 agosto e domenica – **Pasto** cucina tipica aquilana
	carta 40/55000.
🍴	**Renato**, via Indipendenza 9 ℰ 0862 25596, *Fax 0862 25596* – 🆎 🕃 ① ⓦ *VISA* *JCB*
🍴	*chiuso dal 5 al 20 luglio e domenica* – **Pasto** carta 35/55000. Z s

■ **Preturo** *Nord-Ovest : 8 km* – ✉ 67010 :

🍴🍴	**Il Rugantino**, strada statale 80 ℰ 0862 461401, 🍽 – ▤ 🄿. 🆎 🕃 ① ⓦ *VISA*
	chiuso domenica e mercoledì sera – **Pasto** carta 50/65000.

■ **Paganica** *Nord-Est : 9 km* – ✉ 67016 :

🏨	**Parco delle Rose** senza rist, strada statale 17 bis ℰ 0862 680128, *hotelpdr@inwind.it*,
	Fax 0862 680142 – 🛗 ▤ 📺 ⇔ 🄿. 🆎 🕃 ① ⓦ *VISA*. ⋘
	Pasto carta 40/70000 – **16 cam** ⊠ 120/160000, suite – ½ P 130000.

L'AQUILA

Arco Pizzoli (Via) .... Y 2
Bafile (Via A.) .... Y 3
Federico II (Corso) .... Z
Fontesecco (Via) .... Y 4
Fortebraccio (Via) .... Z 6
Guasto (Via del) .... Z 7
Indipendenza (Via) .... Z 8
Palazzo (Piazza del) .... Y 13
Principe Umberto
  (Corso) .... Y 14
S. Agostino (Via) .... Z 17
S. Chiara d'Aquila (Via)... Z 18
Tre Marie (Via) .... Z 19
Vittorio Emanuele
  (Corso) .... YZ

a Camarda Nord-Est : 14 km – ⌧ 67010 :

XX **Elodia**, strada statale 17 bis del Gran Sasso ℰ 0862 606219, elodiar@tin.i
Fax 0862 606024, ☎ – 🅰🅴 🆂 🅾 🆖 𝘝𝘐𝘚𝘈 𝘑𝘊𝘉. ℅
chiuso dal 1° al 15 luglio, domenica sera e lunedì – **Pasto** carta 45/75000.

LARI 56035 Pisa 𝟜𝟚𝟠, 𝟜𝟛𝟘 L 13 – 8 002 ab. alt. 129.
Roma 335 – Pisa 37 – Firenze 75 – Livorno 33 – Pistoia 59 – Siena 98.

a quattro strade di Lavaiano Nord-Ovest : 6 km :

XX **Lido** con cam, via Livornese 62 ⌧ 56030 Perignano ℰ 0587 616020, Fax 0587 616563 – 🅳
🄿 – 🔬 40. 🅰🅴 🆂 🅾 🆖 𝘝𝘐𝘚𝘈
chiuso dal 1° al 20 agosto – **Pasto** (chiuso lunedì sera e martedì) carta 40/60000 – ⇌ 1000
– **7 cam** 90/130000.

a Lavaiano Nord-Ovest : 9 km – ⌧ 56030 :

X **Castero**, via Galilei 2 ℰ 0587 616121, Fax 0587 616121, ☎, « Giardino » – 🔳 🄿 🅰🅴 🆂 🅾
🆖 𝘝𝘐𝘚𝘈
chiuso dal 15 al 30 agosto, domenica sera e lunedì – **Pasto** (specialità alla brace) cart
55/80000.

Se cercate un albergo tranquillo,
oltre a consultare le carte dell'introduzione,
individuate nell'elenco degli esercizi quelli con il simbolo ⅌ *o* ⅌.

ARIO *Vedere Como (Lago di).*

A SPEZIA 19100 ℙ **428**, **430** J 11 *G. Italia* – 95 504 ab..

    Escursioni *Riviera di Levante* ★★★ *Nord-Ovest.*

    ⓟ *Marigola (chiuso mercoledì) a Lerici* ⊠ *19032* ℘ *0187 970193, Fax 0187 970193 per* ③ : *6 km.*

    ⏤ *per Golfo Aranci 18 giugno-5 settembre giornaliero (5 h 30 mn)* – *Tirrenia Navigazione-agenzia Lardon, viale San Bartolomeo 346* ℘ *0187 551111, Fax 0187 551301.*

    🛈 *via Mazzini 45* ℘ *0187 770900, Fax 0187 770908.*

    A.C.I. *via Costantini 18* ℘ *0187 511098.*

    Roma 418 ② – *Firenze 144* ② – *Genova 103* ② – *Livorno 94* ② – *Milano 220* ② – *Parma 115* ②.

🏛️ **Jolly del Golfo,** *via 20 Settembre 2* ⊠ *19124* ℘ *0187 739555, Fax 0187 22129,* ≼ – 🛗,
    ⇔ cam, 🗏 📺 – 🖋️ 300. 🆎 🚫 ⓞ 🆖 𝘃𝘪𝘴𝘢 𝗃𝖼𝖻. 🛠️ rist   B b
    Pasto *carta 60/95000* – **108 cam** ⊇ *275/325000, 2 suites* – ½ P *225000.*

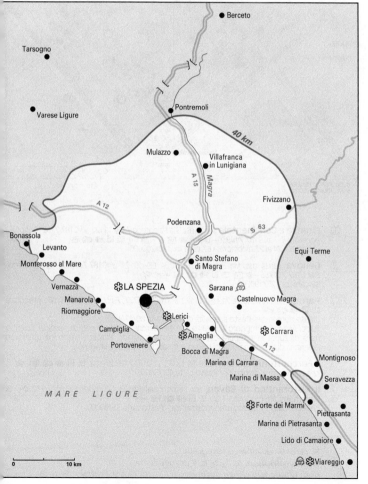

371

LA SPEZIA

Battisti (Piazza Cesare). . . . . . **AB** 2
Beverini (Piazza G.) . . . . **A** 3
Brin
  (Piazza Benedetto) . . . . **A** 4
Caduti del Lavoro
  (Piazzale) . . . . **A** 6

Cavour (Corso e Piazza). . . . . **AB**
Chiodo (Pza e Via Domenico) **B** 8
Colli (Via dei) . . . . **AB** 9
Da Passano (Via) . . . . **B** 10
Europa (Piazza) . . . . **B** 12
Fieschi (Viale Nicolò) . . . . **A** 13
Fiume (Via) . . . . **A** 14
Manzoni (Via) . . . . **B** 15
Milano (Via) . . . . **A** 16

Mille (Via dei) . . . . **A** 1
Napoli (Via) . . . . **A** 1
Prione (Via del) . . . . **AB**
Rosselli (Via Flli) . . . . **A** 2
Spallanzani
  (Via e Salita) . . . . **A** 2
Verdi (Pza Giuseppe) . . . . **B** 2
20 Settembre (Via) . . . . **B** 2
27 Marzo (Via) . . . . **AB** 2

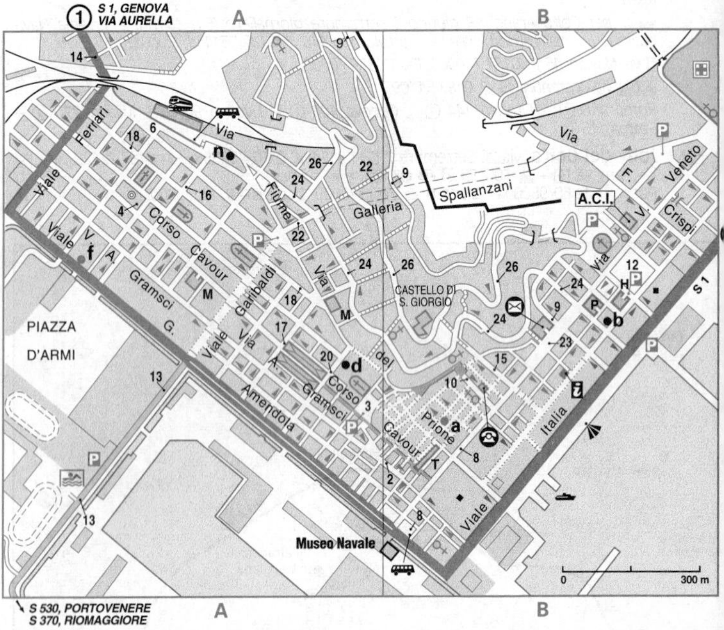

Firenze e Continentale senza rist, via Paleocapa 7 ⊠ 19122 ℘ 0187 713210, *hotel_f enze@iol.it*, Fax 0187 714930 – 🛗 💥 🗏 🔟 🕭 – 🕍 30. ᴁ 🕄 ⑩ 🐠 🚾   A
chiuso dal 24 al 27 dicembre – **67 cam** ⧈ 140/200000.

Genova senza rist, via Fratelli Rosselli 84 ⊠ 19121 ℘ 0187 732972, *hgenova@col.r* Fax 0187 731766 – 🛗 🔟. ᴁ 🕄 ⑩ 🐠 🚾 ᴊᴄʙ. 🛠
35 cam ⧈ 125/190000.

Parodi, viale Amendola 212 ⊠ 19122 ℘ 0187 715777, Fax 0187 715777, 🎇, prenotare ᴁ 🕄 ⑩ 🐠 🚾   A
chiuso domenica – **Pasto** specialità di mare carta 80/175000
Spec. Aspic di pomodoro al basilico con gamberoni su salsa di cetriolo (estate). Scampo fiore di zucca in tempura con cavolo rosso e bianco all'aceto balsamico (primavera Polentina di mais con purea di spinaci e medaglioni di astice (inverno).

Il Forchettone, via Genova 288 ⊠ 19123 ℘ 0187 718835 – 🗏. ᴁ 🕄 ⑩ 🐠 🚾. 🛠
chiuso giugno e domenica – **Pasto** carta 45/75000.   per ①

Il Ristorantino di Bayon, via Felice Cavallotti 23 ⊠ 19121 ℘ 0187 732209, 🎇 Coperti limitati; prenotare – 🗏. ᴁ 🕄 ⑩ 🐠 🚾 ᴊᴄʙ   B
chiuso sabato a mezzogiorno e domenica – **Pasto** carta 35/80000.

---

*Se cercate un albergo tranquillo,
oltre a consultare le carte dell'introduzione,
individuate nell'elenco degli esercizi quelli con il simbolo ⑤ o ⑥.*

LASTRA A SIGNA 50055 Firenze 429 , 430 K 15 – 18 020 ab. alt. 36.

Roma 283 – Firenze 12 – Bologna 108 – Livorno 79 – Lucca 63 – Pisa 69 – Pistoia 29 – Siena 74.

X **Antica Trattoria Sanesi**, via Arione 33 ℘ 055 8720234, Fax 055 8727797 – ≡. ﷼ 🗓 ⑩ ⑯ 🚾.

chiuso dal 20 luglio al 20 agosto, domenica sera e lunedì – **Pasto** carta 40/70000 (10%).

LA STRADA CASALE Ravenna 429 , 430 J 17 – Vedere Brisighella.

LA THUILE 11016 Aosta 428 E 2 – 763 ab. alt. 1441 – a.s. febbraio-marzo, Pasqua, 11 luglio-11 settembre e Natale – Sport invernali : 1 441/2 650 m ≰ 1 ≴ 12, ≰.
🛈 via Collomb 4 ℘ 0165 884179, Fax 0165 885196.
Roma 789 – Aosta 40 – Courmayeur 15 – Milano 227 – Colle del Piccolo San Bernardo 13.

🏨 **Chateau Blanc** ⌂ senza rist, località Entrèves 39 ℘ 0165 885341, chateaublanc@lathuil e.it, Fax 0165 885343, ≤, ₭₅, ⇌, ଛ – 📳 ⅏ 🗠 ⅋ ⇔ ₽. ﷼ 🗓 ⑩ ⑯ 🚾. ⅍
dicembre-aprile e luglio-10 settembre – **13 cam** ⌑ 140/220000.

🏨 **Martinet** ⌂ senza rist, frazione Petite Golette 159 ℘ 0165 883009, Fax 0165 885763, ≤ – 🗠 ⇔. ⅍
chiuso giugno – **10 cam** ⌑ 80/140000.

XX **La Bricole**, località Entrèves ℘ 0165 884149, labricole@lathuile.it, Fax 0165 884149 – ﷼ 🗓 🚾. ⅍
chiuso ottobre, novembre e lunedì (escluso da giugno a settembre) – **Pasto** 30/45000 e carta 45/70000.

Lisez attentivement l'introduction : c'est la clé du guide.

LATINA 04100 ℙ 430 R 20 – 114 099 ab. alt. 21.
🛈 piazza del Popolo ℘ 0773 480672.
A.C.I. via Aurelio Saffi 23 ℘ 0773 697701.
Roma 68 – Frosinone 52 – Napoli 164.

🏨 **De la Ville**, via Canova 12 ℘ 0773 661281, Fax 0773 661153, ₰ – 📳 ⅏ cam, ≡ 🗠 ₺ ⇔ – ₤ 60. ﷼ 🗓 ⑩ ⑯ 🚾. ⅍
Pasto al rist. **I Consoli** carta 65/85000 – ⌑ 30000 – **68 cam** 200/260000 – ½ P 220000.

🏨 **Park Hotel**, strada statale Monti Lepini 25 ℘ 0773 240295, info@parkhotel.it, Fax 0773 610682, ₭₅, ⅏, ⅍ – 📳, ≡ rist, 🗠 ₽ – ₤ 300. ﷼ 🗓 ⑩ ⑯ 🚾 🇯🇨🇧. ⅍ rist
Pasto 30/55000 – ⌑ 8000 – **117 cam** 100/120000 – ½ P 85000.

XX **Enoteca dell'Orologio**, piazza del Popolo 20 ℘ 0773 473684, Fax 0773 417625, 😤 , Coperti limitati; prenotare – ≡. ﷼ 🗓 ⑩ ⑯ 🚾. ⅍
chiuso dal 25 al 30 dicembre, dal 15 al 30 agosto, domenica e lunedì a mezzogiorno – **Pasto** carta 55/80000.

X **Impero**, piazza della Libertà 19 ℘ 0773 693140 – ≡. ﷼ 🗓 ⑩ ⑯ 🚾. ⅍
chiuso dal 14 al 31 agosto e sabato – **Pasto** carta 35/50000.

al Lido di Latina Sud : 9 km – ✉ 04010 Borgo Sabotino :

🏨 **Mediterraneo**, località Foce Verde ℘ 0773 645044, ≤, ⅏, ⅋₆ – ≡ 🗠 ₽. 🗓 ⑩ ⑯ 🚾. ⅍
marzo-ottobre – **Pasto** (chiuso lunedì escluso giugno-settembre) carta 35/75000 – **12 cam** ⌑ 110/160000 – ½ P 120000.

🏨 **Gabriele** senza rist, via Lungomare 348, località Foce Verde ℘ 0773 645800, Fax 0773 648696, ≤, ⅋₆, ₰ – 📳 ≡ 🗠 ₽ – ₤ 60. ﷼ 🗓 ⑩ ⑯ 🚾
45 cam ⌑ 70/100000.

🏨 **Miramare** senza rist, via Lungomare, località Capo Portiere ℘ 0773 273470, Fax 0773 273862, ≤, ⅋₆ – 🗠 ⇔ ₽. ﷼ 🗓 ⑩ ⑯ 🚾. ⅍
chiuso dal 15 dicembre al 1° aprile – **25 cam** ⌑ 100/120000.

XX **Il Tarantino**, via Lungomare 150, località Foce Verde ℘ 0773 273253, Fax 0773 273253, ≤ – ≡. ﷼ 🗓 ⑩ ⑯ 🚾. ⅍
chiuso gennaio e mercoledì – **Pasto** carta 45/85000.

X **La Risacca**, via Lungomare 93, località Foce Verde ℘ 0773 273223, ≤, 😤 – ≡ ₽. 🗓. ⅍
chiuso novembre e giovedì – **Pasto** specialità di mare carta 40/60000.

a Borgo Faiti Est : 10 km – ✉ 04010 Borgo Faiti :

XX **Locanda del Bere**, via Foro Appio 64 ℘ 0773 258620, Coperti limitati; prenotare – ≡. ﷼ 🗓 ⑩ ⑯ 🚾 🇯🇨🇧. ⅍
chiuso dal 15 al 30 agosto e domenica – **Pasto** carta 55/75000.

LATISANA *33053 Udine* **429** *E 20 – 11 577 ab. alt. 9 – a.s. luglio-agosto.*
  Roma 598 – Udine 41 – Gorizia 60 – Milano 337 – Portogruaro 14 – Trieste 80 – Venezia 87.

🏠 **Bella Venezia**, via del Marinaio 3 ✆ 0431 59647, *Fax 0431 59649*, 🍴, « Giardino ombreggiato » – 🛗 📺 🅿. – 🛎 50. 🖭 🖪 ⓪ ⓪ 𝘝𝘐𝘚𝘈
  chiuso dal 1° al 7 gennaio – **Pasto** *(chiuso dal 10 al 20 agosto)* carta 45/85000 – 🖵 15000 – **22 cam** 120/185000.

LATSCH = Laces.

LAURA *Caserta* **431** *F 26 – Vedere Paestum.*

LAURIA *Potenza* **431** *G 29 – 13 926 ab. alt. 430.*
  Roma 406 – Cosenza 126 – Potenza 129 – Napoli 199.

a Lauria Inferiore – ⊠ *85044 :*

🏠 **Isola di Lauria** 🦢, piazza Insorti d'Ungheria ✆ 0973 823905, *hisola@tiscalinet.it*, *Fax 0973 823962*, ← – 🛗 ▤ 📺 🅿. – 🛎 400. 🖭 🖪 ⓪ ⓪ 𝘝𝘐𝘚𝘈 𝖩𝖢𝖡. ✸
  Pasto carta 30/50000 – 🖵 8000 – **34 cam** 85/100000 – ½ P 80000.

a Pecorone *Nord : 5 km –* ⊠ *85040 :*

🍴 **Da Giovanni**, ✆ 0973 821003 – 🅿. ✸
  chiuso lunedì escluso da giugno a settembre – **Pasto** carta 30/40000.

LAVAGNA *16033 Genova* **428** *J 10 – 13 352 ab..*
  🚩 *piazza della Libertà 48/a* ✆ *0185 395070, Fax 0185 392442.*
  Roma 464 – Genova 41 – Milano 176 – Rapallo 17 – La Spezia 66.

🏠 **Fieschi** 🦢, via Rezza 12 ✆ 0185 304400, *info@hotelvillafieschi.it*, *Fax 0185 313809*, « Villa fine ottocento con giardino », 🎋 – 📺 🅿. – 🛎 30. 🖭 🖪 ⓪ 𝘝𝘐𝘚𝘈. ✸
  chiuso novembre e dicembre – **Pasto** (solo per alloggiati e *chiuso a mezzogiorno da Natale a Pasqua*) 30/40000 – **13 cam** 🖵 170/230000 – ½ P 140000.

🏠 **Tigullio**, via Matteotti 3 ✆ 0185 392965, *Fax 0185 390277* – 🛗 📺, 🖭 🖪 ⓪ ⓪ 𝘝𝘐𝘚𝘈. ✸
  aprile-ottobre – **Pasto** *(chiuso ottobre e lunedì in aprile-maggio)* carta 40/55000 – 🖵 8000 – **40 cam** 100/140000 – ½ P 105000.

🍴🍴 **Il Gabbiano**, via San Benedetto 26 (Est : 1,5 km) ✆ 0185 390228, *Fax 0185 390228*, Coperti limitati; prenotare, « Servizio estivo in terrazza panoramica » – ▤ 🅿. 🖭 🖪 ⓪ ⓪ 𝘝𝘐𝘚𝘈 𝖩𝖢𝖡. ✸
  chiuso dal 21 al 28 febbraio, dal 6 novembre al 6 dicembre, lunedì e martedì a mezzogiorno – **Pasto** 50/60000 e carta 45/85000.

a Cavi *Sud-Est : 3 km –* ⊠ *16030 :*

🍴🍴 **Martin Pescatore**, via del Cigno 1 ✆ 0185 390026, « Servizio estivo in terrazza sul mare » – 🖭 🖪 ⓪ ⓪ 𝘝𝘐𝘚𝘈. ✸
  chiuso martedì – **Pasto** carta 50/110000.

🍴 **A Cantinn-a**, via Torrente Barassi 8 ✆ 0185 390394, prenotare – 🖪 𝘝𝘐𝘚𝘈
  chiuso dal 15 al 28 febbraio, novembre e martedì – **Pasto** carta 50/70000.

🍴 **Raieû**, via Milite Ignoto 25 ✆ 0185 390145 – 🖭 🖪 ⓪ ⓪ 𝘝𝘐𝘚𝘈. ✸
  chiuso dal 20 febbraio al 10 marzo, novembre e lunedì – **Pasto** carta 50/80000.

LAVAIANO *Pisa* **428**, **430** *L 13 – Vedere Lari.*

LA VALLE (WENGEN) *39030 Bolzano* **429** *C 17 – 1 244 ab. alt. 1353.*
  🚩 ✆ *0471 843072, Fax 0471 843277.*
  Roma 698 – Cortina d'Ampezzo 40 – Bolzano 67 – Brunico 24.

🏠 **Plan Murin** 🦢, Centro 171 ✆ 0471 843138, *info@plan–murin.com*, *Fax 0471 843285*, ← Monte Croce e vallata, 🚡 – 🛗, 🙌 rist, ▤ rist, 📺 🅿. ✸
  dicembre-aprile e giugno-15 ottobre – **Pasto** (solo per alloggiati) carta 30/45000 – **21 cam** 🖵 70/90000 – ½ P 95000.

LAVARIANO *33050 Udine* **429** *E 21 – alt. 49.*
  Roma 615 – Udine 14 – Trieste 82 – Venezia 119.

🍴🍴 **Blasut**, via Aquileia 7 ✆ 0432 767017, *Fax 0432 767017*, 🍴, Coperti limitati; prenotare – 🅿
  chiuso dall'8 al 22 gennaio, dal 10 al 25 agosto, domenica sera e lunedì – **Pasto** carta 75/110000.

AVARONE 38046 Trento **429** E 15 – 1 074 ab. alt. 1 172 – a.s. Pasqua e Natale – Sport invernali : 1 165/1 555 m ⟨⟨ 3 ⟨.

 🛈 a Gionghi, palazzo Comunale ℰ 0464 783226, Fax 0464 783118.
Roma 592 – Trento 33 – Milano 245 – Rovereto 29 – Treviso 115 – Verona 104 – Vicenza 64.

🏨 **Capriolo** ⟨, frazione Bertoldi ℰ 0464 783187, Fax 0464 783176, ⟨, 🐎 – 🛗 🖵 🅿. 🖭 🕲 🕲 🖭 🖭. ⟨⟨
6 dicembre-9 aprile e 2 giugno-settembre – **Pasto** 30/35000 – ⟨⟨ 12000 – **29 cam** 75/125000 – ½ P 100000.

🏨 **Caminetto**, frazione Bertoldi ℰ 0464 783214, Fax 0464 780668, ⟨, ⟨, 🐎 – 🛗 🖭 🅿. 🖭 🕲 🕲 🕲 🖭 🖭. ⟨⟨ rist
dicembre-Pasqua e giugno-settembre – **Pasto** carta 35/45000 – ⟨⟨ 11000 – **18 cam** 70/120000 – ½ P 100000.

🏨 **Esperia**, piazza Chiesa 29, frazione Chiesa ℰ 0464 783124, Fax 0464 783124 – 🖭. 🕲 🕲 🖭. ⟨⟨
Pasto (chiuso martedì) carta 30/45000 – ⟨⟨ 10000 – **16 cam** 70/110000 – ½ P 90000.

AVELLO 85024 Potenza **431** D 29 – 13 671 ab. alt. 313.
Roma 359 – Foggia 68 – Bari 104 – Napoli 166 – Potenza 77.

🏨 **San Barbato**, Sud-Ovest : 1,5 km ℰ 0972 81392, Fax 0972 83813, « Giardino con ⟨ », ⟨⟨ – 🛗 ☰ 🖭 🅿 – 🔏 100. 🖭 🕲 🕲 🖭. ⟨⟨
Pasto (chiuso venerdì) carta 40/55000 – ⟨⟨ 8000 – **38 cam** 100/150000, ☰ 5000 – ½ P 110000.

Ferienreisen wollen gut vorbereitet sein.

Die Straßenkarten und Führer von Michelin

*geben Ihnen Anregungen und praktische Hinweise zur Gestaltung Ihrer Reise:
Streckenvorschläge, Auswahl und Besichtigungsbedingungen
der Sehenswürdigkeiten, Unterkunft, Preise... u. a. m.*

AVENO MOMBELLO 21014 Varese **428** E 7 G. Italia – 8 906 ab. alt. 200.
Vedere Sasso del Ferro★★ per cabinovia.
🚢 per Verbania-Intra giornalieri (20 mn) – Navigazione Lago Maggiore, ℰ 0332 667128.
🛈 piazza Italia 2 (palazzo Municipale) ℰ 0332 666666.
Roma 654 – Stresa 22 – Bellinzona 56 – Como 49 – Lugano 39 – Milano 77 – Novara 69 – Varese 22.

🍴🍴🍴 **Il Porticciolo** con cam, via Fortino 40 (Ovest : 1,5 km) ℰ 0332 667257, ilportic@tin.it, Fax 0332 666753, ⟨ lago, prenotare, « Servizio estivo in terrazza sul lago » – 🖭 🅿. 🖭 🕲 🕲 🕲 🖭. ⟨⟨ cam
chiuso dal 19 gennaio al 3 febbraio – **Pasto** (chiuso martedì e mercoledì a mezzogiorno e in luglio-agosto solo i mezzogiorno di martedì e mercoledì) 70/90000 e carta 70/105000 – **10 cam** ⟨⟨ 220/280000 – ½ P 195000.

🍴 **Concordia**, piazza Marchetti 7 ℰ 0332 667380 – 🖭 🕲 🕲 🕲 🖭
chiuso dal 4 gennaio al 14 febbraio, novembre e lunedì – **Pasto** carta 40/70000.

LA VILLA (STERN) Bolzano – Vedere Badia.

LAVINIO LIDO DI ENEA Roma **430** R 19 – Vedere Anzio.

LAZISE 37017 Verona **428** , **429** F 14 – 5 882 ab. alt. 76.
📇 Cà degli Ulivi a Marciaga di Costermano ⊠ 37010 ℰ 045 6279030, Fax 045 6279039, Nord : 13 km.
🛈 via Francesco Fontana 14 ℰ 045 7580114, Fax 045 7581040.
Roma 521 – Verona 22 – Brescia 54 – Mantova 60 – Milano 141 – Trento 92 – Venezia 146.

🏨 **Lazise** senza rist, via Esperia 38/a ℰ 045 6470466, Fax 045 6470190, ⟨, ⟨⟨ – 🛗 ☰ 🖭 🚲 🖭 🕲 🖭. ⟨⟨
aprile-ottobre – **74 cam** ⟨⟨ 150/210000.

🏨 **Cangrande** senza rist, corso Cangrande 16 ℰ 045 6470410, Fax 045 6470390, « Nelle cantine produzione di vino Bardolino » – ☰ 🖭 🖭 🕲 🕲 🖭. ⟨⟨
chiuso dal 20 dicembre al 10 febbraio – **17 cam** ⟨⟨ 160/190000.

⌂ **Le Mura** senza rist, via Bastia 4 ☏ 045 6470100, Fax 045 7580189, ☒ – ▤ ▣ ⬛. ⬛. ⬛
marzo-novembre – **23 cam** ☲ 140/195000.

⌂ **Giulietta Romeo** senza rist, via Dosso 1/2 ☏ 045 7580288, *giuliettaromeo@gardalake.it*
Fax 045 7580115, « Grande giardino con ☒ » – ▣ ▣. ⬛ ⬛ ⬛ ⬛ ⬛. ⬛
marzo-novembre – **32 cam** ☲ 120/190000.

XX **Botticelli**, via Porta del Lion 13 ☏ 045 7581194, ⬛ – ⬛. ⬛
chiuso gennaio e lunedì (escluso da luglio a settembre) – **Pasto** specialità di mare carta
45/90000.

XX **La Grotta** con cam, via Fontana 8 ☏ 045 7580035, Fax 045 7580035, ⬛, prenotare – ▤
▣. ⬛ ⬛ ⬛. ⬛ cam
chiuso dal 15 dicembre al 15 febbraio – **Pasto** *(chiuso martedì)* carta 45/85000 – ☲ 15000 –
14 cam 130000.

XX **Il Porticciolo**, lungolago Marconi 22 ☏ 045 7580254, Fax 045 7580254, ≤, ⬛ – ▣. ⬛ ⬛
⬛ ⬛ ⬛. ⬛
chiuso novembre e martedì – **Pasto** carta 45/70000.

sulla strada statale 249 *Sud : 1,5 km :*

⌂⌂ **Casa Mia**, località Risare 1 ⬛ 37017 ☏ 045 6470244, *casamia@lazise.com*
Fax 045 7580554, ⬛, « Giardino », ⬛, ☒, ⬛ – ⬛, ▤ cam, ▣ ▣ – ⬛ 60. ⬛ ⬛ ⬛ ⬛ ⬛
⬛
chiuso dal 21 dicembre al 1° febbraio – **Pasto** *(chiuso a mezzogiorno, escluso domenica, da
ottobre a giugno)* carta 55/70000 – **39 cam** ☲ 135/200000 – ½ P 140000.

LE CASTELLA Crotone ▥▨▧ K 33 – *Vedere Isola di Capo Rizzuto.*

LECCE 73100 ▣ ▨▥▧ F 36 *G. Italia* – *98 208 ab. alt. 51.*

Vedere *Basilica di Santa Croce*★★ Y – *Piazza del Duomo*★★ : *pozzo*★ *del Seminario* Y –
Museo provinciale★ : *collezione di ceramiche*★★ Z M – *Chiesa di San Matteo*★ Z – *Chiesa del
Rosario*★ YZ – *Altari*★ *nella chiesa di Sant'Irene* Y.

▥ *Acaja (chiuso lunedì)* ⬛ 73020 Acaya ☏ 0832 861378, Fax 0832 861378 Est : 14 km.

▣ *corso Vittorio Emanuele 24* ☏ 0832 248092, Fax 0832 310238.

▣▣▣ *via Candido 2* ☏ 0832 241568.

Roma 601 ① – Brindisi 38 ① – Napoli 413 ① – Taranto 86 ⑦.

Pianta pagina a lato

⌂⌂⌂⌂ **Patria Palace Hotel** ▥, piazzetta Gabriele Riccardi 13 ☏ 0832 245111, *patria.palace.ho*
tel@mail.clio.it, Fax 0832 245002 – ▤ ▤ ▣ ⬛ ⬛ – ⬛ 140. ⬛ ⬛ ⬛ ⬛ ⬛ ⬛. ⬛
Pasto 50/75000 – **67 cam** ☲ 260/380000 – ½ P 240000.   Y b

⌂⌂⌂ **President**, via Salandra 6 ☏ 0832 311881, Fax 0832 372283 – ▤ ▤ ▣ ⬛ ⬛ – ⬛ 350.
⬛ ⬛ ⬛ ⬛ ⬛. ⬛   X n
Pasto 50000 – **154 cam** ☲ 160/250000, 2 suites – ½ P 180000.

⌂⌂ **Gd H. Tiziano e dei Congressi**, superstrada per Brindisi ☏ 0832 272111,
Fax 0832 272841, ▮⬛, ⬛, ☒ – ▤ ▤ ▣ ▣ – ⬛ 800. ⬛ ⬛ ⬛ ⬛ ⬛. ⬛   X f
Pasto carta 45/60000 – **191 cam** ☲ 160/250000, 12 suites – ½ P 175000.

⌂⌂ **Cristal** senza rist, via Marinosci 16 ☏ 0832 372314, Fax 0832 315109 – ▤ ▤ ▣ ⬛ –
⬛ 80. ⬛ ⬛ ⬛ ⬛. ⬛   X a
65 cam ☲ 140/200000.

⌂⌂ **Delle Palme**, via di Leuca 90 ☏ 0832 347171, Fax 0832 347171 – ▤ ▤ ▣ ▣ – ⬛ 150. ⬛
⬛ ⬛ ⬛ ⬛ ⬛. ⬛   X e
Pasto carta 35/60000 – **96 cam** ☲ 130/210000 – ½ P 140000.

XX **Via Monti**, via Monti 7/13 ☏ 0832 390174, Fax 0832 390174, ⬛ – ▤. ⬛ ⬛ ⬛ ⬛ ⬛
⬛. ⬛   X c
chiuso dal 10 al 20 agosto, sabato a mezzogiorno e domenica – **Pasto** carta 45/70000.

XX **Villa G.C. della Monica**, via SS. Giacomo e Filippo 40 ☏ 0832 458432, Fax 0832 458432,
⬛, « In un edificio del 16° secolo » – ▤. ⬛ ⬛ ⬛ ⬛ ⬛. ⬛   X b
chiuso dal 7 al 27 gennaio e martedì – **Pasto** carta 30/55000.

X **Trattoria Casareccia**, via Costadura 19 ☏ 0832 245178, Fax 0832 245178 – ⬛ ⬛. ⬛
chiuso dal 24 dicembre al 6 gennaio e dal 30 agosto al 15 settembre – **Pasto** cucina
regionale casalinga 25/35000.   X d

X **I Tre Moschettieri**, via Paisiello 9/a ☏ 0832 308484, Rist. e pizzeria serale, « Servizio
estivo all'aperto » – ⬛ ⬛ ⬛ ⬛ ⬛. ⬛   Z a
chiuso dal 15 al 31 dicembre e domenica – **Pasto** carta 30/70000.

LECCE

lfieri (Viale V.) . . . . X 2
ragona (Via F. d') . . . . YZ 3
oito (Via A.) . . . . X 4
onifacio (Via G.B.) . . . . X 5
alasso (Via Francesco) . . . . X 6
aracciolo
  (Via Roberto) . . . . Z 7
avallotti (Viale F.) . . . . Y 8
ostadura (Via M.C.) . . . . . X,Y 9
azzi (Via Vito) . . . . Y 12
oscolo (Viale Ugo) . . . . X 13
mperatore Adriano (V.) . . . X,Y 14
mperatore Augusto (V.) . . . . Y 15
acobis (V. Agostino de) . . X,Z 17
iberta (Via della) . . . . X 19
udovico (Via) . . . . Y 21
Marche (Viale) . . . . X 22
Mazzini (Piazza G.) . . . . X 23
Nazario Sauro (Via) . . . . X 24
Orsini del Balzo (Via) . . . . X,Z 25
Palazzo dei Conti
  di Lecce (Via del) . . . . . . Z 26
ettorano (Via) . . . . X 27
ietro (Via M. de) . . . . X,Y 28
ealino (Viale Bernardino) . . . X 29
egina Elena (Via) . . . . X 30
ossini (Viale G.) . . . . X 31
ubichi (Via Francesco) . . . . X 32
alandra (Via) . . . . X 33
S. Lazzaro (Via) . . . . X 34
S. Oronzo (Piazza) . . . . Y
aranto (Via) . . . . Y 38
rinchese (Via Salvatore) . . . Y 41
itt. Emanuele (Cso) . . . . . . Y 42
itt. Emanuele (Pza) . . . . . . Y 43
25 Luglio (Via) . . . . Y 44

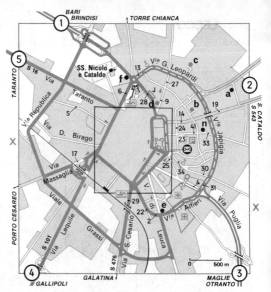

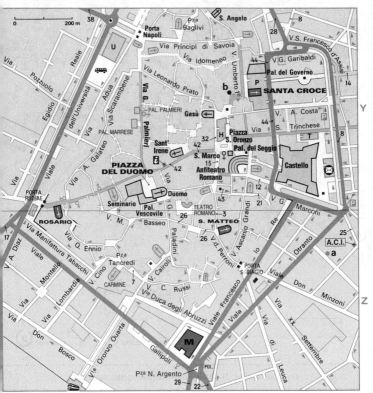

377

LECCO

Adda (V.)	AZ 2	
Affari (Pza degli)	AY 4	
Airoldi (V. Almicare)	AY 5	
Anghileri (V.)	AY 7	
Appiani (V. Andrea)	BZ 8	
Bezzeca (V.)	AZ 10	
Cali (V.)	AY 12	
Cattaneo (V. Carlo)	ABY	
Cavour (V.)	AY	
Cellini (V.)	BY 14	
Cornelio (V.)	AZ 15	

Dante (Vle)	BZ	
D'Oggiono (V. Marco)	BY	
Europa (Largo)	AY 17	
Fiumicella (V.)	BY 19	
Foggazzaro (V.)	BY 20	
Fratelli Cairoli (V.)	ABY	
Legnano (V.)	AY 25	
Malpensata (V.)	AY 27	
Mascari (V. Antonio)	AY	
Montanara (V.)	BY 29	
Montenero (Largo)	AY 30	
Nazario Sauro (V.)	AY 32	
Ongania (V.)	AY 35	
Pozzo (V. del)	AY 37	

Promessi Sposi (Cso)	BY 3	
Resinelli (V.)	AY 4	
Roma (V.)	AYZ	
S. Francesco (V.)	AZ 4	
S. Marta (Pza)	AY 4	
Sassi (V. Salvatore)	BY 4	
Sirtori (V.)	AY 4	
Stoppani (Pza)	AY 4	
Torre (Viccolo della)	AY 5	
Torri Tarelli (V.)	AY 5	
Varese (V.)	BZ 5	
4 Novembre (Lungo lario)	AY 5	
20 Settembre (Pza)	AY 6	

Le carte stradali Michelin sono costantemente aggiornate.

378

LECCO 23900 🅿 428 E 10 *G. Italia* – 45 632 ab. alt. 214.

Vedere *Lago★★★*.

🏌 *(chiuso lunedì e dal 23 dicembre all'11 gennaio)* ad Annone Brianza ⊠ 23841 *ℰ* 0341 579525, Fax 0341 575787, per ④ : 10 km.

⛴ per Bellagio giugno-settembre giornalieri (1 h) – Navigazione Lago di Como, largo Lario Battisti *ℰ* 0341 364036.

🛈 via Nazario Sauro 6 *ℰ* 0341 362360, Fax 0341 286231.

A.C.I. via Amendola 4 *ℰ* 0341 357911.

Roma 621 – Como 29 – Bergamo 33 – Lugano 61 – Milano 56 – Sondrio 82 – Passo dello Spluga 97.

Pianta pagina precedente

🏨 **Alberi** senza rist, lungo Lario Isonzo 4 *ℰ* 0341 350992, *hotelalberi@infinito.it,* Fax 0341 350895, ≤ – 🛗 🖃 📺 ⚫. 🕮 🕄 ⓪ ⓿ 𝘝𝘐𝘚𝘈. ❀ AZ **a**
⊡ 15000 – **20 cam** 100/130000.

XX **Al Porticciolo**, via Valsecchi 5/7 *ℰ* 0341 498103, Fax 0341 258438, � , Coperti limitati; prenotare – 🕮 🕄 ⓪ ⓿ 𝘝𝘐𝘚𝘈. ❀ per via Palestro BY
chiuso dal 1° al 10 gennaio, agosto, lunedì, martedì e a mezzogiorno (escluso i giorni festivi) – **Pasto** solo specialità di mare carta 70/105000.

XX **Nicolin**, via Ponchielli 54, località Maggianico Sud : 3,5 km *ℰ* 0341 422122, Fax 0341 422122, « Servizio estivo in terrazza » – 🅿. 🕮 🕄 ⓪ ⓿ 𝘝𝘐𝘚𝘈 per ②
chiuso agosto e martedì – **Pasto** 60/90000 e carta 55/100000.

XX **Cermenati**, corso Matteotti 71 *ℰ* 0341 283017, Fax 0341 283017, � , Coperti limitati; prenotare – 🕄 ⓿ 𝘑𝘊𝘉 BY **r**
chiuso dal 1° al 7 gennaio, dal 5 al 20 agosto e lunedì – **Pasto** carta 60/90000.

LE CLOTES *Torino – Vedere Sauze d'Oulx.*

LEGNAGO 37045 Verona 429 G 15 – 25 118 ab. alt. 16.
Roma 476 – Verona 43 – Mantova 44 – Milano 195 – Padova 64 – Rovigo 45 – Venezia 101 – Vicenza 49.

🏨 **Salieri** senza rist, viale dei Caduti 64 *ℰ* 0442 22100, Fax 0442 23422 – 🛗 🖃 📺. 🕮 🕄 ⓪ ⓿ 𝘝𝘐𝘚𝘈. ❀
28 cam ⊡ 110/140000.

a San Pietro Ovest : 3 km – ⊠ 37048 San Pietro di Legnago :

🏨 **Pergola**, via Verona 140 *ℰ* 0442 629103, *info@hotelpergola.com,* Fax 0442 629110, � – 🛗 🖃 📺 📞 ⅗ 🚗 🅿 – 🔏 150. 🕮 🕄 ⓪ ⓿ 𝘝𝘐𝘚𝘈 𝘑𝘊𝘉. ❀
chiuso dal 26 dicembre al 10 gennaio e dal 1° al 23 agosto – **Pasto** *(chiuso mercoledì e venerdì sera)* carta 50/90000 – ⊡ 15000 – **48 cam** 150/220000 – ½ P 130000.

LEGNANO 20025 Milano 428 F 8 – 54 066 ab. alt. 199.
Roma 605 – Milano 28 – Como 33 – Novara 37 – Varese 32.

🏨 **2 C** senza rist, via Colli di Sant'Erasmo 51 *ℰ* 0331 440159, Fax 0331 440090 – 🖃 📺 🅿. 🕮 🕄 ⓪ ⓿ 𝘝𝘐𝘚𝘈. ❀
chiuso dal 3 al 26 agosto – ⊡ 12000 – **24 cam** 100/180000.

LE GRAZIE *La Spezia 430 J 11 – Vedere Portovenere.*

LEIFERS = Laives.

LEINÌ 10040 Torino 428 G 5 – 100 ab. alt. 245.
Roma 665 – Torino 15 – Aosta 104 – Asti 72 – Novara 88.

🏨 **Air Palace** Ⓜ, via Torino 100 *ℰ* 011 9977777, Fax 011 9973398, 🅵🅶, 🈺 – 🛗, ⅗ cam, 🖃 📺 📞 ⅗ 🚗 🅿 – 🔏 180. 🕮 🕄 ⓪ ⓿ 𝘝𝘐𝘚𝘈
Pasto al Rist. *Ikaro (chiuso dal 3 al 23 agosto)* carta 50/80000 – ⊡ 20000 – **65 cam** 185/245000.

LEIVI *Genova 428 I 9 – Vedere Chiavari.*

LEMIE *10070 Torino,* [428] G 3 – *237 ab. alt. 957.*
Roma 734 – Torino 52 – Milano 180.

🏠 **Villa Margherita,** via San Giuseppe 2, località Villa Sud-Est : 2 km ☎ 0123 60225, ≤ – [P] [S]. ✲
aprile-settembre – **Pasto** *(chiuso lunedì)* carta 35/70000 – **19 cam** ☕ 85/130000 ½ P 80000.

LENNO *22016 Como* [428] E 9, [219] ⑨ – *1 753 ab. alt. 200.*
Roma 652 – Como 27 – Menaggio 8 – Milano 75.

🏨 **Lenno** [M] ✲, via Lomazzi 23 ☎ 0344 57051, *Fax 0344 57055*, ≤ lago, ✲, ✲, ✲ – |✲| ✲ [TV] ✲ ✲ – ✲ 60. [AE] [S] ✲ ✲ [VISA]. ✲ rist
chiuso dal 15 novembre al 27 dicembre – **Pasto** carta 65/90000 – **46 cam** ☕ 190/250000 ½ P 170000.

🏨 **San Giorgio** ✲, via Regina 81 ☎ 0344 40415, *Fax 0344 41591*, ≤ lago e monti, « Piccolo parco ombreggiato digradante sul lago », ✲ – |✲| [P]. [AE] [S] ✲ ✲ [VISA]. ✲
aprile-ottobre – **Pasto** (solo per alloggiati) 50/60000 – ☕ 20000 – **26 cam** 140/210000 ½ P 170000.

LE REGINE *Pistoia* [430] J 14 – *Vedere Abetone.*

LERICI *19032 La Spezia* [428], [429], [430] J 11 *G. Italia* – *11 808 ab..*
✲ *Marigola (chiuso mercoledì)* ☎ *0187 970193, Fax 0187 970193.*
[i] *via Biagini 6* ☎ *0187 967346.*
Roma 408 – La Spezia 11 – Genova 107 – Livorno 84 – Lucca 64 – Massa 25 – Milano 224 – Pisa 65.

🏨 **Doria Park Hotel** ✲, via privata Doria 2 ☎ 0187 967124, *doriahotel@tamnet.it*, *Fax 0187 966459*, ≤ golfo, ✲, ✲ – |✲| [TV] [P] – ✲ 50. [AE] [S] ✲ ✲ [VISA] [JCB]. ✲ rist
Pasto (solo per alloggiati; *chiuso dal 15 dicembre al 15 gennaio e domenica*) carta 55/85000 – **46 cam** ☕ 165/215000.

🏨 **Florida** senza rist, lungomare Biaggini 35 ☎ 0187 967332, *florida@hotelflorida.it*, *Fax 0187 967344*, ≤ golfo – |✲| ✲ [TV] ✲. [AE] [S] ✲ ✲ [VISA] [JCB]. ✲
chiuso dal 6 gennaio al 15 marzo – **37 cam** ☕ 160/210000.

🏨 **Shelley e Delle Palme** senza rist, lungomare Biaggini 5 ☎ 0187 968205, *shelleyspa@libero.it, Fax 0187 964271*, ≤ golfo, ✲ – |✲| ✲ [TV] – ✲ 40. [AE] [S] ✲ ✲ [VISA] [JCB]. ✲
49 cam ☕ 150/210000.

🏨 **Europa** ✲, via Carpanini 1 ☎ 0187 967800, *europa@europahotel.it, Fax 0187 965957*, ≤ golfo, ✲ – |✲| ✲ [TV] [P]. [AE] [S] ✲ ✲ [VISA]. ✲
Pasto *(chiuso dicembre e a mezzogiorno)* carta 40/55000 – **35 cam** ☕ 200/230000 – ½ P 190000.

🍴🍴 **Acquamarina,** lungomare Biaggini 24 ☎ 0187 966685, « Servizio estivo in terrazza con ≤ Lerici e golfo » – [P]. [AE] [S] ✲ ✲ [VISA]
chiuso mercoledì e giovedì a mezzogiorno – **Pasto** 50/70000 e carta 50/75000.

🍴🍴 **Il Frantoio,** via Cavour 21 ☎ 0187 964174, *Fax 0187 952227*, prenotare – ✲. [AE] [S] ✲ ✲ [VISA]. ✲
chiuso dal 7 al 22 gennaio, dal 10 al 25 luglio e lunedì – **Pasto** carta 60/90000.

🍴🍴 **La Barcaccia,** piazza Garibaldi 8 ☎ 0187 967721 – [AE] [S] ✲ ✲ [VISA]
chiuso febbraio o novembre, giovedì (escluso agosto) e a mezzogiorno da lunedì a venerdì – **Pasto** carta 55/95000.

🍴 **La Calata,** via Mazzini 7 ☎ 0187 967143, *Fax 0187 969616*, ≤, ✲, « Servizio estivo in terrazza con ≤ golfo e dintorni » – [AE] [S] ✲ [VISA] [JCB]
chiuso dicembre e martedì – **Pasto** specialità di mare carta 50/75000.

a Fiascherino *Sud-Est : 3 km* – ✉ *19030 :*

🏨 **Fiascherino** ✲, via Byron 13 ☎ 0187 967362, *Fax 0187 964721*, ≤, « In una pittoresca insenatura », ✲ con acqua di mare, ✲, ✲, ✲ – [TV] [P]. [AE] [S] ✲ [VISA]. ✲
Pasto *(giugno-settembre;* chiuso a mezzoggiorno e solo su prenotazione*)* carta 55/85000 – **14 cam** ☕ 160/300000 – ½ P 180000.

🏨 **Cristallo** ✲ senza rist, via Fiascherino 158 ☎ 0187 967291, *Fax 0187 964269*, ≤ – |✲| ✲ [TV] [P]. [AE] [S] ✲ ✲ [VISA]
aprile-novembre – **35 cam** ☕ 150/230000.

🏠 **Il Nido** ✲, via Fiascherino 75 ☎ 0187 967286, *Fax 0187 964225*, ≤, « Terrazze-giardino », ✲ – ✲ cam, [TV] ✲ [P]. [AE] [S] ✲ ✲ [VISA]. ✲
aprile-5 novembre – **Pasto** carta 55/75000 – **36 cam** ☕ 150/230000 – ½ P 150000.

a Tellaro *Sud-Est : 4 km – ✉ 19030 :*

🏨 **Miramare** 🔇, via Fiascherino 22 ☎ 0187 967589, *Fax 0187 966534*, ≤, « Terrazza-giardino » – [P]. [AE] [$] ⓓ [MC] [VISA]. ⛔ cam
22 dicembre-8 gennaio e Pasqua-ottobre – **Pasto** carta 35/55000 – ☕ 10000 – **14 cam** 70/110000 – ½ P 100000.

XX ✿ **Miranda** con cam, via Fiascherino 92 ☎ 0187 964012, *Fax 0187 964032*, Coperti limitati; prenotare – [TV] [P]. [AE] [$] ⓓ [MC] [VISA]. ⛔ cam
chiuso dal 12 gennaio al 18 febbraio – **Pasto** *(chiuso lunedì)* 95000 e carta 60/105000 – **5 cam** ☕ 220000, 2 suites – ½ P 200000
Spec. Panzanella di scampi. Risotto mantecato con asparagi e gamberi. Filetto di branzino brasato al Barolo.

X **Nta' Grita,** piazza Figoli 3 ☎ 0187 964713 – [AE] [$] ⓓ [MC] [VISA] [JCB]
chiuso dal 7 gennaio al 7 febbraio e martedì – **Pasto** carta 60/65000 (10 %).

LESA *28040 Novara* [428] E 7, [219] ⑦ – *2 366 ab. alt. 196.*
Roma 650 – Stresa 7 – Locarno 62 – Milano 73 – Novara 49 – Torino 127.

🏨 **Aries,** via Sempione 37 ☎ 0322 77137, *arieshtl@tin.it, Fax 0322 77139*, 🌳 – [lift] [TV] 🚗. [$] ⓓ [MC] [VISA]
27 dicembre-6 gennaio e marzo-novembre – **Pasto** carta 45/80000 – **29 cam** ☕ 100/140000 – ½ P 105000.

XXX **L'Antico Maniero,** via alla Campagna 1 ☎ 0322 7411, *anticomaniero@anticomaniero.com, Fax 0322 292001*, solo su prenotazione, « Villa del XIX secolo in un parco » – [P]. [$] [MC] [VISA]
chiuso dal 1º novembre al 30 gennaio, lunedì e a mezzogiorno (escluso domenica) – **Pasto** 90/130000.

X **Lago Maggiore** con cam, via Vittorio Veneto 27 ☎ 0322 7259, *Fax 0322 77976*, ≤, 🌳 – [TV] [P]. [$] ⓓ [MC] [VISA] [JCB]
marzo-novembre – **Pasto** carta 45/75000 (10 %) – ☕ 13000 – **16 cam** 85/120000 – ½ P 110000.

verso Comnago *Ovest : 2 km :*

X **Al Camino,** via per Comnago 30 ✉ 28040 ☎ 0322 7471, *Fax 0322 7471*, Coperti limitati; prenotare, « Servizio estivo in terrazza panoramica » – [AE] [$] ⓓ [MC] [VISA]
chiuso dal 15 dicembre a gennaio e mercoledì – **Pasto** carta 55/75000.

a Solcio *Sud-Ovest : 2 km – ✉ 28040 Lesa :*

XXX **Hostaria La Speranza,** via alla Cartiera 11 ☎ 0322 77803, *Fax 0322 77803*, 🌳, prenotare – [P]. [$] [MC] [VISA]
chiuso dal 10 al 25 gennaio e mercoledì – **Pasto** carta 90/150000.

LESIGNANO DE' BAGNI *43037 Parma* [428], [429] I 12 – *100 ab. alt. 252.*
Roma 476 – Parma 23 – La Spezia 117 – Modena 81.

a Santa Maria del Piano *Nord-Est : 2 km – ✉ 43030 :*

XX **Molinazzo,** via Bassa 121 (Ovest 1 km) ☎ 0521 850636, 🌳, prenotare, « In un fienile ristrutturato sulle rive del torrente Parma » – [P]. [AE] [$] [MC] [VISA]
chiuso dal 23 al 30 dicembre, dal 1º al 7 settembre, lunedì, martedì e a mezzogiorno – **Pasto** carta 60/110000.

a San Michele Canava *Sud : 9 km – ✉ 43013 :*

X **Locanda del Sale,** località La Maestà ☎ 0521 857170, *Fax 0521 857170* – [P]. [AE] [$] ⓓ [MC] [VISA] [JCB]
chiuso dal 1º al 7 gennaio e lunedì – **Pasto** carta 45/70000.

LETOJANNI *Messina* [432] N 27 – *Vedere Sicilia alla fine dell'elenco alfabetico.*

LEVADA *Treviso – Vedere Ponte di Piave.*

LEVANE *52023 Arezzo* [430] L 16.
Roma 241 – Firenze 54 – Siena 48 – Arezzo 27.

X **Da i' Frasca sull'Ambra,** via Ambra ☎ 055 9788443, 🌳. [AE] [$] ⓓ [MC] [VISA] [JCB]
chiuso agosto e lunedì – **Pasto** 65000 e carta 70/110000.

LEVANTO 19015 La Spezia 428 J 10 – 5 774 ab..

🏢 piazza Cavour 12 ℰ 0187 808125, Fax 0187 808125.

Roma 456 – La Spezia 32 – Genova 83 – Milano 218 – Rapallo 59.

🏠 **Nazionale**, via Jacopo da Levanto 20 ℰ 0187 808102, hotel@nazionale.it
Fax 0187 800901, 🍽 – ☒ ☰ ⊡ **P**. 🎴 🕃 ⓞ ⓒ⓪ **VISA**. ⅙ rist
24 marzo-5 novembre – **Pasto** carta 50/80000 – **37 cam** ☑ 140/225000, suite -
½ P 150000.

🏠 **Stella Maris**, via Marconi 4 ℰ 0187 808258, renza@hotelstellamaris.it, Fax 0187 807351
« Ambiente e decorazioni fine 1800 », 🚗 – ☰ ⊡. 🎴 🕃 ⓞ ⓒ⓪ **VISA** **JCB**. ⅙ rist
chiuso novembre – **Pasto** (solo per alloggiati e chiuso a mezzogiorno) – **8 cam** ☑ 180.
240000 – ½ P 180000.

XX **La Loggia**, piazza del Popolo 7 ℰ 0187 808107 – 🎴 🕃 ⓞ ⓒ⓪ **VISA**. ⅙
chiuso febbraio e mercoledì (escluso da luglio a settembre) – **Pasto** carta 55/80000.

X **Tumelin**, via Grillo 32 ℰ 0187 808379, Fax 0187 808088, 🍽 – 🎴 🕃 ⓞ ⓒ⓪ **VISA**.
chiuso dal 7 gennaio al 7 febbraio e giovedì escluso dal 15 giugno al 15 settembre – **Pasto**
specialità di mare carta 55/95000.

LEVICO TERME 38056 Trento 429 D 15 – 6 208 ab. alt. 506 – Stazione termale (aprile-ottobre)
a.s. Pasqua e Natale – Sport invernali : a Panarotta (Vetriolo Terme) : 1 490/2 000 m ≤3, 🎿

🏢 via Vittorio Emanuele 3 ℰ 0461 706101, Fax 0461 706004.

Roma 610 – Trento 21 – Belluno 90 – Bolzano 82 – Milano 266 – Venezia 141.

🏨 **Imperial Grand Hotel Terme** 🔈, via Silva Domini 1 ℰ 0461 706104, Fax 0461 706350
« Ampio parco-giardino », 🏊, 🍴, 🔆, 🖲, 🔅 – ☒, ☰ rist, ⊡ & 🚗 – 🔏 130. 🕃 ⓞ ⓒⓞ
VISA. ⅙
aprile-ottobre – **Pasto** carta 65/85000 – **81 cam** ☑ 200/300000 – ½ P 290000.

🏨 **Gd H. Bellavista**, via Vittorio Emanuele 7 ℰ 0461 706136, Fax 0461 706474, ≤, « Giar
dino ombreggiato », 🏊 riscaldata – ☒, ☰ rist, ⊡ & **P** – 🔏 120. 🎴 🕃 ⓞ ⓒⓞ **VISA**. ⅙
Natale-20 gennaio e Pasqua-ottobre – **Pasto** 40/50000 – ☑ 20000 – **88 cam** 135/230000
suite – ½ P 170000.

🏨 **Al Sorriso** 🔈, lungolago Segantini 14 ℰ 0461 707029, hotelalsorriso@valsugana.com
Fax 0461 706202, ≤, « Grande giardino ombreggiato con 🏊 riscaldata e ⅗ », 🍴 – ☒ ⊡
& **P**. 🎴 🕃 ⓞ ⓒⓞ **VISA**. ⅙
Pasqua-ottobre – **Pasto** 35/50000 – ☑ 15000 – **65 cam** 110/180000, 2 suites -
½ P 140000.

🏠 **Liberty**, via Vittorio Emanuele 18 ℰ 0461 701521, info@hotelliberty.it, Fax 0461 701818 –
☒, ☰ rist, ⊡. 🎴 🕃 ⓞ ⓒⓞ **VISA**. ⅙ rist
20 dicembre-10 gennaio e maggio-ottobre – **Pasto** 35/45000 – **32 cam** ☑ 90/160000 –
½ P 105000.

🏠 **Lucia**, viale Roma 20 ℰ 0461 706229, Fax 0461 706452, « Piccolo parco con 🏊 » – ☒ ⊡
P 🕃 ⓒⓞ **VISA**. ⅙ rist
Pasqua-ottobre – **Pasto** 35/45000 – **33 cam** ☑ 100/140000 – ½ P 90000.

XX **Scaranò**, verso Vetriolo Terme Nord : 2 km ℰ 0461 706810, Fax 0461 706810, ≤ vallata –
P. ⓒⓞ **VISA**
chiuso gennaio, domenica sera e lunedì (escluso da luglio al 20 settembre) – **Pasto** carta
40/50000.

a Vetriolo Terme Nord : 13,5 km – alt. 1 490 – ✉ 38056 Levico Terme :

🏨 **Compet** 🔈, località Compet 26 (Sud : 1,5 km) ℰ 0461 706466, hotel@hotelcompet.it,
Fax 0461 707815, ≤ – ☒ ⊡ **P** – 🔏 80. 🎴 🕃 ⓞ ⓒⓞ **VISA**. ⅙
chiuso dal 27 ottobre al 30 novembre – **Pasto** carta 45/65000 – **34 cam** ☑ 65/110000 –
½ P 100000.

LIDO Livorno 430 N 13 – Vedere Elba (Isola d') : Capoliveri.

LIDO DEGLI ESTENSI Ferrara 430 I 18 – Vedere Comacchio.

LIDO DI CAMAIORE 55043 Lucca 428, 429, 430 K 12 G. Toscana – a.s. Carnevale, Pasqua,
15 giugno-15 settembre e Natale.

🏢 viale Colombo 342 ℰ 0584 617397, Fax 0584 618696.

Roma 371 – Pisa 23 – La Spezia 57 – Firenze 97 – Livorno 47 – Lucca 27 – Massa 23 –
Milano 251.

🏨 **Villa Ariston**, viale Colombo 355 ℰ 0584 610633, info@villaariston.it, Fax 0584 610631,
« Parco con 🏊 e servizio rist. all'aperto », ⅗ – ☰ ⊡ ⅗ **P** – 🔏 300. 🎴 🕃 ⓞ ⓒⓞ **VISA**. ⅙
marzo-ottobre – **Pasto** (aprile-ottobre) carta 60/85000 – **32 cam** ☑ 340/490000, 7 suites –
½ P 300000.

382

Dune Hotel M, viale Colombo 259 ℰ 0584 618011, *dunehot@versilia.toscana.it*, Fax 0584 618985, 📶, ℔, 🎣, ⌸, ▨, 🚗, ※ – 📠 ▤ 📺 & 🖪 – 🏊 400. ﷼ 🔿 ⓞ ⓥ ⓥⓢⓐ. ❀ rist
Pasto carta 35/60000 – **50 cam** ⊨ 270/340000 – ½ P 230000.

Caesar, viale Colombo 325 ℰ 0584 617841, *caesarhotel@versilia.toscana.it*, Fax 0584 610888, ≤, ⌸, 🚗, ※ – 📠 🖪 ※ 60. ﷼ 🔿 ⓞ ⓥ ⓥⓢⓐ. ❀
Pasto *(maggio-ottobre; solo per alloggiati)* 60000 – ⊨ 30000 – **49 cam** 180/290000 – ½ P 230000.

Grandhotel e Riviera, lungomare Pistelli 59 ℰ 0584 617571, *info@grandhotelriviera.it*, Fax 0584 619533, ≤, ⌸ – 📠 ▤ 📺 & – 🏊 100. ﷼ 🔿 ⓞ ⓥ ⓥⓢⓐ. ❀ rist
aprile-ottobre – **Pasto** (solo per alloggiati) 60/100000 – **64 cam** ⊨ 200/300000, 7 suites – ½ P 230000.

Giulia, lungomare Pistelli 77 ℰ 0584 617518, *Fax 0584 617724*, ≤, 📶 – 📠 ▤ 📺 🖪. ﷼ 🔿 ⓞ ⓥ ⓥⓢⓐ. ❀ rist
25 aprile-15 ottobre – **Pasto** carta 40/50000 – ⊨ 20000 – **40 cam** 200000 – ½ P 170000.

Alba sul Mare, lungomare Pistelli 15 ℰ 0584 67423, *Fax 0584 66811*, ≤ – 📠 ▤ 📺. ﷼ 🔿 ⓞ ⓥⓢⓐ ⒿⒸⒷ. ❀
Pasto *(chiuso da novembre a gennaio e solo per alloggiati)* 40/60000 – **20 cam** ⊨ 100/190000 – ½ P 150000.

Bracciotti, viale Colombo 366 ℰ 0584 618401, *Fax 0584 617173*, ⌸, 🚗 – 📠 📺 🖪 – 🏊 110. ﷼ 🔿 ⓞ ⓥ ⓥⓢⓐ. ❀
Pasto 35/45000 – **60 cam** ⊨ 110/170000 – ½ P 140000.

Piccadilly, lungomare Pistelli 101 ℰ 0584 617441, *info@piccadillyhotel.it*, Fax 0584 617102, ≤ – 📠 ▤ 📺. ﷼ 🔿 ⓞ ⓥ ⓥⓢⓐ ⒿⒸⒷ. ❀
Pasto 40/50000 – ⊨ 25000 – **40 cam** 140/170000 – ½ P 180000.

Villa Iolanda, lungomare Pistelli 127 ℰ 0584 617296, *Fax 0584 618549*, ≤, ⌸ – 📠 ▤ 📺 & 🖪 – 🏊 70. ﷼ 🔿 ⓞ ⓥ ⓥⓢⓐ. ❀ rist
aprile-ottobre – **Pasto** 40/50000 – ⊨ 20000 – **51 cam** 160/180000 – ½ P 160000.

Bacco ⌂, via Rosi 24 ℰ 0584 619540, *Fax 0584 610897*, 📶, 🚗 – 📠 ▤ 📺 🖪. ❀ rist
Pasqua-15 ottobre – **Pasto** (solo per alloggiati) – ⊨ 10000 – **21 cam** 150/180000 – ½ P 170000.

Sylvia ⌂, via Manfredi 15 ℰ 0584 617994, *Fax 0584 617994*, 🚗 – 📠 📺 🖪. 🔿 ⓞ ⓥⓢⓐ. ❀
aprile-15 ottobre – **Pasto** (solo per alloggiati) – ⊨ 15000 – **21 cam** 90/110000 – ½ P 110000.

Tony, via Carducci 7 ℰ 0584 617735, *info@hoteltony.it*, Fax 0584 618133, 🚗 – 📠 📺. ﷼ 🔿 ⓞ ⓥⓢⓐ. ❀ rist
Pasto 35000 – ⊨ 15000 – **24 cam** 130/150000 – ½ P 125000.

Ariston Mare, viale Colombo 660 ℰ 0584 904747, 📶 – 🖪. ﷼ 🔿 ⓞ ⓥ ⓥⓢⓐ ⒿⒸⒷ. ❀
chiuso lunedì e a mezzogiorno escluso venerdì, sabato e domenica; da giugno a settembre sempre aperto – **Pasto** carta 60/100000.

Da Clara, via Aurelia 289 (Est : 1 km) ℰ 0584 904520 – ▤ 🖪. ﷼ 🔿 ⓞ ⓥ ⓥⓢⓐ
chiuso dall'8 al 31 gennaio e mercoledì – **Pasto** carta 60/100000.

LIDO DI CLASSE Ravenna ⒬, ⒬ J 19 – ✉ 48020 Savio – *a.s. Pasqua e 18 giugno-agosto e Natale.*

🚹 *(giugno-10 settembre)* viale Da Verrazzano 107 ℰ 0544 939278.

Roma 384 – Ravenna 19 – Bologna 96 – Forlì 30 – Milano 307 – Rimini 40.

Astor, viale F.lli Vivaldi 94 ℰ 0544 939437, *hotelastor.lidodiclasse@tin.it*, Fax 0544 939437, ≤, 🚗 – 📠 ▤ 📺 🖪. ﷼ 🔿 ⓞ ⓥ ⓥⓢⓐ ⒿⒸⒷ. ❀ rist
Pasqua e 15 maggio-15 settembre – **Pasto** 25/30000 – ⊨ 13000 – **27 cam** 170000 – ½ P 100000.

LIDO DI JESOLO 30017 Venezia ⒬ F 19 G. Italia.

🚹 piazza Brescia 13 ℰ 0421 370601, Fax 0421 370606.

Roma 564 – Venezia 44 – Belluno 110 – Milano 303 – Padova 73 – Treviso 54 – Trieste 129 – Udine 98.

Park Hotel Brasilia, via Levantina (2° accesso al mare) ℰ 0421 380851, *info@parkhotelbrasilia.com*, Fax 0421 92244, ≤, ⌸, 🚗 – 📠 ▤ 📺 🖪. ﷼ 🔿 ⓞ ⓥ ⓥⓢⓐ. ❀ rist
aprile-ottobre – **Pasto** 65000 – **42 cam** ⊨ 280/320000, 22 suites – ½ P 230000.

Delle Nazioni, via Padova 55 ℰ 0421 971920, *nazioni@nazioni.it*, Fax 0421 971940, ≤, ⌸, 🚗 – 📠 ▤ 📺 🖪 – 🏊 50. ﷼ 🔿 ⓞ ⓥ ⓥⓢⓐ. ❀
maggio-10 ottobre – **Pasto** 60/90000 – **54 cam** ⊨ 180/350000 – ½ P 205000.

Byron Bellavista, via Padova 83 ☎ 0421 371023, *htbyron@tin.it, Fax 0421 371073,* 🏊, 🏖 – 🛗, ❄ rist, 📺 [P]. [AE] [S] ● [MC] VISA. 🐕 rist
maggio-settembre – **Pasto** (solo per alloggiati) 35/55000 – **40 cam** ☕ 200/300000, 2 suit
– ½ P 185000.

Europa, via Bafile 361 (21° accesso al mare) ☎ 0421 371631, *hoteleuropajesolo@tin.*
Fax 0421 370910, 🏊 riscaldata, 🏖 – 🛗 ❄ 📺 ♿ [P] – 👥 60. [AE] [S] ● [MC] VISA. 🐕 rist
marzo-ottobre – **Pasto** 35/70000 – **78 cam** ☕ 195/385000 – ½ P 210000.

Cavalieri Palace, via Mascagni 1 ☎ 0421 971969, *Fax 0421 971970,* <, 🌳, ♨, 🏊 risca
data, 🏖 – 🛗 ❄ 📺 [P]. [AE] [S] ● [MC] VISA JCB. 🐕 rist
Pasqua-6 ottobre – **Pasto** carta 50/60000 – **58 cam** ☕ 155/295000 – ½ P 170000.

Majestic Toscanelli, via Canova 2 ☎ 0421 371331, *Fax 0421 371054,* <, 🏊, 🏖 – 🛗 ❄
[P]
stagionale – **57 cam.**

Rivamare, via Bafile (17° accesso al mare) ☎ 0421 370432, *Fax 0421 370761,* <, 🏋, ♨
🏊, 🏖 – 🛗 ❄ 📺 [P]. [S] [MC] VISA. 🐕
10 maggio-settembre – **Pasto** (solo per alloggiati) – ☕ 20000 – **57 cam** 125/225000
½ P 150000.

Montecarlo, via Bafile 5 (16° accesso al mare) ☎ 0421 370200, *montecarlohotel@iol.*
Fax 0421 370201, <, 🏖 – 🛗 ❄ 📺 ♿ [P]. [S] [MC] VISA. 🐕
maggio-24 settembre – **Pasto** (solo per alloggiati) 30/40000 – ☕ 12500 – **43 cam** 110
200000, suite – ½ P 120000.

Universo, via Treviso 11 ☎ 0421 972298, *htuniverso@marconinet.it, Fax 0421 371300,*
🏊, 🏖, 🛶 – 🛗, ❄ rist, 📺 [P]. [S] [MC] VISA. 🐕 rist
aprile-settembre – **Pasto** carta 40/80000 – **57 cam** ☕ 145/260000, 4 suites – ½ P 14000

Termini, via Altinate 4 (2° accesso al mare) ☎ 0421 960100, *terminibeachhotel@libero.*
Fax 0421 960150, <, 🏊, 🏖 – 🛗 ❄ 📺 [P]. [S] [MC] VISA. 🐕
Pasqua-settembre – **Pasto** 45/60000 – **44 cam** ☕ 180/320000, 7 suites – ½ P 140000.

Atlantico, via Bafile 11 (3° accesso al mare) ☎ 0421 381273, *Fax 0421 380655,* <, 🏊, 🏖
– 🛗 ❄ 📺 [P]. [AE] [S] ● [MC] VISA. 🐕 rist
10 maggio-20 settembre – **Pasto** (solo per alloggiati) 40/50000 – **70 cam** ☕ 120/240000
½ P 150000.

Beny, via Levantina 3 (4° accesso al mare) ☎ 0421 961792, *htbeny@marconinet.i*
Fax 0421 961959, <, 🏊, 🏖 – 🛗 ❄ 📺 🚗 [P]. [AE] [S] ● [MC] VISA. 🐕 rist
maggio-settembre – **Pasto** (solo per alloggiati) 50/60000 – **75 cam** ☕ 110/200000
½ P 135000.

Ritz, via Zanella 2 ☎ 0421 972861, *hotelritz@iol.it, Fax 0421 972861,* <, 🏊 riscaldata, 🏖
🛗 ❄ 📺 [P]. [AE] [S] ● [MC] VISA. 🐕 rist
maggio-settembre – **Pasto** carta 60/85000 – ☕ 20000 – **45 cam** 150/230000
½ P 160000.

a Jesolo Pineta *Est : 6 km –* ✉ *30017 Lido di Jesolo :*

Negresco, via Bucintoro 8 ☎ 0421 961137, *info@hotelnegresco.it, Fax 0421 961025,* <
🌳, ♨, 🏊, 🏖, 🛶, 🎾 – 🛗 ❄ 📺 [P] – 👥 26. [S] [MC] VISA. 🐕
10 maggio-25 settembre – **Pasto** carta 70/90000 – **54 cam** ☕ 170/320000, ❄ 10000
½ P 170000.

Mediterraneo, via Oriente 106 ☎ 0421 961175, *Fax 0421 961176,* 🌳, « Giardino-pine
ta », 🏋, ♨, 🏊 riscaldata, 🏖, 🎾 – 🛗 ❄ 📺 [P]. [AE] [S] [MC] VISA. 🐕 rist
15 maggio-settembre – **Pasto** carta 60/85000 – ☕ 25000 – **60 cam** 160/260000
½ P 170000.

Bellevue 🪑, via Oriente 100 ☎ 0421 961233, *Fax 0421 961238,* <, 🌳, « Parco-pineta »
♨, 🏊 riscaldata, 🏖, 🎾 – 🛗 ❄ 📺 [P]. 🐕 rist
maggio-settembre – **Pasto** carta 40/60000 – ☕ 20000 – **58 cam** 150/290000, 6 suites
½ P 190000.

Gallia 🪑, via del Cigno Bianco 3/5 ☎ 0421 961018, *info@hotelgallia.com*
Fax 0421 363033, 🌳, « Giardino-pineta », 🏊 riscaldata, 🏖, 🎾 – 🛗 ❄ 📺 [P]. [AE] [S] ● [MC]
VISA
15 maggio-15 settembre – **Pasto** 30/45000 – **52 cam** ☕ 150/300000 – ½ P 180000.

Bauer, via Bucintoro 6 ☎ 0421 961333, *Fax 0421 362977,* <, 🌳, 🏊, 🏖, 🛶 – 🛗 ❄ 📺
[P]. 🐕
maggio-settembre – **Pasto** (solo per alloggiati) – **35 cam** ☕ 160/275000 – ½ P 160000.

Viña del Mar, via Oriente 58 ☎ 0421 961182, *Fax 0421 362872,* 🌳, « Giardino ombreg
giato », ♨, 🏊, 🏖 – 🛗 ❄ 📺 [P] – 👥 40. [S] [MC] VISA. 🐕
15 maggio-settembre – **Pasto** 45/60000 – **48 cam** ☕ 220/260000 – ½ P 165000.

XX **Alla Darsena,** via Oriente 166 *℘* 0421 980081, *Fax 0421 980081*, « Servizio estivo all'aperto » – 🅿️ 🆎 🛅 ⓪ 🌐 *VISA*. ⌁
chiuso dal 15 novembre al 10 dicembre, mercoledì e giovedì (escluso dal 15 maggio al 15 settembre) – **Pasto** carta 50/80000.

X **Ai Pescatori,** via Oriente 174 *℘* 0421 980021, « Servizio estivo in terrazza sulla foce del Piave » – 🅿️ 🆎 🛅 ⓪ 🌐 *VISA*. ⌁
chiuso novembre, martedì sera e mercoledì escluso dal 15 maggio al 15 settembre – **Pasto** carta 45/70000.

LIDO DI LATINA *Latina* 430 R 20 – *Vedere Latina.*

LIDO DI NOTO *Siracusa* 432 Q 27 – *Vedere Sicilia (Noto) alla fine dell'elenco alfabetico.*

LIDO DI OSTIA o LIDO DI ROMA 00100 *Roma* 430 Q 18 *G. Italia* – *a.s. 15 giugno-agosto.*
Vedere *Scavi★★ di Ostia Antica Nord : 4 km.*
Roma 36 – Anzio 45 – Civitavecchia 69 – Frosinone 108 – Latina 70.

🏠 **La Riva** senza rist, piazzale Magellano 22 ✉️ 00122 *℘* 06 5622231, *Fax 06 5621667*, 🌊 –
🍴 📺 🅿️ 🆎 🛅 ⓪ 🌐 *VISA* 🏧. ⌁
15 cam ⇆ 145/190000.

LIDO DI PORTONUOVO *Foggia* 431 B 30 – *Vedere Vieste.*

LIDO DI SAVIO 48020 *Ravenna* 429, 430 J 19 – *a.s. 18 giugno-agosto.*
🚩 *(giugno-10 settembre) viale Romagna 168 ℘ 0544 949063.*
Roma 385 – Ravenna 20 – Bologna 98 – Forlì 32 – Milano 309 – Rimini 38.

🏨 **Strand Hotel Colorado,** viale Romagna 201 *℘* 0544 949002, *maalbon@tin.it*, *Fax 0544 939827*, 🌊, 🛥️, 🐾 – 🛗, 🍴 rist, 📺 🅿️ *VISA*. ⌁ rist
24 aprile-24 settembre – **Pasto** 40/50000 – ⇆ 18000 – **44 cam** 120/180000 – ½ P 135000.

🏨 **Concord,** via Russi 1 *℘* 0544 949115, *info@hotelconcorditaly.com*, *Fax 0544 949115*, 🌊, 🛥️, 🐾, 🏖️ – 🛗, 🍴 rist, 📺 🅿️ 🆎 🛅 ⓪ *VISA*. ⌁ rist
10 maggio-15 settembre – **Pasto** 30000 – ⇆ 13000 – **55 cam** 100/145000 – ½ P 125000.

🏨 **Caesar,** via Massalombarda 21 *℘* 0544 949131, *czavalloni@cervia.com*, *Fax 0544 949196*, 🌊, 🏖️, 🏀, 🛥️ – 🛗 🍴 📺 🅿️ 🆎 🛅 ⓪ 🌐 *VISA*. ⌁
15 marzo-30 settembre – **Pasto** *(solo per alloggiati)* 25/30000 – ⇆ 15000 – **40 cam** 90/110000, 🛏️ 5000 – ½ P 100000.

🏨 **Tokio,** viale Romagna 155 *℘* 0544 949100, *Fax 0544 948241*, 🌊, 🛥️ – 🛗, 🍴 rist, 📺 🅿️ 🆎 🛅 ⓪ 🌐 *VISA*. ⌁
Pasqua-settembre – **Pasto** 35/60000 – ⇆ 15000 – **45 cam** 100/140000 – ½ P 100000.

🏠 **Primavera,** via Cesena 30 *℘* 0544 948099, *admin@hotelprimavera.com*, *Fax 0544 948209*, 🌊, 🛥️, 🐾 – 🛗 🍴 rist, 📺 🅿️ 🛅 ⓪ 🌐 *VISA*. ⌁
Pasqua-20 settembre – **Pasto** *(chiuso sino al 10 maggio)* 25/50000 – **34 cam** ⇆ 130/170000 – ½ P 130000.

🏠 **Asiago Beach,** viale Romagna 217 *℘* 0544 949187, *hotelasiago@libero.it*, *Fax 0544 949110*, 🌊, 🛥️ riscaldata, 🐾, 🏀 – 🛗, 🍴 rist, 📺 🅿️ 🆎 🛅 *VISA*. ⌁
8 aprile-30 settembre – **Pasto** 30/50000 – ⇆ 16000 – **50 cam** 85/150000 – ½ P 130000.

🏠 **Mediterraneo,** via Sarsina 11 *℘* 0544 949018, *Fax 0544 949527*, 🌊, 🐾 – 🛗 📺 🅿️ 🆎 🛅 🌐 *VISA*. ⌁ rist
15 maggio-15 settembre – **Pasto** *(solo per alloggiati)* 35000 – **73 cam** ⇆ 85/140000 – ½ P 100000.

LIDO DI SOTTOMARINA *Venezia* – *Vedere Chioggia.*

LIDO DI SPINA *Ferrara* 429, 430 I 18 – *Vedere Comacchio.*

LIDO DI SPISONE *Messina* – *Vedere Sicilia (Taormina) alla fine dell'elenco alfabetico.*

LIDO DI TARQUINIA *Viterbo* 430 P 17 – *Vedere Tarquinia.*

LIDO DI VENEZIA *Venezia* – *Vedere Venezia.*

LIDO RICCIO *Chieti* 430 O 25 – *Vedere Ortona.*

LIERNA *23827 Lecco* [428] E 9, [219] [9] *– 1 902 ab. alt. 205.*
Roma 636 – Como 45 – Bergamo 49 – Lecco 16 – Milano 72 – Sondrio 66.

🍴🍴 **La Breva,** via Imbarcadero 3 ☎ 0341 741490, *Fax 0341 741490,* <, « Servizio estivo terrazza in riva al lago » – [P]. [AE] [S] [O] [MC] [VISA]
chiuso gennaio, dal 1° al 7 novembre, lunedì sera e martedì (escluso da giugno a settembre) – **Pasto** carta 60/80000.

🍴 **Crotto di Lierna,** via Ducale 42 ☎ 0341 740134, 🏠 – [P]. [AE] [S] [O] [MC] [VISA]. ⊘
chiuso dal 1° al 15 ottobre, lunedì sera e martedì – **Pasto** specialità alla brace carta 55/80000 (10 %).

LIGNANO SABBIADORO *33054 Udine* [429] E 21 *G. Italia – 6 412 ab. – a.s. luglio-agosto.*
Vedere *Spiaggia***.*
⛳18 ☎ *0431 428025, Fax 0431 423230.*
[i] *via Latisana 42* ☎ *0431 71821, Fax 0431 70449.*
Roma 619 – Udine 61 – Milano 358 – Treviso 95 – Trieste 100 – Venezia 108.

🏨 **Atlantic,** lungomare Trieste 160 ☎ 0431 71101, *info@hotelatlantic.it, Fax 0431 71103,* <, 🏊 riscaldata, 🏖, 🌳 – [lift], ▤ cam, [TV] ♿ [P]. [AE] [S] [O] [MC] [VISA]. ⊘ rist
15 maggio-20 settembre – **Pasto** carta 55/85000 – **61 cam** ☕ 180/320000 – 1/2 P 165000.

🏨 **Bellavista,** lungomare Trieste 70 ☎ 0431 71313, *Fax 0431 720602,* <, 🏊, 🏖 – [lift] ▤ [TV] 🚗. [AE] [S] [O] [MC] [VISA]. ⊘ rist
21 aprile-1° ottobre – **Pasto** *(giugno-23 settembre)* carta 50/75000 – **45 cam** ☕ 200/300000, 4 suites – 1/2 P 180000.

🏨 **Palace,** via Carinzia 13 ☎ 0431 720900, *Fax 0431 720920,* 🏊, 🏖 – [lift] ▤ [TV] ♿ [P]. [S] [O] [VISA]. ⊘
maggio-settembre – **Pasto** (solo per alloggiati) 40/50000 – ☕ 15000 – **76 cam** 140/250000 – 1/2 P 140000.

🏨 **Florida,** via dell'Arenile 22 ☎ 0431 71134, *florida@gropo.it, Fax 0431 71222,* ≘s, 🏖 – [lift] ▤ [TV] ♿ [P]. [AE] [S] [MC] [VISA] [JCB]. ⊘ rist
7 aprile-settembre – **Pasto** (solo per alloggiati) 30/40000 – ☕ 15000 – **75 cam** 190/250000 – 1/2 P 145000.

🍴🍴 **Bidin,** viale Europa 1 ☎ 0431 71988, *info@ristorantebidin.com, Fax 0431 720738,* Coperti limitati; prenotare – ▤ [P]. [AE] [S] [O] [MC] [VISA] [JCB]. ⊘
chiuso mercoledì a mezzogiorno dal 10 maggio a settembre, tutto il giorno negli altri mesi – **Pasto** carta 55/90000.

a Lignano Pineta *Sud-Ovest : 5 km –* ✉ *33054 Lignano Sabbiadoro.*
[i] *(aprile-settembre) via dei Pini 53* ☎ *0431 422169, Fax 0431 422616 :*

🏨 **Greif,** arco del Grecale 25 ☎ 0431 422261, *Fax 0431 427271,* « Parco-pineta con 🏊 riscaldata », ≘s, 🏖 – [lift] ▤ [TV] ♿ [P] – 🎤 300. [AE] [S] [O] [MC] [VISA] [JCB]. ⊘ rist
chiuso dal 20 dicembre a febbraio – **Pasto** *(chiuso dal 16 novembre a febbraio)* 80/140000 – **74 cam** ☕ 300/600000, 18 suites – 1/2 P 340000.

🏨 **Park Hotel,** viale delle Palme 41 ☎ 0431 422380, *info@hotelpark.com, Fax 0431 428079,* 🏊, 🏖 – [lift] 🚭 ▤ [TV] [P]. [AE] [S] [O] [MC] [VISA]. ⊘
15 aprile-25 settembre – **Pasto** *(15 maggio-25 settembre;* solo per alloggiati*)* 45000 – **44 cam** ☕ 170/280000, 5 suites – 1/2 P 160000.

🏨 **Medusa Splendid,** raggio dello Scirocco 33 ☎ 0431 422211, *Fax 0431 422251,* 🏊, 🏖, 🌳 – [lift] ▤ [TV] ♿ [P]. [AE] [S] [O] [MC] [VISA]. ⊘ rist
19 maggio-22 settembre – **Pasto** carta 45/70000 – **56 cam** ☕ 170/260000 – 1/2 P 165000.

🏨 **Bella Venezia,** arco del Grecale 18/a ☎ 0431 422184, *bellavenezia@ltl.it, Fax 0431 422352,* 🏊, 🏖 – [lift], 🚭 rist, ▤ [TV] [P]. [S] [O] [MC] [VISA]. ⊘ rist
15 maggio-15 settembre – **Pasto** (solo per alloggiati) 35/40000 – **45 cam** ☕ 150/200000 – 1/2 P 125000.

🏨 **Erica,** arco del Grecale 21/23 ☎ 0431 422123, *Fax 0431 427363,* 🏖 – [lift] ▤ [TV] ♿ [P]. [AE] [S] [O] [MC] [VISA]. ⊘ rist
20 aprile-20 settembre – **Pasto** (solo per alloggiati) 40000 – **40 cam** ☕ 100/165000 – 1/2 P 110000.

a Lignano Riviera *Sud-Ovest : 7 km –* ✉ *33054 Lignano Sabbiadoro :*

🏨 **Marina Uno,** viale Adriatico 7 ☎ 0431 427171, *Fax 0431 427171,* <, ≘s, 🏊, 🏖 – [lift] ▤ [TV] [P] – 🎤 100. [AE] [S] [O] [MC] [VISA]
chiuso dal 16 novembre al 14 febbraio – **Pasto** vedere rist ***Newport*** – **78 cam** ☕ 240/370000, 9 suites – 1/2 P 200000.

🏨 **President** 🌿, calle Rembrandt 2 ☎ 0431 424111, *president@sabbiadoro.com, Fax 0431 424299,* 🏊 riscaldata, 🏖, 🌳 – [lift] ▤ [TV]. [AE] [S] [O] [MC] [VISA]. ⊘ rist
17 marzo-4 novembre – **Pasto** carta 75/120000 – **30 cam** ☕ 185/370000 – 1/2 P 220000.

🏨 **Meridianus**, viale della Musica 7 ℘ 0431 428561, *meridianus@tin.it, Fax 0431 428570*, ⇔, 🔲, ♨, 🌊 – 🛗 🔳 📺 🅿 🗚 🅂 🍴 rist
19 maggio-23 settembre – **Pasto** (solo per alloggiati) 35/45000 – **88 cam** ⇆ 160/215000 – ½ P 125000.

🏨 **Smeraldo**, viale della Musica 4 ℘ 0431 428781, *smeraldo@sabbiadoro.com, Fax 0431 423031*, 🔳, ♨ – 🛗 🔳 📺 🅿 🗚 🅂 🍴 🆎 🅂 🕐 🆂 🅥🅸🆂🅰 🍴
10 maggio-25 settembre – **Pasto** 40/50000 – ⇆ 20000 – **59 cam** 110/180000 – ½ P 130000.

✕✕✕ **Newport**, viale Adriatico 7 ℘ 0431 427171, Fax 0431 427171, ≤ – 🔳 🅿 🗚 🅂 🕐 🆂 🅥🅸🆂🅰 🍴
Pasqua-15 ottobre – **Pasto** carta 50/75000.

LILLAZ Aosta 🌀🌀🌀 F 4, 🌀🌀🌀 ⑫ – Vedere Cogne.

LIMANA 32020 Belluno 🌀🌀🌀 D 18 – 4 396 ab. alt. 319.
Roma 614 – Belluno 12 – Padova 117 – Trento 101 – Treviso 72.

🏠 **Piol**, via Roma 116/118 ℘ 0437 967471, *piol@dolomiti.it, Fax 0437 967103* – 🔳 rist, 📺 🅿 –
🆘 🔬 200. 🆎 🅂 🕐 🆂 🅥🅸🆂🅰
Pasto (chiuso dal 2 al 6 gennaio) carta 35/60000 – ⇆ 10000 – **23 cam** 90/130000 – ½ P 90000.

LIMIDI Modena – Vedere Soliera.

LIMITO Milano 🌀🌀🌀 F 9, 🌀🌀🌀 ⑲ – Vedere Pioltello.

LIMONE PIEMONTE 12015 Cuneo 🌀🌀🌀 J 4 – 1 551 ab. alt. 1 010 – a.s. febbraio-Pasqua, luglio-
15 settembre e Natale – Sport invernali : 1 010/2 050 m ✆2, ✦.
🔖 Cò di Paris (giugno-settembre) ℘ 0171 929166, Fax 0171 929166.
🅸 via Roma 32 ℘ 0171 929515, Fax 0171 926675.
Roma 670 – Cuneo 28 – Milano 243 – Nice 97 – Colle di Tenda 6 – Torino 121.

🏨 **Grand Palais Excelsior**, largo Roma 9 ℘ 0171 929002, *staff@grandexcelsior.com,
Fax 0171 92425*, 🖼, ⇔ – 🛗 📺 🚗 🅿 🆎 🅂 🕐 🆂 🅥🅸🆂🅰 🍴 cam
chiuso maggio, ottobre e novembre – **Pasto** al Rist. **San Pietro** (chiuso dal 1° al 20 maggio,
dal 5 al 28 novembre e mercoledì dal 20 marzo al 1° maggio e dal 20 settembre al
5 novembre) carta 45/85000 – ⇆ 15000 – **28 suites** 200/260000 – ½ P 150000.

🏠 **Le Ginestre**, via Nizza 68 (strada statale : 1 km) ℘ 0171 927596, Fax 0171 927597, ≤,
prenotare, « Terrazza-giardino », 🖼 – 📺 🚗 🅿 🅂 🕐 🆂 🅥🅸🆂🅰 🍴
dicembre-Pasqua e luglio-15 settembre – **Pasto** (solo per alloggiati) 30/40000 – ⇆ 15000 –
18 cam 120/160000 – ½ P 115000.

✕✕ **Lu Taz**, via San Maurizio 5 (Ovest : 1 km) ℘ 0348 4446062, prenotare, « Ambiente caratte-
ristico » – 🅿
chiuso dal 10 al 30 giugno, dal 7 al 14 novembre, martedì e a mezzogiorno in bassa stagione
– **Pasto** 60000 e carta 50/75000.

LIMONE SUL GARDA 25010 Brescia 🌀🌀🌀, 🌀🌀🌀 E 14 G. Italia – 1 024 ab. alt. 66 – a.s. Pasqua e
luglio-15 settembre.
Vedere ≤✱✱✱ dalla strada panoramica✱✱ dell'altipiano di Tremosine per Tignale.
🅸 via Comboni 15 ℘ 0365 954070, Fax 0365 954689.
Roma 586 – Trento 54 – Brescia 65 – Milano 160 – Verona 97.

🏨 **Park H. Imperial** ⌂, via Tamas 10/b ℘ 0365 954591, *imperialcentrotao@telmec.it,
Fax 0365 954382*, 🏖, Centro benessere di medicina orientale, « Giardino con 🔲 », 🖼, ⇔,
🔲, ✕ – 🛗 🔳 📺 🅿 – 🔬 50. 🆎 🅂 🕐 🆂 🅥🅸🆂🅰 🅹🅲🅱 ✪
chiuso dall'11 al 22 dicembre – **Pasto** carta 60/115000 – **50 cam** ⇆ 330/435000, 6 suites –
½ P 230000.

🏨 **Ilma**, via Caldogno 1 ℘ 0365 954041, Fax 0365 954535, ≤ lago e monti, 🔲 – 🛗, 🔳 rist, 📺
🚗 🅿 🅂 🕐 🆂 🅥🅸🆂🅰 🍴 rist
aprile-ottobre – **Pasto** (solo per alloggiati) 20/25000 – **54 cam** ⇆ 90/180000 – ½ P 110000.

🏠 **Coste**, via Tamas 11 ℘ 0365 954042, *hotelcoste@hotelcoste.com, Fax 0365 954393*, ≤,
« Giardino-uliveto con 🔲 » – 📺 🅿 🅂 🕐 🆂 🅥🅸🆂🅰 🍴 rist
chiuso novembre e dicembre – **Pasto** (chiuso domenica da gennaio a marzo) carta 40/
50000 – ⇆ 14000 – **30 cam** 110/150000 – ½ P 100000.

LIPARI (Isola) Messina 🌀🌀🌀, 🌀🌀🌀 L 26 – Vedere Sicilia (Eolie, isole) alla fine dell'elenco alfabetico.

LISANZA *Varese* **219** ⑰ – *Vedere Sesto Calende.*

LIVIGNO *23030 Sondrio* **428**, **429** C 12 – *4 959 ab. alt. 1 816 – Sport invernali : 1 816/2 798 m* ⟨⟨ 3 ⟨ 14, ⟨.

🛈 *via dala Gesa 65* ℘ *0342 996379, Fax 0342 996881.*

Roma 801 – Sondrio 74 – Bormio 38 – Milano 240 – Passo dello Stelvio 54.

🏨 **Baita Montana**, via Mon de la Nev 1 ℘ 0342 990611, *hotel.b.montana@livnet.it*
Fax 0342 990660, ≤ paese e montagne, 🏤, ⬥s – 🛗, 🍴 rist, 📺 🕭 🚗 **P.** 🕙 *VISA*. ⟨⟨
chiuso novembre – **Pasto** *(chiuso lunedì da settembre ad ottobre)* carta 35/60000 – ⌂
18000 – **36 cam** 140/190000 – ½ P 170000.

🏨 **Bivio**, via Plan 100 ℘ 0342 996137, Fax 0342 997621, ⬥s, 🏊 – 🛗, ⟨⟨ rist, 📺 🕭 🚗 **P.** 🖭
🕙 ⓞ ⓪ *VISA*. ⟨⟨ cam
chiuso maggio e novembre – **Pasto** al Rist. **Cheseta Veglia** 60000 e carta 45/80000 – ⌂
15000 – **28 cam** 150/230000, 2 suites – ½ P 180000.

🏨 **Concordia**, via Plan 22 ℘ 0342 990100, *hconcordia@lungolivigno.com*, Fax 0342 990300
⬥s – 🛗 📺 🕭 **P.** 🖭 🕙 ⓞ ⓪ *VISA*. ⟨⟨ rist
Pasto 35/50000 – **26 cam** ⌂ 225/320000, 2 suites – ½ P 180000.

🏨 **Galli**, via Saroch 77 ℘ 0342 996376 e rist. ℘ 0342 996728, *Fax 0342 971196*, ≤, ⬥s – 🛗 📺
⟨ 🕭 🚗 **P.** 🖭 🕙 ⓞ ⓪ *VISA*. ⟨⟨
Pasto al Rist. **Il Cenacolo** carta 45/80000 – **20 cam** ⌂ 130/195000 – ½ P 125000.

🏨 **Bucaneve**, via strada statale, 6 ℘ 0342 996201, Fax 0342 997588, ≤, 🛁, ⬥s, 🏊, 🌳 – 🛗,
⟨⟨ rist, 🕭 🚗 **P.** 🕙 ⓪ *VISA*. ⟨⟨
chiuso maggio e dall'11 ottobre a novembre – **Pasto** carta 40/70000 – ⌂ 20000 – **49 cam**
110/210000 – ½ P 170000.

🏨 **Posta**, plaza dal Comun 4 ℘ 0342 996076, *hotelposta@livnet.it*, Fax 0342 970097, ≤, ⬥s,
⟨⟨ – 🛗 📺 🕭 🚗 ⓞ ⓪ *VISA*. ⟨⟨
2 dicembre-aprile e 2 luglio-14 ottobre – **Pasto** *(2 dicembre-aprile)* 30/45000 – **32 cam**
⌂ 260/290000 – ½ P 175000.

🏠 **Francesin** senza rist, via Ostaria 72 ℘ 0342 970320, *frances@livnet.it*, Fax 0342 970139,
🛁, ⬥s – 📺 🕭 🚗 **P.** 🖭 🕙 ⓞ ⓪ *VISA*. ⟨⟨
14 cam ⌂ 140/160000.

🏠 **Krone** senza rist, via Bondi 12 ℘ 0342 996015, *krone@livnet.it*, Fax 0342 970215 – 🛗 📺
🚗 **P.** 🖭 🕙 ⓞ ⓪ *VISA*. ⟨⟨
14 cam ⌂ 95/170000.

🏠 **Livigno**, via Ostaria 103 ℘ 0342 996104, *hlivigno@livnet.it*, Fax 0342 997697 – 🛗 📺 🚗
P. 🖭 🕙 ⓞ ⓪ *VISA* **JCB**. ⟨⟨
chiuso dal 2 al 15 maggio e dal 3 al 25 novembre – **Pasto** carta 40/85000 (10 %) – **18 cam**
⌂ 100/180000 – ½ P 140000.

🍴🍴 **La Piöda** con cam, via Saroch 176 ℘ 0342 997428, Fax 0342 971336, prenotare – ⟨⟨ rist,
📺 ⟨ 🚗 **P.** 🖭 🕙 ⓞ ⓪ *VISA* **JCB**. ⟨⟨ rist
chiuso maggio e novembre – **Pasto** 25/65000 e carta 55/105000 – **19 cam** ⌂ 145/230000
– ½ P 140000.

🍴🍴 **Il Passatore**, via Rasia 77 ℘ 0342 997221, Fax 0342 997221, 🏤, Rist. e pizzeria – **P.** 🖭 🕙
ⓞ ⓪ *VISA* **JCB**
chiuso giugno, novembre e mercoledì (escluso dicembre e da febbraio a maggio) – **Pasto**
carta 45/60000.

🍴 **Camana Veglia** con cam, via Ostaria 107 ℘ 0342 996310, *camana.veglia@livnet.it*,
Fax 0342 996904, « Caratteristici interni in legno » – 📺 🕭 **P.** 🖭 🕙 ⓞ *VISA*. ⟨⟨ rist
chiuso maggio e novembre – **Pasto** *(chiuso martedì escluso da gennaio a marzo ed agosto)*
carta 50/80000 – ⌂ 16000 – **12 cam** 120/160000 – ½ P 150000.

LIVORNO *57100* **P** **428**, **430** L 12 *G. Toscana – 161 673 ab..*

Vedere *Monumento*★ *a Ferdinando I de' Medici* AY **A**.

Dintorni *Santuario di Montenero*★ *Sud : 9 km.*

🚢 *per Golfo Aranci 26 marzo-12 ottobre giornaliero (9 h) – Sardinia Ferries, calata Carrara*
✉ *57123* ℘ *0586 898979, Fax 0586 896103; per Palermo lunedì, mercoledì e venerdì (17 h)*
– Grimaldi-Grandi Navi Veloci, varco Galvani Darsena 1 ✉ *57123* ℘ *0586 409804, Fax 0586*
429717.

🛈 *piazza Cavour 6* ✉ *57126* ℘ *0586 898111, Fax 0586 896173.*

A.C.I. *via Verdi 32* ✉ *57126* ℘ *0586 829090.*

Roma 321 ③ *– Pisa 24* ① *– Firenze 85* ① *– Milano 294* ②.

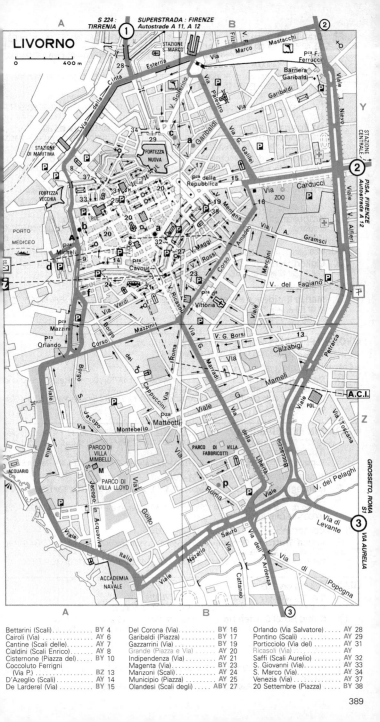

LIVORNO

S 224 :
TIRRENIA

SUPERSTRADA : FIRENZE
Autostrade A 11, A 12

0   400 m

Y

Z

STAZIONE
S. MARCO

Via   Marco   Mastacchi

P.za F.
Ferrucci

Barriera
Garibaldi

Via   Garibaldi

Via G. Galilei

P.za della
Repubblica

FORTEZZA
NUOVA

Carducci

Via

ZOO

Via   A.   Gramsci

Maroni

V.   del   Fagiano

FORTEZZA
VECCHIA

POL

PORTO
MEDICEO

Michell

V. Maggi

V. i Rossi

Corso

P.za d.
Vittoria

V. G. Borsi

Calzabigi

Cavour

Ricasoli

Via   Verdi

Borgo   dei   Cappuccini

P.za
Mazzini

Mazzini

Via   G.   Mazzali

Mameli

P.za
Orlando

Corso

Via

Roma

Via   della   Liberta

Bacciochi

A.C.I.

POL

Via   Jacopo

Montebello

P.za
Matteotti

PARCO DI
VILLA MIMBELLI

M

PARCO DI
VILLA FABBRICOTTI

Via   Toscana

ACQUARIO

Via   Italia

PARCO DI
VILLA LLOYD

Via   Jacopo   in   Acquaviva

Roma

V. dei Pelaghi

GROSSETO, ROMA
VIA AURELIA

Via di
Levante

ACCADEMIA
NAVALE

Viale   Italia

Via   Nazario   Sauro

Via   dell'   Ardenza

Via   di
Popogna

Bettarini (Scali)............ BY 4
Cairoli (Via).............. AY 6
Cantine (Scali delle)........ AY 7
Cialdini (Scali Enrico)...... AY 8
Cisternone (Piazza del)..... BY 10
Coccoluto Ferrigni
  (Via P.)................ BZ 13
D'Azeglio (Scali).......... AY 14
De Larderel (Via)......... BY 15

Del Corona (Via).......... BY 16
Garibaldi (Piazza)......... BY 17
Gazzarrini (Via).......... BY 19
Grande (Piazza e Via)...... AY 20
Indipendenza (Via)........ AY 21
Magenta (Via)............ BZ 23
Manzoni (Scali)........... AY 24
Municipio (Piazza)........ AY 25
Olandesi (Scali degli)..... ABY 27

Orlando (Via Salvatore)..... AY 28
Pontino (Scali)........... AY 29
Porticciolo (Via del)....... AY 31
Ricasoli (Via)............ AY
Saffi (Scali Aurelio)........ AY 32
S. Giovanni (Via).......... AY 33
S. Marco (Via)............ AY 34
Venezia (Via)............. AY 37
20 Settembre (Piazza)..... BY 38

🏨 **Gran Duca**, piazza Micheli 16 ⊠ 57123 ℰ 0586 891024, Fax 0586 891153, *ĭ₅* – ⬧ 🗏 📺 –
⛁ 40. 🖭 🕏 ⓪ 🐠 𝗩𝗜𝗦𝗔 🗚𝗖𝗕, 🛠 rist   AY **b**
Pasto *(chiuso dal 1° al 6 gennaio)* carta 55/95000 (10%) – � 10000 – **81 cam** 150/210000,
suite – ½ P 145000.

🏠 **Città** senza rist, via di Franco 32 ⊠ 57123 ℰ 0586 883495, *hotelcitta@etrurianet.it,*
Fax 0586 890196 – 📺. 🖭 🕏 ⓪ 🐠 𝗩𝗜𝗦𝗔 𝗝𝗖𝗕   AY **a**
20 cam ⊐ 140/200000.

�XX **La Chiave**, scali delle Cantine 52/54 ⊠ 57122 ℰ 0586 888609, Fax 0586 888609 –
🗏   AY **c**

�X **Da Rosina**, via Roma 251 ⊠ 57127 ℰ 0586 800200, 😤 – 🗏 🖭 🕏 ⓪ 🐠 𝗩𝗜𝗦𝗔   BZ **p**
chiuso dal 24 dicembre al 1° gennaio, dal 10 agosto al 1° settembre e giovedì – **Pasto**
specialità di mare carta 40/80000.

�X **Da Galileo**, via della Campana 20 ⊠ 57122 ℰ 0586 889009 – 🗏. 🖭 🕏 ⓪ 🐠 𝗩𝗜𝗦𝗔
chiuso dal 16 al 30 luglio, domenica sera e mercoledì – **Pasto** trattoria con specialità di
pesce carta 40/60000.   BY **a**

�X **Osteria del Mare**, borgo dei Cappuccini 5 ⊠ 57126 ℰ 0586 881027, Fax 0586 881027 –
🗏. 🖭 🕏 ⓪ 🐠 𝗩𝗜𝗦𝗔. 🛠   AY **f**
chiuso dal 25 agosto al 10 settembre e giovedì – **Pasto** carta 40/75000.

�X **Aragosta**, piazza Arsenale 6 ⊠ 57123 ℰ 0586 895395, 😤 – 🖭 🕏 ⓪ 🐠 𝗩𝗜𝗦𝗔
chiuso dal 24 dicembre al 2 gennaio, dal 4 al 24 ottobre e domenica – **Pasto** carta 40/65000
(10%).   AY **d**

ad Ardenza per ③ : 4 km – ⊠ 57128 Livorno :

�XXX **Ciglieri**, via Franchini 38 ℰ 0586 508194, Fax 0586 589091 – 🗏. 🖭 🕏 ⓪ 🐠 𝗩𝗜𝗦𝗔 𝗝𝗖𝗕. 🛠
chiuso dal 12 al 25 gennaio e mercoledì – **Pasto** 85/100000 e carta 80/140000.

ad Antignano per ③ : 5 km – ⊠ 57128 Livorno :

🏨 **Marilia Residence Hotel** senza rist, via Sarti 61 ℰ 0586 877777, Fax 0586 877677, 🌊 –
⬧ 🗏 📺 ゟ ⇔ 🅿. 🖭 🕏 ⓪ 🐠 𝗩𝗜𝗦𝗔 𝗝𝗖𝗕. 🛠
⊐ 16000 – **15 suites** 220/300000.

LIVORNO FERRARIS 13046 Vercelli 𝟰𝟮𝟴 G 6 – 4 430 ab. alt. 189.
Roma 673 – Torino 41 – Milano 104 – Vercelli 42.

a Castell'Apertole Sud-Est : 10 km : – ⊠ 13046 Livorno Ferraris :

�XX **Da Balin**, ℰ 0161 477536, *balin@plurinet.it,* Fax 0161 477536, Coperti limitati; prenotare,
⊕ « In un'antica cascina » – 🅿. 🖭 🕏 ⓪ 🐠 𝗩𝗜𝗦𝗔
chiuso dal 1° al 15 gennaio, dal 10 al 20 agosto, domenica sera e lunedì – **Pasto** 30/65000 e
carta 50/80000.

LIZZANO IN BELVEDERE 40042 Bologna 𝟰𝟮𝟴, 𝟰𝟮𝟵, 𝟰𝟯𝟬 J 14 – 2 255 ab. alt. 640 – a.s. luglio-
agosto e Natale – Sport invernali : a Corno alle Scale : 1 195/1 945 m ⸝⸜7, 𝕵.
🛈 piazza Marconi 6 ℰ 0534 51052.
Roma 361 – Bologna 68 – Firenze 87 – Lucca 93 – Milano 271 – Modena 102 – Pistoia 51.

a Vidiciatico Nord-Ovest : 4 km – alt. 810 – ⊠ 40049 :

🏠 **Montegrande**, via Marconi 27 ℰ 0534 53210, *info@montegrande.it,* Fax 0534 54024 –
⊕ 📺. 🖭 🕏 ⓪ 🐠 𝗩𝗜𝗦𝗔. 🛠
chiuso dal 2 al 20 maggio e dal 15 ottobre al 30 novembre – **Pasto** carta 35/55000 – ⊐
10000 – **12 cam** 100000 – ½ P 85000.

a Rocca Corneta Nord-Ovest : 8 km – alt. 631 – ⊠ 40040 :

🏠 **Antica Trattoria Corsini**, ℰ 0534 53104, *corsini@computermax.it,* Fax 0534 55028,
⊕ 😤, ≉ – 📺 🅿. 🕏 ⓪ 🐠 𝗩𝗜𝗦𝗔. 🛠
Pasto *(chiuso ottobre e martedì)* carta 30/50000 – **12 cam** ⊐ 80/100000 – ½ P 75000.

LOANO 17025 Savona 𝟰𝟮𝟴 J 6 G. Italia – 11 178 ab..
🛈 corso Europa 19 ℰ 019 676007, Fax 019 676818.
Roma 578 – Imperia 43 – Genova 79 – Milano 202 – Savona 33.

🏨 **Grand Hotel Garden Lido**, lungomare Nazario Sauro 9 ℰ 019 669666, *gardenlido@lne*
t.it, Fax 019 668552, ≤, « Giardino con 🌊 », 🏖, 🏊 – ⬧ 🗏 📺 📞 ⇔ 🅿 – ⛁ 60. 🖭 🕏 ⓪
🐠 𝗩𝗜𝗦𝗔. 🛠
chiuso dal 27 ottobre al 22 dicembre – **Pasto** carta 60/100000 – **77 cam** ⊐ 170/240000 –
½ P 160000.

🏨 **Perelli**, lungomare Garbarino 13 ℰ 019 675708, Fax 019 675722, ≤, 🏖 – ⬧ 📺. 🕏 🐠
𝗩𝗜𝗦𝗔. 🛠 rist
Pasqua-settembre – **Pasto** carta 50/75000 – **41 cam** ⊐ 95/135000 – ½ P 140000.

🏠 **Villa Beatrice**, via Sant'Erasmo 6 (via Aurelia) ✆ 019 668244, Fax 019 668244, ₤ѕ, ➿,
🍴 🔾 riscaldata, 🛲 – 📳, 🍽 rist, 📺 🅿 🕃. ⚘
chiuso da ottobre al 15 dicembre – **Pasto** *(chiuso martedì)* carta 30/50000 – 🖙 12000 –
30 cam 70/120000, 2 suites – ½ P 115000.

🏠 **Villa Mary**, viale Tito Minniti 6 ✆ 019 668368 – 🗏 📺 🅿 🕃 🕥 🕥 𝖵𝖨𝖲𝖠. ⚘
chiuso dal 27 settembre al 19 dicembre – **Pasto** *(chiuso martedì)* 25/30000 – 🖙 12000 –
30 cam 70/120000 – ½ P 115000.

LOCOROTONDO 70010 Bari 𝟦𝟥𝟣 E 33 *G. Italia* – *14 184 ab. alt. 410.*
Dintorni *Valle d'Itria*★★ *(strada per Martina Franca)* – ≼★ *sulla città dalla strada di Martina
Franca.*
Roma 518 – Bari 70 – Brindisi 68 – Taranto 36.

🍴 **Centro Storico**, via Eroi di Dogali 6 ✆ 080 4315473 – 🕭 🕃 🕥 🕥 𝖵𝖨𝖲𝖠
➿ *chiuso dal 5 al 15 marzo e mercoledì* – **Pasto** carta 35/50000.

LOCRI 89044 Reggio di Calabria 𝟦𝟥𝟣 M 30 – *12 695 ab. alt. .*
Roma 654 – Reggio Calabria 110 – Catanzaro 102 – Crotone 155.

a Moschetta *Sud-Ovest : 5 km –* ✉ *89044 Locri :*

🍴 **La Fontanella**, ✆ 0964 390005, Fax 0964 22568 – 🕭 🕃 🕥 𝖵𝖨𝖲𝖠. ⚘
➿ *chiuso lunedì* – **Pasto** carta 25/45000.

Se cercate un albergo tranquillo,
oltre a consultare le carte dell'introduzione,
individuate nell'elenco degli esercizi quelli con il simbolo 🐦 o 🐦.

LODI 26900 ℙ 𝟦𝟤𝟪 G 10 – *41 389 ab. alt. 80.*
🚺 *piazza Broletto 4 ✆ 0371 421391, Fax 0371 421313.*
Roma 548 – Milano 37 – Piacenza 38 – Bergamo 49 – Brescia 67 – Cremona 54 – Pavia 36.

🏠 **Radisson SAS Hotel Lodi**, via Emilia, località San Grato Nord-Ovest : 4 km
✆ 0371 410461, Fax 0371 410464 – 📳, ⪢ cam, 🗏 📺 🅿 – 🔏 240. 🕭 🕃 🕥 🕥 𝖵𝖨𝖲𝖠. ⚘ rist
Pasto al Rist. *Ascot* carta 65/90000 – **62 cam** 🖙 180/230000 – ½ P 155000.

🏠 **Anelli** senza rist, viale Vignati 7 ✆ 0371 421354, Fax 0371 422156 – 📳 🗏 📺. 🕭 🕥 🕥
𝖵𝖨𝖲𝖠. ⚘
chiuso Natale e dal 7 al 23 agosto – 🖙 18000 – **29 cam** 130/170000.

❌❌❌ **La Quinta**, viale Pavia 76 ✆ 0371 35041, Fax 0371 35041 – 🗏. 🕭 🕃 🕥 🕥 𝖵𝖨𝖲𝖠 𝖩𝖢𝖡. ⚘
chiuso agosto, domenica sera e lunedì – **Pasto** 35000 bc *(solo a mezzogiorno escluso
sabato e domenica)* 80000 bc e carta 50/85000.

❌❌ **3 Gigli-All'Incoronata**, piazza della Vittoria 47 ✆ 0371 421404, *tregigli@libero.it,*
🕃 *Fax 0371 422692,* 🌤, *prenotare* – 🗏. 🕭 🕃 🕥 🕥 𝖵𝖨𝖲𝖠
chiuso dal 26 dicembre al 7 gennaio, dal 6 agosto al 1° settembre e lunedì – **Pasto**
80/90000 e carta 70/110000
Spec. Tempura di baccalà con cipollotti, trevisana e cannoncini di patate al sesamo (otto-
bre-aprile). Risotto con zucca, bietole e "Raspadura" (maggio-settembre). Pollo ficato
all'aceto con aglio nuovo e mostarda di finocchi (maggio-settembre).

❌❌ **Isola Caprera**, via Isola Caprera 14 ✆ 0371 421316, *info@isolacaprera.com,*
Fax 0371 421316, 🌤, 🛲 – 🅿 – 🔏 250. 🕭 🕃 🕥 🕥 𝖵𝖨𝖲𝖠
chiuso dal 1° al 10 gennaio, dal 16 al 31 agosto, martedì sera e mercoledì – **Pasto** carta
65/95000.

a Riolo *Nord-Est : 4 km –* ✉ *26900 Lodi :*

❌❌ **L'Angolo**, frazione Riolo ✆ 0371 423720, Coperti limitati; prenotare – 🗏. 🕃 🕥 🕥 𝖵𝖨𝖲𝖠.
⚘
chiuso dal 10 al 30 gennaio, dal 16 agosto al 5 settembre e mercoledì – **Pasto** specialità di
mare carta 50/90000.

LODRONE 38080 Trento 𝟦𝟤𝟫 E 13 – *alt. 379 – a.s. Natale.*
Roma 589 – Brescia 56 – Milano 146 – Trento 73.

🏠 **Castel Lodron**, via 24 Maggio 41 ✆ 0465 685002, Fax 0465 685425, ₤ѕ, ➿, 🔾, 🛲, 🍽 –
➿ 📳 📺 🅿 – 🔏 200. 🕭 🕃 🕥 🕥 𝖵𝖨𝖲𝖠. ⚘
Pasto *(chiuso lunedì)* carta 30/40000 – 🖙 10000 – **41 cam** 60/120000 – ½ P 80000.

LOIANO 40050 Bologna 429, 430 J 15 – 3 898 ab. alt. 714 – a.s. luglio-13 settembre.

  Molino del Pero (chiuso lunedì) a Monzuno ⊠ 40036 ℘ 051 6770506, Fax 051 6770506 Ovest : 9 km.

  Roma 359 – Bologna 36 – Firenze 85 – Milano 242 – Pistoia 100.

🏨 **Palazzo Loup** ⬙, via Santa Margherita 21, località Scanello Est : 3 km ℘ 051 6544040, Fax 051 6544040, ≤ colline e dintorni, « Parco ombreggiato » – 📟 📺 ዿ 🅿 – 🔬 180. 🖭 🕄 ⓘ 🐠 🚾. ℘
chiuso dal 23 dicembre al 10 febbraio – **Pasto** (chiuso lunedì escluso da giugno a settembre; prenotare) carta 45/80000 – **37 cam** ⊐ 230/340000 – ½ P 195000.

LONATE POZZOLO 21015 Varese 428 F 8, 219 ⑰ – 11 199 ab. alt. 205.

  Roma 621 – Stresa 49 – Milano 43 – Novara 30 – Varese 28.

sulla strada statale 527 Sud-Ovest : 2 km :

✖✖ **F. Bertoni**, ⊠ 21015 Tornavento ℘ 0331 302001, Fax 0331 302021, solo su prenotazione a mezzogiorno, 🐜 – 🅿. 🖭 🕄 ⓘ 🐠 🚾
chiuso dal 1º al 10 gennaio, agosto, lunedì e martedì – **Pasto** carta 60/95000.

LONATO 25017 Brescia 428, 429 F 13 – 11 832 ab. alt. 188 – a.s. Pasqua e luglio-15 settembre.

  Roma 530 – Brescia 23 – Mantova 50 – Milano 120 – Verona 45.

✖✖ **Il Rustichello** con cam, viale Roma 92 ℘ 030 9130107, Fax 030 9131145, 🏖, 🐜 – 🍴 rist, 📺 🅿. 🖭 🕄 ⓘ 🐠 🚾
Pasto (chiuso dal 2 all'8 gennaio, luglio e mercoledì) carta 45/65000 – ⊐ 10000 – **13 cam** 80/120000 – ½ P 90000.

a Barcuzzi Nord : 3 km – ⊠ 25017 Lonato :

✖✖ **Da Oscar**, via Barcuzzi 16 ℘ 030 9130409, Fax 030 9130409, ≤, « Servizio estivo in terrazza » – 🍴 🅿. 🖭 🕄 ⓘ 🐠 🚾. ℘
chiuso dal 7 al 20 gennaio, lunedì e martedì a mezzogiorno – **Pasto** carta 60/110000.

LONGA Vicenza – Vedere Schiavon.

LONGARE 36023 Vicenza 429 F 16 – 5 219 ab. alt. 29.

  Roma 528 – Padova 28 – Milano 213 – Verona 60 – Vicenza 10.

a Costozza Sud-Ovest : 1 km – ⊠ 36023 Longare :

✖✖ **Aeolia**, piazza Da Schio 1 ℘ 0444 555036, aeolia@aeolia.com, 🏖, « Edificio del 16º secolo con affreschi » – 🖭 🕄 ⓘ 🐠 🚾. ℘
chiuso dal 1º al 18 novembre e martedì – **Pasto** 25/50000 e carta 35/65000.

LONGARONE 32013 Belluno 429 D 18 – 4 138 ab. alt. 474.

  Roma 619 – Belluno 18 – Cortina d'Ampezzo 50 – Milano 358 – Udine 119 – Venezia 108.

🏨 **Posta** senza rist, piazza IX ottobre 16 ℘ 0437 770702, Fax 0437 771189 – 🍴 📺 🚗. 🖭 🕄 ⓘ 🐠 🚾. ℘
⊐ 15000 – **24 cam** 100/150000.

LONGEGA (ZWISCHENWASSER) 39030 Bolzano 429 B 17 – alt. 1 012.

  Roma 720 – Cortina d'Ampezzo 50 – Bolzano 83 – Brunico 14 – Milano 382 – Trento 143.

🏠 **Gader**, ℘ 0474 501008, Fax 0474 501858, 🐜 – ⛄ rist, 📺 🅿. 🕄 ⓘ 🐠 🚾. ℘ cam
chiuso giugno – **Pasto** carta 35/45000 – **12 cam** ⊐ 70/130000 – ½ P 95000.

LONGIANO 47020 Forlì-Cesena 429, 430 J 18 – 5 364 ab. alt. 179.

  Roma 350 – Rimini 28 – Forlì 32 – Ravenna 46.

✖ **Dei Cantoni**, via Santa Maria 19 ℘ 0547 665899, Fax 0547 666040, « Servizio estivo all'aperto » – 🍴. 🖭 🕄 ⓘ 🐠 🚾 ᴊᴄʙ. ℘
chiuso gennaio e mercoledì – **Pasto** carta 35/40000.

LONIGO 36045 Vicenza 429 F 16 – 13 834 ab. alt. 31.

  Roma 533 – Verona 33 – Ferrara 89 – Milano 186 – Padova 56 – Vicenza 24.

✖✖✖ **La Peca**, via Principe Giovanelli 2 ℘ 0444 830214, rilapeca@tin.it, Fax 0444 830214, 🏖, Coperti limitati; prenotare – 🅿. 🖭 🕄 ⓘ 🐠 🚾. ℘
chiuso dal 1º al 7 gennaio, dal 1º al 20 agosto, domenica sera, lunedì e in luglio anche la domenica a mezzogiorno – **Pasto** 100/115000 e carta 90/135000.

LOREGGIA *35010 Padova* **429** *F 17 – 5 534 ab. alt. 26.*
Roma 504 – Padova 26 – Venezia 30 – Treviso 36.

X **Locanda Aurilia** con cam, via Aurelia 27 ℘ 049 5790395 e hotel ℘ 049 9300677,
Fax 049 5790395 – 🛗 📺 🚗 🅿 🖭 🕙 🐼 *VISA* JCB – ⚒ rist
Pasto *(chiuso martedì e dal 5 al 20 agosto)* carta 45/60000 – 🖃 8000 – **10 cam** 60/100000 –
½ P 75000.

LORETO *60025 Ancona* **430** *L 22 G. Italia – 11 298 ab. alt. 125 – a.s. Pasqua, 15 agosto-10 settembre
e 7-12 dicembre.*
Vedere *Santuario della Santa Casa*★★ – *Piazza della Madonna*★ – *Opere del Lotto*★ *nella
pinacoteca* **M.**
🛈 *via Solari 3* ℘ 071 970276, *Fax 071 970020.*
Roma 294 ② – *Ancona 31* ① – *Macerata 31* ② – *Pesaro 90* ② – *Porto Recanati 5* ①.

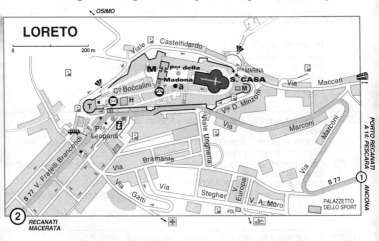

🏨 **Pellegrino e Pace**, piazza della Madonna 51 ℘ 071 977106, *Fax 071 978252* – 🛗 📺 &
🚗 🖭 🕙 🐼 *VISA* JCB – ⚒ rist   a
Pasto *(chiuso mercoledì)* carta 35/50000 – 🖃 10000 – **28 cam** 100/130000 – ½ P 90000.

XX **Vecchia Fattoria** con cam, via Manzoni 19 ℘ 071 978976, *Fax 071 978962*, 🌇, 🐎 – 🗏
📺 🅿. 🖭 🕙 ① 🐼 *VISA* JCB   3 km per via Maccari
Pasto *(chiuso lunedì)* carta 40/80000 – 🖃 4000 – **13 cam** 80/105000 – ½ P 95000.

XX **Andreina**, via Buffolareccia 14 ℘ 071 970124, *Fax 071 7501051* – 🗏 🅿. 🖭 🕙 ① 🐼 *VISA*.
⚒   2 km per ①
chiuso martedì – **Pasto** carta 50/70000.

LORETO APRUTINO *65014 Pescara* **430** *O 23 – 7 572 ab. alt. 294.*
Roma 226 – Pescara 24 – Teramo 77.

🏛 **Castello Chiola** 🏖 senza rist, via degli Aquino 12 ℘ 085 8290690, *Fax 085 8290677*, ≼,
« Antica residenza medievale », 🏊 – 🛗 🗏 📺 🅿 – 🔬 140. 🖭 🕙 ① 🐼 *VISA*
32 cam 🖃 200/300000, 4 suites.

🏨 **La Bilancia,** contrada Palazzo 10 (Sud-Ovest : 5 km) ℘ 085 8289321, *Fax 085 8289610,*
🚗 « Giardino » – 📺 🅿. 🖭 🕙 ① 🐼 *VISA*. ⚒
chiuso dal 20 dicembre al 20 gennaio – **Pasto** *(chiuso lunedì)* carta 30/40000 – senza 🖃 –
19 cam 60/110000 – ½ P 80000.

LORNANO *Siena* – *Vedere Monteriggioni.*

LORO CIUFFENNA 52024 Arezzo **430** L 16 – 5 004 ab. alt. 330.
Roma 238 – Firenze 54 – Siena 63 – Arezzo 31.

  XX **Il Cipresso-da Cioni** con cam, via De Gasperi 28 *&* 055 9171127, *ilcipresso@tiscalinet.it*,
Fax 055 9172067 – ▤ rist, 🖵 **P**. 🖭 ⓪ 🚱 *VISA* JCB
Pasto *(chiuso sabato escluso dal 16 giugno al 14 settembre)* carta 50/90000 – 🖙 10000 –
23 cam 60/95000 – ½ P 80000.

LORO PICENO 62020 Macerata **430** M 22 – 2 487 ab. alt. 436.
Roma 248 – Ascoli Piceno 74 – Ancona 73 – Macerata 22.

  XX **Girarrosto**, via Ridolfi 4 *&* 0733 509119, « Caratteristico ambiente ». 🖽 🚱 *VISA*. 🦅
chiuso dal 17 luglio al 4 agosto e mercoledì – **Pasto** carta 40/50000.

LOTZORAI Nuoro **433** H 10 – Vedere Sardegna alla fine dell'elenco alfabetico.

LOVENO Como **219** ⑨ – Vedere Menaggio.

In questa guida

uno stesso simbolo, una stessa parola
stampati in rosso o in **nero**, in magro o in ***grassetto***
hanno un significato diverso.

Leggete attentamente le pagine dell'introduzione.

LOVERE 24065 Bergamo **428**, **429** E 12 *G. Italia* – 5 529 ab. alt. 200 – a.s. luglio-agosto.
Vedere *Lago d'Iseo*★.
Dintorni *Pisogne*★ : *affreschi*★ *nella chiesa di Santa Maria della Neve Nord-Est : 7 km.*
Roma 611 – Brescia 49 – Bergamo 41 – Edolo 57 – Milano 86.

  🏠 **Continental**, viale Dante *&* 035 983585, Fax 035 983675 – 🛗 ▤ 🖵 💓 👃 🚗. 🖭 🖽 ⓪
🚱 *VISA*. 🦅 rist
Pasto *(chiuso mercoledì)* carta 50/85000 – **42 cam** 🖙 140/190000 – ½ P 120000.

  🏠 **Moderno**, piazza 13 Martiri 21 *&* 035 960607, *moderno@intercam.it*, Fax 035 961451,
🍴 – 🛗 ▤ 🖵 – 🔏 100. 🖭 🖽 ⓪ 🚱 *VISA*
Pasto carta 50/70000 (10 %) – 🖙 12000 – **24 cam** 110/150000 – ½ P 120000.

LUCCA 55100 🅿 **428**, **429**, **430** K 13 *G. Toscana* – 85 484 ab. alt. 19.
Vedere *Duomo*★★ C – *Chiesa di San Michele in Foro*★★ : *facciata*★★ B – *Battistero e chiesa
dei Santi Giovanni e Raparata*★ B – *Chiesa di San Frediano*★ B – *Città vecchia*★ BC –
Passeggiata delle mura★.
Dintorni *Giardini*★★ *della villa reale di Marlia per* ① : 8 km – *Parco*★ *di villa Mansiper* ② :
11 km.
🛈 *Vecchia Porta San Donato-piazzale Verdi &* 0583 419689, Fax 0583 312581.
A.C.I. *via Catalani 59 &* 0583 582626.
*Roma 348 ⑤ – Pisa 22 ④ – Bologna 157 ⑤ – Firenze 74 ⑤ – Livorno 46 ⑤ – Massa 45 ⑤ –
Milano 274 ⑤ – Pistoia 43 ⑤ – La Spezia 74 ⑤.*

Piante pagine seguenti

  🏠🏠 **Gd H. Guinigi** Ⓜ, via Romana 1247 *&* 0583 4991, *info@grandhotelguinigi.it*,
Fax 0583 499800, 🍴, 🚡 – 🛗 🕍 ▤ 🖵 💓 👃 🖵 – 🔏 350. 🖭 🖽 ⓪ 🚱 *VISA* JCB. 🦅 rist
Pasto carta 45/85000 – **158 cam** 🖙 250/400000, 10 suites – ½ P 245000.   per ③

  🏠🏠 **Ilaria** Ⓜ senza rist, via del Fosso 26 *&* 0583 469200, *ilaria@onenet.it*, Fax 0583 991961 – 🛗
▤ 🖵 💓 👃 🚗 **P**. 🖭 🖽 ⓪ 🚱 *VISA* JCB   C z
30 cam 🖙 250/350000.

  🏠 **San Marco** Ⓜ senza rist, via San Marco 368 *&* 0583 495010, *hotelsanmarcolu@onenet.it*,
Fax 0583 490513 – 🛗 ▤ 🖵 👃 🚗 **P**. 🖭 🖽 ⓪ 🚱 *VISA*   per ①
🖙 20000 – **42 cam** 130/190000.

  🏠 **Napoleon** senza rist, viale Europa 536 *&* 0583 316516, Fax 0583 418398 – 🛗 ▤ 🖵 **P** –
🔏 35. 🖭 🖽 ⓪ 🚱 *VISA*.   A b
🖙 20000 – **24 cam** 125/200000.

  🏠 **La Luna** senza rist, via Fillungo-Corte Compagni 12 *&* 0583 493634, *laluna@onenet.it*,
Fax 0583 490021 – 🛗 ▤ 🖵 🚗. 🖭 🖽 ⓪ 🚱 *VISA*. 🦅   B u
chiuso dal 6 al 31 gennaio – 🖙 15000 – **28 cam** 160/180000, 2 suites.

  🏠 **Celide** senza rist, viale Giuseppe Giusti 25 *&* 0583 954106, *hotelcelide@arcadiatel.it*,
Fax 0583 954304 – 🛗 ▤ 🖵 💓 **P** – 🔏 30. 🖭 🖽 ⓪ 🚱 *VISA*. 🦅   D a
🖙 20000 – **62 cam** 140/200000.

Rex senza rist, piazza Ricasoli 19 𝄽 0583 955443, *info@hotelrexlucca.com,*
Fax 0583 954348 – 📶 🗏 📺 🛴   AE 🕄 ⓪ ⓾ VISA JCB   C   c
⊡ 20000 – **25 cam** 140/180000.

San Martino senza rist, via Della Dogana 9 𝄽 0583 469181, *albergosanmartino@albergos*
anmartino.it, Fax 0583 991940 – 🗏 📺 ✆ 🛴 AE 🕄 ⓪ ⓾ VISA. ✀   B   m
10 cam ⊡ 130/190000.

Piccolo Hotel Puccini senza rist, via di Poggio 9 𝄽 0583 55421, *info@hotelpuccini*
.com, Fax 0583 53487 – 📺 AE 🕄 ⓪ ⓾ VISA   B   c
⊡ 7000 – **14 cam** 100/140000.

Stipino senza rist, via Romana 95 𝄽 0583 495077, *Fax 0583 490309* – 📺 🅿 AE 🕄 ⓪ ⓾ VISA.
✀   per ③
⊡ 20000 – **20 cam** 85/130000.

XXX **Buca di Sant'Antonio,** via della Cervia 1/5 𝄽 0583 55881, *la.buca@lunet.it,*
Fax 0583 312199 – ✻☰ 🗏. AE 🕄 ⓪ ⓾ VISA JCB   B   a
chiuso dal 14 al 29 gennaio, dal 1° al 15 luglio, domenica sera e lunedì – **Pasto** carta
50/70000.

XXX **Puccini,** corte San Lorenzo 1 𝄽 0583 316116, *Fax 0583 316031,* 🌦, prenotare – 🗏. AE 🕄
⓪ ⓾ VISA   B   d
chiuso gennaio, febbraio, martedì e mercoledì a mezzogiorno; da luglio a settembre chiuso
solo i mezzogiorno di martedì e mercoledì – **Pasto** carta 55/100000.

XX **Antica Locanda dell'Angelo,** via Pescheria 21 𝄽 0583 467711, *locandalu@onenet.it,*
Fax 0583 495445, 🌦, prenotare – AE 🕄 ⓪ ⓾ VISA. ✀   B   x
chiuso dal 6 al 31 gennaio, domenica sera e lunedì – **Pasto** carta 65/90000.

XX **Giglio,** piazza del Giglio 2 𝄽 0583 494058, *Fax 0583 496827,* 🌦 – 🗏. AE 🕄 ⓪ ⓾ VISA
chiuso dal 30 gennaio al 14 febbraio, dal 15 luglio al 2 agosto, martedì sera e mercoledì –
Pasto carta 50/70000.   B   e

X **All'Olivo,** piazza San Quirico 1 𝄽 0583 496264, *Fax 0583 493129,* 🌦 – 🗏. AE 🕄 ⓪ ⓾
VISA. ✀   B   p
chiuso gennaio e mercoledì – **Pasto** carta 50/80000.

X **Da Giulio-in Pelleria,** via delle Conce 45-piazza S. Donato 𝄽 0583 55948,
☜ *Fax 0583 55948,* prenotare la sera – AE 🕄 ⓪ ⓾ VISA   A   c
chiuso dal 20 al 31 dicembre, domenica (escluso maggio, settembre e dicembre) e lunedì –
Pasto carta 35/45000.

X **Agli Orti di Via Elisa,** via Elisa 17 𝄽 0583 491241, *gliorti@tin.it, Fax 0583 491241,* Tratto-
☜ ria e pizzeria serale – ✻☰. AE 🕄 ⓪ ⓾ VISA JCB   CD   m
chiuso dal 5 al 17 luglio, mercoledì e a mezzogiorno – **Pasto** carta 30/40000.

sulla strada statale 12 r B :

Locanda l'Elisa ⟆, via Nuova per Pisa per ④ : *4,5 km* ⊠ 55050 Massa Pisana
 𝄽 0583 379737, *locanda.elisa@lunet.it, Fax 0583 379019,* « Giardino ombreggiato con 🛋 »
– 📶 🗏 📺 🅿. AE 🕄 ⓪ ⓾ VISA JCB
chiuso dall' 8 gennaio al 12 febbraio e dal 19 novembre al 20 dicembre – **Pasto** vedere rist
Gazebo – ⊡ 32000 – **2 cam** 360/520000, 8 suites 490/790000 – ½ P 520000.

Villa San Michele ⟆ senza rist, località San Michele in Escheto per ④ : *4 km* ⊠ 55050
Massa Pisana 𝄽 0583 370276, *htlvillasmichele@tin.it, Fax 0583 370277,* ≼, « Villa settecen-
tesca con parco ombreggiato » – 📶 🗏 📺 🅿. AE 🕄 ⓪ ⓾ VISA. ✀
chiuso da dicembre al 20 febbraio – ⊡ 25000 – **22 cam** 290/340000.

XXX **Gazebo** - Hotel Locanda l'Elisa, via Nuova per Pisa per ④ : *4,5 km* ⊠ 55050 Massa Pisana
 𝄽 0583 379737, *Fax 0583 379019,* Coperti limitati; prenotare – 🗏 🅿. AE 🕄 ⓪ ⓾ VISA JCB.
✀
chiuso dall'8 gennaio al 12 febbraio, dal 19 novembre al 20 dicembre e domenica – **Pasto**
90/130000 e carta 90/115000.

XX **La Cecca,** località Coselli per ④ : *5 km* ⊠ 55060 Capannori 𝄽 0583 94130,
☟ *Fax 0583 94284,* 🌦 – 🗏 🅿. AE 🕄 ⓪ ⓾ VISA
chiuso dal 2 al 10 gennaio, agosto, lunedì e mercoledì sera – Pasto cucina casalinga carta
45/65000.

sulla strada statale 12 A :

XX **Villa Bongi,** località Cocombola ⊠ 55015 Montuolo 𝄽 0583 510479, *Fax 0583 510479,* ,
« Servizio estivo all'aperto » – 🅿. AE 🕄 ⓪ ⓾ VISA. ✀   9 km per via Nieri   A
chiuso dal 10 al 20 gennaio, dal 10 al 31 ottobre, lunedì e martedì a mezzogiorno – **Pasto**
carta 45/75000.

X **Mecenate,** via della Chiesa 707, località Gattaiola ⊠ 55050 Gattaiola 𝄽 0583 512167,
Fax 0583 512167, 🌦 – 🅿. AE 🕄 ⓪ ⓾ VISA JCB   2 km per via Nieri   A
chiuso lunedì – **Pasto** carta 45/80000.

LUCCA

a Ponte a Moriano per ① : 9 km – ⊠ 55029 :

XXX ❀ **La Mora,** via Sesto di Moriano 1748, a Sesto di Moriano Nord-Ovest : 2,5 km
℘ 0583 406402, Fax 0583 406135, � – ⚑ 🔠 ⓪ 🝿 𝚅𝙸𝚂𝙰. ❀
chiuso dal 10 al 30 gennaio, dal 19 al 30 giugno e mercoledì – **Pasto** specialità lucchesi e garfagnine carta 50/80000
Spec. Pan di coniglio. Farro lucchese. Piccione in casseruola.

X **Antica Locanda di Sesto,** via Lodovica 1660, a Sesto di Moriano Nord-Ovest : 2,5 km ℘ 0583 578181, Fax 0583 579103 – 🅿. 🔠 🔠 ⓪ 🝿 𝚅𝙸𝚂𝙰. ❀
chiuso dal 24 al 31 dicembre, Pasqua, agosto e sabato – **Pasto** carta 40/85000.

sulla strada statale 435 :

🏠 **Hambros-il Parco** ॐ senza rist, località Banchieri Est : 5 km ⊠ 55010 Lunata ℘ 0583 935355, Fax 0583 935396, 🌳 – ⚑ 🔟 🅿 – 🔬 70. 🔠 🔠 ⓪ 🝿 𝚅𝙸𝚂𝙰
chiuso dal 24 al 30 dicembre – ⊊ 20000 – **57 cam** 120/200000.

a Capannori per ③ : 6 km – ⊠ 55012 :

🏠 **Le Ville** Ⓜ senza rist, viale Europa 154, località Ponte alla Posta ℘ 0583 963411, Fax 0583 963496 – ⚑ 🔳 🔟 📞 ⇔ 🅿. 🔠 🔠 ⓪ 🝿 𝚅𝙸𝚂𝙰. ❀
23 cam ⊊ 180/290000.

XX **Forino,** via Carlo Piaggia 15 ℘ 0583 935302, Fax 0583 935302, 🌳 – 🔳 🅿. 🔠 🔠 ⓪ 🝿 𝚅𝙸𝚂𝙰. ❀
chiuso dal 26 dicembre al 6 gennaio, dal 5 al 20 agosto, domenica sera e lunedì – **Pasto** specialità di mare carta 50/80000.

XX **Butterfly,** via delle Ville 128/b, località Ponte alla Posta ℘ 0583 962801 – 🔳. 🔠 🔠 ⓪ 🝿 𝚅𝙸𝚂𝙰. ❀
chiuso martedì sera e mercoledì – **Pasto** specialità di mare carta 50/80000.

a Carignano per ① : 5 km – ⊠ 55056 :

🏠 **Carignano** ॐ, via per S. Alessio 3680 ℘ 0583 329618, Fax 0583 329848 – ⚑ 🔟 🔟 ᙙ 🅿 – 🔬 200. 🔠 🔠 ⓪ 🝿 𝚅𝙸𝚂𝙰 𝙹𝙲𝙱
Pasto vedere rist **La Cantina di Carignano** – **26 cam** ⊊ 120/180000 – ½ P 115000.

X **La Cantina di Carignano,** via per S. Alessio 3680 ℘ 0583 59030, 🌳, Rist. e pizzeria – 🅿. 🔠 🔠 ⓪ 🝿 𝚅𝙸𝚂𝙰 𝙹𝙲𝙱. ❀
chiuso giovedì – **Pasto** carta 35/55000.

a Pieve Santo Stefano per ⑥ : 9 km – ⊠ 55100 Lucca :

X **Vipore,** ℘ 0583 394065, Fax 0583 394065, « Servizio estivo all'aperto » – 🅿. 🔠 🔠 ⓪ 🝿 𝚅𝙸𝚂𝙰
chiuso lunedì ed a mezzogiorno escluso sabato-domenica – **Pasto** carta 50/70000.

X **Lombardo,** ℘ 0583 394268, <, 🌳 – 🅿. 🔠 🝿 𝚅𝙸𝚂𝙰
chiuso dal 7 al 31 gennaio, lunedì e martedì a mezzogiorno – **Pasto** carta 35/45000.

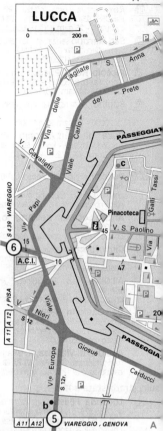

Anfiteatro (Pza dell')	C 2
Angeli (Via degli)	B 3
Antelminelli (Pza)	C 4
Asili (Via degli)	B 5
Battistero (Via del)	B 6
Battisti (Via C.)	B 7
Beccheria (Via)	B 8
Bernardini (Pza dei)	C 9
Boccherini (Pza L.)	A 10
Cadorna (Viale)	D 12

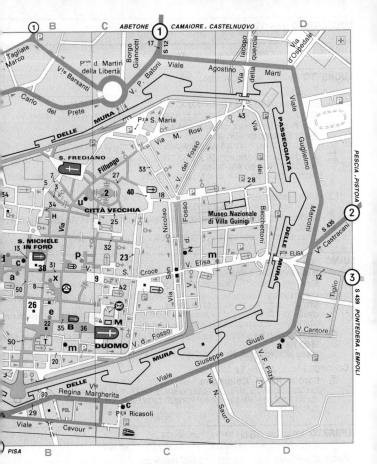

Circolazione regolamentata nel centro città

Calderia (Via)	B 13	
Catalani (Via)	A 15	
Civitali (Via M.)	C 17	
Fillungo (Via)	BC	
Fratta (Via della)	C 18	
Garibaldi (Corso)	AB 20	
Giglio (Pza del)	B 22	
Guinigi (Via)	C 23	
Indipendenza (Piazza dell')	B 24	

Mordini (Via A.)	C 25	
Napoleone (Pza)	B 26	
Portico (Via del)	C 27	
Quarquonia (Via della)	D 28	
Repubblica (Viale)	B 29	
Risorgimento (Pza)	B 30	
Roma (Via)	B 31	
S. Andrea (Via)	C 32	
S. Gemma Galgani (Via)	C 33	
S. Giorgio (Via)	B 34	

S. Giovanni (Pza)	B 35	
S. Martino (Pza)	B 36	
S. Michele (Pza)	B 38	
S. Pietro (Pza)	C 40	
Servi (Pza dei)	C 42	
Varanini (Pza L.)	D 43	
Verdi (Pzale G.)	A 45	
Vittorio Emanuele II (Via)	AB 47	
Vittorio Veneto (Via)	B 50	

LUCERA 71036 Foggia **431** C 28 *G. Italia – 35 886 ab. alt. 240.*

Vedere *Castello★ – Museo Civico: statua di Venere★.*

Roma 345 – Foggia 20 – Bari 150 – Napoli 157.

XX **La Cantina Del Pozzo**, via Giannone 1/5 &℘ 0881 547373, *lacantinadelpozzo@iol.it*,
Fax 0881 547373 – ⊱⇐. ⌸ 🅱 ⓪ 🅾🅾 𝗩𝗜𝗦𝗔 𝗝𝗖𝗕
chiuso martedì – **Pasto** carta 35/60000.

XX **L'Alhambra**, via De Nicastri 10/14 &℘ 0881 547066, *alhambranet@libero.it*,
Fax 0881 547066, « Ambiente caratteristico » – ⊟. ⌸ 🅱 ⓪ 🅾🅾 𝗩𝗜𝗦𝗔
chiuso dal 27 agosto al 9 settembre, domenica sera e lunedì – **Pasto** specialità di mare carta
45/70000.

397

LUCUGNANO *Lecce* **431** *H 36 – Vedere Tricase.*

LUGANA *Brescia – Vedere Sirmione.*

LUGHETTO *Venezia – Vedere Campagna Lupia.*

LUGO *48022 Ravenna* **429**, **430** *I 17 – 31 592 ab. alt. 15.*
Roma 385 – Bologna 61 – Ravenna 32 – Faenza 19 – Ferrara 62 – Forlì 31 – Milano 266.

🏨🏨 **San Francisco** senza rist, via Amendola 14 ℘ 0545 22324, Fax 0545 32421 – 🛏 cam, 📺 🗚 📶 ⒪ 🝙 VISA JCB. ⚖️
chiuso dal 22 dicembre al 6 gennaio e dal 3 al 26 agosto – **28 cam** ☵ 120/175000, 2 suite

🏨 **Ala d'Oro**, corso Matteotti 56 ℘ 0545 22388, info@aladoro.it, Fax 0545 30509 – 📳 📺 📲 🔒 200. 🗚 🔂 ⒪ 🝙 VISA. ⚖️ rist
Pasto *(chiuso agosto e lunedì)* carta 45/70000 – ☵ 12000 – **40 cam** 120/160000
½ P 115000.

XX **I Tre Fratelli**, via Di Giù 56 ℘ 0545 23328, 🍽 – 📳. ⚖️
chiuso lunedì – **Pasto** carta 40/65000.

X **Antica Trattoria del Teatro**, vicolo del Teatro 6 ℘ 0545 35164, Fax 0545 35164 – 🗚
⒪ 🝙 VISA JCB
chiuso lunedì – **Pasto** 50000 e carta 35/60000.

LUINO *21016 Varese* **428** *E 8 – 13 985 ab. alt. 202.*
🛈 *via Piero Chiara 1 ℘ 0332 530019.*
Roma 661 – Stresa 73 – Bellinzona 40 – Lugano 23 – Milano 84 – Novara 85 – Varese 28.

🏨🏨 **Camin Hotel Luino**, viale Dante 35 ℘ 0332 530118, caminlui@tin.it, Fax 0332 537226 🍽, 🌳 – ☰ 📺 📳 – 📲 30. 🗚 🔂 ⒪ 🝙 VISA
chiuso dal 20 dicembre al 15 gennaio – **Pasto** *(febbraio-novembre; chiuso lunedì)* cart 60/110000 – **10 cam** ☵ 220/310000, 3 suites – ½ P 205000.

🏨 **Internazionale** senza rist, viale Amendola ℘ 0332 530193, Fax 0332 537882 – 📳 📺 📳 🔂 🝙 VISA
chiuso gennaio e febbraio – ☵ 12000 – **40 cam** 80/105000.

a Colmegna *Nord : 2,5 km – ⊠ 21016 Luino :*

🏨 **Camin Hotel Colmegna**, via Palazzi 1 ℘ 0332 510855, camincol@tin.it Fax 0332 501687, ≤, 🍽, « Parco in riva al lago » – 📺 📳 🗚 🔂 ⒪ 🝙 VISA
marzo-ottobre – **Pasto** *(chiuso martedì)* carta 50/85000 – **25 cam** ☵ 200/230000 ½ P 165000.

LUMARZO *16024 Genova* **428** *I 9 – 1 527 ab. alt. 353.*
Roma 491 – Genova 24 – Milano 157 – Rapallo 27 – La Spezia 93.

a Pannesi *Sud-Ovest : 4 km – alt. 535 – ⊠ 16024 Lumarzo :*

XX **Fuoco di Bosco**, via Provinciale 235 ℘ 0185 94048, « Nel bosco » – 📳. 🔂 🝙 VISA. ⚖️
chiuso dal 6 gennaio al 15 marzo e giovedì – **Pasto** carta 45/75000.

LUMELLOGNO *Novara* **428** *F 7 – Vedere Novara.*

LUNANO *61026 Pesaro e Urbino* **430** *K 19 – 1 195 ab. alt. 306.*
Roma 285 – Rimini 48 – Ancona 116 – Arezzo 104 – Perugia 116 – Pesaro 51.

XX **Osteria la Gatta**, località Brugneto 13 ℘ 0722 70117, Fax 0722 70117, Rist. e pizzeria « In un antico cascinale » – 📳. 🗚 🔂 ⒪ 🝙 VISA JCB. ⚖️
chiuso dal 10 al 20 gennaio, lunedì e martedì – **Pasto** carta 40/65000.

LUNGHEZZA *Roma* **430** *Q 20 – Vedere Roma.*

LURAGO D'ERBA *22040 Como* **428** *E 9 – 4 768 ab. alt. 351.*
Roma 613 – Como 14 – Bergamo 42 – Milano 38.

XXX **La Corte** ⚘ con cam, via Mazzini 20 ℘ 031 699690, lacorte91@hotmail.com, Fax 031 699755, 🍽, « In una vecchia corte settecentesca » – ☰ 📺 ⟵ 📳. 🗚 🔂 ⒪ VISA JCB. ⚖️
chiuso dal 1° al 25 agosto – **Pasto** *(chiuso domenica sera e mercoledì)* 50000 bc (solo a mezzogiorno) 120000 e carta 80/135000 – **7 cam** ☵ 150/220000, suite.

URISIA _Cuneo_ 428 J 5 – _alt. 660 –_ ✉ _12088 Roccaforte Mondovì – Stazione termale (giugno-settembre), a.s. febbraio, Pasqua, luglio-15 settembre e Natale – Sport invernali : 800/1 800 m ≤ 1 ≤ 5._
>_Roma 630 – Cuneo 22 – Milano 226 – Savona 85 – Torino 94._

🏨 **Reale,** _via delle Terme 13_ ℰ _0174 583005, info@hotelreale.it, Fax 0174 583004,_ ⌊ѕ, ≋, ≋
— 🛗 🗏 �🅿️ – ⚒ 150. 🆎 🕄 ⓪ ⓪⓪ 𝖵𝖨𝖲𝖠. ⚖
   chiuso dal 30 ottobre al 15 dicembre – **Pasto** _(chiuso mercoledì in bassa stagione)_ carta 35/90000 – **82 cam** ☞ 90/140000 – ½ P 110000.

🏨 **Scoiattolo** ⌂, _via Lindo Viglioni 11_ ℰ _0174 683103, Fax 0174 683371,_ « _Giardino ombreggiato_ » – 🛗 📺 �🅿️. 🆎 🕄 ⓪ ⓪⓪ 𝖵𝖨𝖲𝖠. ⚖ rist
   chiuso ottobre e novembre – **Pasto** _(chiuso martedì; prenotare)_ carta 30/50000 – ☞ 12000
– **22 cam** 75/120000 – ½ P 95000.

USERNA _38040 Trento_ 429 E 15 – _330 ab. alt. 1 333._
>_Roma 590 – Trento 52 – Bolzano 103 – Verona 110 – Vicenza 83._

✕ **Montana,** _via Cima Nora 31_ ℰ _0464 789704,_ ╤, prenotare – ⚖
   chiuso giugno e giovedì – **Pasto** _cucina di tradizione casalinga_ carta 25/40000.

We suggest:

for a successful tour, that you prepare it in advance. **Michelin maps** _and_ **guides,**
will give you much useful information on route planning,
places of interest, accommodation, prices etc.

.USIA _45020 Rovigo_ 429 G 16 – _3 622 ab. alt. 12._
>_Roma 461 – Padova 47 – Ferrara 45 – Rovigo 12 – Venezia 85._

n prossimità strada statale 499 :

✕✕ **Trattoria al Ponte,** _località Bornio Sud : 3 km_ ✉ _45020_ ℰ _0425 669890,
   Fax 0425 669177 –_ ≡ �🅿️. 🆎 🕄 ⓪ ⓪⓪ 𝖵𝖨𝖲𝖠 𝖩𝖢𝖡. ⚖
   chiuso agosto e lunedì – **Pasto** carta 35/50000.

.UTAGO (LUTTACH) _Bolzano – Vedere Valle Aurina._

.UZZARA _42010 Reggio nell'Emilia_ 429 H 14 – _8 414 ab. alt. 27._
>_Roma 453 – Parma 40 – Bologna 91 – Mantova 33 – Milano 156 – Modena 51 – Reggio nell'Emilia 28._

a Villarotta _Sud-Est : 7,5 km –_ ✉ _42010 :_

🏨 **Villa Montanarini,** _via Mandelli 13_ ℰ _0522 820001, Fax 0522 820338,_ « _Villa del settecento con parco_ » – 🛗 ≡ 📺 ⅌. – ⚒ 35. 🆎 🕄 ⓪ ⓪⓪ 𝖵𝖨𝖲𝖠. ⚖
   chiuso dal 5 al 26 agosto – **Pasto** _(chiuso domenica sera)_ carta 60/95000 – **16 cam**
   ☞ 180/280000.

MACERATA _62100_ ℙ 430 M 22 – _41 907 ab. alt. 311 – a.s. 10 luglio-13 settembre._
  🛈 _piazza Libertà 12_ ℰ _0733 234807, Fax 0733 234487._
  A.C.I. _via Roma 139_ ℰ _0733 31141._
>_Roma 256 – Ancona 51 – Ascoli Piceno 92 – Perugia 127 – Pescara 138._

🏨 **Claudiani** _senza rist, vicolo Ulissi 8_ ℰ _0733 261400, Fax 0733 261380 –_ 🛗 ≡ 📺 ⚭ ⟷ –
   ⚒ 80. 🆎 🕄 ⓪ ⓪⓪ 𝖵𝖨𝖲𝖠. ⚖
   ☞ 20000 – **38 cam** 150/185000.

🏨 **Arcadia** _senza rist, via Padre Matteo Ricci 134_ ℰ _0733 235961, info@hotelarcadia.it,
   Fax 0733 235962 –_ ≡ 📺 ⚭. 🆎 🕄 ⓪ ⓪⓪ 𝖵𝖨𝖲𝖠 𝖩𝖢𝖡. ⚖
   ☞ 20000 – **28 cam** 90/150000.

MACERATA FELTRIA _61023 Pesaro e Urbino_ 429 , 430 K 19 – _2 015 ab. alt. 321 – a.s. 25 giugno-agosto._
>_Roma 305 – Rimini 48 – Ancona 145 – Arezzo 106 – Perugia 139 – Pesaro 46._

🏨 **Pitinum,** _via Matteotti 16_ ℰ _0722 74496, info@pitinum.com, Fax 0722 729056 –_ ≡ rist,
   📺 ⅌. 🕄 ⓪ ⓪⓪ 𝖵𝖨𝖲𝖠. ⚖
   chiuso novembre – **Pasto** _(chiuso lunedì)_ carta 35/55000 – ☞ 6000 – **20 cam** 85/90000 –
   ½ P 80000.

MACUGNAGA 28876 Verbania **428** E 5 – 644 ab. alt. (frazione Staffa) 1 327 – a.s. 20 luglio-agosto
Natale – Sport invernali : 1 327/2 868 m ≤ 2 ≤ 6, ⚶.
🛈 frazione Staffa, piazza Municipio 42 ℘ 0324 65119, Fax 0324 65775.
Roma 716 – Aosta 231 – Domodossola 39 – Milano 139 – Novara 108 – Orta San Giulio 65 – Torino 182.

🏠 **Alpi**, frazione Borca 243 ℘ 0324 65135, Fax 0324 65135, ≤, ☞ – 🗹 🅿. ⚶
20 dicembre-15 gennaio, Carnevale, Pasqua e 10 giugno-settembre – **Pasto** (solo per alloggiati) 35000 – ☞ 14000 – **13 cam** 70/125000 – ½ P 100000.

MADDALENA (Arcipelago della) Sassari **433** D 10 – Vedere Sardegna alla fine dell'elenco alfabetico.

MADERNO Brescia – Vedere Toscolano-Maderno.

MADESIMO 23024 Sondrio **428** C 10 – 573 ab. alt. 1 536 – Sport invernali : 1 260/2 884 m ≤ 1 ≤ 11, ⚶.
Escursioni Strada del passo dello Spluga★★ : tratto Campodolcino-Pianazzo★★★ Sud e Nord.
🛈 via alle Scuole ℘ 0343 53015, Fax 0343 53782.
Roma 703 – Sondrio 80 – Bergamo 119 – Milano 142 – Passo dello Spluga 15.

🏠 **Emet**, via Carducci 28 ℘ 0343 53395, emet@hotel-emet.com, Fax 0343 53303 – 📶 🗹 🅿
🚸 🐠 VISA 🔄 ⚶
dicembre-1° maggio e luglio-agosto – **Pasto** carta 50/70000 – ☞ 20000 – **39 cam** 140/210000 – ½ P 205000.

🏠 **La Meridiana**, via Carducci 8 ℘ 0343 53160, lameridiana@clavis.it, Fax 0343 54632, 🚐 🚗, ☞ – 🗹 🚗 🅿. ⚐ 🔄 🐠 VISA 🔄 rist
dicembre-aprile e 25 giugno-10 settembre – **Pasto** al Rist. **La Tavernetta** carta 45/75000 – ☞ 20000 – **25 cam** 100/190000 – ½ P 210000.

a Pianazzo Ovest : 2 km – ⊠ 23020 :

🍴 **Bel Sit** con cam, viale Nazionale 19 ℘ 0343 53365, Fax 0343 53365 – 🗹 🚗 🅿. ⚐ 🔄 🐠 VISA 🔄 ⚶
chiuso ottobre – **Pasto** (chiuso giovedì) 30000 e carta 35/55000 – ☞ 15000 – **10 cam** 80/100000 – ½ P 105000.

MADONNA DEI FORNELLI Bologna **430** J 15 – Vedere San Benedetto Val di Sambro.

MADONNA DELL'OLMO Cuneo – Vedere Cuneo.

MADONNA DEL MONTE Massa Carrara – Vedere Mulazzo.

MADONNA DI BAIANO Perugia **430** N 20 – Vedere Spoleto.

MADONNA DI CAMPIGLIO 38084 Trento **428**, **429** D 14 G. Italia – alt. 1522 – a.s. dicembre-Epifania e febbraio-Pasqua – Sport invernali : 1 550/2 504 m ≤ 3 ≤ 15, ⚶.
Vedere Località★★.
Escursioni Massiccio di Brenta★★★ Nord per la strada S 239.
🎿 (luglio-settembre) a Campo Carlo Magno ℘ 0465 440622, Fax 0465 440444, Nord : 2,5 km.
🛈 via Pradalago 4 ℘ 0465 442000, Fax 0465 440404.
Roma 645 – Trento 82 – Bolzano 88 – Brescia 118 – Merano 91 – Milano 214.

🏨 **Spinale Club Hotel**, via Monte Spinale 39 ℘ 0465 441116, hotspinale@editeltn.it, Fax 0465 442189, ≤, 🍴, 🚐, 🏊 – 📶 🗹 📞 🚗 – 🔏 80. ⚐ 🔄 🐠 🐠 VISA 🔄 ⚶
5 dicembre-13 aprile e luglio-10 settembre – **Pasto** 80000 – ☞ 25000 – **59 cam** 260/390000 – ½ P 270000.

🏨 **Lorenzetti**, viale Dolomiti di Brenta 119 (Sud : 1,5 km) ℘ 0465 441404, hotlorenzetti@hotel lorenzetti.com, Fax 0465 440688, ≤, 🍴, 🚐 – 📶 🗹 🔥 🚗 🅿 – 🔏 40. ⚐ 🔄 🔄 🐠 🐠 VISA 🔄 ⚶
dicembre-aprile e luglio-settembre – **Pasto** carta 60/100000 – **54 cam** ☞ 205/350000 – ½ P 225000.

Cristallo, viale Dolomiti di Brenta 53 ℘ 0465 441132, Fax 0465 440687, ≤, ☎ – 📳 📺 ⅙, ⌫ 🅿 – 🔏 120. ⅍ 🔇 ⬤➊ 𝘝𝘐𝘚𝘈. ⅍ rist
dicembre-Pasqua e luglio-agosto – **Pasto** carta 45/65000 – **38 cam** � 140/260000 – ½ P 190000.

Grifone, via Vallesinella 7 ℘ 0465 442002, Fax 0465 440540, ☎ – 📳 📺 ⌫. ⅍ 🔇 ⬤ ⬤➋ 𝘝𝘐𝘚𝘈. ⅍ rist
dicembre-19 aprile e 9 luglio-10 settembre – **Pasto** carta 45/60000 – **40 cam** ⊆ 220/370000 – ½ P 305000.

Cerana ⅊, via Fevri 16 ℘ 0465 440552, *info@hotelcerana.com*, Fax 0465 440587, 🖢, ☎ – 📳 📺 🅿 𝘝𝘐𝘚𝘈. ⅍
dicembre-20 aprile e luglio-20 settembre – **Pasto** (solo per alloggiati) – **30 cam** ⊆ 180/300000 – ½ P 185000.

Bertelli, via Cima Tosa 80 ℘ 0465 441013, Fax 0465 440564, ≤, ☎, 🔲, 🌴 – 📳 📺 ⌫ 🅿. ⅍ 🔇 ⬤ ⬤➋ 𝘝𝘐𝘚𝘈. ⅍ rist
20 dicembre-aprile e luglio-10 settembre – **Pasto** 40/60000 – ⊆ 20000 – **49 cam** 240/420000 – ½ P 295000.

Hermitage Chalet ⅊, via Castelletto Inferiore 69 (Sud : 1,5 km) ℘ 0465 441558, *hother mitage@campiglio.net*, Fax 0465 441618, ≤ monti, « Giardino e pineta », ☎, 🔲 – 📺 ⌫ 🅿. 🔇 ⬤➋ 𝘝𝘐𝘚𝘈. ⅍
dicembre-Pasqua e luglio-settembre – **Pasto** carta 65/95000 – **29 cam** ⊆ 200/335000 – ½ P 375000.

Miramonti, via Cima Tosa 63 ℘ 0465 441021, *hotelmiramonti@miramontihotel.com*, Fax 0465 440410, ≤, ☎ – 📳 📺 ⌫ 🅿. ⅍ 🔇 ⬤➋ 𝘝𝘐𝘚𝘈. ⅍
3 dicembre-25 aprile e 25 giugno-25 settembre – **Pasto** carta 50/75000 – ⊆ 20000 – **26 cam** 270/330000 – ½ P 285000.

Oberosler, via Monte Spinale 27 ℘ 0465 441136, *hoteloberosler@tin.it*, Fax 0465 443220, ≤, 🌴 – 📳 📺 ⌫ 🅿. ⅍ 🔇 ⬤➋ 𝘝𝘐𝘚𝘈. ⅍
dicembre-20 aprile e luglio-15 settembre – **Pasto** 90/110000 – **41 cam** ⊆ 205/340000 – ½ P 270000.

Alpina, via Sfulmini 5 ℘ 0465 441075, *hotel@alpina.it*, Fax 0465 443464, ☎, 🌴 – 📳 📺 ⌫ 🅿. ⅍ 🔇 ⬤ ⬤➋ 𝘝𝘐𝘚𝘈 𝙅𝘾𝘽. ⅍
dicembre-25 aprile e 15 giugno-20 settembre – **Pasto** 30/60000 – ⊆ 30000 – **27 cam** 165/250000 – ½ P 200000.

Diana, via Cima Tosa 52 ℘ 0465 441011, *info@hoteldiana.net*, Fax 0465 441049, ☎ – 📳 📺. ⅍ 🔇 ⬤ ⬤➋ 𝘝𝘐𝘚𝘈. ⅍
dicembre-26 aprile e 4 giugno-15 settembre – **Pasto** carta 45/65000 – **27 cam** ⊆ 120/220000 – ½ P 150000.

Vidi, via Cima Tosa 50 ℘ 0465 443344, Fax 0465 440686, ≤, ☎ – 📳 📺 ⌫ 🅿.
stagionale – **25 cam**.

Crozzon, viale Dolomiti di Brenta 96 ℘ 0465 442217, *info@hotelcrozzon.com*, Fax 0465 442636, ≤ – 📳 📺 – 🔏 50. ⅍ 🔇 ⬤➋ 𝘝𝘐𝘚𝘈. ⅍ rist
dicembre-aprile e giugno-settembre – **Pasto** carta 35/55000 – **26 cam** ⊆ 165/250000 – ½ P 210000.

Dello Sportivo senza rist, via Pradalago 29 ℘ 0465 441101, *0465441101@iol.it*, Fax 0465 440800 – 📺 ⌫ 🅿. 🔇 ⬤➋ 𝘝𝘐𝘚𝘈. ⅍
chiuso dal 10 maggio al 25 giugno e dal 10 ottobre a novembre – **15 cam** ⊆ 150/280000.

La Baita, piazza Brenta Alta 17 ℘ 0465 441066, *albergolabaita@tin.it*, Fax 0465 440750 – 📳 📺 ⌫. ⅍ 🔇 ⬤ ⬤➋ 𝘝𝘐𝘚𝘈. ⅍ rist
dicembre-aprile e 15 giugno-settembre – **Pasto** (solo per alloggiati e *chiuso a mezzogiorno da dicembre ad aprile*) – **20 cam** ⊆ 150/260000 – ½ P 150/200000.

Arnica senza rist, via Cima Tosa 32 ℘ 0465 440377, *info@hotelarnica.com*, Fax 0465 442227 – 📳 📺. ⅍ 🔇 ⬤ ⬤➋ 𝘝𝘐𝘚𝘈. ⅍
22 cam ⊆ 150/280000.

Bucaneve ⅊ senza rist, via Vallesinella 25 ℘ 0465 441271, *bucaneve@al-service.com*, Fax 0465 441672 – 📺. 🔇 𝘝𝘐𝘚𝘈
dicembre-Pasqua e 25 giugno-25 settembre – **11 cam** ⊆ 140/260000.

Da Alfiero, via Vallesinella 5 ℘ 0465 440117, *alfbono@tin.it*, Fax 0465 443279 – ⅍ 🔇 ⬤ 𝘝𝘐𝘚𝘈. ⅍
dicembre-aprile e giugno-settembre – **Pasto** 60/70000 e carta 60/90000.

Al Sottobosco, via Carè Alto 15 (Sud : 1 km) ℘ 0465 440737 – 🅿. ⅍ 🔇 ⬤ ⬤➋ 𝘝𝘐𝘚𝘈
dicembre-maggio e luglio-ottobre – **Pasto** carta 45/70000.

Artini, via Cima Tosa 47 ℘ 0465 440122, Fax 0465 440601, Rist. e pizzeria – 🍽. ⅍ 🔇 ⬤ ⬤➋ 𝘝𝘐𝘚𝘈. ⅍
dicembre-aprile e luglio-settembre – **Pasto** carta 45/75000.

a Campo Carlo Magno *Nord : 2,5 km – alt. 1682 – ✉ 38084 Madonna di Campiglio.*

Vedere *Posizione pittoresca★★ – ✳★★ sul massiccio di Brenta dal colle del Grostè Sud-Es per funivia.*

🏨 **Golf Hotel** 🐎, via Cima Tosa 3 ☎ 0465 441003, *golfhotel@golfhotelcampo.i, Fax 0465 440294,* ← monti e pinete, 🌳, – [ascensore] [TV] ♿ [P] – 🏢 200. [AE] [S] ⓞ ⓜ [VISA]. ✂ rist *dicembre-aprile e giugno-settembre* – **Pasto** carta 55/110000 – **115 cam** solo 1/2 P 335000, 4 suites.

🍴 **Palù della Fava,** via Pian dei Frari 23 ☎ 0465 440400, *Fax 0465 442750,* ⛱ – [P]. [S] ⓞ ⓜ [VISA] *dicembre-aprile e giugno-settembre* – **Pasto** carta 45/65000.

MADONNA DI DOSSOBUONO *Verona* [429] F 14 – *Vedere Verona.*

MADONNA DI SENALES (UNSERFRAU) *Bolzano* [218] ⑨ – *Vedere Senales.*

MAGAZZINI *Livorno – Vedere Elba (Isola d') : Portoferraio.*

MAGENTA *20013 Milano* [428] F 8 – *23 061 ab. alt. 141.*

Roma 599 – Milano 26 – Novara 21 – Pavia 43 – Torino 114 – Varese 46.

🏨 **Excelsior,** via Cattaneo 67 ☎ 02 97298651, *Fax 02 97291617,* 🏋 – [ascensore] ▤ [TV] ♿ 🚗 – 🏢 80. [AE] [S] ⓞ ⓜ [VISA]. ✂ rist **Pasto** *(chiuso agosto, sabato a mezzogiorno e domenica)* carta 65/95000 – **67 cam** ☕ 165/240000 – 1/2 P 180000.

🍴🍴🍴 **Trattoria alla Fontana,** via Petrarca 6 ☎ 02 9792614, *Fax 02 97284055* – ▤ [P]. [AE] [S] ⓞ ⓜ [VISA] [JCB]. ✂ *chiuso dal 24 dicembre al 7 gennaio, dal 7 al 21 agosto, sabato a mezzogiorno e domenica* – **Pasto** 50/85000 e carta 60/115000.

🍴🍴 **L'Osteria,** vicolo della Valle 4, località Ponte Vecchio Sud-Ovest : 2 km ☎ 02 97298461, *Fax 02 9790498,* Coperti limitati; prenotare – [AE] [S] ⓞ ⓜ [VISA]. ✂ *chiuso dal 26 dicembre al 2 gennaio, agosto, domenica sera e lunedì* – **Pasto** 85/180000 e carta 75/180000.

MAGGIO *Lecco* [428] E 10, [219] ⑩ – *Vedere Cremeno.*

MAGGIORE (Lago) – *Vedere Lago Maggiore.*

MAGIONE *06063 Perugia* [430] M 18 – *12 373 ab. alt. 299.*

Roma 193 – Perugia 20 – Arezzo 58 – Orvieto 87 – Siena 90.

🍴 **Al Coccio,** via del Quadrifoglio 12/a ☎ 075 841829 – ▤. [AE] [S] ⓞ ⓜ [VISA] *chiuso novembre e lunedì* – **Pasto** carta 35/70000.

a San Feliciano *Sud-Ovest : 8 km – ✉ 06060 :*

🍴 **Da Settimio** 🐎 con cam, via Lungolago 1 ☎ 075 8476000, *Fax 075 8476000,* ⛱ [TV]. ✂ *chiuso novembre* – **Pasto** *(chiuso giovedì escluso da giugno a settembre)* carta 45/65000 – **14 cam** ☕ 110000 – 1/2 P 90000.

MAGLIANO IN TOSCANA *58051 Grosseto* [430] O 15 *G. Toscana – 3 776 ab. alt. 130.*

Roma 163 – Grosseto 28 – Civitavecchia 118 – Viterbo 106.

🍴🍴 **Antica Trattoria Aurora,** via Lavagnini 12/14 ☎ 0564 592030, « Servizio estivo serale in giardino » – [AE] [S] ⓜ [VISA]. ✂ *chiuso febbraio, novembre e mercoledì* – **Pasto** carta 60/90000.

MAGLIANO SABINA *02046 Rieti* [430] O 19 – *3 737 ab. alt. 222.*

Roma 69 – Terni 42 – Perugia 113 – Rieti 54 – Viterbo 48.

sulla strada statale 3 - via Flaminia *Nord-Ovest : 3 km :*

🏨 **La Pergola,** via Flaminia km 64 ✉ 02046 ☎ 0744 919841, *lapergola@katamail.com, Fax 0744 919842,* ⛱ – [ascensore] ▤ [TV] ♿ [P] – 🏢 150. [AE] [S] ⓞ ⓜ [VISA]. ✂ **Pasto** *(chiuso martedì)* carta 40/70000 – **23 cam** ☕ 110/170000.

MAGNANO IN RIVIERA *33010 Udine* [429] *D 21 – 2 327 ab. alt. 200.*

Roma 658 – Udine 20 – Milano 397 – Trieste 91 – Venezia 147.

🏨 **Green Hotel** 🌙, via dei Colli 1 (Sud-Ovest : 2 km) ☎ 0432 792308, *info@greenhotel.it, Fax 0432 792312,* 🏋, 🌳, 🎾 – 🛗 ≡ [TV] ♿ [P] – 🏛 350. [AE] [S] [MC] [VISA] [JCB]. 🚫🐕 cam
Pasto *(chiuso lunedì a mezzogiorno)* carta 70/100000 – ☕ 15000 – **72 cam** 165/240000, 4 suites – ½ P 120000.

MAGOMADAS *Nuoro* [433] *G 7 – Vedere Sardegna alla fine dell'elenco alfabetico.*

MAIORI *84010 Salerno* [431] *E 25 – 5 849 ab. – a.s. Pasqua, 15 giugno-15 settembre e Natale.*

Dintorni *Capo d'Orso★ Sud-Est : 5 km.*

[i] *corso Reginna 73 ☎ 089 877452, Fax 089 853672.*

Roma 267 – Napoli 65 – Amalfi 5 – Salerno 20 – Sorrento 39.

🏨 **San Francesco,** via Santa Tecla 54 ☎ 089 877070, *info@hotel-sanfrancesco.it, Fax 089 877070,* 🏖, 🌳 – 🛗 🚗 [P]. [AE] [S] [D] [MC] [VISA] [JCB]. 🚫🐕 rist
15 marzo-15 ottobre – **Pasto** carta 40/65000 – ☕ 15000 – **46 cam** 100/160000 – ½ P 150000.

🍴 **Mammato,** lungomare Amendola ☎ 089 853683, *Fax 089 877036,* ⛱, Rist. e pizzeria – [AE] [S] [D] [MC] [VISA]
chiuso martedì escluso da giugno a settembre – **Pasto** carta 50/85000.

sulla costiera amalfitana *Sud-Est : 4,5 km*

🍴🍴 **Capo d'Orso,** via Diego Taiani 48 ☎ 089 877022, *capodorso@email.com, Fax 089 852360,* ≤ mare e costa, « Servizio estivo all'aperto » – ≡ [P] – 🏛 40. [AE] [S] [D] [MC] [VISA] [JCB]. 🚫🐕
chiuso novembre e martedì (escluso da luglio a settembre) – **Pasto** carta 60/100000 (10 %).

MAJANO *33030 Udine* [429] *D 21 – 5 905 ab. alt. 166.*

Roma 659 – Udine 23 – Pordenone 54 – Tarvisio 77 – Venezia 147.

🏨 **Dal Asìn,** via Ciro di Pers 63 ☎ 0432 948107, *Fax 0432 948116,* « Giardino ombreggiato » – [TV] [P]. [AE] [S] [D] [VISA]
Pasto carta 40/55000 – ☕ 12000 – **17 cam** 85/140000 – ½ P 95000.

MALALBERGO *40058 Bologna* [429] *H 16 – 6 934 ab. alt. 12.*

Roma 403 – Bologna 33 – Ferrara 12 – Ravenna 84.

🍴🍴 **Rimondi,** ☎ 051 872012, *Fax 051 872012* – ≡. [AE] [S] [D] [MC] [VISA]. 🚫🐕
chiuso dal 10 al 20 febbraio, dal 10 al 31 luglio, domenica sera e lunedì – **Pasto** specialità di mare carta 50/85000.

MALBORGHETTO *33010 Udine* [429] *C 22 – 1 036 ab. alt. 787.*

Roma 710 – Udine 82 – Tarvisio 12 – Tolmezzo 50.

a Valbruna *Est : 6 km – ✉ 33010 :*

🍴🍴 **Renzo** 🌙 con cam, via Saisera 11/13 ☎ 0428 60123, *Fax 0428 60232* – ♿ [P]. [AE] [S] [D] [MC] [VISA]. 🚫🐕 cam
Pasto *(chiuso lunedì escluso da Natale a gennaio, luglio ed agosto)* carta 45/80000 – ☕ 8000 – **8 cam** 80/160000 – ½ P 85000.

MALCESINE *37018 Verona* [428], [429] *E 14 G. Italia – 3 494 ab. alt. 90.*

Vedere *✳★★★ dal monte Baldo E : 15 mn di funivia – Castello Scaligero★.*

[i] *via Capitanato 6/8 ☎ 045 7400044, Fax 045 7401633.*

Roma 556 – Trento 53 – Brescia 92 – Mantova 93 – Milano 179 – Venezia 179 – Verona 67.

🏨 **Park Hotel Querceto** 🌙, località Campiano 17/19 (Est : 5 km), alt. 340 ☎ 045 7400344, *querceto@malcesine.com, Fax 045 7400848,* ≤ lago e monti, « Servizio rist. estivo in terrazza », 🏊, 🌳 – 🛗, ≡ rist, [TV] [P]. [S] [MC] [VISA]. 🚫🐕
aprile-ottobre – **Pasto** carta 80/115000 – **22 cam** ☕ 230/340000 – ½ P 190000.

🏨 **Bellevue San Lorenzo** 🌙, località Dos de Feri Sud : 1,5 km ☎ 045 7401598, *bellevue@graffiti 2000. com, Fax 045 7401055,* ≤ lago e costa, « Giardino ombreggiato con 🏊 », 🏋, 🧖 – 🛗 [TV] [P] – 🏛 60. [AE] [S] [D] [MC] [VISA]. 🚫🐕
10 marzo-10 novembre – **Pasto** (solo per alloggiati) – **50 cam** ☕ 270/290000 – ½ P 210000.

🏨 **Maximilian** 🌙, località Val di Sogno 6 (Sud : 2 km) ☎ 045 7400317, *Fax 045 6570117,* ≤ lago e costa, « Giardino-uliveto in riva al lago », 🧖, 🏊, 🏊, 🏖, 🎾 – ≡ rist, [TV] 🚗. [S] [MC] [VISA]. 🚫🐕
Pasqua-ottobre – **Pasto** (solo per alloggiati) 50/70000 – ☕ 25000 – **33 cam** 250/300000 – ½ P 175000.

- **Val di Sogno** ॐ, località Val di Sogno 16 (Sud : 2 km) ☞ 045 7400108, valdisogno@malc sine.com., Fax 045 7401694, ≼ lago, 🍴, « Giardino con ⚊ riscaldata in riva al lago », 🚗 – 🛗, 🍽 rist, 🚗 📮 – 🏋 30. ﹩
  Pasqua-ottobre – **Pasto** carta 50/115000 – **38 cam** ⚏ 200/400000 – ½ P 240000.

- **Alpi** ॐ, località Campogrande ☞ 045 7400717, hotelapi@malcesine.com Fax 045 7400529, « Giardino con ⚊ », 🚗 – 🖵 📮 🛥 🐯 📧 VISA. ﹩
  chiuso dal 20 gennaio a marzo e dal 15 novembre al 26 dicembre – **Pasto** (chiuso luned carta 35/45000 – ⚏ 20000 – **40 cam** 100/130000 – ½ P 110000.

- **Vega** senza rist, viale Roma 7 ☞ 045 7400151, Fax 045 7401604, ≼, « Terrazza solarium s lago », 🌳 – 🛗 🍽 🖵 📮. ﹩
  aprile-ottobre – **19 cam** ⚏ 140/240000.

- **Erika**, via Campogrande 8 ☞ 045 7400451, Fax 045 7400451, 🌳 – 🍽 🖵 🚗. ﹩
  chiuso novembre e dicembre – **Pasto** (chiuso giovedi) carta 30/60000 – ⚏ 20000 – **13 cam** 100/120000 – ½ P 100000.

- **Trattoria Vecchia Malcesine**, via Pisort 6 ☞ 045 7400469, Fax 045 6570389, 🍴 Coperti limitati; prenotare – 🖵 🛥 🐯 📧 VISA
  chiuso febbraio, mercoledi e a mezzogiorno – **Pasto** 60/90000 e carta 65/95000.

sulla strada statale 249 Nord : 3,5 km :

- **Piccolo Hotel**, via Molini di Martora 28 ⊠ 37018 ☞ 045 7400264, piccolohotel@infopoi t2.com, Fax 045 7400264, ≼ lago e costa, ⚊ riscaldata, 🚗 – 📮. 🖵 🛥 🐯 VISA. ﹩ rist
  25 marzo-10 ottobre – **Pasto** 30000 – ⚏ 15000 – **21 cam** 70/105000 – ½ P 90000.

MALCONTENTA 30030 Venezia **429** F 18 G. Venezia.
Vedere Villa Foscari★.
Roma 523 – Venezia 14 – Milano 262 – Padova 32 – Treviso 28.

- **Gallimberti** senza rist, via Malcanton 33/a ☞ 041 698099, info@hotelgallimberti.it Fax 041 5470163 – 🍽 🖵 📮. 🖵 🛥 🐯 📧 VISA 📧
  ⚏ 15000 – **22 cam** 95/140000.

- **Da Bepi el Ciosoto** con cam, via Malcanton 3 ☞ 041 698997 – 🍽 🖵 📮. 🖵 🛥 🐯 📧 VISA 📧
  chiuso domenica sera e lunedì a mezzogiorno – **Pasto** specialità di mare carta 50/75000 - ⚏ 15000 – **16 cam** 95/140000 – ½ P 100000.

MALÈ 38027 Trento **428**, **429** C 14 – 2 083 ab. alt. 738 – a.s. febbraio-Pasqua e Natale.
🛈 piazza Regina Elena ☞ 0463 901280, Fax 0463 902911.
Roma 641 – Bolzano 65 – Passo di Gavia 58 – Milano 236 – Sondrio 106 – Trento 59.

- **Rauzi**, via Molini 27 ☞ 0463 901228, Fax 0463 901228, ≼, 🚗, 🌳 – 🛗 🖵 📮. VISA. ﹩
  23 dicembre-24 marzo e 25 giugno-10 settembre – **Pasto** 35000 – ⚏ 11000 – **42 cam** 75/125000 – ½ P 120000.

- **Conte Ramponi**, piazza San marco 38, località Magras Nord-Est : 1 km ☞ 0463 901989 « Edificio cinquecentesco » – 🖵 🛥 🐯 📧 VISA. ﹩
  chiuso dal 1°al 15 giugno, dal 1° al 15 novembre e lunedì – **Pasto** carta 45/80000.

- **La Segosta** con cam, via Trento 59 ☞ 0463 901390 – 🍽 📮. 🖵 🛥 🐯 📧 VISA. ﹩
  chiuso dal 1° al 18 giugno, dal 21 settembre al 21 ottobre, lunedì sera e martedì – **Pasto** carta 40/55000 – **8 cam** ⚏ 120/180000 – ½ P 120000.

MALEO 26847 Lodi **428**, **429** G 11 – 3 310 ab. alt. 58.
Roma 527 – Piacenza 19 – Cremona 23 – Milano 60 – Parma 77 – Pavia 51.

- **Sole** con cam, via Monsignor Trabattoni 22 ☞ 0377 58142, Fax 0377 458058, Coperti limi-tati; prenotare, « Antica locanda con servizio estivo all'aperto », 🌳 – 🚘 rist, 🍽 cam, 🖵. 🖵 🛥 🐯 📧 VISA
  chiuso gennaio ed agosto – **Pasto** (chiuso domenica sera e lunedì) carta 70/105000 – **8 cam** ⚏ 160/260000, suite – ½ P 210000.

MALESCO 28854 Verbania **428** D 7, **219** ⑥ ⑦ – 1 465 ab. alt. 761 – Sport invernali : 761/940 m ⚡1, ⚡.
Roma 718 – Stresa 53 – Domodossola 20 – Locarno 29 – Milano 142 – Novara 111 – Torino 185.

- **Ramo Verde**, via Conte Mellerio 5 ☞ 0324 95012, Fax 0324 95012 – 🛥 📧 VISA. ﹩
  chiuso dal 10 al 18 giugno, dal 1° al 15 ottobre e giovedi (escluso da luglio a settembre) – **Pasto** carta 40/55000.

MALGRATE 23864 Lecco [428] E 10, [219] ⑨ – 4 314 ab. alt. 224.

Roma 623 – Como 27 – Bellagio 20 – Lecco 2 – Milano 54.

🏛 **Il Griso**, via Provinciale 51 ℰ 0341 202040, hgriso@cot.it, Fax 0341 202248, ≤ lago e
monti, 🍴, « Piccolo parco », ₭₅, ≤₴, ☒, – 📳 ⊺⃟ ⟷ 🄿 – 🔏 150. 🄰🄴 🅂 🅾 🐠 𝑽𝑰𝑺𝑨
☼ **Pasto** 90/120000 (a mezzogiorno) 100/130000 (alla sera) e carta 90/130000 – ☑ 21000 –
47 cam 170/200000 – P 280000

Spec. Bocconcini di coniglio e pancetta croccante con fonduta di cavolfiori e pinoli tostati.
Risotto mantecato con rosmarino e fegato grasso d'oca, salsa al pesto (inverno-primavera).
Suprema di faraona farcita con erbe fini e patate all'aglio.

MALLES VENOSTA (MALS) 39024 Bolzano [428], [429] B 13 – 4 832 ab. alt. 1 050.

🚹 via San Benedetto 1 ℰ 0473 831190, Fax 0473 831901.

Roma 721 – Sondrio 121 – Bolzano 84 – Bormio 57 – Milano 252 – Passo di Resia 22 – Trento
142.

🏛 **Garberhof**, via Statale 25 ℰ 0473 831399, info@garberhof.com, Fax 0473 831950, ≤
monti e vallata, 🍴, ₭₅, ≤₴, ☒, 🐂 – 📳 ⊺⃟ 🄿. 🄰🄴 🅂 🐠 𝑽𝑰𝑺𝑨. ☼ rist
chiuso dal 10 novembre al 20 dicembre – **Pasto** (chiuso lunedì) carta 60/80000 – **28 cam**
☑ 140/240000 – ½ P 140000.

🏠 **Greif**, via Verdross 40/A ℰ 0473 831429, info@hotel-greif.com, Fax 0473 831906, ≤₴ – 📳,
☼ rist, ⊺⃟ ₺. 🄰🄴 🅂 🅾 🐠 𝑽𝑰𝑺𝑨. ☼ rist
chiuso dal 15 novembre a Natale – **Pasto** (solo per alloggiati e chiuso a mezzogiorno) carta
50/75000 – **16 cam** ☑ 110/180000 – ½ P 135000.

a Burgusio (Burgeis) Nord : 3 km alt. 1 215 – ⊠ 39024 Malles Venosta.

🚹 frazione Burgusio 77 ℰ 0473 831422, Fax 0473 831690 :

🏛 **Plavina** ⑤, ℰ 0473 831223, Fax 0473 830406, ≤, ≤₴, ☒, 🐂 – 📳 ⊺⃟ ☼
chiuso dal 10 novembre al 26 dicembre, dal 10 al 22 gennaio e dal 2 al 20 maggio – **Pasto**
vedere rist **Al Moro** – **32 cam** ☑ 95/160000 – ½ P 110000.

✕ **Al Moro-Zum Mohren** con cam, ℰ 0473 831223 – ⊺⃟ 🄿. ☼ cam
chiuso dal 10 novembre al 26 dicembre, dal 10 al 22 gennaio e dal 2 al 20 maggio – **Pasto**
(chiuso martedì) carta 35/40000 – **11 cam** ☑ 70/140000 – ½ P 90000.

MALNATE 21046 Varese [428] E 8, [219] ⑧ – 15 266 ab. alt. 355.

Roma 618 – Como 21 – Lugano 32 – Milano 50 – Varese 6.

✕✕ **Crotto Valtellina**, via Fiume 11, località Valle ℰ 0332 427258, Fax 0332 861247, 🍴,
prenotare – 🄰🄴 🅂 🅾 🐠 𝑽𝑰𝑺𝑨. ☼
chiuso dal 27 dicembre al 12 gennaio, dal 22 al 28 giugno, dal 16 al 30 agosto, martedì e
mercoledì – **Pasto** specialità valtellinesi 65000 e carta 60/105000.

MALOSCO 38013 Trento [429] C 15, [218] ⑳ – 375 ab. alt. 1041 – a.s. 5 febbraio-5 marzo, Pasqua e
Natale.

Roma 638 – Bolzano 33 – Merano 40 – Milano 295 – Trento 56.

🏠 **Panorama** ⑤, viale Panorama 6 ℰ 0463 831201, Fax 0463 831296, ≤, 🐂 – 📳 ⊺⃟ 🄿.
☼ rist
dicembre-aprile e giugno-ottobre – **Pasto** carta 35/45000 – ☑ 15000 – **42 cam** 80/160000
– ½ P 110000.

🏠 **Bel Soggiorno** ⑤, via Miravalle 7 ℰ 0463 831205, Fax 0463 831205, ≤, 🐂 – 📳 ⊺⃟ 🄿 –
🔏 50. 🅂 𝑽𝑰𝑺𝑨. ☼ rist
15 dicembre-15 gennaio e 15 giugno-15 ottobre – **Pasto** carta 30/45000 – ☑ 8000 –
42 cam 55/95000 – ½ P 95000.

🏠 **Rosalpina**, viale Belvedere 34 ℰ 0463 831186, Fax 0463 831186, ≤, « Giardino ombreg-
giato » – 📳 🄿. ☼
22 dicembre-10 gennaio e 25 giugno-15 settembre – **Pasto** carta 35/55000 – ☑ 10000 –
18 cam 90/140000 – ½ P 105000.

MALS = Malles Venosta.

> *Do not mix up:*
>
> | Comfort of hotels | : 🏛🏛🏛 … 🏠, ⌂ |
> |---|---|
> | Comfort of restaurants | : ✕✕✕✕✕ … ✕ |
> | Quality of the cuisine | : ✿✿✿, ✿✿, ✿, 🅐 |

MANAROLA 19010 La Spezia 428 J 11 G. Italia.

Vedere *Passeggiata★★ (15 mn a piedi dalla stazione).*

Dintorni *Regione delle Cinque Terre★★ Nord-Ovest e Sud-Est per ferrovia.*

Roma 434 – La Spezia 14 – Genova 119 – Milano 236.

- 🏠 **Ca' d'Andrean** ॐ senza rist, via Discovolo 101 ℘ 0187 920040, Fax 0187 920452, �
  ※
  chiuso dal 10 al 25 novembre – ☲ 9000 – **10 cam** 95/120000.

- ✗ **Marina Piccola** ॐ con cam, via lo Scalo 16 ℘ 0187 920103, *marijessi@tin.i*
  Fax 0187 920966, ≼, 🎇 – 🝙 🗗 ⓘ ⓞ 🐙 *VISA* 🛏 cam
  chiuso novembre – **Pasto** *(chiuso martedì)* carta 50/95000 – ☲ 20000 – **10 cam** 120
  140000 – ½ P 130000.

MANCIANO 58014 Grosseto 430 O 16 – 7 103 ab. alt. 443.

Roma 141 – Grosseto 61 – Orvieto 65 – Viterbo 69.

- 🏠 **Le Pisanelle** ॐ, strada provinciale 32 per Farnese Sud-Est : 3,8 km ℘ 0564 628286, *lep.*
  anelle@laltramaremma.it, Fax 0564 625840, ≼ colline e dintorni, 🎇, « Antico podere ne
  verde di ulivi e frutteti », 🐎, � – 🝙 🝙 🅿. 🝙 ⓞ ⓞ 🐙 *VISA* JCB. ※ rist
  chiuso dal 10 al 31 gennaio e dal 12 al 22 luglio – **Pasto** *(solo per alloggiati e chiuso*
  mezzogiorno) 50/75000 – **5 cam** ☲ 190/210000 – ½ P 155000.

- 🏠 **Il Poderino**, strada statale 74 (Ovest : 1 km) ℘ 0564 625031, Fax 0564 625031, 🐎 – 🝙 🝙
  🝙 🅿. 🗗 ⓘ ⓞ ⓞ *VISA*. ※ rist
  chiuso dal 15 al 30 gennaio – **Pasto** carta 50/70000 – ☲ 15000 – **7 cam** 140/180000
  ½ P 140000.

- 🏠 **Rossi**, via Gramsci 3 ℘ 0564 629248, *hotelrossi@laltramaremma.it,* Fax 0564 629248 – 🝙
  🝙. 🝙 🗗 ⓘ ⓞ *VISA*. ※
  Pasto *(solo per alloggiati e chiuso a mezzogiorno)* 25/50000 – **12 cam** ☲ 130/170000
  ½ P 120000.

- ✗ **Da Paolino**, via Marsala 41 ℘ 0564 629388, 🎇, Coperti limitati; prenotare – 🝙. 🝙 🗗 ⓞ
  VISA. ※
  febbraio-novembre; chiuso lunedì – **Pasto** carta 40/60000.

MANDELLO DEL LARIO 23826 Lecco 428 E 9, 219 ⑨ – 10 120 ab. alt. 203.

Roma 631 – Como 40 – Bergamo 44 – Milano 67 – Sondrio 71.

- ✗✗✗ **Villa delle Rose**, strada statale 125/127 ℘ 0341 731304, Fax 0341 731304, prenotare
  « Villa padronale con parco e darsena privata » – 🝙. 🝙 🗗 ⓞ ⓞ *VISA*. ※
  chiuso gennaio, domenica sera e lunedì – **Pasto** 80/140000 e carta 85/125000 – **6 cam**
  ☲ 200/300000.

a Olcio Nord : 2 km – ✉ 23826 Mandello del Lario :

- ✗✗ **Ricciolo**, via Provinciale 165 ℘ 0341 732546, Coperti limitati, « Servizio estivo
  all'aperto in riva al lago » – 🝙. 🝙 🗗 ⓘ ⓞ *VISA*. ※
  chiuso dal 23 dicembre al 15 gennaio, settembre, domenica sera e lunedì – **Pasto** specialità
  pesce d'acqua dolce carta 65/85000.

MANERBA DEL GARDA 25080 Brescia 428, 429 F 13 – 3 519 ab. alt. 132 – a.s. Pasqua e
luglio-15 settembre.

Roma 541 – Brescia 32 – Mantova 80 – Milano 131 – Trento 103 – Verona 56.

- ✗✗✗ **Capriccio**, piazza San Bernardo 6, località Montinelle ℘ 0365 551124, *ilcapriccio@phoenix.it,*
  ❀ Fax 0365 551124, Solo su prenotazione a mezzogiorno, « Servizio estivo all'aperto con ≼
  lago » – 🝙 🅿. 🝙 🗗 ⓘ ⓞ *VISA*
  chiuso gennaio, febbraio e martedì – **Pasto** 75/115000 e carta 90/130000
  Spec. Crostacei, triglie e persico su crema di lenticchie rosse e fagioli bianchi. Chele di
  granchio e scampi in crosta di pane con tempura di zucchine, melanzane e asparagi di
  mare. Parfait glacé di liquerizia con pere marinate alla vaniglia.

- ✗✗ **Il Moro Bianco**, via Campagnola 2 (Ovest : 2,5 km) ℘ 0365 552500, 🎇, Coperti limitati,
  prenotare – 🝙. 🗗 ⓞ *VISA*. ※
  chiuso a mezzogiorno (escluso i giorni festivi) e mercoledì – **Pasto** carta 60/95000.

MANFREDONIA 71043 Foggia 431 C 29 G. Italia – 57 978 ab. – a.s. luglio-13 settembre.

Vedere *Chiesa di Santa Maria di Siponto★ Sud : 3 km.*

Dintorni *Portale★ della chiesa di San Leonardo Sud : 10 km.*

Escursioni *Isole Tremiti★ (in battello) : ≼★★★ sul litorale.*

🚢 per le Isole Tremiti giugno-settembre giornaliero (2 h) – Adriatica di Navigazione-
agenzia Galli, corso Manfredi 4/6 ℘ 0884 582520, Fax 0884 581405.

🟦 piazza del Popolo 11 ℘ 0884 581998, Fax 0884 581998.

Roma 411 – Foggia 44 – Bari 119 – Pescara 211.

🏨 **Gargano,** viale Beccarini 2 ℰ 0884 587621, Fax 0884 586021, ≤, ⤓ – 🛗 🗐 📺 ➡ 🅿 – 🛅 100. 🕄 🐽 🗷𝘴𝘈 ⍟ rist
chiuso novembre – **Pasto** *(chiuso martedi)* carta 50/70000 (15%) – ⌸ 12000 – **46 cam** 130/170000 – ½ P 140000.

🛇🛇 **Trattoria il Baracchio,** corso Roma 38 ℰ 0884 583874, Fax 0884 583874 – 🍴 🗐. 🖭 🕄 🐽 🗷𝘴𝘈
chiuso dal 5 al 15 luglio, giovedi e la sera – **Pasto** 30/55000 e carta 40/70000.

▪ **Siponto** *Sud-Ovest : 3 km* – ✉ 71040 :

🏛 **Gabbiano,** viale Eunostides 20 ℰ 0884 542554, Fax 0884 542380, 🛱 – 🛗 🗐 📺 ➡ 🅿. 🕄 🐽 𝘝𝘐𝘚𝘈
Pasto *(chiuso martedi)* carta 35/55000 (10%) – **34 cam** ⌸ 135/160000 – ½ P 115000.

MANTOVA 46100 🅿 𝟺𝟸𝟾, 𝟺𝟸𝟿 G 14 *G. Italia* – 48 288 ab. alt. 19.

Vedere *Palazzo Ducale*★★★ BY – *Piazza Sordello*★ BY – *Piazza delle Erbe*★ : *Rotonda di San Lorenzo*★ BZ B – *Basilica di Sant'Andrea*★ BYZ – *Palazzo Te*★ AZ.

Dintorni *Sabbioneta*★ *Sud-Ovest : 33 km.*

🇧 *piazza Andrea Mantegna 6 ℰ 0376 328253, Fax 0376 363292.*

🄰.🄲.🄸. *piazza 80° Fanteria 13 ℰ 0376 223953.*

Roma 469 ③ – Verona 42 – Brescia 66 ① – Ferrara 89 ② – Milano 158 ① – Modena 67 ③ – Parma 62 ④ – Piacenza 199 ④ – Reggio nell'Emilia 72 ③.

Pianta pagina seguente

🏨🏨 **San Lorenzo** senza rist, piazza Concordia 14 ℰ 0376 220500, hotel@hotelsanlorenzo.it, Fax 0376 327194, « Terrazza panoramica » – 🛗 🗐 📺 ⅙ ➡ – 🛅 50. 🖭 🕄 ⓿ 🐽 𝘝𝘐𝘚𝘈. ⍟
32 cam ⌸ 300/360000. BZ **e**

🏨🏨 **Rechigi** senza rist, via Calvi 30 ℰ 0376 320781, Fax 0376 220291, « Collezione d'arte contemporanea » – 🛗 🗐 📺 ⅙ ➡ – 🛅 70. 🖭 🕄 ⓿ 🐽 𝘝𝘐𝘚𝘈. ⍟ BZ **c**
57 cam ⌸ 210/310000.

🏛 **Mantegna** senza rist, via Fabio Filzi 10/b ℰ 0376 328019, Fax 0376 368564 – 🛗 🗐 📺 🅿. 🖭 🕄 ⓿ 🐽 𝘝𝘐𝘚𝘈. ⍟ AZ **b**
chiuso dal 24 dicembre al 7 gennaio – ⌸ 15000 – **40 cam** 120/200000.

🏛 **Broletto** senza rist, via Accademia 1 ℰ 0376 326784, hotelbroletto@tin.it, Fax 0376 221297 – 🛗 🗐 📺. 🖭 🕄 ⓿ 🐽 𝘝𝘐𝘚𝘈 BZ **x**
chiuso dal 22 dicembre al 4 gennaio – ⌸ 12000 – **16 cam** 120/180000.

🛇🛇🛇 **Aquila Nigra,** vicolo Bonacolsi 4 ℰ 0376 327180, Fax 0376 226490, prenotare – 🗐. 🖭 🕄 BY **b**
🕄 ⓿ 🐽 𝘝𝘐𝘚𝘈. ⍟
chiuso dal 1° al 7 gennaio, dal 1° al 21 agosto, domenica e lunedi, in aprile-maggio e settembre-ottobre aperto domenica a mezzogiorno – **Pasto** carta 75/115000
Spec. Filetti d'anguilla all'aceto balsamico. Ravioli d'anatra tartufati alla fonduta di Grana (autunno-inverno). Petto di faraona in pangrattato, salsa al rosmarino (primavera-estate).

🛇🛇 **Trattoria di vicolo San Gervasio,** via San Gervasio 13 ℰ 0376 323873, Fax 0376 327077, 🛱, prenotare – 🗐. 🖭 🕄 ⓿ 🐽 𝘝𝘐𝘚𝘈. ⍟ AY **a**
chiuso dal 12 al 31 agosto e mercoledi – **Pasto** carta 60/75000.

🛇🛇 **Il Cigno Trattoria dei Martini,** piazza Carlo d'Arco 1 ℰ 0376 327101, Fax 0376 328528 – 🗐. 🖭 🕄 ⓿ 🐽 𝘝𝘐𝘚𝘈 AY **u**
chiuso dal 7 al 12 gennaio, agosto, lunedi e martedi – **Pasto** carta 65/100000.

🛇🛇 **Grifone Bianco,** piazza Erbe 6 ℰ 0376 365423, Fax 0376 326590, 🛱 – 🗐. 🖭 🕄 ⓿ 🐽 𝘝𝘐𝘚𝘈. ⍟ BZ **z**
chiuso dal 21 al 28 febbraio, dal 15 al 31 luglio, martedi e mercoledi a mezzogiorno – **Pasto** carta 50/80000.

🛇🛇 **Hosteria dei Canossa,** vicolo Albergo 3 ℰ 0376 221750, Coperti limitati; prenotare 🗐. 🖭 🕄 ⓿ 🐽 𝘝𝘐𝘚𝘈 AY **b**
chiuso mercoledi e giovedi – **Pasto** carta 40/75000.

🛇 **L'Ochina Bianca,** via Finzi 2 ℰ 0376 323700, info@ochinabianca.com – 🖭 🕄 🐽 𝘝𝘐𝘚𝘈 ⍟ AY **c**
chiuso dal 1° al 7 gennaio, lunedi e martedi a mezzogiorno – **Pasto** carta 45/60000.

🛇 **Cento Rampini,** piazza delle Erbe 11 ℰ 0376 366349, Fax 0376 321924, 🛱 – 🖭 🕄 ⓿ 🐽 𝘝𝘐𝘚𝘈. ⍟ BZ **z**
chiuso dal 26 al 31 gennaio, dal 1° al 15 agosto, domenica sera e lunedi – **Pasto** carta 50/70000.

MANTOVA

Accademia (Via)	BY 2
Acerbi (Via)	AZ 3
Broletto (Via e Piazza)	BZ 4
Canossa (Piazza)	AY 5
Don Leoni (Piazza)	AZ 6

Don Tazzoli (Via Enrico)	BZ 7
Erbe (Piazza delle)	BZ 8
Fratelli Cairoli (Via)	BY 10
Libertà (Corso)	AZ 12
Mantegna (Piazza Andrea)	BZ 13
Marconi (Piazza)	ABZ 15
Martiri di Belfiore (Piazza)	AZ 16

Matteotti (Via)	AZ
Roma (Via)	AZ
S. Giorgio (Via)	BY 2
Sordello (Piazza)	BY 2
Umberto (Corso)	AZ
Verdi (Via Giuseppe)	AZ 2
Virgilio (Via)	AY 2
20 Settembre (Via)	BZ 2

✗ **Enoteca Sant'Andrea**, piazza Alberti 30 ℰ 0376 224457, Fax 0376 224457, 🏦, Coperti limitati; prenotare 🖭 🕃 ⓪ ⓿ 𝘝𝘐𝘚𝘈 𝘑𝘊𝘉 – ⬛
BY c
chiuso domenica e lunedì a mezzogiorno – **Pasto** carta 55/85000.

✗ **Fragoletta**, piazza Arche 5 ℰ 0376 323300, lafragoletta@libero.it – ⬛ 🖭 🕃 ⓪ ⓿ 𝘝𝘐𝘚𝘈 ✿
BZ r
chiuso dal 29 gennaio al 12 febbraio, dal 25 giugno al 9 luglio e lunedì – **Pasto** carta 35/45000.

✗ **Trattoria Due Cavallini**, via Salnitro 5 ℰ 0376 322084, Fax 0376 244825, 🏦 – 🖭. ✿
chiuso dal 15 luglio al 15 agosto e martedì – **Pasto** carta 35/55000. per ③

✗ **Antica Osteria ai Ranari**, via Trieste 11 ℰ 0376 328431 – 🖭 🕃 ⓪ ⓿ 𝘝𝘐𝘚𝘈 𝘑𝘊𝘉 ✿
BZ a
chiuso dal 17 luglio al 7 agosto e lunedì – **Pasto** carta 40/50000.

a Porto Mantovano per ① : 3 km – ⊠ 46047 :

🏨 **Ducale** senza rist, via Gramsci 1 ℰ 0376 397756, Fax 0376 396256 – 📶 ⬛ 📺 ⚄ 🖭 🕃 ⓪ ⓿ 𝘝𝘐𝘚𝘈 𝘑𝘊𝘉 ✿
chiuso dal 22 dicembre all'8 gennaio – **40 cam** ⊇ 150/180000, 2 suites.

a Cerese di Virgilio per ③ : 4 km – ⊠ 46030 Virgilio :

✗✗ **Antica Corte Bertoldo**, strada statale Cisa 116 ℰ 0376 448003, Fax 0376 448003 – ⬛ 🅿 🖭 🕃 ⓪ ⓿ 𝘝𝘐𝘚𝘈 𝘑𝘊𝘉 ✿
Pasto carta 60/80000.

n prossimità casello autostrada A 22 Mantova Nord *Nord-Est : 5 km :*

🏨 **Classhotel** Ⓜ, via Bachelet 18 ⊠ 46030 S. Giorgio di Mantova
ℰ 0376 270222 e rist ℰ 0376 372969, *info.mantova@classhotel.com, Fax 0376 372681* –
📱, ⇔ cam, 🗐 🔟 🕭 🅿 – 🕿 60. 🖭 🕙 ⓪ 🐠 *VISA*. 🛠 rist
Pasto al Rist. *Sapori (chiuso domenica sera)* carta 40/65000 – **66 cam** ⊇ 165/200000 –
½ P 135000.

a Pietole di Virgilio *per ③ : 7 km –* ⊠ 46030 :

🏠 **Paradiso** 🗞 senza rist, via Piloni 13 ℰ 0376 440700, *Fax 0376 449253,* 🐖 – 🔟 🕭 🅿 –
🕿 50. 🕙 🐠 *VISA*. 🛠
⊇ 6000 – **16 cam** 95/135000.

MARANELLO *41053 Modena* 🟩🟨🟦 , 🟩🟨🟫 , 🟩🟨🟩 *I 14 – 15 613 ab. alt. 137.*
Roma 411 – Bologna 53 – Firenze 137 – Milano 179 – Modena 16 – Reggio nell'Emilia 30.

🏨 **Domus** senza rist, piazza Libertà 38 ℰ 0536 941071, *Fax 0536 942343* – 📱 🗐 🔟. 🖭 🕙 ⓪
🐠 *VISA*
46 cam ⊇ 105/150000.

✗✗ **William**, via Flavio Gioia 1 ℰ 0536 941027, *Fax 0536 941027* – 🗐. 🖭 🕙 ⓪ 🐠 *VISA*
chiuso dall'8 al 28 agosto e lunedì – **Pasto** carta 50/100000 (10%).

✗✗ **Cavallino**, via Abetone Inferiore 1 (di fronte alle Officine Ferrari) ℰ 0536 941160,
Fax 0536 942324 – 🗐. 🖭 🕙 ⓪ 🐠 *VISA* 🄿🄲🄱
chiuso dal 28 luglio al 21 agosto e domenica – **Pasto** carta 55/90000.

sulla strada statale 12 - Nuova Estense *Sud-Est : 4 km :*

✗✗ **La Locanda del Mulino**, via Nuova Estense 3430 ⊠ 41053 ℰ 0536 948895,
Fax 0536 944368, « Servizio estivo all'aperto » – 🅿. 🖭 🕙 ⓪ 🐠 *VISA*. 🛠
chiuso a mezzogiorno in agosto, giovedì e sabato a mezzogiorno negli altri mesi – **Pasto**
carta 40/60000.

MARANO LAGUNARE *33050 Udine* 🟩🟨🟩 *E 21 – 2 071 ab. – a.s. luglio-agosto.*
Roma 626 – Udine 43 – Gorizia 51 – Latisana 21 – Milano 365 – Trieste 71.

🏨 Jolanda, via Udine 7/9 ℰ 0431 67700, *Fax 0431 67988* – 📱 🗐 🔟 🕭 🅿
Pasto specialità di mare – **27 cam**.

MARANZA (MERANSEN) *Bolzano* 🟩🟨🟩 *B 16 – Vedere Rio di Pusteria.*

MARATEA *85046 Potenza* 🟩🟥🟩 *H 29 G. Italia – 5 287 ab. alt. 311.*
Vedere *Località★★ – ⚡★★ dalla basilica di San Biagio.*
🏛 *piazza del Gesù 40* ⊠ *85040 Fiumicello di Santa Venere* ℰ *0973 876908, Fax 0973
877454.*
*Roma 423 – Potenza 147 – Castrovillari 88 – Napoli 217 – Reggio di Calabria 340 – Salerno
166 – Taranto 231.*

🏨🏨 **La Locanda delle Donne Monache** 🗞, via Carlo Mazzei 4 ℰ 0973 877487,
Fax 0973 877687, 🏡, « In un convento del 18° secolo », 🏊, 🐖 – 🗐 🔟 🕭 – 🕿 35. 🖭 🕙
⓪ 🐠 *VISA*. 🛠
aprile-ottobre (solo su prenotazione) carta 70/100000 – **25 cam** ⊇ 225/360000,
4 suites – ½ P 240000.

a Fiumicello di Santa Venere *Ovest : 5 km –* ⊠ 85040 :

🏨🏨🏨 **Santavenere** 🗞, ℰ 0973 876910, *Fax 0973 877654,* ⟨ mare e costa, 🏡, « Parco con
pineta e scogliera », 🏖🐕, ✗✗ – 🗐 🔟 🅿 – 🕿 100. 🖭 🕙 ⓪ 🐠 *VISA*. 🛠
aprile-ottobre – **Pasto** 110/130000 – **40 cam** ⊇ 500/850000 – ½ P 510000.

🏠 **Settebello**, via Fiumicello 52 ℰ 0973 876277, *hotelsettebello@yahoo.it,*
Fax 0973 877204, ⟨ – 📱 🗐 🔟 🕭 🅿. 🕙 🐠 *VISA*. 🛠
febbraio-ottobre – **Pasto** *(giugno-settembre)* carta 45/85000 – ⊇ 15000 – **28 cam** 130/
160000 – ½ P 150000.

✗✗ **Zà Mariuccia**, via Grotte 2 ℰ 0973 876163, ⟨, 🏡 – 🖭 🕙 ⓪ 🐠 *VISA*
*marzo-novembre; chiuso giovedì escluso da giugno a settembre e in luglio-agosto anche a
mezzogiorno –* **Pasto** specialità di mare carta 50/85000 (15%).

a Marina di Maratea *Sud-Est : 7 km –* ⊠ 85046 Maratea :

🏠 **Martino**, via Citrosello 16 ℰ 0973 879126, *Fax 0973 879312,* ⟨, 🏡, 🏊, 🏖🐕, 🐖 – 📱,
⊞ 🗐 cam, 🔟 🅿. 🖭 🕙 ⓪ 🐠 *VISA*. 🛠
Pasto *(chiuso martedì escluso da giugno ad ottobre)* carta 30/50000 – ⊇ 8000 – **33 cam**
100/160000 – ½ P 140000.

ad Acquafredda Nord-Ovest : 10 km – ⊠ 85041 :

🏨 **Villa del Mare,** strada statale Sud : 1,5 km ℰ 0973 878007, *villadelmare@tiscalinet.it* Fax 0973 878102, ≤ mare e costa, « Terrazze fiorite con ascensore per la spiaggia », ☒ 🐾 – 🛗 ▤ 📺 🅿 – 🛎 300. 🝾 🕄 ⓪ ⓰ 𝘝𝘐𝘚𝘈. ⋘
aprile-15 ottobre – **Pasto** carta 40/70000 – **70 cam** ☲ 230/320000 – ½ P 255000.

🏨 **Villa Cheta Elite,** via Timpone 46 ℰ 0973 878134, *villacheta@tin.it,* Fax 0973 878135, ≤ « Terrazze fiorite e servizio rist. estivo in giardino » – ▤ 🅿 🝾 🕄 ⓪ ⓰ 𝘝𝘐𝘚𝘈. ⋘ rist
Pasto carta 50/75000 – **20 cam** ☲ 160/210000 – ½ P 155000.

🏨 **Gabbiano** ⤜, via Luppa 24 ℰ 0973 878011, *hotelgabbiano@tiscalinet.it* Fax 0973 878076, ≤, « Terrazza sul mare », ☒, 🐾 – 🛗 ▤ 📺 🅿 🝾 🕄 ⓪ ⓰ 𝘝𝘐𝘚𝘈 𝘑𝘊𝘉. ⋘
marzo-ottobre – **Pasto** carta 40/65000 – ☲ 25000 – **38 cam** 135/175000 – ½ P 185000.

a Castrocucco Sud-Est : 10 km – ⊠ 85040 Maratea Porto :

❌❌ **La Tana** con cam, ℰ 0973 877288, *latana@tiscalinet.it,* Fax 0973 871720 – ▤ rist, 📺 🅿 🝾 🕄 ⓪ ⓰ 𝘝𝘐𝘚𝘈 𝘑𝘊𝘉.
Pasto *(chiuso giovedì escluso dal 15 giugno al 15 settembre)* carta 35/60000 – **34 cam** ☲ 90/130000 – ½ P 115000.

MARAZZINO Sassari 𝟰𝟯𝟯 D 9 – Vedere Sardegna (Santa Teresa Gallura) alla fine dell'elenco alfabetico.

MARCELLI Ancona 𝟰𝟯𝟬 L 22 – Vedere Numana.

MARCELLISE Verona 𝟰𝟮𝟵 F 15 – Vedere San Martino Buon Albergo.

MARCIAGA Verona – Vedere Costermano.

MARCIANA e MARCIANA MARINA Livorno 𝟰𝟯𝟬 N 12 – Vedere Elba (Isola d').

MARCON 30020 Venezia 𝟰𝟮𝟵 F 18 – 12 085 ab..
Roma 522 – Venezia 22 – Padova 46 – Treviso 16.

🏨 **Gamma** senza rist, viale Trento Trieste 53/55 ℰ 041 4567400, Fax 041 4567393 – 🛗 ▤ 📺 ⅙ ⇔ 🅿 🝾 🕄 ⓪ ⓰ 𝘝𝘐𝘚𝘈. ⋘
27 cam ☲ 200/250000.

MAREBELLO Rimini 𝟰𝟯𝟬 J 19 – Vedere Rimini.

MARGHERA Venezia – Vedere Mestre.

MARGNO 23832 Lecco 𝟰𝟮𝟴 D 10, 𝟮𝟭𝟵 ⑩ – 365 ab. alt. 730 – Sport invernali : a Pian delle Betulle : 1 500/1 800 m ⤊1 ⤋4, ⌂.
Roma 650 – Como 59 – Sondrio 63 – Lecco 30 – Milano 86.

a Pian delle Betulle Est : 5 mn di funivia – alt. 1 503 :

🏨 **Baitock** ⤜, via Sciatori 8 ⊠ 23832 ℰ 0341 803042, Fax 0341 803042, ≤ monti e pinete, 🍴 – 🝾 🕄 ⓰ 𝘝𝘐𝘚𝘈 𝘑𝘊𝘉. ⋘
chiuso dal 6 al 26 settembre – **Pasto** *(chiuso lunedì)* carta 50/70000 – ☲ 10000 – **11 cam** 60/100000 – ½ P 90000.

MARIANO COMENSE 22066 Como 𝟰𝟮𝟴 E 9, 𝟮𝟭𝟵 ⑲ – 19 759 ab. alt. 250.
Roma 619 – Como 17 – Bergamo 54 – Lecco 32 – Milano 32.

❌❌❌ **La Rimessa,** via Cardinal Ferrari 13/bis ℰ 031 749668, Fax 031 750210, 🍴, « In una villa fine 800 » – 🅿 🝾 🕄 ⓪ ⓰ 𝘝𝘐𝘚𝘈. ⋘
chiuso dal 2 al 10 gennaio, agosto, domenica sera e lunedì – **Pasto** 35/40000 bc (a mezzogiorno) 80000 bc, 90000 (alla sera) e carta 55/100000.

MARIANO DEL FRIULI 34070 Gorizia 𝟰𝟮𝟵 E 22 – 1 550 ab. alt. 34.
Roma 645 – Udine 27 – Gorizia 19 – Trieste 40 – Venezia 123.

❌❌ **Le Dune,** via Dante 41 ℰ 0481 69021 – ▤ 🅿 🝾 🕄 ⓰ 𝘝𝘐𝘚𝘈 𝘑𝘊𝘉. ⋘
chiuso dal 1° al 10 gennaio, dal 1° al 15 agosto e lunedì – **Pasto** specialità di mare carta 55/85000.

Corona Est : 1,7 km – ⊠ 34070 Mariano del Friuli :

X **Al Piave**, via Cormons 6 ℰ 0481 69003, Fax 0481 69340, Coperti limitati; prenotare – 🔂 🕪 *VISA*. ✵
chiuso lunedì e martedì – **Pasto** carta 35/60000.

MARINA DEL CANTONE Napoli 431 F 25 – Vedere Massa Lubrense.

MARINA DELLA LOBRA Napoli – Vedere Massa Lubrense.

MARINA DI ARBUS Cagliari 433 H 7 – Vedere Sardegna alla fine dell'elenco alfabetico.

MARINA DI BIBBONA Livorno 430 M 13 – Vedere Bibbona (Marina di).

MARINA DI CAMEROTA 84059 Salerno 431 G 28 – a.s. luglio-agosto.
Roma 385 – Potenza 148 – Napoli 179 – Salerno 128 – Sapri 36.

🏠 **Delfino**, via Bolivar 45 ℰ 0974 932239, Fax 0974 932979 – 🅿. 🖭 🔂 🕥 🕪 *VISA*. ✵ rist
Pasto (solo per alloggiati) – ☑ 8000 – **22 cam** 80/100000 – ½ P 90000.

X **Da Pepè** con cam, via Nazionale 41 ℰ 0974 932461, Fax 0974 939670, 🏤, 🔟, 🛝 – 🅿.
🖭 🔂 🕥 🕪 *VISA* JCB.
Pasqua-settembre – **Pasto** specialità di mare carta 60/85000 – **26 cam** ☑ 90/150000.

MARINA DI CAMPO Livorno 430 N 12 – Vedere Elba (Isola d').

MARINA DI CARRARA Massa-Carrara 428, 429, 430 J 12 G. Toscana – Vedere Carrara (Marina di).

MARINA DI CASTAGNETO Livorno 430 M 13 – Vedere Castagneto Carducci.

MARINA DI CECINA Livorno 430 M 13 – Vedere Cecina (Marina di).

MARINA DI GIOIOSA IONICA 89046 Reggio di Calabria 431 M 30 – 6 418 ab..
Roma 639 – Reggio di Calabria 108 – Catanzaro 93 – Crotone 148 – Siderno 4.

XX **Gambero Rosso**, via Montezemolo 65 ℰ 0964 415806, Fax 0964 411091 – ▤. 🖭 🔂 🕥 🕪 *VISA* JCB. ✵
chiuso lunedì – **Pasto** specialità di mare carta 50/75000.

MARINA DI GROSSETO Grosseto 430 N 14 – Vedere Grosseto (Marina di).

MARINA DI LEUCA 73030 Lecce 431 H 37 – a.s. luglio-agosto.
Roma 676 – Brindisi 109 – Bari 219 – Gallipoli 48 – Lecce 68 – Taranto 141.

🏠 **L'Approdo**, via Panoramica ℰ 0833 758548, leucahotel@libero.it, Fax 0838 758599, ≤ porto, 🔟 – 🕪 🖭 ⅏ 🅿 – 🔏 120. 🖭 🔂 🕥 🕪 *VISA*. ✵ rist
marzo-novembre – **Pasto** carta 45/90000 – **54 cam** ☑ 200/300000 – ½ P 180000.

MARINA DI MARATEA Potenza 431 H 29 – Vedere Maratea.

MARINA DI MASSA Massa-Carrara 428, 429, 430 J 12 G. Toscana – Vedere Massa (Marina di).

MARINA DI MODICA Ragusa – Vedere Sicilia alla fine dell'elenco alfabetico.

MARINA DI MONTEMARCIANO 60016 Ancona 429, 430 L 22 – a.s. luglio-agosto.
Roma 282 – Ancona 14 – Ravenna 134.

XXX **Delle Rose**, via delle Querce 1 ℰ 071 9198127, Fax 071 9198668, ≤, 🏤, 🔟, 🛥, ✵ – ▤
🅿 – 🔏 40. 🕪 *VISA*
chiuso lunedì escluso da giugno a settembre – **Pasto** carta 60/85000.

MARINA DI MONTENERO DI BISACCIA *Campobasso* **430** *P 26,* **431** *A 26 – – ⊠ 8603*
Montenero di Bisaccia.
Roma 280 – Pescara 78 – L'Aquila 184 – Campobasso 104 – Chieti 87 – Foggia 127.

🏨 **Strand** ⟩, *via Costa Verde* ℰ *0873 803106, Fax 0873 803450,* ≤, ⬛, ⬛, ✗ *–* ⬛ 📺 ⬛
⬛ *VISA*. ✗
maggio-ottobre – **Pasto** *carta 40/65000 –* ⊊ *7000 –* **36 cam** *100000 –* ½ P 95000.

MARINA DI NOCERA TERINESE *88040 Catanzaro* **431** *J 30.*
Roma 537 – Cosenza 63 – Catanzaro 67 – Reggio di Calabria 159.

sulla strada statale 18 *Nord : 3 km :*
✗✗ **L'Aragosta**, *villaggio del Golfo* ⊠ *88040* ℰ *0968 93385,* ⬛ *–* ⬛ 📦, ⬛ ⬛ ⬛ ⬛ *VISA*
✿ *chiuso dal 10 al 28 gennaio e lunedì (escluso luglio-agosto) –* **Pasto** *specialità di mare*
60/80000 (a mezzogiorno) 80/100000 (alla sera) e carta 60/105000
Spec. *Insalata di aragosta con bottarga e cipolla rossa di Tropea. Spaghetti di spinaci a*
filetto di triglie. Gamberoni al miele piccante.

MARINA DI PIETRASANTA *Lucca* **428** , **429** , **430** *K 12 G. Toscana – Vedere Pietrasant*
(Marina di).

MARINA DI PISA *Pisa* **428** , **429** , **430** *K 12 G. Toscana – Vedere Pisa (Marina di).*

MARINA DI RAGUSA *Ragusa – Vedere Sicilia (Ragusa, Marina di) alla fine dell'elenco alfabetico.*

MARINA DI RAVENNA *Ravenna* **430** *I 18 – Vedere Ravenna (Marina di).*

MARINA DI SAN SALVO *Chieti* **430** *P 26 – Vedere San Salvo.*

MARINA DI SAN VITO *66035 Chieti* **430** *P 25 – a.s. 20 giugno-agosto.*
Roma 234 – Pescara 30 – Chieti 43 – Foggia 154 – Isernia 127.

🏨 **Garden**, *contrada Portelle 69* ℰ *0872 61164, Fax 0872 618908,* ≤, ⬛ *–* ⬛ ⬛ 📺 📦. ⬛ ⬛
⬛ ⬛ ⬛ *VISA*. ✗ *rist*
chiuso Natale – **Pasto** *carta 35/55000 –* **40 cam** ⊊ *100/150000 –* ½ P 110000.
✗✗ **L'Angolino da Filippo**, *via Sangritana 1* ℰ *0872 61632 –* ⬛. ⬛ ⬛ ⬛ ⬛ *VISA*. ✗
chiuso dal 24 al 30 dicembre e lunedì – **Pasto** *specialità di mare carta 50/75000.*

MARINA DI VASTO *Chieti* **430** *P 26 – Vedere Vasto (Marina di).*

MARINA EQUA *Napoli – Vedere Vico Equense.*

MARINA GRANDE *Napoli* **431** *F 24 – Vedere Capri (Isola di).*

MARINA PICCOLA *Napoli* **431** *F 24 – Vedere Capri (Isola di).*

MARINA TORRE GRANDE *Oristano* **433** *H 7 – Vedere Sardegna (Oristano) alla fine dell'elenco*
alfabetico.

MARINELLA *Trapani* **432** *O 20 – Vedere Sicilia (Selinunte) alla fine dell'elenco alfabetico.*

MARINO *00047 Roma* **430** *Q 19 – 36 000 ab. alt. 355.*
Roma 26 – Frosinone 73 – Latina 44.

🏨 **Grand Hotel Helio Cabala** ⟩, *via Spinabella 13/15 (Ovest : 3 km)* ℰ *06 93661391,*
Fax 06 93661125, ≤, « *Terrazza ombreggiata con* ⬛ » *–* ⬛ ⬛ ⬛ ⬛ 📦. ⬛ 250. ⬛ ⬛ ⬛
⬛ *VISA* ⬛. ✗
Pasto *70000 –* **40 cam** ⊊ *180/360000.*

Le carte stradali Michelin sono costantemente aggiornate.

MARLENGO (MARLING) 39020 Bolzano 429 C 15, 218 ⑩ ⑳ – 2 217 ab. alt. 363.
🏢 piazza della Chiesa 5 ℘ 0473 447147, Fax 0473 221775.
Roma 668 – Bolzano 31 – Merano 3 – Milano 329.

Pianta : vedere Merano.

🏨 **Oberwirt**, vicolo San Felice 2 ℘ 0473 447111, *oberwirt@dnet.it*, Fax 0473 447130, « Servizio rist. estivo in giardino », ♨, ⛱, ⌟ riscaldata, 🔲 – 🛗, ⇆ rist, 📺 ⇐ 🅿. 🖭 🕄 ⓪ ⓮ **VISA** A n
15 marzo-15 novembre – **Pasto** carta 55/105000 – **30 cam** ⚏ 160/290000, 15 suites 290/390000 – ½ P 240000.

🏨 **Marlena** 🅼, via Tramontana 6 ℘ 0473 222266, *info@marlena.it*, Fax 0473 447441, ≤ monti e Merano, « Moderno design d'interni », ♨, ⛱, ⌟ riscaldata, 🔲, ☞, ℀ – 🛗 ⧖, 🍴 rist, 📺 ♿ ⇐ 🅿 – 🕍 45. 🕄 ⓮ **VISA**. ℀ A k
marzo-novembre – **Pasto** (solo per alloggiati) 55/75000 – **44 cam** ⚏ 165/285000 – ½ P 195000.

🏨 **Sport Hotel Nörder**, via Tramontana 15 ℘ 0473 447000, Fax 0473 447370, ≤ monti e Merano, ☞, ♨, ⛱, ⌟ riscaldata, 🔲, ☞, ℀ – 🛗 📺 ⇐ 🅿 – 🕍 30 A e
stagionale – **30 cam**, 10 suites.

🏨 **Jagdhof** ॐ, via San Felice 18 ℘ 0473 447177, *info@jagdhof.it*, Fax 0473 445404, ≤ monti e Merano, ☞, ⇆, ⌟, 🔲, ☞, ℀ – 🛗 📺 🅿. ℀ rist A m
marzo-novembre – **Pasto** (solo per alloggiati) – **24 cam** ⚏ 260/340000 – ½ P 180000.

MARLING = Marlengo.

MARMOLADA (Massiccio della) Belluno e Trento *G. Italia.*

MARONTI Napoli 431 E 23 – Vedere Ischia (Isola d') : Barano.

MAROSTICA 36063 Vicenza 429 E 16 *G. Italia* – 12 740 ab. alt. 105.
Vedere *Piazza Castello★.*
Roma 550 – Padova 60 – Belluno 87 – Milano 243 – Treviso 54 – Venezia 82 – Vicenza 28.

🏨 **Due Mori** 🅼 senza rist, corso Mazzini 73 ℘ 0424 471777, Fax 0424 73693 – 🛗 ▤ 📺 ⇐ 🅿. 🖭 🕄 ⓪ ⓮ **VISA**. ℀
⚏ 20000 – **10 cam** 170/210000.

a Valle San Floriano *Nord : 3 km – alt. 127 – ⊠ 36060 :*

✗✗ **La Rosina** ॐ con cam, via Marchetti 4 Nord : 2 km ℘ 0424 470360, *larosina@telemar.it*, Fax 0424 470290, ≤ – 📺 🅿 – 🕍 120. 🖭 🕄 ⓪ ⓮ **VISA** **JCB**. ℀
chiuso dal 20 gennaio al 4 febbraio e dal 3 al 28 agosto – **Pasto** (chiuso lunedì e martedì) carta 45/60000 – **12 cam** ⚏ 100/140000.

MAROTTA 61035 Pesaro e Urbino 429, 430 K 21 – *a.s. 25 giugno-agosto.*
🏢 (15 giugno-settembre) viale Cristoforo Colombo 31 ℘ 0721 96591.
Roma 305 – Ancona 38 – Perugia 125 – Pesaro 25 – Urbino 61.

🏨 **Imperial**, lungomare Faà di Bruno 119 ℘ 0721 969445, *hotelimperial@libero.it*, Fax 0721 96617, ≤, ⌟, ॐ, ☞ – 🛗, ▤ rist, 📺 🅿. 🖭 🕄 ⓪ ⓮ **VISA**. ℀
20 maggio-settembre – **Pasto** 30/50000 – ⚏ 13000 – **42 cam** 100/120000 – ½ P 100000.

🏨 **San Marco**, via Faà di Bruno 43 ℘ 0721 969690, Fax 0721 969690 – 🛗, ▤ rist, 🅿. 🖭 🕄 ⓮ **VISA**. ℀ rist
20 maggio-20 settembre – **Pasto** (solo per alloggiati) – ⚏ 15000 – **29 cam** 80/120000 – ½ P 110000.

🏨 **Caravel**, lungomare Faà di Bruno 135 ℘ 0721 96670, *hotelcaravel@tiscalinet.it*, Fax 0721 968434, ≤, ॐ – 🛗 ▤ 📺 🅿. 🕄 ⓪ ⓮ **VISA**. ℀
aprile-settembre – **Pasto** 30000 – ⚏ 15000 – **32 cam** 75/120000 – ½ P 110000.

MARRADI 50034 Firenze 430 J 16 – 3 631 ab. alt. 328.
Roma 332 – Firenze 58 – Bologna 85 – Faenza 36 – Milano 301 – Ravenna 67.

✗ **Il Camino**, viale Baccarini 38 ℘ 055 8045069, Fax 055 8045069 – 🖭 🕄 ⓪ **VISA**
chiuso dal 3 al 10 giugno, dal 25 agosto al 10 settembre e mercoledì – **Pasto** carta 30/50000.

MARRARA Ferrara 429 H 17 – Vedere Ferrara.

MARSALA Trapani 432 N 19 – Vedere Sicilia alla fine dell'elenco alfabetico.

MARSICO NUOVO 85052 Potenza**431** F 29 – 5 189 ab. alt. 780.
Roma 366 – Potenza 32 – Salerno 107.

🏨 **Gala Hotel**, località Galaino Sud-Est : 5 km ℰ 0975 340107, hotellagala@tiscalinet.
Fax 0975 340108 – 🛗 ▤ 📺 👆 🅿. 🖭 🗗 ① 🐼 𝚅𝙸𝚂𝙰
Pasto carta 30/60000 – � 5000 – **16 cam** 70/90000 – ½ P 70000.

MARTA 01010 Viterbo**430** O 17 – 3 459 ab. alt. 315.
Roma 118 – Viterbo 21 – Grosseto 113 – Siena 127.

XX **Da Gino al Miralago**, viale Marconi 58 ℰ 0761 870910, Fax 0761 870910, ≤, 🍽 – 🖭 ▮
① 🐼 𝚅𝙸𝚂𝙰 𝙹𝙲𝙱. 🛠
chiuso martedì escluso dal 20 luglio al 30 agosto – **Pasto** specialità di mare e di lago cart
40/55000.

MARTANO 73025 Lecce**431** G 36 – 9 577 ab. alt. 91.
Roma 588 – Brindisi 63 – Lecce 26 – Maglie 16 – Taranto 133.

XX **La Lanterna**, via Ofanto 53 ℰ 0836 571441, 🍽, Rist. e pizzeria serale – ▤. 🖭 🗗 ① 🐼
𝚅𝙸𝚂𝙰 𝙹𝙲𝙱. 🛠
Pasto carta 30/40000.

MARTINA FRANCA 74015 Taranto**431** E 34 G. Italia – 46 905 ab. alt. 431.
Vedere Via Cavour★.
Dintorni Terra dei Trulli★★★ Nord e Nord-Est.
🅱 piazza Roma 37 ℰ 080 4805702, Fax 080 4805702.
Roma 524 – Brindisi 57 – Alberobello 15 – Bari 74 – Matera 83 – Potenza 182 – Taranto 32.

🏩 **Park Hotel San Michele**, viale Carella 9 ℰ 080 4807053, phsmichele@tin.i
Fax 080 4808895, « Grande parco con 🏊 » – 🛗 ▤ 📺 🅿 – 🔬 350. 🖭 🗗 ① 🐼 𝚅𝙸𝚂𝙰. 🛠
Pasto carta 50/65000 – **81 cam** ⊆ 130/175000 – ½ P 145000.

🏨 **Dell'Erba**, viale dei Cedri 1 ℰ 080 4301055, hoteldellerba@italiainrete.ne
Fax 080 4301639, 🕩, 🈂, 🏊, 🏊, 🌳 – 🛗 📺 👆 🅿. – 🔬 500. 🖭 🗗 ① 🐼 𝚅𝙸𝚂𝙰 𝙹𝙲𝙱. 🛠
Pasto carta 40/65000 (15 %) – **49 cam** ⊆ 135/155000 – ½ P 140000.

🏨 **Villa Ducale**, piazzetta Sant'Antonio ℰ 080 4805055, hotelvilladucale@libero.it
Fax 080 4805885 – ▤ 📺 – 🔬 80. 🖭 🗗 ① 🐼 𝚅𝙸𝚂𝙰 𝙹𝙲𝙱. 🛠
Pasto carta 45/65000 – **24 cam** ⊆ 110/160000 – ½ P 115000.

X **Trattoria delle Ruote**, via Monticello 1 (Est : 4,5 km) ℰ 080 4837473, Coperti limitati
prenotare, « Servizio estivo all'aperto » – 🛠 🅿. 🛠
chiuso lunedì – **Pasto** carta 35/50000.

MARTINSICURO 64014 Teramo**430** N 23 – 13 876 ab. – a.s. luglio-agosto.
Roma 227 – Ascoli Piceno 35 – Ancona 98 – L'Aquila 118 – Pescara 64 – Teramo 45.

🏨 **Sympathy**, lungomare Europa 26 ℰ 0861 760222, sympathyhotel@tin.it
Fax 0861 760222, 🏖 – 🛗 ▤ 📺 🚗. 🖭 🗗 𝚅𝙸𝚂𝙰. 🛠
20 maggio-settembre – **Pasto** carta 35/55000 – **22 cam** ⊆ 110/120000 – ½ P 115000.

XX **Pasqualò**, via Colle di Marzio 40 (Ovest : 2 km) ℰ 0861 760321, ≤ – ▤ 🅿. 🗗 ① 🐼 𝚅𝙸𝚂𝙰
🛠
chiuso domenica sera e lunedì – **Pasto** specialità di mare carta 55/85000.

X **Leon d'Or**, via Aldo Moro 55/57 ℰ 0861 797070, leondor@advcom.it, Fax 0861 797695 –
▤. 🖭 🗗 ① 🐼 𝚅𝙸𝚂𝙰 𝙹𝙲𝙱. 🛠
Pasto specialità di mare 45/65000.

a Villa Rosa Sud : 5 km – ✉ 64010 :

🏨 **Paradiso**, via Ugo La Malfa 14 ℰ 0861 713888, info@hotelparadiso.it, Fax 0861 751775,
🕩, 🏊, 🛠 – 🛗 ▤ 🅿. 🗗 🐼 𝚅𝙸𝚂𝙰. 🛠
12 maggio-22 settembre – **Pasto** (solo per alloggiati) 25/40000 – **67 cam** ⊆ 110/140000 –
½ P 120000.

🏨 **Olimpic**, lungomare Italia 72 ℰ 0861 712390, olimpic@hotelolimpic.it, Fax 0861 710597,
≤, 🏖, 🌳 – 🛗 ▤ rist, 📺 🅿. 🛠 rist
maggio-settembre – **Pasto** carta 35/50000 – **56 cam** ⊆ 100/130000 – P 120000.

🏨 **Park Hotel**, via Don Sturzo 9 ℰ 0861 714913, info@motelpark.it, Fax 0861 714905, 🕩,
🏊, 🏖, 🛠 – 🛗 ▤ 📺 🅿. 🐼 𝚅𝙸𝚂𝙰. 🛠
maggio-settembre – **Pasto** (solo per alloggiati) 35/60000 – **61 cam** ⊆ 125/150000 –
½ P 135000.

Haway, lungomare Italia 62 ☎ 0861 712649, *Fax 0861 712649*, ←, ⛱, – |♦|, ▤ rist, TV P. AE $ ⓓ MC VISA. ✗ rist
15 maggio-26 settembre – **Pasto** (solo per alloggiati) 30000 – **52 cam** ☐ 90/150000 – ½ P 150000.

XX Il Pescheto, via dei Frutteti 4 (Ovest : 2.5 km) ☎ 0861 752616, *Fax 0861 752616*, « Servizio estivo all'aparto con ← », – P
Pasto specialità di mare.

MARZAGLIA *Modena – Vedere Modena.*

MASARÈ *Belluno* 429 C 18 – *Vedere Alleghe.*

MASER *31010 Treviso* 429 E 17 *G. Italia – 4 835 ab. alt. 147.*
Vedere *Villa*★★★ *del Palladio.*
Roma 562 – Padova 59 – Belluno 59 – Milano 258 – Trento 108 – Treviso 29 – Venezia 62 – Vicenza 54.

X **Da Bastian,** località Muliparte ☎ 0423 565400, – P. ✗
chiuso agosto, mercoledì sera e giovedì – **Pasto** carta 35/55000.

MASERADA SUL PIAVE *31052 Treviso* 429 E 18 – *7 005 ab. alt. 33.*
Roma 553 – Venezia 44 – Belluno 74 – Treviso 13.

XX **Antica Osteria Zanatta,** località Varago Sud : 1,5 km ☎ 0422 778048, *zanatta@sevenonline.it*, *Fax 0422 777687*, , – ▤ P. AE $ ⓓ MC VISA JCB. ✗
chiuso dall'8 al 15 gennaio, dal 6 al 27 agosto, domenica sera e lunedì – **Pasto** carta 45/90000.

MASIO *15024 Alessandria* 428 H 7 – *1 441 ab. alt. 142.*
Roma 607 – Alessandria 22 – Asti 14 – Milano 118 – Torino 80.

X **Trattoria Losanna,** via San Rocco 36 (Est : 1 km) ☎ 0131 799525, *Fax 0131 799074* – P. AE $ ⓓ MC VISA. ✗
chiuso dal 1° al 15 gennaio, agosto, domenica sera e lunedì – **Pasto** carta 35/60000.

MASON VICENTINO *36064 Vicenza* 429 E 16 – *3 083 ab. alt. 104.*
Roma 538 – Padova 56 – Belluno 93 – Trento 85 – Venezia 87 – Vicenza 22.

XX **Al Pozzo,** via Marconi 35 ☎ 0424 411816, *ristorantealpozzo@alpozzo.com*, *Fax 0424 411908*, , prenotare – AE $ ⓓ MC VISA
chiuso dal 1° al 10 gennaio, dal 1° al 15 agosto, lunedì e martedì a mezzogiorno – **Pasto** carta 60/80000.

MASSACIUCCOLI (Lago di) *Lucca* 428, 429, 430 K 13 – *Vedere Torre del Lago Puccini.*

MASSAFRA *74016 Taranto* 431 F 33 – *31 148 ab. alt. 110.*
Roma 508 – Matera 64 – Bari 76 – Brindisi 84 – Taranto 18.

sulla strada statale 7 *Nord-Ovest : 2 km :*

Appia Palace Hotel, ✉ 74016 ☎ 099 8851501, *Fax 099 8851506*, Ⅰ₆, ⛱, ✗ – |♦| ▤ TV ♿ P – 🏛 350. AE $ ⓓ MC VISA. ✗
Pasto carta 40/55000 – **119 cam** ☐ 120/160000 – ½ P 140000.

MASSA LUBRENSE *80061 Napoli* 431 F 25 *G. Italia – 12 998 ab. alt. 120 – a.s. aprile-settembre.*
Roma 263 – Napoli 55 – Positano 21 – Salerno 56 – Sorrento 6.

Delfino ⛰, via Nastro d'Oro 2 (Sud-Ovest : 3 km) ☎ 081 8789261, *info@hoteldelfino.com*, *Fax 081 8089074*, ← mare ed isola di Capri, « In una pittoresca insenatura con terrazze e discesa a mare », ⛱ con acqua di mare, – |♦| ▤ TV P. AE $ ⓓ MC VISA. ✗
aprile-ottobre – **Pasto** carta 50/70000 – **66 cam** ☐ 210/320000 – ½ P 195000.

Bellavista, via Partenope 26 (Nord : 1 km) ☎ 081 8789696, *Fax 081 8089341*, ← mare ed isola di Capri, « Terrazza-solarium con ⛱ » – |♦| ▤ TV P – 🏛 100. AE $ ⓓ MC VISA JCB. ✗
Pasto al Rist. ***Riccardo Francischiello*** *(chiuso martedì da ottobre a marzo)* carta 50/70000 – ☐ 18000 – **33 cam** 140/190000 – ½ P 145000.

Maria, Sud : 1 km ☎ 081 8789163, *Fax 081 8789411*, ← mare, « ⛱ su terrazza panoramica » – TV P. AE $ MC VISA. ✗
15 aprile-ottobre – **Pasto** *(chiuso venerdì)* carta 50/70000 – ☐ 15000 – **34 cam** 130/170000 – ½ P 140000.

XX **Antico Francischiello-da Peppino** con cam, via Partenope 27 (Nord : 1,5 km)
📞 081 5339780, Fax 081 8071813, ≤ mare ed isola di Capri, « Ambiente caratteristico »
■ 📺 P. AE S ① &#xOO; VISA JCB. %
Pasto (chiuso mercoledì escluso da giugno a settembre) carta 65/100000 (15 %) – **8 cam**
↤ 155000 – 1/2 P 150000.

a Marina della Lobra Est : 2 km – ✉ 80061 Massa Lubrense :

🏠 **Piccolo Paradiso**, piazza Madonna della Lobra 5 📞 081 8789240, piccolo-paradiso@pic
olo-paradiso.com, Fax 081 8089256, ≤ – | 📺 S ① &#xOO; VISA. % rist
15 marzo-15 novembre – **Pasto** carta 40/65000 (12 %) – **54 cam** ↤ 140/195000 –
1/2 P 120000.

a Nerano-Marina del Cantone Sud-Est : 11 km – ✉ 80068 Termini :

XXX **Taverna del Capitano** ↝ con cam, piazza delle Sirene 10/11 📞 081 8081028,
★ Fax 081 8081892, ≤, prenotare – ■ 📺 ☎ 🚘. AE S ① &#xOO; VISA JCB. %
chiuso dall'8 gennaio a febbraio – **Pasto** (chiuso lunedì escluso da giugno a settembre)
80/110000 e carta 80/130000 – ↤ 250000 – **10 cam** 150/250000, 2 suites – 1/2 P 200000
Spec. Zuppa di vongole veraci, piccoli crostacei, pomodorini e prezzemolo. Mezzane
spezzati con zucchine, basilico e cipolla stufata (primavera-estate). Aragosta del Tirreno
"ammollicata" con erbe mediterranee.

XX **Quattro Passi** con cam, via Vespucci 13/n (Nord : 1 km) 📞 081 8081271, ristorantequat
★ ropassi@inwind.it, Fax 081 8081271, « Servizio estivo in terrazza-giardino » – P. AE S ①
VISA. %
chiuso dal 4 novembre al 26 dicembre e mercoledì – **Pasto** 95000 e carta 75/115000 –
3 cam ↤ 220000
Spec. Scampi al vapore su spinaci scottati con salsa spumosa e insalatine filanti. Paccheri al
ragù di coccio. Fritto misto di pesce di paranza.

MASSA (Marina di) 54037 Massa-Carrara ԭ J 12 – a.s. Pasqua e luglio-agosto.
🗿 viale Vespucci 24 📞 0585 240063, Fax 0585 869015.
Roma 388 – Pisa 41 – La Spezia 32 – Firenze 114 – Livorno 64 – Lucca 44 – Massa 5 –
Milano 234.

🏨 **Excelsior** 🅂, via Cesare Battisti 1 📞 0585 8601, Fax 0585 869795, ☡, ⚘ – | ■ 📺 &
🚘 – ♨ 80. AE S ① &#xOO; VISA. % rist
Pasto 70/105000 – **63 cam** ↤ 215/330000, 7 suites – 1/2 P 210000.

🏨 **Tropicana** senza rist, via Verdi 47, località Poveromo ✉ 54039 Ronchi 📞 0585 309041,
tropic@bicnet.it, Fax 0585 309044, ☡, ⚘ – ■ 📺 P. AE S VISA. %
19 maggio-settembre – ↤ 20000 – **20 suites** 265/380000.

🏨 **Cavalieri del Mare** ↝, via Verdi 23, località Ronchi ✉ 54039 Ronchi 📞 0585 868010,
cavalieridelmare@tiscalinet.it, Fax 0585 868015, « Giardino con ☡ », ♨ – ■ 📺 & & P.
AE S ① &#xOO; VISA JCB. %
Pasto (aprile-settembre) carta 55/75000 – **25 cam** ↤ 160/250000 – 1/2 P 180000.

🏨 **Maremonti**, viale lungomare di Levante 19, località Ronchi ✉ 54039 Ronchi
📞 0585 241008, Fax 0585 241009, « Parco con ☡ », ⚘ – ■ 📺 P. AE S ① &#xOO; VISA. %
aprile-settembre – **Pasto** 30/60000 – ↤ 15000 – **20 cam** 200/240000 – 1/2 P 190000.

🏠 **Gabrini**, via Don Luigi Sturzo 19 📞 0585 240505, hgabrini@tin.it, Fax 0585 246661, ⚘ – |
■ 📺 P. AE S ① &#xOO; VISA. %
15 maggio-settembre – **Pasto** (solo per alloggiati) 35/50000 – **43 cam** ↤ 115/150000 –
1/2 P 125000.

🏠 **Matilde**, via Tagliamento 4 📞 0585 241441, Fax 0585 240488, ⚘ – 📺 & P. AE S ① &#xOO;
VISA JCB. %
Pasto (aprile-ottobre; solo per alloggiati) 40/60000 – ↤ 20000 – **15 cam** 180/200000 –
1/2 P 150000.

🏠 **La Pergola**, via Verdi 41, località Poveromo ✉ 54039 Ronchi 📞 0585 240118,
🍝 Fax 0585 245720, « Giardino ombreggiato » – P. AE S ① &#xOO; VISA. %
Pasqua-20 settembre – **Pasto** carta 35/50000 – ↤ 15000 – **25 cam** 100/130000 –
1/2 P 120000.

XX **Da Riccà**, lungomare di Ponente 📞 0585 241070, daricca@mail.dex-net.com,
Fax 0585 241070, 🍴 – P. AE S ① &#xOO; VISA JCB. %
chiuso dal 20 dicembre al 10 gennaio e lunedì – **Pasto** specialità di mare carta 75/95000
(10 %).

MASSA MARITTIMA 58024 Grosseto ԭ M 14 G. Toscana – 8 823 ab. alt. 400.
Vedere Piazza Garibaldi★★ – Duomo★★ – Torre del Candeliere★, Fortezza ed Arco senesi★.
🗿 via Parenti 22 📞 0566 902756, Fax 0566 940095.
Roma 249 – Siena 62 – Firenze 132 – Follonica 19 – Grosseto 52.

🏨 **Il Sole** senza rist, via della Libertà 43 ℘ 0566 901971, *Fax 0566 901959* – 📶 📺 🚗 – 🛗 150. ⅍ 🖪 🐽 *VISA* JCB
chiuso dal 10 gennaio al 10 febbraio – **51 cam** ☷ 95/135000, suite.

🏠 **Duca del Mare**, piazza Dante Alighieri 1/2 ℘ 0566 902284, *Fax 0566 901905*, ≤, 斎, 🏊, 寿 – ▤ 📺 ⅙ 🅿. ⅍ 🖪 *VISA*. ⅍
chiuso dal 6 gennaio al 15 febbraio – **Pasto** (solo per alloggiati; *chiuso gennaio, febbraio, da novembre al 15 dicembre e lunedì*) – **30 cam** ☷ 80/150000 – ½ P 95000.

✕✕ **Taverna del Vecchio Borgo**, via Parenti 12 ℘ 0566 903950, *Fax 0566 903950*, « Tipica taverna in un'antica cantina » – ⅍ 🖪 🐽 *VISA*. ⅍
chiuso dal 15 gennaio al 15 febbraio, lunedì e da ottobre a luglio anche domenica sera – **Pasto** carta 40/75000.

✕ **Osteria da Tronca**, vicolo Porte 5 ℘ 0566 901991 – ▤. 🖪 🐽 *VISA*
chiuso dal 29 dicembre a febbraio e mercoledì – **Pasto** cucina rustica carta 40/55000.

Ghirlanda *Nord-Est : 2 km* – ⊠ *58020 :*

✕✕✕ **Da Bracali**, via di Perolla 2 ℘ 0566 902318, *ristorantebracali@libero.it, Fax 0566 940302*, Rist. con enoteca, prenotare – ▤ 🅿. ⅍ 🖪 🕦 🐽 *VISA* JCB. ⅍
🏵 *chiuso lunedì e martedì* – **Pasto** 120000 e carta 110/170000
Spec. Ravioli di piccione con fondente di cipollotti novelli e miele d'acacia, brunoise di fegatini di piccione alla salvia. Variazione d'agnellone toscano. Flan di cioccolato fondente con salsa di amarena e mousse di cioccolato bianco.

Prata *Nord-Est : 12 km* – ⊠ *58020 :*

✕✕ **La Schiusa**, via Basilicata 29/31 ℘ 0566 914012, *Fax 0566 914012* – 🅿. ⅍ 🖪 🕦 🐽 *VISA*
🏵 *chiuso da febbraio al 2 marzo e mercoledì (escluso da giugno a settembre)* – **Pasto** 30/35000 e carta 30/50000 (10%).

MASSAROSA 55054 Lucca ⬛2⬛8, ⬛2⬛9, ⬛3⬛0 K 12 – 20 286 ab. alt. 15 – a.s. Carnevale, Pasqua, 15 giugno-15 settembre e Natale.
Roma 363 – Pisa 29 – Livorno 52 – Lucca 19 – La Spezia 60.

✕✕ **La Chandelle**, via Casa Rossa 1 ℘ 0584 938290, ≤, 斎, prenotare, « Giardino fiorito » – ▤ 🅿. ⅍ 🐽 *VISA*. ⅍
chiuso dal 1°al 15 dicembre, dal 6 al 20 gennaio, lunedì e martedì a mezzogiorno – **Pasto** carta 55/85000.

✕ **Da Ferro**, via Sarzanese, località Piano di Conca Nord-Ovest : 5,5 km ℘ 0584 996622, 斎 🏵 – 🅿. ⅍ 🖪 🕦 🐽 *VISA*. ⅍
chiuso dal 5 ottobre al 3 novembre e martedì – **Pasto** carta 35/50000.

Massaciuccoli *Sud : 4 km* – ⊠ *55050 Quiesa :*

🏨 **Le Rotonde** ⅍, via del Porto 15 ℘ 0584 975439, *rotonde@tiscalinet.it, Fax 0584 975754*, « Giardino ombreggiato » – 📺 🅿. ⅍ 🖪 *VISA*. ⅍
Pasto (*chiuso giovedì e novembre*) carta 40/60000 – **14 cam** ☷ 120/150000 – ½ P 90000.

Bargecchia *Nord-Ovest : 9 km* – ⊠ *55040 Corsanico :*

✕✕ **Rino** ⅍ con cam, via della Chiesa 8 ℘ 0584 954000, *Fax 0584 954000*, 斎, 寿, ⅍ – 📺 🅿. 🏵 ⅍ 🖪 🕦 🐽 *VISA*. ⅍
chiuso martedì da ottobre a giugno – **Pasto** carta 25/45000 – ☷ 5000 – **19 cam** 60/100000.

MASSINO VISCONTI 28040 Novara ⬛2⬛8 E 7, ⬛2⬛9 ⑦ – 1 056 ab. alt. 465.
Roma 654 – Stresa 11 – Milano 77 – Novara 52.

🏨 **Lo Scoiattolo**, via per Nebbiuno 8 ℘ 0322 219184, *hotelloscoiattolo@tin.it, Fax 0322 219113*, « Giardino con ≤ lago e dintorni » – 📶 📺 ⅙ 🅿 – 🛗 80. ⅍ 🖪 🕦 🐽 *VISA*. ⅍
Pasto (*chiuso lunedì*) carta 40/55000 – ☷ 12000 – **30 cam** 100/130000 – ½ P 90000.

✕ **Trattoria San Michele**, via Roma 51 ℘ 0322 219101, Coperti limitati; prenotare – ⅍ 🖪 🕦 🐽 *VISA*. ⅍
chiuso dal 10 al 25 gennaio, dal 17 agosto al 6 settembre, lunedì sera, martedì, Natale e Capodanno. – **Pasto** carta 35/65000.

MATELICA 62024 Macerata ⬛3⬛0 M 21 – 10 131 ab. alt. 354.
Roma 209 – Ancona 80 – Fabriano 28 – Foligno 59 – Macerata 42 – Perugia 90.

✕✕ **Al Teatro**, via Umberto I 7 ℘ 0737 786099 – ⅍ 🖪 🕦 🐽 *VISA*
🏵 *chiuso dal 1° al 10 agosto e mercoledì* – **Pasto** carta 35/60000.

MATERA 75100 **P** **431** E 31 *G. Italia* – *56 924 ab. alt. 401.*

Vedere *I Sassi*★★ – *Strada dei Sassi*★★ – *Duomo*★ – ≤★★ *sulla città dalla strada delle chie* *rupestri Nord-Est : 4 km.*

🛈 *via De Viti de Marco 9 ℘ 0835 331983, Fax 0835 333452.*

A.C.I. *viale delle Nazioni Unite 47 ℘ 0835 382322.*

Roma 461 – Bari 67 – Cosenza 222 – Foggia 178 – Napoli 255 – Potenza 104.

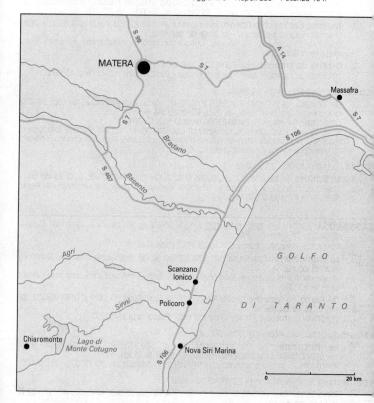

Del Campo M, via Lucrezio ℘ 0835 388844, *info@hoteldelcampo.com*, Fax 0835 388757, 🏤, 🐖 – 🛗 ≣ 📺 📞 🕹 🚗 🅿 – 🔬 200. 🆎 🕄 ⓿ 🐾 *VISA* JCB. ⋘
Pasto al Rist. *Le Spighe* carta 40/60000 – **16 cam** ⊇ 250000 – ½ P 160000.

Palace Hotel M, piazza Michele Bianco ℘ 0835 330598, Fax 0835 330598 – 🛗 ≣ 📺 📞 🕹 🅿 – 🔬 350. 🆎 🕄 ⓿ 🐾 *VISA* JCB
Pasto *(chiuso agosto)* carta 35/50000 – **55 cam** ⊇ 170/210000, 10 suites – ½ P 170000.

Italia, via Ridola 5 ℘ 0835 333561, Fax 0835 330087, ≤ I Sassi – 🛗, ≣ rist, 📺 🕹 – 🔬 90. 🆎 🕄 ⓿ 🐾 *VISA* JCB
Pasto al Rist. *Basilico (chiuso dal 1° al 20 agosto)* carta 30/50000 – **47 cam** ⊇ 145/180000

De Nicola, via Nazionale 158 ℘ 0835 385111 e rist ℘ 085 385121, *hotelden@tin.it*, Fax 0835 385113 – 🛗 📺 🕹 🚗 – 🔬 200. 🆎 🕄 ⓿ 🐾 *VISA*. ⋘
Pasto carta 35/50000 – ⊇ 9000 – **105 cam** 105/160000 – ½ P 115000.

Sassi Hotels ⌂ senza rist, via San Giovanni Vecchio 89 ℘ 0835 331009, *hotelsassi@infini o.it*, Fax 0835 333733, ≤ Sassi e cattedrale – 📺. 🆎 🕄 ⓿ 🐾 *VISA*. ⋘
14 cam ⊇ 100/150000, suite.

Casino del Diavolo-da Francolino, via La Martella Ovest : 1,5 km ℘ 0835 261986, Fax 0835 261986, 🏤 – 🅿. ⋘
chiuso lunedì – **Pasto** carta 30/60000.

Trattoria Lucana, via Lucana 48 ℘ 0835 336117 – ⋬≈ ≣. 🆎 🕄 ⓿ 🐾 *VISA* JCB. ⋘
chiuso dal 10 al 25 settembre e domenica – **Pasto** carta 35/55000.

Venusio Nord : 7 km – ⊠ 75100 Matera :

XX **Venusio,** via Lussemburgo 2/4 ℰ 0835 259081, Fax 0835 259082, 佘 – ▣ 🅿. 🆎 🕃 ⑩ 🕮 *VISA*
chiuso dal 6 al 15 gennaio e dal 7 al 14 agosto – **Pasto** carta 45/70000.

ATIGGE Perugia – Vedere Trevi.

ATTINATA 71030 Foggia **431** B 30 G. Italia – 6 374 ab. alt. 77 – a.s. luglio-13 settembre.
Roma 430 – Foggia 58 – Bari 138 – Monte Sant'Angelo 19 – Pescara 222.

XX **Trattoria dalla Nonna,** Contrada Funni al lido Est : 1 km ℰ 0884 559205, ≼, rist.-
❀ pizzeria, ▴ – ▤ 🅿. 🆎 🕃 ⑩ 🕮 *VISA*. ❀
chiuso dal 10 gennaio al 10 febbraio e lunedì (escluso da giugno a settembre) – **Pasto** carta
50/80000
Spec. Linguine al "trabucco" soffiato (con frutti di mare, crostacei e molluschi). Paccheri
con frutti di mare e rucola, mantecati al formaggio. "Ciangularie" (specialità dolci
mattinatesi).

sulla strada litoranea NE : 17 km :

🏨 **Baia delle Zagare** ❀, località Baia dei Mergoli ⊠ 71030 ℰ 0884 550155, hotelbaiadelle
zagare@isnet.it, Fax 0884 550884, ≼, « Palazzine fra gli ulivi con ascensori per la spiaggia »,
丞, ▴, ❀ – ▤ cam, 🅿 – 🛗 300. 🕃 🕮 *VISA*. ❀ rist
giugno-20 settembre – **Pasto** 45000 – **143 cam** ⊒ 170/240000 (solo ½ P luglio-agosto) –
½ P 220000.

🏨 **Dei Faraglioni** ❀, località Baia dei Mergoli ℰ 0884 559584, Fax 0884 559651, « Spiaggia
❀ nella baia di Mergoli con ≼ sui faraglioni », 丞, ❀ – ▤ 📺 🅿. 🆎 🕃 ⑩ 🕮 *VISA*. ❀ rist
13 aprile-ottobre – **Pasto** carta 30/50000 – **64 cam** ⊒ 160/260000 – ½ P 260000.

Lesen Sie die Einleitung, sie ist der Schlüssel zu diesem Führer.

MAULS = Mules.

MAZARA DEL VALLO Trapani **432** O 19 – Vedere Sicilia alla fine dell'elenco alfabetico.

MAZZANO ROMANO 00060 Roma **430** P 19 – 2 507 ab. alt. 200.
Roma 43 – Viterbo 41 – Perugia 147 – Terni 80.

X **Valle del Treja,** località Fantauzzo ℰ 06 9049091, Fax 06 9049656, ≼, 佘 – 🅿. 🆎 🕃 ⑩
🕮 *VISA*. ❀
chiuso dal 2 al 12 gennaio, dal 1° al 28 agosto e lunedì – **Pasto** carta 40/55000.

MAZZARÒ Messina **432** N 27 – Vedere Sicilia (Taormina) alla fine dell'elenco alfabetico.

MAZZO DI VALTELLINA 23030 Sondrio **428**, **429** D 12, **218** ⑰ – 1 072 ab. alt. 552.
Roma 734 – Sondrio 34 – Bolzano 172 – Bormio 29 – Milano 173.

X **La Rusticana,** via Albertinelli 3 ℰ 0342 860121 – 🆎 🕃 ⑩ 🕮 *VISA*
chiuso novembre e lunedì – **Pasto** carta 40/65000.

MEDESANO 43014 Parma **428**, **429** H 12 – 8 879 ab. alt. 136.
Roma 473 – Parma 20 – La Spezia 103 – Mantova 83 – Piacenza 61.

a Sant'Andrea Bagni Sud-Ovest : 8 km – ⊠ 43048 :

🏨 **Salus,** piazza C. Ponci 7 ℰ 0525 431221, Fax 0525 431398 – 🛗 📺. 🆎 🕃 ⑩ 🕮 *VISA*
Pasto (chiuso dal 7 al 31 gennaio) carta 45/75000 – **51 cam** ⊒ 110/160000 – ½ P 120000.

MEDOLAGO 24030 Bergamo **428** E 10 – 1 953 ab. alt. 246.
Roma 591 – Bergamo 18 – Milano 47 – Como 48 – Lecco 32.

🏨 **Solaf** Ⓜ, via Mattei 1/3 ℰ 035 4946120, Fax 035 4946125 – 🛗, ❀ cam, ▤ 📺 ✇ ዼ ⇔ 🅿
– 🛗 80. 🆎 🕃 ⑩ 🕮 *VISA*. ❀
chiuso dal 10 al 20 agosto – **Pasto** al Rist. **L'Incontro** (chiuso domenica sera e lunedì a
mezzogiorno) carta 45/90000 – **35 cam** ⊒ 170/250000 – ½ P 155000.

MEDUNO *33093 Pordenone* 429 D 20 – *1 752 ab. alt. 322.*
Roma 633 – Udine 46 – Belluno 76 – Cortina D'Ampezzo 108 – Pordenone 37.

X **Stella** con cam, via Principale 38 ☎ 0427 86124 – TV. AE S ● MC VISA. ✂
chiuso mercoledì, domenica sera, dal 1° al 10 gennaio e dal 1° al 10 ottobre – **Pasto** ca 60/100000 – ☕ 20000 – **4 cam** 120/180000.

MEINA *28046 Novara* 428 E 7 – *2 271 ab. alt. 214.*
Roma 645 – Stresa 12 – Milano 68 – Novara 44 – Torino 120.

Villa Paradiso, via Sempione 125 ☎ 0322 660488, *paradiso@intercom*
Fax 0322 660544, ←, « Parco ombreggiato con 🏊 », 🎾 – |♦|, ▤ rist, TV P – 🏛 60. AE ● MC VISA. ✂ rist
marzo-10 novembre – **Pasto** carta 50/80000 – ☕ 20000 – **60 cam** 150/220000 ½ P 120000.

MEL *32026 Belluno* 429 D 18 – *6 333 ab. alt. 353.*
Roma 609 – Belluno 18 – Milano 302 – Trento 95 – Treviso 67.

XX **Antica Locanda al Cappello,** piazza Papa Luciani 20 ☎ 0437 75365
Fax 0437 540353, « Edificio seicentesco con affreschi originali » – AE S ● MC VISA. ✂
chiuso martedì sera e mercoledì – **Pasto** carta 40/55000.

MELDOLA *47014 Forlì-Cesena* 429, 430 J 18 – *9 278 ab. alt. 57.*
Roma 418 – Ravenna 41 – Rimini 64 – Forlì 13.

X **Il Rustichello,** via Vittorio Veneto 7 ☎ 0543 495211 – ▤. AE S ● MC VISA. ✂
chiuso dal 1° al 25 agosto, lunedì sera e martedì – **Pasto** carta 35/55000.

Un consiglio ***Michelin:***
per la buona riuscita di un viaggio, preparatelo in anticipo.
Le ***carte*** *e le* ***guide Michelin*** *vi danno tutte le indicazioni*
utili su: itinerari, curiosità, sistemazioni, prezzi, ecc.

MELEGNANO *20077 Milano* 428 F 9, 219 ⑲ – *15 975 ab. alt. 88.*
Roma 548 – Milano 17 – Piacenza 51 – Pavia 29.

Il Telegrafo, via Zuavi 54 ☎ 02 9834002, *telegrafo@isp.it, Fax 02 98231813*, 🏛 – TV
AE S ● MC VISA
chiuso agosto – **Pasto** *(chiuso domenica)* carta 40/60000 – ☕ 12000 – **34 cam** 90/130000 ½ P 90000.

MELENDUGNO *73026 Lecce* 431 G 37 – *9 543 ab. alt. 36 – a.s. luglio-agosto.*
Roma 581 – Brindisi 55 – Gallipoli 51 – Lecce 19 – Taranto 105.

a San Foca *Est : 7 km – ✉ 73026 :*

Côte d'Est, lungomare Matteotti ☎ 0832 881146, *Fax 0832 881148* – |♦| P. S ● VISA
Pasto 35000 – ☕ 5000 – **33 cam** 120/150000 – ½ P 110000.

MELEZET *Torino* 428 G 2 – *Vedere Bardonecchia.*

MELFI *85025 Potenza* 431 E 28 – *16 671 ab. alt. 531.*
Roma 325 – Bari 132 – Foggia 60 – Potenza 52 – Salerno 142.

in prossimità strada statale 658 *Ovest : 1,5 km :*

XX **Novecento,** Contrada Incoronata ☎ 0972 237470, *Fax 0972 237470* – ▤ P. AE S MC VIS
chiuso dal 15 al 31 luglio – **Pasto** carta 40/60000.

MELITO IRPINO *83030 Avellino* 431 D 27 – *2 061 ab. alt. 242.*
Roma 255 – Foggia 70 – Avellino 55 – Benevento 45 – Napoli 108 – Salerno 87.

X **Di Pietro,** corso Italia 8 ☎ 0825 472010, *Fax 0825 472010* – ▤. ✂
chiuso mercoledì – **Pasto** cucina casalinga irpina carta 30/50000.

MELS *Udine – Vedere Colloredo di Monte Albano.*

MELZO 20066 Milano 428 F 10, 219 ⑳ – 18 691 ab. alt. 119.

Roma 578 – Bergamo 34 – Milano 21 – Brescia 69.

🏠 **Visconti** Ⓜ senza rist, via Colombo 3/a ℘ 02 95731328, Fax 02 95736041 – 🔟 🗏 📺 👌
☜, 🅿. 🆎 ⓪ ⓪ 🆚. 🛠
38 cam ☵ 180/220000, suite.

XXX **Due Spade**, via Bianchi 19 ℘ 02 9550267, Fax 02 95737194, prenotare la sera – 🅿. 🆎 🔄
❀ ⓪ 🆚 🔗
chiuso dal 24 dicembre al 7 gennaio, dal 4 al 24 agosto, domenica e lunedì a mezzogiorno –
Pasto 85000 e carta 75/110000
Spec. Scampi al lardo croccante, purè di cannellini e foie gras d'oca. Lasagnette di verdure
con seppioline e peperoni al pesto di basilico. Piccione in casseruola con scrigno dei suoi
fegatini, cipolle e pisellini.

MENAGGIO 22017 Como 428 D 9 G. Italia – 3 041 ab. alt. 203.

Vedere Località★★.

🛅 (marzo-novembre) a Grandola e Uniti ⊠ 22010 ℘ 0344 32103, Fax 0344 30780.
🚢 per Varenna giornalieri (15 mn) – Navigazione Lago di Como, al pontile ℘ 0344 32255.
🔋 piazza Garibaldi 7 ℘ 0344 32924, Fax 0344 32924.
Roma 661 – Como 35 – Lugano 28 – Milano 83 – Sondrio 68 – St-Moritz 98 – Passo dello
Spluga 79.

🏠 **Gd H. Victoria**, lungolago Castelli 7/11 ℘ 0344 32003 e rist. ℘ 0344 31166, hotelvictoria
@palacehotel.it, Fax 0344 32992, ≼, 🛋, 🏊, 🛏 – 🔟 🗏 📺 ☜ 🅿 – 🔬 100. 🆎 🔄 ⓪ ⓪ 🆚.
🛠
Pasto al Rist. **Le Tout Paris** carta 65/100000 – ☵ 25000 – **49 cam** 195/290000, 2 suites –
1/2 P 205000.

🏠 **Gd H. Menaggio**, via 4 Novembre 69 ℘ 0344 30640, Fax 0344 30619, ≼ lago e dintorni,
🛋, Pontile d'attracco privato, 🏊, 🛏 – 🔟 🗏 cam, 📺 ☜ 🅿 – 🔬 270. 🆎 🔄 ⓪ ⓪ 🆚.
🛠 rist
marzo-ottobre – **Pasto** carta 65/105000 – **91 cam** ☵ 300/380000, 3 suites – 1/2 P 240000.

🏠 **Garden**, via Diaz 30 (Nord : 1,5 km) ℘ 0344 31616, Fax 0344 31616, 🛋 – 📺 🅿. 🔄 ⓪ 🆚
Pasqua-ottobre – **Pasto** (solo per alloggiati e chiuso a mezzogiorno) 35000 – **13 cam**
☵ 130000 – 1/2 P 90000.

a Loveno Nord-Ovest : 2 km – alt. 320 – ⊠ 22017 Menaggio :

🏠 **Royal** ⑤, largo Vittorio Veneto 1 ℘ 0344 31444, info@royalcolombo.com,
Fax 0344 30161, ≼, « Giardino con 🏊 » – 📺 ☜ 🅿. 🆎 🔄 ⓪ ⓪ 🆚. 🛠 rist
24 marzo-4 novembre – **Pasto** vedere rist. **Chez Mario** – ☵ 22000 – **15 cam** 140/155000,
2 suites – 1/2 P 145000.

XX **Chez Mario**, largo Vittorio Veneto 1 ℘ 0344 31444, 🛋, prenotare, 🛋 – 🅿. 🆎 🔄 ⓪ ⓪
🆚. 🛠
24 marzo-4 novembre – **Pasto** 50/55000 e carta 55/80000.

MENFI Agrigento 432 O 20 – Vedere Sicilia alla fine dell'elenco alfabetico.

MERAN = Merano.

MERANO (MERAN) 39012 Bolzano 429 C 15 G. Italia – 34 120 ab. alt. 323 – Stazione termale – Sport
invernali : a Merano 2000 B : 1 946/2 302 m ≼ 3 ≴ 5, ≴.

Vedere Passeggiate d'Inverno e d'Estate★★ D – Passeggiata Tappeiner★★ CD – Volte
gotiche★ e polittici★ nel Duomo D – Via Portici★ CD – Castello Principesco★ C C – Merano
2000★ accesso per funivia, E : 3 km B – Tirolo★ N : 4 km A.
Dintorni Avelengo★ SE : 10 km per via Val di Nova B – Val Passiria★ B.

🛅 a Lana ⊠ 39011 ℘ 0473 564696, Fax 0473 565399, per ② : 9 km;
🛅 Passiria (marzo-novembre) a San Leonardo in Passiria ⊠ 39015 ℘ 0473 641488, Fax 0473
641489, per ① : 20 km.

🔋 corso della Libertà 35 ℘ 0473 235223, Fax 0473 235524.
Roma 665 ② – Bolzano 28 ② – Brennero 73 ① – Innsbruck 113 ① – Milano 326 ② – Passo di
Resia 79 ③ – Passo dello Stelvio 75 ③ – Trento 86 ②.

Pianta pagina seguente

🏠 **Palace Hotel e Schloss Maur**, via Cavour 2 ℘ 0473 271000, info@palace.it,
Fax 0473 271181, ≼, Centro benessere, « Parco ombreggiato con 🏊 », 🛁, 🆘, 🛋, 🍴 – 🔟,
🗏 rist, 📺 👌 🅿 – 🔬 100. 🆎 🔄 ⓪ ⓪ 🆚. 🛠 rist   D   h
Pasto 90/125000 e al Rist. **Schloss Maur** (chiuso dal 10 gennaio a marzo, dal 20 giugno al
20 luglio, mercoledì e a mezzogiorno) carta 95/155000 – **125 cam** ☵ 285/500000, 12 suites
– 1/2 P 290000.

MERANO
E DINTORNI

Castel Gatto (Via) . . . . B 3
Christomannos . . . . B 5

Dante Alighieri (Via) . . . . B 7
Grabmayr (Via) . . . . B 9
Marlengo (Ponte di) . . . . A 14
Mayr-Nusser (Via Josef) . . . B 16
Monte Benedetto (Via) . . . . . B 17
Monte S. Zeno (Via) . . . . B 18
Parrocchia (Via della) . . . . . . B 20

Piave (Via) . . . . B 2
S. Caterina (Via) . . . . B 3
S. Maria del Conforto (Via) . . B 3
S. Valentino (Via) . . . . B 3
Val di Nova (Via) . . . . B 3
Virgilio (Via) . . . . B 3
IV Novembre (Via) . . . . A 4

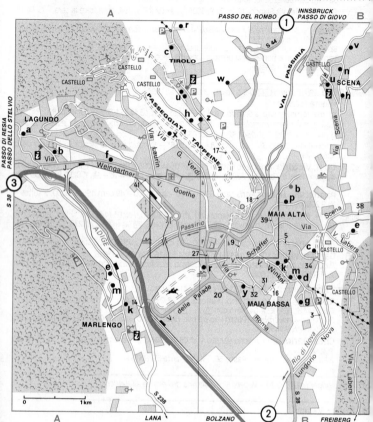

Meister's H. Irma ⓜ ⤸, via Belvedere 17 ℘ 0473 212000, *info@hotel-irma.it,* Fax 0473 231355, ≤, 斧, Centro benessere, « Parco-giardino con piscine riscaldate », ⓰, 🔲, ⚒, ⊹ – ▯, ▤ rist, ⚏ ዿ ⇔ 🄿, ⥥ rist
chiuso dal 7 gennaio a marzo – **Pasto** (solo per alloggiati) carta 55/85000 – **50 cam** ⚏ 175/360000, 7 suites – ½ P 190000.
B p

Park Hotel Mignon ⤸, via Grabmayr 5 ℘ 0473 230353, *info@hotelmignon.com,* Fax 0473 230644, ≤, « Parco-giardino con ⚏ riscaldata », ▮⤸, ⓰, 🔲 – ▯, ▤ rist, ⚏ ⇔ 🄿, ⴷ ⑤ ⑩ 💳 *VISA,* ⥥ rist
D v
15 marzo-5 novembre – **Pasto** 55/85000 – **39 cam** ⚏ 190/380000, 7 suites – ½ P 230000.

Castel Rundegg Hotel, via Scena 2 ℘ 0473 234100, *rundegg@tophotels.net,* Fax 0473 237200, 斧, Centro benessere, « Giardino ombreggiato », ▮⤸, ⓰, 🔲, ⊹ – ▯ ⚏ 🄿 ⴷ ⑤ ⑩ ⑩ 💳 *VISA,* ⥥
D a
Pasto carta 70/105000 – **28 cam** ⚏ 225/450000, 2 suites – ½ P 255000.

Meranerhof, via Manzoni 1 ℘ 0473 230230, *meranerhof@tophotels.net,* Fax 0473 233312, « Giardino con ⚏ riscaldata », ⓰ – ▯, ▤ rist, ⚏ 🄿 – ⚴ 70. ⴷ ⑤ ⑩ ⑩ 💳 *VISA,* ⥥ rist
C b
chiuso dal 14 gennaio al 1° marzo – **Pasto** (solo su prenotazione) 50/70000 – **70 cam** ⚏ 185/360000 – ½ P 200000.

MERANO
CENTRO

assa di Risparmio .... C 2
.ristomannos .... D 5
.orse (Via delle) .... C 6

Duomo (Piazza del) .... D 8
Grabmayr (Via) .... D 9
Grano (Piazza del) .... C 10
Haller (Via) .... D 13
Libertà (Corso della) .... CD
Marlengo (Via) .... C 15
Ortenstein (Via) .... D 19
Passeggiata d'Estate .... D 21

Passeggiata Gilf .... D 23
Passeggiata d'Inverno .... D 24
Passeggiata
   Lungo Passirio .... C 25
Portici (Via) .... CD
Rena (Piazza della) .... D 28
Rezia (Via) .... C 30
Scena (Via) .... D 35

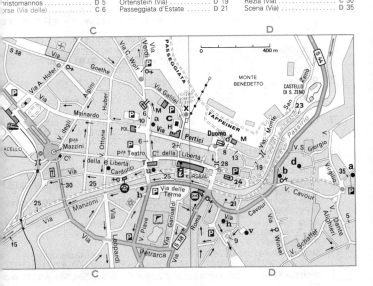

Adria ⌂, via Gilm 2 ℰ 0473 236610, info@hotel-adria.com, Fax 0473 236687, Centro benessere, ℹ, ⌂, ⬛, ⬛ – ⬛ ⬛ rist, ⬛ ⬛ ⬛ ⬛ ⬛ ⬛ rist **D d**
marzo-novembre – **Pasto** (solo per alloggiati) – **49 cam** ⌂ 155/310000, 2 suites – ½ P 185000.

Villa Tivoli ⌂, via Verdi 72 ℰ 0473 446282, info@villativoli.it, Fax 0473 446849, ⬉ monti, ⬛, « Parco-giardino », ⬛, ⬛ – ⬛ ⬛ ⬛ ⬛ ⬛ ⬛ ⬛ ⬛ rist **A x**
chiuso dal 18 dicembre al 1° aprile – **Pasto** (chiuso domenica sera e lunedì) carta 50/80000 – **15 cam** ⌂ 150/260000, 5 suites – ½ P 170000.

Anatol ⌂, via Castagni 3 ℰ 0473 237511, Fax 0473 237110, ⬉, ℹ, ⌂, ⬛ riscaldata, ⬛ – ⬛ ⬛ ⬛ rist **B c**
aprile-5 novembre – **Pasto** (solo per alloggiati) 40/65000 – **42 cam** ⌂ 140/280000 – ½ P 170000.

Ansitz Plantitscherhof ⌂, via Dante 56 ℰ 0473 230577, info@ansitz-plantitscherhof.com, Fax 0473 211922, « Giardino-vigneto con ⬛ », ⌂, ⬛ – ⬛, ⬛ rist, ⬛ rist, ⬛ ⬛ ⬛ ⬛ ⬛ ⬛ ⬛ **B k**
15 marzo-20 novembre – **Pasto** (solo per alloggiati) – **26 cam** ⌂ 125/250000 – ½ P 150000.

Juliane ⌂, via dei Campi 6 ℰ 0473 211700, juliane@sudtirol.com, Fax 0473 230176, « Giardino con ⬛ riscaldata », ℹ, ⌂, ⬛ – ⬛ ⬛ ⬛ ⬛ ⬛ ⬛ ⬛ rist **B k**
15 marzo-5 novembre – **Pasto** (solo per alloggiati) carta 45/65000 – **34 cam** ⌂ 135/260000 – ½ P 165000.

Aurora, passeggiata Lungo Passirio 38 ℰ 0473 211800, info@hotel-aurora-meran.com, Fax 0473 211113, ⬛ – ⬛ ⬛ ⬛ ⬛ ⬛ ⬛ ⬛ ⬛ rist **C u**
chiuso dal 19 al 25 dicembre e dal 10 gennaio al 12 marzo – **Pasto** carta 60/120000 – **35 cam** ⌂ 200/380000, suite – ½ P 240000.

Bavaria, via salita alla Chiesa 15 ℰ 0473 236375, Fax 0473 236371, « Giardino », ⬛, ⬛ – ⬛, ⬛ rist, ⬛ ⬛ ⬛ ⬛ ⬛ ⬛ ⬛ rist **D b**
aprile-ottobre – **Pasto** (solo per alloggiati) 30/45000 – **53 cam** ⌂ 145/290000 – ½ P 165000.

Pollinger ⌂, via Santa Maria del Conforto 30 ℰ 0473 232226, pollinger@dnet.it, Fax 0473 210665, ⬉, ℹ, ⌂, ⬛, ⬛, ⬛ – ⬛ ⬛ ⬛ ⬛ ⬛ ⬛ ⬛ ⬛ rist **B y**
23 dicembre-2 gennaio e 10 marzo-17 novembre – **Pasto** (solo per alloggiati) 50/70000 – **33 cam** ⌂ 140/240000 – ½ P 145000.

🏨 **Alexander** ⑤ via Dante 110 ℘ 0473 232345, *hotel.alexander@dnet.it*, Fax 0473 2114.
≼ monti e vallata, ⏚, ☴, ◪, ☞ – ⋈, ⋈ rist ☑ ⓦ ⅄ ⇌ **P.** ⅋Ε ⅙ ◑ ◍ **VISA**. ⋇
15 marzo-29 novembre – **Pasto** (solo per alloggiati) – **19 cam** ⇌ 130/275000, 2 suites
½ P 180000.
B

🏨 **Castel Labers** ⑤, via Labers 25 ℘ 0473 234484, *info@meraninfo.it*, Fax 0473 234146,
vigneti e città, « Servizio rist. estivo in giardino », ☴ riscaldata, ☞, ⅍ – ⋈ **P.** ⅋Ε ⅙ ◑ ◍
VISA
B
6 aprile-4 novembre – **Pasto** carta 50/95000 – **34 cam** ⇌ 190/400000 – ½ P 200000.

🏨 **Augusta** senza rist, via Ottone Huber 2 ℘ 0473 222324, *augusta@dnet*
Fax 0473 220029, ☞ – ⋈, ⅄ rist, ▤ rist, ☑ ⇌ **P.** ⅋Ε ⅙ ◑ ◍ **VISA**. ⋇ rist
C
chiuso dal 4 gennaio al 14 marzo – **26 cam** ⇌ 120/240000.

🏨 **Pienzenau** ⑤, via Caigher 2 ℘ 0473 234030, Fax 0473 212028, « Giardino ombre‐
giato », ⏚, ◪, ▤ rist, ☑ **P.** ⅙ **VISA**. ⋇ rist
B
aprile-15 novembre – **Pasto** (solo per alloggiati) 30/50000 – **15 cam** ⇌ 130/190000
½ P 140000.

🏨 **Garden Hotel Nido** ⑤, via Gilm 6 ℘ 0473 235100, *hotel.nido@tiscalinet*
Fax 0473 235184, ≼, « Giardino con ☴ riscaldata », ⒡, ⏚ – ⋈ ☑ ⅙ **P.** ⅋Ε ⅙ ◍ **VISA**. ⋇
marzo-novembre – **Pasto** carta 50/85000 – **37 cam** ⇌ 130/230000 – ½ P 160000.
D

🏨 **Graf Von Meran-Conte di Merano,** via delle Corse 78 ℘ 0473 23218
Fax 0473 211874, ☞ – ☑ ⅋Ε ⅙ ◑ ◍
C
Pasto carta 40/60000 – **23 cam** ⇌ 110/190000 – ½ P 115000.

🏨 **Isabella,** via Piave 58 ℘ 0473 234700, *isabella@tophotels.net*, Fax 0473 211360 – ⋈ ☑
⅙ **VISA**. ⋇ rist
B
aprile-5 novembre – **Pasto** (solo per alloggiati) – **28 cam** ⇌ 110/170000, 2 suites
½ P 105000.

🏨 **Zima** ⑤ senza rist, via Winkel 83 ℘ 0473 230408, *info@hotelzima.com*, Fax 0473 23646
⏚, ☴ riscaldata, ☞ – ⋈ ☑ **P.** ⅙ ◑ ◍ **VISA**. ⋇
B
marzo-10 novembre – **23 cam** ⇌ 90/160000.

❌❌ **Sissi,** via Galilei 44 ℘ 0473 231062, Fax 0473 237400, Coperti limitati; prenotare – ▤ C
chiuso dall'8 al 22 gennaio, dal 1° al 15 luglio e lunedì – **Pasto** 75/90000 e carta 65/95000.

❌ **Weisses Kreuz,** via delle Piante 2 ℘ 0473 232554, Fax 0473 232554, ☞ – **P.** ⅋Ε ⅙ ◑ ◍
VISA
B
chiuso dal 1° al 14 marzo, dal 1° al 10 luglio e lunedì – **Pasto** carta 40/100000.

a Freiberg *Sud-Est : 7 km per via Labers* B – *alt. 800* – ⊠ *39012 Merano :*

🏨 **Castel Fragsburg** ⑤, via Fragsburg 3 ℘ 0473 244071, *info@fragsburg.com*
Fax 0473 244493, ≼ monti e vallata, « Servizio rist. estivo in terrazza panoramica », ⏚
☴ riscaldata, ☞ – ⋈ ☑ **P.** ⋇ rist
Pasqua-5 novembre – **Pasto** *(chiuso lunedì)* carta 40/75000 – **14 cam** ⇌ 165/330000,
suites – ½ P 190000.

MERATE *23807 Lecco* ⑫⑧ *E 10,* ②①⑨ ⑳ *– 14 071 ab. alt. 288.*
Roma 594 – Bergamo 31 – Como 34 – Lecco 18 – Milano 38.

🏨 **Melas Hotel** senza rist, via Bergamo 37 ℘ 039 9903048, *info@melashotel.it*
Fax 039 9903017 – ⋈ ▤ ☑ ⅙ ⇌ – ⅍ 90. ⅋Ε ⅙ ◑ ◍ **VISA**. ⋇
chiuso agosto – **40 cam** ⇌ 135/200000.

MERCATALE *Firenze* ⑫⑨, ⑭⑩ *L 15 – Vedere San Casciano in Val di Pesa.*

MERCENASCO *10010 Torino* ⑫⑧ *F 5 – 1 175 ab. alt. 249.*
Roma 680 – Torino 40 – Aosta 82 – Milano 119 – Novara 73.

❌❌ **Darmagi,** via Riviera 7 ℘ 0125 710094 – **P.** ⅙ ◍ **VISA**. ⋇
⇌ *chiuso dal 15 giugno al 10 luglio, lunedì e martedì* – **Pasto** 30/60000.

MERCOGLIANO *83013 Avellino* ⑭① *E 26 – 11 290 ab. alt. 550.*
Roma 242 – Napoli 55 – Avellino 6 – Benevento 31 – Salerno 45.

🏨 **Green Park Hotel Titino** ⑤, via Loreto 9 (Est : 1,5 km) ℘ 0825 788961
Fax 0825 788965, ≼, ☞ – ⋈ ▤ ☑ ⅙ **P.** – ⅍ 100. ⅋Ε ⅙ ◑ ◍ **VISA** **JCB**. ⋇
Pasto carta 40/60000 – **42 cam** ⇌ 110/160000, 6 suites – ½ P 120000.

in prossimità casello autostrada A16 Avellino Ovest *Sud : 3 km :*

🏨 Gd H. Irpinia, via Nazionale ⊠ 83013 ℘ 0825 683672, Fax 0825 683676, ☴ – ⋈ ▤ ☑ ⇌
P. – ⅍ 160 – **65 cam**, suite.

MERGOZZO 28802 Verbania **428** E 7, **219** ⑥ – 2 055 ab. alt. 204.

Roma 673 – Stresa 13 – Domodossola 20 – Locarno 52 – Milano 105 – Novara 76.

🏛 **Due Palme e Casa Bettina,** via Pallanza 1 ℘ 0323 80112, *Fax 0323 80298,* ≤ lago e monti, 龠, ▲◦ – 🔟. 延 🕄 ⑩ ⑳ 🚾 ⪙ rist
chiuso gennaio e febbraio – **Pasto** 40/60000 – **43 cam** ⇆ 130/190000 – ½ P 120000.

XX **La Quartina** con cam, via Pallanza 20 ℘ 0323 80118, *Fax 0323 80743,* « Servizio estivo in terrazza con ≤ lago » – 🔟 🅿. 延 🕄 ⑩ ⑳ 🚾 ⪙⪗. ⪙ rist
chiuso gennaio e febbraio – **Pasto** 65/80000 e carta 55/100000 – **10 cam** ⇆ 120/200000 – ½ P 130000.

Bracchio *Nord : 2 km – alt. 282 – ⊠ 28802 Mergozzo :*

X **Le Oche di Bracchio** ﴾ con cam, via Bracchio 46 ℘ 0323 80122, *hdtga@tin.it,*
﴿ *Fax 0323 80122,* 龠, prenotare, « Giardino ombreggiato » – 🅿. 延 🕄 ⑩ ⑳ 🚾 ⪙⪗. ⪙ rist
chiuso dal 10 gennaio al 15 febbraio e mercoledì – **Pasto** specialità tradizionali e vegetariane 70000 e carta 45/75000 – **16 cam** ⇆ 130/180000 – ½ P 110000.

MERONE 22046 Como **428** E 9, **219** ⑨ ⑲ – 3 463 ab. alt. 284.

Roma 611 – Como 18 – Bellagio 32 – Bergamo 47 – Lecco 19 – Milano 43.

🏛 **Il Corazziere** ﴾, via Mazzini 4 ℘ 031 617181, *info@corazziere.it, Fax 031 617217,* « In riva al fiume Lambro », 龠 – 🛗 🗏 🔟 🕭 🅿 – 🕍 40. 延 🕄 ⑩ ⑳ 🚾
chiuso dal 2 al 24 agosto – **Pasto** vedere rist **Il Corazziere** – **37 cam** ⇆ 100/170000, 2 suites.

XX **Il Corazziere,** via Cesare Battisti 7 ℘ 031 650141, « Parco-pineta » – 🅿. 延 🕄 ⑩ ⑳ 🚾. ⪙
chiuso dal 2 al 24 agosto e martedì – **Pasto** carta 50/80000.

MESAGNE 72023 Brindisi **431** F 35 – 29 249 ab. alt. 72.

Roma 574 – Brindisi 15 – Bari 125 – Lecce 42 – Taranto 56.

🏠 **Castello** senza rist, piazza Vittorio Emanuele II 2 ℘ 0831 777500, *Fax 0831 777701* – 🛗 🗏 🔟 🕭 🚗. 延 🕄 ⑩ ⑳ 🚾
12 cam ⇆ 90/130000.

MESE Sondrio – *Vedere Chiavenna.*

MESIANO Vibo Valentia **431** L 30 – *Vedere Filandari.*

MESSADIO Asti **428** H 6 – *Vedere Montegrosso d'Asti.*

MESSINA 🅿 **431**, **432** M 28 – *Vedere Sicilia alla fine dell'elenco alfabetico.*

MESTRE Venezia **429** F 18 – ⊠ Venezia Mestre.

🛥 Cà della Nave (chiuso martedì) a Martellago ⊠ 30030 ℘ 041 5401555, *Fax 041 5401926,* per ⑧ :8 km.

✈ Marco Polo di Tessera, per ③ : 8 km ℘ 041 2606111 – Alitalia, via Sansovino 7 ℘ 041 2581111, *Fax 041 2581246.*

🛈 rotonda Marghera ⊠ 30175 ℘ 041 937764.

A.C.I. via Cà Marcello 67/a ⊠ 30172 ℘ 041 5310362.

Roma 522 ⑦ – Venezia 9 ④ – Milano 259 ⑦ – Padova 32 ⑦ – Treviso 21 ① – Trieste 150 ②.

Pianta pagina seguente

🏛 **Michelangelo** senza rist, via Forte Marghera 69 ⊠ 30173 ℘ 041 986600, *Fax 041 986052* – 🛗 ⪙⪗ 🗏 🔟 🚗 🅿 – 🕍 150. 延 🕄 ⑩ ⑳ 🚾 ⪙⪗   BX x
51 cam ⇆ 340/460000.

🏛 **Plaza,** viale Stazione 36 ⊠ 30171 ℘ 041 929388, *info@hplazave.com, Fax 041 929385* –
🛗 ⪙⪗ cam, 🗏 🔟 🕭 – 🕍 80. 延 🕄 ⑩ ⑳ 🚾 ⪙⪗. ⪙ rist   AY f
Pasto (solo per alloggiati e *chiuso a mezzogiorno*) carta 50/85000 – **226 cam** ⇆ 280/445000.

🏛 **Ambasciatori,** corso del Popolo 221 ⊠ 30172 ℘ 041 5310699, *info@ambasciatori.it,*
Fax 041 5310074 – 🛗, ⪙⪗ cam, 🗏 🔟 🕻 🚗 🅿 – 🕍 130. 延 🕄 ⑩ ⑳ 🚾 ⪙⪗. ⪙
Pasto 50000 – **95 cam** ⇆ 270/400000, 2 suites – ½ P 290000.   BY b

🏛 **President** senza rist, via Forte Marghera 99/a ⊠ 30173 ℘ 041 985655, *Fax 041 985655* –
🛗 🗏 🔟 🅿. 延 🕄 ⑩ ⑳ 🚾   BXY t
⇆ 20000 – **50 cam** 160/200000, suite.

425

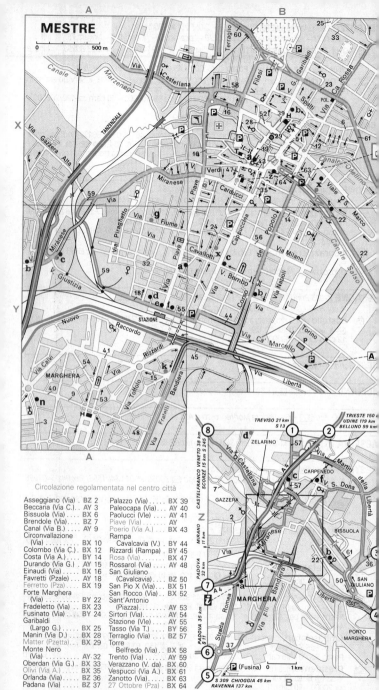

MESTRE

Circolazione regolamentata nel centro città

Asseggiano (Via) .	BZ	2
Beccaria (Via C.) . .	AY	3
Bissuola (Via)	BX	6
Brendole (Via)	BZ	7
Canal (Via B.)	BX	9
Circonvallazione (Via)	BX	10
Colombo (Via C.) .	BX	12
Costa (Via A.)	BY	14
Durando (Via G.) . .	AY	15
Einaudi (Via)	BX	16
Favretti (Pzale) . . .	AY	18
Ferretto (Pza)	BX	19
Forte Marghera (Via)	BY	22
Fradeletto (Via) . .	BX	23
Fusinato (Via)	AY	24
Garibaldi (Largo G.)	BX	25
Manin (Via D.) . . .	BX	28
Matter (Pzetta) . . .	BX	29
Monte Nero (Via)	AY	32
Oberdan (Via G.) .	BX	33
Olivi (Via A.)	BX	35
Orlanda (Via)	BZ	36
Padana (Via)	BZ	37
Palazzo (Via)	BX	39
Paleocapa (Via) . . .	AY	40
Paolucci (Vle)	AY	41
Piave (Via)	AY	
Poerio (Via A.)	BX	43
Rampa Cavalcavia (V.) . .	BY	44
Rizzardi (Rampa) .	BY	45
Rosa (Via)	BX	47
Rossarol (Via)	AY	48
San Giuliano (Cavalcavia)	BX	50
San Pio X (Via) . . .	BX	51
San Rocco (Via) . .	BX	52
Sant'Antonio (Piazza)	AY	53
Sirtori (Via)	AY	54
Stazione (Vle)	AY	55
Tasso (Via T.)	BX	56
Terraglio (Via)	BX	57
Torre Belfredo (Via) . .	BX	58
Trento (Via)	BX	59
Verazzano (V. da) .	BX	60
Vespucci (Via A.) . .	BX	61
Zanotto (Via)	BX	63
27 Ottobre (Pza) .	BX	64

🏨 **Bologna,** via Piave 214 ⊠ 30171 ℘ 041 931000, *Fax 041 931095* – 🛗 🗏 📺 **P** – 🛦 120.
🕮 🕲 ① 🕼 🚾 **JCB**. 🕸 rist   AY e
Pasto al Rist. *Da Tura (chiuso domenica e da Natale al 6 gennaio)* carta 55/70000 – **120 cam**
☲ 260/430000.

🏨 **Venezia,** via Teatro Vecchio 5 angolo piazza 27 Ottobre ⊠ 30171 ℘ 041 985533, *info@ho
tel-venezia.com, Fax 041 985490* – 🛗 🗏 📺 **P** – 🛦 70. 🕮 🕲 ① 🕼 🚾. 🕸   BX z
Pasto *(chiuso a mezzogiorno)* carta 45/70000 – ☲ 20000 – **100 cam** 180/220000.

🏨 **Club Hotel** senza rist, via Villafranca 1 (Terraglio) ⊠ 30174 ℘ 041 957722, *Fax 041 983990*
– 🛗 🗏 📺 **P**. 🕮 🕲 ① 🕼 🚾   BZ c
30 cam ☲ 140/210000.

🏨 **Ai Pini** senza rist, via Miranese 176 ⊠ 30175 ℘ 041 917722, *aipini@hotelaipini.it,
Fax 041 912390*, 🐖 – 🛗 🗏 📺 **P** – 🛦 50. 🕮 🕲 ① 🕼 🚾. 🕸   AY b
46 cam ☲ 190/340000.

🏨 **Garibaldi** senza rist, viale Garibaldi 24 ⊠ 30173 ℘ 041 5350455, *Fax 041 5347565* – 🗏 📺
P. 🕮 🕲 ① 🕼 🚾. 🕸   BX b
☲ 12000 – **28 cam** 140/200000.

🏨 **Piave** senza rist, via Col Moschin 6/10 ⊠ 30171 ℘ 041 929287, *Fax 041 929651* – 🛗 📺 **P**.
🕮 🕲 ① 🕼 🚾 **JCB**   ABY a
47 cam ☲ 180/230000.

🏨 **Alla Giustizia** senza rist, via Miranese 111 ⊠ 30171 ℘ 041 913511, *giustizia@hotelgiustiz
ia.com, Fax 041 5441421* – 🗏 📺. 🕮 🕲 ① 🕼 🚾. 🕸   AY c
20 cam ☲ 135/195000.

🏨 **Paris** senza rist, viale Venezia 11 ⊠ 30171 ℘ 041 926037, *info@hotelparis.it,
Fax 041 926111* – 🛗 🗏 📺 **P**. 🕮 🕲 ① 🕼 🚾   AY d
chiuso dal 23 al 30 dicembre – **18 cam** ☲ 170/240000.

🏨 **Kappa** senza rist, via Trezzo 8 ⊠ 30174 ℘ 041 5343121, *Fax 041 5347103* – 📺 **P**. 🕮 🕲
① 🕼 🚾   BZ f
19 cam ☲ 120/200000, suite.

🏨 **Da Tito** senza rist, via Cappuccina 67 ⊠ 30174 ℘ 041 5314581, *datito@tin.it,
Fax 041 5311215* – 🗏 📺 🕻 **P**. 🕮 🕲 ① 🕼 🚾 **JCB**   BY c
chiuso dal 20 dicembre al 4 gennaio – **16 cam** ☲ 135/185000.

🏨 **Vivit** senza rist, piazza Ferretto 73 ⊠ 30174 ℘ 041 951385, *Fax 041 958891* – 🗏 📺 🕭. 🕮
🕲 ① 🕼 🚾 **JCB**. 🕸   BX a
☲ 12000 – **23 cam** 140/185000.

🏨 **Delle Rose** senza rist, via Millosevich 46 ⊠ 30173 ℘ 041 5317711, *htlcarli@libero.it,
Fax 041 5317433* – 🛗 🗏 📺 **P**. 🕮 🕲 ① 🕼 🚾 **JCB**. 🕸   BZ b
chiuso dal 1° dicembre al 15 gennaio – **26 cam** ☲ 135/195000.

🍽🍽 **Marco Polo,** via Forte Marghera 67 ⊠ 30173 ℘ 041 989855, *Fax 041 954075* – 🗏. 🕮 🕲
① 🕼 🚾   BX x
chiuso agosto e domenica – **Pasto** carta 60/115000.

🍽🍽 **Dall'Amelia,** via Miranese 113 ⊠ 30171 ℘ 041 913955, *ameliatr@tin.it, Fax 041 5441111,*
🐖 – 🗏. 🕮 🕲 ① 🕼 🚾   AY c
chiuso mercoledì – **Pasto** carta 45000 (a mezzogiorno) 80/120000 (alla sera) e carta 60/100000.

🍽🍽 **Hostaria Dante,** via Dante 53 ⊠ 30171 ℘ 041 959421, *Fax 041 971045* – 🗏 **P**. 🕮 🕲 ①
🕼 🚾 **JCB**   BY x
*chiuso dal 10 al 17 agosto, domenica, i giorni festivi e in luglio-agosto anche sabato a
mezzogiorno* – **Pasto** carta 50/75000.

🍽 **Osteria la Pergola,** via Fiume 42 ⊠ 30171 ℘ 041 974932, *Fax 041 974932,* prenotare,
« Servizio estivo sotto un pergolato » – 🕲 ① 🕼 🚾   AY g
chiuso dal 20 gennaio al 15 febbraio, dal 10 al 21 agosto, sabato a mezzogiorno e domenica
– **Pasto** carta 40/65000.

▌**Marghera** *Sud : 1 km* BZ – ⊠ *30175 Venezia Mestre :*

🏨 **Holiday Inn,** rotonda Romea 1/2 ℘ 041 5092311, *holidayinn.venice@alliancealberghi.com,
Fax 041 936960,* 🎬 – 🛗, 🛏 cam, 🗏 📺 🕭 **P** – 🛦 180. 🕮 🕲 ① 🕼 🚾. 🕸   BZ a
Pasto carta 70/100000 – **188 cam** ☲ 320/360000.

🏨 **Roma** senza rist, via Beccaria 11 ℘ 041 921967, *hroma@tin.it, Fax 041 921837* – 🛗 🗏 📺
P. 🕮 🕲 ① 🕼 🚾   AY n
☲ 15000 – **20 cam** 140/170000.

🍽🍽🍽 **Autoespresso,** via Fratelli Bandiera 34 ℘ 041 930214, *Fax 041 930197,* prenotare – 🗏 **P**.
🕮 🕲 ① 🕼 🚾   AY k
chiuso dal 22 dicembre al 6 gennaio, agosto e domenica – **Pasto** specialità di mare carta
75/110000.

a Zelarino Nord : 2 km BZ – ⊠ 30174 Venezia Mestre :

XX **Al Cason,** via Gatta 112 ⊠ 30174 𝒫 041 907907, Fax 041 908908, « Servizio estivo giardino » – **P.** ᴁ **B** ⓞ **VISA**. ⅏
BZ
chiuso dal 26 dicembre al 10 gennaio, agosto, domenica sera e lunedì – **Pasto** specialità mare carta 85/145000.

a Chirignago Ovest : 2 km – ⊠ 30030 :

XX **Ai Tre Garofani,** via Assegiano 308 𝒫 041 991307, Coperti limitati; prenotare, « Servizi estivo sotto un pergolato » – **P.** ᴁ **B** ⓞ **⓪⓪** **VISA** JCB. ⅏
chiuso dal 1° al 10 gennaio, dal 21 agosto al 5 settembre, domenica sera e lunedì – **Past**
carta 65/100000.

a Campalto per ③ : 5 km – ⊠ 30030 :

🏨 **Antony,** via Orlanda 182 𝒫 041 5420022, Fax 041 901677, ⩽ – 📶, ⅏ cam, 🗏 📺 🕭 **P.**
🛗 100. ᴁ **B** ⓞ **⓪⓪** **VISA** ⓞ ⅏ rist
Pasto (solo per alloggiati e *chiuso a mezzogiorno*) – ⌖ 20000 – **114 cam** 250/320000.

🏠 **Cà Nova,** senza rist, via Bagaron 1 𝒫 041 900033, Fax 041 5420420 – 🗏 📺 **P**
6 cam.

X **Trattoria da Vittoria,** via Gobbi 311 𝒫 041 900550 – 🗏. ᴁ **B** ⓞ **VISA**
chiuso dal 25 dicembre sera al 10 gennaio, dal 7 al 23 agosto, domenica e da luglio a agosto anche sabato – **Pasto** carta 45/60000 (12 %).

META 80062 Napoli **431** F 25 – 7 601 ab. – a.s. aprile-settembre.
Roma 253 – Napoli 44 – Castellammare di Stabia 14 – Salerno 45 – Sorrento 5.

X **La Conchiglia,** via Cosenza 108 𝒫 081 8786402, Fax 081 8786402, ⩽, « Servizio estivo terrazza a picco sul mare » – ᴁ **B** **⓪⓪** **VISA**. ⅏
chiuso gennaio e lunedì – **Pasto** carta 40/60000.

METANOPOLI Milano – Vedere San Donato Milanese.

MEZZANA Trento **428**, **429** D 14, **218**⑱⑲ – 874 ab. alt. 941 – ⊠ 38020 Mezzana in Val di Sole
a.s. febbraio-Pasqua e Natale – Sport invernali : a Marilleva : 940/2143 m ⬈ 3 ⬉ 11, ⬈
Mezzana (vedere anche Folgarida).
🗓 via 4 Novembre 77 𝒫 0463 757134, Fax 0463 757095.
Roma 652 – Trento 69 – Bolzano 76 – Milano 239 – Passo del Tonale 20.

🏨 **Palace Hotel Ravelli,** via 4 Novembre 20 𝒫 0463 757122, ravelli@cin.
Fax 0463 757467, ⩽, 🚡 – 📶 📺 ⬅ **P.** ᴁ **B** ⓞ **⓪⓪** **VISA** JCB. ⅏
6 dicembre-24 aprile e giugno-15 ottobre – **Pasto** carta 30/55000 – **50 cam** ⌖ 14(
180000, suite – ½ P 150000.

🏨 **Val di Sole,** via 4 Novembre 135 𝒫 0463 757240, hotelvaldisole@valdisole.
Fax 0463 757071, ⩽, 🛋, 🚡, 🗏 – 📶 📺 ⬅ **P.** ᴁ **B** **⓪⓪** **VISA**. ⅏
dicembre-20 aprile e giugno-settembre – **Pasto** carta 35/60000 – ⌖ 17000 – **63 cam**
85/135000 – ½ P 150000.

🏠 **Eccher,** via 4 Novembre 84 𝒫 0463 757146, hoteleccher@tin.it, Fax 0463 757301, ⩽ – |
📺 🛋 **P.** ᴁ **B** **⓪⓪** **VISA**. ⅏
dicembre-aprile e giugno-settembre – **Pasto** carta 30/50000 – **21 cam** ⌖ 120/150000
½ P 115000.

MEZZANE DI SOTTO 37030 Verona **429** F 15 – 1 923 ab. alt. 129.
Roma 519 – Verona 19 – Milano 173 – Padova 83 – Vicenza 53.

XX **Bacco d'Oro,** via Venturi 14 𝒫 045 8880269, Fax 045 8889051, « Servizio estivo in terraz
za-giardino », 🍋, ⅏ – 🗏 **P.** ᴁ **B** ⓞ **⓪⓪** **VISA** JCB
chiuso dal 10 gennaio al 10 febbraio, lunedì sera e martedì – **Pasto** carta 50/75000.

MEZZANINO 27040 Pavia **428** G 9 – 1 447 ab. alt. 62.
Roma 560 – Piacenza 44 – Alessandria 74 – Milano 50 – Pavia 12.

a Tornello Est : 3 km – ⊠ 27040 Mezzanino :

XX **Dell'Angelo,** strada statale 617 𝒫 0385 71471, webmaster@oltrepopavese.
Fax 0385 719035 – 🗏 **P.** ᴁ **B** ⓞ **⓪⓪** **VISA**. ⅏
chiuso dal 1° al 22 agosto e martedì – **Pasto** 65000 e carta 55/95000.

MEZZANO SCOTTI 29020 Piacenza [428] H 10 – alt. 259.

Roma 541 – Piacenza 40 – Alessandria 93 – Genova 96 – Pavia 92.

🍴 **Costa Filietto** 🐦 con cam, località Costa Filietto 1 (Nord-Est : 7 km alt. 600) ☎ 0523 937104, *Fax 0523 937613*, ← – [TV] [P]. [$] [MC] [VISA]. ✗
chiuso dal 16 novembre al 6 dicembre – **Pasto** *(chiuso martedì)* carta 40/50000 – ☕ 7000 – **12 cam** 55/90000 – 1/2 P 75000.

MEZZEGRA 22010 Como [219] ⑨ – 927 ab. alt. 275.

Roma 646 – Como 29 – Menaggio 9 – Milano 78.

🍴🍴 **Bisbino,** via Statale 31, località Azzano ☎ 0344 40189, *Fax 0344 40189*, « Servizio all'aperto sotto un pergolato « – ✗. [AE] [$] [MC] [VISA]
chiuso lunedì – **Pasto** carta 55/85000.

MEZZOCANALE *Belluno – Vedere Forno di Zoldo.*

MEZZOCORONA 38016 Trento [429] D 15 – 4 625 ab. alt. 219 – a.s. dicembre-aprile.

Roma 604 – Bolzano 44 – Trento 21.

🍴🍴 **La Cacciatora,** via Canè 133, in riva all'Adige Est : 2 km ☎ 0461 650124, *Fax 0461 651080*, 🌳 – ▤ [P] – 🏛 30. [AE] [$] [D] [MC] [VISA] [JCB]. ✗
chiuso dal 15 al 31 luglio e mercoledì – **Pasto** carta 60/70000.

MEZZOLAGO 38060 Trento [428], [429] E 14 – alt. 667 – a.s. Natale.

Roma 588 – Trento 56 – Brescia 88 – Milano 183 – Verona 100.

🏠 **Mezzolago,** via lungolago 2 ☎ 0464 508181, *Fax 0464 508689*, ←, « Terrazza sul lago », 🌳 – [‡] [TV] [P]. [$] [D] [MC] [VISA] [JCB]. ✗
marzo-novembre – **Pasto** *(chiuso mercoledì)* carta 30/50000 – **38 cam** ☕ 70/110000 – 1/2 P 75000.

MIANE 31050 Treviso [429] E 18 – 3 372 ab. alt. 259.

Roma 587 – Belluno 33 – Milano 279 – Trento 116 – Treviso 39 – Udine 101 – Venezia 69.

🍴🍴 **Da Gigetto,** via De Gasperi 4 ☎ 0438 960020, *Fax 0438 960111* – ▤ [P]. [AE] [$] [D] [MC] [VISA]
chiuso dal 7 al 25 gennaio, dal 1° al 25 agosto, lunedì sera e martedì – **Pasto** carta 50/75000.

MIGLIARA *Napoli – Vedere Capri (Isola di) : Anacapri.*

MIGNANEGO 16018 Genova – 3 502 ab. alt. 180.

Roma 516 – Genova 20 – Alessandria 73 – Milano 126.

al Santuario della Vittoria *Nord-Est : 5 km :*

🍴🍴 **Belvedere,** via alla Vittoria 39 ✉ 16010 Giovi ☎ 010 7792285, *Fax 010 7792128*, ←, Coperti limitati; prenotare – ☎. ✗
chiuso dal 1° al 15 marzo, dal 10 al 25 settembre e mercoledì – **Pasto** carta 60/95000.

In questa guida

uno stesso simbolo, una stessa parola
stampati in rosso o in nero, in magro o in ***grassetto***
hanno un significato diverso.

Leggete attentamente le pagine dell'introduzione.

MILANO

20100 P 428 *F 9,* 46 *G. Italia – 1 300 977 ab. alt. 122.*

Roma 572 ⑦ – Genève 323 ⑫ – Genova 142 ⑨ – Torino 140 ⑫.

UFFICIO INFORMAZIONI TURISTICHE

🖪 *via Marconi 1* ✉ *20123* ☎ *02 7254301, Fax 02 72524350.*

🖪 *Stazione Centrale* ✉ *20124* ☎ *02 72524360.*

A.C.I. *corso Venezia 43* ✉ *20121* ☎ *02 77451.*

INFORMAZIONI PRATICHE

✈ *Forlanini di Linate Est : 8 km* CP ☎ *02 74852200*

✈ *Malpensa per* ⑬ *: 45 km* ☎ *02 74852200.*

Alitalia Sede ☎ *02 24991, corso Como 15* ✉ *20154* ☎ *02 24992500, Fax 02 24992525 e via Albricci 5* ✉ *20122* ☎ *02 24992700, Fax 02 8056757.*

🖫₂₇ *(chiuso lunedì) al Parco di Monza* ✉ *20052 Monza* ☎ *039 303081, Fax 039 304427, per* ② *: 20 km ;*

🖫₁₈ *Molinetto (chiuso lunedì) a Cernusco sul Naviglio* ✉ *20063* ☎ *02 92105128, Fax 02 92106635, per* ④ *: 14 km ;*

🖫₁₈ *Barlassina (chiuso lunedì) a Lentate sul Seveso* ✉ *20030* ☎ *0362 560621, Fax 0362 560934, per* ① *: 26 km ;*

🖫₁₈ *(chiuso lunedì) a Zoate di Tribiano* ✉ *20067* ☎ *02 90632183, Fax 02 90631861, per* ⑥ *: 20 km ;*

🖫₁₈ *Le Rovedine (chiuso lunedì) a Noverasco di Opera* ✉ *20090* ☎ *02 57606420, Fax 02 57606405, per via Ripamonti* BP.

In occasione di alcune manifestazioni commerciali o turistiche i prezzi degli alberghi potrebbero subire un sensibile aumento (informatevi al momento della prenotazione).

LUOGHI DI INTERESSE

Duomo★★★ MZ – *Museo del Duomo*★★ MZ **M¹** – *Via e Piazza Mercanti*★ MZ **155** – *Teatro alla Scala*★★ MZ – *Casa del Manzoni*★ MZ **M⁷**– *Pinacoteca di Brera*★★★ KV

Castello Sforzesco★★★ JV – *Pinacoteca Ambrosiana*★★ MZ : *cartone preparatorio*★★★ *di Raffaello e Canestra di frutta*★★★ *di Caravaggio* – *Museo Poldi-Pezzoli*★★ KV **M²** : *ritratto di donna*★★★ *del Pollaiolo* – *Palazzo Bagatti Valsecchi*★★ KV **L** – *Museo di Storia Naturale*★ LV **M⁶** – *Museo Nazionale della Scienza e della Tecnica Leonardo da Vinci*★ HX **M⁴** – *Chiesa di Santa Maria delle Grazie*★ HX : *Ultima Cena*★★★ *di Leonardo da Vinci* – *Basilica di Sant'Ambrogio*★★ HJX : *paliotto*★★

Chiesa di Sant'Eustorgio★ JY : *cappella Portinari*★★ – *Ospedale Maggiore*★ KXY

Basilica di San Satiro★ : *cupola*★ MZ – *Chiesa di San Maurizio*★★ JX – *Basilica di San Lorenzo Maggiore*★ JY.

DINTORNI

Abbazia di Chiaravalle★ *Sud-Est : 7 km* BP – *Autodromo al Parco di Monza per* ② : *20 km*, ☏ 039 24821.

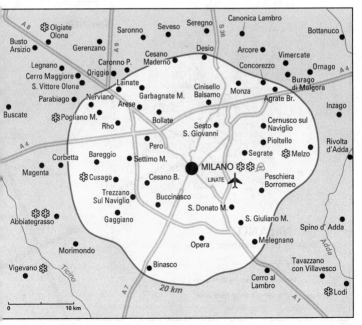

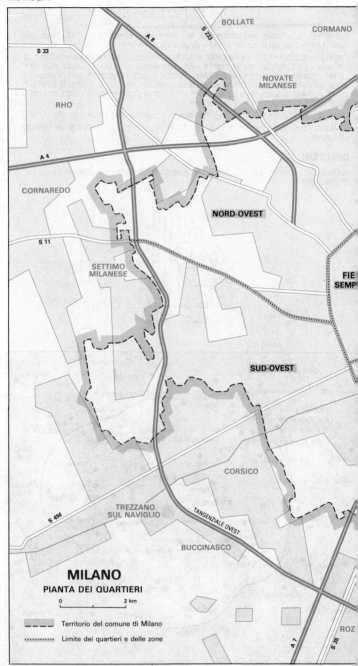

MILANO
PIANTA DEI QUARTIERI

0   2 km

▭ ▭ ▭   Territorio del comune di Milano

··········   Limite dei quartieri e delle zone

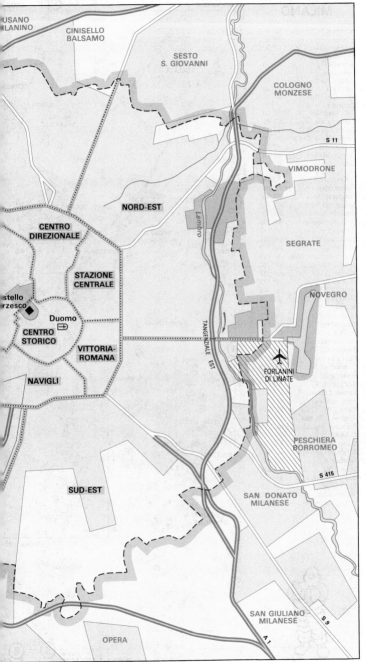

435

MILANO

Agrate (V. M. d') ...... BP 2
Antonini (V. G.) ...... BP 8
Arcangelo Corelli (V.) .. CP 9
Bartolini (V.)........... AO 18
Bellini (V. G.) .... AP 23
Benefattori
  dell' Ospedale (V.) .. BO 24
Berna (V.) .... AP 29
Cà Granda (Vle)....... BO 44
Cardinale
  A. Sforza (V.) ...... BP 50
Casiraghi (Vle Flli)..... BO 51
Cassinis (V. G. B.) .... BP 53
Cermenate (V. G. da) .. BP 60
Chiesa Rossa (V.) ..... AP 62
Comasinella (V.) ...... BO 68
Corsica (Vle) .... BP 74
Don L. Milani
  (Cavalcavia) .... AP 78
Faenza (Vle).......... AP 89
Famagosta (Vle) ...... AP 90
Girardengo (V.) .... AO 103
Grassi (V. G. B.) ..... AO 107
Graziano Imperatore .. BO 108
Harar (V.) .... AP 112
Ippodromo (V.) ...... AOP 117
La Spezia (V.) .... AP 119
Legioni Romane (Vle).. AP 125
Lucania (Vle) .... BP 134
Mambretti (V.) .... AO 137
Marconi (V.)........... BO 143
Marelli (Vle)........... BO 146
Marochetti (V.)........ BP 149
Milano (V.) .... AP 161
Montegani (V.)........ BP 173
Omero (Vle) .... BP 186
Palizzi (V.) .... AO 192
Parenzo (V.) .... AP 194
Patroclo (V.) .... AP 196
Picardi (V. Flli) .... BO 200
Quaranta (V. B.) ...... BP 209
Ravenna (V.) .... AP 212
Rembrandt (V.) .... AP 213
Rivoltana (Strada) .... CP 216
Rogoredo (V.)......... CP 218
Roma (V.)............. BO 219
Rospigliosi (V. dei) .... AP 221
Rubicone (Vle) .... BO 224
S. Arialdo (V.) .... CP 227
S. Elia (V. A.) .... AO 233
S. Rita da Cascia (V.) . AP 239
Sauro (V. N.) .... AP 242
Solaroli (V.) .... BP 249
Stratico (V. S.) .... AP 252
Tucidide (V.) .... CP 263
Valassina (V.)......... BO 265
Vittorio Emanuele (V.) . AP 276

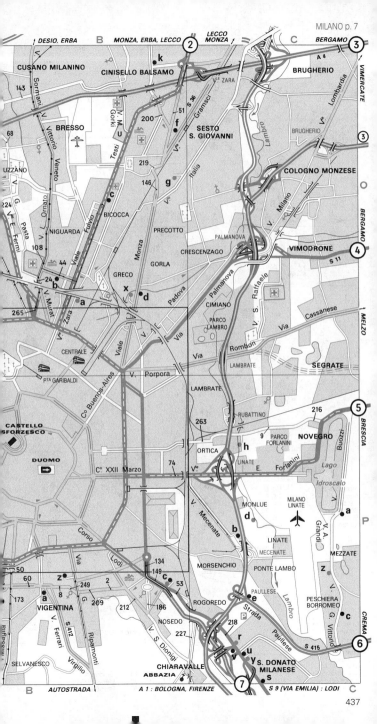

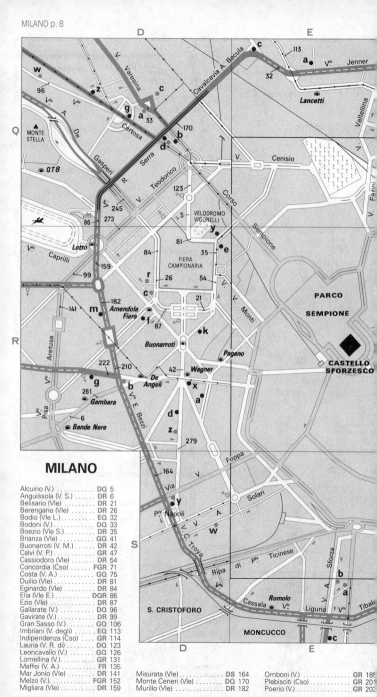

MILANO

Alcuino (V.) .... **DQ** 5
Anguissola (V. S.) ...... **DR** 6
Belisario (Vle) .... **DR** 21
Berengario (Vle) ...... **DR** 26
Bodio (Vle L.) .... **EQ** 32
Bodoni (V.) .... **DQ** 33
Boezio (Vle S.) .... **DR** 35
Brianza (Vle) .... **GQ** 41
Buonarroti (V. M.) ..... **DR** 42
Calvi (V. P.) .... **GR** 47
Cassiodoro (Vle) ..... **DR** 54
Concordia (Cso) ..... **FGR** 71
Costa (V. A.) .... **GQ** 75
Duilio (Vle) .... **DR** 81
Eginardo (Vle) .... **DR** 84
Elia (Vle E.) .... **DQR** 86
Ezio (Vle) .... **DR** 87
Gallarate (V.) .... **DQ** 96
Gavirate (V.) .... **DR** 99
Gran Sasso (V.) ...... **GQ** 106
Imbriani (V. degli) .... **EQ** 113
Indipendenza (Cso) ... **GR** 114
Lauria (V. R. di) ...... **DQ** 123
Leoncavallo (V.) ...... **GQ** 126
Lomellina (V.) .... **GR** 131
Maffei (V. A.) .... **FR** 135
Mar Jonio (Vle) ...... **DR** 141
Melzo (V.) .... **FGR** 152
Migliara (Vle) .... **DR** 159

Misurata (Vle) .... **DS** 164
Monte Ceneri (Vle) .... **DQ** 170
Murillo (Vle) .... **DR** 182

Omboni (V.) .... **GR** 185
Plebisciti (Cso) .... **GR** 201
Poerio (V.) .... **GR** 204

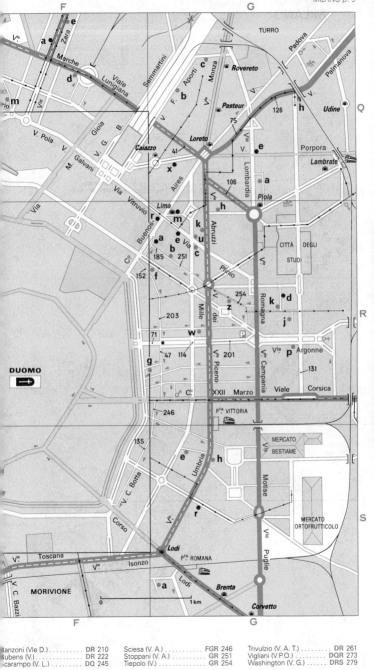

anzoni (Vle D.)	**DR** 210	
ubens (V.)	**DR** 222	
carampo (V. L.)	**DQ** 245	
Sciesa (V. A.)	**FGR** 246	
Stoppani (V. A.)	**GR** 251	
Tiepolo (V.)	**GR** 254	
Trivulzio (V. A. T.)	**DR** 261	
Vigliani (V.P.O.)	**DQR** 273	
Washington (V. G.)	**DRS** 279	

MILANO

Aurispa (V.) .... JY 14
Battisti (V. C.) .... KLX 20
Bocchetto (V.) .... JX 30
Borgogna (V.) .... KX 36
Borgonuovo (V.) .... KV 38

Calatafimi (V.) .... JY 45
Caradosso (V.) .... HX 49
Ceresio (V.) .... JU 59
Circo (V.) .... JX 63
Col di Lana (Vle) .... JY 65
Col Moschin (V.) .... JY 66
Conca del Naviglio (V.) ...... JY 69
Copernico (V.) .... LT 72

Cordusio (Pza) .... KX 73
Curie (Vle P. M.) .... HV 77
Dugnani (V.) .... HY 80
Fatebenefratelli (V.) ...... KV 92
Garigliano (V.) .... KT 98
Generale Fara (V.) .... KT 10
Ghisleri (V. A.) .... HY 10
Giardini (V. dei) .... KV 10

All'interno della zona delimitata da un retino verde, la città è divisa in settori il cui accesso è segnalato lungo tutta la cerchia. Non è possibile passare in auto da un settore all'altro.

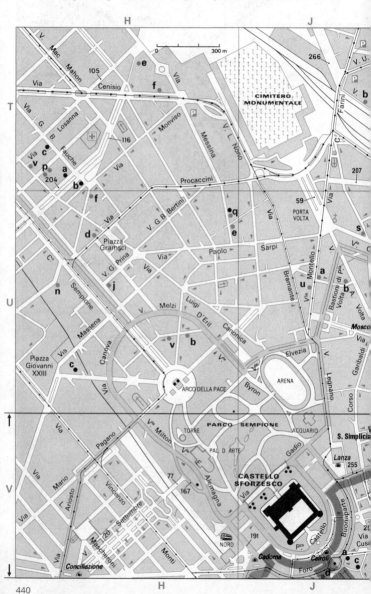

Gran S. Bernardo (V.)	HT	105
Guastalla (V.)	KX	110
Induno (V. Fratelli)	HT	116
Lambertenghi (V. P.)	KT	122
Lepetit (V.)	LTU	128
Maffei (V. A.)	LY	135
Melzo (V.)	LU	152
Mercato (V.)	JV	158
Modestino (V.)	HY	165
Moliere (Vle E.)	HV	167
Muratori (V. L.)	LY	180

Oggiono (V. M. d')	HJY	183
Orseolo (V.)	HY	189
Paleocapa (V.)	JV	191
Pastrengo (V.)	KT	195
Perasto (V.)	KT	198
Poliziano (V.)	HTU	204
Ponte Vetero (V.)	JV	205
Quadrio (V. M.)	JT	207
Restelli (Vle F.)	KT	214
Ruffini (V. Fratelli)	HX	225
S. Babila (Pza)	KX	228

S. Calimero (V.)	KY	230
Savoia (Vle F. di)	KU	243
Tivoli (V.)	HV	255
Torchio (V.)	JX	257
Torriani (V. N.)	LU	258
Trau (V.)	KT	260
Valtellina (V.)	JT	266
Vercelli (Cso)	HX	267
Verdi (V.)	KV	269
Vittorio Veneto (Vle)	KLU	278
Zezon (V.)	LU	281

H
J

↑

V

X

Y

↓

PARCO SEMPIONE

TORRE
ACQUARIO
S. Simplicia

PAL. D'ARTE

Lanza
255

CASTELLO
SFORZESCO

Via
Gadio

Via Pagano

V^le Milton

Via Mario

Via Vincenzo

Via Ariosto

20 Settembre

Mascheroni

Monti

V^le E.
Alemagna

Buonaparte

20
Via
Cusa

NORD

191

P^za
Castello

Cadorna

Foro

Cairoli

a

c

d

Conciliazione

225

267

Cenacolo
49

S. MARIA
D. GRAZIE

m

Carducci

Pal. Litta

S. MAURIZIO

Via
Meravigli

V. Terr

BORSA

c

Corso

Magenta

M 5

b

3

Bandello

Via Vercellina

V. M.

San

Olivetani

Vittore

M 4

S. AMBROGIO

M

U

c

m

V^le S. Michele del Carso

V^le di

Via

degli

B.

Vico

Olona V. E.

Via

Lanzone

63

257

d

V. Cappuccio

Marta

Via

80

Foppa

Viale

Coni.

V. Ariberto

De

Via C. Correnti

a

Ticinese

S. LORENZO
MAGGIORE

PARCO
SOLARI

165

S. Agostino

101
Papiniano

Gerova

Amicis

Porta

V. Molino

del

V^le Montevideo

Solari

Zugna

189

PORTA GENOVA

183

u
69

Arena

di

SANT'
EUSTORGIO

4

V. Andrea

Cerano

m

r

h

e

G

V^le
Gorizia

V^le

Via

D'Annunzio

V^le G. Galeaz

Via Tortona

f

C^so C.
Colombo

Vigevano

Porta Genova

b

V. Valenza

Grande

Ticinese

j

d

c

P^za Ticinese

65

66

Alzaia

Naviglio

Porta

Argelati

Storza

Gottardo

di

c

S.

Via

A.

Ripa

V^le

G.

V. E.

Tabacc

CONCHETTA

442

H
J

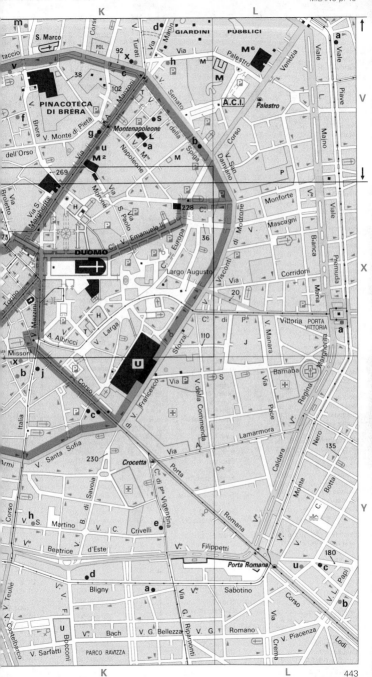

443

Abruzzi (Vle)	p. 9	GQR
Agrate (V. M. d')	p. 7	BP 2
Albricci (V. A.)	p. 16	MZ 3
Alcuino (V.)	p. 8	DQ 5
Alemagna (Vle)	p. 10	HV
Alserio (V.)	p. 8	FQ
Alviano (V. B. D')	p. 6	AP
Anguissola (V. S.)	p. 8	DR 6
Antonini (V. G.)	p. 7	BP 8
Aporti (V. F.)	p. 9	GQ
Arcangelo Corelli (V.)	p. 7	CP 9
Arcivescovado (V.)	p. 16	MNZ 10
Arena (V.)	p. 12	JY
Aretusa (V.)	p. 8	DR
Argelati (V. F.)	p. 12	HY
Argonne (V.)	p. 9	GR
Ariberto (V.)	p. 12	HY
Ariosto (V.)	p. 10	HV
Augusto (Largo)	p. 16	NZ 12
Aurispa (V.)	p. 12	JY 14
Bach (Vle)	p. 13	KY
Bacula (Cavalc. A.)	p. 8	DQ
Bandello (V. M.)	p. 12	HX
Baracchini (V.)	p. 16	MZ 17
Bartolini (V.)	p. 8	AO 18
Bassi (V. U.)	p. 9	JT
Battisti (V. C.)	p. 13	KLX 20
Bazzi (V. C.)	p. 9	FS
Beccaria (Pza)	p. 16	NZ
Belisario (V.)	p. 8	DR 21
Bellezza (V. G.)	p. 13	KY
Bellini (V. G.)	p. 6	AP 23
Benefattori dell' Ospedale (V.)	p. 7	BO 24
Berengario (Vle)	p. 8	DR 26
Bergamini (V.)	p. 16	NZ 27
Berna (V.)	p. 6	AP 29
Bertini (V. G.)	p. 10	HU
Bezzi (Vle E.)	p. 8	DR
Bianca Maria (Vle)	p. 13	LX
Bligny (V.)	p. 13	KY
Bocchetto (V.)	p. 12	JX 30
Bocconi (V. F.)	p. 13	KY
Bodio (Vle L.)	p. 8	EQ 32
Bodoni (V.)	p. 8	DQ 33
Boezio (Vle S.)	p. 8	DR 35
Borgogna (V.)	p. 13	KX 36
Borgonuovo (V.)	p. 11	KV 38
Borsieri (V. P.)	p. 11	KT
Boscovich (V.)	p. 11	LU
Botta (V. C.)	p. 13	LY
Bovisasca (V.)	p. 6	AO
Bramante (V.)	p. 10	JU
Brera (V.)	p. 11	KV
Brianza (Vle)	p. 9	GQ 41
Broletto (V.)	p. 16	MZ
Buenos Aires (Cso)	p. 9	FGQR
Buonaparte (Foro)	p. 10	JV
Buonarroti (V. M.)	p. 8	DR 42
Buozzi (V.)	p. 7	CP
Byron (Vle)	p. 10	HJU
Cà Granda (Vle)	p. 7	BO 44
Calatafimi (V.)	p. 12	JY 45
Caldara (Vle)	p. 13	LY
Calvi (V. P.)	p. 9	GR 47
Campania (V.)	p. 9	GR
Canonica (V. L.)	p. 10	HU
Canova (V.)	p. 10	HU
Cantù (V. C.)	p. 16	MZ 48
Cappuccio (V.)	p. 12	JX
Caprilli (Vle)	p. 8	DR
Caradosso (V.)	p. 10	HX 49
Cardinale A. Sforza (V.)	p. 7	BP 50
Carducci (V.)	p. 12	HX
Casiraghi (Vle Flli)	p. 7	BO 51

Cassala (Vle)	p. 8	DES
Cassanese (V.)	p. 7	CO
Cassinis (V. G. B.)	p. 7	BP 53
Cassiodoro (Vle)	p. 8	DR 54
Castelbarco (V. G.)	p. 13	KY
Castello (Pza)	p. 10	JV
Castilla (V. G. de)	p. 11	KT
Cenisio (V.)	p. 10	HT
Cerano (V.)	p. 12	HY
Ceresio (V.)	p. 10	JU 59
Cermenate (V. G. da)	p. 7	BP 60
Certosa (Vle)	p. 8	DQ
Chiesa Rossa (V.)	p. 6	AP 62
Circo (V.)	p. 12	JX 63
Col di Lana (Vle)	p. 12	JY 65
Col Moschin (V.)	p. 12	JY 66
Colombo (Cso C.)	p. 12	HY
Comasina (V.)	p. 6	AO
Comasinella (V.)	p. 7	BO 68
Commenda (V. della)	p. 13	KY
Como (Cso)	p. 11	KU
Conca del Naviglio (V.)	p. 12	JY 69
Concordia (Cso)	p. 9	FGR 71
Coni Zugna (Vle)	p. 12	HY
Copernico (V.)	p. 9	LT 72
Cordusio (Pza)	p. 16	MZ 73
Confalonieri (V.)	p. 9	KT
Correnti (V. C.)	p. 12	JY
Corridoni (V.)	p. 13	LX
Corsica (V.)	p. 9	HR
Costa (V. A.)	p. 9	GQ 75
Crispi (Vle)	p. 10	JU
Crivelli (V. C.)	p. 13	KY
Curie (Vle P. M.)	p. 10	HV 77
Cusani (V.)	p. 10	JV
D'Annunzio (Vle G.)	p. 12	HJY
De Amicis (V. E.)	p. 12	HJ
Diaz (Pza A.)	p. 16	MZ
Don L. Milani (Cavalcavia)	p. 6	AP 78
Dugnani (V.)	p. 12	HY 80
Duilio (Vle)	p. 8	DR 81
Durini (V.)	p. 16	NZ
Edison (Pza)	p. 14	MZ 83
Eginardo (Vle)	p. 8	DR 84
Elia (Vle E.)	p. 8	DQR 86
Elvezia (Vle)	p. 10	JU
Este (Vle B.)	p. 13	KY
Europa (Cso)	p. 16	NZ
Ezio (Vle)	p. 8	DR 87
Faenza (Vle)	p. 6	AP 89
Famagosta (Vle)	p. 6	AP 90
Farini (V. C.)	p. 10	JTU
Fatebenefratelli (V.)	p. 11	KV 92
Fauche (V. G. B.)	p. 10	HT
Fermi (Vle E.)	p. 7	BO
Ferrari Virgilio (V.)	p. 7	BP
Festa del Perdono (V.)	p. 16	NZ 93
Filippetti (Vle)	p. 13	KLY
Filzi (V. F.)	p. 11	KTU
Fontana (Pza)	p. 16	NZ
Foppa (V. V.)	p. 8	DS
Forlanini (Vle E.)	p. 7	CP
Forze Armate (V. delle)	p. 6	AP
Gadio (V.)	p. 10	HJV
Galeazzo (Vle G.)	p. 12	JY
Galilei (V.)	p. 11	KU
Gallarate (V.)	p. 8	DQ 96
Galvani (V. L.)	p. 11	KLT
Garibaldi (Cso)	p. 10	JUV
Garigliano (V.)	p. 11	KT 98
Gasperi (Vle A. De)	p. 8	DQ

Gavirate (V.)	p. 8	DR 99●
Generale Fara (V.)	p. 9	KT 10●
Genova (Cso)	p. 12	HY
Ghisleri (V. A.)	p. 12	HY 10●
Giardini (V. dei)	p. 11	KV 10●
Gioia (V. M.)	p. 11	LTU
Giovanni XXIII (Pza)	p. 10	HU
Girardengo (V.)	p. 6	AO 10
Gonzaga (V.)	p. 16	MZ 10●
Gorizia (Vle)	p. 12	HY
Gorki (V. M.)	p. 7	BO
Gramsci (Pza)	p. 10	HU
Gramsci (Vle)	p. 7	BCO
Gran S. Bernardo (V.)	p. 10	HT 10
Gran Sasso (V.)	p. 9	GQ 10●
Grandi (V. A.)	p. 7	CP
Grassi (V. G. B.)	p. 6	AO 10●
Graziano Imperatore.	p. 7	BO 10●
Guastalla (V.)	p. 13	KX 11●
Harar (V.)	p. 6	AP 11●
Imbriani (V. degli)	p. 8	EQ 11
Indipendenza (Cso)	p. 9	GR 11
Induno (V. Flli)	p. 10	HT 11●
Ippodromo (V.)	p. 6	AOP 11●
Isonzo (Vle)	p. 6	FS
Italia (Cso)	p. 13	KY
Italia (Vle)	p. 7	BCO
Jenner (Vle)	p. 8	EQ
La Spezia (V.)	p. 6	AP 11●
Laghetto (V.)	p. 16	NZ 12●
Lamarmora (V. A.)	p. 16	KY
Lambertenghi (V. P.)	p. 11	KT 12
Lanzone (V.)	p. 12	HJX
Larga (V.)	p. 16	NZ
Lauria (V. R. di)	p. 8	DQ 12
Lazzaretto (V.)	p. 11	LU
Legioni Romane (Vle)	p. 6	AP 12●
Legnano (V.)	p. 10	JUV
Leoncavallo (V.)	p. 9	GQ 12●
Lepetit (V.)	p. 11	LTU 12●
Liberazione (V. della)	p. 11	KU
Liguria (Vle)	p. 8	ES
Lodi (Cso)	p. 9	FGS
Lodovico il Moro (V.)	p. 6	AP
Lombardia (Vle)	p. 7	CO
Lombardia (Vle)	p. 9	GQ
Lomellina (V.)	p. 9	GR 13
Lorenteggio (V.)	p. 6	AP
Losanna (V.)	p. 10	HT
Lucania (Vle)	p. 7	BP 134●
Luini (V.)	p. 12	JX
Lunigiana (Vle)	p. 9	FQ
Mac Mahon (V.)	p. 10	HT
Maffei (V. A.)	p. 9	FR 135●
Magenta (Cso)	p. 12	HJX
Majno (Vle L.)	p. 10	LV
Mambretti (V.)	p. 6	AO 137●
Manara (V.)	p. 13	LX
Manin (V.)	p. 11	KUV●
Manzoni (V. A.)	p. 11	KV
Mar Jonio (Vle)	p. 8	DR 14
Marche (Vle)	p. 9	FQ
Marconi (V.)	p. 7	BO 143●
Marconi (V.)	p. 16	MZ 144●
Mare (V. del)	p. 6	AP
Marelli (Vle)	p. 7	BO 146●
Marino (Pza)	p. 14	MZ 147●
Marochetti (V.)	p. 7	BP 149●
Mascagni (V.)	p. 13	LX
Mascheroni (V. L.)	p. 10	HV
Massena (V.)	p. 10	HU
Matteotti (Cso)	p. 16	NZ

Mazzini (V.) . . . . p. 16   MZ
Mecenate (V.) . . . . p. 7   BCP
Meda (Pza) . . . . p. 16   NZ
Melzo (V.) . . . . p. 9   FGR 152
Melzo D'Eril (V.) . . . . p. 10   HU
Mengoni (V.) . . . . p. 16   MZ 153
Meravigli (V.) . . . . p. 12   JX
Mercanti (Pza) . . . . . . p. 16   MZ 155
Mercanti (V.) . . . . p. 16   MZ 156
Mercato (V.) . . . . p. 10   JV 158
Messina (V.) . . . . p. 10   HT
Migliara (Vle) . . . . p. 8   DR 159
Milano (V.) . . . . p. 7   CO
Milano (V.) . . . . p. 6   AP 161
Mille (V. dei) . . . . p. 9   GR
Milton (Vle) . . . . p. 10   HV
Missaglia (V. dei) . . . . p. 7   BP
Missori (Pza) . . . . p. 16   MZ 162
Misurata (Vle) . . . . . . p. 8   DS 164
Modestino (V.) . . . . . . p. 12   HY 165
Moliere (Vle E.) . . . . . p. 10   HV 167
Molino
  delle Armi (V.) . . . . p. 12   JY
Molise (Vle) . . . . p. 9   GS
Monforte (Cso) . . . . . p. 13   LX
Monte Ceneri (Vle) . . p. 8   DQ 170
Monte di Pietà . . . . . p. 11   KV
Monte Grappa (Vle). . p. 11   KU
Monte
  Napoleone (V.) . . . p. 13   KV
Monte Nero (Vle) . . . p. 13   LY
Monte Santo (V.) . . . p. 11   KU
Montegani (V.) . . . . . p. 7   BP 173
Montello (Vle) . . . . . . p. 10   JU
Montevideo (V.) . . . . p. 12   HY
Monti (V. V.) . . . . p. 10   HV
Monvlso (V.) . . . . p. 10   HT
Monza (Vle) . . . . p. 9   GQ
Morone (V.) . . . . p. 16   MNZ 176
Moscova (V. della). . . p. 11   KU
Murat (V.) . . . . p. 7   BO
Muratori (V. L.) . . . . . p. 13   LY 180
Murillo (Vle) . . . . p. 8   DR 182
Napoli (Pza) . . . . p. 8   DS
Naviglio Grande
  (Alzaia) . . . . p. 12   HY
Nono (V. L.) . . . . p. 10   HJT
Novara (V.) . . . . p. 6   AP
Oggiono (V. M. d'). . . p. 12   HJY 183
Olivetani (V. degli) . . p. 12   HX
Olona (V.) . . . . p. 12   HXY
Omboni (V.) . . . . p. 9   GR 185
Omero (Vle) . . . . p. 7   BP 186
Orefici (V.) . . . . p. 16   MZ 188
Ornato (V. L.) . . . . . . p. 7   BO
Orseolo (V.) . . . . p. 12   HY 189
Orso (V. dell') . . . . . . p. 11   KV
Pace (V.) . . . . p. 13   LY
Padova (V.) . . . . p. 9   GQ
Pagano (V. M.) . . . . . p. 10   HV
Paleocapa (V.) . . . . . p. 10   JV 191
Palestro (V.) . . . . p. 11   KLV
Palizzi (V.) . . . . p. 6   AO 192
Palmanova (V.) . . . . . p. 7   BCO
Papi (V. L.) . . . . p. 13   LY
Papiniano (Vle) . . . . . p. 12   HY
Parenzo (V.) . . . . p. 6   AP 194
Pasta (V. G.) . . . . p. 7   BO
Pastrengo (V.). . . . . . p. 9   KT 195
Pasubio (Vle) . . . . . . p. 11   KU
Patroclo (V.) . . . . p. 6   AP 196
Pattari (V.) . . . . p. 16   NZ 197
Paullese (Strada) . . . p. 7   CP
Pepe (V. G.) . . . . p. 11   KT
Perasto (V.) . . . . p. 11   KT 198
Piacenza (V.) . . . . . . p. 13   LY
Piave (Vle) . . . . p. 11   LV

Picardi (V. Flli) . . . . . p. 7   BO 200
Piceno (Vle) . . . . p. 9   GR
Pirelli (V. G. B.) . . . . p. 11   KLT
Pisa (Vle) . . . . p. 8   DR
Pisani (V. V.) . . . . p. 11   LTU
Plebisciti (Cso) . . . . . p. 9   GR 201
Plinio (V.) . . . . p. 9   GR
Poerio (V.) . . . . p. 9   GR 203
Pola (V.) . . . . p. 11   KT
Poliziano (V.) . . . . . . p. 10   HTU 204
Pontaccio (V.) . . . . . . p. 11   KV
Ponte Vetero (V.) . . . p. 10   JV 205
Porpora (V.) . . . . p. 9   GQ
Pta Nuova
  (Bastioni di). . . . . p. 11   KU
Pta Nuova (Cso di). . p. 11   KUV
Pta Romana (Cso di) p. 13   KLX
Pta Ticinese (Cso di) p. 12   JY
Pta Ticinese (Ripa di) p. 12   HY
Pta Venezia
  (Bastioni di). . . . . p. 11   LU
Pta Vercellina
  (Vle di) . . . . p. 12   HX
Pta Vigentina
  (Cso di) . . . . p. 13   KY
Pta Vittoria (Cso di) . p. 13   KLX
Pta Volta
  (Bastioni di). . . . . p. 10   JU
Premuda (Vle) . . . . . p. 13   LX
Prina (V. G.) . . . . p. 10   HU
Procaccini (V.) . . . . . p. 10   HTU
Puglie (Vle) . . . . p. 9   GS
Quadrio (V. M.) . . . . . p. 10   JT 207
Quaranta (V. B.) . . . . p. 7   BP 209
Ranzoni (Vle D.) . . . . p. 8   DR 210
Ravenna (V.) . . . . p. 7   BP 212
Reali (V.) . . . . p. 6   AO
Regina
  Margherita (Vle) . . p. 13   LXY
Rembrandt (V.) . . . . . p. 6   AP 213
Ripamonti (V. G.) . . . p. 7   BP
Rivoltana (Strada) . . . p. 7   CP 216
Rogoredo (V.) . . . . . . p. 7   CP 218
Roma (V.) . . . . p. 7   BO 219
Romagna (Vle) . . . . . p. 9   GR
Romano (V. G.) . . . . . p. 13   KLY
Rombon (V.) . . . . p. 7   CO
Rospigliosi (V. dei) . . p. 6   AP 221
Rubens (V.) . . . . p. 8   DR 222
Rubicone (Vle) . . . . . p. 7   BO 224
Ruffini (V. Flli) . . . . . p. 12   HX 225
Sabotino (Vle). . . . . . p. 13   KLY
Sammartini
  (V. G. B.) . . . . p. 11   LT
S. Arialdo (V.) . . . . . . p. 7   CP 227
S. Babila (Pza) . . . . . p. 16   NZ
S. Barnaba (V.) . . . . . p. 13   KLY
S. Calimero (V.) . . . . p. 13   KY 230
S. Clemente . . . . p. 16   NZ 231
S. Damiano (V.) . . . . p. 13   LVX
S. Dionigi (V.) . . . . . . p. 7   BP
S. Elia (V. A.) . . . . . . p. 6   AO 233
S. Gottardo (Cso). . . p. 12   JY
S. Gregorio (V.) . . . . p. 11   LU
S. Marco (V.) . . . . . . p. 11   KUV
S. Margherita (V.). . . p. 16   MZ
S. Marta (V.) . . . . . . p. 12   JX
S. Martino (V.) . . . . . p. 13   KY
S. Michele
  del Carso (Vle) . . . p. 12   HX
S. Paolo (V.) . . . . p. 16   NZ
S. Radegonda (V.) . . p. 16   MZ 237
S. Raffaele (V.) . . . . . p. 7   BO
S. Rita
  da Cascia (V.) . . . . p. 6   AP 239
S. Sofia (V.) . . . . p. 13   KY
S. Stefano (Pza) . . . . p. 16   NZ 240

S. Vittore (V.) . . . . . . p. 12   HX
Sarfatti (V. E.) . . . . . . p. 13   KY
Sarpi (V. P.) . . . . p. 10   HJU
Sassetti (V.). . . . . p. 11   KT
Sauro (V. N.) . . . . p. 6   AO 242
Savoia (V. B. di) . . . . p. 11   KY
Savoia (Vle F. di) . . . p. 11   KU 243
Scarampo (V. L.) . . . . p. 8   DQ 245
Sciesa (V. A.) . . . . . . p. 9   FGR 246
Sempione (Cso) . . . . p. 10   HU
Senato (V.). . . . . p. 11   KV
Serra (Vle R.) . . . . . . p. 8   DQ
Settembrini (V. L.) . . p. 11   LU
Sforza (V. A.) . . . . . . p. 12   JY
Sforza (V. F.) . . . . . . p. 13   KXY
Solari (V. A.) . . . . p. 8   DES
Solaroli (V.) . . . . p. 7   BP 249
Solferino (V.) . . . . . . p. 11   KUV
Sormani (V.) . . . . p. 7   BO
Spiga (V. della) . . . . . p. 11   KV
Statuto (V.) . . . . p. 11   KU
Stoppani (V. A.). . . . . p. 9   GR 251
Stratico (V. S.). . . . . . p. 6   AP 252
Sturzo (Vle L.). . . . . . p. 11   KT
Tabacchi (V. E.) . . . . p. 12   JY
Tenca (V. C.) . . . . . . p. 11   LU
Teodorico (V.) . . . . . . p. 8   DQ
Testi (Vle F.). . . . . . . p. 7   BO
Teuliè (V.). . . . . p. 13   KY
Tibaldi (Vle) . . . . p. 8   ES
Tiepolo (V.) . . . . p. 9   GR 254
Tivoli (V.) . . . . p. 10   HV 255
Tonale (V.) . . . . p. 11   LT
Torchio (V.) . . . . p. 12   JX 257
Torino (V.) . . . . p. 16   MZ
Torriani (V. N.) . . . . . p. 11   LU 258
Tortona (V.) . . . . p. 12   HY
Toscana (Vle) . . . . . . p. 9   FS
Trau (V.) . . . . p. 11   KT 260
Trivulzio (V. A. T.) . . . p. 8   DR 261
Troya (V. C.). . . . . . . p. 8   DS
Tucidide (V.) . . . . p. 7   CP 263
Tunisia (Vle) . . . . p. 11   LU
Turati (V.) . . . . p. 11   KUV
Umbria (Vle) . . . . p. 9   GS
Unione (V.) . . . . p. 16   MZ 264
Valasina (V.) . . . . p. 7   BO 265
Valenza (V.) . . . . p. 12   HY
Valtellina (V.) . . . . . . p. 8   JT 266
Varesina (V.) . . . . p. 8   DQ
Venezia (Cso) . . . . . p. 11   LV
Vercelli (Cso). . . . . . p. 12   HX 267
Verdi (V.) . . . . p. 11   KV 269
Verziere (V.) . . . . p. 16   NZ 270
Vico (V. G. B.) . . . . . p. 12   HX
Vigevano (V.). . . . . . p. 12   HY
Vigliani (V. P. O.). . . . p. 8   DQR 273
Visconti
  di Modrone (V.). . . p. 13   KLX
Vitruvio (V.) . . . . p. 9   FQR
Vittorio (V. G.) . . . . . p. 7   CP
Vittorio
  Emanuele (V.) . . . . p. 6   AP 276
Vittorio
  Emanuele II (Cso) . p. 16   NZ
Vittorio
  Veneto (V.). . . . . . . p. 7   BO
Vittorio
  Veneto (Vle) . . . . . p. 11   KLU 278
Volta (V. A.) . . . . p. 10   JU
Washington (V. G.). . p. 8   DRS 279
Zara (Vle) . . . . p. 9   FQ
Zezon (V.) . . . . p. 11   LU 281
Zurigo (V.) . . . . p. 6   AP
20 Settembre (V.). . . p. 10   HV
XXII Marzo (Cso) . . . p. 9   GR

MILANO

Albricci (V. A.)	MZ 3
Arcivescovado (V.)	MNZ 10
Augusto (Largo)	NZ 12
Baracchini (V.)	MZ 17
Bergamini (V.)	NZ 27
Borgogna (V.)	NZ 36
Cantù (V. C.)	MZ 48
Cordusio (Pza)	MZ 73
Edison (Pza)	MZ 83

Festa del Perdono (V.)	NZ 93
Gonzaga (V.)	MZ 104
Laghetto (V.)	NZ 120
Manzoni (V. A.)	MZ 140
Marconi (V.)	MZ 144
Marino (Pza)	MZ 147
Mengoni (V.)	MZ 153
Mercanti (Pza)	MZ 155
Mercanti (V.)	MZ 156
Missori (Pza)	MZ 162
Monforte (Cso)	NZ 168
Monte Napoleone (V.)	NZ 171

Morone (V.)	MNZ 17
Orefici (V.)	MZ 18
Pattari (V.)	NZ 19
S. Clemente (NZ)	NZ 23
S. Radegonda (V.)	MZ 23
S. Stefano (Pza)	NZ 24
Sforza (V. F.)	NZ 24
Unione (V.)	MZ 26
Verdi (V.)	MZ 26
Verziere (V.)	NZ 27
Visconti di Modrone (V.)	NZ 27

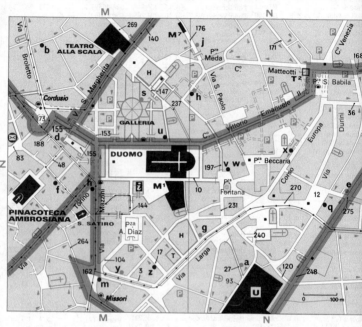

Elenco alfabetico degli alberghi e ristoranti

A

29 Accademia
28 Admiral
31 Aimo e Nadia
24 Albert
22 Albric
28 Alfredo-Gran San Bernardo
25 Altopascio
30 Altra Scaletta (L')
21 Antica Locanda Leonardo
23 Antica Osteria il Calessino
23 Antica Trattoria della Pesa
31 Antica Trattoria Monlué
21 Antico Ristorante Boeucc
29 Arrow's
20 Ascot
21 Assassino (L')
28 Astoria
24 Atlantic
24 Augustus
24 Auriga

B

31 Baia Chia
31 Baia dei Pescatori (La)
28 Berlino
24 Berna
26 Bimbi (Da)
21 Bitta (La)
30 Blaise e Francis
22 Boccondivino
25 Bolzano
22 Brisa (La)
24 Bristol
20 Brunelleschi
27 Buone Cose (Le)

C

25 Calajunco
21 Canova
30 Capanna - da Attilio e Maria (Alla)
28 Capitol Millennium
27 Capriccio (Al)
20 Carrobbio
20 Carlton Hotel Baglioni

22 Casa Fontana- 23 Risotti
20 Cavalieri (Dei)
25 Cavallini
20 Cavour
26 Centro Ittico
23 Century Tower Hotel
31 Charmant
25 5 Terre (Le)
30 Città Studi
25 Club Hotel
21 Collina Pistoiese (Alla)
27 Conconi
30 Concorde
21 Conte Camillo
22 Corso Como Hotel
29 Crespin (El)
26 Crivi's
23 Cucina delle Langhe (Alla)

D

20 De la Ville
24 Demidoff
27 Des Etrangers
26 D'Este
31 Doge di Amalfi
21 Dolce Vita (La)
28 Domenichino
21 Don Carlos
26 Dongiò
21 Don Lisander
24 Doria Grand Hotel

E

21 Eolieolie
23 Excelsior Gallia
22 Executive

F

30 Faraone (Il)
24 Fenice
31 Fiori (Dei)
25 Florida
20 Four Seasons
23 Fuji

G

30 Gala
20 Galileo
24 Galles
31 Garden
26 Giacomo (Da)
22 Gianni e Dorina
22 Giardino di Giada (Il)
25 Giglio Rosso
22 Golden Tulip Grand Hotel Verdi
29 Grand Hotel Brun
20 Grand Hotel Duomo
20 Grand Hotel et de Milan
28 Grand Hotel Fieramilano
27 Grand Hotel
24 Grand Hotel Puccini

H

25 Hana
28 Hermitage
23 Hilton Milan
31 Holiday Inn
32 Holiday Inn Milan Assago
22 Hostaria Borromei

I

26 Imperiale (L')
30 Innocenti Evasioni

J

25 Joia
24 Jolly Hotel Machiavelli
32 Jolly Hotel Milanofiori
20 Jolly Hotel President
23 Jolly Hotel Touring

L

28 Lancaster
26 Liberty
20 Lloyd
30 Lombardia
26 Lon Fon

M

24 Madison
25 Malavoglia (I)
24 Manin
20 Manzoni
22 Marino-al Conte Ugolino (Da)
29 Massena

26 Masuelli San Marco
26 Matteoni (I)
31 Mec
24 Mediolanum
25 Mediterranea
26 Mediterraneo
21 Mercante (Al)
26 Merluzzo Felice
23 Metrò
23 Michelangelo
28 Milan Marriott Hotel
24 Mini Hotel Aosta
28 Mini Hotel Tiziano
30 Mirage
30 Molo 13 (Al)
29 Montecristo
29 Montina
28 Mozart
31 Mykonos

N

21 Nabucco
27 Navigante (Il)
24 New York
31 Novotel Milano Est Aeroporto
30 Novotel Milano Nord

O

27 Olivia
31 Osteria da Francesca
29 Osteria del Borgo Antico
29 Osteria della Cagnola
27 Osteria di Porta Cicca
23 Osteria di Porta Volta
32 Osteria I Valtellina
25 Osteria la Risacca 2

P

29 Pace
    Palace vedere
    The Westin Palace
23 Petit Prince (Le)
22 Piccolo Teatro-
    Fuori Porta
30 Piero e Pia
29 Pietre Cavate (Le)
30 Plancia (La)
30 Pobbia 1821 (La)
28 Poliziano Fiera
27 Ponte Rosso
27 Porto (Al)
23 Principe di Savoia

Q

31 Quark
21 4 Mori
26 4 Toscani (J)

R

20 Radisson SAS Bonaparte Hotel
28 Radisson SAS Scandinavia
   Hotel Milano
29 Raffaello
28 Regency
20 Regina
27 Relais Mercure Milano
   Corso Genova
30 Renzo (Da)
23 Rigolo
21 Rovello
32 Royal Garden Hotel
22 Royal Hotel Mercure
29 Rubens

S

27 Sadler
29 Sadler Wine & Food
28 Sambuco (Il)
24 San Carlo
24 Sanpi
22 Santini
21 Savini
25 Sempione
23 Serendib
24 Sheraton Diana Majestic
27 Shri Ganesh
20 Sir Edward
20 Spadari al Duomo
21 Star
31 Starhotel Business Palace

30 Starhotel Tourist
23 Starhotel Ritz
20 Starhotel Rosa
29 Stefano il Marchigiano (Da)
29 Sukria
26 Sukrity
22 Sunflower

T

26 Tana del Lupo (La)
27 Tano Passami l'Olio
31 Taverna Calabiana
29 Taverna della Trisa
22 Taverna Visconti
22 Tavernetta-da Elio (La)
25 Terrazza di via Palestro (La)
23 The Westin Palace
27 Torchietto (Il)
27 Trattoria all'Antica
27 Trattoria Aurora
26 Trattoria la Piola
27 Trattoria Trinacria
25 13 Giugno
23 13 Giugno 2
30 Tre Pini

V

30 Valganna
29 Vecchio Porco (Al)

Z

25 Zia (Dalla)
21 Zurigo

Le Ottime Tavole

Per voi abbiamo contraddistinto

alcuni alberghi (🏠 ... 🏨) e ristoranti (✗ ... ✗✗✗✗✗) con 🍴, ✿, ✿✿ o ✿✿✿.

449

Centro Storico

Duomo, Scala, Castello Sforzesco, corso Magenta, via Torino, corso Vittorio Emanuele, via Manzoni (Pianta : Milano p. 12 13 e 15)

Four Seasons, via Gesù 8 ✉ 20121 ℘ 02 77088, *milano@fourseasons.com,* Fax 02 77085000, « In un convento quattrocentesco », *Ⅰ₆, ☞ –* 🛗 ⇔ ■ 🅟 ✔ & 🚗 – 🔬 280. 🆎 🕄 ⑩ 🐠 �@🌐 🕮. ✋ rist   KV a
Pasto al Rist. *Il Teatro (chiuso a mezzogiorno, domenica ed agosto)* carta 85/145000 e al Rist. *La Veranda* carta 75/130000 – ☑ 50000 – **89 cam** 1080/1365000, 29 suites.

Grand Hotel et de Milan, via Manzoni 29 ✉ 20121 ℘ 02 723141, *infos@grandhoteletdemilan.it,* Fax 02 86460861 – 🛗 ■ 🅟 ✔ – 🔬 100. 🆎 🕄 ⑩ 🐠 🌐 🕮. ✋   KV g
Pasto al Rist. *Caruso (chiuso la sera)* carta 70/100000 vedere anche rist *Don Carlos* – ☑ 43000 – **95 cam** 795/925000, 8 suites.

Carlton Hotel Baglioni, via Senato 5 ✉ 20121 ℘ 02 77077, *carlton.milano@baglionihotels.com,* Fax 02 783300 – 🛗, ⇔ cam, ■ 🅟 & 🚗. 🆎 🕄 ⑩ 🐠 🌐 🕮. ✋ rist KV b
Pasto carta 95/155000 – **60 cam** ☑ 900/980000, 2 suites.

Grand Hotel Duomo, via San Raffaele 1 ✉ 20121 ℘ 02 8833, *Fax 02 86462027,* ⇐ Duomo, 😾 – 🛗, ⇔ cam, ■ 🅟 – 🔬 100. 🆎 🕄 ⑩ 🐠 🌐 🕮. ✋   MZ u
Pasto carta 65/95000 – **135 cam** ☑ 515/715000, 18 suites.

Jolly Hotel President, largo Augusto 10 ✉ 20122 ℘ 02 77461, *Fax 02 783449 –* 🛗, ⇔ cam, ■ 🅟 ✔ – 🔬 100. 🆎 🕄 ⑩ 🐠 🌐 🕮. ✋ rist   NZ q
Pasto carta 70/85000 – **226 cam** ☑ 480/580000, 18 suites – ½ P 360000.

Brunelleschi, via Baracchini 12 ✉ 20123 ℘ 02 88431, *Fax 02 804924 –* 🛗 ■ 🅟 & . 🆎 🕄 ⑩ 🐠 🌐 🕮.   MZ z
Pasto carta 60/120000 – **123 cam** ☑ 415/500000, 5 suites.

Sir Edward senza rist, via Mazzini 4 ✉ 20123 ℘ 02 877877, *siredw@infosquare.it,* Fax 02 877844, 😾 – 🛗 ⇔ ■ 🅟 & . 🆎 🕄 ⑩ 🐠 🌐 🕮. ✋   MZ h
38 cam ☑ 380/425000, suite.

Spadari al Duomo Ⓜ senza rist, via Spadari 11 ✉ 20123 ℘ 02 72002371, *reservation@spadarihotel.com,* Fax 02 861184, « Raccolta di opere d'arte contemporanea » – 🛗 ■ 🅟. 🆎 🕄 ⑩ 🐠 🌐 🕮. ✋   MZ f
39 cam ☑ 430/500000.

Radisson SAS Bonaparte Hotel, via Cusani 13 ✉ 20121 ℘ 02 85601, *sales@milzh.rdsas.com,* Fax 02 8693601 – 🛗 ■ 🅟 ✔ 🚗 – 🔬 25. 🆎 🕄 ⑩ 🐠 🌐 🕮. ✋ rist JV a
Pasto carta 75/110000 – **55 cam** ☑ 545/615000, 8 suites – ½ P 350000.

Starhotel Rosa, via Pattari 5 ✉ 20122 ℘ 02 8831, *rosa.mi@starhotels.it,* Fax 02 8057964 – 🛗 ⇔ ■ 🅟 ✔ – 🔬 130. 🆎 🕄 ⑩ 🐠 🌐 🕮. ✋   NZ v
Pasto (solo per alloggiati) carta 80/140000 – **176 cam** ☑ 320/660000 – ½ P 395000.

De la Ville, via Hoepli 6 ✉ 20121 ℘ 02 867651, *delaville@tin.it,* Fax 02 866609, *Ⅰ₆,* 😾 – 🛗, ⇔ cam, ■ 🅟 & – 🔬 85. 🆎 🕄 ⑩ 🐠 🌐 🕮. ✋   NZ h
Pasto vedere rist *Canova –* **108 cam** ☑ 550/640000, suite.

Galileo, corso Europa 9 ✉ 20122 ℘ 02 77431, *Fax 02 76020584 –* 🛗 ■ 🅟 – 🔬 30. 🆎 🕄 ⑩ 🐠 🌐 🕮. ✋   NZ x
Pasto carta 70/110000 – **81 cam** ☑ 360/460000, 8 suites.

Cavour, via Fatebenefratelli 21 ✉ 20121 ℘ 02 6572051, *Fax 02 6592263 –* 🛗 ■ 🅟 ✔ – 🔬 100. 🆎 🕄 ⑩ 🐠 🌐 🕮. ✋   KV x
chiuso dal 24 dicembre al 6 gennaio ed agosto – **Pasto** vedere rist *Conte Camillo –* **113 cam** ☑ 325/380000.

Regina senza rist, via Cesare Correnti 13 ✉ 20123 ℘ 02 58106913, *Fax 02 58107033,* « Edificio settecentesco » – 🛗 ■ 🅟 & – 🔬 40. 🆎 🕄 ⑩ 🐠 🌐 🕮 *chiuso dal 24 dicembre al 7 gennaio ed agosto –* **43 cam** ☑ 320/420000.   JY a

Dei Cavalieri, piazza Missori 1 ✉ 20123 ℘ 02 88571, *hl@hoteldeicavalieri.com.,* Fax 02 72021683 – 🛗 ■ 🅟 – 🔬 150. 🆎 🕄 ⑩ 🐠 🌐 🕮. ✋   MZ m
Pasto (solo per alloggiati e *chiuso agosto*) carta 100/160000 – **173 cam** ☑ 420/580000, 7 suites – ½ P 360000.

Ascot senza rist, via Lentasio 3/5 ✉ 20122 ℘ 02 58303300, *ascot.mi@bestwestern.it,* Fax 02 58303203 – 🛗 ■ 🅟 🚗. 🆎 🕄 ⑩ 🐠 🌐 🕮. ✋   KY c
chiuso dal 7 dicembre al 7 gennaio – **63 cam** ☑ 320/450000.

Carrobbio senza rist, via Medici 3 ✉ 20123 ℘ 02 89010740, *hotelcarrobbio@traveleurope.it,* Fax 02 8053334 – 🛗 ■ 🅟 – 🔬 30. 🆎 🕄 ⑩ 🐠 🌐 🕮. ✋   JX d
chiuso dal 22 dicembre al 6 gennaio ed agosto – **41 cam** ☑ 310/410000.

Manzoni senza rist, via Santo Spirito 20 ✉ 20121 ℘ 02 76005700, *hotel.manzoni@tin.it,* Fax 02 784212 – 🛗 🅟 ✔ 🚗. 🆎 🕄 ⑩ 🐠 🌐 🕮. ✋   KV s
chiuso dal 24 dicembre al 2 gennaio e dal 22 luglio ad agosto – ☑ 25000 – **49 cam** 235/300000, 3 suites.

Lloyd senza rist, corso di Porta Romana 48 ✉ 20122 ℘ 02 58303332, *lloydhtl@tin.it,* Fax 02 58303365 – 🛗 ■ 🅟 – 🔬 100. 🆎 🕄 ⑩ 🐠 🌐 🕮   KY c
chiuso dal 22 dicembre al 6 gennaio e dall'8 al 24 agosto – **57 cam** ☑ 300/400000, suite.

Zurigo senza rist, corso Italia 11/a ⊠ 20122 🖉 02 72022260, *brerahotels@citylightsnews. com*, Fax 02 72000013 – 🛊 🗏 📺 🖭 🕄 🕦 🐠 *VISA* 🛠
KY j
chiuso dal 24 dicembre al 7 gennaio – 🖵 10000 – **41 cam** 205/290000.

Star senza rist, via dei Bossi 5 ⊠ 20121 🖉 02 801501, *information@starhotel.it*, Fax 02 861787 – 🛊 🗏 📺, 🖭 🕄 🕦 🐠 *VISA* 🛠
MZ b
chiuso dal 24 dicembre al 6 gennaio ed agosto – **30 cam** 🖵 200/290000.

Antica Locanda Leonardo senza rist, corso Magenta 78 ⊠ 20123 🖉 02 463317, *desk @leoloc.com*, Fax 02 48019012, 🐖 – 🗏 📺, 🖭 🕄 🕦 🐠 *VISA* 🛠
HX m
chiuso dal 27 dicembre al 1° gennaio e dal 6 al 19 agosto – **20 cam** 🖵 170/310000.

Rovello senza rist, via Rovello 18 ⊠ 20121 🖉 02 86464654, *htlrovel@tin.it*, Fax 02 72023656 – 🗏 📺 📞, 🖭 🕄 🕦 🐠 *VISA*
JV c
10 cam 🖵 290000.

Savini, galleria Vittorio Emanuele II ⊠ 20121 🖉 02 72003433, *savini@thi.it*, Fax 02 72022888, Locale storico-gran tradizione, prenotare – 🗏, 🖭 🕄 🕦 🐠 *VISA* 🗲🖪 🛠
MZ s
chiuso dal 1° al 6 gennaio, dal 1° al 29 agosto e domenica – **Pasto** carta 100/155000 (12 %).

Don Carlos - Grand Hotel et de Milan, via Manzoni 29 ⊠ 20121 🖉 02 72314640, Fax 02 86460861, Soupers, prenotare – 🗏, 🖭 🕄 🕦 🐠 *VISA* 🗲🖪
KV g
chiuso agosto e a mezzogiorno – **Pasto** carta 100/150000.

Canova - Hotel De la Ville, via Hoepli 6 ⊠ 20121 🖉 02 8051231, Fax 02 866606, prenotare – 🗏, 🖭 🕄 🕦 🐠 *VISA* 🗲🖪 🛠
NZ h
chiuso domenica – **Pasto** carta 75/110000.

Antico Ristorante Boeucc, piazza Belgioioso 2 ⊠ 20121 🖉 02 76020224, Fax 02 796173, prenotare – 🗏, 🖭.
NZ j
chiuso dal 24 dicembre al 2 gennaio, dal 13 al 17 aprile, agosto, sabato e domenica a mezzogiorno – **Pasto** carta 80/110000.

Don Lisander, via Manzoni 12/a ⊠ 20121 🖉 02 76020130, Fax 02 784573, prenotare, « Servizio estivo all'aperto » – 🗏, 🖭 🕄 🕦 🐠 *VISA* 🗲🖪 🛠
KV u
chiuso dal 24 dicembre al 10 gennaio, dal 12 al 22 agosto e domenica – **Pasto** carta 80/115000.

Conte Camillo - Hotel Cavour, via Fatebenefratelli 21 (galleria di Piazza Cavour) ⊠ 20121 🖉 02 6570516, Fax 02 6592263 – 🗏, 🖭 🕄 🕦 🐠 *VISA* 🗲🖪 🛠
KV x
chiuso domenica, dal 24 dicembre al 6 gennaio e dall'11 al 24 agosto – **Pasto** 35000 (solo a mezzogiorno) 80000 e carta 65/100000.

Eolieolie, piazza Mentana 8/10 ⊠ 20123 🖉 02 8692875, Fax 02 86913353 – 🗏, 🖭 🕄 🕦 🐠 *VISA*. 🛠
JX m
chiuso domenica e a mezzogiorno – **Pasto** carta 60/80000.

La Dolce Vita, via Bergamini 11 ⊠ 20122 🖉 02 58303843, prenotare la sera – 🗏, 🖭 🕄 🐠 *VISA* 🗲🖪. 🛠
NZ a
chiuso agosto, sabato a mezzogiorno e domenica – **Pasto** 25/35000 (solo a mezzogiorno) e carta 65/90000.

4 Mori, largo Maria Callas 1 (angolo Largo Cairoli) ⊠ 20121 🖉 02 878483, « Servizio estivo in giardino » – 🖭 🕄 🕦 🐠 *VISA*
JV d
chiuso dal 24 dicembre al 6 gennaio, dal 5 al 25 agosto, sabato a mezzogiorno e domenica – **Pasto** carta 60/95000.

Alla Collina Pistoiese, via Amedei 1 ⊠ 20123 🖉 02 877248, Fax 02 877248, Ambiente vecchia Milano – 🗏, 🖭 🕄 🕦 🐠 *VISA*
KY b
chiuso dal 24 dicembre al 2 gennaio, Pasqua, dal 10 al 20 agosto, venerdì e sabato a mezzogiorno – **Pasto** carta 55/120000.

L'Assassino, via Amedei 8, angolo via Cornaggia ⊠ 20123 🖉 02 8056144, Fax 02 86467374, prenotare – 🗏, 🖭 🕄 🕦 🐠 *VISA*
KY x
chiuso dal 23 dicembre al 2 gennaio, venerdì sera e sabato in luglio-agosto, lunedì negli altri mesi – **Pasto** carta 55/105000 (11 %).

Al Mercante, piazza Mercanti 17 ⊠ 20123 🖉 02 8052198, Fax 02 86465250, « Servizio estivo all'aperto » – 🗏, 🖭 🕄 🕦 🐠 *VISA*
MZ d
chiuso dal 1° al 7 gennaio, dal 3 al 28 agosto e domenica – **Pasto** carta 65/90000.

La Bitta, via del Carmine 3 ⊠ 20121 🖉 02 72003185, Fax 02 72003185 – 🗏, 🖭 🕄 🕦 🐠 *VISA*. 🛠
KV f
chiuso dal 3 al 25 gennaio, sabato a mezzogiorno e domenica – **Pasto** specialità di mare carta 50/70000.

Nabucco, via Fiori Chiari 10 ⊠ 20121 🖉 02 860663, Fax 02 8361014 – 🗏, 🖭 🕄 🕦 🐠 *VISA* 🗲🖪
KV v
Pasto carta 75/105000 (10 %).

XX **Albric,** via Albricci 3 ✉ 20122 ℰ 02 72004766, Fax 02 86461329 – ▤. ⒶⒺ 🛅 ⓞ ⓜⓞ 𝘝𝘐𝘚
🌐, ⅏
MZ
chiuso dal 25 dicembre al 6 gennaio, dall'8 al 30 agosto, sabato a mezzogiorno e domenic
– Pasto carta 75/105000.

XX **Da Marino-al Conte Ugolino,** piazza Beccaria 6 ✉ 20122 ℰ 02 876134 – ▤. ⒶⒺ 🛅 Ⓒ
ⓜⓞ 𝘝𝘐𝘚𝘈
NZ
chiuso dal 13 al 23 agosto, domenica, Natale e Capodanno – Pasto carta 70/90000 (11%).

XX **Boccondivino,** via Carducci 17 ✉ 20123 ℰ 02 866040, Fax 02 867368, prenotare – ▤
ⒶⒺ 🛅 ⓞ ⓜⓞ 𝘝𝘐𝘚𝘈
HX
chiuso dal 23 dicembre al 2 gennaio, agosto, mezzogiorno e domenica – Pasto specialit
salumi, formaggi e vini tipici 60000.

XX **Il Giardino di Giada,** via Palazzo Reale 5 (angolo via Larga) ✉ 20122 ℰ 02 805389
⊛ Fax 02 72023937, Rist. cinese – ▤. ⒶⒺ 🛅 ⓞ ⓜⓞ 𝘝𝘐𝘚𝘈 𝗝𝗖𝗕
NZ
chiuso dall'8 al 24 agosto e lunedì – Pasto carta 35/70000.

X **Hostaria Borromei,** via Borromei 4 ✉ 20123 ℰ 02 86453760, Fax 02 86453760, 🌤
prenotare – ⒶⒺ 🛅 ⓞ ⓜⓞ 𝘝𝘐𝘚𝘈
JX
chiuso dal 24 dicembre al 4 gennaio, dal 9 al 29 agosto, sabato a mezzogiorno e domenica
Pasto specialità mantovane carta 65/85000.

X **La Tavernetta-da Elio,** via Fatebenefratelli 30 ✉ 20121 ℰ 02 653441, *tavernetta@er*
er.it – ▤. ⒶⒺ 🛅 ⓞ ⓜⓞ 𝘝𝘐𝘚𝘈 𝗝𝗖𝗕, ⅏
KV
chiuso dal 24 dicembre al 2 gennaio, agosto, sabato a mezzogiorno, domenica e i giorn
festivi – Pasto specialità toscane carta 60/80000.

X **Taverna Visconti,** via Marziale 11 ✉ 20122 ℰ 02 795821, Fax 02 795821, Rist.-enotec
e wine bar – ▤. ⒶⒺ 🛅 ⓞ ⓜⓞ 𝘝𝘐𝘚𝘈 𝗝𝗖𝗕
NZ
chiuso dal 23 dicembre al 7 gennaio, dal 7 al 30 agosto, domenica e sabato a mezzogiorno -
Pasto carta 55/90000.

X **La Brisa,** via Brisa 15 ✉ 20123 ℰ 02 86450521, Fax 02 86450521, « Servizio estivo i
giardino » – ⒶⒺ 🛅 ⓞ ⓜⓞ 𝘝𝘐𝘚𝘈
JX
chiuso dal 23 dicembre al 3 gennaio, dal 9 al 29 agosto, sabato e domenica a mezzogiorno -
Pasto carta 85/115000.

Centro Direzionale

via della Moscova, via Solferino, via Melchiorre Gioia, viale Zara, via Carlo Farini (Pianta
Milano p. 10 11 12 e 13)

🏨 **Golden Tulip Grand Hotel Verdi** Ⓜ, via Melchiorre Gioia 6 ✉ 20124 ℰ 02 62371, *ma*
@grandhotelverdi.com, Fax 02 62373050 – 🛗, ⅏ cam, ▤ 📺 ⓒ 🚗. ⒶⒺ 🛅 ⓞ ⓜⓞ 𝗝𝗖𝗕
⅏
KU
chiuso dal 5 al 19 agosto – Pasto carta 65/100000 – 99 cam ⚌ 380/530000, 3 suites -
½ P 300000.

🏨 **Executive,** viale Luigi Sturzo 45 ✉ 20154 ℰ 02 62942807, *prenotazioni@hotel-executive*
.com, Fax 02 62942713 – 🛗, ⅏ cam, ▤ 📺 ⓒ – 🔏 800. ⒶⒺ 🛅 ⓞ ⓜⓞ 𝘝𝘐𝘚𝘈 𝗝𝗖𝗕, ⅏
Pasto carta 75/110000 – **417 cam** ⚌ 390/470000, 3 suites.
KTU

🏨 **CorsoComoHotel** Ⓜ, via A. de Tocqueville 7/D ✉ 20154 ℰ 02 62071, *reservation@cors*
ocosmohotel.com, Fax 02 6570780 – 🛗 ▤ 📺. ⒶⒺ 🛅 ⓞ ⓜⓞ 𝘝𝘐𝘚𝘈 𝗝𝗖𝗕
KU
Pasto *(chiuso dal 5 al 26 agosto)* carta 60/90000 – **108 cam** ⚌ 360/420000, 14 suites -
½ P 265000.

🏨 **Royal Hotel Mercure,** via Cardano 1 ✉ 20124 ℰ 02 667461, Fax 02 6703024 – 🛗
⅏ cam, ▤ 📺 ⓒ – 🔏 180. ⒶⒺ 🛅 ⓞ ⓜⓞ 𝘝𝘐𝘚𝘈 𝗝𝗖𝗕, ⅏ rist
KT
Pasto carta 80/110000 – **205 cam** ⚌ 400/550000, 10 suites.

🏨 **Sunflower** senza rist, piazzale Lugano 10 ✉ 20158 ℰ 02 39314071, Fax 02 39320377 –
🛗 ▤ 📺 🔓 🚗 – 🔏 100. ⒶⒺ 🛅 ⓞ ⓜⓞ 𝘝𝘐𝘚𝘈 𝗝𝗖𝗕, ⅏
EQ
chiuso dal 24 dicembre al 6 gennaio e dal 1° al 23 agosto – ⚌ 20000 – **55 cam** 240/320000

XXX **Santini,** via San Marco 3 ✉ 20121 ℰ 02 6555587, Fax 02 6555587 – ▤. ⒶⒺ 🛅 ⓞ ⓜⓞ 𝘝𝘐𝘚𝘈
KV
chiuso sabato a mezzogiorno e domenica – Pasto 60000 (solo a mezzogiorno) 90000 (solc
la sera) e carta 100/150000.

XX **Gianni e Dorina,** via Pepe 38 ✉ 20159 ℰ 02 606340, Fax 02 606340, 🌤, Coperti
limitati; prenotare – ▤. ⒶⒺ 🛅 ⓞ ⓜⓞ 𝘝𝘐𝘚𝘈, ⅏
JT
chiuso dal 31 luglio al 6 settembre, Natale, sabato a mezzogiorno e domenica – Pasto
specialità pontremolesi carta 70/105000.

XX **Casa Fontana-23 Risotti,** piazza Carbonari 5 ✉ 20125 ℰ 02 6704710, *trattoria@23ris*
otti.it, Fax 02 66800465, Coperti limitati; prenotare – ▤. ⒶⒺ 🛅 ⓞ ⓜⓞ 𝘝𝘐𝘚𝘈, ⅏
FQ
chiuso dal 23 dicembre all'8 gennaio, Pasqua, dal 28 luglio al 27 agosto, lunedì, sabato a
mezzogiorno, in luglio anche sabato sera e domenica – Pasto specialità risotti carta
55/95000.

XX Piccolo Teatro-Fuori Porta, viale Pasubio 8 ✉ 20154 ℰ 02 6572105, Fax 02 29006859,
prenotare – ▤
JU

XX **Serendib,** via Pontida 2 ⊠ 20121 ℰ 02 6592139, *Fax 02 6592139*, prenotare – ⊟. 🕄 🐿
⊜ *VISA*   JU b
chiuso dal 10 al 20 agosto e a mezzogiorno – **Pasto** cucina indiana e cingalese 35000 e carta
35/45000.

XX **Alla Cucina delle Langhe,** corso Como 6 ⊠ 20154 ℰ 02 6554279, *Fax 02 29006859 –*
⊟. 🆎 🕄 ⓪ *VISA* *JCB*.   KU d
chiuso agosto, domenica e in luglio anche sabato – **Pasto** specialità lombarde e piemontesi
carta 65/90000.

XX 13 Giugno 2, piazza Mirabello 1 ⊠ 20121 ℰ 02 29003300, prenotare la sera – ⊟ KU h
Pasto specialità frutti di mare e crostacei.

XX **Rigolo,** largo Treves ⊠ 20121 ℰ 02 86463220, *ristorante.rigolo@tiscalinet.it,*
Fax 02 86463220, Rist. d'habitués – ⊁⊟. 🆎 🕄 ⓪ 🐿 *VISA*. ⚕   KU b
chiuso agosto e lunedì – **Pasto** carta 50/80000.

XX **Antica Trattoria della Pesa,** viale Pasubio 10 ⊠ 20154 ℰ 02 6555741,
Fax 02 29006859, Tipica trattoria vecchia Milano – ⊟. 🆎 🕄 ⓪ *VISA*. ⚕   JU s
chiuso agosto e domenica, anche sabato in giugno-luglio – **Pasto** cucina lombarda carta
80/120000.

XX **Antica Osteria il Calessino,** via Thaon de Revel 9 ⊠ 20159 ℰ 02 6684935,
Fax 02 69008984, Musica dal vivo e cabaret – ⊟. 🆎 🕄 ⓪ 🐿 *VISA*   FQ m
chiuso dal 1° al 10 gennaio, a mezzogiorno e lunedì – **Pasto** 80000 bc.

XX **Le Petit Prince,** viale Monte Grappa 6 ⊠ 20124 ℰ 02 29011439, *Fax 02 29011439*, Rist.
francese – ⊁⊟. 🆎 🕄 ⓪ 🐿 *VISA* *JCB*   KU m
*chiuso 25-26 dicembre, dal 31 dicembre all'8 gennaio, dal 4 al 27 agosto e a mezzogiorno;
sabato dal 7 luglio al 1° settembre, domenica negli altri mesi –* **Pasto** 70/120000 e carta
75/125000.

XX **Osteria di Porta Volta,** via Montello 14 ⊠ 20154 ℰ 02 3495039 – ⊟. 🕄 ⓪ 🐿 *VISA*
JCB   JU u
*chiuso dal 31 dicembre al 4 gennaio, dal 5 al 27 agosto, sabato a mezzogiorno e domenica;
da luglio a settembre chiuso sabato sera e domenica a mezzogiorno –* **Pasto** specialità
milanesi carta 60/95000.

XX **Fuji,** viale Montello 9 ⊠ 20154 ℰ 02 6552517, Rist. giapponese, prenotare – ⊟. 🆎 🕄 ⓪
🐿 *VISA* *JCB*. ⚕   JU a
*chiuso dal 24 dicembre al 2 gennaio, Pasqua, dal 1° al 23 agosto, domenica e a mezzogiorno
–* **Pasto** 80/150000 e carta 95/130000.

Stazione Centrale

corso Buenos Aires, via Vittor Pisani, piazza della Repubblica (Pianta : Milano p. 9 11 e 13)

🏨 **Principe di Savoia,** piazza della Repubblica 17 ⊠ 20124 ℰ 02 62301, *hotelprincipedisa*
voia@luxurycollection.com, Fax 02 6595838, 🛵, 🚅, 🔲 – 📱 ⊁⊟ 📺 ✆ – 🔬 700. 🆎 🕄 ⓪
🐿 *VISA* *JCB*. ⚕   KU a
Pasto al Rist. *Galleria* carta 135/195000 – ⊇ 72000 – **267 cam** 1000/1400000, 132 apparta-
menti.

🏨 **The Westin Palace,** piazza della Repubblica 20 ⊠ 20124 ℰ 02 63361, *Fax 02 654485*,
🛵 – 📱, ⊁⊁ cam, ⊟ 📺 ✆ 🔥 ⇔ ℗ – 🔬 170. 🆎 🕄 ⓪ 🐿 *VISA*. ⚕   LU b
Pasto al Rist. *Casanova Grill (chiuso agosto)* prenotare carta 115/170000 – ⊇ 45000 –
201 cam 710/910000, 15 suites.

🏨 **Excelsior Gallia,** piazza Duca d'Aosta 9 ⊠ 20124 ℰ 02 67851, *sales@excelsiorgallia.it,*
Fax 02 66713239 – 📱, ⊁⊁ cam, ⊟ 📺 ✆ – 🔬 700. 🆎 🕄 ⓪ 🐿 *VISA* *JCB*. ⚕   LT a
Pasto carta 90/135000 – ⊇ 52000 – **237 cam** 600/700000, 13 suites.

🏨 **Hilton Milan** 🅼, via Galvani 12 ⊠ 20124 ℰ 02 69831, *sales_milan@hilton.com,*
Fax 02 66710810 – 📱, ⊁⊁ cam, ⊟ 📺 ✆ 🔥 ⇔ – 🔬 180. 🆎 🕄 ⓪ 🐿 *VISA* *JCB*. ⚕ rist   LT c
Pasto carta 80/115000 – ⊇ 45000 – **317 cam** 590/650000, 2 suites.

🏨 **Starhotel Ritz,** via Spallanzani 40 ⊠ 20129 ℰ 02 2055, *ritz.mi@starhotels.it,*
Fax 02 29518679 – 📱 ⊁⊁ ⊟ 📺 – 🔬 180. 🆎 🕄 ⓪ 🐿 *VISA* *JCB*. ⚕   GR a
Pasto (solo per alloggiati) carta 80/135000 – **195 cam** ⊇ 440/580000, 6 suites –
½ P 355000.

🏨 **Century Tower Hotel** 🅼, via Fabio Filzi 25/b ⊠ 20124 ℰ 02 67504, *centurytower@co*
mm2000.it, Fax 02 66980602, 🛵 – 📱, ⊁⊁ cam, ⊟ 📺 ✆ – 🔬 60. 🆎 🕄 ⓪ 🐿 *VISA* *JCB*.
⚕   LT f
Pasto *(chiuso agosto)* carta 65/105000 – **148 suites** ⊇ 430/590000 – ½ P 345000.

🏨 **Michelangelo,** via Scarlatti 33 ang. piazza Luigi di Savoia ⊠ 20124 ℰ 02 67551, *michelan*
gelo@milanhotel.it, Fax 02 6694232 – 📱, ⊁⊁ cam, ⊟ 📺 ✆ 🔥 ⇔ – 🔬 500. 🆎 🕄 ⓪ 🐿
VISA *JCB*. ⚕ rist   LTU s
Pasto carta 75/125000 – **293 cam** ⊇ 380/470000, 7 suites.

🏨 **Jolly Hotel Touring,** via Tarchetti 2 ⊠ 20121 ℰ 02 6335, *Fax 02 6592209* – 📱, ⊁⊁ cam,
⊟ 📺 ✆ 🔥 – 🔬 120. 🆎 🕄 ⓪ 🐿 *VISA*. ⚕ rist   KU f
Pasto carta 70/110000 – **289 cam** ⊇ 440/520000, 4 suites – ½ P 330000.

Sheraton Diana Majestic, viale Piave 42 ⊠ 20129 ℘ 02 20581, *sheraton_diana majestic@sheraton.com, Fax 02 20582058,* « Giardino ombreggiato », – |‡|, ⇎ cam, ▤ TV ☏ – 🎓 80. AE $ ① ⓂⒸ VISA JCB. ✂ LV
chiuso agosto – **Pasto** al Rist. ***Il Milanese*** carta 80/135000 – ☕ 50000 – **105 cam** 440/595000, suite.

Jolly Hotel Machiavelli Ⓜ, via Lazzaretto 5 ⊠ 20124 ℘ 02 631141, *machiavelli@jollyh otels.it, Fax 02 6599800* – |‡|, ⇎ cam, ▤ TV ☏ ♿ – 🎓 80. AE $ ① ⓂⒸ VISA JCB. ✂ rist LU
Pasto carta 65/115000 – **103 cam** ☕ 370/420000 – ½ P 280000.

Doria Grand Hotel, viale Andrea Doria 22 ⊠ 20124 ℘ 02 67411411, *doriagrandhotel@ raveleurope.it, Fax 02 6696669* – |‡|, ⇎ cam, ▤ TV ♿ 🚗 – 🎓 120. AE $ ① ⓂⒸ VISA JCB ✂ GQ
Pasto *(chiuso dal 24 dicembre al 6 gennaio, dal 27 luglio al 23 agosto e i mezzogiorno di sabato-domenica)* carta 75/125000 – **116 cam** ☕ 460/530000, 2 suites – ½ P 325000.

Manin, via Manin 7 ⊠ 20121 ℘ 02 6596511, *Fax 02 6552160,* « Giardino » – |‡| ▤ TV – 🎓 100. AE $ ① ⓂⒸ VISA JCB. ✂ rist KV
chiuso dal 3 al 26 agosto – **Pasto** *(chiuso sabato)* carta 85/120000 – ☕ 27000 – **112 cam** 300/400000, 6 suites – ½ P 280000.

Bristol senza rist, via Scarlatti 32 ⊠ 20124 ℘ 02 6694141, *hotelbristol@comm2000.it Fax 02 6702942* – |‡| ▤ TV ☏ – 🎓 60. AE $ ① ⓂⒸ VISA. ✂ LT
chiuso agosto e dal 24 dicembre al 2 gennaio – **68 cam** ☕ 250/350000.

Sanpi senza rist, via Lazzaro Palazzi 18 ⊠ 20124 ℘ 02 29513341, *info@hotelsanpimilano.it Fax 02 29402451,* 🌿 – |‡| ▤ TV ♿ – 🎓 30. AE $ ① ⓂⒸ VISA JCB. ✂ LU
chiuso dal 24 dicembre al 2 gennaio e dal 4 al 27 agosto – **71 cam** ☕ 340/440000.

Auriga senza rist, via Pirelli 7 ⊠ 20124 ℘ 02 66985851, *auriga@auriga-milano.com, Fax 02 66980698* – |‡| ▤ TV – 🎓 25. AE $ ① ⓂⒸ VISA JCB. ✂ LTU
chiuso dal 4 al 27 agosto – **52 cam** ☕ 290/390000.

Berna senza rist, via Napo Torriani 18 ⊠ 20124 ℘ 02 677311, *info@hotelberna.com, Fax 02 6693892* – |‡| ⇎ ▤ TV – 🎓 30. AE $ ① ⓂⒸ VISA JCB. ✂ LU
115 cam ☕ 270/380000.

Mediolanum senza rist, via Mauro Macchi 1 ⊠ 20124 ℘ 02 6705312, *info@mediolanumh otel.com, Fax 02 66981921* – |‡| ▤ TV ☏. AE $ ① ⓂⒸ VISA JCB. ✂ LU
52 cam ☕ 260/360000.

Augustus senza rist, via Napo Torriani 29 ⊠ 20124 ℘ 02 66988271, *augustmi@tin.it, Fax 02 6703096* – |‡| ▤ TV. AE $ ① ⓂⒸ VISA JCB LU
chiuso dal 23 al 29 dicembre e dal 30 luglio al 22 agosto – **56 cam** ☕ 230/340000.

Atlantic senza rist, via Napo Torriani 24 ⊠ 20124 ℘ 02 6691941, *booking@atlantichotel.it, Fax 02 6706533* – |‡| ⇎ ▤ TV ☏ 🚗 – 🎓 25. AE $ ① ⓂⒸ VISA JCB LU
62 cam ☕ 280/380000.

Madison senza rist, via Gasparotto 8 ⊠ 20124 ℘ 02 67074150, *madisonhotel@tin.it, Fax 02 67075059* – |‡| ▤ TV – 🎓 100. AE $ ① ⓂⒸ VISA LT
92 cam ☕ 280/410000.

Galles, via Ozanam 1 ang. corso Buenos Aires ⊠ 20124 ℘ 02 204841, *reception@galles.it, Fax 02 2048422* – |‡|, ⇎ cam, ▤ TV ☏ – 🎓 100. AE $ ① ⓂⒸ VISA JCB. ✂ GR
Pasto *(chiuso domenica)* carta 70/145000 – ☕ 25000 – **136 cam** 420/600000, 3 suites.

Grand Hotel Puccini senza rist, corso Buenos Aires 33, galleria Puccini ⊠ 20124 ℘ 02 29521344, *Fax 02 2047825* – |‡|, ⇎ cam, ▤ TV ♿. AE $ ① ⓂⒸ VISA GR
65 cam ☕ 295/395000.

Fenice senza rist, corso Buenos Aires 2 ⊠ 20124 ℘ 02 29525541, *Fax 02 29523942* – |‡| ▤ TV. AE $ ① ⓂⒸ VISA. ✂ LU
chiuso dal 24 dicembre al 7 gennaio e dal 6 al 28 agosto – **42 cam** ☕ 240/300000.

Albert senza rist, via Tonale 2 ang. via Sammartini ⊠ 20125 ℘ 02 66985446, *Fax 02 66985624* – |‡| ▤ TV ♿ – 🎓 35. AE $ ① ⓂⒸ VISA JCB. ✂ LT
chiuso dal 22 dicembre all'8 gennaio e dal 4 al 21 agosto – **62 cam** ☕ 230/310000.

Demidoff senza rist, via Plinio 2 ⊠ 20129 ℘ 02 29513889, *demidoff@milanohotels.com, Fax 02 29405816* – |‡| ▤ TV ☏. AE $ ① ⓂⒸ VISA GR
chiuso dal 23 dicembre al 7 gennaio e dal 2 al 30 agosto – **40 cam** ☕ 180/240000.

Mini Hotel Aosta senza rist, piazza Duca d'Aosta 16 ⊠ 20124 ℘ 02 6691951, *Fax 02 6696215* – |‡| ▤ TV. AE $ ① ⓂⒸ VISA JCB LT
63 cam ☕ 200/290000.

New York senza rist, via Pirelli 5 ⊠ 20124 ℘ 02 66985551, *Fax 02 6697267* – |‡| ▤ TV. AE $ ① ⓂⒸ VISA. ✂ LTU
chiuso dal 24 dicembre al 5 gennaio e dal 1° al 28 agosto – **69 cam** ☕ 180/275000.

San Carlo senza rist, via Napo Torriani 28 ⊠ 20124 ℘ 02 6693236, *sh@polohotels.it, Fax 02 6703116* – |‡| ▤ TV – 🎓 30. AE $ ① ⓂⒸ VISA JCB LU
75 cam ☕ 220/320000.

Sempione, via Finocchiaro Aprile 11 ⊠ 20124 ℰ 02 6570323 e rist ℰ 026552715, Fax 02 6575379 – 📱 ⊟ 🆅 ⏚ 🆂 🄾 🄾🄾 🆅🆂🅰 🄹🄲🄱. 🛇 rist   LU   r
chiuso dal 23 dicembre al 2 gennaio e dal 13 al 27 agosto – **Pasto** al Rist. *Piazza Repubblica* carta 60/85000 – **43 cam** ⊇ 180/250000.

Florida senza rist, via Lepetit 33 ⊠ 20124 ℰ 02 6705921, Fax 02 6692867 – 📱 ⊟ 🆅 🄴 🆂 ⏚ 🄾🄾 🆅🆂🅰   LTU   s
⊇ 23000 – **55 cam** 180/245000, 2 suites.

Club Hotel senza rist, via Copernico 18 ⊠ 20125 ℰ 02 67072221, Fax 02 67072050 – 📱 ⟨⟩ ⊟ 🆅 🄴 🆂 ⏚ 🄾🄾 🆅🆂🅰   LT   v
chiuso dall'11 al 25 agosto – **53 cam** ⊇ 200/310000.

Bolzano senza rist, via Boscovich 21 ⊠ 20124 ℰ 02 6691451, Fax 02 6691455, 🚗 – 📱 ⊟ 🆅 🄴 🆂 ⏚ 🄾🄾 🆅🆂🅰 🄹🄲🄱. 🛇
⊇ 15000 – **35 cam** 150/200000.

La Terrazza di Via Palestro, via Palestro 2 ⊠ 20121 ℰ 02 76002186, Fax 02 76003328, ≤, prenotare, « Servizio estivo in terrazza » – ⊟ 🅰 200. 🄴 🆂 ⏚ 🆅🆂🅰 🄹🄲🄱.   KV   h
chiuso dal 24 dicembre al 12 gennaio, dall'8 al 24 agosto, sabato sera e domenica – **Pasto** 60/80000 (a mezzogiorno) 100/110000 la sera) e carta 85/115000.

Calajunco, via Stoppani 5 ⊠ 20129 ℰ 02 2046003, prenotare – ⊟, 🆂 ⏚ 🄾🄾 🆅🆂🅰. 🛇
chiuso dal 23 dicembre al 4 gennaio, agosto, domenica e mezzogiorno – **Pasto** specialità eoliane carta 100/135000.   GR   b

Mediterranea, piazza Cincinnato 4 ⊠ 20124 ℰ 02 29522076, Fax 02 201156 – ⊟, 🆂 ⏚ 🄾🄾 🆅🆂🅰. 🛇   LU   d
chiuso dal 1° al 10 gennaio, dal 5 al 25 agosto, domenica e lunedì a mezzogiorno – **Pasto** solo piatti di pesce carta 75/120000.

Joia, via Panfilo Castaldi 18 ⊠ 20124 ℰ 02 29522124, Fax 02 2049244, prenotare – ⟨⟩ ⊟ 🄿. 🄴 🆂 ⏚ 🆅🆂🅰 🄹🄲🄱. 🛇   LU   c
⊛
chiuso dal 28 dicembre all'11 gennaio, Pasqua, agosto, sabato e domenica – **Pasto** 65/120000 e carta 70/125000
Spec. La spirale del gusto. Piccole lasagne tiepide con zucchine, melanzane e crescenza (primavera-estate). Sformato fondente di toma piemontese (autunno-primavera).

I Malavoglia, via Lecco 4 ⊠ 20124 ℰ 02 29531387, Fax 02 20402722, Coperti limitati; prenotare – ⊟. 🄴 🆂 ⏚ 🄾🄾 🆅🆂🅰 🄹🄲🄱. 🛇   LU   g
chiuso dal 24 dicembre al 4 gennaio, Pasqua, 1° maggio, agosto, lunedì e a mezzogiorno (escluso domenica ed i giorni festivi) – **Pasto** specialità marinare e siciliane carta 75/115000.

Cavallini, via Mauro Macchi 2 ⊠ 20124 ℰ 02 6693174, Fax 02 6693077, « Servizio estivo sotto un pergolato » – 🄴 🆂 ⏚ 🄾🄾 🆅🆂🅰   LU   y
chiuso dal 22 al 26 dicembre, dal 3 al 23 agosto, sabato e domenica – **Pasto** 50000 e carta 55/100000.

13 Giugno, via Goldoni 44 ang. via Uberti ⊠ 20129 ℰ 02 719654, Fax 02 70100311, 🍽, prenotare – ⊟. 🄴 🆂 ⏚ 🄾🄾 🆅🆂🅰. 🛇   GR   w
chiuso domenica – **Pasto** specialità siciliane 75/100000 e carta 80/125000.

Le 5 Terre, via Appiani 9 ⊠ 20121 ℰ 02 6575177, Fax 02 653034 – ⊟. 🄴 🆂 ⏚ 🄾🄾 🆅🆂🅰 🄹🄲🄱   KU   j
chiuso dall'11 al 27 agosto, sabato a mezzogiorno e domenica – **Pasto** specialità di mare carta 60/100000.

Dalla Zia, via Gustavo Fara 12 ⊠ 20124 ℰ 02 66987081 – ⊟. 🄴 🆂 ⏚ 🄾🄾 🆅🆂🅰   KU   p
chiuso agosto, sabato a mezzogiorno e domenica – **Pasto** carta 50/65000.

Giglio Rosso, piazza Luigi di Savoia 2 ⊠ 20124 ℰ 02 6696659, Fax 02 6694174, 🍽 – ⊟. 🄴 🆂 ⏚ 🄾🄾 🆅🆂🅰. 🛇   LT   p
chiuso dal 24 dicembre al 6 gennaio, agosto, sabato e domenica a mezzogiorno – **Pasto** 40/50000 (solo a mezzogiorno) e carta 50/80000 (12 %).

Hana, via Lecco 15 ⊠ 20124 ℰ 02 29523227, Fax 02 27003207, Rist. coreano, prenotare la sera – ⊟. 🄴 🆂 🄾🄾 🆅🆂🅰   LU   m
chiuso dal 13 al 21 agosto, sabato a mezzogiorno e domenica – **Pasto** 20/45000 (a mezzogiorno) 35/60000 (alla sera) e carta 45/70000.

Altopascio, via Gustavo Fara 17 ⊠ 20124 ℰ 02 6702458, Rist. toscano – ⊟. 🄴 🆂 ⏚ 🄾🄾 🆅🆂🅰. 🛇   KU   n
chiuso agosto, sabato e domenica a mezzogiorno – **Pasto** carta 55/85000.

Osteria la Risacca 2, viale Regina Giovanna 14 ⊠ 20129 ℰ 02 29531801, prenotare la sera – ⊟. 🄴 🆅🆂🅰. 🛇   GR   f
chiuso agosto, sabato a mezzogiorno e domenica – **Pasto** specialità di mare carta 70/100000.

🍴 **Centro Ittico,** via Ferrante Aporti 35 ✉ 20125 ☎ 02 26823449, *Fax 02 26143774*, prenc
tare la sera – ❄. [S] ① [MC] [VISA] [JCB]. 🐕 GQ
chiuso dal 25 dicembre al 7 gennaio, agosto, domenica e lunedì a mezzogiorno – **Past**
specialità di mare carta 70/125000.

🍴 💰 **L'Imperiale,** via Plinio 30 ✉ 20129 ☎ 02 29513532, Rist. cinese – ❄. [AE] [S] ① [MC] [VISA]
chiuso dal 5 al 20 agosto e lunedì – **Pasto** carta 30/45000. GR

🍴 💰 **Sukrity,** via Panfilo Castaldi 22 ✉ 20124 ☎ 02 201315, *sukrity@tiscalinet.it*, Rist. indianc
prenotare la sera – ❄. [AE] [S] ① [VISA]. 🐕 LU
Pasto 20/30000 a mezzogiorno 35/45000 (10 %) alla sera e carta 30/45000 (10 %).

🍴 **I 4 Toscani,** via Plinio 33 ✉ 20129 ☎ 02 29518130, *Fax 02 29518130*, 🌳 – [AE] [S] ① [M
[VISA] GR
chiuso dal 2 all'8 gennaio, dal 7 al 19 agosto, domenica sera e lunedì – **Pasto** cart
55/95000.

🍴 **Da Bimbi,** viale Abruzzi 33 ✉ 20131 ☎ 02 29526103, *Fax 02 29522051*, Rist. d'habitués -
❄. [AE] [S] ① [MC] [VISA]. 🐕 GR
chiuso dal 25 dicembre al 1° gennaio, agosto, domenica e lunedì a mezzogiorno – **Past**
carta 70/120000.

🍴 **La Tana del Lupo,** viale Vittorio Veneto 30 ✉ 20124 ☎ 02 6599006, *Fax 02 657216*
prenotare, « Taverna caratteristica » – ❄. [AE] [S] ① [MC] [VISA]. 🐕 KU
chiuso dal 1° al 7 gennaio, agosto, domenica e a mezzogiorno – **Pasto** specialità montanar
venete 70000 bc.

🍴 **Lon Fon,** via Lazzaretto 10 ✉ 20124 ☎ 02 29405153, Rist. cinese – ❄. [AE] [S] [MC] [VISA]
chiuso agosto e mercoledì – **Pasto** carta 40/60000. LU v

Romana-Vittoria

corso Porta Romana, corso Lodi, corso XXII Marzo, corso Porta Vittoria **(Pianta : Milano p.**
e 13)

🏨 **Mediterraneo** [M], via Muratori 14 ✉ 20135 ☎ 02 550071, *mediterraneo@comm2000.it*
Fax 02 550072217 – 🛗, 🚭 cam, ❄ 📺 ☎ – 🏛 75. [AE] [S] ① [MC] [VISA] [JCB] LY c
Pasto 45/70000 – **93 cam** ☕ 360/430000, 2 suites – 1/2 P 260000.

🍴🍴 **Da Giacomo,** via B. Cellini ang. via Sottocorno 6 ✉ 20129 ☎ 02 76023313
Fax 02 76024305 – ❄. [AE] [S] ① [MC] [VISA]. 🐕 FGR g
chiuso dal 23 dicembre al 7 gennaio, agosto, lunedì e martedì a mezzogiorno – **Pasto**
specialità di mare carta 75/135000.

🍴🍴 **I Matteoni,** piazzale 5 Giornate 6 - angolo Regina Margherita ✉ 20129 ☎ 02 5463520
Fax 02 5511458, Rist. d'habitués – ❄. [AE] [S] ① [MC] [VISA] LX a
chiuso dal 1° al 7 gennaio, dal 14 al 16 aprile, dal 1° al 21 agosto, domenica e in luglio anche
sabato – **Pasto** carta 60/100000.

🍴 😊 **Masuelli San Marco,** viale Umbria 80 ✉ 20135 ☎ 02 55184138, *masuelli.trattoria@tin.it*
Fax 02 55184138, Trattoria tipica, prenotare la sera – ❄. [AE] [S] ① [MC] [VISA] [JCB] GS h
chiuso dal 25 dicembre al 6 gennaio, dal 16 agosto al 10 settembre, domenica e lunedì a
mezzogiorno – **Pasto** specialità lombardo-piemontesi carta 50/85000.

🍴 **Trattoria la Piola,** via Perugino 18 ✉ 20135 ☎ 02 55195945, *lapiola@libero.it* – ❄. [AE] [S]
① [MC] [VISA]. 🐕 GS e
chiuso dal 24 dicembre al 2 gennaio, Pasqua, dal 10 al 31 agosto, sabato a mezzogionro e
domenica – **Pasto** carta 45/80000.

🍴 😊 **Dongiò,** via Corio 3 ✉ 20135 ☎ 02 5511372, prenotare la sera – ❄. [AE] [S] ① [MC] [VISA] [JCB].
🐕 LY u
chiuso agosto, sabato a mezzogiorno e domenica – **Pasto** carta 45/65000.

🍴 😊 **Al Merluzzo Felice,** via Lazzaro Papi 6 ✉ 20135 ☎ 02 5454711, prenotare – [AE] [S] ① [MC]
[VISA]. 🐕 LY b
chiuso dal 7 al 31 agosto, domenica e i giorni festivi – **Pasto** specialità siciliane carta 55/85000.

Navigli

via Solari, Ripa di Porta Ticinese, viale Bligny, piazza XXIV Maggio **(Pianta : Milano p. 8 12 e 13)**

🏨 **D'Este** senza rist, viale Bligny 23 ✉ 20136 ☎ 02 58321001, *Fax 02 58321136* – 🛗 ❄ 📺 –
🏛 80. [AE] [S] ① [MC] [VISA]. 🐕 KY d
79 cam ☕ 230/320000.

🏨 **Crivi's** senza rist, corso Porta Vigentina 46 ✉ 20122 ☎ 02 582891, *Fax 02 58318182* – 🛗 ❄
📺 ☎ 🚗 – 🏛 120. [AE] [S] ① [MC] [VISA] [JCB] KY e
chiuso agosto – **83 cam** ☕ 280/395000, 3 suites.

🏨 **Liberty** senza rist, viale Bligny 56 ✉ 20136 ☎ 02 58318562, *Fax 02 58319061* – 🛗 ❄ 📺
🚗. [AE] [S] [MC] [VISA]. 🐕 KY a
chiuso dal 1° al 24 agosto – ☕ 20000 – **50 cam** 255/400000.

🏠 **Relais Mercure Milano Corso Genova** senza rist, via Conca del Naviglio 20 ⊠ 20123
ℰ 02 58104141, *infobookingmilano@metho.com*, Fax 02 89401012 – 🛗 🗏 📺 🗪 P AE
🕄 ① ⑩ VISA JCB
JY u
105 cam ⊑ 270/380000.

🏠 **Des Etrangeres** senza rist, via Sirte 9 ⊠ 20146 ℰ 02 48955325, Fax 02 48955325 – 🗏
📺 🗪 AE 🕄 ① ⑩ VISA
DS y
69 cam ⊑ 130/200000.

XXXX **Sadler**, via Ettore Troilo 14 angolo via Conchetta ⊠ 20136 ℰ 02 58104451, *sadler@sadler*
❄ *.it*, Fax 02 58112343, 😭, prenotare – 🗏 🕄 ① ⑩ VISA
ES a
chiuso dal 1º al 12 gennaio, dall'8 agosto al 2 settembre, domenica e a mezzogiorno –
Pasto 140/155000 e carta 95/175000
Spec. Terrina di foie gras con uvetta, noci e mostarde (dicembre-aprile). Ravioli di astice e
piselli novelli (aprile-agosto). Involtini di maialino di cinta al tartufo nero (giugno-ottobre).

XX **Al Porto**, piazzale Generale Cantore ⊠ 20123 ℰ 02 89407425, Fax 02 8321481, prenotare
– 🗏 AE 🕄 ① ⑩ VISA JCB 🛠
HY h
chiuso dal 24 dicembre al 3 gennaio, agosto, domenica e lunedì a mezzogiorno – **Pasto**
specialità di mare carta 75/118000.

XX **Osteria di Porta Cicca**, ripa di Porta Ticinese 51 ⊠ 20143 ℰ 02 8372763,
Fax 02 8372763, Coperti limitati; prenotare – 🗏 AE 🕄 ① ⑩ VISA 🛠
HY j
chiuso dal 13 al 29 agosto, sabato a mezzogiorno e domenica – **Pasto** carta 60/80000.

XX **Tano Passami l'Olio**, via Vigevano 32/a ⊠ 20144 ℰ 02 8394139, *tano@mail.mdsnet.it*,
Coperti limitati ; prenotare – 🗏 AE 🕄 ① ⑩ VISA 🛠
HY f
chiuso dal 24 dicembre al 6 gennaio, agosto, domenica e a mezzogiorno – **Pasto** carta
90/145000.

XX **Il Torchietto**, via Ascanio Sforza 47 ⊠ 20136 ℰ 02 8372910, Fax 02 8372000 – 🗏 AE 🕄
① ⑩ VISA JCB 🛠
ES b
chiuso dal 26 dicembre al 3 gennaio, agosto e lunedì – **Pasto** specialità mantovane carta
60/80000.

XX **Le Buone Cose**, via San Martino 8 ⊠ 20122 ℰ 02 58310589, Fax 02 58310589, Coperti
limitati; prenotare – 🗏 AE 🕄 ① ⑩ VISA
KY h
chiuso agosto, sabato a mezzogiorno e domenica – **Pasto** specialità di mare carta 65/
115000.

XX **Al Capriccio**, via Washington 106 ⊠ 20146 ℰ 02 48950655, prenotare – 🗏 AE 🕄 ① ⑩
VISA JCB 🛠
DS y
chiuso agosto e lunedì – **Pasto** specialità di mare carta 65/90000.

XX **Olivia**, viale D'Annunzio 7/9 ⊠ 20123 ℰ 02 89406052 – 🗏 AE 🕄 ① VISA
HY e
chiuso dal 23 dicembre al 7 gennaio, dal 10 al 25 agosto, sabato a mezzogiorno e domenica
– **Pasto** carta 55/85000.

XX **Il Navigante**, via Magolfa 14 ⊠ 20143 ℰ 02 89406320, Fax 02 89420897 – 🗏 P AE 🕄 ①
⑩ VISA
JY c
chiuso agosto, domenica a mezzogiorno e lunedì – **Pasto** carta 65/110000.

X **Trattoria Trinacria**, via Savona 57 ⊠ 20144 ℰ 02 4238250, prenotare – 🗏 AE 🕄 ① ⑩
VISA 🛠
DS w
chiuso domenica e a mezzogiorno – **Pasto** specialità siciliane carta 55/100000.

X **Conconi**, Alzaia Naviglio Grande 62 ⊠ 20144 ℰ 02 89406587, Fax 02 2592334 – 🗏 AE 🕄
① ⑩ VISA 🛠
HY b
chiuso dal 12 al 18 agosto, lunedì e a mezzogiorno – **Pasto** carta 60/80000.

X **Trattoria Aurora**, via Savona 23 ⊠ 20144 ℰ 02 89404978, *trattoriaaurora@libero.it*,
🍝 Fax 02 89404978, « Servizio estivo in giardino » – AE 🕄 ① ⑩ VISA JCB
HY m
Pasto cucina tipica piemontese 30000 bc (solo a mezzogiorno esluso sabato-domenica)
70000 (la sera) e carta 65/90000.

X **Grand Hotel**, via Ascanio Sforza 75 ⊠ 20141 ℰ 02 89511586, 😭 – AE 🕄 ① ⑩ VISA 🛠
chiuso lunedì e a mezzogiorno (escluso domenica) – **Pasto** carta 60/90000.
ES c

X **Trattoria all'Antica**, via Montevideo 4 ⊠ 20144 ℰ 02 58104860 – 🗏 AE 🕄 ① ⑩ VISA
🍝 🛠
HY r
chiuso dal 26 dicembre al 7 gennaio, agosto, sabato a mezzogiorno e domenica – **Pasto**
cucina lombarda 50000 (solo la sera) e carta 50/80000 (solo a mezzogiorno).

X **Shri Ganesh**, via Lombardini 8 ⊠ 20143 ℰ 02 58110933, Fax 02 58110949, Rist. indiano
🍝 – 🗏 AE 🕄 ① ⑩ VISA 🛠
HY c
chiuso dal 14 al 17 agosto e a mezzogiorno – **Pasto** 35/40000 e carta 45/60000.

X **Ponte Rosso**, Ripa di Porta Ticinese 23 ⊠ 20143 ℰ 02 8373132, Trattoria-bistrot. 🕄 ⑩
VISA
HY d
chiuso agosto, domenica e mercoledì sera – **Pasto** specialità triestine e milanesi carta
50/70000.

Fiera-Sempione

corso Sempione, piazzale Carlo Magno, via Monte Rosa, via Washington (Pianta : Milano p. 8 e 10)

Hermitage M, via Messina 10 ⊠ 20154 ℰ 02 33107700, *hermitage.res@monrifhotels.it* Fax 02 33107399, **F₆** – 🛗, ❄ cam, ☰ TV ✆ 🖧 ⇔ – 🛦 200. 🖭 🕃 ⓪ ⓿ VISA. ⅍ HU c chiuso agosto – **Pasto** vedere rist *Il Sambuco* – **119 cam** ⊇ 430/550000, 12 suites.

Milan Marriott Hotel M, via Washington 66 ⊠ 20146 ℰ 02 48521 e rist. ℰ 02 48522834, Fax 02 4818925 – 🛗 ❄ ☰ TV ⇔ – 🛦 1200. 🖭 🕃 ⓪ ⓿ VISA JCB. ⅍
DR c
Pasto al Rist. *La Brasserie de Milan* (chiuso lunedì) carta 55/110000 – **312 cam** ⊇ 410/490000, suite.

Radisson SAS Scandinavia Hotel Milano M, via Fauché 15 ⊠ 20154 ℰ 02 336391, *sales@milan.rdsas.com*, Fax 02 33104510, 😤, **F₆**, ⓢ, 🐟 – 🛗 ❄, ☰ TV ✆ & ⇔ – 🛦 170. 🖭 🕃 ⓪ ⓿ VISA. ⅍
HT c
Pasto al Rist. *Giardino-Sempione* carta 75/105000 – **149 cam** ⊇ 480/560000, suite.

Capitol Millennium M, via Cimarosa 6 ⊠ 20144 ℰ 02 48003050, *capitol@tin.it*, Fax 02 4694724, **F₆** – 🛗 ☰ TV ✆ – 🛦 70. 🖭 🕃 ⓪ ⓿ VISA JCB. ⅍ rist
DR a
Pasto (solo per alloggiati; chiuso dal 10 al 21 agosto e a mezzogiorno) 55/85000 – ⊇ 30000 – **61 cam** 360/490000, 5 suites – ½ P 335000.

Regency senza rist, via Arimondi 12 ⊠ 20155 ℰ 02 39216021, *regency@regency-milano. com*, « In una dimora nobiliare di fine '800 con grazioso cortiletto » – 🛗 ☰ TV – 🛦 50. 🖭 🕃 ⓪ ⓿ VISA.
DQ b
chiuso dal 24 dicembre al 5 gennaio ed agosto – **59 cam** ⊇ 290/390000.

Gd H. Fieramilano, viale Boezio 20 ⊠ 20145 ℰ 336221, *prenotazioni@grandhotelfiera milano.com*, Fax 314119 – 🛗 ☰ TV & – 🛦 60. 🖭 🕃 ⓪ ⓿ VISA. ⅍ rist
DR e
chiuso luglio-agosto – **Pasto** (chiuso a mezzogiorno) carta 40/60000 – **238 cam** ⊇ 355/430000.

Poliziano Fiera senza rist, via Poliziano 11 ⊠ 20154 ℰ 02 3191911, *hotelpolizianofiera @traveleurope.it*, Fax 02 3191931 – 🛗 ☰ TV ⇔ – 🛦 90. 🖭 🕃 ⓪ ⓿ VISA. ⅍
HT a
chiuso dal 23 dicembre all'7 gennaio e dal 5 al 27 agosto – **100 cam** ⊇ 430/490000, 2 suites.

Domenichino senza rist, via Domenichino 41 ⊠ 20149 ℰ 02 48009692, *hd@hoteldome nichino.it*, Fax 02 48003953 – 🛗 ☰ TV ⇔ – 🛦 50. 🖭 🕃 ⓪ ⓿ VISA
DR f
chiuso dal 21 dicembre al 2 gennaio e dal 3 al 26 agosto – **75 cam** ⊇ 210/300000, 2 suites.

Mozart senza rist, piazza Gerusalemme 6 ⊠ 20154 ℰ 02 33104215, Fax 02 33103231 – 🛗 ☰ TV ⇔ – 🛦 40. 🖭 🕃 ⓪ ⓿ VISA JCB. ⅍
HT b
chiuso dal 22 dicembre al 2 gennaio e agosto – **116 cam** ⊇ 290/390000, 3 suites.

Admiral senza rist, via Domodossola 16 ⊠ 20145 ℰ 02 3492151, *info@admiralhotel.it*, Fax 02 33106660 – 🛗 ☰ TV ⇔ P – 🛦 80. 🖭 🕃 ⓪ ⓿ VISA JCB. ⅍
DR y
chiuso dal 24 dicembre al 7 gennaio e dal 25 luglio al 1° settembre – **60 cam** ⊇ 140/180000.

Metrò senza rist, corso Vercelli 61 ⊠ 20144 ℰ 02 468704, Fax 02 48010295 – 🛗 ☰ TV – 🛦 35. 🖭 🕃 ⓪ ⓿ VISA
DR x
37 cam ⊇ 250/340000.

Astoria senza rist, viale Murillo 9 ⊠ 20149 ℰ 02 40090095, *astoriahotel@tin.it*, Fax 02 40074642 – 🛗 ☰ TV – 🛦 30. 🖭 🕃 ⓪ ⓿ VISA
DR m
chiuso dal 28 luglio al 28 agosto – **69 cam** ⊇ 220/330000, suite.

Berlino senza rist, via Plana 33 ⊠ 20155 ℰ 02 324141, *hotelberlino@traveleurope.it*, Fax 02 39210611 – 🛗 ☰ TV. 🖭 🕃 ⓪ ⓿ VISA JCB
DQ d
48 cam ⊇ 220/305000.

Mini Hotel Tiziano senza rist, via Tiziano 6 ⊠ 20145 ℰ 02 4699035, Fax 02 4812153, « Piccolo parco » – 🛗 ☰ TV ⇔ P. 🖭 🕃 ⓪ ⓿ VISA JCB
DR k
54 cam ⊇ 210/300000.

Lancaster senza rist, via Abbondio Sangiorgio 16 ⊠ 20145 ℰ 02 344705, *h.lancaster@tin .it*, Fax 02 344649 – 🛗 ☰ TV. 🖭 🕃 ⓪ ⓿ VISA
HU c
chiuso luglio, agosto e Natale – **30 cam** ⊇ 175/270000.

XXX **Il Sambuco** - Hotel Hermitage, via Messina 10 ⊠ 20154 ℰ 02 33610333, Fax 02 33611850 – ☰. 🖭 🕃 ⓪ ⓿ VISA
HU q
chiuso dal 25 dicembre al 3 gennaio, dal 1° al 20 agosto, sabato a mezzogiorno e domenica – **Pasto** specialità di mare 80/95000 e carta 85/130000.

XX **Alfredo-Gran San Bernardo,** via Borgese 14 ⊠ 20154 ℰ 02 3319000, 🍃 Fax 02 29006859, prenotare la sera – ☰. 🖭 🕃 ⓪ ⓿ VISA JCB
HT e
chiuso dal 20 dicembre al 7 gennaio, agosto, domenica ed in giugno-luglio anche sabato – **Pasto** specialità milanesi 60000 (solo a mezzogiorno) e carta 85/120000
Spec. Risotto al salto o all'onda. Costoletta alla milanese. Casseoula (novembre-aprile).

XX **Arrow's,** via Mantegna 17/19 ✉ 20154 ☎ 02 341533, *Fax 02 341533,* ⛱, prenotare – ≡. [AE] [S] [DC] [MC] VISA. 🚫🐕 HU f
chiuso agosto, domenica e lunedì a mezzogiorno – **Pasto** specialità di mare carta 80/100000.

XX **Sadler Wine e Food,** via Monte Bianco 2/A ✉ 20149 ☎ 02 4814677, *wine.food@wine.food.it, Fax 02 48109490,* Rist. con enoteca, prenotare – ≡. [AE] [S] [DC] [MC] VISA JCB DR c
chiuso dal 6 al 27 agosto e domenica – **Pasto** carta 55/150000.

XX **Da Stefano il Marchigiano,** via Arimondi 1 angolo via Plana ✉ 20155 ☎ 02 33001863 – ≡. [AE] [S] [DC] [MC] VISA. 🚫🐕 DQ d
chiuso agosto, venerdì sera e sabato – **Pasto** carta 50/85000.

XX **Raffaello,** via Monte Amiata 4 ✉ 20149 ☎ 02 4814227, *raffaellorist@iol.it, Fax 02 4980402* – ≡. [AE] [S] [DC] [MC] VISA. 🚫🐕 DR r
chiuso dal 26 dicembre al 3 gennaio, dal 5 al 24 agosto e mercoledì – **Pasto** carta 60/90000.

XX **Montecristo,** corso Sempione angolo via Prina ✉ 20154 ☎ 02 312760, *Fax 02 312760* – ≡. [S] [DC] [MC] VISA. 🚫🐕 HU j
chiuso dal 25 dicembre al 2 gennaio, agosto, martedì e sabato a mezzogiorno – **Pasto** specialità di mare carta 80/105000.

XX **Osteria del Borgo Antico,** via Piero della Francesca 40 ✉ 20154 ☎ 02 3313641, *osteria@borgoantico.net* – ≡. [AE] [S] [DC] [MC] VISA. 🚫🐕 HT v
chiuso agosto, sabato a mezzogiorno e domenica – **Pasto** specialità di mare carta 65/105000.

XX **Montina,** via Procaccini 54 ✉ 20154 ☎ 02 3490498 – ≡. [S] [DC] [MC] VISA HT d
chiuso domenica e lunedì a mezzogiorno – **Pasto** carta 60/80000.

XX **El Crespin,** via Castelvetro 18 ✉ 20154 ☎ 02 33103004, *Fax 02 33103004,* prenotare – ≡. [AE] [S] [DC] [MC] VISA JCB. 🚫🐕 HT p
chiuso dal 26 dicembre al 7 gennaio, agosto, sabato a mezzogiorno e domenica – **Pasto** carta 60/85000.

XX **Le Pietre Cavate** via Castelvetro 14 ✉ 20154 ☎ 02 344704, *Fax 02 344704* – ≡. [AE] [S] [DC] [MC] VISA. 🚫🐕 HT p
chiuso dal 26 dicembre al 2 gennaio, agosto, mercoledì e giovedì a mezzogiorno – **Pasto** carta 60/105000.

XX **Taverna della Trisa,** via Francesco Ferruccio 1 ✉ 20145 ☎ 02 341304, « Servizio estivo in giardino ». [S] VISA HU n
chiuso agosto, domenica e lunedì – **Pasto** specialità trentine carta 60/95000.

XX **Massena,** via Cenisio 8 ✉ 20145 ☎ 02 33101511, prenotare – ≡. [AE] [S] [DC] [MC] VISA JCB. 🚫🐕 HT f
chiuso agosto e martedì – **Pasto** carta 65/120000.

X **Sukria,** via Cirillo 16 ✉ 20154 ☎ 02 3451635, Rist. indiano – ≡. [AE] [S] [DC] [MC] VISA. 🚫🐕
chiuso dal 1° al 20 agosto – **Pasto** 40/50000 (alla sera) e carta 50/55000. HU b

X **Al Vecchio Porco,** via Messina 8 ✉ 20154 ☎ 02 313862, *Fax 02 313862,* ⛱ – ≡. 🚫🐕
chiuso domenica e a mezzogiorno – **Pasto** carta 60/75000. HU e

X **Pace,** via Washington 74 ✉ 20146 ☎ 02 468567, *Fax 02 468567,* Rist. d'habitués – ≡. [AE] [S] [DC] [MC] VISA. 🚫🐕 DR z
chiuso Natale, dal 14 al 18 aprile, dal 1° al 23 agosto, sabato a mezzogiorno e mercoledì – **Pasto** carta 45/65000.

X **Osteria della Cagnola,** via Cirillo 14 ✉ 20154 ☎ 02 3319428, *Fax 02 3319428,* Coperti limitati; prenotare – [S] [MC] VISA HU v
chiuso dal 24 dicembre al 4 gennaio, dal 23 luglio al 26 agosto e domenica – **Pasto** carta 60/100000.

Zone periferiche

Zona urbana Nord-Ovest

viale Fulvio Testi, Niguarda, viale Fermi, viale Certosa, San Siro, via Novara **(Pianta : Milano p. 6 7 e 8)**

🏨 **Grand Hotel Brun** ⛰, via Caldera 21 ✉ 20153 ☎ 02 452711, *brunres@tin.it, Fax 02 48204746* – ⇅ ≡ [TV] 🚗 [P] – 🏛 500. [AE] [S] [DC] [MC] VISA JCB. 🚫🐕 AP c
chiuso dal 23 dicembre al 7 gennaio – **Pasto** *(chiuso domenica)* carta 70/95000 – **300 cam** ☕ 390/520000, 24 suites.

🏨 **Rubens,** via Rubens 21 ✉ 20148 ☎ 02 40302, *rubens@antareshotels.com, Fax 02 48193114,* « Camere affrescate » – ⇅ 🚭 ≡ [TV] [P] – 🏛 35. [AE] [S] [DC] [MC] VISA. 🚫🐕 rist
Pasto (solo per alloggiati) carta 50/85000 – **87 cam** ☕ 370/495000. DR g

🏨 **Accademia,** viale Certosa 68 ✉ 20155 ☎ 02 39211122, *accademia@antareshotels.com, Fax 02 33103878,* « Camere affrescate » – ⇅ ≡ [TV] 📞 🚗 – 🏛 30. [AE] [S] [DC] [MC] VISA. 🚫🐕 rist
Pasto (solo per alloggiati) 45/60000 – **67 cam** ☕ 355/495000. DQ g

Blaise e Francis, via Butti 9 ⊠ 20158 ℰ 02 66802366, Fax 02 66802909 – |≋|, ⇔ cam, ■ ⊡ ⅋ ☞ – ⬚ 200. ⅍ ⅌ ⬤ ⬥ 𝚅𝙸𝚂𝙰 . ⅏
EQ a
Pasto (solo per alloggiati e *chiuso domenica*) carta 45/70000 – **110 cam** ⊇ 400/450000.

Novotel Milano Nord, viale Suzzani 13 ⊠ 20162 ℰ 02 66101861, novotelmilanonord@
accor-hotels.it, Fax 02 66101961, 𝑓ₛ, ⬚ – |≋|, ⇔ cam, ■ ⊡ ⅋ ☞ – ⬚ 500. ⅍ ⅌ ⬤ ⬥
𝚅𝙸𝚂𝙰 . ⅏ rist
BO b
Pasto carta 55/90000 – **172 cam** ⊇ 340/410000 – ½ P 265000.

Mirage senza rist, via Casella 61 angolo viale Certosa ⊠ 20156 ℰ 02 39210471, mirage@g
ruppomirage.it, Fax 02 39210589 – |≋| ■ ⊡ – ⬚ 50. ⅍ ⅌ ⬤ ⬥ 𝚅𝙸𝚂𝙰
DQ z
50 cam ⊇ 270/370000.

Valganna senza rist, via Varè 32 ⊠ 20158 ℰ 02 39310089, hotel.valganna@traveleurope.
it, Fax 02 39312566 – |≋| ■ ⊡ ☞. ⅍ ⅌ ⬤ ⬥ 𝚅𝙸𝚂𝙰
AO e
40 cam ⊇ 150/200000.

Innocenti Evasioni, via privata della Bindellina ⊠ 20155 ℰ 02 33001882, innocentievas
ioni@libero.it, Fax 02 33001882, ⅌, prenotare – ■. ⅍ ⅌ ⬤ 𝚅𝙸𝚂𝙰
DQ a
chiuso dal 3 al 9 gennaio, agosto, domenica, lunedì e a mezzogiorno – **Pasto** 55/60000 e
carta 55/65000

La Pobbia 1821, via Gallarate 92 ⊠ 20151 ℰ 02 38006641, lapobbia@tin.it,
Fax 02 38000724, Antico ristorante milanese, « Servizio estivo all'aperto » – ⬚ 40. ⅍ ⅌ ⬤
⬥ 𝚅𝙸𝚂𝙰
DQ w
chiuso agosto e domenica – **Pasto** carta 70/100000.

Al Molo 13, via Rubens 13 ⊠ 20148 ℰ 02 4042743, Fax 02 40072616 – ■. ⅍ ⅌ ⬤ ⬥
𝚅𝙸𝚂𝙰 𝙹𝙲𝙱. ⅏
DR b
chiuso dal 24 dicembre al 4 gennaio, agosto e domenica – **Pasto** specialità di mare carta
70/95000.

Il Faraone, via Masolino da Panicale 13 ⊠ 20155 ℰ 02 33001337, Fax 02 39215767, ⅌,
Rist. e pizzeria – ■. ⅍ ⅌ ⬤ ⬥ 𝚅𝙸𝚂𝙰 𝙹𝙲𝙱
DQ c
chiuso mercoledì – **Pasto** specialità arabe carta 40/60000.

Zona urbana Nord-Est

viale Monza, via Padova, via Porpora, viale Romagna, viale Argonne, viale Forlanini (Pianta :
Milano p. 7 e 9)

Concorde, viale Monza 132 ⊠ 20125 ℰ 02 26112020, concorde@antareshotels.com,
Fax 02 26147879 – |≋| ■ ⊡ ☞ – ⬚ 160. ⅍ ⅌ ⬤ ⬥ 𝚅𝙸𝚂𝙰. ⅏ rist
BO d
Pasto (solo per alloggiati e *chiuso a mezzogiorno*) carta 50/85000 – **120 cam** ⊇ 270/
390000.

Starhotel Tourist, viale Fulvio Testi 300 ⊠ 20126 ℰ 02 6437777, tourist.mi@starhotels
.it, Fax 02 6472516, 𝑓ₛ – |≋|, ⇔ cam, ■ ⊡ ☞ 🄿 – ⬚ 150. ⅍ ⅌ ⬤ ⬥ 𝚅𝙸𝚂𝙰 𝙹𝙲𝙱.
⅏
BO c
Pasto (solo per alloggiati) carta 70/145000 – **140 cam** ⊇ 340/450000 – ½ P 290000.

Lombardia, viale Lombardia 74 ⊠ 20131 ℰ 02 2824938, hotelomb@tin.it,
Fax 02 2893430 – |≋|, ⇔ cam, ■ ⊡ ☞ – ⬚ 100. ⅍ ⅌ ⬤ ⬥ 𝚅𝙸𝚂𝙰 𝙹𝙲𝙱. ⅏
GQ e
chiuso dal 9 al 24 agosto – **Pasto** (*chiuso a mezzogiorno, sabato e domenica*) 40/60000 –
80 cam ⊇ 180/310000 – ½ P 195000.

Gala ⅏ senza rist, viale Zara 89 ⊠ 20159 ℰ 02 66800891, Fax 02 66800463 – |≋| ■ ⊡ 🄿.
⅍ ⅌ ⬤ ⬥ 𝚅𝙸𝚂𝙰. ⅏
FQ a
chiuso agosto – ⊇ 18000 – **23 cam** 150/220000.

Città Studi ⅏ senza rist, via Saldini 24 ⊠ 20133 ℰ 02 744666, Fax 02 713122 – |≋| ■ ⊡.
⅍ ⅌ ⬥ 𝚅𝙸𝚂𝙰
GR d
⊇ 15000 – **45 cam** 115/160000.

L'Altra Scaletta, viale Zara 116 ⊠ 20125 ℰ 02 6888093, Fax 02 6888093 – ■. ⅍ ⅌ ⬤
⬤ 𝚅𝙸𝚂𝙰. ⅏
FQ e
chiuso agosto, sabato a mezzogiorno e domenica – **Pasto** 30000 e carta 50/75000.

Tre Pini, via Tullo Morgagni 19 ⊠ 20125 ℰ 02 66805413, Fax 02 66801346, prenotare,
« Servizio estivo sotto un pergolato » – ⅍ ⅌ ⬤ ⬥ 𝚅𝙸𝚂𝙰
BO a
chiuso dal 25 dicembre al 4 gennaio, dal 5 al 31 agosto e sabato – **Pasto** specialità alla brace
carta 60/85000.

Da Renzo, piazza Sire Raul 4 ⊠ 20131 ℰ 02 2846261, Fax 02 2896634, ⅌ – ■. ⅍ ⅌ ⬤
⬤ 𝚅𝙸𝚂𝙰
GQ h
chiuso dal 26 dicembre al 2 gennaio, agosto, lunedì sera e martedì – **Pasto** carta 50/85000.

Piero e Pia, piazza Aspari 2 angolo via Vanvitelli ⊠ 20129 ℰ 02 718541, Fax 02 718541,
prenotare la sera – ■. ⅍ ⅌ ⬤ ⬥ 𝚅𝙸𝚂𝙰
GR z
chiuso dal 6 al 28 agosto e domenica (escluso dicembre) – **Pasto** specialità piacentine carta
60/100000.

Alla Capanna-da Attilio e Maria, via Donatello 9 ⊠ 20131 ℰ 02 29400884,
Fax 02 29521491 – ■. ⅍ ⅌ ⬤ ⬥ 𝚅𝙸𝚂𝙰
GR h
chiuso agosto e sabato – **Pasto** carta 45/65000.

✗ **Charmant,** via G. Colombo 42 ⊠ 20133 ☏ 02 70100136, Coperti limitati; prenotare – 🔲.
AE 🕄 ① 🞐 VISA. ⅍   GR k
Pasto specialità di mare carta 80/115000.

✗ **La Baia dei Pescatori,** via Popoli Uniti 7 ⊠ 20127 ☏ 02 2619434, Fax 02 2619434 – 🔲.
AE 🕄 ① 🞐 VISA. ⅍   GQ c
chiuso dal 13 al 31 agosto e lunedì – **Pasto** carta 65/120000.

✗ **Baia Chia,** via Bazzini 37 ⊠ 20131 ☏ 02 2361131, 🛋, prenotare – 🔲. 🕄 🞐 VISA. ⅍
chiuso dal 24 dicembre al 2 gennaio, Pasqua, agosto, domenica e lunedì a mezzogiorno –
Pasto specialità di mare e sarde carta 45/85000.   GQ a

✗ Doge di Amalfi, via Sangallo 41 ⊠ 20133 ☏ 02 730286, 🛋, Rist. e pizzeria – 🔲   GR j

✗ **Osteria da Francesca,** viale Argonne 32 ⊠ 20133 ☏ 02 730608, Trattoria con coperti
limitati; prenotare – 🔲. AE 🕄 ① 🞐 – **Pasto** solo specialità di mare giovedì sera e venerdì carta
50/75000.   GR p

✗ **Mykonos,** via Tofane 5 ⊠ 20125 ☏ 02 2610209, Taverna tipica, prenotare   BO x
chiuso dal 9 al 24 agosto, martedì e a mezzogiorno – **Pasto** cucina greca carta 45/55000.

Zona urbana Sud-Est

viale Molise, corso Lodi, via Ripamonti, corso San Gottardo (Pianta : Milano p. 7 e 9)

🏨 **Quark,** via Lampedusa 11/a ⊠ 20141 ☏ 02 84431, commerciale@quarkhotel.com,
Fax 02 8464190, 🛋, 🏊, – 📳, 🖐 cam, 🔲 📺 🚗 📶 – 🛃 1000. AE 🕄 ① 🞐 VISA. ⅍
chiuso dal 24 luglio al 22 agosto – **Pasto** carta 80/115000 – **190 cam** ⊇ 275/340000, 92
suites   BP a

🏨 **Starhotel Business Palace,** via Gaggia 3 ⊠ 20139 ☏ 02 53545, business.mi@starhote
ls.it, Fax 02 57307550, 🛋 – 📳 🔲 📺 🗘 🚗 – 🛃 200. AE 🕄 ① 🞐 VISA JCB. ⅍   BP c
Pasto (solo per alloggiati) carta 70/115000 – **214 cam** ⊇ 380/520000, 34 suites –
½ P 310000.

🏨 **Novotel Milano Est Aeroporto,** via Mecenate 121 ⊠ 20138 ☏ 02 58011085,
Fax 02 58011086, 🏊, – 📳 🔲 📺 🗘 🚗 📶 – 🛃 350. AE 🕄 ① 🞐 VISA. ⅍ rist   CP b
Pasto carta 55/80000 – **206 cam** ⊇ 380/480000 – ½ P 320000.

🏨 **Mec** senza rist, via Tito Livio 4 ⊠ 20137 ☏ 02 5456715, hotelmec@tiscalinet.it,
Fax 02 5456718, 🛋 – 📳 🔲 📺 🗘 🚗. AE 🕄 ① 🞐 VISA   GS r
40 cam ⊇ 200/300000.

🏨 **Garden** senza rist, via Rutilia 6 ⊠ 20141 ☏ 02 55212838, Fax 02 57300678 – 📺 �P. AE 🕄
① 🞐 VISA   BP z
chiuso agosto – senza ⊇ – **23 cam** 105/150000.

✗✗ **Antica Trattoria Monluè,** via Monluè 75 ⊠ 20138 ☏ 02 7610246, Fax 02 7610246,
Elegante trattoria di campagna – 🔲 �P. AE 🕄 ① 🞐 VISA JCB   CP d
chiuso dal 2 al 14 gennaio, dal 6 al 18 agosto, sabato a mezzogiorno e domenica – **Pasto**
carta 75/105000.

✗✗ **La Plancia,** via Cassinis 13 ⊠ 20139 ☏ 02 5390558, Fax 02 5390558, Rist. e pizzeria – 🔲.
AE 🕄 ① 🞐 VISA. ⅍   BP c
chiuso agosto e domenica – **Pasto** specialità di mare carta 60/80000.

✗ **Taverna Calabiana,** via Calabiana 3 ⊠ 20139 ☏ 02 55213075, Rist. e pizzeria – 🔲. AE 🕄
① VISA. ⅍   FS a
chiuso dal 24 dicembre al 5 gennaio, Pasqua, agosto, domenica e lunedì – **Pasto** carta
50/70000.

Zona urbana Sud-Ovest

viale Famagosta, viale Liguria, via Lorenteggio, viale Forze Armate, via Novara (Pianta :
Milano p. 6 e 7)

🏨 **Holiday Inn,** via Lorenteggio 278 ⊠ 20152 ☏ 02 413111, gabriella.morandotti@basshot
els.com, Fax 02 413113, 🛋 – 📳 🖐 🔲 📺 🗘 🕭 🚗 – 🛃 85. AE 🕄 ① 🞐 VISA JCB. ⅍ rist
Pasto al Rist. **L'Univers Gourmand** carta 60/80000 – ⊇ 35000 – **119 cam** 420/510000 –
½ P 305000.   AP

🏨 **Dei Fiori** senza rist, via Renzo e Lucia 14, raccordo autostrada A7 ⊠ 20142 ☏ 02 8436441,
hoteldeifiori@tiscalinet.it, Fax 02 89501096 – 📳 🔲 📺 �P. AE 🕄 ① 🞐 VISA JCB   BP b
53 cam ⊇ 160/200000.

✗✗✗ **Aimo e Nadia,** via Montecuccoli 6 ⊠ 20147 ☏ 02 416886, Fax 02 48302005, Coperti
limitati; prenotare – 🔲. AE 🕄 ① 🞐 VISA. ⅍   AP e
⁂ chiuso dal 1° al 6 gennaio, agosto, sabato a mezzogiorno e domenica – **Pasto** 65000 (solo a
mezzogiorno) 130000 e carta 130/185000
Spec. Ravioli di maialetto di cinta senese su passata di fagioli (estate-inverno). Filetto di
vitellone fassone marinato alla melissa (primavera-autunno). Trilogia di cioccolato con
lamponi.

Dintorni di Milano

sulla strada statale 35-quartiere Milanofiori *per ⑧ : 10 km :*

🏨 **Royal Garden Hotel** Ⓜ ⚭, via Di Vittorio ⊠ 20090 Assago ℘ 02 457811, *garden.rese* monrifhotels.it, Fax 02 45702901, ※ – ⧉ 🗏 📺 📞 ⅙ ⇔ 🄿 – 🛝 180. 🖭 🕄 ① ⑩ 🚾. ⚘ chiuso dal 24 dicembre al 5 gennaio e dal 1º al 24 agosto – **Pasto** carta 70/125000 – **111 cam** ⊊ 330/430000, 43 suites.

🏨 **Jolly Hotel Milanofiori**, Strada 2 ⊠ 20090 Assago ℘ 02 82221, *milanofiori@jollyhote.* s.it, Fax 02 89200946, 🕻, ☎, ※ – ⧉, ⇎ cam, 🗏 📺 🄿 – 🛝 120. 🖭 🕄 ① ⑩ 🚾. ⚘ ris chiuso dal 24 al 30 dicembre ed agorto – **Pasto** carta 55/100000 – **255 cam** ⊊ 370/42000 – ½ P 225000.

al Parco Forlanini (lato Ovest) *Est : 10 km (Pianta : Milano p. 9 CP) :*

※※ **Osteria I Valtellina**, via Taverna 34 ⊠ 20134 Milano ℘ 02 7561139, Fax 02 756043 prenotare, « Servizio estivo sotto un pergolato » – 🄿. 🖭 🕄 ① ⑩ 🚾. ⚘   CP chiuso dal 26 dicembre al 7 gennaio, dal 4 al 24 agosto e lunedì – **Pasto** specialità valtelline carta 70/105000.

sulla tangenziale ovest-Assago *per ⑩ : 14 km :*

🏨 **Holiday Inn Milan Assago**, ⊠ 20094 Assago ℘ 02 488601, *holida inn.assago@alliancealberghi.com*, Fax 02 48843958, 🕻, 🐧, – ⧉ ⇎ 🗏 📺 📞 ⅙ 🄿 – 🛝 30 🖭 🕄 ① ⑩ 🚾 ᴶᶜᴮ. ⚘ rist **Pasto** carta 50/80000 – **203 cam** ⊊ 280/320000, 9 suites.

MILANO MARITTIMA *Ravenna* 430 *J 19 – Vedere Cervia.*

MILAZZO *Messina* 432 *M 27 – Vedere Sicilia alla fine dell'elenco alfabetico.*

MILETO *89852 Vibo Valentia* 431 *L 30 – 7 322 ab. alt. 356.*
Roma 562 – Reggio di Calabria 84 – Catanzaro 107 – Cosenza 110 – Gioia Tauro 28.

✕ **Il Normanno**, via Duomo 12 ℘ 0963 336398, Fax 0963 336398, 😭, Rist. e pizzeria chiuso dal 1º al 15 settembre e lunedì (escluso agosto) – **Pasto** carta 30/45000.

MINERBIO *40061 Bologna* 429, 430 *I 16 – 7 479 ab. alt. 16.*
Roma 399 – Bologna 23 – Ferrara 30 – Modena 59 – Ravenna 93.

🏨 **Nanni**, via Garibaldi 28 ℘ 051 878276, Fax 051 876094, 🐎 – ⧉ 🗏 📺 📞 🄿 – 🛝 25. 🖭 🕄 ① ⑩ 🚾. ⚘ **Pasto** *(chiuso dal 24 dicembre al 7 gennaio e dall'8 al 21 agosto)* carta 45/60000 – **35 cam** ⊊ 150/230000 – ½ P 130000.

※※ **Osteria Dandy**, località Tintoria Nord-Est : 2 km ℘ 051 876040, Fax 051 876040, 😭 prenotare, « In un cascinale ristrutturato » – 🄿. 🖭 🕄 ① ⑩ 🚾. ⚘ chiuso agosto, domenica sera, lunedì e da giugno al 15 settembre anche a mezzogiorno – **Pasto** carta 65/95000 **Spec.** Gramigna al torchio con ragù di salsiccia. Coniglio nostrano con patate arrostite a rosmarino. Zabaione freddo con crema inglese e salsa caramello.

a Ca' de Fabbri *Ovest : 4 km –* ⊠ *40061 Minerbio :*

🏨 **Primhotel**, via Nazionale 33 ℘ 051 6604108, *primhotel@tiscalinet.it*, Fax 051 6606210 – ⧉, ⇎ cam, 🗏 📺 ⅙ ⇔ 🄿 – 🛝 25. 🖭 🕄 ① ⑩ 🚾. ⚘ **Pasto** *(chiuso a mezzogiorno)* carta 50/60000 – **44 cam** ⊊ 150/180000 – ½ P 125000.

MINORI *84010 Salerno* 431 *E 25 – 3 023 ab. – a.s. Pasqua, 15 giugno-15 settembre e Natale.*
Roma 269 – Napoli 67 – Amalfi 3 – Salerno 22.

🏨 **Santa Lucia**, via Nazionale 44 ℘ 089 853636, *hotels.lucia@amalfinet.it*, Fax 089 877142 – ⧉ 🗏 📺 ⇔. 🖭 🕄 ① ⑩ 🚾. ⚘ rist **Pasto** *(marzo-ottobre)* carta 40/60000 (10 %) – **30 cam** ⊊ 130/165000 – ½ P 125000.

※※ **Giardiniello**, corso Vittorio Emanuele 17 ℘ 089 877050, *giardiniello@amalfinet.it*, Fax 089 877050, Rist. e pizzeria serale, « Servizio estivo sotto un pergolato » – 🖭 🕄 ① ⑩ 🚾. ⚘ chiuso dal 6 novembre al 6 dicembre e mercoledì (escluso da giugno a settembre) – **Pasto** carta 45/70000.

✕ **L'Arsenale**, via San Giovanni a Mare 20/25 ℘ 089 851418.

MIRA 30034 Venezia **429** F 18 *G. Venezia* – 36 109 ab..

Vedere *Sala da ballo★ della Villa Widmann Foscari.*

Escursioni *Riviera del Brenta★★ per la strada S11.*

🟦 *via Nazionale 420 (Villa Widmann Foscari) ℰ 041 424973, Fax 041 423844.*

Roma 514 – *Padova 22 – Venezia 20 – Chioggia 39 – Milano 253 – Treviso 35.*

🏨 **Villa Margherita** senza rist, via Nazionale 416 ⊠ 30030 Mira Porte ℰ 041 4265800, *hvill am@tin.it*, Fax 041 4265838, « Villa seicentesca in un parco » – 🗏 📺 🅿. 🖭 🗟 ⓿ 🐼 🚾. ⛌
19 cam ⊃ 280/480000.

🏨 **Riviera dei Dogi** senza rist, via Don Minzoni 33 ⊠ 30030 Mira Porte ℰ 041 424466, Fax 041 424428 – 🗏 📺 🅿. 🖭 🗟 ⓿ 🐼 🚾
⊃ 10000 – **28 cam** 100/170000.

🏨 **Isola di Caprera**, riviera Silvio Trentin 13 ℰ 041 4265255, *isoladicaprera@mi.sct-vade.it*, Fax 041 4265548 – 🗏 📺 🅿. 🖭 🗟 ⓿ 🐼 🚾. ⛌ cam
chiuso dal 28 dicembre al 3 gennaio e dal 3 al 9 agosto – **Pasto** *(chiuso sabato e domenica sera)* carta 30/50000 – **9 cam** ⊃ 130/190000, suite – ½ P 150000.

🍴🍴🍴 **Margherita**, via Nazionale 312 ⊠ 30030 Mira Porte ℰ 041 420879, *ristorantemargherita @tin.it*, Fax 041 4265838, ☖, 🍴 – 🗏 🅿. 🖭 🗟 ⓿ 🐼 🚾. ⛌
chiuso dal 7 al 27 gennaio, martedì sera e mercoledì – **Pasto** specialità di mare 80/120000 (la sera) e carta 75/115000.

🍴🍴 **Nalin**, via Argine sinistro Novissimo 29 ℰ 041 420083, Fax 041 5600037, 🍴 – 🗏 🅿. 🖭 🗟 ⓿ 🐼 🚾. ⛌
chiuso dal 26 dicembre al 6 gennaio, agosto, domenica sera e lunedì – **Pasto** specialità di mare carta 50/80000.

🍴🍴 **Vecia Brenta** con cam, via Nazionale 403 ⊠ 30030 Mira Porte ℰ 041 420114, *rescossa@l ibero.it*, Fax 041 5600120 – 🗏 📺 🅿. 🖭 🗟 ⓿ 🐼 🚾. ⛌
chiuso gennaio – **Pasto** *(chiuso mercoledì e a mezzogiorno escluso domenica)* specialità di mare carta 65/105000 – ⊃ 15000 – **8 cam** 100/120000.

🍴🍴 **Dall'Antonia**, via Argine Destro 75 (Sud : 2 km) ℰ 041 5675618 – 🗏 🅿. 🖭 🗟 ⓿ 🐼 🚾
chiuso gennaio, agosto, domenica sera e martedì – **Pasto** specialità di mare 120000 bc e carta 45/70000.

🍴 **Anna e Otello**, località Piazza Vecchia 37 (Sud-Est : 3 km) ℰ 041 5675335, Fax 041 5675335 – 🗟 ⓿ 🐼 🚾. ⛌
chiuso dal 10 al 30 gennaio, lunedì e martedì a mezzogiorno – **Pasto** specialità di mare carta 40/55000.

MIRAMARE Rimini **430** J 19 – Vedere Rimini.

MIRANDOLA 41037 Modena **429** H 15 – 21 938 ab. alt. 18.

Roma 436 – *Bologna 56 – Ferrara 58 – Mantova 55 – Milano 202 – Modena 32 – Parma 88 – Verona 70.*

🏨 **Pico** senza rist, via Statale Sud 20 ℰ 0535 20050, *info@hotelpico.it*, Fax 0535 26873 – 📳 🗏 📺 🅿. 🗟 ⓿ 🐼 🚾. ⛌
chiuso dal 3 al 25 agosto – **26 cam** ⊃ 135/190000.

a Tramuschio Nord-Est : 6 km – ⊠ 41037 Mirandola :

🍴🍴 **Le Stagioni**, via C. Fila 5 ℰ 0535 32101, prenotare – 🗏. 🖭 🗟 ⓿ 🐼 🚾. ⛌
chiuso dal 1° all'8 gennaio, agosto, domenica sera e lunedì – **Pasto** carta 45/75000.

MIRANO 30035 Venezia **429** F 18 *G. Venezia* – 26 227 ab. alt. 9.

Roma 516 – *Padova 26 – Venezia 21 – Milano 253 – Treviso 30 – Trieste 158.*

🏨 **Park Hotel Villa Giustinian** senza rist, via Miranese 85 ℰ 041 5700200, Fax 041 5700355, « Parco con 🏊 » – 📳 🗏 📺 🅿 – 🔬 60. 🖭 🗟 ⓿ 🐼 🚾
39 cam ⊃ 130/220000, 2 suites.

🏨 **Leon d'Oro** ⛌, via Canonici 3 (Sud : 3 km) ℰ 041 432777, *leondoro@prometeo.it*, Fax 041 431501, « Raffinata residenza di campagna », 🚳, 🏊, 🍴 – ⛌ cam, 🗏 📺 ➓ 🅿. ⛌ rist
Pasto *(marzo-novembre; chiuso a mezzogiorno e solo per alloggiati)* – **23 cam** ⊃ 130/235000 – ½ P 155000.

🏨 **Villa Patriarca**, via Miranese 25 ℰ 041 430006, *hvppatri@tin.it*, Fax 041 5702077, 🏊, 🍴, ⛌ – 🗏 📺. 🖭 🗟 ⓿ 🐼 🚾
Pasto *(chiuso lunedì)* carta 60/90000 – **28 cam** ⊃ 125/170000.

🍴 **19 al Paradiso**, via Luneo 37 (Nord : 2 km) ℰ 041 431939, Fax 041 5701235, ☖ – 🅿. 🖭 🗟 ⓿ 🐼 🚾. ⛌
chiuso agosto, domenica sera e lunedì – **Pasto** carta 50/85000.

a Scaltenigo *Sud-Ovest : 4,8 km – ✉ 30030 :*

✗ **Trattoria la Ragnatela,** via Caltana 79 ☎ 041 436050, *Fax 041 436050* – ▤ 🅿. Ⓢ VISA
chiuso mercoledì – Pasto 30/35000 e carta 35/65000.

MISANO ADRIATICO *47843 Rimini* 429 , 430 K 20 – *9 738 ab. – a.s. 15 giugno-agosto.*

ℹ *via Platani 22 ☎ 0541 615520, Fax 0541 613295.*

Roma 318 – Rimini 13 – Bologna 126 – Forlì 65 – Milano 337 – Pesaro 20 – Ravenna 68 – San Marino 38.

Atlantic, via Sardegna 28 ☎ 0541 614161, *hotel-atlantic@libero.it, Fax 0541 613748,* « Solarium con riscaldata » – |‡| ▤ TV 🅿. AE Ⓢ ◑ ⓂⒸ VISA JCB. ✻ rist
Pasqua-settembre – **Pasto** carta 50/65000 – **39 cam** ☕ 150/210000 – ½ P 140000.

Haway, via Sardegna 21 ☎ 0541 610309, *hotelhaway@libero.it, Fax 0541 600505* – |‡|, ▤ rist, TV 🅿. ✻
15 maggio-20 settembre – **Pasto** 25/30000 – **39 cam** ☕ 90/130000 – ½ P 90000.

✗✗ **Taverna del Marinaio,** via dei Gigli 16 ☎ 0541 615658, ⇐ – 🅿. AE Ⓢ ◑ ⓂⒸ VISA JCB. ✻
chiuso dal 19 ottobre al 19 dicembre e martedì (escluso da giugno al 15 settembre) – **Pasto** specialità di mare carta 60/80000.

a Misano Monte *Ovest : 5 km – ✉ 47843 :*

I Girasoli ⛰, via Ca' Rastelli 13 ☎ 0541 610724, *girasoli@gusst.it, Fax 0541 610724,* ⛱, « Giardino ombreggiato con riscaldata e ✗ » – ▤ TV 🅿. AE Ⓢ ◑ ⓂⒸ VISA JCB. ✻
aprile-ottobre – **Pasto** *(chiuso a mezzogiorno)* carta 50/70000 – **6 cam** ☕ 200/260000 – ½ P 205000.

MISSIANO (MISSIAN) *Bolzano* 218 ⑳ – *Vedere Appiano sulla Strada del Vino.*

MISURINA *32040 Belluno* 429 C 18 *G. Italia – alt. 1 756 – Sport invernali : 1756/2 220 m* ⛷3, ⛷ *(vedere anche Auronzo di Cadore).*

Vedere *Lago*★★ – *Paesaggio pittoresco*★★★.

Roma 686 – Cortina d'Ampezzo 14 – Auronzo di Cadore 24 – Belluno 86 – Milano 429 – Venezia 176.

Grand Hotel Misurina ⛰, via Montepiana 21 ☎ 0435 39191, *Fax 0435 39194,* ⇐ Dolomiti e lago, Ꮇ, ≘s, ▢ – |‡| TV 🚗 – 🏛 50. AE Ⓢ ◑ ⓂⒸ VISA
dicembre-aprile e giugno-settembre – **Pasto** carta 55/80000 – **71 cam** ☕ 240/330000, 23 suites – ½ P 210000.

Lavaredo ⛰, via M. Piana 11 ☎ 0435 39227, *Fax 0435 39127,* ⇐ Dolomiti e lago, ≘s, ✗ – TV 🅿. Ⓢ ⓂⒸ VISA. ✻
chiuso novembre – **Pasto** carta 40/85000 – ☕ 20000 – **31 cam** 160/200000 – ½ P 130000.

MOCRONE *Massa-Carrara – Vedere Villafranca in Lunigiana.*

MODENA *41100* 🅿 428 , 429 , 430 I 14 *G. Italia – 176 022 ab. alt. 35.*

Vedere *Duomo*★★★ AY – *Metope*★★ *nel museo del Duomo* ABY **M1** – *Galleria Estense*★★, *biblioteca Estense*★, *sala delle medaglie*★ *nel palazzo dei Musei* AY **M2** – *Palazzo Ducale*★ BY **A**.

⛳18 e ⛳9 *(chiuso martedì) a Colombaro di Formigine ✉ 41050 ☎ 059 553482, Fax 059 553696, per ④ : 10 km.*

ℹ *piazza Grande 17 ☎ 059 206660, Fax 059 206659.*

A.C.I. *via Verdi 7 ☎ 059 247611.*

Roma 404 ④ – Bologna 40 ③ – Ferrara 84 ④ – Firenze 130 ④ – Milano 170 ⑤ – Parma 56 ⑤ – Verona 101 ⑤.

Pianta pagina a lato

Real Fini, via Emilia Est 441 ☎ 059 238091, *hotel.real.fini@hrf.it, Fax 059 364804* – |‡| ▤ TV ♿ 🚗 – 🏛 600. AE Ⓢ ◑ ⓂⒸ VISA. ✻ per ③
chiuso dal 22 dicembre al 2 gennaio e dal 28 luglio al 26 agosto – **Pasto** vedere rist ***Fini*** – ☕ 30000 – **87 cam** 255/360000, 4 suites.

Raffaello, via per Cognento 5 ☎ 059 357035, *Fax 059 354522* – |‡| ▤ TV 🚗 🅿 – 🏛 300. AE Ⓢ ◑ ⓂⒸ VISA. ✻ 3 km per via Giardini AZ
Pasto carta 45/70000 – **113 cam** ☕ 280/300000, 14 suites.

Canalgrande, corso Canalgrande 6 ☎ 059 217160, *info@canalgrandehotel.it, Fax 059 221674,* « Sale settecentesche e giardino ombreggiato » – |‡| ▤ TV – 🏛 200. AE Ⓢ ◑ ⓂⒸ VISA. ✻ rist BZ v
Pasto *(chiuso agosto)* carta 65/95000 – **74 cam** ☕ 210/305000, 3 suites.

MODENA

Acc. Militare (Corso) .	BY 2
Canal Chiaro (Cso).	AYZ
Canalino (Via)	BZ 5
Duomo (Corso) . . .	AY 7
Emilia (Via)	ABYZ
Farini (Via)	BY
Fonteraso (Via) . . .	BY 8
Giannone (Via P.) . .	AZ 9
Luca (Calle di)	AZ 10

Mazzini (Piazza)	BY 13
Nonantolana (Via)	BY 15
Porta S. Agostino	
(Largo)	AY 17
Rismondo (Via F.)	ABY 18
Risorgimento (Piazzale)	AZ 19
S. Carlo (Via)	BZ 21
S. Francesco (Piazzale)	AZ 22
S. Giovanni	
del Cantone (Via)	BZ 23
Storchi (Via G.)	AY 24
3 Febbraio (Via)	BY 25

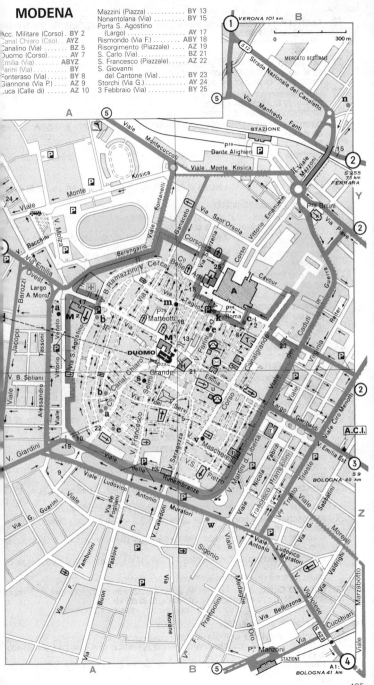

🏨🏨 **Central Park Hotel** senza rist, viale Vittorio Veneto 10 ℘ 059 225858, Fax 059 225141
🔊 ≡ 📺. ᴀᴇ 🕄 ➀ ➊ ᴠɪsᴀ AY
chiuso dal 24 dicembre al 10 gennaio e dal 30 luglio al 22 agosto – **46 cam** ⧅ 230/350000
2 suites.

🏨🏨 **Donatello,** via Giardini 402 ℘ 059 344550 e rist. ℘ 059 350160, *Fax 059 342803* – 🔊
📺 ⟲ – 🔏 50. ᴀᴇ 🕄 ➀ ➊ ᴠɪsᴀ. ✽ rist AZ
Pasto al Rist. *La Gola* (chiuso agosto) carta 35/50000 – **74 cam** ⧅ 175000.

🏨🏨 **Libertà** senza rist, via Blasia 10 ℘ 059 222365, *info@hotelliberta.it, Fax 059 222502* – 🔊 ≡
📺 ⟲. ᴀᴇ 🕄 ➀ ➊ ᴠɪsᴀ ᴊᴄʙ. ✽ BY
chiuso agosto, Natale e Capodanno – ⧅ 18000 – **51 cam** 115/170000, suite.

🏨🏨 **Daunia** senza rist, via del Pozzo 158 ℘ 059 371182, *Fax 059 374807* – 🔊 ≡ 📺 🅿. ᴀᴇ 🕄 ➀
➊ ᴠɪsᴀ ᴊᴄʙ. ✽ per ③
42 cam ⧅ 110/160000.

🏨🏨 **Centrale** senza rist, via Rismondo 55 ℘ 059 218808, *info@hotelcentrale.com*
Fax 059 238201 – 🔊 ≡ 📺 ⟲. ᴀᴇ 🕄 ➀ ➊ ᴠɪsᴀ. ✽ ABY
⧅ 15000 – **41 cam** 130/190000.

🏨 **La Torre** senza rist, via Cervetta 5 ℘ 059 222615, *Fax 059 216316* – 📺 ⟲. ᴀᴇ 🕄 ➀ ➊
ᴠɪsᴀ ᴊᴄʙ. ✽ AZ
⧅ 12000 – **26 cam** 90/140000.

✗✗✗ **Fini,** rua Frati Minori 54 ℘ 059 223314, *ristorante.fini@hrf.it, Fax 059 220247,* Rist. di tradi-
zione, prenotare – ≡ 🅿. ᴀᴇ 🕄 ➀ ➊ ᴠɪsᴀ. ✽ AZ
chiuso dal 22 dicembre al 3 gennaio, dal 22 luglio al 26 agosto, lunedì e martedì – **Pasto**
carta 95/135000
Spec. Tortellini in brodo di cappone. Carrello dei sette tagli di bollito. Pere farcite allo
zabaione.

✗✗✗ **Borso d'Este,** piazza Roma 5 ℘ 059 214114, *Fax 059 214114,* prenotare – ≡. ᴀᴇ 🕄 ➀
➊ ᴠɪsᴀ. ✽ BY
chiuso agosto, sabato a mezzogiorno e domenica – **Pasto** carta 85/115000.

✗✗ **Osteria la Francescana,** via Stella 22 ℘ 059 210118, Coperti limitati; prenotare – ≡
ᴀᴇ 🕄 ➊ ᴠɪsᴀ. ✽ AZ
chiuso dal 1° al 7 gennaio, agosto, sabato a mezzogiorno e domenica – **Pasto** carta
75/120000.

✗✗ **Bianca,** via Spaccini 24 ℘ 059 311524, *Fax 059 315520,* 🏡 – ≡. ᴀᴇ 🕄 ➀ ➊ ᴠɪsᴀ ᴊᴄʙ. ✽
chiuso dal 23 dicembre al 1° gennaio, Pasqua, dal 1° al 20 agosto, sabato a mezzogiorno e
domenica – **Pasto** carta 50/85000. BY

✗✗ **Le Temps Perdu,** via Sadoleto 3 ℘ 059 220353, *Fax 059 210420,* prenotare, « Servizio
estivo in giardino » – ᴀᴇ 🕄 ➊ ᴠɪsᴀ. ✽ BZ
chiuso dal 10 al 17 agosto, lunedì e a mezzogiorno – **Pasto** specialità di mare; cucina
mediterranea carta 85/125000.

✗✗ **L'Incontro,** largo San Giacomo 32 ℘ 059 218536, *Fax 059 218536,* prenotare – ≡. ᴀᴇ 🕄
➀ ➊ ᴠɪsᴀ ᴊᴄʙ AZ
chiuso agosto, domenica e lunedì a mezzogiorno – **Pasto** carta 50/100000.

✗✗ **Zelmira,** largo San Giacomo 17 ℘ 059 222351, *Fax 059 334326,* prenotare, « Servizio
estivo in piazzetta » – ≡. ᴀᴇ 🕄 ➀ ➊ ᴠɪsᴀ. ✽ AZ
chiuso dal 17 febbraio al 2 marzo, dal 3 al 17 novembre, mercoledì e i mezzogiorno di
giovedì e venerdì – **Pasto** carta 65/95000.

✗✗ **Oreste,** piazza Roma 31 ℘ 059 243324, *Fax 059 243324,* Rist. di tradizione – 🔏 40. ᴀᴇ 🕄
➀ ➊ ᴠɪsᴀ BY
chiuso dal 10 al 31 luglio, domenica sera e mercoledì – **Pasto** carta 60/90000.

✗✗ **Al Boschetto-da Loris,** via Due Canali Nord 202 ℘ 059 251759, « Servizio estivo in
giardino » – 🅿. ᴀᴇ 🕄 ➀ ➊ ᴠɪsᴀ. ✽ per ②
chiuso dal 15 al 30 agosto, domenica sera e mercoledì, da ottobre a marzo anche la sera di
lunedì-martedì – **Pasto** carta 45/60000.

✗ **Cucina del Museo,** via Sant'Agostino 7 ℘ 059 217429, Coperti limitati; prenotare ≡. ᴀᴇ
🕄 ➀ ➊ ᴠɪsᴀ ᴊᴄʙ. ✽ AY
chiuso agosto e lunedì – **Pasto** 35000 (solo a mezzogiorno) carta 70/100000.

✗ **Hosteria Giusti,** vicolo Squallore 46 ℘ 059 222533, solo su prenotazione, « Salumeria
del 1600 con cucina della tradizione emiliana ». ᴀᴇ 🕄 ➊ ᴠɪsᴀ. ✽ BY
chiuso agosto, dicembre, domenica, lunedì e la sera – **Pasto** carta 60/115000.

sulla strada statale 9 – via Emilia :

🏨🏨 **Rechigi Park Hotel,** via Emilia Est 1581, località Fossalta per ③ : 4 km ✉ 41100 Modena
℘ 059 283600, *info@rechigiparkhotel.it, Fax 059 283910,* 🛁, ⟲ – 🔊 🕄 📺 🔊 🅿 – 🔏 100.
ᴀᴇ 🕄 ➀ ➊ ᴠɪsᴀ
chiuso dal 7 al 21 agosto – **Pasto** vedere rist *Antica Moka* – **73 cam** ⧅ 220/330000,
2 suites.

🍴🍴🍴 **Antica Moka** - Rechigi Park Hotel, località Fossalta per ③ : *4 km* ✉ 41100 Modena ☎ 059 284008, *info@anticamoka.it, Fax 059 284048,* 🌂, prenotare – ▤ [P]. [AE] [S] [CB] [MC] [VISA]. ✗
chiuso Natale, agosto, sabato a mezzogiorno e domenica – **Pasto** carta 60/130000.

🍴🍴🍴 **Vinicio,** località Fossalta per ③ : *4 km* ✉ 41100 Modena ☎ 059 280313, *vinicio.ristorante@tin.it, Fax 059 281902,* « Servizio estivo all'aperto » – ▤ [P]. [AE] [S] [CB] [MC] [VISA] [JCB]. ✗
chiuso dal 24 dicembre al 6 gennaio, agosto e lunedì – **Pasto** 45/75000 e carta 40/60000.

🍴🍴 **La Quercia di Rosa,** località Fossalta per ③ : *4 km* ✉ 41100 Modena ☎ 059 280730, *querciadirosa@libero.it, Fax 059 2861398,* prenotare, « Servizio estivo all'aperto in giardino ombreggiato con laghetto » – ▤ [P]. [AE] [S] [CB] [MC] [VISA]. ✗
chiuso dal 24 al 26 dicembre, dal 4 al 24 agosto, martedì e domenica sera – **Pasto** carta 50/70000.

🍴🍴 **Strada Facendo,** via Emilia Ovest 622 per ⑤ : *1,5 km* ✉ 41100 Modena ☎ 059 334478, *Fax 059 334478,* Coperti limitati; prenotare – ▤. [AE] [S] [CB] [MC] [VISA]
chiuso dal 1° al 10 gennaio, dal 1° al 24 agosto, sabato a mezzogiorno e domenica – **Pasto** 85000 e carta 65/95000.

in prossimità casello autostrada A1 Modena Nord : *per ⑤ : 1 km :*

🍴 **La Piola** strada Cave di Ramo 248 ✉ 41100 Modena ☎ 059 848052, *osterialapiola@libero.it,* « Trattoria tipica con servizio estivo all'aperto » – [P]
chiuso a mezzogiorno (escluso domenica), lunedì e martedì – **Pasto** (menù suggeriti dal proprietario) antica cucina contadina modenese 25/40000.

sull'autostrada A 1 – Secchia *per ⑤ : 7 km :*

🏨 **Holiday Inn,** via Tre Olmi 19 ✉ 41100 Modena ☎ 059 8890111, *Fax 059 848522* – [|\$|] ▤ [TV] ♿ [P] – 🪑 50. [AE] [S] [CB] [MC] [VISA] [JCB]. ✗ rist
Pasto (solo per alloggiati) 30/40000 – **184 cam** ☕ 210/280000.

sulla strada statale 486 :

🏨 **Mini Hotel Le Ville,** via Giardini 1270 ✉ 41100 Modena ☎ 059 510051, *Fax 059 511187,* « Giardino con 🏊 », ≘s – [|\$|] ▤ [TV] 📞 ♿ [P] – 🪑 50. [AE] [S] [CB] [MC] [VISA]. ✗ AZ
chiuso dal 10 al 20 agosto – **Pasto** vedere rist ***Le Ville*** – **46 cam** ☕ 170/260000 – 1/2 P 170000.

🍴🍴 **Le Ville,** via Giardini 1272 ✉ 41100 Modena ☎ 059 512240, *Fax 059 512240,* Coperti limitati; prenotare – ▤ [P]. [AE] [S] [CB] [MC] [VISA]. ✗ AZ
chiuso dal 1° all'8 gennaio, dall'8 al 30 agosto, sabato a mezzogiorno e domenica – **Pasto** carta 45/85000.

🍴🍴 **Al Caminetto-da Dino,** strada Martiniana 240 ✉ 41100 Modena ☎ 059 512278, 🌂 – [P]. [AE] [S] [CB] [MC] [VISA] per via Giardini AZ
chiuso dal 23 al 30 dicembre, dal 5 al 20 agosto, sabato a mezzogiorno e lunedì – **Pasto** carta 60/95000.

sulla strada statale 12 : *per ④ : 8 km:*

🍴🍴🍴 **Europa 92,** stradello Nava 8 ✉ 41010 Vaciglio ☎ 059 460067, *Fax 059 460067,* 🌂 – ▤ [P] – 🪑 70. [AE] [S] [CB] [MC] [VISA]. ✗
chiuso dal 10 al 25 gennaio, dal 1° al 15 agosto, lunedì e martedì a mezzogiorno – **Pasto** carta 65/95000.

a Marzaglia *per ⑤ : 10 km – ✉ 41010 :*

🍴🍴 **La Masseria,** via Chiesa 61 ☎ 059 389262, *Fax 059 389309,* prenotare la sera, « Servizio estivo in giardino » – [P]. [AE] [S] [CB] [MC] [VISA] [JCB]. ✗
chiuso dal 24 dicembre al 5 gennaio e martedì – **Pasto** cucina tipica pugliese carta 55/90000.

in prossimità casello autostrada A1 Modena Sud *per ④ : 9 km :*

🍴🍴 **Baia del Re,** via Vignolese 1684 ✉ 41010 San Donnino ☎ 059 469135, *Fax 059 468306* – [TV] 🚗 [P]. [AE] [S] [CB] [MC] [VISA]
chiuso dal 24 dicembre al 10 gennaio, dal 1° al 25 agosto e domenica, anche sabato sera in giugno-luglio – **Pasto** carta 75/105000.

🍴🍴 **Antica Trattoria la Busa,** via Medicina 2284, località San Vito ✉ 41057 ☎ 059 469422, *Fax 059 469422,* 🌂 – [P]. [AE] [S] [CB] [MC] [VISA]. ✗
chiuso dal 10 al 25 agosto e lunedì – **Pasto** carta 50/70000.

MODICA *Ragusa* [432] Q 26 – *Vedere Sicilia alla fine dell'elenco alfabetico.*

MODUGNO *70026 Bari* **431** *D 32 – 36 467 ab. alt. 79.*
Roma 443 – Bari 11 – Barletta 56 – Matera 53 – Taranto 93.

sulla strada statale 96 *Nord-Est : 3 km :*

🏨 **H R,** ⊠ *70123 Bari Ovest* ℘ *080 5057029, Fax 080 5057029,* ⌁, 🐎, ✗ – 🛗 📺 **P** – 🔬 15C
AE 🕲 ⓞ ⓌⓉ VISA JCB. ✗ rist
Pasto *(chiuso sabato e domenica)* 35/70000 – **93 cam** ⊊ 150/250000 – ½ P 220000.

MOENA *38035 Trento* **429** *C 16 G. Italia – 2 596 ab. alt. 1 184 – a.s. febbraio-Pasqua, Natale – Spor*
invernali : ad Alpe Lusia : 1 200/2 420 m ⛷ 2 ⛷ 5 (vedere anche passo San Pellegrino).
🎫 *piazza Cesare Battisti* ℘ *0462 573122, Fax 0462 574342.*
Roma 671 – Belluno 71 – Bolzano 44 – Cortina d'Ampezzo 74 – Milano 329 – Trento 89.

🏨 **La Soldanella** 🕭, *via Rancolin 4* ℘ *0462 573201, soldanella@tin.it, Fax 0462 573881,* ⋖
Dolomiti, 𝑓₆, 🕾 – 🛗 📺 **P**. AE 🕲 ⓞ VISA. ✗
dicembre-aprile e giugno-settembre – **Pasto** 50000 – **40 cam** ⊊ 220/360000 -
½ P 170000.

🏨 **Maria,** *via dei Colli 7* ℘ *0462 573265, info@hotelmaria.com, Fax 0462 573434,* ⋖ – 🛗 📺 **P**
AE 🕲 ⓞ ⓌⓉ VISA JCB. ✗
dicembre-aprile e giugno-settembre – **Pasto** *(solo per alloggiati)* 40000 – **33 cam** ⊊ 150/
250000, suite – ½ P 160000.

🏨 **Patrizia** 🕭, *via Rif 2* ℘ *0462 573185, Fax 0462 574087,* ⋖ *monti,* 🕾, 🐎 – 🛗 📺 **P**. AE 🕲
ⓞ VISA. ✗
20 dicembre-Pasqua e 20 giugno-20 settembre – **Pasto** 35/50000 – ⊊ 20000 – **34 cam**
135/210000 – ½ P 155000.

🏨 **Alle Alpi,** *via Moene 47* ℘ *0462 573194, Fax 0462 574412,* ⋖, 🕾 – 🛗 📺 **P**. 🕲 VISA. ✗
19 dicembre-15 aprile e 15 giugno-20 settembre – **Pasto** *carta* 45/60000 – ⊊ 10000 -
37 cam 100/200000 – ½ P 160000.

🏨 **Stella Alpina,** *via Enrosadira 1* ℘ *0462 573351, Fax 0462 573431,* 🕾, 🐎 – 📺 ⟷ **P**. AE
🕲 ⓞ ⓌⓉ VISA. ✗
2 dicembre-18 aprile e 20 giugno-settembre – **Pasto** *(solo per alloggiati)* 30/70000 – ⊊
15000 – **27 cam** 140/160000, suite – ½ P 160000.

🏨 **Post Hotel,** *piazza Italia 10* ℘ *0462 573760, Fax 0462 573281 –* 🛗 📺. AE 🕲 ⓞ ⓌⓉ VISA. ✗
dicembre-Pasqua e 15 giugno-settembre – **Pasto** *vedere rist* **Tyrol** *– 15 appartamenti*
⊊ 185/280000 – ½ P 155000.

🏠 **Cavalletto,** *via Carezza 1* ℘ *0462 573164, Fax 0462 574625 –* 🛗 📺 **P**. 🕲 ⓌⓉ VISA. ✗
dicembre-aprile e giugno-settembre – **Pasto** 30000 – **33 cam** ⊊ 80/150000 – ½ P 120000.

🏠 **Leonardo** 🕭, *via Ciroch 5* ℘ *0462 573355, hotelleonardo@acomedia.it,*
Fax 0462 574611, ⋖ *Dolomiti,* 🕾, 🐎 – 🛗 📺 VISA. 🕲 ⓞ VISA. ✗ rist
20 dicembre-aprile e 15 giugno-settembre – **Pasto** 60000 – ⊊ 16000 – **22 cam** 150/
270000, 6 suites – ½ P 150000.

XXX **Malga Panna,** *via Costalunga 29* ℘ *0462 573489, Fax 0462 574142,* ⋖ *Dolomiti,* �,
🕄 prenotare – **P**. AE 🕲 ⓞ ⓌⓉ VISA JCB. ✗
Natale-Pasqua e giugno-settembre; chiuso lunedì (escluso luglio-agosto) – **Pasto** 85000 e
carta 70/105000
Spec. Filetto di lucioperca con porcini. Lombatina di cervo con salsa ai frutti di bosco.
Strudel di mele con parfait al sesamo caramellato.

XX **Tyrol** *- Hotel Post, piazza Italia 10* ℘ *0462 573760, Fax 0462 573281 –* ▤. AE 🕲 ⓞ ⓌⓉ VISA.
✗
dicembre-Pasqua e 15 giugno-settembre – **Pasto** 40/65000 e *carta* 55/80000.

MOGGIONA *Arezzo* **430** *K 17 – Vedere Camaldoli.*

MOGGIO UDINESE *33015 Udine* **429** *C 21 – 2 071 ab. alt. 337.*
Roma 677 – Udine 50 – Cortina d'Ampezzo 117 – Lienz 97 – Tarvisio 48.

X **Locanda San Gallo,** *piazzetta Pertini 2* ℘ *0433 51078, « Servizio estivo sotto un pergo-*
gato » – AE 🕲 ⓞ ⓌⓉ VISA
chiuso dal 23 gennaio al 7 febbraio, martedì sera e mercoledì – **Pasto** *carta* 40/50000.

When looking for a quiet hotel
use the maps found in the introduction
or look for establishments with the sign 🕭 *or* 🕭.

MOGLIANO VENETO 31021 Treviso 429 F 18 – 26 504 ab..

ᴛ₈ e ᴛ₉ Villa Condulmer (chiuso lunedì) a Zerman ⊠ 31021 ℘ 041 457062, Fax 041 457202, Nord-Est : 4 km;

ᴛ₉ Zerman (chiuso martedì) ℘ 041 457369, Fax 041 457369, Nord-Est : 4 km.

Roma 529 – Venezia 17 – Milano 268 – Padova 38 – Treviso 12 – Trieste 152 – Udine 121.

🏨🏨 **Villa Stucky** Ⓜ, via Don Bosco 47 ℘ 041 5904528, villastucky@stargas.it, Fax 041 5904566, 🏤, « Elegante villa d'epoca in un piccolo parco » – 🛗 🗏 📺 🄿 – 🔬 40. 🖭 🖼 ⬤ 🐵 🚾 🗂 ⁓

Pasto (chiuso a mezzogiorno escluso domenica) carta 55/80000 – 20 cam ⊇ 200/350000 – ½ P 225000.

🏨🏨 **Duca d'Aosta** senza rist, piazza Duca d'Aosta 31 ℘ 041 5904990, Fax 041 5904381 – 🛗 🗏 📺 🄿 – 🔬 60. 🖭 🖼 ⬤ 🐵 🚾 🗂 ⁓
⊇ 20000 – 16 cam 160/275000, 8 suites.

✗ **Al Bacareto**, via Marconi 83 ℘ 041 5902122, Fax 041 5902122 – 🗏 🄿. 🖭 🖼 ⬤ 🐵 🚾 🗂

chiuso dal 10 al 31 luglio, venerdì e sabato a mezzogiorno – Pasto carta 40/80000.

MOIA DI ALBOSAGGIA Sondrio – Vedere Sondrio.

MOLA DI BARI 70042 Bari 431 D 33 – 26 504 ab..

Roma 436 – Bari 21 – Brindisi 93 – Taranto 105.

✗✗ **Niccolò Van Westerhout**, via De Amicis 3/5 ℘ 080 4744253, Fax 080 4746989 – 🗏. 🖭 🖼 ⬤ 🐵 🚾 🗂

chiuso martedì – Pasto carta 45/75000.

MOLFETTA 70056 Bari 431 D 31 G. Italia – 63 945 ab..

Roma 425 – Bari 30 – Barletta 30 – Foggia 108 – Matera 69 – Taranto 115.

🏨 **Garden**, via provinciale Terlizzi ℘ 080 3341722, Fax 080 3349291, 🏤 – 🛗 🗏 📺 ⇐ 🄿 – 🔬 80. 🖭 🖼 ⬤ 🐵 🚾 ⁓

Pasto (chiuso sabato e domenica) carta 40/80000 – 60 cam ⊇ 95/140000 – ½ P 95000.

✗✗✗ **Bufi**, via Vittorio Emanuele 15 ℘ 080 3971597, Fax 080 3971597, prenotare – 🗏. 🖭 🖼 🐵 🚾 ⁓

chiuso domenica sera e lunedì – Pasto carta 60/80000.

✗✗ **Borgo Antico**, piazza Municipio 20 ℘ 080 3974379, Fax 080 3974379, 🏤 – 🗏. 🖭 🖼 ⬤ 🐵 🚾 🗂 ⁓

chiuso dal 9 al 22 novembre e lunedì – Pasto carta 55/75000.

✗✗ **Isola di Sant' Andrea**, via Dante Alighieri 98 ℘ 080 3354312 – 🗏. 🖭 🖼 ⬤ 🐵 🚾 ⁓
⊛ chiuso settembre e martedì – Pasto carta 40/60000.

MOLINELLA 40062 Bologna 429, 430 I 17 – 13 202 ab..

Roma 413 – Bologna 38 – Ferrara 34 – Ravenna 54.

🏨 **Mini Palace** senza rist, via Circonvallazione Sud 2 ℘ 051 881180, mpalace@tin.it, Fax 051 880877, 🏤 – 📺 🄿 – 🔬 80. 🖭 🖼 ⬤ 🐵 🚾 ⁓

chiuso dal 23 dicembre al 3 gennaio e dal 10 al 20 agosto – 21 cam ⊇ 160/240000.

MOLINI (MÜHLEN) Bolzano – Vedere Falzes.

MOLLIÈRES Torino – Vedere Cesana Torinese.

MOLTRASIO 22010 Como 428 E 9, 219 ⑧ ⑨ – 1 817 ab. alt. 247.

Roma 634 – Como 9 – Menaggio 26 – Milano 57.

🏨🏨 **Grand Hotel Imperiale** Ⓜ ⬥, via Durini ℘ 031 346111, Fax 031 346120, ≤, « 🛝 riscaldata in riva al lago », 🏖, 🏤, ⁓ – 🛗, ⁓ cam, 🗏 📺 ᴥ ⇐ 🄿 – 🔬 200. 🖭 🖼 ⬤ 🐵 🚾 ⁓ rist

marzo-novembre – Pasto carta 55/80000 – 90 cam ⊇ 290/365000, 2 suites – ½ P 220000.

✗✗✗ **Imperialino**, via Antica Regina 26 ℘ 031 346600, Fax 031 346606, ≤, 🏤, 🏖 – 🖭 🖼 ⬤ 🐵 🚾 ⁓

chiuso gennaio, febbraio e lunedì (escluso da giugno a settembre) – Pasto 55/65000 e carta 65/110000.

✗✗ **Posta** con cam, piazza San Rocco 5 ℘ 031 290444, alposta@mmpoint.it, Fax 031 290657, ≤, « Servizio estivo all'aperto » – 🛗 📺. 🖭 🖼 ⬤ 🐵 🚾 🗂

chiuso gennaio e febbraio – Pasto (chiuso mercoledì) specialità pesce di lago carta 45/80000 – 19 cam ⊇ 110/200000 – ½ P 115000.

MOLVENO 38018 Trento **428**, **429** D 14 *G. Italia* – *1 070 ab. alt. 864* – *a.s. Natale, Pasqua e luglio-agosto* – *Sport invernali : 900/1 528 m ≰ 1 ⧍ 1 (vedere anche Andalo e Fai della Paganella)* Vedere *Lago★★*.

🖪 piazza Marconi 5 ℘ 0461 586924, Fax 0461 586221.

Roma 627 – Trento 44 – Bolzano 65 – Milano 211 – Riva del Garda 46.

🏰 **Alexander H. Cima Tosa,** piazza Scuole 7 ℘ 0461 586928, info@alexandermolveno .com, Fax 0461 586950, ≼ Gruppo del Brenta e lago, 🛲 – 🛗 📺 ⟷ 🅿 – 🖄 70. 🖭 🗐 ⓪ ⓰ 𝗩𝗜𝗦𝗔. ⋘
22 dicembre-10 gennaio e 22 aprile-2 novembre – **Pasto** carta 40/60000 – **34 cam** ⇌ 120/ 200000, 6 suites – ½ P 135000.

🏨 **Dolomiti,** via Lungolago 12 ℘ 0461 586057, info@alledolomiti.com, Fax 0461 586985, ≼ « Giardino fiorito », *Ⅰ₅*, 🔼 riscaldata – 🛗 📺 🅿 🖭 🗐 ⓪ 𝗩𝗜𝗦𝗔. ⋘ rist
20 dicembre-marzo, Pasqua e giugno-settembre – **Pasto** 30/40000 – **42 cam** ⇌ 95/ 170000 – ½ P 130000.

🏨 **Belvedere,** via Nazionale 9 ℘ 0461 586933, info@belvedereonline.com, Fax 0461 586044, ≼, *Ⅰ₅*, ⊜, 🔼, 🛲 – 🛗 📺 ✆ 🅿. 🖭 🗐 ⓪ ⓰ 𝗩𝗜𝗦𝗔. ⋘
chiuso da novembre al 20 dicembre – **Pasto** 40/50000 – **59 cam** ⇌ 170/240000 – ½ P 145000.

🏨 **Du Lac,** via Nazionale 4 ℘ 0461 586965, Fax 0461 586247, ≼, 🔼 riscaldata, 🛲 – 🛗 📺 🅿. ⊜ 🖭 🗐 ⓪ ⓰ 𝗩𝗜𝗦𝗔. ⋘
20 dicembre-10 gennaio e maggio-ottobre – **Pasto** carta 35/50000 – ⇌ 15000 – **44 cam** 90/130000 – ½ P 130000.

🏨 **Lido,** via Lungolago 6 ℘ 0461 586932, holido@tin.it, Fax 0461 586143, ≼, « Grande giar- dino ombreggiato » – 🛗 📺 🅿 – 🖄 100. 🖭 🗐 ⓪ 𝗩𝗜𝗦𝗔. ⋘
15 maggio-15 ottobre – **Pasto** 30/40000 – **59 cam** ⇌ 115/195000 – ½ P 130000.

🏨 **Gloria** ⣔, via Lungolago 15 ℘ 0461 586962, hotelgloria@tin.it, Fax 0461 586079, ⊜ ≼ Gruppo del Brenta e lago, 🛲 – 🛗 📺 🅿. 🖭 ⓪ 𝗩𝗜𝗦𝗔. ⋘
Natale e giugno-settembre – **Pasto** carta 35/50000 – **37 cam** ⇌ 115/200000 – ½ P 135000.

🏠 **Londra,** via Nazionale 30 ℘ 0461 586943, hotel@londramolveno.it, Fax 0461 586313, ≼, 🛲 – 🛗 📺 🕭 🅿. 🗐 ⓰ 𝗩𝗜𝗦𝗔. ⋘ rist
chiuso dal 5 novembre al 15 dicembre – **Pasto** 25/40000 – ⇌ 15000 – **40 cam** 90/160000 – ½ P 140000.

XX **El Filò,** piazza Scuole 5 ℘ 0461 586151, « Caratteristica stube » – 🖭 🗐 ⓰ 𝗩𝗜𝗦𝗔. ⋘
Natale-6 gennaio e giugno-ottobre – **Pasto** carta 40/55000.

MOMBELLO MONFERRATO 15020 Alessandria – *1 124 ab. alt. 294*.
Roma 626 – Alessandria 48 – Asti 38 – Milano 95 – Torino 61 – Vercelli 39.

X **Hostaria dal Paluc,** via San Grato 30, località Zenevreto Nord : 2 km ℘ 0142 944126, Fax 0142 944126, solo su prenotazione, « Servizio estivo all'aperto con ≼ » – 🖭 🗐 ⓪ ⓰ 𝗩𝗜𝗦𝗔. ⋘
chiuso da gennaio al 14 febbraio, lunedì e martedì – **Pasto** carta 40/65000.

X **Dubini,** via Roma 34 ℘ 0142 944116, Fax 0142 944116 – 🗏. 🗐 𝗩𝗜𝗦𝗔
chiuso agosto e mercoledì – **Pasto** 70000 e carta 50/70000.

MOMO 28015 Novara **428** F 7 – *2 820 ab. alt. 213*.
Roma 640 – Stresa 46 – Milano 66 – Novara 15 – Torino 110.

XXX **Macallè** con cam, via Boniperti 2 ℘ 0321 926064, albergo.macalle@ctonline.it, Fax 0321 926828, prenotare – 🗏 📺 🅿. 🖭 🗐 ⓪ ⓰ 𝗩𝗜𝗦𝗔. ⋘
chiuso dal 5 al 15 gennaio e dal 10 al 30 agosto – **Pasto** (chiuso mercoledì) carta 60/90000 – ⇌ 15000 – **8 cam** 110/160000.

MONASTEROLO DEL CASTELLO 24060 Bergamo **428**, **429** E 11 – *943 ab. alt. 347*.
Roma 585 – Bergamo 28 – Brescia 61 – Milano 72.

X **Locanda del Boscaiolo** ⣔ con cam, via Monte Grappa 41 ℘ 035 814513, Fax 035 814513, ≼, prenotare, « Servizio estivo sotto un pergolato in riva al lago » – 🅿. 🖭 🗐 ⓪ ⓰ 𝗩𝗜𝗦𝗔. ⋘
chiuso novembre – **Pasto** (chiuso martedì escluso da giugno ad agosto) carta 45/70000 – ⇌ 10000 – **13 cam** 55/75000 – ½ P 75000.

Lisez attentivement l'introduction : c'est la clé du guide.

MONASTIER DI TREVISO 31050 Treviso **429** F 19 – 3 505 ab..
Roma 548 – Venezia 30 – Milano 287 – Padova 57 – Treviso 17 – Trieste 125 – Udine 96.

 ✗ **Menegaldo,** località Pralongo Est : 4 km ℰ 0422 798025, *menegaldo@sevenonline.it,*
Fax 0422 898802 – ▤ **P.** AE ⑤ ① ⓿ VISA. ✀
chiuso dal 20 al 28 febbraio ed agosto – **Pasto** specialità di mare carta 45/70000.

MONCALIERI 10024 Torino **428** G 5 – 57 025 ab. alt. 260.
Roma 662 – Torino 10 – Asti 47 – Cuneo 86 – Milano 148.

Pianta d'insieme di Torino.

 🏨 **Holiday Inn Torino,** strada Palera 96 ℰ 011 6813331, *holidayinn.turinsouth@alliancealb*
erghi.com, Fax 011 6813344 – ▮, ⇝ cam, ▤ ▥ & **P.** – ▵ 100. AE ⑤ ① ⓿ VISA. ✀
Pasto carta 45/60000 – **80 cam** ⊃ 260/300000.   HU   x

 🏨 **Reginna Po,** strada Torino 29 ℰ 011 641141, Fax 011 642218 – ▮ ▤ ▥ & ⇚ **P.** –
▵ 300. AE ⑤ ① ⓿ VISA JCB. ✀ rist   GU   p
Pasto carta 50/80000 – **50 cam** ⊃ 140/180000 – ½ P 115000.

 ✗✗ **Ca' Mia,** strada Revigliasco 138 ℰ 011 6472808, Fax 011 6472808, ✿ – ▤ **P.** – ▵ 70. AE
⑤ ① ⓿ VISA   HU   c
chiuso agosto e mercoledi – **Pasto** carta 40/65000.

 ✗✗ **Rosa Rossa,** via Carlo Alberto 5 ℰ 011 645873, Trattoria tipica – AE ⑤ ① ⓿ VISA GU   r
chiuso agosto, domenica sera e lunedi – **Pasto** cucina piemontese carta 50/65000.

 ✗✗ **La Maison Delfino,** via Lagrange 4 ℰ 011 642552, *maisondelfino@infinito.it,*
Fax 011 642552, solo su prenotazione ▤. AE ⑤ ① VISA. ✀
Pasto 90/130000 e carta 75/110000.

MONCALVO 14036 Asti **428** G 6 – 3 373 ab. alt. 305.
Roma 633 – Alessandria 48 – Asti 21 – Milano 98 – Torino 74 – Vercelli 42.

 ✗✗ **Ametista,** piazza Antico Castello 15 ℰ 0141 917423 – AE ⑤ ① ⓿ VISA
chiuso mercoledi – **Pasto** carta 55/60000 e carta 45/75000.

a Cioccaro Sud-Est : 5 km – ✉ 14030 Cioccaro di Penango :

 🏨 **Locanda del Sant'Uffizio** ⑳, strada Sant'Uffizio 1 ℰ 0141 916292, *santuffizio@thi.it,*
Fax 0141 916068, ≼, « Antica fattoria con parco ⍐ e ✗ », ⌚, – ▥ & **P.** – ▵ 80. AE ⑤ ①
⓿ VISA JCB
chiuso dal 6 al 22 gennaio e dal 12 al 19 agosto – **Pasto** *(chiuso martedi)* 80000 e carta
55/80000 – **30 cam** ⊃ 260/320000, 2 suites – ½ P 240000.

MONCLASSICO 38020 Trento **428** , **429** C 14, **218** ⑲ – 737 ab. alt. 782.
Roma 635 – Bolzano 65 – Sondrio 102 – Trento 63.

 🏨 **Ariston,** via Battisti ℰ 0463 974967, *hotelariston@tin.it,* Fax 0463 974968, ≼, ✿ – ▮ ▥
P. ⑤ ⓿ VISA. ✀ rist
20 dicembre-Pasqua e 15 giugno-20 settembre – **Pasto** carta 40/55000 – ⊃ 9500 –
31 cam 90/155000 – ½ P 140000.

MONDAVIO 61040 Pesaro e Urbino **430** K 20 – 3 802 ab. alt. 280.
Roma 264 – Ancona 56 – Macerata 106 – Pesaro 44 – Urbino 45.

 🏠 **La Palomba,** via Gramsci 13 ℰ 0721 97105, Fax 0721 977048 – ▥. AE ⑤ ① ⓿ VISA JCB.
 🍴 ✀
Pasto *(chiuso lunedi sera da novembre a marzo)* carta 35/55000 – ⊃ 10000 – **15 cam**
60/85000 – ½ P 75000.

MONDELLO Palermo **432** M 21 – *Vedere Sicilia alla fine dell'elenco alfabetico.*

MONDOVÌ Cuneo **428** I 5 – 21 933 ab. alt. 559 – ✉ 12084 Mondovì Breo.
🅱 corso Statuto 10 ℰ 0174 40389, Fax 0174 481266.
Roma 616 – Cuneo 27 – Genova 117 – Milano 212 – Savona 71 – Torino 80.

 🏨 **Alpi del Mare,** piazza Mellano 7 ℰ 0174 553134, *alpimare@isiline.it,* Fax 0174 553136 – ▮
 🍴 ▤ ▥ & **P.** – ▵ 30. AE ⑤ ① ⓿ VISA. ✀
Pasto *(chiuso lunedi)* carta 35/55000 – ⊃ 5000 – **35 cam** 80/110000 – ½ P 80000.

 🏨 **Park Hotel,** via Delvecchio 2 ℰ 0174 46666, *parkhotel@laborsarella.it,* Fax 0174 47771 –
 🍴 ▮, ▤ rist, ▥ ⇚ **P.** – ▵ 200. AE ⑤ ① ⓿ VISA
Pasto al Rist. *Villa Nasi (chiuso dal 10 al 31 agosto, sabato e domenica)* carta 40/55000 –
57 cam ⊃ 90/130000 – ½ P 85000.

MONEGLIA 16030 Genova 📘📘 J 10 – 2 682 ab..
Roma 456 – Genova 58 – Milano 193 – Sestri Levante 12 – La Spezia 58.

🏨 **Mondial,** via Venino 16 ℰ 0185 49339, Fax 0185 49943, ≤, 🐎 – 🛗, 🗏 rist, 📺 🅿.
marzo-ottobre – **Pasto** carta 45/65000 – 🖙 25000 – **50 cam** 130/190000 – ½ P 150000.

🏨 **Piccolo Hotel,** corso Longhi 19 ℰ 0185 49374, laura@piccolohotel.it, Fax 0185 401292 –
🛗, 🌺 cam, 🗏 📺 🚗 🅿. 🖭 🖪 🏧 🚳 🏧 **VISA** 🇯🇨🇧. 🛠
marzo-25 ottobre – **Pasto** carta 50/75000 – 🖙 15000 – **38 cam** 120/190000 – ½ P 135000

🏨 **Villa Edera,** via Venino 12/13 ℰ 0185 49291, hoteledera@pn.itnet.it, Fax 0185 49470, ≤
🏊, 🐎 – 🛗 📺 🔥 🅿. 🖭 🖪 🏧 **VISA** 🛠
marzo-5 novembre – **Pasto** (solo per alloggiati) carta 35/45000 – **27 cam** 🖙 160/200000 –
½ P 135000.

verso Lemeglio Sud-Est : 2 km :

🍴🍴 **La Ruota,** via per Lemeglio 6, alt. 200 🖂 16030 ℰ 0185 49565, la_ruota@libero.it, ≤ mare
e Moneglia, Coperti limitati; prenotare – 🅿.
chiuso novembre, mercoledì ed a mezzogiorno – **Pasto** specialità di mare e crostace
90/135000.

MONFALCONE 34074 Gorizia 📘📘 E 22 – 26 837 ab..
Roma 641 – Udine 42 – Gorizia 24 – Grado 24 – Milano 380 – Trieste 30 – Venezia 130.

🏨 **Lombardia** 🅼, piazza della Repubblica 21 ℰ 0481 411275, Fax 0481 411709 – 🛗 🗏 📺 📞
🔥 🚗. 🖭 🖪 🏧 🚳 🏧 **VISA** 🇯🇨🇧. 🛠
chiuso dal 22 dicembre al 7 gennaio – **Pasto** (chiuso domenica) carta 40/100000 – 🖙 15000
– **21 cam** 145/195000.

🍴🍴 **Ai Castellieri,** via dei Castellieri 7 (Nord-Ovest : 2 km) ℰ 0481 475272, 🎋 – 🅿. 🖭 🖪 🏧
🏧 **VISA** 🛠
chiuso dal 1º al 15 gennaio, agosto, martedì e mercoledì – **Pasto** carta 55/75000.

🍴🍴 **Locanda ai Campi** con cam, via Napoli 7 ℰ 0481 481937, locanda@spin.it,
Fax 0481 720192, 🎋, 🐎 – 🛗, 🗏 cam, 📺 🅿. 🖭 🖪 🏧 🚳 🏧 **VISA** 🛠
Pasto (chiuso lunedì) specialità di mare carta 60/100000 – 🖙 10000 – **14 cam** 90/140000 –
½ P 110000.

MONFORTE D'ALBA 12065 Cuneo 📘📘 I 5 – 1 931 ab. alt. 480.
Roma 621 – Cuneo 62 – Asti 46 – Milano 170 – Savona 77 – Torino 75.

🏨 **Villa Beccaris** 🦢 senza rist, via Bava Beccaris 1 ℰ 0173 78158, villa@villabeccaris.it,
Fax 0173 78190, ≤, « Villa settecentesca con parco », 🏊 – 🌺 🔥 🚗 – 🕍 70. 🖭 🖪 🏧
VISA 🛠
chiuso dicembre e gennaio – **22 cam** 🖙 280/310000, suite.

🍴🍴 **Giardino-da Felicin** 🦢 con cam, via Vallada 18 ℰ 0173 78225, albrist@felicin.it,
Fax 0173 787377, ≤ colline e vigneti, prenotare, « Servizio estivo sotto un pergolato » –
🌺 rist, 📺 🅿. 🏧 **VISA**
chiuso da gennaio al 15 febbraio e dal 1º al 14 luglio – **Pasto** (chiuso domenica sera, lunedì e
a mezzogiorno escluso sabato e domenica) 65/90000 e carta 70/90000 – 🖙 12000 –
12 cam 110/170000 – ½ P 170000
Spec. Storione marinato alle erbe fini. Ravioli di magro con tuma di Murazzano al timo
(primavera-autunno). Stinco di vitellone al Barolo con verdure.

🍴🍴 **Trattoria della Posta,** località Sant'Anna 87 (Est : 2 km) ℰ 0173 78120, Fax 0173 78120,
prenotare, « Servizio estivo in terrazza panoramica » – 🅿. 🖭 🖪 🏧 🏧 **VISA**
chiuso dal 15 al 28 febbraio, dal 24 luglio al 6 agosto, giovedì e venerdì a mezzogiorno –
Pasto 40/65000 e carta 40/70000.

MONFUMO 31010 Treviso 📘📘 E 17 – 1 453 ab. alt. 230.
Roma 561 – Belluno 57 – Treviso 38 – Venezia 78 – Vicenza 54.

🍴 **Osteria alla Chiesa-da Gerry,** via Chiesa 14 ℰ 0423 545077, gerry@sevenonline.it,
Fax 0423 945818, 🎋, prenotare la sera – 🗏. 🖭 🖪 🏧 🚳 🏧 **VISA** 🇯🇨🇧
chiuso lunedì – **Pasto** carta 45/75000 (10%).

MONGARDINO Bologna 📘📘, 📘📘 I 15 – Vedere Sasso Marconi.

MONGHIDORO 40063 Bologna 📘📘, 📘📘 J 15 – 3 520 ab. alt. 841.
Roma 333 – Bologna 43 – Firenze 65 – Imola 54 – Modena 86.

🍴 **Da Carlet,** via Vittorio Emanuele 20 ℰ 051 6555506, 🎋 – 🖭 🖪 🏧 🚳 🏧 **VISA** 🛠
chiuso lunedì sera e martedì – **Pasto** carta 40/60000.

472

MONGUELFO (WELSBERG) *39035 Bolzano* [429] B 18 – *2 500 ab. alt. 1 087 – Sport invernali : Plan de Corones: 1 087/2 273 m* 🚡 *12* ⛷ *19,* ⛷.

ℹ *Palazzo del Comune* ☎ *0474 944118, Fax 0474 944599.*

Roma 732 – Cortina d'Ampezzo 42 – Bolzano 94 – Brunico 17 – Dobbiaco 11 – Milano 390 – Trento 154.

🏨 **Bad Waldbrunn** [M] 🐦, via Bersaglio 7 (Sud : 1 km) ☎ 0474 944177, *hotel.waldbrunn@dnet.it, Fax 0474 944229,* ← monti e vallata, ♨, 🏊, 🌳 – 🛗, ⊁ rist, ▤ [TV] 🚗. [AE] [S] ⦿ [MC] [VISA]. ✻ rist
chiuso da novembre a Natale e dal 21 aprile al 19 maggio – **Pasto** *(chiuso martedì)* carta 45/70000 – **24 cam** ☕ 115/200000 – ½ P 130000.

Tesido (Taisten) *Nord : 2 km – alt. 1 219 –* ✉ *39035 Monguelfo :*

🏨 **Alpenhof** 🐦, Ovest : 1 km ☎ 0474 950020, *alpenhof.taisten@dnet.it, Fax 0474 950071,* ← monti, ♨, 🏊 riscaldata, 🌳 – 🛗 [TV] ♿ 🚗 [P]. ✻ rist
20 dicembre-20 aprile e 20 maggio-25 ottobre – **Pasto** (solo per alloggiati) – **21 cam** ☕ 95/180000 – ½ P 115000.

MONIGA DEL GARDA *25080 Brescia* [428], [429] F 13 – *1 680 ab. alt. 128 – a.s. Pasqua e luglio-15 settembre.*

Roma 537 – Brescia 28 – Mantova 76 – Milano 127 – Trento 106 – Verona 52.

🍴🍴 **Al Porto,** via Porto 29 ☎ 0365 502069, *Fax 0365 502069,* ←, « Servizio estivo in riva al lago ». [AE] [S] ⦿ [MC] [VISA]. ✻
chiuso da dicembre al 15 gennaio e mercoledì – **Pasto** solo specialità di lago carta 75/125000.

MONOPOLI *70043 Bari* [431] E 33 – *48 474 ab. – a.s. 21 giugno-settembre.*

Roma 494 – Bari 45 – Brindisi 70 – Matera 80 – Taranto 60.

🏨 **Il Melograno** 🐦, contrada Torricella 345 (Sud-Ovest : 4 km) ☎ 080 6909030, *melograno@melograno.com, Fax 080 747908,* ☂, « In un'antica masseria fortificata », 🏊, 🎾 – ▤ [TV] [P] – 🎤 250. [AE] [S] ⦿ [MC] [VISA]. ✻ rist
chiuso da gennaio a marzo – **Pasto** *(chiuso da novembre a marzo)* carta 80/130000 – **35 cam** ☕ 440/940000, 2 suites – ½ P 540000.

🏨 **Vecchio Mulino,** viale Aldo Moro 192 ☎ 080 777133, *info@vecchiomulino.it, Fax 080 777654,* ☂, 🏖 – 🛗 ▤ [TV] 📞 ♿ 🚗 [P] – 🎤 150. [AE] [S] ⦿ [MC] [VISA]. ✻
Pasto 40/50000 – **30 cam** ☕ 190/250000, suite – ½ P 155000.

verso Torre Egnazia :

🏨 Porto Giardino 🐦, contrada Lamandia 16/a (Sud-Est : 6,5 km) ✉ 70043 ☎ 080 801500, *Fax 080 801584,* In un complesso turistico, 🏊, 🌳, 🎾 – 🛗 ▤ [TV] [P] – 🎤 500. ✻
35 cam.

sulla strada per Alberobello *Sud-Est : 11 km :*

🍴🍴 **La Mia Terra,** contrada Impalata 309 ✉ 70043 ☎ 080 6900969, *Fax 080 6900969,* Rist. e pizzeria, « Servizio estivo in giardino » – ▤ [P]. [AE] [S] ⦿ [MC] [VISA]. ✻
chiuso dal 5 al 20 novembre e mercoledì – **Pasto** carta 40/60000.

MONREALE *Palermo* [432] M 21 – *Vedere Sicilia alla fine dell'elenco alfabetico.*

MONRUPINO *34016 Trieste* [429] E 23 – *852 ab. alt. 418.*

Roma 669 – Udine 69 – Gorizia 45 – Milano 408 – Trieste 16 – Venezia 158.

🍴🍴 **Furlan,** località Zolla 19 ☎ 040 327125, *Fax 040 327538,* ☂ – [P]. [AE] [S] [VISA]. ✻
chiuso febbraio, luglio, lunedì, martedì e i mezzogiorno di mercoledì-giovedì – **Pasto** cucina carsolina carta 45/70000.

🍴 **Krizman** 🐦 con cam, Rupingrande 76 ☎ 040 327115, *info@hotelkrizman.com, Fax 040 327370,* « Servizio estivo in giardino » – 🛗 [TV] ♿ [P]. [AE] [S] ⦿ [MC] [VISA]. ✻
chiuso dal 1° al 15 novembre – **Pasto** *(chiuso lunedì a mezzogiorno e martedì)* carta 40/55000 – ☕ 10000 – **17 cam** 80/110000 – ½ P 85000.

MONSAGRATI *55060 Lucca* [428] K 13.

Roma 352 – Lucca 4 – Pisa 26 – Viareggio 20.

🏨 **Gina,** via provinciale per Camaiore ☎ 0583 385651, *Fax 0583 38248* – 🛗, ▤ cam, [TV] [P] – 🎤 30. [AE] [S] ⦿ [MC] [VISA] [JCB]
Pasto *(chiuso dall'8 gennaio all'8 febbraio e martedì)* carta 30/50000 15% – **37 cam** ☕ 70/140000 – ½ P 80000.

MONSANO 60030 Ancona ⚄⚃⚀ L 21 – 2 638 ab. alt. 191.

Roma 249 – Ancona 31 – Gubbio 76 – Macerata 41 – Perugia 107 – Pesaro 70.

🏛 **2000**, via Veneto 1 (Est : 2 km) ℰ 0731 605565, Fax 0731 605568 – 📶 ▤ 📺 ₫ ☞ 🅿. 🖭 ⓪ ⑩ 🆅🅸🆂🅰, 🛇
Pasto (chiuso lunedì) carta 50/70000 – **67 cam** ⌂ 75/110000 – ½ P 90000.

MONSELICE 35043 Padova ⚄⚄⚅ G 17 G. Italia – 17 476 ab..

Vedere ≤★ dalla terrazza di Villa Balbi.

Roma 471 – Padova 23 – Ferrara 54 – Mantova 85 – Venezia 64.

🏛 **Ceffri**, via Orti 7/b ℰ 0429 783111, info@ceffri.it, Fax 0429 783100, « Giardino con ⊐ »
📶 ▤ 📺 ₫ ☞ 🅿 – ⚖ 200. 🖭 🖇 ⓪ ⑩ 🆅🅸🆂🅰, 🛇
Pasto al Rist. **Villa Corner** 30000 e carta 40/60000 – ⌂ 13000 – **44 cam** 120/190000

✗✗ **La Torre**, piazza Mazzini 14 ℰ 0429 73752, Fax 0429 783643, Coperti limitati; prenotare
▤. 🖭 🖇 ⓪ ⑩ 🆅🅸🆂🅰, 🛇
chiuso agosto, domenica sera e lunedì – Pasto carta 50/85000.

MONSUMMANO TERME 51015 Pistoia ⚄⚄⚇, ⚄⚄⚅, ⚄⚂⚀ K 14 G. Toscana – 19 849 ab. alt. 23 – a 18 luglio-settembre.

🖈 Montecatini (chiuso martedì) località Pievaccia ⊠ 51015 Monsummano Terme ℰ 05.62218, Fax 0572 617435.

Roma 323 – Firenze 46 – Pisa 61 – Lucca 31 – Milano 301 – Pistoia 13.

🏛 **Grotta Giusti** ⚘, via Grotta Giusti 171 (Est : 2 km) ℰ 0572 51165, info@grottagiusti.com, Fax 0572 51269, Complesso termale con amene grotte naturali, « Grande parc fiorito con ⊐ », ₤₆, ✗✗, ⨦ – 📶 ▤ 📺 📞 🅿 – ⚖ 100. 🖭 🖇 ⓪ ⑩ 🆅🅸🆂🅰 🇯🇨🇧, 🛇
marzo-novembre – Pasto 50/60000 – **70 cam** ⌂ 250/350000 – ½ P 220000.

> **Europe**   Si le nom d'un hôtel figure en petits caractères,
> demandez à l'arrivée les conditions à l'hôtelier.

MONTAGNA (MONTAN) 39040 Bolzano ⚄⚄⚅ D 15, ⚄⚀⚆ ⑳ – 1 472 ab. alt. 500.

Roma 630 – Bolzano 24 – Milano 287 – Ora 6 – Trento 48.

🏛 **Tenz**, via Doladizza 3 (Nord : 2 km) ℰ 0471 819782, tenz@dnet.it, Fax 0471 81972₆
≤ monti e vallata, 🍽, 🐜, ⊐, 🖳, 🞿, ✗✗ – 📶 📺 ₫ 🅿. 🖇 ⑩ 🆅🅸🆂🅰, 🛇 rist
10 gennaio-20 ottobre – Pasto (chiuso martedì) carta 45/65000 – **40 cam** ⌂ 120/180000
½ P 110000.

MONTAGNA IN VALTELLINA Sondrio – Vedere Sondrio.

MONTAGNANA Firenze ⚄⚄⚅, ⚄⚂⚀ K 15 – Vedere Montespertoli.

MONTAGNANA Modena – Vedere Serramazzoni.

MONTAGNANA 35044 Padova ⚄⚄⚅ G 16 G. Italia – 9 438 ab. alt. 16.

Vedere Cinta muraria★★.

Roma 475 – Padova 49 – Ferrara 57 – Mantova 60 – Milano 213 – Venezia 85 – Verona 58 – Vicenza 45.

✗✗✗ **Aldo Moro** con cam, via Marconi 27 ℰ 0429 81351, Fax 0429 82842 – ▤ 📺 ☞ – ⚖ 30
🖭 🖇 ⓪ ⑩ 🆅🅸🆂🅰, 🛇
chiuso dal 3 al 10 gennaio e dal 25 luglio al 10 agosto – Pasto (chiuso lunedì) carta 60/95000
– ⌂ 15000 – **14 cam** 120/165000, 10 suites 200/220000 – ½ P 140000.

✗✗ **Hostaria San Benedetto**, via Andronalecca 13 ℰ 0429 800999, 🍽 – ▤. 🖭 🖇 ⓪ ⑩
🆅🅸🆂🅰, 🛇
chiuso dal 1° al 7 gennaio, dal 15 al 30 agosto e mercoledì – Pasto carta 50/75000.

MONTAIONE 50050 Firenze ⚄⚄⚇, ⚄⚂⚀ L 14 G. Toscana – 3 451 ab. alt. 342.

Vedere Convento di San Vivaldo★ Sud-Ovest : 5 km.

🖈 Castelfalfi (chiuso martedì) località Castelfalfi ⊠ 50050 Montaione ℰ 0571 698093, Fax 0571 698098.

Roma 289 – Firenze 59 – Siena 61 – Livorno 75.

🏨🏨🏨 **Palazzo Mannaioni,** via Marconi 2 ☎ 0571 698300, *info@mannaioni.com, Fax 0571 698299,* <, 🏊, 🌳 – [lift], 🚭 cam, ▤ [TV] ♿ 🚗. [AE] [S] [DC] [MC] [VISA]. 🐕 rist
Pasto *(chiuso gennaio, martedì e a mezzogiorno)* carta 55/100000 – **29 cam** ☕ 270/330000 – ½ P 235000.

🏨 **Vecchio Mulino** senza rist, viale Italia 10 ☎ 0571 697966, *Fax 0571 697966,* < vallata, 🌳 – [TV]. [AE] [S] [DC] [MC] [VISA]. 🐕
15 cam ☕ 90/150000.

MONTALCINO *53024 Siena* [430] M 16 *G. Toscana – 5 099 ab. alt. 564.*

Vedere *Rocca★★, Palazzo Comunale★.*
Dintorni *Abbazia di Sant'Antimo★ Sud : 10 km.*
Roma 213 – Siena 41 – Arezzo 86 – Firenze 109 – Grosseto 57 – Perugia 111.

🏨🏨 **Vecchia Oliviera** senza rist, via Landi 1 ☎ 0577 846028, *Fax 0577 846029,* < vallata, 🏊, 🌳 ▤ [TV] ♿ [P]. [AE] [S] [VISA]. 🐕
chiuso dal 27 novembre al 26 dicembre – **10 cam,** ☕ 180/320000, suite.

🏨🏨 **Dei Capitani** senza rist, via Lapini 6 ☎ 0577 847227, *Fax 0577 847239,* <, « Terrazza con 🏊 » – [lift] ▤ [TV] [P]. [AE] [S] [DC] [MC] [VISA]
chiuso dal 10 gennaio al 28 febbraio – **29 cam** ☕ 160/190000.

🏨 **Bellaria** senza rist, via Osticcio 19 (Sud : 1,5 km) ☎ 0577 849326, *hotelbellaria@tin.it, Fax 0577 846012,* 🏊 – [lift] ▤ [TV] ♿ [P]. [AE] [S] [DC] [MC] [VISA] [JCB]. 🐕
☕ 10000 – **25 cam** 120/160000.

🏨 **Il Giglio,** via Soccorso Saloni 5 ☎ 0577 848167, *hotelgiglio@tin.it, Fax 0577 848167,* < – [TV]. [AE] [S] [MC] [VISA]
chiuso dal 7 al 28 gennaio – **Pasto** *(chiuso a mezzogiorno e martedì)* carta 50/95000 – ☕ 12000 – **12 cam** 90/130000 – ½ P 100000.

🍴🍴🍴 ✿ **Osteria del Vecchio Castello** con cam, località Pieve di San Sigismondo Sud-Ovest : 11 km ☎ 0577 816026, <, Coperti limitati; prenotare, « In un'antica pieve del 1200 » – [AE] [S] [DC] [MC] [VISA]. 🐕
chiuso dal 15 febbraio al 15 marzo – **Pasto** *(chiuso martedì)* 55/80000 e carta 65/105000 – 4 suites ☕ 120/250000
Spec. Filetto di maiale stagionato e ravaggiolo di capra. Pappardelle ai due grani con porri fondenti, Parmigiano e pepe bianco. Busto di quaglia disossato con cuore di carciofo e lardo in mantello di patate.

🍴🍴🍴 Poggio Antico, località Poggio Antico Sud-Ovest : 4 km ☎ 0577 849200, *Fax 0577 849200,* prenotare, « Casale con < sulle colline » – [P]

🍴🍴 **Taverna dei Barbi,** fattoria dei Barbi, località Podernovi Sud-Est : 5 km ☎ 0577 841200, *Fax 0577 841211,* prenotare – [P]. [AE] [S] [DC] [MC] [VISA] [JCB]
chiuso dal 7 al 31 gennaio, e mercoledì martedì sera – **Pasto** carta 70/75000.

🍴 **Boccon di Vino,** località Colombaio Tozzi 201 (Est : 1 km) ☎ 0577 848233, *Fax 0577 846570,* <, ☂ – [P]. [AE] [S] [MC] [VISA]. 🐕
chiuso novembre e martedì – **Pasto** carta 70/100000.

MONTALE *51037 Pistoia* [429], [430] K 15 – *10 167 ab. alt. 85.*

Roma 303 – Firenze 29 – Pistoia 9 – Prato 10.

🍴 ☺ **Il Cochino** con cam, via Fratelli Masini 15 ☎ 0573 557631 e hotel ☎ 0573 959280, *Fax 0573 557631,* ☂ – ▤ rist, [TV] [P]. [AE] [S] [DC] [MC] [VISA] [JCB]. 🐕
chiuso dal 10 al 20 agosto – **Pasto** *(chiuso dal 10 al 30 agosto e sabato)* carta 35/60000 – **16 cam** ☕ 70/110000.

MONTALERO *Alessandria – Vedere Cerrina Monferrato.*

MONTALTO *42030 Reggio nell'Emilia* [429], [430] I 13 – *alt. 396.*

Roma 449 – Parma 50 – Milano 171 – Modena 47 – Reggio nell'Emilia 22 – La Spezia 113.

🍴 ☺ **Hostaria Venturi,** località Casaratta ☎ 0522 600157, *Fax 0522 200414,* < – [P]. [S] [DC] [MC] [VISA]. 🐕
chiuso dall'8 al 23 gennaio e agosto – **Pasto** carta 25/40000.

MONTALTO PAVESE *27040 Pavia* [428] H 9 – *978 ab. alt. 384.*

Roma 558 – Piacenza 61 – Alessandria 62 – Genova 116 – Milano 70 – Pavia 31.

🍴 **Trattoria del Povero Nando,** piazza Vittorio Veneto 15 ☎ 0383 870119, ☂, prenotare – [AE] [S] [DC] [VISA]. 🐕
chiuso gennaio, dal 16 al 30 agosto, martedì e mercoledì – **Pasto** carta 40/60000.

MONTAN = Montagna.

MONTE (BERG) Bolzano **218** ⑳ – *Vedere Appiano sulla Strada del Vino.*

MONTE ... MONTI *Vedere nome proprio del o dei monti.*

MONTEBELLO Perugia **430** M 19 – *Vedere Perugia.*

MONTEBELLO Rimini **429** , **430** K 19 – *Vedere Torriana.*

MONTEBELLO VICENTINO 36054 Vicenza **429** F 16 – 5 715 ab. alt. 48.
Roma 534 – Verona 35 – Milano 188 – Venezia 81 – Vicenza 17.

a Selva Nord-Ovest : 3 km – ⊠ 36054 Montebello Vicentino :

XX **La Marescialla,** via Capitello 3 ℘ 0444 649216, Fax 0444 686456, ≤, 佘 – **P.** 歷 S ⓞ ⓒ **VISA**. ⁂
chiuso domenica sera e lunedì – **Pasto** piatti di pesce e vegetariani 35/60000 (a mezzo giorno) 45/75000 (alla sera) e carta 35/60000.

MONTEBELLUNA 31044 Treviso **429** E 18 – 26 952 ab. alt. 109.
Dintorni Villa del Palladio★★★ a Maser Nord : 12 km.
Roma 544 – Padova 52 – Belluno 82 – Trento 113 – Treviso 22 – Venezia 53 – Vicenza 49.

🏛 **Bellavista** ⤸, via Zuccareda 20, località Mercato Vecchio ℘ 0423 301031, infobellavista@ tin.it, Fax 0423 303612, ≤, ₤₅, ≋, ㈜ – ⍗ 🍴 ▥ **P.** – 🍴 50. 歷 S ⓞ ⓒ **VISA** **JCB**. ⁂
chiuso dal 23 al 30 dicembre e dal 10 al 20 agosto – **Pasto** vedere rist **Al Tiglio d'Oro** – **37 cam** ⍗ 150/230000, 5 suites – ½ P 160000.

XX **Trattoria Marchi,** via Castellana 177 (Sud-Ovest : 4 km) ℘ 0423 23875, Fax 0423 23993, ㈜ – **P.** 歷 S ⓞ ⓒ **VISA**
chiuso agosto, martedì sera e mercoledì – **Pasto** 25000 (solo a mezzogiorno) 55/75000 e carta 55/90000.

XX **Al Tiglio d'Oro,** località Mercato Vecchio ℘ 0423 22419, ㈜, « Servizio estivo all'aperto » – **P.** 歷 S ⓞ ⓒ **VISA**. ⁂
chiuso dal 2 al 7 gennaio, dal 1° al 15 agosto e venerdì – **Pasto** carta 40/65000.

MONTEBENI Firenze – *Vedere Fiesole.*

MONTEBENICHI Arezzo **430** L 15 – alt. 508 – ⊠ 52020 Pietraviva.
Roma 205 – Siena 31 – Arezzo 40 – Firenze 73.

🏠 **Castelletto di Montebenichi** ⤸ senza rist, piazza Gorizia 19 ℘ 055 9910110, monte ben@val.it, Fax 055 9910113, « Piccolo castello in un borgo medioevale, 🛴 in giardino con ≤ colline » – ⤞ ▥ **P.** 歷 S ⓞ ⓒ **VISA**. ⁂
aprile-ottobre – **7 cam** ⍗ 400/480000, 2 suites.

MONTECALVO VERSIGGIA 27047 Pavia **428** H 9 – 576 ab. alt. 410.
Roma 557 – Piacenza 44 – Genova 133 – Milano 76 – Pavia 38.

XX **Prato Gaio** ⤸ con cam, località Versa Est : 3 km (bivio per Volpara) ℘ 0385 99726 – **P.**
Pasto (chiuso gennaio, lunedì e martedì) carta 55/75000 – **7 cam** ⍗ 50/90000.

MONTECARLO 55015 Lucca **428** , **429** , **430** K 14 – 4 297 ab. alt. 163.
Roma 332 – Pisa 45 – Firenze 58 – Livorno 65 – Lucca 17 – Milano 293 – Pistoia 27.

🏠 **Antica Casa dei Rassicurati** senza rist, via della Collegiata 2 ℘ 0583 228901, rassicura tilu@onenet.it, Fax 0583 228901, « In un palazzo del centro storico » – ▥. **VISA**
⍗ 5000 – **8 cam** 90/100000.

XX **Antico Ristorante Forassiepi,** via della Contea 1 ℘ 0583 229475, somusso@tin.it, Fax 0583 229476, ≤ vallata e dintorni – **P.** S **VISA**. ⁂
chiuso dal 15 gennaio al 15 febbraio, martedì e mercoledì a mezzogiorno – **Pasto** carta 50/80000 (15 %).

XX **La Nina** ⤸ con cam, via San Martino Nord-Ovest : 2,5 km ℘ 0583 22178, lanina@iol.it, Fax 0583 22178, ㈜, prenotare, ㈜ – ▥ **P.** 歷 ⓞ ⓒ **VISA**. ⁂
chiuso dal 15 al 30 gennaio e dal 7 al 23 agosto – **Pasto** (lunedì sera e martedì) carta 45/70000 – senza ⍗ – **8 cam** 80/100000.

✗ **Alla Taverna di Mario,** piazza Carrara 12/13 ℘ 0583 22588, *Fax 0583 974933,* 😤 – 🕰️
🚳 ⓪ ⓰ *VISA*
chiuso dal 23 dicembre al 7 gennaio, lunedì e martedì a mezzogiorno – **Pasto** carta
40/65000.

MONTECAROTTO 60036 Ancona 👪 L 21 – 2 147 ab. alt. 388.
Roma 248 – Ancona 50 – Foligno 95 – Gubbio 74 – Pesaro 67.

✗✗ **Le Busche,** Contrada Busche 2 (Sud-Est : 4 km) ℘ 0731 89172, *Fax 0731 89172,* « Cascina
ristrutturata » – 🔳 🅿️ – 🔏 80. 🕰️ 🚳 ⓪ ⓰ *VISA.* ⚘
chiuso domenica sera e lunedì – **Pasto** specialità di mare 65/85000 e carta 55/85000.

MONTECASTELLI PISANO 56040 Pisa 👪 M 14 – *alt. 494.*
Roma 296 – Siena 57 – Pisa 122.

✗ **Santa Rosa-da Caterina,** località Santa Rosa 10 (Sud : 1 km) ℘ 0588 29929, *ristorante.*
🍴 *santarosa@libero.it, Fax 0588 29929,* 😤 – 🅿️. 🕰️ 🚳 ⓪ ⓰ *VISA*
chiuso dal 1° al 15 ottobre e lunedì – **Pasto** carta 35/55000.

MONTECATINI TERME 51016 Pistoia 👪👪, 👪👪, 👪👪 K 14 *G. Toscana – 20 650 ab. alt. 27 –*
Stazione termale (maggio-ottobre), a.s. 18 luglio-settembre.
🔞 *(chiuso martedì) località Pievaccia* ✉ *51015 Monsummano Terme* ℘ *0572 62218, Fax
0572 617435, Sud-Est : 9 km.*
🅳 *viale Verdi 66/a* ℘ *0572 772244, Fax 0572 772244.*
*Roma 323 ② – Firenze 48 ② – Pisa 55 ② – Bologna 110 ① – Livorno 73 ② – Milano 301 ② –
Pistoia 15 ①.*

Pianta pagina seguente

🏨🏨🏨 **Gd H. e la Pace** ⚜️, via della Torretta 1 ℘ 0572 9240, *htlapace@tin.it, Fax 0572 78451,*
😤, « Parco fiorito con ⛲ riscaldata », 🛁, 😤, ✗ – 🛗 🔳 📺 🅿️ – 🔏 200. 🕰️ 🚳 ⓪ ⓰ *VISA.*
⚘ rist   AZ y
aprile-ottobre – **Pasto** 70/90000 – ⚌ 35000 – **136 cam** 350/550000, 14 suites –
½ P 415000.

🏨🏨🏨 **Gd H. Croce di Malta,** viale 4 Novembre 18 ℘ 0572 9201, *Fax 0572 767516,* « Giardino
con ⛲ riscaldata », 🛁 – 🛗 🔳 🔳 – 🔏 150. 🕰️ 🚳 ⓪ *VISA.* ⚘ rist   AY x
Pasto 60/80000 – **122 cam** ⚌ 220/380000, 11 suites – ½ P 210000.

🏨🏨🏨 **Gd H. Tamerici e Principe,** viale 4 Novembre 2 b ℘ 0572 71041, *info@hoteltamerici.it,*
Fax 0572 72992, Raccolta di dipinti ottocenteschi, « Giardino con ⛲ », 😤 – 🛗 🔳 📺 ☎ –
🔏 250. 🕰️ 🚳 ⓪ ⓰ *VISA.* ⚘ rist   AY g
chiuso da gennaio al 10 marzo – **Pasto** carta 60/80000 – ⚌ 25000 – **139 cam** 160/290000,
16 suites – ½ P 200000.

🏨🏨 **Belvedere,** viale Fedeli 10 ℘ 0572 70251, *info@galliganihotels.it, Fax 0572 70252,* « Giar-
dino », 🛁, 😤, 🏊, ✗ – 🛗, 🔳 rist, 📺 🅿️ – 🔏 120. 🕰️ 🚳 ⓪ ⓰ *VISA* 🥂. ⚘ rist   BY w
Pasto 45/60000 – ⚌ 15000 – **95 cam** 150/200000 – ½ P 150000.

🏨🏨 **Francia e Quirinale,** viale 4 Novembre 77 ℘ 0572 70271, *info@franciaequirinale.it,*
Fax 0572 70275, ⛲ – 🛗 🔳 📺 🅿️ – 🔏 80. 🕰️ 🚳 ⓰ *VISA.* ⚘ rist   AY v
aprile-ottobre – **Pasto** 50/70000 – ⚌ 15000 – **118 cam** 150/200000 – ½ P 170000.

🏨🏨 **Gd H. Panoramic,** viale Bustichini 65 ℘ 0572 78381, *info@galliganihotels.it,*
Fax 0572 78598, ⛲, 😤 – 🛗 🔳 📺 🅿️ – 🔏 250. 🕰️ 🚳 ⓪ ⓰ *VISA* 🥂. ⚘ rist   BY u
15 marzo-15 novembre – **Pasto** 50/70000 – **103 cam** ⚌ 160/260000, suite – ½ P 140000.

🏨🏨 **Astoria,** viale Fedeli 1 ℘ 0572 71191, *astoria@taddeihotels.com, Fax 0572 910900,* « Giar-
dino con ⛲ riscaldata » – 🛗 🔳 📺 🅿️. 🕰️ 🚳 ⓪ ⓰ *VISA.* ⚘ rist   BY z
25 marzo-dicembre – **Pasto** 45/60000 – ⚌ 20000 – **65 cam** 150/240000 – ½ P 165000.

🏨🏨 **Gd H. Vittoria,** viale della Libertà 2 b ℘ 0572 79271, *vittoria@hotelvittoria.it,*
Fax 0572 910520, « Giardino con ⛲ », 😤 – 🛗 🔳 📺 🕹️ ☎ – 🔏 500. 🕰️ 🚳 ⓪ ⓰ *VISA.*
⚘ rist   AY b
Pasto (solo per alloggiati) 65000 – **84 cam** ⚌ 260/320000 – ½ P 165000.

🏨🏨 **Tettuccio,** viale Verdi 74 ℘ 0572 78051, *Fax 0572 75711,* 😤, « Terrazza ombreggiata » –
🛗 🔳 📺 🅿️ – 🔏 80. 🕰️ 🚳 ⓪ ⓰ *VISA.* ⚘ rist   BY n
Pasto carta 90/130000 – ⚌ 30000 – **70 cam** 200/360000 – ½ P 210000.

🏨🏨 **Ercolini e Savi,** via San Martino 18 ℘ 0572 70331, *info@ercoliniesavi.it, Fax 0572 71624 –*
🛗 🔳 📺 – 🔏 70. 🕰️ 🚳 ⓪ ⓰ *VISA.* ⚘   AZ t
Pasto (solo per alloggiati) 45/60000 – **81 cam** ⚌ 150/220000 – ½ P 140000.

🏨🏠 **Adua,** viale Manzoni 46 ℘ 0572 78134, *info@hoteladua.it, Fax 0572 78138,* ⛲, 😤 – 🛗,
⚘ cam, 🔳 📺 🅿️ – 🔏 100. 🕰️ 🚳 ⓪ ⓰ *VISA.* ⚘ rist   BZ a
Capodanno e marzo-novembre – **Pasto** (solo per alloggiati) – ⚌ 15000 – **72 cam** 120/
200000 – ½ P 135000.

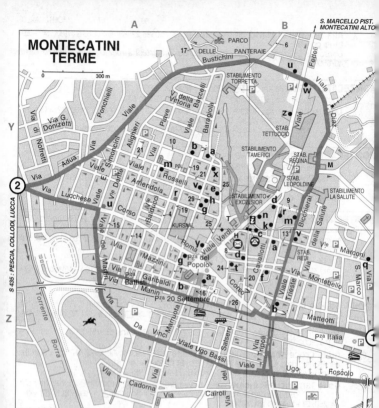

MONTECATINI TERME

0 — 300 m

S. MARCELLO PIST.
MONTECATINI ALTO

S 435 : PESCIA, COLLODI, LUCCA

Bovio (Via G.)	AY 4	
Bruceto (Via)	BY 6	
Cavour (Via)	AZ 7	
D'Azeglio (Piazza M.)	AZ 8	
Grocco (Via)	BY 9	
Libertà (Viale della)	AY 10	
Manzoni (Viale)	BZ 13	
Martini (Viale)	AZ 14	
Matteotti (Corso)	ABZ	
Melani (Viale)	AYZ 15	
Minzoni (Viale Don)	AZ 16	
Panteraie (Via)	AY 17	
Puccini (Viale)	AY 19	
Saline (Via delle)	ABZ 20	
S. Francesco d'Assisi (Viale)	AY 21	
S. Martino (Via)	AZ 24	
Torretta (Via della)	AYZ 25	
Toti (Via)	AZ 26	
4 Novembre (Viale)	AY 29	

🏠 **Parma e Oriente,** via Cavallotti 135 ℰ 0572 72135, *info@hotelparmaoriente.it,* Fax 0572 72137, ⇔, ⊾ riscaldata, 🌳 – 📳 🗏 📺 🅿. 🖭 🕃 ⑨ 🐝 𝘝𝘐𝘚𝘈, 🛱 rist   BY k
27 dicembre- 6 gennaio e 25 marzo-10 novembre – **Pasto** 35/45000 – ☑ 20000 – **51 cam** 120/210000 – ½ P 145000.

🏠 **Grande Bretagne** senza rist, viale Don Minzoni 3 ℰ 0572 771951, Fax 0572 910725 – 🗏 📺. 🖭 🕃 ⑨ 🐝 𝘝𝘐𝘚𝘈, 🛱
AZ a
chiuso sino a febbraio – **32 cam** ☑ 190/220000, suite.

🏠 **Cappelli,** viale Bicchierai 139 ℰ 0572 71151, *hotelcappelli@italway.it,* Fax 0572 71154, ⊾ riscaldata, 🌳 – 📳 🗏 📺 – 🔬 70. 🖭 🕃 ⑨ 🐝 𝘝𝘐𝘚𝘈, 🛱 rist   BY m
aprile-15 novembre – **Pasto** (solo per alloggiati) 35/45000 – **73 cam** ☑ 120/200000 – ½ P 120000.

🏠 **San Marco,** viale Rosselli 3 ℰ 0572 71221, Fax 0572 770577 – 📳 📺. 🖭 🕃 ⑨ 🐝 𝘝𝘐𝘚𝘈, 🛱 rist   AY h
aprile-novembre – **Pasto** (solo per alloggiati) 45000 – **61 cam** ☑ 100/170000 – ½ P 120000.

🏠 **Manzoni,** viale Manzoni 28 ℰ 0572 70175, *manzoni@italway.it,* Fax 0572 911012, ⊾, 🌳 – 📳 🗏 📺 🅿. 🖭 🕃 ⑨ 🐝 𝘝𝘐𝘚𝘈, 🛱 rist   BZ c
23 dicembre-6 gennaio e marzo-15 novembre – **Pasto** (solo per alloggiati) 35000 (10%) – ☑ 12000 – **73 cam** 150/250000, suite – ½ P 105000.

🏨 **Corallo,** via Cavallotti 116 ℰ 0572 79642, *corallo@italway.it*, Fax 0572 78288, 🍴,
« Terrazza con 🔟 » – 🛗 📺 📞 🅿 – 🔏 100. 🆎 🕄 ⓪ 🐠 🆅🅸🆂🅰. ❄ rist   BY **r**
Pasto 30/45000 – **54 cam** 🖙 110/180000 – ½ P 110000.

🏨 **Brennero e Varsavia,** viale Bicchierai 70/72 ℰ 0572 70086, *info@hotelbrenneroevarsa*
via.it, Fax 0572 74459 – 🛗 📺 🅿 🆎 🕄 ⓪ 🐠 🆅🅸🆂🅰 🅹🅲🅱. ❄ rist   BZ **v**
marzo-novembre – **Pasto** 30/40000 – 🖙 15000 – **54 cam** 80/140000 – ½ P 115000.

🏨 **Settentrionale Esplanade,** via Grocco 2 ℰ 0572 70021, *settentrionale@italway.it*,
Fax 0572 767486, 🔟, 🌳 – 🛗 📺 🚐 – 🔏 130. 🆎 🕄 ⓪ 🐠 🆅🅸🆂🅰. ❄ rist   BY **d**
aprile-30 ottobre – **Pasto** (solo per alloggiati) 40/60000 – 🖙 25000 – **100 cam** 180/230000 –
½ P 140000.

🏨 **Columbia,** corso Roma 19 ℰ 0572 70661, *hotelcolumbia@tin.it*, Fax 0572 771293,
« Ristorante panoramico », 🕿 – 🛗 📺 🅿. 🆎 🕄 ⓪ 🆅🅸🆂🅰. ❄ rist   AZ **g**
15 febbraio-novembre – **Pasto** carta 60/95000 – 🖙 15000 – **60 cam** 120/200000 –
½ P 135000.

🏨 **Boston,** viale Bicchierai 16 ℰ 0572 70379, *info@hotelboston.it*, Fax 0572 770208, « Ter-
razza panoramica con solarium e 🔟 » – 🛗 📺 🅿. 🆎 🕄 ⓪ 🆅🅸🆂🅰. ❄ rist   BZ **b**
aprile-novembre – **Pasto** (solo per alloggiati) 40000 – **60 cam** 🖙 90/160000 – ½ P 110000.

🏨 **Mediterraneo,** via Baragiola 1 ℰ 0572 71321, *mediterraneo@taddeihotels.com*,
Fax 0572 71323, « Giardino con pergolato » – 🛗 ▤, ▤ rist, 📺 🅿. 🆎 🕄 ⓪ 🐠 🆅🅸🆂🅰 🅹🅲🅱.
❄ rist   AY **a**
aprile-ottobre – **Pasto** 40/50000 – 🖙 18000 – **33 cam** 100/160000 – ½ P 115000.

🏨 **Metropole,** via della Torretta 13 ℰ 0572 70092, *metropole@publiterme.it*,
Fax 0572 910860, « Giardino nel parco » – 🛗 📺. 🆎 🕄 ⓪ 🐠 🆅🅸🆂🅰. ❄   AY **e**
aprile-ottobre – **Pasto** 30/45000 – 🖙 15000 – **40 cam** 120/200000 – ½ P 110000.

🏨 **Reale,** via Palestro 7 ℰ 0572 78073, *reale@italway.it*, Fax 0572 78076, 🔟, 🌳 – 🛗 📺 🚐 –
🔏 50. 🆎 🕄 ⓪ 🐠 🆅🅸🆂🅰. ❄ rist   AZ **d**
15 marzo-15 novembre – **Pasto** (solo per alloggiati) 50000 – 🖙 10000 – **52 cam** 90/170000 –
½ P 120000.

🏨 **La Pia,** via Montebello 30 ℰ 0572 78600, *info@lapiahotel.it*, Fax 0572 771382 – 🛗 ▤ 📺 🅿.
🕄 🆅🅸🆂🅰. ❄   BZ **f**
10 aprile-ottobre – **Pasto** (solo per alloggiati) 35/50000 – 🖙 110/190000 –
½ P 125000.

🏨 **Villa Ida,** viale Marconi 55 ℰ 0572 78201, Fax 0572 772008 – 🛗 ▤ 📺. 🆎 🕄 ⓪ 🐠 🆅🅸🆂🅰.
❄   BZ **q**
Pasto (solo per alloggiati) 20/30000 – **20 cam** 🖙 75/120000 – ½ P 85000.

🏨 **Villa Splendor,** viale San Francesco d'Assisi 15 ℰ 0572 78630, Fax 0572 78216 – 🛗 ▤ 📺.
🕄 ⓪ 🆅🅸🆂🅰. ❄ rist   AY **m**
aprile-ottobre – **Pasto** carta 50/65000 – 🖙 7000 – **27 cam** 90/120000 – ½ P 85000.

🍴🍴🍴 **Gourmet,** viale Amendola 6 ℰ 0572 771012, *rist.gourmet@tiscalinet.it*, Fax 0572 771012,
Coperti limitati; prenotare la sera – ▤. 🆎 🕄 ⓪ 🐠 🆅🅸🆂🅰. ❄   AY **r**
chiuso dal 7 al 20 gennaio, dal 1º al 16 agosto e martedi – **Pasto** carta 85/140000 (12 %).

🍴🍴 **Enoteca Giovanni,** via Garibaldi 25/27 ℰ 0572 71695, Fax 0572 71695, Servizio estivo
all'aperto solo alla sera – ▤. 🆎 🕄 ⓪ 🐠 🆅🅸🆂🅰 🅹🅲🅱. ❄   AZ **b**
chiuso dal 15 al 28 febbraio, dal 16 al 31 agosto e lunedi – **Pasto** carta 85/120000.

🍴🍴 **San Francisco,** corso Roma 112 ℰ 0572 79632, *info@sanfrancisco.it*, Fax 0572 771227 –
▤. 🆅🅸🆂🅰. ❄   AY **u**
chiuso gennaio, giovedi e a mezzogiorno – **Pasto** carta 55/80000 (12 %).

a Traversagna *per* ② : *2 km* – ⊠ *51010* :

🍴🍴 **Da Angiolo,** via del Calderaio 2 ℰ 0572 913771, Fax 0572 913771 – ▤ 🅿. 🆎 🕄 🐠 🆅🅸🆂🅰
🅹🅲🅱.
chiuso dal 1º al 21 agosto, lunedi e a mezzogiorno – **Pasto** specialità di mare carta
55/80000.

a Pieve a Nievole *per* ① : *2 km* – ⊠ *51018* :

🍴 **Uno Più,** via Matteotti 142 ℰ 0572 951143, 🍴 – 🅿. 🆎 🕄 ⓪ 🐠 🆅🅸🆂🅰. ❄
chiuso agosto e lunedi – **Pasto** carta 35/70000.

a Montecatini Alto *Nord-Est* : *5 km* BY – ⊠ *51016* :

🍴🍴 **La Torre,** piazza Giusti 8/9 ℰ 0572 70650, 🍴 – 🕄 🐠 🆅🅸🆂🅰
chiuso martedi – **Pasto** carta 45/65000 (10 %).

sulla via Marlianese *per viale Fedeli* BY :

🍴 **Montaccolle,** via Marlianese 27 (Nord : 6,5 km) ⊠ 51016 ℰ 0572 72480, ≼, « Servizio
estivo in terrazza panoramica » – 🅿. 🆎 🕄 ⓪ 🐠 🆅🅸🆂🅰. ❄
chiuso dal 2 novembre al 6 dicembre, lunedi e a mezzogiorno (escluso i giorni festivi) –
Pasto carta 40/70000.

a Nievole *per viale Fedeli BY – ✉ 51010 :*

🍴 **Da Pellegrino,** località Renaggio 6 (Nord : 7 km) ☎ 0572 67158, *Fax 0572 67158,* ⛱, Rist. e pizzeria serale – [P]. [AE] [S] [O] [MC] [VISA]
chiuso dal 15 febbraio al 5 marzo e mercoledì – **Pasto** cucina casalinga toscana cart 40/80000.

MONTECCHIA DI CROSARA *37030 Verona* [429] F 15 – *4 171 ab. alt. 87.*

Roma 534 – Verona 34 – Milano 188 – Venezia 96 – Vicenza 33.

🍴🍴🍴 **Baba-Jaga,** via Cabalao ☎ 045 7450222, ←, ⛱, 🌳 – [■] [P]. [AE] [S] [O] [MC] [VISA]. ✗
chiuso gennaio, dal 1° al 15 agosto, domenica sera e lunedì – **Pasto** carta 50/85000.

🍴🍴 **La Terrazza,** Via Cesari 1 ☎ 045 7450940, *Fax 045 6544175,* prenotare, « Servizio estiv in terrazza panoramica » – [■] [P]. [AE] [S] [O] [MC] [VISA]. ✗
✿ *chiuso dal 7 al 21 gennaio, dal 15 al 31 agosto, domenica sera e lunedì* – **Pasto** cart 65/120000
Spec. Capesante marinate al limone con tartufo nero cotto al Porto. Scampi dell'alt Adriatico al ghiaccio. Millefoglie con crema di ricotta (autunno-inverno).

MONTECCHIO *Brescia* [428], [429] E 12 – *Vedere Darfo Boario Terme.*

MONTECCHIO MAGGIORE *36075 Vicenza* [429] F 16 *G. Italia – 20 696 ab. alt. 72.*

Vedere ←★ *dai castelli – Salone★ della villa Cordellina-Lombardi.*
Roma 544 – Verona 43 – Milano 196 – Venezia 77 – Vicenza 13.

sulla strada statale 11 *Est : 3 km :*

🏨 **Castelli,** viale Trieste 89 ✉ 36041 Alte di Montecchio Maggiore ☎ 0444 697366, *info@ho elcastelli.it, Fax 0444 490489,* Fø, ≘s, 🏊 – [|♦|] [■] [TV] ♿ [P] – 🏛 250. [AE] [S] [O] [MC] [VISA]. ✗
Pasto *(chiuso a mezzogiorno)* carta 45/70000 – **150 cam** ☕ 160/260000.

ad Alte *Sud-Est : 3 km – ✉ 36041 :*

🏨 **Classhotel Castagna** [M], via Archimede 2 ☎ 0444 490540, *classalte@goldnet.it Fax 0444 499677* – [■] [TV] ✆ ♿ 🚗 [P] – 🏛 90. [AE] [S] [O] [MC] [VISA]. ✗
Pasto al Rist. ***Sapori di Vicenza*** *(chiuso domenica)* carta 40/60000 – **56 cam** ☕ 140/180000 – ½ P 120000.

MONTECCHIO PRECALCINO *36030 Vicenza* [429] F 16 – *4 570 ab. alt. 86.*

Roma 544 – Padova 57 – Trento 84 – Treviso 67 – Vicenza 17.

🍴🍴🍴 **La Locanda di Piero,** via Roma 32, strada per Dueville Sud : 1 km ☎ 0445 864827, *Fax 0445 864828,* prenotare – [■] [P]. [AE] [S] [O] [MC] [VISA]
✿ *chiuso dal 1° al 10 marzo, dal 1° al 10 novembre, domenica e i mezzogiorno di lunedì e sabato* – **Pasto** 80000 e carta 60/105000
Spec. Scaloppa di fegato grasso al Torcolato su tortino di patate (inverno). Tortelloni al tarassaco, burro e Parmigiano (primavera-autunno). Lombo di coniglio farcito alle erbe con finferli (estate).

MONTECHIARO D'ASTI *14025 Asti* [428] G 6 – *1 374 ab. alt. 290.*

Roma 627 – Torino 78 – Alessandria 58 – Asti 20 – Milano 147 – Vercelli 100.

🍴 **Tre Colli,** piazza del Mercato 3/5 ☎ 0141 901027, *Fax 0141 999987,* prenotare, « Servizio estivo sotto un pergolato » – [S] [MC] [VISA]
chiuso 30-31 dicembre, Capodanno, dal 25 al 31 gennaio, dal 26 luglio al 14 agosto e mercoledì – **Pasto** 50000 (solo la sera) e carta 50/70000 (solo a mezzogiorno).

MONTE COLOMBO *47854 Rimini* [429], [430] K 19 – *1 925 ab. alt. 315.*

Roma 331 – Rimini 25 – Ancona 102 – Pesaro 36 – Ravenna 68.

🏨 Villa Leri 🌿, via Canepa 172, località Lago Nord-Est : 5 km ☎ 0541 985262, *Fax 0541 985126,* « In riva ad un laghetto », Fø, 🏊 – [|♦|] [■] [TV] ♿ [P]
36 cam.

🍴 La Grotta della Giamaica, via Canepa 174, località Lago Nord-Est : 5 km ☎ 0541 985580, *Fax 0541 985126,* ⛱, Rist. e pizzeria – [P].

[Europe] If the name of the hotel is not in bold type, on arrival ask the hotelier his prices.

MONTECOSARO 62010 Macerata **430** M 22 – 5 066 ab. alt. 252.
Roma 266 – Ancona 60 – Macerata 25 – Perugia 147 – Pescara 121.

🏠 **Luma** ⓢ, via Cavour 1 ℰ 0733 229466, Fax 0733 229457, ≤, « Suggestive grotte tufacee » – 🗏 🔟 🚗 👂 🖲 🖭 🖇 🐠 🆚 . 🛠
Pasto vedere rist *La Luma* – 6 cam ⊇ 100/130000, suite.

XXX **La Luma,** via Bruscantini 1 ℰ 0733 222273, Fax 0733 229701, 😭 , « Nei sotterranei di un edificio settecentesco » – 🗏. 🖭 🖇 🖲 🖭 🆚 . 🛠
chiuso dal 15 al 31 gennaio, martedì e mercoledì a mezzogiorno – Pasto carta 55/85000.

MONTECRETO 41025 Modena **428** , **429** , **430** J 14 – 958 ab. alt. 868 – a.s. luglio-agosto e Natale.
Roma 387 – Bologna 89 – Milano 248 – Modena 79 – Pistoia 77 – Reggio nell'Emilia 93.

d Acquaria Nord-Est : 7 km – ⊠ 41020 :

X **Monteverde,** via Provinciale 11 ℰ 0536 65052, prenotare – 🖇 🖲 🐠 🆚 . 🛠
☞ *chiuso dal 20 al 28 dicembre, dal 20 giugno al 10 luglio e mercoledì (escluso luglio-agosto)* – Pasto specialità ai funghi e al tartufo carta 30/70000.

MONTE CROCE DI COMELICO (Passo) (KREUZBERGPASS) Belluno e Bolzano **429** C 19 –
Vedere Sesto.

MONTEDORO Bari – Vedere Noci.

MONTEFALCO 06036 Perugia **430** N 19 G. Italia – 5 601 ab. alt. 473.
Roma 145 – Perugia 46 – Assisi 30 – Foligno 12 – Orvieto 79 – Terni 57.

🏨 **Villa Pambuffetti,** via della Vittoria 20 ℰ 0742 378503, villabianca@interbusiness.it, Fax 0742 379245, ≤, 😭 , « Parco ombreggiato con 🏊 » – 🗏 🔟 🖢 👂 – 🔬 50. 🖭 🖇 🖲 🐠 🆚 . 🛠
Pasto *(solo su prenotazione; chiuso da gennaio a marzo)* 75000 – **15 cam** ⊇ 240/280000 – 1/2 P 205000.

XX **Coccorone,** largo Tempestivi ℰ 0742 379535, Fax 0742 379535, 😭 – 🗏. 🖇 🖲 🆚
☞ *chiuso mercoledì escluso da luglio a settembre* – Pasto 25/50000 e carta 35/75000.

MONTEFIORINO 41045 Modena **428** , **429** , **430** I 13 – 2 348 ab. alt. 796.
Roma 409 – Bologna 95 – Modena 57 – Lucca 116 – Reggio nell'Emilia 60.

XX **Lucenti** con cam, via Mazzini 38 ℰ 0536 965122, Fax 0536 965122, ≤ vallata, Coperti limitati; prenotare – 🔟. 🖇 🐠 🆚
chiuso dal 1° al 10 giugno e dal 15 settembre al 5 ottobre – Pasto *(chiuso lunedì escluso luglio-agosto)* carta 45/70000 – ⊇ 8000 – **8 cam** 50/80000 – 1/2 P 70000.

MONTEFOLLONICO 53040 Siena **430** M 17 – alt. 567.
Roma 187 – Siena 61 – Firenze 112 – Perugia 75.

XXX **La Chiusa** ⓢ con cam, via della Madonnina 88 ℰ 0577 669668, Fax 0577 669593, ≤
🕸 monti e vallata, Coperti limitati; prenotare, « In un'antica fattoria con giardino-oliveto » –
🔟 👂 🖇 🖲 🐠 🆚
chiuso dal 10 al 25 dicembre e dal 10 gennaio al 25 marzo – Pasto *(chiuso martedì)* 180000 e carta 115/180000 – **14 cam** ⊇ 300/590000
Spec. Pappardelle "Dania" (formaggi, pomodoro, peperoncino). Minestra di pane. Agnello al rosmarino.

XX **Locanda La Costa** ⓢ con cam, via Coppoli 15 ℰ 0577 669488, Fax 0577 668800,
« Servizio estivo in terrazza con ≤ colline e dintorni » – 🔟 👂 🖭 🖇 🖲 🐠 🆚 🆓 . 🛠
chiuso dal 1° al 23 dicembre e dal 7 al 31 gennaio – Pasto carta 55/110000 – ⊇ 20000 –
3 cam 150/200000, 8 suites 350000.

X **13 Gobbi,** via Lando di Duccio 5 ℰ 0577 669755, 😭 , Coperti limitati; prenotare – 🖭 🖇 🐠
🆚
chiuso dal 6 al 31 gennaio e mercoledì (escluso da Pasqua a settembre) – Pasto carta 50/90000.

MONTEGIORGIO 63025 Ascoli Piceno **430** M 22 – 6 880 ab. alt. 411.
Roma 249 – Ascoli Piceno 69 – Ancona 81 – Macerata 30 – Pescara 124.

XX **Oscar e Amorina** con cam, via Faleriense Ovest 69 (Sud : 5 km) ℰ 0734 967351,
☞ Fax 0734 968345, 😭 , « Giardino con 🏊 », 🏊 , 🐝 – 🛋 🗏 🔟 👂 🖭 🖇 🖲 🐠 🆚 🆓 . 🛠
Pasto *(chiuso lunedì)* carta 45/60000 – **12 cam** ⊇ 80/120000, 🗏 10000 – 1/2 P 100000.

481

MONTEGRIDOLFO *47837 Rimini* [429], [430] K 20 – *894 ab. alt. 290.*
Roma 297 – Rimini 35 – Ancona 89 – Pesaro 24 – Ravenna 110.

🏨 **Palazzo Viviani** 🪑, via Roma 38 ☎ 0541 855350, *Fax 0541 855340*, <, ⛱, « In u antico borgo di origini medioevali », 🏊, 🍽 – ❄ cam, [TV] [P]. [AE] [S] [O] [MC] VISA. 🚫🐕 rist
Pasto *(chiuso lunedì)* carta 60/105000 – **16 cam** ☕ 330/550000 – ½ P 275000.

MONTEGRINO VALTRAVAGLIA *21010 Varese* [428] E 8 – *1 220 ab. alt. 521.*
Roma 665 – Stresa 78 – Bellinzona 45 – Lugano 18 – Milano 79 – Novara 80 – Varese 23.

🏨 **Pineta Alta** 🪑, via Cadorna 16, località Pineta Alta ☎ 0332 589858, *pinetaalta@libero.i Fax 0332 589850*, ⛱, « Piccolo parco ombreggiato » – ↕ [TV] 🚗 [P]. [AE] [S] [O] [MC] VISA [JCB] 🚫🐕 rist
Pasto carta 45/70000 – **20 cam** ☕ 90/140000 – ½ P 90000.

MONTEGROSSO *Bari* [431] D 30 – *Vedere Andria.*

MONTEGROSSO D'ASTI *14048 Asti* [428] H 6 – *2 034 ab. alt. 244.*
Roma 616 – Alessandria 45 – Asti 9 – Torino 70 – Genova 136 – Novara 106.

a Messadio *Sud-Ovest : 3 km – ✉ 14048 Montegrosso d'Asti :*

🍴🍴 **La Locanda del Boscogrande** 🪑 con cam, via Boscogrande 47 ☎ 0141 956390 *Fax 0141 956800*, < colline del Monferrato, ⛱, « Cascinetta ristrutturata », 🏊, 🍽 – [TV] [P] [AE] [S] [O] [MC] VISA. 🚫🐕
chiuso dal 7 gennaio al 7 febbraio – **Pasto** *(chiuso martedì)* carta 65/95000 – **7 cam** ☕ 190/240000 – ½ P 190000.

MONTEGROTTO TERME *35036 Padova* [429] F 17 *G. Italia – 10 429 ab. alt. 11 – Stazione termale*
[i] *viale Stazione 60 ☎ 049 793384, Fax 049 795276.*
Roma 482 – Padova 14 – Mantova 97 – Milano 246 – Monselice 12 – Rovigo 32 – Venezia 49

🏨 **International Bertha,** largo Traiano 1 ☎ 049 8911700, *info@bertha.it Fax 049 8911771*, Centro benessere, « Giardino con 🏊 termale », 🏋, ♨, [🏊], 🎾, 🌳 – ↕ ❄ [TV] ♿ 🚗 [P] – 👥 120. [AE] [S] [O] [MC] VISA. 🚫🐕 rist
chiuso dal 10 gennaio al 1° marzo – **Pasto** carta 50/70000 – **92 cam** ☕ 140/250000 11 suites – ½ P 175000.

🏨 **Garden Terme,** viale delle Terme 7 ☎ 049 8911699, *garden@gardenterme.it Fax 049 8910182*, Centro benessere, « Parco-giardino con 🏊 termale », 🏋, ♨, [🏊], 🎾, 🌳 – ↕ ❄ [TV] ♿ [P]. [AE] [S] [O] [MC] VISA. 🚫🐕 rist
marzo-novembre – **Pasto** 45000 – ☕ 14000 – **104 cam** 145/230000, 13 suites – ½ P 155000.

🏨 **Grand Hotel Terme,** viale Stazione 21 ☎ 049 8911444, *info@grandhotelterme.it, Fax 049 8911444*, « Giardino con 🏊 termale », 🏋, ♨, [🏊], 🎾, 🌳 – ↕ ❄ [TV] ♿ [P] – 👥 50. [AE] [S] [O] [MC] VISA. 🚫🐕 rist
Pasto (solo per alloggiati) 65000 – ☕ 20000 – **110 cam** 150/230000 – ½ P 175000.

🏨 **Terme Miramonti,** piazza Roma 19 ☎ 049 8911755, *info@relilax.com, Fax 049 8911678*, Centro benessere, « Parco-giardino con 🏊 termale », 🏋, ♨, [🏊], 🌳 – ↕ ❄ [TV] [P] – 👥 120. [AE] [S] [O] [MC] VISA. 🚫🐕 rist
chiuso sino a marzo – **Pasto** carta 45/80000 – **82 cam** ☕ 215/360000 – ½ P 225000.

🏨 **Gd H. Caesar Terme,** via Aureliana ☎ 049 793655, *Fax 049 8910616*, Centro benessere, « Giardino con 🏊 termale », ♨, [🏊], 🎾, 🌳 – ↕, 🚭 rist, ❄ [TV] ♿ [P] – 👥 150. [AE] [S] [O] [MC] VISA. 🚫🐕 rist
chiuso dal 7 gennaio all'11 marzo e dal 25 novembre al 23 dicembre – **Pasto** (solo per alloggiati) 70/90000 – **135 cam** ☕ 140/230000 – ½ P 140000.

🏨 **Des Bains** 🪑, via Mezzavia 22 ☎ 049 793500, *Fax 049 793340*, Centro benessere, « Giardino con 🏊 termale, 🎾 e campo pratica golf », 🏋, [🏊], 🌳 – ↕, 🚭 rist, ❄ [TV] ♿ [P]. [S] [MC] VISA. 🚫🐕 rist
20 dicembre-7 gennaio e marzo-novembre – **Pasto** carta 50/65000 – **99 cam** ☕ 110/190000, 4 suites – ½ P 150000.

🏨 **Continental,** via Neroniana 8 ☎ 049 793522, *hotelcontinental@tin.it, Fax 049 8910683*, « Parco con 🏊 termale », 🏋, ♨, [🏊], 🎾, 🌳 – ↕, 🚭 cam, ❄ [TV] ♿ [P] – 👥 80. [S] VISA. 🚫🐕 rist
chiuso dal 7 gennaio al 14 febbraio – **Pasto** 40000 – **110 cam** ☕ 115/190000, 65 suites 205/225000 – ½ P 130000.

🏨 **Apollo** 🪑, via Pio X 4 ☎ 049 8911677, *Fax 049 8910287*, Centro benessere, « Parco con 🏊 termale », 🏋, ♨, [🏊], 🎾, 🌳 – ↕, 🚭 rist, ❄ [TV] ♿ 🚗 [P]. [AE] [S] [O] [MC] VISA. 🚫🐕 rist
chiuso dal 6 gennaio al 1° marzo – **Pasto** (solo per alloggiati) 40000 – **194 cam** ☕ 115/200000 – ½ P 135000.

🏨 **Augustus Terme,** viale Stazione 150 ℘ 049 793200, *augustus@windnet.it,* Fax 049 793518, « Terrazza con ⊿ termale », ℔, ≘s, ⊠, ≉, ℀, ┿ – ₪, ≥ cam, ™ ℙ – 🛗 100. ⚠ 🖪 ⑩ ⓪ ⓥ 𝕍𝕀𝕊𝔸. ※ rist
23 dicembre-6 gennaio e marzo-25 novembre – **Pasto** (solo per alloggiati) 50/70000 – **120 cam** ⊇ 100/180000, 5 suites – ½ P 140000.

🏨 **Montecarlo,** viale Stazione 109 ℘ 049 793233, *hmcarlo@tin.it,* Fax 049 793350, ⊿ termale, ⊠, ≉, ℀, ┿ – ₪ ▤ ™ 🖪 – 🛗 100. ⚠ 🖪 ⑩ ⓪ ⓥ 𝕍𝕀𝕊𝔸. ※ rist
chiuso dall'8 gennaio al 19 febbraio e dal 26 novembre al 22 dicembre – **Pasto** (solo per alloggiati) 35/45000 – **98 cam** ⊇ 105/210000, 8 suites – ½ P 125000.

🏨 **Terme Sollievo,** viale Stazione 113 ℘ 049 793600, *info@hotelsollievoterme.com,* Fax 049 8910910, « Parco con ⊿ termale e ℀ », ≘s, ⊠, ┿ – ₪, ≥ rist, ▤ ™ ৬ 🖪. ⚠ 🖪 ⑩ ⓪ ⓥ 𝕍𝕀𝕊𝔸. ※ rist
chiuso dal 1° al 19 dicembre e dall'8 gennaio al 10 febbraio – **Pasto** 50000 – **108 cam** ⊇ 120/190000, 26 suites – ½ P 135000.

🏨 **Terme Petrarca,** piazza Roma 23 ℘ 049 8911744, *petrarca@hotelpetrarca.it,* Fax 049 8911698, ℔, ≘s, ⊿ termale, ⊠, ≉, ℀, ┿ – ₪, ≥ rist, ▤ ™ 🖪 – 🛗 300. 𝕍𝕀𝕊𝔸. ※ rist
chiuso dall'11 gennaio al 1° febbraio – **Pasto** carta 50/70000 – ⊇ 16000 – **126 cam** 90/150000, 15 suites – ½ P 120000.

🏨 **Terme Neroniane,** via Neroniana 21/23 ℘ 049 8911666, *terme.neroniane@tin.it,* Fax 049 8911715, « Parco ombreggiato », ℔, ≘s, ⊿ termale, ⊠, ℀, ┿ – ₪ ™ 🖪. ⓪ 𝕍𝕀𝕊𝔸. ※ rist
chiuso sino al 26 febbraio – **Pasto** 45/50000 – **91 cam** ⊇ 125/230000 – ½ P 135000.

🏨 **Antoniano,** via Fasolo 12 ℘ 049 794177, *antoniano@termeantoniano.it,* Fax 049 794257, ℔, ≘s, ⊿ termale, ⊠, ≉, ℀, ┿ – ₪ ™ ৬ 🖪 🖪 ⓪ 𝕍𝕀𝕊𝔸. ※ rist
chiuso dal 4 novembre al 21 dicembre – **Pasto** (solo per alloggiati) 45000 – **158 cam** ⊇ 105/175000 – ½ P 125000.

🏨 **Terme Olimpia,** viale Stazione 25 ℘ 049 793499, Fax 049 8911100, ℔, ≘s, ⊿ termale, ⊠, ≉, ┿ – ₪ ™ 🖪. ⚠ 🖪 ⑩ ⓪ ⓥ 𝕍𝕀𝕊𝔸 ᴊᴄʙ. ※ rist
chiuso dal 6 gennaio al 10 marzo e dal 30 novembre al 20 dicembre – **Pasto** (solo per alloggiati) 45000 – ⊇ 15000 – **108 cam** 80/160000, ▤ 5000 – ½ P 110000.

🏨 **Terme Preistoriche** ⌖, via Castello 5 ℘ 049 793477, *termepreistoriche@termepreistoriche.it,* Fax 049 793647, « Parco-giardino con ⊿ termale », ℔, ⊠, ℀ – ₪ ▤ ™ 🖪. ⓪ ⓥ 𝕍𝕀𝕊𝔸. ※ rist
chiuso dal 10 dicembre al 10 febbraio – **Pasto** (solo per alloggiati) 40/50000 – **47 cam** ⊇ 110/185000 – ½ P 125000.

🏨 **Terme Cristallo,** via Roma 69 ℘ 049 8911788, *hotelcristallo@archimedia.it,* Fax 049 8910291, ≘s, ⊿ termale, ⊠, ≉, ℀, ┿ – ₪, ≥ rist, ™ ৬ 🖪. 🖪 ⓪ ⓥ 𝕍𝕀𝕊𝔸. ※ rist
marzo-novembre – **Pasto** carta 45/70000 – ⊇ 12000 – **119 cam** 90/160000 – ½ P 120000.

🏨 **Eliseo,** viale Stazione 12/a ℘ 049 793425, *termeliseo@iol.it,* Fax 049 795332, Centro benessere, ℔, ≘s, ⊿ termale, ⊠, ≉, ┿ – ₪, ≥ rist, 🖪. 🖪 ⓪ ⓥ 𝕍𝕀𝕊𝔸. ※ rist
chiuso da dicembre al 15 febbraio – **Pasto** 35/60000 – **80 cam** ⊇ 100/150000 – ½ P 105000.

🍴 **Da Mario,** viale delle Terme 4 ℘ 049 794090, Fax 049 8911329, 😊 – ▤. ⚠ 🖪 ⑩ ⓪ ⓥ 𝕍𝕀𝕊𝔸
chiuso dal 1° al 15 febbraio, dal 16 al 31 luglio e martedì – **Pasto** carta 50/65000.

🍴 **Da Cencio,** via Fermi 11 (Ovest : 1,5 km) ℘ 049 793470, 😊 – ≥. ⚠ 🖪 ⑩ ⓪ ⓥ 𝕍𝕀𝕊𝔸. ※
chiuso dal 21 agosto al 4 settembre e lunedì – **Pasto** carta 45/60000.

MONTE INGINO Perugia – Vedere Gubbio.

MONTE ISOLA Brescia **428**, **429** E 12 G. Italia – 1 794 ab. alt. 190 – ⊠ 25050 Peschiera Maraglio – a.s. Pasqua e luglio-15 settembre.
Vedere ☀☀ dal santuario della Madonna della CeriolaDa Sulzano 10 mn di barca; da Sulzano : Roma 586 – Brescia 28 – Bergamo 44 – Milano 88.

🍴 **La Foresta,** con cam, a Peschiera Maraglio ℘ 030 9886210, Fax 030 9886455, ≤ lago, prenotare – ⚠ 🖪 ⑩ ⓪ ⓥ 𝕍𝕀𝕊𝔸. ※
chiuso da Natale al 15 febbraio e mercoledì – **Pasto** carta 50/80000 – **10 cam** ⊇ 130000 – ½ P 90000.

🍴 **Trattoria del Sole,** a Sensole ℘ 030 9886101, Fax 030 9886101, ≤, « Servizio estivo in terrazza sul lago », ≉ – ⚠ 🖪 ⓪ ⓥ 𝕍𝕀𝕊𝔸. ※
chiuso dal 1° al 20 dicembre e mercoledì – **Pasto** carta 50/70000.

MONTELEONE Pavia **428** G 10 – Vedere Inverno-Monteleone.

MONTELPARO *63020 Ascoli Piceno* [430] M 22 – *969 ab. alt. 585.*

Roma 285 – Ascoli Piceno 46 – Ancona 108.

La Ginestra ⊗, contrada Coste Est : 3 km ☎ 0734 780449, *info@laginestra.*, *Fax 0734 780706*, ≤ valli e colline, « Caratteristico complesso rurale con piscina, tenni maneggio e minigolf », – [P]. [AE] [S] ⊙ [MC] [VISA]. ✗
Pasto *(15 marzo-ottobre)* carta 35/55000 – ☕ 12000 – **13 cam** 100/140000, 15 suite 250/280000 – 1/2 P 95000.

MONTELUPO FIORENTINO *50056 Firenze* [428], [429], [430] K 15 *G. Toscana – 11 040 ab. alt. 40*

(chiuso lunedì) ☎ *0571 541004, Fax 0571 541004.*

Roma 295 – Firenze 22 – Livorno 66 – Siena 75.

Baccio da Montelupo senza rist, via Don Minzoni 3 ☎ 0571 51215, *info@hotelbaccio.*, *Fax 0571 51171* – [TV] [P]. [AE] [S] ⊙ [MC] [VISA] [JCB]. ✗
chiuso agosto – **22 cam** ☕ 140/200000.

MONTEMAGNO *14030 Asti* [428] G 6 – *1 205 ab. alt. 259.*

Roma 617 – Alessandria 47 – Asti 18 – Milano 102 – Torino 72 – Vercelli 50.

La Braja, via San Giovanni Bosco 11 ☎ 0141 653925, *braja@tin.it, Fax 0141 63605*, Coperti limitati; prenotare – [P]. [AE] [S] ⊙ [MC] [VISA]. ✗
chiuso dal 7 al 27 gennaio, dal 26 luglio all'11 agosto, lunedì e martedì – **Pasto** 60/90000 carta 65/105000.

MONTEMAGNO *Lucca* [428], [429], [430] K 12 – *Vedere Camaiore.*

MONTEMARCELLO *La Spezia* [430] J 11 – *Vedere Ameglia.*

MONTEMARZINO *15050 Alessandria* [428] H 8 – *337 ab. alt. 448.*

Roma 585 – Alessandria 41 – Genova 89 – Milano 89 – Piacenza 85.

Da Giuseppe, via 4 Novembre 7 ☎ 0131 878135, *Fax 0131 878135* – [AE] [S] ⊙ [MC] [VISA]. ✗
chiuso dal 2 al 31 gennaio, martedì sera e mercoledì – **Pasto** 45/75000 bc.

MONTEMERANO *58050 Grosseto* [430] O 16 – *alt. 303.*

Roma 189 – Grosseto 50 – Orvieto 79 – Viterbo 85.

Villa Acquaviva ⊗ senza rist, strada Scansanese Nord : 1 km ☎ 0564 602890, *acquavi a@laltramaremma.it, Fax 0564 602895*, ≤ campagna e colli, « Giardino ombreggiato con », – [TV] [P]. [AE] [S] [MC] [VISA]. ✗
25 cam ☕ 150/220000, suite.

Da Caino con cam, via della Chiesa 4 ☎ 0564 602817, *Fax 0564 602807*, Rist. con enoteca, Coperti limitati; prenotare – . [AE] [S] ⊙ [MC] [VISA]. ✗
chiuso dall'8 gennaio all'8 febbraio e dall'11 al 25 luglio – **Pasto** *(chiuso mercoledì e gioved a mezzogiorno)* 140000 e carta 100/160000 – **3 cam** ☕ 250/300000.
Spec. Pappardelle all'aglio dolce, rosmarino e Parmigiano con faraona marinata al pomodoro fresco (primavera-estate). Piccione disossato con confit di cipolle allo zenzero (primavera). Tortino di ricotta agli agrumi, gelato alla cannella (inverno).

MONTE OLIVETO MAGGIORE *53020 Siena* [430] M 16 *G. Toscana – alt. 273.*

Vedere *Affreschi★★ nel chiostro grande dell'abbazia – Stalli★★ nella chiesa abbaziale.*

Roma 223 – Siena 37 – Firenze 104 – Perugia 121 – Viterbo 125.

La Torre, ☎ 0577 707022, *Fax 0577 707066*, , « Nel complesso dell'abbazia » – [AE] [S] ⊙ [MC] [VISA]. ✗
chiuso martedì – **Pasto** carta 30/50000 (10 %).

MONTEPAONE LIDO *88060 Catanzaro* [431] K 31 – *4 215 ab..*

Roma 632 – Reggio di Calabria 158 – Catanzaro 33 – Crotone 85.

Rada Siri, via Nazionale 249 ☎ 0967 576571, *radasiri@columbus.it, Fax 0967 577492*, , – [TV] [P] – 100. [S] [MC] [VISA] [JCB]. ✗
15 gennaio-15 novembre – **Pasto** carta 45/60000 – ☕ 19000 – **45 cam** 145/230000 – 1/2 P 185000.

Il Pescatore, via del Pescatore 23 ☎ 0967 576303, *pescatore@galaxia.it, Fax 0967 576304*, – [TV] – 70. [S] ⊙ [VISA]. ✗
Pasto *(chiuso lunedì da ottobre a maggio)* carta 35/50000 – ☕ 10000 – **27 cam** 90/170000, 10000 – 1/2 P 130000.

sulla strada per Petrizzi *Sud-Ovest : 2,5 km :*

🍴🍴 **Il Cantuccio,** via G. di Vittorio 6 ☎ 0967 22087, ☂, prenotare – ▤. [AE] [$] ⦿ [MC] [VISA]
chiuso dal 15 ottobre al 15 novembre e mercoledì – Pasto (specialità di mare) 40/60000.

sulla strada statale 106 *Sud : 3 km :*

🍴🍴 **A' Lumera** con cam, via Don Luigi Sturzo 7 ✉ 88060 ☎ 0967 576290, *Fax 0967 576090* – ▤ [TV] [P]. [AE] [$] ⦿ [MC] [VISA]. ✗
Pasto *(chiuso domenica sera e martedì a mezzogiorno eslcuso da marzo ad ottobre)* carta 40/70000 – **21 cam** ☕ 60/100000 – 1/2 P 120000.

MONTEPERTUSO *Salerno* [431] F 25 – *Vedere Positano.*

MONTE PORZIO CATONE *00040 Roma* [430] Q 20 – *8 145 ab. alt. 451.*

⛳ *Pallavicina (chiuso martedì) località Casali della Pallavicina ✉ 00030 Colonna, ☎ 06 9545355, Fax 06 9545355, Nord : 7 km.*

Roma 24 – Frascati 4 – Frosinone 64 – Latina 55.

🏨 **Villa Vecchia,** via Frascati 49 (Ovest : 3 km) ☎ 06 94340096, *villavecchia@tin.it, Fax 06 9420568,* ⛳, ☂ – [lift] ▤ [TV] ☎ [P] – 🎤 160. [AE] ⦿ [VISA]. ✗
Pasto carta 65/100000 – **86 cam** ☕ 245/290000, 9 suites – 1/2 P 190000.

🍴 **Da Franco,** via Duca degli Abruzzi 19 ☎ 06 9449205, *Fax 06 9449234,* ≤ – [AE] [$] ⦿ [MC] [VISA]. ✗
chiuso dal 15 al 31 luglio, giovedì e la sera dei giorni festivi – **Pasto** carta 40/65000.

MONTEPULCIANO *53045 Siena* [430] M 17 *G. Toscana* – *13 890 ab. alt. 605.*

Vedere *Città Antica*★ – *Piazza Grande*★★ : ✻★★★ *dalla torre del palazzo Comunale*★, *palazzo Nobili-Tarugi*★, *pozzo*★ – *Chiesa della Madonna di San Biagio*★★ *Sud-Est : 1 km.*

Roma 176 – Siena 65 – Arezzo 60 – Firenze 119 – Perugia 74.

🏨 **Granducato** senza rist, via delle Lettere 62 ☎ 0578 758597, *granducato@lenni.it, Fax 0578 758610* – [lift] [TV] – 🎤 60. [AE] [$] ⦿ [MC] [VISA]
51 cam ☕ 140/180000.

🏨 **Il Marzocco** senza rist, piazza Savonarola 18 ☎ 0578 757262, *Fax 0578 757530* – [TV]. [AE] [$] ⦿ [MC] [VISA]. ✗
chiuso dal 15 gennaio al 15 febbraio – ☕ 10000 – **16 cam** 100/140000.

🍴🍴 **La Grotta,** località San Biagio 16 (Ovest : 1 km) ☎ 0578 757479, *Fax 0578 757607,* « Edificio cinquecentesco-servizio estivo in giardino » – [AE] [$] [MC] [VISA] [JCB]
chiuso gennaio, febbraio e mercoledì – **Pasto** carta 75/100000.

MONTERIGGIONI *53035 Siena* [430] L 15 *G. Toscana* – *7 744 ab. alt. 274.*

Roma 245 – Siena 15 – Firenze 55 – Livorno 103 – Pisa 93.

🏨 **Monteriggioni** ✈ senza rist, via 1° Maggio 4 ☎ 0577 305009, *Fax 0577 305011,* ⛱, 🌳 – [lift], ✗ cam, ▤ [TV] [P]. [AE] [$] ⦿ [MC] [VISA]. ✗
chiuso dal 10 gennaio al 15 febbraio – **12 cam** ☕ 200/380000.

🍴🍴 **Il Pozzo,** piazza Roma 2 ☎ 0577 304127, *Fax 0577 304701,* ☂ – [AE] [$] ⦿ [MC] [VISA]. ✗
chiuso dal 10 gennaio al 10 febbraio, dal 30 luglio all'8 agosto, domenica sera e lunedì – **Pasto** carta 60/85000 (10 %).

a Abbadia Isola *Sud-Ovest : 4 km – ✉ 53035 Monteriggioni :*

🍴🍴 **Antica Osteria La Leggenda Dei Frati,** Piazza Garfonda 7 ☎ 0577 301222, ☂ – [AE] [$] ⦿ [MC] [VISA]
chiuso lunedì – **Pasto** carta 65/95000.

a Strove *Sud-Ovest : 4 km – ✉ 53035 Monteriggioni :*

🏨 **Castel Bigozzi** ✈ senza rist, località Bigozzi ☎ 0577 300000, *castelbigozzi@chiantituris mo.it, Fax 0577 300000,* ≤ colline e dintorni, ⛱, 🌳 – [lift] [TV] ♿ [P] – 🎤 50. [AE] [$] ⦿ [MC] [VISA]. ✗
chiuso dal 10 gennaio al 10 febbraio – ☕ 18000 – 14 suites 320/380000.

🏨 **Casalta** ✈, via Matteotti ☎ 0577 301002, *Fax 0577 301002* – [$] [MC] [VISA]. ✗
marzo-ottobre – **Pasto** vedere rist ***Casalta*** – ☕ 15000 – **10 cam** 150000.

🍴🍴 **Casalta,** via Matteotti ☎ 0577 301171, *Fax 0577 301171,* ☂, prenotare – [$] [MC] [VISA]
chiuso dal 10 gennaio al 10 febbraio e mercoledì – **Pasto** carta 60/90000.

a Lornano *Est : 8 km – ✉ 53035 Monteriggioni :*

🍴 **La Bottega di Lornano,** località Lornano 10 ☎ 0577 309146, *Fax 0577 309146,* ☂ – [AE] [$] ⦿ [MC] [VISA] [JCB]. ✗
chiuso dal 15 novembre al 6 dicembre, domenica sera e lunedì da novembre a marzo, solo lunedì negli altri mesi – **Pasto** carta 50/75000 (12 %).

MONTERIVOSO Terni – *Vedere Ferentillo.*

MONTEROSSO Padova **429** F 17 – *Vedere Abano Terme.*

MONTEROSSO AL MARE 19016 La Spezia **428** J 10 *G. Italia* – *1 620 ab.*.

🛈 (Pasqua-ottobre) via del Molo ℘ 0187 817204.

Roma 450 – La Spezia 30 – Genova 93 – Milano 230.

🏨 **Porto Roca** ⌖, via Corone 1 ℘ 0187 817502, *portoroca@portoroca.it*, Fax 0187 817692
≤ mare e costa, 斎, 氣 – 劇 ≡ 🆃🆅. 🆎 🆂 ① ⑳ 🆅🆂🆀. ※ rist
marzo-ottobre – **Pasto** carta 55/90000 – **42 cam** ⌓ 390/450000, suite – ½ P 280000.

🏨 **Cinque Terre**, senza rist, via IV Novembre 21 ℘ 0187 817543, Fax 0187 818380, « Giardino
ombreggiato » – 劇 🆅🆅 🅿
stagionale – **54 cam**.

🏨 **La Colonnina** ⌖ senza rist, via Zuecca 6 ℘ 0187 817439, Fax 0187 817788, « Piccolo
giardino ombreggiato » – 劇 🆅🆅. ※
Pasqua-ottobre – ⌓ 18000 – **20 cam** 150/160000.

XX **Miki**, via Fegina 104 ℘ 0187 817608, Fax 0187 817608, 斎, Rist. e pizzeria – 🆎 🆂 ① ⑳
🆅🆂🆀
marzo-novembre; chiuso martedì escluso da luglio a settembre – **Pasto** carta 55/80000.

MONTEROSSO GRANA 12020 Cuneo **428** I 3 – *576 ab. alt. 720* – *a.s. agosto.*
Roma 664 – Cuneo 25 – Milano 235 – Colle di Tenda 45 – Torino 92.

🏨 **A la Posta**, via Mistral 41 ℘ 0171 98720, Fax 0171 98720, « Giardino ombreggiato » – 劇
🅿. 🆂 ⑳ 🆅🆂🆀. ※ rist
aprile-ottobre e novembre-dicembre – **Pasto** carta 30/45000 – **50 cam** ⌓ 60/100000 –
½ P 70000.

MONTEROTONDO 00015 Roma **430** P 19 – *33 515 ab. alt. 165.*
Roma 27 – Rieti 55 – Terni 84 – Tivoli 32.

X **Antica Trattoria dei Leoni** con cam, piazza del Popolo 15 ℘ 06 90627394,
Fax 06 90627394, 斎 – ≡ rist, 🆅. 🆎 🆂 ① ⑳ 🆅🆂🆀
Pasto carta 35/55000 – ⌓ 5000 – **34 cam** ⌓ 60/90000 – ½ P 70000.

MONTE SAN GIOVANNI CAMPANO 03025 Frosinone **430** R 22 – *12 915 ab. alt. 420.*
Roma 116 – Frosinone 27 – Avezzano 57 – Isernia 96 – Napoli 124.

🏨 **L'Orione**, via Della Corte 5 ℘ 0775 289340, Fax 0775 288677, ≤ colline, 斎, 氣 –
🆅🆅 🅿. ※
11 cam.

MONTE SAN PIETRO (PETERSBERG) Bolzano – *Vedere Nova Ponente.*

MONTE SAN SAVINO 52048 Arezzo **430** M 17 *G. Toscana* – *8 087 ab. alt. 330.*
Roma 191 – Siena 41 – Arezzo 21 – Firenze 83 – Perugia 74.

XX **La Terrasse**, via di Vittorio 2/4 ℘ 0575 844111, Fax 0575 844111, 斎 – ≡. 🆎 🆂 ① ⑳
🆅🆂🆀 🅹🅲🅱
chiuso dal 1° al 15 novembre e mercoledì – **Pasto** carta 40/60000.

a Gargonza Ovest : 7 km – alt. 543 – ⌗ 52048 Monte San Savino :

X **La Torre di Gargonza**, ℘ 0575 847065, *gargonza@teta.it*, Fax 0575 847054, 斎 – 🅿. 🆎
🆂 ⑳ 🆅🆂🆀. ※
chiuso dal 7 al 31 gennaio, novembre e martedì – **Pasto** carta 55/75000.

ONTE SANT'ANGELO 71037 Foggia **431** B 29 *G. Italia* – *14 298 ab. alt. 843* – *a.s. luglio-13 settembre.*

Vedere *Posizione pittoresca*★★ – *Santuario di San Michele*★ – *Tomba di Rotari*★.

Escursioni *Promontorio del Gargano*★★★ *Est e Nord-Est.*

Roma 427 – *Foggia 59* – *Bari 135* – *Manfredonia 16* – *Pescara 203* – *San Severo 57.*

※ **Medioevo,** via Castello 21 ℘ 0884 565356, Fax 0884 565356 – ஊ 🛐 ⓪ ⓬ 🗺 🗺. ※
chiuso lunedì escluso da luglio a settembre
Pasto carta 30/65000.

※ **Taverna de li Jallantuùmene,** piazza de Galganis 5 ℘ 0884 565484, Fax 0884 565484,
斎 – ஊ 🛐 ⓪ ⓬ 🗺
chiuso dall'8 al 28 gennaio e martedì da ottobre a marzo – Pasto carta 45/65000.

※ **Da Costanza,** corso Garibaldi 67 ℘ 0884 561313, Fax 0884 561313 – 🛐 ⓪ ⓬ 🗺
chiuso venerdì da ottobre a marzo – Pasto 30/35000 bc.

ONTESARCHIO 82016 Benevento **431** D 25 – *13 357 ab. alt. 300.*

Roma 223 – *Napoli 53* – *Avellino 54* – *Benevento 18* – *Caserta 30.*

🏨 **Cristina Park Hotel,** via Benevento 102 Est : 1 km ℘ 0824 835888, *cristinaparkhotel@ti
n.it*, Fax 0824 835866, 🐎 – 🛗 🗐 🔟 ◀ 🕑 – 🔬 300. ஊ 🛐 ⓪ ⓬ 🗺. ※
Pasto *(chiuso sabato a mezzogiorno e domenica sera)* carta 45/60000 (11%) – **16 cam**
⚌ 135/180000 – 1/2 P 165000.

ONTESCANO 27040 Pavia **428** G 9 – *387 ab. alt. 208.*

Roma 597 – *Piacenza 42* – *Alessandria 69* – *Genova 142* – *Pavia 27.*

XXX **Al Pino,** via Pianazza ℘ 0385 60479, Fax 0385 60479, ≤ colline, Coperti limitati; prenotare
– 🅿, ஊ 🛐 ⓪ ⓬ 🗺
chiuso dal 1° al 10 gennaio, dal 15 al 30 luglio, lunedì e martedì – Pasto 60/70000 (a
mezzogiorno) 90/100000 (alla sera) e carta 65/100000.

Se cercate un albergo tranquillo,
oltre a consultare le carte dell'introduzione,
individuate nell'elenco degli esercizi quelli con il simbolo 🌦 *o* 🌦.

ONTESCUDAIO 56040 Pisa **430** M 13 – *1 454 ab. alt. 242.*

Roma 281 – *Pisa 59* – *Cecina 10* – *Grosseto 108* – *Livorno 45* – *Piombino 59* – *Siena 80.*

※ **Il Frantoio,** via della Madonna 9 ℘ 0586 650381, Fax 0586 650381 – ஊ 🛐 ⓪ ⓬ 🗺 🗺
*chiuso a mezzogiorno (escluso i giorni festivi da ottobre a maggio), dal 20 gennaio al
10 febbraio e lunedì* – Pasto carta 45/85000.

MONTESILVANO MARINA 65016 Pescara **430** O 24 – *36 765 ab.* – *a.s. luglio-agosto.*

🚩 via Romagna 6 ℘ 085 4492796, Fax 085 4454281.

Roma 215 – *Pescara 13* – *L'Aquila 112* – *Chieti 26* – *Teramo 50.*

🏨 **Promenade,** viale Aldo Moro 63 ℘ 085 4452221, *promenade @tin.it*, Fax 085 834800, ≤,
🔟, ▲⌒ – 🛗, 🗐 cam, 🔟 🅿 – 🔬 180. ஊ 🛐 ⓪ ⓬ 🗺. ※
Pasto carta 40/70000 – **84 cam** ⚌ 135/200000 – 1/2 P 140000.

🏨 **Ariminum,** viale Kennedy 3 ℘ 085 4453736, *ariminum@ariminum.com*, Fax 085 837705 –
🛗|, 🗐 cam, 🔟 🅿. ஊ 🛐 ⓪ ⓬ 🗺 🗺. ※
Pasto *(solo per alloggiati e chiuso a mezzogiorno escluso da giugno a settembre)* carta
40/60000 – ⚌ 15000 – **25 cam** 85/130000, 🗐 10000 – 1/2 P 100000.

XX **Carlo Ferraioli,** via Aldo Moro 52 ℘ 085 4452296, *carloferraioli@tin.it*, Fax 085 835433,
斎, prenotare – 🗐. ஊ 🛐 ⓪ ⓬ 🗺. ※
chiuso lunedì – Pasto specialità di mare carta 60/90000.

MONTESPERTOLI 50025 Firenze **429**, **430** L 15 – *11 071 ab. alt. 257.*

Roma 287 – *Firenze 34* – *Siena 60* – *Livorno 79.*

※ **L'Artevino,** via Sonnino 28 ℘ 0571 608488, Fax 0571 658356, Coperti limitati; prenotare
– 🗐. ஊ 🛐 ⓪ ⓬ 🗺. ※
*chiuso gennaio, dall'8 al 22 giugno, dal 15 al 30 novembre, mercoledì e giovedì a mezzo-
giorno* – Pasto carta 65/120000.

a Montagnana *Nord-Est : 7 km* – ✉ 50025 Montespertoli :

XX **Il Focolare,** via Volterrana Nord 175 ℘ 0571 671132, Fax 0571 671345, « Servizio estivo
in giardino » – ஊ 🛐 ⓬ 🗺. ※
chiuso agosto, lunedì sera e martedì – Pasto carta 50/90000.

MONTESPLUGA *23020 Sondrio* 428 C 9, 218 ⑬ ⑭ – *alt. 1 908.*
Roma 711 – Sondrio 89 – Milano 150 – Passo dello Spluga 3.

XX **Posta** con cam, via Dogana 8 ✆ 0343 54234, *Fax 0343 54234* – TV P. AE S ⊙ MC V
chiuso gennaio e febbraio – **Pasto** *(chiuso martedì escluso da luglio a settembre)* ca 40/65000 – ☕ 12000 – **10 cam** 70/120000 – ½ P 100000.

MONTEVARCHI *52025 Arezzo* 430 L 16 *G. Toscana – 22 152 ab. alt. 144.*
Roma 233 – Firenze 49 – Siena 50 – Arezzo 39.

Valdarno M senza rist, via Traquandi 13/15 ✆ 055 9103489, *hotel.valdarno@val Fax 055 9103499* – |‡| ▤ TV ♿ 🚗 P – 🏛 120. AE S ⊙ MC VISA.
51 cam ☕ 150/180000.

XX **Osteria di Rendola,** località Rendola 76/81 (Sud : 6 km) ✆ 055 9707490, *francesco@rendola.com, Fax 055 9707491*, prenotare – P. AE S MC VISA.
chiuso dal 20 gennaio al 10 febbraio, mercoledì e giovedì a mezzogiorno – **Pasto** 70000 carta 70/110000.

MONTEVECCHIA *23874 Lecco – 2 458 ab. alt. 479.*
Roma 602 – Como 34 – Bergamo 44 – Lecco 24 – Milano 27.

XXX **Passone,** via del Pertevano 10 (Est : 1 km) ✆ 039 9930075, *Fax 039 9930181*, ⛱, prenotare, 🚗 – ▤ P. AE S ⊙ MC VISA
chiuso dal 2 al 5 gennaio dal 16 al 20 agosto e mercoledì – **Pasto** carta 50/85000.

I prezzi — **Per ogni chiarimento sui prezzi riportati in guida, consultate le pagine dell'introduzione.**

MONTEVIORE *Nuoro – Vedere Sardegna (Dorgali) alla fine dell'elenco alfabetico.*

MONTIANO *47020 Forlì-Cesena* 429, 430 J 18 – *1 579 ab. alt. 159.*
Roma 327 – Ravenna 44 – Rimini 26 – Forlì 25.

XX La Cittadella, piazza Garibaldi 12/14 ✆ 0547 51347, *Fax 0547 51347*, « Servizio estivo terrazza panoramica » – P.

MONTICCHIELLO *Siena* 430 M 17 – *Vedere Pienza.*

MONTICELLI D'ONGINA *29010 Piacenza* 428, 429 G 11 – *5 273 ab. alt. 40.*
Roma 530 – Parma 57 – Piacenza 23 – Brescia 63 – Cremona 11 – Genova 171 – Milano 77.

a San Pietro in Corte *Sud : 3 km – ✉ 29010 Monticelli d'Ongina :*

X **Le Giare,** via San Pietro in Corte Secca 6 ✆ 0523 820200, Coperti limitati; prenotare – ▤ AE S ⊙ MC VISA JCB.
chiuso dal 1º al 10 gennaio, dal 1º al 21 agosto, domenica sera e lunedì – **Pasto** cart 55/85000.

MONTICELLI TERME *43023 Parma* 428, 429 H 13 – *alt. 99 – Stazione termale (marzo-15 dicembre), a.s. 10 agosto-25 ottobre.*
Roma 452 – Parma 13 – Bologna 92 – Milano 134 – Reggio nell'Emilia 25.

Delle Rose, via Montepelato 4 ✆ 0521 657425, *rosehot@tin.it, Fax 0521 658245*, Piscina termale coperta, « Parco-pineta », ₺, ≘s, 🏊, ♀ – |‡|, ▤ rist, TV ♿ P – 🏛 100. AE S ⊙ MC VISA JCB.
chiuso dal 17 dicembre al 15 gennaio – **Pasto** carta 55/75000 – **78 cam** ☕ 170/220000 – ½ P 160000.

MONTICHIARI *25018 Brescia* 428, 429 F 13 – *18 279 ab. alt. 104.*
✈ *Gabriele D'Annunzio ✆ 030 9656511, Fax 030 9656514.*
Roma 490 – Brescia 20 – Cremona 56 – Mantova 40 – Verona 52.

Elefante, via Trieste 41 ✆ 030 9962550, *Fax 030 9981015* – |‡| ▤ TV P – 🏛 60. AE S ⊙ MC VISA.
Pasto al Rist. ***La Bottega dei Sapori*** *(chiuso dal 1º al 15 gennaio, dal 1º al 20 agosto mercoledì e sabato a mezzogiorno)* 60/75000 e carta 55/100000 – **20 cam** ☕ 125/165000 – ½ P 110000.

MONTICIANO 53015 Siena **430** M 15 – 1 478 ab. alt. 381.

Dintorni Abbazia di San Galgano★★ Nord-Ovest : 7 km.

Roma 186 – Siena 37 – Grosseto 60.

X **Da Vestro** con cam, via Senese 4 ℘ 0577 756618, Fax 0577 756466, 佘, « Giardino ombreggiato » – ℙ. 歴 ⓢ ⑩ ⓪ ⚠ . ⅍
chiuso dal 15 al 28 febbraio – **Pasto** (chiuso lunedì) carta 40/60000 – ☑ 10000 – **12 cam** 75/105000 – 1⁄2 P 115000.

Iesa Sud : 13,5 km – ⊠ 53015 Monticiano :

X **L'Aia di Gino,** via dell'Arco 8 ℘ 0577 758047, Fax 0577 758047, 佘 – 歴 ⓢ ⑩ ⚠
chiuso febbraio, martedì e da aprile-ottobre anche a mezzogiorno escluso sabato e domenica – **Pasto** carta 35/50000.

MONTICOLO (laghi) (MONTIGGLER SEE) Bolzano **218** ㉑ – Vedere Appiano sulla Strada del Vino.

MONTIERI 58026 Grosseto **430** M 15 – 1 290 ab. alt. 750.

Roma 269 – Siena 50 – Grosseto 51.

▥ **Rifugio Prategiano** ﴾, località Prategiano 45 ℘ 0566 997700, prategiano@bigfoot.com, Fax 0566 997891, ≤, Turismo equestre, ≦, 宏, ℅ – ⊡ ℙ. ⓢ ⚠ . ℅ rist
Pasqua-4 novembre – **Pasto** 25/35000 – **24 cam** ☑ 160/215000 – 1⁄2 P 160000.

MONTIGNOSO 54038 Massa-Carrara **428** , **429** , **430** J 12 – 9 880 ab. alt. 132.

Roma 386 – Pisa 39 – La Spezia 38 – Firenze 112 – Lucca 42 – Massa 5 – Milano 240.

XXXX **Il Bottaccio** ﴾ con cam, via Bottaccio 1 ℘ 0585 340031, ilbottaccio@tin.it, Fax 0585 340103, 佘, prenotare, « In un frantoio ad acqua del 700 », 宏 – ⊡ ℙ. 歴 ⓢ ⑩ ⓪ ⚠ JCB
Pasto carta 70/130000 – ☑ 30000 – 8 suites 680/1200000.

Cinquale Sud-Ovest : 5 km – ⊠ 54030 – a.s. Pasqua e luglio-agosto :

▥▥ **Villa Undulna** Ⓜ, viale Marina angolo via Gramsci ℘ 0585 807788, hotel@villandulna.com, Fax 0585 807791, 佘, ▤ con acqua termale, ♨, ≦, ﴾, 宏, ℅, ╬ – ◙ ▤ ⊡ ℵ ≈ ℙ – ▵ 90. 歴 ⓢ ⑩ ⓪ ⚠ . ℅
16 marzo-4 novembre – **Pasto** 60000 – **20 cam** ☑ 400/500000, 24 suites 400/750000 – 1⁄2 P 280000.

▥▥ **Eden,** via Gramsci 26 ℘ 0585 807676, eden@bicnet.it, Fax 0585 807594, 佘, 宏 – ◙ ▤ ⊡ ﴾ ℙ – ▵ 100. 歴 ⓢ ⑩ ⓪ ⚠ . ℅ rist
chiuso dal 22 dicembre al 22 gennaio – **Pasto** carta 45/85000 – **31 cam** ☑ 170/250000 – 1⁄2 P 180000.

▥ **Giulio Cesare** ﴾ senza rist, via Giulio Cesare 29 ℘ 0585 309318, Fax 0585 807664, 宏 – ▤ ℙ. ⓢ ⓪ ⚠ . ℅
Pasqua-settembre – **12 cam** ☑ 140/170000.

MONTOGGIO 16026 Genova **428** I 9 – 1 986 ab. alt. 440.

Roma 538 – Genova 38 – Alessandria 84 – Milano 131.

▥ **Da Alfredo,** via Mangini 20, località Bromia ℘ 010 938954, Fax 010 938110 – 歴 ⓢ ⑩ ⓪ ⚠ . ℅
chiuso dal 1° al 15 dicembre – **Pasto** (chiuso dal 1° al 15 ottobre, dal 15 al 30 giugno e mercoledì) carta 45/75000 – **13 cam** ☑ 90/120000 – 1⁄2 P 110000.

XX **Roma,** via Roma 15 ℘ 010 938925 – ▤ . ℅
chiuso dal 1° al 13 luglio e giovedì, da ottobre a maggio anche le sere di lunedì-martedì e mercoledì – **Pasto** carta 45/65000.

MONTONE 06014 Perugia **430** L 18 – 1 541 ab. alt. 485.

Roma 205 – Perugia 39 – Arezzo 58.

▥ **La Locanda del Capitano** ﴾, via Roma 7 ℘ 075 9306521, locanda_del_capitano@hotmail.com, Fax 075 9306455, 佘 – ⊡ . 歴 ⓢ ⑩ ⓪ ⚠ . ℅ rist
chiuso gennaio e febbraio – **Pasto** (chiuso dal 15 gennaio al 28 febbraio e lunedì) carta 45/85000 – **8 cam** ☑ 140/180000 – 1⁄2 P 120000.

MONTOPOLI DI SABINA *02034 Rieti* [430] P 20 – *3 758 ab. alt. 331.*
Roma 52 – Rieti 43 – Terni 79 – Viterbo 76.

sulla strada statale 313 *Sud-Ovest : 7 km*

🍴 **Il Casale del Farfa,** via Ternana 53 ✉ 02034 ☎ 0765 322047, *Fax 0765 322047,* « Servizio estivo in giardino » – [P]. [AE] [$] [VISA]
chiuso dal 22 dicembre al 4 gennaio, dal 10 al 31 luglio e martedì – **Pasto** carta 35/55000

MONTOPOLI IN VAL D'ARNO *56020 Pisa* [428], [429], [430] K 14 – *9 480 ab. alt. 98.*
Roma 307 – Firenze 45 – Pisa 39 – Livorno 44 – Lucca 40 – Pistoia 41 – Pontedera 12 Siena 76.

🍴🍴 **Quattro Gigli** con cam, piazza Michele 2 ☎ 0571 466878, *quattro.gigli@galli. Fax 0571 466879,* Ambiente familiare; cucina tipica locale, « Originali terrecotte; Serviz estivo in terrazza con ≤ colline e dintorni » – [TV]. [AE] [$] [MC] [VISA]. ✻ cam
chiuso dal 10 al 31 gennaio – **Pasto** *(chiuso lunedì e da ottobre a marzo anche domeni sera)* cucina tipica locale carta 45/70000 – ☕ 15000 – **22 cam** 90/120000 – ½ P 95000.

MONTORFANO *22030 Como* [428] E 9, [219] ⑨ – *2 567 ab. alt. 410.*
⛳18 *Villa d'Este (chiuso gennaio, febbraio e martedì escluso agosto)* ☎ *031 200200, Fax 0: 200786.*
Roma 631 – Como 9 – Bergamo 50 – Lecco 24 – Milano 49.

🍴🍴🍴 **Santandrea Golf Hotel** ≫ con cam, via Como 19 ☎ 031 200220, *Fax 031 200220,* prenotare, « Servizio estivo in parco in riva al lago », 🏖, 🌳 – [TV] [P]. [AE] [$] [D] [MC] [VISA] [JCB]. ✻
chiuso dal 20 dicembre al 15 febbraio – **Pasto** carta 70/105000 – **12 cam** ☕ 180/230000.

MONTORO INFERIORE *83025 Avellino* [431] E 26 – *9 018 ab. alt. 195.*
Roma 265 – Napoli 55 – Avellino 18 – Salerno 20.

🏨 **La Foresta,** via Turci 118, svincolo superstrada ✉ 83020 Piazza di Pàndo ☎ 0825 521005, *Fax 0825 523666* – [|\$|] ▤ [TV] 🚗 [P] – 🎪 200. [AE] [$] [D] [MC] [VISA] [JCB]
Pasto carta 30/60000 – **39 cam** ☕ 150/180000, 2 suites – ½ P 150000.

MONTÙ BECCARIA *27040 Pavia* [428] G 9 – *1 718 ab. alt. 277.*
Roma 544 – Piacenza 34 – Genova 123 – Milano 66 – Pavia 28.

🍴🍴 **Colombi,** località Loglio di Sotto 1 (Sud-Ovest : 5 km) ☎ 0385 60049, *Fax 0385 241787* – ▤ [P]. [AE] [$] [D] [MC] [VISA]
Pasto carta 45/70000.

MONZA *20052 Milano* [428] F 9 *G. Italia* – *119 516 ab. alt. 162.*
Vedere *Duomo★ : facciata★★, corona ferrea★★ dei re Longobardi – Parco★★ della Vill. Reale. Nella parte settentrionale Autodromo* ☎ *039 22366.*
⛳27 *(chiuso lunedì) al Parco* ☎ *039 303081, Fax 039 304427, Nord : 5 km;*
⛳18 *Brianza (chiuso martedì) a Usmate Velate* ✉ *20040* ☎ *039 6829079, Fax 039 682905: Nord-Est : 17 km.*
Roma 592 – Milano 21 – Bergamo 38.

🏨 **De la Ville,** viale Regina Margherita 15 ☎ 039 382581, *info@hoteldelaville.com Fax 039 367647,* « Collezione di oggetti d'antiquariato » – [|\$|] ▤ [TV] ☎ ♿ [P] – 🎪 200. [AE] [$] [D] [MC] [VISA]. ✻
chiuso dal 23 dicembre al 6 gennaio e dal 31 luglio al 24 agosto – **Pasto** vedere rist ***Derby Grill*** – ☕ 35000 – **61 cam** 310/410000, suite – ½ P 310000.

🏨 **Della Regione,** via Elvezia (Rondò) 4 ☎ 039 387205, *info@hoteldellaregione.it, Fax 039 380254* – [|\$|] ▤ [TV] [P] – 🎪 100. [AE] [$] [D] [MC] [VISA]
Pasto *(chiuso sabato a mezzogiorno e domenica)* carta 55/80000 – **90 cam** ☕ 220/300000 – ½ P 180000.

🍴🍴🍴 **Derby Grill,** viale Regina Margherita 15 ☎ 039 382581, *info@hoteldelaville.com, Fax 039 367647* – ▤ [P]. [AE] [$] [D] [MC] [VISA]. ✻
chiuso dal 24 dicembre al 6 gennaio, dal 31 luglio al 24 agosto e a mezzogiorno sabato e domenica – **Pasto** carta 60/100000.

🍴 **Punt Del Negar,** via Val d'Ossola 9 ☎ 039 2100600, prenotare la sera – [$] [VISA]
chiuso agosto e domenica – **Pasto** 20/30000 (solo a mezzogiorno) e carta 50/75000 (solo la sera).

AUTODROMO DI MONZA

MONZAMBANO 46040 Mantova **428**, **429** F 14 – 4 424 ab. alt. 88.
  Roma 511 – Verona 30 – Brescia 51 – Mantova 31 – Milano 140.

Castellaro Lagusello Sud-Ovest : 2 km – ⊠ 46040 Monzambano :

  ✗ **La Dispensa,** via Castello 15 ℘ 0376 88850, Fax 0376 88850, 😭 – ☰. ✀
  chiuso a mezzogiorno (escluso sabato e domenica), lunedì, martedì e mercoledì – **Pasto**
  carta 40/75000.

MORBEGNO 23017 Sondrio **428** D 10 – 11 072 ab. alt. 255.
  Roma 673 – Sondrio 25 – Bolzano 194 – Lecco 57 – Lugano 71 – Milano 113 – Passo dello
  Spluga 66.

  🏠 **La Ruota,** via Stelvio 180 ℘ 0342 610117, Fax 0342 614046 – 📦 ☰ 📺 ⇌ 🅿 ☒ 🚭 ⓪ ⓴
  VISA
  Pasto carta 35/50000 – **23 cam** ☷ 75/100000 – ½ P 90000.

  ✗ **Osteria del Crotto,** via Pedemontana 22-24 ℘ 0342 614800, 😭, Coperti limitati; pre-
  notare – 🅿. ☒ 🚭 ⓪ ⓴ **VISA**. ✀
  chiuso dal 5 all'11 gennaio, dal 24 agosto al 13 settembre e domenica – **Pasto** carta
  40/60000.

MORCIANO DI ROMAGNA 47833 Rimini **429**, **430** K 19 – 5 732 ab. alt. 83.
  Roma 323 – Rimini 27 – Ancona 95 – Ravenna 92.

  ✗✗ **Tuf-Tuf,** via Panoramica 34 ℘ 0541 988770, Fax 0541 853500, Coperti limitati; prenotare –
  🅿. ☒ 🚭 ⓪ ⓴ **VISA**
  chiuso dal 20 maggio all'8 giugno, lunedì e a mezzogiorno – **Pasto** carta 70/120000.

  Un consiglio Michelin:
  per la buona riuscita di un viaggio, preparatelo in anticipo.
  Le carte e le guide Michelin vi danno tutte le indicazioni
  utili su: itinerari, curiosità, sistemazioni, prezzi, ecc.

MORDANO 40027 Bologna **429**, **430** I 17 – 4 097 ab. alt. 21.
  Roma 396 – Bologna 45 – Ravenna 45 – Forlì 35.

  🏠 **Panazza** Ⓜ, via Lughese 37 ℘ 0542 51434, *info@hotelpanazza.it,* Fax 0542 52165, 😭,
  ⊜ « Villa dell'800 ristrutturata nel verde di un piccolo parco con laghetto », ⊒, ✗ – 📦 ☰ 📺
  ⏦ 🅿 – 🔏 120. ☒ 🚭 ⓪ ⓴ **VISA**. ✀ rist
  Pasto carta 30/65000 – **45 cam** ☷ 185/270000 – ½ P 185000.

MORGEX 11017 Aosta **428** E 3 – 1 886 ab. alt. 1001.
  Roma 771 – Aosta 27 – Courmayeur 9.

  ✗✗ **Cafe Quinson "Vieux Bistrot",** piazza P.pe Tommaso 9 ℘ 0165 809499,
  Fax 0165 807917, 😭 – ☰. ☒ 🚭 ⓪ ⓴ **VISA**. ✀
  chiuso dal 20 giugno al 10 luglio, dal 23 ottobre al 7 novembre – **Pasto** 120000 e carta
  55/125000.

MORIMONDO 20081 Milano **428** F 8 – 1 172 ab. alt. 109.
  Roma 587 – Alessandria 81 – Milano 30 – Novara 37 – Pavia 27 – Vercelli 55.

  ✗✗ **Della Commenda,** via Pampuri 2 ℘ 02 94961991, Fax 02 94961991, « In un cascinale
  del 1600 », ⇌ – ☰ 🅿. 🚭 ⓪ ⓴ **VISA** **JCB**
  chiuso dal 1° al 20 agosto e martedì – **Pasto** carta 70/100000.

  ✗ **Trattoria Basiano,** località Basiano Sud : 3 km ℘ 02 945295, Fax 02 945295, 😭 – ☰ 🅿.
  🚭 ⓪ ⓴ **VISA**. ✀
  chiuso dal 24 al 26 dicembre, dal 1° al 7 gennaio, dal 16 agosto al 10 settembre, lunedì sera
  e martedì – **Pasto** carta 45/65000.

MORLUPO 00067 Roma **430** P 19 – 6 874 ab. alt. 207.
  Roma 34 – Terni 79 – Viterbo 64.

  ✗ **Agostino al Campanaccio,** piazza Armando Diaz 13 ℘ 06 9072111, Fax 06 9072111,
  😭 – ☒ 🚭 ⓪ ⓴ **VISA**. ✀
  chiuso dal 17 agosto al 6 settembre e martedì – **Pasto** carta 40/60000.

MORNAGO *21020 Varese* 428 E 8, 219 ⑰ *– 4 089 ab. alt. 281.*

Roma 639 – Stresa 37 – Como 37 – Lugano 45 – Milano 58 – Novara 47 – Varese 11.

XX **Alla Corte Lombarda,** via De Amicis 13 ✆ 0331 904376, Coperti limitati; prenotare – P. AE S ① MC VISA. ✗
✿ *chiuso dal 7 al 28 agosto, lunedì e martedì –* **Pasto** 25000 (solo a mezzogiorno) 60000 carta 45/90000
Spec. Insalata di quaglia alle mele croccanti e ciliege sciroppate. Risotto allo zafferano, fio di zucca, zucchine fritte e pomodoro (estate). Scamone di vitella al lardo e rosmarino i salsa balsamica.

MORTARA *27036 Pavia* 428 *G 8 G. Italia – 14 276 ab. alt. 108.*

Roma 601 – Alessandria 57 – Milano 47 – Novara 24 – Pavia 38 – Torino 94 – Vercelli 32.

San Michele, corso Garibaldi 20 ✆ 0384 98614, *Fax 0384 99106* – ▤ cam, TV P. AE S ① MC VISA
Pasto *(chiuso lunedì)* carta 40/65000 – ☕ 15000 – **17 cam** 90/135000, suite – ½ P 80000.

XX **Guallina,** località Guallina Est : 4 km ✆ 0384 91962, Coperti limitati; prenotare – P. AE S
chiuso dal 1° al 20 gennaio e martedì – **Pasto** carta 45/60000.

MOSCAZZANO *26010 Cremona* 428 *G 11 – 778 ab. alt. 68.*

Roma 530 – Piacenza 33 – Bergamo 48 – Brescia 64 – Milano 54.

a Colombare *Sud : 1 km – ✉ 26010 Moscazzano*

X **Hostaria San Carlo,** via Colombare 12 ✆ 0373 66190, *Fax 0373 242406,* 🏠 – ✗ ▤. AE S ① MC VISA
chiuso dal 1° al 15 gennaio, agosto, lunedì sera e martedì – **Pasto** carta 45/75000.

MOSCHETTA *Reggio Calabria – Vedere Locri.*

MOSO (MOOS) *Bolzano – Vedere Sesto.*

MOSSA *34070 Gorizia* 429 *E 22 – 1 611 ab. alt. 73.*

Roma 656 – Udine 31 – Gorizia 6 – Trieste 49.

X **Blanch,** via Blanchis 35 (Nord-Ovest : 1 km) ✆ 0481 80020, *Fax 0481 808463,* 🏠 – P. AE S ① MC VISA. ✗
chiuso dal 26 agosto al 22 settembre e mercoledì – **Pasto** carta 35/55000.

MOTTA DI LIVENZA *31045 Treviso* 429 *E 19 – 9 536 ab..*

Roma 562 – Venezia 55 – Pordenone 32 – Treviso 36 – Trieste 109 – Udine 69.

Bertacco, via Ballarin 18 ✆ 0422 861400, *hotelbertacco@hotmail.com, Fax 0422 861790* – ▤ ▤ TV P – 🏛 30. AE S ① MC VISA JCB. ✗
Pasto *(chiuso dal 1° al 10 gennaio, dal 5 al 25 agosto, domenica sera e lunedì)* carta 50/85000 – ☕ 10000 – **21 cam** 100/140000 – ½ P 110000.

MOZZO *24035 Bergamo* 219 ⑳ *– 6 792 ab. alt. 252.*

Roma 607 – Bergamo 8 – Lecco 28 – Milano 49.

XX **Caprese,** via Crocette 38 ✆ 035 611148, *Fax 035 611148,* prenotare – ▤ P. AE S ① MC VISA
chiuso Natale, dal 10 al 31 agosto, domenica sera e lunedì – **Pasto** specialità di mare 60000/100000 (solo a mezzogiorno) e carta 75/135000.

MUGGIA *34015 Trieste* 429 *F 23 G. Italia – 13 303 ab..*

ℹ *(maggio-settembre) via Roma 20 ✆ 040 273259.*

Roma 684 – Udine 82 – Milano 423 – Trieste 11 – Venezia 173.

X **Trattoria Risorta,** Riva De Amicis 1/a ✆ 040 271219, *Fax 040 273394,* « Servizio estivo in terrazza sul mare » – AE S ① MC VISA JCB
chiuso dal 1° al 21 gennaio, lunedì e domenica sera, in luglio-agosto anche domenica a mezzogiorno – **Pasto** specialità di mare carta 60/90000.

a Santa Barbara *Sud-Est : 3 km – ✉ 34015 Muggia :*

X **Taverna da Stelio Cigui** ☞ con cam, via Colarich 92/D ✆ 040 273363, *Fax 040 9279224,* prenotare, « Ambiente familiare in zona verdeggiante con servizio estivo in terrazza-giardino » – P. S ① MC VISA
chiuso dal 1° al 15 gennaio – **Pasto** *(chiuso mercoledì e da ottobre a maggio anche martedì sera)* carta 40/70000 – **6 cam** ☕ 90/150000.

ÜHLBACH = Rio di Pusteria.

ÜHLWALD = Selva dei Molini.

ULAZZO *54026 Massa-Carrara* [428], [429], [430] J 11 *G. Toscana – 2 599 ab. alt. 350.*
Roma 444 – La Spezia 42 – Genova 93 – Livorno 120 – Parma 83.

Madonna del Monte *Nord-Ovest : 8 km – alt. 870 – ✉ 54026 Mulazzo :*

🍴 **Rustichello** con cam, Crocetta di Mulazzo ☎ 0187 439759, *Fax 0187 439759,* ←, prenotare – [P]. [S] [D] [MC] [VISA]. rist
chiuso dall'8 gennaio all'8 febbraio e martedì (escluso giugno-settembre) – **Pasto** carta 35/50000 – ☕ 10000 – **7 cam** 80000 – 1/2 P 75000.

ULES (MAULS) *Bolzano* [429] B 16 – *alt. 905* – ✉ *39040 Campo di Trens.*
Roma 699 – Bolzano 56 – Brennero 23 – Brunico 44 – Milano 360 – Trento 121 – Vipiteno 9.

Stafler, ☎ 0472 771136, *stafler@acs.it, Fax 0472 771094,* « Piccolo parco con laghetto », [TV], [P] – 40. [S] [MC] [VISA]
chiuso dal 20 giugno al 9 luglio e dal 7 novembre al 23 dicembre – **Pasto** *(chiuso mercoledì escluso da agosto ad ottobre)* carta 55/85000 – **38 cam** ☕ 130/240000, 2 suites – 1/2 P 160000.

URANO *Venezia – Vedere Venezia.*

URAVERA *Cagliari* [433] I 10 – *Vedere Sardegna alla fine dell'elenco alfabetico.*

URISENGO *15020 Alessandria* [428] G 6 – *1 576 ab. alt. 338.*
Roma 641 – Torino 51 – Alessandria 57 – Asti 28 – Vercelli 45.

Corteranzo *Nord : 3 km alt. 377 – ✉ 15020 Murisengo :*

🍴🍴 **Cascina Martini**, via Gianoli 15 ☎ 0141 693015, *cascinamartini@cascinamartini.com, Fax 0141 693015* – [P]. [S] [VISA]
chiuso dal 1° al 15 gennaio, dal 23 agosto al 7 settembre, lunedì e domenica sera escluso da giugno a settembre – **Pasto** 45/50000 (solo a mezzogiorno) 45/60000 (alla sera).

URO LUCANO *85054 Potenza* [431] E 28 – *6 278 ab. alt. 654.*
Roma 357 – Potenza 48 – Bari 198 – Foggia 113.

🍴 **Delle Colline** con cam, via Belvedere ☎ 0976 2284, *hoteldellecolline@tiscalinet.it, Fax 0976 2192,* ← – rist, [TV] [P]. [AE] [S] [D] [MC] [VISA]
Pasto carta 25/40000 – ☕ 6000 – **18 cam** 55/80000 – 1/2 P 65000.

MUSSOLENTE *36065 Vicenza* [429] E 17 – *6 585 ab. alt. 127.*
Roma 548 – Padova 51 – Belluno 85 – Milano 239 – Trento 93 – Treviso 42 – Venezia 72 – Vicenza 40.

Villa Palma, via Chemin Palma 30 (Sud : 1,5 km) ☎ 0424 577407, *Fax 0424 87687,* « Settecentesca dimora di campagna », – [TV] [P] – 60. [AE] [S] [D] [MC] [VISA] [JCB]
Pasto *(chiuso dal 6 al 20 agosto, lunedì e mezzogiorno)* carta 50/70000 – **20 cam** ☕ 215/315000, suite – 1/2 P 210000.

Volpara, via Volpara 3 (Nord-Est : 2 km) ☎ 0423 567766, *volpara@filippin.it, Fax 0423 968841,* ← – [TV] [P]. [AE] [S] [D] [MC] [VISA].
Pasto vedere rist ***Volpara-Malga Verde*** – ☕ 8000 – **10 cam** 50/80000.

🍴 **Volpara-Malga Verde**, via Volpara 3 (Nord-Est : 2 km) ☎ 0424 577019, *volpara@filippin.it,* ←, – [P] – 30. [AE] [S] [D] [MC] [VISA].
chiuso dal 1° al 20 agosto e mercoledì – **Pasto** carta 30/45000.

In questa guida
uno stesso simbolo, una stessa parola
stampati in rosso o in nero, in magro o in ***grassetto***
hanno un significato diverso.

Leggete attentamente le pagine dell'introduzione.

NAPOLI

80100 ℙ 431 E 24 *G. Italia – 1 002 619 ab. – a.s. aprile-ottobre.*

Roma 219 ③ – Bari 261 ④.

UFFICIO INFORMAZIONI TURISTICHE

🛈 *piazza dei Martiri 58* ✉ *80121* ✆ *081 405311.*

🛈 *piazza del Plebiscito (Palazzo Reale)* ✉ *80132* ✆ *081 418744, Fax 081 418619.*

🛈 *Stazione Centrale* ✉ *80142* ✆ *081 268779.*

🛈 *Aeroporto di Capodichino* ✉ *80133* ✆ *081 7805761.*

🛈 *piazza del Gesù Nuovo 7* ✉ *80135* ✆ *081 5523328.*

🛈 *Stazione Mergellina* ✉ *80122* ✆ *081 7612102.*

A.C.I. *piazzale Tecchio 49/d* ✉ *80125* ✆ *081 2394511.*

INFORMAZIONI PRATICHE

✈ *Ugo Niutta di Capodichino Nord-Est : 6 km* CT ✆ *081 7091111*
Alitalia, via Medina 41 ✉ *80133* ✆ *081 5513188, Fax 081 5513709.*

⛴ *per Capri (1 h 15 mn), Ischia (1 h 25 mn) e Procida (1 h), giornalieri – Caremar-Travel and Holidays, molo Beverello* ✉ *80133* ✆ *081 5513882, Fax 081 5522011;*

per Cagliari 19 giugno-14 luglio giovedì e sabato, 15 luglio-11 settembre giovedì e martedì (15 h 45 mn) e Palermo giornaliero (11 h) – Tirrenia Navigazione, Stazione Marittima, molo Angioino ✉ *80133* ✆ *081 2514740, Fax 081 2514767;*

per Ischia giornalieri (1 h 20 mn) – Linee Lauro, molo Beverello ✉ *80133* ✆ *081 5522838, Fax 081 5513236*

per le Isole Eolie mercoledì e venerdì, dal 15 giugno al 15 settembre lunedì, martedì, giovedì, venerdì, sabato e domenica (14 h) – Siremar-agenzia Genovese, via Depetris 78 ✉ *80133* ✆ *081 5512112, Fax 081 5512114.*

⛴ *per Capri (45 mn), Ischia (45 mn) e Procida (35 mn), giornalieri – Caremar-Travel and Holidays, molo Beverello* ✉ *80133* ✆ *081 5513882, Fax 081 5522011*

per Ischia (30 mn) e Capri (40 mn) giornalieri – Alilauro, via Caracciolo 11 ✉ *80122* ✆ *081 7611004, Fax 081 7614250 e Linee Lauro, molo Beverello* ✉ *80133* ✆ *081 5522838, Fax 081 5513236*

per Capri giornalieri (50 mn) – Navigazione Libera del Golfo, molo Beverello ✉ *80133* ✆ *081 5520763, Fax 081 5525589*

per Capri giornalieri (45 mn), per le Isole Eolie giugno-settembre giornaliero (4 h)
per Procida-Ischia giornalieri (35 mn) – Aliscafi SNAV, via Caracciolo 10 ✉ *80122* ✆ *081 7612348, Fax 081 7612141.*

⛽ *(chiuso martedì) ad Arco Felice* ✉ *80078* ✆ *081 660772, Fax 081 669566, per ⑧ : 19 km.*

LUOGHI DI INTERESSE

Museo Archeologico Nazionale★★★ **KY** – *Castel Nuovo*★★ **KZ** – *Porto di Santa Lucia*★★
BU : ≤★★ *sul Vesuvio e sul golfo* – ≤★★★ *notturna dalla via Partenope sulle colline del
Vomero e di Posillipo* **FX** – *Teatro San Carlo*★ **KZ** **T1** – *Piazza del Plebiscito*★ **JKZ** –
Palazzo Reale★ **KZ** – *Certosa di San Martino*★★ **JZ**.

Spaccanapoli e Decumano Maggiore★★ **KLY** – *Tomba*★★ *del re Roberto il Saggio e Chio-
stro*★★ *nella chiesa di Santa Chiara*★ **KY** – *Duomo*★ **LY** – *Sculture*★ *nella cappella Sansevero*
KY – *Arco*★, *tomba*★ *di Caterina d'Austria, abside*★ *nella chiesa di San Lorenzo Maggiore***LY** –
Palazzo e galleria di Capodimonte★★ **BT**

Mergellina★ **BU** : ≤★★ *sul golfo* – *Villa Floridiana*★ **EVX** : ≤★ – *Catacombe di San Gennaro*★★
BT – *Chiesa di Santa Maria Donnaregina*★ **LY** – *Chiesa di San Giovanni a Carbonara*★ **LY** –
Porta Capuana★ **LMY** – *Palazzo Cuomo*★ **LY** – *Sculture*★ *nella chiesa di Sant'Anna dei
Lombardi* **KYZ** – *Posillipo*★ **AU** – *Marechiaro*★ **AU** – ≤★★ *sul golfo dal parco Virgiliano
(o parco della Rimembranza)* **AU**.

ESCURSIONI

Golfo di Napoli★★★ *verso Campi Flegrei*★★ *per* ⑦ , *verso penisola Sorrentina per* ⑥ – *Isola di
Capri*★★★ – *Isola d'Ischia*★★★ .

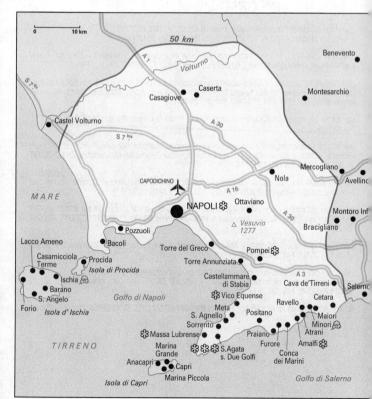

496

Grand Hotel Vesuvio, via Partenope 45 ✉ 80121 ☎ 081 7640044, *info@vesuvio.it, Fax 081 7644483*, ≤ golfo e Castel dell'Ovo, « Ristorante roof-garden », 🏋, ♨ – ⇅, 🚭 cam, ❄ 📺 📞 ♿ 🚗 – 👥 400. AE [S] ● MC VISA JCB. 🚫🐕 FX n
Pasto al Rist. ***Caruso*** (prenotare) carta 90/125000 – **150 cam** ☕ 480/580000, 13 suites.

Excelsior, via Partenope 48 ✉ 80121 ☎ 081 7640111, *info@excelsior.it, Fax 081 7649743*, « Rist roof-garden e solarium, ≤ golfo e Castel dell'Ovo » – ⇅ ❄ 📺 📞. AE [S] ● MC VISA JCB. 🚫🐕 rist GX w
Pasto al Rist. ***La Terrazza*** carta 65/105000 – **121 cam** ☕ 450/550000, 12 suites.

Gd H. Parker's, corso Vittorio Emanuele 135 ✉ 80121 ☎ 081 7612474, *ghparker@tin.it, Fax 081 663527*, « Rist. con servizio estivo in terrazza e ≤ città e golfo » – ⇅, 🚭 cam, ❄ 📺 📞 🚗 – 👥 250. AE [S] ● MC VISA. 🚫🐕 EX r
Pasto al Rist. ***George's*** carta 80/100000 – **83 cam** ☕ 395/480000, 10 suites.

Santa Lucia, via Partenope 46 ✉ 80121 ☎ 081 7640666, *reservations@santalucia.it, Fax 081 7648580*, ≤ golfo e Castel dell'Ovo – ⇅, 🚭 cam, ❄ 📺 📞 ♿ – 👥 100. AE [S] ● MC VISA. 🚫🐕 GX c
Pasto vedere rist ***Megaris*** – **95 cam** ☕ 580/600000, 5 suites.

Starhotel Terminus, piazza Garibaldi 91 ✉ 80142 ☎ 081 7793111, *terminus.na@starhotels.it, Fax 081 206689*, 🏋, ♨ – ⇅, 🚭 cam, ❄ 📺 🚗 – 👥 300. AE [S] ● MC VISA JCB. 🚫🐕 MY a
Pasto (solo per alloggiati) carta 50/110000 – **168 cam** ☕ 290/400000 – 1/2 P 265000.

Holiday Inn Napoli [M], centro direzionale Isola e/6 ✉ 80143 ☎ 081 2250111, *holynap@tin.it, Fax 081 5628074*, 🏋, ♨ – ⇅, 🚭 cam, ❄ 📺 📞 ♿ 🚗 – 👥 320. AE [S] ● MC VISA JCB. 🚫🐕 CT a
Pasto al Rist. ***Bistrot Victor*** 50/65000 e carta 65/90000 – ☕ 28000 – **330 cam** 330/380000, 32 suites.

Oriente senza rist, via Diaz 44 ✉ 80134 ☎ 081 5512133, *ghorient@tin.it, Fax 081 5514915* – ⇅ ❄ 📺 📞 – 👥 300. AE [S] ● MC VISA. 🚫🐕 KZ d
129 cam ☕ 280/400000, 2 suites.

Villa Capodimonte 🔇, via Moiariello 66 ✉ 80131 ☎ 081 459000, *Fax 081 299344*, ≤, 🌳, 🏡, 🎾 – ⇅ ❄ 📺 🚗 [P] – 👥 110. AE [S] ● MC VISA. 🚫🐕 BT a
Pasto *(chiuso a mezzogiorno)* carta 50/85000 – **57 cam** ☕ 260/360000 – 1/2 P 245000.

Paradiso, via Catullo 11 ✉ 80122 ☎ 081 2475111, *Fax 081 7613449*, ≤ golfo, città e Vesuvio, 🌳 – ⇅ ❄ 📺 – 👥 80. AE [S] ● MC VISA JCB. 🚫🐕 rist BU a
Pasto carta 60/90000 – **74 cam** ☕ 200/330000 – 1/2 P 205000.

Mercure Angioino senza rist, via Depretis 123 ✉ 80133 ☎ 081 5529500, *Fax 081 5529509* – ⇅ ❄ 📺 – 👥 30. AE [S] ● MC VISA KZ b
85 cam ☕ 280/330000.

Miramare senza rist, via Nazario Sauro 24 ✉ 80132 ☎ 081 7647589, *info@hotelmiramare.com, Fax 081 7640775*, ≤ golfo e Vesuvio, « Roof-garden » – ⇅ ❄ 📺. AE [S] ● MC VISA JCB. 🚫🐕 GX e
30 cam ☕ 330/520000.

Majestic, largo Vasto a Chiaia 68 ✉ 80121 ☎ 081 416500, *info@majestic.it, Fax 081 410145* – ⇅, 🚭 cam, ❄ 📺 🚗 – 👥 120. AE [S] ● MC VISA JCB. 🚫🐕 rist
Pasto *(chiuso domenica)* carta 60/100000 – **106 cam** ☕ 260/330000, 6 suites – 1/2 P 165000. FX b

San Germano, via Beccadelli 41 ✉ 80125 ☎ 081 5705422, *Fax 081 5701546*, 🏊 – ⇅ ❄ 📺 🚗 – 👥 200. AE [S] ● MC VISA. 🚫🐕 AU a
Pasto *(chiuso dal 7 al 20 agosto)* carta 50/75000 (10%) – **105 cam** ☕ 160/250000.

Montespina Park Hotel, via San Gennaro 2 ✉ 80125 ☎ 081 7629687, *Fax 081 5702962*, « Parco » – ⇅ ❄ 📺 ♿ [P] – 👥 100. AE [S] ● VISA. 🚫🐕 AU c
Pasto carta 50/70000 – **44 cam** ☕ 250/320000 – 1/2 P 210000.

Suite Esedra senza rist, via Cantani 12 ✉ 80133 ☎ 081 287451, *Fax 081 287451*, 🏋 – ⇅ ❄ 📺 📞. AE [S] ● MC VISA JCB. 🚫🐕 LY a
16 cam ☕ 220/300000, suite.

Nuovo Rebecchino senza rist, corso Garibaldi 356 ✉ 80142 ☎ 081 5535327, *nuovorebecchino@napleshotels.ne.it, Fax 081 268026* – ⇅ ❄ 📺. AE [S] ● MC VISA JCB MY b
58 cam ☕ 175/230000.

Executive senza rist, via del Cerriglio 10 ✉ 80134 ☎ 081 5520611, *Fax 081 5520611*, « Terrazza roof-garden », ♨ – ⇅ ❄ 📺 🚗. AE [S] ● MC VISA JCB KZ c
19 cam ☕ 180/260000.

Rex senza rist, via Palepoli 12 ☎ 081 7649389, *Fax 081 7649227* – ❄ 📺. AE [S] ● MC VISA. 🚫🐕 GX d
35 cam ☕ 160/190000.

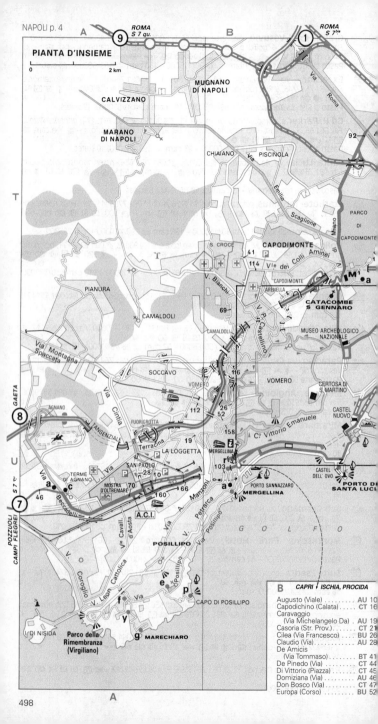

ROMA
S 7 qu.

ROMA
S 7bis

PIANTA D'INSIEME

0   2 km

MUGNANO
DI NAPOLI

CALVIZZANO

MARANO
DI NAPOLI

CHIAIANO   PISCINOLA

Via
Roma

92

Via Emilio Scaglione

PARCO
DI
CAPODIMONTE

S. CROCE
41
114   V.le dei Colli Aminei

CAPODIMONTE
ARENELLA

CATACOMBE
S. GENNARO

M¹   a

V. P. Castellino

69

CAMALDOLI

MUSEO ARCHEOLOGICO
NAZIONALE

PIANURA

CAMALDOLI

Via Montagna
Spaccata

SOCCAVO

VOMERO

116

VOMERO

CERTOSA DI
S. MARTINO

Via   Cinia

112

26
52

CASTEL
NUOVO

AGNANO

TANGENZIALE

FUORIGROTTA

158

C° Vittorio Emanuele

Terracina   LA LOGGETTA

19

MERGELLINA

r

CASTEL
DELL'OVO

PORTO DI
SANTA LUCI

TERME
DI AGNANO

a   c

Via   SAN PAOLO
P

28 10 P

103

PORTO SANNAZZARO

MOSTRA
D'OLTREMARE   70

160

66

a   MERGELLINA

46

A.C.I.

V. A. Manzoni

POZZUOLI
CAMPI FLEGREI

Via   Beccadelli

V.le Cavalli
d'Aosta

POSILLIPO

Via A. Manzoni

Via Petrarca

Via Posillipo

G O L F O

O

V. Coroglio

V. Leon Cattolica

e

Via Posillipo

p

CAPO DI POSILLIPO

I DI NISIDA

f

y

Parco della
Rimembranza
(Virgiliano)

g   MARECHIARO

GAETA

S 7 ^b

B   CAPRI / ISCHIA, PROCIDA

Augusto (Viale)	AU 10
Capodichino (Calata)	CT 16
Caravaggio (Via Michelangelo Da)	AU 19
Casoria (Str. Prov.)	CT 21
Cilea (Via Francesco)	BU 26
Claudio (Via)	AU 28
De Amicis (Via Tommaso)	BT 41
De Pinedo (Via)	CT 44
Di Vittorio (Piazza)	CT 45
Domiziana (Via)	AU 46
Don Bosco (Via)	CT 47
Europa (Corso)	BU 52

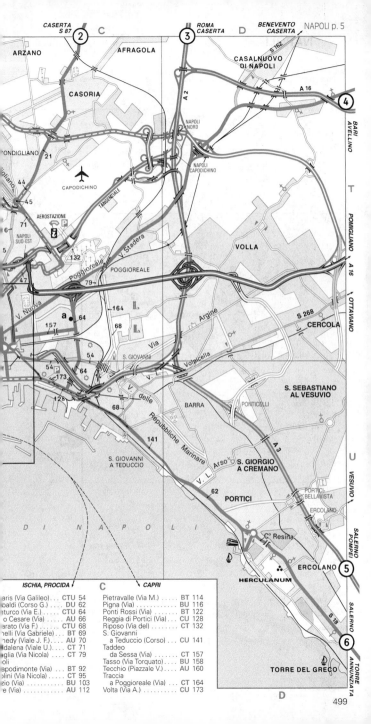

CASERTA S 87
C
ROMA CASERTA
D
BENEVENTO CASERTA

ARZANO
AFRAGOLA
CASALNUOVO DI NAPOLI

CASORIA

A 16
BARI AVELLINO

ONDIGLIANO

NAPOLI NORD

CAPODICHINO

NAPOLI CAPODICHINO

POMIGLIANO A 16

AEROSTAZIONE
NAPOLI SUD-EST

VOLLA

V. Stadera
Poggioreale
POGGIOREALE

OTTAVIANO

V. Nuova
a
Argine
S 268
CERCOLA

Via
S. GIOVANNI
Volpicella

V. delle
BARRA
PONTICELLI
S. SEBASTIANO AL VESUVIO

Repubbliche Marinare
A 3
U

S. GIOVANNI A TEDUCCIO
V. L. Arso
S. GIORGIO A CREMANO

VESUVIO

PORTICI
PORTICI-BELLAVISTA
ERCOLANO

SALERNO POMPEI

Cº Resina
ERCOLANO

D I   N A P O L I

HERCULANUM

SALERNO

S 18

TORRE ANNUNZIATA

TORRE DEL GRECO

D

ISCHIA, PROCIDA
C
CAPRI

aris (Via Galileo) ... **CTU** 54
oaldi (Corso G.) .... **DU** 62
turco (Via E.) ..... **CTU** 64
o Cesare (Via) ..... **AU** 66
arato (Via F.) ...... **CTU** 68
nelli (Via Gabriele) .. **BT** 69
nedy (Viale J. F.) ... **AU** 70
dalena (Viale U.) ... **CT** 71
glia (Via Nicola) .... **CT** 79
oli
apodimonte (Via) ... **BT** 92
olini (Via Nicola) .... **CT** 95
zio (Via) .... **BU** 103
e (Via) .... **AU** 112

Pietravalle (Via M.) ..... **BT** 114
Pigna (Via) .... **BU** 116
Ponti Rossi (Via) .... **BT** 122
Reggia di Portici (Via) ... **CU** 128
Riposo (Via del) .... **CT** 132
S. Giovanni
  a Teduccio (Corso) ... **CU** 141
Taddeo
  da Sessa (Via) .... **CT** 157
Tasso (Via Torquato) ... **BU** 158
Tecchio (Piazzale V.) .... **AU** 160
Traccia
  a Poggioreale (Via) ... **CT** 164
Volta (Via A.) .... **CU** 173

NAPOLI

Arena della Sanità
  (Via)............... **GU 6**
Artisti
  (Piazza degli)........ **EV 9**

Bernini (Via G. L.)........... **EV 12**
Bonito (Via G.)............. **FV 13**
Carducci (Via G.)........... **FX 20**
Chiatamone (Via)........... **FX 25**
Cirillo (Via D.)............ **GU 27**
Colonna (Via Vittoria)...... **FX 29**
Crocelle (Via)............ **GU 35**

D'Auria (Via G.)........... F
Ferraris (Via Galileo)...... H
Gaetani (Via)............. F
Gen. Pignatelli (Via)....... H
Giordano (Via L.).......... E
Martini (Via Simone)....... E
Mazzocchi (Via Alessio).... H

Circolazione regolamentata nel centro città

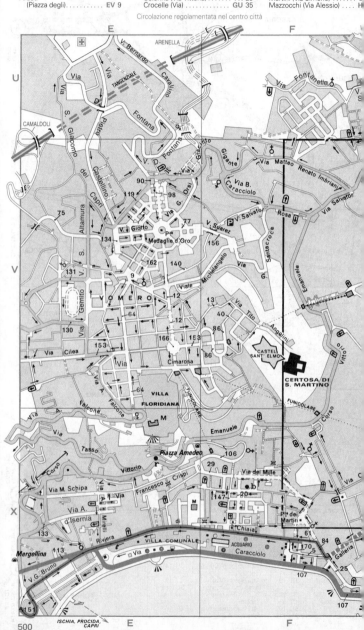

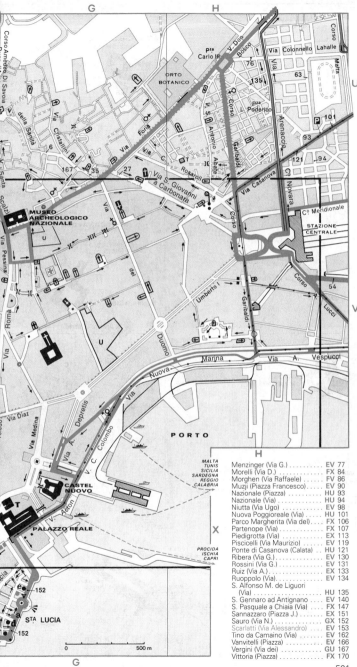

Menzinger (Via G.) . . . . **EV** 77
Morelli (Via D.) . . . . **FX** 84
Morghen (Via Raffaele) . . . . . . **FV** 86
Muzii (Piazza Francesco) . . . . . **EV** 90
Nazionale (Piazza) . . . . **HU** 93
Nazionale (Via) . . . . **HU** 94
Niutta (Via Ugo) . . . . **EV** 98
Nuova Poggioreale (Via) . . . . **HU** 101
Parco Margherita (Via del) . . . . **FX** 106
Partenope (Via) . . . . **FX** 107
Piedigrotta (Via) . . . . **EX** 113
Piscicelli (Via Maurizio) . . . . . **EV** 119
Ponte di Casanova (Calata) . . **HU** 121
Ribera (Via G.) . . . . **EV** 130
Rossini (Via G.) . . . . **EV** 131
Ruiz (Via A.) . . . . **EX** 133
Ruoppolo (Via) . . . . **EV** 134
S. Alfonso M. de Liguori
(Via) . . . . **HU** 135
S. Gennaro ad Antignano . . . . **EV** 140
S. Pasquale a Chiaia (Via) . . . . **FX** 147
Sannazzaro (Piazza J.) . . . . . . **EX** 151
Sauro (Via N.) . . . . **GX** 152
Scarlatti (Via Alessandro) . . . . **EV** 153
Tino da Camaino (Via) . . . . . . **EV** 162
Vanvitelli (Piazza) . . . . **EV** 166
Vergini (Via dei) . . . . **GU** 167
Vittoria (Piazza) . . . . **FX** 170

501

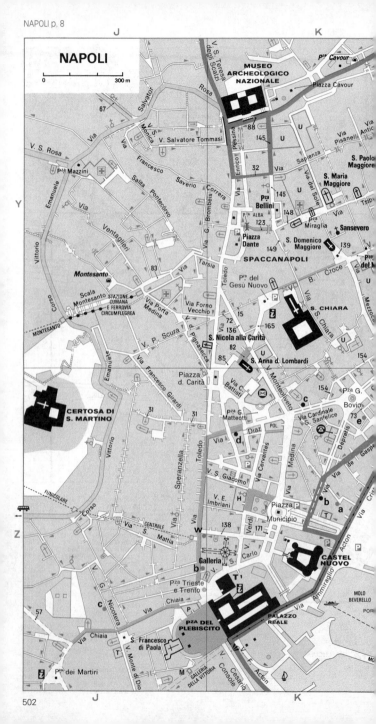

NAPOLI

0   300 m

MUSEO ARCHEOLOGICO NAZIONALE

P.za Cavour

Plaza Cavour

V. S. Teresa degli Scalzi

Rosa

V. S. Rosa

Via

Emanuele

Vittorio

P.za Mazzini

Salvator

V. S. Monica

Via

V. Salvatore Tommasi

Enrico Pessina

Francesco

Saverio

Salita Ponterdovo

Correra

V. G. Brombeis

88

145

32

Via

Sapienza

Via del Sole

U

U

Via Pisanelli

Via Antic

S. Paolo Maggiore

S. Maria Maggiore

145

P.za Bellini

P.TA ALBA

123

Piazza Dante

148

P.za Miraglia

S. Domenico Maggiore

149

Trib

Sansevero

139

P.za del N

Ventaglieri

Via

Tarsia

83

SPACCANAPOLI

B. Croce

del N

Montesanto

Scala Montesanto

STAZIONE CUMANA E FERROVIA CIRCUMFLEGREA

Via Porta Medina

Via Forno Vecchio

P.za del Gesù Nuovo

S. CHIARA

V. S.S. Chiara

U

MONTESANTO

72

15

136

165

Via P. Scura

V. d. Pignasecca

S. Nicola alla Carità

82

85

S. Anna d. Lombardi

154

Emanuele

Vittorio

Via Francesco Girardi

Piazza d. Carità

Via C. Battisti

V. Medina

V. Monteoliveto

c

154

P.za G. Bovio

73

e

CERTOSA DI S. MARTINO

31

31

Speranzella

Toledo

Via

P.za G. Matteotti

Diaz

POL

d

Via Cardinale G. Sanfelice

Degrels

Via

Via

d. Gasp

Via Cris

FUNICOLARE

Corso

Via

V. S. Giacomo

Via Cervantes

Via Medina

b

a

Acton

CENTRALE

V. S. Mattia

V. E. Imbriani

138

171

Piazza Municipio

Verdi

P

T

CASTEL NUOVO

Z

W

Galleria

b

Carlo

Ammiraglio

MOLO BEVERELLO

POR

c

Nicotera

P.za Trieste e Trento

Chiaia

S

T

PALAZZO REALE

57

Via Chiaia

Via Monte di Dio

S. Francesco di Paola

PZA DEL PLEBISCITO

M

V. Cesario

GALLERIA DELLA VITTORIA

F. Acton

Console

P.za dei Martiri

502

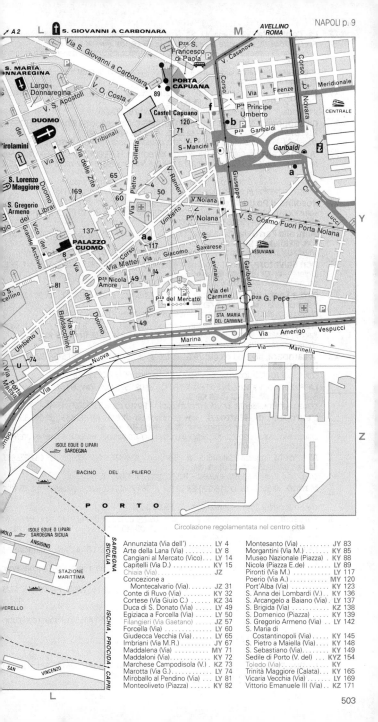

Circolazione regolamentata nel centro città

Annunziata (Via dell') . . . . **LY** 4
Arte della Lana . . . . **LY** 8
Cangiani al Mercato (Vico) . . . **LY** 14
Capitelli (Via D.) . . . . **KY** 15
Chiaia (Via) . . . . **JZ**
Concezione a
  Montecalvario (Via) . . . . . . **JZ** 31
Conte di Ruvo (Via) . . . . . . **KY** 32
Cortese (Via Giuio C.) . . . . . **KZ** 34
Duca di S. Donato (Via) . . . **LY** 49
Egiziaca a Forcella (Via) . . . **LY** 50
Filangieri (Via Gaetano) . . . . **JZ** 57
Forcella (Via) . . . . **LY** 60
Giudecca Vecchia (Via) . . . . **LY** 65
Imbriani (Via M.R.) . . . . **JY** 67
Maddalena (Via) . . . . **MY** 71
Maddaloni (Via) . . . . **KY** 72
Marchese Campodisola (V.) . **KZ** 73
Marotta (Via G.) . . . . **LY** 74
Miroballo al Pendino (Via) . . . **LY** 81
Monteoliveto (Piazza) . . . . . **KY** 82

Montesanto (Via) . . . . **JY** 83
Morgantini (Via M.) . . . . **KY** 85
Museo Nazionale (Piazza) . **KY** 88
Nicola (Piazza E.de) . . . . **KY** 89
Pironti (Via M.) . . . . **LY** 117
Poerio (Via A.) . . . . **MY** 120
Port'Alba (Via) . . . . **KY** 123
S. Anna dei Lombardi (V.) . . **KY** 136
S. Arcangelo a Baiano (Via) . **LY** 137
S. Brigida (Via) . . . . **KZ** 138
S. Domenico (Piazza) . . . . . **KY** 139
S. Gregorio Armeno (Via) . . **LY** 142
S. Maria di
  Costantinopoli (Via) . . . . . **KY** 145
S. Pietro a Maiella (Via) . . . **KY** 148
S. Sebastiano (Via) . . . . **KY** 149
Sedile di Porto (V. del) . . . . **KYZ** 154
Toledo (Via) . . . . **KY**
Trinità Maggiore (Calata) . . **KY** 165
Vicaria Vecchia (Via) . . . . . . **LY** 169
Vittorio Emanuele III (Via) . . **KZ** 171

XXX **La Cantinella,** via Cuma 42 ✉ 80132 ☎ 081 7648684, *la.cantinella@lacantinella.*
✿ *Fax 081 7648769*, prenotare la sera – ▤. ▦ 🅂 ⓞ ⓒⓞ *VISA*   GX
chiuso 24-25 dicembre, dal 9 al 24 agosto e domenica (escluso da novembre a maggio)
Pasto carta 75/125000
Spec. Linguine "Santa Lucia". Rana pescatrice con crema di crostacei. Filetto di manz
lardellato al fegato d'oca in crosta di verze.

XXX **Megaris** - Hotel Santa Lucia, via Santa Lucia 175 ✉ 80121 ☎ 081 764051
Fax 081 7648580 – ⓧ⟵ ▤. ▦ 🅂 ⓞ ⓒⓞ *VISA*   GX
chiuso dal 1º al 22 agosto e domenica – **Pasto** carta 65/90000.

XX **Giuseppone a Mare,** via Ferdinando Russo 13-Capo Posillipo ✉ 80123 ☎ 081 575600
Fax 081 5756002, ⟨ città e golfo – ▤ ℗. ▦ 🅂 ⓞ ⓒⓞ *VISA* ⒿⒸⒷ. ⚹   AU
chiuso 24-25 dicembre, dal 16 al 31 agosto, domenica sera e lunedì – **Pasto** carta 55/8500

XX **'A Fenestella,** via Calata del Ponticello a Marechiaro 23 ✉ 80123 ☎ 081 7690020, *afene*
tella@tin.it, Fax 081 5750686, ⟨ mare e golfo, « Servizio estivo in terrazza » – ℗. ▦ 🅂 ⓞ
VISA   AU
chiuso dal 14 al 16 agosto, domenica sera e mercoledì a mezzogiorno, in luglio-agos
chiuso domenica; in agosto aperto solo la sera – **Pasto** carta 50/80000 (15 %).

XX **Rosolino-Il Posto Accanto,** via Nazario Sauro 2 ✉ 80132 ☎ 081 7649873, *rosolino-*
staurant@libero.it, Fax 081 7640547, Rist. e pizzeria – ▤ – 🄰 70. ▦ 🅂 ⓞ *VISA* ⒿⒸⒷ
chiuso domenica – **Pasto** carta 45/70000.   GX

XX **Mimì alla Ferrovia,** via Alfonso d'Aragona 21 ✉ 80139 ☎ 081 5538525, *Fax 081 28900*
– ▤. ▦ 🅂 ⓞ ⓒⓞ *VISA*   MY
chiuso dal 13 al 22 agosto e domenica – **Pasto** carta 50/65000 (15 %).

XX **Don Salvatore,** strada Mergellina 4 A ✉ 80122 ☎ 081 681817, *Fax 081 661241*, Rist.
pizzeria – ▤. ▦ 🅂 ⓞ ⓒⓞ *VISA* ⒿⒸⒷ   BU
chiuso mercoledì – **Pasto** carta 65000 e carta 55/80000.

XX **Ciro a Santa Brigida,** via Santa Brigida 73 ✉ 80132 ☎ 081 5524072, *Fax 081 552899*
Rist. e pizzeria – ▤. ▦ 🅂 ⓞ ⓒⓞ *VISA*. ⚹   JZ
chiuso dal 6 al 22 agosto e domenica (escluso dicembre) – **Pasto** carta 55/70000.

XX **Transatlantico,** via Luculliana-borgo Marinari ✉ 80132 ☎ 081 764884
Fax 081 7648842, « Servizio estivo sul porto di Santa Lucia » – ▦ 🅂 ⓞ ⓒⓞ *VISA*   BU
chiuso martedì – **Pasto** carta 45/85000.

XX **'A Lampara,** discesa Coroglio 79 ✉ 80123 ☎ 081 5756492, *Fax 081 5756492*, ⚭ ▤. ℗
🅂 ⓞ ⓒⓞ *VISA*. ⚹   AU
chiuso dal 10 al 25 agosto e mercoledì – **Pasto** carta 50/75000 (15 %).

X **La Fazenda,** via Marechiaro 58/a ✉ 80123 ☎ 081 5757420, *Fax 081 5757420*, ⟨ mare
isola di Capri, ⚭ – ℗. ▦ 🅂 ⓞ ⓒⓞ *VISA*   AU
chiuso domenica sera e lunedì a mezzogiorno – **Pasto** carta 50/90000 (15 %).

X **L'Europeo di Mattozzi,** via Campodisola 4/6/8 ✉ 80133 ☎ 081 552132
Fax 081 5521323, Rist. e pizzeria – ▤. ▦ 🅂 ⓞ ⓒⓞ *VISA* ⒿⒸⒷ. ⚹   KZ
chiuso dal 15 al 31 agosto, domenica e la sera (escluso giovedì, venerdì, sabato e i prefestiv
– **Pasto** carta 45/70000 (12 %).

X **Al Poeta,** piazza Salvatore di Giacomo 134/135 ✉ 80123 ☎ 081 575693
Fax 081 5756936 – ▤. ▦ 🅂 ⓞ *VISA*. ⚹   AU
chiuso dal 10 al 25 agosto e lunedì – **Pasto** carta 45/80000 (15 %).

X **Marino,** via Santa Lucia 118/120 ✉ 80132 ☎ 081 7640280, Rist. e pizzeria – ▤. ▦ 🅂 ⓞ
VISA ⒿⒸⒷ. ⚹   GX
chiuso agosto e lunedì – **Pasto** carta 35/55000 (15 %).

X **Sbrescia,** rampe Sant'Antonio a Posillipo 109 ✉ 80122 ☎ 081 669140, *Fax 081 66914*
Rist.-pizzeria tipico con ⟨ città e golfo. ▦ 🅂 ⓞ ⓒⓞ *VISA*. ⚹   BU
chiuso lunedì – **Pasto** carta 40/80000 (13 %).

X **La Chiacchierata,** piazzetta Matilde Serao 37 ✉ 80132 ☎ 081 411465, prenotare – ℗
🅂 ⓞ ⓒⓞ *VISA*. ⚹   JZ
chiuso agosto, la sera (escluso venerdì), domenica e da luglio a settembre anche vener
sera e sabato – **Pasto** carta 45/70000.

X **Alla Vecchia Cantina,** piazza Francese 10 ✉ 80133 ☎ 081 5529843, *Fax 081 5521323*
⚑ ▤. ▦ 🅂 ⓞ ⓒⓞ *VISA*   KZ
chiuso dal 5 al 20 agosto e lunedì – **Pasto** carta 25/45000 (12 %).

X **Osteria della Mattonella,** via Nicotera 13 ✉ 80132 ☎ 081 416541, Osteria con cucina
⚑ prenotare – ▤   JZ
chiuso domenica sera – **Pasto** carta 25/35000.

ad Agnano *Ovest : 8 km* AU – ✉ *80125 Napoli :*

XX **Le Due Palme,** via Agnano Astroni 30 ☎ 081 5706040, *Fax 081 7626128*, Rist. e pizzeria
« Servizio estivo in giardino » – ▤ ℗. ▦ 🅂 ⓞ ⓒⓞ *VISA*. ⚹
chiuso agosto e lunedì – **Pasto** carta 40/75000.

APOLI (Golfo di) *Napoli* **431** E 24 *G. Italia.*

ARNI *05035 Terni* **430** O 19 – *20 143 ab. alt. 240.*
Roma 89 – Terni 13 – Perugia 84 – Viterbo 45.

X **Il Cavallino**, via Flaminia Romana 220 (Sud : 3 km) *&* 0744 761020, 斎 – **P. AE S ① 00** **VISA**. ✻
chiuso dal 20 al 25 dicembre, dal 16 al 31 luglio e martedì – **Pasto** *carta 40/60000.*

Narni Scalo *Nord : 2 km –* ✉ *05036 Narni Stazione :*

🏠 **Terra Umbra Hotel** M̲, via Maratta Bassa 61 (Nord-Est : 3 km) *&* 0744 750304, *terraum brahotel@libero.it, Fax 0744 750401,* **14**, **≘s**, **⌶** – **➡** **目** **⊡** **✓** **க** **P** – **益** 150. **AE S ① 00**
VISA. ✻
Pasto al Rist **A Canto del Gallo** *carta 40/80000 –* **29 cam** ⊇ *180/205000.*

San Vito *Sud-Ovest : 17 km – alt. 267 –* ✉ *05030 Gualdo di Narni :*

XXX Monte del Grano 1696, strada Guadamello 128 *&* 0744 749143, *Fax 0744 749143,* preno-
tare, « Servizio estivo in giardino ».

ATURNO (NATURNS) *39025 Bolzano* **429** C 15, **218** ⑨ ⑲ – *5 028 ab. alt. 554.*
🛈 *via Municipio* *&* 0473 666077, *Fax 0473 666369.*
Roma 680 – Bolzano 41 – Merano 15 – Milano 341 – Passo di Resia 64 – Trento 101.

🏨 **Lindenhof** ♨, via della Chiesa 2 *&* 0473 666242, *info@lindenhof.it, Fax 0473 668298,* ≤,
Centro benessere, « Giardino con **⌶** riscaldata », **14**, **≘s**, **⌷** – **➡** **目** rist, **⊡** **✓** **க** **⇔** **P** –
益 25. **AE S ① 00** **VISA**. ✻ rist
marzo-novembre – **Pasto** *carta 55/75000 –* **25 cam** ⊇ *185/345000, 18 suites 460000 –*
½ P 220000.

🏨 **Sunnwies** ♨, via Kleeberg 7 *&* 0473 667157, *info@sunnwies.it, Fax 0473 667941,* ≤,
斎, Centro benessere, « Giardino con laghetto », **14**, **≘s**, **⌷**, **✵** – **➡** **⤶** rist, **目** rist, **P** –
益 30. ✻ rist
17 marzo-10 novembre – **Pasto** *(solo per alloggiati) –* **38 cam** ⊇ *145/290000 –*
½ P 170000.

🏨 Feldhof, via Municipio 4 *&* 0473 666366, *Fax 0473 667263,* Centro benessere, « Giardino
con **⌶** », **≘s**, **⌷**, **✵** – **➡** **⤶** rist, **⊡** **க** **P**
stagionale – **33 cam**, 2 suites.

🏨 **Preidlhof** ♨, via San Zeno 13 *&* 0473 667210, *info@preidlhof.it, Fax 0473 666105,* ≤,
斎, « Giardino con **⌶** », **14**, **≘s**, **⌷** – **➡** **⤶** rist, **⊡** **க** **⇔** **P** **S** **00** ✻ rist
24 marzo-11 novembre – **Pasto** *(solo per alloggiati) –* **24 cam** ⊇ *185/380000, 6 suites –*
½ P 220000.

🏨 **Funggashof** ♨, via al Fossato 1 *&* 0473 667161, *Fax 0473 667930,* ≤, 斎, « Giardino-
frutteto con **⌶** », **⌷**, **✵** – **➡** **目** rist, **⊡** **P** **AE S 00** **VISA**. ✻ rist
Natale e marzo-novembre – **Pasto** *95/95000 –* **34 cam** ⊇ *190/440000, 2 suites –*
½ P 185000.

X **Steghof**, al bivio Val Senales Ovest : 2 km *&* 0473 668224, *steghof@dnet.it,*
Fax 0473 668224, Coperti limitati; prenotare, « Stuben medioevali » – **P.** **S** **00** **VISA**. ✻
*chiuso dal 15 gennaio al 15 febbraio, dal 15 giugno al 15 luglio, lunedì, martedì e a
mezzogiorno (escluso sabato e domenica) –* **Pasto** *carta 65/90000.*

ATURNS = Naturno.

AVA (Colle di) *Imperia* **428** J 5, **115** ⑩ – *alt. 934.*
Roma 620 – Imperia 35 – Cuneo 95 – Genova 121 – Milano 244 – San Remo 60.

🏠 **Colle di Nava-Lorenzina**, ✉ *18020 Case di Nava* *&* 0183 325044, *lorenzina@uno.it,*
Fax 0183 325044, **☞** – **➡** **⊡** **⇔** **P.** **AE S ① 00** **VISA** **JCB**. ✻ rist
chiuso da novembre al 10 dicembre – **Pasto** *(chiuso martedì) carta 40/65000 –* ⊇ *12000 –*
33 cam *55/100000 –* ½ P 90000.

E *16040 Genova* **428** I 10 – *2 459 ab. alt. 186.*
Roma 473 – Genova 50 – Rapallo 26 – La Spezia 75.

XX **La Brinca**, località Campo di Ne 58 *&* 0185 337480, *labrinca@libero.it, Fax 0185 337639,*
prenotare – **目** **P.** **AE S ① 00** **VISA** **JCB**. ✻
chiuso lunedì e a mezzogiorno (escluso sabato-domenica ed i giorni festivi) – Pasto *45000.*

X **Antica Trattoria dei Mosto**, piazza dei Mosto 15/1, località Conscenti *&* 0185 337502,
mosto@libero.it, Fax 0185 337502, prenotare – **AE S ① 00** **VISA**
*chiuso dal 20 al 30 giugno. dal 15 settembre al 13 ottobre, mercoledì e a mezzogiorno in
agosto –* Pasto *carta 35/55000.*

NEBBIUNO 28010 Novara 428 E 7 – 1 504 ab. alt. 430.
Roma 650 – Stresa 12 – Milano 84 – Novara 50.

🏠 **Tre Laghi** ⌂, via G. Marconi 3 ℘ 0322 58025, 3laghi@intercom.it, Fax 0322 58703, ≤ lac e monti, « Servizio estivo in terrazza panoramica », 🐾 – 🛗 📺 – 🏊 200. 🗗 ⑩ ◉ 🆚 J⃝C⃝
🍴
marzo-ottobre – **Pasto** al Rist. **Azalea** (chiuso lunedì escluso giugno-settembre) car 50/85000 – **45 cam** ☞ 170/210000 – 1/2 P 135000.

NEIVE 12057 Cuneo 428 H 6 – 2 939 ab. alt. 308.
Roma 643 – Genova 125 – Torino 70 – Asti 31 – Cuneo 96 – Milano 155.

XX **La Contea** con cam, piazza Cocito 8 ℘ 0173 67126, contea@libero.it, Fax 0173 6736 🏠, prenotare, « In un antico palazzo » – 📺 🖳. 🗗 🗗 ⑩ ◉ 🆚
chiuso dal 24 al 30 dicembre e dal 16 gennaio al 1° marzo – **Pasto** (chiuso domenica sera lunedì escluso da settembre a novembre) 80/100000 e carta 70/115000 – **10 cam** solo 1/2 P 160000.

XX **La Luna nel Pozzo**, piazza Italia ℘ 0173 67098, Fax 0173 67098, prenotare – 🗗 🗗 ◉
🗗 🆚
chiuso dal 27 dicembre al 5 gennaio, dal 15 giugno al 15 luglio e mercoledì – **Pasto** 35/65000 e carta 70/105000.

NEMI 00040 Roma 430 Q 20 G. Roma – 1 812 ab. alt. 521.
Roma 33 – Anzio 39 – Frosinone 72 – Latina 41.

🏠 **Diana Park Hotel** ⌂, via Nemorense 44 (Sud : 3 km) ℘ 06 9364041, diana@macronet.
Fax 06 9364063, « Servizio estivo in terrazza con ≤ lago e dintorni », 🐾 – 🛗 📺 📺 🖳
🏊 250. 🗗 🗗 ⑩ ◉ 🆚. 🍴
chiuso novembre – **Pasto** carta 55/75000 – **30 cam** ☞ 200/300000 – 1/2 P 190000.

XX **Monte Artemisio** con cam, via dei Laghi km 14,500 (Ovest : 2 km) ℘ 06 9634206, monte rtemisio@allnet.it, Fax 06 9634207, 🏊, 🐾 – 📺 🖳 🖳 – 🏊 40. 🗗 🗗 ⑩ ◉ 🆚. 🍴
Pasto (chiuso mercoledì) carta 45/70000 – **35 cam** ☞ 100/200000 – 1/2 P 90000.

NERANO Napoli – Vedere Massa Lubrense.

NERVESA DELLA BATTAGLIA 31040 Treviso 429 E 18 – 6 636 ab. alt. 78.
Roma 568 – Belluno 68 – Milano 307 – Treviso 20 – Udine 95 – Venezia 51 – Vicenza 65.

XX **La Panoramica**, strada Panoramica Nord-Ovest : 2 km ℘ 0422 88517
Fax 0422 885274, ≤, « Servizio estivo all'aperto », 🐾 – 🖳 – 🏊 150. 🗗 🗗 ◉ 🆚. 🍴
chiuso dal 24 gennaio al 9 febbraio, dal 4 al 20 luglio, lunedì e martedì – **Pasto** car 45/65000.

XX **Da Roberto Miron**, piazza Sant'Andrea 26 ℘ 0422 885185, ristorante.miron@libero.
Fax 0422 885165, 🏠 – 🗐. 🗗 🗗 ⑩ ◉ 🆚 J⃝C⃝
chiuso dal 1° al 15 gennaio, dal 1° al 15 agosto, domenica sera e lunedì – **Pasto** speciali funghi carta 40/70000.

NERVI Genova 428 I 9 G. Italia – ✉ 16167 Genova-Nervi.
Roma 495 ① – Genova 11 ② – Milano 147 ② – Savona 58 ② – La Spezia 97 ①.

Pianta pagina a lato

🏠 **Villa Pagoda**, via Capolungo 15 ℘ 010 3726161, info@villapagoda.it, Fax 010 321218, ◄
🏠, « Piccolo parco ombreggiato » – 🛗 🖳 📺 🖳 – 🏊 100. 🗗 🗗 ⑩ ◉ 🆚 J⃝C⃝. 🍴 ris
Pasto al Rist. **Il Roseto** carta 60/95000 – ☞ 25000 – **13 cam** 240/380000, 4 suites 1/2 P 260000.

🏠 **Astor**, viale delle Palme 16 ℘ 010 329011, astor@astorhotel.it, Fax 010 3728486, 🏠, 🐾
🛗 📺 📺 🖳 – 🏊 100. 🗗 🗗 ⑩ ◉ 🆚 J⃝C⃝. 🍴
Pasto carta 55/100000 – **55 cam** ☞ 230/310000 – 1/2 P 205000.

🏠 **Savoia e Savoia** senza rist, via Eros Da Ros 8 ℘ 010 37291, savoiaesavoia@tin.it
Fax 010 3729200, « Parco con 🏊 » – 🛗 🖳 📺 🖴 – 🏊 40. 🗗 🗗 ⑩ ◉ 🆚. 🍴
58 cam ☞ 200/420000, 2 suites.

🏠 **Esperia**, via Val Cismon 1 ℘ 010 3726071, Fax 010 321777, 🐾 – 🛗 📺 🖳 – 🏊 25. 🗗 🗗 ◉
◉ 🆚. 🍴 rist
Pasto (solo per alloggiati) 35/45000 – **27 cam** ☞ 140/190000 – 1/2 P 150000.

XX **Le Firme dell'Harry's Bar**, via Donato Somma 13 ℘ 010 3726074, 🏠 – 🗐. 🗗 ◉ 🆚.
🍴
chiuso lunedì e martedì a mezzogiorno – **Pasto** carta 55/100000.

X **La Ruota**, via Oberdan 215 r ℘ 010 3726027, 🗐. 🗗 🗗 ⑩ ◉ 🆚
chiuso dal 1° al 15 agosto e lunedì – **Pasto** 40000 e carta 50/70000.

NERVI

0 — 300 m

LA SPEZIA, RAPALLO

VIA AURELIA

③

ncona (Via) 2	Duca degli Abruzzi (Piazza) ... 7	Oberdan (Via Guglielmo) 14
apolungo (Via) 3	Europa (Corso) 9	Palme (Viale delle) 15
asotti (Via Aldo) 5	Franchini (Via Goffredo) 10	Pittaluga (Piazza Antonio) 17
ommercio (Via del) 6	Gazzolo (Via Felice) 13	Sala (Via Marco) 18

Le carte stradali Michelin sono costantemente aggiornate.

ERVIANO 20014 Milano 428, 429 F 8, 219 ⑱ – 16 860 ab. alt. 175.
Roma 600 – Milano 25 – Como 45 – Novara 34 – Pavia 57.

Antica Locanda del Villoresi, strada statale Sempione 4 ℘ 0331 559450,
Fax 0331 491906 – ▤ cam, 📺 📳. 🖭 📳 ⓞ ⓜⓞ 𝘝𝘐𝘚𝘈. ⅏
chiuso agosto – **Pasto** (chiuso sabato a mezzogiorno e lunedi) carta 50/70000 – **16 cam**
⊇ 120/160000.

NETTUNO 00048 Roma 430 R 19 G. Italia – 38 994 ab..
🇷₁₈ (chiuso mercoledi) ℘ 06 9819419, Fax 06 98988142.
Roma 55 – Anzio 3 – Frosinone 78 – Latina 22.

Marocca, via della Liberazione ℘ 06 9854241, marocca@hotelmarocca.it,
Fax 06 9854241, ≼ – ☯ ▤ 📺 📞 🚗. 🖭 📳 ⓞ ⓜⓞ 𝘝𝘐𝘚𝘈. ⅏
Pasto carta 35/50000 – ⊇ 30000 – **28 cam** 150/170000, ▤ 30000 – ½ P 150000.

NETTUNO (Grotta di) Sassari 433 F 6 – Vedere Sardegna alla fine dell'elenco alfabetico.

NEUMARKT = Egna.

NEUSTIFT = Novacella.

NEVEGAL Belluno 429 D 18 – alt. 1 000 – ⋈ 32100 Belluno – a.s. febbraio-7 aprile, 14 luglio-agosto
e Natale – Sport invernali : 1 000/1 680 m ⍩7, ⍟.
Roma 616 – Belluno 13 – Cortina d'Ampezzo 78 – Milano 355 – Trento 124 – Treviso 76 –
Udine 116 – Venezia 105.

Olivier ≽, ℘ 0437 908165, olivier@dolomiti.it, Fax 0437 908162, ≼, Campo da calcio, 🏌
– ☯ 📺 ₺ 📳 – 🔬 200. 📳 𝘝𝘐𝘚𝘈. ⅏
dicembre-15 aprile e giugno-settembre – **Pasto** carta 35/60000 – **42 cam** ⊇ 140/180000 –
½ P 140000.

NICASTRO Catanzaro 431 K 30 – Vedere Lamezia Terme.

NICOLOSI Catania 432 O 27 – Vedere Sicilia alla fine dell'elenco alfabetico.

NIEDERDORF = Villabassa.

NIEVOLE Pistoia 428 K 14 – Vedere Montecatini Terme.

NIZZA MONFERRATO 14049 Asti **428** H 7 – 9 879 ab. alt. 138.

    Roma 604 – Alessandria 32 – Asti 28 – Genova 106 – Torino 82.

🏠 **Doc** senza rist, via Tripoli 25 *℘* 0141 727600, Fax 0141 727612 – 📳 🗏 📺 👌. 🖭 🕏 ⑩ Ⓒ
    VISA **JCB**
    12 cam ⊇ 120/180000.

✕✕ **Le Due Lanterne**, piazza Garibaldi 52 *℘* 0141 702480, Fax 0141 701808 – 🗏. 🖭 🕏 Ⓒ
    Ⓜ⑩ **VISA**. ✋
    chiuso agosto, lunedì sera e martedì – **Pasto** 50000 e carta 50000.

NOALE 30033 Venezia **429** F 18 – 14 466 ab. alt. 18.

    Roma 522 – Padova 25 – Treviso 22 – Venezia 20.

🏠🏠 **Due Torri Tempesta**, via dei Novale 59 *℘* 041 5800750, Fax 041 5801100 – 📳 🗏 📺
☜ **P**. 🖭 🕏 ⑩ Ⓜ⑩ **VISA**. ✋
    Pasto *(chiuso domenica)* carta 35/55000 – ⊇ 10000 – **40 cam** 130/180000 – ½ P 130000

🏠🏠 **Garden**, via Giacomo Tempesta 124 *℘* 041 4433299, Fax 041 442104 – 📳 🗏 📺 **P** – ⛤ 5
☜ 🖭 🕏 ⑩ Ⓜ⑩ **VISA** **JCB**. ✋ rist
    Pasto *(chiuso a mezzogiorno)* carta 35/65000 – **66 cam** ⊇ 120/200000.

NOCCHI Lucca **428**, **429**, **430** K 13 – Vedere Camaiore.

NOCETO 43015 Parma **428**, **429** H 12 – 10 425 ab. alt. 76.

    Roma 472 – Parma 13 – Bologna 110 – Milano 120 – Piacenza 59 – La Spezia 104.

✕✕ **Aquila Romana**, via Gramsci 6 *℘* 0521 625398, Fax 0521 625398, prenotare – 🖭 🕏 Ⓒ
    Ⓜ⑩ **VISA** **JCB**
    chiuso a mezzogiorno in luglio-agosto, lunedì, martedì e 24-25 dicembre – **Pasto** car
    60/85000.

NOCI 70015 Bari **431** E 33 – 19 484 ab. alt. 424.

    🅱 *via Siciliani 23 ℘ 080 4978889.*
    Roma 497 – Bari 49 – Brindisi 79 – Matera 57 – Taranto 47.

a Montedoro *Sud-Est : 3 km*

✕✕ **Il Falco Pellegrino**, *℘* 080 4974304, 🏡, Rist. e pizzeria, prenotare – 🗏 **P**. 🖭 🕏 ⑩ Ⓒ
☜ **VISA**. ✋
    chiuso lunedì – **Pasto** carta 35/50000.

NOGARÉ 31035 Treviso **429** E 18 – alt. 148.

    Roma 553 – Belluno 54 – Milano 258 – Padova 52 – Trento 110 – Treviso 27 – Venezia 58
    Vicenza 57.

✕✕ **Villa Castagna**, via Sant'Andrea 72 *℘* 0423 868177, *villacastagna@libero.*
    Fax 0423 868177, 🏡, « Villa veneta del 700 in un piccolo parco » – **P**. 🖭 🕏 ⑩ Ⓜ⑩ **VISA**
    chiuso dal 1º al 26 gennaio, dal 3 al 18 agosto, lunedì sera e martedì – **Pasto** carta 40/5000

NOLA 80035 Napoli **431** E 25 – 33 364 ab. alt. 40.

    Roma 217 – Napoli 33 – Benevento 55 – Caserta 34 – Salerno 56.

in prossimità casello autostrada A 1 *Ovest : 3 km :*

🏠🏠 **Ferrari** Ⓜ, via Nazionale 125 *℘* 081 5198083, Fax 081 5197021, 🕿 – 📳 🗏 📺 👌, 🚗 **P**
    ⛤ 300. 🖭 🕏 ⑩ Ⓜ⑩ **VISA** **JCB**. ✋
    Pasto *(solo per alloggiati e chiuso a mezzogiorno)* 30000 – **50 cam** ⊇ 190/250000
    ½ P 160000.

NOLI 17026 Savona **428** J 7 *G. Italia* – 2 863 ab..

    🅱 *corso Italia 8 ℘ 019 7499003, Fax 019 7499300.*
    Roma 563 – Genova 64 – Imperia 61 – Milano 187 – Savona 18.

🏠🏠 **Miramare**, corso Italia 2 *℘* 019 748926, Fax 019 748927, ≼, « In un edificio storico d
    1500 », 🚗 – 📳 📺. 🖭 🕏 ⑩ Ⓜ⑩ **VISA**. ✋ rist
    chiuso novembre – **Pasto** *(marzo-settembre)* carta 60/85000 – ⊇ 15000 – **28 cam** 12●
    170000 – ½ P 140000.

✕✕ **Italia** con cam, corso Italia 23 *℘* 019 748971, Fax 019 748971, 🏡 – 📺. 🖭 🕏 ⑩ Ⓜ⑩ **Ⓥ**
    JCB. ✋ cam
    chiuso dal 15 dicembre al 15 gennaio – **Pasto** *(chiuso giovedì)* carta 65/105000 – ⊇ 12500
    15 cam 120/150000 – ½ P 130000.

XX **Da Pino**, via Cavalieri di Malta 37 *℘* 019 7490065, 😭, Coperti limitati; prenotare – 🖭 🕃
🕕 🕼 _VISA_
chiuso dal 7 al 31 gennaio e lunedì – **Pasto** specialità di mare carta 70/120000.

X **Ines** con cam, via Vignolo 1 *℘* 019 748086, Fax 019 748086 – 🔲 🖻 🕃 _VISA_. 🛠
chiuso novembre – **Pasto** (chiuso lunedì) specialità di mare carta 60/75000 – 🖾 10000 –
17 cam 100000, 🔲 6000 – ½ P 95000.

Voze Nord-Ovest : 4 km – ✉ 17026 Noli :

XX **Lilliput**, Regione Zuglieno 49 *℘* 019 748009, Fax 019 748009, « Giardino ombreggiato con
minigolf, servizio estivo in terrazza » – 🖳 🖭 🕃 🕼 _VISA_
chiuso dall'8 gennaio al 9 febbraio, dal 5 al 30 novembre, lunedì e a mezzogiorno (escluso
sabato-domenica) – **Pasto** 70/85000 e carta 75/110000.

NONANTOLA 41015 Modena **429**, **430** H 15 G. Italia – 12 046 ab. alt. 24.
Vedere Sculture romaniche★ nell'abbazia.
Roma 415 – Bologna 34 – Ferrara 62 – Mantova 77 – Milano 180 – Modena 10 – Verona 111.

X **Osteria di Rubbiara**, località Rubbiara Sud : 5 km *℘* 059 549019, Fax 059 548520, 😭,
Coperti limitati; prenotare, « Ambiente tipico » – 🖳 🖭 🕃. 🛠
chiuso dal 20 dicembre al 10 gennaio, agosto, martedì e la sera (escluso venerdì-sabato) –
Pasto carta 30/35000.

NORCIA 06046 Perugia **430** N 21 – 4 911 ab. alt. 604.
Roma 157 – Ascoli Piceno 56 – L'Aquila 119 – Perugia 99 – Spoleto 48 – Terni 68.

🏨 **Salicone** Ⓜ senza rist, viale Umbria *℘* 0743 828076, Fax 0743 828081, 🔄, 🛠 – 🛗 🔲 🖻
🕻 🕭 👄 🖳 – 🔏 50. 🖭 🕃 🕕 🕼 _VISA_
🖾 15000 – **71 cam** 220/250000.

🏨 **Garden**, via 20 Settembre 2 *℘* 0743 816687, Fax 0743 816726 – 🛗, 🔲 rist, 🖻 – 🔏 50. 🕃
🕼 _VISA_
Pasto carta 35/60000 – 🖾 10000 – **43 cam** 100/120000 – ½ P 90000.

🏨 **Grotta Azzurra**, via Alfieri 12 *℘* 0743 816513, Fax 0743 817342 – 🛗 🖻 🕻 👄 – 🔏 100.
🖭 🕃 🕕 🕼 _VISA_
Pasto al Rist. **Granaro del Monte** carta 45/80000 – **46 cam** 🖾 140/160000 – ½ P 115000.

XX **Taverna de' Massari**, via Roma 13 *℘* 0743 816218, Fax 0743 816218 – 🔲. 🕃 🕕 🕼
VISA. 🛠
chiuso martedì escluso da luglio a settembre – **Pasto** carta 35/80000.

X **Dal Francese**, via Riguardati 16 *℘* 0743 816290, Fax 0743 816290 – 🔲. 🖭 🕃 🕕 🕼 _VISA_.
🛠
chiuso dal 10 al 22 giugno, dal 10 al 22 novembre e venerdì (escluso da luglio a settembre) –
Pasto carta 40/65000.

Serravalle Ovest : 7 km – ✉ 06040 Serravalle di Norcia :

X **Italia**, *℘* 0743 822355, Fax 0743 822320 – 🖳 🕃 _VISA_. 🛠
Pasto carta 35/75000.

NORGE POLESINE Rovigo **429** G 18 – Vedere Rosolina.

NOSADELLO Cremona – Vedere Pandino.

NOTO Siracusa **432** Q 27 – Vedere Sicilia alla fine dell'elenco alfabetico.

NOVACELLA (NEUSTIFT) 39040 Bolzano **429** B 16 G. Italia – alt. 590.
Vedere Abbazia★★.
Roma 685 – Bolzano 44 – Brennero 46 – Cortina d'Ampezzo 112 – Milano 339 – Trento 103.

🏨 **Pacher**, via Pusteria 6 *℘* 0472 836570, info@hotel-pacher.com, Fax 0472 834717, « Servi-
zio rist. estivo in giardino », 🕿, 🔄, 🖉 – 🛗, 🛠 rist, 🖻 🕃 🕼 _VISA_. 🛠
chiuso dal 21 novembre al 20 dicembre – **Pasto** (chiuso lunedì) carta 50/80000 – **40 cam**
🖾 90/170000 – ½ P 105000.

🏨 **Ponte-Brückenwirt**, Stiftstrasse 2 *℘* 0472 836692, Fax 0472 837587, « Piccolo parco
con piscina riscaldata » – 🛗 🖻 🖳 🛠 cam
chiuso febbraio – **Pasto** (chiuso mercoledì) 30/35000 – **16 cam** 🖾 80/160000 –
½ P 110000.

NOVAFELTRIA *61015 Pesaro e Urbino* [429], [430] K 18 – *6 667 ab. alt. 293 – a.s. 25 giugno-agos*
Roma 315 – Rimini 32 – Perugia 129 – Pesaro 83 – Ravenna 73.

🍴🍴 **Due Lanterne** 🐦 con cam, frazione Torricella 215 (Sud : 2 km) ☎ 0541 9202
Fax 0541 920200, ≤, prenotare – [TV] [P]. [AE] [S] ● [MC] [VISA]. ※
chiuso dal 1° al 15 gennaio – **Pasto** *(chiuso lunedì)* carta 40/55000 – ☕ 6000 – **12 ca**
65/90000 – ½ P 80000.

🍴 **Del Turista-da Marchesi** con cam, località Cà Gianessi 7 (Ovest : 4 km) ☎ 0541 9201
Fax 0541 920148, prenotare la sera ed i festivi – [TV] [P]. [AE] [S] ● [MC] [VISA]
chiuso dal 15 al 30 giugno – **Pasto** *(chiuso martedì)* carta 35/50000 – **9 cam** ☕ 50/7500
½ P 60000.

NOVA LEVANTE (WELSCHNOFEN) *39056 Bolzano* [429] C 16 *G. Italia – 1 817 ab. alt. 1 182 – Sp*
invernali : 1 200/2 320 m ⛷ *1 (vedere anche Carezza al Lago e passo di Costalunga).*
Dintorni *Lago di Carezza*★★★ *Sud-Est : 5,5 km.*
⛳9 *(maggio-ottobre) località Carezza* ✉ *39056 Nova Levante* ☎ *0471 612200, Fax 04*
612200, Sud-Est : 8 km.
[i] *via Carezza 21* ☎ *0471 613126, Fax 0471 613360.*
Roma 665 – Bolzano 19 – Cortina d'Ampezzo 89 – Milano 324 – Trento 85.

🏨 **Posta-Cavallino Bianco** via Carezza 30 ☎ 0471 613113, *posthotel@postcavallino.co*
Fax 0471 613390, ≤, Centro benessere, ♨, 🏊, 🏊, 🌳, 🎾 – |♦|, 🚭 rist, ≡ rist, [TV] [P]. [AE]
● [MC] [VISA]. ※
23 dicembre-25 marzo e giugno-14 ottobre – **Pasto** carta 50/90000 – **47 cam** ☕ 2(
380000 – ½ P 220000.

🏨 **Panorama** 🐦, via Pretzenberg 13 ☎ 0471 613232, *panorama-plank@dnet*
Fax 0471 613480, ≤, ♨, 🌳 – [TV] 🚗 [P]. [MC]. ※
20 dicembre-10 aprile e giugno-5 novembre – **Pasto** (solo per alloggiati e *chiuso a mez*
giorno) 35/45000 – **15 cam** ☕ 90/160000 – ½ P 110000.

NOVA PONENTE (DEUTSCHNOFEN) *39050 Bolzano* [429] C 16 – *3 539 ab. alt. 1 357.*
⛳18 *Petersberg (30 aprile-1 novembre) a Monte San Pietro* ✉ *39040* ☎ *0471 615122,*
0471 615229, Ovest : 8 km.
[i] *via Castello Thurm 1* ☎ *0471 616567, Fax 0471 616727.*
Roma 670 – Bolzano 25 – Milano 323 – Trento 84.

🏨 **Pfösl** 🐦, via Rio Nero 2 (Est : 1,5 km) ☎ 0471 616537, *info@pfoesl.it, Fax 0471 6167*
≤ Dolomiti, 🌳, 🏋, ♨, 🏊, 🌳 – |♦| [TV] ♿ [P]. [VISA]. ※ rist
chiuso dal 16 aprile al 26 maggio e da novembre al 15 dicembre – **Pasto** *(chiuso marte*
carta 45/85000 – **26 cam** ☕ 165/270000 – ½ P 160000.

🏨 **Stella-Stern,** Centro 18 ☎ 0471 616518, *hotel.stern@rolmail.net, Fax 0471 616766,*
♨, 🏊 – |♦| [TV] 🚗 [P]. [S] [MC] [VISA]. ※ rist
chiuso novembre – **Pasto** *(chiuso martedì)* 35/55000 – **28 cam** ☕ 90/150000
½ P 130000.

a Monte San Pietro (Petersberg) *Ovest : 8 km – alt. 1 389 –* ✉ *39040 :*

🏨 **Peter** 🐦, Centro 24 ☎ 0471 615143, *info@hotel-peter.it, Fax 0471 615246*, ≤, ♨,
🌳, 🎾 – |♦| [TV] 🚗 [P]. [S] [MC] [VISA]. ※ rist
chiuso dal 1° al 13 aprile e da novembre al 21 dicembre – **Pasto** *(chiuso lunedì)* ca
60/90000 – **27 cam** ☕ 130/240000, 3 suites – ½ P 145000.

NOVARA *28100* [P] [428] F 7 *G. Italia – 102 037 ab. alt. 159.*
Vedere *Basilica di San Gaudenzio*★ AB *: cupola*★★ *– Pavimento*★ *del Duomo* AB.
⛳9 *località Castello di Cavagliano* ✉ *28043 Bellinzago Novarese* ☎ *0321 927834, Fax 03*
927834, per ① *: 10 km.*
[i] *Baluardo Quintino Sella 40* ☎ *0321 394059, Fax 0321 631063.*
[A.C.I.] *via Rosmini 36* ☎ *0321 30321.*
Roma 625 ① *– Stresa 56* ① *– Alessandria 78* ⑤ *– Milano 51* ① *– Torino 95* ⑥*.*

Pianta pagina a lato

🏨 **Italia,** via Paolo Solaroli,10 ☎ 0321 399316 e rist ☎0321 399529, *italia@panciolihotels*
Fax 0321 399310 – |♦| ≡ [TV] – 🏛 200. [AE] [S] ● [MC] [VISA]. ※ B
Pasto al Rist. ***La Famiglia*** carta 60/95000 – **62 cam** ☕ 200/270000.

🏨 **Europa,** corso Cavallotti 38/a ☎ 0321 35801, *Fax 0321 629933* – |♦|, ≡ rist, [TV] ☎
🏛 160. [AE] [S] ● [MC] [VISA] B
Pasto *(chiuso a mezzogiorno)* carta 40/55000 – ☕ 12000 – **64 cam** 135/170000
½ P 120000.

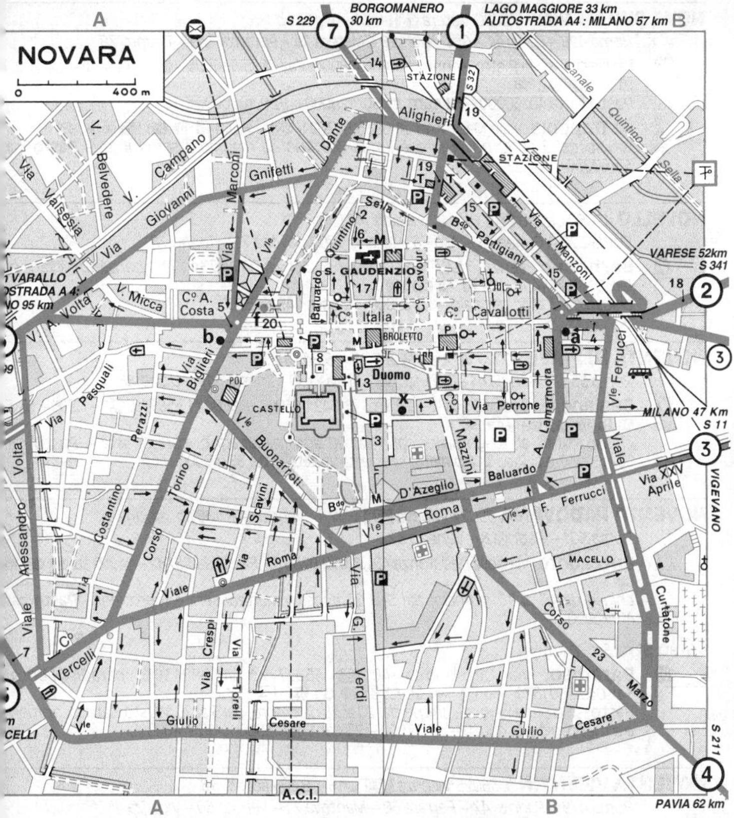

ntonelli (Via) . . . . A 2
ellini (Largo) . . . . A 3
avallotti (Corso F.) . . . . B 4
avour (Corso) . . . . B
on Minzoni (Largo) . . . . A 5
errari (Via G.) . . . . A 6

Galilei (Via Galileo) . . . . A 7
Italia (Corso) . . . . AB
Martiri della Libertà (Piazza) . . . . A 8
Mazzini (Corso) . . . . B
Puccini (Via) . . . . A 13

Risorgimento (Corso) . . . . A 14
San Francesco d'Assisi (Via) . B 15
San Gaudenzio (Via) . . . . A 17
Trieste (Corso) . . . . B 18
Vittoria (Corso della) . . . . B 19
20 Settembre (Corso) . . . . A 20

🏨 **Croce di Malta** senza rist, via Biglieri 2/a ☎ 0321 32032, *hcrocemalta@iol.it, Fax 0321 623475* – 🛗 ▤ [TV] [P] – 🏟 25. [AE] [S] ⦿ [MC] [VISA] [JCB] A b
chiuso dal 10 al 25 agosto – **20 cam** ☕ 110/170000.

🍴🍴 **Al Rondò,** via XX Settembre 18 ☎ 0321 623625 – ▤. [S] [MC] [VISA] A f
chiuso agosto e martedì – **Pasto** carta 45/85000.

Lumellogno *per ⑤ : 6 km – ✉ 28060 :*

🍴🍴 **Tantris,** via Pier Lombardo 35 ☎ 0321 469153, *Fax 0321 469153,* Coperti limitati; prenotare – ▤. [AE] [S] ⦿ [MC] [VISA]. 🚫
✿ *chiuso dal 1º al 15 gennaio, dal 6 al 28 agosto, domenica sera e lunedì* – **Pasto** 75000 e carta 70/115000
Spec. Gamberi di fiume con timballo di salmerino e salsa speziata di carote (primavera-estate). Tortelli di patata montana, fonduta di Bettelmatt e tartufo bianco d'Alba (autunno-inverno). Strudel tiepido, salsa al caramello e semifreddo di cioccolato.

*Un consiglio **Michelin:***
per la buona riuscita di un viaggio, preparatelo in anticipo.
*Le **carte** e le **guide Michelin** vi danno tutte le indicazioni*
utili su: itinerari, curiosità, sistemazioni, prezzi, ecc.

NOVA SIRI MARINA 75020 Matera 431 G 31 – 6 163 ab..

Roma 498 – Bari 144 – Cosenza 126 – Matera 76 – Potenza 139 – Taranto 78.

🏛 **Imperiale**, via Pietro Nenni ☎ 0835 536900, Fax 0835 536505 – 🛗 ☰ 📺 ♥ 🅿 – 🔬 200. ▮
🔄 ⓞ ◍ VISA. ✿
Pasto carta 40/60000 – **31 cam** ☇ 80/120000 – ½ P 105000.

✕ **La Trappola**, viale Marittimo ☎ 0835 877021, 🍽 – 🅿. 🖭 🔄 ⓞ ◍ VISA JCB. ✿
chiuso dal 2 al 20 novembre e lunedì (escluso da maggio a settembre) – **Pasto** car
30/60000.

NOVELLO 12060 Cuneo 428 I 5 – 926 ab. alt. 471.

Roma 620 – Cuneo 63 – Asti 56 – Milano 170 – Savona 75 – Torino 78.

🏛 **Barbabuc** senza rist, via Giordano 35 ☎ 0173 731298, barbabuc@yahoo.
Fax 0173 731490 – 🖭 🔄 ⓞ ◍ VISA
chiuso dal 7 al 31 gennaio – ☇ 25000 – **9 cam** 145/175000.

NOVENTA DI PIAVE 30020 Venezia 429 F 19 – 5 845 ab..

Roma 554 – Venezia 41 – Milano 293 – Treviso 30 – Trieste 117 – Udine 86.

✕✕ **Guaiane**, via Guaiane 144 (Est : 2 km) ☎ 0421 65002, Fax 0421 658818, 🍽 – ☰ 🅿 – 🔬 5
🔄 🖭 🔄 ⓞ ◍ VISA JCB. ✿
chiuso dal 1° al 20 gennaio, dal 1° al 20 agosto, lunedì e martedì sera – **Pasto** car
60/100000 e al Rist. **L' Hosteria** specialità venete carta 35/45000.

NOVENTA PADOVANA 35027 Padova 429 F 17 G. Venezia – 8 106 ab. alt. 14.

Roma 501 – Padova 8 – Venezia 37.

✕✕ **Boccadoro**, via della Resistenza 49 ☎ 049 625029, Fax 049 625782 – ☰. 🖭 🔄 ⓞ ◍ VIS
✿
chiuso dal 1° al 15 gennaio, dal 5 al 25 agosto, martedì sera e mercoledì – **Pasto** car
40/70000.

verso Strà Est : 4 km :

🏛 **Paradiso**, via Oltrebrenta 40 ✉ 35027 ☎ 049 9801366, paradis@libero.
Fax 049 9801371 – ☰ 📺 🚗 🅿. 🖭 🔄 ⓞ ◍ VISA JCB. ✿ rist
Pasto (solo per alloggiati; chiuso dal 20 al 28 dicembre, dal 5 al 20 agosto, sabato, domeni
e a mezzogiorno) 40000 – ☇ 17000 – **23 cam** 95/135000 – ½ P 100000.

NOVENTA VICENTINA 36025 Vicenza 429 G 16 – 8 106 ab. alt. 16.

Roma 479 – Padova 47 – Ferrara 68 – Mantova 71 – Verona 50 – Vicenza 43.

✕✕ **Alla Busa** 🦢 con cam, corso Matteotti 70 ☎ 0444 887120, Fax 0444 887287 – 🛗 ☰ 📺
🅿 – 🔬 25. 🖭 🔄 ⓞ ◍ VISA. ✿
Pasto carta 40/55000 – **19 cam** ☇ 110/150000 – ½ P 110000.

NOVERASCO Milano – Vedere Opera.

NOVI LIGURE 15067 Alessandria 428 H 8 – 28 653 ab. alt. 197.

🏌 Colline del Gavi (chiuso gennaio e martedì escluso da maggio a settembre) ✉; 1506
Tassarolo ☎ 0143 342264, Fax 0143 342342, Nord-Ovest : 4 km;
🏌 Villa Carolina (chiuso lunedì e gennaio) a Capriata D'Orba ✉ 15060 ☎ 0143 467355, F
0143 467355, Sud-Ovest : 12 km.

Roma 552 – Alessandria 24 – Genova 58 – Milano 87 – Pavia 66 – Piacenza 94 – Torino 125

🏛🏛 **Relais Villa Pomela** 🦢, via Serravalle 69 (Sud : 2 km) ☎ 0143 329910, dopomela@tin.
Fax 0143 329912, ≤, « Elegante villa ottocentesca con parco » – 🛗 ☰ 📺 🔥 🅿 – 🔬 120. ▮
🔄 ⓞ ◍ VISA. ✿
chiuso dal 4 al 18 gennaio e dall'8 al 22 agosto – **Pasto** carta 65/110000 – **47 cam**
☇ 210/310000, 2 suites – ½ P 210000.

✕✕ **Il Fattore**, via Cassano 126 (Est : 4 km) ☎ 0143 78289, Fax 0143 78289, 🍽 – ☰ 🅿. 🖭
ⓞ ◍ VISA. ✿
chiuso dal 10 al 25 gennaio – **Pasto** carta 55/80000.

a Pasturana Ovest : 4 km – ✉ 15060 :

✕✕ **Locanda San Martino**, via Roma 26 ☎ 0143 58444, Fax 0143 58445, « Servizio estiv
all'aperto » – ☰ 🅿. 🖭 🔄 ⓞ ◍ VISA
chiuso dal 1° al 20 gennaio, lunedì sera e martedì – **Pasto** carta 50/80000.

IUCETTO 12070 Cuneo 428 I 6 – 474 ab. alt. 450.
Roma 598 – Cuneo 52 – Imperia 77 – Savona 53 – Torino 98.

X **Osteria Vecchia Cooperativa,** via Nazionale 54 ℘ 0174 74279, Coperti limitati; prenotare – AE S ① ◑ VISA. ⋘
chiuso settembre, lunedì sera e martedì – **Pasto** carta 40/65000.

IUMANA 60026 Ancona 430 L 22 – 3 452 ab. – a.s. luglio-agosto.
🖪 (giugno-settembre) piazza Santuario ℘ 071 9330612.
Roma 303 – Ancona 20 – Loreto 15 – Macerata 42 – Porto Recanati 10.

🏠 **Scogliera,** via del Golfo 21 ℘ 071 9330622, Fax 071 9331403, ≤, ⤩, 🖎 – 🛗 🗏 🗖 🅿. AE S ◑ VISA. ⋘
aprile-15 ottobre – **Pasto** carta 60/95000 – **36 cam** �? 150/250000 – ½ P 190000.

🏠 **Eden Gigli** ⤩, viale Morelli 11 ℘ 071 9330652, Fax 071 9330930, ≤ mare, Accesso diretto alla spiaggia, « Parco con ⋘ e ⤩ con acqua di mare », 🖎 – 🗖 🚗 🅿 – 🖄 200. AE S ◑ VISA. ⋘
aprile-ottobre – **Pasto** carta 50/70000 – **36 cam** ☔ 150/200000 – ½ P 175000.

🏠 **La Spiaggiola** ⤩ senza rist, via Colombo 12 ℘ 071 7360271, Fax 071 7360271, ≤, 🖎 – 🗖 🅿. S ◑ VISA. ⋘
Pasqua-settembre – **21 cam** ☔ 140000.

XX **La Costarella,** via 4 Novembre 35 ℘ 071 7360297, Coperti limitati; prenotare – ⋘
Pasqua-ottobre; chiuso martedì (escluso da giugno a settembre) – **Pasto** carta 60/90000.

X **Da Alvaro,** via La Torre 30 ℘ 071 9330749, « Servizio estivo all'aperto » – 🗏. AE S ◑ VISA
marzo-novembre; chiuso lunedì a mezzogiorno dal 5 giugno al 15 settembre, tutto il giorno negli altri mesi – **Pasto** specialità di mare carta 55/75000.

◼ **Marcelli** Sud : 2,5 km – ⊠ 60026 Numana :

🏠 **Marcelli,** via Litoranea 65 ℘ 071 7390125, Fax 071 7391322, ≤, « Terrazza sulla spiaggia con ⤩ », ⤩, 🖎 – 🛗 🗏 🗖 🅿. AE VISA. ⋘
20 aprile-settembre – **Pasto** (solo per alloggiati e chiuso dal 20 al 31 maggio) 40/50000 – **38 cam** ☔ 150/220000 – ½ P 185000.

XX Mariolino, via Capri 17 ℘ 071 7390135, Fax 071 7390135, ≤ – 🗏
Pasto specialità di mare.

XX **Il Saraghino,** via Litoranea 209/a -lungomare di Levante ℘ 071 7391596, Fax 071 7391596, 🕽 – 🅿. AE S ① ◑ VISA JCB. ⋘
chiuso gennaio, febbraio, dal 1° al 15 novembre e lunedì – **Pasto** specialità di mare 75000 e carta 55/90000.

IUORO 🅿 433 G 9 – Vedere Sardegna alla fine dell'elenco alfabetico.

OBEREGGEN = San Floriano.

OCCHIEPPO SUPERIORE 13898 Biella 428 F 6, 219 ⑮ – 2 889 ab. alt. 456.
Roma 679 – Aosta 98 – Biella 3 – Novara 59 – Stresa 75 – Vercelli 45.

X **Cip e Ciop,** via Martiri della Libertà 71 ℘ 015 592740, Coperti limitati; prenotare – 🗏. S ◑ VISA
chiuso dal 18 febbraio al 9 marzo, dal 15 al 30 settembre e domenica – **Pasto** carta 40/55000.

OCCHIOBELLO 45030 Rovigo 429 H 16 – 9 766 ab..
Roma 432 – Bologna 57 – Padova 61 – Verona 90.

◼ **in prossimità casello autostrada A13** Est : 1 km :

🏠 **Savonarola,** via Eridania 36 ⊠ 45030 ℘ 0425 750767, Fax 0425 750797, 🕽 – 🛗 🗏 🗖 🅿 – 🖄 250. AE S ① ◑ VISA
Pasto (chiuso dal 1° al 20 gennaio, dal 1° al 15 agosto e lunedì) carta 45/60000 – **36 cam** ☔ 120/200000.

◼ **Santa Maria Maddalena** Sud-Est : 4,5 km – ⊠ 45030 :

XX **La Pergola** via Malcantone 15 ℘ 0425 757766, Coperti limitati; prenotare – 🅿. AE S ◑ VISA. ⋘
chiuso agosto, domenica e lunedì – **Pasto** carta 40/70000.

Leggete attentamente l'introduzione : è la « chiave » della guida.

ODERZO _31046 Treviso_ **429** _E 19 – 16 967 ab. alt. 16._
   Roma 559 – Venezia 54 – Treviso 27 – Trieste 120 – Udine 75.

   Primhotel Ⓜ _senza rist, via Garibaldi 115_ _℘ 0422 713699, primhotel@iol.i_
   Fax 0422 713890 – 📶 🛏 📺 ⅙ 🚗 🅿 – 🔥 90. ⅍ 🕄 ⓞ ⓞⓞ 🚾 🅹🅲🅱. ⅍
   ⚏ 15000 – **50 cam** 100/150000, 2 suites.

OIRA _Verbania – Vedere Crevoladossola._

OLANG = _Valdaora._

OLBIA _Sassari_ **433** _E 10 – Vedere Sardegna alla fine dell'elenco alfabetico._

OLCIO _Lecco – Vedere Mandello del Lario._

OLDA IN VAL TALEGGIO _24010 Bergamo_ **428** _E 10,_ **219** ⑩ – _alt. 772 – a.s. luglio-agosto_
   Natale.
   Roma 641 – Bergamo 39 – Lecco 61 – Milano 85 – San Pellegrino Terme 16.

   Della Salute ⃝, _via Costa d'Olda 73_ _℘ 0345 47006, marti@spm.it, Fax 0345 47003,_ ⃪
   « _Parco ombreggiato_ » – 📶 🚗 🅿. ⅍ 🕄 ⓞ ⓞⓞ 🚾. ⅍ rist
   chiuso gennaio – **Pasto** _(chiuso lunedì)_ _carta 45/60000 –_ **40 cam** ⚏ 70/110000
   ½ P 75000.

OLEGGIO CASTELLO _28040 Novara_ **428** _E 7 – 1 617 ab. alt. 315._
   Roma 639 – Stresa 20 – Milano 72 – Novara 43 – Varese 39.

   Bue D'Oro, _via Vittorio Veneto 2_ _℘ 0322 53624,_ 🍴, _prenotare –_ 🅿. ⅍ 🕄 ⓞ ⓞⓞ 🚾. ⅍
   chiuso dal 1° al 10 gennaio, dal 16 agosto al 4 settembre e mercoledì – **Pasto** cart
   50/85000.

OLGIATE OLONA _21057 Varese_ **428** _F 8,_ **219** ⑱ – _10 558 ab. alt. 239._
   Roma 604 – Milano 32 – Como 35 – Novara 38 – Varese 29.

   Ma.Ri.Na., _piazza San Gregorio 11_ _℘ 0331 640463, Fax 0331 640463,_ Coperti limitat
   prenotare – 🛏 🅿. ⅍ 🕄 ⓞ ⓞⓞ 🚾 🅹🅲🅱. ⅍
   chiuso dal 25 dicembre al 5 gennaio, agosto, mercoledì e a mezzogiorno (escluso i giorn
   festivi) – **Pasto** _specialità di mare_ 140000 e carta 105/140000
   Spec. Tartara di nasello ai capperi con salsa di lattuga (primavera-estate). Gnocchi d
   zucchine e branzino con vongole veraci. Tortino di baccalà allo zenzero con salsa a
   mandarino (autunno-inverno).

   Idea Verde, _via San Francesco 17/19 (prossimità uscita autostrada)_ _℘ 0331 629487_
   Fax 0331 629487, 🍴, 🐎 – 🅿. ⅍ 🕄 ⓞ ⓞⓞ 🚾. ⅍
   chiuso dal 27 dicembre al 5 gennaio, agosto, domenica sera e lunedì – **Pasto** cart
   60/95000.

OLIENA _Nuoro_ **433** _G 10 – Vedere Sardegna alla fine dell'elenco alfabetico._

OLMO _Firenze_ **430** _K 16 – Vedere Fiesole._

OLMO _Perugia – Vedere Perugia._

OLMO GENTILE _14050 Asti_ **428** _I 6 – 115 ab. alt. 615._
   Roma 606 – Genova 103 – Acqui Terme 33 – Asti 52 – Milano 163 – Torino 103.

   Della Posta, _via Roma 4_ _℘ 0144 953613,_ 🍴, _prenotare_
   chiuso Natale, dal 1° al 15 gennaio e domenica sera – **Pasto** cucina casalinga 25/50000.

OLTRE IL COLLE _24013 Bergamo_ **428**, **429** _E 11 – 1 156 ab. alt. 1 030 – a.s. luglio-agosto e Natale_
   Roma 642 – Bergamo 36 – Milano 83 – San Pellegrino Terme 24.

   Manenti, _via Roma 25_ _℘ 0345 95005, Fax 0345 95005,_ ≤, 🐎 – 📶 📺 🚗 🅿
   stagionale – **25 cam.**

ME 25050 Brescia 428, 429 F 12 – 2 788 ab. alt. 240.
Roma 544 – Brescia 17 – Bergamo 45 – Milano 93.

XXX **Villa Carpino,** via Maglio 15 (alle terme Ovest : 2,5 km) ℰ 030 652114, Fax 030 612114,
🌦 – ☰ **P.** 🖭 🛅 ⓞ ⓓ **VISA**. ✦
chiuso dal 27 dicembre al 10 gennaio, dal 7 al 20 agosto e lunedì – **Pasto** carta 45/70000.

MEGNA 28887 Verbania 428 E 7 – 15 510 ab. alt. 303.
Vedere Lago d'Orta★★.
Roma 670 – Stresa 17 – Domodossola 36 – Milano 93 – Novara 55 – Torino 129.

X **Trattoria Toscana-da Franco,** via Mazzini 153 ℰ 0323 62460, 🌦 – 🖭 🛅 ⓞ ⓓ **VISA**
chiuso mercoledì – **Pasto** specialità di mare 35000 (solo a mezzogiorno) e carta 45/70000.

NEGLIA Imperia – Vedere Imperia.

NIGO DI PIAVE Treviso – Vedere Pederobba.

PERA 20090 Milano 428 F 9, 219 ⑲ – 13 391 ab. alt. 99.
🏌 Le Rovedine (chiuso lunedì) a Noverasco di Opera ⊠ 20090 ℰ 02 57606420, Fax 02
57606405, Nord : 2 km.
Roma 567 – Milano 14 – Novara 62 – Pavia 24 – Piacenza 59.

Noverasco Nord : 2 km – ⊠ 20090 Opera :

🏨 **Sporting,** via Sporting Mirasole 56 ℰ 02 5768031, keyhotels@pn.itnet.it, Fax 02 57601416
– 🛗, ❄ cam, ☰ 🖭 **P** – 🔬 200. 🖭 🛅 ⓞ ⓓ **VISA** **JCB**. ✦
Pasto carta 55/85000 – **80 cam** ⊇ 260/340000 – ½ P 215000.

Se cercate un albergo tranquillo,
oltre a consultare le carte dell'introduzione,
individuate nell'elenco degli esercizi quelli con il simbolo 🍃 o 🍃.

PI 67030 L'Aquila 430 Q 23 – 491 ab. alt. 1 250.
Roma 145 – Frosinone 62 – Avezzano 67 – Isernia 61 – L'Aquila 114.

🏠 **La Pieja** 🍃, via Salita la Croce 1 ℰ 0863 910772, Fax 0863 910756, ≤ vallata e monti, 🌦 –
🖭, 🖭 🛅 ⓓ **VISA**. ✦ rist
chiuso dal 3 novembre al 3 dicembre – **Pasto** (23 dicembre-7 gennaio, Pasqua e
15 giugno-15 settembre; aperto i week-end negli altri mesi) carta 35/70000 – **14 cam**
⊇ 120/170000 – ½ P 125000.

PICINA 34016 Trieste 429 E 23 G. Italia – alt. 348.
Vedere ≤★★ su Trieste e il golfo.
Dintorni Grotta Gigante★ Nord-Ovest : 3 km.
Roma 664 – Udine 64 – Gorizia 40 – Milano 403 – Trieste 11 – Venezia 153.

🏨 **Nuovo Hotel Daneu,** via Nazionale 111 ℰ 040 214214, Fax 040 214215, 🕿, 🔲 – 🛗 ☰
🖭 & 🚙 **P.** 🖭 🛅 ⓞ ⓓ **VISA**
Pasto vedere rist **Daneu** – **26 cam** ⊇ 185/235000.

X **Daneu** con cam, via Nazionale 194 ℰ 040 211241, « Servizio estivo all'aperto » – 🖭 **P.** 🖭
🛅 ⓞ ⓓ **VISA**
Pasto (chiuso lunedì) carta 50/75000 – **17 cam** ⊇ 115/160000.

RBASSANO 10043 Torino 428 G 4 – 21 761 ab. alt. 273.
Roma 673 – Torino 17 – Cuneo 99 – Milano 162.

Pianta d'insieme di Torino.

XXX **Il Vernetto,** via Nazario Sauro 37 ℰ 011 9015562, Fax 011 9015562, solo su prenotazione
– ☰. 🛅 **VISA**   EU e
chiuso domenica sera e lunedì – **Pasto** 55/70000 (10%).

RBETELLO 58015 Grosseto 430 O 15 G. Toscana – 15 318 ab. – a.s. Pasqua e 15 giugno-
15 settembre.
🛈 piazza della Repubblica 1 ℰ 0564 860447, Fax 0564 860447.
Roma 152 – Grosseto 44 – Civitavecchia 76 – Firenze 183 – Livorno 177 – Viterbo 88.

🏨 **I Presidi**, senza rist, via Mura di Levante 34 ℘ 0564 867601, *Fax 0564 867601*, ≤ – 🛗 ≡ 🗗
P
39 cam, 12 suites.

🏠 **Relais San Biagio** senza rist, via Dante 34 ℘ 0564 860543, *sanbiagiorelais@sanbiagiore is.com*, *Fax 0564 867787*, « In un antico palazzo nobiliare » – ≡ 📺 AE 🖼 ① ⓪ VISA JCB
15 cam ⌧ 210/300000, 2 suites.

🏠 **Sole** senza rist, via Colombo, angolo corso Italia ℘ 0564 860410, *hotelsole@tiscalinet.*
Fax 0564 860475 – 🛗 ≡ 📺 AE 🖼 ⓪ VISA
18 cam ⌧ 240000.

sulla strada statale 1 - via Aurelia *Nord-Est : 7 km :*

XX **Locanda di Ansedonia** con cam, via Aurelia ⊠ 58016 Orbetello Scalo ℘ 0564 88131
Fax 0564 881727, 🌳, « Giardino » – ≡ 📺 AE 🖼 ① ⓪ VISA JCB
chiuso febbraio – **Pasto** *(chiuso martedì escluso luglio-agosto)* carta 60/95000 (10%)
12 cam ⌧ 170/200000 – ½ P 165000.

ORIAGO *30030 Venezia* 429 *F 18 G. Venezia.*
Roma 519 – Padova 26 – Venezia 16 – Mestre 8 – Milano 258 – Treviso 29.

🏨 **Il Burchiello,** via Venezia 19 ℘ 041 429555, *Fax 041 429728* – 🛗 ≡ 📺 **P** – 🔥 80. AE
① ⓪ VISA JCB
Pasto *vedere rist* ***Il Burchiello*** – ⌧ 25000 – **63 cam** 165/250000 – ½ P 220000.

XX **Il Burchiello** con cam, via Venezia 40 ℘ 041 472244, *risburc@tin.it*, *Fax 041 429728 –*
📺 **P**. AE 🖼 ① ⓪ VISA, 🍽 rist
Pasto *(chiuso lunedì e martedì sera)* carta 45/115000 – ⌧ 15000 – **11 cam** 85/140000
½ P 130000.

X **Nadain**, via Ghebba 26 ℘ 041 429665 – ≡ **P**. AE 🖼 ⓪ VISA, 🍽
chiuso luglio e mercoledì – **Pasto** carta 45/80000.

Lisez attentivement l'introduction : c'est la clé du guide.

ORIGGIO *21040 Varese* 428 *F 9,* 219 ⑱ *– 6 154 ab. alt. 193.*
Roma 589 – Milano 21 – Bergamo 62 – Como 27 – Novara 51 – Varese 31.

XX **La Piazzetta**, via Circonvallazione 31 ℘ 02 96732007, *Fax 02 96732017* – ≡ **P**. AE 🖼 ⓪
⓪ VISA, 🍽
chiuso agosto e domenica – **Pasto** carta 45/75000.

ORISTANO **P** 433 *H 7 – Vedere Sardegna alla fine dell'elenco alfabetico.*

ORMEA *12078 Cuneo* 428 *J 5 – 2 009 ab. alt. 719 – a.s. luglio-agosto e Natale – Sport invernal*
750/1 600 m ⥍2, 🎿*.*
Roma 626 – Cuneo 80 – Imperia 45 – Milano 250 – Torino 126.

sulla strada statale 28 verso Ponte di Nava *Sud-Ovest : 4,5 km :*

🏠 **San Carlo**, via Nazionale 23 ⊠ 12078 Ormea ℘ 0174 399917, *albergosancarlo@ennet.*
⊘ *Fax 0174 399917*, ≤, 🌳, 🍽 – 🛗 **P**. 🖼 ⓪ VISA, 🍽 rist
20 febbraio-ottobre – **Pasto** *(chiuso martedì)* carta 35/55000 – ⌧ 15000 – **36 cam** 7(
100000 – ½ P 90000.

a Ponte di Nava *Sud-Ovest : 6 km – ⊠ 12070 :*

XX **Ponte di Nava-da Beppe** con cam, via Nazionale 32 ℘ 0174 399924, *albergo-ponte*
⊘ *nava@ennet.it*, *Fax 0174 399991*, ≤ – 🛗 📺 **P**. AE 🖼 ① ⓪ VISA JCB
chiuso dal 7 al 31 gennaio e dal 10 al 20 giugno – **Pasto** *(chiuso mercoledì)* carta 35/65000
⌧ 10000 – **16 cam** 60/100000 – ½ P 70000.

ORNAGO *20060 Milano – 3 434 ab. alt. 193.*
Roma 610 – Bergamo 22 – Milano 30 – Lecco 31.

🏠 **Hotel Prestige**, senza rist, via per Bellusco ℘ 039 6919062, *Fax 039 6919733* – ≡ 📺
P. AE 🖼 ① ⓪ VISA JCB
72 cam ⌧ 195/295000.

XX **Osteria della Buona Condotta**, via per Cavenago 2 ℘ 039 6919056, Rist. enoteca
≡. AE 🖼 ① ⓪ VISA JCB
chiuso domenica sera e lunedì e dal 24 dicembre al 6 gennaio e dal 5 al 25 agosto – **Past**
65000 e carta 50/80000.

RNAVASSO 28877 Verbania **428** E 7 – 3 294 ab. alt. 211.

Roma 668 – Stresa 13 – Domodossola 21 – Locarno 53 – Milano 102 – Novara 73.

✂ **Italia** con cam, via Alfredo di Dio 107 *& 0323 837124, Fax 0323 837711 –* 📶 📺 🕭 🅿 –
🔬 30. 🆎 🕃 ⓞ ⓪ **VISA** 🇯🇨🇧
Pasto *(chiuso lunedi)* carta 35/55000 – �⊐ 10000 – **24 cam** 50/90000 – ½ P 75000.

ROPA 13813 Biella **428** F 5 – *alt. 1 180 – Sport invernali : 1 180/2 400 m ≤ 2, ৎ.*

Roma 689 – Aosta 101 – Biella 13 – Milano 115 – Novara 69 – Torino 87 – Vercelli 55.

✕✕ **Croce Bianca,** via Santuario di Oropa 480 *& 015 2455923, Fax 015 2455963 –* 🔬 150. 🆎
🕃 ⓞ ⓪ **VISA** 🛠
chiuso dal 10 al 20 gennaio e mercoledi (escluso da giugno al 15 settembre) – **Pasto** carta
45/60000.

ROSEI Nuoro **433** F 11 – *Vedere Sardegna alla fine dell'elenco alfabetico.*

RTA SAN GIULIO 28016 Novara **428** E 7 *G. Italia – 1 106 ab. alt. 293 – a.s. Pasqua e luglio-15
settembre.*

Vedere *Lago d'Orta★★ – Palazzotto★ – Sacro Monte d'Orta★.*

Escursioni *Isola di San Giulio★★ : ambone★ nella chiesa.*

🖪 *via Panoramica 24 & 0322 905614.*

Roma 661 – Stresa 20 – Biella 58 – Domodossola 48 – Milano 84 – Novara 46 – Torino 119.

🏨🏨 **San Rocco** ⧓, via Gippini 11 *& 0322 911977, sanrocco@giacomini.com,*
Fax 0322 911964, ≤ isola San Giulio, « Terrazza fiorita in riva al lago con ⊠ », 🕿, 🚗 – 📶 📺
🚗 – 🔬 160. 🆎 🕃 ⓞ ⓪ **VISA** 🛠
Pasto carta 70/100000 – **74 cam** ⊐ 330/460000 – ½ P 290000.

🏨 **Santa Caterina** senza rist, via Marconi 10 (Est : 1,7 km) *& 0322 915865, Fax 0322 90377*
– 📶 📺 🕭 🚗. 🆎 🕃 ⓞ ⓪ **VISA**
15 marzo-3 novembre – **28 cam** ⊐ 140/180000, 2 suites.

🏨 **Orta** ⧓, piazza Motta 1 *& 0322 90253, Fax 0322 905646,* ≤ isola San Giulio – 📶 📺. 🆎 🕃
ⓞ ⓪ **VISA**
Pasqua-ottobre – **Pasto** carta 50/80000 – ⊐ 18000 – **35 cam** 120/190000 – ½ P 140000.

✕✕✕ **Villa Crespi** con cam, via Fava 8/10 (Est : 1,5 km) *& 0322 911902, villacrespi@tin.it,*
Fax 0322 911919, 🍽, « Dimora ottocentesca in stile moresco con parco », 🛁, 🕿 – 📶 📺 🔲
📺 🅿. 🆎 🕃 ⓞ ⓪ **VISA** 🛠 rist
chiuso dal 3 gennaio al 7 marzo – **Pasto** *(chiuso martedi escluso da aprile a settembre)*
90/140000 e carta 90/140000 – **10 cam** ⊐ 310/440000, 4 suites – ½ P 310000.

✂ **Taverna Antico Agnello,** via Olina 18 *& 0322 90259, Fax 0322 90259 –* 🆎 🕃 ⓪ **VISA**
chiuso dall'11 dicembre al 12 febbraio e martedi (escluso agosto) – **Pasto** carta 45/85000.

al Sacro Monte Est : 1 km :

✕✕ **Sacro Monte,** via Sacro Monte 5 ⊠ 28016 *& 0322 90220, Fax 0322 90220,* Coperti
limitati; prenotare, « Ambiente rustico in un sito d'arte e naturalistico » – 🅿. 🆎 ⓞ ⓪ **VISA**
*chiuso dal 7 al 30 gennaio, martedi (escluso agosto) e da novembre a Pasqua anche lunedì
sera –* **Pasto** carta 50/80000 (10 %).

RTE 01028 Viterbo **430** O 19 – 7 879 ab. alt. 134.

Roma 88 – Terni 33 – Perugia 103 – Viterbo 35.

🏨 **La Chiocciola** ⧓, località Seripola Nord-Ovest : 4 km *& 0761 402734, info@lachiocciola.*
net, Fax 0761 490254, ⊠, 🚗 – 🔲 🅿. 🕃 **VISA** 🛠
marzo-15 novembre – **Pasto** *(solo per alloggiati)* 50000 – **8 cam** ⊐ 115/170000 –
½ P 120000.

RTISEI (ST. ULRICH) 39046 Bolzano **429** C 17 *G. Italia – 4 434 ab. alt. 1 236 – Sport invernali : della
Val Gardena : 1 236/2 499 m ≤ 7 ≤ 64, ৎ (vedere anche Santa Cristina Val Gardena e Selva
Val Gardena).*

Dintorni *Val Gardena★★★ per la strada S 242 – Alpe di Siusi★★ per funivia.*

🖪 *piazza Stetteneck & 0471 796328, Fax 0471 796749.*

*Roma 677 – Bolzano 36 – Bressanone 32 – Cortina d'Ampezzo 79 – Milano 334 – Trento 95 –
Venezia 226.*

🏨🏨🏨 **Adler,** via Rezia 7 *& 0471 775000, info@hotel-adler.com, Fax 0471 775555,* ≤, Centro
benessere, « Giardino ombreggiato », 🕿, 🔲 – 📶 ✦ rist, ▤ rist, 📺 🕭 🚗 – 🔬 50. 🕃
ⓞ ⓪ **VISA** 🛠
15 dicembre-20 aprile e 15 maggio-30 ottobre – **Pasto** 35/55000 e al Rist. **Stube** carta
50/75000 – **123 cam** ⊐ 245/445000 – ½ P 250000.

🏨🏨🏨 **Genziana-Enzian,** via Rezia 111   ℘ 0471 796246,   info@hotel-genziana.com
Fax 0471 797598, ☎ – ⚑ ⇥ 📺 ⅄ ⟷, ⅍
Natale-20 aprile e 15 maggio-15 ottobre – **Pasto** carta 40/80000 – **49 cam** ⊇ 220/400000
½ P 240000.

🏨🏨🏨 Luna Mondschein, via Purger 81   ℘ 0471 796214, Fax 0471 796697, ≤, Centro benessere
« Giardino », ☎, 🔲 – ⚑, ⇥ rist, 📺 ⟷
stagionale – **40 cam,** 7 suites.

🏨🏨 **Angelo-Engel,** via Petlin 35   ℘ 0471 796336, info@angelo-engel.com, Fax 0471 79632
≤, « Ampio giardino », ☎ – ⚑ ⇥ 📺 🅿. 🅰🅴 🕃 ① 🇨🇭 🆅🇮🇸🇦. ⅍ rist
chiuso novembre – **Pasto** (solo per alloggiati) – **35 cam** ⊇ 140/260000 – ½ P 170000.

🏨🏨 **Grien** ⌂, via Mureda 178 (Ovest: 1 km)   ℘ 0471 796340, info@hotel-grien.com
Fax 0471 796303, ≤ Gruppo Sella e Sassolungo, ₤₆, ☎, ╤ – ⚑, ⇥ rist, 📺 ✆ ⟷ 🅿
🛗 40. ⅍
chiuso dal 20 aprile al 26 maggio e novembre – **Pasto** (solo per alloggiati) carta 55/85000
25 cam ⊇ 200/380000 – ½ P 230000.

🏨🏨 **Hell** ⌂, via Promeneda 3   ℘ 0471 796785, Fax 0471 798196, ≤, « Giardino », ₤₆, ☎ – ⚑
⇥ rist, 📺 ⟷ 🅿. 🕃 🇨🇭 🆅🇮🇸🇦. ⅍
15 dicembre-21 aprile e 30 giugno-15 ottobre – **Pasto** (solo per alloggiati e chiuso
mezzogiorno) 40/50000 – **27 cam** ⊇ 190/330000 – ½ P 225000.

🏨🏨 **La Perla,** strada Digon 8 (Sud-Ovest: 1 km)   ℘ 0471 796421, laperla@val-gardena.com
Fax 0471 798198, ≤, ☎, 🌿 – ⚑ – ⚑ 📺 🅿. 🕃 🇨🇭 🆅🇮🇸🇦. ⅍
dicembre-aprile e giugno-ottobre – **Pasto** (solo per alloggiati) – ⊇ 20000 – **36 cam**
150/260000 – ½ P 175000.

🏨🏨 **Alpenhotel Rainell** ⌂, strada Vidalong 19   ℘ 0471 796145, info@rainell.com
Fax 0471 796279, ≤ monti e Ortisei, ☎, ╤ – ⚑, ⇥ rist, 📺 ✆ 🇨🇭 🕃 🆅🇮🇸🇦. ⅍
20 dicembre-Pasqua e 15 giugno-10 ottobre – **Pasto** (chiuso a mezzogiorno) 30/45000
28 cam ⊇ 145/260000 – ½ P 185000.

🏨🏨 **Fortuna** senza rist, via Stazione 11   ℘ 0471 797978, Fax 0471 798326, ≤ – ⚑ 📺 ⟷. 🅿
🇨🇭 🆅🇮🇸🇦. ⅍
3 dicembre-aprile e luglio-5 novembre – **15 cam** ⊇ 170/270000.

🏨🏨 **Villa Park** senza rist, via Rezia 222   ℘ 0471 796911, villapark@dnet.it, Fax 0471 797532, ≤
╤ – ⚑ 📺 🅿. 🕃 🆅🇮🇸🇦. ⅍
chiuso novembre – **17 cam** ⊇ 130/220000.

🏨 **Ronce** ⌂, via Ronce 1 (Sud: 1 km)   ℘ 0471 796383, Fax 0471 797890, ≤ monti e Ortisei
╤ – ⚑, ⇥ rist, ╤ ⟷ 🅿. 🕃 🆅🇮🇸🇦. ⅍ rist
4 dicembre-25 aprile e giugno-16 ottobre – **Pasto** (solo per alloggiati) – **22 cam** ⊇ 110
200000 – ½ P 135000.

🏨 **Villa Luise** ⌂, via Grohmann 43   ℘ 0471 796498, villaluise@valgardena.com
Fax 0471 796217, ≤ monti e Sassolungo – 📺 ⟷ 🅿. ⅍ rist
chiuso dal 15 maggio al 30 giugno e dal 20 ottobre al 15 dicembre – **13 cam**
solo ½ P 160000.

🏨 **Pra' Palmer** senza rist, via Promenade 5   ℘ 0471 796710, palmer@ortisei.com
Fax 0471 797900, ≤, ☎, ╤ – ⚑ 📺 🅿. ⅍
dicembre-Pasqua e 20 giugno-ottobre – **22 cam** ⊇ 95/185000.

🏨 **Cosmea,** via Setil 1   ℘ 0471 796464, friends@hotelcosmea.it, Fax 0471 797805, ╤ – ⚑ 📺
⟷ 🅿. ⅍ cam
chiuso dal 20 ottobre al 5 dicembre – **Pasto** (chiuso mercoledì in maggio, giugno e
ottobre) 30/60000 – **22 cam** ⊇ 140/260000 – ½ P 170000.

✗✗ **Concordia,** via Roma 41   ℘ 0471 796276, Fax 0471 796276 – 🕃 🇨🇭 🆅🇮🇸🇦. ⅍
🍽 dicembre-Pasqua e giugno-ottobre – **Pasto** carta 35/60000.

a Bulla (Pufels) Sud-Ovest: 6 km – alt. 1 481 – ✉ 39046 Ortisei:

🏨 **Uhrerhof-Deur** ⌂,   ℘ 0471 797335, uhrerhof@val-gardena.com, Fax 0471 797457,
Ortisei e monti, ☎, ╤ – ⇥ 📺 ✆ ⟷ 🅿. 🕃 🆅🇮🇸🇦. ⅍
chiuso dal 20 al 28 aprile e da novembre al 4 dicembre – **Pasto** (solo per alloggiati) carta
50/80000 – **10 cam** solo ½ P 160000, 5 suites.

🏨 **Sporthotel Platz** ⌂,   ℘ 0471 796982, platz@val-gardena.com, Fax 0471 798228,
Ortisei e monti, ☎, 🏊, 🔲, ╤ – 🅿. 🅰🅴 🕃 ① 🇨🇭 🆅🇮🇸🇦. ⅍ rist
20 dicembre-Pasqua e giugno-novembre – **Pasto** carta 45/75000 – ⊇ 15000 – **24 cam**
110/200000 – ½ P 120000.

ORTONA 66026 Chieti 🔢🔢🔢 O 25 – 23 593 ab. – a.s. 20 giugno-agosto.
⛴ per le Isole Tremiti giugno-settembre giornaliero (2 h 45 mn) – Adriatica di Navigazione
agenzia Fratino, via Porto 34   ℘ 085 9063855 Fax 085 9064186.
🄱 piazza della Repubblica   ℘ 085 9063841, Fax 085 9063882.
Roma 227 – Pescara 20 – L'Aquila 126 – Campobasso 139 – Chieti 36 – Foggia 158.

Ideale senza rist, corso Garibaldi 65 ℰ 085 9063735, *Fax 085 9066153*, ≤ – 📶 🔲 📺 🚗. ⚠ 🕃 ⓞ ⓓⓞ 𝘝𝘐𝘚𝘈. ⅏
🛏 12000 – **23 cam** 100/135000.

✕ **Miramare,** largo Farnese 15 ℰ 085 9066556 – ⅏. ⚠ 🕃 ⓞ ⓓⓞ 𝘝𝘐𝘚𝘈. ⅏
chiuso dicembre, domenica e lunedì – **Pasto** carta 40/80000.

Lido Riccio *Nord-Ovest : 5,5 km* – ✉ 66026 Ortona :

Mara, ℰ 085 9190416, *marahotl@tin.it*, *Fax 085 9190522*, ≤, « Giardino con 🏊 », 🐎, ⅏ – 📶 🔲 📺 & 🅿 – 🛗 100. 🕃 ⓓⓞ 𝘝𝘐𝘚𝘈. ⅏
15 maggio-20 settembre – **Pasto** 40/55000 – **102 cam** 🛏 160/200000, 9 suites – ½ P 165000.

ORVIETO *05018 Terni* ⌷430 *N 18 G. Italia* – *20 703 ab. alt. 315.*

Vedere *Posizione pittoresca*★★★ – *Duomo*★★★ – *Pozzo di San Patrizio*★★ – *Palazzo del Popolo*★ – *Quartiere vecchio*★ – *Palazzo dei Papi*★ M2 – *Collezione etrusca*★ *nel museo Archeologico Faina* M1.

🛈 *piazza del Duomo 24* ℰ 0763 341772, *Fax 0763 344433.*
Roma 121 ① – *Perugia 75* ① – *Viterbo 50* ② – *Arezzo 110* ① – *Milano 462* ① – *Siena 123* ① – *Terni 75* ①.

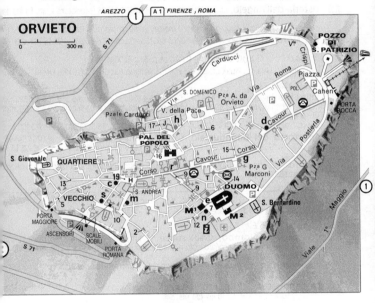

ORVIETO

Circolazione regolamentata nel centro città

Alberici (Via degli)	2	Duomo (Pza del)	7	Nebbia (Via)	14
Cava (Via della)	5	Duomo (Via del)	9	Orvieto (Via A.da)	15
Cavallotti		Garibaldi (Via)	10	Popolo (Piazza del)	16
(Via Felice)	6	Maitani (Via)	12	Pza del Popolo (Via di)	17
Cavour (Corso)		Malabranca (Via)	13	Repubblica (Pza della)	19

La Badia ⋙, *località La Badia Sud : 3 km* ℰ 0763 301959, *labadia.hotel@tiscalinet.it*, *Fax 0763 305396*, ≤, ≤, « In un'abbazia del 12° e 13° secolo », 🏊, 🌳, ⅏ – 📺 🅿 – 🛗 150. ⚠ ⓓⓞ 𝘝𝘐𝘚𝘈. ⅏ per ②
chiuso gennaio e febbraio – **Pasto** *(chiuso lunedì, martedì, mercoledì a mezzogiorno)* carta 75/105000 – 🛏 20000 – **21 cam** 300/325000, 7 suites – ½ P 330000.

Maitani senza rist, *via Maitani 5* ℰ 0763 342011, *Fax 0763 342012*, « Terrazza colazione con ≤ Duomo » – 📶 🔲 📺 🚗. ⚠ 🕃 ⓞ ⓓⓞ 𝘝𝘐𝘚𝘈. ⅏ n
chiuso dal 7 al 31 gennaio – 🛏 20000 – **40 cam** 140/230000, 8 suites.

Palazzo Piccolomini senza rist, *piazza Ranieri 36* ℰ 0763 341743, *Fax 0763 391046* – 📶 🔲 📺 📞 & – 🛗 50. ⚠ 🕃 ⓞ ⓓⓞ 𝘝𝘐𝘚𝘈 𝐉𝐂𝐁. ⅏ rist s
chiuso dal 15 al 31 gennaio – 🛏 18000 – **29 cam** 130/185000, 3 suites.

ORVIETO

🏨 **Aquila Bianca** senza rist, via Garibaldi 13 *℘* 0763 341246, *Fax 0763 342273* – 🛗 🗏 📺 🅿
🏧 60. 🕮 🕄 ⑩ 🐠 𝘝𝘐𝘚𝘈 𝗝𝗖𝗕. ❧
☲ 15000 – **37 cam** 150/170000.

🏨 **Corso** senza rist, corso Cavour 343 *℘* 0763 342020, *hotelcorso@libero.it, Fax 0763 3420*
– 🛗 🗏 📺 ᧒. 🕄 ⑩ 🐠 𝘝𝘐𝘚𝘈
chiuso 24-25 dicembre – ☲ 12500 – **16 cam** 110/150000.

🏨 **Filippeschi** senza rist, via Filippeschi 19 *℘* 0763 343275, *Fax 0763 343275* – 🗏 📺. 🕮
⑩ 🐠 𝘝𝘐𝘚𝘈 𝗝𝗖𝗕. ❧
☲ 10000 – **15 cam** 95/140000.

XXX **Giglio d'Oro,** piazza Duomo 8 *℘* 0763 341903, prenotare, « Servizio estivo in piazza d
Duomo » – 🗏. 🕮 🕄 ⑩ 🐠 𝘝𝘐𝘚𝘈
chiuso mercoledì – **Pasto** 60000 e carta 60/100000.

XX **I Sette Consoli,** piazza Sant'Angelo 1/A *℘* 0763 343911, *Fax 0763 343911,* prenotar
❀ « Servizio estivo serale in giardino con ≤ Duomo » – 🕮 🕄 ⑩ 🐠 𝘝𝘐𝘚𝘈. ❧
*chiuso dal 24 al 26 dicembre, dal 15 al 25 febbraio, mercoledì, anche domenica sera d
novembre al 15 marzo* – **Pasto** 65000, 70000 bc e carta 60/90000
Spec. Fantasia di fegato grasso d'oca: freddo farcito alla frutta secca e caldo con pere al
cannella (settembre-giugno). Mazzancolle in padella con salsa allo zenzero e verdure cro
canti. Piccione farcito all'umbra con flan di verdure.

XX **Osteria dell'Angelo,** piazza XXIX Marzo 8 *℘* 0763 341805, prenotare – 🗏. 🕄 🐠 𝘝𝘚
𝗝𝗖𝗕. ❧
chiuso dal 23 luglio al 7 agosto, lunedì e martedì a mezzogiorno – **Pasto** carta 50/95000.

X **Del Moro,** via San Leonardo 7 *℘* 0763 342763, *Fax 0763 342763* – 🕮 🕄 ⑩ 🐠 𝘝𝘐𝘚𝘈
❧
chiuso dal 1° al 15 luglio e venerdì – **Pasto** carta 35/55000 (10%).

X La Volpe e l'Uva, via Ripa Corsica 1/2 *℘* 0763 341612, *Fax 0763 341612* – ✦❧ 🗏

sulla strada statale 71 :
🏨 **Villa Ciconia** ≫, via dei Tigli 69 per ① : *6 km* ✉ 05019 Orvieto Scalo *℘* 0763 305582, *vil
ciconia@libero.it, Fax 0763 302077,* « Villa cinquecentesca in parco secolare » – 🗏 📺 🅿.
🕄 ⑩ 🐠 𝘝𝘐𝘚𝘈. ❧
Pasto *(chiuso lunedì)* carta 45/75000 – ☲ 18000 – **12 cam** 235/260000 – ½ P 175000.

X **Girarrosto del Buongustaio,** per ② : *5 km* ✉ 05018 Orvieto *℘* 0763 341935
🕾 *Fax 0763 341935,* Rist. e pizzeria serale, « Servizio estivo in terrazza con ≤ » – 🅿. 🕮 🕄 ⑩
🐠 𝘝𝘐𝘚𝘈. ❧
chiuso dal 10 gennaio al 1° febbraio e mercoledì – **Pasto** specialità alla brace e paste fatte i
casa carta 35/65000.

OSIMO 60027 Ancona 𝟦𝟥𝟢 L 22 – *29 259 ab. alt. 265.*
Roma 308 – Ancona 19 – Macerata 28 – Pesaro 82 – Porto Recanati 19.

sulla strada statale 16 *Est : 7,5 km :*
🏨 **Cristoforo Colombo,** strada statale 16 km 310.400 ✉ 60027 Osimo Scal
℘ 071 7108990, *info@cristoforo-colombo.com, Fax 071 7108994* – 🛗 🗏 📺 🅿 – 🏧 60. 🕮
🕄 ⑩ 🐠 𝘝𝘐𝘚𝘈. ❧
chiuso dal 24 al 30 dicembre – **Pasto** vedere rist **La Cantinetta del Conero** – ☲ 15000
30 cam 160/200000 – ½ P 150000.

XX **La Cantinetta del Conero,** strada statale 16 km 310,400 ✉ 60027 Osimo Scale
℘ 071 7108651 – 🗏 🅿. 🕮 🕄 ⑩ 🐠 𝘝𝘐𝘚𝘈. ❧
chiuso dal 2 al 22 agosto e sabato – **Pasto** carta 55/90000.

OSIO SOTTO 24046 Bergamo 𝟦𝟤𝟪 F 10, 𝟤𝟣𝟫 ⑳ – *10 482 ab. alt. 184.*
Roma 579 – Bergamo 11 – Lecco 38 – Milano 37.

XX **La Lucanda,** via Risorgimento 15 *℘* 035 808692, *lalucanda@osioshopping.com
Fax 035 808692,* 🐄, Coperti limitati; prenotare – 🗏. 🕄 𝘝𝘐𝘚𝘈
chiuso dal 3 al 16 gennaio, dal 7 al 27 agosto, sabato a mezzogiorno e domenica – **Pasto**
55000 *(solo a mezzogiorno)* e carta 90/140000.

OSOPPO 33010 Udine 𝟦𝟤𝟫 D 21 – *2 836 ab. alt. 185.*
Roma 665 – Udine 31 – Milano 404.

🏨 **Pittis,** via Andervolti 2 *℘* 0432 975346, *Fax 0432 975916* – 🛗 📺 🅿. 🕮 ⑩ 🐠 𝘝𝘐𝘚𝘈
Pasto *(chiuso domenica, dal 25 dicembre al 7 gennaio e dal 9 al 22 agosto)* carta 40/60000
☲ 15000 – **40 cam** 85/115000 – ½ P 85000.

Read carefully the introduction it is the key to the Guide.

520

OSPEDALETTI *18014 Imperia* **428** *K 5 – 3 588 ab..*

🇧 *corso Regina Margherita 13* ℘ *0184 689085, Fax 0184 684455.*
Roma 650 – Imperia 40 – Genova 151 – Milano 274 – Ventimiglia 11.

🏠 **Delle Rose**, via de Medici 17 ℘ *0184 689016, Fax 0184 689778,* « Piccolo giardino con piante esotiche » – 📺. ⁖ 🕃 ⓪ VISA. ⁙ rist
Pasto (solo per alloggiati) carta 45/65000 – **14 cam** ⌸ 105/140000 – ½ P 105000.

OSPEDALETTO *38050 Trento* **429** *D 16 – 839 ab. alt. 340.*
Roma 539 – Belluno 67 – Padova 89 – Trento 45 – Treviso 84.

✕ **Va' Pensiero**, località Pradanella 7/b (Est : 2,5 km) ℘ *0461 768383, Fax 0461 768270,* 🍽 – 🅿. ⁖ 🕃 ⓪ VISA. ⁙
chiuso dal 20 ottobre al 15 novembre e mercoledì – **Pasto** carta 55/70000.

OSPEDALETTO *Verona – Vedere Pescantina.*

OSPEDALICCHIO *Perugia* **430** *M 19 – Vedere Bastia Umbra.*

OSPITALETTO *25035 Brescia* **428**, **429** *F 12 – 10 623 ab. alt. 155.*
Roma 550 – Brescia 12 – Bergamo 45 – Milano 96.

✕ **Hosteria Brescia**, via Brescia 22 ℘ *030 640988, Fax 030 640988 –* ⁖ 🕃 ⓪ ⓪ VISA ⋯CB
chiuso agosto e lunedì – **Pasto** 25/35000 (solo a mezzogiorno) e carta 50/90000 (solo la sera).

OSSANA *38026 Trento* **429** *D 14 – 772 ab. alt. 1 003 – a.s. 29 gennaio-Pasqua e Natale.*
Roma 659 – Trento 74 – Bolzano 82 – Passo del Tonale 17.

🏠 **Pangrazzi**, frazione Fucine alt. 982 ℘ *0463 751108, Fax 0463 751359,* 🍽 – 🛗 📺 🛏 🅿.
🕃 ⓪ VISA. ⁙
dicembre-aprile e 15 giugno-10 settembre – **Pasto** carta 35/75000 – **30 cam** ⌸ 70/120000
– ½ P 110000.

OSTELLATO *44020 Ferrara* **429** *H 17 – 7 097 ab..*
Roma 395 – Ravenna 65 – Bologna 63 – Ferrara 33.

🏠 **Villa Belfiore** ⌂, via Pioppa 27 ℘ *0533 681164, Fax 0533 681172,* « Ambiente e arredi rustici » – 📺 🅿. ⁖ 🕃 ⓪ ⓪ VISA. ⁙
Pasto *(chiuso dal 1° al 15 febbraio e dal 1° al 15 ottobre)* 45000 – ⌸ 10000 – **10 cam**
120/150000 – ½ P 130000.

✕✕ **Locanda della Tamerice** con cam, via Argine Mezzano 2 (Est : 1 km) ℘ *0533 680795,*
🙂 *Fax 0533 681962, prenotare,* « Nelle valli di Ostellato », ⌸, 🍽 – 📺 🅿. ⁖ 🕃 ⓪ ⓪ VISA. ⁙
Pasto *(chiuso mercoledì)* carta 85/175000 – ⌸ 40000 – **6 cam** 150/180000 – ½ P 190000
Spec. Insalata di crostacei e frutta con zenzero e aceto balsamico tradizionale di Modena
(primavera-estate). Anguilla in umido con verze (inverno). Petto di germano reale con salsa
al mandarino e caffè (autunno-inverno).

OSTIA *Roma – Vedere risorse di Roma, Lido di Ostia (o di Roma) ed Ostia Antica.*

OSTIA ANTICA *00119 Roma* **430** *Q 18 G. Roma.*
Vedere *Piazzale delle Corporazioni*★★★ *– Capitolium*★★★ *– Foro*★★ *– Domus di Amore e
Psiche*★★★ *– Schola del Traiano*★★★ *– Terme dei Sette Sapienti*★ *– Terme del Foro*★ *– Casa di
Diana*★ *– Museo*★ *– Thermopolium*★★ *– Horrea di Hortensius*★ *– Mosaici*★★ *nelle Terme di
Nettuno.*
Roma 25 – Anzio 49 – Civitavecchia 69 – Latina 73 – Lido di Ostia o di Roma 4.

✕ **Monumento**, piazza Umberto I, 8 ℘ *06 5650021, Fax 06 5651723.* ⁖ 🕃 ⓪ ⓪ VISA. ⁙
chiuso lunedì – **Pasto** carta 45/75000.

OSTIGLIA *46035 Mantova* **429** *G 15 – 7 149 ab. alt. 15.*
Roma 460 – Verona 46 – Ferrara 56 – Mantova 33 – Milano 208 – Modena 56 – Rovigo 63.

sulla strada statale 12 *Nord : 6 km :*

✕ **Pontemolino-da Trida**, ✉ *46035* ℘ *0386 802380,* 🍽 – 🅿. ⁖ 🕃 ⓪ ⓪ VISA
chiuso dal 7 al 31 gennaio, dal 10 luglio al 6 agosto, lunedì sera e martedì – **Pasto** carta
45/65000.

OSTUNI 72017 Brindisi **431** E 34 *G. Italia – 32 765 ab. alt. 207 – a.s. luglio-15 settembre.*
Vedere *Facciata★ della Cattedrale.*
Dintorni *Regione dei Trulli★★★ Ovest.*
🛈 *corso Mazzini 6 ℘ 0831 301268.*
Roma 530 – Brindisi 42 – Bari 80 – Lecce 73 – Matera 101 – Taranto 52.

🏨 **Novecento** ⬣, contrada Ramunno Sud : 1,5 km ℘ 0831 305666, Fax 0831 305668, « una villa d'epoca », ⬟, 🖅 – 🗏 📺 📵, 🖭 🗄 ⬤ 🐠 *VISA*, 🍽 rist
Pasto (solo per alloggiati) 30/50000 – **16 cam** ⇌ 130/170000 – ½ P 130000.

✕✕ **Porta Nova**, via Petrarolo 38 ℘ 0831 338983, Fax 0831 338983, « Servizio estivo in ter razza panoramica » – 🖭 🗄 🐠 *VISA*, 🍽
chiuso dal 15 al 31 gennaio e mercoledi – **Pasto** carta 45/75000.

✕ **Spessite**, via Clemente Brancasi 43 ℘ 0831 302866, Fax 0831 302866, prenotar⬤ « Ambiente caratteristico » – 🖭 🗄 🐠 *VISA*, 🍽
chiuso novembre, a mezzogiorno (escluso luglio-agosto) e la domenica) e mercoledi bassa stagione – **Pasto** 35000 bc.

✕ **Osteria del Tempo Perso**, via Tanzarella Vitale 47 ℘ 0831 303320, Fax 0831 30332⬤ prenotare – 🖭 ⬤ 🐠 *VISA* 🗄 🍽
chiuso dal 10 al 31 gennaio, lunedi e a mezzogiorno (escluso domenica e i giorni festivi)
Pasto carta 35/60000.

a Costa Merlata *Nord-Est : 15 km –* ⊠ *72017 :*

🏨🏨 **Gd H. Masseria Santa Lucia** ⬣, strada statale 379 km 23,500 ℘ 0831 3560, *info@ma seriasantalucia.it, Fax 0831 304090*, « In un'antica masseria fortificata », ⬟, ⬟⬦, 🍽 – 🗏 📺 🕭 📵 – 🏛 1000. 🖭 🗄 ⬤ 🐠 *VISA*, 🍽
Pasto carta 70/115000 – **89 cam** ⇌ 400/500000, 4 suites – ½ P 235000.

OTRANTO 73028 Lecce **431** G 37 *G. Italia – 5 337 ab..*
Vedere *Cattedrale★ : pavimento★★★.*
Escursioni *Costa meridionale★ Sud per la strada S 173.*
🛈 *via Presbitero 8 ℘ 0836 801436.*
Roma 642 – Brindisi 84 – Bari 192 – Gallipoli 47 – Lecce 41 – Taranto 122.

🏨 **Degli Haethey**, via Francesco Sforza 33 ℘ 0836 801548, Fax 0836 801576, 🌣, ⬟ – 🗏 🗏 📺 📵, 🖭 🗄 ⬤ *VISA*, 🍽
Pasto 30000 – **21 cam** ⇌ 140/260000 (solo ½ P luglio-agosto) – ½ P 155000.

🏩 **Rosa Antico** senza rist, strada statale 16 ℘ 0836 801563, Fax 0836 801563, « Giardino agrumeto » – 🗏 📺 📵, 🗄 🐠 *VISA*, 🍽
10 cam ⇌ 90/150000.

🏩 **Minerva** senza rist, via Pioppi 46 ℘ 0836 804440, Fax 0836 804440 – 🗏 📺 🚗
10 cam ⇌ 80/140000.

✕✕ **Tenuta il Gambero** ⬣ con cam, litoranea per Porto Badisco Sud : 3 km ℘ 0836 801107, Fax 0836 801303, ≤, 🌣, prenotare, « In una masseria di origini duecente sche », 🖅 – 🗏 📺 📵, 🖭 🗄 ⬤ 🐠 *VISA*
Pasto specialità di mare carta 60/85000 – **14 suites** ⇌ 200/250000 – ½ P 150000.

✕✕ **Acmet Pascià**, via Lungomare degli Eroi ℘ 0836 801282, Fax 0836 801282, ≤, « Servizio estivo in terrazza panoramica »
Pasto carta 45/70000.

✕ **Vecchia Otranto**, corso Garibaldi 96 ℘ 0836 801575, Fax 0836 801575, 🌣 – 🗏, 🖭 🗄 ⬤ 🐠 *VISA*, 🍽
chiuso novembre e giovedi (escluso dal 15 giugno al 15 settembre) – **Pasto** carta 50/80000

OTTAVIANO 80044 Napoli **431** E 25 – *23 392 ab. alt. 190.*
Roma 240 – Napoli 22 – Benevento 70 – Caserta 47 – Salerno 42.

🏨 **Augustus** senza rist, viale Giovanni XXIII 61 ℘ 081 5288455, Fax 081 5288474 – 🛗 🗏 📺 – 🏛 25. 🖭 🗄 ⬤ 🐠 *VISA* 🗄,
Pasto (solo per alloggiati e *chiuso a mezzogiorno)* 30/50000 – **41 cam** ⇌ 160/220000 – ½ P 120000.

OTTONE *Livorno – Vedere Elba (Isola d') : Portoferraio.*

OVADA 15076 Alessandria **428** I 7 – *11 897 ab. alt. 186.*
Dintorni *Strada dei castelli dell'Alto Monferrato★ (o strada del vino) verso Serravalle Scrivia*
Roma 549 – Genova 50 – Acqui Terme 24 – Alessandria 40 – Milano 114 – Savona 61 – Torin⬤ 125.

XX **La Volpina**, strada Volpina 1 ℰ 0143 86008, Coperti limitati; prenotare, « Servizio estivo all'aperto » – 🅿, 🖪 🕚 🐠 𝘝𝘐𝘚𝘈 🅹🅲🅱
chiuso dal 22 dicembre al 10 gennaio, dall'8 al 29 agosto, la sera dei giorni festivi e lunedì –
Pasto 60/100000 (10 %) e carta 65/95000 (10 %).

●**VINDOLI** 67046 L'Aquila 430 P 22 – *1 222 ab. alt. 1 375 – a.s. 15 dicembre-12 aprile e luglio-22 settembre – Sport invernali : 1 375/2 000 m ≰ 5.*
Roma 129 – L'Aquila 36 – Frosinone 109 – Pescara 119 – Sulmona 55.

XX **Il Pozzo**, via Monumento dell'Alpino ℰ 0863 710191, prenotare, « Ambiente caratte-
⊛ ristico » – 🆎 🖪 🐠 𝘝𝘐𝘚𝘈, ⅍
chiuso dal 22 settembre al 5 ottobre e mercoledì in bassa stagione – **Pasto** carta 35/70000.

●**ACENTRO** 67030 L'Aquila 430 P 23 – *1 295 ab. alt. 650.*
Roma 171 – Pescara 78 – Avezzano 66 – Isernia 82 – L'Aquila 76.

X **Taverna De Li Caldora**, piazza Umberto I 13 ℰ 0864 41139, Fax 0864 41139, preno-
⊛ tare, « Servizio estivo in terrazza panoramica » – 🍽, 🆎 🖪 🕚 🐠 𝘝𝘐𝘚𝘈 🅹🅲🅱. ⅍
chiuso dal 1° al 15 ottobre, domenica sera e martedì – **Pasto** carta 40/70000.

●**ACIANO** 06060 Perugia 430 M 18 – *948 ab. alt. 391.*
Roma 163 – Chianciano Terme 23 – Perugia 45.

XX **La Locanda della Rocca** con cam, viale Roma 4 ℰ 075 830236, Fax 075 830155, ≼,
Coperti limitati; prenotare, « In un antica dimora ricavata da un vecchio mulino; servizio
ristor ante in giardino », �үⅇ – 📺 🅿, 🆎 🖪 🕚 🐠 𝘝𝘐𝘚𝘈
chiuso dal 15 gennaio a marzo – **Pasto** *(chiuso martedì)* carta 55/85000 – **9 cam** ⊇ 140/
250000 – ½ P 170000.

●**ADENGHE SUL GARDA** 25080 Brescia 428, 429 F 13 – *3 513 ab. alt. 115.*
Roma 526 – Brescia 36 – Mantova 53 – Verona 43.

🏨 **Locanda Santa Giulia** senza rist, lungolago Marconi 78 ℰ 030 99950, Fax 030 9995100,
🍽, 🌿 – 📱, ⅍ cam, 🍽 📺 ∀ ⅙ 🚗 🅿 – 🛄 150. 🆎 🖪 🕚 🐠 𝘝𝘐𝘚𝘈 🅹🅲🅱. ⅍
22 cam ⊇ 160/240000, 18 appartamenti 160/380000.

●**ADERNO DI PONZANO** Treviso – *Vedere Ponzano Veneto.*

●**ADERNO FRANCIACORTA** 25050 Brescia 428 F 12 – *3 237 ab. alt. 183.*
Roma 550 – Brescia 15 – Milano 84 – Verona 81.

🏨 **Franciacorta** senza rist, via Donatori di Sangue 10 ℰ 030 6857085, Fax 030 6857082 – 📱
🍽 📺 🚗 🅿, 🆎 🖪 🕚 🐠 𝘝𝘐𝘚𝘈. ⅍
chiuso agosto – ⊇ 15000 – **24 cam** 120/160000.

●**ADOLA** Belluno – *Vedere Comelico Superiore.*

●**PADOVA** 35100 🅿 429 F 17 G. Italia – *211 391 ab. alt. 12.*
Vedere *Affreschi di Giotto***★★★**, *Vergine★ di Giovanni Pisano nella cappella degli Scrovegni
DY – Basilica del Santo***★★** *DZ – Statua equestre del Gattamelata***★★** *DZ A – Palazzo della
Ragione★ DZ J : salone★ – Pinacoteca Civica★ DY M – Chiesa degli Eremitani★ DY :
affreschi di Guariento★★ – Oratorio di San Giorgio★ DZ B – Scuola di Sant'Antonio★ DZ B –
Piazza della Frutta★ DZ 25 – Piazza delle Erbe★ DZ 20 – Torre dell'Orologio★ (in piazza dei
Signori CYZ) – Pala d'altare★ nella chiesa di Santa Giustina DZ.*
Dintorni *Colli Euganei★ Sud-Ovest per ⑥.*
🏌 *Montecchia (chiuso lunedì) a Selvazzano Dentro ⊠ 35030 ℰ 049 8055550, Fax 049
8055737, Ovest : 8 km;*
🏌 *Frassanelle (chiuso martedì) ⊠ 35030 Frassanelle di Rovolon ℰ 049 9910722, Fax 049
9910691, Sud-Ovest : 20 km;*
🏌 *(chiuso lunedì e gennaio) a Valsanzibio di Galzignano ⊠ 35030 ℰ 049 9130078, Fax 049
9131193, Est : 21 km.*
🛫 *Stazione Ferrovie Stato ⊠ 35131 ℰ 049 8752077, Fax 8755008 – (aprile-ottobre) piazza
del Santo ⊠ 35123 ℰ 049 8753087 – Galleria Pedrocchi ℰ 049 8766860, Fax 049 8363316.*
A.C.I. *via Enrico degli Scrovegni 19 ⊠ 35131 ℰ 049 654733.*
Roma 491 – Milano 234 – Venezia 42 – Verona 81.

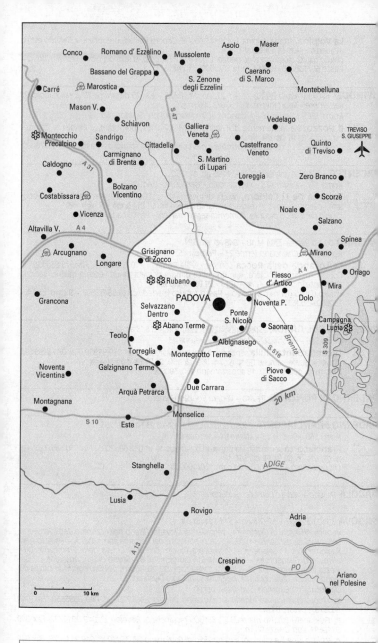

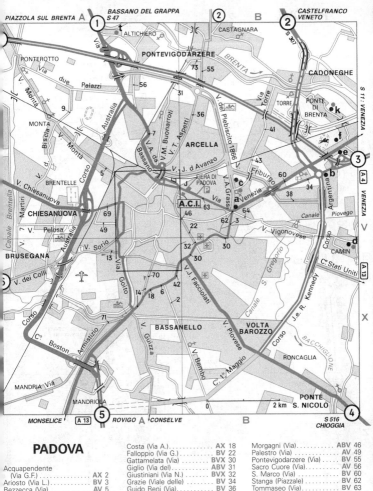

PADOVA

Acquapendente
  (Via G.F.) . . . . **AX** 2
Ariosto (Via L.). . . . . **BV** 3
Bezzecca (Via) . . . . **AV** 5
Bruno (Via G.) . . . . **AX** 6
Camerini (Cavalcavia) . . . . . . **AV** 7
Capitello (Via) . . . . **AV** 9
Castelfidardo (Via). . . . . **AX** 13
Cavallotti (Viale F.). . . . . **AX** 14

Costa (Via A.). . . . . **AX** 18
Falloppio (Via G.). . . . . **BV** 22
Gattamelata (Via) . . . . **BVX** 30
Giglio (Via del). . . . . **ABV** 31
Giustiniani (Via N.) . . . . **BVX** 32
Grazie (Viale delle) . . . . **BV** 34
Guido Reni (Via). . . . . **BV** 36
Industria (Viale dell') . . . . **BV** 38
Madonna
  della Salute (Via) . . . . **AX** 41
Manzoni (Via A.) . . . . **AX** 42
Maroncelli (Via) . . . . **BV** 43

Morgagni (Via) . . . . **ABV** 46
Palestro (Via) . . . . **AV** 49
Pontevigodarzere (Via) . . . . . **BV** 55
Sacro Cuore (Via). . . . . **AV** 56
S. Marco (Via) . . . . **BV** 60
Stanga (Piazzale) . . . . **BV** 62
Tommaseo (Via). . . . . **BV** 63
Turazza (Via) . . . . **BV** 64
Vicenza (Via) . . . . **AV** 69
Vittorio Emanuele II (Cso) . . **AX** 70
Vittorio Veneto (Via) . . . . **AV** 71
Vivarini (Via) . . . . **BV** 73

Grand'Italia M̄ senza rist, corso del Popolo 81 ⊠ 35131 ℰ 049 8761111, *info@granditali
a.it, Fax 049 8750850* – |🛗| ▤ 🗹 – 🔬 70. 歴 🕲 🕕 🐠 🗺. ⋘   DY a
58 cam ⊇ 240/340000, 3 suites.

Plaza, corso Milano 40 ⊠ 35139 ℰ 049 656822, *plazapd@gpnet.it, Fax 049 661117* – |🛗|,
⋘ cam, ▤ 🗹 📞 ఈ 🚗 – 🔬 150. 歴 🕲 🕕 🐠 🗺. ⋘ rist   CY m
Pasto *(chiuso agosto, domenica e a mezzogiorno)* carta 65/85000 – **137 cam** ⊇ 220/
330000, 5 suites.

Milano M̄, via Bronzetti 62 ⊠ 35138 ℰ 049 8712555 e rist. ℰ 049 8715804,
Fax 049 8713923 – |🛗| ▤ 🗹 ఈ 🄿. – 🔬 30. 歴 🕲 🕕 🐠 🗺. ⋘   CY g
Pasto al Rist. **Porta Savonarola** *(chiuso sabato sera e domenica)* carta 45/70000 – **81 cam**
⊇ 190/250000.

PADOVA

Altinate (Via) .... **DYZ**
Carmine (Via del) .... **DY** 10
Cavour (Piazza e Via) .... **DY** 15
Cesarotti (Via M.) .... **DZ** 17
Dante (Via) .... **CY**
Erbe (Piazza delle) .... **DZ** 20
Eremitani (Piazza) .... **DY** 21
Filiberto (Via E.) .... **DY** 24

Frutta (Piazza della) .... **DZ** 25
Garibaldi (Corso) .... **DY** 27
Garibaldi (Piazza) .... **DZ** 28
Gasometro
  (Via dell'ex) .... **DY** 29
Guariento (Via) .... **DY** 35
Insurrezione (Piazza) .... **DY** 39
Monte di Pietà
  (Via del) .... **CZ** 45
Petrarca (Via) .... **CY** 50
Ponte Molino (Vicolo) .... **CY** 52

Ponti Romani (Riviera dei) ... **DYZ** 5
Roma (Via) .... **DZ**
S. Canziano (Via) .... **DZ** 5
S. Fermo (Via) .... **DY**
S. Lucia (Via) .... **DY** 5
Vandelli (Via D.) .... **CZ** 6
Verdi (Via G.) .... **CY** 6
Vittorio Emanuele II
  (Corso) .... **CZ** 7
8 Febbraio (Via) .... **DY** 7
58 Fanteria (Via) .... **DZ** 7

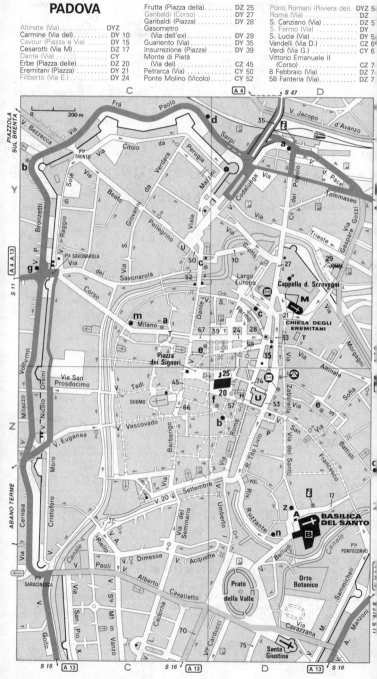

🏨 **Biri,** via Grassi 2 ✉ 35129 ✆ 049 8067700 e rist ✆ 049 8075023, *biripd@bestwestern.it*,
🐚 Fax 049 8067748, *f₆* – 🛗 ≡ 📺 ☎ 🅿 – 🛗 75. 🖭 🕄 ⊙ ⓿ 🎴. ※
        BV **a**
chiuso dal 24 dicembre al 6 gennaio – **Pasto** *(chiuso domenica)* carta 35/70000 – **87 cam**
🔲 170/260000, 5 suites.

🏨 **Europa,** largo Europa 9 ✉ 35137 ✆ 049 661200, Fax 049 661508 – 🛗 ≡ 📺 – 🛗 50. 🖭 🕄
⊙ ⓿ 🎴. ※ rist
        DY **c**
Pasto *(chiuso agosto, sabato a mezzogiorno e domenica)* carta 50/75000 – **64 cam**
🔲 200/245000.

🏨 **Giovanni,** via Mamiani 17 ✉ 35129 ✆ 049 8073382, Fax 049 8075657 – 🛗 ≡ 📺 ❤ 🅿 –
🛗 30. 🖭 🕄 ⊙ ⓿ 🎴
        BV **c**
chiuso agosto – **Pasto** *vedere rist* **Da Giovanni** – **34 cam** 🔲 150/220000.

🏨 **Donatello,** via del Santo 102/104 ✉ 35123 ✆ 049 8750634, *info@hoteldonatello.net*,
Fax 049 8750829, ≤, « Servizio rist. estivo in terrazza » – 🛗 ≡ 📺 ☎ – 🛗 35. 🖭 🕄 ⊙ ⓿
🎴 🎴
        DZ **z**
chiuso dal 15 dicembre al 15 gennaio – **Pasto** al Rist. **Sant'Antonio** *(chiuso dal 9 dicembre
al 15 gennaio, dal 1° al 15 luglio e mercoledì escluso da luglio a settembre)* carta 55/80000
(12%) – 🔲 20000 – **45 cam** 170/270000 – ½ P 190000.

🏨 **Majestic Toscanelli** senza rist, via dell'Arco 2 ✉ 35122 ✆ 049 663200, *majestic@toscan
elli.com.*, Fax 049 8760025 – 🛗 ≡ 📺 ❤. 🖭 🕄 ⊙ ⓿ 🎴. ※
        DZ **b**
32 cam 🔲 195/295000.

🏠 **Al Fagiano** senza rist, via Locatelli 45 ✉ 35123 ✆ 049 8753396, *alfagiano@libero.it*,
Fax 049 8753396 – 🛗 ≡ 📺. 🖭 🕄 ⊙ ⓿ 🎴
        DZ **n**
🔲 12000 – **29 cam** 95/130000.

🏠 **Al Cason,** via Frà Paolo Sarpi 40 ✉ 35138 ✆ 049 662636, Fax 049 8754217 – 🛗 ≡ 📺 ❤
☎ – 🛗 30. 🖭 🕄 ⊙ ⓿ 🎴. ※ cam
        CDY **d**
Pasto *(chiuso dal 24 dicembre al 6 gennaio, dal 28 luglio al 3 settembre, sabato e dome-
nica)* carta 45/60000 – 🔲 12000 – **48 cam** 120/160000 – ½ P 110000.

🏠 **Igea** senza rist, via Ospedale Civile 87 ✉ 35121 ✆ 049 8750577, *hoteligeapd@iol.it*,
Fax 049 660865 – 🛗 ≡ 📺 ☎. 🖭 🕄 ⊙ ⓿ 🎴 🎴
        DZ **d**
🔲 15000 – **49 cam** 110/145000.

XXX **Antico Brolo,** corso Milano 22 ✉ 35139 ✆ 049 664555, Fax 049 656088, 🏡, prenotare
– ≡. 🖭 🕄 ⊙ ⓿ 🎴
        CY **a**
chiuso lunedì – **Pasto** carta 65/105000 (18%).

XXX **Belle Parti,** via Belle Parti 11 ✉ 35139 ✆ 049 8751822, Fax 049 8751822, Coperti limitati;
prenotare – ≡. 🖭 🕄 ⊙ ⓿ 🎴 🎴. ※
        CDY **e**
chiuso agosto e domenica – **Pasto** carta 65/105000.

XX **La Vecchia Enoteca,** via San Martino e Solferino 32 ✉ 35122 ✆ 049 8752856,
Fax 049 8752856, Coperti limitati; prenotare – ≡. ⓿ 🎴
        DZ **f**
chiuso dal 27 luglio al 15 agosto, domenica e lunedì a mezzogiorno – **Pasto** carta 55/75000.

XX **Casa Veneta,** vicolo Ponte Molino 11/15 ✉ 35137 ✆ 049 8758699, Fax 049 8758699 –
≡. 🖭 🕄 ⊙ ⓿ 🎴
        CY **c**
chiuso dal 3 al 25 agosto, domenica e lunedì a mezzogiorno – **Pasto** carta 50/75000.

XX **Ai Porteghi,** via Cesare Battisti 105 ✉ 35121 ✆ 049 8761720, prenotare – ≡. 🖭 🕄 ⊙
⓿ 🎴. ※
        DZ **e**
chiuso agosto, domenica e lunedì a mezzogiorno – **Pasto** carta 50/80000.

XX **Bastioni del Moro,** via Bronzetti 18 ✉ 35138 ✆ 049 8710006, *bastionidelmoro@tiscalin
et.it*, Fax 049 8710006, 🏡 – ≡. 🖭 🕄 ⊙ ⓿ 🎴. ※
        CY **b**
chiuso dal 10 al 23 agosto e domenica – **Pasto** carta 40/65000.

X **Giovanni** - Hotel Giovanni, via Maroncelli 22 ✉ 35129 ✆ 049 772620, Fax 049 772620 – ≡
🅿. 🖭 🕄 ⊙ ⓿ 🎴. ※
        BV **c**
*chiuso dal 24 dicembre al 2 gennaio, dal 26 luglio al 26 agosto, sabato a mezzogiorno e
domenica* – **Pasto** carta 50/85000.

a Camin *Est : 4 km per A 4* BX – ✉ 35127 :

🏨 **Admiral** senza rist, via Vigonovese 90 ✆ 049 8700240, Fax 049 8700330 – 🛗 ≡ 📺 ♿ 🅿 –
🛗 65. 🖭 🕄 ⊙ ⓿ 🎴
        BX **d**
🔲 10000 – **40 cam** 135/195000.

XX **Bion,** via Vigonovese 427 ✆ 049 8790400, Fax 049 8790064 – ≡ 🅿. 🖭 🕄 ⊙ ⓿ 🎴 🎴.
※   2 km per via Vigonovese
chiuso dal 26 dicembre al 7 gennaio, dal 1° al 25 agosto e domenica – **Pasto** carta
45/65000.

X **Vecchia Pesa,** via Vigonovese 92 ✆ 049 8702070, Fax 049 8702070, Rist. e pizzeria – 🖭
🐚 🕄 ⊙ ⓿ 🎴
        BX **d**
chiuso dal 10 al 31 agosto, sabato a mezzogiorno e domenica – **Pasto** carta 40/55000.

in prossimità casello autostrada A 4 *Nord-Est : 5 km per S 11* BV :

🏨🏨🏨🏨 **Sheraton Padova Hotel,** corso Argentina 5 ✉ 35129 ☎ 049 8998299, *hotel@sheranpadova.it, Fax 049 8070660,* 🏋 – 🛗, 🚭 cam, ❄ [TV] 📞 ♿ [P] – 👥 600. [AE] [S] ⦿ MC VISA JCB. 🐕 rist BV
Pasto al Rist. ***Les Arcades*** *(chiuso domenica)* carta 70/100000 – **224 cam** ☕ 365/440000, suites.

ad Altichiero *Nord : 6 km per S 47* AV – ✉ *35135 Padova :*

🍴🍴 **Antica Trattoria Bertolini,** via Altichiero 162 ☎ 049 600357, *Fax 049 600357,* ⛱ – [P]. [AE] [S] ⦿ MC VISA. 🐕 AV
chiuso dal 1º al 20 agosto, venerdì sera e sabato – **Pasto** carta 40/50000.

a Ponte di Brenta *Nord-Est : 6 km per S 11* BV – ✉ *35129 :*

🏨🏨🏨 **Le Padovanelle,** via Chilesotti 1 ☎ 049 625622, *Fax 049 625320,* ♨, 🏊, [🏊], 🎾 – ❄ ♿ [P] – 👥 200. [AE] [S] ⦿ MC VISA. 🐕 BV
Pasto *(chiuso domenica sera e lunedì)* carta 65/95000 – **40 cam** ☕ 210/280000 ½ P 170000.

🏨🏨 **Brenta** senza rist, strada San Marco 128 ☎ 049 629800, *Fax 049 628988* – 🛗 ❄ [TV] 🚗 [AE] [S] ⦿ MC VISA. 🐕 BV
61 cam ☕ 160/250000.

🏨 **Sagittario** 🌙, via Randaccio 6, località Torre ☎ 049 725877, *hsagit@hotelsagittario.com Fax 049 8932112,* 🌳 – 🛗 ❄ [TV] [P] – 👥 30. [AE] [S] ⦿ MC VISA. 🐕 BV
chiuso dal 24 dicembre al 6 gennaio ed agosto – **Pasto** vedere rist ***Dotto di Campagna*** ☕ 15000 – **41 cam** 125/170000.

🍴🍴 **Dotto di Campagna,** via Randaccio 4, località Torre ☎ 049 625469, *risdotto@hotelsagtario.com, Fax 049 8932112,* 🌳 – 🚭 ❄ [P]. [AE] [S] ⦿ MC VISA. 🐕 BV
chiuso dal 26 dicembre al 6 gennaio, agosto, domenica sera e lunedì – **Pasto** carta 50/75000.

*Per l'inserimento in **guida**,*
***Michelin** non accetta*
né favori, né denaro!

PAESTUM *84063 Salerno* [431] F 27 *G. Italia – a.s. Pasqua e 15 giugno-15 settembre.*
Vedere *Rovine★★★ – Museo★★.*
ℹ *via Magna Grecia 165 (zona Archeologica)* ☎ *0828 811016, Fax 0828 722322.*
Roma 305 – Potenza 98 – Napoli 99 – Salerno 48.

🏨🏨🏨🏨 **Ariston Hotel,** via Laura 13 ☎ 0828 851333, *sales@hotelariston.com, Fax 0828 851596* 🏋, ♨, 🏊, [🏊], 🎾 – 🛗 ❄ [TV] [P] – 👥 1000. [AE] [S] ⦿ MC VISA. 🐕
Pasto carta 50/80000 – ☕ 25000 – **110 cam** 220/250000, suite – ½ P 200000.

🏨🏨🏨 **Schuhmann** 🌙, via Marittima ☎ 0828 851151, *schumann@paestum.it Fax 0828 851183,* ◁, « Terrazza giardino in riva al mare », 🏖 – 🚭 cam, ❄ [TV] 🚗 [P] – 👥 100. [AE] [S] ⦿ MC VISA JCB. 🐕
Pasto (solo per alloggiati) 55/70000 – **53 cam** ☕ 250/300000 – ½ P 175000.

🏨🏨🏨 ◎ **Esplanade** 🌙, via Poseidonia ☎ 0828 851043, *esplanade@paestum.it, Fax 0828 851600* « Giardino con 🏊 », 🏖, 🎾 – 🛗, 🚭 cam, ❄ [TV] 🅿 – 👥 120. [AE] [S] ⦿ MC VISA. 🐕
Pasto carta 35/50000 – **28 cam** ☕ 110/170000 – ½ P 155000.

🏨🏨 **Helios** 🌙, via Nettuno 1, zona archeologica ☎ 0828 811451, *Fax 0828 811600,* 🏊, 🌳 – [P] – 👥 100. [AE] [S] ⦿ MC VISA. 🐕 rist
Pasto (solo per alloggiati) 30/50000 – **17 cam** ☕ 130/160000 – ½ P 130000.

🏨🏨 ◎ **Le Palme** 🌙, via Sterpina 33 ☎ 0828 851025, *lepalme@paestum.it, Fax 0828 851507,* 🏊, 🏖, 🌳, 🎾 – 🛗 ❄ [TV] 🚗 [P] – 👥 250. [AE] [S] ⦿ MC VISA. 🐕
15 marzo-ottobre – **Pasto** carta 35/55000 – **50 cam** ☕ 140/220000 – ½ P 160000.

🏨 **Paistos,** via Laura mare ☎ 0828 851683, *paistos@paestum.it, Fax 0828 851661,* ⛱ – 🛗 [TV] 🅿. [AE] [S] ⦿ VISA. 🐕
chiuso dal 10 al 25 febbraio – **Pasto** *(maggio-settembre; prenotare)* carta 40/65000 – **10 cam** ☕ 140/160000 – ½ P 135000.

🏨 **Villa Rita** 🌙, zona archeologica ☎ 0828 811081, *Fax 0828 722555,* 🏊, 🌳 – [P]. [AE] [S] ⦿ MC VISA. 🐕
15 marzo-ottobre – **Pasto** (solo per alloggiati) – **15 cam** ☕ 110/140000 – ½ P 100000.

🍴🍴 ◎ **Nettuno,** zona archeologica ☎ 0828 811028, *Fax 0828 811028,* ⛱, « Servizio estivo in veranda con ◁ basilica e tempio di Nettuno », 🌳 – [P]. [AE] [S] ⦿ MC VISA. 🐕
chiuso dal 12 al 18 novembre, 24 e 25 dicembre, la sera da novembre a febbraio escluso venerdì, sabato, luglio e agosto – **Pasto** 25/40000 e carta 45/70000 (10 %).

✗ **Oasi**, via Magna Grecia 72, zona archeologica ✆ 0828 811935, *rist_oasi@mail.xcom.it*, Fax 0828 811935, 🏠, Rist. e pizzeria – 🅿. 🖭 🕄 ⓪ 𝖵𝖨𝖲𝖠. ✸
chiuso martedì (escluso da aprile a settembre) – **Pasto** carta 40/70000 (10%).

✗ **Nonna Sceppa**, via Laura 53 ✆ 0828 851064, *nsceppa@tin.it*, Fax 0828 851064, 🏠, Rist. e pizzeria serale – 🅿. 🕄 𝖵𝖨𝖲𝖠. ✸
chiuso giovedì in bassa stagione – **Pasto** carta 35/80000 (10%).

AGANICA *L'Aquila* 🔢 O 22 – *Vedere L'Aquila.*

ALADINA *Bergamo – Vedere Almè*

ALAU *Sassari* 🔢 D 10 – *Vedere Sardegna alla fine dell'elenco alfabetico.*

ALAZZOLO ACREIDE *Siracusa* 🔢 P 26 – *Vedere Sicilia alla fine dell'elenco alfabetico.*

ALAZZOLO SULL'OGLIO *25036 Brescia* 🔢, 🔢 F 11 – *17 110 ab. alt. 166.*
Roma 581 – Bergamo 26 – Brescia 32 – Cremona 77 – Lovere 38 – Milano 69.

🏠 **Villa e Roma** senza rist, via Bergamo 35 ✆ 030 731203, Fax 030 731574, « Parco-giardino » – 🛗, 🖭 cam, 🖭 & 🅿. 🖭 🕄 ⓪ 𝖵𝖨𝖲𝖠. ✸
chiuso agosto – 🍽 10000 – **25 cam** 90/130000.

✗✗✗ **Italia**, piazza Roma 31 ✆ 030 7401112, *ristoranteitalia@polimedia.it*, Coperti limitati; prenotare. 🕄 ⓪ 𝟬𝟬 𝖵𝖨𝖲𝖠. ✸
chiuso dal 1° all'8 gennaio, agosto, domenica sera e lunedì – **Pasto** 60000 e carta 50/95000.

✗ **La Corte**, via San Pancrazio 41 ✆ 030 7402136, prenotare – 🅿. 🖭 🕄 ⓪ 𝟬𝟬 𝖵𝖨𝖲𝖠 𝖩𝖢𝖡. ✸
chiuso dal 7 al 17 gennaio, dal 7 al 30 agosto, sabato a mezzogiorno e lunedì – **Pasto** carta 50/70000.

✗ **Osteria della Villetta**, via Marconi 104 ✆ 030 7401899
chiuso domenica e lunedì – **Pasto** carta 40/70000.

a **San Pancrazio** *Nord-Est : 3 km –* ✉ *25036 Palazzolo sull'Oglio :*
✗✗ Hostaria al Portico, piazza Indipendenza 9 ✆ 030 7386164, Fax 030 738183, 🏠, 🌳.

PALAZZUOLO SUL SENIO *50035 Firenze* 🔢 I 16 – *1 322 ab. alt. 437.*
Roma 318 – Bologna 86 – Firenze – 56 – Faenza 46.

✗✗ **Locanda Senio** con cam, borgo dell'Ore 1 ✆ 055 8046019, *locanda.senio@newnet.it*, Fax 055 8046485, prenotare, « Locale caratteristico con servizio estivo sotto un pergolato » – 🖭, 🖭 🕄 ⓪ 𝟬𝟬
chiuso gennaio e febbraio – **Pasto** *(chiuso a mezzogiorno escluso i week-end, martedì e mercoledì escluso da giugno a settembre)* 60/80000 e carta 60/95000 – **6 cam** 🍽 230000, 2 suites – ½ P 190000.

PALERMO 🅿 🔢 M 22 – *Vedere Sicilia alla fine dell'elenco alfabetico.*

PALESE *70057 Bari* 🔢 D 32 – *a.s. 21 giugno-settembre.*
✈ *Sud-Est : 2 km* ✆ 080 5316186, Fax 080 5316212.
Roma 441 – Bari 10 – Foggia 124 – Matera 66 – Taranto 98.

🏠 **Vittoria Parc Hotel** 🖭, via Nazionale 10/f ✆ 080 5306300, Fax 080 5301300, 🏊, – 🛗 🖭 🖭 & 🚗 🅿 – 🔺 200. 🖭 🕄 ⓪ 𝟬𝟬 𝖵𝖨𝖲𝖠 𝖩𝖢𝖡. ✸
Pasto carta 50/70000 – **102 cam** 🍽 195/280000 – ½ P 180000.

PALESTRINA *00036 Roma* 🔢 Q 20 *G. Roma – 17 413 ab. alt. 465.*
Roma 39 – Anzio 69 – Frosinone 52 – Latina 58 – Rieti 91 – Tivoli 27.

🏠 **Stella**, piazzale della Liberazione 3 ✆ 06 9538172, *info@hotelstella.it*, Fax 06 9573360 – 🛗, 🖭 rist, 🖭. 🖭 🕄 ⓪ 𝟬𝟬 𝖵𝖨𝖲𝖠 𝖩𝖢𝖡. ✸
Pasto carta 30/50000 (12%) – 🍽 8000 – **28 cam** 80/110000 – ½ P 80000.

✗ Il Piscarello, via del Piscarello 2 ✆ 06 9574326, Fax 06 9537751, 🏠 – 🖭 🅿.

| Les prix | Pour toutes précisions sur les prix indiqués dans ce guide, reportez-vous aux pages de l'introduction. |

PALIANO *03018 Frosinone* [430] Q 21 – *7 686 ab. alt. 476.*
Roma 61 – Frosinone 36 – Avezzano 55 – Latina 62.

verso Colleferro *Sud-Ovest : 8 km :*

🍴🍴 **Il Cardinale,** località La Selva ☎ 0775 533611, *Fax 0775 533697,* ☂ – ▤ [P]. [AE] [S] ⓓ [MC] [VISA]
chiuso martedì – **Pasto** carta 40/55000.

PALINURO *84064 Salerno* [431] G 27 – *a.s. luglio-agosto.*
Roma 376 – Potenza 173 – Napoli 170 – Salerno 119 – Sapri 49.

🏨 **King's Residence Hotel** 🌙, Piano Faracchio, località Buondormire ☎ 0974 931324 *Fax 0974 931418,* « Terrazze fiorite con ≤ mare e costa », Fš, ≘s, ⛱, 🎾, ☂ – |‡| ▤ [TV] [P] – 🏛 400. [AE] [S] ⓓ [MC] [VISA]. ✗
marzo-novembre – **Pasto** 45/80000 – **67 cam** ☐ 300/480000 – ½ P 270000.

🏨 **Gd H. San Pietro** 🌙, via Pisacane ☎ 0974 931914, *hotelsanpietro@tiscalinet.it* *Fax 0974 931919,* ≤ mare e costa, ⛱, 🎾 – |‡| ▤ [TV] ♿ [P] – 🏛 200. [AE] [S] ⓓ [MC] [VISA]. ✗
aprile-settembre – **Pasto** (solo per alloggiati) carta 45/95000 – **49 cam** ☐ 300/355000 – ½ P 225000.

🏨 **Lido Ficocella,** via Ficocella ☎ 0974 931051, *info@ficocellahotel.it, Fax 0974 931997* – |‡| ▤ rist, [TV]. [AE] [S] ⓓ [MC] [VISA]. ✗
Pasqua-ottobre – **Pasto** carta 30/50000 – ☐ 9000 – **35 cam** 70/110000 – ½ P 100000.

sulla strada statale 447 r *Nord-Ovest : 1,5 km :*

🏨 Saline 🌙, via Saline ✉ 84064 ☎ 0974 931112, *Fax 0974 931243,* ≤, 🌳, ⛱ con acqua di mare, 🎾, 🍴 – |‡| ▤ [TV] [P]
stagionale – **50 cam.**

PALLANZA *Verbania* [428] E 7 – *Vedere Verbania.*

PALLUSIEUX *Aosta* [219] ① – *Vedere Pré-Saint-Didier.*

PALMANOVA *33057 Udine* [429] E 21 – *5 354 ab. alt. 26.*
Roma 612 – Udine 31 – Gorizia 33 – Grado 28 – Pordenone 57 – Trieste 50.

🏨 **Commercio** senza rist, borgo Cividale 15 ☎ 0432 928200, *Fax 0432 923568* – |‡| [TV]. [AE] [S] ⓓ [MC] [VISA] [JCB]
33 cam ☐ 70/105000.

🍴 **Da Gennaro,** borgo Cividale 17 ☎ 0432 928740, Rist. e pizzeria – ▤. [AE] [S] ⓓ [MC] [VISA]. ✗
chiuso dal 1° al 7 febbraio, dal 1° al 15 luglio e giovedì – **Pasto** carta 30/65000.

PALMI *89015 Reggio di Calabria* [431] L 29 *G. Italia* – *19 597 ab. alt. 250.*
Roma 619 – Reggio di Calabria 48 – Catanzaro 116 – Cosenza 145.

🏨 **Arcobaleno,** via provinciale per Taureana Nord : 3 km ☎ 0966 479380, *Fax 0966 479460,* ≘s, ⛱, 🍴 – |‡| ▤ [TV] [P] – 🏛 700. [AE] [S] ⓓ [MC] [VISA] [JCB]. ✗
Pasto carta 40/60000 – ☐ 15000 – **51 cam** 200/230000, suite – ½ P 170000.

PALUS SAN MARCO *Belluno* [429] C 18 – *Vedere Auronzo di Cadore.*

PANAREA (Isola) *Messina* [431], [432] L 27 – *Vedere Sicilia (Eolie, isole) alla fine dell'elenco alfabetico.*

PANCHIÀ *38030 Trento* [429] D 16 – *667 ab. alt. 981 – a.s. 23 gennaio-Pasqua e Natale.*
[i] *(luglio-agosto) via Nazionale 32* ☎ *0462 241170.*
Roma 656 – Bolzano 50 – Trento 59 – Belluno 84 – Canazei 31 – Milano 314.

🏨 **Rio Bianco,** via Nazionale 42 ☎ 0462 813077, *hotel.rio.bianco@interline.it,* *Fax 0462 815045,* ≤, « Giardino ombreggiato con ⛱ riscaldata », ≘s, ⛱, 🍴 – |‡| [TV] [P]. [AE] [S] ⓓ [MC] [VISA]. ✗
dicembre-20 aprile e 20 giugno-15 settembre – **Pasto** (solo per alloggiati) 30/50000 – ☐ 15000 – **19 cam** 110/160000 – ½ P 130000.

PANDINO 26025 Cremona🅘🅐🅔🅑 F 10 – 7 601 ab. alt. 85.
Roma 556 – Bergamo 36 – Cremona 52 – Lodi 12 – Milano 35.

a Nosadello Ovest : 2 km – ⊠ 26025 Pandino :

XX **Volpi,** via Indipendenza 36 ℘ 0373 90100, 🏤 – ≡ 🅟. 🆎 🅱 🐵 🆅🅸🆂🅰
(❀) chiuso dal 1° al 10 gennaio, dal 15 al 30 agosto, domenica sera e lunedì – Pasto carta 50/65000.

PANICALE 06064 Perugia🅘🅐🅞 M 18 – 5 382 ab. alt. 441.
📓 Lamborghini Panicale (chiuso mercoledì escluso da marzo ad ottobre) ℘ 075 837582, fax 075 837582.
Roma 158 – Perugia 39 – Chianciano Terme 33.

XX **Le Grotte di Boldrino** con cam, via Virgilio Ceppari 30 ℘ 075 837161, Fax 075 837166, 🏤 – 📺 – 🔬 50. 🆎 🅱 🅾 🐵 🆅🅸🆂🅰
Pasto (chiuso mercoledì da ottobre a marzo) carta 45/70000 – 🖭 10000 – **11 cam** 110/120000 – ½ P 110000.

a Colle San Paolo Sud-Est : 11 km – ⊠ 06070 Fontignano :

🏨 **Villa di Monte Solare** 🦢, via Montali 7 ℘ 075 8355818, Fax 075 8355462, ≤ colline, « Villa patrizia fine 700 e annessa fattoria », 🌊, 🏖️ – 📺 🅟. 🆎 🅱 🅾 🐵 🆅🅸🆂🅰 🅹🅲🅱. 🏖️ rist
chiuso dal 15 dicembre al 15 gennaio – Pasto (chiuso a mezzogiorno) carta 50/80000 – **13 cam** 🖭 170/310000, 7 suites 360/380000 – ½ P 230000.

PANNESI Genova – Vedere Lumarzo.

PANTELLERIA (Isola di) Trapani🅘🅐🅝 Q 17, 18 – Vedere Sicilia alla fine dell'elenco alfabetico.

PANZA Napoli – Vedere Ischia (Isola d') : Forio.

PANZANO Firenze – Vedere Greve in Chianti.

PARABIAGO 20015 Milano🅘🅐🅔🅑 F 8, 🅘🅘🅘 ⑱ – 24 047 ab. alt. 180.
Roma 598 – Milano 21 – Bergamo 73 – Como 40.

🏨 **Del Riale** senza rist, via S. Giuseppe 1 ℘ 0331 554600, hotelriale@hotelriale.it, Fax 0331 490667 – 🛗 ≡ 📺 📞 🕭 🚗 – 🔬 90. 🆎 🅱 🅾 🐵 🆅🅸🆂🅰
chiuso dal 5 al 27 agosto – 🖭 20000 – **37 cam** 170/250000.

XX **Da Palmiro,** via del Riale 16 ℘ 0331 552024, Fax 0331 492612 – ≡. 🆎 🅱 🅾 🐵 🆅🅸🆂🅰 🏖️
chiuso dal 1° al 7 gennaio e martedì – Pasto specialità di mare 35/40000 (solo a mezzogiorno) e carta 55/95000.

PARADISO Udine – Vedere Pocenia.

PARAGGI 16038 Genova🅘🅐🅔🅑 J 9.
Roma 484 – Genova 35 – Milano 170 – Rapallo 7 – La Spezia 86.

🏨 **Paraggi,** lungomare Paraggi ℘ 0185 289961, Fax 0185 286745, ≤ – 🛗 ≡ 📺. 🆎 🅱 🅾 🐵 🆅🅸🆂🅰 🏖️ rist
chiuso gennaio – Pasto carta 70/140000 (10%) – 🖭 30000 – **18 cam** 350/700000 – ½ P 450000.

🏨 **Argentina,** via Paraggi a Monte 56 ℘ 0185 286708, hotel_argentina@tin.it, Fax 0185 284894 – 📺. 🆎 🅱 🅾 🐵 🆅🅸🆂🅰 🅹🅲🅱. 🏖️ rist
15 dicembre-10 gennaio e 15 marzo-ottobre – Pasto carta 60/85000, da maggio a settembre al Rist. **Bagni Fiori** – **12 cam** 🖭 160/180000 – ½ P 170000.

PARATICO 25030 Brescia🅘🅐🅔🅑, 🅘🅐🅔🅙 F 11 – 3 352 ab. alt. 232 – a.s. Pasqua e luglio-15 settembre.
Roma 582 – Bergamo 28 – Brescia 33 – Cremona 78 – Lovere 29 – Milano 70.

🏨 **Franciacorta Golf Hotel,** via XXIV Maggio 48 ℘ 035 913333, Fax 035 913600, 🏤, 🎣, 🍸, 🌊 – 🛗 ≡ 📺 🚗 🅟 – 🔬 100. 🆎 🅾 🐵 🆅🅸🆂🅰 🏖️ rist
chiuso dal 19 dicembre al 3 gennaio – Pasto (chiuso domenica) carta 45/95000 – **43 cam** 🖭 170/220000.

PARCINES (PARTSCHINS) *39020 Bolzano* [429] B 15, [218] ⑨ – *3 168 ab. alt. 641.*
[i] *via Spauregg 10* ☎ *0473 967157, Fax 0473 967798.*
Roma 674 – Bolzano 35 – Merano 8,5 – Milano 335 – Trento 95.

Peter Mitterhofer, via dei Romani 8 ☎ 0473 967122, *info@petermitterhofer.com, Fax 0473 968025*, ←, ⛱, 🏊, 🏊, 🌳 – 🛗 📺 [P]. [S] [MC] [VISA]. 🚭 rist
aprile-novembre – **Pasto** (solo per alloggiati) – **13 cam** solo ½ P 185000, 6 suites.

a Tel (Töll) *Sud-Est : 2 km* – ✉ *39020 :*

🍴🍴 **Museumstube Bagni Egart-Onkel Taa,** via Stazione 17 ☎ 0473 967342, *onzeltaa@dnet.it, Fax 0473 967771*, prenotare, « Ambiente rustico con raccolta oggetti di antiquariato » – [P]. [AE] [S] ⓓ [MC] [VISA] [JCB]
chiuso dal 15 gennaio al 15 marzo, dal 15 novembre al 3 dicembre, lunedì, martedì e mercoledì a mezzogiorno – **Pasto** specialità lumache 30/90000 e carta 50/80000.

a Rablà (Rabland) *Ovest : 2 km* – ✉ *39020 :*

Roessl, via Venosta 26 ☎ 0473 967143, *info@roessl.com, Fax 0473 968072*, ⛱, 🏊, 🏊, 🌳 – 🛗 📺 [P]
chiuso 20 dicembre al 10 febbraio – **Pasto** *(chiuso martedì)* carta 50/80000 – **26 cam** ☕ 130/240000 – ½ P 130000.

🍴🍴 **Hanswirt** con cam, Geroldplatz 3 ☎ 0473 967148, *info@hanswirt.com, Fax 0473 968103* « Antico maso stazione di posta », ⛱, 🏊 riscaldata, 🌳 – 🛗, 🚭 cam, 📺 ☎ ♿ 🚗 [P]. [S] [MC] [VISA]
chiuso dal 10 gennaio al 20 marzo – **Pasto** *(chiuso mercoledì)* carta 45/70000 – **25 cam** ☕ 180/280000 – ½ P 200000.

PARCO NAZIONALE D'ABRUZZO *L'Aquila-Isernia-Frosinone* [430] Q 23 *G. Italia.*

PARETI *Livorno* – *Vedere Elba (Isola d'): Capoliveri.*

PARGHELIA *89861 Vibo Valentia* [431] K 29 – *1 416 ab..*
Roma 600 – Reggio di Calabria 106 – Catanzaro 87 – Cosenza 117 – Gioia Tauro 50.

Porto Pirgos, località Fornaci Nord-Est : 3 km ☎ 0963 600351, *Fax 0963 600690*, « Servizio ristorante in terrazza panoramica », 🏊, 🏖, 🌳, 🎾 – ▤ 📺 [P]. [AE] [S] ⓓ [MC] [VISA]. 🚭
15 maggio-settembre – **Pasto** 90000 – **18 cam** ☕ 720000 – ½ P 450000.

PARMA *43100* [P] [428], [429] H 12 *G. Italia* – *168 717 ab. alt. 52.*
Vedere *Complesso Episcopale**** **CY** : *Duomo**, Battistero*** **A** – *Galleria nazionale**, teatro Farnese**, museo nazionale di antichità* nel palazzo della Pilotta* **BY** – *Affreschi** del Correggio nella chiesa di San Giovanni Evangelista* **CYZ D** – *Camera del Correggio** **CY** – *Museo Glauco Lombardi** **BY M1** – *Affreschi* del Parmigianino nella chiesa della Madonna della Steccata* **BZ E** – *Parco Ducale** **ABY** – *Casa Toscanini** **BY.**
⛳18 *La Rocca (chiuso lunedì e gennaio) a Sala Baganza* ✉ *43038* ☎ *0521 834037, Fax 0521 834575, Sud-Ovest : 14 km.*
✈ *Giuseppe Verdi di Fontana per* ② *: 3 km* ☎ *0521 982626 Fax 0521 992028.*
[i] *via Melloni 1/b* ☎ *0521 218889, Fax 0521 234735.*
[A.C.I.] *via Cantelli 15/a* ☎ *0521 236672.*
Roma 458 ① – *Bologna 96* ① – *Brescia 114* ① – *Genova 198* ⑤ – *Milano 122* ① – *Verona 101* ①.

In occasione di alcune manifestazioni commerciali o turistiche i prezzi degli alberghi potrebbero subire un sensibile aumento (informatevi al momento della prenotazione)
Piante pagine seguenti

Starhotel du Parc, viale Piacenza 12/c ☎ 0521 292929, *Fax 0521 292828* – 🛗, 🚭 cam, ▤ 📺 ☎ ♿ 🚗 [P] – 🏛 600. [AE] [S] ⓓ [MC] [VISA] [JCB]. 🚭 **AY a**
Pasto al Rist. ***Canova*** carta 50/130000 – **169 cam** ☕ 340000, 6 suites – ½ P 235000.

Palace Hotel Maria Luigia, viale Mentana 140 ☎ 0521 281032, *palace.bode@flashnet.it, Fax 0521 231126* – 🛗 ▤ 📺 🚗 – 🏛 150. [AE] [S] ⓓ [MC] [VISA] [JCB]. 🚭 **CY z**
Pasto al Rist. ***Maxim's*** *(chiuso domenica)* carta 70/110000 – **90 cam** ☕ 365/420000, 11 suites.

Park Hotel Stendhal, piazzetta Bodoni 3 ☎ 0521 208057, *stendhal.htl@rsadvnet.it, Fax 0521 285655* – 🛗 ▤ 📺 ☎ 🚗 – 🏛 100. [AE] [S] ⓓ [MC] [VISA]. 🚭 rist **BY r**
Pasto al Rist. ***La Pilotta*** *(chiuso dal 1° al 10 gennaio, dal 1° al 23 agosto, domenica sera e lunedì)* carta 55/85000 – **62 cam** ☕ 220/350000 – ½ P 205000.

Park Hotel Toscanini senza rist, viale Toscanini 4 ☎ 0521 289141, *Fax 0521 283143*, ← – 🛗 ▤ 📺 [P] – 🏛 60. [AE] [S] ⓓ [MC] [VISA] **BZ e**
48 cam ☕ 230/330000.

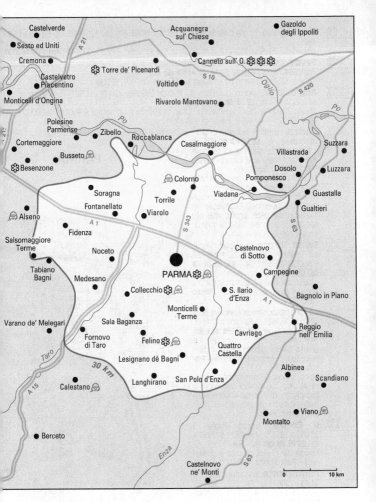

Verdi, via Pasini 18 ℰ 0521 293539, *hotelverdi@netvalley.it*, Fax 0521 293559 – 🛗 🗏 📺
🚗 🅿. 🅰🅴 🖸 ⓪ 🆖 *VISA*. ⅏
AY b
chiuso dal 24 dicembre al 10 gennaio e dal 9 al 16 agosto – **Pasto** vedere rist **Santa Croce** –
⌣ 18000 – **17 cam** 220/290000, 3 suites – ½ P 210000.

Farnese International Hotel, via Reggio 51/a ℰ 0521 994247, *info@farnesehotel.it*,
Fax 0521 992317 – 🛗, ⅍ cam, 🗏 📺 ✆ 🚗 🅿. – 🔬 120. 🅰🅴 🖸 ⓪ 🆖 *VISA* *JCB*,
⅏ rist
BY
Pasto al Rist. **Cherubino** carta 45/60000 – **76 cam** ⌣ 140/200000 – ½ P 140000.

Astoria Executive Hotel, via Trento 9 ℰ 0521 272717, *info@piuhotels.com*,
Fax 0521 272724 – 🛗 🗏 📺 🚗 – 🔬 25. 🅰🅴 🖸 ⓪ 🆖 *VISA* *JCB*. ⅏
CY a
Pasto vedere rist **San Barnaba** – **80 cam** ⌣ 160/220000 – ½ P 145000.

Daniel, via Gramsci 16 ang. via Abbeveratoia ℰ 0521 995147, Fax 0521 292606 – 🛗 🗏 📺
🅿. 🅰🅴 🖸 ⓪ 🆖 *VISA* *JCB*
per ⑤
chiuso dal 24 al 26 dicembre ed agosto – **Pasto** vedere rist **Cocchi** – **32 cam** ⌣ 150/
210000 – ½ P 140000.

Torino senza rist, borgo Mazza 7 ℰ 0521 281047, Fax 0521 230725 – 🛗 🗏 📺 🚗. 🅰🅴 🖸
⓪ 🆖 *VISA*
BY v
chiuso dall'8 al 20 gennaio e dal 1° al 25 agosto – ⌣ 15000 – **33 cam** 115/165000.

🏠 **Button** senza rist, via della Salina 7 ☎ 0521 208039, *Fax 0521 238783* – 🛗 📺. [AE] [S] [O] [VISA] BZ
chiuso dal 23 dicembre al 2 gennaio e dal 5 al 31 luglio – ☕ 15000 – **40 cam** 115/160000.

🏠 **Savoy** senza rist, via 20 Settembre 3/a ☎ 0521 281101, *savoyhotel@tin.* *Fax 0521 281103* – 🛗 ▤ 📺 📞. [AE] [S] [O] [MC] [VISA]. 🚭 CY
chiuso dal 7 al 15 gennaio ed agosto – **27 cam** ☕ 140/205000.

🍴🍴🍴 **Angiol d'Or,** vicolo Scutellari 1 ☎ 0521 282632, *Fax 0521 282747,* « Servizio esti all'aperto » – ▤. [AE] [S] [O] [MC] [VISA] [JCB] CY
chiuso dal 24 al 26 dicembre, dal 12 al 16 agosto e domenica – **Pasto** 70/80000 e car 70/110000.

🍴🍴🍴 ✿ **Parizzi,** strada della Repubblica 71 ☎ 0521 285952, *parizzi.rist@libero.it, Fax 0521 28502* prenotare – ▤. [AE] [S] [O] [MC] [VISA]. 🚭 CZ
chiuso Natale, dall'8 al 15 gennaio, dal 1º al 21 agosto e lunedì – **Pasto** 85000 e carta 50/80000
Spec. Fiori di zucca ripieni con salsa al tartufo nero. Strichetti leggermente piccanti con astice e carciofi (autunno-inverno). Costolette di maialino da latte profumate alle spezie con patate e finocchi (primavera-estate).

🍴🍴🍴 **Santa Croce** - Hotel Verdi, via Pasini 20 ☎ 0521 293529, *Fax 0521 293520,* 🏡 – ▤. [AE] [S] [O] [MC] [VISA] [JCB] AY b
chiuso dal 6 al 31 agosto, sabato a mezzogiorno e domenica – **Pasto** carta 50/70000.

🍴🍴 ✿ **La Greppia,** strada Garibaldi 39/a ☎ 0521 233686, *Fax 0521 221315,* prenotare – ▤. [AE] [S] [O] [MC] [VISA] [JCB]. 🚭 BY e
chiuso dal 23 dicembre al 14 gennaio, luglio, lunedì e martedì – **Pasto** carta 75/110000
Spec. Spuma di Parmigiano con pere al vino. Quadrucci alla verza e prosciutto di Parma (inverno-primavera). Sella di coniglio al ribes (estate-autunno).

🍴🍴 **Il Cortile,** borgo Paglia 3 ☎ 0521 285779, *Fax 0521 507192* – ▤. [AE] [S] [O] [MC] [VISA] [JCB]
chiuso dal 1º al 22 agosto e domenica – **Pasto** carta 45/65000. AZ a

🍴🍴 **Parma Rotta,** via Langhirano 158 ☎ 0521 966738, *Fax 0521 968167,* « Servizio estivo sotto un pergolato » – [P]. [AE] [S] [O] [VISA]. 🚭 per viale Rustici BZ
chiuso lunedì escluso da giugno ad agosto – **Pasto** specialità alla brace 35/65000 e carta 50/105000.

🍴🍴 **Cocchi** - Hotel Daniel, via Gramsci 16/a ☎ 0521 981990 – ▤ [P]. [AE] [S] [O] [MC] [VISA] [JCB]. 🚭
chiuso dal 24 dicembre al 6 gennaio, agosto, sabato, anche domenica da giugno a luglio – **Pasto** carta 55/75000. per ⑤

🍴🍴 **Il Trovatore,** via Affò 2/A ☎ 0521 236905, *Fax 0521 236905,* prenotare – ▤. [AE] [S] [O] [MC] [VISA] [JCB]. 🚭 BY d
chiuso dal 24 al 26 dicembre, dall'11 al 30 giugno, 14-15 agosto e domenica – **Pasto** 50000 e carta 50/90000.

PARMA

Cavour (Strada) .... BY
Duomo (Strada al) .... CY
Farini (Strada) .... BZ

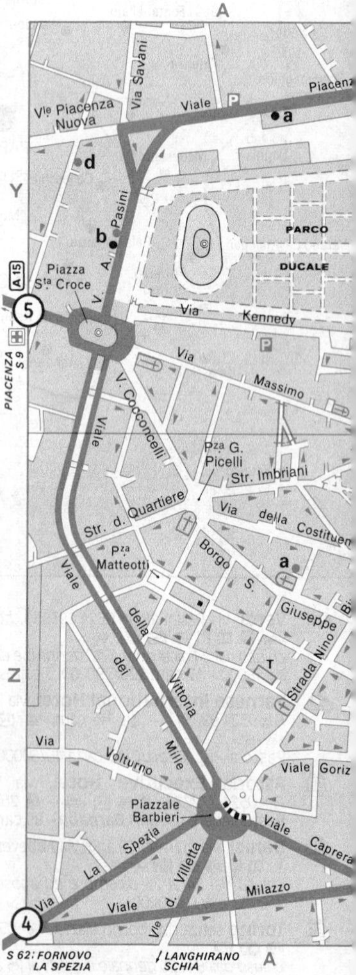

🍴 **Gallo d'Oro,** borgo della Salina 3 ☎ 0521 208846, *Fax 0521 208846,* 🌳 – ▤. [AE] [S] [D] [VISA] BZ c
chiuso dal 12 al 15 agosto e domenica – **Pasto** carta 40/65000.

🍴 **Folletto,** via Emilia Ovest 17/A ☎ 0521 981893 – ▤ [P]. [AE] [S] [MC] [VISA] [JCB]. ✈
chiuso dal 1° al 25 agosto e lunedì – **Pasto** specialità di mare carta 40/85000. per ⑤

🍴 **La Filoma,** via 20 Marzo 15 ☎ 0521 206181, Coperti limitati; prenotare – [AE] [S] [D] [MC] [VISA] CZ u
chiuso martedì – **Pasto** carta 50/75000.

🍴 **Osteria del Gesso,** via Ferdinando Maestri 11 ☎ 0521 230505, Coperti limitati; prenotare ▤. [S] [MC] [VISA] BZ b
chiuso domenica e lunedì a mezzogiorno dal 19 giugno ad agosto, mercoledì e giovedì a mezzogiorno negli altri mesi – **Pasto** carta 50/75000.

Garibaldi (Piazza)	BZ 9	Ponte Italia	BZ 20	Rustici (Viale G.)	BZ 24
Garibaldi (Via)	BCY	Ponte di Mezzo	BZ 21	Salnitrara (Borgo)	BZ 26
Mazzini (Via)	BZ 13	Ponte Verdi	BY 22	Studi (Borgo degli)	CY 27
Pace (Pza della)	BY 15	Reggio (Via)	BY 23	Toscanini (Viale)	BZ 28
Pilotta (Piazza)	BY 17	Repubblica (Strada della)	CZ	Trento (Via)	CY 30
Ponte Caprazucca	BZ 19			Varese (Via)	BZ 31

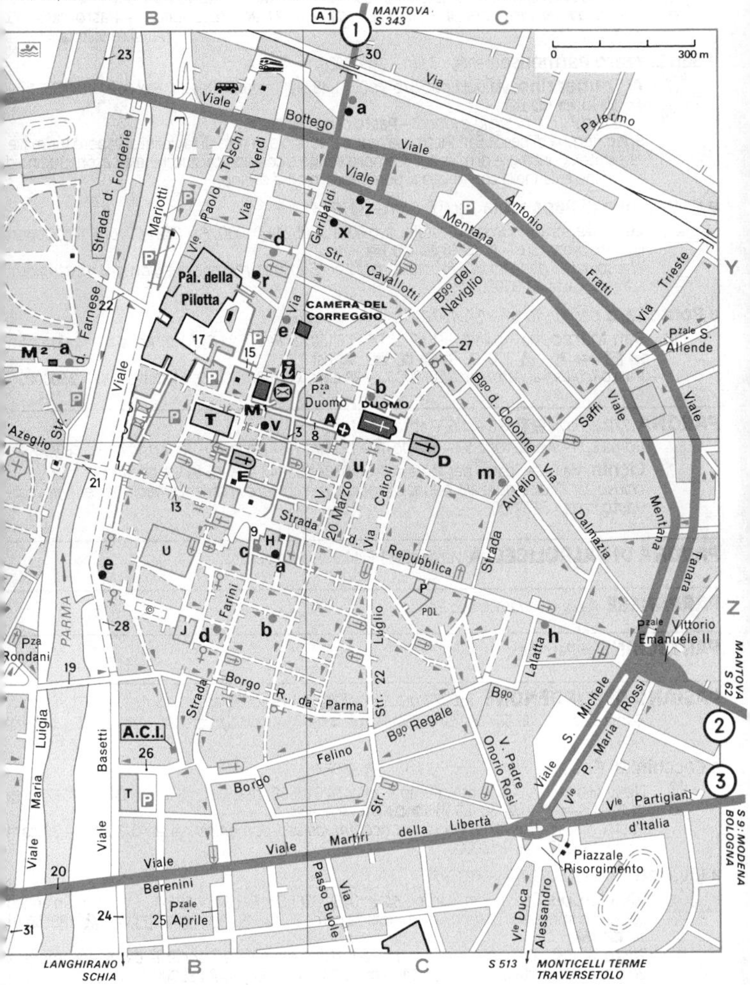

🍴 **Trattoria del Tribunale,** vicolo Politi 5 ☎ 0521 285527, *Fax 0521 238991* – [AE] [S] [O] [MC] [VISA] [JCB]. ⊁ BZ c
chiuso dal 21 luglio al 5 agosto e martedì – **Pasto** carta 45/55000.

🍴 **San Barnaba** - Hotel Astoria Executive, via Trento 11 ☎ 0521 270365, *sanbarnba@libero t, Fax 0521 272724* – ▤. [AE] [S] [O] [MC] [VISA] [JCB] CY a
chiuso dal 15 al 30 luglio e lunedì – **Pasto** carta 40/65000.

🍴 **Casablanca,** via Marchesi 25 A ☎ 0521 993752, *Fax 0521 993752*, prenotare – ▤. [AE] [S] [O] [MC] [VISA] AY c
chiuso dal 20 luglio al 20 agosto, mercoledì e domenica a mezzogiorno – **Pasto** specialità di mare carta 55/85000.

🍴 **Antica Cereria,** via Tanzi 5 ☎ 0521 207387, *Fax 0521 207387*, Osteria tipica – ⊁. [AE] [S] [O] [MC] [VISA] [JCB] BY a
chiuso dal 25 luglio al 20 agosto, lunedì e a mezzogiorno (escluso sabato-domenica) – **Pasto** carta 35/60000.

🍴 **Osteria del 36,** via Saffi 26/a ☎ 0521 287061, *Fax 0521 232863* – [AE] [S] [O] [MC] [VISA] [JCB]
chiuso domenica e dal 10 luglio al 20 agosto – **Pasto** carta 45/60000. CZ m

🍴 **I Tri Siochett,** strada Farnese 74 ☎ 0521 968870, ⛱ – [P]. [AE] [S] [O] [MC] [VISA]. ⊁
chiuso dal 24 dicembre al 1° gennaio, dal 7 al 21 agosto e lunedì – **Pasto** carta 35/60000. per viale Villetta AZ

a San Lazzaro Parmense *per ③ : 3 km – ✉ 43026 :*

🍴🍴 **Al Tramezzino,** via Del Bono 5/b ☎ 0521 487906, *cnuf@libero.it, Fax 0521 484196*, ⛱ – ▤. [AE] [S] [O] [MC] [VISA]
✿ *chiuso dal 1° al 15 luglio e lunedì* – **Pasto** carta 55/85000
Spec. Terrina di pesce San Pietro, salmone e vongole in rete di fagiolini al vapore (primavera-estate). Conchiglie di mais agli scampi e vongole con ricotta, zucchine e bacon. Budino di zafferano e cannella con gelato al pomodoro in salsa di vino.

a Castelnovo di Baganzola *per ① : 6 km – ✉ 43031 :*

🍴🍴 **Le Viole,** strada nuova di Castelnuovo 60/a ☎ 0521 601000, *Fax 0521 601673*, ⛱, Coperti limitati; prenotare – [P]. [AE] [S] [O] [MC] [VISA]. ⊁
chiuso dal 15 gennaio all'8 febbraio, dal 12 al 18 agosto, mercoledì e giovedì a mezzogiorno – **Pasto** carta 40/55000.

a Ponte Taro *per ⑤ : 10 km – ✉ 43010 :*

🏨 **San Marco,** via Emilia Ovest 42 ☎ 0521 615072, *Fax 0521 615012*, Fá, ≘s – |♦|, ⊁ cam, ▤ [TV] 🚗 [P] – 🪑 200. [AE] [S] [O] [MC] [VISA]. ⊁ rist
Pasto *(chiuso agosto)* carta 50/90000 – **98 cam** ☕ 180/250000, 14 suites – 1/2 P 230000.

PARONA 27020 Pavia [428] G 8 – 1 680 ab. alt. 113.

Roma 605 – Alessandria 57 – Milano 46 – Novara 19 – Pavia 45 – Torino 111 – Vercelli 33.

🍴 **Cichin,** via Case Sparse per Mortara 2 ☎ 0384 253342 – [P]. [AE] [S] [O] [MC] [VISA]. ⊁
chiuso dal 27 dicembre al 9 gennaio, agosto, mercoledì e le sere di lunedì-martedì-giovedì – **Pasto** carta 45/70000.

PARONA DI VALPOLICELLA *Verona* [429] F 14 – *Vedere Verona.*

PARPANESE *Pavia – Vedere Arena Po.*

PARTSCHINS = Parcines.

PASIANO DI PORDENONE 33087 Pordenone [429] E 19 – 7 235 ab. alt. 13.

Roma 570 – Udine 66 – Belluno 75 – Pordenone 11 – Portogruaro 24 – Treviso 45 – Venezia 72.

a Cecchini di Pasiano *Nord-Ovest : 3 km – ✉ 33087 :*

🏨 **New Hotel** ⛰, via Sant'Antonio 9 ☎ 0434 610668, *risto@libero.it, Fax 0434 620976* – |♦| ▤ [TV] ♿ 🚗 [P] – 🪑 30. [AE] [S] [O] [MC] [VISA] [JCB]. ⊁
Pasto al Rist. ***Hostaria Vecchia Cecchini*** *(chiuso domenica)* carta 40/70000 – **30 cam** ☕ 80/140000 – 1/2 P 100000.

a Rivarotta *Ovest : 3,5 km – ✉ 33087 :*

🏨 **Villa Luppis** ⛰, via San Martino 34 ☎ 0434 626969, *Fax 0434 626228*, ⛱, « In un antico convento immerso nel verde di un grande parco », Fá, 🏊, 🎾 – |♦| ▤ [TV] [P] – 🪑 180. [AE] [S] [O] [MC] [VISA]
Pasto al Rist. ***Cà Lupo*** *(chiuso martedì dal 3 gennaio ad aprile e dal 5 novembre al 20 dicembre)* carta 90/125000 – **31 cam** ☕ 240/420000 – 1/2 P 285000.

ASSAGGIO Perugia 430 M 19 – Vedere Bettona.

ASSIGNANO SUL TRASIMENO 06065 Perugia 430 M 18 – 5 047 ab. alt. 289.
Roma 211 – Perugia 27 – Arezzo 48 – Siena 80.

🏨 **Kursaal**, via Europa 24 ☎ 075 828085, Fax 075 827182, 佘, ⌦, ☞ – 🛗 📺 ᓫ 🅿. 🖪 🕦 **VISA**. ⅏
chiuso gennaio e febbraio – **Pasto** carta 50/80000 – **18 cam** ⊑ 130/160000 – ½ P 115000.

🏨 **Trasimeno** senza rist, via Roma 16/a ☎ 075 829355, info@hoteltrasimeno.com, Fax 075 829211, 佘 – 🛗 📞 🅿. 🖪 🕦 🐠 **VISA**. ⅏
chiuso dal 15 dicembre al 31 gennaio – **30 cam** ⊑ 100/150000.

🏨 **La Vela**, via Rinascita 2 ☎ 075 827221 e rist. ☎ 075 8296133, info@hotellavela.it, Fax 075 828211, 佘 – 🛗 🗏 📺 ↩ 🅿. 🖪 🕦 🐠 **VISA**. ⅏ rist
Pasto al Rist. **Il Passo di Giano** (chiuso dall'8 gennaio al 2 febbraio e martedì) carta 30/60000 – **29 cam** ⊑ 80/120000 – ½ P 85000.

%% **Il Fischio del Merlo**, località Calcinaio 17/A (Est : 3 km) ☎ 075 829283, fischio@libero.it, Fax 075 829283, 佘, Coperti limitati; prenotare, ☞ – 🗏 🅿. 🖪 🕦 🐠 **VISA**
chiuso novembre e martedì – **Pasto** carta 50/80000.

% **Locanda del Galluzzo**, via Castel Rigone 12/A, località Trecine Nord-Est : 8,5 km ☎ 075 845352, l.galluzzo@libero.it, Fax 075 845532, ≤, 佘, prenotare, ⌦, ☞ – 🅿. 🖪 🕦 🕦 **VISA**. ⅏
chiuso novembre, martedì e a mezzogiorno escluso domenica e i giorni festivi – **Pasto** carta 35/60000.

Europe | Se il nome di un albergo è stampato in carattere magro,
chiedete al vostro arrivo le condizioni che vi saranno praticate.

PASSO Vedere nome proprio del passo.

PASSO LANCIANO Chieti 430 P 24 – alt. 1 306 – a.s. 4 febbraio-15 aprile, 25 luglio-20 agosto e Natale – Sport invernali : 1 304/2 000 m ⚡4.
Roma 200 – Pescara 57 – Chieti 39 – Ortona 52.

🏨 **Mamma Rosa** ⌦, via Maielletta Sud : 5 km, alt. 1 650 ⊠ 66010 Pretoro ☎ 0871 896143, info@mammarosa.it, Fax 0871 896130, ≤ vallata, ☎ – 📺 ↩ 🅿. 🖪 🕦 🐠 **VISA**. ⅏
chiuso dal 2 maggio al 15 giugno – **Pasto** carta 35/50000 – **40 cam** ⊑ 90/110000 – ½ P 85000.

PASTENA 03020 Frosinone 430 R 22 – 1 692 ab. alt. 317.
Roma 114 – Frosinone 32 – Latina 86 – Napoli 138.

% **Mattarocci**, piazza Municipio ☎ 0776 546537, ≤, « Servizio estivo in terrazza » – 🖪. ⅏
Pasto specialità sott'olio carta 30/45000.

PASTRENGO 37010 Verona 428 F 14 – 2 358 ab. alt. 192.
Roma 509 – Verona 18 – Garda 16 – Mantova 49 – Milano 144 – Trento 82 – Venezia 135.

%% **Stella d'Italia**, piazza Carlo Alberto 25 ☎ 045 7170034, info@stelladitalia.it, Fax 045 6779399, 佘, prenotare – 🗏. 🖪 🕦 🐠 **VISA**. ⅏
chiuso domenica e lunedì – **Pasto** carta 70/105000.

a Piovezzano Nord : 1,5 km – ⊠ 37010 Pastrengo :

% **Eva**, via Due Porte 45 ☎ 045 7170110, Fax 045 7170294, 佘 – 🅿. 🖪 🕦 🐠 **VISA** **JCB**. ⅏
chiuso dall'11 al 19 agosto e martedì – **Pasto** carta 35/50000.

PASTURANA Alessandria – Vedere Novi Ligure.

PATRICA 03010 Frosinone 430 R 21 – 2 898 ab. alt. 436.
Roma 113 – Frosinone 20 – Latina 49.

sulla strada statale 156 Sud-Est : 11,5 km :

%% **Dal Patricano**, ⊠ 03010 ☎ 0775 222459, info@dalpatricano.it, Fax 0775 222136 – 🗏 🅿. 🖪 🕦 🐠 **VISA** **JCB**. ⅏
chiuso lunedì – **Pasto** carta 40/60000.

PAVIA 27100 [P] [428] G 9 *G. Italia – 73 752 ab. alt. 77.*

Vedere *Castello Visconteo★* **BY** *– Duomo★* **AZ D** *– Chiesa di San Michele★★* **BZ B** *– Sa Pietro in Ciel d'Oro★ : Arca di Sant'Agostino★ – Tomba★ nella chiesa di San Lanfranc Ovest : 2 km.*

Dintorni *Certosa di Pavia★★★ per ① : 9 km.*

[i] via Fabio Filzi 2 ☎ 0382 22156, Fax 0382 32221.

[A.C.I.] piazza Guicciardi 5 ☎ 0382 301381.

Roma 563 ③ – Alessandria 66 ③ – Genova 121 ④ – Milano 38 ⑤ – Novara 62 ④ – Piacenz 54 ③.

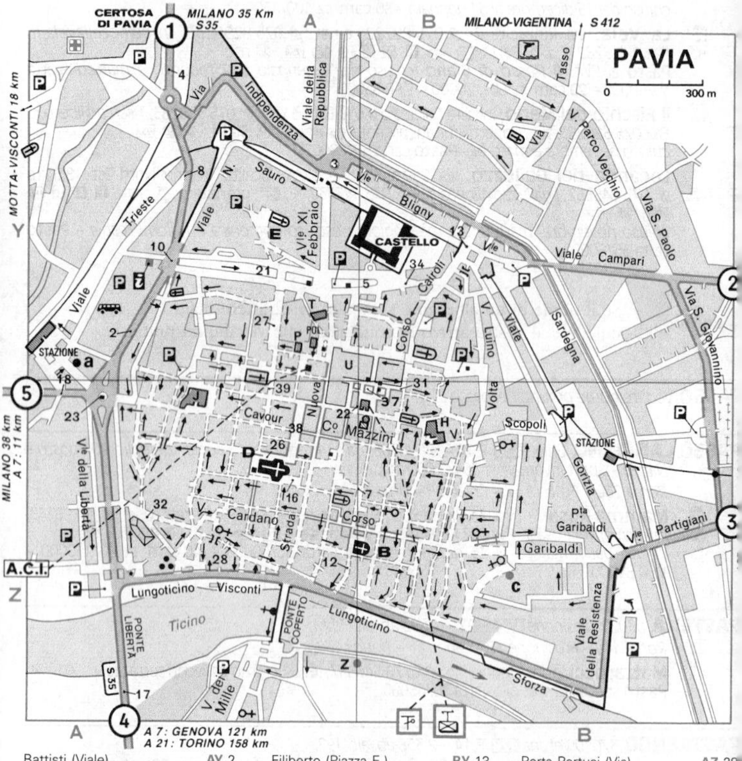

Battisti (Viale) .... AY 2	Filiberto (Piazza E.) .... BY 13	Porta Pertusi (Via) .... AZ 28
Borgo Calvenzano (Piazza) .. AY 3	Gatti (Via B.) .... AZ 16	Sacchi (Via) .... BYZ 31
Brambilla (Viale A.) .... AY 4	Giulietti (Via M. G.) .... AZ 17	S. Margherita (Via) .... AZ 32
Castello (Piazza) .... BY 5	Manzoni (Corso) .... AYZ 18	S. Maria alle Pertiche (Via) .... BY 34
Cavallotti (Via) .... BZ 7	Matteotti (Viale) .... AY 21	Strada Nuova .... AZ
Cavour (Corso) .... AZ	Mentana (Via) .... ABZ 22	Vinci (Piazza Leonardo da) .. BZ 37
Chiesa (Viale Damiano) ..... AY 8	Minerva (Piazzale) .... AZ 23	Vittoria (Piazza) .... AZ 38
Dante (Piazza) .... AY 10	Omodeo (Via) .... AZ 26	20 Settembre (Via) .... AZ 39
Diacono (Via P.) .... AZ 12	Petrarca (Piazza) .... AY 27	

🏨 **Moderno,** viale Vittorio Emanuele 41 ☎ 0382 303401 e rist ☎ 0382 303403, *moderno@hotelmoderno.it, Fax 0382 25225* – |‡| ▤ [TV] – 🏛 45. [AE] [S] ⊙ [MC] [VISA] [JCB]. ⛔ AY a
chiuso dal 24 al 31 dicembre e dal 14 al 20 agosto – **Pasto** al Rist. ***Liberty*** *(chiuso dal 26 dicembre al 6 gennaio, dal 5 al 23 agosto, sabato a mezzogiorno e domenica)* carta 60/100000 – **54 cam** ☕ 175/235000 – ½ P 155000.

🍴🍴 **Il Cigno,** via Massacra 2 ☎ 0382 301093, *Fax 0382 306133*, Coperti limitati; prenotare – 🚭 ▤. [AE] [S] ⊙ [VISA]. ⛔ BZ c
chiuso agosto e lunedì – **Pasto** carta 55/100000.

🍴 **Antica Osteria del Previ,** via Milazzo 65, località Borgo Ticino ☎ 0382 26203, prenotare – ▤. [S] ⊙ [MC] [VISA] [JCB]. ⛔ ABZ z
chiuso dal 1º al 10 gennaio, dal 1º al 27 agosto e a mezzogiorno in luglio – **Pasto** carta 45/75000.

ulla strada statale 35 : *per ① : 4 km :*

ХХХ **Al Cassinino**, via Cassinino 1 ⊠ 27100 ℘ 0382 422097, *Fax 0382 422097*, Coperti limitati; prenotare – ▣. ✸
chiuso mercoledì – **Pasto** carta 100/150000.

San Martino Siccomario *per ④ : 1,5 km –* ⊠ *27028 :*

🏛 **Plaza** senza rist, strada statale 35 ℘ 0382 559413, *hplaza@libero.it, Fax 0382 556085* – 📶
▣ 📺 ✆ 🅿 – 🔏 25. 🖭 🕄 ⑩ ⓓ🛇 *VISA*. ✸
47 cam ⊑ 170/240000.

ХХХ **Antica Trattoria Goi**, via Togliatti 2 ℘ 0382 498887, *info@aristonparty.com, Fax 0382 498941*, prenotare – ▣ ௸ 🅿. 🖭 🕄 ⑩ ⓓ🛇 *VISA*
chiuso dal 2 al 16 gennaio, dal 5 al 25 agosto, sabato a mezzogiorno e domenica – **Pasto** carta 60/85000.

PAVONE CANAVESE *10018 Torino* 🟦🟦🟦 *F 5,* 🟦🟦🟦 ⑭ *– 3 889 ab. alt. 262.*
Roma 668 – Torino 45 – Aosta 65 – Ivrea 5 – Milano 110.

🏛 **Castello di Pavone** ⊛, via Ricetti 1 ℘ 0125 672111, *castello.pavone@medic.it, Fax 0125 672114,* ≼, « *Castello dell'11° e 14° secolo* », 🐎 – ⚟ cam, ▣ cam, 📺 🅿 –
🔏 150. 🖭 🕄 ⑩ ⓓ🛇 *VISA* 🗾🔵🟦. ✸
chiuso dal 5 al 31 agosto – **Pasto** (Coperti limitati prenotare; *chiuso lunedì, a mezzogiorno escluso sabato-domenica, anche domenica sera da ottobre a marzo*) carta 95/140000 –
9 cam ⊑ 230/290000, 4 suites 390/450000 – ½ P 205000.

PAVULLO NEL FRIGNANO *41026 Modena* 🟦🟦🟦*,* 🟦🟦🟦*,* 🟦🟦🟦 *I 14 – 14 570 ab. alt. 682 – a.s. luglio-agosto e Natale.*
Roma 411 – Bologna 77 – Firenze 137 – Milano 222 – Modena 47 – Pistoia 101 – Reggio nell'Emilia 61.

🏛 **Vandelli**, via Giardini Sud 7 ℘ 0536 20288, *Fax 0536 23608* – 📶, ▣ rist, 📺 🅿 – 🔏 120. 🖭
🕄 ⑩ ⓓ🛇 *VISA* 🗾🔵🟦. ✸
chiuso dal 1° al 15 febbraio – **Pasto** *(chiuso martedì)* carta 45/65000 – ⊑ 20000 – **39 cam**
90/140000 – ½ P 95000.

🏛 **Ferro di Cavallo** ⊛, via Bellini 4 ℘ 0536 20098, *Fax 0536 22383,* 🍴 – 📶, ▣ rist, 📺
🚗. 🖭 🕄 ⑩ ⓓ🛇 *VISA*. ✸ rist
Pasto *(chiuso lunedì)* carta 40/65000 – ⊑ 15000 – **23 cam** 95/140000 – ½ P 95000.

ХХ **Parco Corsini**, viale Martiri 11 ℘ 0536 20129, *Fax 0536 23938* – 🖭 🕄 ⑩ ⓓ🛇 *VISA* 🗾🔵🟦. ✸
🏚 *chiuso dal 7 al 27 gennaio, dal 17 al 30 giugno, lunedì e martedì –* **Pasto** 40/50000 e carta
40/75000.

PECORONE *Potenza* 🟦🟦🟦 *G 29 – Vedere Lauria.*

PEDEGUARDA *Treviso* 🟦🟦🟦 *E 18 – Vedere Follina.*

PEDEMONTE *Verona* 🟦🟦🟦*,* 🟦🟦🟦 *F 14 – Vedere San Pietro in Cariano.*

PEDERIVA *Vicenza – Vedere Grancona.*

PEDEROBBA *31040 Treviso* 🟦🟦🟦 *E 17 – 7 021 ab. alt. 225.*
Dintorni Possagno : Deposizione★ nel tempio di Canova Ovest : 8,5 km.
Roma 560 – Belluno 46 – Milano 265 – Padova 59 – Treviso 35 – Venezia 66.

ad Onigo di Piave *Sud-Est : 3 km –* ⊠ *31050 :*

ХХ **Le Rive**, via Rive 46 ℘ 0423 64267, « *Servizio estivo all'aperto* » – 🕄 ⓓ🛇 *VISA*
🏚 *chiuso martedì e mercoledì –* **Pasto** carta 30/40000.

PEDRACES (PEDRATSCHES) *Bolzano – Vedere Badia.*

PEGLI *Genova – Vedere Genova.*

PEIO *38020 Trento* 🟦🟦🟦*,* 🟦🟦🟦 *C 14 G. Italia – 1 855 ab. alt. 1 389 – Stazione termale, a.s. 29 gennaio-12 marzo, Pasqua e Natale – Sport invernali : 1 389/2 400 m ✦ 1 ✦ 4, ✦.*
🇧 *alle Terme, via delle Acque Acidule 8* ℘ *0463 753100, Fax 0463 753180.*
Roma 669 – Sondrio 103 – Bolzano 93 – Passo di Gavia 54 – Milano 256 – Trento 87.

a Cògolo *Est : 3 km –* ⊠ *38024 :*

🏛 **Kristiania**, via Sant'Antonio 18 🖉 0463 754157, *Fax 0463 746510*, ≤, *ℐ₆,* ≘ₛ, 🔟 – 🛊 📺
🚗 📭 – 🛁 30. 🕄 *VISA*. ⋘
dicembre-aprile e 10 giugno-25 settembre – **Pasto** *carta 45/60000 –* **48 cam** ⊃ 100.
220000 – ½ P 145000.

🏛 **Cevedale**, via Roma 33 🖉 0463 754067, *Fax 0463 754544*, ≘ₛ – 🛊 📺 📭 🕄 ⓞ ⑩ *VISA*
⋘ rist
chiuso maggio e novembre – **Pasto** *carta 30/45000 –* **33 cam** ⊃ 180/200000 -
½ P 110000.

🏛 **Gran Zebrù**, via Casarotti 92 🖉 0463 754433, *hotelgranzebrù@tin.it, Fax 0463 754563*, ≤
– 🛊 📺 🚗 📭 ㏂ 🕄 ⑩ *VISA*. ⋘
dicembre-aprile e 10 giugno-settembre – **Pasto** *carta 30/60000 –* **20 cam** ⊃ 120/160000 -
½ P 90000.

🏛 **Chalet Alpenrose** ⍉, via Malgamare, località Masi Guilnova Nord : 1,5 km
🖉 0463 754088, *Fax 0463 746535*, « In un maso settecentesco », ☞ – 📺 📭 ㏂ 🕄 *VISA*. ⋘
chiuso dal 15 al 30 aprile e novembre – **Pasto** *(chiuso lunedì in bassa stagione) carta*
50/75000 – **10 cam** ⊃ 90/150000 – ½ P 110000.

PELLESTRINA (Isola di) *Venezia* 🅰🅸🅶 *G 18 – Vedere Venezia.*

PENNA ALTA *Arezzo – Vedere Terranuova Bracciolini.*

PENNABILLI *61016 Pesaro e Urbino* 🅰🅸🅶, 🅰🅼🅾 *K 18 – 3 102 ab. alt. 550 – a.s. 25 giugno-agosto.*
Roma 307 – Rimini 46 – Perugia 121 – Pesaro 76.

🏛 **Parco**, via Marconi 14 🖉 0541 928446, *Fax 0541 928498*, ☞ – 🛊. 🕄 ⑩ *VISA*. ⋘
chiuso da novembre a gennaio – **Pasto** *(chiuso martedì) carta 35/50000 –* ⊃ 7000 –
22 cam 70/95000 – ½ P 85000.

ⅩⅩ **Il Piastrino**, via Parco Begni 9 🖉 0541 928569, 🕌, prenotare – 📭 ㏂ 🕄 ⓞ ⑩ *VISA* ᴶᶜᴮ
chiuso martedì (escluso da giugno a settembre) – **Pasto** *carta 45/70000.*

PENNE *65017 Pescara* 🅰🅼🅾 *O 23 – 12 471 ab. alt. 438.*
Roma 228 – Pescara 31 – L'Aquila 125 – Chieti 38 – Teramo 69.

a Roccafinadamo *Nord-Ovest : 17 km –* ⊠ *65010 :*

Ⅹ **La Rocca**, 🖉 085 823301 – 🔳. ⋘
chiuso dal 10 al 22 ottobre e mercoledì – **Pasto** *carta 25/35000.*

PERA *Trento – Vedere Pozza di Fassa.*

PERGINE VALSUGANA *38057 Trento* 🅰🅸🅶 *D 15 – 16 319 ab. alt. 482 – a.s. Pasqua e Natale.*
🅱 *(15 giugno-settembre) piazza Garibaldi 5/B* 🖉 *0461 531258.*
Roma 199 – Trento 12 – Belluno 101 – Bolzano 71 – Milano 255 – Venezia 152.

ⅩⅩ **Castel Pergine** ⍉ con cam, Est : 2,5 km 🖉 0461 531158, *verena@castelpergine.it,*
Fax 0461 531329, ≤, « Castello del 10° secolo », ☞ – 📭 ㏂ 🕄 ⑩ *VISA*. ⋘ rist
6 aprile-4 novembre – **Pasto** *(chiuso lunedì a mezzogiorno) 50000 e carta 50/75000 –*
21 cam ⊃ 90/180000 – ½ P 110000.

a Canzolino *Nord-Est : 4 km –* ⊠ *38057 Pergine Valsugana :*

🏛 **Aurora** ⍉, via al Lago 16 🖉 0461 552145, *aurora@hotel-aurora.it, Fax 0461 552483,*
« Servizio estivo in terrazza con ≤ laghetto e monti » – 🛊 📺 ㏂ 🕄 ⓞ ⑩ *VISA*. ⋘
chiuso dal 15 al 28 febbraio ed ottobre – **Pasto** *(chiuso martedì escluso da giugno ad*
agosto) carta 30/40000 – **20 cam** ⊃ 65/130000 – ½ P 80000.

PERIASC *Aosta* 🅰🅼🅱 *E 5,* 🅰🅸🅴 ④ *– Vedere Ayas.*

PERLEDO *23828 Lecco* 🅰🅸🅴 ⑨ *– 930 ab. alt. 407.*
Roma 644 – Como 53 – Bergamo 57 – Chiavenna 47 – Lecco 24 – Milano 80 – Sondrio 62.

Ⅹ **Il Caminetto**, viale Progresso 4, località Gittana 🖉 0341 815225, *Fax 0341 815225,*
Coperti limitati; prenotare – 📭 ㏂ 🕄 ⓞ ⑩ *VISA*
chiuso mercoledì – **Pasto** *carta 45/85000.*

PERO 20016 Milano 428 F 9 – 10 497 ab. alt. 144.

Roma 578 – Milano 10 – Como 29 – Novara 40 – Pavia 45 – Torino 127.

Embassy Park Hotel senza rist, via Giovanni XXIII 15 ℘ 02 38100386, Fax 02 33910424, « Giardino con ⚊ » – ▯ ☰ ☑ ⟸ ▯ – ⚠ 50. ⚐ ⚑ ⓞ ⓦⓢ ☑ऀऀ. ⚞⚟
chiuso agosto – **85 cam** ⚞ 130/180000.

PERUGIA 06100 ▯ 430 M 19 G. Italia – 156 673 ab. alt. 493.

Vedere Piazza 4 Novembre★★ BY : fontana Maggiore★★, palazzo dei Priori★★ D (galleria nazionale dell'Umbria★★) – Chiesa di San Pietro★★ BZ – Oratorio di San Bernardino★★ AY – Museo Archeologico Nazionale dell'Umbria★★ BZ M1 – Collegio del Cambio★ BY E : affreschi★★ del Perugino – ⇐★★ dai giardini Carducci AZ – Porta Marzia★ e via Bagliona Sotterranea★ BZ Q – Chiesa di San Domenico★ BZ – Porta San Pietro★ BZ – Via dei Priori★ AY – Chiesa di Sant'Angelo★ AY R – Arco Etrusco★ BY K – Via Maestà delle Volte★ ABY 29 – Cattedrale★ BY F – Via delle Volte della Pace★ BY 55.

Dintorni Ipogeo dei Volumni★ per ② : 6 km.

🛆 Antognolla ℘ 075 6059563, Fax 075 6059562;

🛆 Perugia (chiuso lunedì) località Santa Sabina ✉ 06074 Ellera Umbra ℘ 075 5172204, Fax 075 5172370, per ③ : 9 km.

✈ di Sant'Egidio Sud-Est per ② : 17 km ℘ 075 592141, Fax 075 6929562.

🛈 piazza 4 Novembre 3 ✉ 06123 ℘ 075 5723327.

A.C.I. centro direzionale Quattro Torri località Santa Sabina ℘ 075 5172687.

Roma 172 ② – Firenze 154 ③ – Livorno 222 ③ – Milano 449 ③ – Pescara 281 ② – Ravenna 196 ②.

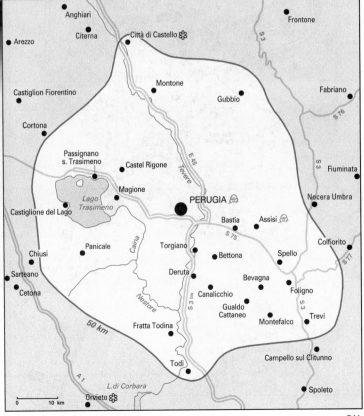

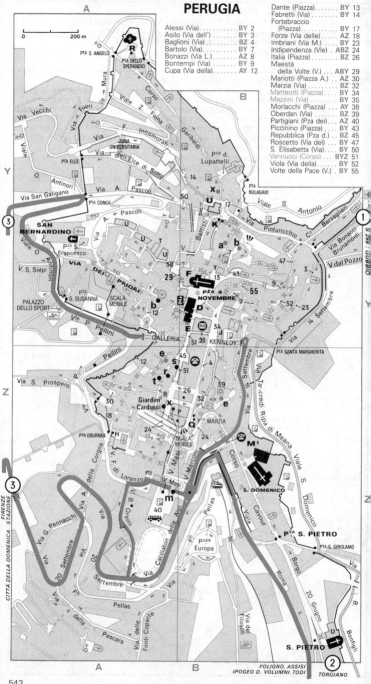

PERUGIA

Alessi (Via).......... BY 2
Asilo (Via dell')...... BY 3
Baglioni (Via)........ BZ 4
Bartolo (Via)......... BY 7
Bonazzi (Via L.)...... AZ 8
Bontempi (Via)........ BY 9
Cupa (Via della)...... AY 12

Dante (Piazza)....... BY 13
Fabretti (Via)........ BY 14
Fortebraccio
  (Piazza)........... BY 17
Forze (Via delle).... AZ 18
Imbriani (Via M.).... BY 23
Indipendenza (Vle) . ABZ 24
Italia (Piazza)....... BZ 26
Maestà
  della Volte (V.).. ABY 29
Mariotti (Piazza A.) . AZ 30
Marzia (Via)......... BZ 32
Matteotti (Piazza)... BZ 34
Mazzini (Via)........ BZ 35
Morlacchi (Piazza) .. AY 38
Oberdan (Via) .... BZ 39
Partigiani (Pza dei).. AZ 40
Piccinino (Piazza) ... BY 43
Repubblica (Pza d.) . BZ 45
Roscetto (Via del) ... BY 47
S. Elisabetta (Via)... BZ 50
Vannucci (Corso) .... BYZ 51
Viola (Via della)..... BY 52
Volte della Pace (V.) . BY 55

Brufani, piazza Italia 12 ⊠ 06121 🖉 075 5732541, *brufani@tin.it, Fax 075 5720210,* ⩽ –
|🛗|, ✵ rist, ☰ ☎ 🗐 Ꭴ – 🔬 70. 🖭 🕄 ⓞ 🐼 🗺 🗷 🗷 . ⚘
AZ **x**
Pasto carta 65/95000 – ☑ 44000 – **75 cam** 475/550000, 16 suites.

Sangallo Palace Hotel Ⓜ, via Masi 9 ⊠ 06121 🖉 075 5730202, *hotel@sangallo.it,*
Fax 075 5730068, ⩽, 🛵, 🖂 – |🛗|, ✵ cam, ☰ ☎ 🗐 Ꭴ ⇦ – 🔬 140. 🖭 🕄 ⓞ 🐼 🗺 🗷
⚘
AZ **m**
Pasto carta 50/75000 – **93 cam** ☑ 235/300000 – ½ P 185000.

Perugia Plaza Hotel, via Palermo 88 ⊠ 06129 🖉 075 34643, *Fax 075 30863,* ⌦ – |🛗| ☰
☎ 🗐 Ꭴ ⇦ 🗜 – 🔬 200. 🖭 🕄 ⓞ 🐼 🗺 . ⚘ rist   per via dei Filosofi BZ
Pasto 40/45000 e al Rist. **Fortebraccio** carta 45/70000 – **108 cam** ☑ 260/300000, 5 suites
– ½ P 200000.

Locanda della Posta senza rist, corso Vannucci 97 ⊠ 06121 🖉 075 5728925,
Fax 075 5732562 – |🛗| ☰ ☎. 🖭 🕄 ⓞ 🐼 🗺
AZ **s**
40 cam ☑ 190/300000, suite.

Giò Arte e Vini, via Ruggero D'Andreotto 19 ⊠ 06124 🖉 075 5731100, *hotelgio@interb*
usiness.it, Fax 075 5731100, « Esposizione di vini ed opere di artisti vari » – |🛗| ☰ ☎ Ꭴ 🗜 –
🔬 150. 🖭 🕄 ⓞ 🐼 🗺 🗷 . ⚘ rist   per ③
Pasto *(chiuso domenica sera e lunedì a mezzogiorno)* carta 45/55000 – **130 cam** ☑ 135/
220000 – ½ P 140000.

La Rosetta, piazza Italia 19 ⊠ 06121 🖉 075 5720841, *larosetta@perugiaonline.com,*
Fax 075 5720841 – |🛗|, ☰ rist, ☎ – 🔬 80. 🖭 🕄 ⓞ 🐼 🗺 🗷
AZ **r**
Pasto *(chiuso lunedì)* carta 45/60000 (15 %) – **94 cam** ☑ 145/220000 – ½ P 150000.

Fortuna senza rist, via Bonazzi 19 ⊠ 06123 🖉 075 5722845 – |🛗| ☰ ☎ – 🔬 60. 🖭 🕄 ⓞ
🐼 🗺 🗷
AZ **t**
32 cam ☑ 150/215000.

Priori senza rist, via dei Priori ⊠ 06123 🖉 075 5723378, *hotelpriori@perugia.com,*
Fax 075 5723213, « Terrazza panoramica » – 🔬 50. 🕄 🐼 🗺
AY **b**
60 cam ☑ 100/140000.

Osteria del Bartolo, via Bartolo 30 ⊠ 06122 🖉 075 5731561, *osteriadelbartolo@perugi*
aonline.com, Fax 075 5731561, Coperti limitati; prenotare la sera – ✵ ☰. 🖭 🕄 ⓞ 🐼 🗺
🗷 . ⚘
BY **a**
chiuso domenica e mercoledì a mezzogiorno, da gennaio ad aprile anche mezzogiorno –
Pasto 85/130000 (10 %) e carta 100/150000 (10 %).

La Taverna, via delle Streghe 8 ⊠ 06123 🖉 075 5724128, *ltaverna@tin.it,*
Fax 075 5732536 – ✵ ☰. 🖭 🕄 ⓞ 🐼 🗺 🗷
AZ **e**
chiuso lunedì escluso dal 10 al 25 luglio – **Pasto** carta 55/85000 (12 %).

Aladino, via delle Prome 11 ⊠ 06122 🖉 075 5720938, 🏤 – ☰. 🖭 🕄 🐼 🗺 🗷
chiuso dal 5 al 20 agosto, lunedì e a mezzogiorno escluso i giorni festivi – **Pasto** specialità
umbre e sarde 45000 bc, 60000 e carta 45/75000.
BY **b**

Locanda degli Artisti, via Campo Battaglia 10 ⊠ 06122 🖉 075 5735851, Rist. e pizzeria
– ☰. 🖭 🕄 ⓞ 🐼 🗺 🗷
BZ **e**
chiuso dal 10 al 20 gennaio e martedì – **Pasto** carta 35/85000.

Dal Mi' Cocco, corso Garibaldi 12 ⊠ 06123 🖉 075 5732511, Coperti limitati; prenotare –
⚘
BY **x**
chiuso dal 25 luglio al 15 agosto e lunedì – **Pasto** 25000 bc.

a San Marco Nord-Ovest: 5 km per via Vecchi AY – ⊠ 06131 :

Sirius ⚘, via Padre Guardino 9 (Ovest: 1 km) 🖉 075 690921, *mail@siriush.com,*
Fax 075 690923, ⩽, 🏤, ⚘ – ✵ rist, ☎ 🗜 – 🔬 50. 🖭 🕄 ⓞ 🐼 🗺 🗷 . ⚘
Pasto *(solo per alloggiati e chiuso a mezzogiorno)* 30/35000 – ☑ 7000 – **15 cam** 100/
130000 – ½ P 90000.

a Montebello per ② : 4,5 km – ⊠ 06126 :

Tirrenus senza rist, via Tuderte 75 🖉 075 38200, *Fax 075 38154* – |🛗| ☰ ☎ Ꭴ 🗜 – 🔬 25. 🕄
ⓞ 🐼 🗺 . ⚘
☑ 10000 – **42 cam** 95/150000.

a Ferro di Cavallo per ③ : 6 km – alt. 287 – ⊠ 06074 Ellera Umbra :

Hit Hotel, strada Trasimeno Ovest 159 z/10 🖉 075 5179247, *Fax 075 5178947,* 🛵 – |🛗|,
✵ cam, ☰ ☎ Ꭴ ⇦ 🗜 – 🔬 300. 🖭 🕄 ⓞ 🐼 🗺 . ⚘
Pasto *(chiuso dal 13 al 26 agosto e domenica)* carta 50/70000 – ☑ 15000 – **80 cam**
175/240000 – ½ P 175000.

a Ponte San Giovanni per ② : 7 km – alt. 189 – ⊠ 06087 :

Park Hotel, via Volta 1 🖉 075 5990444, *info@perugiaparkhotel.com, Fax 075 5990455,*
🛵, 🖂 – |🛗|, ✵ cam, ☰ ☎ Ꭴ ⇦ 🗜 – 🔬 260. 🖭 🕄 ⓞ 🐼 🗺 . ⚘ rist
chiuso dal 24 al 26 dicembre – **Pasto** 50/65000 – ☑ 14000 – **140 cam** 195/265000 –
½ P 180000.

🏨 **Decohotel,** via del Pastificio 8 ☎ 075 5990950, *Fax 075 5990970,* ⛱ – ⇅ 🚭 ❄ [TV] ✆ ♿ 🚗 [P] – 🎤 150. [AE] [S] ● [VISA]. 🚫🐕
chiuso da 23 al 26 dicembre – **Pasto** vedere rist ***Deco*** – ☕ 15000 – **35 cam** 150/220000 – ½ P 160000.

🏨 **Tevere,** via Manzoni 421/E ☎ 075 394341, *mail@tevere.it, Fax 075 394342,* 🌳 – ⇅ ❄ [TV] ✆ ♿ 🚗 [P] – 🎤 100. [AE] [S] ● [MC] [VISA] [JCB]. 🚫🐕 cam
Pasto *(chiuso sabato)* carta 40/60000 – ☕ 15000 – **50 cam** 120/190000 – ½ P 130000.

🏨 **Augusta,** via dei Prati 5 ☎ 075 5990033, *hotelaugusta@libero.it, Fax 075 5996449* – ⇅ ❄ [TV] ✆ [P] – 🎤 100. [AE] [S] ● [MC] [VISA]. 🚫🐕
Pasto *(chiuso agosto)* carta 40/60000 – ☕ 10000 – **33 cam** 100/160000 – ½ P 110000.

🍴🍴 **Deco,** via del Pastificio 8 ☎ 075 5990950, *Fax 075 5990950,* 🌳, ⛱ – 🚭 ❄ [P]. [AE] [S] ● [VISA]. 🚫🐕
chiuso dal 23 al 26 dicembre, dal 13 al 20 agosto e domenica sera – **Pasto** carta 55/80000.

a Cenerente *Ovest: 8 km per via Vecchi* AY – ✉ *06070 :*

🏨 **Castello dell'Oscano** 🪑, strada Forcella 37 ☎ 075 584371, *info@oscano.com, Fax 075 690666,* <, 🌳, « Residenza d'epoca in un grande parco secolare » – ⇅, 🚭 rist ❄ cam, [TV] [P] – 🎤 60. [AE] [S] ● [MC] [VISA]. 🚫🐕 rist
Pasto (solo per alloggiati e *chiuso a mezzogiorno*) 55/65000 – **22 cam** ☕ 320/460000, 4 suites – ½ P 265000.

ad Olmo *per ③ : 8 km – alt. 284 –* ✉ *06073 Corciano :*

🍴🍴 **Osteria dell'Olmo,** ☎ 075 5179140, *Fax 075 5179903,* « Servizio estivo all'aperto » – [P] – 🎤 100. [AE] [S] ● [MC] [VISA] [JCB]
chiuso lunedì – **Pasto** carta 55/90000.

a Ponte Valleceppi *per ① : 10 km – alt. 192 –* ✉ *06078 :*

🏨 **Vegahotel,** sulla strada statale 318 (Nord-Est : 2 km) ☎ 075 6929534, *vegahot@tin.it, Fax 075 6929507,* 🌳, 🏊, ⛱ – ❄ [TV] [P] – 🎤 70. [AE] [S] ● [MC] [VISA]. 🚫🐕
chiuso gennaio – **Pasto** carta 40/55000 – ☕ 15000 – **44 cam** 130/185000 – ½ P 120000.

a Bosco *per ① : 12 km –* ✉ *06080 :*

🏨 **Relais San Clemente** 🪑, ☎ 075 5915100, *info@relais.it, Fax 075 5915001,* « Antica dimora in un grande parco », 🏊, 🎾 – ⇅ ❄ [TV] ✆ ♿ [P] – 🎤 200. [AE] [S] ● [MC] [VISA]. 🚫🐕
Pasto carta 50/70000 – **64 cam** ☕ 240/370000, suite – ½ P 240000.

PESARO

61100 [P] [429], [430] K 20 *G. Italia – 88 987 ab. – a.s. 25 giugno-agosto.*

Vedere *Museo Civico*★ : *ceramiche*★★ Z.

ℹ *viale Trieste 164 ☎ 0721 69341, Fax 0721 30462 – via Massolari 4 ☎ 0721 359501, Fax 0721 33930.*

[A.C.I.] *via San Francesco 44 ☎ 0721 33368.*

Roma 300 ① – Rimini 39 ② – Ancona 76 ① – Firenze 196 ② – Forlì 87 ② – Milano 359 ② – Perugia 134 ① – Ravenna 92 ②.

Pianta pagina a lato

🏨 **Vittoria,** via Vespucci 2 ☎ 0721 34343 e rist ☎ 0721 30285, *Fax 0721 65204,* <, 🏊 – ⇅ ❄ [TV] ✆ ♿. [AE] [S] ● [MC] [VISA]. 🚫🐕 Y e
Pasto al Rist. ***Agorà*** *(chiuso domenica escluso luglio-agosto)* carta 60/85000 – ☕ 35000 – **19 cam** 260/360000, 9 suites.

🏨 **Cruiser Congress Hotel** [M], viale Trieste 281 ☎ 0721 3881, *cruiser@cruiser.it, Fax 0721 388600,* <, « Roof garden », 🏊 riscaldata – ⇅ ❄ [TV] ✆ ♿ 🚗 – 🎤 180. [AE] [S] ● [MC] [VISA]. 🚫🐕 Y m
Pasto 35/50000 – ☕ 20000 – **117 cam** 200/300000 – ½ P 195000.

🏨 **Flaminio** [M], via Parigi 8 ☎ 0721 400303, *Fax 0721 403757,* <, 🏊 – ⇅ ❄ [TV] ♿ 🚗 – 🎤 600. [AE] [S] ● [MC] [VISA]. 🚫🐕 rist per ②
Pasto 40000 – **74 cam** ☕ 190/270000, 4 suites.

🏨 **Savoy,** viale della Repubblica 22 ☎ 0721 67440, *Fax 0721 64429,* 🏊 – ⇅ ❄ [TV] ✆ ♿ 🚗 – 🎤 400. [AE] [S] ● [MC] [VISA]. 🚫🐕 rist Z n
Pasto carta 40/55000 – ☕ 25000 – **61 cam** 200/280000, 10 suites – ½ P 180000.

🏨 **Bristol** senza rist, piazzale della Libertà 7 ☎ 0721 30355, *Fax 0721 33893* – ❄ [TV]. [AE] [S] ● [VISA] Y c
chiuso dal 21 dicembre al 9 gennaio – **27 cam** ☕ 270/320000.

🏨 **Atlantic,** viale Trieste 365 ☎ 0721 370333, *info@atlantic.com, Fax 0721 370373,* < – ⇅ ❄ [TV] [P]. [AE] [S] ● [MC] [VISA]. 🚫🐕 rist Y w
15 maggio-20 settembre – **Pasto** 25/40000 – **45 cam** ☕ 140/170000, ❄ 10000 – ½ P 90000.

🏨 **Imperial Sport Hotel,** via Ninchi 6 ☎ 0721 370077, *Fax 0721 34877,* <, 🌳, 🏊 – ⇅ [TV] 🚗 – 🎤 60. [AE] [S] [MC] [VISA]. 🚫🐕 rist Y z
aprile-ottobre – **Pasto** 50000 – ☕ 15000 – **48 cam** 135/170000 – ½ P 110000.

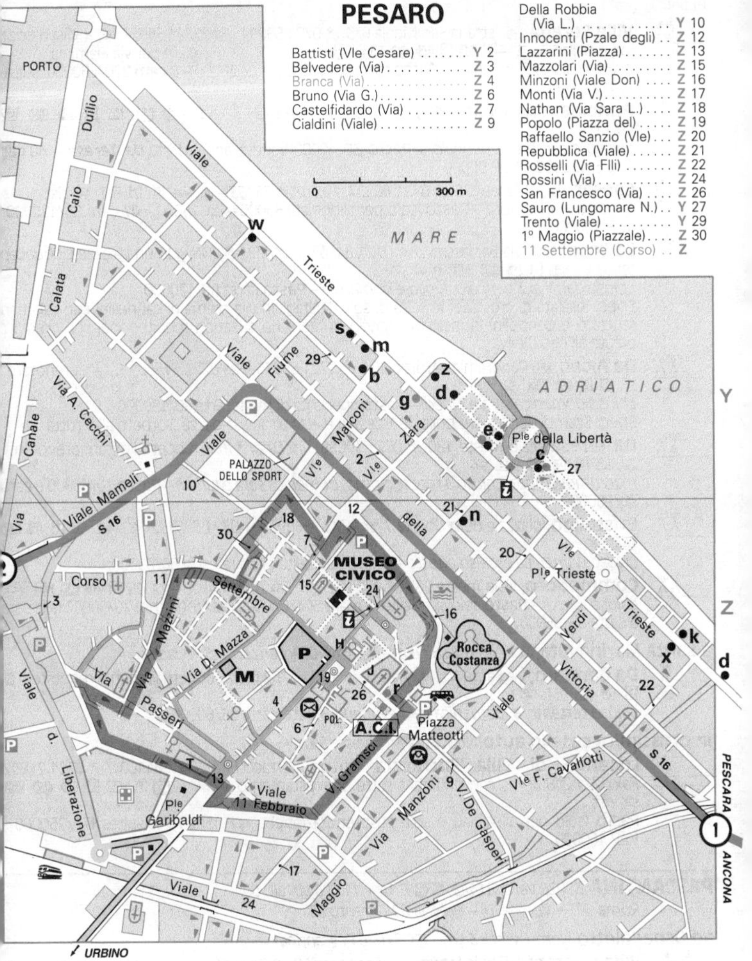
PESARO
Battisti (Vle Cesare) .... Y 2
Belvedere (Via) .... Z 3
Branca (Via) .... Z 4
Bruno (Via G.) .... Z 6
Castelfidardo (Via) .... Z 7
Cialdini (Viale) .... Z 9
Della Robbia (Via L.) .... Y 10
Innocenti (Pzale degli) .. Z 12
Lazzarini (Piazza) .... Z 13
Mazzolari (Via) .... Z 15
Minzoni (Viale Don) .... Z 16
Monti (Via V.) .... Z 17
Nathan (Via Sara L.) .... Z 18
Popolo (Piazza del) ..... Z 19
Raffaello Sanzio (Vle) ... Z 20
Repubblica (Viale) ...... Z 21
Rosselli (Via Flli) .... Z 22
Rossini (Via) .... Z 24
San Francesco (Via) .... Z 26
Sauro (Lungomare N.) .. Y 27
Trento (Viale) .... Y 29
1° Maggio (Piazzale).... Z 30
11 Settembre (Corso) .. Z
0
300 m
MARE
ADRIATICO
PORTO
Viale Trieste
Viale Fiume
Vle Marconi
Vle Zara
Viale della Vittoria
Ple della Libertà
Ple Trieste
Vle Verdi
PALAZZO DELLO SPORT
Viale Mameli
S 16
Via A. Cecchi
Canale
Calata
Caio
Duilio
MUSEO CIVICO
Corso 11 Settembre
Via Mazzini
Via D. Mazza
Via Passeri
Rocca Costanza
Piazza Matteotti
A.C.I.
POL.
V. Gramsci
Viale 11 Febbraio
Ple Garibaldi
Viale d. Liberazione
Via Manzoni
V. De Gasperi
Vle F. Cavallotti
Via 1° Maggio
Viale 24
PESCARA
ANCONA
URBINO
Y
Z

Perticari, via Zara 67 ☎ 0721 68411, *info@vacanzein.it, Fax 0721 65975*, ←, ⛱, 🏊 – 🛗 📺 🚗. AE 🅢 ⓓ ⓜⓒ VISA JCB. ✂ rist Y d
Pasqua-ottobre – **Pasto** 30/45000 – **58 cam** ☐ 100/140000 – ½ P 105000.

Spiaggia, viale Trieste 76 ☎ 0721 32516, *hotelspiaggia@hotelspiaggia.com, Fax 0721 35419*, ←, 🏊 riscaldata – 🛗, ▤ rist, 📺 🅿. AE 🅢 ⓜⓒ VISA. ✂ rist Z d
maggio-settembre – **Pasto** 30000 – ☐ 11000 – **74 cam** 80/105000 – ½ P 105000.

Ambassador, viale Trieste 291 ☎ 0721 34246, *Fax 0721 34248*, ← – 🛗 ▤ 📺 🚗. AE 🅢 ⓓ ⓜⓒ VISA JCB. ✂ Y s
Pasto *(giugno-agosto;* solo per alloggiati) – **36 cam** ☐ 140/190000 – ½ P 125000.

Bellevue, viale Trieste 88 ☎ 0721 31970, *info@ bellevuehotel.net, Fax 0721 370144*, ←, 🚲, 🏊, 🏊 – 🛗 ▤ 📺 🚗. AE 🅢 ⓓ ⓜⓒ VISA. ✂ rist Z k
15 aprile-10 ottobre – **Pasto** carta 40/50000 – ☐ 13000 – **55 cam** 95/130000 – ½ P 110000.

Clipper, viale Marconi 53 ☎ 0721 30915, *Fax 0721 33525* – 🛗 📺 🅿. AE 🅢 ⓜⓒ VISA. ✂ Y b
26 maggio-15 settembre – **Pasto** (solo per alloggiati) 30000 – **54 cam** ☐ 95/155000 – ½ P 110000.

Villa Serena ⚑, strada San Nicola 6/3 ℰ 0721 55211, *Fax 0721 55927*, ≼, « Villa d'epoc in un parco », ⚑ – 𝐏. ㏂ 𝕊 ➀ ⠿ 𝖵𝖨𝖲𝖠 𝖩𝖢𝖡 — 4 km per via Flaminia Z
chiuso dal 2 al 25 gennaio – **Pasto** carta 80/100000 – ⚏ 20000 – **8 cam** 220/280000, suite ½ P 220000.

Principe, viale Trieste 180 ℰ 0721 30096, *Fax 0721 31636* – ⧏ 𝐓𝐕. ㏂ 𝕊 ➀ ⠿ 𝖵𝖨𝖲𝖠 ⠿ rist Y
chiuso dicembre e gennaio – **Pasto** 30/40000 vedere anche Rist. *Da Teresa* – 40 car ⚏ 75/120000 – ½ P 90000.

Caesar, viale Trieste 125 ℰ 0721 69227, *Fax 0721 65183* – ⧏ ⇔ 𝐏. 𝕊 𝖵𝖨𝖲𝖠. ⠿ rist
5 maggio-settembre – **Pasto** (solo per alloggiati) 35000 – ⚏ 16000 – **47 cam** 95/120000 ½ P 100000. Z

Lo Scudiero, via Baldassini 2 ℰ 0721 64107, *Fax 0721 34248*, « In un palazzo cinquecen tesco » – ㏂ 𝕊 ➀ ⠿ 𝖵𝖨𝖲𝖠 𝖩𝖢𝖡. ⠿ Z
chiuso dal 1° al 7 gennaio, luglio e domenica – **Pasto** carta 80/120000
Spec. Insalata di crostacei in salsa di soia. Maltagliati alla crema di cannellini con calamar scottato e pendolini in insalata. Trancio di branzino ai sapori mediterranei con crema patate all'olio d'oliva.

Da Alceo, via Panoramica Ardizio 101 ℰ 0721 55875, *Fax 0721 51360*, ≼, 🍽, prenotare 𝐏. ㏂ 𝕊 ➀ 𝖵𝖨𝖲𝖠. ⠿ — 6 km per ➀
chiuso domenica sera e lunedì – **Pasto** specialità di mare carta 80/120000
Spec. Scampi del Conero bolliti. Pesce San Pietro all'acqua pazza. Sorbetti alla frutta.

Da Teresa, viale Trieste 180 ℰ 0721 30096, *Fax 0721 31636*, Coperti limitati; prenotare ▤. ㏂ 𝕊 ➀ ⠿ 𝖵𝖨𝖲𝖠. ⠿ Y
marzo-novembre; chiuso a mezzogiorno, domenica sera e lunedì – **Pasto** 70/85000 e cart 70/95000.

Bristolino, piazzale della Libertà 7 ℰ 0721 31609, *Fax 0721 375132*, ≼ – ▤. ㏂ 𝕊 ➀ ⠿ 𝖵𝖨𝖲𝖠. ⠿ Y
chiuso domenica escluso agosto – **Pasto** specialità di mare carta 60/85000.

Commodoro, viale Trieste 269 ℰ 0721 32680, *Fax 0721 64926* – ▤. ㏂ 𝕊 ➀ ⠿ 𝖵𝖨𝖲𝖠 𝖩𝖢𝖡
chiuso lunedì – **Pasto** solo specialità di mare 50/70000 (a mezzogiorno) 70/90000 (alla ser e carta 55/95000. Y

a Santa Marina Alta *Nord-Ovest : 5,5 km* – ✉ *61010 Fiorenzuola di Focara* :

Da Gennaro, via Santa Marina Alta 30 ℰ 0721 27321, 🍽, Coperti limitati; prenotare – ㏂ 𝕊 ➀ ⠿ 𝖵𝖨𝖲𝖠. ⠿
chiuso settembre, domenica sera e lunedì – **Pasto** carta 35/60000.

in prossimità casello autostrada A 14 *Ovest : 5 km* :

Locanda di Villa Torraccia, strada Torraccia 3 ✉ 61100 ℰ 0721 21852 *Fax 0721 21852*, ≼, « In un'antica torre di avvistamento », 🐎 – 𝐓𝐕 𝐏. ㏂ 𝕊 ➀ ⠿ 𝖵𝖨𝖲𝖠 ⠿ rist
Pasto (solo per alloggiati e solo su prenotazione) – ⚏ 15000 – **5 suites** 170/250000 ½ P 160000.

PESCANTINA 37026 Verona 𝟜𝟚𝟠, 𝟜𝟚𝟡 F 14 – 11 696 ab. alt. 80.
Roma 503 – Verona 14 – Brescia 69 – Trento 85.

ad Ospedaletto *Nord-Ovest : 3 km* – ✉ *37026 Pescantina* :

Villa Quaranta Park Hotel, via Brennero 65 ℰ 045 6767300, *info@villaquaranta.com Fax 045 6767301*, 🍽, « Chiesetta dell'11° secolo in un parco », 🛋, ⇔, ⚓, ⚒ – ⧏ ▤ 𝐓𝐕 ⚒ 𝐏 – ⚒ 180. ㏂ 𝕊 ➀ ⠿ 𝖵𝖨𝖲𝖠
Pasto al Rist. *Borgo Antico* (chiuso lunedì) carta 70/90000 – **59 cam** ⚏ 220/380000 11 suites – ½ P 260000.

Goethe senza rist, via Ospedaletto 8 ℰ 045 6767257, *h_goethe@virgilio.it Fax 045 6702244*, 🐎 – ⧏ ▤ 𝐓𝐕 𝐏. ㏂ 𝕊 ➀ ⠿ 𝖵𝖨𝖲𝖠. ⠿
chiuso gennaio – ⚏ 20000 – **26 cam** 185/250000.

Alla Coà, via Ospedaletto 70 ℰ 045 6767402, *Fax 045 6767402*, prenotare – ▤. ㏂ 𝕊 ➀ ⠿ 𝖵𝖨𝖲𝖠. ⠿
chiuso dal 10 gennaio al 10 febbraio, agosto, domenica e lunedì – **Pasto** carta 60/90000.

ESCARA 65100 🄿 430 0 24 – 115 698 ab. – a.s. luglio-agosto.

🎿 Pescara (chiuso lunedi) a Miglianico ⊠ 66010 ℰ 0871 950566, Fax 0871 950363, Sud : 11 km.

✈ Pasquale Liberi per ② : 4 km ℰ 085 4313323, Fax 085 4312213.

🛈 via Nicola Fabrizi 171 ⊠ 65122 ℰ 085 429001, Fax 085 298246.

A.C.I. via del Circuito 57 ⊠ 65121 ℰ 085 4223842.

Roma 208 ② – Ancona 156 ④ – Foggia 180 ① – Napoli 247 ② – Perugia 281 ④ – Terni 198 ②.

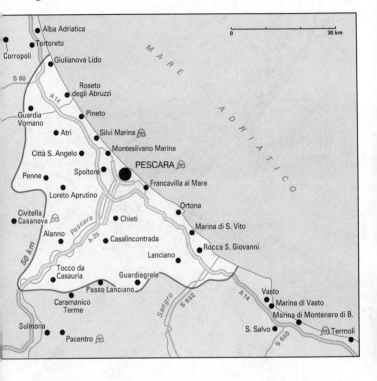

🏨 **Esplanade,** piazza 1° Maggio 46 ⊠ 65122 ℰ 085 292141, hemanager@esplanade.net, Fax 085 4217540, ≼, 🏤 – 🕼 🔟 – 🔬 200. 🆎 🕄 ① ⓪ 𝚅𝙸𝚂𝙰 𝙹𝙲𝙱. ⁓ AX **a**
Pasto (chiuso a mezzogiorno) carta 45/90000 – **150 cam** ⊆ 180/250000, 6 suites – ½ P 170000.

🏨 **Plaza,** piazza Sacro Cuore 55 ⊠ 65122 ℰ 085 4214625, Fax 085 4213267 – 🕼 ▤ 🔟 – 🔬 70 AX **z**
68 cam.

🏨 **Maja** senza rist, viale della Riviera 201 ⊠ 65123 ℰ 085 4711545, hmaja@tin.it, Fax 085 77930, ≼, 🚣 – 🕼 ▤ 🔟 🄿 – 🔬 60. 🆎 🕄 ① ⓪ 𝚅𝙸𝚂𝙰 𝙹𝙲𝙱. ⁓ AX
47 cam ⊆ 140/190000.

🏨 **Ambra** senza rist, via Quarto dei Mille 28/30 ⊠ 65122 ℰ 085 378247, Fax 085 378183 – 🕼 🔟. 🆎 🕄 ① ⓪ 𝚅𝙸𝚂𝙰. ⁓ AX **u**
61 cam ⊆ 100/160000.

🏨 **Alba** senza rist, via Forti 14 ⊠ 65122 ℰ 085 389145, Fax 085 292163 – 🕼 🔟. 🆎 🕄 ① ⓪ 𝚅𝙸𝚂𝙰 AX **r**
⊆ 7000 – **50 cam** 85/130000.

🍴 **La Tartana,** via Silvio Pellico 11 ⊠ 65123 ℰ 085 4211905, Coperti limitati; prenotare – ▤ 🄿. 🆎 🕄 ① ⓪ 𝚅𝙸𝚂𝙰. ⁓ AX **c**
chiuso domenica sera e lunedi – **Pasto** specialità di mare carta 80/115000.

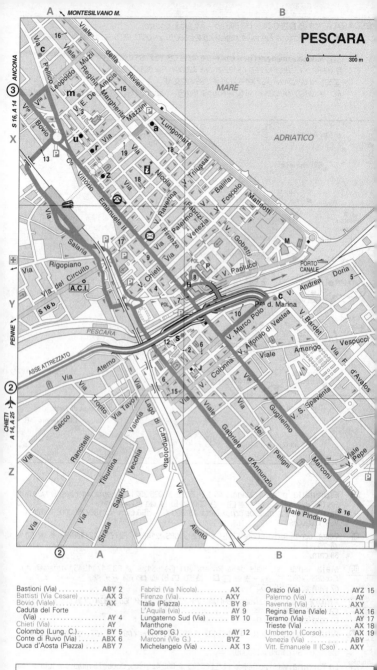

PESCARA

0   300 m

MARE

ADRIATICO

PORTO CANALE

PESCARA

Bastioni (Via) . . . . ABY 2	Fabrizi (Via Nicola) . . . . AX	Orazio (Via) . . . . AYZ 15
Battisti (Via Cesare) . . . . . . AX 3	Firenze (Via) . . . . AXY	Palermo (Via) . . . . AY
Bovio (Viale) . . . . AX	Italia (Piazza) . . . . BY 8	Ravenna (Via) . . . . AXY
Caduta del Forte	L'Aquila (via) . . . . AY 9	Regina Elena (Viale) . . . . . . AX 16
(Via) . . . . AY 4	Lungaterno Sud (Via) . . . . . BY 10	Teramo (Via) . . . . AX 17
Chieti (Via) . . . . AY	Manthone	Trieste (Via) . . . . AX 18
Colombo (Lung. C.) . . . . . . BY 5	(Corso G.) . . . . AY 12	Umberto I (Corso) . . . . AX 19
Conte di Ruvo (Via) . . . . . . ABX 6	Marconi (Vle G.) . . . . BYZ	Venezia (Via) . . . . ABY
Duca d'Aosta (Piazza) . . . . ABY 7	Michelangelo (Via) . . . . AX 13	Vitt. Emanuele II (Cso) . . . AXY

Le **carte stradali Michelin** sono costantemente aggiornate.

548

※ **Taverna 58**, corso Manthoné 46 ⊠ 65127 ☏ 085 690724, *Fax 085 4515695*, Coperti
限 limitati; prenotare – 🖂 ⬛, 匠 💲 ⓪ ⓪ 𝑉𝐼𝑆𝐴. ⅏ ABY s
*chiuso dal 24 dicembre al 1° gennaio, agosto, i giorni festivi, sabato a mezzogiorno e
domenica* – Pasto 35/50000 e carta 40/60000.

※ **La Rete**, via De Amicis 41 ⊠ 65123 ☏ 085 27054, Coperti limitati; prenotare – ⬛. 匠 💲
⓪ ⓪ 𝑉𝐼𝑆𝐴 𝐽𝐶𝐵. ⅏ AX m
chiuso domenica sera e lunedì a mezzogiorno – Pasto specialità di mare carta 50/85000.

※ **La Furnacelle**, via Colle Marino 25 ⊠ 65125 ☏ 085 4212102, 🏡 – ⬛. 匠 💲 ⓪ ⓪ 𝑉𝐼𝑆𝐴.
⅏ per via Michelangelo AX
chiuso giovedì escluso i giorni festivi – Pasto carta 35/60000.

※ **Grotta del Marinaio**, via Bardet 6 ⊠ 65126 ☏ 085 690454, *Fax 085 690454*, Coperti
limitati; prenotare – ⬛. 匠 💲 ⓪ ⓪ 𝑉𝐼𝑆𝐴 BY c
chiuso Natale, Capodanno, dal 20 agosto al 3 settembre, domenica sera e martedì – Pasto
carta 50/80000.

⌂ **colli** *Ovest : 3 km per via Rigopiano* AY :

※ **La Terrazza Verde**, via Tiberi 4/6/8 ⊠ 65125 ☏ 085 413239, *Fax 085 413239* – ⬛. 匠 💲
⓪ ⓪ 𝑉𝐼𝑆𝐴. ⅏
chiuso mercoledì – Pasto carta 30/40000.

ESCASSEROLI *67032 L'Aquila* 🄴🄵🄾 Q 23 *G. Italia – 2 302 ab. alt. 1 167 – a.s. febbraio-22 aprile,
15 luglio-agosto e Natale – Sport invernali : 1 167/1 945 m ⚡4; a Opi ⚡.*
Vedere *Parco Nazionale d'Abruzzo★★★.*
🅱 *via Piave 2 ☏ 0863 910097, Fax 0863 910461.*
Roma 163 – Frosinone 67 – L'Aquila 109 – Castel di Sangro 42 – Isernia 64 – Pescara 128.

🏨 **Corona**, via Collacchi 2 ☏ 0863 91841, *hcorona@tin.it, Fax 0863 91902*, 🌊 – 🛗 📺 🕭 🚗
🅿. 匠 💲 ⓪ ⓪ 𝑉𝐼𝑆𝐴. ⅏
23 dicembre-1° maggio e 18 giugno-16 settembre – Pasto (solo per alloggiati) – 38 cam
⊇ 220000 – ½ P 160000.

🏨 **Villa Mon Repos**, viale Colli dell'Oro ☏ 0863 912858, *Fax 0863 912830*, « Residenza
d'epoca in un parco » – 📺 🅿. 匠 💲 ⓪ ⓪ 𝑉𝐼𝑆𝐴. ⅏
Pasto carta 60/90000 – 17 cam ⊇ 170/390000 – ½ P 200000.

🏨 **Pagnani**, viale Colli dell'Oro 5 ☏ 0863 912866, *h.pagnani@ermes.it, Fax 0863 912870*, 🎣,
🔲 – 🛗 📺 🕭 🚗 – 🔩 220. 匠 💲 ⓪ ⓪ 𝑉𝐼𝑆𝐴. ⅏
Pasto 35/45000 – 37 cam ⊇ 160/190000 – ½ P 140000.

🏨 **Edelweiss**, via Colli dell'Oro ☏ 0863 912577, *Fax 0863 912798*, 🌊 – 🛗 📺 🅿. 匠 💲 ⓪ ⓪
𝑉𝐼𝑆𝐴 𝐽𝐶𝐵. ⅏
Pasto carta 30/110000 – 23 cam ⊇ 165/220000 – ½ P 130000.

🏨 **Orso Bianco** ⚜, via Collacchi 1 (Sud-Ovest : 1,5 km) ☏ 0863 912888, *ors.bianco@tin.it,
Fax 0863 910501*, ≤, 🌊 – 🛗 📺 🅿. 匠 💲 ⓪ ⓪ 𝑉𝐼𝑆𝐴. ⅏ rist
Pasto (solo per alloggiati) 20/40000 – 36 cam ⊇ 85/130000 – ½ P 140000.

🏨 **Alle Vecchie Arcate**, via della Chiesa 57/a ☏ 0863 910618, *Fax 0863 912598* – 🛗 📺. 匠
💲 ⓪ 𝑉𝐼𝑆𝐴. ⅏
dicembre-aprile e giugno-settembre – Pasto (solo per alloggiati) – ⊇ 7000 – 33 cam
100/130000 – ½ P 120000.

※ **Peppe di Sora** con cam, via Benedetto Croce 1 ☏ 0863 91908, *Fax 0863 910023* – 📺. 匠
💲 ⓪ ⓪ 𝑉𝐼𝑆𝐴. ⅏ cam
Pasto *(chiuso lunedì in bassa stagione)* carta 40/60000 – 12 cam ⊇ 100/12000 –
½ P 100000.

※ **Alle Vecchie Arcate**, via della Chiesa 41 ☏ 0863 910781, *Fax 0863 912873* – 匠 ⓪ ⓪
𝑉𝐼𝑆𝐴
chiuso lunedì in bassa stagione – Pasto carta 35/50000.

PESCHE *Isernia* 🄴🄵🄸 C 24 – *Vedere Isernia.*

Besonders angenehme Hotels oder Restaurants
sind im Führer rot gekennzeichnet.

Sie können uns helfen, wenn Sie uns die Häuser angeben,
in denen Sie sich besonders wohl gefühlt haben.

Jährlich erscheint eine komplett überarbeitete Ausgabe
aller Roten Michelin-Führer.

PESCHICI 71010 Foggia **431** B 30 *G. Italia – 4 363 ab. – a.s. luglio-13 settembre.*

Escursioni *Promontorio del Gargano*★★★ *Sud-Est.*

Roma 400 – Foggia 114 – Bari 199 – Manfredonia 80 – Pescara 199.

🏨 **D'Amato**, località Spiaggia Ovest : 1 km 𝄞 0884 963415, Fax 0884 963391, ﬁ, ⊼, ☞, '
– ❘ ☰ 🖬 ♿ 🚗 **P** – 🔬 300. 🖭 🕄 ➊ 🅾 **VISA**. 🛠
Pasqua-15 ottobre – **Pasto** 35000 – **80 cam** solo ½ P 150000.

🏠 **Peschici**, via San Martino 31 𝄞 0884 964195, Fax 0884 964195, ⩽ mare – ❘ 🚗 **P.** 🕄 (
🅾 **VISA**. 🛠
15 marzo-ottobre – **Pasto** (solo per alloggiati) – ☲ 15000 – **42 cam** 60/95000 –
½ P 115000.

XX **La Grotta delle Rondini**, via al molo Ovest : 1 km 𝄞 0884 964007, « In una grot
naturale con servizio estivo in terrazza con ⩽ mare » – 🖭 🕄 ➊ 🅾 **VISA** 🛠
Pasqua-ottobre – **Pasto** specialità di mare carta 40/65000 (10%).

sulla litoranea per Vieste:

🏨 **Gusmay e La Rotonda** 🖇 località Manacore Est : 8,5 km ⌗ 71010 𝄞 0884 91112
🐝 *gusmay@gargano.net*, Fax 0884 91103, « Giardino-pineta in riva al mare », ⊼, ﬞ®, 🛠
❘ ☰ 🖬 **P** – 🔬 25. 🖭 🕄 ➊ 🅾 **VISA** 🇯🇨🇧. 🛠
maggio-settembre – **Pasto** carta 40/55000 – **80 cam** ☲ 150/280000 – ½ P 190000.

🏨 **Solemar** 🖇, località San Nicola Est : 3 km ⌗ 71010 𝄞 0884 964186, *hotel.solemar@tisc
inet.it*, Fax 0884 964188, ⩽, « In pineta », ⊼, ﬞ® – ☰ rist, **P.** 🖭 🕄 ➊ 🅾 **VISA**. 🛠 rist
20 maggio-20 settembre – **Pasto** (solo per alloggiati) 30/35000 – ☲ 8000 – **66 cam**
100/180000 (solo ½ P in luglio e Pens completa in agosto) – ½ P 140000.

🏨 **Park Hotel Paglianza e Paradiso** 🖇, località Manacore Est : 10,5 km ⌗ 710
𝄞 0884 911018, Fax 0884 911032, « In pineta », ⊼, ﬞ®, 🛠 – ❘ ☰ 🖬 **P** – 🔬 200. 🕄 (
VISA. 🛠 rist
aprile-15 ottobre – **Pasto** (solo per alloggiati) 25/35000 – **110 cam** ☲ 105/160000 –
½ P 150000.

X **La Collinetta** con cam, località Madonna di Loreto Sud-Est : 2 km ⌗ 710
𝄞 0884 964151, Fax 0884 964151, ⩽, prenotare, « Servizio estivo in terrazza panoramica
– 🖬 **P.** 🕄 🅾 **VISA**. 🛠
15 marzo-settembre – **Pasto** specialità di mare carta 60/95000 – **25 cam** ☲ 80/130000
½ P 110000.

PESCHIERA BORROMEO 20068 Milano **428** F 9, **219** ⑲ – 20 310 ab. alt. 103.

Roma 573 – Milano 18 – Piacenza 66.

Pianta d'insieme di Milano.

🏨 **Montini** senza rist, via Giuseppe di Vittorio 39 𝄞 02 5475031, *hotelmontini@hotelmonti
.com*, Fax 02 55300610 – ❘ 🆓 ☰ 🖬 ♿ **P.** 🖭 🕄 ➊ 🅾 **VISA**   CP
chiuso dal 21 al 31 dicembre e dal 3 al 19 agosto – **51 cam** ☲ 180/280000.

🏨 **Holiday Inn**, via Buozzi 2 (all'idroscalo-lato Est) 𝄞 02 55302959, Fax 02 55302980 – ❘
🆓 cam, ☰ 🖬 ♿ ♿ **P.** – 🔬 70. 🖭 🕄 ➊ 🅾 **VISA** 🇯🇨🇧. 🛠 rist   CP
Pasto carta 55/80000 – ☲ 20000 – **142 cam** 350/420000 – ½ P 250000.

X **La Viscontina** senza rist, via Grandi 15, località Canzo 𝄞 02 5473887, Fax 02 55302460, 🔛
– ☰ 🖬 **P.** 🖭 🕄 ➊ 🅾 **VISA** 🇯🇨🇧. 🛠 rist   CP
chiuso dal 5 al 29 agosto – **Pasto** carta 60/80000 – ☲ 15000 – **14 cam** ☲ 150/200000 – ½ P 170000.

X **Dei Cacciatori**, via Trieste 2, località Longhignana Nord : 4 km 𝄞 02 753115
Fax 02 7531274, « Servizio estivo in giardino » – **P.** 🖭 🕄 ➊ 🅾 **VISA**. 🛠
chiuso dal 31 dicembre al 6 gennaio, dal 9 al 25 agosto, domenica sera e lunedì – **Pasto**
carta 50/70000.

PESCHIERA DEL GARDA 37019 Verona **428**, **429** F 14 – 8 913 ab. alt. 68.

🛈 piazzale Betteloni 15 𝄞 045 7551673, Fax 045 7550381.

Roma 513 – Verona 23 – Brescia 46 – Mantova 52 – Milano 133 – Trento 97 – Venezia 138.

🏨 **Fortuna**, via Venezia 26 𝄞 045 7550111, Fax 045 7550111, 🔛 – ❘ ☰ 🖬 ♿ 🚗 **P.**
🔬 150. 🖭 🕄 ➊ 🅾 **VISA**. 🛠 cam
Pasto *(chiuso domenica da ottobre a marzo)* carta 50/85000 – ☲ 20000 – **42 cam** 170
190000 – ½ P 160000.

🏨 **Hotel Puccini** senza rist, via Puccini 2 𝄞 045 6401428, *info@hotelpuccini.i*
Fax 045 6401419, ⊼, ☞ – ❘ ☰ 🖬 ♿ **P.** 🖭 🕄 ➊ 🅾 **VISA** 🇯🇨🇧. 🛠
☲ 15000 – **32 cam** 85/200000.

🏠 **Vecchio Viola**, via Milano 5/7 𝄞 045 7551666, Fax 045 6400063 – ❘ ☰ 🖬 ♿ **P.** 🖭 🕄 ➊
VISA. 🛠
chiuso gennaio – **Pasto** *(chiuso martedì)* carta 35/50000 – ☲ 12000 – **20 cam** 75/110000
½ P 95000.

550

XXX **Osietra,** via Sebino 29 ☎ 045 7553227, *Fax 045 7553227*, 🏖 – ▤ [P]. [AE] [$] ⓓ [MC] [VISA] [JCB]
Pasto specialità di mare carta 75/120000.

XX **Piccolo Mondo,** piazza del Porto 6 ☎ 045 7550025, *Fax 045 7552260* – [AE] [$] ⓓ [MC] [VISA] [JCB]
chiuso dal 7 al 23 gennaio, dal 22 giugno al 3 luglio, martedì sera e mercoledì – **Pasto** specialità di mare carta 60/80000.

San Benedetto *Ovest : 2,5 km – ✉ 37010 San Benedetto di Lugana :*

🏨 **Saraceno,** via De Amicis 4 ☎ 045 7550546, *info@hotelsaraceno.it, Fax 045 6401260*, « Ampio giardino con 🏊 » – ⊁ ▤ [TV] ♿ [P]. [AE] [$] ⓓ [MC] [VISA]. ⊁
chiuso gennaio – **Pasto** (solo per alloggiati) 35/45000 – ☕ 17000 – **22 cam** 110/140000 – ½ P 120000.

🏨 **Peschiera** 🔇, via Parini 4 ☎ 045 7550526, *Fax 045 7550444*, ≤, 🏊, 🌳 – [\|$\|] [P]. [AE] [$] ⓓ [MC] [VISA] [JCB]. ⊁
aprile-ottobre – **Pasto** *(chiuso a mezzogiorno e lunedì)* carta 40/55000 – ☕ 18000 – **30 cam** 80/100000 – ½ P 100000.

X **Papa** con cam, via Bell'Italia 40 ☎ 045 7550476, *alb.papa@peschiera.com, Fax 045 7550589*, 🏖, 🏊 – [\|$\|] [TV] [P]. [AE] [$] [MC] [VISA]. ⊁
chiuso dal 2 novembre all'8 dicembre – **Pasto** *(chiuso mercoledì)* carta 35/55000 – **19 cam** ☕ 95/125000 – ½ P 90000.

X **Trattoria al Combattente,** strada Bergamini 60 ☎ 045 7550410, *Fax 045 7550410*, 🏖 – [AE] [$] ⓓ [MC] [VISA] [JCB]. ⊁
chiuso ottobre e lunedì – **Pasto** carta 40/65000.

Leggete attentamente l'introduzione : è la « chiave » della guida.

PESCIA
51017 Pistoia [428], [429], [430] *K 14 G. Toscana – 17 913 ab. alt. 62.*
Roma 335 – Firenze 57 – Pisa 39 – Lucca 19 – Milano 299 – Montecatini Terme 8 – Pistoia 30.

🏨 **Villa delle Rose** 🔇, via del Castellare 21, località Castellare ✉ 51012 Castellare di Pescia ☎ 0572 4670, *villarose@ftbcc.it, Fax 0572 444003*, « Parco con 🏊 » – [\|$\|] ▤ [TV] [P] – 🎤 120. [AE] [$] ⓓ [MC] [VISA] [JCB]. ⊁
Pasto al Rist. ***Piazza Grande*** *(chiuso a mezzogiorno, lunedì e martedì)* carta 45/60000 – ☕ 18000 – **103 cam** 180/270000, 3 suites.

🏨 **San Lorenzo Hotel e Residence** 🔇, località San Lorenzo 6 (Nord : 2 km) ☎ 0572 408340, *s.lorenzo@rphotels.com, Fax 0572 408333*, ≤, « In una cartiera del 1700 », 🌳 – [\|$\|] ▤ [TV] [P]. [AE] [$] ⓓ [MC] [VISA]. ⊁
Pasto *(chiuso martedì)* carta 40/55000 – ☕ 18000 – **36 cam** 130/190000, 2 suites – ½ P 160000.

XX **Cecco,** via Forti 96 ☎ 0572 477955, 🏖 – ▤. [AE] [$] ⓓ [MC] [VISA]
chiuso dall'8 al 18 gennaio, dal 2 al 26 luglio e lunedì – **Pasto** cucina del territorio carta 35/65000 (13 %).

X **La Fortuna,** via Colli per Uzzano 32/34 ☎ 0572 477121, ≤, 🏖, Coperti limitati; prenotare – [P]. [AE] [$] ⓓ [MC] [VISA] [JCB]. ⊁
chiuso agosto, lunedì e a mezzogiorno (escluso i giorni festivi) – **Pasto** carta 50/70000.

PESCOCOSTANZO
67033 L'Aquila [430] *Q 24,* [431] *B 24 – 1 268 ab. alt. 1 360.*
Roma 198 – Campobasso 94 – L'Aquila 101 – Chieti 89 – Pescara 102 – Sulmona 33.

🏨 **Le Torri** [M] 🔇, via del Vallone 4 ☎ 0864 642040, *info@letorrihotel.it, Fax 0864 641573* – [\|$\|] ▤ [TV]. [AE] [$] ⓓ [MC] [VISA]. ⊁
Pasto carta 50/80000 – **22 cam** ☕ 280000 – ½ P 170000.

PESEK
Trieste [429] *F 23 – alt. 474 – ✉ 34012 Basovizza.*
Roma 678 – Udine 77 – Gorizia 54 – Milano 417 – Rijeka (Fiume) 63 – Trieste 13.

a Draga Sant'Elia *Sud-Ovest : 4,5 km – ✉ 34010 Sant'Antonio in Bosco :*

X **Locanda Mario** 🔇 con cam, Draga Sant'Elia 22 ☎ 040 228193, *Fax 040 228193*, 🏖 – [TV] [P]. [AE] [$] ⓓ [MC] [VISA]. ⊁
chiuso dal 7 al 20 gennaio e martedì – **Pasto** carta 45/70000 – ☕ 7000 – **9 cam** 75/95000 – ½ P 100000.

PETRIGNANO
Perugia [430] *M 19 – Vedere Assisi.*

PETROGNANO
Firenze [430] *L 15 – Vedere Barberino Val d'Elsa.*

PETTENASCO 28028 Novara 428 E 7, 219 ⑥ – 1 308 ab. alt. 301.

Roma 663 – Stresa 25 – Milano 86 – Novara 48 – Torino 122.

ɪɪɪ **L'Approdo,** corso Roma 80 ℘ 0323 89346, Fax 0323 89338, 龠, « Grazioso giardino co ≤ lago e monti », ☎, ⃒ riscaldata, 🐾, 🛥, ⅋ – ⟬⟭ ℙ, – 🛋 300. 🜇 🖫 ⓪ 🐧 𝕍𝕀𝕊𝔸 🗠 ⅋ rist

chiuso dal 7 gennaio al 10 febbraio – **Pasto** (chiuso lunedì a mezzogiorno da novembre 15 marzo) carta 55/80000 – **62 cam** ⫩ 180/290000, 8 suites – ½ P 190000.

ɪɪ **Giardinetto,** via Provinciale 1 ℘ 0323 89482 e rist. ℘ 0323 89118, Fax 0323 89219, lago, « Veranda sul lago », ⃒, 🐾 – ⟬ ⟭ ℙ. 🜇 🖫 ⓪ 🐧 𝕍𝕀𝕊𝔸 🗠 ⅋ rist
aprile-25 ottobre – **Pasto** al Rist. **Giardinetto** carta 55/85000 – **50 cam** ⫩ 145/21000 suite – ½ P 150000.

PEZZO Brescia 428, 429 D 13 – Vedere Ponte di Legno.

PFALZEN = Falzes.

In questa guida

uno stesso simbolo, una stessa parola
stampati in rosso o in **nero**, in magro o in ***grassetto***
hanno un significato diverso.

Leggete attentamente le pagine dell'introduzione.

PIACENZA 29100 ℙ 428 G 11 G. Italia – 98 384 ab. alt. 61.

Vedere Il Gotico★★ (palazzo del comune): Statue equestri★★ B D – Duomo★ B E.

🏌 La Bastardina (chiuso lunedì) ✉ 29010 Agazzano ℘ 0523 975373, Fax 0523 975373, pe ③ : 19 km;

🏌 Croara (chiuso martedì e dal 10 gennaio al 3 febbraio) a Croara diCazzola ✉ 2901 ℘ 0523 977105, Fax 0523 977100, per ④ : 21 km.

🛈 piazzetta Mercanti 7 ℘ 0523 329324, Fax 0523 306727.

A.C.I. via Chiapponi 37 ℘ 0523 335343.

Roma 512 ② – Bergamo 108 ① – Brescia 85 ② – Genova 148 ④ – Milano 64 ① Parma 62 ②.

Pianta pagina a lato

ɪɪɪ **Grande Albergo Roma,** via Cittadella 14 ℘ 0523 323201, hotelroma@altrimedia.i Fax 0523 330548, ℔, ☎ – ▐ ｜, 🗠 cam, 🖃 ⟬⟭ ⅋ 🐾 ⇆ – 🛋 45. 🜇 🖫 ⓪ 🐧 𝕍𝕀𝕊𝔸 B
Pasto vedere rist **Piccolo Roma** – **72 cam** ⫩ 270/340000, 4 suites – ½ P 210000.

ɪɪɪ **Park Hotel** 🅼, strada Valnure 7 ℘ 0523 712600 e rist. ℘ 0523 756664, parkhotel@altrir edia.it, Fax 0523 453024, ℔, ☎ – ▐ 🖃 ⟬⟭ ⅋ 🐾 ℙ – 🛋 300. 🜇 🖫 ⓪ 🐧 𝕍𝕀𝕊 ⅋ rist   per ③
Pasto al Rist. **La Veranda** carta 60/90000 – **93 cam** ⫩ 260/310000, 6 suites.

ɪɪ **Ovest** 🅼 senza rist, via I Maggio 82 ℘ 0523 712222, info@hotelovest.com Fax 0523 711301 – ▐ 🖃 ⟬⟭ 🐾 ⇆ – 🛋 40. 🜇 🖫 ⓪ 𝕍𝕀𝕊𝔸 ⅋   per ④
41 cam ⫩ 170/200000.

ɪɪ **Nazionale** senza rist, via Genova 35 ℘ 0523 712000, info@hotelnazionale.it Fax 0523 456013 – ▐ 🖃 ⟬⟭ 🐾, 🜇 🖫 ⓪ 🐧 𝕍𝕀𝕊𝔸 🗠   A
78 cam ⫩ 150/200000, 9 suites.

ɪɪ **Holiday Inn Piacenza,** via Emilia Pavese 114 A ℘ 0523 499074, Fax 0523 499115 – ▐ 🖃 ⟬⟭ ⅋ ⇆ ℙ – 🛋 65. 🜇 🖫 ⓪ 🐧 𝕍𝕀𝕊𝔸 🗠 ⅋ rist   per ④
Pasto carta 45/80000 – ⫩ 22000 – **70 cam** 200/230000 – ½ P 145000.

ɪɪ **City** senza rist, via Emilia Parmense 54 ℘ 0523 579752, Fax 0523 579784 – 🖃 ⟬⟭ ⇆ ℙ. 🜇 🖫 ⓪ 🐧 𝕍𝕀𝕊𝔸 🗠   3 km per ②
60 cam ⫩ 135/180000.

🛇🛇🛇 **Antica Osteria del Teatro,** via Verdi 16 ℘ 0523 323777, Fax 0523 304934, Copert limitati; prenotare – 🖃. 🜇 🖫 ⓪ 🐧 𝕍𝕀𝕊𝔸 ⅋   B
🕸 chiuso dal 1º al 7 gennaio, dal 1º al 25 agosto, domenica e lunedì – **Pasto** 95/120000 e carta 95/145000

Spec. Treccia di branzino all'olio extravergine, pomodoro, timo e sale grosso. Costolette d'agnello pré-salé agli aromi. Medaglione di fegato grasso d'anatra profumato al Sauternes con confettura speziata di cipolla di Tropea.

🛇🛇🛇 **Piccolo Roma** - Hotel Grande Albergo Roma, via Cittadella 14 ℘ 0523 323201 Fax 0523 330548 – 🖃. 🜇 🖫 ⓪ 🐧 𝕍𝕀𝕊𝔸 ⅋   B
chiuso agosto, domenica sera e lunedì – **Pasto** carta 50/110000.

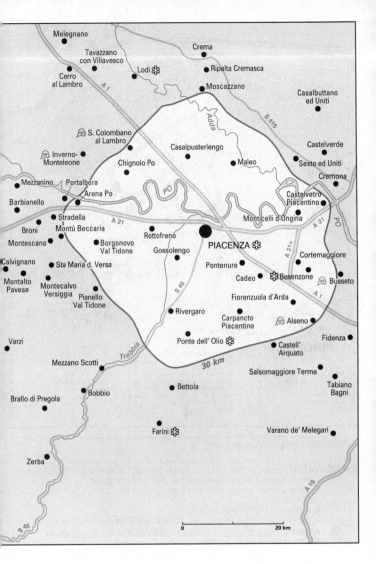

XX XX **Vecchia Piacenza,** via C.ne San Bernardo 1 ℰ 0523 305462, Coperti limitati; prenotare, « Ambiente caratteristico » – 🕄 ⓪ 𝘝𝘐𝘚𝘈   A b
chiuso dal 1° al 15 luglio e domenica – **Pasto** 45/80000 bc (a mezzogiorno) 80/100000 bc (la sera) e carta 60/100000.

XX XX **Peppino,** via Roma 183 ℰ 0523 329279, *Fax 0523 316119*, prenotare – 🖳. 🖭 🕄 ⓪ 🐼 𝘝𝘐𝘚𝘈 𝘑𝘊𝘉. ⅍   B d
chiuso agosto e lunedì – **Pasto** carta 60/85000.

a **Borghetto** *per* ② : *10 km* – ✉ *29010* :

X **Vecchia Osteria di Borghetto,** via Ferdinando di Borbone 117 ℰ 0523 504133 – 🅿. 🖭 🕄 ⓪ 🐼 𝘝𝘐𝘚𝘈. ⅍
chiuso dal 10 al 15 gennaio, dal 1° al 20 agosto, domenica sera e lunedì – **Pasto** carta 35/50000.

553

PIACENZA

Belcredi (Via G.) . . . . B 2
Borgo (Piazza) . . . . A 3
Campo della Fiera (Via) . . . . . B 4
Cavalli (Piazza dei) . . . . B 5
Garibaldi (Via) . . . . A 9
Genova (Piazzale) . . . . A 10
Giordani (Via P.) . . . . B 12

La Primogenita (Via) . . . . B 13
Legione Zanardi Landi
  (Via) . . . . B 15
Legnano (Via) . . . . B 16
Manfredi (Via Giuseppe) . . . . . B 17
Marconi (Piazzale) . . . . B 19
Milano (Piazzale) . . . . B 20
Pace (Via) . . . . B 22
Risorgimento (Viale) . . . . B 23
Roma (Piazzale) . . . . B 24

S. Antonino (Via) . . . . B 2
S. Eufemia (Via) . . . . A 2
S. Sisto (Via) . . . . A 2
S. Tommaso (Via) . . . . A 3
Scalabrini (Via) . . . . B 3
Torino (Piazzale) . . . . A 3
Venturini (Via) . . . . A 3
Verdi (Via) . . . . B 3
Vittorio Emanuele II (Corso) . . A 4
20 Settembre (Via) . . . . B 4

PIANAZZO *Sondrio* – Vedere Madesimo.

PIANCAVALLO *Pordenone* 429 D 19 – *alt. 1 267 – ⊠ 33081 Aviano – a.s. 5 febbraio-4 marzo, 2* *luglio-20 agosto e Natale – Sport invernali : 1 267/1 850 m ≰7, ⅊.*

☞ *Castel d'Aviano (chiuso martedì) a Castel d'Aviano* ⊠ *33081 ℰ 0434 652305, Fax 043- 660496, Sud : 2 km.*

🅑 *ℰ 0434 655191, Fax 0434 655354.*

Roma 618 – Belluno 68 – Milano 361 – Pordenone 30 – Treviso 81 – Udine 81 – Venezia 117

🏨 **Antares,** via Barcis *ℰ 0434 655265, Fax 0434 655265, ≼, I₅, ≘s – ⧏ 🆃🆅 ⇌ 🅿. ஊ 🆂 ⓪* **ⓜⓥⓘⓢⓐ** ⅏

dicembre-aprile e giugno-settembre – **Pasto** *(solo per alloggiati) 40000 – ⲡ 15000 – * **62 cam** *110/160000 – ½ P 125000.*

🏨 **Regina,** via Buse di Villotta 2 *ℰ 0434 655166, Fax 0434 655128, ≼ – 🆅 🅿. ஊ 🆂 ⓪ ⓪* **ⓥⓘⓢⓐ** ⅏

15 dicembre-15 aprile e 15 giugno-15 settembre – **Pasto** *carta 30/55000 – ⲡ 10000 – * **47 cam** *80/110000 – ½ P 85000.*

PIAN DELLE BETULLE *Lecco* 219 ⑩ – Vedere Margno.

PIANELLO VAL TIDONE *29010 Piacenza* 428 H 10 – *2 210 ab. alt. 190.*

Roma 547 – Piacenza 32 – Genova 145 – Milano 77 – Pavia 49.

✕ **Trattoria Chiarone,** via Centrale 89, località Chiarone Sud : 5 km *ℰ 0523 998054 – 🅿*
 ⅏

chiuso lunedì – **Pasto** *carta 20/50000.*

IANFEI *12080 Cuneo* **428** *I 5 – 1 832 ab. alt. 503.*
Roma 629 – Cuneo 15 – Genova 130 – Imperia 114 – Torino 93.

🏨 **La Ruota,** strada statale Monregalese 5 ℘ 0174 585701 e rist. ℘ 0174 585164, *laruota@ mtrade.com, Fax 0174 585700,* ☎, ⊆, 🐎, ℀ – 🛗 ▤ 📺 ⅋ ⟷ 🅿 – 🔏 300. ⅍ 🕃 ⓞ 🕪 𝖵𝖨𝖲𝖠 𝖩𝖢𝖡
Pasto carta 45/70000 – **67 cam** ⇆ 130/180000, 6 suites – ½ P 130000.

IANI *Imperia – Vedere Imperia.*

IANO D'ARTA *Udine – Vedere Arta Terme.*

IANO RANCIO *Como – Vedere Bellagio.*

IANOSINATICO *51020 Pistoia* **428**, **429**, **430** *J 14 – alt. 948 – a.s. Pasqua, luglio-agosto e Natale.*
Roma 352 – Firenze 79 – Pisa 77 – Bologna 102 – Lucca 56 – Milano 279 – Modena 104 – Pistoia 42.

🏠 **Quadrifoglio,** via Brennero 169 ℘ 0573 629229, *Fax 0573 629229,* ≤ – 📺. 🕃 🕪 𝖵𝖨𝖲𝖠
Pasto *(chiuso giovedì da aprile a giugno e dal 15 settembre al 15 dicembre)* 30/45000 – ⇆ 10000 – **14 cam** 80/100000 – ½ P 90000.

IANO TORRE *Palermo – Vedere Sicilia (Piano Zucchi) alla fine dell'elenco alfabetico.*

IANO ZUCCHI *Palermo* **432** *N 23 – Vedere Sicilia alla fine dell'elenco alfabetico.*

IAZZA *Siena* **430** *L 15 – Vedere Castellina in Chianti.*

IAZZA ARMERINA *Enna* **432** *O 25 – Vedere Sicilia alla fine dell'elenco alfabetico.*

IAZZATORRE *24010 Bergamo* **428** *E 11 – 472 ab. alt. 868 – a.s. 20 luglio-20 agosto e Natale – Sport invernali : 900/1 870 m ≰ 1 ⟋ 4, ⚞.*
Roma 650 – Bergamo 48 – Foppolo 31 – Milano 91 – San Pellegrino Terme 24.

🏠 **Piazzatorre,** via Centro 21 ℘ 0345 85033, *Fax 0345 85070,* ≤ – 🛗 📺 ⅋ 🅿. 🕃 🕪 𝖵𝖨𝖲𝖠. ℀
⊜ *chiuso ottobre e novembre –* **Pasto** carta 35/55000 – ⇆ 15000 – **28 cam** 70/110000 – ½ P 85000.

ICEDO *Brescia – Vedere Polpenazze del Garda.*

ICERNO *85055 Potenza* **431** *F 28 – 6 192 ab. alt. 721.*
Roma 307 – Potenza 24 – Bari 165 – Foggia 128.

in prossimità Superstrada Basentana *Ovest : 3 km :*

🏨 **Bouganville,** ℘ 0971 991084, *info@hotelbouganville.it, Fax 0971 990921,* 🐎 – 🛗 ▤ 📺 ⅋ 🅿 – 🔏 50. ⅍ 🕃 ⓞ 🕪 𝖵𝖨𝖲𝖠. ℀
Pasto carta 40/60000 – **36 cam** ⇆ 110/160000 – ½ P 120000.

IENZA *53026 Siena* **430** *M 17 G. Toscana – 2 258 ab. alt. 491.*
Vedere Cattedrale⋆ : Assunzione⋆⋆ del Vecchietto – Palazzo Piccolomini⋆.
Roma 188 – Siena 52 – Arezzo 61 – Chianciano Terme 22 – Firenze 120 – Perugia 86.

🏨 **Il Chiostro di Pienza** ⏾, corso Rossellino 26 ℘ 0578 748400, *ilchiostro@jumpy.it, Fax 0578 748440,* ≤ campagna e colline, ㈜, « Chiostro quattrocentesco », ⊒, 🐎 – 🛗,
▤ rist, 📺 ⅋ – 🔏 40. ⅍ 🕃 ⓞ 🕪 𝖵𝖨𝖲𝖠 𝖩𝖢𝖡. ℀ rist
15 marzo-dicembre – **Pasto** *(15 marzo-ottobre e lunedì)* carta 70/105000 – **28 cam** ⇆ 200/300000, 9 suites – ½ P 225000.

🏨 **San Gregorio Residence** senza rist, via della Madonnina 4 ℘ 0578 748175, *Fax 0578 748354 –* 🛗 ▤ 📺 🅿. 🕃 🕪 𝖵𝖨𝖲𝖠. ℀
⇆ 15000 – **3 cam** 130000, 16 suites 165/245000.

🏨 **Corsignano** senza rist, via della Madonnina 11 ℘ 0578 748501, *Fax 0578 748166,* ≤ – ▤
📺. ⅍ 🕃 ⓞ 🕪 𝖵𝖨𝖲𝖠. ℀
chiuso dal 10 gennaio a febbraio – **36 cam** ⇆ 130/180000.

Dal Falco con cam, piazza Dante Alighieri 3 *℘ 0578 748551, Fax 0578 748551,* 🍴 – [
🆎 🗓 ⓞ 🐵 𝑽𝑰𝑺𝑨 JCB. ⊗
Pasto *(chiuso venerdì)* carta 40/60000 – 🍽 10000 – **6 cam** 100/120000.

La Buca delle Fate, corso Rossellino 38/a *℘ 0578 748272, Fax 0578 748448* – 🆎 🗓
🐵 𝑽𝑰𝑺𝑨
chiuso dal 7 al 30 gennaio, dal 15 al 30 giugno e lunedì – **Pasto** carta 40/55000.

sulla strada statale 146 Nord-Est : 7,5 km :

La Saracina ⊗ senza rist, strada statale 146 km 29,7 ⊠ 53026 *℘ 0578 748022, info@
aracina.it, Fax 0578 748018,* ≤, « In un antico podere », 🏊, 🌳, ⊗ – 📺 🅿. 🆎 🗓 🐵 𝑽𝑰𝑺𝑨,
5 cam 🍽 300/420000, suite.

a Monticchiello Sud-Est : 6 km – ⊠ 53020

L'Olmo ⊗, podere Ommio 27 *℘ 0578 755133, olmopienza@iol.it, Fax 0578 755124,*
colline e borghi circostanti, « Locanda seicentesca in mezzo alla campagna », 🏊, 🌳 – 📺
🅿. 🆎 🗓 🐵 𝑽𝑰𝑺𝑨. ⊗
aprile-novembre – **Pasto** *(solo per alloggiati e solo su prenotazione; chiuso a mezzogiorno*
65000 – **6 suites** ⊋ 380/430000.

Taverna di Moranda, via di Mezzo 17 *℘ 0578 755050, Fax 0578 897197* – 🆎 🗓 🐵 𝑽𝑰𝑺
⊗ – *chiuso dal 10 gennaio al 10 febbraio –* **Pasto** carta 50/75000.

PIEPASSO Alessandria 🔲🔲🔲 H 7 – Vedere Quattordio.

PIETOLE DI VIRGILIO Mantova 🔲🔲🔲, 🔲🔲🔲 G 14 – Vedere Mantova.

PIETRACAMELA 64047 Teramo 🔲🔲🔲 O 22 – 292 ab. alt. 1 005 – a.s. febbraio-marzo, 23 luglio
agosto e Natale – Sport invernali : a Prati di Tivo: 1 450/2 912 m ⚡7, ⚡.
Roma 174 – L'Aquila 61 – Pescara 78 – Rieti 104 – Teramo 31.

a Prati di Tivo Sud : 6 km – alt. 1 450 – ⊠ 64047 Pietracamela :

Gran Sasso 3 ⊗, piazzale Amorocchi *℘ 0861 959639, Fax 0861 959669,* ≤ – 📺 🚗. 🗓
🗓 𝑽𝑰𝑺𝑨.
Pasto carta 40/50000 – 🍽 10000 – **13 cam** 60/100000 – ½ P 90000.

PIETRACUPA 86020 Campobasso 🔲🔲🔲 Q 25, 🔲🔲🔲 B 25 – 270 ab. alt. 670.
Roma 217 – Campobasso 29 – Benevento 84 – Foggia 118 – Isernia 46.

Pietracupa President Hotel ⊗, corso Garibaldi 2 *℘ 0874 768654, hotelpresi.dent@
lise.it, Fax 0874 768654,* ≤, 🛋, 🏊 – 📳 📳 📺 📞 🕭 🚗 🅿 – 🏛 500. 🆎 🗓 🐵 𝑽𝑰𝑺𝑨. ⊗
chiuso novembre – **Pasto** *(chiuso lunedì)* carta 40/65000 – **52 cam** 🍽 90/150000
½ P 115000.

PIETRA LIGURE 17027 Savona 🔲🔲🔲 J 6 – 9 222 ab..
🅱 piazza Martiri della Libertà 31 *℘ 019 629003, Fax 019 629790.*
Roma 576 – Imperia 44 – Genova 77 – Milano 200 – Savona 31.

Royal, via Don Bado 129 *℘ 019 616192, Fax 019 616195,* ≤, 🏖 – 📳, 🍴 rist, 📺 – 🏛 60
🆎 🗓 ⓞ 🐵 𝑽𝑰𝑺𝑨 JCB. ⊗
chiuso dal 10 ottobre al 15 dicembre – **Pasto** 45/75000 – 🍽 15000 – **102 cam** 150/19000
– ½ P 135000.

Bacco, corso Italia 113 *℘ 019 615307, bucadibacco@tin.it, Fax 019 615307,* prenotare
📳 🅿. 🆎 🗓 ⓞ 🐵 𝑽𝑰𝑺𝑨
chiuso dall'8 gennaio all'8 febbraio – **Pasto** specialità di mare carta 40/80000.

PIETRANSIERI L'Aquila 🔲🔲🔲 Q 24, 🔲🔲🔲 B 24 – Vedere Roccaraso.

PIETRASANTA 55045 Lucca 🔲🔲🔲, 🔲🔲🔲, 🔲🔲🔲 K 12 G. Toscana – 24 436 ab. alt. 20 – a.s. Carnevale
Pasqua, 15 giugno-15 settembre e Natale.
🏌 Versilia *(chiuso novembre e martedì escluso da aprile a novembre) ℘ 0584 881574, Fax
0584 752272.*
Roma 376 – Pisa 30 – La Spezia 45 – Firenze 104 – Livorno 54 – Lucca 34 – Massa 11
Milano 241.

Pietrasanta senza rist, via Garibaldi 35 *℘ 0584 793726, a.pietrasanta@versilia.toscana.it
Fax 0584 793728,* « In un palazzo seicentesco con giardino », 🛋 – 📳 📳 📺 🕭 🚗 – 🏛 30
🆎 🗓 ⓞ 🐵 𝑽𝑰𝑺𝑨
chiuso dal 6 gennaio al 28 febbraio – **19 cam** 🍽 400/520000, 2 suites.

🏨 **Palagi** senza rist, piazza Carducci 23 ℰ 0584 70249, *Fax 0584 71198* – 🛗 🗏 📺 🕭. 🖭 🕄 ⓘ ⚙ 𝘝𝘐𝘚𝘈 𝙹𝘊𝘉
☲ 15000 – **18 cam** 120/180000.

🍴🍴 **Martinatica**, località Baccatoio Sud : 1 km ℰ 0584 792534, 🍽, « In un antico frantoio » – 🅿 🖭 🕄 ⓘ ⚙ 𝘝𝘐𝘚𝘈 𝙹𝘊𝘉
chiuso martedì – **Pasto** carta 60/85000.

🍴 **Enoteca Marcucci**, via Garibaldi 40 ℰ 0584 791962, *Fax 0584 791962*, Enoteca con ristorazione, prenotare – 🕄 ⓘ ⚙ 𝘝𝘐𝘚𝘈
chiuso novembre, lunedì e a mezzogiorno – **Pasto** carta 55/95000.

PIETRASANTA (Marina di) 55044 Lucca 𝟜𝟛𝟘 K 12 – *a.s. Carnevale, Pasqua, 15 giugno-15 settembre e Natale.*
🏘 *Versilia (chiuso novembre e martedì escluso da aprile a novembre)* ⊠ 55045 Pietrasanta ℰ 0584 881574, Fax 0584 752272, Nord : 3 km.
🗓 a Tonfano, via Donizetti 14 ℰ 0584 20331, Fax 0584 24555.
Roma 378 – Pisa 33 – La Spezia 53 – Firenze 104 – Livorno 54 – Lucca 34 – Massa 18 – Milano 246.

🏨🏨 **Ermione**, viale Roma 183, località Tonfano ℰ 0584 745852, *Fax 0584 745906*, ≤, 🍽, « Giardino con 🏊 riscaldata », 🏖 – 🛗 🗏 📺 🕻 🅿 🖭 🕄 ⓘ ⚙ 𝘝𝘐𝘚𝘈. 🍴 rist
24 maggio-settembre – **Pasto** (solo per alloggiati) 60/70000 – **46 cam** ☲ 210/310000 – ½ P 200000.

🏨🏨 **Lombardi**, viale Roma 27, località Fiumetto ℰ 0584 745848, *Fax 0584 23382*, ≤, 🏊 riscaldata, 🌳 – 🛗 🗏 📺 🅿 🖭 🕄 ⓘ ⚙ 𝘝𝘐𝘚𝘈. 🍴 rist
aprile-ottobre – **Pasto** (solo per alloggiati) 70000 – **38 cam** ☲ 345/500000 – ½ P 330000.

🏨 **Joseph**, viale Roma 323, località Motrone ℰ 0584 745862, *Fax 0584 22265*, ≤, « Terrazza-solarium con 🏊 », 🌳 – 🛗 🗏 📺 🚗 🅿 🖭 🕄 ⓘ ⚙ 𝘝𝘐𝘚𝘈. 🍴
aprile-ottobre – **Pasto** 35/45000 – **37 cam** ☲ 110/170000, 2 suites – ½ P 140000.

🏨 **Battelli**, viale Versilia 189, località Motrone ℰ 0584 20010, *Fax 0584 23592*, « Giardino ombreggiato », 🏖, 🍴 – 🗏 📺 🚗 🅿 🖭 🕄 𝘝𝘐𝘚𝘈. 🍴
15 maggio-settembre – **Pasto** (solo per alloggiati) – ☲ 20000 – **38 cam** 145/175000 – ½ P 170000.

🏨 **Venezia** 📎, via Firenze 48, località Motrone ℰ 0584 745757, *Fax 0584 745373*, 🌳 – 🛗 🗏 📺 🅿 🕄 ⚙ 𝘝𝘐𝘚𝘈. 🍴
aprile-20 settembre – **Pasto** (solo per alloggiati) 30/40000 – ☲ 20000 – **34 cam** 120/180000 – ½ P 150000.

🏨 **Mediterraneo** 📎, a Tonfano, viale Catalani 52 ℰ 0584 746926, *Fax 0584 746915*, 🌳 – 🛗 📺 🅿 🕄 ⚙ 𝘝𝘐𝘚𝘈. 🍴 rist
aprile-ottobre – **Pasto** (solo per alloggiati) – ☲ 15000 – **33 cam** 80/130000 – ½ P 110000.

🏨 **Grande Italia** 📎, a Tonfano, via Torino 5 ℰ 0584 20046, *Fax 0584 24350*, 🍽, 🌳 – 🅿. 🍴
giugno-19 settembre – **Pasto** 30/35000 – ☲ 10000 – **23 cam** 75/125000 – P 140000.

PIETRAVAIRANO 81050 Caserta 𝟜𝟛𝟙 D 24 – *3 036 ab. alt. 250 .*
Roma 165 – Campobasso 74 – Avellino 95 – Benevento 65 – Caserta 44 – Napoli 70.

🍴🍴 **La Caveja**, via SS. Annunziata 10 ℰ 0823 984824, *Fax 0823 984913*, 🍽 – 🅿 🖭 🕄 ⓘ ⚙ 𝘝𝘐𝘚𝘈. 🍴
chiuso dal 23 dicembre all'8 gennaio, domenica sera e lunedì – **Pasto** carta 35/65000.

PIETRELCINA 82020 Benevento 𝟜𝟛𝟘 S 26, 𝟜𝟛𝟙 D 26 – *3 026 ab. alt. 345.*
Roma 253 – Benevento 13 – Foggia 109.

🏨 **Lombardi** Ⓜ, via Nazionale 1 ℰ 0824 991206, *Fax 0824 991253*, 🏊 – 🛗 ❄ 🗏 📺 🕭 🅿. 🖭 🕄 ⓘ ⚙ 𝘝𝘐𝘚𝘈. 🍴
Pasto (*chiuso martedì*) carta 40/65000 (10%) – **51 cam** ☲ 120/180000, 4 suites – ½ P 130000.

PIEVE A NIEVOLE Pistoia 𝟜𝟛𝟘 K 14 – *Vedere Montecatini Terme.*

PIEVE D'ALPAGO 32010 Belluno 𝟜𝟚𝟡 D 19 – *2 014 ab. alt. 690.*
Roma 608 – Belluno 17 – Cortina d'Ampezzo 72 – Milano 346 – Treviso 67 – Venezia 96.

🍴🍴🍴 **Dolada** 📎 con cam, via Dolada 21, località Plois ℰ 0437 479141, *dolada@tin.it*, 🕸🕸 *Fax 0437 478068*, ≤, prenotare, 🌳 – 📺 🅿 🖭 🕄 ⓘ ⚙ 𝘝𝘐𝘚𝘈 𝙹𝘊𝘉
Pasto (*chiuso lunedì e martedì a mezzogiorno escluso luglio-agosto*) 120000 e carta 80/110000 – ☲ 25000 – **6 cam** 150/200000, suite – ½ P 200000
Spec. Terrina di fegatini alle erbe, tartufo nero, vinaigrette all'olio di nocciole. Ravioli agli "antichi sapori". Piccione farcito in casseruola, gnocchetti di farina.

PIEVE DI CENTO 40066 Bologna **429**, **430** H 15 – 6 652 ab. alt. 14.

Roma 408 – Bologna 32 – Ferrara 37 – Milano 209 – Modena 39 – Padova 105.

🏨 **Nuovo Gd H. Bologna e dei Congressi**, via Ponte Nuovo 4
🕿 051 6861070 e rist 🕿 051 973757, infoghb@iol.it, Fax 051 974835, ↳, 🕿, 🔍 – 🛊 🗏 🖸
🗜 – 🔬 2500. 🖭 🕄 ⓪ 🐠 🖾 – 💱 rist
Pasto carta 50/70000 – **130 cam** ☑ 240/350000, 12 suites – ½ P 245000.

🍴🍴 **Buriani dal 1967**, via Provinciale 2/a 🕿 051 975177, Fax 051 973317 – 🗏. 🖭 🕄 ⓪ 🐠
🖾 🗾
❀ chiuso dal 18 al 25 agosto, venerdì e sabato a mezzogiorno – **Pasto** carta 65/100000
Spec. Spuma di Parmigiano con insalata di fagiolini ai pinoli (primavera). Tortelli di zucca con burro e Parmigiano (autunno-inverno). Sella di coniglio al formaggio di capra con fegatelli alla pancetta e verdure all'olio di peperone (primavera).

🍴🍴 Il Caimano, via Campanini 14 🕿 051 974403, Fax 051 974403.

PIEVE DI LIVINALLONGO 32020 Belluno **429** C 17 – alt. 1 475 – a.s. 15 febbraio-15 aprile, 15 luglio-agosto e Natale.

Roma 716 – Belluno 68 – Cortina d'Ampezzo 28 – Milano 373 – Passo del Pordoi 17 – Venezia 174.

🏠 **Cèsa Padon** ⑤, via Sorarù 62 🕿 0436 7109, info@cesa-padon.it, Fax 0436 7460,
monti e pinete, 🕿 – 🗏 rist, 🗾 🚗 🗜 🕄 🐠 🖾, 🛠
chiuso dal 20 ottobre al 4 dicembre – **Pasto** carta 50/80000 – **21 cam** ☑ 100/160000 – ½ P 110000.

PIEVE DI SOLIGO 31053 Treviso **429** E 18 – 10 214 ab. alt. 132.

Roma 579 – Belluno 38 – Milano 318 – Trento 124 – Treviso 31 – Udine 95 – Venezia 68.

🏨 **Contà** M senza rist, Corte delle Caneve 4 🕿 0438 980435, Fax 0438 980896, 🕿 – 💱 🗏 🖸
🔥 🚗 – 🔬 100. 🖭 🕄 ⓪ 🐠 🖾 🗾
45 cam ☑ 145/200000, 5 suites.

🏨 **Delparco** ⑤, via Suoi 4 (Nord-Est : 2 km) 🕿 0438 82880, hoteldelparco.loris@coneglianc
.com, Fax 0438 842383, 🍴, « Giardino e campo da calcio », 🚗 – 💱, 🗏 rist, 🗾 🔥 🗜 –
🔬 150. 🖭 🕄 ⓪ 🐠 🖾, 🛠
Pasto (chiuso martedì) carta 55/80000 – ☑ 18000 – **36 cam** 150/210000 – ½ P 150000.

🍴🍴🍴 **Al Ringraziamento**, via San Michele 2 (Sud : 1 km) 🕿 0438 83694, Fax 0438 840072
🍴, prenotare, « In una casa rurale del 1700 », 🚗 – 🗜. 🖭 🕄 ⓪ 🐠 🖾, 🛠
chiuso dal 10 al 20 gennaio, dal 10 al 25 agosto, lunedì e martedì a mezzogiorno – **Pasto**
55/65000 (a mezzogiorno) 70/85000 (la sera) e carta 65/100000.

a Solighetto Nord : 2 km – ✉ 31050 :

🍴🍴 **Da Lino** con cam, via Brandolini 31 🕿 0438 82150, dalino@tmn.it, Fax 0438 980577, 🍴
« Caratteristico ambiente » – 🗾 🗜. 🖭 🕄 ⓪ 🐠 🖾
chiuso dal 24 al 26 dicembre e dal 1º al 20 luglio – **Pasto** (chiuso lunedì) carta 55/85000 –
17 cam ☑ 110/150000.

PIEVEPELAGO 41027 Modena **428**, **429**, **430** J 13 – 2 124 ab. alt. 781 – a.s. luglio-agosto e Natale.

Roma 373 – Pisa 97 – Bologna 100 – Lucca 77 – Massa 97 – Milano 259 – Modena 84 – Pistoia 63.

🏠 **Bucaneve**, via Giardini Sud 31 🕿 0536 71383 – 🗾 🗜. 🖭 🕄 ⓪ 🐠 🖾, 🛠
chiuso novembre – **Pasto** (chiuso martedì) carta 30/35000 – ☑ 9000 – **25 cam** 75/95000 –
½ P 85000.

PIEVE SANTO STEFANO Lucca **428** K 13 – Vedere Lucca.

PIEVESCOLA Siena **430** M 15 – Vedere Casole d'Elsa.

PIGENO (PIGEN) Bolzano **218** ⑳ – Vedere Appiano sulla Strada del Vino.

PIGNA 18037 Imperia **428** K 4, **115** ⑲ – 999 ab. alt. 280.

Roma 673 – Imperia 72 – Genova 174 – Milano 297 – San Remo 34 – Ventimiglia 21.

🍴 **Terme**, via Madonna Assunta Sud-Est : 0,5 km 🕿 0184 241046, Fax 0184 241046, 🍴 – 🗜.
🖭 🕄 ⓪ 🐠 🖾
chiuso dal 10 gennaio al 10 febbraio e mercoledì (escluso agosto) – **Pasto** carta 35/60000.

IGNOLA *85010 Potenza* [431] F 29 – *5 412 ab. alt. 927.*
Roma 370 – Potenza 9.

🍴🍴 **Amici Miei,** strada comunale Pantano 6 ☎ 0971 420488, *Fax 0971 421984*, ≤, prenotare – [P]. [AE] [S] [CB] [MC] [VISA]. 🚭
chiuso lunedì – **Pasto** carta 40/55000.

ILASTRO *Parma* [428], [429], [430] H 12 – *Vedere Langhirano.*

INARELLA *Ravenna* [430] J 19 – *Vedere Cervia.*

INEROLO *10064 Torino* [428] H 3 – *34 081 ab. alt. 376.*
Roma 694 – Torino 41 – Asti 80 – Cuneo 63 – Milano 185 – Sestriere 55.

🏠 **Regina,** piazza Barbieri 22 ☎ 0121 390140, *hotel.regina@piw.it, Fax 0121 393133* – ▤ cam, [TV] ☎ [P]. [AE] [S] [CB] [MC] [VISA] [JCB]
chiuso dal 1° al 21 agosto – **Pasto** *(chiuso domenica sera e lunedì a mezzogiorno)* carta 40/70000 – ☕ 14000 – **15 cam** 95/135000 – 1/2 P 120000.

🍴🍴 **Taverna degli Acaia,** corso Torino 106 ☎ 0121 794727, *acaia@tiscalinet.it*, prenotare – [AE] [S] [CB] [MC] [VISA] [JCB]. 🚭
chiuso dal 1° al 6 gennaio, dal 15 al 30 agosto e domenica – **Pasto** carta 50/85000.

INETO *64025 Teramo* [430] O 24 – *13 023 ab. – a.s. luglio-agosto.*
ℹ *Centro Polifunzionale ☎ 085 9491745, Fax 085 9491745.*
Roma 216 – Ascoli Piceno 74 – Pescara 31 – Ancona 136 – L'Aquila 101 – Teramo 37.

🏨 **Ambasciatori,** via XXV Aprile ☎ 085 9492900, *ambasc@tin.it, Fax 085 9493250*, ≤, « Giardino sulla spiaggia con piscina », 🏊, 🏖 – 🛗 ▤ [TV] [P]. [S] [CB] [MC] [VISA]. 🚭
Pasto *(aprile-settembre; solo per alloggiati)* 30/50000 – **23 cam** ☕ 130/160000 – 1/2 P 155000.

🍴🍴 **La Conchiglia d'Oro,** via Cesare De Titta 16 ☎ 085 9492333, ⛱ – ▤. [AE] [S] [CB] [MC] [VISA]. 🚭
chiuso dal 10 al 30 novembre e lunedì – **Pasto** specialità di mare carta 55/80000.

🍴 **Pier delle Vigne,** a Borgo Santa Maria Ovest : 2 km ☎ 085 9491071, ⛱, Rist. e pizzeria – [P]. [AE] [S] [MC] [VISA] [JCB]
chiuso martedì escluso da giugno a settembre – **Pasto** carta 40/55000.

INO TORINESE *10025 Torino* [428] G 5 – *8 511 ab. alt. 495.*
Dintorni ≤ ★★ *su Torino dalla strada per Superga.*
Roma 655 – Torino 10 – Asti 41 – Chieri 6 – Milano 149 – Vercelli 79.

Pianta d'insieme di Torino.

🍴🍴 **Pigna d'Oro,** via Roma 130 ☎ 011 841019, *Fax 011 841053*, ⛱, « Servizio estivo in terrazza panoramica con pergolato » – [P]. [AE] [S] [CB] [MC] [VISA] [JCB]. 🚭 HT t
chiuso gennaio, lunedì e martedì a mezzogiorno – **Pasto** carta 50/70000.

🍴🍴 **La Griglia,** via Roma 77 ☎ 011 842540, *Fax 011 842540* – [AE] [S] [CB] [MC] [VISA] [JCB] HT p
chiuso agosto, mercoledì e sabato a mezzogiorno – **Pasto** carta 65/80000.

🍴🍴 **Degli Amici,** via Tetti Civera 7, località Valle Ceppi Est : 3 km ☎ 011 8111757, ⛱ – [P]. [AE] [S] [CB] [MC] [VISA] per [5]
chiuso dal 6 al 31 gennaio, dal 16 al 23 agosto, domenica sera e lunedì – **Pasto** carta 55/90000.

PINZOLO *38086 Trento* [428], [429] D 14 – *3 037 ab. alt. 770 – a.s. 5 febbraio-Pasqua e Natale – Sport invernali : 800/2 100 m* 🚡 1 ⛷ 5, ⛷.
Dintorni *Val di Genova*★★★ *Ovest – Cascata di Nardis*★★ *Ovest : 6,5 km.*
ℹ *via al Sole ☎ 0465 501007, Fax 0465 502778.*
Roma 629 – Trento 56 – Bolzano 103 – Brescia 103 – Madonna di Campiglio 14 – Milano 194.

🏨 **Olympic Hotel Palace,** via Marconi 26 ☎ 0465 501505, *olympic@pinzolo.it, Fax 0465 503428*, ≤, 🏋 – 🛗, ▤ rist, [TV] 🚗 [P] – 🎤 60. [AE] [S] [CB] [MC] [VISA]
dicembre-aprile e giugno-ottobre – **Pasto** 45000 – **47 cam** ☕ 220/360000 – 1/2 P 165000.

🏨 **Quadrifoglio,** via Sorano 53 ☎ 0465 503600, *quadrifoglio@pinzolo.it, Fax 0465 501245*, ≤, 🏋 – 🛗 [TV] ♿ [P]. [AE] [S] [CB] [MC] [VISA]. 🚭 rist
dicembre-marzo e giugno-settembre – **Pasto** (solo per alloggiati) – **30 cam** ☕ 270000 – 1/2 P 160000.

🏨 **Valgenova,** viale Dolomiti 67 ☎ 0465 501542, *hotelvagenova@interfree.* *Fax 0465 503352*, ⩤, ≘s, 🏊 – 🛗, ▤ rist, [TV] ♿ 🚗 [P]. [S] [MC] [VISA]. ✂
19 dicembre-marzo e 5 giugno-25 settembre – **Pasto** carta 40/50000 – **50 cam** ☕ 12 210000 – ½ P 155000.

🏨 **Europeo,** corso Trento 63 ☎ 0465 501115, *europeo@hoteleuropeo.cor* *Fax 0465 502616*, ⩤, 🌳 – 🛗 [TV] 🚗 [P]. [S] [MC] [VISA]. ✂
chiuso ottobre e novembre – **Pasto** carta 50/70000 – **50 cam** ☕ 130/220000 ½ P 190000.

🏨 **Pinzolo Dolomiti,** corso Trento 24 ☎ 0465 501024, *hotelpinzolo@editeltn.* *Fax 0465 501132* – 🛗 [TV] 🚗 [P]. [AE] [S] [D] [MC] [VISA] [JCB]. ✂
dicembre-aprile e giugno-settembre – **Pasto** carta 30/55000 – ☕ 20000 – **45 cam** 11(200000 – ½ P 140000.

🏨 **Centro Pineta,** via Matteotti 43 ☎ 0465 502758, *info@centropineta.cor* *Fax 0465 502311*, 🌳 – 🛗 [TV] [P]. [S] [MC] [VISA]. ✂
dicembre-aprile e giugno-settembre – **Pasto** 40/55000 – **24 cam** ☕ 150/220000 ½ P 150000.

🏨 **Alpina,** via XXI Aprile 1 ☎ 0465 501010, *Fax 0465 501010* – 🛗 [TV]. ✂
dicembre-Pasqua e 15 giugno-15 settembre – **Pasto** (solo per alloggiati) carta 40/50000 **30 cam** ☕ 85/150000 – ½ P 125000.

🏨 **Corona,** corso Trento 27 ☎ 0465 501030, *hotcorona@libero.it*, *Fax 0465 503853* – 🛗 🚭 rist, [TV] [P]. [AE] [S] [D] [MC] [VISA]. ✂ rist
dicembre-aprile e giugno-settembre – **Pasto** carta 50/65000 – ☕ 20000 – **45 cam** 10 175000 – ½ P 145000.

🏨 **Binelli** 🐦 senza rist, via Genova 49 ☎ 0465 503208, *Fax 0465 503208* – 🛗 [TV] ♿ [P]. [S] [D] [MC] [VISA]
dicembre-5 maggio e 15 giugno-settembre – **16 cam** ☕ 75/140000.

🍴 **La Briciola,** via Bolognini 25 ☎ 0465 501443, *Fax 0465 501443* – ▤ [P]. [AE] [S] [D] [VISA]. ✂
chiuso lunedì, giugno e novembre – **Pasto** carta 45/65000.

a Giustino *Sud : 1,5 km – alt. 770 – ✉ 38086 Pinzolo :*

🏨 **Bepy Hotel** senza rist, viale Dolomiti 51 ☎ 0465 501641, *Fax 0465 501678*, ⩤ – 🛗 [TV] 🚗 [P]. [AE] [S] [MC] [VISA]. ✂
dicembre-aprile e 25 giugno-settembre – **22 cam** ☕ 70/130000.

🍴🍴 **Mildas,** via Rosmini 7, località Vadaione Sud : 1 km ☎ 0465 502104, *Fax 0465 500654*, 🏠 Coperti limitati; prenotare – [P]. [AE] [S] [D] [MC] [VISA] [JCB]
chiuso giugno, novembre, lunedì e martedì a mezzogiorno – **Pasto** carta 60/95000.

a Sant'Antonio di Mavignola *Nord-Est : 6 km – alt. 1 122 – ✉ 38086 :*

🏨 **Maso Doss** 🐦, via Brenta 72 (Nord-Est : 2,5 km) ☎ 0465 502758, *info@masodoss.com* *Fax 0465 502311*, ⩤, « Ambiente rustico », ≘s – [P]. ✂
Pasto (solo per alloggiati) 40/55000 – **6 cam** ☕ 240000 – ½ P 160000.

PIODE *13020 Vercelli* [428] E 6, [219] ⑤ *– 194 ab. alt. 752.*
Roma 699 – Aosta 184 – Milano 125 – Novara 79 – Torino 141 – Varallo 20 – Vercelli 85.

🏨 **Dei Pescatori,** via Ponte 6 ☎ 0163 71156, *Fax 0163 71993* – 🛗, 🚭 rist. [AE] [S] [D] [MC] [VISA] ✂ rist
Pasto *(chiuso martedì e dal 10 al 30 gennaio)* carta 35/60000 – ☕ 7000 – **28 cam** 60/9500(– ½ P 85000.

🍴🍴 **Giardini,** via Umberto I 9 ☎ 0163 71135, *Fax 0163 71988*, Coperti limitati; prenotare – [AE] [S] [D] [MC] [VISA] [JCB]. ✂
chiuso dal 1° al 15 settembre e lunedì – **Pasto** carta 35/55000.

PIOLTELLO *20096 Milano* [428] F 9, [219] ⑲ *– 33 104 ab. alt. 123.*
Roma 563 – Milano 17 – Bergamo 38.

a Limito *Sud : 2,5 km – ✉ 20090 :*

🍴🍴 **Antico Albergo-da Elio,** via Dante Alighieri 18 ☎ 02 9266157, *Fax 02 92160536*, « Servizio estivo sotto un pergolato » – ▤. [AE] [S] [D] [MC] [VISA]
chiuso dal 26 dicembre al 6 gennaio, agosto, sabato a mezzogiorno e domenica – **Pasto** carta 60/90000.

*Un consiglio **Michelin**:*
per la buona riuscita di un viaggio, preparatelo in anticipo.
*Le **carte** e le **guide Michelin** vi danno tutte le indicazioni*
utili su: itinerari, curiosità, sistemazioni, prezzi, ecc.

PIOMBINO *57025 Livorno* [430] N 13 *G. Toscana – 34 720 ab. – a.s. 15 giugno-15 settembre.*
Escursioni *Isola d'Elba★.*
⛴ *per l'Isola d'Elba-Portoferraio giornalieri (da 20 mn a 1 h) – Navarma-Moby Lines, piazzale Premuda ☎ 0565 221212, Fax 0565 220781; per l'Isola d'Elba-Portoferraio aprile-settembre giornalieri (25 mn) – Elba Ferries, viale Regina Margherita ☎ 0565 220956, Fax 0565 220996; per l'Isola d'Elba-Portoferraio giornalieri (1 h) e l'Isola d'Elba-Rio Marina-Porto Azzurro giornalieri (1 h 20 mn) – Toremar-agenzia Dini e Miele, piazzale Premuda 13/14 ☎ 0565 31100, Fax 0565 35294.*
🚤 *per l'Isola d'Elba-Portoferraio giornalieri (30 mn) e l'Isola d'Elba-Cavo giornalieri (15 mn) – Toremar-agenzia Dini e Miele, piazzale Premuda 13/14 ☎ 0565 31100, Fax (0565)35294.*
Roma 264 – Firenze 161 – Grosseto 77 – Livorno 82 – Milano 375 – Pisa 101 – Siena 114.

🏨 **Centrale,** piazza Verdi 2 ☎ 0565 220188, *Fax 0565 220220* – ⇅ ❄ [TV] – 👥 60. [AE] [S] [D] [MC] [VISA]. 🚫
Pasto al Rist. ***Centrale*** carta 55/80000 – **40 cam** ☕ 140/220000, suite – 1/2 P 165000.

🏨 **Collodi** senza rist, via Collodi 7 ☎ 0565 224272, *Fax 0565 224382* – ⇅ [TV] ☎. [AE] [S] [MC] [VISA]. 🚫
☕ 10000 – **24 cam** 85/115000.

a Populonia *Nord-Ovest : 13,5 km – ✉ 57020 :*

XX **Il Lucumone,** al Castello ☎ 0565 29471 – ❄. [AE] [S] [D] [MC] [VISA]. 🚫
chiuso domenica sera e lunedì da ottobre a maggio ; martedì a mezzogiorno da giugno a settembre – **Pasto** specialità di mare carta 60/110000.

PIOPPI *84060 Salerno* [431] G 27 – *a.s. luglio-agosto.*
Dintorni *Rovine di Velia★ Sud-Est : 10 km.*
Roma 350 – Potenza 150 – Acciaroli 7 – Napoli 144 – Salerno 98 – Sapri 108.

🏨 **La Vela,** via Caracciolo 96 ☎ 0974 905025, *Fax 0974 905140*, ⩽, « Servizio rist. estivo sotto un pergolato », 🏖, 🎾 – ⇅ [P]. 🚫
marzo-novembre – **Pasto** carta 35/50000 (10%) – ☕ 12000 – **42 cam** 85/140000 – 1/2 P 120000.

PIOVE DI SACCO *35028 Padova* [429] G 18 – *17 276 ab..*
Roma 514 – Padova 19 – Ferrara 88 – Venezia 43.

XX **Alla Botta,** via Botta 4 ☎ 049 5840827, *Fax 049 9703761* – ❄ [P]. [AE] [S] [D] [MC] [VISA]. 🚫
chiuso dal 10 al 25 agosto, lunedì sera e martedì – **Pasto** specialità di mare carta 60/90000.

PIOVEZZANO *Verona – Vedere Pastrengo.*

PISA *56100* [P] [428], [429], [430] K 13 *G. Toscana – 92 379 ab..*
Vedere *Torre Pendente★★★* **AY** – *Battistero★★★* **AY** – *Duomo★★* **AY**: *facciata★★★, pulpito★★★ di Giovanni Pisano – Camposanto★★* **AY**: *ciclo affreschi Il Trionfo della Morte★★★, Il Giudizio Universale★★, L'Inferno★ – Museo dell'Opera del Duomo★★* **AY M1** – *Museo di San Matteo★★* **BZ** – *Chiesa di Santa Maria della Spina★★* **AZ** – *Museo delle Sinopie★* **AY M2** – *Piazza dei Cavalieri★* **AY** : *facciata★ del palazzo dei Cavalieri* **ABY N** – *Palazzo Agostini★* **ABY** – *Facciata★ della chiesa di Santa Caterina* **BY** – *Facciata★ della chiesa di San Michele in Borgo* **BY V** – *Coro★ della chiesa del Santo Sepolcro* **BZ** – *Facciata★ della chiesa di San Paolo a Ripa d'Arno* **AZ**.
Dintorni *San Piero a Grado★ per ⑤ : 6 km.*
⛳18 *Cosmopolitan a Tirrenia ✉ 56018 ☎ 050 33633, Fax 050 384707, Sud-Ovest : 11 km;*
⛳9 *a Tirrenia ✉ 56018 ☎ 050 37518, Fax 050 33286, Sud-Ovest : 11 km.*
✈ *Galileo Galilei S : 3 km* **BZ** *☎ 050 500707, Fax 050 500857.*
[i] *via Carlo Cammeo 2 ✉ 56126 ☎ 050 560464 – piazza Stazione ✉ 56125 ☎ 050 42291 – Aeroporto G. Galilei ☎ 050 500707.*
[A.C.I.] *via Cisanello 168 ✉ 56124 ☎ 050 950111.*
Roma 335 ③ – Firenze 77 ③ – Livorno 22 ⑤ – Milano 275 ① – La Spezia 75 ①.

Pianta pagina seguente

🏨 **Jolly Hotel Cavalieri,** piazza Stazione 2 ✉ 56125 ☎ 050 43290, *pisa@jollyhotels.it, Fax 050 502242* – ⇅, 🚭 cam, ❄ [TV] ☎ – 👥 100. [AE] [S] [D] [MC] [VISA] [JCB]. 🚫 rist **AZ a**
Pasto carta 60/100000 – **97 cam** ☕ 305/400000, 3 suites – 1/2 P 250000.

🏨 **Verdi** senza rist, piazza Repubblica 5/6 ✉ 56127 ☎ 050 598947, *Fax 050 598944* – ⇅ ❄ [TV] – 👥 30. [AE] [S] [D] [MC] [VISA]. 🚫 **BYZ m**
chiuso dal 2 al 30 gennaio e dal 6 al 20 agosto – **32 cam** ☕ 130/170000.

🏨 **Europa Park Hotel** senza rist, via A. Pisano 23 ✉ 56122 ☎ 050 500732, *Fax 050 554930*, 🌳 – [TV]. [AE] [S] [D] [MC] [VISA]. 🚫 **AY a**
☕ 12000 – **13 cam** 140/150000.

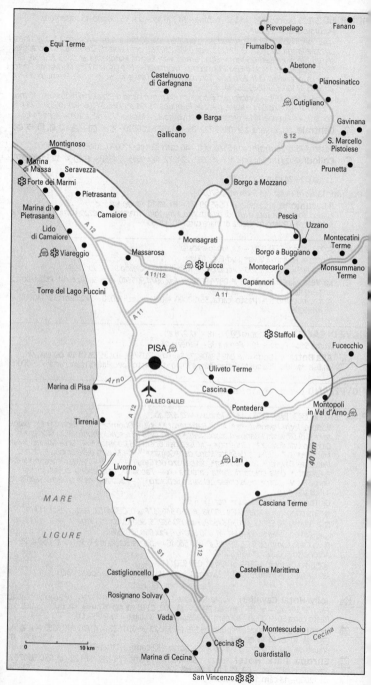

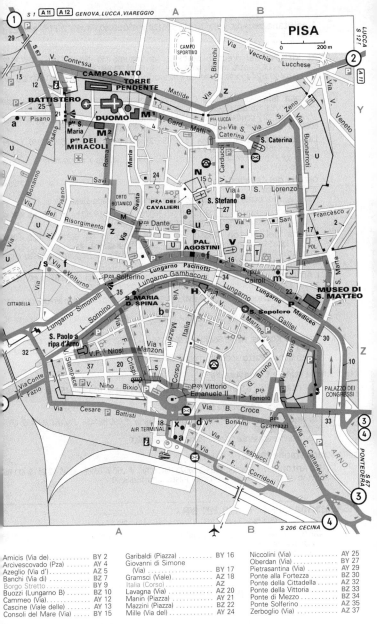

PISA

Amicis (Via de)........... BY 2	Garibaldi (Piazza).......... BY 16	Niccolini (Via)............. AY 25
Arcivescovado (Pza)...... AY 4	Giovanni di Simone	Oberdan (Via)............. BY 27
Azeglio (Via d')........... AZ 5	(Via)................ BY 17	Pietrasantina (Via)......... AY 29
Banchi (Via di)........... BZ 7	Gramsci (Viale)........... AZ 18	Ponte alla Fortezza........ BZ 30
Borgo Stretto............. BY 9	Italia (Corso)............. AZ	Ponte della Cittadella....... AZ 32
Buozzi (Lungarno B)....... BZ 10	Lavagna (Via)............ AZ 20	Ponte della Vittoria........ BZ 33
Cammeo (Via)............ AY 12	Manin (Piazza)........... AY 21	Ponte di Mezzo........... BZ 34
Cascine (Viale delle)...... AY 13	Mazzini (Piazza).......... BZ 22	Ponte Solferino........... AZ 35
Consoli del Mare (Via)..... BY 15	Mille (Via del)............ AY 24	Zerboglio (Via)............ AZ 37

Leonardo senza rist, via Tavoleria 17 ☎ 050 579946, *hotelleonardo@csinfo.it,*
Fax 050 598969 – ⧉ 🖿 📺 ᴄ. ⚠ 🅂 ⓪ 🆖 🆅🆂🅰   ABY u
28 cam ⚏ 130/180000.

Touring senza rist, via Puccini 24 ✉ 56125 ☎ 050 46374, *hoteltouring@csinfo.it,*
Fax 050 502148 – ⧉ 🖿 📺 ⚠ 🅂 ⓪ 🆖 🆅🆂🅰 🅹🅲🅱 – 34 cam ⚏ 170/230000.   AZ x

🏛 **Amalfitana** senza rist, via Roma 44 ⊠ 56126 ℘ 050 29000, Fax 050 25218 – 🛗 🗐 📺
🖪 🕼 *VISA*. ⅍
    ⚏ 9000 – **21 cam** 100/115000.
AY

XX **Al Ristoro dei Vecchi Macelli,** via Volturno 49 ⊠ 56126 ℘ 050 2042
Fax 050 506008, Coperti limitati; prenotare – 🗐. 🕮 🕼 🕼 *VISA*. ⅍
AY
chiuso dal 10 al 24 agosto, domenica a mezzogiorno e mercoledì – **Pasto** 60/80000 e car
75/95000.

XX **A Casa Mia,** via provinciale Calcesana 10, località Ghezzano ⊠ 56010 Ghezzan
℘ 050 879265, Fax 050 879265, 😤 – 🗐. 🕮 🕼 ① 🕼 *VISA*   1 km per ②
chiuso dal 1° al 7 gennaio, dal 10 al 31 agosto, sabato a mezzogiorno e domenica – **Past**
60000 (a mezzogiorno) 45/65000 (la sera) carta 45/80000.

X **La Clessidra,** via Santa Cecilia 34 ⊠ 56127 ℘ 050 540160, Fax 050 540160, Coper
limitati; prenotare – 🗐. 🕮 🕼 ① 🕼 *VISA*
BY
chiuso dal 27 dicembre all'8 gennaio, dal 5 al 25 agosto, sabato a mezzogiorno e domenic
– **Pasto** carta 40/70000.

X **Osteria dei Cavalieri,** via San Frediano 16 ⊠ 56126 ℘ 050 580858, Fax 050 581259
🕮 🕼 ① 🕼 *VISA*
AY
chiuso agosto, sabato a mezzogiorno e domenica – **Pasto** carta 35/55000.

X **Da Bruno,** via Bianchi 12 ⊠ 56123 ℘ 050 560818, Fax 050 560507 – 🗐. 🕮 🕼 *VISA*. ⅍
chiuso lunedì sera e martedì – **Pasto** carta 50/75000 (12%).
BY

X **Osteria del Porton Rosso,** via Porton Rosso 11 ⊠ 56126 ℘ 050 58056
Fax 050 580566, Coperti limitati; prenotare – 🗐. 🕮 🕼 ① 🕼 *VISA*. ⅍
BY
chiuso dal 1° al 18 agosto, domenica, i festivi e lunedì a mezzogiorno – **Pasto** cucin
marinara carta 50/70000 (10%).

X **L'Artilafo,** via Volturno 38 ℘ 050 27010, Coperti limitati; prenotare – 🕮 🕼 ① 🕼 *VISA*. ⅍
chiuso agosto, domenica e a mezzogiorno – **Pasto** carta 45/85000.
ABZ

X **Lo Schiaccianoci,** via Vespucci 104/a ⊠ 56125 ℘ 050 21024, Coperti limitati; prenotar
– 🕮 🕼 ① 🕼 *VISA* 🕼
ABZ
chiuso domenica escluso da giugno a settembre – **Pasto** (specialità di mare) carta 40
70000.

X **Taverna Kostas,** via del Borghetto 39 ⊠ 56124 ℘ 050 571467, Fax 050 571467 – 🕮 🕼
🕼 *VISA*   per Ponte della Vittoria BZ
chiuso lunedì – **Pasto** (specialità greche) carta 35/60000.

sulla strada statale 1 - via Aurelia :

XX **La Rota,** per ① : 6,5 km ⊠ 56010 Madonna dell'Acqua ℘ 050 804443, Fax 050 80318
😤 – 🗐 🅿. 🕮 🕼 ① 🕼 *VISA*
chiuso martedì – **Pasto** carta 35/60000.

XX **Da Ugo,** via Aurelia 310 ⊠ 56010 Migliarino Pisano ℘ 050 804455, Fax 050 804455, 😤 –
🅿. 🕮 🕼 ① 🕼 *VISA*
chiuso domenica sera e lunedì – **Pasto** carta 45/80000.

sulla strada statale 206 *per ④ : 10 km :*

X **Da Antonio,** via Arnaccio 105 ⊠ 56023 Navacchio ℘ 050 740396 – 🗐 🅿. 🕮 🕼 ① 🕼 *VISA*
chiuso dal 1° al 20 agosto e venerdì – **Pasto** carta 45/65000.

PISA (Marina di) 56013 Pisa 🔢 🔢 🔢 K 12 – *a.s. luglio-agosto.*
    Roma 346 – Pisa 13 – Firenze 103 – Livorno 16 – Viareggio 31.

X **Gino,** via delle Curzolari 2 ℘ 050 35408, *ristorantedagino@tin.it, Fax 050 34150* – 🗐. 🕮 🕼
① 🕼 *VISA* 🕼. ⅍
chiuso dal 24 dicembre al 6 gennaio, settembre, lunedì e martedì – **Pasto** specialità di mare
carta 45/75000.

PISTOIA 51100 🅿 🔢 🔢 🔢 K 14 *G. Toscana – 85 866 ab. alt. 65.*
    Vedere Duomo★ B : *dossale di San Jacopo*★★★ – Battistero★ B – Chiesa di Sant'Andrea★
A : *pulpito*★★ *di Giovanni Pisano* – Basilica della Madonna dell'Umiltà★ A D – Fregio★★
dell'Ospedale del Ceppo B – Visitazione★★ (*terracotta invetriata di Luca della Robbia*),
pulpito★ e *fianco Nord*★ *della chiesa di San Giovanni Fuorcivitas* B R – Facciata★ *del palazzo
del comune* B H – Palazzo dei Vescovi★ B.
    🎗 *piazza del Duomo (Palazzo dei Vescovi)* ℘ 0573 21622, Fax 0573 34327.
    A.C.I. *via Ricciardetto 2* ℘ 0573 975282.
    Roma 311 ④ – Firenze 36 ④ – Bologna 94 ① – Milano 295 ① – Pisa 61 ④ – La Spezia 113 ④.

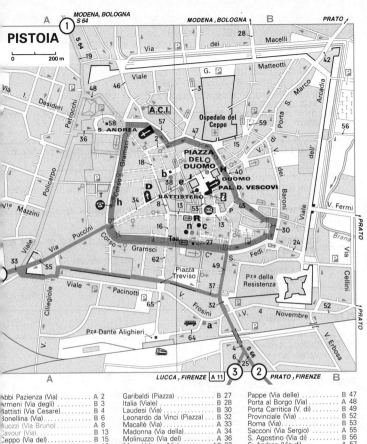

PISTOIA

MODENA, BOLOGNA S 64
MODENA, BOLOGNA
PRATO
LUCCA, FIRENZE A 11
PRATO, FIRENZE

0 200 m

Abbi Pazienza (Via)	A 2	
Armeni (Via degli)	B 3	
Battisti (Via Cesare)	B 4	
Bonellina (Via)	B 6	
Buozzi (Via Bruno)	A 8	
Cavour (Via)	B 13	
Ceppo (Via del)	B 15	
Cino (Via)	A 16	
Curtatone e Montanara (Via)	A 18	
Dalmazia (Via)	A 19	
Ferrucci (Via F.)	B 24	
Fiorentina (Via)	B 25	

Garibaldi (Piazza)	B 27	
Italia (Viale)	B 28	
Laudesi (Via)	B 30	
Leonardo da Vinci (Piazza)	B 32	
Macallè (Via)	A 33	
Madonna (Via della)	A 34	
Molinuzzo (Via del)	B 36	
Mura Urbane (Via)	AB 37	
Orafi (Via degli)	AB 38	
Pacini (Via)	B 40	
Padre G. Antonelli (Via)	B 42	
Palestro (Via)	B 43	
Pappagalli (Via dei)	A 46	

Pappe (Via delle)	B 47	
Porta al Borgo (Via)	B 48	
Porta Carritica (V. di)	B 49	
Provinciale (Via)	B 52	
Roma (Via)	B 53	
Sacconi (Via Sergio)	A 55	
S. Agostino (Via di)	B 56	
S. Andrea (Via di)	A 57	
S. Francesco d'Assisi (Pza)	A 58	
S. Lorenzo (Piazza)	B 59	
Vannucci (Via)	A 62	
Vittorio Veneto (Viale)	AB 64	
20 Settembre (Viale)	A 65	

Patria senza rist, via Crispi 8 ℘ 0573 25187, Fax 0573 368168 – 📺. 🖭 🕃 ⓞ 🐵 𝚅𝙸𝚂𝙰
chiuso dal 23 al 28 dicembre – ⌑ 20000 – **28 cam** 110/170000. **B n**

Leon Bianco senza rist, via Panciatichi 2 ℘ 0573 26675, Fax 0573 26704 – 📳 📺. 🖭 🕃 ⓞ
🐵 𝚅𝙸𝚂𝙰 𝙹𝙲𝙱 **B c**
⌑ 15000 – **27 cam** 120/170000.

Manzoni, corso Gramsci 112 ℘ 0573 28101, prenotare la sera – 🍴 **A h**
Pasto specialità di mare.

Corradossi, via Frosini 112 ℘ 0573 25683, Fax 0573 25683 – 🍴. 🖭 🕃 ⓞ 🐵 𝚅𝙸𝚂𝙰. ⨯
chiuso domenica, 25-26-31 dicembre e Capodanno – **Pasto** carta 50/80000. **B a**

S. Jacopo, via Crispi 15 ℘ 0573 27786, Fax 0573 27786 – 🍴. 🖭 🕃 ⓞ 🐵 𝚅𝙸𝚂𝙰 **B n**
chiuso lunedì e martedì a mezzogiorno – **Pasto** carta 35/70000.

Trattoria dell'Abbondanza, via dell'Abbondanza 10/14 ℘ 0573 368037, 🏠, prenotare la sera **A b**
chiuso dal 1° al 14 maggio, dal 12 al 16 agosto, dal 1° al 14 ottobre, mercoledì e giovedì a mezzogiorno – **Pasto** cucina toscana carta 35/45000.

Lo Storno, via del Lastrone 8 ℘ 0573 26193, prenotare la sera – 🕃 𝚅𝙸𝚂𝙰 **B e**
chiuso dal 25 dicembre al 7 gennaio, dal 1° al 25 agosto, domenica e la sera da lunedì a mercoledì – **Pasto** carta 30/50000.

a Spazzavento per ④ : 4 km – ⊠ 51100 Pistoia :

XX   Il Punto-dalla Sandra, via Provinciale Lucchese 301 ℘ 0573 570267, 斎 – 盲.

PITIGLIANO 58017 Grosseto 🐠 O 16.

Roma 153 – Viterbo 48 – Grosseto 78 – Orvieto 51.

X   **Il Tufo Allegro**, vicolo della Costituzione 2 ℘ 0564 616192, Coperti limitati; prenotare **AE** **S** **①** **QO** **VISA** . ∜
chiuso dal 10 gennaio al 18 febbraio, martedì e mercoledì a mezzogiorno da ottobre marzo – **Pasto** carta 45/85000.

PITRIZZA Sassari – Vedere Sardegna (Arzachena : Costa Smeralda) alla fine dell'elenco alfabetico.

PIZZO 89812 Vibo Valentia 🐠 K 30 – 8 390 ab. alt. 107.

Roma 603 – Reggio di Calabria 105 – Catanzaro 59 – Cosenza 88 – Lamezia Terme (Nicastro 33 – Paola 85.

🏠   **Marinella**, contrada Marinella Prangi Nord : 4 km ℘ 0963 534864, Fax 0963 534884, 斎
🐠 – 🛗 🗏 📺 🅿. **AE** **S** **①** **QO** **VISA** **JCB** . ∜
Pasto carta 40/60000 – ⊇ 8000 – **36 cam** 95/125000 – ½ P 95000.

XX   **Isolabella**, riviera Prangi Nord : 4 km ℘ 0963 264128, Fax 0963 264128, 斎 – 盲 🅿. **AE** **S**
① **QO** **VISA** **JCB** . ∜
chiuso lunedì escluso luglio ed agosto – **Pasto** specialità di mare carta 40/55000.

X   **A Casa Janca**, riviera Prangi Nord : 3,5 km ℘ 0963 264364, 斎, « Ambiente tipico » – 🅿
S **①** **QO** **VISA** **JCB** . ∜
chiuso gennaio e febbraio – **Pasto** carta 40/60000.

PLANAVAL Aosta 🐠 ⑪ – Vedere Valgrisenche.

PLOSE Bolzano G. Italia – alt. 2 446.

Vedere ☀★★★ .

POCENIA 33050 Udine 🐠 E 21 – 2 558 ab..

Roma 607 – Udine 35 – Gorizia 53 – Milano 346 – Pordenone 51 – Trieste 73.

a Paradiso Nord-Est : 7 km – ⊠ 33050 Pocenia :

X   **Al Paradiso**, via S. Ermacora 1 ℘ 0432 777000, Fax 0432 777270, « Ambiente tipico » -
🅿.
chiuso dal 7 al 25 gennaio, dal 1º al 25 luglio, lunedì e martedì – **Pasto** carta 40/65000.

POCOL Belluno – Vedere Cortina d'Ampezzo.

PODENZANA 54010 Massa-Carrara 🐠, 🐠, 🐠 J 11 – 1 783 ab. alt. 32.

Roma 419 – La Spezia 24 – Genova 108 – Parma 99.

X   **Gavarina d'Oro**, via Castello ℘ 0187 410021, ≤ – 🅿. **S** **QO** **VISA** . ∜
chiuso dal 16 agosto al 9 settembre, dal 21 febbraio al 7 marzo e mercoledì – **Pasto** carta
30/45000.

POGGIBONSI 53036 Siena 🐠 L 15 – 27 442 ab. alt. 115.

Roma 262 – Firenze 44 – Siena 29 – Livorno 89 – Pisa 79.

🏠   **Villa San Lucchese** ⊛, località San Lucchese 5 (Sud : 1,5 km) ℘ 0577 937119,
Fax 0577 934729, ≤ colline, 斎, « Antica dimora patrizia in un parco », ⛱, ⚒ – 🛗 🗏 📺 🅿
– 🔏 70. **AE** **S** **①** **QO** **VISA** . ∜
chiuso dal 10 gennaio al 10 febbraio – **Pasto** (chiuso martedì) carta 55/105000 – **36 cam**
⊇ 220/350000, 2 suites – ½ P 220000.

XX   **La Galleria**, galleria Cavalieri Vittorio Veneto 20 ℘ 0577 982356, Fax 0577 982356, 斎 –
盲. **AE** **S** **①** **QO** **VISA** **JCB** . ∜
chiuso dal 25 aprile al 5 maggio, agosto e domenica – **Pasto** carta 40/70000.

POGGIO Livorno 🐠 N 12 – Vedere Elba (Isola d') : Marciana.

OGGIO A CAIANO *59016 Prato* [430] K 15 *G. Toscana – 8 539 ab. alt. 57.*

Vedere *Villa*★.

Roma 293 – Firenze 17 – Livorno 99 – Milano 300 – Pisa 75 – Pistoia 18.

Hermitage 🌄, via Ginepraia 112 ☎ 055 877040, *hotel.hermitage@fi.flashnet.it, Fax 055 8797057,* ≤, 🏊, 🌳 – |‡| ▤ [TV] [P] – 🏛 150. [AE] [S] ⓓ [MC] [VISA] [JCB]. ✂ rist
Pasto *(chiuso agosto, venerdì e domenica sera)* carta 40/60000 – **58 cam** ☕ 140/180000, 3 suites – 1/2 P 125000.

OGGIO MIRTETO STAZIONE *02040 Rieti* [430] P 20 – *alt. 242.*

⛳9 *Colle dei Tetti (chiuso lunedì) strada statale 313, località Collicchia* ✉ *02040 Poggio Catino ☎ 0765 26267, Fax 0765 26268, Nord : 4,5 km.*

Roma 59 – Rieti 47 – Terni 44 – Viterbo 73.

ulla strada statale 313 *Nord : 4 km :*

Borgo Paraelios 🌄, località Valle Collicchia ✉ 02040 ☎ 0765 26267, *borgo@fabaris.it, Fax 0765 26268,* 🏛, « Parco e terrazze panoramiche con 🏊 », ≘s, 🏊, 🎾 – ▤ [TV] [P]. [AE] [S] ⓓ [MC] [VISA] [JCB]. ✂
Pasto (prenotare; *chiuso martedì*) 110/125000 – **18 cam** ☕ 450/550000 – 1/2 P 670000.

OGGIO SAN POLO *Siena – Vedere Gaiole in Chianti.*

OGLIANO MILANESE *20010 Milano* [219] ⑱ *– 7 845 ab. alt. 162.*

Roma 595 – Milano 20 – Como 41.

🍴🍴🍴 **La Corte,** via Chiesa 36 ☎ 02 93258018, *Fax 02 93258018,* Coperti limitati; prenotare – ▤ [P]. [AE] [S] [MC] [VISA]. ✂
✿ *chiuso dal 26 dicembre al 1° gennaio, dal 10 al 31 agosto e domenica* – **Pasto** 55/80000 e carta 75/105000
Spec. Cappesante con terrina di peperoni rossi, pomodori e acciuga. Bavette allo stoccafisso, crema di cannellini e julienne di coppa. Fricassea di foie gras e faraona.

🍴 **Da Settimo,** strada statale del Sempione ☎ 02 9340395, *Fax 02 9340395* – [P]. [S] [MC] [VISA]
chiuso domenica – **Pasto** carta 45/90000.

OGNANA LARIO *22020 Como* [428] E 9, [219] ⑨ *– 901 ab. alt. 307.*

Roma 638 – Como 12 – Milano 61.

🍴 **La Meridiana,** via Aldo Moro 1 ☎ 031 378333, *Fax 031 309607,* « Servizio estivo in terrazza-giardino con ≤ lago e monti » – [P]. [S] ⓓ [MC] [VISA]
chiuso ottobre, dal 25 dicembre al 10 gennaio, mercoledì (escluso da giugno a settembre) e da novembre a marzo anche martedì sera – **Pasto** carta 35/75000.

OIRINO *10046 Torino* [428] H 5 *– 9 156 ab. alt. 249.*

Roma 648 – Torino 29 – Asti 34 – Cuneo 94 – Milano 155.

Favari *Ovest : 3 km –* ✉ *10046 Poirino :*

🍴🍴 **Le Lune,** via Villastellone 78/b ☎ 011 9453150 – ▤ [P]. [AE] [S] ⓓ [MC] [VISA] [JCB]
chiuso agosto, domenica sera e lunedì (escluso i giorni festivi) – **Pasto** carta 35/55000.

OLESINE PARMENSE *43010 Parma* [428], [429] G 12 *– 1 553 ab. alt. 35.*

Roma 496 – Parma 43 – Bologna 134 – Cremona 23 – Milano 97 – Piacenza 35.

🍴🍴 **Al Cavallino Bianco,** via Sbrisi 2 ☎ 0524 96136, *Fax 0524 96416,* 🌳 – ▤ [P]. [AE] [S] ⓓ [MC] [VISA]
chiuso dal 7 al 22 gennaio e martedì – **Pasto** 75/80000 e carta 50/80000 e al Rist. ***Tipico di Casa Spigaroli*** *(chiuso la sera e martedì)* 30000.

a Santa Franca *Ovest : 2 km –* ✉ *43010 Polesine Parmense :*

🍴🍴 **Da Colombo,** ☎ 0524 98114, *Fax 0524 98003,* prenotare, « Servizio estivo sotto un pergolato » – [P]. [AE] [S] ⓓ [MC] [VISA]. ✂
chiuso dal 10 al 30 gennaio e dal 20 luglio al 10 agosto, lunedì sera e martedì – **Pasto** 50/80000 e carta 50/75000.

POLICORO *75025 Matera* [431] G 32 *– 15 315 ab. alt. 31.*

Roma 487 – Matera 67 – Bari 134 – Cosenza 136 – Potenza 129 – Taranto 68.

Callà 2, via Lazio ☎ 0835 981098, *Fax 0835 981090* – |‡| ▤ [TV] 📞. [AE] [S] ⓓ [MC] [VISA]
Pasto *(chiuso venerdì escluso giugno-agosto)* carta 30/55000 – ☕ 5000 – **21 cam** 80/120000 – 1/2 P 90000.

POLICORO

al lido Sud- Est : 4 km :

🏨 **Heraclea** ⟲, Viale Del Lido ⌧ 75025 ✆ 0835 910144, hotelheraclea@datafor.
Fax 0835 910147, ⎓, ☞ – 📶 🔲 📺 🅿 – 🛗 250. 🖭 🕲 ⓪ 🐵 𝘝𝘐𝘚𝘈. ⌘
Pasto carta 40/55000 – ⌑ 8000 – **86 cam** 80/140000 – ½ P 100000.

POLIGNANO A MARE 70044 Bari [431] E 33 – 16 696 ab. – a.s. 21 giugno-settembre.
Roma 486 – Bari 36 – Brindisi 77 – Matera 82 – Taranto 70.

🏨 **Grotta Palazzese** ⟲, via Narciso 59 ✆ 080 4240677, grottapalazzese@grottapalazze
.it, Fax 080 4240767, ⟨, « Servizio rist. estivo in una grotta sul mare » – 📶 📺. 🖭 🕲 ⓪ ◖
𝘝𝘐𝘚𝘈 𝗝𝗖𝗕. ⌘
Pasto carta 70/110000 – **25 cam** ⌑ 175/250000 – ½ P 160000.

🏨 **Castellinaria** ⟲, località San Giovanni (strada statale 16 NO : 2 km) ✆ 080 4240233, in
@hotelcastellinaria.it, Fax 080 4240233, ☞ – 📶 📺 🅿. 🖭 🕲 ⓪ 🐵 𝘝𝘐𝘚𝘈. ⌘ rist
Pasto (chiuso dal 23 al 29 dicembre e a mezzogiorno escluso da aprile ad ottobre) car
45/80000 – ⌑ 15000 – **32 cam** 150/230000 – ½ P 190000.

🏨 **Covo dei Saraceni**, via Conversano 1/1 A ✆ 080 4241177, covodeisaraceni@libero.
Fax 080 4247010, ⟨, ☞ – 🛗 📶 🅖 & ⟺ – 🛗 200. 🖭 🕲 ⓪ 🐵 𝘝𝘐𝘚𝘈. ⌘ rist
Pasto carta 40/65000 – ⌑ 12000 – **35 cam** 120/160000 – ½ P 160000.

XX **Da Tuccino**, via Santa Caterina 69/F (Ovest : 1,5 km) ✆ 080 4241560, Fax 080 4251023,
☞ – 🅿. 🖭 🕲 ⓪ 🐵 𝘝𝘐𝘚𝘈. ⌘
chiuso dal 16 dicembre a febbraio, lunedì a mezzogiorno in luglio-agosto, tutto il giorn
negli altri mesi – **Pasto** specialità di mare carta 50/100000.

Un consiglio Michelin:
per la buona riuscita di un viaggio, preparatelo in anticipo.
Le carte e le guide Michelin vi danno tutte le indicazioni
utili su: itinerari, curiosità, sistemazioni, prezzi, ecc.

POLLEIN Aosta – Vedere Aosta.

POLLENZO Cuneo [428] H 5 – Vedere Bra.

POLLONE 13814 Biella [428] F 5 – 2 166 ab. alt. 622.
Roma 671 – Aosta 92 – Biella 9 – Novara 62 – Torino 86 – Vercelli 52.

XX **Il Patio**, via Oremo 14 ✆ 015 61568, ilpatio@libero.it, Fax 015 61568, ☞, prenotare, ☞
🅿. 🖭 🕲 ⓪ 🐵 𝘝𝘐𝘚𝘈 𝗝𝗖𝗕
chiuso lunedì, martedì, dal 15 al 30 agosto e dal 1° al 15 gennaio – **Pasto** 60/70000 e car
50/75000.

XX **Il Faggio**, via Oremo 54 ✆ 015 61252, ilfaggio@libero.it – 🅿. 🖭 🕲 ⓪ 🐵 𝘝𝘐𝘚𝘈
chiuso gennaio e lunedì – **Pasto** 60000 e carta 50/90000.

POLPENAZZE DEL GARDA 25080 Brescia [428], [429] F 13 – 1 919 ab. alt. 207.
Roma 540 – Brescia 36 – Mantova 79 – Milano 129 – Trento 104.

a Picedo Est : 1,5 km – ⌧ 25080 Polpenazze del Garda :

X **Taverna Picedo**, via Sottoraso 7 ✆ 0365 674103, Fax 0365 674103, ☞ – 🖭 🕲 🐵 𝘝𝘐𝘚𝘈
chiuso dal 7 gennaio all'8 febbraio, i mezzogiorno di lunedì-martedì da maggio a setten
bre, lunedì a mezzogiorno e martedì negli altri mesi – **Pasto** specialità fritto di verdure
carni alla griglia carta 55/75000.

POMARANCE 56045 Pisa [430] M 14 – 6 690 ab. alt. 367.
Roma 273 – Siena 69 – Firenze 96 – Livorno 70 – Pisa 80.

🏨 **La Burraia**, via Garibaldi 40 ✆ 0588 65617, burraia@tiscalinet.it, Fax 0588 65618 – 🛗 📺
🅿. 🕲 🐵 𝘝𝘐𝘚𝘈
Pasto carta 35/55000 – **28 cam** ⌑ 80/140000 – ½ P 100000.

POMEZIA 00040 Roma [430] Q 19 – 46 645 ab. alt. 108.
🏌 Marediroma (chiuso lunedì) a Marina di Ardea ⌧ 00040 ✆ 06 9133250, Fax 06 9133250
Sud : 8 km.
Roma 28 – Anzio 31 – Frosinone 105 – Latina 41 – Ostia Antica 32.

568

Selene, via Pontina km 30 ℘ 06 911701, *info@hotelselene.com*, Fax 06 91170557, « Giardino con � », ※ – ⧄, ↔ cam, ☰ ⊡ ℭ ⅙ 🅿 – ⚖ 500. 🆎 🆂 ⓞ ⓪ ☑ ﾣ. ※
Pasto al Rist. *La Brace* carta 60/90000 – **187 cam** ⧄ 290/370000, 13 suites – ½ P 250000.

Antonella Ⓜ, via Pontina Km 28 ℘ 06 911481, *info@hotelantonella.com*, Fax 06 91148700, ☞ – ⧄, ↔ cam, ☰ ⊡ ℭ ⅙ 🅿 – ⚖ 550 ☞ 🆎 🆂 ⓞ ⓪ ☑
Pasto carta 55/95000 – **133 cam** ⧄ 250/350000.

Enea, via del Mare 83 ℘ 06 9107021, *eneahotel@tiscalinet.it*, Fax 06 9107805, ☎, ☀ – ⧄, ↔ cam, ☰ ⊡ ℭ ⅙ 🅿 – ⚖ 350. 🆎 🆂 ⓞ ⓪ ☑. ※
Pasto carta 55/80000 – **95 cam** ⧄ 190/240000.

◗OMONTE Livorno **430** N 12 – *Vedere Elba (Isola d') : Marciana.*

◗OMPEI 80045 Napoli **431** E 25 *G. Italia* – *26 018 ab. alt. 16 – a.s. maggio-15 ottobre.*
   Vedere *Foro*★★★ *: Basilica*★★ *– Tempio di Apollo*★★ *– Tempio di Giove*★★ *– Terme Stabiane*★★★ *– Casa dei Vettii*★★★ *– Villa dei Misteri*★★★ *– Antiquarium*★★ *– Odeon*★★ *– Casa del Menandro*★★ *– Via dell'Abbondanza*★★ *– Fullonica Stephani*★★ *– Casa del Fauno*★★ *– Porta Ercolano*★★ *– Via dei Sepolcri*★★ *– Foro Triangolare*★ *– Teatro Grande*★ *– Tempio di Iside*★ *– Termopolio*★ *– Casa di Loreius Tiburtinus*★ *– Villa di Giulia Felice*★ *– Anfiteatro*★ *– Necropoli fuori Porta Nocera*★ *– Pistrinum*★ *– Casa degli Amorini Dorati*★ *– Torre di Mercurio*★ *: ≤*★★ *– Casa del Poeta Tragico*★ *– Pitture*★ *nella casa dell'Ara Massima – Fontana*★ *nella casa della Fontana Grande.*
   Dintorni *Villa di Oplontis*★★ *a Torre Annunziata Ovest : 6 km.*
   🛈 *via Sacra 1 ℘ 081 8507255, Fax 081 8632401.*
   Roma 237 – Napoli 29 – Avellino 49 – Caserta 50 – Salerno 29 – Sorrento 28.

Amleto senza rist, via Bartolo Longo 10 ℘ 081 8631004, *info@hotelamleto.it*, Fax 081 8635585, « Terrazza solarium » – ⧄ ☰ ⊡ ⅙ ☞ – ⚖ 50. 🆎 🆂 ⓞ ☑. ※
26 cam ⧄ 150/290000.

Forum senza rist, via Roma 99 ℘ 081 8501170, *pompei@hotelforum.it*, Fax 081 8506132, ☞ – ⧄ ☰ ⊡ 🅿 🆎 🆂 ⓞ ⓪ ☑ ﾣ
24 cam ⧄ 110/140000.

Iside senza rist, via Minutella 27 ℘ 081 8598863, Fax 081 8598863 – ⊡ ⅙ 🅿 🆎 🆂 ⓞ ⓪ ☑
⧄ 10000 – **18 cam** 100/140000.

Il Principe, piazza Bartolo Longo 8 ℘ 081 8505566, *ilprincipe@uniserv.uniplan.it*, Fax 081 8633342 – ☰. 🆎 🆂 ⓞ ⓪ ☑ ﾣ
☸ chiuso dal 23 al 26 dicembre, dal 3 al 17 agosto, domenica sera e lunedi (escluso aprile-giugno e settembre-ottobre) – **Pasto** carta 90/125000
   Spec. Vermicelli di Gragnano al "garum" pompeiano. Parmigiana di zucchine e mozzarelline in carrozza (primavera-estate). Pastiera di grano.

President, piazza Schettini 12/13 ℘ 081 8507245, *president@uniserv.uniplan.it*, Fax 081 8638147 – ☰. 🆎 🆂 ⓞ ⓪ ☑ ﾣ. ※
   chiuso dal 10 al 25 agosto, dal 23 al 26 dicembre e lunedi (escluso maggio-giugno e settembre-ottobre) – **Pasto** specialità di mare carta 60/100000.

Dei Platani, via Colle San Bartolomeo 4 ℘ 081 8633973, Fax 081 8633973, ☞ – ☰. 🆎 🆂 ⓞ ⓪
   chiuso mercoledi escluso da agosto a ottobre – **Pasto** carta 40/75000.

n prossimità dello svincolo Scafati-Pompei :

Maiuri senza rist, via Acquasalsa 20 ℘ 081 8562716, *maiuri@uniserv.uniplan.it*, Fax 081 8562716 – ⧄ ☰ ⊡ ☞ 🅿. 🆎 🆂 ⓞ ⓪ ☑
24 cam ⧄ 145/190000.

Giovanna senza rist, via Acquasalsa 18 ⊠ 80045 ℘ 081 8503535, *hotelgiovanna@uniserv .uniplan.it*, Fax 081 8507323, « Giardino » – ⧄ ☰ ⊡ 🅿. 🆎 🆂 ⓞ ⓪ ☑. ※
24 cam ⧄ 150/200000.

◗OMPONESCO 46030 Mantova **428**, **429** H 13 – *1 485 ab. alt. 23.*
   Roma 459 – Parma 33 – Mantova 38 – Milano 154 – Modena 56.

Il Leone con cam, piazza IV Martiri 2 ℘ 0375 86077, Fax 0375 86770, ☞, « Caratteristiche decorazioni », ☀ – ☰ cam, ⊡ – ⚖ 30. 🆎 🆂 ⓞ ⓪ ☑. ※
   chiuso dal 24 dicembre al 15 febbraio e dal 17 al 28 agosto – **Pasto** *(chiuso domenica sera e lunedi)* carta 60/80000 – **8 cam** ⧄ 110/160000 – ½ P 145000.

◗ONDERANO 13875 Biella **219** ⑮ – *3 804 ab. alt. 357.*
   Roma 673 – Aosta 85 – Biella 4 – Milano 100 – Vercelli 40.

Da Valdo, via Mazzini 63 ℘ 015 541979 – ☰. 🆎 🆂 ⓞ ⓪ ☑. ※
   chiuso dal 28 luglio al 22 agosto e mercoledi – **Pasto** carta 50/80000.

PONT *Aosta* 🔲🔲🔲 ⑫ – *Vedere Valsavarenche.*

PONTE A CAPPIANO *Firenze* 🔲🔲🔲, 🔲🔲🔲, 🔲🔲🔲 K 14 – *Vedere Fucecchio.*

PONTE A MORIANO *Lucca* 🔲🔲🔲, 🔲🔲🔲, 🔲🔲🔲 K 13 – *Vedere Lucca.*

PONTE ARCHE *Trento* 🔲🔲🔲, 🔲🔲🔲 D 14 – *Vedere Comano Terme.*

PONTECAGNANO *84098 Salerno* 🔲🔲🔲 F 26 – *22 252 ab. alt. 28 – a.s. luglio-agosto.*
Roma 273 – Potenza 92 – Avellino 48 – Napoli 68 – Salerno 9.

sulla strada statale 18 *Est : 2 km :*

🏠 **1 + 1,** via Vespucci 35 🖂 84090 Sant'Antonio di Pontecagnano 🖉 089 38417
🍴 *Fax 089 849123 –* 🔲 📺 🄿 – 🔲 50. 🔲 🔲 🔲. 🔲
Pasto carta 35/45000 – 🔲 6000 – **40 cam** 75/110000 – 1/2 P 85000.

PONTE DELL'OLIO *29028 Piacenza* 🔲🔲🔲 H 10 – *4 803 ab. alt. 210.*
Roma 548 – Piacenza 22 – Genova 127 – Milano 100.

🍴🍴 **Riva,** via Riva 16 (Sud : 2 km) 🖉 0523 875193, *0523 875193,* 🔲, Coperti limitati; prenotar
🔲 *–* 🔲. 🔲 🔲 🔲 🔲 🔲. 🔲
chiuso dall'8 al 24 gennaio, dal 27 giugno all'11 luglio e lunedì – **Pasto** carta 65/95000
Spec. Insalata di pompelmo e noci con manzo leggermente affumicato. Zuppa di Parmi
giano con cappelletti di piccione. Manzo piemontese, cuore di foie gras e patatine fritte.

🍴 **Locanda Cacciatori** 🔲 con cam, località Castione Est : 3 km 🖉 0523 875105
🍴 *Fax 0523 875105,* 🔲, 🔲 *–* 🔲 🄿 *–* 🔲 60. 🔲. 🔲
chiuso dal 12 al 31 gennaio – **Pasto** carta 35/55000 – **13 cam** 🔲 50/70000 – 1/2 P 75000.

PONTEDERA *56025 Pisa* 🔲🔲🔲, 🔲🔲🔲, 🔲🔲🔲 L 13 – *26 040 ab. alt. 14.*
Roma 314 – Pisa 25 – Firenze 61 – Livorno 32 – Lucca 28 – Pistoia 45 – Siena 86.

🏨🏨 **Armonia** 🅼 senza rist, piazza Duomo 11 🖉 0587 278511, *reception@hotelarmonia.i*
Fax 0587 278540 – 🔲 🔲 📺 🔲 🔲 *–* 🔲. 🔲 🔲 🔲 🔲 🔲. 🔲
23 cam 🔲 195/250000, 4 suites.

🏠 **Il Falchetto** senza rist, piazza Caduti di Cefalonia e Corfù 3 🖉 0587 212183
Fax 0587 212183 – 📺. 🔲 🔲 🔲 🔲 🔲
🔲 15000 – **17 cam** 90/130000.

🍴🍴 **Aeroscalo,** via Roma 8 🖉 0587 52024 – 🔲. 🔲 🔲 🔲 🔲 🔲. 🔲
chiuso agosto e lunedì – **Pasto** carta 45/65000.

🍴🍴 **Fontino,** via Tosco Romagnola 118 🖉 0587 59615 – 🔲 🄿. 🔲 🔲 🔲 🔲 🔲 🔲
chiuso dal 3 al 9 gennaio e dal 15 al 30 settembre – **Pasto** carta 50/75000.

PONTE DI BRENTA *Padova* 🔲🔲🔲 F 17 – *Vedere Padova.*

PONTE DI LEGNO *25056 Brescia* 🔲🔲🔲, 🔲🔲🔲 D 13 – *1 870 ab. alt. 1 258 – a.s. febbraio, Pasqua*
luglio-agosto e Natale – Sport invernali : 1 258/1 920 m ⛷4, ⛷; a Passo del Tonale 1 883
3 016 m ⛷ 1 ⛷19, ⛷ (anche sci estivo).
🔲 *(giugno-settembre)* 🖉 0364 900269, Fax 0364 900555.
🄱 *corso Milano 41* 🖉 0364 91122, Fax 0364 91949.
Roma 677 – Sondrio 65 – Bolzano 107 – Bormio 42 – Brescia 119 – Milano 167.

🏨🏨 **Mirella,** via Roma 21 🖉 0364 900500, *hotmir@tin.it,* Fax 0364 900530, ≤, 🔲, 🔲, 🔲, 🔲
– 🔲 📺 🔲 🔲 🄿 *–* 🔲 300. 🔲 🔲 🔲 🔲. 🔲
Pasto *(chiuso maggio, ottobre e novembre)* carta 50/90000 – **61 cam** 🔲 110/200000 -
1/2 P 240000.

🏨 **Sorriso** 🔲, via Piazza 6 🖉 0364 900488, *info@hotelsorriso.com,* Fax 0364 91538, ≤, 🔲
🔲, 🔲 *–* 🔲 📺 🔲 🄿. 🔲 🔲 🔲 🔲. 🔲
dicembre-Pasqua e giugno-settembre – **Pasto** *(solo per alloggiati)* 40000 – **20 cam** 🔲 160.
280000 – 1/2 P 170000.

🏠 **Mignon,** via Corno d'Aola 11 🖉 0364 900480, Fax 0364 900480, ≤, 🔲 *–* 🔲 📺 🔲 🄿. 🔲
🔲 🔲. 🔲 rist
Pasto *(chiuso da maggio al 20 giugno, ottobre, novembre)* 35/40000 – 🔲 12000 – **38 cam**
90/150000 – 1/2 P 140000.

XX **San Marco,** piazzale Europa 18 🖉 0364 91036 – 🖭 🛐 ⓞ ⓒⓞ 𝘝𝘐𝘚𝘈. ❄
chiuso lunedì escluso da luglio al 15 settembre e dal 20 dicembre al 15 gennaio e dal 25 settembre all'8 ottobre. – **Pasto** carta 45/70000.

X **Sporting,** viale Venezia 46 🖉 0364 91775, *Fax 0364 91775,* 🏤, Rist. e pizzeria, ❄ – 🄿. 🛐 ⓞ ⓒⓞ 𝘝𝘐𝘚𝘈. ❄
chiuso dal 5 al 20 giugno e martedì – **Pasto** carta 40/60000.

Pezzo (strada del Gavia) Nord : 5,5 km – ⊠ 25056 Ponte di Legno :

X **Da Giusy,** via Ercavallo 39 🖉 0364 92153, Coperti limitati; prenotare
🚰 *chiuso martedì (escluso luglio-agosto), ottobre e novembre aperto solo i fine settimana* – Pasto carta 40/50000.

ONTE DI NAVA *Cuneo* 428 J 5 – *Vedere Ormea.*

ONTE DI PIAVE *31047 Treviso* 429 E 19 – *6 762 ab. alt. 10.*
Roma 563 – Venezia 47 – Milano 302 – Treviso 19 – Trieste 126 – Udine 95.

Levada Nord : 3 km – ⊠ 31047 Ponte di Piave :

XX **Al Gabbiano** con cam, via della Vittoria 45 🖉 0422 853205, *info@algabbiano.it,* *Fax 0422 853540,* 🏤, 🛲 – 🛐 ▤ 𝘛𝘝 ⚹ 🄿. 🖭 🛐 ⓞ ⓒⓞ 𝘝𝘐𝘚𝘈 𝘑𝘊𝘉
Pasto *(chiuso domenica)* 60000 e carta 35/60000 – ⊊ 12000 – **27 cam** 100/150000, suite – ½ P 100000.

Se cercate un albergo tranquillo,
oltre a consultare le carte dell'introduzione,
individuate nell'elenco degli esercizi quelli con il simbolo ⌂ o ⌂.

ONTE IN VALTELLINA *23026 Sondrio* 428, 429 D 11 – *2 238 ab. alt. 500.*
Roma 709 – Sondrio 9 – Edolo 39 – Milano 148 – Passo dello Stelvio 78.

XX **Cerere,** via Guicciardi 7 🖉 0342 482294, *Fax 0342 482294,* ≤, « In un palazzo del 17° secolo » – ▤. 🖭 🛐 ⓞ ⓒⓞ 𝘝𝘐𝘚𝘈. ❄
chiuso dal 1° al 25 luglio, mercoledì (escluso agosto) – **Pasto** 50000 e carta 40/70000.

ONTELUCANO *Roma* – *Vedere Tivoli.*

ONTE NELLE ALPI *32014 Belluno* – *7 908 ab. alt. 400.*
Roma 609 – Belluno 8 – Cortina d'Ampezzo 63 – Milano 348 – Treviso 69 – Udine 109 – Venezia 98.

ulla strada statale 51 :

XX **Da Benito** con cam, località Pian di Vedoia Nord : 3 km ⊠ 32014 🖉 0437 99420, *da-benit o@libero.it, Fax 0437 990472,* ≤, 🏤 – 🛐 𝘛𝘝 🛲 🄿 – 🕍 80. 🖭 🛐 ⓞ ⓒⓞ 𝘝𝘐𝘚𝘈. ❄
chiuso dal 6 al 27 agosto – **Pasto** *(chiuso domenica sera e lunedì)* carta 50/65000 (10 %) – ⊊ 15000 – **22 cam** 120/140000 – ½ P 120000.

XX **Alla Vigna,** località Cadola 19 (Est : 2 km) ⊠ 32014 🖉 0437 990559, *Fax 0437 990559* – 🖭 🛐 ⓞ ⓒⓞ 𝘝𝘐𝘚𝘈. ❄
chiuso dal 20 al 30 marzo e dal 20 agosto al 10 settembre, martedì sera e mercoledì – **Pasto** carta 45/70000.

ONTENURE *29010 Piacenza* 428, 429 H 11 – *5 117 ab. alt. 64.*
Roma 494 – Piacenza 11 – Alessandria 108 – Genova 165 – Milano 78 – Parma 51.

XX **Nabucco,** via Ferrari 58 (via Emilia) 🖉 0523 510623 – ▤. 🛐 ⓞ 𝘝𝘐𝘚𝘈. ❄
chiuso dal 1° al 15 gennaio, agosto e lunedì – **Pasto** 45000 e carta 50/70000.

ONTERANICA *24010 Bergamo* 428 E 11 – *6 940 ab. alt. 381.*
Roma 608 – Bergamo 8 – Milano 55.

X **Parco dei Colli,** via Fustina 13 🖉 035 572227, *Fax 035 690588,* 🏤, Rist. e pizzeria serale – 🄿. 🖭 🛐 ⓞ ⓒⓞ 𝘝𝘐𝘚𝘈 𝘑𝘊𝘉
chiuso dal 5 al 25 agosto e mercoledì – **Pasto** carta 55/75000.

ONTE SAN GIOVANNI *Perugia* 430 M 19 – *Vedere Perugia.*

PONTE SAN NICOLÒ 35020 Padova **429** F 17 – 11 793 ab. alt. 11.
Roma 498 – Padova 8 – Venezia 40.

Pianta : vedere Padova.

🏨 **Marconi**, via Marconi 186 località Roncaglia 🕿 049 8961422, Fax 049 8961514 – 📳 ☰ ▮
🍴 🕭 📁 – 🔬 80. 🝙 🛐 ⓞ 🐠 *VISA*. 🛠 rist   BX
Pasto (solo per alloggiati; *chiuso a mezzogiorno e da venerdi a domenica*) carta 45/70000
56 cam 😅 140/195000 – ½ P 155000.

PONTE SAN PIETRO 24036 Bergamo **428** E 10 – 9 520 ab. alt. 224.
Roma 585 – Bergamo 13 – Lecco 28 – Milano 45.

XXX **Greta**, via Piazzini 33 🕿 035 462057, *gretar@libero.it*, Coperti limitati; prenotare – ☰. ▮
🛐 🐠 *VISA*
chiuso dal 23 al 31 gennaio, dal 20 al 31 agosto, domenica sera e lunedì – **Pasto** 70/800
(solo la sera) carta 60/110000.

PONTE TARO Parma **429** H 12 – *Vedere Parma.*

PONTE VALLECEPPI Perugia **430** M 19 – *Vedere Perugia.*

PONTIDA 24030 Bergamo **428** E 10 – 2 889 ab. alt. 313.
Roma 609 – Bergamo 18 – Como 43 – Milano 52.

X **Hosteria la Marina**, via Don Aniceto Bonanomi 283, frazione Grombosco Nord : 2 k
🕿 035 795063, Fax 035 796079 – 🝙 🛐 ⓞ 🐠 *VISA*. 🛠
chiuso martedì, agosto o settembre – **Pasto** carta 45/65000.

PONTI SUL MINCIO 46040 Mantova **428**, **429** F 14 – 1 881 ab. alt. 113.
Roma 505 – Verona 32 – Brescia 45 – Mantova 35 – Milano 123.

XX **Al Dore'**, via G.B. Rossi 25/b 🕿 0376 808264, Fax 0376 808264, prenotare – 📁. 🛐 🐠 *VISA*
🛠
*chiuso gennaio, dal 1° al 15 luglio, lunedì e a mezzogiorno (escluso sabato-domenica e
giorni festivi)* – **Pasto** specialità di mare carta 55/80000.

PONTREMOLI 54027 Massa-Carrara **428**, **429**, **430** I 11 *G. Toscana* – 8 146 ab. alt. 236.
Roma 438 – La Spezia 41 – Carrara 53 – Firenze 164 – Massa 55 – Milano 186 – Parma 81.

X **Da Bussè**, piazza Duomo 31 🕿 0187 831371, *gantig@tin.it*, prenotare sabato-domenica
chiuso dal 1° al 20 luglio, la sera (escluso sabato-domenica) e venerdì – **Pasto** car
40/60000.

PONT SAINT MARTIN 11026 Aosta **428** F 5 *G. Italia* – 3 870 ab. alt. 345 – a.s. luglio-agosto.
Roma 699 – Aosta 52 – Ivrea 24 – Milano 137 – Novara 91 – Torino 66.

🏨 **Ponte Romano**, piazza IV Novembre 14 🕿 0125 804320, Fax 0125 807108 – 📳 📺 🍴. ▮
🍴 🛐 ⓞ 🐠 *VISA*. 🛠
Pasto (*chiuso lunedì*) carta 30/60000 – 😅 12000 – **13 cam** 75/110000.

PONZA (Isola di) Latina **430** ⑩ *G. Italia* – 3 312 ab. alt. da 0 a 280 (monte Guardia) – a.s. Pasqua
luglio-agosto.
La limitazione d'accesso degli autoveicoli è regolata da norme legislative.
Vedere Località★.

🚤 per Anzio 16 giugno-15 settembre giornalieri (2 h 30 mn) e Formia giornalie
(2 h 30 mn) – Caremar-agenzia Regine, molo Musco 🕿 0771 80565, Fax 0771 809875; p
Terracina giornaliero (2 h 15 mn) – Trasporti Marittima Mazzella, via Santa Maria 🕿 07
809965 e Anxur Tours, al porto 🕿 0771 725536, Fax 0771 726691.

🚤 per Formia giornalieri (1 h 20 mn) – Caremar-agenzia Regine, molo Musco 🕿 07
80565, Fax 0771 809875 e Agenzia Helios, molo Musco 🕿 0771 80549; per Anzio giornalie
(1 h 10 mn).

– Trasporti Marittimi Mazzella, via Santa Maria 🕿 0771 809965 e Agenzia Helios, molo Musc
🕿 0771 80549.

Ponza – ✉ 04027 :

🏨 **Cernia** 🦢, via Panoramica 🕿 0771 809951, *pagreca@tin.it*, Fax 0771 809955, « Terrazz
giardino con 🛁 », 🛠 – ☰ 📺 🍴 📁 – 🔬 150. 🝙 🛐 ⓞ 🐠 *VISA*. 🛠
aprile-ottobre – **Pasto** carta 60/100000 – **50 cam** 😅 240/420000 – ½ P 250000.

🏨 **Bellavista** 🦢, via Parata 1 🕿 0771 80036, *hotelbellavista@tin.it*, Fax 0771 80395, ≤ sco
gliera e mare – 📳 ☰ 📺. 🝙 🛐 ⓞ 🐠 *VISA*. 🛠
chiuso dal 15 dicembre al 15 gennaio – **Pasto** carta 45/65000 – **24 cam** 😅 180/260000
½ P 180000.

🍴🍴 **Gennarino a Mare** con cam, via Dante 64 ☎ 0771 80593, *Fax 0771 80140*, < mare e porto, pontile per attracco natanti, « Servizio estivo in terrazza sul mare » – [TV]. [AE] [$] [O] [MC] [VISA]. 🐕
Pasto *(aprile-ottobre; chiuso giovedì escluso da giugno a settembre)* carta 60/100000 (10 %) – **12 cam** ☕ 300/380000 – ½ P 240000.

🍴 **Acqua Pazza,** piazza Carlo Pisacane ☎ 0771 80643, *acquapazza@ponza.com*, <, ⛱, Coperti limitati; prenotare – [AE] [$] [O] [MC] [VISA]
chiuso dicembre e gennaio – **Pasto** specialità di mare carta 75/120000.

🍴 **La Kambusa,** via Banchina Nuova ☎ 0771 80280, *Fax 0771 80280*, ⛱ – [AE] [$] [O] [MC] [VISA]. 🐕
15 maggio-settembre – **Pasto** carta 65/90000.

PONZANO SUPERIORE *La Spezia* [429] J 11 – *Vedere Santo Stefano di Magra.*

PONZANO VENETO *31050 Treviso* [429] E 18 – *9 401 ab. alt. 28.*

Roma 546 – Venezia 40 – Belluno 74 – Treviso 5 – Vicenza 62.

Paderno di Ponzano *Nord-Ovest : 2 km – ✉ 31050 Ponzano Veneto :*

🏨 **Relais Monaco** [M] 🔇, via Postumia 63 (Nord : 1 km) ☎ 0422 9641, *mailbox@relaismonaco.it*, *Fax 0422 964500*, ⛱, prenotare, « Parco con 🏊 », 🏋, 🏊 – 🚭 cam, ▤ [TV] 📞 [P] – 🧑‍🏫 200. [AE] [$] [O] [MC] [VISA] [JCB]. 🐕
Pasto carta 60/90000 – ☕ 20000 – **78 cam** 250/300000, suites – ½ P 180000.

🍴🍴 **Trattoria da Sergio,** via Fanti 14 ☎ 0422 967000, *Fax 0422 967000*, ⛱, prenotare – 🚭 [P]. [AE] [$] [O] [MC] [VISA] [JCB]. 🐕
chiuso dal 23 dicembre al 6 gennaio, dal 1° al 20 agosto, i giorni festivi, sabato a mezzogiorno e domenica – **Pasto** carta 40/70000.

POPPI *52014 Arezzo* [429], [430] K 17 *G. Toscana* – *5 822 ab. alt. 437.*

Vedere Cortile del Castello*.*

⛳ *Casentino (chiuso martedì escluso luglio - agosto)* ☎ *0575 529810, Fax 0575 520167.*

Roma 247 – Arezzo 33 – Firenze 58 – Ravenna 118.

🏨 ⊛ **Parc Hotel,** via Roma 214, località Ponte a Poppi ✉ 52013 ☎ 0575 529994, *parc@lina.it*, *Fax 0575 529984*, ⛱, 🏊, 🌳 – 🛗 ▤ [TV] [P] – 🧑‍🏫 50. [AE] [$] [O] [MC] [VISA]. 🐕
chiuso dal 3 al 28 gennaio – **Pasto** *(chiuso lunedì escluso agosto)* carta 35/60000 – **42 cam** ☕ 100/170000 – ½ P 110000.

🏨 ⊛ **La Torricella** 🔇, località Torricella 14, Ponte a Poppi ☎ 0575 527045, *la_torricella@technet.it*, *Fax 0575 527046*, < centro storico e vallata, ⛱ – 🛗 [TV] [P]. [AE] [$] [O] [MC] [VISA] [JCB]
Pasto carta 30/50000 – **13 cam** ☕ 80/120000 – ½ P 85000.

🍴🍴 ⊛ **Campaldino** con cam, via Roma 95, località Ponte a Poppi ✉ 52013 ☎ 0575 529008, *campaldino@iol.it*, *Fax 0575 529032* – [TV]. [AE] [$] [O] [MC] [VISA]. 🐕
Pasto *(chiuso dal 1° al 20 luglio e mercoledì escluso agosto)* carta 30/55000 – ☕ 8000 – **10 cam** 70/100000 – ½ P 80000.

POPULONIA *Livorno* [430] N 13 – *Vedere Piombino.*

PORCIA *33080 Pordenone* [429] E 19 – *13 397 ab. alt. 29.*

Roma 608 – Belluno 67 – Milano 333 – Pordenone 4 – Treviso 54 – Trieste 117.

🍴🍴 ⊛ **Casetta,** via Colombo 35, località Palse Sud : 1 km ☎ 0434 922720, *cirifafa@iol.it*, Coperti limitati; prenotare – ▤ [P]. [AE] [$] [O] [MC] [VISA]. 🐕
chiuso dal 1° al 6 gennaio, agosto e mercoledì – **Pasto** carta 35/45000.

PORDENONE *33170* [P] [429] E 20 – *48 658 ab. alt. 24.*

⛳ *Castel d'Aviano (chiuso martedì) a Castel d'Aviano ✉ 33081 ☎ 0434 652305, Fax 0434 660496, Nord-Ovest : 10 km.*

✈ *di Ronchi dei Legionari ☎ 0481 773224, Fax 0481 474150.*

[i] *corso Vittorio Emanuele 38 ☎ 0434 21912, Fax 0434 523814.*

[A.C.I.] *viale Dante 40 ☎ 0434 208965.*

Roma 605 – Udine 54 – Belluno 66 – Milano 343 – Treviso 54 – Trieste 113 – Venezia 93.

🏨 **Villa Ottoboni,** piazzetta Ottoboni 2 ☎ 0434 208891, *Fax 0434 208148* – 🛗 ▤ [TV] – 🧑‍🏫 30. [AE] [$] [O] [MC] [VISA]. 🐕
Pasto *(chiuso dal 26 dicembre al 6 gennaio, agosto, sabato e domenica)* carta 45/75000 – **93 cam** ☕ 140/180000, 3 suites.

Minerva, senza rist, piazza XX Settembre 5 ☎ 0434 26066, mail@hotelminerva. Fax 0343 29748 – 🛗 🗏 📺 🄿. 🕮 🕃 ① 🐠 𝘝𝘐𝘚𝘈
42 cam ⬄ 125/170000.

Park Hotel senza rist, via Mazzini 43 ☎ 0434 27901, parkhotel.pn@tin.it, Fax 0434 5223.
– 🛗 🗏 📺 ⅙ – 🚪 70. 🕮 🕃 ① 🐠 𝘝𝘐𝘚𝘈
chiuso dal 18 dicembre al 9 gennaio – 66 cam ⬄ 140/220000, suite.

La Vecia Osteria del Moro, via Castello 2 ☎ 0434 28658, Fax 0434 20671 – 🕮 🕃 ① 🐠
𝘝𝘐𝘚𝘈
chiuso dal 1º al 10 gennaio, dal 10 al 25 agosto e domenica – Pasto carta 50/70000.

PORDOI (Passo del) Belluno e Trento G. Italia – alt. 2 239.
Vedere Posizione pittoresca★★★.

PORETA Perugia 430 N 20 – Vedere Spoleto.

PORLEZZA 22018 Como 428 D 9, 219 ⑨ – 4 147 ab. alt. 271.
Vedere Lago di Lugano★★.
Roma 673 – Como 47 – Lugano 16 – Milano 95 – Sondrio 80.

Regina, lungolago Matteotti 11 ☎ 0344 61228, hotel.regina@melink.it, Fax 0344 7203.
≤, « Terrazza-solarium con ≤ lago e dintorni » – 🛗 📺. 🕮 🕃 ① 🐠 𝘝𝘐𝘚𝘈 🗛
chiuso dal 10 gennaio al 10 febbraio – Pasto vedere rist **Regina** – 28 cam ⬄ 95/145000.
suite – ½ P 95000.

Regina, lungolago Matteotti 11 ☎ 0344 61684, Fax 0344 72031 – 🕮 🕃 ① 🐠 𝘝𝘐𝘚𝘈 🗛
chiuso dal 10 gennaio al 10 febbraio e lunedì (escluso da luglio al 15 settembre) – Past
30/45000 bc e carta 50/80000.

PORRETTA TERME 40046 Bologna 428, 429, 430 J 14 – 4 752 ab. alt. 349 – Stazione terma.
(maggio-ottobre), a.s. luglio-20 settembre.
🖪 piazzale Protche ☎ 0534 22021, Fax 0534 24472.
Roma 345 – Bologna 59 – Firenze 72 – Milano 261 – Modena 92 – Pistoia 35.

Santoli, via Roma 3 ☎ 0534 23206, hotelsantoli@computermax.it, Fax 0534 22744, 🖪
🛋, 🌱, ⅚ – 🗏 📺 🚗 🄿 – 🚪 150. 🕮 🕃 ① 🐠 𝘝𝘐𝘚𝘈
chiuso Natale e Pasqua – Pasto al Rist. **Il Bassotto** (chiuso Natale, Pasqua, e a mezzo.
giorno) carta 45/60000 – ⬄ 15000 – 48 cam 140/190000 – ½ P 130000.

PORTALBERA 27040 Pavia 428 G 9 – 1 313 ab. alt. 64.
Roma 540 – Piacenza 42 – Alessandria 68 – Genova 120 – Milano 61 – Pavia 20.

Osteria dei Pescatori, località San Pietro 13 ☎ 0385 266085 – 🄿. 🕮 🕃 ① 🐠 𝘝𝘐𝘚𝘈
chiuso dal 1º al 15 gennaio, dal 15 al 31 luglio e mercoledì – Pasto carta 35/50000.

PORTESE Brescia – Vedere San Felice del Benaco.

PORTICELLO Palermo 432 M 22 – Vedere Sicilia (Santa Flavia) alla fine dell'elenco alfabetico.

PORTICO DI ROMAGNA 47010 Forlì-Cesena 429, 430 J 17 – alt. 301.
Roma 320 – Firenze 75 – Forlì 34 – Ravenna 61.

Al Vecchio Convento, via Roma 7 ☎ 0543 967053, info@vecchioconvento.
Fax 0543 967157 – 📺. 🕮 🕃 ① 🐠 𝘝𝘐𝘚𝘈. 🗛 rist
chiuso dal 12 gennaio al 12 febbraio – Pasto carta 45/75000 – ⬄ 15000 – 15 car
90/130000 – ½ P 130000.

PORTO AZZURRO Livorno 430 N 13 – Vedere Elba (Isola d').

PORTOBUFFOLÈ 31019 Treviso 429 E 19 – 698 ab. alt. 11.
Roma 567 – Belluno 58 – Pordenone 15 – Treviso 37 – Udine 63 – Venezia 45.

Villa Giustinian 🏡, via Giustiniani 11 ☎ 0422 850244, Fax 0422 850260, 🌳, « Prest.
giosa villa veneta del 17º secolo in un parco » – 🗏 📺 🄿 – 🚪 150. 🕮 🕃 ① 🐠 𝘝𝘐𝘚𝘈 🗛.
Pasto (chiuso dal 3 al 22 gennaio, dal 4 al 23 agosto, domenica sera e lunedì) car.
70/105000 – ⬄ 15000 – 35 cam 160/280000, 8 suites – ½ P 200000.

ORTO CERVO *Sassari* 📖 D 10 – *Vedere Sardegna (Arzachena : Costa Smeralda) alla fine dell'elenco alfabetico.*

ORTO CESAREO *73010 Lecce* 📖 G 35 – *4 695 ab. – a.s. luglio-agosto.*
Roma 600 – Brindisi 55 – Gallipoli 30 – Lecce 27 – Otranto 59 – Taranto 65.

🏠🏠 **Lo Scoglio** ⏳, su un isolotto raggiungibile in auto 🕾 *0833 569079, hscoglio@tin.it,*
Fax 0833 569078, ≼, 🖫, 🐾, 🖛 – 🔟 🕭 **P.** 🖭 🕄 ➊ 🕮 *VISA*. ⁂
Pasto *(chiuso novembre e martedi escluso da giugno a settembre)* carta 35/65000 –
47 cam ⚏ 100/170000 – ½ P 115000.

❌❌ **Il Veliero,** litoranea Sant'Isidoro 🕾 *0833 569201, Fax 0833 569201* – 🗏. 🖭 🕄 ➊ 🕮 *VISA*.
⁂
chiuso martedi e novembre – **Pasto** carta 40/65000.

Torre Lapillo *Nord-Ovest : 5 km* – ✉ *73050 Santa Chiara di Nardò :*

❌❌ **L'Angolo di Beppe,** con cam, 🕾 *0833 565305 e hotel 🕾 0833 565333,*
Fax 0833 565331, 🖫, **Lₒ** – 🛦 🗏 🔟 **P.** – 🕭 80. 🖭 🕄 ➊ 🕮 *VISA* JCB. ⁂
chiuso lunedi – **Pasto** carta 40/70000 – **19 cam** ⚏ 90/150000 – ½ P 130000.

ORTO CONTE *Sassari* 📖 F 6 – *Vedere Sardegna (Alghero) alla fine dell'elenco alfabetico.*

ORTO D'ASCOLI *Ascoli Piceno* 📖 N 23 – *Vedere San Benedetto del Tronto.*

ORTO ERCOLE *58018 Grosseto* 📖 O 15 *G. Toscana – a.s. Pasqua e 15 giugno-15 settembre.*
Roma 159 – Grosseto 50 – Civitavecchia 83 – Firenze 190 – Orbetello 7 – Viterbo 95.

🏠🏠 **Villa Portuso** ⏳, località Poggio Portuso Nord : 1 km 🕾 *0564 834181, vportuso@tin.it,*
Fax 0564 835351, ≼, 🖫, « Struttura con terrazze e giardini digradanti sul mare », 🌊, 🐾,
🖛, ⁂ – 🗏 🔟 ❤ **P.** – 🕭 60. 🖭 🕄 🕮 *VISA*. ⁂
marzo-ottobre – **Pasto** al Rist. *Taitù* carta 60/95000 – **28 cam** ⚏ 280/370000, 5 suites –
½ P 285000.

🏠🏠 **Don Pedro,** via Panoramica 7 🕾 *0564 833914, Fax 0564 833129,* ≼ porto, 🖫 – 🛦,
🗏 cam, 🔟 🚗 **P.** – 🕭 60. 🖭 🕄 🕮 *VISA* JCB. ⁂
Pasqua-ottobre – **Pasto** *(Pasqua-settembre)* carta 50/75000 – **44 cam** ⚏ 220/240000 –
½ P 170000.

❌ **Il Gambero Rosso,** lungomare Andrea Doria 🕾 *0564 832650, Fax 0564 837049,* ≼, 🖫 –
🖭 🕄 ➊ 🕮 *VISA* JCB
chiuso febbraio, mercoledi a mezzogiorno in luglio-agosto, tutto il giorno negli altri mesi –
Pasto specialità di mare carta 60/85000.

ulla strada Panoramica *Sud-Ovest : 4,5 km :*

🏠🏠🏠 **Il Pellicano** ⏳, località Lo Sbarcatello ✉ 58018 🕾 *0564 858111, info@pellicanohotel.co*
m, Fax 0564 833418, ≼ mare e scogliere, 🖫, Ascensore per la spiaggia, « Villini indipen-
denti tra il verde e gli ulivi », **Lₒ**, 🌊 riscaldata, 🐾, 🖛, ⁂ – 🗏 🔟 **P.** 🖭 🕄 ➊ 🕮 *VISA*. ⁂
12 aprile-29 ottobre – **Pasto** 125000 e carta 140/215000 – **41 cam** ⚏ 1110/1150000,
9 suites 2200/2500000 – ½ P 680000.

ORTOFERRAIO *Livorno* 📖 N 12 – *Vedere Elba (Isola d').*

ORTOFINO *16034 Genova* 📖 J 9 *G. Italia – 611 ab..*
Vedere *Località e posizione pittoresca*★★★ – ≼★★★ *dal Castello.*
Dintorni *Passeggiata al faro*★★★ *Est : 1 h a piedi AR – Strada panoramica*★★★ *per Santa
Margherita Ligure Nord – Portofino Vetta*★★ *Nord-Ovest : 14 km (strada a pedaggio) – San
Fruttuoso*★★ *Ovest : 20 mn di motobarca.*
🛈 *via Roma 35* 🕾 *0185 269024, Fax 0185 269024.*
Roma 485 – Genova 38 – Milano 171 – Rapallo 8 – Santa Margherita Ligure 5 – La Spezia 87.

🏠🏠🏠🏠 **Splendido** (dipendenza **Splendido Mare**) ⏳, viale Baratta 16 🕾 *0185 267801, reservatio*
ns@splendido.net, Fax 0185 267806, ≼ promontorio e mare, 🖫, « Parco ombreggiato »,
🛏, 🌊 riscaldata, ⁂ – 🛦 🗏 🔟 🚗 **P.** – 🕭 100. 🖭 🕄 ➊ 🕮 *VISA* JCB. ⁂
chiuso sino al 29 marzo – **Pasto** carta 205/270000 – **69 cam** solo ½ P 860/1920000,
8 suites.

🏠🏠🏠 **Splendido Mare,** via Roma 2 🕾 *0185 267802, reservations@splendido.net,*
Fax 0185 267807, 🖫 – 🛦 🗏 🔟. 🖭 🕄 ➊ 🕮 *VISA* JCB. ⁂
Pasto carta 155/215000 – **14 cam** ⚏ 600/1210000, 2 suites.

🏨 **Piccolo Hotel**, via Duca degli Abruzzi 31 ℰ 0185 269015, *dopiccol@tin.* Fax 0185 269621, ≤, « Terrazze-giardino sulla scogliera » – |‡|, ≡ rist, 📺. 🖭 🚯 ⑩ 🐠 💯 🛬 rist
chiuso novembre – **Pasto** (solo per alloggiati) 60000 – **22 cam** ⊏ 340/440000 ½ P 260000.

🏨 **Nazionale** senza rist, via Roma 8 ℰ 0185 269575, *info@nazionaleportofino.cor* Fax 0185 269138 – ≡ 📺. 🚯 ⑩ 🐠 💯
15 marzo-novembre – **12 cam** ⊏ 350/600000.

🏵️🏵️ **Il Navicello**, piazza Martiri dell'Olivetta 9/10 ℰ 0185 269471, � – 🖭 🚯 ⑩ 🐠 💯
chiuso febbraio e martedì – **Pasto** carta 65/105000 (10%).

PORTOFINO (Promontorio di) Genova - G. Italia.

PORTO GARIBALDI Ferrara 🗾 H 18 – Vedere Comacchio.

PORTOGRUARO 30026 Venezia 🗾 E 20 G. Italia – 24 392 ab..
Vedere *corso Martiri della Libertà★★ Municipio★*.
🛈 *corso Martiri della Libertà 19 ℰ 0421 73558, Fax 0421 72235.*
Roma 584 – Udine 50 – Belluno 95 – Milano 323 – Pordenone 28 – Treviso 60 – Trieste 93 – Venezia 73.

🏨 **Antico Spessotto**, via Roma 2 ℰ 0421 71040, Fax 0421 71053 – |‡| ≡ 📺 🖻. 🖭 🚯 ⑩ 🐠 💯. 🛬
Pasto *(chiuso lunedì)* carta 45/85000 – ⊏ 12000 – **46 cam** 90/115000.

🏠 **La Meridiana** senza rist, via Diaz 5 ℰ 0421 760250, *albergolameridiana@libero.* Fax 0421 760259 – |‡| ≡ 📺 🖻. 🖭 🚯 ⑩ 🐠 💯. 🛬
⊏ 12000 – **10 cam** 85/125000.

PORTOMAGGIORE 44015 Ferrara 🗾 H 17 – 12 054 ab. alt. 3.
Roma 398 – Bologna 67 – Ferrara 25 – Ravenna 54.

a Quartiere Nord-Est : 4,5 km – ⊠ 44010 :
🏵️🏵️ **La Chiocciola**, via Runco 94/F ℰ 0532 329151, Fax 0532 329151, prenotare – ≡ 🖻. 🖭 ⑩ 🐠 💯. 🛬
chiuso dal 1° al 15 gennaio, dal 1° al 15 luglio, dal 2 al 16 settembre, domenica sera e lunedì in luglio-agosto anche domenica a mezzogiorno – **Pasto** 50/65000 e carta 50/85000.

PORTO MANTOVANO Mantova – Vedere Mantova.

PORTO MAURIZIO Imperia – Vedere Imperia.

PORTONOVO Ancona 🗾 L 22 – Vedere Ancona.

PORTOPALO DI CAPO PASSERO Siracusa 🗾 Q 27 – Vedere Sicilia alla fine dell'elenco alfabetico.

PORTO RECANATI 62017 Macerata 🗾 L 22 – 9 454 ab. – a.s. luglio-agosto.
🛈 *corso Matteotti 111 ℰ 071 9799084, Fax 071 9799084.*
Roma 292 – Ancona 29 – Ascoli Piceno 96 – Macerata 32 – Pescara 130.

🏨 **Enzo**, corso Matteotti 21/23 ℰ 071 7590734, Fax 071 9799029 – |‡| ≡ 📺 ら – 🏛 30. 🖭 ⑩ 🐠 💯. 🛬
Pasto vedere rist *Torcoletto* – ⊏ 11000 – **23 cam** 110/180000.

🏠 **Mondial**, viale Europa 2 ℰ 071 9799169, *mondial@mondialhotel.com*, Fax 071 7590095 |‡| ≡ 📺 ⇐ 🖻. 🖭 🚯 ⑩ 🐠 💯 🗾. 🛬
Pasto *(chiuso dal 20 dicembre al 10 gennaio)* carta 40/55000 (10%) – **41 cam** ⊏ 105/170000 – ½ P 110000.

🏵️🏵️ **Torcoletto**, corso Matteotti 21/23 ℰ 071 7590196, *typico@tiscalinet.it*, Fax 071 759224 – ≡. 🖭 🚯 ⑩ 🐠 💯. 🛬
chiuso dal 20 dicembre al 10 gennaio e lunedì (escluso agosto) – **Pasto** carta 90/125000.

sulla strada per Numana Nord : 4 km :
🏵️🏵️ **Dario**, via Scossicci 9 ⊠ 62017 ℰ 071 976675, Fax 071 976675 🖻. 🖭 🚯 ⑩ 🐠 💯. 🛬
chiuso dal 23 dicembre al 26 gennaio, lunedì e domenica sera escluso luglio-agosto – **Pasto** carta 75/100000.

THE CALL OF THE NEW

As the 21st century beckons with its promise of major advances in technology, the Michelin Group is well positioned to take on the challenge of innovation. With a business presence in more than 170 countries, Michelin is world leader in tyre technology, as evidenced by the new Pax System, probably the most radical development since Michelin launched the radial during the late 1940's. Today 80 manufacturing plants in 19 countries produce over 830,000 tyres a day across a broad product range for all types of vehicles from mountain bikes to the NASA Space Shuttle. Michelin's route to the future is based on "the capacity to listen, the audacity to innovate and the passion for demonstration" where "dialogue is the very essence of progress applied to an activity that constitutes a technological, financial and, above all, a human challenge."

THE CHALLENGES OF FORMULA 1

Michelin has thrown down the gauntlet. After many years of speculation and rumour in the press, the company has announced that it will bring its formidable tyre technology to Formula 1 racing in 2001.

It was in 1977 that Michelin first made its impact with the kind of innovation that alters the nature of a sport forever and for the better. That great leap forward was witnessed at the Silverstone British Grand Prix when Renault took to the starting grid in mid-season. The bright yellow 1.5 litre V6 turbocharged car was equipped with what was to become the most radical development since the invention of the pneumatic tyre - the radial! Not only did the radial design quickly come to dominate racing, it also became the norm for all cars and trucks on the road.

Between 1978 and 1984, Michelin equipped teams won no fewer than 59 Grand Prix races - eleven more than the company's nearest rival. The victory tally included three drivers' and two manufacturers' World Championship titles.

The teams partnered with Michelin this year are Williams-BMW and Jaguar Racing. In 2002, Toyota will enter the fray on Michelin. Much of the year 2000 was spent track testing and developing new compounds, reflecting Michelin's philosophy of developing technology in the heat of competition as well as in the cool of the laboratory. To quote Edouard Michelin: "This sport has evolved considerably in the past 15 years. That's why we say we are entering, not re-entering. Automotive technology has changed and the tyres have changed too. It's going to be a challenge and at Michelin we love challenges."

EVERYTHING WILL CHANGE

Pax System - the future now

Thanks to a revolutionary new design concept from Michelin, there is now a tyre that tells you when it needs more air and can continue to be driven for a long period after a puncture. The Michelin PAX System is an integrated tyre-and-wheel assembly that, at the very least, offers noticeable improvements in cornering, braking, fuel consumption and ride comfort. More significantly, an indicator on the dash board linked to a pressure loss detector in the wheel tells the driver of any sudden change. In the event of a puncture, PAX will continue to run safely for up to 200km at 80km/h.

The difference is in the design

Modern radial tyres offer extremely high levels of performance and safety. Because of their design, however, there is a limit to the extent of product improvement that can be achieved. The PAX System offers all the benefits of the radial and much more. It has a tyre that cannot come off the rim, a flexible inner support ring and, of course, the all-important pressure loss detector.

RADIAL TYRE

① The bead, which is extremely rigid, anchors the tyre to the rim by means of air pressure and provides the link between the highly flexible tyre sidewall and the tyre rim.

② The sidewall permits the flexibility needed for comfort and roadholding.

③ The crown area provides grip and braking power.

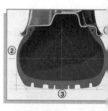

PAX SYSTEM

① A flexible injected-elastomer run-flat support ring incorporates a pressure loss detector.

② The tyre is locked to the rim by the use of clips, giving better security.

③ The sidewalls are short and rigid, offering a lower profile and improved handling.

④ There is a choice of a one-piece steel or alloy wheel.

Travelling with space comes of age

As an innovation, the PAX System opens up new horizons for car designers, enabling them to develop cars that are more spacious, comfortable, manoeuvrable and arguably more stylish.

metro **m** cubo

Metrocubo is the first vehicle to be designed specifically around Michelin's radical PAX System. Pininfarina, the legendary Italian design house that created the metrocubo concept, describes PAX as "a genuine technological revolution with immense innovative potential that inspired us to create a city car that is as revolutionary in its architecture as it is in the way that it is used." The result is a car with front wheels that are smaller in diameter than those at the rear, minimising the size of the front of the vehicle bodywork, which makes driving in town easier by reducing the turning circle. Moreover, both cabin and luggage space are increased because there is no need to carry a spare tyre and, despite its compactness, the car can accommodate five passengers.

Pax momentum

In daring to re-invent the tyre, Michelin has remained faithful to its reputation as a leader in technology. As in the case of the radial, PAX will evolve and create its own impetus for the development and improvement of automotive design and technology.

A NEW RANGE OF GUIDES
FOR INDEPENDENT TRAVELLERS

Roughing it in exotic places is not everyone's cup of tea, which is why Michelin Travel Publications have launched a new series of guides called NEOS with the discerning independent traveller in mind. The ever-expanding range of titles covers Cuba, Guatemala, Belize, Réunion, Mauritius, Seychelles, Syria, Jordan, Tunisia and Turkey. Carrying the Michelin hallmark of reliability, depth of information and accuracy, each NEOS guide takes a personal approach to the region concerned and is written by authors who have travelled in the country over a period of time. This detailed research enables NEOS to provide a wide selection of where to stay, what to see and where to eat while catering for all budgets and tastes. The guides are illustrated with unique watercolour paintings and stunning colour photography and there are fully comprehensive colour maps, town and site plans.

N ew – In the NEOS guides emphasis is placed on the discovery and enjoyment of a new destination through meeting the people, tasting the food and absorbing the exotic atmosphere. In addition to recommendations on which sights to see, we give details on the most suitable places to stay and eat, on what to look out for in traditional markets and where to go in search of the hidden character of the region, its crafts and its dancing rhythms. For those keen to explore places on foot, we provide guidelines and useful addresses in order to help organise walks to suit all tastes.

E xpert – The NEOS guides are written by people who have travelled in the country and researched the sites before recommending them by the allocation of stars. Accommodation and restaurants are similarly recommended by a 🏨 on the grounds of quality and value for money. Cartographers have drawn easy-to-use maps with clearly marked itineraries, as well as detailed plans of towns, archeological sites and large museums.

O pen to all cultures, the NEOS guides provide an insight into the daily lives of the local people. In a world that is becoming ever more accessible, it is vital that religious practices, regional etiquette, traditional customs and languages be understood and respected by all travellers. Equipped with this knowledge, visitors can seek to share and enjoy with confidence the best of the local cuisine, musical harmonies and the skills involved in the production of arts and crafts.

S ensitive to the atmosphere and heritage of a foreign land, the NEOS guides encourage travellers to see, hear, smell and feel a country, through words and images. Take inspiration from the enthusiasm of our experienced travel writers and make this a journey full of discovery and enchantment.

CAPITAL COVERAGE FOR
TOURISTS AND DRIVERS

Michelin now has a map covering central London to complement its range of European city plans. Probably one of the best maps available for tourists visiting the city centre on foot as well as for drivers, the 1:8000 scale map offers an extremely high level of detail, including bridge heights and weight restrictions. There is essential information on the likes of one-way streets, car parks, railway stations, taxi ranks, shopping centres, landmarks and police stations. The Plan also lists telephone numbers for emergency services, doctors, chemists, credit card providers, 23 embassies, airports, coach and train stations. With its colourful, easy-to-read mapping, the Plan covers from Regent's Park to Denmark Hill and from Shepherd's Bush to Tower Bridge. It is available from bookshops in three formats: a standard folded map, a folded map with street index and a small spiral bound edition. To help when looking up street names or places in the index, the map reference is printed in each grid square.

ORTO ROTONDO Sassari **433** D 10 – *Vedere Sardegna (Olbia) alla fine dell'elenco alfabetico.*

ORTO SAN GIORGIO 63017 Ascoli Piceno **430** M 23 – *16 041 ab. – a.s. luglio-agosto.*
🛈 *via Oberdan 6* ℰ *0734 678461, Fax 0734 678461.*
Roma 258 – Ancona 64 – Ascoli Piceno 61 – Macerata 42 – Pescara 95.

🏛 **David Palace**, via Spontini 10 ℰ 0734 676848, *Fax 0734 676468*, ≼, ⌫, 🐾 – 🛗 🗏 📺 🕭 ⟷ 🅿 – 🛎 120
36 cam.

🏛 **Il Timone**, via Kennedy 61 ℰ 0734 679505, *timone@timropa.com, Fax 0734 679556* – 🛗 🗏 📺 🅿 – 🛎 100. 🖭 🕃 ⓞ ⓿ 𝚅𝙸𝚂𝙰 𝙹𝙲𝙱. ℅
Pasto *(chiuso venerdì da ottobre a marzo)* carta 60/85000 – ⊇ 15000 – **75 cam** 170/200000 – ½ P 150000.

🏠 **Il Caminetto**, lungomare Gramsci 365 ℰ 0734 675558, *Fax 0734 673477*, ≼ – 🛗 🗏 📺 🅿. 🖭 🕃 ⓞ ⓿ 𝚅𝙸𝚂𝙰
Pasto *(chiuso lunedì)* carta 55/75000 – ⊇ 10000 – **34 cam** 130/180000 – ½ P 120000.

🏠 **Tritone**, via San Martino 36 ℰ 0734 677104, *Fax 0734 677962*, ≼, « Giardino con ⌫ », 🐾, 🎝 – 🛗, 🗏 rist, 📺 🅿. 🖭 🕃 ⓞ ⓿ 𝚅𝙸𝚂𝙰. ℅
Pasto *(chiuso martedì)* carta 35/65000 – ⊇ 10000 – **36 cam** 80/130000 – ½ P 110000.

🏠 **Lanterna**, via 20 Settembre 298 ℰ 0734 679073, *info@lanternahotel.it, Fax 0734 679097* – 🛗, 🗏 cam, 📺. 🖭 🕃 ⓞ ⓿ 𝚅𝙸𝚂𝙰. ℅
Pasto *(solo per alloggiati)* 25/35000 – ⊇ 8000 – **39 cam** 90/120000 – ½ P 95000.

🍴🍴 **Damiani e Rossi**, via della Misericordia 2 (Ovest : 2 km) ℰ 0734 674401, Fax 0734 684581, 🎇, prenotare – 🅿. ℅
chiuso gennaio, lunedì, martedì e a mezzogiorno escluso domenica – **Pasto** 55000.

ORTO SAN PAOLO Sassari **433** E 10 – *Vedere Sardegna alla fine dell'elenco alfabetico.*

ORTO SANTA MARGHERITA Venezia – *Vedere Caorle.*

ORTO SANT'ELPIDIO 63018 Ascoli Piceno **430** M 23 – *22 325 ab..*
Roma 265 – Ancona 53 – Ascoli Piceno 70 – Pescara 103.

🍴🍴 **Il Gambero**, via Mazzini 1 ℰ 0734 900238, 🎇, 🌳 – 🗏 🅿. 🖭 🕃 ⓞ ⓿ 𝚅𝙸𝚂𝙰 𝙹𝙲𝙱. ℅
chiuso domenica sera, lunedì ed agosto – **Pasto** specialità di mare carta 50/85000.

🍴🍴 **La Lampara**, via Potenza 22 ℰ 0734 900241 – 🗏. 🖭 🕃 ⓞ ⓿ 𝚅𝙸𝚂𝙰. ℅
chiuso lunedì dal 1° al 15 settembre e dal 23 al 29 dicembre – **Pasto** specialità di mare carta 50/75000.

🍴 **Il Pescatore**, via Napoli 8 ℰ 0734 993653, prenotare – 🗏. 🖭 🕃 ⓞ ⓿ 𝚅𝙸𝚂𝙰
chiuso da agosto al 15 settembre, domenica sera e lunedì – **Pasto** specialità di mare carta 60/80000.

ORTO SANTO STEFANO 58019 Grosseto **430** O 15 *G. Toscana – a.s. Pasqua e 15 giugno-15 settembre.*
Vedere ≼⋆ *dal forte aragonese.*
🚢 *per l'Isola del Giglio giornalieri (1 h) – Toremar-agenzia Metrano, piazzale Candi 1* ℰ *0564 810803, Fax 0564 818455.*
🛈 *corso Umberto 55/a* ℰ *0564 814208, Fax 0564 814052.*
Roma 162 – Grosseto 41 – Civitavecchia 86 – Firenze 193 – Orbetello 10 – Viterbo 98.

🏠 **Baia d'Argento**, senza rist, località Pozzarello 27 (Est : 2 km) ℰ 0564 812643, *baiargen@nevib.it, Fax 0564 813597*, ≼, 🐾 – 🛗 🗏 📺 🅿
stagionale – **41 cam.**

🏠 **Vittoria**, via del Sole 65 ℰ 0564 818580, *Fax 0564 818055*, ≼ mare e costa, ⌫, ℅ – 🛗 📺 🅿. 🖭 🕃 ⓿ 𝚅𝙸𝚂𝙰. ℅
aprile-ottobre – **Pasto** carta 55/80000 – **28 cam** ⊇ 180/210000 – ½ P 165000.

🍴🍴 **Armando**, via Marconi 1/3 ℰ 0564 812568, *Fax 0564 811259*, 🎇 – 🖭 🕃 ⓿ 𝚅𝙸𝚂𝙰. ℅
chiuso dal 1° al 25 dicembre e mercoledì – **Pasto** specialità di mare carta 60/85000 (15 %).

🍴 **La Fontanina di San Pietro**, Sud : 3 km ℰ 0564 825261, *Fax 0564 817620*, ≼, « Servizio estivo sotto un pergolato » – 🅿. 🖭 🕃 ⓞ 𝚅𝙸𝚂𝙰. ℅
chiuso gennaio e mercoledì – **Pasto** carta 50/85000 (12 %).

Santa Liberata Est : 4 km – ✉ 58010 :

🏠 **Villa Domizia**, strada statale 440 Orbetellana 38 ℰ 0564 812735, *villadomizia@grifonline.it, Fax 0564 811119*, ≼ mare e costa, 🐾, 🌳 – 🗏 📺 🅿. 🖭 🕃 ⓞ ⓿ 𝚅𝙸𝚂𝙰. ℅
aprile-15 ottobre – **Pasto** *(chiuso martedì escluso dal 15 maggio al 15 settembre)* carta 50/75000 – **24 cam** ⊇ 240/290000 – ½ P 170000.

a Cala Moresca *Sud-Ovest : 5,5 km – ✉ 58019 Porto Santo Stefano :*

🍴🍴 **Il Moresco,** via Panoramica 156 ☎ 0564 824158, ← mare e Isola del Giglio, ⛱ – 🅿. AE ⓘ Ⓜ VISA. ✂
chiuso febbraio e martedì, da giugno a settembre anche mercoledì a mezzogiorno – **Pas**
specialità di mare 40/50000 e carta 60/100000.

a Cala Piccola *Sud-Ovest : 10 km – ✉ 58019 Porto Santo Stefano :*

⌂ **Torre di Cala Piccola** 🐎 senza rist, ☎ 0564 825111, *htlcalapiccola@nevib*
Fax 0564 825235, ← mare, scogliere ed Isola del Giglio, « Nucleo di rustici villini nel verde un promontorio panoramico », 🏊, 🎾, 🌳 – ▤ 📺 🅿 – 🏛 50. AE $ ⓘ Ⓜ VISA. ✂
aprile-ottobre – **51 cam** ☕ 450/550000.

PORTOSCUSO *Cagliari* 433 J 7 – *Vedere Sardegna alla fine dell'elenco alfabetico.*

PORTO TORRES *Sassari* 433 E 7 – *Vedere Sardegna alla fine dell'elenco alfabetico.*

PORTO VALTRAVAGLIA *21010 Varese* 428 E 8 – *2 446 ab. alt. 199.*
Roma 661 – Stresa 80 – Bellinzona 49 – Como 60 – Lugano 31 – Milano 77 – Novara 77
Varese 36.

⌂ **Del Sole,** piazza Imbarcadero 18 ☎ 0332 549000, *Fax 0332 547630*, ←, ⛱ – |‡| 📺 ♿.
$ ⓘ Ⓜ VISA
marzo-ottobre – **Pasto** carta 50/85000 – **20 cam** ☕ 140/250000.

PORTOVENERE *19025 La Spezia* 428, 429, 430 J 11 *G. Italia – 4 301 ab..*
Vedere *Località*★★.
Roma 430 – La Spezia 15 – Genova 114 – Massa 47 – Milano 232 – Parma 127.

⌂ **Royal Sporting,** via dell'Olivo 345 ☎ 0187 790326, *royal@royalsporting.cor*
Fax 0187 777707, ←, « 🏊 su terrazza panoramica », 🌳, 🎾 – |‡| ▤ 📺 🚗 – 🏛 70. AE
ⓘ Ⓜ VISA. ✂ rist
26 dicembre-gennaio e Pasqua-20 ottobre – **Pasto** carta 70/100000 – **61 cam** ☕ 20
340000 – ½ P 245000.

⌂ **Grand Hotel Portovenere,** via Garibaldi 5 ☎ 0187 792610, *Fax 0187 790661*, ←, « Se
vizio estivo in terrazza panoramica », 🏋 – |‡| ▤ 📺 🚗 – 🏛 250. AE $ ⓘ Ⓜ VISA. JCB.
Pasto al Rist. ***Al Convento*** *(marzo-ottobre)* carta 55/75000 – **44 cam** ☕ 260/48000
10 suites – ½ P 285000.

⌂ **Paradiso,** via Garibaldi 34/40 ☎ 0187 790612, *Fax 0187 792582*, ←, ⛱ – |‡| 📺 ♿. AE
ⓘ Ⓜ VISA JCB. ✂ rist
Pasto *(chiuso mercoledì escluso giugno-settembre)* carta 70/95000 – **22 cam** ☕ 17
230000 – ½ P 150000.

🍴🍴 **Taverna del Corsaro,** Calata Doria 102 ☎ 0187 790622, *Fax 0187 766056*, ← mar
costa e isola di Palmaria, ⛱, « Nei bastioni dell'antica cittadella del 1100 » – AE $ ⓘ
VISA
chiuso dal 7 novembre al 7 gennaio e lunedì, dal 15 giugno al 7 agosto aperto solo la sera
Pasto specialità di mare 80/140000 e carta 85/135000.

🍴 **Trattoria La Marina-da Antonio,** piazza Marina 6 ☎ 0187 790686, *Fax 0187 79068*
⛱ – AE $ ⓘ Ⓜ VISA. ✂
chiuso marzo e giovedì – **Pasto** specialità di mare carta 55/80000.

a Le Grazie *Nord : 3 km – ✉ 19022 Le Grazie Varignano :*

⌂ **Della Baia,** via Lungomare Est 111 ☎ 0187 790797, *hbaia@baiahotel.cor*
Fax 0187 7900340187 790034, ←, ⛱, 🏊 – ▤ 📺 📞 ♿. AE $ ⓘ Ⓜ VISA
Pasto *(chiuso gennaio e febbraio)* carta 60/80000 – **34 cam** ☕ 165/240000 – ½ P 17500

⌂ **Le Grazie,** via Roma 43 ☎ 0187 790017, *Fax 0187 792530* – |‡| 📺 ♿ 🅿. AE $ ⓘ Ⓜ V
JCB. ✂ rist
aprile-ottobre – **Pasto** carta 50/70000 – **36 cam** ☕ 130/170000 – ½ P 125000.

POSADA *Nuoro* 433 F 11 – *Vedere Sardegna alla fine dell'elenco alfabetico.*

POSITANO *84017 Salerno* 431 F 25 *G. Italia – 3 857 ab. – a.s. Pasqua, giugno-settembre e Natale.*
Vedere *Località*★★.
Dintorni *Vettica Maggiore : ←★★ Sud-Est : 5 km.*
ℹ *via del Saracino 4 ☎ 089 875067, Fax 089 875760.*
Roma 266 – Napoli 57 – Amalfi 17 – Salerno 42 – Sorrento 17.

🏨🏨🏨 **Le Sirenuse** 🦤, via Colombo 30 ☎ 089 875066, *Fax 089 811798*, ≤ mare e costa, 🍴, « Terrazza panoramica con 🏊 riscaldata », 🎏, 🛋, ≈ – 🛗, ☰ cam, 📺 🅿. 🔄 🚗 JCB. 🚫
Pasto *(marzo-novembre)* carta 105/175000 – **62 cam** ☑ 1050/1100000, 2 suites – ½ P 650000.

🏨🏨 **Le Agavi** 🦤, località Belvedere Fornillo ☎ 089 875733, *agavi@agavi.it*, *Fax 089 875965*, ≤ mare e costa, 🍴, Ascensore per la spiaggia, 🏊, 🛋 – 🛗 ☰ 📺 🅿 – 🔺 150. 🔄 🚫 ⓞ 🚇 VISA. 🚫
13 aprile-ottobre – **Pasto** carta 85/160000 – **68 cam** ☑ 530/550000, 2 suites – ½ P 355000.

🏨🏨 **Poseidon,** via Pasitea 148 ☎ 089 811111, *poseidon@starnet.it*, *Fax 089 875833*, ≤ mare e costa, 🍴, « Terrazza-giardino panoramica con 🏊 riscaldata », 🛋, 🎏 – 🛗, ☰ cam, 📺 🚗 – 🔺 60. 🔄 🚫 ⓞ 🚇 VISA. 🚫 rist
chiuso sino al 18 aprile – **Pasto** 70000 – **46 cam** ☑ 450/470000, 3 suites – ½ P 305000.

🏨🏨 **Covo dei Saraceni,** via Regina Giovanna 5 ☎ 089 875400, *covo@starnet.it*, *Fax 089 875878*, ≤ mare e costa, 🍴, « Terrazza solarium con 🏊 d'acqua di mare riscaldata », 🛋 – 🛗 ☰ 📺 🔄 🚫 ⓞ 🚇 VISA JCB. 🚫 rist
chiuso dal 7 gennaio a marzo – **Pasto** carta 60/120000 (15 %) – **60 cam** ☑ 490/650000 – ½ P 330000.

🏨🏨 **Murat** 🦤, via dei Mulini 23 ☎ 089 875177, *hpm@starnet.it*, *Fax 089 811419*, ≤, 🍴, « Terrazza-giardino » – ☰ 📺. 🔄 🚫 ⓞ 🚇 VISA. 🚫 rist
chiuso sino al 5 marzo – **Pasto** *(5 aprile-4 novembre; chiuso a mezzogiorno)* carta 80/120000 – **31 cam** ☑ 350/650000.

🏨🏨 **Villa Franca e Residence,** via Pasitea 318 ☎ 089 875655, *hvf@starnet.it*, *Fax 089 875735*, ≤ mare e costa, « Terrazza panoramica con 🏊 », 🛋, 🎏, 🏊 – 🛗 ☰, ☰ cam, 📺, 🔄 🚫 ⓞ 🚇 VISA
aprile-ottobre – **Pasto** carta 70/90000 – **38 cam** ☑ 340/540000.

🏨🏨 **Miramare** 🦤 senza rist, via Trara Genoino 27 ☎ 089 875002, *miramare@starnet.it*, *Fax 089 875219*, ≤ mare e costa – ☰ 📺 🅿. 🔄 🚫 ⓞ 🚇 VISA
aprile-ottobre – **12 cam** ☑ 240/480000.

🏨🏨 **Buca di Bacco** 🦤, via Rampa Teglia 4 ☎ 089 875699, *bacco@starnet.it*, *Fax 089 875731*, ≤ mare e costa, 🍴 – 🛗, ☰ cam, 📺. 🔄 🚫 ⓞ 🚇 VISA. 🚫
aprile-ottobre – **Pasto** carta 65/120000 – **47 cam** ☑ 320/380000.

🏨🏨 **Casa Albertina** 🦤, via della Tavolozza 3 ☎ 089 875143, *Fax 089 811540*, ≤ mare e costa – 🛗 ☰ 📺. 🔄 🚫 ⓞ 🚇 VISA. 🚫
Pasto *(solo per alloggiati e chiuso a mezzogiorno)* 45/65000 – **21 cam** ☑ 280/300000 – ½ P 200000.

🏨 **Marincanto** 🦤 senza rist, via Colombo 36 ☎ 089 875130, *marincanto@starnet.it*, *Fax 089 875595*, ≤ mare e costa, « Terrazza-giardino » – 🛗 ☰ 📺 🅿. 🔄 🚫 ⓞ 🚇 VISA JCB
aprile-ottobre – **25 cam** ☑ 210/260000.

🏨 **L'Ancora** 🦤 senza rist, via Colombo 36 ☎ 089 875318, *Fax 089 811784*, ≤ mare e costa – ☰ 📺 🅿. 🔄 🚫 ⓞ 🚇 VISA
chiuso dal 7 gennaio a marzo – **18 cam** ☑ 390/450000.

🏨 **Savoia** senza rist, via Colombo 73 ☎ 089 875003, *savoia@starnet.it*, *Fax 089 811844*, ≤ – 🛗 ☰ 📺. 🔄 🚫 🚇 VISA
chiuso dal 20 ottobre al 27 dicembre – **38 cam** ☑ 170/250000, 3 suites.

🏨 **Montemare,** via Pasitea 119 ☎ 089 875010, « Terrazza con ≤ mare e costa » – 📺 🅿. 🔄 🚫 ⓞ 🚇 VISA JCB
Pasto vedere rist *Il Capitano* – **15 cam** ☑ 220/240000, 2 suites – ½ P 180000.

🍴🍴 **Chez Black,** via del Brigantino 19/21 ☎ 089 875036, *chezblack@hotmail.com*, *Fax 089 875789*, ≤, 🍴, Rist. e pizzeria – 🔄 🚫 ⓞ 🚇 VISA. 🚫
chiuso dal 7 gennaio al 7 febbraio – **Pasto** carta 55/90000 (15 %).

🍴🍴 **Il Capitano,** via Pasitea 119 ☎ 089 811351, ≤ mare e costa, « Servizio estivo in terrazza panoramica » – 🅿. 🔄 🚫 ⓞ 🚇 VISA JCB
chiuso da novembre al 26 dicembre – **Pasto** carta 75/125000.

🍴🍴 **La Cambusa,** piazza Vespucci 4 ☎ 089 812051, *Fax 089 875432*, ≤, 🍴 – 🔄 🚫 ⓞ 🚇 VISA
chiuso dal 7 al 30 gennaio – **Pasto** carta 50/120000.

sulla costiera Amalfitana *Est : 2 km :*

🏨🏨🏨 **San Pietro** 🦤, via Laurito 2 ☎ 089 875455, *spietro@starnet.it*, *Fax 089 811449*, ≤ mare e costa, Ascensore per la spiaggia, 🍴, « Terrazze fiorite », 🏊, 🛋, 🎾 – 🛗, ☰ cam, 📺 🅿. 🔄 🚫 ⓞ 🚇 VISA. 🚫 rist
30 marzo-ottobre – **Pasto** carta 95/155000 – **58 cam** ☑ 680/800000, 4 suites.

a Montepertuso Nord : 4 km – alt. 355 – ⊠ 84017 Positano :

※ **Donna Rosa**, via Montepertuso 97/99 ℰ 089 811806, donnarosa@amalfinet.it
Fax 089 811806, ≤, 佘, prenotare ▤ 🅿. 🝙 🕲 ⓞ ⑩ 𝑽𝑰𝑺𝑨
chiuso dall'8 gennaio al 10 marzo, martedì da ottobre a maggio, lunedì e martedì
mezzogiorno negli altri mesi – **Pasto** carta 55/125000.

POSTA FIBRENO 03030 Frosinone 🄳🄸🄾 Q 23 – 1 328 ab. alt. 430.
Roma 121 – Frosinone 40 – Avezzano 51 – Latina 91 – Napoli 130.

sulla strada statale 627 Ovest : 4 km :

ᚷᚷᚷ **Il Mantova del Lago**, località La Pesca 9 ⊠ 03030 ℰ 0776 887344, Fax 0776 887345
« In riva al lago », ⌇ – ▤ 🅿. 🝙 🕲 ⓞ ⑩ 𝑽𝑰𝑺𝑨. ⌇
chiuso dall'11 al 17 agosto, novembre, domenica sera e lunedì – **Pasto** carta 50/70000.

POSTAL (BURGSTALL) 39014 Bolzano 🄳🄴🄹 C 15, 🄴🄹🄼 ㉠ – 1 359 ab. alt. 268.
🄱 via Roma 50 ℰ 0473 291343 Fax 0473 292440.
Roma 658 – Bolzano 26 – Merano 11 – Milano 295 – Trento 77.

🏨 **Sporthotel Muchele**, vicolo Maier 1 ℰ 0473 291135, muchele@tophotels.net
Fax 0473 291248, ≤, 佘, 🛴, 숙, ⌇ riscaldata, ⌇, ※ – 🕃 🆅 ⌇ 🅿. 🕲 ⑩ 𝑽𝑰𝑺𝑨
20 marzo-6 novembre – **Pasto** carta 50/90000 – **26 cam** ⌑ 110/220000, 4 suites –
½ P 140000.

※※ **Hidalgo**, via Roma 7 (Nord : 1 km) ℰ 0473 292292, hidalgo@rolmail.net, Fax 0473 290410
佘 – 🅿. 🝙 🕲 ⓞ ⑩ 𝑽𝑰𝑺𝑨
chiuso domenica e lunedì a mezzogiorno – **Pasto** carta 65/105000.

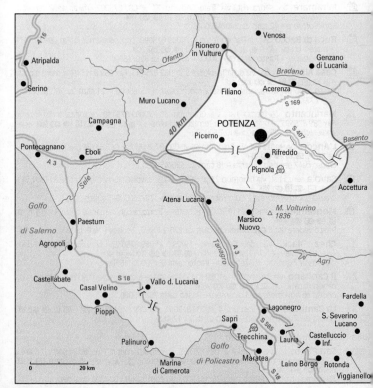

Vedere *Portale★ della chiesa di San Francesco* Y.

🖪 *via Alianelli 4* ℰ *0971 21812, Fax 0971 36196* – **A.C.I.** *viale del Basento* ℰ *0971 56466.*
Roma 363 ③ – *Bari 151* ② – *Foggia 109* ① – *Napoli 157* ③ – *Salerno 106* ③ – *Taranto 157* ②.

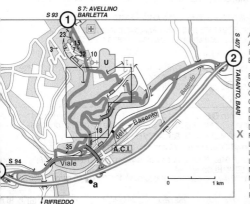

POTENZA

Acerenza (Via R.)	Y 2
Angilla Vecchia (Via)	X 3
Battisti (Via C.)	Y 4
Bonaventura (Pza Beato)	Y 5
Bonaventura (Via Beato)	Y 6
Campania (Via)	X 7
Ciccoti (Via)	Y 8
Crispi (Piazza F.)	Y 9
De Rosa (Pza Francesco)	X 10
Due Torri (Via)	Y 12
Duomo (Largo)	Y 13
Flacco (Via O.)	Z 14
Lazio (Via)	X 15
Leonardo da Vinci (Via)	Z 16
Lucania (Via)	YZ 17
Marconi (Viale G.)	X 18
Matteotti (Piazza G.)	Y 19
Mazzini (Via G.)	YZ
Pagano (Piazza M.)	Z 20

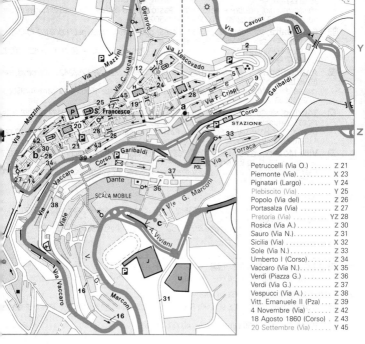

Petruccelli (Via O.)	Z 21
Piemonte (Via)	X 23
Pignatari (Largo)	Y 24
Plebiscito (Via)	Y 25
Popolo (Via del)	Z 26
Portasalza (Via)	Z 27
Pretoria (Via)	YZ 28
Rosica (Via A.)	Z 30
Sauro (Via N.)	Z 31
Sicilia (Via)	X 32
Sole (Via N.)	Z 33
Umberto I (Corso)	Z 34
Vaccaro (Via N.)	X 35
Verdi (Piazza G.)	Z 36
Verdi (Via G.)	Z 37
Vespucci (Via A.)	Z 38
Vitt. Emanuele II (Pza)	Z 39
4 Novembre (Via)	Z 42
18 Agosto 1860 (Corso)	Z 43
20 Settembre (Via)	Y 45

🏨 **Grande Albergo,** corso 18 Agosto 46 ℰ 0971 410220, *grandealbergo@libero.it,* Fax 0971 410220, ⇐ – 🛗, 🍴 rist, 📺 – 🕍 150. 🌐 🕃 ⑩ ⓥⓢ 𝚅𝙸𝚂𝙰. 🛠   Y **a**
Pasto *(chiuso agosto)* carta 45/70000 – **65 cam** ⏛ 140/200000 – ½ P 125000.

🏨🏨 **Vittoria,** via della Tecnica ℰ 0971 56632, *Fax 0971 56802* – 🛗, 🍴 rist, 📺 ᴫ ᴾ. 🝒 🝒
🍴 🝒 🝒 🝒 🝒. 🍴   X
Pasto *(chiuso domenica)* carta 30/50000 – **22 cam** ⇆ 80/120000 – ½ P 100000.

XX **Antica Osteria Marconi,** viale Marconi 235 ℰ 0971 56900, *Fax 0971 56900*, 🍴 ᴾ. 🝒
🝒 🝒 🝒 🝒 🝒   Z
chiuso dal 23 al 27 dicembre e dall'8 al 21 agosto – **Pasto** carta 40/70000.

X **Mimì,** via Rosica 22 ℰ 0971 37592, Coperti limitati; prenotare. ᴫ 🝒 🝒. 🍴   Z
🍴 *chiuso dal 10 al 25 agosto, domenica sera e lunedì* – **Pasto** carta 30/45000.

sulla strada statale 407 *Ovest : 4 km :*

🏨🏨 **La Primula** 🝒, loc. Bucaletto 61-62/a ⊠ 85100 ℰ 0971 58310, *Fax 0971 470902*, 🍴
🝒 – 🛗 🍴 📺 🝒 🝒 – 🝒 70. ᴫ 🝒 🝒 🝒. 🍴
Pasto carta 40/60000 – **42 cam** ⇆ 130/170000.

POZZA DI FASSA 38036 Trento 🝒🝒🝒 C 17 – *1 759 ab. alt. 1 315 – a.s. 28 gennaio-11 marzo
Natale – Sport invernali : 1 320/2 153 m ≤ 1 ≤ 6, ≰ (vedere anche Vigo di Fassa).*
🝒 *piazza Municipio 1 ℰ 0462 764117, Fax 0462 763717.*
Roma 677 – Bolzano 40 – Canazei 10 – Milano 335 – Moena 6 – Trento 95.

🏨🏨 **Ladinia,** via Chieva ℰ 0462 764201, *hotel.ladinia@iolmail.net, Fax 0462 764896*, ≤ mon
🝒, 🝒, 🝒, 🝒, 🝒 – 🛗 📺 ᴾ. 🝒 🝒. 🍴
15 dicembre-aprile e 20 giugno-ottobre – **Pasto** carta 40/70000 – **40 cam** ⇆ 150/280000
½ P 180000.

🏨🏨 **René** 🝒, via Avisio 17 ℰ 0462 764258, *Fax 0462 763594*, ≤, 🝒, 🝒, 🝒 – 🛗 📺 ᴾ. 🝒 🝒
🝒 🝒. 🍴
18 dicembre-aprile e 20 giugno-settembre – **Pasto** carta 30/40000 – ⇆ 10000 – **34 cam**
75/100000 – ½ P 120000.

🏨🏨 **Sport Hotel Majarè,** via Buffaure 21/B ℰ 0462 764760, *Fax 0462 763565*, ≤ – 🛗 📺 🝒
ᴾ. 🝒 🝒. 🍴
chiuso maggio, ottobre e novembre – **Pasto** *(chiuso mercoledì in bassa stagione)* carta
50/70000 – **33 cam** ⇆ 90/150000 – ½ P 115000.

🏨🏨 **Gran Baita,** via Roma 57 ℰ 0462 764163, *gran.baita@rolmail.net, Fax 0462 764745*, ≤
« Giardino », 🝒 – 📺 🝒 ᴾ. ᴫ 🝒 🝒 🝒 🝒. 🍴
20 dicembre-aprile e 15 giugno-20 settembre – **Pasto** 35/50000 – **30 cam** ⇆ 120/180000
– ½ P 170000.

🏨 **Antico Bagno** 🝒, via Antico Bagno ℰ 0462 763232, *Fax 0462 763232*, ≤ Dolomiti, 🝒
📺 ᴾ. 🝒 🝒. 🍴
chiuso dal 5 ottobre al 4 dicembre – **Pasto** 40/60000 – ⇆ 16000 – **22 cam** 70/95000
½ P 110000.

🏨 **Touring,** via Col da Prà 34 ℰ 0462 763268, *hotel.touring@tin.it, Fax 0462 763268*, « Te
razza solarium », 🝒, 🝒 – 🛗 🝒 ᴾ. ᴫ 🝒 🝒 🝒 🝒. 🍴 rist
dicembre-aprile e giugno-ottobre – **Pasto** *(solo per alloggiati)* – ⇆ 15000 – **27 cam**
150/180000 – ½ P 125000.

🏨 **Villa Mozart,** via Roma 65 ℰ 0462 763555, *info@hotelvillamozart.com, Fax 0462 76355*
≤, 🝒 – 🛗 📺 ᴾ. ᴫ 🝒 🝒 🝒 🝒 🝒. 🍴
Pasto *(dicembre-marzo e luglio-settembre; solo per alloggiati)* 30000 – **20 cam** ⇆ 100
180000 – ½ P 130000.

a Pera *Nord : 1 km* – ⊠ 38030 Pera di Fassa :

🏨 **Soreje,** via Dolomiti 19 ℰ 0462 764882, *hotel.soreie@rolmail.net, Fax 0462 763790*, ≤ –
📺 🝒 ᴾ. 🝒 🝒 🝒. 🍴 rist
chiuso da maggio al 9 giugno e dal 5 al 30 novembre – **Pasto** 30000 – ⇆ 15000 – **21 cam**
100/120000 – ½ P 100000.

POZZILLI 86077 Isernia 🝒🝒🝒 R 24, 🝒🝒🝒 C 24 – *2 179 ab. alt. 235.*
Roma 153 – Campobasso 68 – Avezzano 154 – Benevento 90 – Isernia 36 – Napoli 91.

sulla strada statale 85 *Sud-Est : 4 km :*

🏨🏨 **Dora,** ⊠ 86077 ℰ 0865 908006, *Fax 0865 927215* – 🛗 🍴 📺 ᴾ. – 🝒 250. ᴫ 🝒 🝒 🝒 🝒
🍴
Pasto 30/60000 – **50 cam** ⇆ 100/140000, 2 suites.

Europe   Si le nom d'un hôtel figure en petits caractères,
demandez à l'arrivée les conditions à l'hôtelier.

OZZOLO 46040 Mantova 428 , 429 G 14 – alt. 49.
Roma 488 – Verona 34 – Brescia 149 – Mantova 20.

XX **Ancilla**, via Ponte 3 ℘ 0376 460007, Fax 0376 460007 – 🅿. 🆎 🕃 ⑩ ⑩ 🆅🆂🅰. ⚗
chiuso lunedì sera e martedì – Pasto carta 45/65000.

OZZUOLI 80078 Napoli 431 E 24 G. Italia – 82 014 ab. – Stazione termale, a.s. maggio-15 ottobre.
Vedere Anfiteatro★★ – Tempio di Serapide★ – Tempio di Augusto★ – Solfatara★★ Nord-Est : 2 km.
Dintorni Rovine di Cuma★ : Acropoli★★, Arco Felice★ Nord-Ovest : 6 km – Lago d'Averno★ Nord-Ovest : 7 km.
Escursioni Campi Flegrei★★ Sud-Ovest per la strada costiera – Isola d'Ischia★★★ e Isola di Procida★.

⥇ per Procida (30 mn) ed Ischia (1 h), giornalieri – Caremar-agenzia Ser.Mar. e Travel, banchina Emporio ℘ 081 5262711, Fax 081 5261335 e Alilauro, al porto ℘ 081 5267736, Fax 081 526841; Ischia (1 h), giornalieri – Linee Lauro, al porto ℘ 081 5267736, Fax 081 5268411.

⥇ per Procida giornaliero (15 mn) – Caremar-agenzia Ser.Mar. e Travel, banchina Emporio ℘ 081 5262711, Fax 081 5261335.

🚩 largo Matteotti 1/A ℘ 081 5266639, Fax 081 5265068.
Roma 235 – Napoli 16 – Caserta 48 – Formia 74.

🏨 **Tiro a Volo** ⚓ senza rist, via San Gennaro 69/A (Est : 3 km) ℘ 081 5704540, hoteltiroavol o@tin.it, Fax 081 5704540 – 🛗 ☰ 📺 🅿. 🆎 🕃 ⑩ ⑩ 🆅🆂🅰. ⚗
26 cam ☲ 90/110000.

XX **La Cucina**, largo San Paolo 17/20 (al porto) ℘ 081 5269060, 😨 – 🕃 ⑩ 🆅🆂🅰
chiuso martedì escluso dal 19 marzo al 19 settembre – Pasto specialità di mare carta 45/70000 (10%).

X **La Cucina degli Amici**, corso Umberto I 47 ℘ 081 5269393, 😨, Coperti limitati; prenotare – ☰. 🆎 🕃 ⑩ ⑩ 🆅🆂🅰 🎜🇧
Pasto carta 45/65000.

RADELLA Bergamo – Vedere Schilpario.

RADIPOZZO 30020 Venezia 429 E 20 –.
Roma 587 – Udine 56 – Venezia 63 – Milano 328 – Pordenone 33 – Treviso 49 – Trieste 98.

X **Tavernetta del Tocai**, via Fornace 93 ℘ 0421 204280, Fax 0421 204264 – 🅿. 🆎 🕃 ⑩
⑩ 🆅🆂🅰
chiuso agosto e lunedì – Pasto specialità alla griglia carta 35/65000 (10%).

RAGS = Braies.

RAIA A MARE 87028 Cosenza 431 H 29 – 6 627 ab..
Escursioni Golfo di Policastro★★ Nord per la strada costiera.
Roma 417 – Cosenza 100 – Napoli 211 – Potenza 139 – Salerno 160 – Taranto 230.

🏨 **Germania**, via Roma 44 ℘ 0985 72016, Fax 0985 72755, ≤, ⚓ – 🛗 🕹 🅿. 🆎 🕃 ⑩ 🆅🆂🅰.
⚗
aprile-settembre – Pasto 25/35000 – ☲ 15000 – 60 cam 100/125000 – ½ P 115000.

🏠 **Garden**, via Roma 8 ℘ 0985 72829, Fax 0985 74171, ⚓ – 📺 🅿. 🕃 ⑩ ⑩ 🆅🆂🅰. ⚗
aprile-ottobre – Pasto carta 25/50000 (12%) – 39 cam ☲ 100/130000 – ½ P 105000.

X **Taverna Antica**, piazza Dei Martiri 3 ℘ 0985 72182, Fax 0985 72182, 😨, prenotare la sera – ☰. 🕃 ⑩ 🆅🆂🅰. ⚗
chiuso martedì (escluso giugno-ottobre) – Pasto carta 35/50000.

sulla strada statale 18 Sud-Est : 3 km :

🏨 **Blu Eden**, località Foresta ✉ 87028 ℘ 0985 779174, Fax 0985 779174, ≤ mare e costa, 🏊, ⚓ – 🛗 ☰ 📺 🅿. 🕃 ⑩ ⑩ 🆅🆂🅰. ⚗
Pasto carta 30/50000 – ☲ 7000 – 16 cam 140/175000 – ½ P 130000.

RAIANO 84010 Salerno 431 F 25 – 1 947 ab. – a.s. Pasqua, giugno-settembre e Natale.
Roma 274 – Napoli 64 – Amalfi 9 – Salerno 34 – Sorrento 25.

🏨 **Tramonto d'Oro**, via Gennaro Capriglione 119 ℘ 089 874955, tramontodoro@starnet.it, Fax 089 874670, ≤ mare e costa, « Terrazza-solarium con 🏊 » – 🛗 ☰ 📺 🅿. 🆎 🕃 ⑩ ⑩ 🆅🆂🅰 🎜🇧. ⚗ rist
Pasto (aprile-ottobre) carta 50/70000 – 40 cam ☲ 210/260000 – ½ P 150000.

Onda Verde, via Terra Mare 3 ☎ 089 874143, *reservations@ondaverde.* *Fax 089 8131049*, ≤ mare e costa – |♦|, ✂ rist, ▤ cam, TV P. AE S ● MC VISA. ✂
27 dicembre-7 gennaio e 20 marzo-4 ottobre – **Pasto** (solo per alloggiati) 50/65000 (10%)
20 cam ☐ 180/220000, ▤ 30000 – ½ P 160000.

Le Fioriere senza rist, via Nazionale 138 ☎ 089 874203, *info@lefioriere.* *Fax 089 874343*, ≤ – |♦| ▤ P. AE S ● MC VISA. ✂
14 cam ☐ 110/160000.

La Brace, via Capriglione 146 ☎ 089 874226, *labrace.@divinacostiera.it*, ≤, ♣, Rist. pizzeria serale – P. AE S ● MC VISA. ✂
chiuso mercoledì escluso dal 15 marzo al 15 ottobre – **Pasto** carta 45/65000 (10%).

sulla strada statale 163 *Ovest : 2 km :*

Tritone ⛵, via Campo 5 ✉ 84010 ☎ 089 874333, *tritone@hoteltritone.cor* *Fax 089 813024*, ≤ mare e costa, ♣, « Sulla scogliera dominante il mare, ascensore per spiaggia », ⛱ riscaldata, ▲ – |♦| ▤ TV P – ⛺ 150. AE S ● MC VISA. ✂ rist
12 aprile-20 ottobre – **Pasto** carta 75/120000 – **51 cam** ☐ 400/450000, 7 suites ½ P 300000.

PRALBOINO *25020 Brescia* 428, 429 I 8 – *2 607 ab. alt. 47.*
Roma 550 – Brescia 44 – Cremona 24 – Mantova 61 – Milano 127.

XXX ✿ **Leon d'Oro**, via Gambara 6 ☎ 030 954156, *Fax 030 9547291*, prenotare la sera, « In u edificio seicentesco » – S ● MC VISA. ✂
chiuso dal 1° al 10 gennaio, agosto, domenica sera e lunedì – **Pasto** 50000 (solo a mezz giorno) e carta 85/140000
Spec. Carciofo, salmone marinato agli agrumi, bottarga di tonno. Tortelli di coniglio, burr timo e tartufo (autunno). Mignon di filetto, salsa di pomodori secchi e peperoncino.

PRALORMO *10040 Torino* 428 H 5 – *1 758 ab. alt. 303.*
Roma 654 – Torino 37 – Asti 40 – Cuneo 82 – Milano 165 – Savona 129.

Lo Scoiattolo, frazione Scarrone 15 bis - strada statale 29 (Nord : 1 km) ☎ 011 948114 *Fax 011 9481481*, ♣ – TV ☎ ♿ P. AE S MC VISA JCB. ✂ rist
Pasto *(chiuso a mezzogiorno e domenica sera)* 30/50000 – ☐ 12000 – **52 cam** 90/1200(– ½ P 85000.

PRAMAGGIORE *30020 Venezia* 429 E 20 – *3 822 ab. alt. 11.*
Roma 571 – Udine 64 – Venezia 65 – Pordenone 34 – Treviso 47 – Trieste 91.

a Blessaglia *Sud-Ovest : 1,5 km* – ✉ *30020 Pramaggiore :*

X ⊕ **Al Cacciatore**, piazza Marconi 1 ☎ 0421 799855, *Fax 0421 200036* – ▤. AE S ● MC VIS ✂
chiuso dal 1° al 20 agosto e lunedì – **Pasto** specialità di mare carta 35/70000.

PRATA *Grosseto* 430 M 14 – *Vedere Massa Marittima.*

PRATI DI TIVO *Teramo* 430 O 22 – *Vedere Pietracamela.*

PRATO *59100* P 429, 430 K 15 *G. Toscana* – *172 473 ab. alt. 63.*
Vedere *Duomo★ : affreschi★★ dell'abside (Banchetto di Erode★★★)* – *Palazzo Pretorio★* *Affreschi★ nella chiesa di San Francesco* **D** – *Pannelli★ al museo dell'Opera del Duomo* **M** *Castello dell'Imperatore★* **A.**
⛳18 *Le Pavoniere (chiuso agosto e lunedì escluso da aprile ad ottobre) località Tavola* ✉ *59014,* ☎ *0574 620855, Fax 0574 624558.*
ℹ *piazza delle Carceri 15* ☎ *0574 24112, Fax 0574 24112.*
A.C.I. *via dei Fossi 14c* ☎ *0574 625435.*
Roma 293 ④ – Firenze 17 ④ – Bologna 99 ② – Milano 293 ② – Pisa 81 ④ – Pistoia 18 ④ Siena 84 ④.

Pianta pagina a lato

⊕ **Art Hotel Museo** M, viale della Repubblica 289 ☎ 0574 5787, *arthotel@arthotel.* *Fax 0574 578880*, ✂ – |♦| ▤ TV ☎ ♿ ⛟ – ⛺ 150. AE S ● MC VISA JCB. ✂ rist
Pasto *(chiuso domenica)* carta 35/80000 – **110 cam** ☐ 250/300000, 2 suites – ½ P 19000(
per viale Monte Grappa

President, via Simintendi 20 (ang. via Baldinucci) ☎ 0574 30251, *Fax 0574 36064* – |♦| ▤ TV ♿ ⛟ – ⛺ 60. AE S ● MC VISA JCB. ✂ rist
Pasto (solo per alloggiati e *chiuso a mezzogiorno e domenica*) 35/45000 – **78 cam** ☐ 20(270000 – ½ P 170000.

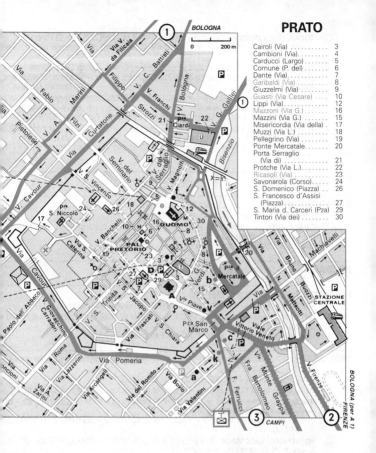

PRATO

Cairoli (Via)	3
Cambioni (Via)	4
Carducci (Largo)	5
Comune (P. del)	6
Dante (Via)	7
Garibaldi (Via)	8
Giuzzelmi (Via)	9
Guasti (Via Cesare)	10
Lippi (Via)	12
Mazzoni (Via G.)	16
Mazzini (Via G.)	15
Misericordia (Via della)	17
Muzzi (Via L.)	18
Pellegrino (Via)	19
Ponte Mercatale	20
Porta Serraglio (Via di)	21
Protche (Via L.)	22
Ricasoli (Via)	23
Savonarola (Corso)	24
S. Domenico (Piazza)	26
S. Francesco d'Assisi (Piazza)	27
S. Maria d. Carceri (Pza)	29
Tintori (Via dei)	30

Giardino senza rist, via Magnolfi 4 ℰ 0574 606588, *Fax 0574 606591* – 🛗 ☰ 📺 🖭 🛐 ⓓ ⓜⓞ 𝘝𝘐𝘚𝘈
28 cam ☲ 220000.   f

Flora, via Cairoli 31 ℰ 0574 33521, *hotel flora@texnet.it, Fax 0574 400289* – 🛗 ☰ 📺 – 🔬 50. 🖭 🛐 ⓓ ⓜⓞ 𝘝𝘐𝘚𝘈   r
Pasto *(chiuso dal 23 dicembre al 6 gennaio, agosto e a mezzogiorno)* solo piatti vegetariani carta 45/70000 – **31 cam** ☲ 140/200000 – ½ P 160000.

San Marco senza rist, piazza San Marco 48 ℰ 0574 21321, *hotelsanmarco@virgilio.it, Fax 0574 22378* – 🛗 ☰ 📺 🅿. 🖭 🛐 ⓓ ⓜⓞ 𝘝𝘐𝘚𝘈. 🛠   v
40 cam ☲ 115/165000.

Osvaldo Baroncelli, via Fra Bartolomeo 13 ℰ 0574 23810, prenotare – ☰. 🖭 🛐 ⓜⓞ 𝘝𝘐𝘚𝘈. 🛠   c
chiuso sabato a mezzogiorno, domenica ed agosto – **Pasto** carta 65/85000.

Il Piraña, via G. Valentini 110 ℰ 0574 25746, *Fax 0574 25746*, prenotare – ☰. 🖭 🛐 ⓓ ⓜⓞ 𝘝𝘐𝘚𝘈
chiuso agosto, sabato a mezzoziorno e domenica – **Pasto** specialità di mare 65000 (a mezzogiorno) 85000 (la sera) e carta 65/95000
Spec. Polpo e farro della Garfagnana. Ravioli di branzino in crema di scampi e pinoli. Rombo con patate e olive nere.

Enoteca Barni, via Ferrucci 22 ℰ 0574 607845, *Fax 0574 607845* – ☰. 🖭 🛐 ⓓ ⓜⓞ 𝘝𝘐𝘚𝘈   k
chiuso agosto, dal 2 all'8 gennaio, domenica e sabato a mezzogiorno – **Pasto** carta 55/100000 solo self-service a mezzogiorno.

XX **Tonio,** piazza Mercatale 161 ℰ 0574 21266, *Fax 0574 21266*, 龠 – ▤. 🅢 ⓞ 🐵 𝑉𝐼𝑆𝐴
chiuso dal 23 dicembre al 7 gennaio, dal 7 al 29 agosto, domenica e lunedì – **Pas**
specialità di mare carta 55/85000 (10 %).

XX **Il Capriolo,** via Roma 306 ℰ 0574 633650, Rist. e pizzeria – ▤. 🖭 🅢 ⓞ 🐵 𝑉𝐼𝑆𝐴. ⋘
chiuso dal 27 dicembre al 5 gennaio, dal 2 al 30 agosto, sabato a mezzogiorno e domenica
Pasto carta 60/85000.   per via Roma

X **Logli Mario,** località Filettole ℰ 0574 23010, *Fax 0574 23010*, « Servizio estivo in te
razza » – 🖭 🅢 ⓞ 🐵 𝑉𝐼𝑆𝐴 𝐽𝐶𝐵. ⋘   2 km per via Machiavelli
chiuso dal 1° al 7 gennaio ed agosto, lunedì sera e martedì – **Pasto** carta 55/70000.

X **Trattoria la Fontana,** località Filettole ℰ 0574 27282, *la_fontana@tin*
Fax 0574 40876, 龠 – ▤ 🄿. 🅢 ⓞ 🐵 𝑉𝐼𝑆𝐴   2 km per via Machiavelli
chiuso dal 26 dicembre al 4 gennaio, dal 7 al 30 agosto, domenica sera e lunedì – **Pas**
carta 40/70000.

PRATO DELLE MACINAIE *Grosseto – Vedere Castel del Piano.*

PRATOVECCHIO 52015 Arezzo 𝟜𝟛𝟘 K 17 – 3 113 ab. alt. 420.
Roma 261 – Firenze 47 – Arezzo 46 – Ravenna 129.

XX **Gliaccaniti,** via Fiorentina 12 ℰ 0575 583345, *gliaccaniti@katamail.com*, 龠, Coperti lin
tati; prenotare – 🅢 🐵 𝑉𝐼𝑆𝐴
chiuso dal 3 al 20 novembre e martedì – **Pasto** carta 35/70000.

PREDAIA *Trento – Vedere Vervò.*

PREDAPPIO 47016 Forlì-Cesena 𝟜𝟚𝟡, 𝟜𝟛𝟘 J 17 – 6 040 ab. alt. 133.
Roma 347 – Ravenna 45 – Rimini 65 – Bologna 79 – Firenze 102 – Forlì 16.

X **Del Moro,** viale Roma 8 ℰ 0543 922257, *Fax 0543 921626*, Rist. e pizzeria – ▤. 🖭 🅢 (
🐵 𝑉𝐼𝑆𝐴. ⋘
chiuso dal 30 luglio al 12 agosto e lunedì – **Pasto** carta 35/80000.

PREDAZZO 38037 Trento 𝟜𝟚𝟡 D 16 – 4 234 ab. alt. 1 018 – a.s. 25 gennaio-Pasqua e Natale – Spo
invernali : 1 018/1 121 m ≤ 1 ≤ 1, 초.
🖪 *via Cesare Battisti 4 ℰ 0462 501237, Fax 0462 502093.*
Roma 662 – Bolzano 55 – Belluno 78 – Cortina d'Ampezzo 83 – Milano 320 – Trento 80.

▟▛▟ **Ancora,** via IX Novembre 1 ℰ 0462 501651, *info@ancora.it, Fax 0462 502745*, 🕿 – 🛗 🌁
🚗 – 🏛 100. 🖭 🅢 ⓞ 🐵 𝑉𝐼𝑆𝐴 𝐽𝐶𝐵. ⋘
chiuso maggio e novembre – **Pasto** carta 40/70000 – **36 cam** ⇌ 160/280000
½ P 140000.

▟▛ **Sporthotel Sass Maor,** via Marconi 4 ℰ 0462 501538, *Fax 0462 501538*, 🕿, 🖅 – 🛗 [
🕭 🚗 🄿. 🖭 🅢 ⓞ 🐵 𝑉𝐼𝑆𝐴 𝐽𝐶𝐵. ⋘
chiuso dal 15 al 30 novembre – **Pasto** carta 40/60000 – **27 cam** ⇌ 120/180000
½ P 110000.

▟ **Montanara,** via Indipendenza 110 ℰ 0462 501116, *Fax 0462 502658*, ≤, 🕭, 🕿, 🖅 –
🖭 🄿. 🖭 🅢 ⓞ 🐵 𝑉𝐼𝑆𝐴. ⋘
chiuso dal 13 aprile al 15 giugno e dal 30 ottobre al 1° dicembre – **Pasto** 20/40000 – **40 ca**
⇌ 90/180000 – ½ P 110000.

PREGANZIOL 31022 Treviso 𝟜𝟚𝟡 F 18 – 14 363 ab. alt. 12.
Roma 534 – Venezia 22 – Mestre 13 – Milano 273 – Padova 43 – Treviso 7.

▟▛ **Park Hotel Bolognese-Villa Pace,** via Terraglio 175 (Nord : 3 kr
ℰ 0422 490390 e rist. ℰ 0422 381706, *info@hotelbolognese.com, Fax 0422 38363*
« Parco ombreggiato » – 🛗 ▤ 🖭 🕭 🄿. – 🏛 300 🖭 🅢 ⓞ 🐵 𝑉𝐼𝑆𝐴. ⋘
Pasto carta 40/65000 – ⇌ 20000 – **77 cam** 190/300000.

▟ **Magnolia,** Nord : 1 km ℰ 0422 93375, *hotmagnolia@tin.it, Fax 0422 93713*, 🖅 – ▤ car
🖭 🄿. 🖭 🅢 ⓞ 🐵 𝑉𝐼𝑆𝐴
Pasto vedere rist *Magnolia* – **30 cam** ⇌ 95/160000.

XX **Magnolia,** Nord : 1 km ℰ 0422 633131, *Fax 0422 330176*, 龠, 🖅 – ▤ 🄿. 🖭 🅢 ⓞ (
𝑉𝐼𝑆𝐴
chiuso dal 5 al 20 agosto, domenica sera e lunedì – **Pasto** carta 40/80000.

a San Trovaso Nord : 2 km – ⊠ 31022 :

▟ **Sole** senza rist, via Silvio Pellico 1 ℰ 0422 383126, *sole@hotelalsole.com, Fax 0422 3831*
– 🛗 ▤ 🖭 🚗 🄿. 🖭 🅢 ⓞ 🐵 𝑉𝐼𝑆𝐴. ⋘
⇌ 15000 – **18 cam** 100/150000.

REMENO 28818 Verbania **428** E 7, **219** ⑦ – 782 ab. alt. 817.

 ⌐ Piandisole (aprile-novembre; chiuso mercoledì escluso dal 14 giugno al 13 settembre) ℘ 0323 587100, Fax 0323 587100.

 Roma 681 – Stresa 32 – Locarno 49 – Milano 104 – Novara 81 – Torino 155 – Verbania 11.

🏨 **Premeno** ♨, viale Bonomi 31 ℘ 0323 587021, premeno@hotmail.com, Fax 0323 587328, ≤, « Giardino ombreggiato », ⊴ – 📶 📺 **P.** 🖭 🕄 ⬤ 🗷. ⩘

 1° aprile-15 ottobre – **Pasto** (solo per alloggiati) 30/45000 – ⊇ 15000 – **61 cam** 90/140000 – ½ P 105000.

RÉ SAINT DIDIER 11010 Aosta **428** E 2, **219** ① – 980 ab. alt. 1 000 – a.s. febbraio-Pasqua, 12 luglio-agosto e Natale.

 Roma 779 – Aosta 30 – Courmayeur 5 – Milano 217 – Colle del Piccolo San Bernardo 23.

 Pianta : vedere Courmayeur.

Pallusieux Nord : 2,5 km – alt. 1 100 – ⊠ 11010 Pré Saint Didier :

🏨 **Beau Séjour** ♨, ℘ 0165 87801, Fax 0165 87961, ≤ Monte Bianco, 🌸, « Giardino ombreggiato » – 📺 🚗 **P.** 🖭 🕄 ⬤⬤ 🗷. ⩘ rist   BYZ **b**

 dicembre-aprile e 15 giugno-settembre – **Pasto** 35/50000 – **33 cam** ⊇ 80/140000 – ½ P 105000.

🏨 **Le Marmotte** ♨, ℘ 0165 87820, Fax 0165 87049, ≤ Monte Bianco – 📶 📺 **P.** ⩘ cam dicembre-aprile e 15 giugno-ottobre – **Pasto** (solo per alloggiati) 35/50000 – ⊇ 12000 – **20 cam** 70/120000 – ½ P 100000.   BZ **c**

RESOLANA (Passo della) Bergamo e Brescia **429** E 12 – alt. 1 289 – a.s. 15 luglio-agosto e Natale – Sport invernali : 1 289/2 220 m ⚡3, ☇.

 Roma 650 – Brescia 97 – Bergamo 49.

🍴 **Del Passo,** via Cantoniera 19 ⊠ 24020 Colere ℘ 0346 32081 – **P.** ⩘
⬤⬤ chiuso ottobre e martedì (escluso dal 15 giugno al 15 settembre) – **Pasto** carta 35/55000.

RETURO L'Aquila **430** O 21 – Vedere L'Aquila.

RIMIERO Trento – Vedere Fiera di Primiero.

RINCIPINA A MARE Grosseto **430** N 15 – Vedere Grosseto (Marina di).

RIOCCA D'ALBA 12040 Cuneo **428** H 6 – 1 821 ab. alt. 253.

 Roma 631 – Torino 59 – Alessandria 56 – Asti 24 – Cuneo 76.

🍴🍴 **Il Centro,** via Umberto I 5 ℘ 0173 616112, Fax 0173 616112, prenotare – 🍽. 🖭 🕄 ⬤⬤ 🗷.
⬤ ⩘
 chiuso dal 1° al 15 gennaio, dal 15 al 31 luglio e martedì – **Pasto** carta 40/60000.

🍴🍴 **Locanda del Borgo,** via Pirio 30 ℘ 0173 616868, prenotare – **P.** 🖭 🕄 ⬤ ⬤⬤ 🗷. ⩘
 chiuso dal 15 luglio al 15 settembre, mercoledì e a mezzogiorno escluso sabato, domenica e festivi – **Pasto** specialità di mare 90000 e carta 65/90000.

RIVERNO 04015 Latina **430** R 21 – 13 784 ab. alt. 150.

 Roma 104 – Frosinone 28 – Latina 28 – Napoli 163.

ulla strada statale 156 Nord-Ovest : 3,5 km

🍴🍴 **Antica Osteria Fanti,** località Ceriara ℘ 0773 924015, Fax 0773 924015, 🌸 – **P.** 🖭 🕄
⬤ ⬤⬤ 🗷 JCB. ⩘
 chiuso dal 20 al 30 ottobre, 25-26 dicembre e giovedì – **Pasto** 50/80000 e carta 50/85000.

ROCCHIO Livorno **430** N 12 – Vedere Elba (Isola d') : Marciana.

ROCIDA (Isola di) Napoli **431** E 24 G. Italia – 13 705 ab. – a.s. maggio-15 ottobre.

 – La limitazione d'accesso degli autoveicoli è regolata da norme legislative.

 ⛴ per Napoli giornalieri (1 h); per Pozzuoli ed Ischia (30 mn), giornalieri – Caremar-agenzia Lubrano, al porto ℘ 081 8967280, Fax 081 8967280; per Pozzuoli giornalieri (30 mn) – Alilauro, al porto ℘ 081 5267736, Fax 081 5268411.

 ⛴ per Napoli giornalieri (35 mn), Pozzuoli ed Ischia giornaliero (15 mn) – Caremar-agenzia Lubrano, al porto ℘ 081 8967280, Fax 081 8967280.

 🟦 via Roma 92 ℘ 081 8969594

Procida – ✉ 80079 :

⋇ **Gorgonia,** località Marina Corricella ℘ 081 8101060, Fax 081 8101060, 斧, Coper
limitati; prenotare – 🖭 🛐 ⑩ ⓪ 🚾
giugno-settembre; chiuso lunedì – **Pasto** specialità di mare carta 45/70000.

PROH Novara 🔢 ⑯ – Vedere Briona.

PRUNETTA 51020 Pistoia 🔢, 🔢, 🔢 J 14 – alt. 958 – a.s. luglio-agosto.
Roma 327 – Firenze 51 – Pisa 82 – Lucca 48 – Milano 291 – Pistoia 17 – San Marcello Pistoiese
14.

🏠 **Park Hotel Le Lari,** via statale Mammianese 403 ℘ 0573 672931, Fax 0573 672931, 斧
« Giardino » – 🅿. 🛐 ⓪ 🚾. ⋘
25 marzo-ottobre – **Pasto** 30000 – ☞ 6000 – **25 cam** 50/65000 – ½ P 65000.

PULA Cagliari 🔢 J 9 – Vedere Sardegna alla fine dell'elenco alfabetico.

PULFERO 33046 Udine 🔢 D 22 – 1 258 ab. alt. 221.
Roma 662 – Udine 28 – Gorizia 42 – Tarvisio 66.

⋇⋇ **Al Vescovo** con cam, via Capoluogo 67 ℘ 0432 726375, Fax 0432 726376, « Terrazza
ombreggiata in riva al fiume » – 📺 &. 🖭 🛐 ⑩ ⓪ 🚾
chiuso febbraio – **Pasto** (chiuso mercoledì) carta 40/65000 – ☞ 9000 – **18 cam** 70/100000
– ½ P 65000.

Jährlich eine neue Ausgabe
Aktuellste Informationen, jährlich für Sie!

PUNTA ALA 58040 Grosseto 🔢 N 14 G. Toscana – a.s. Pasqua e 15 giugno-15 settembre.
🏌 ℘ 0564 922121, Fax 0564 920182.
Roma 225 – Grosseto 43 – Firenze 170 – Follonica 18 – Siena 102.

🏨 **Gallia Palace Hotel** ⌘, via delle Sughere ℘ 0564 922022, info@galliapalace.com
Fax 0564 920229, 斧, « Giardino fiorito con ⌇ riscalda », ⋇ – 🛗 ▤ 📺 &. 🅿. 🖭 🛐 ⑩ ⓪
🚾 🥢. ⋘
16 maggio-2 ottobre – **Pasto** solo snack a mezzoggiorno carta 85/120000 – **80 cam**
☞ 360/660000, 4 suites – ½ P 425000.

🏨 **Alleluja** ⌘, via del Porto ℘ 0564 922050, alleluja.puntaala@baglionihotels.com
Fax 0564 920734, « Parco ombreggiato e servizio rist. estivo all'aperto », ⌇, 🐎, ⋇ – 🛗
▤ 📺 🅿. 🖭 🛐 ⑩ ⓪ 🚾 🥢. ⋘
Pasqua-ottobre – **Pasto** 65/100000 – **38 cam** ☞ 750/1000000 – ½ P 490000.

🏨 **Cala del Porto** ⌘, ℘ 0564 922455, cala.puntaala@baglionihotels.com
Fax 0564 920716, ≤, 斧, « Servizio ristorante estivo in terrazza », ⌇, 🐎, 🌲 – ▤ 📺 🅿.
🏋 80. 🖭 🛐 ⑩ ⓪ 🚾 🥢. ⋘
maggio-settembre – **Pasto** carta 75/115000 – **37 cam** ☞ 630/860000, 5 suites –
½ P 475000.

⋇⋇ **Lo Scalino,** località Il Porto ℘ 0564 922168, ≤, 斧, Coperti limitati; prenotare – 🛐 ⓪
🚾. ⋘
Pasqua-ottobre – **Pasto** specialità di mare carta 75/115000.

PUNTA DEL LAGO Viterbo 🔢 P 18 – Vedere Ronciglione.

PUNTALDIA Nuoro – Vedere Sardegna (San Teodoro) alla fine dell'elenco alfabetico.

PUOS D'ALPAGO 32015 Belluno 🔢 D 19 – 2 298 ab. alt. 419.
Roma 605 – Belluno 20 – Cortina d'Ampezzo 75 – Venezia 95.

⋇⋇ **Locanda San Lorenzo** con cam, via IV Novembre 79 ℘ 0437 454048, locslor@tin.it
❀ Fax 0437 454049, prenotare – 📺 🅿. 🖭 🛐 ⑩ ⓪ 🚾 🥢
chiuso dal 23 gennaio al 2 febbraio – **Pasto** (chiuso mercoledì escluso agosto) 80/90000 b
e carta 55/90000 – **11 cam** ☞ 120/160000, 2 suites – ½ P 140000
Spec. Savarin di riso ai funghi porcini (estate-autunno). Braciole di cervo in insalata all'aceto
di lamponi (primavera-estate). Semifreddo alle nocciole e salsa al miele di montagna.

UAGLIUZZO 10010 Torino 🔢 F 5, 🔢 ⑭ – 318 ab. alt. 344.
Roma 674 – Torino 44 – Aosta 72 – Ivrea 9 – Milano 120.

XX **Michel,** piazza XX Settembre 9 ℰ 0125 76204, Fax 0125 76204 – ▤. ⌶ 🚭 🚭 𝑉𝐼𝑆𝐴. ⬥
chiuso sabato a mezzogiorno, lunedì e dal 17 al 27 agosto – **Pasto** specialità di mare 60000
e carta 45/85000.

UARONA 13017 Vercelli 🔢 E 6, 🔢 ⑥ – 4 237 ab. alt. 415.
Roma 668 – Stresa 49 – Milano 94 – Torino 110.

XX **Italia,** piazza della Libertà 27 ℰ 0163 430147 – ⌶ 🚭 🚭 🚭 𝑉𝐼𝑆𝐴 𝐽𝐶𝐵. ⬥
chiuso lunedì e dal 1° al 21 agosto – **Pasto** carta 35/65000.

UARRATA 51039 Pistoia 🔢 K 14 – 22 119 ab. alt. 48.
Roma 299 – Firenze – Milano 55314 – Pistoia 14 – Prato 28.

Catena Est : 4 km – ✉ 51030 :

XX **La Bussola-da Gino** con cam, via Vecchia Fiorentina 328 ℰ 0573 743128,
Fax 0573 743128, 🌣 – 📺 𝐏. ⌶ 🚭 🚭 𝑉𝐼𝑆𝐴. ⬥ rist
chiuso sabato a mezzogiorno e domenica – **Pasto** carta 45/65000 – ⊒ 8000 – **10 cam**
90/125000 – ½ P 100000.

UARTACCIO Viterbo – Vedere Civita Castellana.

UARTIERE Ferrara 🔢 H 17 – Vedere Portomaggiore.

UARTO CALDO Latina – Vedere San Felice Circeo.

UARTO D'ALTINO 30020 Venezia 🔢 F 19 – 7 185 ab..
Roma 537 – Venezia 24 – Milano 276 – Treviso 17 – Trieste 134.

🏨 **Park Hotel Junior** ⬥, via Roma 93 ℰ 0422 823777, parkhoteljunior@iol.it,
Fax 0422 826840, « Ampio parco ombreggiato » – ▤ 📺 📶 ⬥ 🚗 𝐏. ⌶ 🚭 🚭 🚭 𝑉𝐼𝑆𝐴 𝐽𝐶𝐵.
⬥
Pasto vedere rist **Da Odino** – **15 cam** ⊒ 200/280000.

🏨 **Villa Odino** ⬥ senza rist, via Roma 146 ℰ 0422 823117, villa_odino@iol.it,
Fax 0422 823235, « Sulla riva del fiume Sile », 🌣 – ▤ 📺 ⬥ 𝐏 – 🔏 50. ⌶ 🚭 🚭 𝑉𝐼𝑆𝐴. ⬥
19 cam ⊒ 150/240000, suite.

🏠 **Holiday Inn Express** Ⓜ senza rist, via Pascoli 1 ℰ 0422 825000, Fax 0422 780650 ⬥⬥
▤ 📺 ⬥ 𝐏 – 🔏 30. ⌶ 🚭 🚭 𝑉𝐼𝑆𝐴 𝐽𝐶𝐵
80 cam ⊒ 160/190000.

XX **Da Odino,** via Roma 87 ℰ 0422 825421, ristorantedaodino@iol.it, Fax 0422 826840,
« Ampio parco ombreggiato » – ▤ 𝐏. ⌶ 🚭 🚭 𝑉𝐼𝑆𝐴 𝐽𝐶𝐵
chiuso martedì sera e mercoledì – **Pasto** specialità di mare carta 45/80000.

XX **Cà delle Anfore,** via Marconi 51 (Sud-Est : 3 km) ℰ 0422 824153, 🌣, « Caseggiato di
campagna con giardino e laghetto » – ▤ 𝐏. 🚭 🚭 𝑉𝐼𝑆𝐴. ⬥
chiuso gennaio, lunedì e martedì – **Pasto** 45/70000 e carta 35/70000.

XX **Cosmorì,** viale Kennedy 15 ℰ 0422 825326, 🌣 – ▤ 𝐏. ⌶ 🚭 🚭 𝑉𝐼𝑆𝐴. ⬥
chiuso dal 5 al 20 gennaio, dal 5 al 20 agosto e lunedì – **Pasto** carta 40/65000.

UARTO DEI MILLE Genova – Vedere Genova.

UARTU SANT'ELENA Cagliari 🔢 J 9 – Vedere Sardegna alla fine dell'elenco alfabetico.

UATTORDIO 15028 Alessandria 🔢 H 7 – 1 813 ab. alt. 135.
Roma 592 – Alessandria 18 – Asti 20 – Milano 111 – Torino 75.

a Piepasso Nord-Ovest : 3 km – ✉ 15028 :

XX **Castello di Lajone** ⬥ con cam, via Castello 1 (Ovest : 3 km) ℰ 0131 773692,
Fax 0131 773692, prenotare, 🌣 – 📺 𝐏. ⌶ 🚭 🚭 𝑉𝐼𝑆𝐴. ⬥
chiuso dal 1°al 15 gennaio – **Pasto** (chiuso domenica sera e lunedì) 35000 (solo a mezzo-
giorno) 65000 – ⊒ 10000 – **5 cam** 120/180000, 5 suites 200000 – ½ P 140000.

QUATTRO CASTELLA 42020 Reggio nell'Emilia 428, 429 I 13 – 10 932 ab. alt. 162.
Roma 450 – Parma 29 – Modena 48 – Reggio Emilia 16.

🏠 **Casa Matilde** ⌂, via Negri 11, località Puianello Sud-Est : 6 km ⊠ 42030 Puiane
℘ 0522 889006, Fax 0522 889006, ≤, « Elegante dimora patrizia in un parco-giardino »,
– 📺 ⇌ 🅿️. 🆚 🕄 ⓪ 🐗 𝐕𝐈𝐒𝐀. ✆
chiuso dal 10 al 20 gennaio – **Pasto** (solo per alloggiati) carta 70/115000 – **4 ca**
⌂ 330000, 2 suites 450000.

QUERCEGROSSA Siena 430 L 15 – Vedere Siena.

QUERCETA Lucca 428, 429, 430 K 12 – Vedere Seravezza.

QUILIANO 17047 Savona 428 J 7 – 7 105 ab. alt. 28.
Roma 559 – Genova 60 – Asti 101 – Cuneo 84 – Savona 9.

a Roviasca Ovest : 5 km – ⊠ 17047 :

🗙🗙 **Da ö Grixo**, via Cavassuti 6 ℘ 019 887076, « Servizio estivo in terrazza » – 🆚 🕄 🐗 🕚
𝐉𝐂𝐁
chiuso dal 2 gennaio al 2 febbraio – **Pasto** carta 40/85000.

QUINCINETTO 10010 Torino 428 F 5 – 1 076 ab. alt. 295.
Roma 694 – Aosta 55 – Ivrea 18 – Milano 131 – Novara 85 – Torino 60.

🏠 **Mini Hotel Praiale** ⌂ senza rist, via Umberto I, 5 ℘ 0125 757188, Fax 0125 757349
📺. 🆚 🕄 ⓪ 🐗 𝐕𝐈𝐒𝐀
⌂ 10000 – **9 cam** 65/85000.

🗙🗙 **Da Giovanni,** via Fontana Riola 3, località Montellina ℘ 0125 757447, Fax 0125 75744
🍽, prenotare – 🅿️. 🆚 🕄 ⓪ 🐗 𝐕𝐈𝐒𝐀 𝐉𝐂𝐁. ✆
chiuso dal 15 al 30 gennaio, dal 30 giugno al 16 luglio, martedì sera e mercoledì – **Past**
carta 40/70000.

🗙 **Da Marino,** via Montellina 7, località Montellina ℘ 0125 757952, ≤, 🍽 – 🅿️. 🆚 🕄 ⓪ 🐗
𝐕𝐈𝐒𝐀
chiuso dal 16 gennaio al 4 febbraio, dal 1° al 15 settembre e lunedì – **Pasto** carta 40/6000

QUINTO DI TREVISO 31055 Treviso 429 F 18 – 9 295 ab. alt. 17.
Roma 548 – Padova 41 – Venezia 36 – Treviso 7 – Vicenza 57.

🗙🗙 **Locanda Righetto** con cam, ℘ 0422 470080, righetto@sevenonline.i
Fax 0422 470080 – 📺 📺 🅿️. 🆚 🕄 ⓪ 🐗 𝐕𝐈𝐒𝐀
chiuso dal 1° al 10 gennaio, dal 13 al 18 agosto e lunedì – **Pasto** specialità anguilla cart
40/80000 – ⌂ 10000 – **12 cam** 85/120000 – ½ P 110000.

QUINTO VERCELLESE 13030 Vercelli – 440 ab. .
Roma 638 – Alessandria 60 – Milano 70 – Novara 17 – Pavia 70 – Vercelli 7.

🗙🗙 **Bivio,** via Bivio 2 (Nord : 2 km) ℘ 0161 274131, Fax 0161 274264, Coperti limitati; preno
tare – 🗐. 🕄 🐗 𝐕𝐈𝐒𝐀. ✆
chiuso dall'8 al 22 gennaio, dal 1° al 23 agosto, lunedì e martedì a mezzogiorno – **Pasto**
carta 60/105000.

QUISTELLO 46026 Mantova 428, 429 G 14 – 5 853 ab. alt. 17.
Roma 458 – Verona 65 – Ferrara 61 – Mantova 29 – Milano 203 – Modena 56.

🗙🗙🗙🗙 **Ambasciata,** via Martiri di Belfiore 33 ℘ 0376 619169, ristoranteambasciata@ristorante
🕸🕸 mbasciata.it, Fax 0376 618255, Confort accurato; prenotare – 🗐 🅿️. 🆚 🕄 ⓪ 🐗 𝐕𝐈𝐒𝐀 𝐉𝐂
✆
chiuso dal 1° al 22 gennaio, dal 6 al 29 agosto, domenica sera, lunedì e le sere di Natale
Pasqua – **Pasto** 120/200000 e carta 110/210000
Spec. Lombi di coniglio e code di gamberi con aceto balsamico tradizionale (primavera).
Timballo di lasagne verdi con petto di piccione sauté alla crème de Cassis. Scaloppa c
fegato d'oca al Sauternes e frutti di bosco (estate).

🗙🗙 **Al Sole-Cincana,** piazza Semeghini 14 ℘ 0376 618146, Coperti limitati; prenotare – 🆚
🕄 🐗 𝐕𝐈𝐒𝐀
chiuso dal 29 dicembre al 18 gennaio, luglio, agosto, domenica sera e mercoledì – **Pasto**
specialità a base di funghi e tartufo carta 60/110000.

XX **All'Angelo,** via Martiri di Belfiore 20 ☎ 0376 618354, *all.angelo@tin.it, Fax 0376 619955,* Coperti limitati; prenotare – ▤. [AE] [$] ⓓ [MC] [VISA]. 🚫
chiuso dal 18 gennaio al 1º febbraio, dal 18 luglio all'8 agosto, domenica sera e lunedì – **Pasto** 45/55000 e carta 45/85000.

RABLÀ (RABLAND) *Bolzano – Vedere Parcines.*

RACINES (RATSCHINGS) *39040 Bolzano* [219] ⑩ *– 3 934 ab. alt. 1 290.*
[i] *a Stanghe (Stange) ☎ 0472 756666, Fax 0472 756889.*
Roma 700 – Bolzano 70 – Cortina d'Ampezzo 111 – Merano 102.

Sonklarhof 🐦, località Ridanna alt. 1342 ☎ 0472 656212, *Fax 0472 656224,* ←, 🏋, ≘s, 🏊, 🏊, 🌳, 🎾 – |$|, 🚭 rist, 📺 ☎ [P]. 🚫 rist
16 dicembre-25 marzo e 7 aprile-7 novembre – **Pasto** (solo per alloggiati) 30/40000 – **50 cam** ☕ 120/220000, 5 suites – ½ P 130000.

RADDA IN CHIANTI *53017 Siena* [430] L 16 *G. Toscana – 1 674 ab. alt. 531.*
[i] *piazza Ferrucci 1 ☎ 0577 738494, Fax 0577 738494.*
Roma 261 – Firenze 54 – Siena 33 – Arezzo 57.

Fattoria Vignale, via Pianigiani 9 ☎ 0577 738300, *vignale@vignale.it, Fax 0577 738592,* ←, 🏊, 🌳 – ▤ [P] – 🎤 60. [AE] [$] ⓓ [MC] [VISA]. 🚫
Capodanno 27 marzo-8 dicembre – **Pasto** (chiuso mercoledì) carta 50/80000 – **34 cam** ☕ 230/400000, 2 suites.

XX **Vignale,** via XX Settembre 23 ☎ 0577 738094, *Fax 0577 738094,* prenotare – ▤. [AE] [$] ⓓ [MC] [VISA]
25 marzo-dicembre; chiuso giovedì – **Pasto** 80/100000.

X **Le Vigne,** podere Le Vigne Est : 1 km ☎ 0577 738640, *Fax 0577 738809,* ←, 🏡 – [P]. [AE] [$] ⓓ [MC] [VISA] [JCB]
chiuso gennaio, febbraio e martedì (escluso da maggio ad ottobre) – **Pasto** carta 50/80000.

sulla strada provinciale 429 *Ovest : 6,5 km :*

Vescine 🐦 senza rist, località Vescine ✉ 53017 ☎ 0577 741144, *vescine@chiantinet.it, Fax 0577 740263,* ← colline, « In un borgo antico », 🏊, 🌳, 🎾 – 📺 [P]. [AE] [$] [MC] [VISA]
Capodanno e 18 marzo-15 novembre – **20 cam** ☕ 280/350000, 5 suites.

RADEIN = Redagno.

RADICOFANI *53040 Siena* [430] N 17 *G. Toscana – 1 229 ab. alt. 896.*
Roma 169 – Siena 71 – Arezzo 93 – Perugia 113.

La Palazzina 🐦 senza rist, località Le Vigne Est : 6 km ☎ 0578 55771, *Fax 0578 55771,* ←, Azienda agrituristica, « Fattoria del 18º secolo », 🏊 riscaldata, 🌳 – [P]. [$] ⓓ [MC] [VISA]
10 aprile-7 novembre – **11 cam** ☕ 120/220000.

RAGONE *Ravenna* [429] I 18 – *Vedere Ravenna.*

RAGUSA [P] [432] Q 26 – *Vedere Sicilia alla fine dell'elenco alfabetico.*

RANCIO VALCUVIA *21030 Varese* [428] E 8, [219] ⑦ *– 854 ab. alt. 296.*
Roma 651 – Stresa 59 – Lugano 28 – Luino 12 – Milano 74 – Varese 18.

XX **Gibigiana,** via Roma 19 ☎ 0332 995085, *Fax 0332 995085,* 🏡, prenotare – [P]. [AE] [$] ⓓ [MC] [VISA]. 🚫
chiuso dal 1º al 15 agosto e martedì – **Pasto** carta 50/75000.

RANCO *21020 Varese* [428] E 7, [219] ⑦ *– 1 150 ab. alt. 214.*
Roma 644 – Stresa 37 – Laveno Mombello 21 – Milano 67 – Novara 51 – Sesto Calende 12 – Varese 27.

Conca Azzurra 🐦, via ALberto 53 ☎ 0331 976526, *info@concazzurra.it, Fax 0331 976721,* ←, 🏡, 🏊, ⛵, 🌳, 🎾 – |$|, ▤ cam, 📺 ☎ [P] – 🎤 150. [AE] ⓓ [MC] [VISA]. 🚫 rist
chiuso dal 13 dicembre al 5 febbraio – **Pasto** *(chiuso venerdì da ottobre a maggio)* carta 55/100000 – **28 cam** ☕ 140/260000 – ½ P 160000.

RANCO

XXX **Il Sole di Ranco** ⬡ con cam, piazza Venezia 5 ℘ 0331 976507, soleranco@relaischatea
❀   x.fr, Fax 0331 976620, ≤, Coperti limitati; prenotare, « Servizio estivo sotto un pergolato »
🌿 – 🅿, ▤ cam, 📺 ⚙ 🅿, 🆎 🛅 ⑩ 🕅 🚗, 🎗
      chiuso dal 10 dicembre al 14 febbraio – **Pasto** (chiuso lunedì a mezzogiorno e martedì)
      120/140000 e carta 115/180000 – 🖵 15000 – **4 cam** 320/350000, 10 suites 450/700000
      Spec. Lasagne con scampi e salsa al Sauternes. Spiedino di gamberi in farina di polenta.
      Filetto di agnello di latte cotto con l'osso, impanato alle erbe di giardino.

RANDAZZO Catania 🗺️ N 26 – Vedere Sicilia alla fine dell'elenco alfabetico.

RANZANICO 24060 Bergamo 🗺️, 🗺️ E 11 – 1 011 ab. alt. 510.
      Roma 622 – Bergamo 30 – Brescia 62 – Milano 94.

XXX **Abacanto,** via Nazionale 191 ℘ 035 819377, Fax 035 829821, ≤, 🏕️ – ▤ 🅿, 🆎 🛅 ⑩ 🕅
🕅 🚗 🎗
      chiuso gennaio o febbraio e mercoledì – **Pasto** carta 65/110000.

RANZO 18028 Imperia 🗺️ J 6 – 552 ab. alt. 300.
      Roma 597 – Imperia 30 – Genova 104 – Milano 228 – Savona 59.

XX   **Il Gallo della Checca,** località Ponterotto 31 (Est : 1 km) ℘ 0183 318197
      Fax 0183 318921, Rist. enoteca, Coperti limitati; prenotare – ▤ 🅿, 🆎 🛅 ⑩ 🕅 🚗 🕅
      chiuso lunedì – **Pasto** carta 70/130000.

RAPALLO 16035 Genova 🗺️ I 9 G. Italia – 28 176 ab. – a.s. 15 dicembre-febbraio, Pasqua
      luglio-ottobre.
      Vedere Lungomare Vittorio Veneto★.
      Dintorni Penisola di Portofino★★★ per la strada panoramica★★ per Santa Margherita Ligure
      e Portofino Sud-Ovest per ②.
      🗺️ (chiuso martedì) ℘ 0185 261777, Fax 0185 261779, per ④ : 2 km.
      🚩 Lungomare Vittorio Veneto 7 ℘ 0185 230346, Fax 0185 63051.
      Roma 477 ④ – Genova 37 ④ – Milano 163 ④ – Parma 142 ① – La Spezia 79 ④.

🏨   **Excelsior Palace
      Hotel** ⬡, via Michele di Pagana 8
      ℘ 0185 230666, excels
      ior@thi.it,
      Fax 0185 230214, ≤
      Golfo del Tigullio e
      monte di Portofino,
      🏕️, 🏖️, ⚖️, 🏊, ⬥ 🛗
      ▤ 📺 🍴 🅿 – 🔬 450.
      🆎 🛅 ⑩ 🕅 🚗.
      🎗 rist   d
      Pasto carta 85/150000
      e al Rist. **Eden Roc**
      (giugno-settembre;
      chiuso lunedì prenota-
      re) carta 90/160000 so-
      lo buffet a mezzogior-
      no – **127 cam**
      🖵 480/680000, 4 sui-
      tes – ½ P 430000.

🏨   **Europa,** via Milite
      Ignoto 2 ℘ 0185
      669521, europa@rapall
      o.omninet.it,
      Fax 0185 669847, 🍴,
      🏖️ – 🛗, 🖔 cam, ▤
      📺 ❀ 🅿 – 🔬 80. 🆎
      🛅 ⑩ 🕅 🚗. 🎗 rist x
      Pasto al Rist. **Il Tratta-
      to** 50/60000 e carta
      60/90000 – **60 cam**
      🖵 260/340000 –
      ½ P 220000.

RAPALLO

Assereto (Corso)	2
Aurelia Levante (Via)	3
Cavour (Piazza)	4
Garibaldi (Piazza)	6
Gramsci (Via)	7
Italia (Corso)	8
Lamarmora (Via)	10
Mameli (Via)	12
Matteotti (Corso)	13
Mazzini (Via)	14
Milite Ignoto (Via)	15
Montebello (Viale)	16
Pastene (Piazza)	17
Zunino (Via)	20

🏠 **Astoria** senza rist, via Gramsci 4 ℰ 0185 273533, *astoriarapallo@mclink.it*, Fax 0185 62793, ≤ – |🛗 🍽 🆚 – 🍴 40. 🜂 🕄 ⓞ 🕕 *VISA*. ℅
r
chiuso 10 novembre al 20 dicembre – **19 cam** ⓔ 200/300000.

🏠 **Riviera,** piazza 4 Novembre 2 ℰ 0185 50248, *info@hotelriviera.it*, Fax 0185 65668, ≤ mare – |🛗 🍽 🆚. 🜂 🕄 🕕 *VISA*. ℅ rist
r
chiuso da novembre al 22 dicembre – **Pasto** carta 60/90000 – **20 cam** ⓔ 160/250000 – ½ P 175000.

🏠 **Rosabianca** senza rist, lungomare Vittorio Veneto 42 ℰ 0185 50390, *hotelrosabianca@libero.it*, Fax 0185 65035, ≤ mare – |🛗 🍽 🆚. 🜂 🕄 ⓞ 🕕 *VISA*. ℅
b
16 cam ⓔ 160/300000, 2 suites.

🏠 **Stella** senza rist, via Aurelia Ponente 6 ℰ 0185 50367, *reservations@hotelstella.riviera.com*, Fax 0185 272837 – |🛗 🆚 📞 🚗. 🜂 🕄 ⓞ 🕕 *VISA*
u
chiuso dal 13 gennaio al 20 febbraio – ⓔ 15000 – **27 cam** 90/130000.

🏠 **Ambra,** via Mons. Boccoleri 2-4 ℰ 0185 234135 – |🛗 🆚
v
11 cam.

XXX **Luca,** via Langano 32 (porto Carlo Riva) ℰ 0185 60323, Fax 0185 237084 – 🍽. 🜂 🕄 ⓞ 🕕 *VISA*
y
chiuso febbraio e martedì – **Pasto** carta 65/100000 (10%).

XX **Hostaria Vecchia Rapallo,** via Cairoli 20/24 ℰ 0185 50053, Fax 0185 50053 – 🜂 🕄 ⓞ 🕕 *VISA*
t
chiuso lunedì a mezzogiorno in luglio-agosto, tutto il giorno negli altri mesi – **Pasto** carta 70/100000.

XX **Da Monique,** lungomare Vittorio Veneto 6 ℰ 0185 50541, ≤ – 🜂 🕄 ⓞ 🕕 *VISA*
s
chiuso dal 10 gennaio al 15 febbraio e martedì – **Pasto** carta 45/80000.

XX **Eden,** via Diaz 5 ℰ 0185 50553, 🌳 – 🜂 🕄 ⓞ 🕕 *VISA*
g
chiuso dal 20 gennaio al 20 febbraio, mercoledì a mezzogiorno in luglio-agosto, tutto il giorno negli altri mesi – **Pasto** specialità di mare carta 60/100000.

X **Sotto la Scala,** via Cerisola 7 ℰ 0185 53630, prenotare – 🕄 🕕 *VISA*
n
🍽 *chiuso domenica sera e lunedì (escluso luglio-agosto) e a mezzogiorno (escluso i giorni festivi)* – **Pasto** carta 35/65000.

X **Roccabruna,** via Sotto La Croce 6, località Savagna ℰ 0185 261400, Fax 0185 57245, ≤, 🌳, Coperti limitati; prenotare, « Servizio estivo in terrazza » – 🅿. 🕕 🚗 *VISA* per ④
chiuso a mezzogiorno (escluso domenica da ottobre a giugno) e lunedì – **Pasto** carta 60/95000.

a San Massimo per ④ : 3 km – ✉ 16035 Rapallo :

X **U Giancu,** via San Massimo 78 ℰ 0185 261212, *ugiancu@ugiancu.it*, Fax 0185 260505, prenotare, « Servizio estivo in giardino » – 🅿. 🕄 🕕 *VISA*
chiuso dal 5 al 25 novembre e dal 23 dicembre al 2 gennaio, dal 3 gennaio a Pasqua aperto venerdì-sabato-domenica – **Pasto** carta 45/70000.

RAPOLANO TERME 53040 Siena 430 M 16 – 4 760 ab. alt. 334.
Roma 202 – Siena 27 – Arezzo 48 – Firenze 96 – Perugia 81.

🏠 **Grand Motel Serre,** località Crocevie ℰ 0577 704777, *gmsmotel@ftbcc.it*, Fax 0577 704780, 🔥, 🌊, ℅ – |🛗 🍽 🆚 📞 🛗 🚗 🅿 – 🍴 80. 🜂 🕄 ⓞ 🕕 *VISA* 🇯🇨🇧. ℅
Pasto al Rist. *La Sosta* (chiuso lunedì e dal 10 gennaio a febbraio) carta 50/75000 – ⓔ 16000 – **55 cam** 150/200000, 4 suites – ½ P 135000.

🏠 **2 Mari,** via Giotto 1, località Bagni Freddi ℰ 0577 724070, *hotelduemari@tin.it*, Fax 0577 725414, 🌳, « Giardino con 🌊 » – |🛗 🆚 🅿 – 🍴 250. 🜂 🕄 ⓞ 🕕 *VISA* 🇯🇨🇧. ℅
chiuso dal 2 al 10 gennaio – **Pasto** (chiuso martedì) carta 40/60000 – **42 cam** ⓔ 90/150000 – ½ P 100000.

RASEN ANTHOLZ = Rasun Anterselva.

RASTELLINO Modena – Vedere Castelfranco Emilia.

I prezzi del pernottamento e della pensione possono subire aumenti
in relazione all'andamento generale del costo della vita;
quando prenotate fatevi precisare il prezzo dall'albergo.

RASUN ANTERSELVA (RASEN ANTHOLZ) *39030 Bolzano* 429 *B 18 – 2 690 ab. alt. 1 000 – Spor invernali : Plan de Corones : 1 000/2 273 m ⟜ 12 ⟜ 19, ⟜.*
Roma 728 – Cortina d'Ampezzo 50 – Bolzano 87 – Brunico 13 – Lienz 66 – Milano 382.

a Rasun (Rasen) *– alt. 1 030 – ⊠ 39030.*
🏨 *a Rasun di Sotto ℘ 0474 496269, Fax 0474 498099 :*

🏨 **Alpenhof**, a Rasun di Sotto ℘ 0474 496451, Fax 0474 498047, ≤, « Caratteristiche stu
ben tirolesi », ⒑, ≘, ⒌, – ⓣⓥ 🄿. ⒜⒠ ⒮ ⓞ ⓜ ⓥⒾⓈⒶ ⒿⒸⒷ. ⒮ rist
3 dicembre-29 aprile e 20 maggio-28 ottobre – **Pasto** *carta 35/55000 –* **31 cam** ⊇ 160
385000 – 1/2 P 215000.

✕✕ **Ansitz Heufler** con cam, a Rasun di Sopra ℘ 0474 498582, Fax 0474 498046, ≤
« Castelletto del XVI secolo », ⒭ – 🄿. ⒜⒠ ⒮ ⓞ ⓜ ⓥⒾⓈⒶ
chiuso maggio e novembre – **Pasto** *60/80000 e carta 80/95000 –* **5 cam** ⊇ 215/330000
3 suites 370/410000 – 1/2 P 195000.

ad Anterselva (Antholz) *– alt. 1 100 – ⊠ 39030.*
🏨 *ad Anterselva di Mezzo ℘ 0474 492116, Fax 0474 492370 :*

🏨 **Santéshotel Wegerhof**, ad Anterselva di Mezzo ℘ 0474 492130, santeshotel.wegerh
f@rolmail.net, Fax 0474 492479, ≘, ⒌, – ⒑, ⟜ cam, ⓣⓥ 🄿. ⒮ rist
Natale-Pasqua e maggio-ottobre – **Pasto** *35/60000 e al Rist.* **Peter Stube** *(5 dicembre
Pasqua e giugno-20 ottobre) carta 40/65000 –* **28 cam** ⊇ 140/280000 – 1/2 P 160000.

🏨 **Bagni di Salomone-Bad Salomonsbrunn** ≫, ad Anterselva di Sotto Sud-Ovest
1,5 km ℘ 0474 492199, Fax 0474 492378, ≘, ⒭ – ⟜ rist, ⓣⓥ 🄿. ⒜⒠ ⒮ ⓞ ⓜ ⓥⒾⓈⒶ. ⒮ rist
chiuso dal 1° al 20 giugno e dal 15 ottobre al 5 dicembre – **Pasto** *(chiuso giovedi) carta
35/60000 –* **24 cam** ⊇ 105/180000 – 1/2 P 110000.

RATSCHINGS = Racines.

RAVASCLETTO *33020 Udine* 429 *C 20 – 648 ab. alt. 957 – a.s. 15 luglio-agosto e Natale – Spor
invernali : 957/1 764 m ⟜ 1 ⟜ 10, ⟜.*
🏨 *piazza Divisione Julia ℘ 0433 66477, Fax 0433 66487.*
Roma 712 – Udine 67 – Milano 457 – Monte Croce Carnico 28 – Tolmezzo 24 – Trieste 146.

🏨 **Valcalda**, viale Edelweiss 8/10 ℘ 0433 66120, hotelvalcalda@vd.nettuno.it
Fax 0433 66420, ≤, – ⓣⓥ 🄿. ⒜⒠ ⒮ ⓞ ⓜ ⓥⒾⓈⒶ ⒿⒸⒷ. ⒮ rist
chiuso dal 17 aprile al 15 giugno, ottobre e novembre – **Pasto** *carta 30/45000 –* ⊇ 12000 –
13 cam 80/130000 – 1/2 P 100000.

RAVELLO *84010 Salerno* 431 *F 25 G. Italia – 2 509 ab. alt. 350 – a.s. Pasqua, giugno-settembre e
Natale.*
Vedere *Posizione e cornice pittoresche*** – Villa Rufolo*** : ⟜*** – Villa Cim-
brone*** : ⟜*** – Pulpito** e porta in bronzo* del Duomo – Chiesa di San
Giovanni del Toro*.*
🏨 *piazza Duomo 10 ℘ 089 857096, Fax 089 857977.*
Roma 276 – Napoli 59 – Amalfi 6 – Salerno 29 – Sorrento 40.

🏨 **Palazzo Sasso** ≫, via San Giovanni del Toro 28 ℘ 089 818181, Fax 089 858900, ⒭,
⒌ riscaldata, ⒭ – ⒑🅴 ⓣⓥ ⒦ 🄿 – ⒜ 60. ⒜⒠ ⒮ ⓞ ⓜ ⓥⒾⓈⒶ ⒿⒸⒷ. ⒮
marzo-ottobre – **Pasto** *al Rist* **Rossellinis** *120000 e carta 105/165000 –* **38 cam** ⊇ 650/
750000, 4 suites.

🏨 **Palumbo** ≫, via San Giovanni del Toro 16 ℘ 089 857244, palumbo@amalfinet.it,
Fax 089 858133, ≤ golfo, Capo d'Orso e monti, ⒭, « Edificio del 12° secolo con terrazza-
giardino fiorita » ⒭ – 🅴 ⓣⓥ ⟜ 🄿. ⒜⒠ ⒮ ⓞ ⓜ ⓥⒾⓈⒶ. ⒮ rist
Pasto *(chiuso gennaio e febbraio) carta 140/210000 –* **18 cam** *solo 1/2 P 510000, 3 suites.*

🏨 **Rufolo** ≫, via San Francesco 1 ℘ 089 857133, rufolo@amalficoast-it, Fax 089 857935, ≤
golfo, Capo d'Orso e monti, ⒭, « Terrazza-giardino con ⒌ » – ⒑🅴 ⓣⓥ ⟜ 🄿. ⒜⒠ ⒮ ⓞ
ⓜ ⓥⒾⓈⒶ. ⒮ rist
Pasto *(chiuso gennaio e febbraio) carta 60/80000 –* **30 cam** ⊇ 350/430000, 6 suites –
1/2 P 280000.

🏨 **Villa Maria** ≫, via Santa Chiara 2 ℘ 089 857255, Fax 089 857071, « Servizio rist. estivo
sotto un pergolato con ≤ mare e costa », ⒭ – 🅴 cam, ⓣⓥ 🄿. ⒜⒠ ⒮ ⓞ ⓜ ⓥⒾⓈⒶ. ⒮
Pasto *carta 60/90000 (15 %) –* **17 cam** ⊇ 290/380000 – 1/2 P 230000.

🏨 **Graal**, via della Repubblica 8 ℘ 089 857222, info@hotelgraal.it, Fax 089 857551, ≤ golfo,
Capo d'Orso e monti, ⒌ – ⒑🅴 ⓣⓥ – ⒜ 250. ⒜⒠ ⒮ ⓞ ⓜ ⓥⒾⓈⒶ ⒿⒸⒷ. ⒮
Pasto *(chiuso da novembre a febbraio escluso periodo natalizio) carta 35/70000 (15 %) –*
33 cam ⊇ 255/310000 – 1/2 P 195000.

🏨 **Giordano,** ☏ 089 857255, *Fax 089 857071,* 🔺 *riscaldata,* 🌳 – 📺 🄿. 🆎 🕲 ⑩ 🐵 *VISA.* ⬡
aprile-ottobre – **Pasto** carta 50/70000 (15 %) – **30 cam** ⬚ 240/280000 – ½ P 190000.

🍴🍴 **Palazzo della Marra,** via della Marra 7/9 ☏ 089 858302, *studiodama@ecostieraamalfitan
a.it,* Fax 089 858390, 🍸, prenotare la sera – 🆎 🕲 ⑩ 🐵 *VISA* 🄹🄲🄱
chiuso dal 15 gennaio al 15 febbraio e martedì (escluso da aprile ad ottobre) – **Pasto**
55/85000 (15 %) e carta 60/95000 (15 %).

Illa costiera amalfitana *Sud : 6 km :*

🏨 **Marmorata** ⬡, località Marmorata ⬚ 84010 ☏ 089 877777, *marmorata@starnet.it,*
Fax 089 851189, ≤ golfo, 🍸, « Arredamento in stile vecchia marina », 🔺, 🐾 – 🛗 ☰ 📺 🄿
– 🏛 50. 🆎 🕲 ⑩ 🐵 *VISA.* ⬡ rist
Pasto carta 50/75000 – **40 cam** ⬚ 320/390000 – ½ P 230000.

🏠 **Villa San Michele** ⬡, via Carusiello 2 ☏ 089 872237, *smichele@starnet.it,*
Fax 089 872237, ≤ golfo e Capo d'Orso, « A ridosso degli scogli in un verde giardino », 🌳 –
☰ 📺 🄿. 🆎 🕲 ⑩ 🐵 *VISA*
chiuso dal 7 gennaio al 10 febbraio – **Pasto** *(aprile-ottobre; solo per alloggiati)* 45000 –
12 cam ⬚ 250000 – ½ P 170000.

AVENNA 48100 🄿 🌁 🌁 I 18 – 138 418 ab..

Vedere *Mausoleo di Galla Placidia*★★★ Y – *Chiesa di San Vitale*★★ *: mosaici*★★★ Y – *Battiste-
ro Neoniano*★ *: mosaici*★★★ Z – *Basilica di Sant'Apollinare Nuovo*★ *: mosaici*★★★ Z – *Mosai-
ci*★★★ *nel Battistero degli Ariani* Y D – *Cattedra d'avorio*★★ *e cappella arcivescovile*★★ *nel
museo dell'Arcivescovado* Z M2 – *Mausoleo di Teodorico*★ Y B – *Statua giacente*★ *nella
Pinacoteca Comunale* Z.

Dintorni *Basilica di Sant'Apollinare in Classe*★★ *: mosaici*★★★ *per* ③ *: 5 km.*

🄱 *via Salara 8/12* ☏ *0544 35404, Fax 0544 482670 – (maggio-settembre) viale delle Industrie
14* ☏ *0544 451539 – via Maggiore 122* ☏ *0544 482961.*

A.C.I. *piazza Mameli 4* ☏ *0544 37333.*

Roma 366 ④ – *Bologna 74* ⑤ – *Ferrara 74* ⑤ – *Firenze 136* ④ – *Milano 285* ⑤ –
Venezia 145 ①.

Pianta pagina seguente

🏨🏨 **Jolly** Ⓜ, piazza Mameli 1 ☏ 0544 35762 e rist ☏ 0544 213161, Fax 0544 216055 – 🛗 ☰ 📺
✆ &, – 🏛 120. 🆎 🕲 ⑩ 🐵 *VISA.* ⬡ rist   Y c
Pasto al Rist. *La Matta* carta 45/85000 – **84 cam** ⬚ 240/280000 – ½ P 190000.

🏨🏨 **Bisanzio** senza rist, via Salara 30 ☏ 0544 217111, *info@bisanziohotel.com,*
Fax 0544 32539, 🌳 – 🛗 ☰ 📺 – 🏛 40. 🆎 🕲 ⑩ 🐵 *VISA*   Y f
38 cam ⬚ 170/270000.

🏨 **Cappello,** via IV Novembre 41 ☏ 0544 219813, Fax 0544 219814 – 🛗 ☰ 📺 – 🏛 100. 🆎
🐾 🕲 ⑩ 🐵 *VISA.* ⬡ rist   Y a
Pasto al rist. *La Cucina del Cappello* (chiuso dal 6 al 20 agosto, domenica e lunedì a
mezzogiorno) carta 50/75000 e al rist. *La Cantina del Cappello* carta 35/75000 – **7 cam**
⬚ 180/240000.

🏨 **Classhotel Ravenna,** via della Lirica 141 (per ④) ☏ 0544 270290 e rist ☏ 0544 270230,
classra@tin.it, Fax 0544 270170 – 🛗, ⬡ cam, ☰ 📺 – 🏛 60. 🆎 🕲 ⑩ 🐵 *VISA.* ⬡
Pasto al Rist. *Sapori di Ravenna* carta 45/75000 – **69 cam** ⬚ 165/200000 – ½ P 130000.

🏨 **Diana** senza rist, via G. Rossi 47 ☏ 0544 39164, Fax 0544 30001 – 🛗 ☰ 📺 &. 🆎 🕲 ⑩ 🐵
VISA   Y b
⬚ 12000 – **33 cam** 135/180000.

🏨 **Italia,** viale Pallavicini 4/6 ☏ 0544 212363 e rist ☏ 0544 32518, *hitalia@hitalia.it,*
Fax 0544 217004 – 🛗 📺 📺 🄿. 🆎 🕲 ⑩ 🐵 *VISA.* ⬡ rist   Z a
Pasto al Rist. *Cerchio dei Golosi* (chiuso domenica) carta 35/55000 – ⬚ 15000 – **45 cam**
170/220000.

🏠 **Astoria** senza rist, via Circonvallazione alla Rotonda 26 ☏ 0544 453960, Fax 0544 455419 –
🛗 ☰ 📺 🄿 – 🏛 100. 🆎 🕲 ⑩ 🐵 *VISA*   Y d
⬚ 10000 – **25 cam** 120/180000.

🍴🍴🍴 **Tre Spade,** via Faentina 136 ☏ 0544 500522, *trespade@libero.it,* Fax 0544 500820, 🍸 –
🄿. 🆎 🕲 ⑩ 🐵 *VISA* 🄹🄲🄱. ⬡   2 km per ⑤
chiuso agosto, domenica sera e lunedì – **Pasto** 60/65000 e carta 65/90000.

🍴🍴🍴 **Antica Trattoria al Gallo 1909,** via Maggiore 87 ☏ 0544 213775, Fax 0544 213775,
🍸, Coperti limitati; prenotare – 🆎 🕲 ⑩ 🐵 *VISA.* ⬡   Y t
chiuso dal 20 dicembre al 10 gennaio, Pasqua, domenica sera, lunedì e martedì – **Pasto**
carta 55/80000.

🍴🍴 **Bella Venezia,** via 4 Novembre 16 ☏ 0544 212746, 🍸 – ☰. 🆎 🕲 ⑩ 🐵 *VISA*   Y e
chiuso dal 22 dicembre e lunedì e domenica – **Pasto** carta 50/80000.

🍴 **La Gardèla,** via Ponte Marino 3 ☏ 0544 217147, Fax 0544 37098 – ☰. 🆎 🕲 ⑩ 🐵 *VISA*
🄹🄲🄱. ⬡   Y u
chiuso dal 10 al 25 febbraio, dal 10 al 25 agosto e giovedì – **Pasto** carta 35/55000.

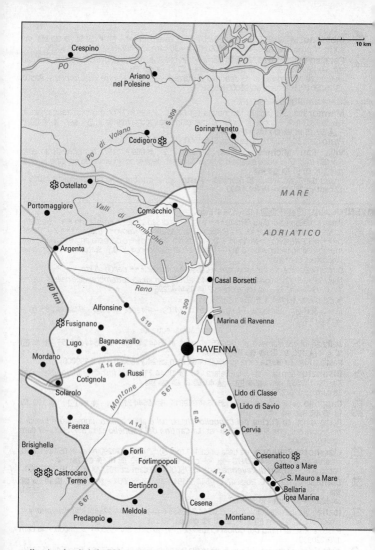

sulla strada statale 309 *per ① : 9,5 km :*

XX **Ca' del Pino,** via Romea Nord 295 ⊠ 48100 ℰ 0544 446061, *Fax 0544 446061*, «I
pineta-piccolo zoo » – 🅿, 🆎 🆂 ① 🅾️🅲 *VISA* 🄹🄲🄱
chiuso dal 7 gennaio al 10 febbraio, lunedì sera e martedì – **Pasto** carta 50/65000 (10%).

a San Romualdo *per ① : 12 km –* ⊠ *48020 :*

X **Taverna San Romualdo,** via Sant' Alberto 364 ℰ 0544 483447, *taverna_sanromualdo
⊜ @libero.it, Fax 0544 483447,* 😤 – 🔳. 🆎 🆂 ① 🅾️🅲 *VISA*. 🎇
chiuso dal 15 al 31 gennaio, dal 25 settembre al 10 ottobre e martedì – **Pasto** 20/50000 (
mezzogiorno) 40/70000 (la sera) e carta 55/80000.

a Ragone *Sud-Ovest : 15 km –* ⊠ *48020 :*

X **Flora,** via Ragone 104 ℰ 0544 534044, *Fax 0544 534044,* 😤 – 🔳 🅿, 🆎 🆂 ① 🅾️
⊜ *VISA.* 🎇
chiuso dal 20 luglio al 10 agosto e martedì – **Pasto** carta 30/45000.

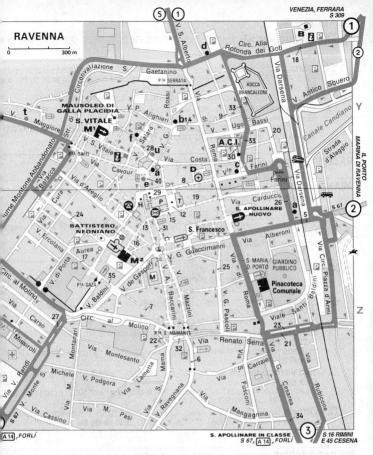

RAVENNA

0   300 m

aduti per la Libertà	Guerrini (Via) .... Z 16	Pallavicini (Viale G.) .... Z 26
(Pza) .... Z 4	Guidarelli (Via) .... Z 17	Piave (Via) .... Z 27
...andiano (Via) .... Z 5	Industrie (Via delle) .... Z 18	Ponte Marino (Via) .... Y 28
...astel S. Pietro (Via) .... Z 6	Mariani (Via) .... Z 19	Popolo (Piazza del) .... Z 29
...orti alle Mura (Via) .... Z 7	Maroncelli (Viale) ...... Y 20	Rava (Via L.) .... Z 30
...niaz (Via) .... Y 8	Molinetto	Ricci (Via C.) .... Z 31
...alier (Via) .... Y 9	(Circ. canale) .... Z 21	Ricci (Via Romolo) .... Z 32
...aribaldi (Piazza) .... Z 12	Molino (Via) .... Z 22	Rocca Brancaleone (Via).... Y 33
...essi (Via Romolo) .... Z 13	Monfalcone (Via) .... Z 23	Romea (Via) .... Z 34
...hiselli (Via G.) ...... Y 14	Oberdan (Via) .... Z 24	S. Teresa (Via) .... Z 35
...ordini (Via) .... Z 15	Oriani (Via A.) .... Z 25	4 Novembre (Via) .... Y 40

RAVENNA (Marina di) 48023 Ravenna 🗺 I 18 – *a.s. Pasqua e 18 giugno-agosto.*

🛈 *(giugno-settembre)* viale delle Nazioni 159 ℰ 0544 530117.

Roma 390 – Ravenna 12 – Bologna 103 – Forlì 42 – Milano 314 – Rimini 61.

🏨 **Park Hotel Ravenna,** viale delle Nazioni 181 ℰ 0544 531743, *parkhotelravenna@getur hotels.com,* Fax 0544 530430, « Parco ombreggiato con ⌇ e ⁂ », ⛵ – 📶 ☰ 📺 🅿 – 🔬 500. 🖭 🖪 ⬤ ⬤ 𝘝𝘐𝘚𝘈. ⁂ rist
15 marzo-15 novembre – **Pasto** carta 65/95000 – **144 cam** ⇌ 250/310000 – ½ P 185000.

🏠 **Bermuda,** viale della Pace 363 ℰ 0544 530560, *hotelbermuda@libero.it,* Fax 0544 531643
– ☰ 📺 🖭 🖪 ⬤ ⬤ 𝘝𝘐𝘚𝘈. ⁂
chiuso dal 20 dicembre al 10 gennaio – **Pasto** (solo per alloggiati e *chiuso a mezzogiorno*)
40000 – ⇌ 15000 – **23 cam** 120/150000 – ½ P 130000.

🍴🍴 **Al Porto,** viale delle Nazioni 2 ☎ 0544 530105, *Fax 0544 537329*, ⛱ – ▤ [P]. [AE] [S] ⊙ VISA
chiuso lunedì – **Pasto** carta 55/80000.

🍴🍴 **Gloria,** viale delle Nazioni 420 ☎ 0544 530274, *info@ristorantegloria.co Fax 0544 530377*, ⛱, prenotare, « Whiskyteca e raccolta di quadri » – ▤ [P]. [AE] [S] ⊙ VISA. ✗
chiuso dal 10 al 20 agosto e mercoledì – **Pasto** specialità di mare carta 65/90000.

🍴 **Maddalena** con cam, viale delle Nazioni 345 ☎ 0544 530431, *Fax 0544 530431*, ⛱ – [S] ⊙ [MC] VISA. ✗ rist
chiuso dicembre – **Pasto** *(chiuso lunedì)* 45/75000 e carta 60/80000 – ☕ 10000 **26 cam** *(Pasqua-15 settembre)* 70/120000 – ½ P 95000.

RAZZES (RATZES) *Bolzano – Vedere Siusi allo Sciliar.*

REANA DEL ROIALE *33010 Udine* [429] D 21 – *4 718 ab. alt. 168.*
Roma 648 – Udine 12 – Trieste 86.

a Cortale *Nord-Est : 2 km – ✉ 33010 Reana del Roiale :*

🍴🍴 Al Scus, via Monsignor Cattarossi 3 ☎ 0432 853872, *Fax 0432 853872*, ⛱, « In una vecch fabbrica di pasta », 🌳 – [P]
Pasto solo specialità di mare.

RECCO *16036 Genova* [428] I 9 – *10 207 ab..*
[i] *piazza Nicoloso da Recco 13 ☎ 0185 722440, Fax 0185 721958.*
Roma 484 – Genova 32 – Milano 160 – Portofino 15 – La Spezia 86.

🏨 **La Villa,** via Roma 272 ☎ 0185 720779, *Fax 0185 721095*, 🏊, 🌳 – [|‡|] ▤ [TV] ♿ [P] – 🧑‍🏫 8 [AE] [S] ⊙ [MC] VISA JCB. ✗
Pasto vedere rist ***Manuelina*** – **23 cam** ☕ 180/240000 – ½ P 160000.

🍴🍴 **Manuelina,** via Roma 278 ☎ 0185 74128, *manuelina@manuelina.it, Fax 0185 721677* – ▤ [P]. [AE] [S] ⊙ [MC] VISA JCB
chiuso dal 10 gennaio al 2 febbraio, dal 26 luglio al 2 agosto e mercoledì – **Pasto** 60/80000 carta 65/95000.

🍴🍴 **Da ö Vittorio** con cam, via Roma 160 ☎ 0185 74029, *Fax 0185 723605* – [|‡|], ▤ rist, [TV]. [S] ⊙ [MC] VISA. ✗ cam
chiuso dal 15 novembre all' 8 dicembre – **Pasto** *(chiuso giovedì)* 50000 e carta 50/95000 ☕ 10000 – **23 cam** 100/160000 – ½ P 130000.

🍴🍴 **Vitturin,** via dei Giustiniani 48 (Nord : 1,5 km) ☎ 0185 720225, *vitturin@consorziorecco stronomica.it, Fax 0185 723686*, ⛱ – ▤ [P] – 🧑‍🏫 80. [AE] [S] ⊙ [MC] VISA JCB. ✗
chiuso lunedì – **Pasto** carta 55/90000.

RECOARO TERME *36076 Vicenza* [429] E 15 – *7 525 ab. alt. 445 – Stazione termale (giugno settembre) – Sport invernali : a Recoaro Mille : 1 007/1 600 m* 🚡 1 ⛷ 3 ⛷.
[i] *via Roma 25 ☎ 0445 75070, Fax 0445 75158.*
Roma 576 – Verona 72 – Milano 227 – Trento 78 – Venezia 108 – Vicenza 44.

🏨 **Trettenero** 🌙, via V. Emanuele 18 ☎ 0445 780380, *trettenero@recoaroterme.com Fax 0445 780350*, « Piccolo parco », 🏋 – [TV] ♿ [P]. [AE] [S] ⊙ [MC] VISA JCB. ✗
Pasto (solo per alloggiati) 30/50000 – **53 cam** ☕ 100/160000 – ½ P 95000.

🏨 **Verona,** via Roma 60 ☎ 0445 75010, *hverona@recoaroterme.com, Fax 0445 75065* – [|‡|] [TV]. [AE] [S] ⊙ [MC] VISA. ✗
maggio-settembre – **Pasto** carta 35/50000 – **35 cam** ☕ 95/135000 – ½ P 90000.

🏨 **Carla,** via Cavour 55 ☎ 0445 780700, *hotelcarla@recoaro.com, Fax 0445 780777* – [|‡|] [TV] ☎ [AE] [S] ⊙ [MC] VISA. ✗
Pasto *(chiuso domenica sera e lunedì)* carta 45/65000 – **32 cam** ☕ 100/150000 ½ P 80000.

RECORFANO *Cremona – Vedere Voltido.*

REDAGNO (RADEIN) *39040 Bolzano* [429] C 16 – *alt. 1 566.*
Roma 630 – Bolzano 38 – Belluno 111 – Trento 60.

🏨 **Zirmerhof** 🌙, Oberradein 59 ☎ 0471 887215, *info@zirmerhof.com, Fax 0471 887225*, monti e vallata, « Antico maso fra i pascoli », ♨, 🌳 – [P]. [S] [MC] VISA. ✗ rist
26 dicembre-10 marzo e maggio-6 novembre – **Pasto** (prenotare) carta 55/85000 **32 cam** ☕ 145/270000, suite – ½ P 175000.

EGGELLO *50066 Firenze* [429], [430] K 16 – *13 942 ab. alt. 390.*
Roma 250 – Firenze 38 – Siena 69 – Arezzo 58 – Forlì 128 – Milano 339.

🍴🍴 **Da Archimede** con cam, strada per Vallombrosa Nord : 3,5 km ☎ 055 8667500 e hotel ☎ 055 869055, *archimede@val.it*, ←, « Ristorante caratteristico », 🏊, 🌳, 🎾 – [TV] [P]. [AE] [S] [DC] [MC] [VISA]. 🚭
chiuso dal 3 al 10 gennaio – **Pasto** *(chiuso martedì escluso da luglio al 15 settembre)* carta 40/65000 – **18 cam** ☕ 100/160000, suite – ½ P 115000.

Vaggio *Sud-Ovest : 5 km* – ✉ *50066 :*

🏨 **Villa Rigacci** 🐴, via Manzoni 76 ☎ 055 8656718, *hotel@villarigacci.it, Fax 055 8656537*, ←, ⛱, « Villa quattrocentesca nel verde », 🏊, 🌳 – ▤ [TV] [P]. [AE] [S] [DC] [MC] [VISA]. 🚭 rist
Pasto al Rist. ***Relais le Vieux Pressoir*** *(chiuso martedì da dicembre a marzo)* (prenotare) carta 55/75000 – **21 cam** ☕ 170/310000, 4 suites – ½ P 195000.

Donnez-nous votre avis sur les restaurants que nous recommandons,
leurs spécialités, leurs vins de pays.

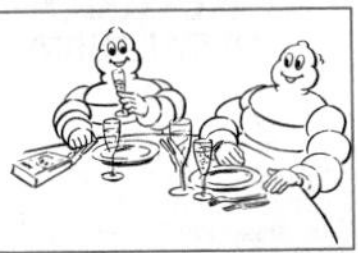

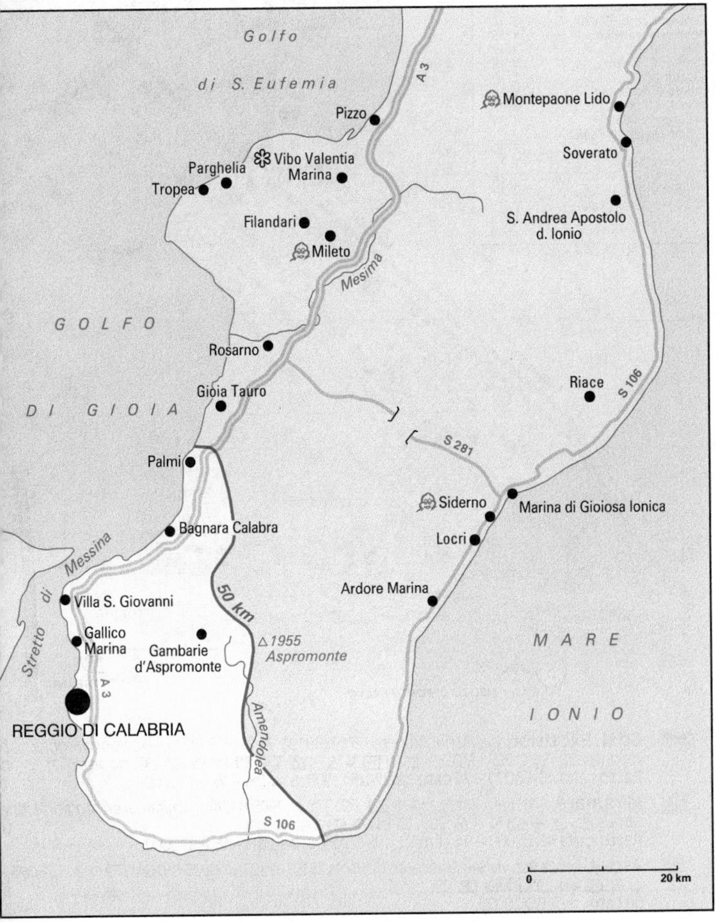
Golfo
di S. Eufemia
A3
Pizzo
Montepaone Lido
Soverato
Vibo Valentia
Marina
Parghelia
Tropea
Filandari
Mileto
S. Andrea Apostolo
d. Ionio
Mesima
GOLFO
Rosarno
Riace
S 106
Gioia Tauro
DI GIOIA
S 281
Palmi
Siderno
Marina di Gioiosa Ionica
Locri
Bagnara Calabra
Messina
Stretto di
Ardore Marina
50 km
Villa S. Giovanni
Gallico
Marina
Gambarie
d'Aspromonte
△1955
Aspromonte
MARE
IONIO
A3
REGGIO DI CALABRIA
Amendolea
S 106
0
20 km

REGGIO DI CALABRIA 89100 ℙ **431** M 28 *G. Italia*– 179 617 ab..

Vedere *Museo Nazionale*★★ Y : *Bronzi di Riace*★★★ – *Lungomare*★ YZ.

⤴ *di Ravagnese per* ③ : 4 km *℘* 0965 643291 – Alitalia all'aeroporto *℘* 0965 643095, Fax 0965 640077.

⤢ *per Messina giornalieri (45 mn)* – Stazione Ferrovie Stato, *℘* 0965 97957.

⤢ *per Messina-Isole Eolie giornalieri (da 15 mn a 2 h circa)* – Aliscafi SNAV, Stazione Marittima ✉ 89100 *℘* 0965 29568.

🛈 *corso Garibaldi 329* ✉ 89127 *℘* 0965 892012 – all'Aeroporto *℘* 0965 643291 – Stazione Centrale *℘* 0965 27120.

A.C.I. *via De Nava 43* ✉ 89122 *℘* 0965 811925.

Roma 705 ② – Catanzaro 161 ② – Napoli 499 ②.

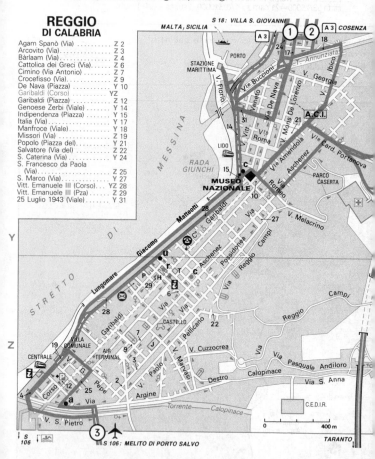

REGGIO DI CALABRIA

Agam Spanò (Via) .... Z 2
Arcovito (Via) .... Z 3
Bàrlaam (Via) .... Z 4
Cattolica dei Greci (Via) ... Z 6
Cimino (Via Antonio) ...... Z 7
Crocefisso (Via) .... Z 9
De Nava (Piazza) .... Y 10
Garibaldi (Corso) .... YZ
Garibaldi (Piazza) .... Z 12
Genoese Zerbi (Viale) ..... Y 14
Indipendenza (Piazza) ..... Y 15
Italia (Via) .... Y 17
Manfroce (Viale) .... Y 18
Missori (Via) .... Z 19
Popolo (Piazza del) .... Y 21
Salvatore (Via del) .... Z 22
S. Caterina (Via) .... Y 24
S. Francesco da Paola (Via) .... Z 25
S. Marco (Via) .... Y 27
Vitt. Emanuele III (Corso) .. YZ 28
Vitt. Emanuele III (Pza) .... Y 29
25 Luglio 1943 (Viale) ..... Y 31

🏨 **Gd H. Excelsior,** via Vittorio Veneto 66 ✉ 89121 *℘* 0965 812211, *excelsior@reggiocalabria.hotels.it,* Fax 0965 893084 – 📶 🗏 📺 ☎ 🛗 – 🔼 350. 🖭 🖪 ⑩ ◑◐ 𝗩𝗜𝗦𝗔. 🛠 rist   Y c
Pasto carta 40/60000 – **76 cam** ☲ 270/315000, 8 suites – ½ P 190000.

🏨 **Miramare,** via Fata Morgana 1 ✉ 89127 *℘* 0965 812444, *miramare@reggiocalabria.hotels.it,* – 📶 🗏 📺 ☎ – 🔼 200. 🖭 🖪 ⑩ ◑◐ 𝗩𝗜𝗦𝗔. 🛠 rist   YZ u
Pasto carta 40/60000 – **94 cam** ☲ 195/270000, 2 suites – ½ P 170000.

🏨 **Ascioti** senza rist, via San Francesco da Paola 79 ✉ 89127 *℘* 0965 897041, Fax 0965 26063 – 📶 🗏 📺 🚗. 🖭 🖪 ⑩ ◑◐ 𝗩𝗜𝗦𝗔. 🛠   Z a
50 cam ☲ 160/220000.

XX **London Bistro,** via Osanna 2/f ☎ 0965 892908 – ❄. AE [S] ⦿ MC VISA. 🐕 Z r
chiuso lunedì – **Pasto** carta 40/60000 (15 %).

XX **Baylik,** vico Leone 1 ✉ 89121 ☎ 0965 48624, *Fax 0965 45525*, prenotare – ❄. AE [S] ⦿ MC VISA per ①
chiuso dal 10 al 24 agosto e giovedì – **Pasto** specialità di mare 40/65000 e carta 45/70000.

X **Da Giovanni,** via Torrione 77 ✉ 89125 ☎ 0965 25481, prenotare – [S] MC VISA. 🐕
chiuso agosto e domenica – **Pasto** carta 40/60000. Z c

a Bocale Secondo *Sud : 16 km – ✉ 89060 :*

X **La Baita,** viale Paolo Renosto 4 ☎ 0965 676017, *Fax 0965 676102*, ≤, ⛱, prenotare – ❄ [P]. AE [S] ⦿ MC VISA JCB
chiuso ottobre, martedì e a mezzogiorno (escluso domenica) – **Pasto** specialità di mare carta 60/80000.

REGGIOLO *42046 Reggio nell'Emilia* [428], [429] H 14 – *8 351 ab. alt. 20.*

Roma 434 – Mantova 39 – Modena 36 – Verona 71.

🏨 **Nabila,** via Marconi 4 ☎ 0522 973197, *Fax 0522 971222* – ❄ [TV] [P]. AE [S] ⦿ MC VISA JCB. 🐕
chiuso dal 22 dicembre al 4 gennaio e dal 1° al 21 agosto – **Pasto** vedere rist ***Il Rigoletto*** – ☕ 12000 – **26 cam** 100/145000.

🏨 **Cavallo Bianco,** via Italia 5 ☎ 0522 972177, *cavallobianco@pragmanet.it, Fax 0522 973798* – ⇅ ❄ [TV] [P]. AE [S] ⦿ MC VISA
chiuso dal 1° al 10 gennaio ed agosto – **Pasto** *(chiuso sabato e domenica sera)* carta 50/75000 – **15 cam** ☕ 110/160000 – ½ P 120000.

XXX **Il Rigoletto,** piazza Martiri 29 ☎ 0522 973520, *ilrigoletto@libero.it, Fax 0522 973520*, Coperti limitati; prenotare, « Servizio estivo e giardino con laghetto » – 🚭 ❄ [P]. AE [S] ⦿ MC VISA JCB
chiuso dal 1° al 7 gennaio, dal 5 al 25 agosto, domenica sera e lunedì da ottobre a maggio anche domenica a mezzogiorno da giugno a settembre – **Pasto** 80/90000 e carta 85/120000.

verso Gonzaga *Nord-Est : 3,5 km :*

XX **Trattoria al Lago Verde,** via Caselli 24 ✉ 42046 ☎ 0522 973560, *Fax 0522 971577*, ⛱, 🌳 – [P]. AE [S] ⦿ MC VISA. 🐕
chiuso sabato a mezzogiorno e lunedì – **Pasto** carta 40/65000.

REGGIO NELL'EMILIA *42100* [P] [428], [429], [430] H 13 *G. Italia – 143 664 ab. alt. 58.*

Vedere *Galleria Parmeggiani** AY **M1**.
⛳18 *Matilde di Canossa (chiuso lunedì) ☎ 0522 371295, Fax 0522 371204, per ④ : 6 km.*
[i] *piazza Prampolini 5/c ☎ 0522 451152, Fax 0522 436739.*
[A.C.I.] *via Secchi 9 ☎ 0522 452565.*
Roma 427 ② – Parma 29 ⑤ – Bologna 65 ② – Milano 149 ②.

Piante pagine seguenti

🏨 **Albergo delle Notarie,** via Palazzolo 5 ☎ 0522 453500, *Fax 0522 453737* – ⇅ ❄ [TV] 🚗 – 👥 65. AE [S] ⦿ MC VISA JCB. 🐕 AZ r
chiuso agosto – **Pasto** vedere rist ***Delle Notarie*** – ☕ 20000 – **48 cam** 220/320000, 8 suites.

🏨 **Gd H. Astoria Mercure,** viale Nobili 2 ☎ 0522 435245, *mercasto@tin.it, Fax 0522 453365*, ≤ – ⇅ ❄ [TV] 📞 [P] – 👥 350. AE [S] ⦿ MC VISA AY f
Pasto al Rist. ***Le Terrazze*** *(chiuso domenica e dal 20 luglio ad agosto)* carta 45/70000 – **105 cam** ☕ 300/350000, 3 suites – ½ P 225000.

🏨 **Posta** senza rist, piazza Del Monte 2 (già piazza Cesare Battisti) ☎ 0522 432944, *info@hotelposta.re.it, Fax 0522 452602* – ⇅ ❄ [TV] [P] – 👥 120. AE [S] ⦿ MC VISA. 🐕 AZ c
34 cam ☕ 240/310000, 9 suites.

🏨 **Cristallo,** viale Regina Margherita 30 ☎ 0522 511811 e rist ☎ 0522 515274, *Fax 0522 513073* – ⇅ ❄ [TV] 🚗 [P] – 👥 80. AE [S] ⦿ MC VISA JCB. 🐕 per ②
chiuso dal 23 dicembre al 2 gennaio, Pasqua ed agosto – **Pasto** al Rist. ***Cristallo*** *(chiuso domenica e dal 1° al 25 agosto)* carta 45/65000 – **80 cam** ☕ 125/180000 – ½ P 125000.

🏨 **Park Hotel,** via De Ruggero 1/b ☎ 0522 292141, *parkhotel@virgilio.it, Fax 0522 292143* – ⇅ ❄ [TV] ♿ [P] – 👥 40. AE [S] ⦿ MC VISA. 🐕 rist per ④
Pasto (solo per alloggiati e *chiuso dal 10 al 20 agosto, sabato, domenica e a mezzogiorno*) 30000 – **41 cam** ☕ 135/175000 – ½ P 105000.

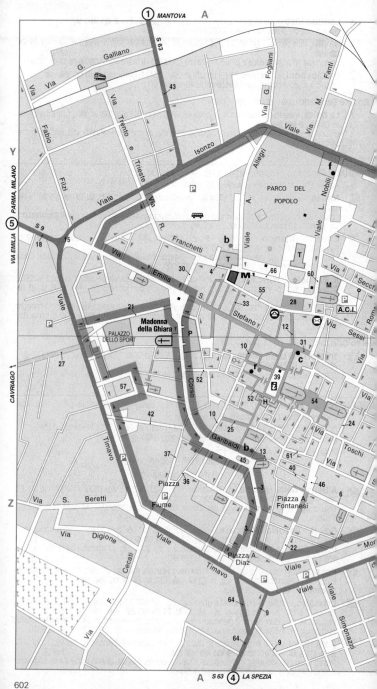

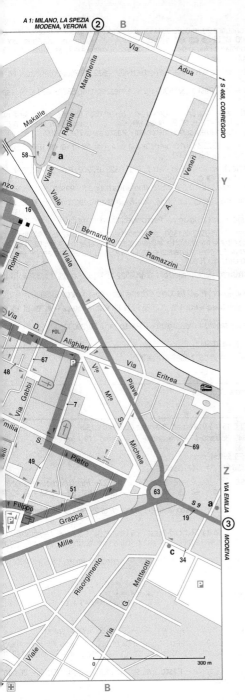

REGGIO
NELL'EMILIA

Adua (Via) . . . . BY
Alighieri (Via D.) . . . . BYZ
Allegri (Viale A.) . . . . AY
Ariosto (Via L.) . . . . AZ 3
Beretti (Via S.) . . . . AZ
Cairoli (Corso) . . . . AY 4
Campo Marzio (Via) . . . . . AZ 6
Campo Samarotto (Via) . . BY 7
Cassoli (Via F.) . . . . AZ 9
Castello (Via G. da) . . . . . . AZ 10
Cecati (Via F.) . . . . AZ
Crispi (Via F.) . . . . AYZ 12
Cristo (Via del) . . . . AZ 13
Diaz (Piazza A.) . . . . AZ
Digione (Via) . . . . AZ
Duca d'Aosta (Piazza) . . . . . AY 15
Duca degli Abruzzi (Piazza) BY 16
Emilia all'Angelo (Via) . . . . AY 18
Emilia all'Ospizio (Via) . . . BZ 19
Emilia S. Pietro (Via) . . . . ABZ
Emilia S. Stefano (Via) . . . AY
Eritrea (Via) . . . . BZ
Fanti (Via M.) . . . . AY
Filzi (Via F.) . . . . AY
Fiume (Piazza) . . . . AZ
Fogliani (Via G.) . . . . AY
Fontanelli (Via) . . . . BZ
Fontanesi (Piazza A.) . . . . . AZ
Franchetti (Via R.) . . . . AY
Gabbi (Via) . . . . BZ
Galliano (Via G.) . . . . AY
Garibaldi (Corso) . . . . BYZ
Guasco (Via) . . . . AY 21
Guazzatoio (Via) . . . . AZ 22
Guidelli (Via) . . . . AZ 24
Isola di Malta (Via) . . . . AZ 25
Isonzo (Viale) . . . . ABY
Magenta (Viale) . . . . AZ 27
Makalle (Via) . . . . BY
Martiri del 7 Luglio (Piazza) AY 28
Matteotti (Via G.) . . . . BZ
Mazzini (Via G.) . . . . AY 30
Mille (Viale dei) . . . . ABZ
Monte (Piazza del) . . . . AZ 31
Monte Grappa (Viale) . . . . ABZ
Monte S. Michele (Via) . . BZ
Monzermone (Via) . . . . AYZ 33
Nobili (Via L.) . . . . AY
Olimpia (Viale) . . . . BZ 34
Panciroli (Via G.) . . . . AZ 36
Piave (Viale) . . . . BYZ
Porta Brenone (Via) . . . . . . AZ 37
Prampolini (Piazza) . . . . . . AZ 39
Quinziane (Via delle) . . . . . AZ 40
Racchetta (Via della) . . . . . AZ 42
Ramazzini (Viale B.) . . . . . . BY
Regina Elena (Viale) . . . . . AY 43
Regina Margherita (Viale) . BY
Risorgimento (Viale) . . . . . BZ
Roma (Via) . . . . ABY
Roversi (Piazza L.) . . . . AZ 45
S. Carlo (Via) . . . . AZ 46
S. Domenico (Via) . . . . BZ 48
S. Filippo (Via) . . . . ABZ
S. Girolamo (Via) . . . . BZ 49
S. Martino (Via) . . . . BZ 51
S. Pietro Martire (Via) . . . . . AZ 52
S. Prospero (Piazza) . . . . . AZ 54
S. Rocco (Via) . . . . AY 55
S. Zenone (Piazza) . . . . . . AZ 57
Secchi (Via) . . . . AY
Sessi (Via) . . . . AYZ
Sforza (Via G.) . . . . BY 58
Simonazzi (Viale E.) . . . . . . AZ
Spallanzani (Via L.) . . . . . . AY 60
Squadroni (Via) . . . . AZ 61
Timavo (Viale) . . . . AYZ
Toschi (Via) . . . . AZ
Trento e Trieste . . . . AY
Tricolore (Piazza del) . . . . . BZ 63
Umberto I (Viale) . . . . AZ 64
Veneri (Via A.) . . . . BY
Vittoria (Piazza della) . . . . . AY 66
Zaccagni (Via) . . . . BZ 67
4 Novembre (Viale) . . . . . . BZ 69

603

Airone, via dell'Aeronautica 20 ℰ 0522 924111, aironehotel@virgilio.it, Fax 0522 515119
🔲 🔲 📺 ⅙ 🅿️ – 🄰 100. 🆎 🕄 ⓪ ⓰ 𝑽𝑰𝑺𝑨. 🎇 rist   per via Adua   BY
– Pasto (solo per alloggiati e chiuso dal 10 al 20 agosto, domenica e a mezzogiorno) 3000
– 56 cam ⊇ 115/170000 – ½ P 105000.

Delle Notarie - Albergo delle Notarie, via Aschieri 4 ℰ 0522 453700, prenotare – 🔲. 🄸
🕄 ⓪ ⓰ 𝑽𝑰𝑺𝑨 𝐉𝐂𝐁. 🎇   AZ
chiuso agosto e domenica – Pasto 45/55000 (10 %) a mezzogiorno 55/75000 (10 %) la se
e carta 50/80000 (10 %).

5 Pini-da Pelati, viale Martiri di Cervarolo 46 ℰ 0522 553663, mapelat@tin.
Fax 0522 553614, prenotare – 🔲 🆎 🕄 ⓪ ⓰ 𝑽𝑰𝑺𝑨. 🎇   per viale Simonazzi   AZ
chiuso dal 1° al 20 agosto, martedì sera e mercoledì – Pasto carta 70/105000.

La Cupola, via Sani 13 ℰ 0522 337010, prenotare la sera – 🔲. 🆎 🕄 ⓪ ⓰ 𝑽𝑰𝑺𝑨   BZ
Pasto specialità di mare carta 75/105000.

Caffe' Arti e Mestieri, via Emilia San Pietro 16 ℰ 0522 432202, Fax 0522 432224, 🏠
Rist. e caffetteria – 🆎 🕄 ⓪ ⓰ 𝑽𝑰𝑺𝑨. 🎇   BZ
chiuso dal 24 al 30 dicembre, dal 7 al 28 agosto, domenica e lunedì – Pasto carta 45/9000(

Convivium, viale Olimpia 2 ℰ 0522 440116, conviviu@castellonet.com – 🔲 🅿️. 🆎 🕄 ⓪
⓰ 𝑽𝑰𝑺𝑨   BZ
chiuso domenica e lunedì a mezzogiorno – Pasto specialità di mare carta 45/100000.

Il Pozzo, viale Allegri 7 ℰ 0522 451300, ilpozzo@libero.it, Fax 0522 451300, Rist. cc
enoteca; cucina anche oltre la mezzanotte, « Servizio estivo all'aperto » – 🔲. 🆎 🕄 ⓰ 𝑽𝑰𝑺
chiuso dall'11 giugno al 3 luglio, domenica sera, lunedì, in luglio-agosto anche sabato
mezzogiorno – Pasto carta 45/70000.   AY

Trattoria della Ghiara, vicolo Folletto 1/C ℰ 0522 435755, Fax 0522 435755. 🕄 ⓰
𝑽𝑰𝑺𝑨. 🎇   AZ
chiuso dal 1° al 10 gennaio, dal 1° al 21 agosto e domenica – Pasto carta 50/85000.

Alti Spiriti, viale Regina Margherita 1/c ℰ 0522 922147, Rist.-enoteca – 🅿️. 🆎 🕄 ⓪ ⓰
𝑽𝑰𝑺𝑨 𝐉𝐂𝐁. 🎇   BY
chiuso agosto, martedì e sabato a mezzogiorno – Pasto carta 50/80000.

a Codemondo Ovest : 6 km – ✉ 42020 :

La Brace, via Carlo Teggi 29 ℰ 0522 308800 – 🔲 🅿️.

RENDE Cosenza **431** J 30 – Vedere Cosenza.

RENON (RITTEN) Bolzano **429** C 16 – 6 918 ab. alt. (frazione Collalbo) 1 154.
Da Collalbo : Roma 664 – Bolzano 16 – Bressanone 52 – Milano 319 – Trento 80.

a Collalbo (Klobenstein) – – ✉ 39054.
🅱 Municipio ℰ 0471 356100, Fax 0471 356799 :

Bemelmans Post 🦢, via Paese 8 ℰ 0471 356127, info@bemelmans.com
Fax 0471 356531, 🏠, « Parco », 🆘, 🏊 riscaldata, 🎇 – 🛗, 🍽️ rist, 📺 🚗 🅿️ – 🄰 40. 🄴
⓰ 𝑽𝑰𝑺𝑨. 🎇 rist
chiuso dal 10 gennaio a Pasqua – Pasto (chiuso sabato) carta 25/50000 – 44 cam ⊇ 120
220000, 6 suites – ½ P 165000.

Kematen 🦢, località Caminata 29 (Nord-Ovest : 2,5 km) ℰ 0471 356356, kematen@dne
.it, Fax 0471 356363, ≤ Dolomiti, Laghetto, « Tipiche stuben neogotiche », 🆘, 🌳 – 📺 🅿️
🕄 ⓰ 𝑽𝑰𝑺𝑨 𝐉𝐂𝐁. 🎇
chiuso dal 13 novembre al 6 dicembre e dal 16 al 28 gennaio – Pasto carta 50/90000 -
17 cam ⊇ 120/250000 – ½ P 155000.

Kematen, località Caminata 29 (Nord-Ovest : 2,5 km) ℰ 0471 356356, kematen@dnet.it
≤ Dolomiti, 🏠, « In un antico fienile » – 🅿️. 🕄 ⓰ 𝑽𝑰𝑺𝑨 𝐉𝐂𝐁
chiuso dal 13 novembre al 6 dicembre, dal 15 al 30 marzo e lunedì – Pasto 35/90000 e cart
60/90000.

a Costalovara (Wolfsgruben) Sud-Ovest : 5 km – alt. 1 206 – ✉ 39059 Soprabolzano :

Lichtenstern 🦢, via Stella 8 (Nord-Est : 1 km) ℰ 0471 345147, hotel_lichtenstern@d
net.it, Fax 0471 345635, ≤ Dolomiti e pinete, 🏠, 🆘, 🏊 riscaldata, 🌳 – 🍽️ rist, 📺 🅿️. 🕄
⓪ ⓰ 𝑽𝑰𝑺𝑨. 🎇 rist
chiuso dal 15 gennaio al 15 aprile – Pasto (chiuso martedì) carta 45/75000 – 26 cam
⊇ 120/220000 – ½ P 140000.

Am Wolfsgrubener See 🌿, Costalovara 14 ☎ 0471 345119, *Fax 0471 345065*, <, 🌳, « In riva al lago », 🏞 – [|$|] [TV] [P]
chiuso marzo e novembre – **Pasto** *(chiuso lunedì)* carta 35/75000 – **25 cam** ☕ 100/200000 – ½ P 120000.

Maier 🌿, Costalovara 2 ☎ 0471 345114, *hotel@maier.it*, *Fax 0471 345615*, <, « Giardino con 🏊 riscaldata e 🎾 », 🏊 – [|$|] [TV] [P]. [S] [MC] [VISA]. ✗ rist
aprile-5 novembre – **Pasto** (solo per alloggiati) carta 50/75000 – **24 cam** ☕ 100/200000 – ½ P 120000.

Soprabolzano (**Oberbozen**) *Sud-Ovest : 7 km – alt. 1 221 – ✉ 39059.*
[i] *(Pasqua-novembre)* ☎ *0471 345245 :*

Park Hotel Holzner, via Paese 18 ☎ 0471 345231, *info@parkhotel-holzner.com*, *Fax 0471 345593*, <, 🌳, « Parcon con 🎾 e 🏊 riscaldata », 🏊 – [|$|] ✗ [TV] [P]. [S] [MC] [VISA]. ✗ rist
25 dicembre-7 gennaio e 15 aprile-10 novembre – **Pasto** *(chiuso lunedì)* carta 55/90000 – **36 cam** ☕ 200/380000 – ½ P 190000.

Haus Fink, via Paese 15 ☎ 0471 345340, *pensionfink@dnet.it*, *Fax 0471 345074*, < Dolomiti e vallata, 🏞 – [TV] [P]. ✗ rist
chiuso dal 1° al 23 dicembre e dal 16 febbraio al 24 marzo – **Pasto** (solo per alloggiati e *chiuso a mezzogiorno*) – **15 cam** ☕ 90/175000 – ½ P 120000.

Regina 🌿, via Paese 27 ☎ 0471 345142, *Fax 0471 345596*, < Dolomiti e vallata, 🏞 – [|$|] [TV] [P]. [S] [MC] [VISA]. ✗ rist
16 dicembre-16 gennaio e aprile-14 novembre – **Pasto** (solo per alloggiati) – **27 cam** ☕ 125/230000 – ½ P 125000.

Per l'inserimento in ***guida,***
Michelin *non accetta*
né favori, né denaro!

RESCHEN = Resia.

RESIA (**RESCHEN**) *Bolzano* [428], [429] B 13, [218] ⑧ – *alt. 1 494 – ✉ 39027 Resia all'Adige.*
[i] ☎ *0473 633101, Fax 0473 633140.*
Roma 742 – Sondrio 141 – Bolzano 105 – Landeck 49 – Milano 281 – Trento 163.

Al Moro-Zum Mohren, via Nazionale 30 ☎ 0473 633120, *info@mohren.com*, *Fax 0473 633550*, 🏊, 🏊 – [|$|] [TV] [P]. [S] [MC] [VISA]. ✗ rist
chiuso dal 10 al 30 aprile e da novembre al 15 dicembre – **Pasto** carta 50/70000 – **26 cam** ☕ 130/260000 – ½ P 165000.

Seehotel, via Nazionale 19 ☎ 0473 633118, *info@seehotel.it*, *Fax 0473 633420*, < lago e monti, 🏊 – [|$|] [TV] [P]. [AE] [S] [DC] [MC] [VISA]. ✗ rist
chiuso dal 10 al 31 maggio e dal 15 al 30 novembre – **Pasto** carta 40/60000 – **32 cam** ☕ 145/235000 – ½ P 140000.

REVERE *46036 Mantova* [429] G 15 – *2 559 ab. alt. 15.*
Roma 458 – Verona 48 – Ferrara 58 – Mantova 35 – Milano 210 – Modena 54.

🍴🍴 **Il Tartufo,** via Guido Rossa 13 ☎ 0386 846166, *Fax 0386 846076*, Coperti limitati; prenotare – ▤. [AE] [S] [DC] [MC] [VISA] [JCB]. ✗
chiuso dal 10 al 23 gennaio, dal 7 al 20 agosto e giovedì – **Pasto** 35000 (solo a mezzogiorno) 60/100000 (alla sera) e carta 45/100000.

REVIGLIASCO D'ASTI *14010 Asti* [428] H 6 – *854 ab. alt. 203.*
Roma 626 – Torino 63 – Alessandria 49 – Asti 11 – Cuneo 91.

🍴🍴🍴 **Il Rustico,** piazza Vittorio Veneto 2 ☎ 0141 208210, *robebogg@libero.it*, *Fax 0141 208210*, solo su prenotazione – [AE] [S] [DC] [VISA]. ✗
chiuso dal 5 al 20 gennaio, martedì e a mezzogiorno (escluso domenica) – **Pasto** 90000.

REVINE *31020 Treviso* [429] D 18 – *alt. 260.*
Roma 590 – Belluno 37 – Milano 329 – Trento 131 – Treviso 50.

🍴🍴 **Ai Cadelach-Hotel Giulia** con cam, via Grava 1 ☎ 0438 523011, *cadelach@pn.itnet.it*, *Fax 0438 524000*, 🌳, « Giardino con 🏊 », 🎾 – [TV] [P]. [S] [DC] [MC] [VISA]. ✗
chiuso dal 10 al 31 gennaio – **Pasto** *(chiuso lunedì)* carta 45/60000 – ☕ 12000 – **23 cam** 90/120000 – ½ P 100000.

REZZATO 25086 Brescia **428**, **429** F 12 – *12 376 ab. alt. 147.*
Roma 522 – Brescia 9 – Milano 103 – Verona 63.

La Pina, via Garibaldi 98 (Sud : 1 km) ☎ 030 2591443, *pina@posta2000.com*
Fax 030 2591937, 🐎 – 🛗 ▤ 📺 🄿. – 🅰 70. 🖭 🕄 ⑩ ⓪ 🚾. 🛠
Pasto *(chiuso agosto e lunedì)* carta 45/65000 – 🖵 10000 – **14 cam** 80/120000
½ P 95000.

RHÊMES-NOTRE-DAME 11010 Aosta **428** F 3 – *95 ab. alt. 1 723 – a.s. Pasqua, luglio-settembre*
e Natale – Sport invernali : 1 723/2 000 m ≰ 3, ≉.
Roma 779 – Aosta 31 – Courmayeur 45 – Milano 216.

a Chanavey Nord : 1,5 km – alt. 1 696 – ⬅ 11010 Rhêmes-Notre-Dame :

Granta Parey ≫, loc. Chanavey ☎ 0165 936104, Fax 0165 936144, ≤ monti e vallata
🛴, 🚗, 🐎 – 🛗 📺 🄿. 🕄 🚾. 🛠 rist
chiuso novembre – **Pasto** carta 40/60000 – 🖵 15000 – **33 cam** 100/140000 – ½ P 120000

RHO 20017 Milano **428** F 9 – *51 233 ab. alt. 158.*

🏌 Green Club, a Lainate ⬅ 20020 ☎ 02 9371076, Fax 02 9374401, Nord : 6 km.
Roma 590 – Milano 16 – Como 36 – Novara 38 – Pavia 49 – Torino 127.

Locanda dell'Angelo, via Matteotti 7 ☎ 02 9303897, prenotare – ▤. 🖭 🕄 ⑩ 🚾
chiuso dal 1° al 27 agosto, mercoledì e sabato a mezzogiorno (escluso dicembre) – **Pasto**
specialità milanesi e lombarde 30/45000 bc (solo a mezzogiorno) e carta 50/85000.

RIACE 89040 Reggio di Calabria **431** L 31 – *1 694 ab. alt. 300.*
Roma 662 – Reggio di Calabria 128 – Catanzaro 7431 – Crotone 128 – Siderno.

a Riace Marina Sud-Est : 9 km – ⬅ 89040 Riace :

Federica, strada statale 106 ☎ 0964 771302, *hotelfederica@bagetur.it*, Fax 0964 771305
≤, 🛋, 🐾, 🐎 – ▤ 📺 🚗. 🖭 🕄 ⑩ 🚾. 🛠
Pasto carta 35/55000 – **16 cam** 🖵 90/140000 – ½ P 120000.

RICAVO Siena **430** L 15 – *Vedere Castellina in Chianti.*

RICCIONE 47838 Rimini **429**, **430** J 19 – *33 966 ab. – a.s. 15 giugno-agosto.*
🖪 piazzale Ceccarini 10 ☎ 0541 693302, Fax 0541 605752.
Roma 326 – Rimini 13 – Bologna 120 – Forlì 59 – Milano 331 – Pesaro 30 – Ravenna 64.

Atlantic 🅼, lungomare della Libertà 15 ☎ 0541 601155, *atlantic@riccione.net*
Fax 0541 606402, ≤, 🌊 riscaldata – 🛗 ▤ 📺 📞 🚗 – 🅰 250. 🖭 🕄 ⑩ ⓪ 🚾. 🛠
Pasto carta 65/90000 – **65 cam** 🖵 230/350000, 4 suites – ½ P 200000.

Nautico 🅼, lungomare della Libertà 19 ☎ 0541 601237, *nautico@riccione.net*,
Fax 0541 606638, ≤, « Terrazza panoramica con 🌊 riscaldata e solarium », 🕿 – 🛗 ▤ 📺 –
🅰 300. 🖭 🕄 ⑩ ⓪ 🚾. 🛠
Pasto (solo per alloggiati) – 🖵 25000 – **66 cam** 🖵 250/300000, suite – ½ P 210000.

Lungomare, lungomare della Libertà 7 ☎ 0541 692880, *lungomare@guest.net*
≤, « Rist. panoramico », 🛴, 🕿 – 🛗 ▤ 📺 📞 🚗 🄿 – 🅰 200. 🖭 🕄 ⑩
⓪ 🚾. 🛠 rist
chiuso dal 19 al 27 dicembre – **Pasto** *(20 maggio-20 settembre)* carta 60/75000 – **56 cam**
🖵 190/250000 – ½ P 185000.

Des Nations, lungomare Costituzione 2 ☎ 0541 647878 e rist ☎ 0541 644127, *desnatio-*
ns@hi-net.it, Fax 0541 645154, ≤, 🛴, 🕿 – 🛗 🌊 cam, ▤ 📺 📞 🚗 – 🅰 25. 🖭 🕄 ⑩ 🚾
Pasto al Rist. **Osteria dal Minestraio** *(chiuso dicembre e a mezzogiorno)* 50/75000 e carta
45/90000 – **28 cam** 🖵 250/450000, 4 suites.

Diamond, viale Fratelli Bandiera 1 ☎ 0541 602600, Fax 0541 602935, 🐎 – 🛗 ▤ 📺 🄿. 🕄
⓪ 🚾. 🛠 rist
Pasqua-settembre – **Pasto** carta 45/60000 – **40 cam** 🖵 150/250000, ▤ 15000 –
½ P 150000.

Roma, lungomare della Libertà 17 ☎ 0541 693222, *hotelroma@hotelroma.it*,
Fax 0541 692503, ≤, 🌊 riscaldata – 🛗 ▤ 📺 🄿. – 🅰 50. 🖭 🕄 ⑩ ⓪ 🚾 🄲🄱. 🛠 rist
Pasto *(20 maggio-25 settembre; solo per alloggiati)* 40/50000 – **38 cam** 🖵 180/300000 –
½ P 170000.

Corallo, viale Gramsci 113 ☎ 0541 600807, *corallo@riccione.net*, Fax 0541 606400, 🌊 ri-
scaldata, 🐎, 🍴 – 🛗 ▤ 📺 🄿 – 🅰 200. 🖭 🕄 ⑩ ⓪ 🚾. 🛠 rist
Pasto (solo per alloggiati) 40/55000 – **78 cam** 🖵 180/300000, 4 suites – ½ P 205000.

President, viale Virgilio 12 ℰ 0541 692662, *presidenthotel@libero.it, Fax 0541 692662 –* ⋕ 🅿 🛁 📺 🅲 🆎 🚻 rist
chiuso da novembre a gennaio – **Pasto** *(maggio-settembre)* carta 45/60000 – 🖙 25000 –
26 cam 175/300000 – ½ P 195000.

De la Ville senza rist, via Spalato 5 ℰ 0541 692720, *delaville@adhoc.net, Fax 0541 692580,* ⋕, « Giardino con 🛋 » – ⋕ 🔟 📺 🅿 – 🕍 60. 🆎 🚻 🅲 🆎 🚻 rist
🖙 35000 – **58 cam** 🖙 180/400000, 🔳 10000 – ½ P 180000.

Abner's, lungomare della Repubblica 7 ℰ 0541 600601, *abners.rn@bestwestern.it,* *Fax 0541 605400,* ≼, 🛋 riscaldata, 🖛 – ⋕ 🔟 📺 🅿. 🆎 🚻 🅲 🆎 🚻. 🛠
Pasto *(chiuso venerdì escluso giugno-settembre)* carta 60/90000 – **58 cam** 🖙 260/
320000, 12 suites – 🖙 20000 – ½ P 210000.

Dory, viale Puccini 4 ℰ 0541 642896, *hoteldory@hoteldory.it, Fax 0541 644588,* 🖪, 🕿, 🖛 – ⋕ 🔟 📺 🅿. 🅲 🆎 🚻 🆎 🚻. 🛠
chiuso da novembre al 25 dicembre e dal 6 gennaio a febbraio – **Pasto** (solo per alloggiati) –
46 cam 🖙 110/180000 – ½ P 165000.

Novecento, viale D'Annunzio 30 ℰ 0541 644990, *Fax 0541 666490,* 🖪, 🕿 – ⋕ 🔳 🔟 🔥 🅿 – 🕍 50. 🚻 🆎 🚻. 🛠
chiuso novembre – **Pasto** *(15 maggio-settembre; solo per alloggiati)* 35/45000 – 🖙 15000
– **33 cam** 160/210000, 7 suites – ½ P 140000.

Michelangelo, via Ponchielli 1 ℰ 0541 642887, *hotel@michelangeloriccione.it,* *Fax 0541 643456,* 🛋 riscaldata – ⋕ 🔳 🔟 – 🕍 60. 🆎 🚻 🅲 🆎 🚻. 🛠
Pasto (solo per alloggiati) – **36 cam** 🖙 140/230000 – P 200000.

Poker, viale D'Annunzio 61 ℰ 0541 647710, *Fax 0541 648699,* 🖪, 🛋 riscaldata – ⋕ 🔳 🔟 🅿. 🆎 🚻 🅲 🆎 🚻 🆎 🚻. 🛠 rist
chiuso novembre e dicembre – **Pasto** 35/70000 – **60 cam** 🖙 130/250000 – ½ P 135000.

Arizona, viale D'Annunzio 22 ℰ 0541 644422, *info@hotelarizona.com, Fax 0541 644108,* ≼, 🖪, 🛋 – ⋕ 🔳 🔟 🅿 – 🕍 120. 🆎 🚻 🆎 🚻. 🛠
Pasto (solo per alloggiati) 45/65000 – 🖙 18000 – **56 cam** 160/270000 – ½ P 195000.

Soraya, via Bramante 2 ℰ 0541 600917, *Fax 0541 694033,* ≼, 🍴, 🖛 – ⋕ 🔟 🅿. 🆎 🚻
🆎 🚻. 🛠
15 maggio-settembre – **Pasto** (solo per alloggiati) 30/40000 – 🖙 15000 – **44 cam** 105/
155000 – ½ P 130000.

Strand Hotel, viale D'Annunzio 92 ℰ 0541 646590, *Fax 0541 643488* – ⋕ 🔳 🔟 🅿. 🆎 🚻
🅲 🆎 🚻. 🛠 rist
Pasto (solo per alloggiati) carta 45/65000 – **47 cam** 🖙 60/100000 – ½ P 110000.

Margareth, viale Mascagni 2 ℰ 0541 645300, *hotelmargareth@hotelmargareth.com,* *Fax 0541 645369* – ⋕ 🔳 🔟 🅿. 🆎 🚻 🅲 🆎 🚻 🆎 🚻. 🛠 rist
marzo-settembre – **Pasto** 25/35000 – 🖙 16000 – **54 cam** 130/250000 – ½ P 140000.

Club Hotel, viale D'Annunzio 58 ℰ 0541 648082, *Fax 0541 643240,* ≼, 🛋 riscaldata – ⋕ 🔳 🔟 🅿. 🆎 🚻 🅲 🆎 🚻. 🛠 rist
Pasqua-settembre – **Pasto** (solo per alloggiati) – 🖙 15000 – **68 cam** 150/220000 –
½ P 130000.

Admiral, viale D'Annunzio 90 ℰ 0541 642202, *info@hoteladmiral.com, Fax 0541 642202* –
⋕ 🔳 🔟 🖤 🅿. 🛠
15 maggio-27 settembre – **Pasto** (solo per alloggiati) – 🖙 15000 – **44 cam** 95/170000 –
½ P 110000.

Gemma, viale D'Annunzio 82 ℰ 0541 643436, *hotelgemma@guest.net, Fax 0541 644910,* ≼, 🛋 riscaldata, 🖛 – ⋕ 🔳 🔟 🅿. 🆎 🚻 🅲 🆎 🚻. 🛠 rist
Pasto *(marzo-ottobre; solo per alloggiati)* carta 30/50000 – **41 cam** 🖙 105/190000 –
½ P 135000.

Select, viale Gramsci 89 ℰ 0541 600613, *info@hotelselectriccione.com, Fax 0541 600256,* 🖛 – ⋕ 🔳 rist, 🔟 🅿. 🆎 🚻 🅲 🆎 🚻. 🛠 rist
aprile-settembre – **Pasto** (solo per alloggiati) 30000 – **42 cam** 🖙 120/200000 –
½ P 120000.

Maestri, viale Gorizia 4 ℰ 0541 691390, *hotel@maestri.group.com, Fax 0541 691444,* 🕿
– ⋕ 🔟 🖤 🅿. 🆎 🚻. 🛠
aprile-25 settembre – **Pasto** (solo per alloggiati) 40/50000 – 🖙 13000 – **53 cam** 70/110000
– ½ P 135000.

Mon Cheri, viale Milano 9 ℰ 0541 601104, *Fax 0541 601692* – ⋕ 🔳 🔟 🅿. 🛠 rist
Pasqua-settembre – **Pasto** 35/40000 – 🖙 10000 – **52 cam** 85/160000 – ½ P 105000.

Romagna, viale Gramsci 64 ℰ 0541 600604, *Fax 0541 691612* – ⋕ 🔟 🅿. 🛠
25 maggio-15 settembre – **Pasto** (solo per alloggiati) 35/50000 – 🖙 15000 – **50 cam**
90/140000 – ½ P 120000.

🏠 **New Age** senza rist, viale D'Annunzio 54 ℰ 0541 648492, *Fax 0541 664238* – 🛗 � 📺 **P**
AE 🕄 ◑ ◐ *VISA*
chiuso dal 15 febbraio a marzo e da novembre al 28 dicembre – ☑ 15000 – **18 cam**
125/220000.

🏠 **Desiré,** viale Cesare Battisti 33 ℰ 0541 600851, *adwance@virgilio.it, Fax 0541 690712* – 🛗
P. ॐ
10 giugno-14 settembre – **Pasto** (solo per alloggiati) 25000 – ☑ 6000 – **34 cam** 70/130000
– ½ P 85000.

🏠 **Ardea,** viale Monti 77 ℰ 0541 641846, *Fax 0541 641846,* ⌁ riscaldata – 🛗 📺. ॐ
Pasqua e maggio-settembre – **Pasto** (solo per alloggiati) 25/30000 – ☑ 10000 – **40 cam**
80/140000, 🛏 7000 – ½ P 105000.

🏠 **Eliseo,** viale Monteverdi 3 ℰ 0541 646548, *info@hoteleliseo.it, Fax 0541 647604,* ⌕ – 🛗
📺 **P**. *VISA*. ॐ
Pasqua, 24 aprile-1° maggio e 19 maggio-23 settembre – **Pasto** (solo per alloggiati)
30/45000 – **32 cam** 70/120000 – ½ P 100000.

🏠 **Atlas,** viale Catalani 28 ℰ 0541 646666, *Fax 0541 647674* – 🛗, 🛏 rist, 📺 **P**. ॐ
10 maggio-25 settembre – **Pasto** (solo per alloggiati) 20/30000 – ☑ 15000 – **40 cam**
80/150000 – ½ P 90000.

🏠 **Ida,** viale D'Annunzio 59 ℰ 0541 647510, *Fax 0541 647510* – 🛗 **P**. ॐ rist
giugno-settembre – **Pasto** (solo per alloggiati) 25/30000 – ☑ 10000 – **36 cam** 130000 –
½ P 90000.

🏠 **Lugano,** viale Trento Trieste 75 ℰ 0541 606611, *lugano@guest.net, Fax 0541 606004,* ⌕
– 🛗, 🛏 rist, 📺 **P**. ॐ rist
15 maggio-settembre – **Pasto** (solo per alloggiati) – ☑ 10000 – **31 cam** 80/100000 –
½ P 90000.

XX **Il Casale,** viale Abruzzi (Riccione alta) ℰ 0541 604620, *Fax 0541 694016,* <, � – **P**. AE 🕄
◑ ◐ *VISA JCB*. ॐ
chiuso lunedì escluso giugno-settembre – **Pasto** carta 45/75000.

XX **Da Bibo,** via Parini 14 ℰ 0541 692526, *Fax 0541 695917,* Rist. e pizzeria – 🛏. AE 🕄 ◑ *VISA*.
ॐ
Pasto carta 55/100000.

RIETI 02100 **P** 430 O 20 *G. Italia* – 46 100 ab. alt. 402.

Vedere *Giardino Pubblico★* in piazza Cesare Battisti – *Volte★* del palazzo Vescovile.

🏌 *Belmonte (chiuso lunedì) località Zoccani* ⊠ 02020 Belmonte ℰ 0765 77377, Fax 0765
77377;

🏌 *Centro d'Italia (chiuso martedì)* ℰ 0746 229035, Fax 0746 229035.

🗓 *piazza Vittorio Emanuele 17-portici del Comune* ℰ 0746 203220.

A.C.I. *via Lucandri 26* ℰ 0746 203339.

Roma 78 – Terni 32 – L'Aquila 58 – Ascoli Piceno 113 – Milano 565 – Pescara 166 – Viterbo 99.

🏛 **Park Hotel Villa Potenziani** M ॐ, via Colle San Mauro ℰ 0746 202765,
Fax 0746 257924, <, « Villa settecentesca con parco ex riserva di caccia » – 🛗 🛏 📺 📞 🔊 **P**
– 🛗 150. AE 🕄 ◑ ◐ *VISA JCB*. ॐ
Pasto al Rist. **Belle Epoque** (chiuso dal 5 al 20 agosto) carta 50/85000 – ☑ 20000 – **27 cam**
170/200000, suite – ½ P 160000.

🏛 **Grande Albergo Quattro Stagioni** senza rist, piazza Cesare Battisti 14
ℰ 0746 271071, *hotelquattrostagioni@tiscalinet.it, Fax 0746 271090* – 🛗 🛏 📺 – 🛗 90. AE
🕄 ◑ ◐ *VISA JCB*. ॐ
42 cam ☑ 120/160000, suite.

🏛 **Miramonti,** piazza Oberdan 5 ℰ 0746 201333 e rist. ℰ 0746 204271, *Fax 0746 205790* –
🛗 🛏 📺 – 🛗 40. AE 🕄 ◑ ◐ *VISA JCB*. ॐ
Pasto al Rist. **Da Checco al Calice d'Oro** (chiuso lunedì) carta 40/65000 – **27 cam** ☑ 110/
170000, 3 suites.

XX **Bistrot,** piazza San Rufo 25 ℰ 0746 498798, 🌫, Caratteristico ambiente, Coperti limitati;
prenotare – 🕄 ◑ ◐ *VISA JCB*
chiuso dal 20 ottobre al 15 novembre, domenica e lunedì a mezzogiorno – **Pasto** 30/40000
e carta 45/60000.

XX **La Pecora Nera,** via Terminillo 33 (Nord-Est : 1 km) ℰ 0746 497669, *Fax 0746 497669,*
🌫 – 🛏 **P**. AE 🕄 ◑ ◐ *VISA JCB*. ॐ
chiuso dal 24 dicembre al 1° gennaio, dal 5 al 20 agosto e domenica – **Pasto** 30/45000 e
carta 45/70000.

RIFREDDO 85010 Potenza 🔢 F 29 – *alt. 1 090.*
Roma 370 – Potenza 12.

🏨 **Giubileo** ♨, strada statale 92 ℘ 0971 479910, *hgiubileo@tin.it, Fax 0971 479910,*
« Parco », 🔧, ➡, 🏊, ※ – 📶 🔲 ♿ 🐕 🅿 – 🛗 300. 🖭 🕃 ◑ 🐼 𝓥𝓘𝓢𝓐. ※
Pasto carta 40/60000 – **79 cam** ☑ 140/170000 – ½ P 150000.

RIMINI 47900 🅿 🔢, 🔢 J 19 *G. Italia* – 131 062 ab. – *a.s. 15 giugno-agosto.*
Vedere *Tempio Malatestiano*★ ABZ A.

🏌 *a Villa Verucchio* ✉ 47827 ℘ 0541 678122, *Fax 0541 670572, Sud-Ovest : 14 km.*
✈ *di Miramare per* ① : *5 km* ℘ 0541 715711, *Fax 0541 373649 – Alitalia, Aeroporto*
Miramare ℘ 0541 715711.

🛈 *piazzale Cesare Battisti 1 (alla stazione)* ℘ 0541 51331, *Fax 0541 27927.*
A.C.I. *via Italia 29/b* ℘ 0541 742961.
Roma 334 ① – *Ancona 107* ① – *Milano 323* ④ – *Ravenna 52* ④.

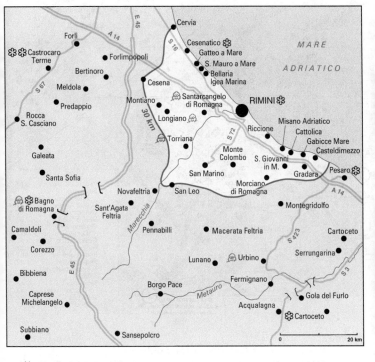

🏨 **Duomo** senza rist, via Giordano Bruno 28/d ℘ 0541 24215, *Fax 0541 27842* – 📶 🔲 🔲
➡ – 🛗 50. 🖭 🕃 ◑ 🐼 𝓥𝓘𝓢𝓐 𝓙𝓒𝓑   AZ   **r**
43 cam ☑ 120/190000.

✕✕ **Acero Rosso,** viale Tiberio 11 ℘ 0541 53577, *Fax 0541 55461,* � – 🖭 🕃 ◑ 𝓥𝓘𝓢𝓐. ※
☼   *chiuso dal 25 luglio al 19 agosto, domenica sera, lunedì e i mezzogiorno da martedì a*
sabato – **Pasto** 60/115000 e carta 70/105000   AY   **a**
Spec. Carpaccio di scampi con salsa al basilico. Polentina soffice con calamaretti, zucchine e
tartufo nero. Risotto all'astice con salsa al vino rosso e crostacei.

✕✕ **Europa Piero e Gilberto,** viale Roma 51 ℘ 0541 28761, *Fax 0541 28761* – 🗐. 🖭 🕃 ◑
🐼 𝓥𝓘𝓢𝓐. ※   BZ   **e**
chiuso domenica – **Pasto** carta 65/95000.

✕✕ **Trattoria Marinelli-da Vittorio,** viale Valturio 39 ℘ 0541 783289, *Fax 0541 783289* –
🗐. 🖭 🕃 ◑ 🐼 𝓥𝓘𝓢𝓐. ※   AZ   **h**
chiuso 25-26 dicembre – **Pasto** specialità di mare carta 70/115000.

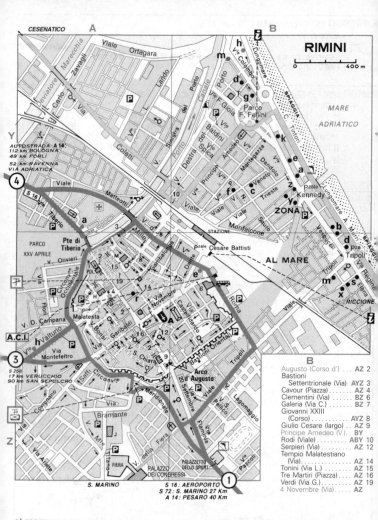

B
Augusto (Corso d') ... AZ 2
Bastioni
    Settentrionale (Via) . AYZ 3
Cavour (Piazza) .... AZ 4
Clementini (Via) ...... BZ 6
Galeria (Via C.) .... BZ 7
Giovanni XXIII
    (Corso) .... AYZ 8
Giulio Cesare (largo) .. AZ 9
Principe Amedeo (V.) .. BY
Rodi (Viale) .... ABY 10
Serpieri (Via) .... AZ 12
Tempio Malatestiano
    (Via) .... AZ 14
Tonini (Via L.) .... AZ 15
Tre Martiri (Piazza) ... AZ 16
Verdi (Via G.) .... AZ 19
4 Novembre (Via) ..... AZ

al mare :.

🔁 *piazzale Fellini 3 ℰ 0541 56902, Fax 0541 56598 :*

🏨🏨🏨 **Grand Hotel,** parco Fellini 1 ℰ 0541 56000, *info@grandhotelrimini.com*, Fax 0541 56866, ≼, « Giardino ombreggiato con ⊒ riscaldata », ℱ₆, ♨ₒ, ℁ – 🛗 🗏 📺 ℭ ₺ 🄿 – 🕍 350. 🆎 🕲 ⓪ ◍◍ 𝚅𝙸𝚂𝙰. ⊰ rist
Pasto carta 85/120000 – **105 cam** ⊇ 390/650000, 12 suites – ½ P 385000.
BY g

🏨🏨 **Holiday Inn** Ⓜ, viale Vespucci 16 ℰ 0541 52255, *info@holidayinnrimini.com*, Fax 0541 28806, ≼, « Ristorante panoramico », ⚏, ⊒, ♨ₒ – 🛗 ⿻ 🗏 📺 ℭ 🄿 – 🕍 220. 🆎 🕲 ⓪ ◍◍ 𝚅𝙸𝚂𝙰 𝙹𝙲𝙱. ⊰ rist
Pasto carta 100/140000 – **56 cam** ⊇ 290/400000, 8 suites – ½ P 250000.
BY k

🏨🏨 **Savoia** Ⓜ senza rist, lungomare Murri 13 ℰ 0541 393322, Fax 0541 386462, ♨ₒ – 🛗 ⿻ cam, 🗏 📺 ℭ ₺ 🚗 – 🕍 350. 🆎 🕲 ⓪ ◍◍ 𝚅𝙸𝚂𝙰
108 cam ⊇ 280/370000, 10 suites.
BZ d

🏨🏨 **Ambasciatori** Ⓜ, viale Vespucci 22 ℰ 0541 55561, *info@hotelambasciatori.it*, Fax 0541 23790, ≼, ⊒ – 🛗 🗏 📺 ℭ 🄿 – 🕍 200. 🆎 🕲 ⓪ ◍◍ 𝚅𝙸𝚂𝙰. ⊰ rist
BY e
Pasto carta 65/100000 – **66 cam** ⊇ 260/390000, 4 suites – ½ P 250000.

610

🏨 **Milton,** viale Colombo 2 ℰ 0541 54600, *info@hotelmilton.com, Fax 0541 54698,* ≤, *Ⅰ₅*, ⇔, ⤴, 霱 – 崮 ☰ ☑ **P** – 🛦 90. 🖭 🖲 ⓪ **⓪⓪** **VISA**. ℅ rist   BY **d**
Pasto *(aprile-ottobre)* carta 60/95000 – **73 cam** ☲ 220/280000, 2 suites – ½ P 190000.

🏨 **Continental e dei Congressi** M, viale Vespucci 40 ℰ 0541 391300, *hc@mellennium.it, Fax 0541 391350,* ≤, ⇔, Ⅰ, 🛦₆ – 崮 ☰ ☑ ₺ ⇔ **P** – 🛦 300   BY **b**
110 cam, 5 suites.

🏨 **National** M, viale Vespucci 42 ℰ 0541 390944, *national@iper.net, Fax 0541 390954,* ≤, *Ⅰ₅,* ⇔, Ⅰ riscaldata, 🛦₆ – 崮 ☰ ☑ ℰ **P** – 🛦 250. 🖭 🖲 ⓪ **⓪⓪** **VISA**. ℅ rist
chiuso dall'8 dicembre al 12 gennaio – **Pasto** *(maggio-ottobre; solo per alloggiati)* 45/60000 – **83 cam** ☲ 170/290000, 3 suites – ½ P 195000.   BYZ **b**

🏨 **Waldorf,** viale Vespucci 28 ℰ 0541 54725, *info@waldorf.it, Fax 0541 53153,* « Giardino e terrazza panoramica con Ⅰ », ⇔, ℅ – 崮, ⇔ cam, ☰ ☑ ℰ **P** – 🛦 60. 🖭 🖲 ⓪ **⓪⓪** **VISA** **JCB**. ℅ rist   BY **a**
Pasto *(chiuso domenica)* carta 40/80000 – **60 cam** ☲ 150/320000 – ½ P 240000.

🏨 **Diplomat Palace,** viale Regina Elena 70 ℰ 0541 380011, *diplomat@rn.nettuno.it, Fax 0541 380414,* ≤, Ⅰ – 崮 ☰ ☑ ℰ **P** – 🛦 50. 🖭 🖲 ⓪ **⓪⓪** **VISA**. ℅ rist   BZ
Pasto carta 60/85000 – **75 cam** ☲ 180/290000 – ½ P 165000.

🏨 **Mercure-La Gradisca** M, viale Fiume 1 ℰ 0541 25200, *gradisca@metha.com, Fax 0541 56299* – 崮 ☰ ☑ ℰ – 🛦 150. 🖭 🖲 ⓪ **⓪⓪** **VISA**. ℅ rist   BY **y**
Pasto *(giugno-agosto)* 35000, solo buffet a mezzogiorno – **52 cam** ☲ 180/280000 – ½ P 180000.

🏨 **Jolly Hotel Villa Rosa,** viale Vespucci 71 ℰ 0541 22506, *inforosa@metha.com, Fax 0541 27940,* 🛦₆ – 崮 ☰ ☑ ℰ – 🛦 150. 🖭 🖲 ⓪ **⓪⓪** **VISA**. ℅ rist   BY **z**
Pasto al Rist. **Vespucci** carta 50/65000 – **60 cam** ☲ 180/300000 – ½ P 175000.

🏨 **Luxor** M, viale Tripoli 203 ℰ 0541 390990, *luxor@iper.net, Fax 0541 392490* – 崮 ☰ ☑ ℰ ₺ **P**. 🖭 🖲 ⓪ **⓪⓪** **VISA** **JCB**. ℅   BZ **m**
Pasto *(solo per alloggiati e chiuso dal 15 al 28 dicembre)* 30/40000 – **39 cam** ☲ 115/220000 – ½ P 130000.

🏨 **Vienna Ostenda,** via Regina Elena 11 ℰ 0541 391744, *Fax 0541 391032* – 崮 ☰ ☑ **P** – 🛦 100. 🖭 🖲 ⓪ **⓪⓪** **VISA**. ℅ rist   BZ **s**
Pasto 35/70000 – **46 cam** ☲ 150/280000, 3 suites – ½ P 195000.

🏨 **Marittima** senza rist, via Parisano 24 ℰ 0541 392525, *marittima@tiscalinet.it, Fax 0541 390892* – 崮 ⇔ ☰ ☑. 🖭 🖲 ⓪ **⓪⓪** **VISA**. ℅   BZ **s**
40 cam ☲ 75/135000.

🏨 **Residence Hotel Parioli** senza rist, viale Vittorio Veneto 14 ℰ 0541 55078, *Fax 0541 55454* – 崮 ☰ ☑ **P**. 🖭 🖲 ⓪ **⓪⓪** **VISA**. ℅   BY **f**
☲ 10000 – **7 cam** 110/150000, 44 suites 250000.

🏨 **Ariminum,** viale Regina Elena 159 ℰ 0541 380472, *info@ariminumhotels.it, Fax 0541 389301,* ⇔ – 崮 ☰ ☑ **P** – 🛦 120. 🖭 🖲 ⓪ **⓪⓪** **VISA**. ℅   BZ
Pasto carta 30/50000 – ☲ 20000 – **51 cam** 130/180000, ☰ 5000 – ½ P 130000.

🏨 **Levante,** viale Regina Elena 88 ℰ 0541 392554, *Fax 0541 383074,* ≤, 霱 – 崮 ☰ ☑ **P** – 🛦 30. 🖭 🖲 ⓪ **⓪⓪** **VISA** **JCB**. ℅ rist   BZ
Pasto *(maggio-settembre)* carta 45/60000 – **51 cam** ☲ 120/190000 – ½ P 130000.

🏨 **Acasamia,** viale Parisano 34 ℰ 0541 391370, *acasamia@iper.net, Fax 0541 391816* – 崮 ☰ ☑ **P**. 🖭 🖲 ⓪ **⓪⓪** **VISA**. ℅ rist   BZ **x**
Pasto *(Pasqua e giugno-settembre; solo per alloggiati)* 30/40000 – **40 cam** ☲ 95/170000 – ½ P 110000.

🏨 **Villa Bianca,** viale Regina Elena 24 ℰ 0541 381458, *info@tonihotels.it, Fax 0541 381348,* Ⅰ – 崮 ☰ ☑ ₺ **P**. 🖭 🖲 ⓪ **⓪⓪** **VISA**. ℅   BZ **c**
aprile-ottobre – **Pasto** *(solo per alloggiati)* carta 30/45000 – **64 cam** ☲ 110/180000 – ½ P 125000.

🏨 **Relais Mercure Tiberius,** viale Cormons 6 ℰ 0541 54226, *tiberius@metha.com, Fax 0541 27631* – 崮 ☰ ☑ **P** – 🛦 80. 🖭 🖲 ⓪ **⓪⓪** **VISA**. ℅ rist   BY **y**
Pasto *(solo per alloggiati e chiuso a mezzogiorno escluso luglio-agosto)* 30000 – **81 cam** ☲ 140/170000 – ½ P 130000.

🏨 **Perù,** via Metastasio 3 ℰ 0541 381677, *peru@iper.net, Fax 0541 381380* – 崮, ⇔ cam, ☰ ☑ **P** – 🛦. 🖭 🖲 ⓪ **⓪⓪** **VISA**. ℅ rist   per viale Regina Elena BZ
Pasto *(maggio-settembre e solo per alloggiati)* 30/50000 – **40 cam** ☲ 140/190000 – ½ P 140000.

🏨 **Rondinella e Dependance Viola,** via Neri 3 ℰ 0541 380567, *Fax 0541 380567,* Ⅰ – 崮 ☰ ☑ **P**. 🖭 🖲 ⓪ **⓪⓪** **VISA**. ℅ rist   per viale Regina Elena BZ
Pasto *(Pasqua-settembre; solo per alloggiati)* 25/30000 – ☲ 8000 – **52 cam** 65/95000, ☰ 10000 – ½ P 80000.

🏨 **Villa Lalla,** viale Vittorio Veneto 22 ℰ 0541 55155, *info@villalalla.com, Fax 0541 23570* – ☰ ☑ ℰ. 🖭 🖲 ⓪ **⓪⓪** **VISA** **JCB**. ℅   BY **c**
Pasto *(giugno-settembre)* 30/50000 – **40 cam** ☲ 95/160000 – ½ P 105000.

XX **Lo Squero**, lungomare Tintori 7 ℘ 0541 27676, *Fax 0541 53881*, ≤, 佘 – 匝 匪 ⑨ ⑳ 姫.
chiuso da novembre al 15 gennaio e martedì in bassa stagione – **Pasto** specialità di mar
carta 85/105000.   BY

XX Da Oberdan-il Corsaro, via Destra del Porto 159 ℘ 0541 27802, *Fax 0541 55002* – 匪 ▤
Pasto specialità di mare.   BY n

a Marebello *per* ① : *3 km* – ✉ 47900 Rimini :

🏨 **Carlton**, viale Regina Margherita 6 ℘ 0541 372361, *Fax 0541 374540*, ≤ – 灣 ▤ 丽 ◻
🍴 80. 粋 rist
Pasto *(maggio-settembre e solo per alloggiati)* 35000 – ☑ 10000 – **67 cam** 100/160000
▤ 10000 – ½ P 120000.

🏨 **Aran**, viale Siracusa 38 ℘ 0541 372334, aran@iper.net, *Fax 0541 372334*, ☙, 栗 – 灣
粋 rist, ◻. 粋 rist
20 maggio-15 settembre – **Pasto** (solo per alloggiati) 25/30000 – ☑ 7000 – **29 cam**
70/95000 – ½ P 85000.

a Rivazzurra *per* ① : *4 km* – ✉ 47831 :

🏨 **De France**, viale Regina Margherita 48 ℘ 0541 379711, *Fax 0541 379700*, ≤, ☙ – 灣 ▤ 丽
栗 ◻. 匝 匪 ⑨ ⑳ 姫. 粋 rist
9 aprile-settembre – **Pasto** (solo per alloggiati e *chiuso a mezzogiorno*) 30/60000 – ☑
17500 – **66 cam** 100/195000 – ½ P 190000.

a Vergiano *per* ③ : *4,5 km* – ✉ 47037 :

X **La Baracca**, via Marecchiese 373 ℘ 0541 727483, 佘 – ◻. 匝 匪 ⑨ ⑳ 姫
😇 *chiuso mercoledì* – **Pasto** carta 35/50000.

a Viserba *per* ④ : *5 km* – ✉ 47811.
🛈 *(giugno-settembre)* viale G. Dati 180/a ℘ 0541 738115, *Fax 0541 738115* :

🏨 **La Torre** senza rist, via Dati 52 ℘ 0541 732855, *Fax 0541 732283* – 灣 ▤ 丽 ◻. 匝 匪 ⑨ ⑳
姫. 粋
☑ 8000 – **16 cam** 80/150000.

a Miramare *per* ① : *5 km* – ✉ 47831 Miramare di Rimini.
🛈 *(giugno-settembre)* via Martinelli 11/a ℘ 0541 372112, *Fax 0541 372112*

🏨 **Nettunia**, via Regina Margherita 203 ℘ 0541 372067, *Fax 0541 377877*, 匡, 全s – 灣 ▤ 丽
– 🍴 30. 匝 匪 ⑨ ⑳ 姫. 粋 rist
Pasto *(giugno-settembre; solo per alloggiati)* 40000 – **44 cam** ☑ 205/290000 –
½ P 175000.

🏨 **Giglio**, viale Principe di Piemonte 18 ℘ 0541 372073, gigliohotel@libero.it
Fax 0541 377490, ≤, ☙, 栗 – 灣 ▤ ◻. 匪 ⑳ 姫. 粋 rist
Pasqua-settembre – **Pasto** 35/40000 – ☑ 10000 – **42 cam** 90/140000, ▤ 10000 –
½ P 95000.

🏨 **Arno**, senza rit, viale Martinelli 9 ℘ 0541 372369, *Fax 0541 373106*, ☙ riscaldata – 灣
▤ rist, 丽 ◻.
stagionale – **47 cam**.

a Viserbella *per* ④ : *6 km* – ✉ 47811 :

🏨 **Sirio**, via Spina 3 ℘ 0541 734639, h_sirio@infotel.it, *Fax 0541 733370*, « Giardino con ☙ »
匡 – 灣 rist, 丽 ◻. 粋
28 maggio-9 settembre – **Pasto** (solo per alloggiati) 35000 – **50 cam** ☑ 120/200000 –
½ P 105000.

🏨 **Life**, via Porto Palos 34 ℘ 0541 738370, h_life@infotel.it, *Fax 0541 734810*, ≤, ☙ riscaldata
– 灣 丽 ◻. 匪 ⑳ 姫. 粋 rist
25 maggio-15 settembre – **Pasto** 25/50000 – **50 cam** ☑ 125/200000 – ½ P 100000.

🏨 **Albatros**, via Porto Palos 170 ℘ 0541 720300, albatros@infotel.it, *Fax 0541 720549*, ≤,
☙ riscaldata – 灣 丽 ◻. 粋 rist
10 maggio-20 settembre – **Pasto** 20/35000 – ☑ 12000 – **40 cam** 60/85000 – ½ P 105000.

🏨 **Biagini**, via Porto Palos 85 ℘ 0541 721202, franco.biagini@libero.it, *Fax 0541 722366*, ≤,
☙ 丽 ◻. 匝 匪 ⑨ ⑳ 姫. 粋
10 maggio-settembre – **Pasto** 35/45000 – ☑ 25000 – **24 cam** 80/115000 – ½ P 105000.

🏨 **Diana**, via Porto Palos 15 ℘ 0541 738158, dianaht@tin.it, *Fax 0541 738096*, ≤, ☙ riscal-
data – ▤ rist, ◻. 匝 匪 ⑨ ⑳ 姫. 粋 rist
aprile-settembre – **Pasto** 30/35000 – ☑ 10000 – **38 cam** 80/100000 – ½ P 95000.

a Torre Pedrera *per* ④ : *7 km* – ✉ 47812.
🛈 *(giugno-settembre)* viale San Salvador 65 ℘ 0541 720182, *Fax 0541 720182*

🏨 **Avila In**, via San Salvador 192 ℘ 0541 720173, avila@iper.net, *Fax 0541 721182*, ≤, 全s,
☙ riscaldata, 栗, 粋 – 灣 ▤ 丽 ◻. – 🍴 700. 匝 匪 ⑨ ⑳ 姫. 粋 rist
chiuso novembre – **Pasto** 30/50000 – **65 cam** ☑ 110/190000 – ½ P 120000.

🏨 **Graziella,** via San Salvador 56 ☎ 0541 720316, *hotelgraziella@libero.it, Fax 0541 720316,* ←, 🏊 – 🛗 ▤ 📺 [P]. 🐕
20 maggio-15 settembre – **Pasto** (solo per alloggiati) 30/35000 – ☕ 13000 – **81 cam** 85/125000, ▤ 11000 – ½ P 120000.

🏨 **Bolognese,** via San Salvador 134 ☎ 0541 720210, *bolognese@iper.net, Fax 0541 721240,* ← – ▤ 📺 [P]. [AE] [$] ⓓ [MC] [VISA] [JCB]. 🐕
aprile-settembre – **Pasto** 40000 – ☕ 15000 – **44 cam** 90/155000, ▤ 10000 – ½ P 105000.

🏨 **Du Lac,** via Lago Tana 12 ☎ 0541 720462, *hdulac@tin.it, Fax 0541 720274* – 🛗, 🚭 rist, ▤ rist, 📺 [P]. [AE] [$] ⓓ [MC] [VISA]. 🐕
15 maggio-20 settembre – **Pasto** 30/35000 – **52 cam** ☕ 90/170000 – ½ P 90000.

sulla superstrada per San Marino *per ① : 11 km :*

🍴🍴 **Cucina della Nonna,** via Santa Aquilina 77 ✉ 47900 ☎ 0541 759125, ←, 🌳 – [P]. [AE] [$] ⓓ [VISA]. 🐕
chiuso dal 1° al 15 luglio e mercoledì – **Pasto** 35/50000 e carta 40/75000.

RIO DI PUSTERIA **(MÜHLBACH)** *39037 Bolzano* [429] B 16 – *2 574 ab. alt. 777 – Sport invernali : 777/2 010 m* 🚡 *3* ⛷ *11,* ⛷.
ℹ *via Katerina Lanz 90* ☎ *0472 849467, Fax 0472 849849.*
Roma 689 – Bolzano 48 – Brennero 43 – Brunico 25 – Milano 351 – Trento 112.

🏨 **Ansitz Kandlburg** 🐦, via Dei Giudici 4 ☎ 0472 849792, *castello@rolmail.net, Fax 0472 849874,* « Residenza nobiliare con origini del 13° secolo », 🌳 – 📺 🚗 – 👥 60. [AE] [$] ⓓ [MC] [VISA]. 🐕
Pasto (solo per alloggiati) – **15 cam** ☕ 90/160000 – ½ P 120000.

🏨 **Giglio Bianco-Weisse Lilie,** piazza Chiesa 2 ☎ 0472 849740, *Fax 0472 849730* – 📺 🚗. [AE] [$] ⓓ [MC] [VISA]
chiuso dal 5 novembre al 1° dicembre – **Pasto** (solo per alloggiati) – **13 cam** ☕ 60/120000 – ½ P 80000.

🍴🍴 **Pichler,** via Caterina Lanz 5 ☎ 0472 849458, *Fax 0472 849800,* Coperti limitati; prenotare – [P]. [$] ⓓ [MC] [VISA]
chiuso dal 18 giugno al 15 luglio, lunedì e martedì – **Pasto** 50/60000 e carta 65/105000.

a Valles **(Vals)** *Nord-Ovest : 7 km – alt. 1 354 –* ✉ *39037 Rio di Pusteria :.*
ℹ ☎ *0472 547016*

🏨 **Masl** 🐦, Valles 44 ☎ 0472 547187, *info@hotel-masl.com, Fax 0472 547045,* ←, 🏊, 🏊, 🌳, 🎾 – 🛗, 🚭 rist, 📺 ♿ [P]. [AE] [MC]. 🐕 rist
dicembre-aprile e giugno-ottobre – **Pasto** carta 30/40000 – **41 cam** ☕ 95/180000 – ½ P 100000.

🏨 **Huber** 🐦, ☎ 0472 547186, *info@hotelhuber.com, Fax 0472 547240,* ← monti e vallata, 🏊, 🏊, 🌳 – 🛗, 🚭 rist, ▤ rist, 📺 ♿ 🚗 [P]. [VISA]. 🐕 rist
chiuso dal 20 aprile al 25 maggio e dal 5 novembre al 25 dicembre – **Pasto** carta 45/65000 – **35 cam** ☕ 110/180000 – ½ P 150000.

a Maranza **(Meransen)** *Nord : 9 km – alt. 1 414 –* ✉ *39037 Rio di Pusteria.*
ℹ *frazione Maranza 123* ☎ *0472 520197, Fax 0472 520125 :*

🏨 **Gitschberg** 🐦, via Maranza 48 ☎ 0472 520170, *info@gitschberg.it, Fax 0472 520288,* ← monti e vallata, 🏊, 🏊, 🌳 – 🛗, ▤ rist, 📺 🚗 [P]. [AE] [$] ⓓ [MC] [VISA] [JCB]. 🐕 cam
20 dicembre-10 aprile e giugno-25 ottobre – **Pasto** carta 35/50000 – **31 cam** ☕ 85/210000 – ½ P 130000.

RIOLO *Lodi – Vedere Lodi.*

RIOLO TERME *48025 Ravenna* [429], [430] J 17 – *5 279 ab. alt. 98 – Stazione termale (15 aprile-ottobre), a.s. 20 luglio-settembre.*
⛳ *La Torre (chiuso martedì)* ☎ *0546 74035, Fax 0546 74076.*
ℹ *via Aldo Moro 2* ☎ *0546 71044, Fax 0546 71932.*
Roma 368 – Bologna 52 – Ferrara 97 – Forlì 30 – Milano 265 – Ravenna 48.

🏨 **Gd H. Terme,** via Firenze 15 ☎ 0546 71041, *grandhotel@lamiarete.com, Fax 0546 71215,* « Parco ombreggiato », 🌳 – 🛗, ▤ rist, 📺 ☎ 🚗 [P] – 👥 250. [AE] [$] ⓓ [MC] [VISA] [JCB]. 🐕 rist
chiuso gennaio – **Pasto** carta 45/60000 – **67 cam** ☕ 130/200000 – ½ P 150000.

🏨 **Golf Hotel delle Terme,** via Belvedere 6 ☎ 0546 71447, *htgolf@tin.it, Fax 0546 77021* – 🛗 📺 – 👥 150. [AE] [$] ⓓ [MC] [VISA]. 🐕 rist
chiuso gennaio e febbraio – **Pasto** *(chiuso lunedì)* carta 45/70000 (10 %) – ☕ 13000 – **33 cam** 95/150000 – ½ P 115000.

Cristallo, via Firenze 7 ℘ 0546 71160, *hcristallo@lamiarete.com, Fax 0546 71879* – |‡| ▤ rist, TV P. AE S ⊙ MC VISA. ✂
Pasto carta 35/55000 – ⊏ 15000 – **60 cam** 90/130000 – ½ P 80000.

RIOMAGGIORE *19017 La Spezia 428 J 11 G. Italia – 1 870 ab..*
Roma 432 – La Spezia 10 – Genova 119 – Milano 234 – Massa.

Due Gemelli ⛰, via Litoranea 9, località Campi Est : 4,5 km ℘ 0187 920678, *duegemellitin.it, Fax 0187 920111,* ← – TV P. AE S VISA. ✂
Pasto carta 40/70000 – ⊏ 12000 – **13 cam** 130/150000 – ½ P 130000.

RIO MARINA *Livorno 430 N 13 – Vedere Elba (Isola d').*

RIO NELL'ELBA *Livorno 430 N13 – Vedere Elba (Isola d').*

RIONERO IN VULTURE *85028 Potenza 431 E 29 – 13 404 ab. alt. 662.*
Roma 364 – Potenza 43 – Foggia 133 – Napoli 176 – Bari 46.

San Marco, via Largo Fiera ℘ 0972 724121 – |‡| ▤ TV ♿ P
25 cam

RIPALTA CREMASCA *26010 Cremona 428 G 11 – 3 086 ab. alt. 77.*
Roma 542 – Piacenza 36 – Bergamo 44 – Brescia 55 – Cremona 39 – Milano 48.

La Rosa Gialla, via Vittorio Veneto 26 ℘ 0373 81508, *Fax 0373 80235* – ▤ P. AE S ⊙ MC VISA. ✂
chiuso dal 1° al 20 gennaio, dal 17 al 23 luglio e mercoledì – **Pasto** carta 70/100000.

a Bolzone *Nord-Ovest : 3 km – ✉ 26010 Ripalta Cremasca :*

Via Vai, via Libertà 18 ℘ 0373 268232, 🏡, Coperti limitati; prenotare
chiuso agosto, martedì, mercoledì ed a mezzogiorno (escluso sabato, domenica ed i giorni festivi) – **Pasto** carta 45/70000.

RISCONE (REISCHACH) *Bolzano 429 B 17 – Vedere Brunico.*

RITTEN = Renon.

RIVA DEL GARDA *38066 Trento 428, 429 E 14 G. Italia – 14 515 ab. alt. 70 – a.s. dicembre-20 gennaio e Pasqua.*
Vedere *Lago di Garda★★★ – Città vecchia★.*
ℹ *Giardini di Porta Orientale 8 ℘ 0464 554444, Fax 0464 520308.*
Roma 576 – Trento 43 – Bolzano 103 – Brescia 75 – Milano 170 – Venezia 199 – Verona 87.

Du Lac et Du Parc ⛰, viale Rovereto 44 ℘ 0464 551500, *info@hoteldulac-riva.it Fax 0464 555200,* ←, « Grande parco con laghetti e ⛱ riscaldata », ≘, ⛱, ✂ – |‡|, ▤ rist TV P – 🎪 250. AE S ⊙ MC VISA. ✂ rist
aprile-ottobre – **Pasto** carta 75/105000 – **170 cam** ⊏ 220/490000, 5 suites – ½ P 290000.

Grand Hotel Liberty, viale Carducci 3/5 ℘ 0464 553581, *Fax 0464 551144,* « Giardino » – |‡| TV P. AE S ⊙ MC VISA. ✂ rist
Pasto *(chiuso martedì in bassa stagione)* carta 55/110000 – **90 cam** ⊏ 180/320000 – ½ P 190000.

Gd H. Riva, piazza Garibaldi 10 ℘ 0464 521800, *ghr@anthesi.com, Fax 0464 552293,* ← – |‡|, ⇍ cam, ▤ rist, TV – 🎪 80. AE S ⊙ MC VISA. ✂ rist
Pasto *(aprile-ottobre)* 40000 – **77 cam** ⊏ 170/300000 – ½ P 180000.

Parc Hotel Flora senza rist, viale Rovereto 54 ℘ 0464 553221, *flora@rivadelgarda.com, Fax 0464 554434,* « Giardino con ⛱ riscaldata » – |‡| ▤ TV P – 🎪 45. AE S ⊙ MC VISA
32 cam ⊏ 120/220000.

Luise, viale Rovereto 9 ℘ 0464 552796, *luise@rivadelgarda.com, Fax 0464 554250,* ⛱, 🏡, ✂ – |‡| ▤ TV ♿ P – 🎪 70. AE S ⊙ MC VISA. ✂
Pasto (solo per alloggiati e *chiuso a mezzogiorno*) carta 50/75000 – **69 cam** ⊏ 180/270000 – ½ P 170000.

Europa, piazza Catena 9 ℘ 0464 555433, *europa@rivadelgarda.com, Fax 0464 521777,* ←, 🏡 – |‡| ▤ TV ♿ P – 🎪 60. AE S ⊙ MC VISA. ✂
Pasqua-ottobre – **Pasto** carta 40/60000 – **63 cam** ⊏ 200/230000 – ½ P 135000.

Mirage, viale Rovereto 97/99 ℘ 0464 552671, *mirage@rivadelgarda.com, Fax 0464 553211,* ←, ⛱ – |‡| ▤ TV 🚗 P – 🎪 100. AE S ⊙ MC VISA. ✂ rist
Pasqua-ottobre – **Pasto** 30000 – **55 cam** ⊏ 110/190000 – ½ P 115000.

🏨 **Venezia** 🍴 senza rist, viale Rovereto 62 ℰ 0464 552216, *venezia@rivadelgarda.com*, Fax 0464 556031, « Giardino con 🏊 » – 📺 📠 🅿. 🖭 🕄 **◎●**
10 marzo-ottobre – **24 cam** ♀ 105/200000.

🏨 **Miravalle** senza rist, via Monte Oro 9 ℰ 0464 552335, *info@hotel-miravalle.it*, Fax 0464 521707, « Giardino ombreggiato con 🏊 » – 📺 🅿. 🕄 **◎● VISA**
aprile-ottobre – **29 cam** ♀ 90/160000.

🏨 **Gabry** 🍴 senza rist, via Longa 6 ℰ 0464 553600, Fax 0464 553624, 🏊, 🐴 – 🛗 📺 🅿. 🕄
◎● VISA. ⚘
aprile-ottobre – **39 cam** ♀ 120/170000.

🏨 **Campagnola**, via San Tommaso 11 (Nord-Est : 2 km) ℰ 0464 521103, *info@hotelcampag nola.com*, Fax 0464 521266, 🏊, 🐴 – 🛗 🗐 📺 🚗 🅿. 🖭 🕄 ◎ **◎● VISA**. ⚘
Pasto *(chiuso domenica)* carta 35/60000 – **46 cam** ♀ 100/150000 – ½ P 95000.

🏨 **Ancora**, via Montanara 2 ℰ 0464 522131, *hotelancora@rivadelgarda.com*, Fax 0464 550050, 🍴 – 🛗 📺. 🖭 🕄 ◎ **◎● VISA**. ⚘ cam
chiuso febbraio – **Pasto** *(chiuso giovedì escluso da giugno a settembre)* carta 45/75000 – ♀ 15000 – **11 cam** 100/150000 – ½ P 110000.

🍴🍴 **Al Volt**, via Fiume 73 ℰ 0464 552570, Fax 0464 552570 – 🖭 🕄 ◎ **◎● VISA JCB**
chiuso dal 15 febbraio al 15 marzo e lunedì – **Pasto** 70000 e carta 55/80000.

🍴🍴 **La Rocca,** piazza Cesare Battisti ℰ 0464 552217, Fax 0464 552217, 🍴 – 🖭 🕄 ◎ **◎● VISA**
chiuso dal 15 novembre al 5 gennaio e mercoledì in bassa stagione – **Pasto** carta 55/85000.

RIVA DEL SOLE Grosseto 430 N 14 – Vedere Castiglione della Pescaia.

RIVA DI SOLTO 24060 Bergamo 428 , 429 E 12 – 826 ab. alt. 190.
Roma 604 – Brescia 55 – Bergamo 40 – Lovere 7 – Milano 85.

🍴🍴 **Zu'**, via XXV Aprile 53, località Zu' Sud : 2 km ℰ 035 986004, Fax 035 986004, 🍴 , « Servizio in veranda panoramica con ≤ lago d'Iseo » – 🅿. 🖭 🕄 ◎ **◎● VISA**. ⚘
chiuso mercoledì a mezzogiorno dal 23 luglio al 20 agosto, tutto il giorno negli altri mesi – **Pasto** carta 55/75000.

Zorzino Nord-Ovest : 1,5 km – alt. 329 – ✉ 24060 Riva di Solto :
🍴🍴 **Miranda** 🍴 con cam, ℰ 035 986021, *miranda@intercam.it*, Fax 035 980055, ≤ lago d'Iseo e Monte Isola, « Servizio estivo in terrazza giardino con 🏊 » – ▤ rist, 📺 🅿. 🖭 🕄 ◎
◎● VISA
Pasto carta 50/85000 – ♀ 10000 – **25 cam** 90/120000 – ½ P 90000.

RIVALTA DI TORINO 10040 Torino 428 G 4 – 17 776 ab. alt. 294.
Roma 675 – Torino 16 – Milano 155 – Susa 43.

Pianta d'insieme di Torino.

🏨 **Rio** senza rist, via Griva 75 ℰ 011 9091313, Fax 011 9091315 – 🛗 📺 📠 – 🔬 120. 🖭 🕄 ◎
◎● VISA. ⚘ EU b
76 cam ♀ 125/170000.

RIVALTA SCRIVIA Alessandria 428 H 8 – Vedere Tortona.

RIVANAZZANO 27055 Pavia 428 H 9 – 4 342 ab. alt. 157.
Roma 581 – Alessandria 36 – Genova 87 – Milano 71 – Pavia 39 – Piacenza 71.

🍴🍴 **Selvatico** con cam, via Silvio Pellico 11 ℰ 0383 944720, Fax 0383 91444 – 🛗 📺 🕭. 🖭 🕄
◎ **◎● VISA JCB**. ⚘ cam
chiuso dal 2 all'8 gennaio – **Pasto** *(chiuso domenica sera e lunedì)* 45/50000 e carta 50/75000 – **21 cam** ♀ 70/100000 – ½ P 70000.

RIVAROLO MANTOVANO 46017 Mantova 428 , 429 G 13 – 2 772 ab. alt. 24.
Roma 484 – Parma 34 – Brescia 61 – Cremona 30 – Mantova 40.

🍴🍴 **Enoteca Finzi,** piazza Finzi 1 ℰ 0376 99656, Fax 0376 959140 – ▤. 🖭 🕄 ◎ **◎● VISA JCB**.
⚘
chiuso dal 10 al 25 gennaio, dal 7 al 26 agosto e mercoledì – **Pasto** carta 55/80000.

RIVAROSSA 10040 Torino 428 G 5 – 1 429 ab. alt. 286.
Roma 662 – Torino 26 – Aosta 93.

🍴🍴 **Il Mandracchio**, via San Francesco al Campo Ovest : 2 km ℰ 011 9888490, Fax 011 9888494, 🍴 – 🅿. 🖭 🕄 ◎ **◎● VISA**. ⚘
chiuso dal 1° al 21 agosto e lunedì – **Pasto** 40/45000 e carta 50/70000.

RIVAROTTA _Pordenone_ 429 _E 20 – Vedere Pasiano di Pordenone._

RIVA TRIGOSO _Genova – Vedere Sestri Levante._

RIVAZZURRA _Rimini_ 430 _J 19 – Vedere Rimini._

RIVERGARO 29029 _Piacenza_ 428 _H 10 – 5 348 ab. alt. 140._
  Roma 531 – Piacenza 18 – Bologna 169 – Genova 121 – Milano 84.

XX **Castellaccio-da Attendolo,** località Marchesi di Travo Sud-Ovest : 3 K
  ℘ 0523 957333, Fax 0523 956424, ≤, 🍽 – **P.** 🔤 🕃 ➀ 🐽 _VISA_. 🛠
  chiuso dal 27 dicembre al 10 gennaio, dal 10 al 25 agsuto, martedì e mercoledì – **Pas**
  carta 50/80000.

RIVIERA DI LEVANTE _Genova e La Spezia G. Italia._

RIVIGNANO 33050 _Udine_ 429 _E 21 – 3 960 ab. alt. 16._
  Roma 599 – Udine 37 – Pordenone 33 – Trieste 88 – Venezia 93.

XX **Al Ferarùt,** via Cavour 34 ℘ 0432 775039 – ▤ **P.** 🔤 🕃 ➀ 🐽 _VISA_ _JCB_. 🛠
  chiuso dal 15 al 31 luglio, martedì sera e mercoledì – **Pasto** specialità di mare 75/115000
  carta 60/85000.

XX **Dal Diaul,** via Garibaldi 20 ℘ 0432 776674, Fax 0432 774035, « Servizio estivo in gia
  dino » – 🔤 🕃 ➀ 🐽 _VISA_ _JCB_. 🛠
  chiuso gennaio, giovedì e venerdì a mezzogiorno – **Pasto** 65/85000 e carta 65/90000.

RIVISONDOLI 67036 _L'Aquila_ 430 _Q 24,_ 431 _B 24 G. Italia – 711 ab. alt. 1 310 – a.s. febbra_
  20 aprile, 20 luglio-25 agosto e Natale – Sport invernali : a Monte Pratello : 1 365/2 035
  _≰1 ≴5._
  🛈 _piazza Municipio 6 ℘ 0864 69351._
  Roma 188 – Campobasso 92 – L'Aquila 101 – Chieti 96 – Pescara 107 – Sulmona 34.

🏨 **Como,** via Dante Alighieri 45 ℘ 0864 641942, Fax 0864 640023, ≤, 🍽 – 🛗 📺 ⅍ **P.** 🔤 █
  ➀ 🐽 _VISA_. 🛠
  chiuso maggio e giugno – **Pasto** _(chiuso lunedì)_ 30/40000 – 🖭 15000 – **45 cam** 100
  160000 – ½ P 130000.

X **Da Giocondo,** via Suffragio 2 ℘ 0864 69123, Fax 0864 642136, Coperti limitati; preno
  tare – 🔤 🕃 ➀ 🐽 _VISA_. 🛠
  chiuso martedì e giugno – **Pasto** carta 45/60000.

X **Reale,** viale Regina Elena 49 ℘ 0864 69382 – 🔤 🕃 ➀ 🐽 _VISA_
  chiuso maggio e novembre – **Pasto** carta 45/65000.

RIVODORA _Torino – Vedere Baldissero Torinese._

RIVODUTRI 02010 _Rieti_ 430 _O 20 – 1 279 ab. alt. 560._
  Roma 97 – Terni 28 – L'Aquila 73 – Rieti 17.

XXX **La Trota,** via Santa Susanna 33, località Piedicolle Sud : 4 km ℘ 0746 685071
  Fax 0746 685078, « Grazioso giardino in riva al fiume » – ▤ **P.** 🔤 🕃 ➀ 🐽 _VISA_. 🛠
  chiuso novembre, domenica sera e mercoledì – **Pasto** carta 55/90000.

RIVOLI 10098 _Torino_ 428 _G 4 G. Italia – 51 996 ab. alt. 386._
  Roma 678 – Torino 15 – Asti 64 – Cuneo 103 – Milano 155 – Vercelli 82.

Pianta d'insieme di Torino.

🏨 **Rivoli** senza rist, corso Primo Levi 150 ℘ 011 9566586, Fax 011 9531338, ⊥, 🍽 – 🛗 ▤ 📺
  ⅍ ⇔ **P.** – 🔬 120. 🔤 🕃 ➀ 🐽 _VISA_. 🛠   ET
  163 cam 🖭 140/190000.

RIVOLTA D'ADDA 26027 _Cremona_ 428 _F10 – 7 036 ab. alt. 102._
  Roma 560 – Bergamo 31 – Milano 26 – Brescia 59 – Piacenza 63.

XX **La Rosa Blu,** via Giulio Cesare 56 ℘ 0363 79290, Fax 0363 79290, 🍽 – **P.** 🔤 🕃 ➀ 🐽
  VISA. 🛠
  chiuso dall'8 gennaio al 2 febbraio, martedì sera e mercoledì – **Pasto** carta 55/80000.

ɔANA 36010 Vicenza 429 E 16 – 3 772 ab. alt. 992 – Sport invernali : vedere Asiago.
Roma 588 – Trento 64 – Asiago 6 – Milano 270 – Venezia 121 – Vicenza 54.

⚭ **All'Amicizia** con cam, via Roana di Sopra 32 ℘ 0424 66014, Fax 0424 66014 – 🛗 ☎ 🚗.
🍴 ⁂
Pasto *(chiuso mercoledì)* carta 30/45000 – **25 cam** ☟ 60/120000 – ½ P 80000.

ɔCCABIANCA 43010 Parma 428, 429 G 12 – 3 162 ab. alt. 32.
Roma 486 – Parma 32 – Cremona 34 – Mantova 73 – Piacenza 55.

Fontanelle Sud : 5 km – ⊠ 43010 :

🍴 **Hostaria da Ivan**, via Villa 73 ℘ 0521 870113, prenotare – 🖭 🕄 VISA. ⁂
chiuso dal 20 luglio al 20 agosto, lunedì e martedì – **Pasto** carta 40/65000.

ɔCCABRUNA 12020 Cuneo 428 I 3 – 1 464 ab. alt. 700.
Roma 673 – Cuneo 30 – Genova 174 – Torino 103.

Sant'Anna Nord : 6 km – alt. 1 250 – ⊠ 12020 Roccabruna :

🍴🍴 **La Pineta** ⏟ con cam, frazione Sant'Anna 8 ℘ 0171 905856, Fax 0171 916622 – 📺 🅿. 🖭
⚭ 🕄 VISA. ⁂
chiuso dal 7 gennaio al 15 febbraio – **Pasto** *(chiuso lunedì sera e martedì escluso dal
20 giugno al 20 settembre)* 35/50000 – ☟ 5000 – **12 cam** 60/90000 – ½ P 80000.

ɔCCA CORNETA Bologna 428 I 14 – Vedere Lizzano in Belvedere.

ɔCCA D'ARAZZO 14030 Asti 428 H 6 – 982 ab. alt. 193.
Roma 617 – Alessandria 30 – Asti 8 – Torino 66 – Genova 107 – Novara 89.

🏨 **Villa Conte Riccardi** ⏟, via al Monte 7 ℘ 0141 408565, Fax 0141 408565, ≤, « Resi-
denza d'epoca in un parco », ⤓, 🐎, ⁂ – 🛗 🖭 🕄 ① ⓪ⓢ VISA
chiuso gennaio – **Pasto** *(chiuso lunedì e solo su prenotazione)* 30/70000 – ☟ 10000 –
32 cam 90/150000 – ½ P 100000.

ɔCCA DI CAMBIO 67047 L'Aquila 430 P 22 – 472 ab. alt. 1 434.
Roma 142 – L'Aquila 23 – Pescara 99.

🏨 **Cristall Hotel**, via Saas Fee 2 ℘ 0862 918119, Fax 0862 919776, ≤, 🐎 – 📺 🚗 🅿. 🖭 🕄
⚭ ① ⓪ⓢ VISA. ⁂
chiuso maggio o novembre – **Pasto** *(chiuso giovedì)* carta 30/45000 – **19 cam** ☟ 75/
115000 – ½ P 110000.

ɔCCA DI MEZZO 67048 L'Aquila 430 P 22 – 1 538 ab. alt. 1 329.
Roma 138 – L'Aquila 27 – Frosinone 103 – Sulmona 61.

🏨 **Grand Hotel delle Rocche**, strada comunale-via Secinaro ℘ 0862 917144,
Fax 0862 917207, ≤, 🔳 – 🛗 📺 🅿. 🕄 ① ⓪ⓢ VISA. ⁂
Pasto 35/40000 – ☟ 15000 – **70 cam** 190/300000 – ½ P 185000.

ɔCCAFINADAMO Pescara – Vedere Penne.

ɔCCANTICA 02040 Rieti 430 P 20 – 629 ab. alt. 457.
Roma 59 – Terni 43 – Rieti 35 – Viterbo 72.

🍴 **La Rocca**, via del Campanile 18 ℘ 0765 63671, 🏖, prenotare – 🖭 🕄 ① ⓪ⓢ VISA JCB. ⁂
chiuso dal 12 al 24 gennaio, dal 16 agosto al 4 settembre, domenica sera e lunedì – **Pasto**
carta 45/70000 (10 %).

ɔCCA PIETORE 32020 Belluno 429 C 17 – 1 485 ab. alt. 1 142 – Sport invernali : a Malga Ciapela :
1 446/3 265 m (Marmolada) ⤙ 2 ⤙ 2 (anche sci estivo), ⤪.
Dintorni Marmolada*** : ⁂*** sulle Alpi per funivia Ovest : 7 km – Lago di Fedaia*
Nord-Ovest : 13 km.
🅱 via Roma 15 ℘ 0437 721319, Fax 0437 721319.
Roma 671 – Cortina d'Ampezzo 37 – Belluno 56 – Milano 374 – Passo del Pordoi 30 –
Venezia 162.

🏨 **Villa Eden**, località Col di Rocca Ovest : 2 km, alt. 1 184 ℘ 0437 722033, Fax 0437 722240,
≤, 🐎 – ⤫ rist, 📺 🅿. 🖭 🕄 ① ⓪ⓢ VISA. ⁂ rist
chiuso dal 1° maggio al 15 giugno, ottobre e novembre – **Pasto** *(solo per alloggiati)* –
18 cam ☟ 95/190000 – ½ P 95000.

a Bosco Verde Ovest : 3 km – alt. 1 200 – ⊠ 32020 Rocca Pietore :

🏨 **Sport Hotel Töler**, via Marmolada 12 ℘ 0437 722030, Fax 0437 722188, ≤, ≤s, ⚞ –
⏚ 🔟 ⇔ ℗. ⚞. ℀ rist
dicembre-aprile e giugno-settembre – **Pasto** carta 30/55000 – **25 cam** ⊇ 180000 –
½ P 130000.

🏨 **Rosalpina,** via Bosco Verde 21 ℘ 0437 722004, rosalpin@marmolada.com
⏚ Fax 0437 722049, ≤, ≤s – ⇔ rist, 🔟 ℗. 🕤 ⓜⓞ 𝘝𝘐𝘚𝘈. ℀
dicembre-aprile e giugno-settembre – **Pasto** carta 35/50000 – **30 cam** ⊇ 100/180000 –
½ P 125000.

a Digonera Nord : 5,5 km – alt. 1 158 – ⊠ 32020 Laste di Rocca Pietore :

🏨 **Digonera,** ℘ 0437 529120, info@digonera.com, Fax 0437 529150, ≤, ≤s – 🛗 ⇔ 🔟
⏚ ℗. ⚙ 🕤 ⓜⓞ 𝘝𝘐𝘚𝘈
chiuso dal 5 maggio al 20 giugno e dal 5 novembre al 6 dicembre – **Pasto** (chiuso lunedì)
carta 35/50000 – **30 cam** ⊇ 180000 – ½ P 110000.

ROCCAPORENA Perugia 𝟺𝟹𝟶 N 20 – Vedere Cascia.

ROCCA PRIORA 00040 Roma 𝟺𝟹𝟶 Q 20 – 9 926 ab. alt. 768.
Roma 34 – Anzio 56 – Frosinone 65.

🏨 **Villa la Rocca**, via dei Castelli Romani 1 ℘ 06 9472040, Fax 06 9471750, ⚞ – 🛗 🔟 ℗.
🏫 40. ⚙ 🕤 ⓞ ⓜⓞ 𝘝𝘐𝘚𝘈. ℀ rist
Pasto carta 60/95000 – **23 cam** ⊇ 200/320000 – ½ P 220000.

ROCCARASO 67037 L'Aquila 𝟺𝟹𝟶 Q 24, 𝟺𝟹𝟷 B 24 – 1 621 ab. alt. 1 236 – a.s. febbraio-20 aprile,
20 luglio-25 agosto e Natale – Sport invernali : 1 236/2 200 m ⛷ 1 ⛷ 11, ⛷.
🅱 via Mori 1 (palazzo del Comune) ℘ 0864 62210, Fax 0864 62210.
Roma 190 – Campobasso 90 – L'Aquila 102 – Chieti 98 – Napoli 149 – Pescara 109.

🏨 **Cristal** ♨, via Pietransieri ℘ 0864 602333, Fax 0864 63619, ≤ – 🛗 🔟 ᴄ ⇔ ℗. 🏫 120.
⚙ 🕤 ⓞ ⓜⓞ 𝘝𝘐𝘚𝘈
Pasto carta 40/55000 – **30 cam** ⊇ 140000 – ½ P 145000.

🏨 **Excelsior,** via Roma 27 ℘ 0864 602351, Fax 0864 602351 – 🛗 🔟 ⇔ ℗. ⚙ 🕤 ⓞ ⓜⓞ 𝘝𝘐𝘚𝘈.
℀
18 dicembre-15 aprile e 24 giugno-15 settembre – **Pasto** 35/40000 – ⊇ 12000 – **38 cam**
150/190000 – ½ P 175000.

🏨 **Iris,** viale Iris 5 ℘ 0864 602366, Fax 0864 619668 – 🛗 🔟. ⚙ 🕤 ⓞ ⓜⓞ 𝘝𝘐𝘚𝘈. ℀
Pasto 40/50000 – ⊇ 10000 – **52 cam** 145/180000 – ½ P 180000.

🏨 **Suisse,** via Roma 22 ℘ 0864 602347, info@hotelsuisse.it, Fax 0864 602347 – 🛗 🔟 ⇔. ⚙
⏚ 🕤 ⓜⓞ 𝘝𝘐𝘚𝘈. ℀
Pasto (chiuso lunedì) carta 35/50000 – **47 cam** ⊇ 120/140000 – ½ P 170000.

✕✕ **Il Tratturo,** via Pietransieri 5 ℘ 0864 62666, Rist. e pizzeria – ℗. ⚙ 🕤 ⓞ ⓜⓞ 𝘝𝘐𝘚𝘈. ℀
⏚ **Pasto** carta 35/65000.

a Pietransieri Est : 4 km – alt. 1 288 – ⊠ 67030 :

✕ **La Preta,** via Adua 2 ℘ 0864 62716, lapreta@interfree.it, Fax 0864 62716, Coperti limitati;
prenotare – ℗. ⚙ 🕤 ⓞ ⓜⓞ 𝘝𝘐𝘚𝘈. ℀
chiuso martedì in bassa stagione – **Pasto** carta 40/65000.

ad Aremogna Sud-Ovest : 9 km – alt. 1 622 – ⊠ 67030 :

🏨🏨 **Pizzalto** ♨, via Aremogna 12 ℘ 0864 602383, Fax 0864 602383, ≤, ℔, ≤s – 🛗 🔟 ⇔
℗ – 🏫 60. ⚙ 🕤 ⓞ ⓜⓞ 𝘝𝘐𝘚𝘈. ℀
chiuso maggio, giugno e dal 15 settembre a novembre – **Pasto** 40/50000 – **53 cam**
⊇ 140/200000 – ½ P 190000.

🏨 **Boschetto** ♨, via Aremogna 42 ℘ 0864 602367, Fax 0864 602382, ≤, ℔, ≤s, ▨ – 🛗 🔟
⇔ ℗. ⚙ 🕤 ⓞ ⓜⓞ 𝘝𝘐𝘚𝘈. ℀
chiuso maggio – **Pasto** carta 45/80000 – ⊇ 15000 – **48 cam** 110/160000 – ½ P 170000.

ROCCA SAN CASCIANO 47017 Forlì-Cesena 𝟺𝟸𝟿, 𝟺𝟹𝟶 J 17 – 2 107 ab. alt. 210.
Roma 326 – Rimini 81 – Bologna 91 – Firenze 81 – Forlì 28.

✕ **La Pace,** piazza Garibaldi 16 ℘ 0543 951344, Trattoria con ambiente famigliare – ⚙ ⓜⓞ
⏚ 𝘝𝘐𝘚𝘈. ℀
chiuso lunedì sera e martedì – **Pasto** carta 20/35000.

ROCCA SAN GIOVANNI 66020 *Chieti* [430] P 25 – *2 359 ab. alt. 155.*

Roma 263 – Pescara 41 – Chieti 60 – Isernia 113 – Napoli 199 – Termoli 91.

in prossimità casello autostrada A 14 *Nord-Ovest : 6 km :*

🏨 **Villa Medici,** contrada Santa Calcagna ✉ 66020 ☎ 0872 717645, *Fax 0872 709122,* 🏊, 🎾 – [lift] ❄ [TV] ♿ [P] – 👥 100. [AE] [S] [O] [MC] [VISA] [JCB]. 🚫 rist
Pasto *(chiuso a mezzogiorno escluso agosto)* carta 35/65000 – **46 cam** ☕ 110/170000 – ½ P 130000.

🏨 **Thema,** contrada Santa Calcagna 30 ✉ 66020 ☎ 0872 715446, *hotelth@tin.it, Fax 0872 715484,* 🎾 – [lift], 🚭 cam, ❄ [TV] ♿ [P] – 👥 140. [AE] [S] [O] [MC] [VISA]. 🚫
Pasto carta 35/55000 – **33 cam** ☕ 110/150000 – ½ P 100000.

ROCCHETTA TANARO 14030 *Asti* [428] H 7 – *1 436 ab. alt. 107.*

Roma 626 – Alessandria 28 – Torino 75 – Asti 17 – Genova 100 – Novara 114.

🍴🍴 **I Bologna,** via Nicola Sardi 4 ☎ 0141 644600, *Fax 0141 644197,* ☂, solo su prenotazione – 🚫
chiuso martedì e dal 10 gennaio al 10 febbraio – **Pasto** 60000.

RODDI 12060 *Cuneo* [428] H 5 – *1 310 ab. alt. 284.*

Roma 650 – Cuneo 61 – Torino 63 – Asti 35.

🍴 **La Cròta,** piazza Principe Amedeo 1 ☎ 0173 615187, *Fax 0173 615187,* ☂ – [S] [MC] [VISA]
chiuso dall'11 al 18 gennaio, dal 15 luglio al 7 agosto, lunedì sera e martedì – **Pasto** 90000 bc e carta 40/70000.

RODI GARGANICO 71012 *Foggia* [431] B 29 – *3 863 ab. – a.s. luglio-13 settembre.*

Roma 385 – Foggia 100 – Bari 192 – Barletta 131 – Pescara 184.

🏨 Parco degli Aranci 🐚, località Mulino di Mare Est : 2 km ☎ 0884 965033, *Fax 0884 968481,* ≤, « Parco-agrumeto », 🏊, 🏖, 🎾 – [lift] ❄ [P] – 👥 500
72 cam.

🍴 **Bella Rodi,** via Scalo Marittimo 49/51 ☎ 0884 965786, *Fax 0884 965786* – ❄. [AE] [S] [O] [MC] [VISA]. 🚫
chiuso dal 23 dicembre al 2 gennaio, dal 15 al 25 ottobre e mercoledì escluso da giugno a settembre – **Pasto** specialità di mare carta 45/65000.

ROLETTO 10060 *Torino* [428] H 3-4 – *1 955 ab. alt. 412.*

Roma 683 – Torino 37 – Asti 77 – Cuneo 67 – Sestriere 62.

🍴 **Il Ciabot,** via Costa 7 ☎ 0121 542132, ☂, prenotare la sera – [S] [MC] [VISA]
chiuso agosto, domenica sera e lunedì – **Pasto** carta 40/60000.

Dans ce guide
un même symbole, un même mot,
imprimé en rouge ou en noir, en maigre ou en ***gras***,
n'ont pas tout à fait la même signification.
Lisez attentivement les pages explicatives.

ROMA

00100 [P] [430] Q 19 [38] – *2 643 581 ab. alt. 20.*

Distanze : nel testo delle altre città elencate nella Guida è indicata la distanza chilometrica da Roma.

Indice toponomastico .... p. 4 a 6

Piante di Roma

Percorsi di attraversamento e di circonvallazione .... p. 6 e 7

Centro .... p. 8 e 9

Centro nord .... p. 10 e 13

Centro sud .... p. 14 e 17

Elenco alfabetico degli alberghi e ristoranti .... p. 18 e 20

Nomenclatura degli alberghi e ristoranti .... da p. 21 a 32

INFORMAZIONI PRATICHE

ℹ *via Parigi 5 ✉ 00185 ☎ 06 48899253, Fax 06 48899228*
ℹ *Aeroporto di Fiumicino ☎ 06 65956074.*

[A.C.I.] *via Cristoforo Colombo 261 ✉ 00147 ☎ 06 514971 e via Marsala 8 ✉ 00185 ☎ 06 49981, Fax 06 49982234.*

✈ *di Ciampino Sud-Est : 15 km* BR *☎ 06 794941*
✈ *Leonardo da Vinci di Fiumicino per ⑧ : 26 km ☎ 06 65631*
Alitalia, via Bissolati 20 ✉ 00187 ☎ 06 65621 e viale Alessandro Marchetti 111 ✉ 00148 ☎ 06 65643.

⛳18 *Parco de' Medici (chiuso martedì) ✉ 00148 Roma ☎ 06 6553477, Fax 06 6553344, Sud-Ovest : 4,5 km* BR.

⛳18 *Circolo del Golf di Roma (chiuso lunedì) via Appia Nuova 716/A ✉ 00178 Roma ☎ 06 7803407, Fax 06 78346219, Sud-Est : 12 km.*

⛳18 *e* ⛳18 *Marco Simone a Guidonia Montecelio ✉ 00012 ☎ 0774 366469, Fax 0774 366476, per ③ : 17 km.*

⛳18 *e* ⛳9 *Arco di Costantino (chiuso lunedì) ✉ 00188 Roma ☎ 06 33624440, Fax 06 33612919 per ② : 15 km.*

⛳18 *e* ⛳9 *(chiuso lunedì) ad Olgiata ✉ 00123 Roma ☎ 06 30889141, Fax 06 30889968, per ⑩ : 19 km.*

⛳18 *Fioranello (chiuso mercoledì) a Santa Maria delle Mole ✉ 00134 ☎ 06 7138080, Fax 06 7138212, per ⑤ : 19 km.*

In occasione di alcune manifestazioni commerciali o turistiche i prezzi degli alberghi potrebbero subire un sensibile aumento (informatevi al momento della prenotazione).

LUOGHI DI INTERESSE

Galleria Borghese★★★ OU M^6 – *Villa Giulia*★★★ DS – *Catacombe*★★★ BR – *Santa Sabina*★★ MZ – *Villa Borghese*★★ NOU – *Terme di Caracalla*★★★ ET – *San Lorenzo Fuori Le Mura*★★ FST **E** – *San Paolo Fuori Le Mura*★★ BR – *Via Appia Antica*★★ BR – *Galleria Nazionale d'Arte Moderna*★ DS M^7 – *Piramide di Caio Cestio*★ DT – *Porta San Paolo*★ DT **B** – *Sant'Agnese e Santa Costanza*★ ES **C** – *Santa Croce in Gerusalemme*★ FT **D** – *San Saba*★ ET – *E.U.R.*★ BR – *Museo della Civiltà Romana*★★ BR M^8.

ROMA ANTICA

Colosseo★★★ OYZ – *Foro Romano*★★★ NOY – *Basilica di Massenzio*★★★ OY **B** – *Fori Imperiali*★★★ NY – *Colonna Traiana*★★★ NY **C** – *Palatino*★★★ NOYZ – *Pantheon*★★★ MVX – *Area Sacra del Largo Argentina*★★ MY **W** – *Ara Pacis Augustae*★★ LU – *Domus Aurea*★★ PY – *Tempio di Apollo Sosiano*★★ MY **X** – *Teatro di Marcello*★★ MY – *Tempio della Fortuna Virile*★ MZ **Y** – *Tempio di Vesta*★ MZ **Z** – *Isola Tiberina*★ MY.

ROMA CRISTIANA

Chiesa del Gesù★★★ MY – *Santa Maria Maggiore*★★★ PX – *San Giovanni in Laterano*★★★ FT – *Santa Maria d'Aracoeli*★★ NY **A** – *San Luigi dei Francesi*★★ LV – *Sant'Andrea al Quirinale*★★ OV **F** – *San Carlo alle Quattro Fontane*★★ OV **K** – *San Clemente*★★ PZ – *Sant'Ignazio*★★ MV **L** – *Santa Maria degli Angeli*★★ PV **N** – *Santa Maria della Vittoria*★★ PV – *Santa Susanna*★★ OV – *Santa Maria in Cosmedin*★★ MNZ – *Santa Maria in Trastevere*★★ KZ **S** – *Santa Maria sopra Minerva*★★ MX **V** – *Santa Maria del Popolo*★★ MU **D** – *Chiesa Nuova*★★ LV **G** – *San Pietro in Vincoli*★ OY – *Santa Cecilia*★ MZ – *San Pietro in Montorio*★ JZ ⩽★★★ – *Sant'Andrea della Valle*★★ LY **Q** – *Santa Maria della Pace*★ KV **R**.

PALAZZI E MUSEI

Museo del Palazzo dei Conservatori★★★ MNY M^1 – *Museo Capitolino*★★ NY M^2 – *Palazzo Senatorio*★★★ NY **H** – *Castel Sant'Angelo*★★★ JKV – *Museo Nazionale Romano*★★★ : Aula Ottagona*★★★ PV M^9, *Palazzo Massimo alle Terme* PV e *Palazzo Altemps*★★★ KLV – *Palazzo della Cancelleria*★★ KX **A** – *Palazzo Farnese*★★ KY – *Palazzo del Quirinale*★★ NOV – *Palazzo Barberini*★★ OV – *Villa Farnesina*★★ KY – *Palazzo Venezia*★ MY M^3 – *Palazzo Braschi*★ KX M^4 – *Palazzo Doria Pamphili*★ MX M^5 – *Palazzo Spada*★ KY – *Museo Napoleonico*★ KV.

CITTÀ DEL VATICANO

Piazza San Pietro★★★ HV – *Basilica di San Pietro*★★★ (*Cupola* ⩽★★★) GV – *Musei Vaticani*★★★ (*Cappella Sistina*★★★) GHUV – *Giardini Vaticani*★★★ GV.

PASSEGGIATE

Pincio ⩽★★★ MU – *Piazza del Campidoglio*★★★ MNY – *Piazza di Spagna*★★★ MNU – *Piazza Navona*★★★ LVX – *Fontana dei Fiumi*★★★ LV **E** – *Fontana di Trevi*★★★ NV – *Monumento a Vittorio Emanuele II (Vittoriano)* ⩽★★★ MNY – *Piazza del Quirinale*★★ NV – *Piazza del Popolo*★★ MU – *Gianicolo*★ JY – *Via dei Coronari*★ KV – *Ponte Sant'Angelo*★ JKV – *Piazza Bocca della Verità*★ MNZ – *Piazza Campo dei Fiori*★ KY **28** – *Piazza Colonna*★ MV **46** – *Porta Maggiore*★ FT – *Piazza Venezia*★ MNY.

Per una visita turistica più dettagliata consultate la guida Verde Michelin Italia e in particolare la guida Verde Roma.

Pour une visite touristique plus détaillée, consultez le Guide Vert Italie et plus particulièrement le guide Vert Rome.

Eine ausführliche Beschreibung aller Sehenswürdigkeiten finden Sie im Grünen Reiseführer Italien.

For a more complete visit consult the Green Guides Italy and Rome.

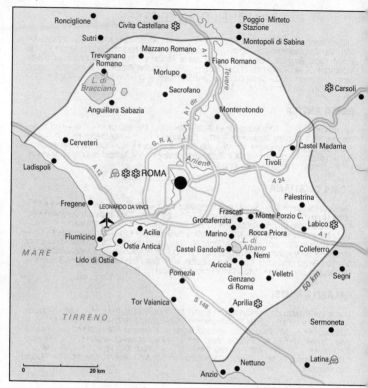

INDICE TOPONOMASTICO DELLE PIANTE DI ROMA

Accaia (Via)	p. 9	FT	
Adriana (Piazza)	p. 11	JKV	
Adriatico (Viale)	p. 7	BQ 3	
Albania (Piazza)	p. 16	NZ	
Albenga (Via)	p. 9	FT 4	
Alberteschi (Lungotevere)	p. 16	MZ 6	
Aldrovandi (Via U.)	p. 9	ES	
Altoviti (Lungotev. d.)	p. 11	JV 7	
Amba Aradam (Via)	p. 17	PZ	
Anagnina (Via)	p. 7	BR	
Anastasio II (Via)	p. 6	AQ 8	
Angelico (Viale)	p. 10	HU	
Anguillara (Lungotevere d.)	p. 16	LY 9	
Aosta (Via)	p. 9	FT 10	
Appia Antica (Via)	p. 7	BR	
Appia Nuova (Via)	p. 7	BR	
Appia Pignatelli (Via)	p. 7	BR	
Ardeatina (Via)	p. 7	BR	
Arenula (Via)	p. 16	LY	
Armi (Lungotev. d.)	p. 8	DS	
Augusta (Lungotevere in)	p. 11	LU	
Aurelia (Via)	p. 6	AQ	
Aurelia Antica (Via)	p. 14	GZ	
Aventino (Lungotev.)	p. 16	MZ	
Aventino (Viale)	p. 16	NZ	
Babuino (Via d.)	p. 12	MU	
Baccelli (Viale)	p. 9	ET 12	
Banchi Nuovi (Via d.)	p. 11	KV 13	
Banchi Vecchi (Via d.)	p. 11	KX 15	
Banco S. Spirito (Via d.)	p. 11	JV 16	
Barberini (Via)	p. 13	OV	

Bari (Via)	p. 9	FS	
Barletta (Via)	p. 10	HU	
Barrili (Via)	p. 8	CT	
Bassi (Via U.)	p. 15	JZ	
Battisti (Via C.)	p. 16	NX 19	
Beccaria (Via C.)	p. 12	LU	
Belle Arti (Viale d.)	p. 8	DS	
Belli (Piazza G. G.)	p. 15	LYZ 21	
Bissolati (Via L.)	p. 13	OU	
Bocca della Verità (Piazza della)	p. 16	NZ	
Boccea (Via di)	p. 6	AQ	
Boncompagni (Via)	p. 13	OPU	
Bonghi (Via R.)	p. 17	PY	
Botteghe Oscure (Via d.)	p. 16	MY 22	
Brasile (Piazzale)	p. 12	OU	
Brescia (Lungotev. A. da)	p. 11	KU	
Brofferio (Via A.)	p. 11	JU	
Britannia (Via)	p. 9	FT 24	
Bufalotta (Via d.)	p. 7	BQ	
Buozzi (Viale B.)	p. 9	ES	
Busiri-Vici (Via A.)	p. 14	HZ 25	
Cadlolo (Via A.)	p. 8	CS	
Calabria (Via)	p. 12	PU 27	
Camilluccia (Via d.)	p. 6	AQ	
Campania (Via)	p. 12	OPU	
Campidoglio (Pza d.)	p. 16	MY	
Campo dei Fiori (Pza)	p. 15	KY 28	
Candia (Via)	p. 10	GU	
Canonica (Vle P.)	p. 9	NU	
Cappellari (Via d.)	p. 11	KX 30	
Caravita (Via)	p. 12	MV 31	
Carini (Via G.)	p. 11	JZ	

Carso (Viale)	p. 8	CS	
Casilina (Via)	p. 9	FT 33	
Cassia (Via)	p. 6	AQ	
Cassia Nuova (Via)	p. 7	BQ	
Castello (Lungotev.)	p. 11	KV 34	
Castrense (Viale)	p. 9	FT 36	
Castro Pretorio (Viale)	p. 9	FS 37	
Catania (Via)	p. 9	FS	
Cavalieri di Vittorio Veneto (Viale d.)	p. 8	CS 39	
Cavalli Marini (Vle d.)	p. 9	ES 40	
Cave (Via d.)	p. 7	BR 42	
Cavour (Piazza)	p. 11	KV	
Cavour (Ponte)	p. 11	KV	
Cavour (Via)	p. 17	OY	
Cenci (Lungotev. d.)	p. 16	MY	
Cerchi (Via d.)	p. 16	NZ	
Cesi (Via F.)	p. 11	KU	
Cestio (Ponte)	p. 16	MZ	
Chiana (Via)	p. 9	FS	
Cicerone (Via)	p. 11	KU	
Cinque Lune (Pza)	p. 11	LV 43	
Cinquecento (Pza d.)	p. 13	PV	
Cipro (Via)	p. 10	GU	
Circo Massimo (Via d.)	p. 16	NZ	
Claudia (Via)	p. 17	PZ	
Clementino (Via d.)	p. 12	MV 45	
Clodia (Circonvallazione)	p. 8	CS	
Colli Portuensi (V.)	p. 6	AR	
Collina (Via)	p. 13	PU	
Colombo (Via Crist.)	p. 6	AR	
Colonna (Piazza)	p. 12	MV 46	
Colonna (Via M. A.)	p. 11	JKU	
Colonna (Via V.)	p. 11	KV 48	

onciliazione (V. d.)..	p. 11	JV
ondotti (Via d.)......	p. 12	MV
onsolazione (V. d.) .	p. 16	NY 49
onte Verde (Via)....	p. 9	FT 51
oronari (Via d.)......	p. 11	KV
orridoni (Via F.)	p. 8	CS 52
orridori (Via d.)	p. 10	HV 54
orso (Via d.).........	p. 12	MU
rescenzio (Via)......	p. 11	JU
'Annunzio (Vle G.) .	p. 12	MU 55
amiata (Via)	p. 11	JU
andolo (Via)	p. 15	KZ
e Rossi (Via G. B.) .	p. 9	FS
ella Rovere (Pza)..	p. 11	JV 57
epretis (Via A.)	p. 13	PV
ezza (Via G.)	p. 14	HZ
ogana Vecchia (V. della)	p. 12	LV 58
omus Aurea (Via) ..	p. 17	PY
oria (Via Andrea)..	p. 10	GU
ruso (Via)	p. 9	ET
ue Macelli (Via)....	p. 12	NV
uilio (Via)	p. 11	JU 60
inaudi (Viale L.)	p. 13	PV 61
leniana (Via)	p. 9	FT 63
mo (Via A.)	p. 10	GU
roi (Piazzale d.)	p. 10	GU
squiline (Piazza d.) .	p. 13	PV
truria (Via)..........	p. 9	FT
abricio (Ponte)	p. 16	MY 64
arnesina (Lungotevere d.) ..	p. 15	KY
edro (Via)	p. 8	CS
elice (Via C.)	p. 9	FT
errari (Via G.)	p. 11	JU
erratella (Via d.) ...	p. 9	ET 67
iliberto (Via E.)	p. 9	FT 69
iorentini (Lungotevere d.) ..	p. 11	JV 70
iorentini (Via)......	p. 7	BQ 72
iume (Piazza)	p. 12	PU
laminia (Via).......	p. 12	LU 73
laminia Nuova (V.)..	p. 7	BQ
laminio (Lungotev.).	p. 8	DS
lorida (Via)	p. 16	MY
ontanella Borghese (Via) ...	p. 12	MV 76
onteiana (Via)......	p. 14	GZ
ori Imperiali (Via d.)	p. 17	OY
ornaci (Via d.)	p. 14	HYZ
oro Italico (Via d.)..	p. 7	BQ
oro Olitorio (Via d.).	p. 16	MY 78
rancia (Corso di) ...	p. 7	BQ 79
ranklin (Via B.).....	p. 8	DT
rattina (Via)........	p. 12	MV
allia (Via)	p. 17	PZ
alvani (Via)	p. 8	DT
aribaldi (Ponte)	p. 15	LY 81
aribaldi (Via)	p. 15	JY
elsomini (Viale).....	p. 8	DT 82
ermanico (Via).....	p. 11	JU
ianicolense (Circ.) .	p. 6	AR 84
ianicolense (Lungotevere)	p. 11	JX
ianicolo (Passeggiata di)...	p. 14	HY
ianicolo (Via d.)....	p. 10	HX 85
iolitti (Via).........	p. 9	FT
iotto (Viale)	p. 9	ET
iovannelli (Via R.)..	p. 9	ES 87
iubbonari (Via d.) ..	p. 15	LY
iulia (Via)	p. 15	KY
iuliana (Via d.)	p. 10	GU
iulio Cesare (Viale).	p. 11	JU
lorioso (Viale)	p. 15	KZ
omenizza (Via)	p. 8	CS
orizia (Via)	p. 9	FS
overno Vecchio (Via d.)............	p. 11	KV 88
racchi (Via d.)	p. 11	JU
reca (Via d.)	p. 16	MZ 90
regorio VII (Viale) .	p. 14	GY
rotta Perfetta (Via).	p. 7	BR
nduno (Via G.)	p. 15	KZ
ppocrate (Viale) ...	p. 9	FS
pponio (Viale)	p. 17	PZ
talia (Corso d')	p. 12	PU
ugario (Vico).......	p. 16	MY 91
a Malfa (Piazzale U.)	p. 16	NZ
a Spezia (Via)	p. 9	FT
abicana (Via)	p. 17	PZ
anciani (Via R.)	p. 9	FS
anza (Via G.)	p. 17	PY
Laurentina (Via)	p. 7	BR
Leone XIII (Via)	p. 6	AR 93
Lepanto (Via)	p. 11	JU
Libertà (Piazza d.) ...	p. 11	KU
Liegi (Viale)	p. 9	ES
Lucania (Via)	p. 12	PU 94
Lucce (Via d.)	p. 16	LZ
Ludovisi (Via)	p. 13	OU
Lungara (Via d.)	p. 15	JY
Lungaretta (Via d.) ..	p. 15	KZ 96
Magliana (Ponte d.) .	p. 6	AR 97
Magliana (Via d.)	p. 6	AR
Magna Grecia (V.)...	p. 9	FT
Magnolie (Vle d.)	p. 12	NU
Majorana (Via Q.) ...	p. 7	BR 99
Mameli (Via G.)	p. 15	KZ
Manara (Via L.)	p. 15	KZ
Manzoni (Viale)	p. 9	FT
Marconi (Viale G.) ..	p. 7	BR 100
Mare (Via d.)	p. 6	AR
Maresciallo Pilsudski (Viale)	p. 8	DS 102
Margutta (Via)	p. 12	MU
Marmorata (Via)	p. 8	DT
Marsala (Via)	p. 9	FT
Marzio (Lungotev.)...	p. 11	LV
Mascherone (V. d.) ..	p. 15	KY 103
Massina (Via A.)	p. 15	JZ 105
Mazzini (Ponte)	p. 15	JY
Mazzini (Viale G.) ..	p. 8	DS
Mecenate (Via)	p. 17	PY
Medaglie d'Oro (V.) .	p. 10	GU
Medici (Via d.)	p. 15	JZ
Mellini (Lungotev.)...	p. 11	LU
Merulana (Via)	p. 17	PY
Michelangelo (Lungotevere)	p. 11	KU
Milano (Via)	p. 13	OX
Milizie (Viale d.)	p. 11	JU
Monserrato (Via d.) .	p. 15	KY 106
Mte Brianzo (V.)	p. 12	LV 107
Montebello (Via)	p. 13	PU
Monti Tiburtini (V.) ..	p. 7	BQ
Monza (Via)	p. 9	FT 108
Morgagni (Via)	p. 9	FS 109
Morosini (Via E.)....	p. 15	KZ
Mura Aurelie (Vle) ...	p. 14	HY
Muro Torto (Vle)	p. 12	MU
Museo Borghese (Viale d.)	p. 13	OU
Navi (Lungotev. d.)...	p. 8	DS
Navicella (Via d.)	p. 17	PZ
Navona (Piazza)	p. 11	LX
Nazionale (Via)	p. 13	OV
Nenni (Ponte P.)	p. 11	KU 111
Newton (V.).........	p. 6	AR
Nizza (Via)	p. 13	PU
Nomentana (Via)....	p. 9	FS
Oberdan (Lungotev.)	p. 8	DS
Oderisi da Gubbio (Via)	p. 7	BR 112
Oslavia (Via)	p. 8	CS
Ostiense (Via)	p. 6	AR
Ottaviano (Via)	p. 10	HU
Paglia (Via d.)	p. 15	KZ 114
Palatino (Ponte)	p. 16	MZ
Panama (Via)	p. 9	ES
Panisperna (Via d.) ..	p. 17	PX
Parioli (Viale d.)	p. 9	ES
Pattinaggio (Via d.)..	p. 7	BR 115
Petroselli (Via)	p. 16	MZ
Piave (Via)	p. 13	PU
Piemonte (Via)......	p. 13	OU
Pierleoni (Lungotevere)	p. 16	MZ 117
Pinciana (Via)	p. 13	OU
Pineta Sacchetti (Via d.)	p. 6	AQ
Pio (Borgo)..........	p. 11	JV
Piramide Cestia (Viale di)	p. 8	DT 118
Pisani (Via V.).......	p. 10	GU
Platone (Viale)	p. 10	GU 120
Plebiscito (Via d.) ...	p. 16	MY 121
Po (Via)	p. 13	OU
Poerio (Via A.)	p. 8	CT
Policlinico (Via d.) ...	p. 9	FS 123
Pompeo Magno (Via)	p. 11	KU
Pontina (Via)	p. 7	BR 124
Popolo (Piazza d.) ..	p. 12	MU
Pta Angelica (V.)....	p. 10	HV 126
Pta Capena (Pza di) .	p. 17	OZ
Pta Cavalleggeri (V.).	p. 10	GV
Pta Lavernale (V.) ...	p. 16	MZ 127
Porta Maggiore (Piazza di)	p. 9	FT
Porta Metronia (Piazza di)	p. 17	PZ
Porta Pinciana (V.) ..	p. 12	NU
Pta Portese (Pza)...	p. 16	LZ
Porta Portese (Via) ..	p. 15	LZ 129
Portico d'Ottavia (V.)	p. 16	MY 130
Portuense (Via)......	p. 15	KZ
Portuense (Via)....	p. 6	AR
Prati (Lungotevere) ..	p. 11	LV
Prenestina (Via)	p. 7	BQ
Pretoriano (Via)	p. 9	FT 133
Prince A. Savoia Aosta (Ponte) ...	p. 11	JV 135
Principe Amedeo (Galleria)	p. 10	HV
Principe Amedeo (Via)	p. 13	PVX
Province (Via d.)....	p. 9	FS
Publicii (Clivo d.)...	p. 16	MZ 136
Quattro Fontane (Via d.)	p. 13	OV
Quirinale (Pza d.)..	p. 12	NV
Quirinale (Via d.) ...	p. 13	OV 138
Ravenna (Via)	p. 9	FS
Regina Elena (V.) ..	p. 9	FS
Regina Margherita (Ponte)...........	p. 11	KU 139
Regina Margherita (Viale)............	p. 9	FS
Regolo (Via A.)....	p. 11	JU 141
Repubblica (Pza.) ..	p. 13	PV
Rienzo (V. Cola di) .	p. 11	JU
Rinascimento (Corso)	p. 11	LX 142
Ripa (Lungotev.)...	p. 16	MZ
Ripa Grande (Porto d)	p. 16	LMZ
Ripetta (Via di)	p. 12	MU
Risorgimento (Pza) .	p. 10	HU
Risorgimento (Pte) .	p. 8	DS 144
Rossetti (Via G.)....	p. 15	JZ
Rotonda (Via)	p. 12	MX 147
Rovigo (Via)	p. 9	FS 148
Saffi (Viale A.)......	p. 15	KZ 150
Salaria (Via)	p. 7	BQ
Sallustiana (Via) ...	p. 13	PU
S. Alessio (Via).....	p. 16	NZ
S. Angelo (Borgo) ..	p. 11	JV 151
S. Angelo (Ponte) ..	p. 11	KV
S. Chiara (Via)	p. 12	MX 153
S. Cosimato (Pza) ..	p. 15	KZ
S. Francesco d'Assisi (Piazza) ..	p. 15	LZ
S. Francisco a Ripa (Via di) ...	p. 15	KZ
S. Giovanni in Laterano (Via).	p. 17	PZ
S. Gregorio (Via)..	p. 17	OZ
S. Ignazio (Piazza) .	p. 12	MV 156
S. Marco (Via)....	p. 16	MY 157
S. Maria del Pianto (Via)	p. 16	MY 159
S. Maria Maggiore (Via)	p. 17	PX 160
S. Pancrazio (Via) ..	p. 14	HZ
S. Pietro (Piazza) ..	p. 10	HV
S. Prisca (Via d.) ...	p. 16	NZ 162
S. Sabina (Via di) ..	p. 16	MZ
S. Sebastiano (V.) .	p. 7	BR 163
S. Sonnino (Pza) ..	p. 15	LZ
S. Spirito (Borgo) ..	p. 11	JV
S. Stefano Rotondo (Via di)	p. 17	PZ
S. Teodoro (Via) ...	p. 16	NY
S. Uffizio (Via d.) ..	p. 10	HV 165
Sangallo (Lungotevere d.) .	p. 11	JX
Sanzio (Lungotev.).	p. 15	LY
Sassia (Lungotev. in) ...	p. 11	JV
Savoia (Via F. di)...	p. 12	LU 166
Savoia (Via L. di) ..	p. 12	LU
Scala (Via d.)	p. 15	KY
Scalo S. Lorenzo (Via) .	p. 9	FT
Scipioni (Via d.) ...	p. 11	JU
Scrofa (Via d.)	p. 12	LV
Seminario (Via d.) .	p. 12	MV 168
Serenissima (Vle d.)	p. 7	BQ 169

INDICE TOPONOMASTICO
DELLE PIANTE DI ROMA

Sistina (Via)	p. 12	NV
Sisto (Ponte)	p. 15	KY
Spagna (Piazza di)	p. 12	NU
Sprovieri (Via F. S.)	p. 14	HZ 171
Stadio Olimpico (V. d.)	p. 6	AQ 172
Statuto (Via d.)	p. 17	PY
Stelletta (Via d.)	p. 12	MV 174
Sublicio (Ponte)	p. 16	LZ
Tassoni (Largo)	p. 11	JV
Teatro di Marcello (Via d.)	p. 16	MY 175
Tebaldi (Lungotev. d.)	p. 15	KY
Terme Deciane (V.)	p. 16	NZ 177
Terme di Caracalla (Viale d.)	p. 17	OZ
Testaccio (Lungotev.)	p. 16	LZ 178
Teulada (Via)	p. 8	CS
Tevere (Via)	p. 13	PU
Tiburtina (Via)	p. 7	BQ
Tiziano (Viale)	p. 8	DS
Togliatti (Viale P.)	p. 7	BR
Tomacelli (Via)	p. 12	MV
Tor di Nona (Lungotevere)	p. 11	KV
Torlonia (Via)	p. 9	FS
Torre Argentina (Via)	p. 16	MY 180
Traforo (Via d.)	p. 12	NV 181
Trastevere (Viale)	p. 15	KZ
Tre Madonne (V.)	p. 9	ES 183
Trieste (Corso)	p. 9	FS
Trinità dei Monti (Vle)	p. 12	NU
Trionfale (Circ.)	p. 10	GU
Trionfale (Via)	p. 6	AQ
Tritone (Via d.)	p. 12	NV
Trullo (Via)	p. 6	AR
Tuscolana (Via)	p. 9	FT 184
Uffici del Vicario (V.)	p. 12	MV 186
Umberto I (Ponte)	p. 11	KV
Università (Viale d.)	p. 9	FS
Vallati (Lungotev.)	p. 15	LY
Valle Giulia (Viale)	p. 9	ES 187
Valle Murcia (Via)	p. 16	NZ 189
Vascello (Via d.)	p. 14	HZ
Vaticano (Lungotev.)	p. 11	JV 190
Vaticano (Viale)	p. 10	GV
Venezia (Piazza)	p. 16	NY
Venezian (Via G.)	p. 15	KZ 192
Vercelli (Via)	p. 9	FT
Vigna Murata (V.)	p. 7	BR
Villa Massimo (Vle)	p. 9	FS 193
Villa Pamphili (Vle)	p. 14	HZ
Viminale (Via d.)	p. 13	PV
Virgilio (Via)	p. 11	JU
Vitellia (Via)	p. 14	GZ
Vittoria (Lungotevere d.)	p. 8	CS
Vittorio Emanuele II (Corso)	p. 11	KX
V. Emanuele II (Ponte)	p. 11	JV 195
V. Emanuele Orlando (Via)	p. 13	PV 196
Vittorio Veneto (Via)	p. 13	OU
Volturno (Via)	p. 13	PV 198
Zanardelli (Via)	p. 11	KV 199
4 Novembre (Via)	p. 16	NX 201
20 Settembre (V.)	p. 13	PU
24 Maggio (Via)	p. 12	NX
30 Aprile (Viale)	p. 15	JZ 202
XXI Aprile (Viale)	p. 9	FS

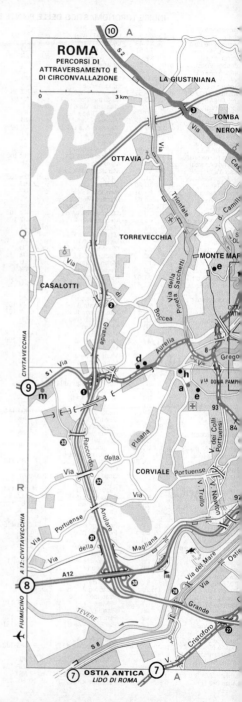

Adriatico (Viale) .... BQ 3
Anastasio II (Via) .... AQ 8
Cave (Via d.) .... BR 42
Fiorentini (Via) .... BQ 72
Francia (Corso di) .... BQ 79
Gianicolense
  (Circonvallazione) .... AR 84
Leone XIII (Via) .... AR 93
Magliana (Ponte d.) .... AR 97
Majorana (Via Q.) .... BR 99
Marconi (Viale G.) .... BR 100
Oderisi da Gubbio (Via) .... BR 112
Pattinaggio (Via d.) .... BR 115
Pontina (Via) .... BR 124
S. Sebastiano (Via di) ..... BR 163
Serenissima (Viale d.) ..... BQ 169
Stadio Olimpico (Via d.) ... AQ 172

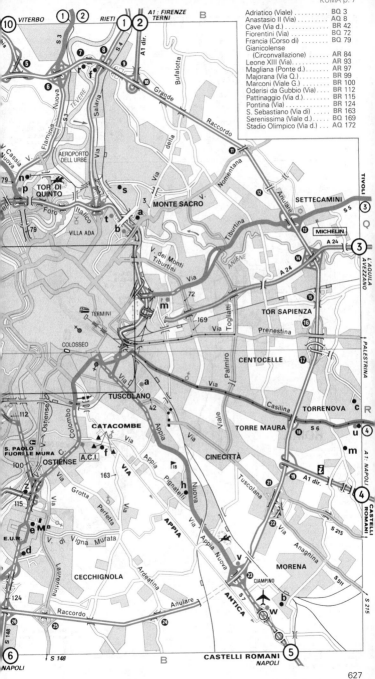

627

ROMA

Circolazione regolamentata
nel centro città

Albenga (Via) . . . . FT 4
Aosta (Via) . . . . FT 10
Bacceli (Viale Guido) . . . . . . ET 12
Bari (Via) . . . . FS 18
Britannia (Via) . . . . FT 24
Casilina (Via) . . . . FT 33
Castrense (Viale) . . . . FT 36
Castro Pretorio (Viale) . . . . FS 37
Cavalieri di V. Veneto (Vle) . . . CS 39
Cavalli Marini (Viale d.) . . . . ES 40
Conte Verde (Via) . . . . FT 51
Corridoni (Via F.) . . . . CS 52
Eleniana (Via) . . . . FT 63
Ferratella (Via d.) . . . . ET 67
Filiberto (Via E.) . . . . FT 69
Gelsomini (Viale) . . . . DT 82
Giovannelli (Via R.) . . . . ES 87
Maresciallo Pilsudski (Viale) . DS 102
Monza (Via) . . . . FT 108
Morgagni (Via G. B.) . . . . . . FS 109
Piramide Cestia (Viale di) . . . DT 118
Policlinico (Via d.) . . . . FS 123
Pretoriano (Viale) . . . . FT 133
Risorgimento (Ponte d.) . . . . DS 144
Rovigo (Via) . . . . FS 148
Tre Madonne (Via d.) . . . . . . ES 183
Tuscolana (Via) . . . . FT 184
Valle Giulia (Viale di) . . . . . . ES 187
Villa Massimo (Viale di) . . . . FS 193

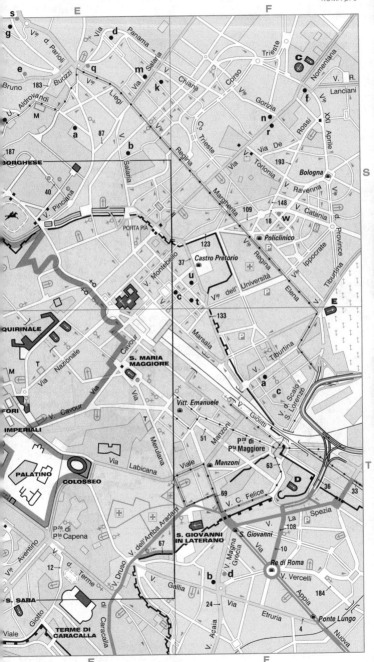

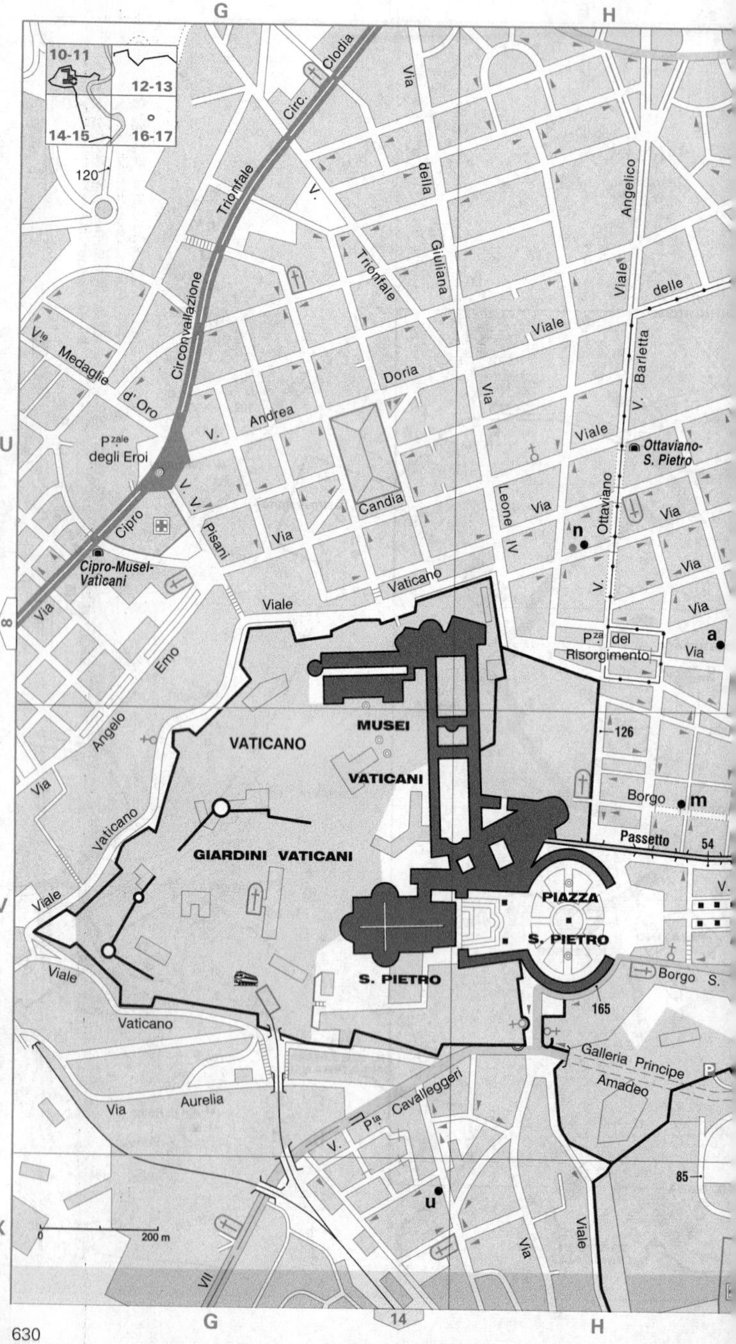
G
H
10-11
12-13
14-15
16-17
120
Circ. Clodia
Trionfale
Circonvallazione
V. Trionfale
Via della Giuliana
Viale Angelico
Viale delle
V. Barletta
Ottaviano-S. Pietro
Vle Medaglie d' Oro
Pzale degli Eroi
V. Andrea Doria
Via Candia
Via Leone IV
V. V. Pisani
Cipro
Cipro-Musei-Vaticani
Viale Vaticano
V. Ottaviano
Via
Pza del Risorgimento
Via Emo
Via Angelo
VATICANO
MUSEI VATICANI
126
Borgo
Passetto
54
Via Vaticano
GIARDINI VATICANI
PIAZZA S. PIETRO
S. PIETRO
Viale
Borgo S.
165
Viale Vaticano
Galleria Principe Amadeo
Via Aurelia
Pta Cavalleggeri
V.
85
Viale
Via
VII
14
0
200 m
U
V
X
8
a
m
n
u

V. A. Brofferio

V. G. Ferrari

Lungotevere

L. A. da

Beccaria

V.

73

ilizie

V. Damiata

V. Lepanto

Cesare

Michelangelo

Brescia

V. L. di Savoa

e

d

Lepanto

Via

Pompeo

Magno

Pza DEL
POPOLO

Giulio

h

139

166

U

Scipioni

Via

Pza della

60

Colonna

Rienzo

Libertà

dei

Augusta

Germanico

Gracchi

Cesi

F.

b

Mellini

TEVERE

dei

di

V.

141

Virgilio

Cicerone

f

12

f

Crescenzio

f

ARA PACIS
AUGUSTAE

c

Piazza

t

Ripetta

s

Cavour

Ponte

Adriana

48

Cavour

c

J

Prati

di

V.

Marzio

t

Pio

CASTEL

107

p

V.

Scrofa

Passetto

SANT'ANGELO

Umberto

a

V.

Conciliazione

151

34

M

199

r

b

190

Ponte S. Angelo

PAL.
ALTEMPS

G

d.

c

Spirito

195

7

L.

Tor di Nona

m

in Sassia

16

u

Via   dei   Coronari

43

S. LUIGI D.
FRANCESI

70

r

L⁰ Tassoni

R

142

58

57

135

13

88

PIAZZA

PALAZZO
MADAMA

C⁰

CHIESA NUOVA

E

Via

Vittorio

NAVONA

Giulia

dei

15

88

k

X

Gianicolense

della

Sangallo

Emanuele II

M

T

30

A

142

15

J

K

L

631

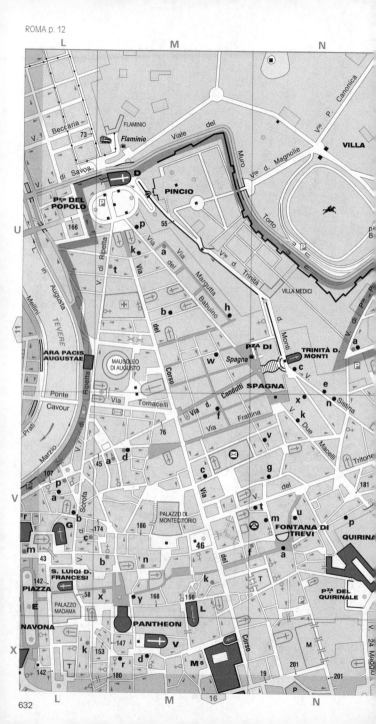

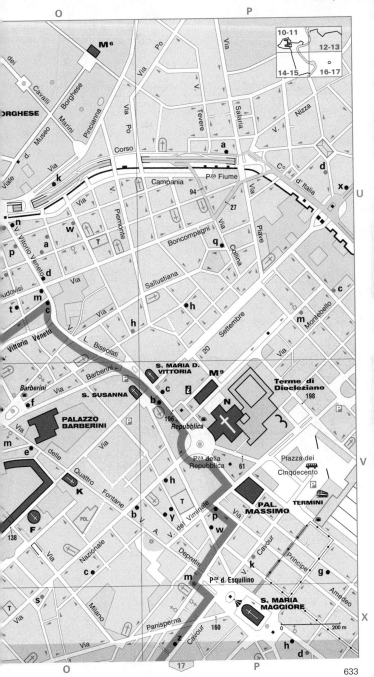

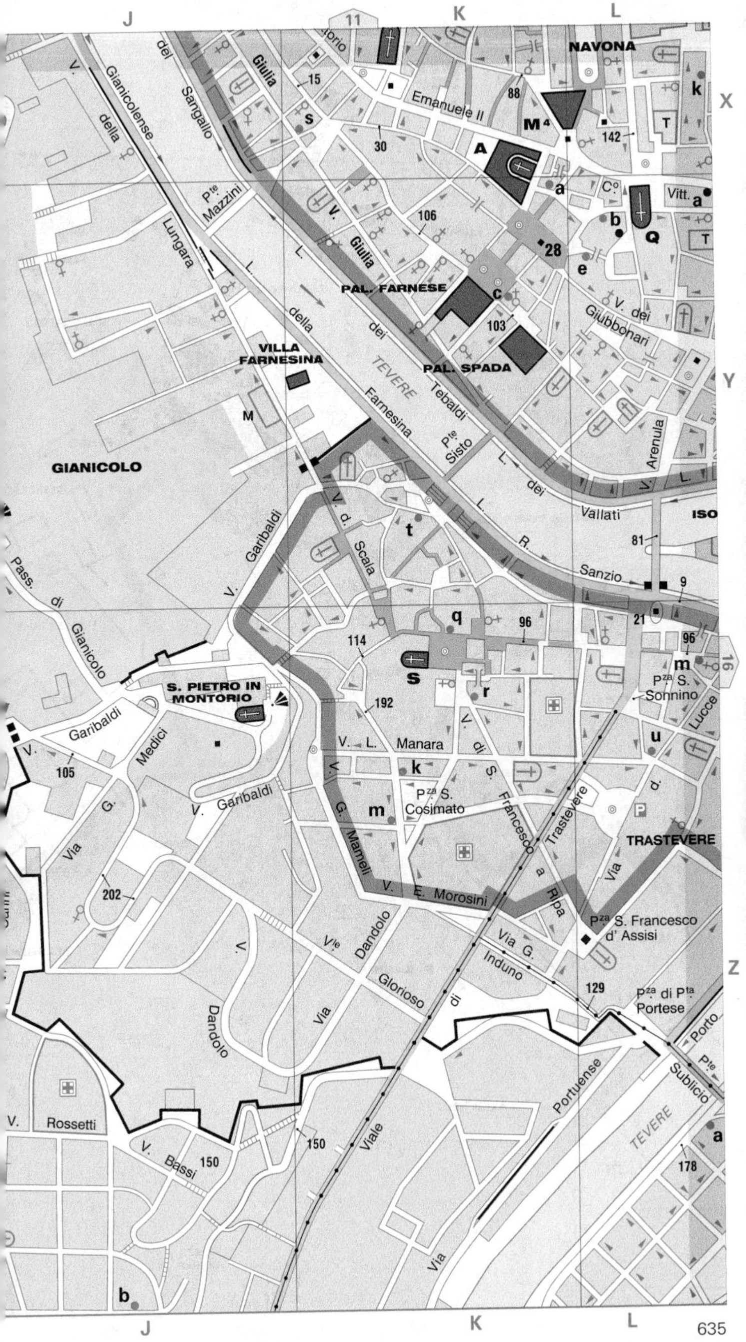

11

J K L

X

NAVONA

Giulia

15

Emanuele II 88

s

M 4

k

T

30

A

a

C°

142

Vitt. a

P.le Mazzini

V. Giulia

106

b

Q

T

28

c

e

V. dei Giubbonari

PAL. FARNESE

della

103

PAL. SPADA

Tebaldi

Y

VILLA FARNESINA

TEVERE

Farnesina

P.le Sisto

L.

dei

Arenula

L.

GIANICOLO

M

Vallati

ISO

Pass. di Gianicolo

Garibaldi

Scala

t

81

R.

Sanzio

9

V.

q

96

21

96 m

114

S

r

P.za S. Sonnino

S. PIETRO IN MONTORIO

192

Lucca

Garibaldi

Medici

V. L. Manara

u

m

105

k

Via

Garibaldi

m

P.za S. Cosimato

V. di Francesco a Ripa

Trastevere

TRASTEVERE

G.

Via

P

202

G. Mameli

V. E. Morosini

Via G. Induno

P.za S. Francesco d' Assisi

V.le

Dandolo

Glorioso

di

129

P.za di P.ta Portese

Z

Porto

Via

Portuense

P.le Sublicio

V. Rossetti

V. Bassi

150

150

Viale

Dandolo

Via

TEVERE

a

178

b

J K L

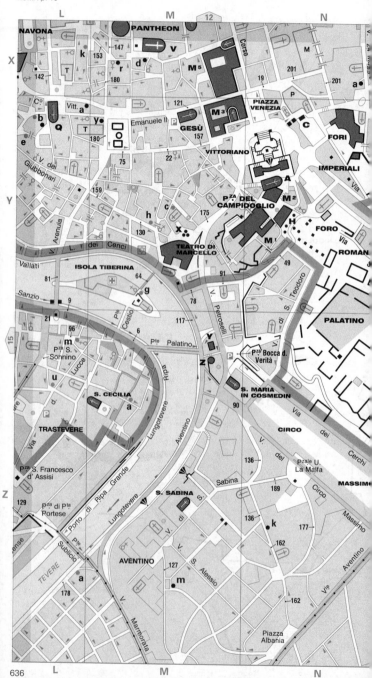

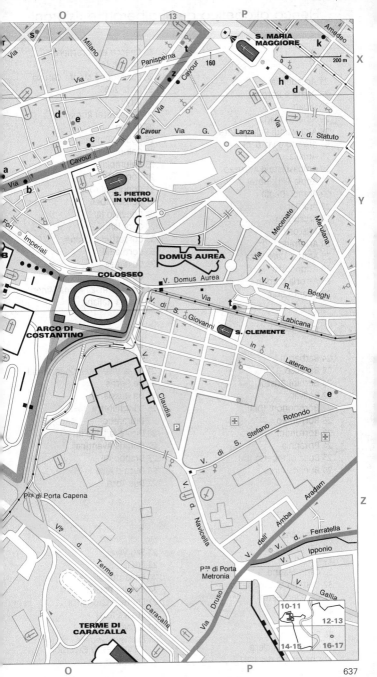

Elenco alfabetico degli alberghi e ristoranti

A

21 Accademia
26 Agata e Romeo
29 Albani
29 Alberto Ciarla
28 Aldrovandi Palace Hotel
31 Alfredo a via Gabi
28 Amalia
29 Ambasciata d'Abruzzo
31 Appia Park Hotel
29 Aranci (Degli)
28 Ara Pacis
28 Arcangelo
25 Ariston
24 Artemide
25 Asador Cafè Veneto
30 Asinocotto
25 Astoria Garden
27 Atlante Star

B

24 Barberini
25 Barocco
24 Bernini Bristol
22 Bolivar
22 Borgognoni (Dei)
26 Borromeo
29 Borromini
24 Britannia
23 Buca di Ripetta (La)
29 Buenos Aires

C

23 Campana
22 Camponeschi
24 Canada
30 Carlo Magno
32 Castello di Lunghezza
27 Cavalieri Hilton
25 Centro
29 Ceppo (Al)
28 Cesare (Da)
27 Charly's Saucière
27 Checchino dal 1887

30 Checco er Carettiere
29 Chianti (Al)
26 Cicilardone Monte Caruso
31 Città 2000
21 City
30 Class Hotel Roma
28 Clodio
26 Colline Emiliane
30 Colony Flaminio
25 Columbia
21 Condotti
31 Congressi (Dei)
27 Consoli (Dei)
22 Convivio (Il)
29 Coriolano
30 Corsetti-il Galeone
30 Cortile (Il)
23 Costanza
26 Covo (Il)
21 Crowne Plaza Roma Minerva
25 Cucina Italiana

D

21 De la Ville Inter-Continental
25 De Petris
21 De Russie
21 D'Inghilterra
23 Ditirambo
26 Dito e la Luna (Il)
27 Domus Aventina
23 Drappo (Il)
26 Duca d'Alba
22 Due Torri

E

23 Eau Vive
23 Eden
26 Edoardo
24 Empire Palace Hotel
22 Enoteca Capranica
28 Etoiles (Les)
30 Eurogarden
23 Excelsior *vedere*
    The Westin Excelsior
29 Executive

F

23 Falchetto (Il)
27 Farnese
29 Fenix
29 Fogher (Al)
22 Fontana
22 Fontanella (La)
21 Fontanella Borghese
26 Forum
29 Franco l'Abruzzese

G

31 Gabriele
30 Galeassi
Galeone vedere
   Corsetti-il Galeone
28 Gerber
32 Giacobbe (Da)
23 Giggetto (Da)
30 Gino in Trastevere
26 Giovanni
26 Girarrosto Fiorentino
27 Giulio Cesare
24 Grand Hotel Palace
26 Grappolo d'Oro (Al)
22 Gregoriana

H

25 Harry's Bar
21 Hassler Villa Medici
Hilton vedere Cavalieri Hilton
30 Holiday Inn Roma
31 Holiday Inn Rome St. Peter's
26 Hostaria da Vincenzo
30 Hotel la Giocca

I - J

32 Ibis
25 Igea
24 Imperiale
Inghilterra (D') vedere D'Inghilterra
21 Internazionale
25 Invictus
30 Jolly Hotel Midas
24 Jolly Hotel Vittorio Veneto

L

25 Laurentia
24 Londra e Cargill
28 Lord Byron

M

22 Madrid
27 Maharajah
24 Majestic
22 Manfredi
25 Marcella
23 Margutta Vegetariano - RistorArte
27 Mario's Hostaria
24 Marriott Gd H. Flora
24 Mascagni
24 Mecenate Palace Hotel
27 Mellini (Dei)
27 Mercure Hotel Roma
   Delta Colosseo
22 Mozart
31 Myosotis (Hotel)
23 Myosotis (Rist.)

N - O

21 Nazioni (Delle)
27 Nerva
28 Olympic
30 Ortica (L')

P

23 Pancrazio (Da)
26 Papà Baccus
28 Parco dei Principi
30 Paris
22 Parlamento
23 Passetto
30 Pastarellaro
22 Pensione Barrett
26 Peppone
31 Pergola (La) Hotel
28 Pergola (La) Rist.
27 Piccadilly
31 Pietro al Forte
22 Portoghesi

Q - R

26 Quadrifoglio (Il)
22 Quinzi Gabrieli
24 Quirinale
23 Quirino
24 Regina Baglioni
31 Relais Horti Flaviani
29 Relais la Piscine
29 Relais le Jardin
24 Residenza (La)
24 Rex
31 Rinaldo all' Acquedotto
23 Rosetta (La)
32 R 13 Da Checco

S

23 Sangallo
25 Sans Souci
21 Santa Chiara
29 Santa Costanza
28 Sant'Anna
27 Sant'Anselmo
29 Scala (La)
31 Scoiattolo Sardo (Lo)
27 Scopettaro (Lo)
21 Senato
31 Shangri Là-Corsetti (Hotel)
31 Shangri Là-Corsetti (Rist.)
31 Sheraton Roma Hotel
28 Simposio-di Costantini (Il)
27 Solis Invictus
30 Sora Lella
24 Starhotel Metropole
27 Starhotel Michelangelo
23 St. Regis Grand
23 Streghe (Le)

T

28 Taverna Angelica
22 Taverna Giulia
26 Taverna Urbana
22 Teatro di Pompeo
25 Terrazza (La)
28 The Duke Hotel
23 The Westin Excelsior
21 Torre Argentina (Della)
26 Toscani (Dai)
28 Toscano-al Girarrosto (Dal)
22 Toulà (El)
26 Trimani il Wine Bar
21 Tritone
25 Turner

V - W

21 Valadier
25 Valle
22 Vecchia Roma
25 Venezia
29 Villa del Parco
32 Villa Guilia
29 Villa Glori
29 Villa Grazioli
31 Villa Marsili
31 Villa Pamphili
25 Virgilio
27 Visconti Palace
28 Vittorie (Delle)
21 White

Centro Storico

Corso Vittorio Emanuele, Piazza Venezia, Pantheon e Quirinale, Piazza di Spagna, Piazza Navona **(Pianta : Roma p. 11, 12, 15 e 16).**

Hassler Villa Medici, piazza Trinità dei Monti 6 ✉ 00187 ✆ 06 699340, *hasslerroma@mclink.it, Fax 06 6789991,* « Roof-restaurant con ← città » – 🛗 ▤ 📺 – 🏛 120. AE 🅂 ⦿ MC VISA JCB. ✂ *p. 12* NU c
Pasto carta 130/290000 – ☕ 70000 – **85 cam** 650/1250000, 15 suites.

De Russie Ⓜ, via del Babuino 9 ✉ 00187 ✆ 06 328881, *reservations@hotelderussie.it, Fax 06 32888888,* « Servizio ristorante in terrazza giardino ombreggiato », 🏋, ▢ – ▤ 📺. AE 🅂 ⦿ MC VISA JCB. ✂ *p. 12* MU p
Pasto al Rist. ***Le Jardin de Russie*** carta 110/170000 – ☕ 40000 – **101 cam** 705/1100000, 27 suites.

Crowne Plaza Roma Minerva Ⓜ, piazza della Minerva 69 ✉ 00186 ✆ 06 695201, *minerva@pronet.it, Fax 06 6794165,* « Terrazza-roof garden con servizio rist. estivo serale » – 🛗, ⚡ cam, ▤ 📺 ♿ – 🏛 120. AE 🅂 ⦿ MC VISA JCB. ✂ *p. 12* MX d
Pasto al Rist. ***La Cesta*** carta 100/225000 – ☕ 48000 – **131 cam** 650/950000, 4 suites.

De la Ville Inter-Continental, via Sistina 69 ✉ 00187 ✆ 06 67331, *rome@interconti.com, Fax 06 6784213,* 🏖 – 🛗 ▤ 📺 – 🏛 70. AE 🅂 ⦿ MC VISA JCB. ✂ *p. 12* NU e
Pasto carta 160/265000 – ☕ 30000 – **168 cam** 750/880000, 23 suites.

D'Inghilterra, via Bocca di Leone 14 ✉ 00187 ✆ 06 699811, *reservation_hir@charminghotels.it, Fax 06 6798601,* « Antica foresteria con arredamento d'epoca » – 🛗 ▤ 📺. AE 🅂 ⦿ MC VISA. ✂ *p. 12* MV f
Pasto carta 95/125000 – ☕ 44000 – **88 cam** 485/805000, 10 suites.

Dei Borgognoni senza rist, via del Bufalo 126 ✉ 00187 ✆ 06 69941505, *hotel.borgognoni@flashnet.it, Fax 06 69941501* – 🛗 ▤ 📺 🚗. AE 🅂 ⦿ MC VISA JCB. ✂ *p. 12* NV g
☕ 22000 – **51 cam** 450/520000.

Valadier, via della Fontanella 15 ✉ 00187 ✆ 06 3611998 e rist. ✆ 06 3610880, *Fax 06 3201558,* 🏖 – 🛗 ▤ 📺 – 🏛 35. AE 🅂 ⦿ MC VISA JCB. ✂ rist
Pasto al Rist. ***Il Valentino*** *(chiuso domenica a mezzogiorno)* carta 60/90000 – **60 cam** ☕ 450/620000, 3 suites – ½ P 360000. *p. 12* MU k

White Ⓜ senza rist, via In Arcione 77 ✉ 00187 ✆ 06 6991242, *white@travelroma.com, Fax 06 6788451* – 🛗 ▤ 📺. AE 🅂 ⦿ MC VISA JCB. ✂ *p. 12* NV p
44 cam ☕ 400/500000.

Delle Nazioni, via Poli 7 ✉ 00187 ✆ 06 6792441 e rist. ✆ 06 6795761, *delle.nazioni@venere.it, Fax 06 6782400* – 🛗 ▤ 📺 ♿ 🚗 – 🏛 50. AE 🅂 ⦿ MC VISA JCB. ✂ *p. 12* NV m
Pasto al Rist. ***Le Grondici*** carta 60/125000 – ☕ 25000 – **83 cam** 400/530000 – ½ P 350000.

Santa Chiara senza rist, via Santa Chiara 21 ✉ 00186 ✆ 06 6872979, *Fax 06 6873144* – 🛗 ▤ 📺 – 🏛 40. AE 🅂 ⦿ MC VISA JCB. ✂ *p. 12* MX r
96 cam ☕ 315/470000, 3 suites.

Fontanella Borghese senza rist, largo Fontanella Borghese 84 ✉ 00186 ✆ 06 68809504, *fontanellaborghese@interfree.it, Fax 06 6861295* – ▤ 📺. AE 🅂 ⦿ MC VISA. ✂ *p. 12* MV d
24 cam ☕ 220/350000.

Accademia senza rist, piazza Accademia di San Luca 75 ✉ 00187 ✆ 06 69922607, *accademiahotel@travelroma.com, Fax 06 6785897* – 🛗 ▤ 📺. AE 🅂 ⦿ MC VISA JCB. ✂
58 cam ☕ 320/400000. *p. 12* NV u

Della Torre Argentina senza rist, corso Vittorio Emanuele 102 ✉ 00186 ✆ 06 6833886, *info@dellatorreargentina.com, Fax 06 68801641* – 🛗 ▤ 📺. AE 🅂 ⦿ MC VISA JCB. ✂ *p. 12* LY a
57 cam ☕ 250/370000, suite.

Internazionale senza rist, via Sistina 79 ✉ 00187 ✆ 06 69941823, *info@hotelinternazionale.com, Fax 06 6784764* – 🛗 ▤ 📺. AE 🅂 MC VISA JCB *p. 12* NV n
40 cam ☕ 250/380000, 2 suites.

Tritone senza rist, via del Tritone 210 ✉ 00187 ✆ 06 69922575, *tritone@travelroma.com, Fax 06 6782624* – 🛗 ▤ 📺. AE 🅂 ⦿ MC VISA JCB. ✂ *p. 12* NV t
43 cam ☕ 320/400000.

Senato, senza rist, piazza della Rotonda 73 ✉ 00186 ✆ 06 6784343, *Fax 06 69940297,* ← Pantheon – 🛗 ▤ 📺 – 🏛 45 *p. 12* MV y
55 cam, suite.

Condotti senza rist, via Mario de' Fiori 37 ✉ 00187 ✆ 06 6794661, *Fax 06 6790457* – 🛗 ▤ 📺. AE 🅂 ⦿ MC VISA JCB. ✂ *p. 12* MU w
16 cam ☕ 340/430000.

City senza rist, via Due Macelli 97 ✉ 00187 ✆ 06 6784037, *Fax 06 6797972* – 🛗 ▤ 📺. AE 🅂 ⦿ MC VISA JCB. ✂ *p. 12* NV k
33 cam ☕ 280/350000.

🏨 **Due Torri** senza rist, vicolo del Leonetto 23 ⊠ 00186 ℘ 06 6876983, *hotelduetorri@inte free.it*, Fax 06 6865442 – 🛗 ▤ 📺. 🗛 🕄 ⑨ ⑩ 🗾. ❄️
26 cam ⊇ 190/320000. *p. 11* LV

🏨 **Teatro di Pompeo** senza rist, largo del Pallaro 8 ⊠ 00186 ℘ 06 68300170 Fax 06 68805531, « Volte del Teatro di Pompeo » – 🛗 ▤ 📺. 🗛 🕄 ⑨ ⑩ 🗾. ❄️
13 cam ⊇ 270/350000. *p. 15* LY

🏨 **Bolivar** senza rist, via della Cordonata 6 ⊠ 00187 ℘ 06 6791614, *bolivar@travel.l* Fax 06 6791025 – 🛗 ❄️ ▤ 📺 ✓ 🅿. 🗛 🕄 ⑨ ⑩ 🗾 🄁
35 cam ⊇ 380/480000. *p. 12* NX

🏨 **Portoghesi** senza rist, via dei Portoghesi 1 ⊠ 00186 ℘ 06 6864231, *info@hotelportog esiroma.com*,
Fax 06 6876976 – 🛗 ▤ 📺. 🕄 ⑩ 🗾. ❄️
27 cam ⊇ 250/330000. *p. 11* LV

🏨 **Manfredi** senza rist, via Margutta 61 ⊠ 00187 ℘ 06 3207676, *info@hmanfredi.con* Fax 06 3207736 – 🛗 ▤ 📺 ✓. 🗛 🕄 ⑨ ⑩ 🗾 🄁. ❄️
18 cam ⊇ 330/450000. *p.12* MU

🏨 **Madrid** senza rist, via Mario de' Fiori 95 ⊠ 00187 ℘ 06 6991511, Fax 06 6791653 – 🛗 ▤ 📺 ✓. 🗛 🕄 ⑨ ⑩ 🗾. ❄️
19 cam ⊇ 260/350000, 7 suites. *p. 12* NV

🏨 **Fontana** senza rist, piazza di Trevi 96 ⊠ 00187 ℘ 06 6786113, Fax 06 6790024, ≤ for tana, « Antico convento restaurato » – 🛗 📺. 🗛 🕄 ⑨ ⑩ 🗾 🄁. ❄️ *p. 12* NV
25 cam ⊇ 350/450000.

🏨 **Gregoriana** senza rist, via Gregoriana 18 ⊠ 00187 ℘ 06 6794269, Fax 06 6784258 – 🛗 ▤ 📺
19 cam ⊇ 230/380000. *p. 12* NV

🏨 **Parlamento** senza rist, via delle Convertite 5 ⊠ 00187 ℘ 06 69921000, *hotelparlament @libero.it*, Fax 06 69921000 – 🛗 📺. 🗛 🕄 ⑨ ⑩ 🗾 *p. 12* MV
23 cam ⊇ 190/240000.

🏨 Mozart, senza rist, via dei Greci 23/b ⊠ 00187 ℘ 06 36001915, Fax 06 36001735 – 🛗 ▤ 📺. ❄️ *p. 12* MU
56 cam.

🏨 **Pensione Barrett** senza rist, largo Torre Argentina 47 ⊠ 00186 ℘ 06 686848ʹ Fax 06 6892971 – ▤ 📺. ❄️ *p. 16* MY
⊇ 10000 – **20 cam** 150/180000, ▤ 15000.

XXX **El Toulà**, via della Lupa 29/b ⊠ 00186 ℘ 06 6873498, Fax 06 6871115, Rist. elegante prenotare – ▤. 🗛 🕄 ⑨ ⑩ 🗾 🄁. ❄️ *p.12* MV
chiuso dal 24 al 26 dicembre, agosto, domenica, lunedì e sabato a mezzogiorno – **Past** 110/130000 e carta 95/155000 (15%).

XXX **Il Convivio**, vicolo dei Soldati 31 ⊠ 00186 ℘ 06 6869432, *ilconvivio@yahoo.* Fax 06 6869432, prenotare – ▤. 🗛 🕄 ⑨ ⑩ 🗾 🄁. ❄️ *p. 11* KLV
chiuso domenica, lunedì a mezzogiorno e dal 9 al 15 agosto – **Pasto** carta 100/160000.

XXX **Enoteca Capranica**, piazza Capranica 100 ⊠ 00186 ℘ 06 69940992, Fax 06 6994098ʹ prenotare la sera – ▤. 🗛 🕄 ⑨ ⑩ 🗾 🄁. ❄️ *p. 12* MV
chiuso agosto, sabato a mezzogiorno e domenica – **Pasto** carta 70/130000.

XXX **Camponeschi**, piazza Farnese 50 ⊠ 00186 ℘ 06 6874927, Fax 06 6865244, prenotare « Servizio estivo con ≤ palazzo Farnese » – ❄️ ▤. 🗛 🕄 ⑨ ⑩ 🗾 *p. 15* KY
chiuso dal 13 al 22 agosto, domenica e a mezzogiorno – **Pasto** carta 115/175000.

XX **Taverna Giulia**, vicolo dell'Oro 23 ⊠ 00186 ℘ 06 6869768, Fax 06 6893720, prenotare sera – ▤. 🗛 🕄 ⑨ ⑩ 🗾 🄁. ❄️ *p. 11* JV
chiuso agosto e domenica – **Pasto** specialità liguri carta 55/70000.

XX **Quinzi Gabrieli**, via delle Coppelle 6 ⊠ 00186 ℘ 06 6879389, *quinzigabrieli@kat mail.com*, Fax 06 6874940, 🎄, Coperti limitati; prenotare – 🗛 🕄 ⑨ 🗾. ❄️ *p. 12* MV
⊕ chiuso agosto, domenica e a mezzogiorno – **Pasto** specialità di mare carta 110/160000
Spec. Spaghetti alla granseola con pomodorini. Insalata di aragosta ai profumi mediterra nei. Dentice arrosto al forno.

XX **Vecchia Roma**, via della Tribuna di Campitelli 18 ⊠ 00186 ℘ 06 6864604 Fax 06 6864604, 🎄, Rist. elegante – ▤. 🗛 ⑩ *p. 16* MY
chiuso dal 10 al 25 agosto e mercoledì – **Pasto** specialità romane e di mare carta 75 115000.

XX **La Fontanella**, largo della Fontanella Borghese 86 ⊠ 00186 ℘ 06 6871582 Fax 06 6871092, prenotare la sera – ▤. 🗛 🕄 ⑨ ⑩ 🗾 🄁. ❄️ *p. 12* MV
chiuso lunedì – **Pasto** carta 85/120000 (15%).

La Rosetta, via della Rosetta 9 ⊠ 00187 ℰ 06 6861002, *larosetta@tin.it*, Fax 06 68215116, prenotare – ▤. ₳ℰ 🛇 ⓪ ⓪ ⓥⓢⒶ ⓙⒸⒷ   *p. 12* MV   **x**
chiuso dall'8 al 22 agosto, sabato a mezzogiorno e domenica – **Pasto** specialità di mare carta 135/210000
Spec. Insalata di aragosta agli agrumi. Linguine con gamberi rossi, basilico e mollica tostata. Filetto di spigola con salsa al vino rosso e carciofi.

Eau Vive, via Monterone 85 ⊠ 00186 ℰ 06 68801095, *Fax 06 68802571*, Missionarie laiche cattoliche, prenotare la sera, « Edificio cinquecentesco » – ╳ ▤. ₳ℰ 🛇 ⓪ ⓪ ⓥⓢⒶ ⓙⒸⒷ   *p. 15* LX   **k**
chiuso agosto e domenica – **Pasto** cucina francese ed esotica 15/50000 e carta 45/60000.

Quirino, via delle Muratte 84 ⊠ 00187 ℰ 06 69922509, *Fax 06 6791888* – ╳ ▤. ₳ℰ 🛇 ⓥⓢⒶ ⓙⒸⒷ. ⅙   *p. 12* NV   **f**
chiuso agosto e domenica – **Pasto** specialità romane e siciliane carta 45/80000.

Margutta Vegetariano-RistorArte, via Margutta 118 ⊠ 00187 ℰ 06 32650577, *Fax 06 36003287*, « Mostre d'arte contemporanea » – ▤. ₳ℰ 🛇 ⓪ ⓪ ⓥⓢⒶ   *p. 12* MU   **a**
Pasto cucina vegetariana 50000 e carta 50/90000.

Myosotis, vicolo della Vaccarella 3/5 ⊠ 00186 ℰ 06 6865554, *info@marsilihotels.com*, Fax 06 6865554 – ▤. ₳ℰ 🛇 ⓪ ⓪ ⓥⓢⒶ ⓙⒸⒷ. ⅙   *p. 12* LV   **c**
chiuso dal 1° al 18 agosto e domenica – **Pasto** carta 50/95000.

Sangallo, vicolo della Vaccarella 11/a ⊠ 00186 ℰ 06 6865549, *tartufi.sangallo@tiscali.net .it*, Fax 06 6873199, prenotare – ▤. ₳ℰ 🛇 ⓪ ⓪ ⓥⓢⒶ ⓙⒸⒷ. ⅙   *p. 12* LV   **c**
chiuso dal 1° al 20 agosto e domenica – **Pasto** specialità di mare 60/100000 e carta 75/130000.

Passetto, via Zanardelli 14 ⊠ 00186 ℰ 06 68803696, *Fax 06 68806569*, � – ▤. ₳ℰ 🛇 ⓪ ⓪ ⓥⓢⒶ ⓙⒸⒷ. ⅙   *p. 11* LV   **m**
Pasto carta 70/135000.

Il Drappo, vicolo del Malpasso 9 ⊠ 00186 ℰ 06 6877365, �, prenotare – ▤. ₳ℰ 🛇 ⓪ ⓪ ⓥⓢⒶ   *p. 11* KX   **s**
chiuso agosto, domenica e a mezzogiorno – **Pasto** specialità sarde carta 60/70000.

Le Streghe, vicolo del Curato 13 ⊠ 00186 ℰ 06 6878182, prenotare la sera – ⅙   *p. 11* JKV   **u**
Pasto carta 50/75000.

Da Pancrazio, piazza del Biscione 92 ⊠ 00186 ℰ 06 6861246, *Fax 06 6861246*, « Taverna ricostruita sui resti del Teatro di Pompeo » – ╳ ₳ℰ 🛇 ⓪ ⓪ ⓥⓢⒶ ⓙⒸⒷ ⅙   *p. 15* LY   **e**
chiuso Natale, dal 5 al 25 agosto e mercoledì – **Pasto** 50000 e carta 55/110000.

Campana, vicolo della Campana 18 ⊠ 00186 ℰ 06 6867820, Trattoria d'habitués – ▤. ₳ℰ 🛇 ⓪ ⓪ ⓥⓢⒶ. ⅙   *p. 11* LV   **p**
chiuso agosto e lunedì – **Pasto** carta 50/75000.

Il Falchetto, via dei Montecatini 12/14 ⊠ 00186 ℰ 06 6791160, Trattoria rustica – ▤. ₳ℰ 🛇 ⓪ ⓪ ⓥⓢⒶ. ⅙   *p. 12* MV   **k**
chiuso dal 5 al 20 agosto e venerdì – **Pasto** carta 50/65000.

Da Giggetto, via del Portico d'Ottavia 21/a ⊠ 00186 ℰ 06 6861105, *Fax 06 6832106*, �, Trattoria tipica – ▤. ₳ℰ 🛇 ⓪ ⓪ ⓥⓢⒶ. ⅙   *p. 16* MY   **h**
chiuso dal 25 luglio al 8 agosto e lunedì – **Pasto** specialità romane carta 55/75000.

Costanza, piazza del Paradiso 63/65 ⊠ 00186 ℰ 06 6861717, �, « Resti del Teatro di Pompeo » – ₳ℰ 🛇 ⓪ ⓪ ⓥⓢⒶ. ⅙   *p. 15* LY   **b**
chiuso agosto e domenica – **Pasto** carta 55/85000.

Ditirambo, piazza della Cancelleria 74 ⊠ 00186 ℰ 06 6871626, *Fax 06 6871626*, Coperti limitati; prenotare – ▤. 🛇 ⓥⓢⒶ   *p. 15* KY   **a**
chiuso agosto e lunedì a mezzogiorno – **Pasto** carta 45/75000.

La Buca di Ripetta, via di Ripetta 36 ⊠ 00186 ℰ 06 3219391, *Fax 06 3219391*, Trattoria d'habitués – ▤. ₳ℰ 🛇 ⓪ ⓪ ⓥⓢⒶ. ⅙   *p. 12* MU   **t**
chiuso domenica sera e lunedì – **Pasto** carta 45/55000.

Stazione Termini

via Vittorio Veneto, via Nazionale, Viminale, Santa Maria Maggiore, Porta Pia (Pianta : Roma p. 9, 12, 13 e 17)

The Westin Excelsior, via Vittorio Veneto 125 ⊠ 00187 ℰ 06 47081, *Fax 06 4826205* – ❘⬛❘, ╳ cam, ▤ �📺 – 🔏 600. ₳ℰ 🛇 ⓪ ⓥⓢⒶ. ⅙   *p. 13* OU   **d**
Pasto carta 110/180000 – ⊆ 71500 – **328 cam** 805/1210000, 35 suites.

St. Regis Grand, via Vittorio Emanuele Orlando 3 ⊠ 00185 ℰ 06 47091, *Fax 06 4747307*, 🔏, ⊆ – ❘⬛❘ ▤ �📺 – 🔏 300. ₳ℰ 🛇 ⓪ ⓪ ⓥⓢⒶ ⓙⒸⒷ. ⅙   *p. 13* PV   **c**
carta 125/200000 – ⊆ 52000 – **136 cam** 1080/1450000, 25 suites.

Eden, via Ludovisi 49 ⊠ 00187 ℰ 06 478121, *Fax 06 4821584*, ≤, 🔏 – ❘⬛❘ ▤ �📺 ❤ – 🔏 100. ₳ℰ 🛇 ⓪ ⓥⓢⒶ ⓙⒸⒷ. ⅙   *p. 12* NU   **a**
Pasto vedere rist *La Terrazza* – ⊆ 71500 – **107 cam** 840/1410000, 12 suites.

Regina Baglioni, via Vittorio Veneto 72 ⊠ 00187 ℰ 06 421111, *regina.roma@baglior otels.com*, Fax 06 42012130 – |⮾|, ⇝ cam, ≣ ᵀⱽ ⅙ – ⅍ 50. ⁛ 🅱 ⓞ ⓓⓞ 🆅🅸🆂🅰 🅹🅲🅱. ⚡
Pasto *(chiuso domenica)* carta 85/120000 – **130 cam** ⊇ 600/940000, 7 suites.*p. 13* OU

Majestic, via Vittorio Veneto 50 ⊠ 00187 ℰ 06 421441, *hotelmajestic@flashnet*
Fax 06 4880984 – |⮾| ≣ ᵀⱽ ⅙ – ⅍ 150. ⁛ 🅱 ⓞ ⓓⓞ 🆅🅸🆂🅰 🅹🅲🅱. ⚡   *p. 13* OU
Pasto al Rist. *La Veranda* (chiuso domenica) carta 100/175000 e al Rist.-bistrot *La Nin*
carta 70/100000 – ⊇ 38000 – **87 cam** 725/950000, 13 suites.

Bernini Bristol, piazza Barberini 23 ⊠ 00187 ℰ 06 4883051, *bbsina@tin*
Fax 06 4824266 – |⮾|, ⇝ cam, ≣ ᵀⱽ ⚆ – ⅍ 100. ⁛ 🅱 ⓞ ⓓⓞ 🆅🅸🆂🅰 🅹🅲🅱.   *p. 13* OV
Pasto carta 120/160000 – ⊇ 49500 – **110 cam** 515/815000, 10 suites.

Jolly Hotel Vittorio Veneto, corso d'Italia 1 ⊠ 00198 ℰ 06 8495, Fax 06 8841104
|⮾|, ⇝ cam, ≣ ᵀⱽ ⅙ ⇌ – ⅍ 380. ⁛ 🅱 ⓞ ⓓⓞ 🆅🅸🆂🅰. ⚡ rist   *p. 13* OU
Pasto 60/120000 – ⊇ 30000 – **200 cam** ⊇ 410/600000 – ½ P 365000.

Grand Hotel Palace, via Veneto 70 ⊠ 00187 ℰ 06 478719, *reservation@palace.bosc o.com*, Fax 06 47871800 – |⮾|, ⇝ cam, ≣ ᵀⱽ ⚆ – ⅍ 200. ⁛ 🅱 ⓞ ⓓⓞ 🆅🅸🆂🅰. ⚡
Pasto *(chiuso agosto)* carta 70/100000 – ⊇ 35000 – **86 cam** 720/880000, 3 suites
½ P 500000.   *p. 13* OU

Mecenate Palace Hotel Ⓜ senza rist, via Carlo Alberto 3 ⊠ 00185 ℰ 06 44702024, *o@mecenatepalace.com*, Fax 06 4461354 – |⮾| ⇝ ≣ ᵀⱽ ⅙ – ⅍ 45. ⁛ 🅱 ⓞ ⓓⓞ 🆅🅸🆂🅰.
62 cam ⊇ 500/680000, 3 suites.   *p. 13* PX

Artemide Ⓜ, via Nazionale 22 ⊠ 00184 ℰ 06 489911, *hotel.artemide@tiscalinet*
Fax 06 48991700 – |⮾|, ⇝ cam, ≣ ᵀⱽ ⅙ – ⅍ 140. ⁛ 🅱 ⓞ ⓓⓞ 🆅🅸🆂🅰 🅹🅲🅱. ⚡
Pasto solo snacks (solo per alloggiati) – **85 cam** ⊇ 420/560000.   *p. 13* OV

Quirinale, via Nazionale 7 ⊠ 00184 ℰ 06 4707, *info@hotelquirinale.it*, Fax 06 48200£
« Servizio rist. estivo in giardino » – |⮾| ≣ ᵀⱽ – ⅍ 250. ⁛ 🅱 ⓞ ⓓⓞ 🆅🅸🆂🅰 🅹🅲🅱. ⚡
Pasto carta 75/125000 – **210 cam** ⊇ 440/550000, 5 suites.   *p. 13* PV

Marriott Gd H. Flora Ⓜ, via Vittorio Veneto 191 ⊠ 00187 ℰ 06 48992
Fax 06 4820359 – |⮾|, ⇝ cam, ≣ ᵀⱽ ⅙ – ⅍ 150. ⁛ 🅱 ⓞ ⓓⓞ 🆅🅸🆂🅰 🅹🅲🅱. ⚡
Pasto carta 85/140000 – ⊇ 38000 – **127 cam** 560/790000, 24 suites.   *p. 13* OU

Starhotel Metropole, via Principe Amedeo 3 ⊠ 00185 ℰ 06 4774, *metropole.rm@st hotels.it*, Fax 06 4740413 – |⮾| ≣ ᵀⱽ ⚆ ⅙ ⇌ – ⅍ 200. ⁛ 🅱 ⓞ ⓓⓞ 🆅🅸🆂🅰.
Pasto carta 75/140000 – **253 cam** ⊇ 420/570000 – ½ P 350000.   *p. 13* PV

Empire Palace Hotel, via Aureliana 39 ⊠ 00187 ℰ 06 421281, *gold@empirepalaceh el.com*, Fax 06 4212840006 42128400, ℔ – |⮾|, ⇝ cam, ≣ ᵀⱽ ⚆ ⅙ – ⅍ 50. ⁛ 🅱 ⓞ ⓓ
🆅🅸🆂🅰. ⚡   *p. 13* PU
Pasto *(chiuso domenica)* carta 70/130000 – **110 cam** ⊇ 450/650000, 5 suites.

Imperiale, via Vittorio Veneto 24 ⊠ 00187 ℰ 06 4826351, 🍽 – |
⇝ cam, ≣ ᵀⱽ. ⁛ 🅱 ⓞ ⓓⓞ 🆅🅸🆂🅰. ⚡   *p.13* OV
Pasto 45/80000 – **95 cam** ⊇ 400/700000 – ½ P 400000.

Londra e Cargill, piazza Sallustio 18 ⊠ 00187 ℰ 06 473871, *londra@italyhotel.com*
Fax 06 4746674 – |⮾| ≣ ᵀⱽ ⇌. ⁛ 🅱 ⓞ ⓓⓞ 🆅🅸🆂🅰. ⚡   *p. 13* PU
Pasto carta 70/100000 – **103 cam** ⊇ 410/520000, suite.

Mascagni, via Vittorio Emanuele Orlando 90 ⊠ 00185 ℰ 06 48904040, *mascagni@vene .it*, Fax 06 4817637 – |⮾| ≣ ᵀⱽ ⚆ ⅙. ⁛ 🅱 ⓞ ⓓⓞ 🆅🅸🆂🅰. ⚡   *p. 13* PV
Pasto (solo per alloggiati e *chiuso a mezzogiorno*) 60/90000 – **40 cam** ⊇ 430/580000
½ P 345000.

Rex senza rist, via Torino 149 ⊠ 00184 ℰ 06 4824828, *hotel.rex@alfanet*.
Fax 06 4882743 – |⮾| ≣ ᵀⱽ – ⅍ 50. ⁛ 🅱 ⓞ ⓓⓞ 🆅🅸🆂🅰 🅹🅲🅱. ⚡   *p. 13* PV
46 cam ⊇ 420/470000, 2 suites.

La Residenza senza rist, via Emilia 22-24 ⊠ 00187 ℰ 06 4880789, *hotel.la.residenza@ nere.it*, Fax 06 485721 – |⮾| ≣ ᵀⱽ. 🅱 🆅🅸🆂🅰   *p. 13* OU
29 cam ⊇ 280/350000.

Canada senza rist, via Vicenza 58 ⊠ 00185 ℰ 06 4457770, *info@hotelcanadaroma.com*
Fax 06 4450749 – |⮾| ≣ ᵀⱽ ⚆. ⁛ 🅱 ⓞ ⓓⓞ 🆅🅸🆂🅰 🅹🅲🅱. ⚡   *p.9* FS
70 cam ⊇ 190/260000.

Britannia senza rist, via Napoli 64 ⊠ 00184 ℰ 06 4883153, *britannia@venere*.
Fax 06 4882343 – |⮾| ≣ ᵀⱽ ⚆. ⁛ 🅱 ⓞ ⓓⓞ 🆅🅸🆂🅰 🅹🅲🅱   *p. 13* PV
32 cam ⊇ 320/430000.

Barberini senza rist, via Rasella 3 ⊠ 00187 ℰ 06 4814993, *info@hotelbarberini.com*
Fax 06 4815211 – |⮾| ≣ ᵀⱽ. ⁛ 🅱 ⓞ ⓓⓞ 🆅🅸🆂🅰 🅹🅲🅱. ⚡   *p. 13* OV
31 cam ⊇ 400/550000.

Virgilio senza rist, via Palermo 30 ⊠ 00184 ℰ 06 4884360, *Fax 06 4884360* – 🛗 🗐 📺 ✦. 🕮 🕃 ⓪ ⓪ VISA JCB. ✵
p.13 OV **c**
33 cam ⊇ 265/380000.

Ariston senza rist, via Turati 16 ⊠ 00185 ℰ 06 4465399, *hotelariston@hotelariston.it,* *Fax 06 4465396* – 🛗 ✦ 🗐 📺 ✦ ₺ – 🏛 100. 🕮 🕃 ⓪ ⓪ VISA JCB. ✵
p. 13 PV **g**
100 cam ⊇ 290/400000.

Barocco senza rist, via della Purificazione 4 ang. piazza Barberini ⊠ 00187 ℰ 06 4872001, *hotelbarocco@hotelbarocco.it, Fax 06 485994* – 🛗 🗐 📺 ₺. 🕮 🕃 ⓪ ⓪ VISA JCB. ✵
p. 13 OV **a**
28 cam ⊇ 400/630000, 4 suites.

Venezia senza rist, via Varese 18 ⊠ 00185 ℰ 06 4457101, *info@hotelvenezia.com,* *Fax 06 4957687* – 🛗 🗐 📺. 🕮 🕃 ⓪ ⓪ VISA JCB. ✵
p. 9 FS **t**
61 cam ⊇ 200/270000.

Marcella senza rist, via Flavia 106 ⊠ 00187 ℰ 06 42014591, *info@hotelmarcella.com,* *Fax 06 4815832,* « Servizio colazione in terrazza roof-garden » – 🛗 🗐 📺. 🕮 🕃 ⓪ ⓪ VISA JCB. ✵
p. 13 PU **z**
75 cam ⊇ 260/370000.

De Petris senza rist, via Rasella 142 ⊠ 00187 ℰ 06 4819626, *perfect_travel@iol.it,* *Fax 06 4820733* – 🛗 🗐 📺. 🕮 🕃 ⓪ ⓪ VISA JCB.
p. 13 OV **m**
53 cam ⊇ 295/420000.

Turner senza rist, via Nomentana 29 ⊠ 00161 ℰ 06 44250077, *info@hotelturner.com,* *Fax 06 44250165* – 🛗 🗐 📺. 🕮 🕃 ⓪ ⓪ VISA.
p. 13 PU **x**
43 cam ⊇ 295/460000, 4 suites.

Columbia senza rist, via del Viminale 15 ⊠ 00184 ℰ 06 4883509, *info@hotelcolumbia* *.com, Fax 06 4740209,* « Terrazza roof-garden » – 🛗 🗐 📺 ✦. 🕮 🕃 ⓪ ⓪ VISA JCB. ✵
p. 13 PV **a**
45 cam ⊇ 240/270000.

Valle senza rist, via Cavour 134 ⊠ 00184 ℰ 06 4815736, *Fax 06 4885837* – 🛗 🗐 📺 ✦ ₺. 🕮 🕃 ⓪ ⓪ VISA. ✵
p.13 PX **z**
30 cam ⊇ 280/370000.

Laurentia senza rist, largo degli Osci 63 ⊠ 00185 ℰ 06 4450218, *info@hotellaurentia* *.com, Fax 06 4453821* – 🛗 🗐 📺 – 🏛 50. 🕮 🕃 ⓪ ⓪ VISA
p. 9 FT **a**
41 cam ⊇ 200/250000.

Invictus senza rist, via Quintino Sella 15 ⊠ 00187 ℰ 06 42011433, *info@solisinvictus* *.com, Fax 06 42011561* – 🗐 📺. 🕮 🕃 ⓪ ⓪ VISA. ✵
p. 13 PU **f**
13 cam ⊇ 220/300000.

Astoria Garden senza rist, via Bachelet 8/10 ⊠ 00185 ℰ 06 4469908, *astoria.garden@fl* *ashnet.it, Fax 06 4453329,* 🌿 – 🗐 📺. 🕮 🕃 ⓪ ⓪ VISA JCB. ✵
p. 9 FS **c**
33 cam ⊇ 220/330000.

Igea senza rist, via Principe Amedeo 97 ⊠ 00185 ℰ 06 4466913, *Fax 06 4466911* – 🛗 🗐 📺. 🕮 🕃 ⓪ ⓪ VISA. ✵
p. 13 PX **k**
⊇ 10000 – **42 cam** 160/230000.

Centro senza rist, via Firenze 12 ⊠ 00184 ℰ 06 4828002, *info@hotelcentro.com,* *Fax 06 4871902* – 🛗 🗐 📺. 🕮 🕃 ⓪ ⓪ VISA. ✵
p. 13 PV **y**
39 cam ⊇ 280/320000.

La Terrazza - Hotel Eden, via Ludovisi 49 ⊠ 00187 ℰ 06 478121, *Fax 06 4821584,* prenotare, « Roof-garden con ≤ città » – 🗐. 🕮 🕃 ⓪ VISA JCB. ✵
p. 12 NU **a**
Pasto 150/210000 e carta 175/230000
Spec. Medaglioni di astice con fagiolini, zucchine marinate e misticanza al dragoncello. Gnocchi di ricotta e carote con seppioline e bottarga di muggine. Crema di limone con fragole.

Sans Souci, via Sicilia 20/24 ⊠ 00187 ℰ 06 42014510, *sanssouci@mllink.it,* *Fax 06 4821771,* Rist. elegante, prenotare – 🗐. 🕮 🕃 ⓪ ⓪ VISA. ✵
p.13 OU **a**
chiuso dal 10 al 20 agosto e a mezzogiorno – **Pasto** carta 115/160000
Spec. Terrina di foie gras tartufata alla gelatina di Sauternes. Tortelli di tartufo cremolati allo zabaione di Parmigiano. Cartoccio di spigola e gamberi.

Cucina Italiana, via Aurora 19 ⊠ 00187 ℰ 06 48903764, 🌿 – 🕮 🕃 ⓪ ⓪ VISA JCB. ✵
chiuso a mezzogiorno – **Pasto** carta 100/150000.
p. 13 OU **s**

Harry's Bar, via Vittorio Veneto 150 ⊠ 00187 ℰ 06 484643, *Fax 06 4883117,* 🌿, Coperti limitati; prenotare – 🗐. 🕮 🕃 ⓪ ⓪ VISA JCB. ✵
p. 13 OU **b**
chiuso domenica, Natale e Ferragosto – **Pasto** carta 80/130000.

Asador Cafè Veneto, via Vittorio Veneto 116 ⊠ 00187 ℰ 06 4827107, *Fax 06 42011240,* 🌿, Rist.-cocktail bar – 🗐. 🕮 🕃 ⓪ ⓪ VISA JCB. ✵
p. 13 OU **p**
chiuso dal 10 al 31 agosto e lunedì – **Pasto** specialità classiche ed argentine carta 75/ 120000.

645

XXX £3 **Agata e Romeo,** via Carlo Alberto 45 ⊠ 00185 𝒫 06 4466115, *agataeromeo@tiscaline.*
Fax 06 4465842, Coperti limitati; prenotare – ■. ㊛ 🏢 ⓪ ⓸ 𝚅𝙸𝚂𝙰 𝙹𝙲𝙱 . *p. 13* PX
chiuso dal 6 al 12 gennaio, dal 4 al 19 agosto, sabato e domenica – **Pasto** 100/180000 e ca
95/150000
Spec. Sformato di pecorino di fossa con salsa al miele di corbezzolo. "Vignarola" (zuppa
verdure primaverili). Petto e coscia di quaglia in foglia di vite con salsa d'uva e uovo di qua
con tartufo bianco (autunno).

XX **Al Grappolo d'Oro,** via Palestro 4/10 ⊠ 00185 𝒫 06 4941441, Fax 06 4452350 – ■. ㊛
⓪ 𝚅𝙸𝚂𝙰. ⅀⅀ *p. 13* PU
chiuso agosto e domenica – **Pasto** carta 55/80000.

XX **Edoardo,** via Lucullo 2 ⊠ 00187 𝒫 06 486428, *Fax 06 486428* – ■. ㊛ 🏢 ⓪ ⓸ 𝚅𝙸𝚂𝙰. ⅋
chiuso agosto e domenica – **Pasto** 50/90000 e carta 65/95000. *p. 13* OU

XX **Girarrosto Fiorentino,** via Sicilia 46 ⊠ 00187 𝒫 06 42880660, *Fax 06 42010078* – ■.
🏢 ⓪ ⓸ 𝚅𝙸𝚂𝙰 𝙹𝙲𝙱. ⅀⅀ *p.13* OU
Pasto carta 75/105000.

XX **Cicilardone Monte Caruso,** via Farini 12 ⊠ 00185 𝒫 06 483549 – ■. ㊛ 🏢 ⓪ ⓸ ⓵
⅀⅀ *p. 13* PV
chiuso agosto, domenica e lunedi a mezzogiorno – **Pasto** specialità lucane carta 60/7500

XX **Papà Baccus,** via Toscana 36 ⊠ 00187 𝒫 06 42742808, *Fax 06 42010005,* prenotare –
■. ㊛ 🏢 ⓪ ⓸ 𝚅𝙸𝚂𝙰 𝙹𝙲𝙱. ⅀⅀ *p. 13* OU
chiuso dal 25 dicembre al 6 gennaio, dal 10 al 20 agosto, sabato a mezzogiorno e domenic
Pasto specialità di mare e toscane carta 60/100000.

XX **Giovanni,** via Marche 64 ⊠ 00187 𝒫 06 4821834, *Fax 06 4817366,* Rist. d'habitués – ■.
🏢 ⓪ ⓸ 𝚅𝙸𝚂𝙰 *p. 13* OU
chiuso agosto, venerdi sera e sabato – **Pasto** carta 75/120000.

XX **Dai Toscani,** via Forli 41 ⊠ 00161 𝒫 06 44231302 – ■. ㊛ 🏢 ⓪ ⓸ 𝚅𝙸𝚂𝙰 𝙹𝙲𝙱
chiuso agosto e domenica – **Pasto** specialità toscane carta 50/80000 (10%). *p. 9* FS

XX Il Quadrifoglio, via del Boschetto 19 ⊠ 00184 𝒫 06 4826096, Coperti limitati; prenota
chiuso agosto e domenica a mezzogiorno – **Pasto** specialità napoletane. *p. 17* OY

XX **Il Covo,** via del Boschetto 91 ⊠ 00184 𝒫 06 4815871, Rist. pizzeria – ㊛ ⓪ ⓸ 𝚅𝙸𝚂𝙰.
chiuso luglio, agosto e lunedi – **Pasto** carta 45/60000. *p. 17* OY

XX **Hostaria da Vincenzo,** via Castelfidardo 6 ⊠ 00185 𝒫 06 484596, *Fax 06 4870092* –
㊛ ⓪ ⓸ 𝚅𝙸𝚂𝙰 𝙹𝙲𝙱 *p. 13* PU
chiuso agosto e domenica – **Pasto** carta 45/80000.

XX **Taverna Urbana,** via Urbana 137 ⊠ 00184 𝒫 06 4884439, *Fax 06 7010605* – ■. ㊛ 🏢
⓸ 𝚅𝙸𝚂𝙰. ⅀⅀ *p.13* PVX
chiuso agosto e lunedi – **Pasto** specialità di mare carta 45/80000.

XX **Peppone,** via Emilia 60 ⊠ 00187 𝒫 06 483976, *Fax 06 483976,* Rist. di tradizione – ■. ㊛
⓪ ⓸ 𝚅𝙸𝚂𝙰. ⅀⅀ *p. 13* OU
chiuso sabato e domenica in agosto, solo domenica negli altri mesi – **Pasto** carta 55/800
(15%).

X Il Dito e la Luna, via dei Sabelli 51 ⊠ 00185 𝒫 06 4940726, prenotare, « Simpa
atmosfera bistrot » – ■ *p. 9* FT
chiuso a mezzogiorno.

X **Trimani il Wine Bar,** via Cernaia 37/b ⊠ 00185 𝒫 06 4469630, *info@trimani.co*
Fax 06 4468351, Enoteca con ristorazione – ■. ㊛ 🏢 ⓪ ⓸ 𝚅𝙸𝚂𝙰 𝙹𝙲𝙱
chiuso dal 6 al 20 agosto, domenica (escluso dicembre) e i giorni festivi – **Pasto** ca
55/80000. *p. 13* PU

X **Colline Emiliane,** via degli Avignonesi 22 ⊠ 00187 𝒫 06 4817538, *Fax 06 48175*
prenotare – ■. 🏢 ⓸ 𝚅𝙸𝚂𝙰 𝙹𝙲𝙱 *p. 12* NV
chiuso agosto e venerdi – **Pasto** specialità emiliane carta 50/70000.

Roma Antica

Colosseo, Fori Imperiali, Aventino, Terme di Caracalla, Porta San Paolo, Monte Testac
(Pianta : Roma p. 8, 9, 16 e 17)

🏨 **Forum,** via Tor de' Conti 25 ⊠ 00184 𝒫 06 6792446, *Fax 06 6786479,* « Rist. roof-gard
con ≤ Fori Imperiali » – ▯ ■ 📺 ☏ – 🔏 100. ㊛ 🏢 ⓪ ⓸ 𝚅𝙸𝚂𝙰 𝙹𝙲𝙱. ⅀⅀ *p. 17* OY
Pasto *(chiuso domenica)* carta 105/165000 – **78 cam** ⊆ 360/530000.

🏨 **Duca d'Alba** senza rist, via Leonina 12/14 ⊠ 00184 𝒫 06 484471, *Fax 06 4884840* – ▯
📺. ㊛ 🏢 ⓪ ⓸ 𝚅𝙸𝚂𝙰 𝙹𝙲𝙱 *p. 17* OY
⊆ 15000 – **27 cam** 195/290000, suite.

🏨 **Borromeo** senza rist, via Cavour 117 ⊠ 00184 𝒫 06 485856, *borromeo@trave*
Fax 06 4882541 – ▯ ■ 📺 ☏ 🕭. ㊛ 🏢 ⓪ ⓸ 𝚅𝙸𝚂𝙰 𝙹𝙲𝙱 *p.17* PX
27 cam ⊆ 320/450000, 3 suites.

Domus Aventina ⍟ senza rist, via Santa Prisca 11/b ⊠ 00153 ℰ 06 5746135, *domus.a ventita@flashnet.it, Fax 06 57300044* – 🗐 📺 . 🕮 🕄 ⓪ 🐠 𝘝𝘐𝘚𝘈 𝗝𝗖𝗕 . ⌘ *p. 16* NZ **k**
26 cam ⊇ 240/370000.

Piccadilly senza rist, via Magna Grecia 122 ⊠ 00183 ℰ 06 77207017, *piccadilly.rm@best western.it, Fax 06 70476686* – 🛗 ⇔ 🗐 📺 🕻 . 🕮 🕄 ⓪ 🐠 𝘝𝘐𝘚𝘈 . *p. 9* FT **b**
55 cam ⊇ 180/275000.

Nerva senza rist, via Tor de' Conti 3/4/4 a ⊠ 00184 ℰ 06 6781835, *Fax 06 69922204* – 🛗 🗐 📺 🕻 ㅵ. 🕮 🕄 ⓪ 🐠 𝘝𝘐𝘚𝘈 *p. 16* NY **h**
19 cam ⊇ 300/420000.

Mercure Hotel Roma Delta Colosseo senza rist, via Labicana 144 ⊠ 00184 ℰ 06 770021, *mercure.romacolosseo@accor-hotels.it, Fax 06 77005781*, « ⍧ su terrazza panoramica con ≤ Colosseo » – 🛗 🗐 📺 ㅐ. 🕮 🕄 ⓪ 🐠 𝘝𝘐𝘚𝘈 *p. 17* PYZ **t**
160 cam ⊇ 260/430000.

Sant'Anselmo ⍟ senza rist, piazza Sant'Anselmo 2 ⊠ 00153 ℰ 06 5748119, *Fax 06 5783604*, « Villa in stile liberty con piccolo giardino » – 📺 . 🕮 🕄 ⓪ 🐠 𝘝𝘐𝘚𝘈 *p. 16* MZ **m**
44 cam ⊇ 230/350000.

Solis Invictus Ⓜ senza rist, via Cavour 311 ⊠ 00184 ℰ 06 69920587, *hotels/solisinvictus, Fax 06 69923395* – 🗐 📺 . 🕮 🕄 ⓪ 🐠 𝘝𝘐𝘚𝘈 . ⌘ *p. 17* OY **b**
16 cam ⊇ 240/270000.

Checchino dal 1887, via Monte Testaccio 30 ⊠ 00153 ℰ 06 5746318, *checchino_ roma@tin.it, Fax 06 5743816*, Locale storico, prenotare – 🕮 🕄 ⓪ 🐠 𝘝𝘐𝘚𝘈 𝗝𝗖𝗕 . ⌘
chiuso dal 24 dicembre al 2 gennaio, agosto, domenica e lunedì – **Pasto** cucina romana carta 65/120000. *p. 8* DT **a**

Maharajah, via dei Serpenti 124 ⊠ 00184 ℰ 06 4747144, *Fax 06 47885393* – 🗐 . 🕮 🕄 ⓪ 🐠 𝘝𝘐𝘚𝘈 𝗝𝗖𝗕 *p. 13* OX **s**
Pasto cucina indiana 25/30000 (solo a mezzogiorno) carta 60/65000.

Mario's Hostaria, piazza del Grillo 9 ⊠ 00184 ℰ 06 6793725, 😷 , prenotare – 🗐 . 🕮 🕄 ⓪ 🐠 𝘝𝘐𝘚𝘈 . ⌘ *p. 16* NY **b**
chiuso domenica – **Pasto** carta 40/80000.

Charly's Saucière, via di San Giovanni in Laterano 270 ⊠ 00184 ℰ 06 70495666, *Fax 06 7077483*, Coperti limitati; prenotare – 🗐 . 🕮 🕄 ⓪ 🐠 𝘝𝘐𝘚𝘈 𝗝𝗖𝗕 . ⌘ *p. 17* PZ **e**
chiuso dal 5 al 20 agosto, domenica e i mezzogiorno di sabato-lunedì – **Pasto** cucina franco-svizzera carta 55/70000.

Lo Scopettaro, lungotevere Testaccio 7 ⊠ 00153 ℰ 06 5742408, *Fax 06 5757912* – 🗐 . 🕮 🕄 ⓪ 𝘝𝘐𝘚𝘈 . ⌘ *p. 15* LZ **a**
Pasto cucina romana casalinga carta 45/65000.

San Pietro (Città del Vaticano)

Gianicolo, Monte Mario, Stadio Olimpico (Pianta : Roma p. 8, 10 e 11)

Cavalieri Hilton Ⓜ , via Cadlolo 101 ⊠ 00136 ℰ 06 35091, *fom_rome@hilton.com, Fax 06 35092241*, ≤ città, 😷 , Collezione d'arte privata, « Terrazze solarium e parco con ⍧ », ㅹ, 🚗 , 🗆 , ⍟ – 🛗 ⇔ cam, 🗐 📺 🕻 ᵁ 🅿 – ⚿ 2100. 🕮 🕄 ⓪ 🐠 𝘝𝘐𝘚𝘈 . ⌘ rist *p. 8* CS **a**
Pasto al Rist. *Il Giardino dell'Uliveto* carta 105/185000 e vedere anche rist *La Pergola* – ⊇ 60000 – **353 cam** 875/1300000, 18 suites.

Dei Mellini Ⓜ senza rist, via Muzio Clementi 81 ⊠ 00193 ℰ 06 324771, *Fax 06 32477801* – 🛗 ⇔ 🗐 📺 🕻 ㅵ 🚗 – ⚿ 70. 🕮 🕄 ⓪ 🐠 𝘝𝘐𝘚𝘈 . ⌘
67 cam ⊇ 480/530000, 11 suites. *p. 11* KU **f**

Visconti Palace senza rist, via Federico Cesi 37 ⊠ 00193 ℰ 06 3684, *viscontipalace@italy hotel.com, Fax 06 3200551* – 🛗 , ⇔ cam, 🗐 📺 🕻 ㅵ 🚗 – ⚿ 150. 🕮 🕄 ⓪ 🐠 𝘝𝘐𝘚𝘈 𝗝𝗖𝗕 . ⌘ *p. 11* KU **b**
234 cam ⊇ 370/470000, 13 suites.

Atlante Star, via Vitelleschi 34 ⊠ 00193 ℰ 06 6873233, *atlante.star@atlantehotels.com, Fax 06 6872300* – 🛗 🗐 📺 🚗 – ⚿ 50. 🕮 🕄 ⓪ 🐠 𝘝𝘐𝘚𝘈 *p. 11* JV **c**
Pasto vedere rist *Les Etoiles* – **70 cam** ⊇ 510/750000, 3 suites – ½ P 405000.

Giulio Cesare senza rist, via degli Scipioni 287 ⊠ 00192 ℰ 06 3210751, *Fax 06 3211736*, 🌳 – 🛗 🗐 📺 – ⚿ 40. 🕮 🕄 ⓪ 🐠 𝘝𝘐𝘚𝘈 𝗝𝗖𝗕 . *p. 11* KU **d**
80 cam ⊇ 420/520000.

Farnese senza rist, via Alessandro Farnese 30 ⊠ 00192 ℰ 06 3212553, *Fax 06 3215129* – 🛗 🗐 📺 🅿 . 🕮 🕄 ⓪ 🐠 𝘝𝘐𝘚𝘈 . ⌘ *p. 11* KU **e**
23 cam ⊇ 300/500000.

Starhotel Michelangelo, via Stazione di San Pietro 14 ⊠ 00165 ℰ 06 398739, *michelan gelo.rm@starhotels.it, Fax 06 632359* – 🛗 🗐 📺 ㅵ – ⚿ 150. 🕮 🕄 ⓪ 🐠 𝘝𝘐𝘚𝘈 𝗝𝗖𝗕 . ⌘ *p. 10* GX **u**
Pasto (solo per alloggiati) carta 70/130000 – **162 cam** ⊇ 400/550000 – ½ P 340000.

Dei Consoli senza rist, via Varrone 2/d ⊠ 00193 ℰ 06 68892972, *Fax 06 68212274* – 🛗 ⇔ 🗐 📺 🕻 ㅵ. 🕮 🕄 ⓪ 🐠 𝘝𝘐𝘚𝘈 𝗝𝗖𝗕 . ⌘ *p. 10* HU **a**
28 cam ⊇ 320/480000.

🏨 **Sant'Anna** senza rist, borgo Pio 133 ⊠ 00193 ℰ 06 68801602, santanna@travel.r
Fax 06 68308717 – 📗 ≣ 🔟 ✔. 🖭 🖫 ① ⑩ 🗸𝘚𝘈   p. 10 HV r
20 cam ⊆ 250/350000.

🏨 **Arcangelo** senza rist, via Boezio 15 ⊠ 00192 ℰ 06 6874143, Fax 06 6893050 – 📗 ≣ 🔟
🖭 🖫 ① ⑩ 🗸𝘚𝘈. ℅   p. 11 JU
33 cam ⊆ 260/380000.

🏨 Clodio, senza rist, via di Santa Lucia 10 ⊠ 00195 ℰ 06 3721122, Fax 06 37350745 – 📗 ≣
🔟 ✔ – 🏛 60   p. 8 CS
115 cam

🏨 **Olympic** senza rist, via Properzio 2/a ⊠ 00193 ℰ 06 6896650, Fax 06 68308255 – 📗 ≣
🔟. 🖭 🖫 ① ⑩ 🗸𝘚𝘈   p. 11 JU
73 cam 270/390000.

🏨 **Gerber** senza rist, via degli Scipioni 241 ⊠ 00192 ℰ 06 3216485, info@hotelgerber.r
Fax 06 3217048 – 📗 🔟. 🖭 🖫 ① ⑩ 🗸𝘚𝘈 🗸𝘤𝘣. ℅   p. 11 JU
27 cam ⊆ 190/240000.

🏨 **Ara Pacis** senza rist, via Vittoria Colonna 11 ⊠ 00193 ℰ 06 3204446, arapacis@travel.r
Fax 06 3211325 – 📗 ≣ 🔟. 🖭 🖫 ① ⑩ 🗸𝘚𝘈   p. 11 KUV
37 cam ⊆ 250/350000.

🏨 **Amalia** senza rist, via Germanico 66 ⊠ 00192 ℰ 06 39723356, Fax 06 39723365 – 📗 🔟
🖭 🖫 ① ⑩ 🗸𝘚𝘈. ℅   p. 10 HU
30 cam ⊆ 230/320000.

🏨🏨🏨🏨🏨 **La Pergola** - Hotel Cavalieri Hilton, via Cadlolo 101 ⊠ 00136 ℰ 06 3509⸍
❀❀ Fax 06 35092165, 🍽, prenotare, « Elegante e raffinato roof-restaurant con ampia e sug
gestiva ⩽ sulla capitale » – ≣. 🖭 🖫 ① ⑩ 🗸𝘚𝘈 🗸𝘤𝘣. ℅   p. 8 CS
chiuso gennaio, domenica, lunedì e a mezzogiorno – **Pasto** 170/195000 e carta 120
215000
Spec. Terrina di fegato grasso d'anatra "la Pergola". Spaghetti con scorfano, zucchine
peperoni. Torta di mele con gelato.

🏨🏨🏨 **Les Etoiles** - Hotel Atlante Star, via dei Bastioni 1 ⊠ 00193 ℰ 06 6893434, les.etoiles@at.
ntehotels.com, Fax 06 6872300, « Roof-garden e servizio estivo in terrazza con ⩽ Basilica c
San Pietro » – ≣. 🖭 🖫 ① ⑩ 🗸𝘚𝘈 🗸𝘤𝘣. ℅   p. 11 JV
Pasto 90/145000 (a mezzogiorno) 115/210000 (alla sera) e carta 130/215000.

🏨🏨 **Il Simposio-di Costantini**, piazza Cavour 16 ⊠ 00193 ℰ 06 3211502, Fax 06 3213210
Rist.-enoteca, prenotare – ≣. 🖭 🖫 ① ⑩ 🗸𝘚𝘈 🗸𝘤𝘣. ℅   p. 11 KU
chiuso agosto, sabato a mezzogiorno e domenica – **Pasto** carta 55/95000.

🏨🏨 **Taverna Angelica**, piazza delle Vaschette 14/a ⊠ 00193 ℰ 06 6874514, Rist-souper
cucina fino a mezzanotte, Coperti limitati; prenotare – ≣. 🖭 🖫 🗸𝘚𝘈. ℅   p. 11 JV
chiuso dal 23 dicembre al 3 gennaio, dal 10 al 30 agosto, domenica e lunedì a mezzogiorn
– **Pasto** carta 60/95000.

🏨 **Dal Toscano-al Girarrosto**, via Germanico 58 ⊠ 00192 ℰ 06 39725717
Fax 06 39730748, Rist. d'habitues – ≣. 🖭 🖫 ① ⑩ 🗸𝘚𝘈. ℅   p. 10 HU
chiuso dal 24 dicembre al 3 gennaio, dal 9 agosto al 4 ottobre e lunedì – **Pasto** specialit
toscane carta 50/75000.

🏨 **Da Cesare**, via Crescenzio 13 ⊠ 00193 ℰ 06 6861227, cesarrst@tin.it, Fax 06 68130351
≣. 🖭 🖫 ① ⑩ 🗸𝘚𝘈   p. 11 KUV
chiuso Natale, Pasqua, agosto e lunedì – **Pasto** specialità toscane e di mare 55000 e cart
60/105000.

🏨 **Delle Vittorie**, via Montesanto 58/64 ⊠ 00195 ℰ 06 37352776, Fax 06 37515447, 🍽
✦. 🖭 🖫 ① ⑩ 🗸𝘚𝘈. ℅   p. 8 CS
chiuso dal 23 dicembre al 4 gennaio e domenica – **Pasto** carta 45/70000.

Parioli
via Flaminia, Villa Borghese, Villa Glori, via Nomentana, via Salaria (Pianta : Roma p. 7, 8, 9
13)

🏨🏨🏨 **Parco dei Principi**, via Gerolamo Frescobaldi 5 ⊠ 00198 ℰ 06 854421, principi@parco
eiprincipi.com, Fax 06 8845104, ⩽, « Affacciato sul grande parco di Villa Borghese », 🛁, 🏊
– 📗 ≣ 🔟 ✔ ⇔ – 🏛 700. 🖭 🖫 ① ⑩ 🗸𝘚𝘈 🗸𝘤𝘣. ℅ rist   p. 9 ES
Pasto carta 90/135000 – **150 cam** ⊆ 550/850000, 25 suites.

🏨🏨🏨 **Lord Byron** 🅂, via De Notaris 5 ⊠ 00197 ℰ 06 3220404, Fax 06 3220405 – 📗 ≣ 🔟 ✔
🖭 🖫 ① ⑩ 🗸𝘚𝘈 🗸𝘤𝘣. ℅   p.8 DS
Pasto vedere rist **Relais le Jardin** – **32 cam** ⊆ 445/695000, 5 suites.

🏨🏨🏨 **Aldrovandi Palace Hotel**, via Aldrovandi 15 ⊠ 00197 ℰ 06 3223993, hotel@aldrova
di.com, Fax 06 3221435, « Piccolo parco ombreggiato con 🏊 », 🛁 – 📗 ✦ ≣ 🔟 ✔ 🅿
🏛 300. 🖭 🖫 ① ⑩ 🗸𝘚𝘈 🗸𝘤𝘣. ℅   p. 9 ES
Pasto vedere rist **Relais La Piscine** – ⊆ 35000 – **125 cam** 700/900000, 13 suites.

🏨🏨 **The Duke Hotel** senza rist, via Archimede 87 ⊠ 00197 ℰ 06 367221, theduke@theduk
hotel.com, Fax 06 36004104 – 📗 ≣ 🔟 🕭 ⇔ – 🏛 60. 🖭 🖫 ① ⑩ 🗸𝘚𝘈 🗸𝘤𝘣. ℅
64 cam ⊆ 595/630000, 14 suites.   p. 9 DS ⎞

Albani, via Adda 45 ⊠ 00198 ☎ 06 84991, *hotelalbani@flashnet.it*, Fax 06 8499399 – 🛗 ▤
📺 🖘 – 🔬 40. 🖭 🗓 ① ◑ ◐ 🚾 🌜 🌸   *p. 9* ES   **b**
Pasto *(chiuso a mezzogiorno)* 45/65000 – **157 cam** ⊇ 330/480000.

Borromini senza rist, via Lisbona 7 ⊠ 00198 ☎ 06 8841321, Fax 06 8417550 – 🛗 ▤ 📺
🖘 – 🔬 100. 🖭 🗓 ① ◑ ◐ 🚾 🌜   *p. 9* ES   **d**
⊇ 22000 – **84 cam** 340/430000.

Degli Aranci, via Oriani 11 ⊠ 00197 ☎ 06 8070202, *degliaranci@tiscalinet.it*,
Fax 06 8070704 – 🛗 ▤ 📺 – 🔬 40. 🖭 🗓 ① ◑ ◐ 🚾 🌸 rist   *p. 9* ES   **g**
Pasto 25/35000 – **54 cam** ⊇ 280/400000, 2 suites – ½ P 225000.

Executive senza rist, via Aniene 3 ⊠ 00198 ☎ 06 8552030, *exerm@tin.it*,
Fax 06 8414078, 🖘 – 🛗 ▤ 📺 ♿. 🖭 🗓 ① ◑ ◐ 🚾 🇯🇨🇧   *p. 13* PU   **a**
54 cam ⊇ 300/400000.

Villa Grazioli, senza rist, via Salaria 241 ⊠ 00199 ☎ 06 8416587, Fax 06 8413385 – 🛗 ▤ 📺
🅿   *p. 9* ES   **m**
30 cam.

Villa Glori senza rist, via Celentano 11 ⊠ 00196 ☎ 06 3227658, Fax 06 3219495 – 🛗 ▤
📺. 🖭 🗓 ① ◑ ◐ 🚾 🌜 🌸   *p. 8* DS   **e**
57 cam ⊇ 270/340000.

Buenos Aires senza rist, via Clitunno 9 ⊠ 00198 ☎ 06 8554854, Fax 06 8415272 – 🛗 ▤
📺 🅿 – 🔬 35. 🖭 🗓 ① ◑ ◐ 🚾 🌸   *p. 9* ES   **k**
52 cam ⊇ 240/300000.

Villa del Parco senza rist, via Nomentana 110 ⊠ 00161 ☎ 06 44237773, *villaparco@meli
nk.it*, Fax 06 44237572, 🖘 – 🛗 ▤ 📺. 🖭 🗓 ① ◑ ◐ 🚾   *p. 9* FS   **r**
29 cam ⊇ 225/290000.

Santa Costanza senza rist, viale 21 Aprile 4 ⊠ 00162 ☎ 06 8600602, *santacostanza@tis
calinet.it*, Fax 06 8602786, 🖘 – 🛗 ▤ 📺 ♿. 🖭 🗓 ① ◑ ◐ 🚾 🌸   *p. 9* FS   **f**
68 cam ⊇ 210/280000.

Fenix, viale Gorizia 5 ⊠ 00198 ☎ 06 8540741, *info@fenixhotel.it*, Fax 06 8543632, 🖘 – 🛗
▤ 📺. 🖭 🗓 ① ◑ ◐ 🚾 🌸   *p. 9* FS   **n**
Pasto *(chiuso agosto, sabato sera e domenica)* carta 40/60000 – **72 cam** ⊇ 210/330000.

Relais le Jardin - Hotel Lord Byron, via De Notaris 5 ⊠ 00197 ☎ 06 3220404,
Fax 06 3220405, Rist. elegante, Coperti limitati; prenotare – ▤. 🖭 🗓 ① ◑ ◐ 🚾 🇯🇨🇧. 🌸
chiuso domenica – **Pasto** carta 95/165000.   *p. 8* DS   **b**

Relais la Piscine - Hotel Aldrovandi Palace, via Mangili 6 ⊠ 00197 ☎ 06 3216126,
« Servizio estivo all'aperto » – 🍴 ▤ 🅿. 🖭 🗓 ① ◑ ◐ 🚾 🇯🇨🇧. 🌸
Pasto carta 90/120000.   *p. 9* ES   **c**

Al Ceppo, via Panama 2 ⊠ 00198 ☎ 06 8551379, Fax 06 85301370, prenotare – 🖭 🗓 ①
◑ ◐ 🚾   *p. 9* ES   **q**
chiuso dall'8 al 24 agosto e lunedì – **Pasto** carta 65/105000.

La Scala, viale dei Parioli 79/d ⊠ 00197 ☎ 06 8083978, 🍽️, Rist. e pizzeria serale – ▤. 🖭
🗓 ① ◑ ◐ 🚾 🌸   *p. 9* ES   **s**
chiuso dal 6 al 21 agosto e mercoledì – **Pasto** carta 50/70000.

Ambasciata d'Abruzzo, via Pietro Tacchini 26 ⊠ 00197 ☎ 06 8078256,
Fax 06 8074964, 🍽️ – ▤. 🖭 🗓 ① ◑ ◐ 🚾 🌸   *p. 9* ES   **e**
chiuso agosto e domenica – **Pasto** carta 55/85000.

Al Chianti, via Ancona 17 ⊠ 00198 ☎ 06 44291534, Trattoria toscana con taverna,
prenotare – ▤. 🖭 🗓 ① ◑ ◐ 🚾 🇯🇨🇧. 🌸   *p. 13* PU   **d**
chiuso dal 6 al 22 agosto e domenica – **Pasto** carta 45/65000.

Al Fogher, via Tevere 13/b ⊠ 00198 ☎ 06 8417032, Fax 06 8558097, Rist. rustico – ▤. 🖭
🗓 ① ◑ ◐ 🚾 🇯🇨🇧. 🌸   *p. 13* PU   **b**
chiuso agosto, sabato a mezzogiorno e domenica – **Pasto** specialità venete carta 60/
90000.

Coriolano, via Ancona 14 ⊠ 00198 ☎ 06 44249863, Fax 06 44249724, Trattoria elegante,
Coperti limitati; prenotare – ▤. 🖭 🗓 ① ◑ ◐ 🚾 🇯🇨🇧   *p. 13* PU   **d**
chiuso dal 5 al 30 agosto – **Pasto** carta 70/110000 (15 %).

Franco l'Abruzzese, via Anerio 23/25 ⊠ 00199 ☎ 06 8600704, Fax 06 8600704, Tratto-
ria d'habitués – 🖭 🗓 ① ◑ ◐ 🚾 🌸   *p. 7* BQ   **t**
chiuso agosto e domenica – **Pasto** carta 35/60000.

Zona Trastevere

(quartiere tipico) (Pianta : Roma p. 15 e 16)

Alberto Ciarla, piazza San Cosimato 40 ⊠ 00153 ☎ 06 5818668, Fax 06 5884377, 🍽️,
Coperti limitati; prenotare – ▤. 🖭 🗓 ① ◑ ◐ 🚾 🇯🇨🇧. 🌸   *p. 15* KZ   **k**
chiuso a mezzogiorno e domenica – **Pasto** specialità di mare 75/120000 e carta 110/
150000.

XX **Corsetti-il Galeone,** piazza San Cosimato 27 ⊠ 00153 𝒫 06 5816311, *Fax 06 5896255*
🎇, « Ambiente caratteristico » – 🗏. 🆎 🇸 ⓪ ⓶ *VISA* JCB. ⚘ *p. 15 KZ* **n**
chiuso mercoledi a mezzogiorno – **Pasto** specialità romane e di mare 50/60000 bc e cart
50/85000.

XX **Sora Lella,** via di Ponte Quattro Capi 16 (Isola Tiberina) ⊠ 00186 𝒫 06 686160°
Fax 06 6861601 – 🗏. 🆎 🇸 ⓪ ⓶ *VISA*. ⚘ *p. 16 MY*
chiuso dal 24 al 26 dicembre, Capodanno, Pasqua, agosto e domenica – **Pasto** cucir
tradizionale romana carta 65/130000.

XX **Galeassi,** piazza di Santa Maria in Trastevere 3 ⊠ 00153 𝒫 06 5803775, *Fax 06 580989*
🎇 – 🆎 🇸 ⓪ ⓶ *VISA* JCB. ⚘ *p. 15 LZ*
chiuso dal 20 dicembre a gennaio e lunedì – **Pasto** specialità romane e di mare cart
60/90000.

XX Il Cortile, via Alberto Mario 26 ⊠ 00152 𝒫 06 5803433, *Fax 06 5885115* *p. 15 JZ*

XX **Paris,** piazza San Callisto 7/a ⊠ 00153 𝒫 06 5815378, *Fax 06 5815378*, 🎇 – 🗏. 🆎 🇸 ⓒ
⓶ *VISA* JCB. ⚘ *p. 15 KZ*
chiuso agosto, domenica sera e lunedì – **Pasto** specialità romane carta 55/100000.

XX **Pastarellaro,** via di San Crisogono 33 ⊠ 00153 𝒫 06 5810871, *Fax 06 5810871*, Rist
enoteca con musica serale al piano – 🗏. 🆎 🇸 ⓪ ⓶ *VISA*. ⚘ *p. 15 LZ*
chiuso agosto e mercoledì – **Pasto** specialità romane e di mare carta 60/8500C
(12 %).

X **Asinocotto,** via dei Vascellari 48 ⊠ 00153 𝒫 06 5898985, *Fax 06 5898985*, Coperti lim
tati; prenotare – 🆎 🇸 ⓪ ⓶ *VISA* JCB. ⚘ *p. 16 MZ*
chiuso dal 15 al 31 gennaio, lunedì e a mezzogiorno – Pasto carta 60/85000.

X **Checco er Carettiere,** via Benedetta 10 ⊠ 00153 𝒫 06 5817018, *Fax 06 5884282*, 🎇
Rist. tipico – 🗏. 🆎 🇸 ⓪ ⓶ *VISA* *p. 15 KY*
chiuso domenica sera – **Pasto** specialità romane e di mare carta 60/110000.

X **Gino in Trastevere,** via della Lungaretta 85 ⊠ 00153 𝒫 06 5803403, *gino94@tin.*
Fax 06 5803403, 🎇, Rist. e pizzeria – 🗏. 🆎 🇸 ⓪ ⓶ *VISA* JCB. ⚘ *p. 15 LZ*
chiuso a mezzogiorno escluso domenica e i giorni festivi – **Pasto** specialità romane car
45/65000.

Zona Urbana Nord-Ovest

via Flaminia, via Cassia, Balduina, Prima Valle, via Aurelia (Pianta : Roma p. 6 e 7)

🏨 **Jolly Hotel Midas,** via Aurelia 800 (al km 8) ⊠ 00165 𝒫 06 66396, *roma–midas@jollyho*
tels.it, Fax 06 66418457, 🏊, 🛥, 🎾 – 🛗, ⇔ cam, 🗏 📺 🄿 – 🕍 650. 🆎 🇸 ⓪ ⓶ *VISA* JCB
⚘ rist *p. 6 AQ*
Pasto carta 65/100000 – **344 cam** ⊇ 365/420000, 5 suites – ½ P 275000.

🏨 **Holiday Inn Roma,** via Aurelia al km 8 ⊠ 00165 𝒫 06 66411200, *Fax 06 66414437,* 🎇
🏊, 🛥 – 🛗, ⇔ cam, 🗏 📺 🅔 🄿 – 🕍 140. 🆎 🇸 ⓪ ⓶ *VISA* JCB. ⚘ *p. 6 AQ*
Pasto 55/95000 – **204 cam** ⊇ 350/400000, 14 suites – ½ P 250000.

🏨 **Colony Flaminio** ⌕ senza rist, via Monterosi 18 ⊠ 00191 𝒫 06 36301843, *colony@ic*
t, Fax 06 36309495 – 🛗 🗏 📺 🄿 – 🕍 90. 🆎 🇸 ⓪ ⓶ *VISA* JCB *p. 7 BQ*
74 cam ⊇ 210/260000, suite.

🏨 **Classhotel Roma** ⌕ senza rist, via Fusco 118 ⊠ 00136 𝒫 06 35404111, *cla*
rm@tin.it, Fax 06 35420322 – 🛗 ⇔ 🗏 📺 🅔 🕭 ⟵ 🄿 – 🕍 100. 🆎 🇸 ⓪ ⓶ *VIS*
⚘ *p. 6 AQ*
54 cam ⊇ 175/260000.

XX **L'Ortica,** via Flaminia Vecchia 573 ⊠ 00191 𝒫 06 3338709, *Fax 06 3338709*, 🎇, « Raccc
ta di oggetti di modernariato » – 🆎 🇸 ⓪ ⓶ *VISA* JCB *p. 7 BQ*
chiuso a mezzogiorno e domenica – **Pasto** specialità napoletane tradizionali carta 6(
100000.

Zona Urbana Nord-Est

via Salaria, via Nomentana, via Tiburtina (Pianta : Roma p. 7)

🏨 Eurogarden, senza rist, raccordo anulare Salaria-Flaminia uscita n° 7 ⊠ 0013
𝒫 06 8852751, *Fax 06 88527577,* 🏊, 🛥 – 🗏 📺 🄿
48 cam. *p. 7 BQ*

🏨 **Hotel la Giocca** Ⓜ, via Salaria 1223 ⊠ 00138 𝒫 06 8804411 e rist 𝒫 06 880450
Fax 06 8804495, 🏊 – 🛗, ⇔ cam, 🗏 📺 🅔 🄿 – 🕍 150. 🆎 🇸 ⓪ ⓶
JCB. ⚘ *p. 7 BQ*
Pasto al Rist. *L'Elite (chiuso domenica)* specialità romane e di mare carta 50/80000
60 cam ⊇ 190/245000, 3 suites.

🏨 **Carlo Magno** senza rist, via Sacco Pastore 13 ⊠ 00141 𝒫 06 8603982, *Fax 06 8604355*
🛗 🗏 📺 – 🕍 60. 🆎 🇸 ⓪ ⓶ *VISA* *p. 7 BQ*
50 cam ⊇ 215/310000.

🏠🏠 **La Pergola** senza rist, via dei Prati Fiscali 55 ⊠ 00141 𝄞 06 8107250, *Fax 06 8124353,* 🦌 – 劇 ≡ 📺 – 🔬 50. 🖭 🕄 ⓞ 🐠 𝓥𝓘𝓢𝓐
92 cam � 175/230000.   *p. 7* BQ **s**

🏋️ **Gabriele,** via Ottoboni 74 ⊠ 00159 𝄞 06 4393498, *Fax 06 4393498,* prenotare – ≡. 🖭 🕄
ⓞ 🐠 𝓥𝓘𝓢𝓐. 𝓢
                                                                                    p. 7 BQ **m**
chiuso agosto, sabato e domenica – **Pasto** carta 50/80000.

Zona Urbana Sud-Est

via Appia Antica, via Appia Nuova, via Tuscolana, via Casilina (Pianta : Roma p. 7 e 9)

🏠🏠 **Relais Horti Flaviani** 🦢 senza rist, via delle Sette Chiese 290 ⊠ 00147 𝄞 06 510772, *in
fo@hortiflaviani.it, Fax 06 51604745,* « Parco e giardino all'italiana », 🏊 – 劇 ≡ 📺 📞 🅿. 🖭
🕄 ⓞ 🐠 𝓥𝓘𝓢𝓐. 𝓢
20 cam ⊻ 280/450000.   *p. 7* BR **f**

🏠🏠 **Appia Park Hotel** senza rist, via Appia Nuova 934 ⊠ 00178 𝄞 06 716741,
Fax 06 7182457, 🦌 – 劇 ≡ 📺 ⅙ ⇦ 🅿. – 🔬 60. 🖭 🕄 ⓞ 🐠 𝓥𝓘𝓢𝓐. 𝓢   *p.7* BR **h**
79 cam ⊻ 200/280000.

🏋️ **Rinaldo all'Acquedotto,** via Appia Nuova 1267 ⊠ 00178 𝄞 06 7183910,
Fax 06 7182968, – ≡ 🅿. 🖭 🕄 ⓞ 🐠 𝓥𝓘𝓢𝓐. 𝓢   *p. 7* BR **v**
chiuso dal 16 al 24 agosto e martedì – **Pasto** carta 45/85000.

🍴 **Alfredo a via Gabi,** via Gabi 36/38 ⊠ 00183 𝄞 06 77206792, *Fax 06 77206792* – ≡
chiuso agosto e martedì – **Pasto** carta 45/60000.   *p. 9* FT **a**

🍴 **Lo Scoiattolo Sardo,** viale Amelia 8/a ⊠ 00181 𝄞 06 786206 – ≡. 🖭 🕄 🐠 𝓥𝓘𝓢𝓐. 𝓢
chiuso agosto e lunedì – **Pasto** specialità sarde e di mare carta 45/75000.   *p. 7* BR **a**

Zona Urbana Sud-Ovest

*via Aurelia Antica, E.U.R., Città Giardino, via della Magliana, Portuense (Pianta : Roma p. 6 e
7)*

🏨🏨🏨 **Sheraton Roma Hotel** 🅜, viale del Pattinaggio 100/102 ⊠ 00144 𝄞 06 54531, *sherat
on.roma@sheraton.com, Fax 06 5940689,* 👟, 🐜, 🏊, 🎾 – 劇, 🔁 cam, ≡ 📺 ⅙ ⇦ 🅿. –
🔬 1800. 🖭 🕄 ⓞ 🐠 𝓥𝓘𝓢𝓐 𝓙𝓒𝓑. 𝓢   *p. 7* BR **z**
Pasto carta 80/145000 – **630 cam** ⊻ 600/700000, 9 suites.

🏨🏨🏨 **Holiday Inn Rome St. Peter's,** via Aurelia Antica 415 ⊠ 00165 𝄞 06 66420, *stpeter@
pronet.it, Fax 06 6637190,* 🌴, « Giardino con 🏊 », 🐜, 🎾 – 劇, 🔁 cam, ≡ 📺 📞 ⅙ 🅿. –
🔬 240. 🖭 🕄 ⓞ 🐠 𝓥𝓘𝓢𝓐 𝓙𝓒𝓑. 𝓢   *p. 6* AQR **h**
Pasto carta 70/100000 – ⊻ 30000 – **314 cam** 450/550000 – ½ P 365000.

🏠🏠🏠 **Villa Pamphili** 🦢, via della Nocetta 105 ⊠ 00164 𝄞 06 6602, *prenotazioni@hotelvillapa
mphili.com, Fax 06 66157747,* 🌴, 👟, 🐜, 🏊 (coperta d'inverno), 🦌, 🎾 – 劇, 🔁 cam, ≡
📺 📞 ⅙ 🅿. – 🔬 500. 🖭 🕄 ⓞ 🐠 𝓥𝓘𝓢𝓐. 𝓢   *p. 6* AR **e**
Pasto carta 55/100000 – **238 cam** ⊻ 385/440000, 10 suites.

🏠🏠🏠 **Shangri Là-Corsetti,** viale Algeria 141 ⊠ 00144 𝄞 06 5916441, *info@shangrilacorsetti
.it, Fax 06 5413813,* 🏊 riscaldata, 🦌 – ≡ 🅿. – 🔬 80. 🖭 🕄 ⓞ 🐠 𝓥𝓘𝓢𝓐. 𝓢
Pasto vedere rist *Shangri Là-Corsetti* – 52 cam ⊻ 320/405000.   *p. 7* BR **d**

🏠🏠 **Dei Congressi,** viale Shakespeare 29 ⊠ 00144 𝄞 06 5926021, *Fax 06 5911903,* 🌴 – 劇
≡ 📺 📞 – 🔬 250. 🖭 🕄 ⓞ 🐠 𝓥𝓘𝓢𝓐. 𝓢   *p. 7* BR **e**
chiuso dal 30 luglio all'11 agosto – **Pasto** al Rist. *La Glorietta (chiuso dal 28 luglio al
25 agosto e domenica)* carta 55/80000 – **105 cam** ⊻ 220/320000.

🏋️🏋️ **Shangri Là-Corsetti,** viale Algeria 141 ⊠ 00144 𝄞 06 5918861, *Fax 06 5413813,* 🌴 –
≡ 🅿. 🖭 🕄 ⓞ 🐠 𝓙𝓒𝓑   *p. 7* BR **d**
chiuso dal 10 al 26 agosto – **Pasto** specialità di mare carta 60/100000.

🍴 **Pietro al Forte,** via dei Capasso 56/64 ⊠ 00164 𝄞 06 66158531, *Fax 06 66158531,* 🌴,
Rist. e pizzeria – 🖭 🕄 ⓞ 🐠 𝓥𝓘𝓢𝓐 𝓙𝓒𝓑. 𝓢   *p. 6* AR **a**
chiuso dal 24 dicembre al 7 gennaio, a mezzogiorno e lunedì – **Pasto** carta 40/70000.

Dintorni di Roma

sulla strada statale 6 - via Casilina Est : 13 km (Pianta : Roma p. 7) :

🏠🏠 **Myosotis** 🦢, piazza Pupinia 2, località Torre Gaia ⊠ 00133 𝄞 06 2054470, *info@marsilih
otels.com, Fax 06 2053671,* 🐜, 🦌 – 🔬 35. 🖭 🕄 ⓞ 🐠 𝓥𝓘𝓢𝓐. 𝓢 *p. 7* BR **u**
Pasto vedere rist *Villa Marsili* – 19 cam ⊻ 150/220000 – ½ P 140000.

🏠 **Città 2000** senza rist, via della Tenuta di Torrenova 60/68 ⊠ 00133 𝄞 06 2025540, *hotelci
ttà2000@tiscalinet.it, Fax 06 2025539* – 劇 ≡ 📺 📞 ⇦ 🅿. – 🔬 30. 🖭 🕄 ⓞ 🐠 𝓥𝓘𝓢𝓐. 𝓢
80 cam ⊻ 100/130000.   *p. 7* BR **m**

🏋️🏋️ **Villa Marsili,** via Casilina 1604 ⊠ 00133 𝄞 06 2050200, *info@marsilihotels.com,*
🐘 *Fax 06 2055176,* « Servizio estivo in giardino » – ≡ 🅿. 🖭 🕄 ⓞ 🐠 𝓥𝓘𝓢𝓐. 𝓢 *p. 7* BR **u**
chiuso dal 15 al 25 agosto – **Pasto** specialità alla brace 30000 e carta 45/65000.

all'uscita n. 17-raccordo anulare per via Di Tore Bella Monaca *Est : 13 km :*

🏨 **Ibis** Ⓜ, via Vico Viganò 24 ⊠ 00133 ℰ 06 206621, Fax 06 2005164, ☞ – 🛗, ⇆ cam, 🖭 📺 🕻 🕭 🖚 P – 🚣 100. 🖭 🕄 ⓪ 𝑉𝐼𝑆𝐴 𝐽𝐶𝐵. ⁂ rist   *p.7* BR
Pasto carta 45/90000 – **211 cam** � 160/220000 – ½ P 140000.

sulla strada statale 1 - via Aurelia Ovest : 13 km (Pianta : Roma p. 6) :

✗ **R 13 Da Checco,** via Aurelia 1249 al km 13 (uscita zona commerciale) ⊠ 0016●
ℰ 06 66180096, Fax 06 66182547, ☞ – 🖻 P. 🖭 🕄 ⓪ 𝟬𝟬 𝑉𝐼𝑆𝐴   *p. 6* AR n
chiuso agosto, domenica sera e lunedì – **Pasto** carta 60/70000.

a Ciampino *Sud-Est : 15 km* (Pianta Roma p. 7) : – ⊠ *00043 :*

🏨 **Villa Giulia** senza rist, via Dalmazia 9 ℰ 06 79321874, Fax 06 79321994 – 🖻 📺 🕻 🕭 🖚
🖭 🕄 ⓪ 𝟬𝟬 𝑉𝐼𝑆𝐴. ⁂   *p. 7* BR
23 cam ⊑ 150/240000.

✗ **Da Giacobbe,** via Appia Nuova 1681 ℰ 06 79340131, Fax 06 79340859, ☞, prenotare
🖻 P. 🖭 🕄 ⓪ 𝟬𝟬 𝑉𝐼𝑆𝐴. ⁂   *p. 7* BR v
chiuso dal 10 al 30 agosto, domenica sera e lunedì – **Pasto** cucina casalinga carta 45/65000

a Lunghezza *Est : 16 km* – ⊠ *00010 :*

✗✗✗ **Castello di Lunghezza,** via della Tenuta del Cavaliere 112 ℰ 06 22483390, *castellodilu●*
ghezza@libero.it, Fax 06 22483390, ☞, prenotare, « In un castello del 12°-16° secolo » –
P. 🖭 🕄 ⓪ 𝟬𝟬 𝑉𝐼𝑆𝐴 𝐽𝐶𝐵. ⁂   *per* ③
chiuso dal 6 al 15 gennaio, dal 5 al 25 agosto, domenica sera e lunedì – **Pasto** cart.
65/85000.

In questa guida

uno stesso simbolo, una stessa parola
stampati in rosso o in **nero**, in magro o in *grassetto*
hanno un significato diverso.

Leggete attentamente le pagine dell'introduzione.

ROMAGNANO SESIA *28078 Novara* 🗠🗠🗠 *F 7 – 4 256 ab. alt. 268.*
Roma 650 – Biella 32 – Milano 76 – Novara 30 – Stresa 40 – Torino 94 – Vercelli 37.

✗ **Alla Torre,** via 1° Maggio 75 ℰ 0163 826411, Fax 0163 826411, ☞, « In una torre de
15° secolo » – 🖭 🕄 ⓪ 𝟬𝟬 𝑉𝐼𝑆𝐴
chiuso dal 27 dicembre al 5 gennaio e lunedì – **Pasto** carta 45/70000.

ROMANO D'EZZELINO *36060 Vicenza* 🗠🗠🗠 *E 17 – 13 732 ab. alt. 132.*
*Roma 547 – Padova 54 – Belluno 81 – Milano 238 – Trento 89 – Treviso 51 – Venezia 80 –
Vicenza 39.*

✗✗ **Cá Takea,** via Col Roigo 17 ℰ 0424 33426, Fax 0424 33426, Coperti limitati; prenotare
« Ristorante caratteristico con servizio estivo in giardino », ☞ – 🕄 𝑉𝐼𝑆𝐴. ⁂
chiuso gennaio, dal 9 al 16 agosto e martedì – **Pasto** 40/60000 (a mezzogiorno) 55/7500●
(alla sera) carta 50/80000.

ROMAZZINO *Sassari – Vedere Sardegna (Arzachena : Costa Smeralda) alla fine dell'elenc●
alfabetico.*

RONCADELLE *Brescia – Vedere Brescia.*

RONCHI DEI LEGIONARI *34077 Gorizia* 🗠🗠🗠 *E 22 – 10 721 ab. alt. 11.*
✈ *Ovest : 2 km, ℰ 0481 773224, Fax 0481 474150.*
Roma 639 – Udine 39 – Gorizia 22 – Milano 378 – Trieste 31.

🏨 **Doge Inn** senza rist, viale Serenissima 71 ℰ 0481 779401, Fax 0481 474194 – 🖻 📺. 🖭 🕄
⓪ 𝟬𝟬 𝑉𝐼𝑆𝐴
⊑ 12000 – **19 cam** 110/145000.

✗✗ **Martin Pescatore** via Roma 4 ✆ 0481 474060, Fax 0481 474060 – 🍽. 🖭 🕄 ⓞ ⓒ 𝑽𝑰𝑺𝑨. ✤
chiuso dal 2 al 10 gennaio, dal 10 agosto all'8 settembre, domenica sera e lunedì – **Pasto** specialità di mare carta 55/85000.

✗ **Trattoria la Corte**, via Verdi 57 ✆ 0481 777594, Fax 0481 475362, prenotare, « Servizio estivo sotto un pergolato » – 🗗. 🖭 🕄 ⓞ ⓒ 𝑽𝑰𝑺𝑨
chiuso martedì – **Pasto** specialità di mare carta 40/60000.

RONCIGLIONE 01037 Viterbo ⬛⬛⬛ P 18 – 7 851 ab. alt. 441.
Vedere *Lago di Vico★ Nord-Ovest : 2 km.*
Dintorni *Caprarola : scala elicoidale★★ della Villa Farnese★ Nord-Est : 6,5 km.*
Roma 60 – Viterbo 20 – Civitavecchia 65 – Terni 80.

sulla via Cimina al km 19 Nord-Ovest : 2 km :

✗ **Santa Lucia da Armando**, ✉ 01037 ✆ 0761 612169, Rist. e pizzeria, « Servizio estivo in giardino » – 🗗. 🖭 🕄 ⓒ 𝑽𝑰𝑺𝑨. ✤
chiuso dal 10 al 30 giugno, dal 10 al 25 dicembre e mercoledì – **Pasto** carta 40/65000.

RONCITELLI Ancona ⬛⬛⬛ K 21 – Vedere Senigallia.

RONZONE 38010 Trento ⬛⬛⬛ C 15, ⬛⬛⬛ ⓩ – 357 ab. alt. 1097 – a.s. Pasqua e Natale.
Roma 634 – Bolzano 33 – Merano 43 – Milano 291 – Trento 52.

✗✗✗ **Orso Grigio**, via Regole 10 ✆ 0463 880625, Fax 0463 880634, 😤, Coperti limitati; prenotare – 🗗. 🖭 🕄 ⓞ ⓒ 𝑽𝑰𝑺𝑨 𝗝𝗖𝗕. ✤
chiuso dal 10 gennaio al 10 febbraio e martedì – **Pasto** carta 50/75000.

ROSA Pordenone – Vedere San Vito al Tagliamento.

ROSARNO 89025 Reggio di Calabria ⬛⬛⬛ L 29 – 14 448 ab. alt. 61.
Roma 644 – Reggio di Calabria 65 – Catanzaro 100 – Cosenza 129.

🏨 **Vittoria**, via Nazionale 148 ✆ 0966 712041, Fax 0966 712043 – 🔋 🍽 📺 ⇦ 🗗 – 🕍 200. 🖭 🕄 ⓞ ⓒ 𝑽𝑰𝑺𝑨. ✤ rist
chiuso Natale, Capodanno e Pasqua – **Pasto** carta 40/50000 – **68 cam** ⌑ 70/100000 – ½ P 70000.

ROSETO CAPO SPULICO 87070 Cosenza ⬛⬛⬛ H 31 – 1 874 ab. alt. 210.
Roma 466 – Cosenza 102 – Castrovillari 59 – Crotone 146 – Lagonegro 88.

🏨 **Cala Castello**, via Olimpia 1, località Marina ✆ 0981 913634, Fax 0981 913660, ⛵, 🐟, ⛵, ✗ – 🔋 🍽 📺 🗗 – 🕍 300. 🖭 🕄 ⓒ 𝑽𝑰𝑺𝑨. ✤
giugno-settembre – **Pasto** carta 40/50000 – ⌑ 10000 – **67 cam** 140/220000, 🍽 20000.

ROSETO DEGLI ABRUZZI 64026 Teramo ⬛⬛⬛ N 24 – 22 081 ab. – a.s. luglio-agosto.
🄱 piazza della Libertà 38 ✆ 085 8991157, Fax 085 8991157.
Roma 214 – Ascoli Piceno 59 – Pescara 38 – Ancona 131 – L'Aquila 99 – Chieti 51 – Teramo 32.

🏠 **Tonino**, via Mazzini 15 ✆ 085 8993110, Fax 085 8997142, 😤 – 📺 🗗. 🖭 🕄 ⓞ ⓒ 𝑽𝑰𝑺𝑨. ✤ cam
aprile-settembre – **Pasto** *(chiuso lunedì)* carta 40/75000 – ⌑ 6000 – **18 cam** 55/80000 – ½ P 85000.

✗✗ **Al Focolare di Bacco** ⛲ con cam, via Solagna 18 (Nord-Ovest : 3 km) ✆ 085 8941004, ⇔ Fax 085 8941004, ≤, 😤, 🌳 – 🍽 📺 🖢 ⇦ 🗗. 🖭 🕄 ⓞ ⓒ 𝑽𝑰𝑺𝑨 𝗝𝗖𝗕. ✤
chiuso novembre – **Pasto** *(chiuso mezzogiorno escluso i giorni festivi, martedì e mercoledì)* specialità carni alla brace carta 35/55000 – **9 cam** ⌑ 90/130000 – ½ P 90000.

✗✗ **Tonino-da Rosanna** con cam, via Volturno 11 ✆ 085 8990274, Fax 085 8990274, 😤 – ⇔ 📺. 🖭 🕄 ⓞ ⓒ 𝑽𝑰𝑺𝑨. ✤ cam
chiuso dal 20 dicembre al 6 gennaio e dal 1° al 20 novembre – **Pasto** *(chiuso martedì, mercoledì escluso da giugno a settembre)* specialità di mare carta 50/70000 – ⌑ 6000 – **7 cam** 45/75000 – ½ P 75000.

✗ **Il Delfino**, via Nazionale 241 ✆ 085 8942073, 😤 – 🖭 🕄 ⓞ ⓒ 𝑽𝑰𝑺𝑨 𝗝𝗖𝗕. ✤
chiuso dal 23 dicembre al 10 gennaio e martedì – **Pasto** specialità di mare carta 45/70000.

ROSIGNANO SOLVAY 57013 Livorno 430 L 13 – a.s. 15 giugno-15 settembre.
Roma 294 – Pisa 43 – Grosseto 107 – Livorno 24 – Siena 104.

🏨 **Elba Hotel** senza rist, via Aurelia 301 𝒫 0586 760939, Fax 0586 760915 – ▯ ▤ 🆀 **P**. ⅍ 🅴
⓪ ⑩ 𝘝𝘐𝘚𝘈. ⅍
26 cam � 120/180000.

ROSOLINA 45010 Rovigo 429 G 18 – 6 100 ab..
🏨 Albarella (chiuso martedì escluso da aprile a settembre) all'IsolaAlbarella ⊠ 4501(
Rosolina 𝒫 0426 330124, Fax 0426 330830, Est : 16 km.
Roma 493 – Venezia 67 – Milano 298 – Ravenna 78 – Rovigo 39.

a Norge Polesine Sud-Ovest : 2,5 km – ⊠ 45010 Rosolina :

✗ **Sottovento**, 𝒫 0426 340138, Coperti limitati; prenotare – ▤. 🆂 ⓪ 𝘝𝘐𝘚𝘈. ⅍
chiuso dal 1° al 15 gennaio e martedì – **Pasto** specialità di mare carta 50/75000.

ROSSANO STAZIONE 87068 Cosenza 431 I 31.
Roma 503 – Cosenza 96 – Potenza 209 – Taranto 154.

🏨 **Scigliano**, viale Margherita 257 𝒫 0983 511846, hscigliano@hotelscigliano.it
Fax 0983 511848 – ▯ ▤ 🆀 **P** – 🔬 50. ⅍ 🆂 ⓪ ⑩ 𝘝𝘐𝘚𝘈 𝗝𝗖𝗕. ⅍
Pasto carta 40/55000 – **36 cam** ⊆ 100/150000 – ½ P 95000.

ROSTA 10090 Torino 428 G 4 – 3 670 ab. alt. 399.
Roma 677 – Torino 17 – Alessandria 106 – Coldu Mont Cenis 65 – Pinerolo 34.

🏨 **Des Alpes**, strada statale 25 del Moncenisio 55 (Nord : 3,5 km) 𝒫 011 9567777
Fax 011 9567780 – ▯ ▤ 🆀 🔥 🖘 **P**. ⅍ 🆂 ⓪ ⑩ 𝘝𝘐𝘚𝘈. ⅍
Pasto vedere rist **Sirio** – **52 cam** 130/170000.

✗✗ **Sirio**, strada statale 25 del Moncenisio 55 (Nord : 3,5 km) 𝒫 011 9567760, Fax 011 954212.
🍴 – ▤ **P**. ⅍ ⓪ ⑩ 𝘝𝘐𝘚𝘈. ⅍
chiuso dal 24 dicembre al 7 gennaio, dal 5 al 28 agosto, sabato a mezzogiorno e domenica -
Pasto carta 35/75000.

ROTA D'IMAGNA 24037 Bergamo 428 E 10, 219 ⑩ – 833 ab. alt. 665 – a.s. luglio-agosto.
Roma 628 – Bergamo 26 – Lecco 40 – Milano 64.

🏨 **Miramonti** ⑤, via alle Fonti 5 𝒫 035 868000, Fax 035 868000, ⋸ Valle d'Imagna, 🍽 – ▯
▤ rist, 🆀 **P**. 🆂 𝘝𝘐𝘚𝘈. ⅍ rist
15 maggio-15 ottobre – **Pasto** (chiuso mercoledì) carta 40/60000 – **50 cam** ⊆ 55/95000 -
½ P 85000.

🏠 **Posta** ⑤ via Calchera 4 𝒫 035 868322, sarisa@inwind.it, Fax 035 868333, ⋸ – ▯ 🆀 **P**
⅍ rist
Pasto (chiuso martedì in bassa stagione) carta 40/55000 – **36 cam** ⊆ 60/100000 -
½ P 80000.

ROTA (Monte) (RADSBERG) Bolzano – Vedere Dobbiaco.

ROTONDA 85048 Potenza 431 H 30 – 3 953 ab. alt. 634.
Roma 423 – Cosenza 102 – Lagonegro 45 – Potenza 128

✗✗ **Da Peppe**, corso Garibaldi 13 𝒫 0973 661251, dapeppe@tbridge.net, Fax 0973 661251 -
⅍ 🆂 ⓪ ⑩ 𝘝𝘐𝘚𝘈
chiuso lunedì escluso agosto – **Pasto** carta 45/55000.

Non confondete :

Confort degli alberghi : 🏨🏨🏨 ... 🏠, ⌂
Confort dei ristoranti : ✗✗✗✗✗ ... ✗
Qualità della tavola : ❀❀❀, ❀❀, ❀, 🏵

ROTTOFRENO 29010 Piacenza 428 G 10 – 8 446 ab. alt. 65.

Roma 517 – Piacenza 13 – Alessandria 73 – Genova 136 – Milano 53 – Pavia 40.

XX **Trattoria la Colonna,** via Emilia Est 6, località San Nicolò Est : 5 km ℰ 0523 768343, Fax 0523 760940 – ▤ – 🛦 60. 🖭 🕄 ⑩ 🐼 VISA. ⁂
chiuso agosto e martedì – **Pasto** carta 50/110000.

X **Antica Trattoria Braghieri,** località Centora 21 (Sud : 2 km) ℰ 0523 781123 – ▤ 🅿. 🖭
⊘ 🐼 VISA. ⁂
chiuso dal 1° al 15 gennaio, dal 25 luglio al 25 agosto, lunedì e la sera (escluso venerdì-sabato) – **Pasto** 20/25000 (a mezzogiorno) e carta 35/50000.

ROVENNA Como – Vedere Cernobbio.

ROVERETO 38068 Trento 428, 429 E 15 – 34 163 ab. alt. 212 – a.s. dicembre-aprile.

🖪 via Dante 63 ℰ 0464 430363, Fax 0464 435528.

Roma 561 – Trento 22 – Bolzano 80 – Brescia 129 – Milano 216 – Riva del Garda 22 – Verona 75 – Vicenza 72.

🏨 **Leon d'Oro** 🅼 senza rist, via Tacchi 2 ℰ 0464 437333, leandoro@rovhotels.com, Fax 0464 423777 – 🛗 ▤ 🔟 ⅙ ➡️ 🅿 – 🛦 70. 🖭 🕄 ⑩ 🐼 VISA
56 cam ⊇ 200/260000.

🏨 **Rovereto,** corso Rosmini 82 D ℰ 0464 435222 e rist 0464 435454, rovhotel@tin.it, Fax 0464 439644, 😤 – 🛗, ⁂ rist, ▤ 🔟 ➡️ 🅿 – 🛦 200. 🖭 🕄 ⑩ 🐼 VISA
Pasto al Rist. **Novecento** (chiuso gennaio, agosto e domenica) carta 50/75000 – **44 cam**
⊇ 150/200000 – ½ P 135000.

XXX **Al Borgo,** via Garibaldi 13 ℰ 0464 436300, borgo@gread.it, Fax 0464 436300, prenotare –
⅗ 🖭 🕄 ⑩ VISA. ⁂
chiuso dal 15 al 26 gennaio, dal 2 al 27 luglio, domenica sera (in agosto anche a mezzogiorno) e lunedì – **Pasto** 90/120000 e carta 95/130000
Spec. Petto di quaglie arrostite con fagiolini verdi e vinaigrette di lamponi (autunno-inverno). Rognone di vitello trifolato con purè di sedano (inverno-primavera). Flan di zucca con salsa inglese (inverno-primavera).

XX **Antico Filatoio,** via Tartarotti 12 ℰ 0464 437283, Fax 0464 489329, Coperti limitati; prenotare – ▤. 🖭 🕄 ⑩ 🐼 VISA
chiuso dal 15 luglio al 15 agosto, martedì e a mezzogiorno (escluso domenica da settembre a maggio) – **Pasto** carta 50/95000.

XX **San Colombano,** via Vicenza 30 (Est : 1 km) ℰ 0464 436006, Fax 0464 487042 – ▤ 🅿. 🖭
🕄 ⑩ 🐼 VISA. ⁂
chiuso dal 6 al 21 agosto, domenica sera e lunedì – **Pasto** carta 45/65000.

X **Mozart 1769,** via Portici 36/38 ℰ 0464 430727, Fax 0464 430727, Coperti limitati; prenotare – 🖭 🕄 ⑩ 🐼 VISA
chiuso martedì – **Pasto** 65000 carta 60/75000.

ROVIASCA Savona – Vedere Quiliano.

ROVIGO 45100 🅿 429 G 17 – 50 627 ab..

🖪 via Dunant 10 ℰ 0425 361481, Fax 0425 30416.

🄰.🄲.🄸. piazza 20 Settembre 9 ℰ 0425 25833.

Roma 457 ④ – Padova 41 ① – Bologna 79 ④ – Ferrara 33 ③ – Milano 285 ① – Venezia 78 ①.

Pianta pagina seguente

🏨 **Villa Regina Margherita,** viale Regina Margherita 6 ℰ 0425 361540, Fax 0425 31301 –
🛗 ▤ 🔟 🅿 – 🛦 120. 🕄 ⑩ VISA. ⁂ AY b
Pasto (chiuso dal 2 al 10 gennaio e dal 6 al 20 agosto) carta 40/60000 – **21 cam** ⊇ 140/
180000, 2 suites.

🏨 **Cristallo,** viale Porta Adige 1 ℰ 0425 30701, cristallo.ro@bestwestern.it, Fax 0425 31083 –
🛗, ⁂ cam, ▤ 🔟 🅿 – 🛦 200. 🖭 🕄 ⑩ 🐼 VISA JCB. ⁂ rist AY s
Pasto carta 50/85000 – **50 cam** ⊇ 140/200000 – ½ P 150000.

🏨 **Corona Ferrea** senza rist, via Umberto I 21 ℰ 0425 422433, hotelcoronaferrea@hotmail
.com, Fax 0425 422292 – 🛗 ▤ 🔟 ➡️. 🖭 🕄 ⑩ 🐼 VISA AY a
– **30 cam** ⊇ 140/200000.

🏨 **Granatiere** senza rist, corso del Popolo 235 ℰ 0425 22301, Fax 0425 29388 – 🛗 ▤ 🔟. 🖭
🕄 ⑩ 🐼 VISA BZ x
⊇ 10000 – **20 cam** 110/150000.

ROVIGO

Angeli (Via) .... AY 2
Bedendo (Via N.) .... BY 3

Carducci (Via G.) .... BZ 4
Casalini (Via A.) .... AZ 6
Cavour (Via) .... BZ 7
Garibaldi (Piazza) .... BY 10
Garibaldi (Via A.) .... BY 12

Grimani (Via M.) .... AY 1
Matteotti (Piazza G.) .... AY 1
Popolo
  (Corso del) .... AY, BZ
Regina Margherita (Vle) .... AY 1
Repubblica (Piazza della) ... AY 1
Ricchieri (Via) .... AY 1
Speroni d. Alvarotti (V.) ... ABZ 1
Trento (Via) .... AZ 2
Umberto I (Via) .... AY 2
Vitt. Emanuele II
  (Piazza) .... ABY 2
10 Luglio (Via) .... BYZ 2
20 Settembre (Piazza) ..... BY 2

UBANO *35030 Padova* 429 *F 17 – 13 194 ab. alt. 18.*

Roma 490 – Padova 8 – Venezia 49 – Verona 72 – Vicenza 27.

- 🏨 **La Bulesca** ⬡, via Fogazzaro 2 ℘ 049 8976388, Fax 049 8975543, 🐴 – 劇 ■ 📺 📞 🅿 – ⚿ 70. AE 🕄 ① 🐠 VISA JCB. ⚫
  Pasto vedere rist **La Bulesca** – ☲ 20000 – **52 cam** 130/200000.

- 🏨 **El Rustego**, via Rossi 16 ℘ 049 631466, Fax 049 631558, 🐴 – 劇 ■ 📺 ⅙ 🅿 – ⚿ 60. AE 🕄 ① 🐠 VISA. ⚫ rist
  Pasto *(chiuso dal 5 al 26 agosto e domenica)* carta 45/65000 – **41 cam** ☲ 125/200000 – 1/2 P 140000.

- 🏠 **Le Calandre** senza rist, località Sarmeola, via Liguria 1/A ℘ 049 635200, Fax 049 633026 – 劇 ■ 📺 🅿. AE 🕄 ① 🐠 VISA
  chiuso dal 23 dicembre al 6 gennaio – ☲ 14000 – **35 cam** 115/160000.

- XXX
  ❀❀ **Le Calandre**, strada statale 11, località Sarmeola ℘ 049 630303, *alajmo@calandre.com*, Fax 049 633000, prenotare – ■ 🅿. AE 🕄 ① 🐠 VISA. ⚫
  chiuso dal 1° al 13 gennaio, dal 7 al 25 agosto, domenica e lunedì – **Pasto** 150/170000 e carta 110/185000
  Spec. Tortelli di ricotta di bufala e Parmigiano con radicchio all'aceto e prosciutto di Cormons (autunno-inverno). Piccione in croccante di patate con insalata di crescione e salsa all'uovo (primavera-estate). Degustazione di desserts.

- XX **La Bulesca**, via Fogazzaro 2 ℘ 049 8975297, Fax 049 8976747, 🍽 – 🅿 – ⚿ 400. AE 🕄 ① 🐠 VISA JCB. ⚫
  chiuso dal 1° al 15 gennaio, dal 1° al 24 agosto, domenica sera e lunedì – **Pasto** carta 45/85000.

Europe	Si le nom d'un hôtel figure en petits caractères, demandez à l'arrivée les conditions à l'hôtelier.

UBIERA *42048 Reggio nell'Emilia* 428 , 429 , 430 *I 14 – 10 585 ab. alt. 55.*

Roma 415 – Bologna 61 – Milano 162 – Modena 12 – Parma 40 – Reggio nell'Emilia 13.

- 🏨 **Arnaldo,** piazza 24 Maggio 3 ℘ 0522 626124, Fax 0522 628145 – 劇 📺. AE 🕄 ① 🐠 VISA JCB. ⚫
  chiuso dal 24 dicembre al 2 gennaio, Pasqua ed agosto – **Pasto** vedere rist **Arnaldo-Clinica Gastronomica** – ☲ 22000 – **32 cam** 120/170000.

- 🏨 **La Corte** senza rist, via Brunelleschi 3 ℘ 0522 627233, Fax 0522 627255 – 劇 ■ 📺 🚗 🅿. AE 🕄 ① VISA. ⚫
  chiuso dal 7 al 28 agosto – **41 cam** ☲ 120/180000.

- XX
  ❀ **Arnaldo-Clinica Gastronomica,** piazza 24 Maggio 3 ℘ 0522 626124, *arnaldo@clinica gastronomica.com*, Fax 0522 628145, Rist. di tradizione, prenotare – AE 🕄 ① 🐠 VISA JCB.
  chiuso dal 24 dicembre al 2 gennaio, Pasqua, agosto, domenica e lunedì a mezzogiorno – **Pasto** specialità al carrello carta 60/95000 (15%)
  Spec. Cappelletti in brodo. Carrello bolliti misti e arrosti. Zuppa inglese.

UBIZZANO *Bologna – Vedere San Pietro in Casale.*

USSI *48026 Ravenna* 429 , 430 *I 18 – 10 532 ab. alt. 13.*

Roma 374 – Ravenna 17 – Bologna 67 – Faenza 16 – Ferrara 82 – Forlì 20 – Milano 278.

San Pancrazio *Sud-Est : 5 km –* ✉ *48020 :*

- X **La Cucoma,** via Molinaccio 175 ℘ 0544 534147, Fax 0544 534440 – ✣ ■ 🅿. AE 🕄 ① 🐠 VISA. ⚫
  chiuso agosto, domenica sera e lunedì – **Pasto** specialità di mare 45000 (solo a mezzogiorno) 70000 e carta 50/75000.

UTA *Genova – Vedere Camogli.*

UTIGLIANO *70018 Bari* 431 *D 33 – 17 448 ab. alt. 122.*

Roma 463 – Bari 19 – Brindisi 100 – Taranto 87.

- X **La Locanda,** via Leopardi 71 ℘ 080 4761152, Fax 080 4762297 – AE 🕄 ① 🐠 VISA. ⚫
  🛳 *chiuso martedì* – **Pasto** carta 30/55000.

UTTARS *Gorizia – Vedere Dolegna del Collio.*

RUVO DI PUGLIA *70037 Bari* [431] D 31 *G. Italia – 25 674 ab. alt. 256.*
Vedere *Cratere di Talos*★★ *nel museo Archeologico Jatta – Cattedrale*★.
Roma 441 – Bari 36 – Barletta 32 – Foggia 105 – Matera 64 – Taranto 117.

🍴 **U.P.E.P.I.D.D.E.**, corso Cavour ang. Trapp. Carmine ☎ 080 3613879, *upepidde@octop*
.it, Fax 080 3601715, « Ambiente rustico caratteristico » – [AE] [S] [O] [MC] [VISA]. ✻
chiuso dal 10 luglio al 10 agosto e lunedì – **Pasto** carta 35/55000.

SABAUDIA *04016 Latina* [430] S 21 *G. Italia – 16 036 ab. – a.s. Pasqua e luglio-agosto.*
Roma 97 – Frosinone 54 – Latina 28 – Napoli 142 – Terracina 21.

sul lungomare *Sud-Ovest : 2 km :*

🏨 **Le Dune** ⊗, via Lungomare 16 ✉ 04016 ☎ 0773 51291, *ledune@rdn.*
Fax 0773 5129251, ≤, 🏨, 🏋, ≘s, 🏊, 🎾, 🏖, ✕ – |♦| ▤ [TV] [P] – 🏛 60. [AE] [S] [O] [MC] [VIS]
✻
17 marzo-31 dicembre – **Pasto** carta 60/80000 – **77 cam** ☕ 315/480000, 2 suites
½ P 290000.

SACCA *Parma – Vedere Colorno.*

SACILE *33077 Pordenone* [429] E 19 – *17 790 ab. alt. 25.*
Roma 596 – Belluno 53 – Treviso 45 – Trieste 126 – Udine 64.

🏨 **Due Leoni** [M] senza rist, piazza del Popolo 24 ☎ 0434 788111, *info@hoteldueleoni.com*
Fax 0434 788112 – |♦| ▤ [TV] ♿ 🚗 – 🏛 130. [AE] [S] [O] [MC] [VISA]. ✻
57 cam ☕ 160/210000, 3 suites.

🍴🍴 **Il Pedrocchino**, piazza 4 Novembre 4 ☎ 0434 70034, *Fax 0434 70034* – [AE] [S] [MC] [VI]
[JCB]. ✻
chiuso agosto – **Pasto** carta 60/120000.

SACRA DI SAN MICHELE *Torino* [428] G 4 *G. Italia – alt. 962.*
Vedere *Abbazia*★★★ : ≤★★★.

SACROFANO *00060 Roma* [430] P 19 – *5 665 ab. alt. 260.*
Roma 29 – Viterbo 59.

🍴 **Al Grottino**, piazza XX Settembre 9 ☎ 06 9086263, 🏨, « Ambiente caratteristico » – [A]
✻
chiuso dal 16 al 28 agosto e mercoledì – **Pasto** carta 45/60000.

SACRO MONTE *Novara* [219] ⑥ – *Vedere Orta San Giulio.*

SACRO MONTE *Vercelli* [428] E 6, [219] ⑥ – *Vedere Varallo.*

SAINT CHRISTOPHE *Aosta* [428] E 4, [219] ② – *Vedere Aosta.*

SAINT PIERRE *11010 Aosta* [428] E 3, [219] ② – *2 497 ab. alt. 731.*
Roma 747 – Aosta 9 – Courmayeur 31 – Torino 122.

🏨 **La Meridiana**, località Chateau Feuillet ☎ 0165 903626, *lameridiana@tiscalinet.*
Fax 0165 903626 – |♦| [TV] ♿ 🚗 [P]. [AE] [S] [O] [MC] [VISA]. ✻
chiuso dal 15 maggio al 15 giugno e dal 16 ottobre a novembre – **Pasto** (solo per alloggia
– ☕ 15000 – **20 cam** 100/160000 – ½ P 110000.

🍴🍴 **La Tour**, rue du Petit St. Bernard 16 ☎ 0165 903808, *Fax 0165 903808*, prenotare – [P]. [
[S] [O] [MC] [VISA]
chiuso dal 18 al 30 giugno, dal 1° al 7 settembre, martedì sera e mercoledì – **Past**
60/65000 e carta 50/80000.

SAINT RHEMY EN BOSSES *11010 Aosta* [428] E 3 – *425 ab. alt. 1 632.*
Roma 760 – Aosta 20 – Colle del Gran San Bernardo 24 – Martigny 50 – Torino 122.

🍴 **Suisse** ⊗ con cam, via Roma 21 ☎ 0165 780906, *hotelsuisse@flashnet.*
Fax 0165 780764, « Casa tipica del 17° secolo » – [S] [MC] [VISA]
chiuso ottobre e novembre – **Pasto** carta 50/90000 – ☕ 15000 – **8 cam** 80/120000
½ P 130000.

SAINT VINCENT *11027 Aosta* **428** *E 4 G. Italia – 4 989 ab. alt. 575 – Stazione termale (maggio-ottobre), a.s. 20 giugno-settembre e Natale.*

🖪 *via Roma 62 ℰ 0166 512239, Fax 0166 511335.*

Roma 722 – Aosta 28 – Colle del Gran San Bernardo 61 – Ivrea 46 – Milano 159 – Torino 88 – Vercelli 97.

🏨🏨🏨 **Gd H. Billia,** viale Piemonte 72 ℰ 0166 5231, Fax 0166 523799, ≤, 🏤, « Parco ombreggiato con 🏊 », ₤₅, 🖙, 🎾 – 🛗 🗏 📺 📞 🕭 🖪 – 🔬 430. 🕮 🖪 🕦 🥪 💳. 🛠
Pasto carta 110/170000 – **240 cam** 🖙 315/485000, 6 suites – ½ P 315000.

🏨🏨 **De La Ville** 🖩 senza rist, via Aichino ang. via Chanoux ℰ 0166 511502, Fax 0166 512142 –
🛗 🗏 📺 🕭 🚗. 🕮 🖪 🕦 🥪 💳. 🛠
chiuso dal 20 al 25 dicembre – 🖙 15000 – **41 cam** 140/220000, suite.

🏨 **Paradise** 🖩 senza rist, viale Piemonte 54 ℰ 0166 510051, Fax 0166 510051, ≤, 🖙 – 🛗
📺 🕭 🖪. 🖪 🕦 🥪 💳. 🛠
16 cam 🖙 120/180000.

🏨 **Elena** senza rist, piazza Monte Zerbion ℰ 0166 512140, Fax 0166 537459 – 🛗 📺. 🕮 🖪 🕦
🥪 💳. 🛠
chiuso dal 20 novembre al 5 dicembre – **48 cam** 🖙 100/170000.

🏨 **Olympic,** via Marconi 2 ℰ 0166 512377, *hotel.olympic@galactica.it*, Fax 0166 512785, 🏤
– 📺 📞. 🕮 🖪 🕦 🥪 💳. 🛠 cam
Pasto *(chiuso martedì e novembre)* 55/65000 – **12 cam** 🖙 130/160000 – ½ P 115000.

🏨 **Les Saisons** senza rist, via Ponte Romano 186 ℰ 0166 537335, Fax 0166 512573, ≤, 🚗 –
🛗 📺 🕭 🚗 🖪. 🖪 🥪 💳
🖙 10000 – **22 cam** 100/130000.

�XXX **Nuovo Batezar-da Renato,** via Marconi 1 ℰ 0166 513164, Fax 0166 512378, prenotare – 🗏. 🕮 🖪 🕦 🥪 💳
chiuso dal 15 al 30 novembre, dal 20 giugno al 10 luglio, mercoledì e a mezzogiorno (escluso sabato, domenica e i giorni festivi) – **Pasto** 80/130000 e carta 90/135000.

�XX **Del Viale,** viale Piemonte 7 ℰ 0166 512569, Fax 0166 512569, 🏤, Coperti limitati; solo su prenotazione a mezzogiorno – 🖪 🥪 💳. 🛠
chiuso dal 25 maggio al 15 giugno, dal 1° al 20 ottobre, giovedì e a mezzogiorno – **Pasto** carta 65/110000.

�XX **Le Grenier,** piazza Monte Zerbion 1 ℰ 0166 512224, Fax 0166 537715, « In un antico granaio » – 🖪 🕦 🥪 💳 🄌🄲🄱. 🛠
chiuso dal 10 al 26 gennaio, dal 1° al 15 luglio, martedì e a mezzogiorno escluso venerdì-sabato-domenica e i giorni festivi – **Pasto** carta 60/80000.

SALA BAGANZA *43038 Parma* **428**, **429** *H 12 – 4 622 ab. alt. 162.*

Dintorni *Torrechiara* ★ *: affreschi* ★ *e* ≤ ★ *dalla terrazza del Castello Sud-Est : 10 km.*

🖪 *La Rocca ℰ 0521 834037, Fax 0521 834575.*

Roma 472 – Parma 12 – Milano 136 – La Spezia 105.

�X **I Pifferi,** via Zappati 36 (Ovest : 1 km) ℰ 0521 833243, Fax 0521 831050, « Servizio estivo all'aperto » – 🖪. 🕮 🖪 🕦 🥪 💳 🄌🄲🄱. 🛠
chiuso gennaio e lunedì – **Pasto** carta 40/70000.

SALA BOLOGNESE *40010 Bologna* **429**, **430** *I 15 – 5 825 ab. alt. 23.*

Roma 393 – Bologna 20 – Ferrara 54 – Modena 42.

�X **La Taiadèla,** via Longarola 25, località Bonconvento Est : 4 km ℰ 051 828143, 🏤 – 🖪.

SALA COMACINA *22010 Como* **428** *E 9,* **219** ⑨ *– 590 ab. alt. 213.*

Roma 643 – Como 26 – Lugano 39 – Menaggio 11 – Milano 65 – Varese 49.

�XX **La Tirlindana,** piazza Matteotti 5 ℰ 0344 56637, Fax 0344 56344, prenotare, « Servizio estivo in riva al lago » – 🕮 🖪 🕦 🥪 💳
chiuso lunedì da marzo ad ottobre, aperto solo sabato e domenica negli altri mesi – **Pasto** carta 55/90000.

SALEA *Savona* **428** *J 6 – Vedere Albenga.*

Le Ottime Tavole

Per voi abbiamo contraddistinto

alcuni alberghi (🏠 ... 🏨🏨🏨🏨) e ristoranti (�X ... �XXXXX) con 🕭, ❀, ❀❀ o ❀❀❀.

SALE MARASINO *25057 Brescia* 428, 429 E 12 – *3 141 ab. alt. 190.*
Roma 558 – Brescia 31 – Bergamo 46 – Edolo 67 – Milano 90 – Sondrio 112.

Villa Kinzica senza rist, via Provinciale 1 ☎ 030 9820975, *Fax 030 9820990*, ←, – | TV & P. AE $ ◐ MC VISA JCB
17 cam ☕ 150/230000, 2 suites.

Della Corona, via Roma 7 ☎ 030 9867153, *Fax 030 9867071* – AE $ ◐ MC VISA
chiuso dal 15 al 30 giugno, martedì e a mezzogiorno – **Pasto** carta 60/95000.

SALERNO *84100* P 431 E 26 *G. Italia – 142 055 ab..*
Vedere *Duomo*★★ **B** – *Via Mercanti*★ **AB** – *Lungomare Trieste*★ **AB**.
Escursioni *Costiera Amalfitana*★★★.
piazza Ferrovia o Vittorio Veneto ☎ 089 231432 – via Roma 258 ☎ 089 224744, Fax 089 252576.
A.C.I. *via Giacinto Vicinanza 11 ☎ 089 232339.*
Roma 263 ④ – Napoli 52 ④ – Foggia 154 ①.

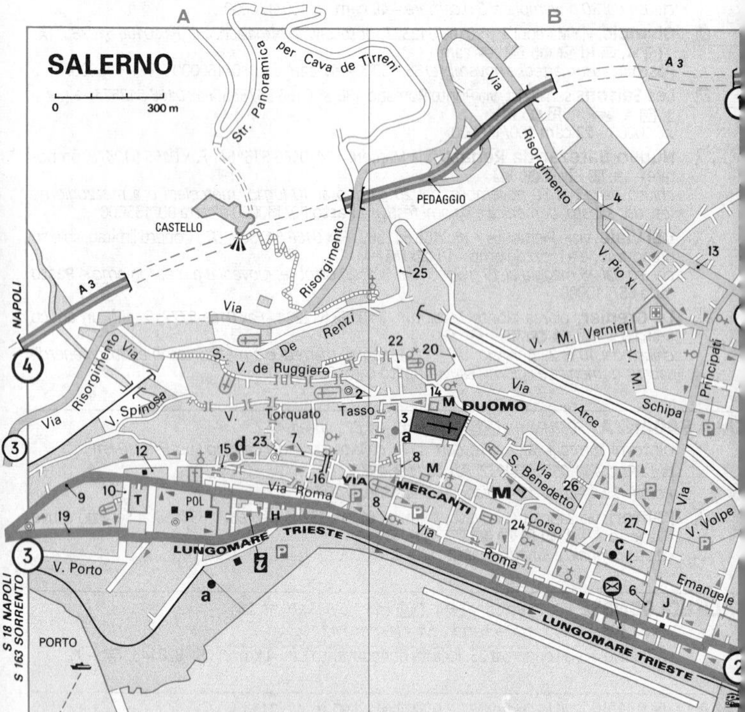

Circolazione regolamentata nel centro città

Abate Coforti (Largo) . . . . . . **AB** 2
Alfano 1° (Piazza) . . . . **B** 3
Cavaliero (Via L.) . . . . **B** 4
Cilento (Via A.) . . . . **B** 6
Dogana Vecchia (Via) . . . . **A** 7
Duomo (Via) . . . . **B** 8
Indipendenza (Via) . . . . **A** 9
Lista (Via Stanislas) . . . . **A** 10
Luciani (Piazza M.) . . . . **A** 12
Mercanti (Via) . . . . **AB**
Paglia (Via M.) . . . . **B** 13
Plebiscito (Largo) . . . . **B** 14
Portacatena (Via) . . . . **A** 15
Porta di Mare (Via) . . . . **A** 16
Sabatini (Via A.) . . . . **A** 19
S. Eremita (Via) . . . . **B** 20
S. Tommaso d'Aquino (Largo) . . . . **B** 22
Sedile del Campo (Largo) . . . **A** 23
Sedile di Pta. Nuova (Pza) . . . **B** 24
Sorgente (Via Camillo) . . . . . . **B** 25
Velia (Via) . . . . **B** 26
Vittorio Emanuele (Corso) . . . **B**
24 Maggio (Piazza) . . . . **B** 27

Mediterranea Hotel M, via Salvador Allende 8 ✉ 84131 ☎ 089 3066111, *direzione@mediterraneahotel.it, Fax 089 5223056*, – | TV & P – 300. AE $ ◐ MC VISA
4,5 km per ②
Pasto carta 35/90000 – **60 cam** ☕ 160/230000 – ½ P 165000.

Jolly, lungomare Trieste 1 ✉ 84121 ☎ 089 225222, *Fax 089 237571,* ← – |‡| ▤ TV – 🏛 120. AE ⑤ ⊙ MC VISA. ✻ rist A a
Pasto carta 55/85000 – **104 cam** ☕ 215/250000 – ½ P 175000.

Fiorenza senza rist, via Trento 145, località Mercatello ✉ 84131 ☎ 089 338800, *Fax 089 338800* – ▤ TV 🚗 P – 🏛 150. AE ⑤ ⊙ MC VISA 3,5 km per ②
☕ 14000 – **30 cam** 110/160000.

Plaza senza rist, piazza Ferrovia o Vittorio Veneto ✉ 84123 ☎ 089 224477, *plaza@speednet.org, Fax 089 237311* – |‡| TV. AE ⑤ ⊙ MC VISA. ✻
☕ 12000 – **42 cam** 105/150000. per corso Vittorio Emanuele B

Italia senza rist, corso Vittorio Emanuele 84 ✉ 84123 ☎ 089 226653, *Fax 089 233659* – |‡| ▤ TV. AE. ✻ B c
☕ 10000 – **22 cam** 110/140000.

Il Timone, via Generale Clark 29/35 ✉ 84131 ☎ 089 335111, *Fax 089 335111* – ▤. AE ⑤ ⊙ MC VISA. ✻ 4,5 km per ②
chiuso dal 28 gennaio al 12 febbraio, domenica sera e lunedì – **Pasto** specialità di mare carta 50/70000.

Al Cenacolo, piazza Alfano I, 4/6 ✉ 84125 ☎ 089 238818, *Fax 089 238818,* prenotare – ✻. AE ⑤ ⊙ MC VISA. ✻ B a
chiuso domenica sera e lunedì – **Pasto** carta 65/100000.

Sea Garden, via Torre Angellara ✉ 84131 ☎ 089 339553, *seagarde@tin.it, Fax 089 339553,* prenotare la sera – ▤ P. AE ⑤ ⊙ MC VISA JCB. ✻ per ②
chiuso domenica sera e lunedì escluso da giugno a settembre – **Pasto** carta 40/75000.

Porta Catena, via Porta Catena 28/32 ✉ 84121 ☎ 089 235899 – ▤. AE ⑤ ⊙ MC VISA JCB A d
chiuso dal 10 al 25 agosto, lunedì, domenica a mezzogiorno da giugno a settembre e domenica sera negli altri mesi. – **Pasto** carta 45/70000.

Symposium, corso Garibaldi 29 ✉ 84123 ☎ 089 233738, *Fax 089 233738* – ▤. AE ⑤ ⊙ VISA. ✻ per ②
chiuso dal 15 al 30 agosto e domenica – **Pasto** carta 40/65000.

SALGAREDA *31040 Treviso* 429 E 19 – *5 324 ab..*

Roma 547 – Venezia 42 – Pordenone 36 – Treviso 23 – Udine 94.

Alle Marcandole, via Argine Piave 9 (Ovest : 2 km) ☎ 0422 807881, *Fax 0422 807881,* 🏠 – ▤ P. AE ⑤ ⊙ MC VISA
chiuso dal 1º al 10 gennaio, dal 1º al 21 agosto, mercoledì sera e giovedì – **Pasto** specialità di mare carta 55/95000.

SALICE SALENTINO *73015 Lecce* 431 F 35 – *8 964 ab. alt. 48.*

Roma 566 – Brindisi 34 – Lecce 21 – Taranto 70.

Villa Donna Lisa con cam, via Marangi ☎ 0832 732222, *Fax 0832 732224,* 🏠 – |‡| ▤ TV P. AE ⑤ ⊙ MC VISA. ✻ rist
Pasto *(chiuso domenica sera)* carta 35/55000 – **20 cam** ☕ 100/130000 – ½ P 95000.

SALICE TERME *27056 Pavia* 428 H 9 – *alt. 171 – Stazione termale (marzo-dicembre).*

ℹ *via Marconi 20 ☎ 0383 91207, Fax 0383 944540.*

Roma 583 – Alessandria 39 – Genova 89 – Milano 73 – Pavia 41.

President Hotel Terme ♨, via Enrico Fermi 5 ☎ 0383 91941, *info@president-hotel.it, Fax 0383 92342,* 🏋, ≘s, 🏊, 🏠, ♆ – |‡| ▤, TV 🚗 P – 🏛 350. AE ⑤ ⊙ MC VISA. ✻
Pasto carta 50/60000 – ☕ 15000 – **122 cam** 130/180000, 6 suites – ½ P 170000.

Roby, via Cesare Battisti 15 ☎ 0383 91323, *Fax 0383 91323* – |‡| TV P. ⑤ MC VISA. ✻ rist
aprile-ottobre – **Pasto** *(chiuso mercoledì)* carta 30/45000 – **27 cam** ☕ 75/95000 – ½ P 65000.

Il Caminetto, via Cesare Battisti 11 ☎ 0383 91391, *ilcaminetto@iol.it, Fax 0383 92924,* 🏠, Rist. enoteca – ▤ P. AE ⑤ ⊙ MC VISA. ✻
chiuso dal 1º al 10 gennaio e lunedì – **Pasto** carta 70/100000.

🍴🍴 **Ca' Vegia,** viale Diviani 27 ☎ 0383 944731, *cavegia@libero.it, Fax 0383 944731*, Coperti limitati; prenotare, « Servizio estivo all'aperto » – ▤. [AE] [S] [MC] [VISA]. ✗
chiuso i mezzogiorno di lunedì-martedì da giugno a settembre, lunedì e martedì a mezzogiorno negli altri mesi – **Pasto** carta 60/90000.

🍴🍴 **Guado,** viale delle Terme 57 ☎ 0383 91223, *Fax 0383 91223*, ☂, prenotare – [AE] [S] [D] [MC] [VISA] [JCB]. ✗
chiuso dal 5 al 27 dicembre, mercoledì e giovedì a mezzogiorno – **Pasto** carta 50/75000.

SALINA (Isola) *Messina* [431], [432] L 26 – *Vedere Sicilia (Eolie, isole) alla fine dell'elenco alfabetico.*

SALINE DI VOLTERRA *Pisa* – *Vedere Volterra.*

SALÒ *25087 Brescia* [428], [429] F 13 *G. Italia* – *9 943 ab. alt. 75* – *a.s. Pasqua e luglio-15 settembre.*
Vedere *Lago di Garda★★★* – *Polittico★ nel Duomo.*
⛳ *Gardagolf (chiuso lunedì da novembre a marzo) a Soiano del Lago* ✉ *25080* ☎ *0365 674707, Fax 0365 674788, Nord : 12 km.*
[i] *lungolago Zanardelli (presso Palazzo Comunale)* ☎ *0365 21423, Fax 0365 21423.*
Roma 548 – *Brescia 30* – *Bergamo 85* – *Milano 126* – *Trento 94* – *Venezia 173* – *Verona 63.*

🏨 **Salò du Parc,** via Cure del Lino 1 ☎ 0365 290043, *duparc@gardanet.it, Fax 0365 520390*, ≤, ☂, Centro salute e benessere, « Giardino con ⛱ in riva al lago », [Fs], ≘s – |‡| ▤ [TV] ✗ rist
15 febbraio-ottobre – **Pasto** (solo per alloggiati) 50/60000 – **35 cam** ☕ 255/370000 – ½ P 225000.

🏨 **Laurin,** viale Landi 9 ☎ 0365 22022, *laurinbs@tin.it, Fax 0365 22382*, ☂, « Villa liberty con saloni affrescati e giardino con ⛱ » – |‡| [TV] [P] – 🏃 30. [AE] [S] [D] [MC] [VISA]. ✗ rist
chiuso dal 1° dicembre al 20 febbraio – **Pasto** carta 95/155000 – ☕ 25000 – **38 cam** 300/600000 – ½ P 350000.

🏨 **Bellerive** senza rist, via Pietro da Salò 11 ☎ 0365 520410, *Fax 0365 521969*, ≤, « Giardino in riva al lago » – |‡| ▤ [TV] ♿ [P]. [AE] [S] [D] [MC] [VISA]
☕ 25000 – **20 cam** 250/400000.

🏠 **Benaco,** lungolago Zanardelli 44 ☎ 0365 20308, *hbenaco@tin.it, Fax 0365 21049*, ≤, ☂ – |‡| [TV]. [AE] [S] [D] [MC] [VISA]. ✗ rist
chiuso dicembre e gennaio – **Pasto** 50000 – **19 cam** ☕ 150/200000 – ½ P 150000.

🍴🍴 **Antica Trattoria alle Rose,** via G. da Salò 33 ☎ 0365 43220, *Fax 0365 43220* – [AE] [S] [D] [MC] [VISA]
chiuso novembre e mercoledì – **Pasto** carta 55/80000.

🍴🍴 **Alla Campagnola,** via Brunati 11 ☎ 0365 22153, ☂, prenotare la sera – [AE] [S] [D] [MC] [VISA]. ✗
chiuso dal 15 dicembre al 10 febbraio e martedì a mezzogiorno – **Pasto** carta 50/90000.

🍴🍴 **Lepanto** con cam, lungolago Zanardelli 67 ☎ 0365 20428, *Fax 0365 20428*, ≤, « Servizio estivo all'aperto » – [AE] [S] [D] [MC] [VISA]. ✗ cam
chiuso dal 15 gennaio a febbraio – **Pasto** *(chiuso giovedì)* 25000 (solo a mezzogiorno) e carta 55/80000 – ☕ 11000 – **9 cam** 80000 – ½ P 75000.

🍴🍴 **Il Melograno,** via Panorama 5, località Campoverde Ovest : 1 km ☎ 0365 520421, *Fax 0365 524140*, ☂ – [AE] [S] [D] [MC] [VISA]
chiuso novembre, lunedì sera e martedì – **Pasto** specialità di lago carta 50/80000.

🍴🍴 **Gallo Rosso,** vicolo Tomacelli 4 ☎ 0365 520757 – ▤. [AE] [S] [D] [MC] [VISA] [JCB]
chiuso dal 7 al 14 gennaio, dal 25 giugno al 5 luglio e mercoledì – **Pasto** 40000 bc.

🍴 **Osteria dell'Orologio,** via Butturini 26 ☎ 0365 290158, Enoteca con cucina – [AE] [S] [D] [MC] [VISA]
chiuso novembre e mercoledì – **Pasto** carta 45/75000.

a Barbarano *Nord-Est : 2,5 km verso Gardone Riviera* – ✉ *25087 Salò :*

🏨 Spiaggia d'Oro 🐌, via Spiaggia d'oro 15 ☎ 0365 290034, *Fax 0365 290092*, ≤, ☂, « Giardino sul lago con ⛱ » – |‡| ▤ [TV] – 🏃 25
stagionale – **39 cam.**

a Serniga *Nord : 6 km* – ✉ *25087 Salò :*

🍴 **Il Bagnolo** 🐌 con cam, località Bagnolo Ovest : 1 km ☎ 0365 20290, *ilbagnolo@libero.it, Fax 0365 21877*, ≤ lago, ☂, prenotare, 🚗 – [TV] [P]. [AE] [S] [MC] [VISA]. ✗
maggio-settembre; negli altri mesi solo da venerdì sera a domenica – **Pasto** *(chiuso martedì)* carta 50/75000 – **9 cam** ☕ 130/180000 – ½ P 135000.

Lisez attentivement l'introduction : c'est la clé du guide.

SALSOMAGGIORE TERME 43039 Parma **428**, **429** H 12 – 18 410 ab. alt. 160 – Stazione termale, a.s. agosto-25 ottobre.

🐦 (chiuso gennaio) località Contignaco-Pontegrosso ⊠ 43039 Salsomaggiore Terme ℘ 0524 574128, Fax 0524 578649, Sud : 5 km.

🛈 viale Romagnosi 7 ℘ 0524 580211, Fax 0524 580219.

Roma 488 ① – Parma 30 ① – Piacenza 52 ① – Cremona 57 ① – Milano 113 ① – La Spezia 128 ①.

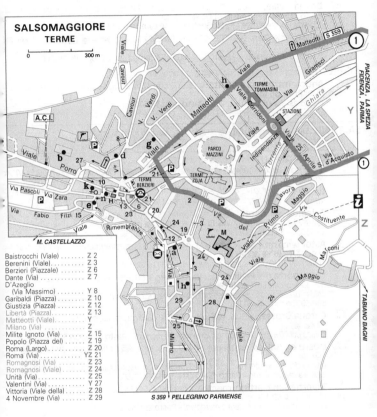

Baistrocchi (Viale) . . . . Z 2
Berenini (Viale). . . . . Z 3
Berzieri (Piazzale) . . . . Z 6
Dante (Via) . . . . Z 7
D'Azeglio
  (Via Massimo) . . . . Y 8
Garibaldi (Piazza) . . . . Z 10
Giustizia (Piazza) . . . . Z 12
Libertà (Piazza) . . . . Z 13
Matteotti (Viale). . . . . Y
Milano (Via) . . . . Z
Milite Ignoto (Via) . . . . Z 15
Popolo (Piazza del) . . . . . . Z 19
Roma (Largo) . . . . YZ 21
Roma (Via) . . . . Z 23
Romagnosi (Via) . . . . Z 24
Romagnosi (Viale) . . . . Z 25
Unità (Via). . . . . Y 27
Valentini (Via) . . . . Z
Vittoria (Viale della) . . . . . . Z 28
4 Novembre (Via) . . . . Z 29

🏨🏨🏨🏨 **Gd H. et de Milan**, via Dante 1 ℘ 0524 572241, Fax 0524 573884, « Piccolo parco ombreggiato con 🏊 », ≽, ≘, ♣ – 📳 📺 ♿ 🅿 – 🔬 80. 🅰🅴 🆂 ① ©® 🆅🅸🆂🅰 🅹🅲🅱.
※ rist
Z a
aprile-dicembre – Pasto 50/75000 – **112 cam** ⊇ 210/360000, 7 suites – ½ P 230000.

🏨🏨🏨 **Grand Hotel Porro** ≽, viale Porro 10 ℘ 0524 578221, htlporro@polaris.it, Fax 0524 577878, « Parco ombreggiato », 🏊, ♣ – 📳, ≡ rist, 📺 🅿 – 🔬 50. 🅰🅴 🆂 ① ©®
🆅🅸🆂🅰. ※ rist
Y b
Pasto (solo per alloggiati) 75000 – **75 cam** ⊇ 220/320000, 6 suites – ½ P 220000.

🏨🏨🏨 **Cristallo**, viale Matteotti 5 bis ℘ 0524 577241, cristallo@polaris.it, Fax 0524 574022, ≘,
🏊 – 📳, ≡ rist, 📺 🅿 – 🔬 40. 🅰🅴 🆂 🆅🅸🆂🅰. ※ rist
Y g
Pasto (13 aprile-8 novembre) carta 50/70000 – **78 cam** ⊇ 150/230000 – ½ P 140000.

🏨🏨🏨 **Excelsior**, viale Berenini 3 ℘ 0524 575641, excelsior@polaris.it, Fax 0524 573888, ≽, 🏊 –
📳, ≡ rist, 📺 🚗 🅿 – 🔬 40. 🆂 ©® 🆅🅸🆂🅰. ※
Z h
15 aprile-8 novembre – Pasto 55000 – **60 cam** ⊇ 140/200000 – ½ P 145000.

🏨🏨 **Ritz**, viale Milite Ignoto 5 ℘ 0524 577744, Fax 0524 574410, 🏊 coperta, con acqua termale
– 📳 ≡ 📺 🅿 – 🔬 60. 🆂 ©® 🆅🅸🆂🅰. ※
Z e
marzo-dicembre – Pasto 45/65000 – ⊇ 17000 – **27 cam** 130/150000 – ½ P 125000.

🏥 **Elite,** viale Cavour 5 ☎ 0524 579436, *htlelite@tin.it, Fax 0524 572988 –* 📶 🖵 📺 ⅙ 🚗, 🄰
🖪 🕥 ⓓⓔ *VISA.* ⅙ rist
Y c
chiuso dal 16 dicembre al 15 febbraio – **Pasto** 35/50000 – ⊐ 15000 – **28 cam** 105/160000 –
½ P 115000.

🏥 **Nazionale,** viale Matteotti 43 ☎ 0524 573757, *htlnaz@tin.it, Fax 0524 573114, 🚗 –* 📶
🖪 rist, 📺. 🄰 🕥 ⓓⓔ *VISA.* ⅙ rist
Y h
marzo-novembre – **Pasto** carta 40/60000 – ⊐ 15000 – **44 cam** 105/150000 – ½ P 115000

🏥 **De la Ville,** piazza Garibaldi 1 ☎ 0524 573526, *hotelsuissedeville@tiscalinet.it*
Fax 0524 576449 – 📶 📺. 🄰 🖪 🕥 ⓓⓔ *VISA.* ⅙ rist
Z n
15 aprile-15 novembre – **Pasto** 30/40000 – **40 cam** ⊐ 90/140000 – ½ P 90000.

🏥 **Suisse,** viale Porro 5 ☎ 0524 579077, *Fax 0524 576449, 🚗 –* 📶 📺 🄿. 🄰 🖪 ⓓⓔ *VISA*
⅙
Z k
20 marzo-15 novembre – **Pasto** 30/35000 – **23 cam** ⊐ 90/140000 – ½ P 95000.

a Grotta *Sud-Ovest : 5 km –* ⊠ *43047 Pellegrini Parmense*

🍴 **Antica Trattoria La Grotta,** località Grotta 37/A ☎ 0524 64156, *Fax 0524 64161,* ≼ –
🆔 🄿. 🄰 🕥 ⓓⓔ *VISA.* ⅙
chiuso dal 9 al 16 luglio e lunedì – **Pasto** carta 35/50000.

SALTUSIO (SALTAUS) *Bolzano* 218 ⑩ *– Vedere San Martino in Passiria.*

SALUZZO *12037 Cuneo* 428 I 4 – *15 746 ab. alt. 395.*

🔟 *Il Bricco (aprile-novembre; chiuso lunedì) a Vernasca* ⊠ *12020* ☎ *0175 567565, Fax 0171 603647, Nord-Ovest : 16 km.*

🅱 *via Griselda 6* ☎ *0175 46710, Fax 0175 46718.*

Roma 662 – Cuneo 32 – Torino 58 – Asti 76 – Milano 202 – Sestriere 86.

🏨 **Griselda** senza rist, corso 27 Aprile 13 ☎ 0175 47484, *griselda@mtrade.com,*
Fax 0175 47489 – 📶 🖪 📺 🚗 🄿 – 🔬 80. 🄰 🖪 🕥 ⓓⓔ *VISA.* ⅙
⊐ 15000 – **34 cam** 120/150000.

🏥 **Astor** senza rist, piazza Garibaldi 39 ☎ 0175 45506, *astor@mtrade.com, Fax 0175 47450 –*
📶 🖪 📺. 🄰 🖪 🕥 ⓓⓔ *VISA* 🄹🄲🄱. ⅙
chiuso dal 20 dicembre al 10 gennaio – ⊐ 15000 – **22 cam** 100/140000, 3 suites.

🍴🍴🍴 **La Gargotta del Pellico,** piazzetta Mondagli 5 ☎ 0175 46833, *Fax 0175 240507,* Coperti limitati; prenotare – 🄰 🖪 🕥 ⓓⓔ *VISA.* ⅙
chiuso dal 25 agosto al 5 settembre, martedì e a mezzogiorno (escluso domenica) – **Pasto**
50/65000 e carta 45/70000.

🍴🍴 **Corona Grossa,** via Silvio Pellico 3 ☎ 0175 45384, *ristorante@coronagrossa.com –* 🄰 🖪
🕥 ⓓⓔ *VISA*
chiuso dal 20 luglio al 10 agosto, lunedì sera e martedì – **Pasto** carta 35/65000.

🍴🍴 **L'Ostu dij Baloss,** via Gualtieri 38 ☎ 0175 248618, *Fax 0175 475469 –* 🄰 🖪 🕥 ⓓⓔ *VISA*
🄹🄲🄱. ⅙
chiuso dal 7 al 20 gennaio, dal 17 al 31 luglio, domenica (escluso maggio e settembre) e
lunedì a mezzogiorno – **Pasto** 45/60000 e carta 50/80000.

🍴 **Taverna San Martino,** corso Piemonte 109 ☎ 0175 42066, Coperti limitati; prenotare –
🖪. 🄰 🖪 🕥 ⓓⓔ *VISA* 🄹🄲🄱
chiuso agosto, martedì sera e mercoledì – **Pasto** 25/35000.

SALVAROSA *Treviso – Vedere Castelfranco Veneto.*

SALZANO *30030 Venezia* 429 F 18 – *11 505 ab. alt. 11.*
Roma 520 – Padova 30 – Venezia 14 – Treviso 34.

verso Noale *Nord-Ovest : 4 km :*

🍴 **Da Flavio e Fabrizio,** ⊠ 30030 ☎ 041 440645, *flavioefabrizio@libero.it –* 🖪. 🄰 🖪
🕥 ⓓⓔ *VISA* 🄹🄲🄱. ⅙
chiuso dal 1° al 7 gennaio, dal 1° al 21 agosto e lunedì – **Pasto** specialità di mare carta
45/70000.

SAMBOSETO *Parma – Vedere Busseto.*

SAMBUCA *Firenze* 430 L 15 – *Vedere Tavarnelle Val di Pesa.*

SAMPÈYRE 12020 Cuneo 428 I 3 – 1 235 ab. alt. 976 – a.s. luglio-agosto e Natale.
Roma 680 – Cuneo 49 – Milano 238 – Torino 88.

🏠 **Torinetto** ⚘, borgata Calchesio 7 (Ovest : 1,5 km) ℘ 0175 977181, Fax 0175 977104, ≼,
🍴 ✍ – 📶 📺 🅿 – 🔬 100. 🖭 🖲 ⓞ 🐽 𝑉𝐼𝑆𝐴. ❄ rist
Pasto carta 30/40000 – ⊇ 8000 – **74 cam** 80/110000 – ½ P 90000.

SAN BARTOLOMEO AL MARE 18016 Imperia 428 K 6 – 3 117 ab..
🅱 piazza XXV Aprile 1 ℘ 0183 400200, Fax 0183 403050.
Roma 606 – Imperia 7 – Genova 107 – Milano 231 – San Remo 34.

🏠🏠 **Bergamo,** via Aurelia 15 ℘ 0183 400060, Fax 0183 401021, 🔬 – 📶 📺 ✍. 🖲 ⓞ 🐽 𝑉𝐼𝑆𝐴
❄
7 gennaio-10 marzo e maggio-settembre – **Pasto** 45000 – ⊇ 20000 – **52 cam** 100/140000
– ½ P 115000.

SAN BENEDETTO Verona – Vedere Peschiera del Garda.

SAN BENEDETTO DEL TRONTO 63039 Ascoli Piceno 430 N 23 – 45 147 ab. – a.s. luglio-
settembre.
🅱 viale delle Tamerici 3/5 ℘ 0735 592237, Fax 0735 582893.
Roma 231 – Ascoli Piceno 39 – Ancona 89 – L'Aquila 122 – Macerata 69 – Pescara 68 –
Teramo 49.

🏠🏠🏠 **Regent** senza rist, viale Gramsci 31 ℘ 0735 582720, Fax 0735 582805 – 📶 🗏 📺 ✍. 🖭
🖲 ⓞ 🐽 𝑉𝐼𝑆𝐴. ❄
chiuso dal 24 dicembre all'11 gennaio – ⊇ 15000 – **25 cam** 120/180000.

🏠🏠 **Solarium,** viale Scipioni 102 ℘ 0735 81733, Fax 0735 81616, ≼, 🐾 – 📶 🗏 📺 🅿. 🖭 🖲
ⓞ 🐽 𝑉𝐼𝑆𝐴 𝐽𝐶𝐵. ❄
chiuso dal 20 dicembre al 9 gennaio – **Pasto** (chiuso lunedì a mezzogiorno) carta 50/85000
– ⊇ 10000 – **55 cam** 120/150000 – ½ P 150000.

🏠🏠 **Arlecchino,** viale Trieste 22 ℘ 0735 85635, arlecchino@hotelarlecchino.it,
Fax 0735 85682 – 📶 🗏 📺 🅿. 🖭 🖲 ⓞ 🐽 𝑉𝐼𝑆𝐴. ❄
Pasto (15 giugno-15 settembre e solo per alloggiati) 50/60000 – ⊇ 10000 – **30 cam**
100/150000 – ½ P 135000.

🏠 **Girasole,** lungomare Europa 126 ℘ 0735 82162, Fax 0735 781266, ≼ – 📶 🗏 📺 🅿. 𝑉𝐼𝑆𝐴
❄ rist
20 maggio-20 settembre – **Pasto** (solo per alloggiati) 25/40000 – ⊇ 12000 – **32 cam**
100/120000 – ½ P 110000.

✕✕✕ **Messer Chichibio,** Via Tiepolo 5 ℘ 0735 584001, Fax 0735 584001, 🍴 – 🗏. 🖭 🖲 ⓞ 🐽
𝑉𝐼𝑆𝐴
chiuso dal 20 dicembre al 6 gennaio e lunedì – **Pasto** specialità di mare carta 55/80000.

✕✕ **Ristorantino da Vittorio,** via Manara 102 ℘ 0735 583344, info@ilristorantino.it,
Fax 0735 583344, 🍴 – 🗏 🅿. 🖭 🖲 ⓞ 🐽 𝑉𝐼𝑆𝐴. ❄
chiuso dal 1° al 15 settembre e lunedì – **Pasto** specialità di mare carta 50/95000.

✕ **La Stalla,** contrada Marinuccia 35 (Ovest : 1 km) ℘ 0735 587344, Fax 0735 584899,
🍴 « Servizio estivo in terrazza panoramica » –🅿. 🖭 🖲 ⓞ 🐽 𝑉𝐼𝑆𝐴
chiuso dall'8 al 31 gennaio e lunedì (escluso da giugno a settembre) – **Pasto** carta 35/
65000.

a Porto d'Ascoli Sud : 5 km – ✉ 63037.
🅱 (giugno-settembre) via Mare ℘ 0735 751798 :

🏠🏠 **Imperial,** via Indipendenza 25 ℘ 0735 751158, Fax 0735 751266, 🏖, 🐾, 🔬, 🐾, 🍴 – 📶
🗏 📺 🅿.
49 cam.

🏠🏠 **Sporting,** via Paganini 23 ℘ 0735 656545, « Giardino-pineta », 🔬, 🐾, 🍴 – 📶 🗏 📺 🅿.
🖭 🖲 ⓞ 🐽 𝑉𝐼𝑆𝐴. ❄
chiuso sino al 15 gennaio – **Pasto** (giugno-settembre e solo per alloggiati) carta 40/65000 –
62 cam ⊇ 110/160000 – ½ P 130000.

🏠🏠 **Settebello,** via dei Mille 21 ℘ 0735 656541, Fax 0735 656542, 🐾, 🍴 – 📶 🗏 📺 🅿. ❄
15 maggio-settembre – **Pasto** carta 40/70000 – **22 cam** ⊇ 120/140000, 8 suites –
½ P 125000.

sulla strada statale 16 Sud : 7 km :

🏠🏠 **Quadrifoglio,** via Pasubio 50 ✉ 63037 Porto d'Ascoli ℘ 0735 655248, Fax 0735 655247
– 📶 🗏 📺 🅿 – 🔬 200. 🖲 🐽 𝑉𝐼𝑆𝐴. ❄
chiuso dal 23 dicembre all'8 gennaio – **Pasto** (chiuso lunedì) carta 35/65000 (15 %) – ⊇
10000 – **40 cam** 105/150000 – ½ P 130000.

SAN BENEDETTO VAL DI SAMBRO *40048 Bologna 429, 430 J 15 – 4 332 ab. alt. 612.*
Roma 350 – Bologna 47 – Firenze 73 – Ravenna 123.

a Madonna dei Fornelli *Sud : 3,5 km – ✉ 40048 :*

Musolesi, piazza Madonna della Neve 5 ☎ 0534 94156, *musolesi@musolesi.it*, *Fax 0534 94350* – |♦|, TV P. AE $ ① MC VISA. ✂ rist
Pasto *(chiuso lunedì)* carta 30/40000 – ☐ 5000 – **23 cam** 70/80000 – ½ P 90000.

SAN BERNARDO *Torino – Vedere Ivrea.*

SAN BERNARDO *Genova – Vedere Bogliasco.*

SAN BIAGIO DI CALLALTA *31048 Treviso 429 E 19 – 11 320 ab. alt. 10.*
Roma 547 – Venezia 40 – Pordenone 43 – Treviso 11 – Trieste 134.

L'Escargot, località San Martino Ovest : 3 km ✉ 31050 Olmi ☎ 0422 899006 – ⇆ P. AE $ ① MC VISA. ✂
chiuso dal 10 agosto al 1° settembre, lunedì sera e martedì – Pasto specialità lumache e rane carta 40/55000.

Da Procida, località Spercenigo Sud-Ovest : 3 km ☎ 0422 797818, Trattoria con cucina casalinga – P. $ MC VISA. ✂
chiuso dal 6 al 13 gennaio, agosto, lunedì e martedì sera – **Pasto** carta 45/60000.

SAN BONIFACIO *37047 Verona 429 F 15 – 16 905 ab. alt. 31.*
Roma 523 – Verona 24 – Milano 177 – Rovigo 71 – Venezia 94 – Vicenza 31.

Bologna, viale Trieste 55 (al quadrivio) ☎ 045 7610233, *hotelbologna@mbservice.it*, *Fax 045 7613733*, ⛱, ⛵ – |♦| ▤ TV ⇔ – 🔔 450. AE $ ① VISA. ✂
Pasto *(chiuso martedì)* carta 30/60000 – **67 cam** ☐ 130/200000 – ½ P 110000.

Relais Villabella ⛷ con cam, località Villabella Ovest : 2 km ☎ 045 6101777, *relaisvilla@libero.it*, *Fax 045 6101799*, ⛱, ⛵, ⛵ – ⇆ cam, ▤ TV P – 🔔 70. $ ① MC VISA. ✂
chiuso novembre Pasto *(chiuso dal 22 gennaio al 4 febbraio, novembre, domenica e lunedì)* carta 75/105000 – **10 cam** ☐ 290/360000 – ½ P 255000.

SAN CANDIDO (INNICHEN) *39038 Bolzano 429 B 18 G. Italia – 3 134 ab. alt. 1 175 – Sport invernali : 1 175/2 189 m ⛷2, ⛷; a Versciaco : 1 132/2 205 m ⛷1, ⛷.*
ℹ *piazza del Magistrato 1 ☎ 0474 913156, Fax 0474 914361.*
Roma 710 – Cortina d'Ampezzo 38 – Belluno 109 – Bolzano 110 – Lienz 42 – Milano 409 – Trento 170.

Cavallino Bianco-Weisses Rossl, via Duca Tassilo 1 ☎ 0474 913135, *cavallino.bianco@dnet.it*, *Fax 0474 913733*, ⛷, ≘s, ⛵ – |♦|, ▤ rist, TV ⇔ P. AE $ ① MC VISA JCB
23 dicembre-17 marzo e 26 giugno-23 settembre – **Pasto** carta 45/85000 – **56 cam** ☐ 190/380000 – ½ P 250000.

Orso Grigio-Grauer Bär, via Rainer 2 ☎ 0474 913115, *Fax 0474 914182*, ≤, ≘s – |♦| TV P. AE $ ① MC VISA JCB. ✂ cam
5 dicembre-Pasqua e 15 giugno-10 ottobre – **Pasto** *(chiuso giovedì escluso dal 15 giugno al 10 ottobre)* carta 50/85000 – **24 cam** ☐ 170/300000 – ½ P 170000.

Park Hotel Sole Paradiso-Sonnenparadies ⛷, via Sesto 13 ☎ 0474 913120, *parkhotel@sole-paradiso.com*, *Fax 0474 913193*, « Caratteristico chalet in un parco pineta », ≘s, ⛵, ✂ – |♦|, ⇆ rist, TV P – 🔔 80. AE $ MC VISA. ✂
19 dicembre-5 aprile e giugno-5 ottobre – **Pasto** (solo per alloggiati) 60/80000 – **43 cam** ☐ 160/320000 – ½ P 210000.

Panoramahotel Leitlhof ⛷, via Pusteria 29 ☎ 0474 913440, *Fax 0474 914300*, ≤ Dolomiti e vallata, ⛱, ≘s, ⛵, ⛵ – |♦|, ▤ rist, TV ⇔ P
stagionale – **17 cam.**

Posta-Post, via Sesto 1 ☎ 0474 913133, *posthotel@dnet.it*, *Fax 0474 913635*, ≘s, ⛵ – |♦|, ▤ rist, TV ⇔ P. AE $ MC VISA. ✂ rist
20 dicembre-25 aprile e 30 maggio-settembre – **Pasto** carta 35/55000 – **48 cam** ☐ 140/250000 – ½ P 220000.

Sporthotel Tyrol, via P.P. Rainer 12 ☎ 0474 913198, *Fax 0474 913593*, ≘s, ⛵, ⛵, ✂ – |♦|, ▤ rist, TV P. $ MC VISA
6 dicembre-31 marzo e 10 giugno-7 ottobre – **Pasto** *(chiuso lunedì)* carta 45/70000 – ☐ 20000 – **28 cam** 170/270000 – ½ P 190000.

Schmieder ⛷, ☎ 0474 913144, *hotel.schmieder@dnet.it*, *Fax 0474 914080*, ⛵ – |♦| TV P. $ MC VISA. ✂
20 dicembre-10 aprile e giugno-15 ottobre – **Pasto** *(chiuso a mezzogiorno e lunedì; prenotare)* carta 45/70000 – ☐ 20000 – **24 cam** 140/200000 – ½ P 165000.

🏠 **Letizia** senza rist, via Firtaler 5 ℰ 0474 913190, hotel.letizia@dnet.it, Fax 0474 913372, ≤, 🕿, 🦅 – 🛗 📺 📶. 🅰🅴 🔀 ◑ 🐼 𝗩𝗜𝗦𝗔
chiuso dal 9 al 18 dicembre e giugno – **13 cam** ⇌ 110/190000.

✕ **Kupferdachl**, via Sesto 20 ℰ 0474 913711, Fax 0474 913711, 🍴 – 📶. 🅰🅴 🔀 ◑ 🐼 𝗩𝗜𝗦𝗔
chiuso dal 20 giugno al 10 luglio, dal 5 al 20 novembre e giovedì – **Pasto** carta 45/65000.

SAN CANZIAN D'ISONZO 34075 Gorizia 𝟰𝟮𝟵 E 22 – 5 703 ab..
Roma 635 – Udine 46 – Gorizia 31 – Grado 21.

✕ **Arcimboldo**, via Risiera S. Sabba 17 ℰ 0481 76089, Fax 0481 76089 – 🅰🅴 🔀 ◑ 🐼 𝗩𝗜𝗦𝗔. 🦞
ço *chiuso dal 1° al 21 agosto e lunedì* – **Pasto** cucina di carne e vegetariana carta 35/45000.

SAN CASCIANO IN VAL DI PESA 50026 Firenze 𝟰𝟮𝟵, 𝟰𝟯𝟬 L 15 G. Toscana – 16 130 ab. alt. 306.
Roma 283 – Firenze 17 – Siena 53 – Livorno 84.

Mercatale Sud-Est : 4 km : – ⊠ 50024 :

🏠 **Salvadonica** 🦢 senza rist, via Grevigiana 82 ℰ 055 8218039, salvadonica@tin.it, Fax 055 8218043, ≤, « Piccolo borgo agrituristico fra gli olivi », 🦅, 🦞 – 📶. 🅰🅴 🔀 ◑ 🐼 𝗩𝗜𝗦𝗔. 🦞
marzo-14 novembre – **5 cam** ⇌ 195000, 9 suites 200/260000.

Cerbaia Nord-Ovest : 6 km – ⊠ 50020 :

✕✕✕✕ **La Tenda Rossa**, piazza del Monumento 9/14 ℰ 055 826132, tendaros@tin.it, Fax 055 825210, prenotare – 🍽. 🅰🅴 🔀 ◑ 🐼 𝗩𝗜𝗦𝗔 𝗝𝗖𝗕. 🦞
𝕰𝕰 *chiuso Natale, agosto, domenica e lunedì a mezzogiorno* – **Pasto** carta 110/165000
Spec. Cannolini di sfoglia al finocchietto selvatico con dadolata di faraona rosolata al rosmarino. Trancio di rombo in squame di patate e pomodori verdi. Spumone di ciliegie in millefoglie alla cannella (aprile-maggio).

SAN CASSIANO (ST. KASSIAN) Bolzano – Vedere Badia.

SAN CESARIO SUL PANARO 41018 Modena 𝟰𝟮𝟴, 𝟰𝟮𝟵, 𝟰𝟯𝟬 I 15 – 5 203 ab. alt. 54.
Roma 382 – Bologna 29 – Ferrara 76 – Modena 20 – Pistoia 115.

🏠 **Rocca Boschetti**, via Libertà 53 ℰ 059 936003, Fax 059 933281, 🍴 – 🛗 🍽 📺 📶 – 🔬 180. 🅰🅴 🔀 ◑ 🐼 𝗩𝗜𝗦𝗔 𝗝𝗖𝗕. 🦞 rist
chiuso dal 5 al 20 agosto – **Pasto** carta 40/60000 – **33 cam** ⇌ 130/220000 – ½ P 150000.

SAN CIPRIANO Genova 𝟰𝟮𝟴 I 8 – alt. 239 – ⊠ 16010 Serra Riccò.
Roma 511 – Genova 15 – Alessandria 75 – Milano 136.

✕✕ **Ferrando**, via Carli 110 ℰ 010 751925, ferrandopiero@libero.it, Fax 010 7268071, 🦅 – 📶. 🔀 🐼 𝗩𝗜𝗦𝗔. 🦞
chiuso dal 10 al 20 gennaio, dal 25 luglio al 14 agosto, lunedì e le sere di domenica e mercoledì – **Pasto** 60000 bc e carta 40/70000.

SAN CIPRIANO (ST. ZYPRIAN) Bolzano – Vedere Tires.

SAN CLEMENTE A CASAURIA (Abbazia di) Pescara 𝟰𝟯𝟬 P 23 G. Italia.
Vedere Abbazia★★ : ciborio★★★.

SAN COLOMBANO AL LAMBRO 20078 Milano 𝟰𝟮𝟴 G 10 – 7 220 ab. alt. 80.
Roma 527 – Piacenza 30 – Bergamo 63 – Brescia 111 – Cremona 47 – Lodi 15 – Milano 47 – Pavia 33.

✕ **Il Giardino**, via Mazzini 43 ℰ 0371 89288, 🍴. 🦞
🍴 *chiuso dal 16 al 23 agosto e lunedì* – **Pasto** carta 40/70000.

SAN COSTANTINO (ST. KONSTANTIN) Bolzano - Vedere Fiè allo Sciliar.

SAN COSTANZO 61039 Pesaro e Urbino 𝟰𝟯𝟬 K 21 – 4 042 ab. alt. 150.
Roma 268 – Ancona 43 – Fano 12 – Gubbio 96 – Pesaro 23 – Urbino 52.

✕ **Da Rolando**, corso Matteotti 123 ℰ 0721 950990, Fax 0721 950990, Coperti limitati; prenotare, « Servizio estivo in giardino » – 📶. 🅰🅴 🔀 ◑ 🐼 𝗩𝗜𝗦𝗔. 🦞
chiuso mercoledì – **Pasto** 50/90000 bc.

SAN DANIELE DEL FRIULI 33038 Udine **429** D 21 – 7 885 ab. alt. 252.

   🛈 via Roma 3 ℘ 0432 940765, Fax 0432 940765.

   Roma 632 – Udine 27 – Milano 371 – Tarvisio 80 – Treviso 108 – Trieste 92 – Venezia 120.

🏨   **Al Picaron** ⤢, via Andrat 3, località Picaron Nord : 1 km ℘ 0432 940688, info@alpicaron.r
🍽   Fax 0432 940670, < San Daniele e vallata, 🍴, 🌳 – 🛗 🗐 📺 🕭 📠 🅿 – 🛦 80. 🆎 🅂 🜻 🐵 🝳
   JCB
   Pasto (chiuso lunedì) carta 40/60000 – ☲ 15000 – **37 cam** 110/160000, suite – ½ P 125000

🏨   **Alla Torre** senza rist, via del Lago 1 ℘ 0432 954562, Fax 0432 954562 – 🛗 🗐 📺 🕭 – 🛦 30
   🆎 🅂 🐵 **VISA**
   ☲ 12000 – **27 cam** 95/140000.

XX   **Al Cantinon**, via Cesare Battisti 2 ℘ 0432 955186, Fax 0432 955186, « Ambiente rustico
   – 🗐. 🅂 🐵 **VISA**
   chiuso dal 15 al 30 novembre e giovedì, anche venerdì a mezzogiorno da ottobre a maggio
   Pasto 40/50000 e carta 50/70000.

XX   **Alle Vecchie Carceri**, via D'Artegna 25 ℘ 0432 957403, mail@allevecchiecarceri.i
   Fax 0432 942256, prenotare, « Servizio estivo in cortile » – 🆎 🅂 🜻 🐵 **VISA**. ⅏
   chiuso dal 14 al 28 febbraio, dal 1° al 14 novembre, lunedì sera e martedì – **Pasto** cart
   45/80000.

X   **Antica Osteria Al Ponte**, via Tagliamento 13 ℘ 0432 954909, Fax 0432 954909, prenc
🍽   tare, « Servizio estivo in giardino sotto un fresco gazebo » – 🅿. 🆎 🅂 🜻 🐵 **VISA JCB**. ⅏
   chiuso lunedì dal 1° ottobre al 1° maggio, anche martedì negli altri mesi – **Pasto** specialità all
   spiedo (inverno) e brace (estate) carta 45/60000.

SAN DEMETRIO NE' VESTINI 67028 L'Aquila **430** P 22 – 1 628 ab. alt. 672.

   Roma 137 – L'Aquila 15 – Avezzano 67 – Pescara 104.

🏠   **La Pergola**, via Nazionale 67 ℘ 0862 810975 – 🅿. ⅏
🍽   **Pasto** (chiuso domenica dal 6 gennaio al 23 aprile e dal 15 settembre all'8 dicembre) carta
   35/50000 – ☲ 5000 – **15 cam** 70/90000 – ½ P 80000.

SAN DESIDERIO Genova – Vedere Genova.

SANDIGLIANO 13876 Biella **428** F 6, **219** ⑮ – 2 711 ab. alt. 323.

   Roma 682 – Aosta 112 – Biella 6 – Novara 62 – Stresa 78 – Torino 68.

🏛   **Cascina Era** ⤢, via Casale 67 ℘ 015 2493085, hotel@cascinaera.it, Fax 015 2493266, 🍴,
   « In un antico cascinale », 🌳 – 🛗 🗐 🕭 🅿. 🆎 🅂 🜻 🐵 **VISA**. ⅏ rist
   chiuso dal 2 al 23 agosto – **Pasto** (chiuso lunedì) carta 60/85000 – **15 cam** ☲ 150/190000
   14 suites 170/210000.

🏛   **Cascina Casazza** M, via Garibaldi 2 ℘ 015 2493330, hcasazza@hotelcasazza.it,
   Fax 015 2493360, ☱, ⅏ – 🛗 🗐 📺 📞 🕭 📠 🅿 – 🛦 140. 🆎 🅂 🜻 🐵 **VISA JCB**. ⅏
   Pasto (chiuso dal 10 al 20 agosto) carta 55/100000 – **64 cam** ☲ 150/190000, 3 suites.

SAND IN TAUFERS = Campo Tures.

SAN DOMENICO Verbania – Vedere Varzo.

SAN DOMINO (Isola) Foggia **431** B 28 – Vedere Tremiti (Isole).

SAN DONÀ DI PIAVE 30027 Venezia **429** F 19 – 35 629 ab.

   Roma 558 – Venezia 38 – Lido di Jesolo 20 – Milano 297 – Padova 67 – Treviso 34 – Trieste
   121 – Udine 90.

🏠   **Forte del 48**, via Vizzotto 1 ℘ 0421 44018, hotelfortedel48@libero.it, Fax 0421 44244 –
🍽   🛗 🗐 📺 🕭 🅿 – 🛦 200. 🆎 🅂 🜻 🐵 **VISA JCB**. ⅏
   Pasto (chiuso domenica) carta 30/60000 – ☲ 10000 – **46 cam** 90/130000 – ½ P 90000.

a Isiata Sud-Est : 4 km – ✉ 30040 San Donà di Piave :

X   **Siesta Ramon**, via Tabina 57 ℘ 0421 239030, Fax 0421 239030, 🍴 – 🅿. 🆎 🅂 🜻 🐵 **VISA**.
   ⅏
   chiuso dal 27 dicembre al 10 gennaio ed agosto – **Pasto** specialità di mare carta 40/65000.

SAN DONATO IN POGGIO Firenze **430** L 15 – Vedere Tavarnelle Val di Pesa.

668

AN DONATO MILANESE 20097 Milano **428** F 9, **219** ⑲ – 32 935 ab. alt. 102.

  Roma 566 – Milano 10 – Pavia 36 – Piacenza 57.

  Pianta d'insieme di Milano.

🏨🏨 **Regent Hotel** Ⓜ, via Milano 2 (tangenziale Est,uscita S.S. Paullese) ℰ 02 51628184, *info @regenthotel.it*, Fax 02 51628216 – 🛗, ↔ cam, ≡ 📺 🗸 👌, 🚗 🅿 – 🔬 150. 🖭 🕄 ⓞ ⑩
  🚾 . ✦
  Pasto al Rist. *I Sapori de Milan* carta 55/95000 – **102 cam** ⊊ 300/415000.   CP e

🏨 **Santa Barbara** senza rist, piazzale Supercortemaggiore 4 ℰ 02 518911, Fax 02 5279169
  – 🛗 ≡ 📺. 🖭 🕄 ⓞ ⑩ 🚾   CP u
  146 cam ⊊ 250/295000.

🏨 **Delta Hotel**, via Emilia 2/a ℰ 02 5231021, *hdelta@deltahotel.com*, Fax 02 5231418 – 🛗
  ≡ 📺 🅿 – 🔬 45. 🖭 🕄 ⓞ ⑩ 🚾 🖂. ✦ rist   CP s
  Pasto 35/80000 – **52 cam** ⊊ 300/330000.

✕✕ **Osterietta**, via Emilia 26 ℰ 02 5275082, Fax 02 55600831 – ≡ 🅿. 🖭 🕄 ⓞ ⑩ 🚾. ✦
  chiuso dal 5 al 23 agosto e domenica – **Pasto** carta 55/90000.   CP y

✕ **I Tri Basei**, via Emilia 54 ℰ 02 512227, 🏖 – ↔ ≡. 🖭 🕄 ⓞ ⑩ 🚾   CP
  chiuso dall'11 al 19 agosto, sabato a mezzogiorno e domenica – **Pasto** carta 40/65000.

ull'autostrada A 1 - Metanopoli o per via Emilia :

🏨🏨 **Crowne Plaza**, ⊠ 20097 San Donato Milanese ℰ 02 516001, *crowneplaza@crowneplaz
  a.it*, Fax 02 510115 – 🛗, ↔ cam, ≡ 📺 👌 🅿 – 🔬 1800. 🖭 🕄 ⓞ ⑩ 🚾
  🖂. ✦.   CP v
  Pasto al Rist. *Il Giardino* (chiuso sabato, domenica ed agosto) carta 60/110000 – **433 cam**
  ⊊ 400/440000, 14 suites.

| Europe | If the name of the hotel is not in bold type, on arrival ask the hotelier his prices. |

AN DONATO VAL DI COMINO 03046 Frosinone **430** Q 23 – 2 210 ab. alt. 728.

  Roma 127 – Frosinone 54 – Avezzano 57 – Latina 111 – Napoli 125.

🏨 **Villa Grancassa** ⅍, via Roma 8 ℰ 0776 508915, Fax 0776 508914, ≤, 🏖, « Antica
  residenza vescovile in un parco », 🌫, ✕ – 🛗 📺 👌 🅿 – 🔬 200. 🖭 🕄 ⓞ ⑩ 🚾. ✦
  chiuso dal 10 gennaio al 25 febbraio e dal 6 novembre al 3 dicembre – **Pasto** (chiuso lunedì
  da dicembre a marzo) carta 40/75000 – **27 cam** ⊊ 150/220000 – ½ P 140000.

SANDRIGO 36066 Vicenza **429** F 16 – 7 821 ab. alt. 68.

  Roma 530 – Padova 47 – Bassano del Grappa 20 – Trento 85 – Treviso 62 – Vicenza 14.

✕✕ **Antica Trattoria Due Spade**, via Roma 5 ℰ 0444 659948, Fax 0444 758182, prenotare
  – 🅿. 🖭 🕄 ⓞ ⑩ 🚾 🖂
  chiuso agosto, lunedì sera e martedì – **Pasto** specialità baccalà carta 35/50000.

SAN FELICE CIRCEO 04017 Latina **430** S 21 – 8 749 ab. – a.s. Pasqua e luglio-agosto.

  Roma 106 – Frosinone 62 – Latina 36 – Napoli 141 – Terracina 18.

🏨🏨 **Circeo Park Hotel**, via Lungomare Circe 49 ℰ 0773 548814, *hotel@circeopark.it*,
  Fax 0773 548028, ≤, 🌊, 🐎, 🌫 – 🛗 ≡ 📺 🅿 – 🔬 120. 🖭 🕄 ⓞ ⑩ 🚾. ✦
  Pasto vedere rist *La Stiva* – ⊊ 20000 – **48 cam** 260/380000, 2 suites – ½ P 250000.

✕✕ **La Stiva**, ℰ 0773 547276, Fax 0773 548028, ≤, 🏖 – ≡ 🅿. 🖭 🕄 ⓞ ⑩ 🚾. ✦
  chiuso dal 7 al 21 gennaio – **Pasto** carta 60/80000.

a Quarto Caldo Ovest : 4 km – ⊠ 04017 San Felice Circeo :

🏨🏨 **Punta Rossa** ⅍, via delle Batterie 37 ℰ 0773 548085, Fax 0773 548075, ≤, 🔲 di Talas-
  soterapia, « Sulla scogliera con giardino digradante a mare », 🏊, 🌫, 🐎 – ≡ 📺 🅿 –
  🔬 40. 🖭 🕄 ⓞ ⑩ 🚾. ✦
  chiuso novembre – **Pasto** carta 60/125000 – **27 cam** ⊊ 350/460000, 7 suites –
  ½ P 280000.

SAN FELICE DEL BENACO 25010 Brescia **428**, **429** F 13 – 2 951 ab. alt. 119 – a.s. Pasqua e
  luglio-15 settembre.

  Roma 544 – Brescia 36 – Milano 134 – Salò 7 – Trento 102 – Verona 59.

🏨 **Garden Zorzi** ⅍, viale delle Magnolie 10, località Porticciolo Nord : 3,5 km ℰ 0365 43688,
  info@hotelzorzi.it, Fax 0365 41489, ≤, Boa d'attracco e scivolo di alaggio, « Terrazza-
  giardino sul lago », 🐎 – ≡ rist 🅿. 🖭 ⑩ 🚾. ✦
  aprile-10 ottobre – **Pasto** (solo per alloggiati) – ⊊ 15000 – **26 cam** 110/170000 –
  ½ P 130000.

a Portese *Nord : 1,5 km –* ✉ *25010 San Felice del Benaco :*

Piero Bella ⚲, via Preone 6 ☏ 0365 626090, *Fax 0365 559358*, ≤, « Servizio estivo terrazza sul lago », 🏊, ⛱, ✂ – ▤ TV P. AE ⑤ ⓘ ⓜ VISA. ✂
marzo-15 ottobre – **Pasto** (solo per alloggiati) – **14 cam** ☐ 160/290000 – ½ P 170000.

Piccolo Grill, via Cesare Battisti 4 ☏ 0365 62462 – ▤. ✂
chiuso mercoledì e giovedì a mezzogiorno – **Pasto** 60000.

SAN FELICIANO *Perugia* 430 M 18 – *Vedere Magione.*

SAN FLORIANO (OBEREGGEN) *Bolzano* 429 C 16 – *alt. 1 512 –* ✉ *39050 Ponte Nova – Spo. invernali : 1 512/2 172 m* ⛷ *7,* ⛷*.*

ℹ ☏ 0471 615795, Fax 0471 615848.

Roma 666 – Bolzano 22 – Cortina d'Ampezzo 103 – Milano 321 – Trento 82.

Sonnalp M ⚲, ☏ 0471 615842, *info@sonnalp.com, Fax 0471 615909*, ≤ monti e pinet. Ⅎ, ⌂, 🏊 – |‡| TV ♿ 🚗. ✂
2 dicembre-21 aprile e 9 giugno-7 ottobre – **Pasto** (solo per alloggiati) 45/80000 – **30 car** ☐ 210/340000, 6 suites – ½ P 195000.

Cristal ⚲, Obereggen 31 ☏ 0471 615511, *info@hotelcristal.com, Fax 0471 615522*, ≤ monti e pinete, Ⅎ, ⌂, 🏊 – |‡|, ▤ rist, TV 🚗. ✂
6 dicembre-17 aprile e 17 giugno-14 ottobre – **Pasto** carta 45/75000 – **42 cam** ☐ 215 290000, 2 suites – ½ P 180000.

Royal ⚲, Obereggen 32 ☏ 0471 615891, *hotel.royal@rolmail.net, Fax 0471 615893*, ⌂ 🏊 – |‡|, ▤ rist, TV 🚗 P. AE ⑤ ⓜ VISA
dicembre-aprile e luglio-ottobre – **Pasto** (solo per alloggiati) – **21 cam** solo ½P 115000.

Bewallerhof ⚲, verso Pievalle (Bewaller) Nord-Est : 2 km ☏ 0471 615729 *Fax 0471 615840*, ≤ monti e pinete, ⛱ – ✂ rist, P. ✂
chiuso maggio e novembre – **Pasto** (solo per alloggiati) – **19 cam** solo ½ P 120000.

Pensione Maria senza rist, via Obereggen 12 ☏ 0471 615772, *pensionemaria.welcom @dnet.it, Fax 0471 615694*, ≤, ⛱ – P. ✂
dicembre-aprile e giugno-15 ottobre – **8 cam** ☐ 60/110000.

SAN FLORIANO DEL COLLIO *34070 Gorizia* 429 E 22 – *836 ab. alt. 278.*

Roma 653 – Udine 43 – Gorizia 4 – Trieste 47.

Golf Hotel ⚲ senza rist, via Oslavia 2 ☏ 0481 884051, *Fax 0481 884052*, « Edifici seicenteschi in un borgo medioevale », 🏊, ✂ – ✂ TV P. ⑤ ⓜ VISA
marzo-novembre – **13 cam** ☐ 205/355000, suite.

SAN FOCA *Lecce* 431 G 37 – *Vedere Melendugno.*

SAN FRUTTUOSO *Genova* 428 J 9 *G. Italia* – ✉ *16030 San Fruttuoso di Camogli.*

Vedere *Posizione pittoresca*★★ *Camogli 30 mn di motobarca – Portofino 20 mn di moto barca.*

Da Giovanni, ☏ 0185 770047, *Fax 0185 770047*, ≤ piccolo golfo, prenotare. ⑤ VISA
chiuso novembre e da dicembre a febbraio aperto solo il sabato e la domenica – **Pasto** carta 65/105000.

SAN GABRIELE DELL'ADDOLORATA *Teramo* 430 O 22 – *Vedere Isola del Gran Sasso d'Italia.*

SAN GERMANO CHISONE *10065 Torino* 428 H 3 – *1 816 ab. alt. 486.*

Roma 696 – Torino 48 – Asti 87 – Cuneo 71 – Sestriere 48.

Malan-Locanda del Postale, via Ponte Palestro 11, località Inverso Porte Sud-Est : 1 km ☏ 0121 58822, *Fax 0121 58822*, ⛱ – P. AE ⑤ ⓘ ⓜ VISA JCB
chiuso dal 7 al 21 gennaio e giovedì – **Pasto** 55000 e carta 50/70000.

SAN GIACOMO *Cuneo – Vedere Boves.*

SAN GIACOMO *Trento* 428, 429 E 14 – *Vedere Brentonico.*

SAN GIACOMO DI ROBURENT Cuneo 🗺️ J 5 – alt. 1 011 – ⊠ 12080 Roburent – a.s. luglio-agosto e Natale – Sport invernali : 1 011/1 611 m ✂️7, 🏂.
Roma 622 – Cuneo 52 – Savona 77 – Torino 92.

🏨 **Nazionale**, via Sant'Anna 111 ℰ 0174 227127, Fax 0174 227127, 🚒 – 🛗 📺 🅿️. ஊ 🕄 🅾️
💿 🚾 JCB. 🛇 rist
chiuso dal 1° al 23 dicembre, gennaio, maggio e novembre – **Pasto** carta 35/55000 – 🍴 10000 – **33 cam** 80/150000 – ½ P 100000.

SAN GIACOMO DI TEGLIO 23030 Sondrio 🗺️ D 12 – alt. 394.
Roma 712 – Sondrio 13 – Edolo 32 – Milano 151 – Passo dello Stelvio 71.

🍴 **La Corna-da-Pola**, via della Chiesa 9 ℰ 0342 786105, ≤ – 🅿️. ஊ 🕄 🕦 💿 🚾. 🛇
chiuso dal 15 al 30 luglio e lunedì – **Pasto** 35/60000 e carta 50/90000.

SAN GIMIGNANO 53037 Siena 🗺️, 🗺️ L 15 G. Toscana – 7 027 ab. alt. 332.
Vedere Località★★★ – Piazza della Cisterna★ – Piazza del Duomo★★ :affreschi★★ di Barna da Siena nella Collegiata di Santa Maria Assunta★, ≤★★ dalla torre del palazzo del Popolo★ H – Affreschi★★ nella chiesa di Sant'Agostino.
🅱️ piazza Duomo 1 ℰ 0577 940008, Fax 0577 940903.
Roma 268 ② – Firenze 57 ② – Siena 42 ② – Livorno 89 ① – Milano 350 ② – Pisa 79 ①.

🏨 **La Collegiata** 🛐, località Strada 27 ℰ 0577 943201, Fax 0577 940566, ≤ campagna e San Gimignano, 🌤️, « Edificio rinascimentale con giardino all'italiana », 🏊, 🚒 – 🛗 🖥️ 📺 🅿️. 🕄 🕦 💿 🚾. 🖋️ ①
chiuso gennaio e febbraio – **Pasto** carta 90/130000 – **20 cam** 🍴 500/1000000, suite.

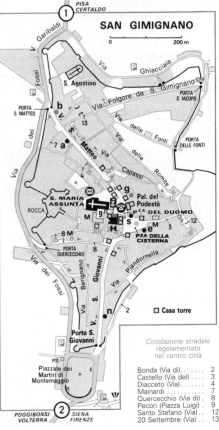

PISA
CERTALDO

SAN GIMIGNANO

0   200 m

🏨 **Relais Santa Chiara** 🛐 senza rist, via Matteotti 15 ℰ 0577 940701, rsc@rsc.it, Fax 0577 942096, ≤ campagna, « Giardino con 🏊 » – 🖥️ 🖥️ 📺 🔇 🅿️ – 🏊 70. ஊ 🕄 🕦 💿 🚾. 🛇 0,5 km per ②
chiuso dal 10 dicembre al 2 marzo – **41 cam** 🍴 250/330000.

🏨 **La Cisterna**, piazza della Cisterna 24 ℰ 0577 940328, lacistern a@iol.it, Fax 0577 942080, ≤, « Sala in stile trecentesco » – 🖥️ 📺 ஊ 🕄 🕦 💿 🚾 JCB. 🛇 e
chiuso dal 7 gennaio al 3 marzo – **Pasto** (chiuso dal 7 gennaio all'11 marzo, martedì e mercoledì a mezzogiorno) carta 50/80000 – **49 cam** 🍴 125/205000 – ½ P 150000.

🏨 **L'Antico Pozzo** senza rist, via San Matteo 87 ℰ 0577 942014, info@anticopozzo.com, Fax 0577 942117, « In un palazzo del 400 » – 🖥️ 🖥️ 📺. ஊ 🕄 🕦 💿 🚾. 🛇
chiuso dal 20 gennaio al 20 febbraio – **18 cam** 🍴 160/270000. a

□ Casa torre

Circolazione stradale regolamentata nel centro città

Bonda (Via di) 2
Castello (Via del) 3
Diacceto (Via) 4
Mainardi 7
Quercecchio (Via di) . 8
Pecori (Piazza Luigi) . 9
Santo Stefano (Via) . . 12
20 Settembre (Via) . . 13

POGGIBONSI   SIENA
VOLTERRA   FIRENZE

🏨 **Bel Soggiorno,** via San Giovanni 91 ☎ 0577 940375, *hbelsog@libero.it, Fax 0577 90752*
≤ campagna, prenotare la sera – |♦| ▤ [TV]. [AE] [$] ⓞ ⓜ VISA JCB. ✂
chiuso dal 8 gennaio al 23 febbraio – **Pasto** *(chiuso dall'8 gennaio al 2 marzo e mercoled*
carta 65/95000 – ☕ 15000 – **19 cam** 150/230000, 2 suites.

🏨 **Leon Bianco** senza rist, piazza della Cisterna 13 ☎ 0577 941294, *Fax 0577 942123* – |♦| ▤
[TV] 🚗. [AE] [$] ⓞ ⓜ VISA. ✂
chiuso dal 15 gennaio a febbraio – **18 cam** ☕ 150/190000, suite.

🏨 **Sovestro,** località Sovestro 63 (Est : 2 km) ☎ 0577 943153, *Fax 0577 943089*, ⛱, 🏊, ⛱ –
▤ [TV] ♿ 🚗 [P] – 🧑 50. [AE] [$] ⓞ ⓜ VISA. ✂
chiuso febbraio – **Pasto** al Rist. ***Da Pode*** *(chiuso lunedì)* carta 50/80000 – ☕ 16000 –
40 cam 130/170000 – ½ P 140000.

🏨 **Le Colline,** località Sovestro 32 (Est : 2 km) ☎ 0577 940225 e rist ☎ 0577 941029, *lecollin*
@iol.it, Fax 0577 907040, 🏊 – ▤ [TV] ♿ [P]. [AE] [$] ⓞ ⓜ VISA. ✂
chiuso dal 10 gennaio al 5 febbraio – **Pasto** al Rist. Enoteca ***Da Nisio*** *(chiuso mezzogiorno e*
martedì) carta 45/65000 – **21 cam** ☕ 160/180000.

🍴🍴 **Dorandò,** vicolo dell'Oro 2 ☎ 0577 941862, *dorando@tin.it, Fax 0577 941862*, Copert
limitati; prenotare – ▤. [AE] [$] ⓞ ⓜ VISA. ✂
chiuso dal 10 gennaio al 28 febbraio e lunedì (escluso da Pasqua ad ottobre) – **Pasto**
antiche specialità toscane carta 65/100000 (10 %).

🍴🍴 **Il Pino** con cam, via San Matteo 102 ☎ 0577 942225, *Fax 0577 940415* – [TV]. [AE] [$] ⓞ ⓜ
VISA JCB
chiuso dal 16 novembre al 16 dicembre – **Pasto** *(chiuso giovedì)* carta 50/95000 – ☕ 15000
– **7 cam** 70/100000 – ½ P 100000.

verso Castel San Gimignano :

🏨 **Casolare Le Terre Rosse,** località San Donato ☎ 0577 902001, *info@hotelterrerosse.co*
m, Fax 0577 902200, ≤, ⛱, 🏊, ⛱ – |♦| ▤ [TV] ♿ [P] – 🧑 80. [AE] [$] ⓞ ⓜ VISA. ✂ rist
marzo-novembre – **Pasto** (solo per alloggiati e *chiuso a mezzogiorno*) – **42 cam** ☕ 170/
240000 – ½ P 155000. 5 km per ②

🏨 **Pescille** 🌿 senza rist, località Pescille ✉ 53037 ☎ 0577 940186, *pescille@iol.it,*
Fax 0577 943165, ≤ campagna e San Gimignano, « Rustico di campagna; raccolta di attrezzi
agricoli », 🏊, ⛱, 🎾 – [TV] [P]. [AE] [$] ⓞ ⓜ VISA JCB. ✂ 3,5 km per ②
15 marzo-ottobre – **41 cam** ☕ 215/230000, 7 suites.

verso Certaldo :

🏨 **Villa San Paolo** 🌿 senza rist, località Casini ✉ 53037 ☎ 0577 955100, *sanpaolo@iol.it,*
Fax 0577 955113, ≤, « Giardino fiorito con 🏊 », 🏋, 🎾 – |♦| ▤ [TV] ♿ [P]. [AE] [$] ⓞ ⓜ VISA
JCB. ✂ 5 km per ①
chiuso dal 10 gennaio al 10 febbraio – **18 cam** ☕ 400000.

🏨 **Le Renaie** 🌿, località Pancole 10/b ✉ 53037 Pancole
☎ 0577 955044 e rist ☎ 0577 955072, *lerenaie@iol.it, Fax 0577 955126*, ≤, ⛱, 🏊, ⛱ – ▤
[TV] [P]. [AE] [$] ⓞ ⓜ VISA. ✂ rist 6 km per ①
chiuso da novembre al 28 dicembre – **Pasto** al Rist. ***Leonetto*** *(chiuso martedì)* carta
50/70000 – ☕ 17000 – **25 cam** 170/200000 – ½ P 190000.

a Castel San Gimignano *Sud : 12 km* – ✉ *53030 :*

🏨 **Le Volpaie** senza rist, via Nuova 9 ☎ 0577 953140, *levolpaie@iol.it, Fax 0577 953142*, ≤,
🏊, ⛱ – [TV] 🚗 [P]. [AE] [$] ⓞ ⓜ VISA. ✂ 12 km per ②
chiuso dal 10 novembre al 10 marzo – **15 cam** ☕ 125/185000.

🍴🍴 **Tre Archi,** via Castel San Gimignano 35/B ☎ 0577 953099, *Fax 0577 953099* – [AE] [$] ⓞ ⓜ
VISA. ✂
chiuso dal 20 dicembre a febbraio e martedì – **Pasto** specialità toscane carta 50/75000
(10 %).

SANGINETO LIDO *87020 Cosenza* [431] I 29 – *1 521 ab..*

Roma 456 – Cosenza 66 – Castrovillari 88 – Catanzaro 126 – Sapri 72.

🏨 Cinque Stelle 🌿, viale della Libertà 29 ☎ 0982 96091, *Fax 0982 96027*, ≤, « Palazzine fra il
verde », 🏊, 🏖, ⛱, 🎾 – ▤ [TV] ♿ [P]
stagionale – **144 cam.**

SAN GIORGIO (ST. GEORGEN) *Bolzano* [429] B 17 – *Vedere Brunico.*

Michelin cura il costante e scrupoloso aggiornamento delle sue pubblicazioni turistiche, in vendita nelle librerie.

SAN GIORGIO Verona – Vedere Sant'Ambrogio di Valpolicella.

SAN GIORGIO DEL SANNIO 82018 Benevento**431** D 26 – 9 399 ab. alt. 380.
  Roma 276 – Foggia 103 – Avellino 27 – Benevento 11.

🏠 **Villa San Marco**, uscita svincolo superstrada ✆ 0824 338357, Fax 0824 338359, 🏤 –
☜ ▤ rist, 📺 🅿 – 🔬 100. 🖭 🕄 ⓞ ⓠ 𝘝𝘐𝘚𝘈
  Pasto al Rist. **Dante's** carta 45/65000 – **16 cam** 🖙 90/120000 – ½ P 80000.

SAN GIORGIO DI LIVENZA Venezia – Vedere Caorle.

SAN GIORGIO MONFERRATO 15020 Alessandria**428** G 7 – 1 305 ab. alt. 281.
  Roma 610 – Alessandria 33 – Milano 83 – Pavia 74 – Torino 75 – Vercelli 31.

XXX **Castello di San Giorgio** ⌕ con cam, via Cavalli d'Olivola 3 ✆ 0142 806203,
  Fax 0142 806505, prenotare, « Piccolo parco ombreggiato » – 📺 🅿 – 🔬 60. 🖭 🕄 ⓞ ⓠ
  𝘝𝘐𝘚𝘈. ⁘
  chiuso dal 27 dicembre al 20 gennaio e dal 1° al 20 agosto – **Pasto** (chiuso lunedì) 65000 (a
  mezzogiorno) 95000 (la sera) e carta 70/115000 – **10 cam** 🖙 200/300000, suite –
  ½ P 250000.

SAN GIOVANNI Livorno – Vedere Elba (Isola d'): Portoferraio.

SAN GIOVANNI AL NATISONE 33048 Udine**429** E 22 – 5 792 ab. alt. 66.
  Roma 653 – Udine 18 – Gorizia 19.

🏠🏠 **Campiello**, via Nazionale 40 ✆ 0432 757910, Fax 0432 757426 – 🕴 ▤ 📺 🕭 🅿. 🖭 🕄 ⓞ
  ⓠ 𝘝𝘐𝘚𝘈. ⁘
  chiuso dal 1° al 10 gennaio e dall'8 al 28 agosto – **Pasto** (chiuso domenica) specialità di mare
  carta 65/90000 – 🖙 15000 – **19 cam** 90/140000 – ½ P 130000.

X **Al Buco**, via Dolegnano di Sopra 84, località Dolegnano (Est : 3 km) ✆ 0432 753317,
  Fax 0432 753821 – 🅿. 🖭 🕄 ⓠ 𝘝𝘐𝘚𝘈
  chiuso dal 23 gennaio al 6 febbraio, dal 28 agosto all'11 settembre e lunedì – **Pasto** carta
  45/70000.

SAN GIOVANNI IN MARIGNANO 47842 Rimini**429**, **430** K 20 – 7 704 ab. alt. 29.
  Roma 310 – Rimini 21 – Ancona 85 – Pesaro 20 – Ravenna 72.

XX **Il Granaio**, via R. Fabbro 18 ✆ 0541 957205, Coperti limitati; prenotare – 🖭 🕄 ⓞ ⓠ 𝘝𝘐𝘚𝘈.
  ⁘
  chiuso dal 10 al 20 luglio e martedì – **Pasto** carta 40/70000.

SAN GIOVANNI IN PERSICETO 40017 Bologna**429**, **430** I 15 – 23 774 ab. alt. 21.
  Roma 392 – Bologna 21 – Ferrara 49 – Milano 193 – Modena 23.

X **Giardinetto**, circonvallazione Italia 20 ✆ 051 821590, 🏤, Coperti limitati; prenotare – 🅿.
  🖭 🕄 ⓞ ⓠ 𝘝𝘐𝘚𝘈. ⁘
  chiuso dal 16 agosto e lunedì – **Pasto** carta 45/65000.

SAN GIOVANNI LA PUNTA Catania**432** O 27 – Vedere Sicilia alla fine dell'elenco alfabetico.

SAN GIOVANNI LUPATOTO 37057 Verona**429** F 15 – 21 161 ab. alt. 42.
  Roma 507 – Verona 9 – Mantova 46 – Milano 157.

🏠🏠 **City** senza rist, via Madonnina 36 ✆ 045 9251500, hotelcity@supernet.it, Fax 045 545044 –
  🕴 ▤ 📺 🅿. 🖭 🕄 ⓞ ⓠ 𝘝𝘐𝘚𝘈 𝘑𝘊𝘉. ⁘
  39 cam 🖙 120/170000.

X **Alla Campagna** con cam, via Bellette 28 (Ovest : 1 km) ✆ 045 545513, hotelallacampagn
  a@libero.it, Fax 045 9250680, ⁘ – ▤ 📺 ⇦ 🅿. 🖭 🕄 ⓞ ⓠ 𝘝𝘐𝘚𝘈
  Pasto (chiuso domenica) carta 40/75000 – 🖙 15000 – **13 cam** 105/190000 – ½ P 125000.

SAN GIOVANNI ROTONDO 71013 Foggia**431** B 29 – 25 883 ab. alt. 557 – a.s. 18 agosto-
  settembre.
  🚩 piazza Europa 104 ✆ 0882 456240, Fax 0882 456240.
  Roma 352 – Foggia 43 – Bari 142 – Manfredonia 23 – Termoli 86.

🏨 **Gd H. Degli Angeli,** prolungamento viale Padre Pio ☎ 0882 454646, *grandhoteldeglian eli@virgilio.it, Fax 0882 454645,* <, 🌳 – ⇅ ▤ [TV] 🚗 [P]. [AE] [S] [O] [MC] [VISA] [JCB]. 🚫🐕
Pasto carta 50/80000 – ☕ 20000 – **107 cam** 180/190000 – 1/2 P 170000.

🏨 **Parco delle Rose,** via Aldo Moro 71 ☎ 0882 456709, *Fax 0882 456405*, 🏊, 🌳, 🎾 – ⇅ ▤ rist, [TV] [P] – 👥 500. [AE] [S] [O] [MC] [VISA]. 🚫🐕 rist
Pasto *(chiuso venerdì)* 30/40000 – ☕ 10000 – **200 cam** 135000 – 1/2 P 125000.

🏨 ⚭ **Hotel Cassano** [M], viale Cappuccini 115 ☎ 0882 454921, *Fax 0882 457685* – ⇅ ▤ [TV] ♿ 🚗. [AE] [S] [O] [MC] [VISA] [JCB]. 🚫🐕
Pasto carta 30/70000 – ☕ 10000 – **20 cam** 140000 – 1/2 P 115000.

🏨 **Colonne,** viale Cappuccini 135 ☎ 0882 412936, *Fax 0882 413268* – ⇅ ▤ [TV] 🚗. [AE] [S] [O] [MC] [VISA]. 🚫🐕
Pasto *(chiuso martedì)* 30000 – ☕ 10000 – **27 cam** 110/140000 – 1/2 P 120000.

🍴🍴 ⚭ **Da Costanzo,** via Santa Croce 9 ☎ 0882 452285, *Fax 0882 452285* – 🚭 ▤. [AE] [S] [O] [MC] [VISA]. 🚫🐕
chiuso domenica sera e lunedì – **Pasto** carta 35/55000.

sulla strada statale 272 *Est : 5 km*

🏨 **Masseria-Agropolis,** località Sant'Egidio ✉ 71013 ☎ 0882 452754, *masseria_agropolis @virgilio.it, Fax 0882 452770*, 🌳, 🏋, 🧖, 🏊, 🎾 – ⇅ ▤ [TV] ♿ [P] – 👥 400. [AE] [S] [O] [MC] [VISA]. 🚫🐕
Pasto carta 40/60000 – **108 cam** ☕ 140/270000, 4 suites – 1/2 P 130000.

SAN GIULIANO MILANESE *20098 Milano* [428] F 9, [219] ⑲ – *32 182 ab. alt. 97.*

Roma 562 – Milano 12 – Bergamo 55 – Pavia 33 – Piacenza 54.

🍴🍴 **La Ruota,** via Roma 57 ☎ 02 9848394, *Fax 02 98241914*, 🌳 – ▤ [P]. [AE] [S] [O] [MC] [VISA]. 🚫🐕
chiuso agosto e martedì – **Pasto** 50/75000 e carta 50/80000.

sulla strada statale 9 - via Emilia *Sud-Est : 3 km :*

🍴🍴 **La Rampina,** ✉ 20098 ☎ 02 9833273, *rampina@rampina.it, Fax 02 98231632*, 🌳 – ▤ [P]. [AE] [S] [O] [MC] [VISA]. 🚫🐕
chiuso mercoledì – **Pasto** carta 80/115000.

SAN GIUSEPPE AL LAGO (SANKT JOSEPH AM SEE) *Bolzano* [429] C 15 – *Vedere Caldaro sulla Strada del Vino.*

SAN GODENZO *50060 Firenze* [429], [430] K 16 – *1 169 ab. alt. 430.*

Roma 290 – Firenze 46 – Arezzo 94 – Bologna 121 – Forlì 64 – Milano 314 – Siena 129.

🍴 ⚭ **Agnoletti,** via Forlivese 64 ☎ 055 8374016 – [S] [MC] [VISA]. 🚫🐕 rist
chiuso martedì escluso dal 20 settembre al 15 giugno – **Pasto** carta 25/40000.

SAN GREGORIO *Lecce* [431] H 36 – ✉ *73053 Patù.*

Roma 682 – Brindisi 112 – Lecce 82 – Taranto 141.

🍴 🙂 **Da Mimì,** via del Mare ☎ 0833 767861, *Fax 0833 765197*, solo su prenotazione la sera da ottobre a marzo, « Servizio estivo su terrazza ombreggiata con < mare » – [AE] [S] [O] [MC] [VISA]. 🚫🐕
chiuso novembre – **Pasto** specialità di mare carta 40/55000.

SAN GREGORIO NELLE ALPI *32030 Belluno* [429] D 18 – *1 536 ab. alt. 527.*

Roma 588 – Belluno 21 – Padova 94 – Pordenone 91 – Trento 95 – Venezia 99.

🍴 **Locanda a l'Arte,** via Belvedere 43 ☎ 0437 800124, *Fax 0437 800124*, 🌳, Locanda in campagna, prenotare – [P]. [AE] [S] [O] [MC] [VISA]. 🚫🐕
chiuso lunedì e martedì a mezzogiorno – **Pasto** carta 45/60000.

SANKTA CHRISTINA IN GRÖDEN = Santa Cristina Valgardena.

SANKT JOSEPH AM SEE = San Giuseppe al lago.

SANKT LEONHARD IN PASSEIER = San Leonardo in Passiria.

SANKT MARTIN IN PASSEIER = San Martino in Passiria.

SANKT ULRICH = Ortisei.

SANKT VALENTIN AUF DER HAIDE = San Valentino alla Muta.

SANKT VIGIL ENNEBERG = San Vigilio di Marebbe.

SAN LAZZARO DI SAVENA 40068 Bologna **429** , **430** I 16 – 28 879 ab. alt. 62.
Roma 390 – Bologna 8 – Imola 27 – Milano 219.

Pianta d'insieme di Bologna.

🏨 **Le Siepi** ⚜, via Emilia 514, località Idice 𝒫 051 6256200, Fax 051 6256243, 🏠 , « Giardino
ombreggiato » – 📺 & 🅿 – 🔬 35. 🖭 🕃 ⓞ ⑳ 𝘝𝘐𝘚𝘈 , 🕸 rist   GU e
chiuso dal 12 al 19 agosto – **Pasto** al Rist. **La Pietra Cavata** (chiuso dal 1º al 7 gennaio, dal
12 al 26 agosto, sabato a mezzogiorno e domenica) carta 55/85000 – **38 cam** ⚌ 220/
260000 – ½ P 260000.

🍴🍴 **Il Cerfoglio,** via Kennedy 11 𝒫 051 463339, Fax 051 455684, Coperti limitati; prenotare –
🖀. 🖭 🕃 ⓞ ⑳ 𝘝𝘐𝘚𝘈 𝗝𝗖𝗕. 🕸   GU c
chiuso dal 27 dicembre al 10 gennaio, dal 1º al 26 agosto, sabato a mezzogiorno e
domenica – **Pasto** carta 60/90000.

SAN LAZZARO PARMENSE Parma – Vedere Parma.

SAN LEO 61018 Pesaro e Urbino **429** , **430** K 19 G. Italia – 2 675 ab. alt. 589 – a.s. 25 giugno-agosto.
Vedere Posizione pittoresca★★ – Forte★ : 🌟★★★.
Roma 320 – Rimini 31 – Ancona 142 – Milano 351 – Pesaro 70 – San Marino 24.

🏛 **Castello**, piazza Dante 11/12 𝒫 0541 916214, Fax 0541 926926 – 📺. 🖭 🕃 ⓞ ⑳ 𝘝𝘐𝘚𝘈
chiuso novembre e gennaio – **Pasto** (chiuso giovedì da ottobre a maggio) carta 35/45000 –
⚌ 10000 – **14 cam** 90/140000 – ½ P 95000.

verso Piega Nord-Ovest : 5 km

🍴🍴 **Locanda San Leone** ⚜ con cam, strada Sant'Antimo 102 ✉ 61018 𝒫 0541 912194,
Fax 0541 912348, « Antico cascinale già mulino del Montefeltro », 🏊, 🌳 – 📺 🅿 🕃 ⓞ
𝘝𝘐𝘚𝘈. 🕸
chiuso da febbraio a Pasqua – **Pasto** (chiuso lunedì, martedì, mercoledì ed i mezzogiorno
di giovedì-venerdì) carta 55/85000 – ⚌ 20000 – **7 cam** 190/230000, suite.

SAN LEONARDO IN PASSIRIA (ST. LEONHARD IN PASSEIER) 39015 Bolzano **429** B 15, **218**
⑩ G. Italia – 3 450 ab. alt. 689.
Dintorni Strada del Passo di Monte Giovo★ : ≤★★ verso l'Austria Nord-Est : 20 km – Strada
del Passo del Rombo★ Nord-Ovest.
🅱 via Passiria 40 𝒫 0473 656188, Fax 0473 656624.
Roma 685 – Bolzano 47 – Brennero 53 – Bressanone 65 – Merano 20 – Milano 346 –
Trento 106.

verso Passo di Monte Giovo Nord-Est : 10 km – alt. 1 269 :

🍴 **Jägerhof** ⚜ con cam, località Valtina 80 ✉ 39010 Valtina 𝒫 0473 656250, jaegerhof@pe
gasus.it, Fax 0473 656822, ≤, 🏠 , 🖀 – 🕸 rist, 🅿. 🕃 ⑳ 𝘝𝘐𝘚𝘈. 🕸 cam
chiuso da novembre al 6 dicembre – **Pasto** (chiuso lunedì) carta 45/70000 – **17 cam**
⚌ 65/110000 – ½ P 80000.

SAN LEONE Agrigento **432** P 22 – Vedere Sicilia (Agrigento) alla fine dell'elenco alfabetico.

SAN LEONINO Siena – Vedere Castellina in Chianti.

SAN LORENZO IN BANALE 38078 Trento **428** , **429** D 14 – 1 120 ab. alt. 720 – a.s. Pasqua e
Natale.
🅱 (Natale e aprile-ottobre) via Prato 24 𝒫 0465 734040.
Roma 609 – Trento 37 – Brescia 109 – Milano 200 – Riva del Garda 35.

🏨 **Soran**, via Glolo 6 𝒫 0465 734330, Fax 0465 734372 – 🛗 📺 ⚛. 🖭 ⓞ ⑳ 𝘝𝘐𝘚𝘈 𝗝𝗖𝗕. 🕸
aprile-10 ottobre – **Pasto** 25/40000 – **16 cam** ⚌ 90/140000 – ½ P 95000.

Per l'inserimento in **guida,**
Michelin *non accetta*
né favori, né denaro!

SAN LORENZO IN CAMPO 61047 Pesaro e Urbino **429**, **430** L 20 – 3 385 ab. alt. 209 – a. 25 giugno-agosto.

Roma 257 – Ancona 64 – Perugia 105 – Pesaro 51.

🏠 **Giardino,** via Mattei 4 (Ovest : 1,5 km) ℘ 0721 776803, giardino@puntomedia.*
❀ Fax 0721 735323, 🔟, ☰ 🔟 & 👂 – 🅰 30. 🕮 🗟 ⓞ 🐠 🚾 🎟. 🛠
chiuso 24-25 dicembre e dal 17 gennaio al 12 febbraio – **Pasto** (prenotare; chiuso domen*
ca sera e lunedì) carta 55/80000 – **20 cam** 😅 100/140000 – ½ P 110000.
Spec. Involtini di melanzane con zabaione di sapa (estate). Ravioli con caciotta d'Urbino
noci e tartufo nero pregiato (inverno). Costine d'agnello al vino rosso con cipollotti (prima
vera).

SAN MAMETE Como **219** ⑧ – Vedere Valsolda.

SAN MARCELLO PISTOIESE 51028 Pistoia **428**, **429**, **430** J 14 G. Toscana – 7 259 ab. alt. 62*
– a.s. luglio-agosto.
🛈 via Villa Vittoria 129 ℘ 0573 630145, Fax 0573 622120.
Roma 340 – Firenze 67 – Pisa 71 – Bologna 90 – Lucca 50 – Milano 291 – Pistoia 30.

🏠 **Il Cacciatore,** via Marconi 727 ℘ 0573 630533, albergoilcacciatore@orange.i*
🐟 Fax 0573 630134 – 🔟 👂 – 🅰 40. 🕮 🗟 ⓞ 🚾. 🛠
chiuso dal 10 al 31 gennaio e dal 5 al 30 novembre – **Pasto** (chiuso lunedì) carta 35/55000 –
25 cam 😅 95/130000 – ½ P 100000.

SAN MARCO Perugia **430** M 19 – Vedere Perugia.

SAN MARCO Salerno **431** G 26 – Vedere Castellabate.

SAN MARINO 47890 Repubblica di San Marino **429**, **430** K 19 G. Italia –
4 372 ab. nella Capitale, 26 232 ab. nello Stato di San Marino alt. 749 (monte Titano) – a.s.
15 giugno-settembre.
Vedere Posizione pittoresca★★★ – ≤★★★ sugli Appennini e il mare dalle Rocche.
🛈 palazzo del Turismo, contrada Omagnano 20 ℘ 0549 882998, Fax 0549 882575.
A.C.I. a Serravalle via Tre Settembre, 11 ℘ 0549 908860.
Roma 355 ① – Rimini 22 ① – Ancona 132 ① – Bologna 135 ① – Forlì 74 ① – Milano 346 ① –
Ravenna 78 ①.

Pianta pagina a lato

🏨 **Gd H. San Marino,** viale Antonio Onofri 31 ℘ 0549 992400, grandhotel@omniway.sm,
Fax 0549 992951, ≤, 🖸, ☎ – 📶 ☰ 🔟 ⇌ – 🅰 150. 🕮 🗟 ⓞ 🐠 🚾 🎟. 🛠 rist   Z a
chiuso dal 24 al 27 dicembre – **Pasto** 30/40000 e al Rist. **Arengo** (chiuso dal 15 dicembre a*
10 febbraio) carta 50/80000 – **63 cam** 😅 180/280000 – ½ P 160000.

🏨 **Cesare** 🅼, salita alla Rocca 7 ℘ 0549 992355, info@hotelcesare.com, Fax 0549 992630, ≤*
🍴 – 📶 🔟 🕮 🗟 ⓞ 🚾. 🛠   Y b
Pasto carta 55/95000 – **18 cam** 😅 150/260000 – ½ P 155000.

🏨 **Titano** 🦢, contrada del Collegio 31 ℘ 0549 991006 e rist ℘ 0549 991007, hoteltitano@c*
mniway.sm, Fax 0549 991375, « Terrazza rist. con ≤ » – 📶 🔟 ⇌. 🕮 🗟 ⓞ 🐠 🚾 🎟 😅 140/*
15 marzo-15 dicembre – **Pasto** al Rist. **La Terrazza** carta 55/75000 – **48 cam** 😅 140/*
200000 – ½ P 120000.   Y u

🏨 **Quercia Antica,** via Cella Bella ℘ 0549 991257, querciaantica@omiway.sm,
Fax 0549 990044 – ☰ rist, 🔟 ⇌. 🕮 🗟 ⓞ 🐠 🚾. 🛠 rist   Z v
Pasto carta 50/60000 – **26 cam** 😅 125/165000 – ½ P 110000.

🏠 **Villa Giardi** senza rist, via Ferri 22 ℘ 0549 991074, Fax 0549 992285 – 🔟 👂. 🕮 🗟 ⓞ 🐠
🚾 🎟. 🛠   1 km per via d. Voltone   Z
8 cam 😅 120/180000.

✕✕✕ **Righi la Taverna,** piazza della Libertà 10 ℘ 0549 991196, Fax 0549 990597, « Caratteri-
stico arredamento » – ☰. 🕮 🗟 ⓞ 🐠 🚾. 🛠   Y n
chiuso dal 10 al 20 gennaio e mercoledì (escluso da aprile ad ottobre) – **Pasto** 60/70000 e
carta 45/75000.

a Domagnano per ① : 4 km – ✉ 47895 :

🏠 **Rossi,** ℘ 0549 902263, mrossi@omniway.sm, Fax 0549 906642, ≤ – 📶 🔟 👂 – 🅰 25. 🕮 🗟
🐟 ⓞ 🐠 🚾 🎟. 🛠
Pasto (chiuso dal 15 al 31 dicembre e sabato in bassa stagione) carta 35/55000 – **34 cam**
😅 95/150000 – ½ P 90000.

676

SAN MARINO

0   300 m

Circolazione automobilistica
vietata entro le mura

Basilicius (Via) . . . . Y 2
Capannaccia (Via della). . . Z 3
Collegio (Contrada del) . . Y 5
Domus Plebis
  (Piazzale). . . . . Y 6
Donna Felicissima (Via) . . Y 7
Fratta (Via della) . . . . Y 8
Libertà (Piazza della). . . . . Y 9
Maccioni (Via Francesco). . Z 12
Mura (Contrada delle) . . . Y 13
Omerelli (Contrada) . . . . . Y 15
Salita alla Rocca (Via) . . . . Y 16
Santa Croce (Contrada) . . Y 19

Europe	Wenn der Name eines Hotels dünn gedruckt ist, hat uns der Hotelier Preise und Öffnungszeiten nicht angegeben.

SAN MARTINO AL CIMINO Viterbo **430** O 18 – Vedere Viterbo.

SAN MARTINO BUON ALBERGO 37036 Verona **429** F 15 – 13 098 ab. alt. 45.

    Parco della Musella (chiuso lunedì) Tenuta Mudella Cà dei Mori ⊠ 37036 San Martino Buon Albergo ℰ 0328 41787676.

    Roma 505 – Verona 8 – Milano 169 – Padova 73 – Vicenza 43.

    Antica Trattoria da Momi, via Serena 38 ℰ 045 990752 – 🖭 🕄 ⑩ 🐽 🎟 . 🛠
    chiuso dal 13 al 21 agosto, lunedì e in luglio-agosto anche domenica – **Pasto** carta 30/55000.

a Marcellise Nord : 4 km – alt. 102 – ⊠ 37036 :

    Trattoria Grobberio 🌭 con cam, via Mezzavilla 69 ℰ 045 8740096, Fax 045 8740963, 🏠 – 📳 📺 ⇔ 🅿 . 🖭 🕄 ⑩ 🐽 🎟 . 🛠
    Pasto (chiuso dall'11 al 17 agosto, venerdì e sabato a mezzogiorno) carta 25/50000 – ⊑ 10000 – **14 cam** 70/120000.

SAN MARTINO DELLA BATTAGLIA 25010 Brescia **428** , **429** F 13 – alt. 87.

    Roma 515 – Brescia 37 – Verona 35 – Milano 125.

    Da Renato, via Unità d'Italia 73 ℰ 030 9910117 – ▦ 🅿 . 🛠
    chiuso dal 1° al 15 luglio, martedì sera e mercoledì – **Pasto** carta 30/50000.

677

SAN MARTINO DI CASTROZZA 38058 Trento 429 D 17 G. Italia – alt. 1467 – a.s. 19 dicembre-Epifania, febbraio e Pasqua – Sport invernali : 1 450/2 600 m ⅀ 4 ⅃ 16, ⅀; al passo Rolle 1 884/2 300 m ⅀ 2 ⅃ 23, ⅀.

Vedere Località★★.

🛈 via Passo Rolle 165/167 ℘ 0439 768867, Fax 0439 768814.

Roma 629 – Belluno 79 – Cortina d'Ampezzo 90 – Bolzano 86 – Milano 349 – Trento 109 – Treviso 105 – Venezia 135.

🏨 **San Martino,** via Passo Rolle 279 ℘ 0439 68011, info@hotelsanmartino.i Fax 0439 68550, ≤ gruppo delle Pale e vallata, ☎s, 🔲, 🐟, ※ – ▐ 📺 ℃ ⇔ 🅿 – 🔬 30. 🛈 VISA. ※ rist
20 dicembre-20 aprile e 20 giugno-20 settembre – **Pasto** carta 30/70000 – **46 cam** ⇆ 170 320000, 3 suites – ½ P 180000.

🏨 **Regina,** via Passo Rolle 154 ℘ 0439 68221, info@hregina.it, Fax 0439 68017, ≤ grupp delle Pale, 🛵, ☎s, 🔲 – ▐ 📺 🅿. 🖭 🛈 ⑩ ⑳ VISA. ※ rist
20 dicembre-20 aprile e 15 giugno-20 settembre – **Pasto** carta 50/70000 – ⇆ 18000 **48 cam** 155/270000 – ½ P 205000.

🏨 **Vienna,** via Herman Panzer 1 ℘ 0439 68078, Fax 0439 769165, 🐟 – 📺 ⅙ 🅿. 🛐 ⑩ ⑳ VISA. ※
dicembre-aprile e luglio-settembre – **Pasto** (solo per alloggiati) – **40 cam** ⇆ 110/22000C 9 suites – ½ P 180000.

🏨 **Letizia,** via Colbricon 6 ℘ 0439 768615, Fax 0439 762386, ≤, 🛵, ☎s – ▐ 📺 ⇔ 🅿. 🛐 VISA. ※ rist
4 dicembre-Pasqua e 20 giugno-20 settembre – **Pasto** 25000 – **29 cam** ⇆ 130/260000 – ½ P 150000.

🏨 **Orsingher** senza rist, via Passo Rolle 55 ℘ 0439 68544, hotelorsingher@libero.it Fax 0439 769043, ≤ gruppo delle Pale – ▐ 📺 ⇔ 🅿. 🖭 🛐 ⑩ ⑳ VISA
dicembre-aprile e giugno-settembre – **31 cam** ⇆ 140/220000.

🏨 **Paladin,** via Passo Rolle 253 ℘ 0439 768680, Fax 0439 768695, ≤ gruppo delle Pale, ☎s – ▐ 📺 ⇔ 🅿. 🖭 🛐 ⑩ ⑳ VISA JCB. ※
20 dicembre-20 aprile e 20 giugno-15 settembre – **Pasto** carta 30/40000 – **28 cam** ⇆ 120 160000 – ½ P 120000.

🏠 **Panorama,** via Cavallazza 14 ℘ 0439 768667, Fax 0439 768667, ≤, ☎s – ▐ 📺 ⇔ 🅿. 🖭 🛐 ⑩ VISA. ※
20 dicembre-15 aprile e 28 giugno-16 settembre – **Pasto** carta 40/55000 – **24 cam** ⇆ 185000 – ½ P 155000.

✗ **Da Anita,** via Dolomiti 6 ℘ 0439 768893, Fax 0439 768970, 🏡 – 🖭 🛐 ⑳ VISA. ※
chiuso da lunedì a venerdì escluso da dicembre ad aprile e da giugno a settembre – **Pasto** carta 40/65000.

SAN MARTINO DI LUPARI 35018 Padova 429 F 17 – 11 342 ab. alt. 60.
Roma 516 – Padova 35 – Belluno 101 – Treviso 41 – Venezia 50.

✗✗ **Da Belie,** via Brenta 7 località Campagnalta Nord : 1 km ℘ 049 9461088, belie@etics.it, Fax 049 9461236, 🏡 – ▤ 🅿. 🖭 🛐 ⑩ ⑳ VISA. ※
chiuso dal 31 dicembre al 7 gennaio, dal 7 al 28 agosto, sabato sera e domenica – **Pasto** carta 40/50000.

SAN MARTINO IN PASSIRIA (ST. MARTIN IN PASSEIER) 39010 Bolzano 429 B 15, 218 ⑩ – 2 831 ab. alt. 597.
Roma 682 – Bolzano 43 – Merano 16 – Milano 342 – Trento 102.

🏨 **Quellenhof-Forellenhof e Landhaus,** via Passiria 47 (Sud : 5 km) ℘ 0473 645474, Fax 0473 645499, ≤, 🏡, Centro benessere, Golf 3 buche e maneggio, 🛵, ☎s, 🔲 riscaldata, 🔲, 🐟, ※ – ▐, ▤ rist, 📺 ⅙ ⇔ 🅿
marzo-17 novembre – **Pasto** carta 65/90000 – **64 cam** ⇆ 200/300000, 12 suites – ½ P 180000.

🏨 **Alpenschlössl** Ⓜ ᔓ, via del Sole 2 (Sud : 5 km) ℘ 0473 645474, Fax 0473 645499, ≤, Golf 3 buche e maneggio, 🛵, ☎s, 🔲, 🐟, ※ – ▐, ▤ rist, 📺 ℃ ⅙ 🅿
marzo-novembre – **Pasto** (solo per alloggiati) carta 60/90000 – ⇆ 20000 – **21 suites** 200/320000 – ½ P 170000.

🏨 **Sonnenalm** ᔓ, via del Sole 3 (Sud : 5 km) ℘ 0473 645474, Fax 0473 645499, ≤, Golf 3 buche e maneggio, 🛵, ☎s, 🔲, 🔲, 🐟, ※ – ▤ rist, 📺 ⇔ 🅿
marzo-novembre – **Pasto** (solo per alloggiati) carta 60/85000 – **24 cam** ⇆ 120/280000, 2 suites – ½ P 180000.

678

a Saltusio (Saltaus) Sud : 8 km – alt. 490 – ⊠ 39010 :

🏨 **Saltauserhof**, via Passiria 6 ℰ 0473 645403, info@saltauserhof.com, Fax 0473 645515,
⬩, « Caratteristiche stuben », ℱ₆, ☎, ⌧, ⬚, ☞, ℀ – ⬚ 📵 P. 📵 👀 VISA
marzo-10 novembre – **Pasto** carta 40/60000 – **25 cam** ⌷ 150/220000, 2 suites –
½ P 140000.

SAN MARTINO IN PENSILIS 86046 Campobasso 431 B 27 – 4 797 ab. alt. 282.
Roma 285 – Campobasso 66 – Foggia 80 – Isernia 108 – Pescara 110 – Termoli 12.

🏠 **Santoianni**, via Tremiti ℰ 0875 605023, Fax 0875 605023 – 🛗 📺 🕭 P. ℀
Pasto (chiuso venerdì) carta 30/50000 – ⌷ 5000 – **15 cam** 55/90000 – ½ P 75000.

SAN MARTINO SICCOMARIO Pavia 428 G 9 – Vedere Pavia.

SAN MARZANO OLIVETO 14050 Asti 428 H 6 – 982 ab. alt. 301.
Roma 603 – Alessandria 40 – Asti 26 – Genova 110 – Milano 128 – Torino 87.

℀ **Da Bardon**, valle Asinari 25, località Case Vecchie Sud-Est : 4 km ℰ 0141 831340,
Fax 0141 829035, ☞ – P. 🕮 🕭 ① 👀 VISA. ℀
chiuso dal 16 dicembre al 10 gennaio, mercoledì e giovedì – **Pasto** carta 45/85000.

SAN MASSIMO Genova – Vedere Rapallo.

SAN MAURIZIO CANAVESE 10077 Torino 428 G 4 – 7 079 ab. alt. 317.
Roma 697 – Torino 17 – Aosta 111 – Milano 142 – Vercelli 72.

℀℀ **La Credenza**, via Cavour 22 ℰ 011 9278014, Fax 011 9278014 – ▤. 🕮 🕭 ① 👀 VISA
chiuso dal 3 al 24 agosto e martedì – **Pasto** 35/65000 e carta 50/70000.

SAN MAURIZIO D'OPAGLIO 28017 Novara 428 E 7, 219 ⑥ – 3 035 ab. alt. 373.
Roma 657 – Stresa 34 – Alessandria 65 – Genova 118 – Milano 41 – Novara 43 – Piacenza 63.

℀℀ **Da Grissino**, via Roma 54 ℰ 0322 96173 – P. 🕭 👀 VISA JCB. ℀
chiuso dal 24 dicembre al 7 gennaio, agosto, martedì sera e mercoledì – **Pasto** specialità di
mare carta 55/80000.

℀ **La Cruna del Lago**, via Bellosta 1 ℰ 967435, lacrunadellago@iol.it, Rist. enoteca, preno-
tare – 🕮 🕭 👀 VISA. ℀
chiuso dal 1° al 6 gennaio, dal 6 al 26 agosto, sabato a mezzogiorno e domenica – **Pasto**
carta 55/85000.

SAN MAURO A MARE 47030 Forlì-Cesena 429, 430 J 19 – a.s. 21 giugno-agosto.
🛈 via Repubblica 8 ℰ 0541 346392, Fax 0541 342252.
Roma 353 – Rimini 16 – Bologna 103 – Forlì 42 – Milano 314 – Ravenna 36.

🏨 **Capitol**, via Levante 3 ℰ 0541 345542, capitolhotel@libero.it, Fax 0541 345492, ℱ₆, ☎, ⌧
– 🛗 ▤ 📺 ⬩ P. – 🛗 80. 🕭 🕭 👀 VISA. ℀ rist
Pasto 30/80000 – ⌷ 15000 – **35 cam** ⌷ 140/190000 – ½ P 145000.

🏠 **Internazionale** ⬩, via Vincenzi 23 ℰ 0541 346475, Fax 0541 346937, ⬩, ⌧, 🛦₆, ℀ –
🛗, ▤ rist, P. ℀ rist
maggio-20 settembre – **Pasto** (solo per alloggiati) – ⌷ 15000 – **36 cam** 140000 –
½ P 110000.

SAN MAURO TORINESE 10099 Torino 428 G 5 – 17 910 ab. alt. 211.
Roma 666 – Torino 9 – Asti 54 – Milano 136 – Vercelli 66.

Pianta d'insieme di Torino.

🏨 **Glis** Ⓜ, corso Lombardia 42 ℰ 011 2740151, glishotel@iol.it, Fax 011 2740375 – 🛗 ▤ 📺 ⬧
⬩ ⬡ P. – 🛗 90. 🕮 🕭 👀 VISA. ℀
Pasto carta 40/60000 – **66 cam** ⌷ 200/245000, 6 suites.

🏠 **La Pace** senza rist, via Roma 36 ℰ 011 8221945, Fax 011 8222677 – 🛗 📺 P. 🕮 🕭 👀 VISA.
℀   HT s
⌷ 10000 – **35 cam** 90/100000.

℀ **Frandin**, via Settimo 14 ℰ 011 8221177, ☞ – P. 🕮 🕭 ① 👀 VISA JCB. ℀   HT a
chiuso dal 16 agosto al 10 settembre e lunedì – **Pasto** carta 40/80000.

SAN MENAIO 71010 Foggia⁴³¹ B 29 – a.s. luglio-13 settembre.
Roma 389 – Foggia 104 – Bari 188 – San Severo 71.

🏨 **Sole,** via Lungomare 2 ℰ 0884 968621, hoteldamato@hoteldamato.it, Fax 0884 968624, 🕭 – 🛗 🗐 📺 🕭 🅿 🝖 ⑩ 𝚅𝙸𝚂𝙰. ⋘
aprile-settembre – **Pasto** (solo per alloggiati) – **45 cam** solo ½ P 150000.

🏨 **Park Hotel Villa Maria** ⌕ senza rist, via del Carbonaro 15 ℰ 0884 968700, Fax 0884 968800 – 🗐 📺 🅿 🎫 🕭 ⑩ ⓪⓪ 𝚅𝙸𝚂𝙰. ⋘
aprile-settembre – **15 cam** ⌷ 130/160000.

SAN MICHELE (ST. MICHAEL) Bolzano²¹⁸ ⑳ – *Vedere Appiano sulla Strada del Vino.*

SAN MICHELE ALL'ADIGE 38010 Trento⁴²⁹ D 15 – 2 305 ab. alt. 229 – a.s. dicembre-aprile.
Roma 603 – Trento 15 – Bolzano 417 – Milano 257 – Moena 70.

sulla strada statale 12 in località Masetto *Nord : 1 km :*

🏨 **Lord Hotel** senza rist, località Masetto 2 ⊠ 38010 ℰ 0461 650120, Fax 0461 650138, ⋖, ⋘ – 🛗 📺 🚗 🅿 🎫 🕭 ⑩ ⓪⓪ 𝚅𝙸𝚂𝙰 𝙹𝙲𝙱. ⋘
chiuso dal 24 dicembre al 5 gennaio – ⌷ 7000 – **33 cam** 75/115000.

in prossimità casello autostrada A 22 *Ovest : 1 km :*

XX Da Pino, via Giovanni Postal 39 ⊠ 38010 Grumo ℰ 0461 650435, Fax 0461 650435 – 🗐 🅿.

Jährlich eine neue Ausgabe
Aktuellste Informationen, jährlich für Sie!

SAN MICHELE AL TAGLIAMENTO 30028 Venezia⁴²⁹ E 20 – 11 798 ab..
Roma 599 – Udine 43 – Milano 338 – Pordenone 44 – Trieste 81 – Venezia 88.

XX **Mattarello,** strada statale (via Venudo 2) ℰ 0431 50450, Fax 0431 50450 – 🗐 🅿 🕭 ⑩ ⓪⓪ 𝚅𝙸𝚂𝙰 𝙹𝙲𝙱. ⋘
Pasto carta 70/110000.

SAN MICHELE CANAVA Parma – *Vedere Lesignano de' Bagni.*

SAN MICHELE DEL CARSO Gorizia – *Vedere Savogna d'Isonzo.*

SAN MICHELE DI GANZARIA Catania⁴³² P25 – *Vedere Sicilia alla fine dell'elenco alfabetico.*

SAN MICHELE EXTRA Verona⁴²⁹ F 14 – *Vedere Verona.*

SAN MINIATO 56027 Pisa⁴²⁸, ⁴²⁹, ⁴³⁰ K 14 *G. Toscana – 26 301 ab. alt. 140.*
🎯 Fontevivo (chiuso lunedì ed agosto) ℰ 0571 419012, Fax 0571 419012.
Roma 297 – Firenze 37 – Siena 68 – Livorno 52 – Pisa 42.

XX **Il Convio-San Maiano,** via San Maiano 2 (Sud-Est : 1,5 km) ℰ 0571 408114, Fax 0571 408112, « Casale di campagna con servizio estivo all'aperto e ⋖ colline e dintorni » , 🚿 – 🅿 🎫 🕭 ⑩ ⓪⓪ 𝚅𝙸𝚂𝙰 𝙹𝙲𝙱
chiuso dal 10 al 25 gennaio e mercoledì – **Pasto** carta 50/90000.

SAN NICOLÒ (ST. NIKOLAUS) Bolzano⁴²⁸ G 10, ²¹⁸ ⑲ – *Vedere Ultimo.*

SAN NICOLÒ DI RICADI Vibo Valentia⁴³¹ L 29 – *Vedere Tropea.*

SAN PANCRAZIO Brescia – *Vedere Palazzolo sull'Oglio.*

SAN PANCRAZIO Ravenna⁴³⁰ I 18 – *Vedere Russi.*

SAN PANTALEO Sassari⁴³³ D 10 – *Vedere Sardegna alla fine dell'elenco alfabetico.*

SAN PAOLO (ST. PAULS) Bolzano²¹⁸ ⑳ – *Vedere Appiano sulla Strada del Vino.*

SAN PELLEGRINO (Passo di) *Trento* 429 C 17 – *alt. 1 918* – ⊠ *38035 Moena – a.s. febbraio-Pasqua e Natale – Sport invernali : 1 918/2 513 m ≤ 1 ≤ 18, ≰.*
Roma 682 – Belluno 59 – Cortina d'Ampezzo 67 – Bolzano 56 – Milano 340 – Trento 100.

Monzoni, *℘ 0462 573352, info@hotelmonzoni.it, Fax 0462 574490,* ≤ *Dolomiti,* ɱ, ≘s –
▮ ⊺ ⊻ 🄿 – 🏊 *120.* 🆎 🕄 ⊙ 🐵 *VISA.* ⅏
4 dicembre-18 aprile e 8 luglio-8 settembre – **Pasto** *carta 60/85000 –* **79 cam** ⊈ *200/240000, 3 suites –* ½ P 225000.

Costabella, *℘ 0462 573326, costabella@altea.it, Fax 0462 574283,* ≤ *Dolomiti,* ⌗ – ▮ 🄿.
🆎 🕄 🐵 *VISA.* ⅏ *rist*
6 dicembre-15 aprile e 23 luglio-10 settembre – **Pasto** *carta 50/70000 –* **26 cam** ⊈ *200/260000 –* ½ P 160000.

Fuciade ⌲ *con cam, ℘ 0462 574281, Fax 0462 574281, Servizio navetta invernale con motoslitta dal rifugio Miralago, prenotare alla sera, « Rifugio in un alpeggio con servizio estivo in terrazza e* ≤ *Dolomiti,* ⌗ – ⊙. ⅏ *cam*
Natale-Pasqua e 15 giugno-15 ottobre – **Pasto** *carta 50/80000 –* **6 cam** ⊈ *140000 –* ½ P 120000.

SAN PELLEGRINO TERME *24016 Bergamo* 428 E 10 *G. Italia – 5 069 ab. alt. 354 – Stazione termale (maggio-settembre), a.s. luglio-agosto e Natale.*
Dintorni *Val Brembana★ Nord e Sud per la strada S 470.*
🄱 *viale Papa Giovanni XXIII 18 ℘ 0345 21020, Fax 0345 23344.*
Roma 626 – Bergamo 24 – Brescia 77 – Como 71 – Milano 67.

Terme ⌲*, via Bartolomeo Villa 26 ℘ 0345 21125, Fax 0345 21306,* ⌗ – ▮ ⊺ 🄿 – 🏊 *50.*
🆎 🕄 🐵 *VISA.* ⅏
22 maggio-settembre – **Pasto** *50/65000 –* ⊈ *13000 –* **49 cam** *130/160000 –* ½ P 155000.

SAN PIETRO IN BAGNO *Forlì* 429, 430 K 17 – *Vedere Bagno di Romagna.*

SAN PIETRO *Verona – Vedere Legnago.*

SAN PIETRO DI FELETTO *31020 Treviso* 429 E 18 – *4 702 ab. alt. 264.*
Roma 577 – Belluno 47 – Pordenone 39 – Treviso 34 – Venezia 66.

XX **Al Doppio Fogher,** *località San Michele Sud : 6 km ℘ 0438 60157, Fax 0438 60157,*
❄ *« Servizio estivo in giardino » –* 🄿. 🆎 🕄 ⊙ 🐵 *VISA* 🄹🄲🄱
chiuso dal 23 febbraio al 7 marzo, dal 7 al 31 agosto, domenica sera e lunedì – **Pasto** *specialità di mare carta 65/100000*
Spec. *Misto crudo di pesci all'olio del Garda. Filetto di tonno spadellato con pomodorini e germogli di soia. Aragosta sarda con verdure di stagione.*

SAN PIETRO IN CARIANO *37029 Verona* 428, 429 F 14 – *12 428 ab. alt. 160.*
Roma 510 – Verona 19 – Brescia 77 – Milano 164 – Trento 85.

a Pedemonte *Sud-Ovest : 4 km –* ⊠ *37020 :*

Villa del Quar ⌲*, via Quar 12 (Sud-Est : 1,5 km) ℘ 045 6800681, villadelquar@c-point.it,*
Fax 045 6800604, ≤*,* ⌗*,* ɱ*,* ≘s*,* ⍉*,* ⌗ – ▮ ⊟ ⊙ ↝ ⊻ 🄿 – 🏊 *100.* 🆎 🕄 ⊙ *VISA.* ⅏
chiuso dal 15 novembre al 14 marzo – **Pasto** *carta 65/135000 –* **18 cam** ⊈ *480/530000, 3 suites.*

SAN PIETRO IN CASALE *40018 Bologna* 429, 430 H 16 – *9 575 ab. alt. 17.*
Roma 397 – Bologna 25 – Ferrara 26 – Mantova 111 – Modena 52.

XX **Dolce e Salato** *con cam, piazza L. Calori 16/18 ℘ 051 811111, Fax 051 818818 –* ⊟ ⊺.
🆎 🕄 ⊙ 🐵 *VISA.* ⅏ *rist*
Pasto *(chiuso giovedì) specialità paste fresche carta 60/80000 –* ⊈ *15000 –* **11 cam** *180/200000.*

a Rubizzano *Sud-Est : 3 km –* ⊠ *40018 San Pietro in Casale*

X **Tana del Grillo,** *via Rubizzano 1812 ℘ 051 811648, Fax 051 811648, Coperti limitati; prenotare –* ⊟. 🆎 🕄 ⊙ 🐵 *VISA.* ⅏
chiuso dal 1° al 10 gennaio, dal 1° al 15 agosto, martedì e in luglio-agosto anche domenica – **Pasto** *carta 45/85000.*

SAN PIETRO IN CORTE *Piacenza – Vedere Monticelli d'Ongina.*

SAN PIETRO (Isola di) *Cagliari* 433 J 6 – *Vedere Sardegna alla fine dell'elenco alfabetico.*

SAN POLO *Parma – Vedere Torrile.*

SAN POLO D'ENZA *42020 Reggio Emilia* [428], [429], [430] I 13 – *5 150 ab. alt. 66.*
Roma 452 – Parma 24 – Modena 43 – Reggio Emilia 20.

XX **Mamma Rosa,** via 24 Maggio 1 ☎ 0522 874760, *Fax 0522 873679* – 🚭 ▤ [P]. [AE] [S] [O] [MC] VISA JCB
chiuso dall'8 gennaio al 3 febbraio, dal 25 agosto al 5 settembre e lunedì – **Pasto** specialità di mare 60/90000 e carta 55/100000.

SAN POLO DI PIAVE *31020 Treviso* [429] E 19 – *4 466 ab. alt. 27.*
Roma 563 – Venezia 54 – Belluno 65 – Cortina d'Ampezzo 120 – Milano 302 – Treviso 23 – Udine 99.

XX **Parco Gambrinus,** località Gambrinus 22 ☎ 0422 855043, *gambrinus@gambrinus.it, Fax 0422 855044,* prenotare, « Servizio estivo nel parco con voliere e ruscello » – 🚭 ▤ [P] – 80. [AE] [S] [O] [MC] VISA JCB. ✂
chiuso dal 7 al 21 gennaio e lunedì (escluso i giorni festivi) – **Pasto** 50000 e carta 60/85000.

SAN POSSIDONIO *41039 Modena* [428], [429] H 14 – *3 463 ab. alt. 20.*
Roma 426 – Bologna 65 – Ferrara 60 – Mantova 58.

a Bellaria *Sud : 2 km – ✉ 41039 San Possidonio :*

XX **La Tabernula,** via Matteotti 231 ☎ 0535 38189 – ▤ [P]. [AE] [S] [O] [MC] VISA JCB
chiuso gennaio, agosto, martedì e sabato a mezzogiorno – **Pasto** 50/80000 e carta 45/70000.

SAN PROSPERO SULLA SECCHIA *41030 Modena* [429], [430] H 15 – *4 113 ab. alt. 22.*
Roma 415 – Bologna 58 – Ferrara 63 – Mantova 69 – Modena 20.

X **Bistrò,** via Canaletto 38/a ☎ 059 906096, Rist. e pizzeria serale – [P]. [S]. ✂
chiuso dal 1° al 7 gennaio, dall'8 al 31 agosto e mercoledì – **Pasto** carta 40/60000.

SAN QUIRICO D'ORCIA *53027 Siena* [430] M 16 *G. Toscana – 2 444 ab. alt. 424.*
Roma 196 – Siena 44 – Chianciano Terme 31 – Firenze 111 – Perugia 96.

🏨 **Casanova,** località Casanova 6/c ☎ 0577 898177, *casanova.h.r@libero.it, Fax 0577 898190,* ≤ vallata, 🏋, 🏊, 🏊, 🎾 – 🛗 📺 ♿ 🚗 [P]. [AE] [S] [O] [MC] VISA JCB
chiuso novembre, gennaio e febbraio – **Pasto** vedere rist ***Taverna del Barbarossa*** – ☕ 18000 – **14 cam** 160/200000, 26 suites 195/230000 – ½ P 165000.

🏨 **Palazzuolo** 🐦, via Santa Caterina da Siena 43 ☎ 0577 897080, *info@hotelpalazzuolo.it, Fax 0577 898264,* ≤, 🏊, 🌳 – 🛗 ▤ 📺 ♿ [P] – 200. [AE] [S] [O] [MC] VISA. ✂
Pasto *(chiuso dal 10 gennaio a marzo e da novembre al 22 dicembre)* carta 45/70000 – **42 cam** ☕ 160/220000 – ½ P 155000.

XX **Taverna del Barbarossa** - Hotel Casanova, località Casanova 8 ☎ 0577 898299, *t.barbaro@libero.it, Fax 0577 898299,* ≤ vallata, 🏡 – 🚭 rist, ▤ [P]. [S] [O] [MC] VISA JCB
chiuso gennaio, febbraio, novembre e lunedì – **Pasto** 40/100000 e carta 50/95000.

a Bagno Vignoni *Sud-Est : 5 km – ✉ 53020 :*

🏨 **Posta-Marcucci** 🐦, via Ara Urcea 43 ☎ 0577 887112, *info@hotelpostamarcucci.it, Fax 0577 887119,* ≤, 🏋, 🏊, 🏊 termale, 🌳, 🎾 – 🛗 ▤ 📺 ♿ [P] – 40. [AE] [S] [O] [MC] VISA. ✂ rist
Pasto carta 50/85000 – **46 cam** ☕ 130/235000 – ½ P 170000.

X **Osteria del Leone,** piazza del Moretto ☎ 0577 887300, *Fax 0577 887559,* Coperti limitati; prenotare – [AE] [S] [O] [MC] VISA
chiuso dal 10 al 30 gennaio, dal 15 novembre al 5 dicembre e lunedì – **Pasto** carta 45/60000.

SAN QUIRINO *33080 Pordenone* [429] D 20 – *3 761 ab. alt. 116.*
Roma 613 – Udine 65 – Belluno 75 – Milano 352 – Pordenone 9 – Treviso 63 – Trieste 121.

XXX ✿ **La Primula** con cam, via San Rocco 47 ☎ 0434 91005, *Fax 0434 917563,* 🏡, Coperti limitati; prenotare – 📺 [P]. [AE] [S] [O] [MC] VISA. ✂
Pasto *(chiuso dal 1° al 17 gennaio, dal 10 al 31 luglio, domenica sera e lunedì)* 65/75000 e carta 70/105000 – ☕ 10000 – **7 cam** 90/140000
Spec. Composizione di asparagi e spugnole con fonduta di formaggi nostrani (primavera). Tortelli di patate con cappesante rosolate. Tortino caldo all'arancio con salsa al Grand Marnier (inverno).

✗ **Osteria alle Nazioni,** via San Rocco 47/1 ☎ 0434 91005, *Fax 0434 917563* – **P**. **AE** **S** **①**
① **VISA**. ✗
chiuso dal 15 al 31 gennaio, dal 1° al 20 agosto, domenica sera e lunedì – **Pasto** carta
35/50000.

SAN REMO 18038 Imperia **428** K 5 *G. Italia* – 56 026 ab..

Vedere *Località*★★ – *La Pigna*★ *(città alta)*; B : ≼★ *dal santuario della Madonna della Costa.*
Dintorni *Monte Bignone*★★ : ☀★★ *Nord : 13 km.*

☗ *Sanremo degli Ulivi (chiuso martedì)* ☎ 0184 557093, *Fax 0184 557388, Nord : 5 km.*

🛈 *largo Nuvoloni 1* ☎ 0184 571571, *Fax 0184 507649.*

A.C.I. *corso Raimondo 57* ☎ 0184 500295.

Roma 638 ① – Imperia 30 ① – Milano 262 ① – Nice 59 ② – Savona 93 ①.

SAN REMO

Cavallotti (Corso) . . . . . . B 3
Colombo (Piazza) . . . . . . B 4
Dante Alighieri
(Via) . . . . B 5
Feraldi (Via) . . . . B 6
Gioberti (Via) . . . . B 7
Manzoni (Via) . . . . B 8
Matteotti (Via) . . . . B 9
Matuzia (Corso) . . . . A 10
Mombello (Corso) . . . . . . B 13
Palazzo (Via) . . . . B 14
Roccasterone (Via) . . . . . A 15
Roma (Via) . . . . B
San Francesco (Via) . . . . . B 17
20 Settembre (Via) . . . . . B 18

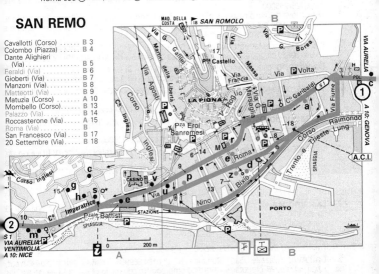

🏨🏨 **Royal Hotel** ⍓, corso Imperatrice 80 ☎ 0184 5391, *royal@royalhotelsanremo.com,*
Fax 0184 661445, ≼, « Giardino fiorito con ⍭ riscaldata e servizio rist. estivo all'aperto »,
℻, ✗ – 📶 ☰ 📺 ≼ **P**. ⍩ – 🔏 200. **AE** **S** **①** **①** **VISA**. ✗   A h
chiuso dall'8 ottobre al 19 dicembre – **Pasto** carta 100/160000 – **123 cam** ⍓ 475/600000,
17 suites – ½ P 395000.

🏨🏨 **Nazionale,** via Matteotti 5 ☎ 0184 577577, *nazionale.in@bestwern.it, Fax 0184 541535* –
📶 ☰ 📺 ♿ – 🔏 70. **AE** **S** **①** **①** **VISA** **JCB**. ✗ rist   A v
Pasto al Rist. **Panoramico** *(chiuso mercoledì)* carta 55/90000 – **78 cam** ⍓ 280/380000,
8 suites – ½ P 225000.

🏨🏨 **Europa,** corso Imperatrice 27 ☎ 0184 578180, *Fax 0184 578170* – 📶 📺. **AE** **S** **①** **①** **VISA**.
✗ rist   A e
Pasto *(chiuso martedì)* carta 40/80000 (10%) – **57 cam** ⍓ 200/280000, 8 suites –
½ P 180000.

🏨🏨 **Villa Mafalda** senza rist, corso Nuvoloni 18 ☎ 0184 572572, *Fax 0184 572574,* ☞ – 📶 📺
☜. **AE** **S** **①** **①** **VISA**. ✗   A c
⍓ 20000 – **34 cam** 240000.

🏨 **Morandi,** corso Matuzia 51 ☎ 0184 667641, *info@hotelmorandi.com, Fax 0184 666567,*
☞ – 📶, ☰ rist, 📺 **P**. **AE** **S** **①** **①** **VISA**. ✗ rist   A m
Pasto 40/50000 – ⍓ 18000 – **32 cam** 125/180000 – ½ P 150000.

🏨 **Paradiso** ⍓, via Roccasterone 12 ☎ 0184 571211, *paradisohotel@sistel.it,*
Fax 0184 578176, ☞ – 📶 📺 ≼ ☜ – 🔏 45. **AE** **S** **①** **①** **VISA**. ✗ rist   A g
Pasto carta 55/80000 – ⍓ 20000 – **41 cam** 180/240000 – ½ P 190000.

🏨 **Lolli Palace Hotel,** corso Imperatrice 70 ☎ 0184 531496, *lolli_palace@tin.it,*
Fax 0184 541574, ≼, « Roof-restaurant con ≼ mare » – 📶 ☰ 📺. **AE** **S** **①** **①** **VISA**. ✗ rist
chiuso dal 4 novembre al 20 dicembre – **Pasto** carta 45/70000 – ⍓ 15000 – **52 cam**
180/210000 – ½ P 160000.   A s

Eveline-Portosole senza rist, corso Cavallotti 111 ℘ 0184 503430, *eveline@sistel.it*
Fax 0184 503431 – 🛗 🗐 📺 AE 🕄 ⓞ ⓶ VISA JCB
B   c
chiuso dal 7 al 28 gennaio – **20 cam** ⊃ 190/260000, 3 suites.

Bel Soggiorno, corso Matuzia 41 ℘ 0184 667631, *info@hotelbelsoggiorno.net*
Fax 0184 667471 – 🛗 📺 🖪 AE 🕄 ⓞ ⓶ VISA JCB. 🛠
A   m
chiuso novembre – **Pasto** 30/40000 – **36 cam** ⊃ 100/180000 – ½ P 115000.

Eletto, via Matteotti 44 ℘ 0184 531548, Fax 0184 531506 – 🛗 📺 🖪 AE 🕄 ⓞ ⓶ VISA
🛠 rist
B   u
Pasto (solo per alloggiati) 40000 – ⊃ 8000 – **24 cam** 120/150000 – ½ P 130000.

Paolo e Barbara, via Roma 47 ℘ 0184 531653, *paolobarbara@libero.it*,
Fax 0184 545266, Coperti limitati; prenotare – 🗏. AE 🕄 ⓞ ⓶ VISA
B   p
chiuso dal 13 al 25 dicembre, dal 10 gennaio al 7 febbraio, dal 24 giugno al 13 luglio,
mercoledì e giovedì a mezzogiorno – **Pasto** 90000 (a mezzogiorno) 150/175000 (alla sera) e
carta 125/235000

Spec. Uovo di gallina ruspante affogato ai ricci marini con gamberi di Sanremo. Variazione
di pesce crudo del golfo di Sanremo. "Cappon magro" (composizione di pesci, verdure e
crostacei in salsa verde genovese).

Il Bagatto, via Matteotti 145 ℘ 0184 531925, Fax 0184 531925 – 🗏. 🕄 ⓶ VISA
B   r
chiuso dal 30 giugno al 30 luglio e domenica – **Pasto** 50/70000 e carta 70/100000 (15%).

Da Vittorio, piazza Bresca 16 ℘ 0184 501924, 🏠 – 🕄 ⓞ ⓶ VISA
B   d
chiuso dal 20 al 30 ottobre e mercoledì – **Pasto** (specialità di mare) carta 60/95000.

Tony's, corso Garibaldi 130 ℘ 0184 504609, Fax 0184 504609, 🏠 , Rist. e pizzeria – 🗏. AE
🕄 ⓞ ⓶ VISA
B   a
chiuso ottobre e mercoledì – **Pasto** 35/85000 (10%) e carta 45/95000 (10%).

Da Carluccio-Osteria del Marinaio, via Gaudio 28 ℘ 0184 501919, Coperti limitati;
prenotare 🗏
B   z
chiuso da ottobre a dicembre e lunedì – **Pasto** carta 70/130000 (15%).

Vela d'Oro, via Gaudio 9 ℘ 0184 504302, Coperti limitati; prenotare – 🗏. AE 🕄 ⓞ ⓶ VISA
JCB
B   e
chiuso dal 1° al 10 marzo, dal 2 al 12 ottobre e lunedì (escluso agosto) – **Pasto** carta
60/110000.

a Bussana Est : 5,5 km – ⊠ 18032 :

La Kambusa, via al Mare 87 ℘ 0184 514537, Fax 0184 487373, 🏠 , Rist. e pizzeria – AE 🕄
ⓞ ⓶ VISA. 🛠
chiuso dal 16 al 22 gennaio, dal 20 settembre al 10 ottobre, mercoledì e a mezzogiorno –
Pasto carta 55/90000.

a San Romolo Nord-Ovest : 15 km B – alt. 786 – ⊠ 18038 San Remo :

Dall'Ava, piazzale San Romolo 1 ℘ 0184 669998, *dallava-sanromolo@libero.it*,
Fax 0184 669998, prenotare, « Giardino ombreggiato con minigolf » – AE 🕄 ⓞ ⓶ VISA. 🛠
chiuso dal 15 al 27 febbraio, dal 15 al 27 novembre e giovedì – **Pasto** carta 35/60000 (10%).

SAN ROCCO Genova – Vedere Camogli.

SAN ROCCO A PILLI 53010 Siena 430 M 15 – alt. 258.
Roma 227 – Siena 5 – Arezzo 67 – Firenze 75 – Grosseto 69.

Castello, via Grossetana ℘ 0577 347711 e rist ℘ 0577 348424, *hcastello@hotel-castello.it*,
Fax 0577 347200 – 🛗 📺 🕹 🖪. AE 🕄 ⓞ ⓶ VISA. 🛠 rist
Pasto al Rist. *Ai Girasoli* (chiuso lunedì) carta 40/70000 – ⊃ 10000 – **35 cam** 120/130000 –
½ P 110000.

SAN ROMOLO Imperia 115 ⑳ – Vedere San Remo.

SAN ROMUALDO Ravenna – Vedere Ravenna.

SAN SALVO 66050 Chieti 430 P 26 – 17 005 ab. alt. 106.
Roma 280 – Pescara 83 – Campobasso 90 – Termoli 31.

a San Salvo Marina Nord-Est : 4,5 km – ⊠ 66050 San Salvo :

Falcon's, complesso le Nereidi ℘ 0873 803431, Coperti limitati; prenotare – AE 🕄 ⓞ ⓶
VISA. 🛠
chiuso dal 24 dicembre al 2 gennaio, domenica sera e lunedì – **Pasto** specialità di mare
carta 40/60000.

SAN SANO Siena – Vedere Gaiole in Chianti.

SANSEPOLCRO 52037 Arezzo **430** L 18 G. Toscana – 15 760 ab. alt. 330.

Vedere Museo Civico★★ : opere★★★ di Piero della Francesca – Deposizione★ nella chiesa di San Lorenzo – Case antiche★.

Roma 258 – Rimini 91 – Arezzo 39 – Firenze 114 – Perugia 69 – Urbino 71.

🏨 **La Balestra,** via Montefeltro 29 ℰ 0575 735151, labalestra@leonet.it, Fax 0575 740282,
🍴 – 📶 ▤ 📺 ☎ 🅿. – 🔬 150. 🖭 🕃 ⓞ ◍ 𝘝𝘐𝘚𝘈. 🎇
Pasto (chiuso domenica sera e lunedì) carta 35/50000 – **51 cam** ⊑ 110/140000 –
½ P 100000.

🍴🍴 **Oroscopo di Paola e Marco** con cam, via Togliatti 68, località Pieve Vecchia Nord-Ovest : 1 km ℰ 0575 734875, Fax 0575 734875, Coperti limitati; prenotare – 📺 🅿. 🕃 ⓞ ◍
𝘝𝘐𝘚𝘈. 🎇
chiuso dal 2 al 10 gennaio – **Pasto** (chiuso dal 2 al 10 gennaio, dal 20 giugno al 10 luglio,
domenica e a mezzogiorno) carta 80/115000 – **10 cam** ⊑ 120/180000.

🍴 **Da Ventura** con cam, via Aggiunti 30 ℰ 0575 742560, Fax 0575 742560 – 🖭 🕃 ⓞ ◍
𝘝𝘐𝘚𝘈. 🎇
chiuso dall'8 al 20 gennaio, dal 1° al 20 agosto e sabato – **Pasto** carta 45/70000 – ⊑ 5000 –
7 cam 50/80000 – ½ P 80000.

SAN SEVERINO LUCANO 85030 Potenza **431** G 30 – 2 031 ab. alt. 884.

Roma 406 – Cosenza 152 – Potenza 113 – Matera 139 – Sapri 90 – Taranto 142.

🏨 **Paradiso** 🌲, via San Vincenzo ℰ 0973 576586, hotel.paradiso@tiscalinet.it,
🍴 Fax 0973 576587, ≼ monti del Pollino, 🔺, 🎾 – 📶 ▤ 📺 ♿ 🅿. 🕃 ◍ 𝘝𝘐𝘚𝘈. 🎇
Pasto carta 30/50000 – **32 cam** ⊑ 75/120000 – ½ P 80000.

> **Europe** Se il nome di un albergo è stampato in carattere magro,
> chiedete al vostro arrivo le condizioni che vi saranno praticate.

SAN SEVERINO MARCHE 62027 Macerata **430** M 21 – 12 962 ab. alt. 343.

Roma 228 – Ancona 72 – Foligno 71 – Macerata 30.

🏨 **Servanzi Confidati** 🌲 senza rist, via Cesare Battisti 13/15 ℰ 0733 633551,
Fax 0733 633551 – 📶 ▤ 📺 ♿ – 🔬 300. 🖭 🕃 ⓞ ◍ 𝘝𝘐𝘚𝘈 𝙅𝘊𝘉. 🎇
22 cam ⊑ 100/160000, suite.

🍴🍴 **Locanda Salimbeni** 🌲 con cam, strada statale 361 (Ovest : 4 km) ℰ 0733 634047,
🍴 Fax 0733 634047 – 📺 🅿. – 🔬 40. 🖭 🕃 ⓞ ◍ 𝘝𝘐𝘚𝘈. 🎇
Pasto (chiuso mercoledì) carta 30/45000 – **9 cam** ⊑ 75/100000 – ½ P 75000.

🍴🍴 **Due Torri** 🌲 con cam, via San Francesco 21 ℰ 0733 645419, info@duetorri.it,
Fax 0733 645139 – 📺 – 🔬 25. 🖭 🕃 ⓞ ◍ 𝘝𝘐𝘚𝘈 𝙅𝘊𝘉. 🎇
Pasto (chiuso dal 20 al 26 dicembre, dal 1° al 10 luglio e lunedì) carta 40/60000 – **16 cam**
⊑ 80/110000 – ½ P 95000.

SAN SEVERO 71016 Foggia **431** B 28 – 54 928 ab. alt. 89 – a.s. 25 giugno-luglio e settembre.

Roma 320 – Foggia 36 – Bari 153 – Monte Sant'Angelo 57 – Pescara 151.

🍴 **Le Arcate,** piazza Cavallotti 29 ℰ 0882 226025, Fax 0882 226025 – ▤. 🖭 🕃 ⓞ ◍ 𝘝𝘐𝘚𝘈
chiuso Ferragosto, lunedì sera e dal 4 giugno a settembre aperto solo a mezzogiorno –
Pasto carta 35/60000.

SANTA BARBARA Trieste – Vedere Muggia.

SANTA CATERINA VALFURVA 23030 Sondrio **428** , **429** C 13 – alt. 1 738 – Sport invernali :
1 738/2 784 m ≰ 7.

🚩 piazza Migliavaca ℰ 0342 935598, Fax 0342 925549.

Roma 776 – Sondrio 77 – Bolzano 136 – Bormio 13 – Milano 215 – Passo dello Stelvio 33.

🏨 **Santa Caterina** 🌲, via Freita 9 ℰ 0342 925123, hsanta@valfurva.com,
Fax 0342 925110, ≼, 🔒, ☎, 🐎 – 📶 📺 ☎ 🅿. 🖭 🕃 ⓞ ◍ 𝘝𝘐𝘚𝘈. 🎇
dicembre-aprile e 20 giugno-20 settembre – **Pasto** 25/45000 – ⊑ 15000 – **36 cam** 85/
120000 – ½ P 135000.

🏨 **Baita Fiorita di Deborah,** via Frodolfo 3 ℰ 0342 925119, deborah@valtline.it,
Fax 0342 925050, ☎ – 📶, 🍴 rist, 📺. 🖭 🕃 ⓞ ◍ 𝘝𝘐𝘚𝘈
chiuso maggio – **Pasto** carta 45/80000 – **22 cam** ⊑ 150/240000 – ½ P 205000.

🏨 **Nordik,** via Frodolfo 16 ☎ 0342 935300, *info@nordik.it,* Fax 0342 935407 – 🛗 📺 🕭 ⇌
🖭 ⚫❾ 🖭 . ✼
chiuso maggio, ottobre e novembre – **Pasto** 25/50000 – **27 cam** ☲ 105/170000
½ P 140000.

🏠 **La Pigna,** via Santa Caterina 19 ☎ 0342 935567, *hotelpigna@libero.it,* Fax 0342 925124
📺 ⇌ 🅿. 🖭 🖭 🖭 🖭 . ✼ rist
chiuso ottobre e novembre – **Pasto** 20/35000 – **18 cam** ☲ 60/130000 – ½ P 90000.

SANTA CESAREA TERME *73020 Lecce* 🔢🔢🔢 *G 37 – 3 118 ab. alt. 94.*
Roma 661 – Brindisi 86 – Bari 200 – Otranto 16 – Taranto 126.

🏨 Santa Lucia 🦢, via Belvedere ☎ 0836 944045, Fax 0836 944022, « Terrazza-solarium cor
🔺 » , 🔏, �$, – 🔳 📺 🖭 – 🔏 100
stagionale – **40 cam.**

SANTA CRISTINA VALGARDENA (**ST. CHRISTINA IN GRÖDEN**) *39047 Bolzano* 🔢🔢🔢 *C 17*
G. Italia – 1 759 ab. alt. 1 428 – Sport invernali : della Val Gardena 1 428/ 2 299 m -$ 7 $ 64
🎿 *(vedere anche Ortise e e Selva di Val Cardena).*
🎗 *Palazzo Comunale* ☎ 0471 793046, Fax 0471 793198.
Roma 681 – Bolzano 41 – Cortina d'Ampezzo 75 – Milano 338 – Trento 99.

🏨 **Interski** 🦢, strada Cisles 51 ☎ 0471 793460, *hotelinterski@valgardena.com*
Fax 0471 793391, ≤ Sassolungo e vallata, �$, 🔳, 🖛 – 🛗, ✼ rist, 📺 🕭 ⇌ 🅿. ⚫❾ 🖭 . ✼
20 dicembre-15 aprile e 30 giugno-5 ottobre – **Pasto** (solo per alloggiati e *chiuso a*
mezzogiorno) 70000 – ☲ 20000 – **23 cam** 190/395000 – ½ P 220000.

🏨 **Uridl** 🦢, via Chemun 43 ☎ 0471 793215, *uridl@val-gardena.com,* Fax 0471 793554, ≤, 🖛
– 🛗, ✼ rist, 📺 🅿. ✼ cam
20 dicembre-26 marzo e 20 giugno-settembre – **Pasto** carta 45/70000 – **15 cam** ☲ 130/
230000 – ½ P 140000.

🏨 **Sporthotel Maciaconi,** strada Plan da Tieja 10 ☒ 39048 Selva di Val Gardena
☎ 0471 793500, *sporthotel@maciaconi.com,* Fax 0471 793535, 🔏, �$, 🖛 – 🛗 📺 ⇌ 🅿.
🖭 ⚫❾ 🖭 . ✼
dicembre-aprile e giugno-settembre – **Pasto** carta 50/65000 – **40 cam** ☲ 150/280000 –
½ P 160000.

🏠 **Villa Martha,** strada Cisles 145 ☎ 0471 792088, Fax 0471 792173, ≤ Sassolungo – 📺 ⇌
🅿. 🖭 ⚫❾ 🖭 . ✼ rist
Natale-Pasqua e giugno-settembre – **Pasto** (solo per alloggiati e *chiuso a mezzogiorno)* –
19 cam ☲ 100/200000 – ½ P 140000.

all'arrivo della funivia Ruacia Sochers *Sud-Est : 10 mn di funivia – alt. 1 985 :*

🏨 **Sochers Club** 🦢, ☒ 39048 Selva di Val Gardena ☎ 0471 792101, Fax 0471 793537, ≤
Sassolungo, « Sulla pista 'Saslong' » – 🛗 📺. ⚫❾ 🖭
22 dicembre-15 aprile – **Pasto** (solo per alloggiati) – **22 cam** solo – ½ P 220000.

sulla strada statale 242 *Ovest : 2 km :*

🏨 **Diamant,** via Skasa 1 ☒ 39047 ☎ 0471 796780, *hotel-diamant@val-gardena.com,*
Fax 0471 793580, ≤ Sassolungo e pinete, Centro benessere, 🔏, �$, 🔳, 🖛, 🏋 – 🛗.
✼ rist, 📺 🅿 – 🔏 50. ⚫❾ 🖭 . ✼ rist
3 dicembre-Pasqua e 20 giugno-10 ottobre – **Pasto** (solo per alloggiati e *chiuso a mezzo-*
giorno) – **44 cam** ☲ 220/400000, 4 suites – ½ P 250000.

SANTA CROCE DEL LAGO *32010 Belluno* 🔢🔢🔢 *D 18 – alt. 401.*
Roma 596 – Belluno 22 – Cortina d'Ampezzo 76 – Milano 335 – Treviso 56 – Venezia 85.

✕ **La Baita,** ☎ 0437 471008, Fax 0437 471008, ≤, Rist. e pizzeria – 🅿. 🖭 🖭 ⚫ ⚫❾ 🖭
chiuso dal 15 ottobre al 20 novembre e lunedi – **Pasto** carta 40/65000.

SANTA FIORA *58037 Grosseto* 🔢🔢🔢 *N 16 – 2 782 ab. alt. 687.*
Roma 189 – Grosseto 67 – Siena 84 – Viterbo 75.

✕ **Il Barilotto,** via Carolina 24 ☎ 0564 977089 – 🖭 🖭 ⚫ ⚫❾ 🖭 🖽 . ✼
🍴 *chiuso dal 15 al 30 giugno e mercoledi –* **Pasto** 25/40000 e carta 35/50000.

SANTA FLAVIA *Palermo* 🔢🔢🔢 *M 22 – Vedere Sicilia alla fine dell'elenco alfabetico.*

SANTA FRANCA *Parma – Vedere Polesine Parmense.*

Read carefully the introduction it is the key to the Guide.

ANT'AGATA FELTRIA 61019 Pesaro e Urbino 430 K 18 – 2 320 ab. alt. 607.
Roma 278 – Rimini 49 – Arezzo 77 – Forlì 63 – Sansepolcro 47.

✗ **Perlini,** piazza del Mercato 4 ℘ 0541 929637
chiuso settembre e sabato – **Pasto** carta 40/70000.

ANT'AGATA SUI DUE GOLFI 80064 Napoli 431 F 25 G. Italia – alt. 391 – a.s. aprile-settembre.
Dintorni Penisola Sorrentina★★ (circuito di 33 km) : ≤★★ su Sorrento dal capo di Sorrento
(1 h a piedi AR), ≤★★ sul golfo di Napoli dalla strada S 163.
Roma 266 – Napoli 55 – Castellammare di Stabia 28 – Salerno 56 – Sorrento 9.

🏠 **Sant'Agata,** via dei Campi 8/A ℘ 081 8080800, info@hotelsantagata.com,
Fax 081 5330749 – |≢|, ⊟ rist, 🆅 🅿. 🅰🅴 🆂 ⓞ 🆅🆂🅰. ⋘
15 marzo-ottobre – **Pasto** carta 30/45000 – ⇄ 10000 – **30 cam** 90/110000 – ½ P 95000.

✗✗✗ **Don Alfonso 1890** con cam, corso Sant'Agata 11 ℘ 081 8780026, donalfonso@syrene.it,
🕸🕸🕸 Fax 081 5330226, prenotare, ☞ – ⊟ 🆅 🅿. 🅰🅴 🆂 ⓞ 🆅🆂🅰. ⋘
chiuso 24-25 dicembre e dal 7 gennaio al 27 febbraio – **Pasto** (chiuso lunedì e martedì a
mezzogiorno da giugno a settembre, lunedì e martedì negli altri mesi) 130/170000 e carta
110/170000 – 5 suites ⇄ 320000
Spec. Naïf di coniglio e ciliege con salsa di agrumi e verbena (estate). Fusilli di casa al tonnetto
fresco, peperoncini verdi, origano e bottarga di tonno (estate). Impressionismo di crema e
zabaione al caffè.

SANT'AGNELLO 80065 Napoli 431 F 25 – 8 475 ab. – a.s. aprile-settembre.
🅱 a Sorrento, via De Maio 35 ℘ 081 8074033, Fax 081 8773397.
Roma 255 – Napoli 46 – Castellammare di Stabia 17 – Salerno 48 – Sorrento 2.

🏛 **Grand Hotel Cocumella** ⑤, via Cocumella 7 ℘ 081 8782933, hcocum@tin.it,
Fax 081 8783712, ☆, « Agrumeto, giardino ed ascensore per la spiaggia », ⅙, ≦s, ⌁,
🏖, ⋇ – |≢| ⊟ 🆅 🅿. – 🔬 550. 🅰🅴 🆂 ⓞ 🆐 🆅🆂🅰. ⋘
aprile-ottobre – **Pasto** al Rist. *La Scintilla* (chiuso a mezzogiorno dal 15 maggio ad agosto)
carta 75/120000 – **51 cam** ⇄ 470/680000, 4 suites – ½ P 420000.

🏠 **Caravel** ⑤, corso Marion Crawford 61 ℘ 081 8782955, info@hotelcaravel.com,
Fax 081 8071557, ≤ – |≢| ⊟ 🆅 🅿. 🅰🅴 🆂 ⓞ 🆐 🆅🆂🅰. ⋘
marzo-15 novembre – **Pasto** (solo per alloggiati) 30/60000 – **93 cam** ⇄ 270/320000 –
½ P 185000.

✗ **Il Capanno,** rione Cappuccini 58 ℘ 081 8782453, paolocapanno@tin.it, ☆ – 🅰🅴 🆂 🆐
🆅🆂🅰. ⋘
chiuso dal 15 dicembre a gennaio e lunedì; da giugno al 2 settembre aperto lunedì sera –
Pasto carta 45/75000.

SANT'AGOSTINO 44047 Ferrara 429 H 16 – 6 098 ab. alt. 15.
Roma 428 – Bologna 46 – Ferrara 23 – Milano 220 – Modena 50 – Padova 91.

✗✗ **Trattoria la Rosa,** via del Bosco 2 ℘ 0532 84098, Fax 0532 84098 – ⊟ 🅿. 🅰🅴 🆂 ⓞ 🆐
😋 🆅🆂🅰. ⋘
😊 chiuso dal 1° al 15 gennaio, dal 7 al 27 agosto, domenica sera, lunedì e da giugno ad agosto
anche sabato a mezzogiorno – **Pasto** carta 45/80000
Spec. Sformato di verdura con tartufi bianchi locali (settembre-dicembre). Tagliatelle di
mattarello con ragù di faraona. Terrina di cioccolato bianco e noci caramellate (estate).

SANTA LIBERATA Grosseto 430 O 15 – Vedere Porto Santo Stefano.

SANTA LUCIA DEI MONTI Verona – Vedere Valeggio sul Mincio.

SANTA MARGHERITA Cagliari 433 K 8 – Vedere Sardegna (Pula) alla fine dell'elenco alfabetico.

SANTA MARGHERITA LIGURE 16038 Genova 428 J 9 G. Italia – 10 990 ab. – a.s. 15 dicem-
bre-15 gennaio, Pasqua e giugno-settembre.
Dintorni Penisola di Portofino★★★ per la strada panoramica★★ Sud – Strada panoramica★★
del golfo di Rapallo Nord.
🅱 via XXV Aprile 2/b ℘ 0185 287485, Fax 0185 283034.
Roma 480 – Genova 40 – Milano 166 – Parma 149 – Portofino 5 – La Spezia 82.

🏠 **Imperiale Palace Hotel,** via Pagana 19 ℘ 0185 288991, info@hotelimperiale.com,
Fax 0185 284223, ≤ golfo, ☆, « Parco-giardino sul mare con ⌁ riscaldata », 🏖 – |≢| ⊟
🆅 🅿 – 🔬 200. 🅰🅴 🆂 ⓞ 🆐 🆅🆂🅰. ⋘
Pasqua-ottobre – **Pasto** carta 100/140000 – **90 cam** ⇄ 370/670000, 3 suites –
½ P 445000.

Gd H. Miramare, lungomare Milite Ignoto 30 ℰ 0185 287013, *miramare@grandhotel miramare.it*, Fax 0185 284651, ≤ golfo, 斧, « Parco fiorito e terrazza con ⤢ riscaldata »,
– 🛗 🗄 📺 🚗 – 🏊 400. 🖭 🕄 ⓪ 🌑 𝚅𝙸𝚂𝙰 𝙹𝙲𝙱. ❦ rist
Pasto 90000 – **80 cam** � 350/550000, 4 suites – ½ P 335000.

Metropole, via Pagana 2 ℰ 0185 286134, *hotel.metropole@metropole.* Fax 0185 283495, ≤, 斧, « Parco fiorito sul mare », 🛗 – 🛗 🗄 📺 🅿 – 🏊 80. 🖭 🕄 ⓪ 🌑 𝚅𝙸𝚂𝙰. ❦ rist
chiuso novembre – **Pasto** 60/70000 – **55 cam** ⊏ 165/330000, 2 suites – ½ P 210000.

Continental, via Pagana 8 ℰ 0185 286512, Fax 0185 284463, ≤ golfo, 斧, « Parco sul mare », 🛗 – 🛗, 🗄 rist, 📺 🚗 🅿. 🖭 🕄 ⓪ 🌑 𝚅𝙸𝚂𝙰. ❦ rist
chiuso dal 5 novembre al 23 dicembre – **Pasto** 60/80000 – **76 cam** ⊏ 210/365000 ½ P 220000.

Regina Elena, lungomare Milite Ignoto 44 ℰ 0185 287003, *h.regina.elena@reginaeler .it*, Fax 0185 284473, ≤ mare e costa, « Terrazza solarium con ⤢ riscaldata e idromassag gio », 🛗 – 🛗 🗄 📺 🅿 – 🏊 200. 🖭 🕄 ⓪ 𝚅𝙸𝚂𝙰. ❦ rist
Pasto carta 65/90000 – **108 cam** ⊏ 190/330000 – ½ P 215000.

Laurin senza rist, lungomare Marconi 3 ℰ 0185 289971, *info@laurinhotel.* Fax 0185 285709, ≤, « Terrazza solarium con ⤢ » – 🛗 🗄 📺. 🖭 🕄 ⓪ 🌑 𝚅𝙸𝚂𝙰
chiuso dal 10 gennaio al 10 marzo – **43 cam** ⊏ 195/280000.

Jolanda, via Luisito Costa 6 ℰ 0185 287513, *jolanda@promix.it*, Fax 0185 284763 – 🛗 🗄 📺. 🖭 🕄 ⓪ 🌑 𝚅𝙸𝚂𝙰. ❦ rist
chiuso novembre – **Pasto** (solo per alloggiati) 40/60000 – **47 cam** ⊏ 150/210000, 2 suites ½ P 140000.

Helios, via Gramsci 6 ℰ 0185 287471, *info@hotelhelios.com*, Fax 0185 284780, ≤ mare 🛗 – 🛗 🗄 📺 🚗. 🖭 🕄 ⓪ 🌑 𝚅𝙸𝚂𝙰 𝙹𝙲𝙱. ❦
chiuso dal 10 gennaio a marzo – **Pasto** al Rist. **La Darsena** (chiuso mercoledi) cart 60/100000 – ⊏ 30000 – **20 cam** 250/310000 – ½ P 230000.

Minerva 🔊, via Maragliano 34/d ℰ 0185 286073, *hminerva@tiscalinet.i* Fax 0185 281697 – 🛗 🗄 📺 👍 🚗. 🖭 🕄 ⓪ 🌑 𝚅𝙸𝚂𝙰. ❦
Pasto (solo per alloggiati e chiuso a mezzogiorno) 60000 – **33 cam** ⊏ 140/200000 ½ P 150000.

Tigullio et de Milan, viale Rainusso 3 ℰ 0185 287455, *hotel_tigullio_et_de_mila @newnetworks.it*, Fax 0185 281860 – 🛗, 🗄 rist, 📺. 🖭 🕄 ⓪ 𝚅𝙸𝚂𝙰. ❦ rist
chiuso dal 1° novembre al 25 dicembre – **Pasto** 35/45000 – **42 cam** ⊏ 170/230000 ½ P 160000.

Fiorina, piazza Mazzini 26 ℰ 0185 287517, *fiorinasml@libero.it*, Fax 0185 281855 – 🛗 📺. 🖭 🕄 ⓪ 🌑 𝚅𝙸𝚂𝙰. ❦
chiuso da novembre al 21 dicembre – **Pasto** (chiuso lunedi) carta 55/65000 – ⊏ 15000 – **55 cam** 130/165000 – ½ P 145000.

Fasce senza rist, via Bozzo 3 ℰ 0185 286435, *hotelfasce@hotelfasce.it*, Fax 0185 283580 – 📺 🅿. 🖭 🕄 ⓪ 🌑 𝚅𝙸𝚂𝙰. ❦
chiuso gennaio e febbraio – **16 cam** ⊏ 150/180000.

XX **La Stalla,** via G. Pino 27, frazione Nozarego Sud-Ovest : 2 km ℰ 0185 289447, Fax 0185 289447, prenotare, « Servizio estivo in terrazza con ≤ golfo del Tigullio » – 🅿. 🖭 🕄 ⓪ 🌑 𝚅𝙸𝚂𝙰 𝙹𝙲𝙱
chiuso novembre e lunedi – **Pasto** carta 100/135000 (10%).

XX **Le Cicale,** via San Lorenzo 60, località San Lorenzo della Costa (Ovest : 3 km) ℰ 0185 293284, « Servizio estivo in terrazza panoramica »
chiuso lunedi e a mezzogiorno escluso venerdi, sabato e domenica – **Pasto** carta 65/ 105000.

XX **Trattoria Cesarina,** via Mameli 2/c ℰ 0185 286059, prenotare – 🖭 🕄 ⓪ 𝚅𝙸𝚂𝙰
chiuso dal 20 dicembre a gennaio, martedi e in luglio-agosto anche a mezzogiorno – **Pasto** carta 60/120000.

XX **L'Approdo da Felice,** via Cairoli 26 ℰ 0185 281789, 斧, prenotare – 🗄. 🖭 🕄 ⓪ 🌑 𝚅𝙸𝚂𝙰
chiuso dal 10 al 27 dicembre, marzo, lunedi e martedi a mezzogiorno – **Pasto** carta 70/125000.

XX **Skipper,** calata del Porto 6 ℰ 0185 289950, ≤, 斧, Coperti limitati; prenotare – 🖭 🕄 ⓪ 🌑 𝚅𝙸𝚂𝙰
chiuso febbraio e mercoledi, in luglio-agosto i mezzogiorno di martedi-mercoledi – **Pasto** carta 60/90000.

XX **Oca Bianca,** via XXV Aprile 21 ℰ 0185 288411, Fax 0185 289411, Coperti limitati; prenotare – 🗄. 🖭 🕄 ⓪ 🌑 𝚅𝙸𝚂𝙰 𝙹𝙲𝙱. ❦
chiuso dal 7 gennaio al 13 febbraio, lunedi, a mezzogiorno (escluso venerdi-sabato-domenica), in luglio-agosto aperto solo la sera – **Pasto** solo piatti di carne carta 75/105000.

X **La Paranza,** via Ruffini 46 ℰ 0185 283686, Fax 0185 282339 – 🖭 🕄 ⓪ 🌑 𝚅𝙸𝚂𝙰
chiuso dal 10 al 25 novembre e lunedi – **Pasto** carta 55/105000.

ANTA MARIA (AUFKIRCHEN) *Bolzano – Vedere Dobbiaco.*

ANTA MARIA *Salerno* **431** *G 26 – Vedere Castellabate.*

ANTA MARIA AL BAGNO 73050 *Lecce* **431** *G 35.*
Roma 621 – Brindisi 85 – Gallipoli 10 – Lecce 31 – Taranto 87.

🏨 Gd H. Riviera, via E. Filiberto 172 ℰ 0833 573221, *Fax 0833 573024*, ≤, « Pineta », ⅃, 🐦,
※ – 🛗 🗏 📺 ⇐⇒ 🅿 – 🕍 200
stagionale – **105 cam.**

ANTA MARIA DEGLI ANGELI *Perugia* **430** *M 19 – Vedere Assisi.*

ANTA MARIA DELLA VERSA 27047 *Pavia* **428** *H 9 – 2 598 ab. alt. 216.*
Roma 554 – Piacenza 47 – Genova 128 – Milano 71 – Pavia 33.

XX **Sasseo**, località Sasseo 3 (Sud : 3 km) ℰ 0385 278349, *Fax 0385 278805,* ≤ colline e
vigneti, 🌤, prenotare, � – 🗏 🅿 🕅 👀 *VISA*
chiuso gennaio, lunedì e martedì a mezzogiorno – **Pasto** carta 70/90000.

XX **Al Ruinello**, località Ruinello Nord : 3 km ℰ 0385 798164, 🌤, Coperti limitati; prenotare
– 🗏 📺 🆎 🕅 ⓪ 👀 *VISA* *JCB*. ※
chiuso dal 6 al 17 gennaio, luglio, lunedì sera e martedì – **Pasto** carta 45/65000.

SANTA MARIA DEL MONTE *Chieti – Vedere Castiglione Messer Marino.*

SANTA MARIA DEL MONTE (Sacro Monte) *Varese* **428** *E 8,* **219** ⑦ *– Vedere Varese.*

SANTA MARIA DEL PIANO *Parma – Vedere Lesignano de' Bagni.*

SANTA MARIA DI LEUCA *Lecce* **431** *H 37 – Vedere Marina di Leuca.*

SANTA MARIA MADDALENA *Rovigo* **429** *H16 – Vedere Occhiobello.*

SANTA MARIA MAGGIORE 28857 *Verbania* **428** *D 7 – 1 224 ab. alt. 816 – a.s. luglio-agosto e*
Natale – Sport invernali : a Piana di Vigezzo : 1 610/2 064 m ≼ 1 ⅃ 2, ⅄.
🟦 *piazza Risorgimento 28* ℰ *0324 95091, Fax 0324 95091.*
Roma 715 – Stresa 50 – Domodossola 17 – Locarno 32 – Milano 139 – Novara 108 –
Torino 182.

🏨 **Miramonti**, piazzale Diaz 3 ℰ 0324 95013, *hall@miramontihotels.com, Fax 0324 94283,*
🌤 – 🛗 📺 🅿 – 🕍 50. 🆎 🕅 👀 *VISA*. ※ rist
chiuso novembre – **Pasto** carta 50/80000 – ⭸ 16000 – **31 cam** 85/150000 – ½ P 130000.

SANTA MARINA ALTA *Pesaro-Urbino* **429** , **430** *K 20 – Vedere Pesaro.*

SANTA MARINELLA 00058 *Roma* **430** *P 17 – 16 335 ab. – a.s. 15 giugno-agosto.*
🟦 *via Aurelia* ℰ *0766 537376, Fax 0766 536630.*
Roma 69 – Viterbo 67 – Lago di Bracciano 42 – Civitavecchia 10 – Ostia Antica 60.

🏨 **Cavalluccio Marino**, lungomare Marconi 64 ℰ 0766 534888, *Fax 0766 534866,* ≤, 🌤,
⅃, 🐦 – 🛗 🗏 📺 🅿 – 🕍 150. 🆎 🕅 ⓪ 👀 *VISA*
chiuso dal 20 dicembre al 6 gennaio – **Pasto** carta 50/100000 – **32 cam** ⭸ 200/220000 –
½ P 190000.

🏨 **Del Sole**, via Aurelia 164 ℰ 0766 511801, *hotsole@tin.it, Fax 0766 512193,* ≤, 🌤, 🐦 –
🛗 🗏 📺 🅿. 🆎 🕅 ⓪ 👀 *VISA*. ※ rist
Pasto carta 65/95000 – **28 cam** ⭸ 210/230000 – ½ P 170000.

X **Antica Trattoria dei Cacciatori dal 1884**, via della Conciliazione 1 ℰ 0766 511777 –
🆎 🕅 ⓪ 👀 *VISA*. ※
chiuso dal 20 dicembre a febbraio e mercoledì – **Pasto** carta 40/55000.

SANT'AMBROGIO DI VALPOLICELLA 37010 *Verona* **428** , **429** *F 14 – 9 364 ab. alt. 180.*
Roma 511 – Verona 20 – Brescia 65 – Garda 19 – Milano 152 – Trento 80 – Venezia 136.

XX **Groto de Corgnan**, via Corgnano 41 ℰ 045 7731372, *Fax 045 7731372,* Coperti limitati;
prenotare – 🕅 👀 *VISA*. ※
chiuso domenica e lunedì a mezzogiorno – **Pasto** carta 50/80000.

a San Giorgio *Nord-Ovest : 1,5 km –* ⊠ *37010 Sant'Ambrogio di Valpolicella :*

※ **Dalla Rosa Alda** ⏵ con cam, strada Garibaldi 4 ℘ 045 6800411, *alda@c-point-*
Fax 045 6801786, 🕽 – 📺 🖭 🕄 ⑩ 🐿 *VISA* 🥢 cam
chiuso gennaio – **Pasto** *(chiuso domenica sera e lunedì)* carta 45/75000 – ☷ 15000 – **8 cam**
90/130000 – ½ P 105000.

SANT'ANDREA *Livorno* 🖪🖪🖸 *N 12 – Vedere Elba (Isola d') : Marciana.*

SANT'ANDREA *Cagliari* 🖪🖪🖪 *J 9 – Vedere Sardegna (Quartu Sant'Elena) alla fine dell'elenc*
alfabetico.

SANT'ANDREA APOSTOLO DELLO IONIO *88066 Catanzaro* 🖪🖪🖥 *L 31 – 2 628 ab. alt. 310.*
Roma 615 – Reggio di Calabria 161 – Catanzaro 48 – Crotone 100.

sulla strada statale 106 *Est : 5 km :*

※ **Vediamoci da Mario,** ⊠ 88066 ℘ 0967 45080, 🕽, Rist. e pizzeria – 🥢
chiuso dal 20 settembre al 20 ottobre e lunedì – **Pasto** carta 40/60000.

SANT'ANDREA BAGNI *Parma* 🖪🖪🖪, 🖪🖪🖬 *H 12 – Vedere Medesano.*

SANT'ANGELO *Macerata* 🖪🖪🖸 *M 21 – Vedere Castelraimondo.*

SANT'ANGELO *Napoli* 🖪🖪🖥 *E 23 – Vedere Ischia (Isola d').*

SANT'ANGELO IN PONTANO *62020 Macerata* 🖪🖪🖸 *M 22 – 1 501 ab. alt. 473.*
Roma 192 – Ascoli Piceno 65 – Ancona 119 – Macerata 29.

※ **Pippo e Gabriella,** località contrada l'Immacolata 33 ℘ 0733 661120, *pippoegabriella@*
⇔ *bero.it –* 🅿. 🥢
chiuso dal 10 gennaio al 10 febbraio, dal 3 al 9 luglio e lunedì – **Pasto** carta 35/50000.

SANT'ANNA *Cuneo – Vedere Roccabruna.*

SANT'ANNA *Como – Vedere Argegno.*

SANT'ANTIOCO *Cagliari* 🖪🖪🖪 *J 7 – Vedere Sardegna alla fine dell'elenco alfabetico.*

SANT'ANTONIO DI MAVIGNOLA *Trento – Vedere Pinzolo.*

SANTARCANGELO DI ROMAGNA *47822 Rimini – 18 748 ab. alt. 42.*
🖪 *(maggio-settembre) via Cesare Battisti 5* ℘ *0541 624270.*
Roma 345 – Rimini 10 – Bologna 104 – Forlì 43 – Milano 315 – Ravenna 53.

🏨 **Della Porta** senza rist, via Andrea Costa 85 ℘ 0541 622152, Fax 0541 622168, 📻, 🕿 – 🛗
▤ 📺 🅿 – 🔏 80. 🖭 🕄 ⑩ 🐿 *VISA* 🎴
20 cam ☷ 130/220000, 2 suites.

※※ **Osteria la Sangiovesa,** via Saffi 27 ℘ 0541 620710, Fax 0541 620854, 🕽, « Ambiente
⇔ caratteristico » – ▤, 🖭 🕄 ⑩ 🐿 *VISA* 🎴. 🥢
chiuso Natale, 1° gennaio, lunedì e a mezzogiorno – **Pasto** carta 45/70000.

SANTA REPARATA *Sassari* 🖪🖪🖪 *D 9 – Vedere Sardegna (Santa Teresa Gallura) alla fine dell'elenco*
alfabetico.

SANTA RUFINA *Rieti* 🖪🖪🖸 *O 20 – Vedere Cittaducale.*

SANTA SOFIA *47018 Forlì-Cesena* 🖪🖪🖬, 🖪🖪🖸 *K 17 – 4 235 ab. alt. 257.*
Roma 291 – Rimini 87 – Firenze 89 – Forlì 41 – Perugia 125.

a Corniolo *Sud-Ovest : 15 km – alt. 589 –* ⊠ *47010 :*

🏠 **Leonardo** ⏵, località Lago ℘ 0543 980015, *hotel.leonardo@dada.it,* 📻, 🥢 – 📺 🅿 🕄
🐿 *VISA*
Pasto carta 40/55000 – ☷ 15000 – **19 cam** 90/100000 – ½ P 100000.

SANTA TECLA Catania 432 O 27 – Vedere Sicilia (Acireale) alla fine dell'elenco alfabetico.

SANTA TERESA GALLURA Sassari 433 D 9 – Vedere Sardegna alla fine dell'elenco alfabetico.

SANTA VITTORIA D'ALBA 12069 Cuneo 428 H 5 – 2 520 ab. alt. 346.
Roma 655 – Cuneo 55 – Torino 57 – Alba 10 – Asti 37 – Milano 163.

🏨 **Castello di Santa Vittoria** ⌂, via Cagna 4 ℘ 0172 478198, Fax 0172 478465, ≤, ℩₅, ⌧, ☞ – ☰ 🆅 🄿 – 🔥 150. 🆀 🆂 ⓪ ⓿ 𝓥𝓘𝓢𝓐
chiuso gennaio e febbraio – **Pasto** vedere rist **Al Castello** – 40 cam ☲ 120/200000 – ½ P 135000.

🍴🍴 **Al Castello**, via Cagna 4 ℘ 0172 478147, Fax 0172 478465, « Servizio estivo in terrazza panoramica » – 🄿 🆀 🆂 ⓪ ⓿ 𝓥𝓘𝓢𝓐. 🛇
chiuso gennaio e mercoledì a mezzogiorno – **Pasto** carta 65/95000.

SANT'ELIA Palermo 432 N 25 – Vedere Sicilia (Santa Flavia) alla fine dell'elenco alfabetico.

SANT'ELIA FIUMERAPIDO 03049 Frosinone 430 R 23 – 6 430 ab. alt. 120.
Roma 137 – Frosinone 59 – Cassino 7 – Gaeta 54 – Isernia 55.

🏨 **Cirelli**, via Chiusanova ℘ 0776 429801, hotelcirelli@libero.it, Fax 0776 350003, 🏤 – ☰ ▤ 🆅 🕭 🄿 – 🔥 80. 🆀 🆂 ⓪ ⓿ 𝓥𝓘𝓢𝓐. 🛇
chiuso dal 23 dicembre al 3 gennaio – **Pasto** (chiuso sabato) carta 30/55000 – **38 cam** ☲ 85/120000 – ½ P 110000.

SANT'ELPIDIO A MARE 63019 Ascoli Piceno 430 M 23 – 15 308 ab. alt. 251.
Roma 267 – Ancona 49 – Ascoli Piceno 85 – Macerata 33 – Pescara 123.

🍴 **Il Melograno**, corso Baccio 15 (trasferimento previsto in via Gherardini) ℘ 0734 858088 – 🆂 ⓿ 𝓥𝓘𝓢𝓐
chiuso martedì e in agosto anche a mezzogiorno – **Pasto** carta 35/50000.

SANTENA 10026 Torino 428 H 5 – 10 237 ab. alt. 237.
Roma 651 – Torino 20 – Asti 37 – Cuneo 89 – Milano 162.

🍴 **Andrea** con cam, via Torino 48 ℘ 011 9492783, Fax 011 9493257 – ☰ 🆅 🄿. 🆀 🆂 ⓿ 𝓥𝓘𝓢𝓐. 🛇 cam
chiuso dal 30 luglio al 20 agosto – **Pasto** (chiuso martedì) carta 45/60000 – **12 cam** ☲ 85/120000 – ½ P 85000.

SAN TEODORO Nuoro 433 E 11 – Vedere Sardegna alla fine dell'elenco alfabetico.

SAN TERENZIANO Perugia 430 N 19 – Vedere Gualdo Cattaneo.

SANT'EUFEMIA DELLA FONTE Brescia – Vedere Brescia.

SANT'EUFEMIA LAMEZIA Catanzaro 431 K 30 – Vedere Lamezia Terme.

SANT'ILARIO D'ENZA 42049 Reggio nell'Emilia 428, 429 H 13 – 9 575 ab. alt. 58.
Roma 444 – Parma 12 – Bologna 82 – Milano 134 – Verona 113.

🏨 **Forum**, via Roma 4/A ℘ 0522 671480, info@forumhotel.it, Fax 0522 671475 – ☰ ▤ 🆅 ዄ 🚗 🄿 – 🔥 80. 🆀 🆂 ⓪ ⓿ 𝓥𝓘𝓢𝓐 𝓙𝓒𝓑. 🛇 rist
chiuso da Natale al 2 gennaio e dal 1° al 22 agosto – **Pasto** (chiuso lunedì) carta 40/70000 – ☲ 12000 – **54 cam** ☲ 110/160000 – ½ P 120000.

🍴🍴 **Prater**, via Roma 39 ℘ 0522 672375, prater@internetpiù.com, Fax 0522 671236 – ▤ 🄿. 🆀 🆂 ⓪ ⓿ 𝓥𝓘𝓢𝓐 𝓙𝓒𝓑. 🛇
chiuso dal 1° al 25 agosto e mercoledì – **Pasto** carta 50/75000.

SANT'OLCESE 16010 Genova 428 I 8 – 6 312 ab. alt. 327.
Roma 515 – Genova 21 – Alessandria 79 – Milano 140.

🍴 **Agnese**, via Vicomorasso 22 (Sud : 1 km) ℘ 010 709895, ristorante.agnese@tin.it, Fax 010 709759, ☞ – ☰ 🆅 🄿. 🆂 ⓿ 𝓥𝓘𝓢𝓐
chiuso dal 2 al 30 novembre – **Pasto** carta 50/70000.

SANT'OMOBONO IMAGNA *24038 Bergamo* [428] E 10, [219] ⑩ – *3 128 ab. alt. 498.*
Roma 625 – Bergamo 23 – Lecco 39 – Milano 68.

🏨 **Villa delle Ortensie** 🐌, viale alle Fonti 117 ☎ 035 851114, *info@villaortensie.com Fax 035 851148*, ←, 🏋, 🏊, [🏋], 🌲 – [|‡|] 🚭 ▤ [TV] ♿ [P] – 🏛 . [AE] [$] ● [MC] [VISA]. 🐕 rist
chiuso dall'11 gennaio al 19 marzo – **Pasto** 40/60000 – **31 cam** ☕ 140/270000 – ½ P 145000.

🍴 **Posta,** viale Vittorio Veneto 169 ☎ 035 851134, *Fax 035 851134* – [AE] [$] ● [MC] [VISA]
chiuso dal 1° al 15 luglio e martedì (escluso dal 15 luglio al 15 settembre) – **Pasto** 65000 e carta 55/85000.

🍴 **Taverna 800,** località Mazzoleni ☎ 035 851162, ⛱, « Ambiente rustico » – [AE] [$] ● [MC] [VISA] [JCB]
chiuso martedì – **Pasto** carta 45/75000.

SANTO STEFANO AL MARE *18010 Imperia* [428] K 5 – *2 189 ab..*
Roma 628 – Imperia 18 – Milano 252 – San Remo 12 – Savona 83 – Torino 193.

🍴 **La Riserva,** via Roma 51 ☎ 0184 484134, *Fax 0184 484134*, ⛱, « Ambiente caratteristico » – [AE] [$] ● [MC] [VISA]
chiuso domenica sera e lunedì (escluso agosto), da maggio a settembre solo lunedì – **Pasto** 70000 e carta 65/105000.

SANTO STEFANO DI CADORE *32045 Belluno* [429] C 19 – *2 907 ab. alt. 908.*
Roma 653 – Cortina d'Ampezzo 45 – Belluno 62 – Lienz 78 – Villach 146 – Udine 104.

🏨 **Monaco Sport Hotel,** via Lungo Piave 60 ☎ 0435 420440, *monacosporthotel@dolomiti.it, Fax 0435 62218*, ← – [|‡|] [TV] 🚗 [P]. [AE] [$] ● [MC] [VISA]. 🐕
chiuso dal 4 novembre al 7 dicembre e dal 14 aprile al 3 maggio – **Pasto** *(chiuso domenica sera e lunedì)* carta 40/50000 – ☕ 15000 – **26 cam** 110/140000 – ½ P 135000.

SANTO STEFANO DI MAGRA *19037 La Spezia* [428], [429] J 11 – *8 278 ab. alt. 51.*
Roma 402 – La Spezia 12 – Genova 96 – Pisa 66 – Parma 104.

a Ponzano Superiore *Est : 5 km – alt. 303 – ✉ 19037 Santo Stefano di Magra :*

🍴 **La Trigola** 🐌 con cam, via Gramsci 63 ☎ 0187 630292, *Fax 0187 696015*, ⛱, 🌳 – [|‡|] [TV] [P]. [AE] [$] ● [MC] [VISA]
Pasto *(chiuso lunedì escluso da luglio a settembre)* carta 40/70000 – ☕ 12000 – **13 cam** 100/130000 – ½ P 95000.

SAN TROVASO *Treviso – Vedere Preganziol.*

SANTUARIO *Vedere nome proprio del santuario.*

SAN VALENTINO ALLA MUTA (ST. VALENTIN AUF DER HAIDE) *39020 Bolzano* [428], [429] B 13, [218] ⑧ – *alt. 1 488 – Sport invernali : 1 520/2 649 m* 🚡 2 ⛷ 12, ⛷.
[i] *via Principale ☎ 0473 634603, Fax 0473 634713.*
Roma 733 – Sondrio 133 – Bolzano 96 – Milano 272 – Passo di Resia 10 – Trento 154.

🏨 **Stocker,** via Principale 42 ☎ 0473 634632, *g.stocker@rolmail.net, Fax 0473 634668*, ←, 🌳 – [TV] [P]. [AE] [$] ● [MC] [VISA]. 🐕
16 dicembre-aprile e giugno-13 ottobre – **Pasto** *(chiuso lunedì)* 30/50000 – **34 cam** ☕ 90/145000, 3 suites – ½ P 100000.

SAN VIGILIO DI MAREBBE (ST. VIGIL ENNEBERG) *39030 Bolzano* [429] B 17 *G. Italia – alt. 1 201 – Sport invernali : Plan de Corones : 1 201/2 273 m* 🚡 12 ⛷ 19, ⛷.
[i] *Ciasa Dolomites, via al Plan 97 ☎ 0474 501037, Fax 0474 501566.*
Roma 724 – Cortina d'Ampezzo 54 – Bolzano 87 – Brunico 18 – Milano 386 – Trento 147.

🏨 **Almhof-Hotel Call,** via Plazores 8 ☎ 0474 501043, *Fax 0474 501569*, ← monti, Centro benessere, 🏊, [🏋], 🌳 – [|‡|] [TV] [P]. [$] [MC] [VISA]. 🐕
dicembre-17 aprile e giugno-20 ottobre – **Pasto** 45/120000 – **46 cam** ☕ 180/320000, 8 suites – ½ P 175000.

🏨 **Excelsior** 🐌, via Valiares 44 ☎ 0474 501036, *excelsior.call@dnet.it, Fax 0474 501655*, ← Alpi di Sennes e Fanes, 🏊, 🌳 – [|‡|], 🚭 rist, ▤ rist, [TV] [P]. [AE] [$] ● [MC] [VISA]. 🐕 rist
7 dicembre-17 aprile e 16 giugno-7 ottobre – **Pasto** 40/90000 – **31 cam** ☕ 190/380000 – ½ P 210000.

Al Sole, via Catarina Lanz 8 ℘ 0474 501012, *hotel@sonnen-hof.com*, Fax 0474 501704, ≼ – ⁑, ↳↵ rist, ≣ rist, ⁑ ⁑. ⁑ cam
dicembre-aprile e luglio-ottobre – **Pasto** carta 40/90000 – **21 cam** ⊃ 165/250000 – ½ P 170000.

Monte Sella, strada Caterina Lanz 7 ℘ 0474 501034, *info@monte-sella.com*, Fax 0474 501714, ≼, « Elegante casa di inizio secolo », ⁑, ⁑ – ⁑, ↳↵ rist, ⁑ ⁑. ⁑ ⁑. ⁑ rist
dicembre-Pasqua e 15 giugno-settembre – **Pasto** (solo per alloggiati) – **30 cam** ⊃ 160/280000 – ½ P 180000.

Les Alpes, via Valiares 37 ℘ 0474 501080, Fax 0474 501630, ≼ monti, ⁑ – ⁑, ≣ rist, ⁑ ⁑ *stagionale* – **29 cam**.

Floralp ⁑, Strada Plan de Corones 31 (Nord-Ovest 1 km) ℘ 0474 501115, Fax 0474 501633, ≼ Alpe di Fanes, ⁑, ⁑, ⁑, ⁑ – ⁑ ⁑ ⁑ ⁑ ⁑ ⁑ ⁑ ⁑. ⁑
dicembre-22 aprile e 23 giugno-10 ottobre – **Pasto** (solo per alloggiati) 35/60000 – **32 cam** ⊃ 105/240000 – ½ P 145000.

Tabarel, via Catarina Lanz 28 ℘ 0474 501210, Fax 0474 506578, Rist. con enoteca e bistrot – ≣. ⁑ ⁑ ⁑ ⁑
dicembre-aprile e giugno-novembre – **Pasto** 40/65000 e carta 60/85000.

SAN VINCENZO 57027 Livorno ⁑⁑⁑ M 13 *G. Toscana* – *6 823 ab.* – *a.s. 15 giugno-15 settembre.*
🛈 *via Beatrice Alliata 2 ℘ 0565 701533, Fax 0565 706914.*
Roma 260 – Firenze 146 – Grosseto 73 – Livorno 60 – Piombino 21 – Siena 109.

Park Hotel I Lecci ⁑, via della Principessa 116 (Sud : 1,7 km) ℘ 0565 704111, Fax 0565 703224, ⁑, « Grande parco sul mare con ⁑ e ⁑ », ⁑, ⁑, ⁑ – ⁑ ≣ ⁑ ⁑ ⁑ – ⁑ 160. ⁑ ⁑ ⁑ ⁑ ⁑. ⁑
chiuso novembre e dicembre – **Pasto** al Rist. *La Campigiana* (chiuso a mezzogiorno da gennaio a marzo) carta 55/105000 – **74 cam** ⊃ 280/490000 – ½ P 300000.

Riva degli Etruschi ⁑, via della Principessa 120 (Sud : 2,5 km) ℘ 0565 702351, *info@rivadeglietruschi.it*, Fax 0565 704011, « Villette in un grande parco sul mare », ⁑ riscaldata, ⁑, ⁑ – ⁑ ⁑ ⁑ ⁑ ⁑. ⁑
Pasto 50/60000 – ⊃ 18000 – **95 cam** 210/290000 – ½ P 320000.

Kon Tiki, via Umbria 2 ℘ 0565 701714, Fax 0565 705014, ⁑, ⁑ – ≣ ⁑ ⁑ ⁑ ⁑ ⁑ ⁑ ⁑ ⁑. ⁑
Pasto (aprile-settembre) carta 40/70000 – **25 cam** ⊃ 150/220000 – ½ P 185000.

Il Delfino senza rist, via Cristoforo Colombo 15 ℘ 0565 701179, Fax 0565 701383, ≼, ⁑ – ⁑ ≣ ⁑ ⁑. ⁑ ⁑. ⁑
– **40 cam** ⊃ 180/240000.

Lo Scoglietto, senza rist, via del Corallo 7 ℘ 0565 701614, *loscoglietto@info.it*, Fax 0565 704432, ⁑, ⁑ – ⁑ ⁑ ⁑. ⁑ ⁑ ⁑ ⁑ ⁑. ⁑
31 cam ⊃ 150/200000.

Il Pino, via della Repubblica 19 ℘ 0565 701649, Fax 0565 701649, ⁑, ⁑, ⁑ – ⁑ ≣ ⁑ ⁑ ⁑. ⁑ ⁑ ⁑. ⁑
Pasqua-10 ottobre – **Pasto** carta 35/50000 – ⊃ 15000 – **25 cam** 130/200000 – ½ P 170000.

La Coccinella senza rist, via Indipendenza 1 ℘ 0565 701794, Fax 0565 701794, ⁑, ⁑, ⁑ – ⁑ ⁑ ⁑. ⁑ ⁑ ⁑. ⁑
20 aprile-settembre – **27 cam** ⊃ 100/195000.

Gambero Rosso, piazza della Vittoria 13 ℘ 0565 701021, Fax 0565 704542, ≼, Coperti limitati; prenotare – ≣. ⁑ ⁑ ⁑ ⁑ ⁑. ⁑
chiuso dal 30 ottobre al 13 dicembre, lunedì e martedì – **Pasto** 140/170000 e carta 130/180000
Spec. Insalata di petto di piccione alle spezie. Ravioli di pomodori, burro e Parmigiano. Dentice con cipolle e pomodori verdi.

La Bitta, via Vittorio Emanuele II 119 ℘ 0565 704080, Fax 0565 704080, ≼, ⁑ – ⁑ ⁑ ⁑ ⁑ ⁑. ⁑
chiuso dal 15 novembre al 15 dicembre, lunedì, a mezzogiorno dal 15 giugno al 15 settembre, anche domenica sera negli altri mesi. – **Pasto** specialità di mare carta 80/100000 (10 %).

Il Bucaniere, viale Marconi ℘ 0565 705555, ≼, « In riva al mare » –
giugno-settembre; chiuso martedì e a mezzogiorno – **Pasto** carta 60/70000.

sulla strada per San Carlo *Est : 2 km :*

Dal Conte, strada San Bartolo 23/A ⊠ 57027 ℘ 0565 705430, ≼ San Vincenzo e dintorni, prenotare – ⁑. ⁑ ⁑ ⁑ ⁑
chiuso febbraio, novembre, da lunedì a giovedì da dicembre a marzo e a mezzogiorno (escluso domenica) – **Pasto** specialità toscane carta 55/95000.

SAN VITO *Livorno* [430] F 4 – *Vedere San Vincenzo.*

SAN VITO AL TAGLIAMENTO *33078 Pordenone* [429] E 20 – *12 970 ab. alt. 31.*

Roma 600 – Udine 42 – Belluno 89 – Milano 339 – Trieste 109 – Venezia 89.

🏨 **Patriarca,** via Pascatti 6 ☎ 0434 875555, *patriarca@friulalberghi.it, Fax 0434 875353* – ⇕ ▤ [TV] ☎ ♿ – 🎤 50. [AE] [S] ⓓ [MC] [VISA]. 🚫🐕 rist
Pasto carta 35/60000 (8 %) – ☕ 15000 – **28 cam** 100/155000, suite – ½ P 125000.

a Rosa *Nord-Est : 2,5 km* – ✉ *33078 San Vito al Tagliamento :*

🍴🍴 **Griglia d'Oro,** via della Dogna 2 ☎ 0434 80301, *Fax 0434 82842,* ☂, prenotare – [P]. [AE] [S] ⓓ [MC] [VISA]. 🚫🐕
chiuso dal 26 dicembre al 6 gennaio, dal 5 al 31 agosto, domenica sera e martedì – **Pasto** specialità alla griglia carta 50/80000.

SAN VITO DI CADORE *32046 Belluno* [429] C 18 *G. Italia – 1 730 ab. alt. 1 010.*

[i] *via Nazionale 9 ☎ 0436 9119, Fax 0436 99345.*

Roma 661 – Cortina d'Ampezzo 11 – Belluno 60 – Milano 403 – Treviso 121 – Venezia 150.

🏨 **Ladinia** 🐦, via Ladinia 14 ☎ 0436 890450, *ladinia@sunrise.it, Fax 0436 99211,* < Dolomiti e pinete, 🏋, ♨, 🏊, 🌳, 🎾 – ⇕ [TV] [P]. [S] [MC] [VISA]. 🚫🐕
20 dicembre-20 aprile e 15 giugno-15 settembre – **Pasto** 40/50000 – ☕ 20000 – **36 cam** 195/320000, 8 suites – ½ P 225000.

🏨 **Dolomiti,** via Roma 33 ☎ 0436 890184, *Fax 0436 890184,* <, 🌳 – ⇕ [TV] 🚗 [P]. [S] ⓓ [MC] [VISA]. 🚫🐕
20 dicembre-Pasqua e 20 giugno-20 settembre – **Pasto** carta 30/50000 – **30 cam** ☕ 150/240000 – ½ P 130000.

🏨 **Nevada,** corso Italia 26 ☎ 0436 890400, *nevadah@tin.it, Fax 0436 890400* – ⇕ [TV]. [AE] [S] ⓓ [MC] [VISA]. 🚫🐕
chiuso maggio e novembre – **Pasto** 30/50000 – ☕ 10000 – **31 cam** 80/150000 – ½ P 140000.

🍴 **Rifugio Larin,** località Senes Ovest : 3 km ☎ 0436 9112, < valle e dolomiti, ☂, 🌳 – [P]. [AE] [S] [VISA]
15 giugno-settembre – **Pasto** carta 35/60000.

SAN VITO DI LEGUZZANO *36030 Vicenza* [429] E 16 – *3 312 ab. alt. 158.*

Roma 540 – Verona 67 – Bassano del Grappa 38 – Padova 62 – Trento 70 – Venezia 97 – Vicenza 20.

🍴🍴 **Antica Trattoria Due Mori** con cam, via Rigobello 39 ☎ 0445 671635, *Fax 0445 511611* – ▤ [TV] 🚗 [P]. [AE] [S] ⓓ [VISA]
chiuso agosto – **Pasto** *(chiuso lunedì)* carta 45/55000 – ☕ 20000 – **10 cam** 80/110000.

SAN VITO LO CAPO *Trapani* [432] M 20 – *Vedere Sicilia alla fine dell'elenco alfabetico.*

SAN VITTORE DEL LAZIO *03040 Frosinone* [430] R 23 – *2 680 ab. alt. 210.*

Roma 137 – Frosinone 62 – Caserta 62 – Gaeta 65 – Isernia 38 – Napoli 91.

🍴 **All'Oliveto,** via Passeggeri ☎ 0776 335226, *Fax 0776 335447,* « Servizio estivo all'aperto con < colli e vallata » – ▤ [P]. [AE] [S] ⓓ [MC] [VISA]. 🚫🐕
Pasto specialità di mare carta 50/70000.

SAN VITTORE OLONA *20028 Milano* [428] F 8, [219] ⑱ – *7 130 ab. alt. 197.*

Roma 593 – Milano 24 – Como 37 – Novara 39 – Pavia 58.

🍴🍴 **Locanda della Pesa,** piazza Italia 20/24 ☎ 0331 420002, *Fax 0331 420002* – ▤. [AE] [S] ⓓ [VISA]
chiuso agosto, lunedì e martedì – **Pasto** carta 55/70000.

SAN ZENO DI MONTAGNA *37010 Verona* [428], [429] F 14 – *1 225 ab. alt. 590.*

[i] *(giugno-settembre) via Cà Montagna ☎ 045 7285076.*

Roma 544 – Verona 46 – Garda 17 – Milano 168 – Riva del Garda 48 – Venezia 168.

🏨 **Diana** 🐦, via Cà Montagna 54 ☎ 045 7285113, *Fax 045 7285775,* <, « Boschetto-giardino », 🏊, 🎾 – ⇕ [TV] [P]. [S] [MC] [VISA]. 🚫🐕
Pasqua-ottobre – **Pasto** 35/45000 – **53 cam** ☕ 150000 – ½ P 95000.

SAN ZENONE DEGLI EZZELINI 31020 Treviso **429** E 17 – 6 345 ab. alt. 117.

Roma 551 – Padova 53 – Belluno 71 – Milano 247 – Trento 96 – Treviso 39 – Venezia 89 – Vicenza 43.

XX **Alla Torre**, località Sopracastello Nord : 2 km ℘ 0423 567086, *allatorre@tiscalinet.it*, Fax 0423 567086, « Servizio estivo sotto un pergolato con ≤ » – **P**. **AE** **S** **①** **MO** **VISA** **JCB**. chiuso dal 1° al 15 novembre, martedì e mercoledì a mezzogiorno – **Pasto** 25/50000 (a mezzogiorno) 60/80000 (alla sera) e carta 55/90000.

SAONARA 35020 Padova **429** F 17 – 8 717 ab. alt. 10.

Roma 498 – Padova 15 – Chioggia 35 – Milano 245 – Padova 12 – Venezia 40.

X **Antica Trattoria al Bosco**, via Valmarana 13 ℘ 049 640021, Fax 049 8790841, « Servizio estivo sotto un pergolato » – **P**. **AE** **S** **①** **MO** **VISA** **JCB**. **Pasto** carta 55/80000.

SAPPADA 32047 Belluno **429** C 20 – 1 411 ab. alt. 1 250 – Sport invernali : 1 250/2 032 m ✠ 10, ✦. **B** via Bach 20 ℘ 0435 469131, Fax 0435 66233.

Roma 680 – Udine 92 – Belluno 79 – Cortina d'Ampezzo 66 – Milano 422 – Tarvisio 110 – Venezia 169.

血 **Haus Michaela**, borgata Fontana 40 ℘ 0435 469377, *hmichaela@sunrise.it*, Fax 0435 66131, ≤ monti, **Ⅰ₅**, **≘s**, **⃒**, riscaldata, **☞** – **⃒** **TV** **P**. **S** dicembre-20 marzo e 26 maggio-settembre – **Pasto** (solo per alloggiati) 35/50000 – ⌷ 13000 – **18 cam** 120/160000, 4 suites – ½ P 145000.

血 **Corona Ferrea**, borgata Kratten 11/12 ℘ 0435 469103, Fax 0435 469103, ≤, **☞** – **⃒** **TV** **P**. **S** **MO** **VISA**. 20 dicembre-marzo e luglio-settembre – **Pasto** 30/50000 – ⌷ 12000 – **20 cam** 70/130000 – ½ P 115000.

血 **Posta**, via Palù 22 ℘ 0435 469116, Fax 0435 469577, ≤, **≘s** – **TV** **P**. **AE**. dicembre-aprile e giugno-settembre – **Pasto** carta 40/60000 – ⌷ 10000 – **17 cam** 80/160000 – ½ P 125000.

血 **Cristina** ⤞, borgata Hoffe 19 ℘ 0435 469430, *hotelcri@sunrise.it*, Fax 0435 469711, ≤ – **TV** **P**. **AE** **S** **①** **MO** **VISA**. chiuso maggio e novembre – **Pasto** (chiuso lunedì escluso dicembre, luglio ed agosto) carta 40/65000 – ⌷ 15000 – **10 cam** 110/160000 – ½ P 135000.

血 **Claudia** senza rist, borgata Fontana 38 ℘ 0435 66241, Fax 0435 66242 – **⃒** **TV** **P**. **AE** **S** **MO** **VISA**. 20 dicembre-15 aprile e 20 giugno-15 settembre – **13 cam** ⌷ 130/160000.

a Cima Sappada Est : 4 km – alt. 1 295 – ⊠ 32047 Sappada :

血 **Belvedere**, ℘ 0435 469112, *hotelbelvedere@dolomiti.it*, Fax 0435 469112, ≤, **Ⅰ₅**, **≘s** – **⃒** **TV** **P**. **S** **MO** **VISA**. dicembre-Pasqua e 20 giugno-20 settembre – **Pasto** (solo per alloggiati) 40/45000 – ⌷ 15000 – **14 cam** 95/170000 – ½ P 150000.

血 **Bellavista** ⤞, via Cima 35 ℘ 0435 469175, *info@albergobellavista.com*, Fax 0435 66194, ≤ monti e vallata – **⃒** **TV** **P**. **MO** **VISA**. dicembre-15 aprile e 15 giugno-settembre – **Pasto** (chiuso martedì) carta 40/50000 – ⌷ 15000 – **24 cam** 130/200000 – ½ P 135000.

SAPRI 84073 Salerno **431** G 28 – 7 126 ab. – a.s. luglio-agosto.

Escursioni Golfo di Policastro★★ Sud per la strada costiera.

Roma 407 – Potenza 131 – Castrovillari 94 – Napoli 201 – Salerno 150.

血 **Mediterraneo**, via Verdi ℘ 0973 391774, *htlmediterraneo@tiscali.net*, Fax 0973 391774, ≤, **☞** – **TV** **P**. **AE** **S** **①** **MO** **VISA**. maggio-settembre – **Pasto** carta 40/65000 – ⌷ 12000 – **20 cam** 120/140000 – ½ P 115000.

血 **Tirreno**, corso Italia 73 ℘ 0973 391006, *hoteltirreno@libero.it*, Fax 0973 391157, **Ⅰ₆** – **⃒** **TV** **P**. **S** **☞** rist **Pasto** (giugno-settembre) carta 30/60000 – ⌷ 12000 – **44 cam** 90/140000 – ½ P 120000.

X **Lucifero**, corso Garibaldi 1 trav. ℘ 0973 603033, Rist. con pizzeria serale – **▤**. **AE** **S** **①** **MO** **VISA**. chiuso dall'8 al 20 gennaio e mercoledì – **Pasto** carta 35/70000.

SARDEGNA (Isola) **433** – Vedere alla fine dell'elenco alfabetico.

SARENTINO (SARNTHEIN) 39058 Bolzano **429** C 16 – 6 588 ab. alt. 966.

Roma 662 – Bolzano 23 – Milano 316.

XX **Bad Schörgau** ♨ con cam, Sud : 2 km ℰ 0471 623048, bad.schoergau@rolmail.ne
Fax 0471 622442, « Servizio estivo all'aperto », 🖚 – 📺 �P. 👁 *VISA*. ✵ rist
Pasto carta 60/100000 – **12 cam** ☲ 95/190000 – ½ P 140000.

X **Auener Hof** ♨ con cam, via Prati 21 (Ovest : 7 km, alt. 1 600) ℰ 0471 623055, auenerho
@dnet.it, Fax 0471 623055, ← Dolomiti e pinete, 🏤, Turismo equestre, 🖚 – �P. 👁 👁 ①
👁❾ *VISA*. ✵ rist
Pasto (chiuso dal 10 gennaio al 6 febbraio e lunedì) specialità di selvaggina carta 45/75000 –
7 cam ☲ 80/120000 – ½ P 95000.

SARNANO 62028 Macerata **430** M 21 – 3 409 ab. alt. 539 – Stazione termale, a.s. 5 luglio-agosto e
Natale – Sport invernali : a Sassotetto e Maddalena : 539/1 650 m ≤ 5.
🔼 largo Enrico Ricciardi ℰ 0733 657144, Fax 0733 657343.
Roma 237 – Ascoli Piceno 54 – Ancona 89 – Macerata 39 – Porto San Giorgio 68.

🏠 **Eden** ♨, via De Gasperi 26 (Ovest : 1 km) ℰ 0733 657197, hotel_den@yahoo.it
Fax 0733 657123, ←, « Giardino e pinetina » – 🛗 📺 �P. 👁 👁 ① 👁❾ *VISA*. ✵
chiuso dal 1° febbraio al 15 marzo – **Pasto** (chiuso mercoledì) 35000 – **33 cam** ☲ 75/
100000 – ½ P 85000.

Per l'inserimento in **guida,**
Michelin *non accetta*
né favori, né denaro!

SARNICO 24067 Bergamo **428** , **429** E 11 – 5 804 ab. alt. 197.
🔼 via Lantieri 5 ℰ 035 910900, Fax 035 910900.
Roma 585 – Bergamo 28 – Brescia 36 – Iseo 10 – Lovere 26 – Milano 73.

XX **Al Desco,** piazza XX Settembre 19 ℰ 035 910740, Fax 035 910740, 🏤 – 👁 👁 ① 👁❾ *VISA*
❀ ✵
chiuso gennaio, lunedì e martedì a mezzogiorno – **Pasto** solo specialità di pesce carta
70/100000
Spec. Gamberi di laguna sgusciati con polenta. Spiedini di calamaretti alla brace. Pescatrice
con cavatelli nel coccio, pomodoro fresco e basilico.

XX **Al Tram,** via Roma 1 ℰ 035 910117, Fax 035 4425050, « Servizio estivo all'aperto » – �P. 👁
👁❾ *VISA*. ✵
chiuso mercoledì escluso dal 15 giugno al 15 settembre – **Pasto** 45/55000 bc e carta
50/75000.

SARNTHEIN = Sarentino.

SARONNO 21047 Varese **428** F 9 – 36 959 ab. alt. 212.
🔼 Green Club, a Lainate ⊠ 20020 ℰ 02 9371076, Fax 02 9374401, Sud : 6 km.
Roma 603 – Milano 26 – Bergamo 67 – Como 26 – Novara 54 – Varese 29.

🏠🏠 **Albergo della Rotonda,** via Novara 53 svincolo autostrada
ℰ 02 96703232 e rist. ℰ 02 96703593, Fax 02 96702770 – 🛗 🖃 📺 🕭 🖚 �P – 🔏 150. 👁
👁 ① 👁❾ *VISA*. ✵ rist
chiuso dal 22 dicembre all'8 gennaio e dal 27 luglio al 27 agosto – **Pasto** al Rist. **Mezzaluna**
(chiuso sabato) carta 60/90000 – **92 cam** ☲ 330/460000.

🏠🏠 **Cyrano** senza rist, via IV Novembre 11/13 ℰ 02 96700081, Fax 02 96704513 – 🛗 🖃 📺 🕭
🖚 – 🔏 40. 👁 👁 ① 👁❾ *VISA*. ✵
40 cam ☲ 185/250000.

🏠 **Mercurio** senza rist, via Hermada 2 ℰ 02 9602795, Fax 02 9609330 – 🛗 🖃 📺 🖚. 👁 👁
① 👁❾ *VISA* *JCB*
chiuso dal 14 al 16 agosto e dal 24 dicembre al 1°gennaio – **24 cam** ☲ 100/150000.

SARRE 11010 Aosta **428** E 3, **219** ② G. Italia – 4 059 ab. alt. 780.
Roma 752 – Aosta 7 – Courmayeur 32 – Milano 190 – Colle del Piccolo San Bernardo 50.

🏠🏠 **Etoile du Nord,** frazione Arensod 11/a ℰ 0165 258219, info@etoiledunord.it,
Fax 0165 258225, ← monti – 🛗 🖃 📺 🕭 �P – 🔏 130. 👁 👁 ① 👁❾ *VISA*. ✵
Pasto (chiuso novembre, domenica sera e lunedì) carta 40/80000 – **59 cam** ☲ 130/200000
– ½ P 135000.

🏨 **Panoramique** 🦫, località Pont d'Avisod 32 (Nord-Est : 2 km) 𝒫 0165 551246, *Fax 0165 552747*, ⟨ monti e vallata, 🍽 – 📶 📺 🔥 🅿, 🅰🅴 🆂 🎴 💳 𝑉𝐼𝑆𝐴, ⚹ *chiuso novembre –* **Pasto** *(chiuso a mezzogiorno)* 35000 – ⧓ 13000 – **31 cam** 105/140000 – ½ P 110000.

a Bellun *Ovest : 9 km – alt. 1385 –* ✉ *11010 Sarre :*

🏠 Mont Fallère 🦫, 𝒫 0165 257255, *Fax 0165 257255*, ⟨ monte Grivola e vallata – 📶 📺 🔥 🅿, *stagionale –* **12 cam**, suite.

SARTEANO *53047 Siena* 🗺️ *N 17 G. Toscana – 4 498 ab. alt. 573.*
   Roma 156 – Perugia 60 – Orvieto 51 – Siena 81.

🍴🍴 **Santa Chiara** 🦫 con cam, piazza Santa Chiara 30 𝒫 0578 265412, *conventosantachiara @tiscalinet.it*, *Fax 0578 266849*, ⟨, prenotare, « In un convento del 16° secolo-servizio estivo in giardino », 🍽 – 🅿, 🅰🅴 🆂 🎴 🎴 💳 𝑉𝐼𝑆𝐴 𝐽𝐶𝐵, ⚹ rist
   chiuso novembre – **Pasto** *(chiuso martedì)* carta 60/90000 – **10 cam** ⧓ 230000, suite – ½ P 180000.

SARZANA *19038 La Spezia* 🗺️ 🗺️ 🗺️ *J 14 G. Italia – 20 017 ab. alt. 27.*
   Vedere Pala scolpita★ e crocifisso★ nella Cattedrale – Fortezza di Sarzanello★ : ⚹★★ *Nord-Est : 1 km.*
   Roma 403 – La Spezia 16 – Genova 102 – Massa 20 – Milano 219 – Pisa 60 – Reggio nell'Emilia 148.

🍴🍴 **Taverna Napoleone,** via Mascardi 16 𝒫 0187 627974, *taverna.napoleone@libero.it*, prenotare – 🅰🅴 🆂 🎴 💳 𝑉𝐼𝑆𝐴
   chiuso dal 20 al 28 settembre e mercoledì – **Pasto** carta 60/105000.

🍴 **La Giara,** via Bertoloni 35 𝒫 0187 624013, prenotare. 🅰🅴 🆂 🎴 💳 𝑉𝐼𝑆𝐴 𝐽𝐶𝐵
   chiuso martedì e mercoledì a mezzogiorno – **Pasto** carta 45/60000.

SASSARI 🅿 🗺️ *E 7 – Vedere Sardegna alla fine dell'elenco alfabetico.*

SASSELLA *Sondrio – Vedere Sondrio.*

SASSELLO *17046 Savona* 🗺️ *I 7 – 1 781 ab. alt. 386.*
   Roma 559 – Genova 65 – Alessandria 67 – Milano 155 – Savona 28 – Torino 150.

🏨 **Pian del Sole,** località Pianferioso 23 𝒫 019 724255, *info@hotel_piandelsole.com*, *Fax 019 720038* – 📶, 🍽 rist, 📺 🚗 🅿 – 🔒 60. 🆂 💳 𝑉𝐼𝑆𝐴, ⚹ rist
   chiuso dal 5 al 31 gennaio – **Pasto** *(chiuso lunedì)* carta 35/60000 – **32 cam** ⧓ 90/140000 – ½ P 100000.

SASSETTA *57020 Livorno* 🗺️ *M 13 – 626 ab. alt. 337 – a.s. 15 giugno-15 settembre.*
   Roma 279 – Grosseto 77 – Livorno 64 – Piombino 40.

🍴 **Il Castagno,** via Campagna Sud 72 (Sud : 1 km) 𝒫 0565 794219, 🏡 – 🅿, ⚹
   chiuso lunedì – **Pasto** carta 30/60000.

SASSO MARCONI *40037 Bologna* 🗺️ 🗺️ *I 15 – 13 629 ab. alt. 124.*
   Roma 361 – Bologna 16 – Firenze 87 – Milano 218 – Pistoia 78.

🍴🍴 **Marconi,** via Porrettana 291 𝒫 051 846216, *Fax 051 846216* – 🅿, 🅰🅴 🆂 🎴 💳 𝑉𝐼𝑆𝐴, ⚹
   chiuso agosto, domenica sera e lunedì – **Pasto** specialità di mare 70000 e carta 60/100000.

🍴🍴 **La Rupe,** via Porrettana 557 𝒫 051 841322, *Fax 051 841322* – 📺 🅿, 🅰🅴 🆂 🎴 💳 𝑉𝐼𝑆𝐴, ⚹
   chiuso dall'8 gennaio al 13 febbraio e giovedì – **Pasto** carta 65/105000.

🍴 Locanda Del Castello, via Palazzo de' Rossi 16 (Nord-Est : 3 km) 𝒫 051 6781172 – 🅿.

a Mongardino *Nord-Ovest : 6 km – alt. 369 –* ✉ *40044 Pontecchio Marconi :*

🍴🍴 **Antica Trattoria la Grotta,** via Tignano 3 𝒫 051 6755110, *Fax 051 6755110*, prenotare – 🅿, 🅰🅴 🆂 🎴 💳 𝑉𝐼𝑆𝐴, ⚹
   chiuso dall'8 gennaio al 13 febbraio, mercoledì e giovedì a mezzogiorno – **Pasto** carta 50/65000.

I prezzi	Per ogni chiarimento sui prezzi riportati in guida, consultate le pagine dell'introduzione.

SATURNIA *58050 Grosseto* 🔢 *O 16 G. Toscana – alt. 294 – Stazione termale.*
Roma 195 – Grosseto 57 – Orvieto 85 – Viterbo 91.

🏨 **Bagno Santo** ⌂, località Pian di Cataverna Est : 3 km ℘ 0564 601320, *Fax 0564 601346*
⪢ *monti e colline* – 🔲 📺 **P**. **AE** 🚫 ⓞ ⑩ **VISA**. ✳
marzo-ottobre – **Pasto** *(chiuso mercoledì)* carta 50/65000 – **14 cam** 🖙 180/200000 –
1/2 P 130000.

🏠 **Villa Clodia** ⌂ senza rist, via Italia 43 ℘ 0564 601212, *Fax 0564 601305*, ⪡, 🔄, 🌳 – 🔲
📺. 🚫 **VISA**. ✳
chiuso dal 10 al 20 dicembre – **10 cam** 🖙 100/160000.

🏠 **Villa Garden** ⌂ senza rist, Sud : 1 km ℘ 0564 601182, *Fax 0564 601182*, ⪡, 🌳 – 📺 **P**.
AE 🚫 ⓞ ⑩ **VISA**. ✳
chiuso dal 10 al 20 gennaio – **9 cam** 🖙 160/200000, suite.

✕✕ **I Due Cippi-da Michele,** piazza Veneto 26/a ℘ 0564 601074, *Fax 0564 601207*, 🏡 – **AE**
🚫 ⓞ ⑩ **VISA**. ✳
chiuso dal 10 al 24 gennaio e martedì (escluso da luglio a settembre) – **Pasto** carta
50/80000.

alle terme *Sud-Est : 3 km :*

🏨 **Terme di Saturnia** ⌂, via della Follonata ℘ 0564 601061, *info@termedisaturnia.it*
Fax 0564 601266, ⪡, Centro benessere, « Giardino ombreggiato », 🔄, 🚇, 🔄 termale, ✳
⫯ – 🔳, ✲ rist, 🔲 📺 📞 **P** – 🔬 70. **AE** 🚫 ⓞ ⑩ **VISA**. ✳ rist
Pasto *(chiuso lunedì)* 75000 – **90 cam** 🖙 400/700000, 8 suites – 1/2 P 390000.

✕✕ **La Stellata Osteria del Bagno,** ⌂ con cam, località Pian del Bagno Sud : 2 km
℘ 0564 602978, *Fax 0564 602934*, ⪡, 🏡, 🌳 – 📺 **P**. **AE** 🚫 ⓞ ⑩ **VISA**. ✳ rist
Pasto *(chiuso a mezzogiorno)* carta 45/60000 – 🖙 10000 – **13 cam** 200000 – 1/2 P 140000.

SAURIS *33020 Udine* 🔢 *C 20 – 422 ab. alt. 1 390 – a.s. 15 luglio-agosto e Natale – Sport invernali :*
1 200/1 450 m ⛷5, ⛸.
Roma 723 – Udine 84 – Cortina d'Ampezzo 102.

✕ **Alla Pace,** via Sauris di Sotto 92, località Sauris di Sotto ℘ 0433 86010, *allapace@libero.it*,
Fax 0433 86220, prenotare – **VISA**
chiuso dal 10 al 28 giugno e mercoledì escluso da luglio al 10 settembre – **Pasto** carta
45/65000.

SAUZE D'OULX *10050 Torino* 🔢 *G 2 – 1 037 ab. alt. 1 509 – a.s. febbraio-marzo e Natale – Sport*
invernali : 1 509/2 507 m ⛷16, ⛸.
🅱 *piazza Assietta 18 ℘ 0122 858009, Fax 0122 850497.*
Roma 746 – Briançon 37 – Cuneo 145 – Milano 218 – Sestriere 27 – Susa 28 – Torino 81.

a Le Clotes *5 mn di seggiovia o E : 2 km (solo in estate) – alt. 1 790 –* ⌧ *10050 Sauze d'Oulx :*

🏨 **Il Capricorno** ⌂, via Case Sparse 21 ℘ 0122 850273, *Fax 0122 850055*, ⪡ *monti e*
vallate, 🏡, « In pineta » – 📺. 🚫 ⑩ **VISA**. ✳ cam
chiuso da aprile al 15 giugno e dal 15 settembre al 1° dicembre – **Pasto** *(prenotare)* carta
65/110000 – **7 cam** 🖙 250/300000 – 1/2 P 240000.

SAVELLETRI *72010 Brindisi* 🔢 *E 34 – a.s. 20 giugno-agosto.*
Roma 509 – Bari 65 – Brindisi 54 – Matera 92 – Taranto 55.

✕✕ **Da Renzina,** piazza Roma 6 ℘ 080 4829075, *Fax 080 4829075*, ⪡, « Servizio estivo in
terrazza sul mare » – 🔲 **P**. **AE** 🚫 ⓞ ⑩ **VISA** **JCB**
chiuso gennaio e giovedì – **Pasto** carta 50/80000.

sulla strada litoranea *Sud-Est : 2,5 km:*

🏨 **Masseria San Domenico** ⌂, località Petolecchia ⌧ 72010 ℘ 080 4827990, *masserias*
andomenico@puglianet.it, Fax 080 4827978, « In un'antica masseria del '400 tra ulivi seco-
lari », 🔄, 🚇, 🔄, 🌳, ✳ – 🔲 📺 📞 **P** – 🔬 150. **AE** 🚫 ⓞ ⑩ **VISA**. ✳
chiuso sino a marzo – **Pasto** *(chiuso martedì)* carta 70/115000 – **50 cam** 🖙 240/500000,
suite – 1/2 P 270000.

Donnez-nous votre avis sur les restaurants que nous
recommandons,
leurs spécialités, leurs vins de pays.

SAVIGLIANO 12038 Cuneo 🔢 I 4 – 19 767 ab. alt. 321.
Roma 650 – Cuneo 33 – Torino 54 – Asti 63 – Savona 104.

🏠 **Granbaita,** via Cuneo 25 ℘ 0172 711500, gran.baita@isiline.it, Fax 0172 711518, 🔟, 🚗,
🍴 – 🖥 📺 🕭 🅿 – 🛄 100. 🖭 🕏 ⓞ 🐵 𝕍𝕀𝕊𝔸 𝙹𝙲𝙱
Pasto vedere rist **Granbaita** – 🖵 15000 – **67 cam** 115/145000, 2 suites.

🍴🍴 **Granbaita,** via Cuneo 23 ℘ 0172 712060 – 🖥 🅿. 🖭 🕏 ⓞ 🐵 𝕍𝕀𝕊𝔸
🕭 chiuso domenica sera – **Pasto** carta 35/65000.

SAVIGNANO SUL PANARO 41056 Modena 🔢, 🔢 I 15 – 8 263 ab. alt. 102.
Roma 394 – Bologna 29 – Milano 196 – Modena 26 – Pistoia 110 – Reggio nell'Emilia 52.

🍴🍴 **Il Formicone,** verso Vignola Sud-Ovest : 1 km ℘ 059 771506 – 🅿. 🖭 🕏 ⓞ 𝕍𝕀𝕊𝔸
chiuso dal 27 dicembre al 6 gennaio, luglio e martedì – **Pasto** carta 55/90000.

SAVIGNO 40060 Bologna 🔢, 🔢 I 15 – 2 568 ab. alt. 259.
Roma 394 – Bologna 39 – Modena 40 – Pistoia 80.

🍴 **Trattoria da Amerigo,** via Marconi 16 ℘ 051 6708326, cibovino@amerigo1934.it,
🕭 Fax 051 6708528, 🌡, prenotare – 🖭 🕏 ⓞ 🐵 𝕍𝕀𝕊𝔸
chiuso a mezzogiorno (escluso i giorni festivi), lunedì e da gennaio a maggio anche martedì
– **Pasto** 50/70000 e carta 45/80000
Spec. Tigelline con Parmigiano fuso e in scaglie all'aceto balsamico tradizionale. Cordonetti
(pasta) neri con spugnole (marzo-giugno). Guancia di vitella brasata al Barbera con purè e
cipolla croccante.

In questa guida

uno stesso simbolo, una stessa parola
stampati in rosso o in nero, in magro o in **grassetto**
hanno un significato diverso.

Leggete attentamente le pagine dell'introduzione.

SAVIGNONE 16010 Genova 🔢 I 8 – 100 ab. alt. 471.
Roma 514 – Genova 27 – Alessandria 60 – Milano 124 – Piacenza 126.

🏠 **Palazzo Fieschi,** piazza della Chiesa 14 ℘ 010 9360063, fieschi@busalla.it,
Fax 010 936821, « Dimora patrizia cinquecentesca con un grande giardino » – 📲 📺 🕭 🅿 –
🛄 90. 🖭 🕏 ⓞ 🐵 𝕍𝕀𝕊𝔸 𝙹𝙲𝙱. 🍴
chiuso dal 25 dicembre al 25 gennaio – **Pasto** (chiuso martedì) carta 55/100000 – **21 cam**
🖵 180/220000 – ½ P 215000.

SAVOGNA D'ISONZO 34070 Gorizia – 1 740 ab. alt. 40.
Roma 639 – Udine 40 – Gorizia 5 – Trieste 29.

a San Michele del Carso Sud-Ovest : 4 km – ✉ 34070 :

🍴🍴 **Trattoria Gostilna Devetak,** via San Michele del Carso 48 ℘ 0481 882005, info@devet
🕭 ak.com, Fax 0481 882488, 🌡, 🚗 – 🍴 🖥 🅿 – 🛄 25. 🖭 🕏 ⓞ 🐵 𝕍𝕀𝕊𝔸 𝙹𝙲𝙱. 🍴
chiuso febbraio o luglio, lunedì e martedì – **Pasto** cucina carsolina 70/75000 bc e carta
45/55000.

SAVONA 17100 🅿 🔢 J 7 G. Italia – 62 459 ab..
🚹 via Guidobono 23 ℘ 019 8402321, Fax 019 8403672.
A.C.I. via Guidobono 23 ℘ 019 807669.
Roma 545 ② – Genova 48 ② – Milano 169 ②.

Pianta pagina seguente

🏠 **Mare,** via Nizza 89/r ℘ 019 264065, marehtl@tin.it, Fax 019 263277, ≤, ♨, 🚗 – 📲 📺 🕭
🚗 🅿 – 🛄 80. 🖭 🕏 ⓞ 🐵 𝕍𝕀𝕊𝔸 𝙹𝙲𝙱 AY **c**
Pasto vedere rist **A Spurcacciun-a** – 🖵 15000 – **65 cam** 145/240000, 8 suites.

🍴🍴 **A Spurcacciun-a** - Hotel Mare, via Nizza 89/r ℘ 019 264065, Fax 019 263277, ≤, preno-
🕭 tare, « Servizio estivo in giardino » – 🖥 🅿. 🖭 🕏 ⓞ 🐵 𝕍𝕀𝕊𝔸 𝙹𝙲𝙱 AY **c**
chiuso dal 24 dicembre al 24 gennaio e mercoledì – **Pasto** specialità di mare 110000,
160000 bc e carta 65/130000
Spec. Cocotte di riccio all'uovo di quaglia. Mandilli (pasta fresca) al nero di seppia con
gamberi, zucchine e pistilli di zafferano. Insalatina tiepida di gamberi al vapore in salsa
gazpacho.

SAVONA

Astengo (Via) .... BY 2
Bigliati (Corso) .... CV 3
Bixio (Via) .... BX 4
Boselli (Via P.) .... BY 5
Brandale (Piazza del) .. CY 6
Brignoni (Via) .... BY 7
Cavour (Via) .... BY 10
Corsi (Via) .... BZ
Diaz (Piazza A.) .... CY 14
Duomo (Piazza) .... CY 15
Famagosta (Via) ...... BX 17
Ferrari (Corso) .... CV 18
Genova (Via) .... CV 20
Gentile (Via) .... CV 21
Giulio II (Piazza) ...... CZ 22

Giuria (Via P.) .... CZ 24
Gramsci (Via A.) ...... CY 25
Guidobono (Via) ...... BZ 26
Italia (Corso) .... BCY
Mameli (Piazza G.) .... BY 27
Matteotti (Via) .... CV 28
Matteotti
  (Lung. Giacomo) ... CV 29
Mazzini (Corso G.) .... CV 31
Mille (Via dei) .... CY 32
Minzoni (Via Don G.) .. BX 34
Mistrangelo (Via) ..... CY 35
Montenotte (Via) ...... BZ 36
Naz. del Piemonte
  (Via) .... BV 38
Paleocapa (Via) .... BCY 41
Pia (Via) .... CY 42
Pirandello (Via) .... BX 45
Saffi (Piazza A.) ...... BX 47
Salomone (Via) .... CV 48
S. Lorenzo (Via) ...... BX 50
Sisto IV (Piazza) ...... CY 51
Svizzera (Corso) ...... AY 53
Tardy e Benech
  (Corso) .... BZ 55
Torino (Via) .... BX 56
Turati (Via F.) .... CX 57
Venezia (Via) .... BY 59
Verdi (Via G.) .... BX 60
Verzellino (Via) .... BZ 62
Viglienzoni (Corso) .... BZ 65
Vittime di Brescia (V.) . BX 66
Vittorio Veneto (Via) .. BX 67
4 Novembre (Via) ..... BY 68
20 Settembre (Via) .... BZ 70

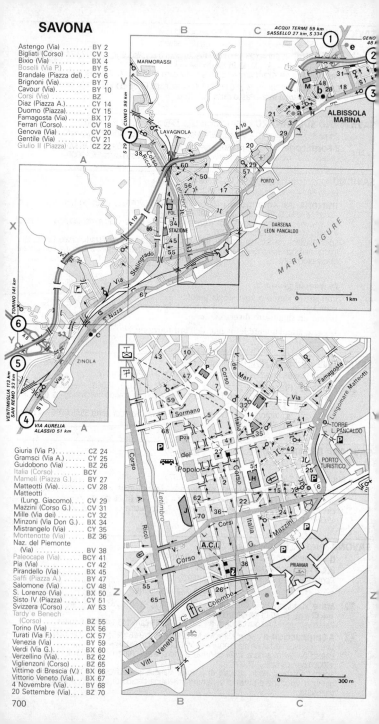

SCAGLIERI *Livorno* 430 N 12 – *Vedere Elba (Isola d') : Portoferraio.*

SCALEA 87029 Cosenza 431 H 29 – *9 886 ab..*
Roma 428 – Cosenza 87 – Castrovillari 72 – Catanzaro 153 – Napoli 222.

🏨 **Grand Hotel De Rose** ⤬, lungomare Mediterraneo ℘ 0985 20273, *info@hotelderose.it*,
Fax 0985 920194, ≤, « ⌁ in giardino pensile », ⤬, ※ – 🛗 🗏 📺 **P** – 🔏 200. 🅰🅴 ① 🐼
🆅🆂🅰. ※ rist
15 marzo-15 novembre – **Pasto** carta 45/65000 – ⊄ 10000 – **66 cam** 200/240000 –
1/2 P 200000.

🏨 **Talao**, Corso Mediterraneo 66 ℘ 0985 20444, Fax 0985 20927, ≤, ⌁, ⤬, ※ – 🛗 🗏 📺 **P** –
🔏 45. 🅰🅴 ① 🐼 🆅🆂🅰. ※ rist
Pasto *(chiuso dal 5 gennaio a febbraio e dal 10 novembre al 10 dicembre)* 30000 – **45 cam**
⊄ 100/180000 – 1/2 P 140000.

✗ **La Rondinella**, via Vittorio Emanuele III 21 ℘ 0985 91360, *la.rondinel@tiscainet.it*,
Fax 0985 91360, 🍽 – 🗏. 🅰🅴 🕃 ① 🐼 🆅🆂🅰. ※
chiuso domenica da ottobre ad aprile – **Pasto** carta 35/60000.

SCALTENIGO *Venezia* 429 F 18 – *Vedere Mirano.*

SCANDIANO 42019 Reggio nell'Emilia 428, 429, 430 I 14 – *22 689 ab. alt. 95.*
Roma 426 – Parma 51 – Bologna 64 – Milano 162 – Modena 23 – Reggio nell'Emilia 13.

🏨 **Sirio** senza rist, via Palazzina 32 ℘ 0522 981144, Fax 0522 984084 – 🛗 🗏 📺 ⤜. 🅰🅴 🕃 ①
🐼 🆅🆂🅰
chiuso Natale, Capodanno e dal 7 al 23 agosto – **32 cam** ⊄ 90/130000.

ad Arceto *Nord-Est : 3,5 km –* ⊠ *42010 :*

✗✗ **Rostaria al Castello**, via Pagliani 2 ℘ 0522 989157, Fax 0522 989157, 🍽, Coperti
limitati; prenotare – 🗏 **P**. 🅰🅴 🕃 ① 🐼 🆅🆂🅰 🅹🅲🅱. ※
chiuso dal 9 al 17 gennaio, dal 25 giugno al 2 luglio, lunedì, martedì e sabato a mezzogiorno
– **Pasto** carta 70/110000.

sulla strada statale 467 *Nord-Ovest : 4 km :*

✗✗ **Bosco**, via Bosco 133 ⊠ 42019 ℘ 0522 857242, Fax 0522 856191 – 🗏 **P**. 🅰🅴 🕃 ① 🐼 🆅🆂🅰.
※
chiuso dal 27 dicembre al 10 gennaio, dal 30 luglio al 27 agosto, lunedì sera e martedì –
Pasto carta 55/85000.

SCANDOLARA RIPA D'OGLIO 26047 Cremona 428, 429 G 12 – *644 ab. alt. 47.*
Roma 528 – Brescia 50 – Cremona 15 – Parma 68.

✗✗✗ **Al Caminetto** via Umberto I, 26 ℘ 0372 89589, Fax 0372 89589, 🍽, Coperti limitati;
prenotare – 🗏. 🅰🅴 🕃 ① 🐼 🆅🆂🅰. ※
ॐ *chiuso dal 7 al 15 gennaio, dal 1° al 25 agosto, lunedì e martedì* – **Pasto** carta 65/95000
Spec. Terrina di fegato grasso d'oca all'aceto di lamponi. Piccoli cannelloni al ripieno di
ostriche e crema di gamberi. Scaloppa di storione in salsa di capperi con indivia belga.

SCANNO 67038 L'Aquila 430 Q 23 *G. Italia– 2 161 ab. alt. 1 050.*
Vedere *Lago di Scanno*★ *Nord-Ovest : 2 km.*
Dintorni *Gole del Sagittario*★★ *Nord-Ovest : 6 km.*
🛈 *piazza Santa Maria della Valle 12 ℘ 0864 74317, Fax 0864 747121.*
*Roma 155 – Frosinone 99 – L'Aquila 101 – Campobasso 124 – Chieti 87 – Pescara 98 –
Sulmona 31.*

🏨 **Garden**, ℘ 0864 74382, *chghna@tin.it*, Fax 0864 747488, 🌿 – 🛗 📺 **P**. 🅰🅴 🕃 ① 🐼 🆅🆂🅰.
※
20 dicembre-10 gennaio, Pasqua e luglio-settembre – **Pasto** *(chiuso mercoledì)* 40/50000 –
⊄ 15000 – **30 cam** 90/140000, 5 suites – 1/2 P 125000.

🏨 **Miramonti** ⤬, ℘ 0864 74369, Fax 0864 74417, ≤ – 🛗 📺 ⤜ **P** – 🔏 200. 🅰🅴 🕃 ① 🐼
🆅🆂🅰.
Pasto carta 35/55000 – ⊄ 15000 – **47 cam** 100/120000 – 1/2 P 120000.

🏨 **Vittoria** ⤬, via Domenico di Rienzo 46 ℘ 0864 74398, Fax 0864 747179, ≤ – 🛗 🖐 📺
⤜ 🕃 ① 🐼 🆅🆂🅰. ※
20 dicembre-10 gennaio, Pasqua e maggio-ottobre – **Pasto** carta 45/60000 – ⊄ 20000 –
27 cam 90/130000 – 1/2 P 130000.

🏠 **Grotta dei Colombi**, viale dei Caduti 64 ℰ 0864 74393, grottadeicolombi@tiscalinet.i
Fax 0864 74393, ≤, 🛱 – 🔟 🅿. 🆎 🗗 🐠 🐠 🚾. 🕸 rist
chiuso novembre – **Pasto** (chiuso mercoledi) carta 30/40000 – 😅 8000 – **16 cam** 60/85000
– ½ P 80000.

✗ **Lo Sgabello**, via Pescatori 45 ℰ 0864 747476 – 🅿. 🆎 🗗 🛈 🐠 🚾. 🕸
chiuso mercoledi escluso da giugno a settembre – **Pasto** carta 35/45000.

al lago Nord : 3 km :

🏠 **Del Lago** ⑳, viale del Lago 202 ⌂ 67038 ℰ 0864 74343, Fax 0864 747651, ≤, In riva al
lago – 🔟 🅿. 🆎 🗗 🛈 🐠 🚾 🄵🄲🄱. 🕸
20 dicembre-10 gennaio e Pasqua-15 ottobre – **Pasto** (chiuso mercoledi escluso luglio
agosto) carta 45/70000 – 😅 15000 – **24 cam** 100/130000 – ½ P 110000.

🏠 **Park Hotel**, ⌂ 67038 ℰ 0864 74624, park-hote-scanno@tin.it, Fax 0864 74608, ≤ lago
🐭, 🕸 – 🛗 🔟 🚗 🅿 – 🔬 100. 🆎 🗗 🛈 🐠 🚾 🄵🄲🄱. 🕸
20 dicembre-10 gennaio, Pasqua e giugno-settembre – **Pasto** carta 30/40000 – **65 cam**
😅 85/130000 – ½ P 110000.

SCANSANO 58054 Grosseto 430 N 16 – 4 428 ab. alt. 500.
Roma 180 – Grosseto 29 – Civitavecchia 114 – Viterbo 98.

🏠 **Antico Casale** ⑳, località Castagneta Sud-Est : 3 km ℰ 0564 507219, Fax 0564 507805,
≤, « In campagna, servizio estivo in terrazza e maneggio », �──🟰 cam, 🔟 🅿. 🆎 🗗 🛈
🐠 🚾. 🕸
chiuso dal 15 gennaio a febbraio – **Pasto** carta 45/60000 (10%) – **31 cam** 😅 155/260000,
5 suites – ½ P 180000.

✗✗ **La Cantina**, via della Botte 1 ℰ 0564 507605, Fax 0564 599237, Rist. con enoteca. 🗗 🐠
🚾
chiuso dal 15 gennaio all'11 febbraio, dal 12 novembre al 2 dicembre e martedi escluso
agosto – **Pasto** carta 50/85000.

SCANZANO IONICO 75020 Matera 431 G 32 – 6 393 ab. alt. 14.
Roma 483 – Matera 63 – Potenza 125 – Taranto 64.

🏨 **Miceneo Palace Hotel**, strada provinciale per Montalbano Ionico ℰ 0835 953200,
Fax 0835 953044, 🏊, �──🛗🟰🔟 ﴾, 🅿 – 🔬 300. 🆎 🗗 🛈 🐠 🚾 🄵🄲🄱. 🕸
Pasto carta 40/60000 – **41 cam** 😅 100/140000, 5 suites – ½ P 130000.

SCAPEZZANO Ancona 430 K 21 – Vedere Senigallia.

SCARLINO 58020 Grosseto 430 N 14 – 3 066 ab. alt. 230.
Roma 231 – Grosseto 43 – Siena 91 – Livorno 97.

✗✗ **Da Balbo**, via Roma 8 ℰ 0566 37204, 🛱 – 🗗 🐠 🚾. 🕸
chiuso ottobre e martedi – **Pasto** carta 40/60000 (10%).

SCARMAGNO 10010 Torino 428 F 5, 219 ⑭ – 709 ab. alt. 278.
Roma 681 – Torino 39 – Aosta 76 – Biella 53 – Vercelli 56.

🏠 **Arcadia**, via Romano 27 ℰ 0125 739243, Fax 0125 739444, 🛱 – 🛗🟰🔟 ﴾ 🅿 – 🔬 80. 🆎
🗗 🛈 🐠 🚾. 🕸 rist
Pasto al Rist. **L'Arciere** carta 40/75000 – **38 cam** 😅 130/170000.

SCARPERIA 50038 Firenze 429 K 16, 430 K 16 – 6 436 ab. alt. 292.
Roma 293 – Firenze 30 – Bologna 90 – Pistoia 65.

✗✗ **Fattoria Il Palagio** con cam, viale Dante 99/101 ℰ 055 846376, Fax 055 846255,
« Fattoria settecentesca con parco » – 🟰 🅿. 🆎 🗗 🛈 🐠 🚾. 🕸
chiuso dal 2 al 25 agosto – **Pasto** carta 50/65000 – **4 cam** 😅 90/140000.

SCENA (SCHENNA) 39017 Bolzano 429 B 15, 218 ⑩ – 2 661 ab. alt. 640.
🄳 piazza Erzherzog 1/D ℰ 0473 945669, Fax 0473 945581.
Roma 670 – Bolzano 33 – Merano 5 – Milano 331.

Pianta : vedere Merano.

🏨 **Hohenwart** ⑳, via Verdines 5 ℰ 0473 945629, info@hohenwart.com, Fax 0473 945996,
≤ monti e vallata, 🛱, Centro Benessere, « Giardino con 🏊 », 🎇, ☎, 🏊, 🕸 – 🛗, 🟰 rist,
🔟 🅿 – 🔬 35. 🗗 🐠 🚾
chiuso dal 4 al 18 dicembre e dal 10 gennaio al 15 marzo – **Pasto** carta 55/75000 – **57 cam**
😅 230/450000, 5 suites – ½ P 240000.
B h

Starkenberg, via Verdinser 10 𝒫 0473 945665, Fax 0473 945583, ≤ monti e vallata, « Giardino con 🏊 », Ⅰ𝕤, ≅s, 🔲 – 🛗 📺 ⇔ 🄿
B n
stagionale – 45 cam.

Gutenberg 🏖, via Ifinger 14 (Nord : 1 km) 𝒫 0473 945950, gutenberg@schenna.com, Fax 0473 945511, ≤, Ⅰ𝕤, ≅s, 🔲, 🈂 – 🛗 📺 🄿 🕃 🐵 𝑉𝐼𝑆𝐴, 🎇 rist
B v
chiuso dal 6 gennaio al 17 febbraio e dal 10 novembre al 22 dicembre – **Pasto** (solo per alloggiati) – 25 cam ⇌ 115/260000 – ½ P 150000.

Schlosswirt, via Castello 2 𝒫 0473 945620, Fax 0473 945538, ≤, 🏛, 🏊 riscaldata, 🈂 –
🛗 📺 🄿, 🄰🄴 🕃 🐵 𝑉𝐼𝑆𝐴
B u
chiuso gennaio e febbraio – **Pasto** carta 65/110000 – **29 cam** ⇌ 100/200000 –
½ P 130000.

CHEGGINO 06040 Perugia 𝟺𝟹𝟶 N 20 – 482 ab. alt. 367.
Roma 131 – Terni 28 – Foligno 58 – Rieti 45.

Del Ponte con cam, via Borgo 11 𝒫 0743 61253, Fax 0743 61131, 🈂 – 📺 🄿, 🄰🄴 🕃 🐵
chiuso dal 1° al 15 settembre – **Pasto** (chiuso lunedì) carta 30/70000 – ⇌ 5000 – **16 cam**
60/90000 – ½ P 95000.

CHENNA = Scena.

Europe

Si le nom d'un hôtel figure en petits caractères,
demandez à l'arrivée les conditions à l'hôtelier.

CHIAVON 36060 Vicenza 𝟺𝟸𝟿 E 16 – 2 340 ab. alt. 74.
Roma 554 – Padova 54 – Milano 237 – Treviso 60 – Vicenza 24.

Longa Sud : 2 km – ☒ 36060 :

Alla Veneziana, piazza Libertà 13 𝒫 0444 665500, laveneziana@telemar.it,
Fax 0444 665766 – 🛗 ☰ 📺 🄿, 🄰🄴 🕃 🐵 𝑉𝐼𝑆𝐴, 🎇
Pasto (specialità di mare; chiuso dal 1° al 15 agosto e lunedì) carta 40/85000 – ⇌ 13000 –
43 cam 150/170000 – ½ P 110000.

CHILPARIO 24020 Bergamo 𝟺𝟸𝟾 D 12, 𝟺𝟸𝟿 D 12 – 1 318 ab. alt. 1124.
Roma 161 – Brescia 77 – Bergamo 65 – Milano 113 – Sondrio 89.

a Pradella Sud-Ovest : 2 km – ☒ 24020 :

San Marco 🏖 con cam, via Pradella 3 𝒫 0346 55024, Fax 0346 55024, ≤ – 🛗 🄿
Pasto (chiuso lunedì) carta 35/60000 – ⇌ 10000 – **18 cam** 45/85000 – ½ P 80000.

SCHIO 36015 Vicenza 𝟺𝟸𝟿 E 16 – 37 255 ab. alt. 200.
Roma 562 – Verona 70 – Milano 225 – Padova 61 – Trento 72 – Venezia 94 – Vicenza 23.

Nuovo Miramonti senza rist, via Marconi 3 𝒫 0445 529900, Fax 0445 528134 – 🛗,
🎇 cam, ☰ 📺 & ⇔ – 🔺 40, 🄰🄴 🕃 🐵 𝑉𝐼𝑆𝐴
67 cam ⇌ 170/210000, suite.

All'Antenna, a Magrè, località Raga Alta 4 (Sud-Ovest : 5 km) 𝒫 0445 529812,
Fax 0445 641969, Coperti limitati; prenotare, « Servizio estivo in terrazza panoramica » – 🕃
🐵 𝑉𝐼𝑆𝐴
chiuso dal 20 gennaio al 15 febbraio, dal 15 al 30 giugno, martedì e a mezzogiorno escluso
domenica – **Pasto** carta 45/60000.

SCHIRANNA Varese 𝟸𝟷𝟿 ⑦ – Vedere Varese.

SCHLANDERS = Silandro.

SCHNALS = Senales.

SCIACCA Agrigento 𝟺𝟹𝟸 O 21 – Vedere Sicilia alla fine dell'elenco alfabetico.

SCOGLITTI Ragusa 𝟺𝟹𝟸 Q 25 – Vedere Sicilia (Vittoria) alla fine dell'elenco alfabetico.

SCORZÈ *30037 Venezia* **429** *F 18 – 16 851 ab. alt. 16.*

Roma 527 – Padova 30 – Venezia 24 – Milano 266 – Treviso 17.

🏠 **Villa Soranzo Conestabile,** via Roma 1 ℘ 041 445027, *vsoranzo@tin.*
Fax 041 5840088, « Elegante palazzo patrizio settecetesco in un parco all'inglese cc
laghetto » – 📺 **P** – 🛖 150. 🖭 🚭 ⓪ ⓿ *VISA*. 🛠
Pasto *(marzo-ottobre; chiuso a mezzogiorno, sabato e domenica)* carta 45/70000
20 cam ☑ 140/250000 – ½ P 170000.

🏠 **Piccolo Hotel,** via Moglianese 37 ℘ 041 5840700, *piccolo@italyhotel.cor*
Fax 041 5840347 – 📳, 😘 cam, 🗏 📺 ☝ **P**. 🖭 🚭 ⓪ ⓿ *VISA*. 🛠
Pasto *(solo per alloggiati; chiuso a mezzogiorno)* carta 40/55000 – **27 cam** ☑ 110/20000
– ½ P 140000.

🍴🍴 **Trattoria San Martino,** località Rio San Martino Nord : 1 km ℘ 041 5840648, *Fax 04*
5840648, Coperti limitati; prenotare – 🗏. 🖭 🚭 ⓪ ⓿ *VISA*. 🛠
chiuso mercoledì – **Pasto** 45/75000 e carta 45/70000.

SEBINO *Vedere Iseo (Lago d').*

SEGESTA *Trapani* **432** *N 20 – Vedere Sicilia alla fine dell'elenco alfabetico.*

SEGGIANO *58038 Grosseto* **430** *N 16 – 995 ab. alt. 497.*

Roma 199 – Grosseto 61 – Siena 66 – Orvieto 109.

🍴🍴 **Silene** 🌭 con cam, località La Pescina Est : 3 km ℘ 0564 950805, *silene_gr@libero.i*
Fax 0564 950553, 🌄 – 📺 **P**. 🖭 🚭 ⓪ ⓿ *VISA* JCB. 🛠
chiuso gennaio e dal 15 al 30 giugno – **Pasto** *(chiuso lunedì e domenica sera)* cart
45/65000 – ☑ 13000 – **7 cam** 85/100000 – ½ P 80000.

SEGNI *00037 Roma* **430** *Q 21 – 8 814 ab. alt. 650.*

Roma 57 – Frosinone 43 – Latina 52 – Napoli 176.

🏠 **La Pace** 🌭, via Cappuccini 9 ℘ 06 9767125, Fax 06 9766262, 🌄 – 📳 📺 **P** – 🛖 150. 🖭
🚭 ⓪ ⓿ *VISA*
Pasto carta 30/50000 – ☑ 7000 – **82 cam** 65/85000 – ½ P 75000.

SEGRATE *20090 Milano* **428** *F 9,* **219** ⑱ *– 34 130 ab. alt. 116.*

Roma 575 – Milano 10 – Bergamo 48.

Pianta d'insieme di Milano.

🍴🍴 **Osteria Dei Fauni,** Via Turati 5 ℘ 02 26921411, 🌇, Bistrot con degustazione vini – 🗏
🖭 🚭 ⓪ ⓿ *VISA*
chiuso sabato a mezzogiorno e domenica – **Pasto** carta 55/95000.

SEIS AM SCHLERN = Siusi allo Sciliar.

SEISER ALM = Alpe di Siusi.

SELINUNTE *Trapani* **432** *O 20 – Vedere Sicilia alla fine dell'elenco alfabetico.*

SELLA (Passo di) (SELLA JOCH) *Bolzano G. Italia– alt. 2 240.*
Vedere ❄ ★★★.

SELVA *Vicenza – Vedere Montebello Vicentino.*

SELVA *Brindisi* **431** *E 34 – Vedere Fasano.*

---

*Pour être inscrit au **guide Michelin***
- pas de piston,
- pas de pot-de-vin!

ELVA DI CADORE 32020 Belluno 429 C 17 – 572 ab. alt. 1 415 – Sport invernali : 1 400/2 100 m �533, 🎿.

Roma 651 – Cortina d'Ampezzo 39 – Belluno 60 – Bolzano 82.

❌ **Ginepro**, via dei Denever 49, località Santa Fosca Sud-Est : 2 km ℘ 0437 720284, Coperti limitati; prenotare – 🅿. ⋙
chiuso lunedì escluso da dicembre ad aprile e da giugno a settembre – **Pasto** carta 40/60000.

ELVA DI VAL GARDENA (WOLKENSTEIN IN GRÖDEN) 39048 Bolzano 429 C 17 G. Italia – 2 477 ab. alt. 1 567 – Sport invernali : della Val Gardena 1 567/2 682 m ✔7 ✚64, 🎿 (vedere anche Ortisei e Santa Cristina Val Gardena).

Vedere Postergale* nella chiesa.

Dintorni Passo Sella*** : ✱*** Sud : 10,5 km – Val Gardena*** per la strada S 242.

🇧 palazzo Cassa Rurale ℘ 0471 795122, Fax 0471 794245.

Roma 684 – Bolzano 42 – Brunico 59 – Canazei 23 – Cortina d'Ampezzo 72 – Milano 341 – Trento 102.

🏨 **Tyrol** ⋙, strada Puez 12 ℘ 0471 774100, tyrol@val-gardena.com, Fax 0471 794022, ≤ Dolomiti, 🛏, 🔲, 🌳, – 🛗, ⋙ rist, 📺 & ⇔ 🅿. 🅱 �🆗 🆅🆂🅰. ⋙ rist
7 dicembre-20 aprile e 10 giugno-ottobre – **Pasto** 45/70000 – **50 cam** ⏛ 240/470000 – ½ P 265000.

🏨 **Alpenroyal Sporthotel**, via Meisules 43 ℘ 0471 795178, info@alpenroyal.com, Fax 0471 794161, ≤ gruppo Sella e Sassolungo, Centro benessere, campo pratica golf, 🇫🇬, 🛏, 🔲, 🌳, ❌ – 🛗 ⋙, ⋙ rist, 📺 & & ⇔ 🅿 – 🛗 50 🅱 ⓞ 🆅🆂🅰. ⋙
15 dicembre-20 aprile e 15 giugno-20 ottobre – **Pasto** carta 65/95000 – ⏛ 25000 – **39 cam** 280/480000 – ½ P 220000.

🏨 **Genziana**, via Ciampinei 2 ℘ 0471 795187, info@callegari.it, Fax 0471 794330, ≤, 🇫🇬, 🛏, 🌳, – 🛗 📺 🆅🆂🅰
20 dicembre-20 aprile e 25 giugno-settembre – **Pasto** (solo per alloggiati e chiuso a mezzogiorno) – **27 cam** ⏛ 300000 – ½ P 250000.

🏨 **Gran Baita** ⋙, via Meisules 145 ℘ 0471 795210, info@hotelgranbaita.com, Fax 0471 795080, ≤ Dolomiti, 🛏, 🔲, 🌳, ❌ – 🛗 ⋙ rist, 📺 🅿. 🅰🅴 🅱 🆗 🆅🆂🅰. ⋙ rist
20 dicembre-18 aprile e 20 giugno-10 ottobre – **Pasto** (chiuso mercoledì) carta 40/50000 – **54 cam** ⏛ 350/390000 – ½ P 205000.

🏨 **Sporthotel Granvara** ⋙, strada La Selva 66 (Sud-Ovest : 1,5 km) ℘ 0471 795250, gran vara@gardena.net, Fax 0471 794336, ≤ Dolomiti e Selva, 🇫🇬, 🛏, 🔲, 🌳, – 🛗 📺 ⇔ 🅿 – 🛗 60. 🅱 🆗 🆅🆂🅰. ⋙ rist
3 dicembre-11 aprile e 11 giugno-10 ottobre – **Pasto** 65/90000 – **30 cam** ⏛ 185/340000 – ½ P 250000.

🏨 **Chalet Portillo**, via Meisules 65 ℘ 0471 795205, hotelportillo@dnet.it, Fax 0471 794360, ≤, 🇫🇬, 🛏, 🌳, – 🛗 ⇔ 🅿. 🅱 🆗 🆅🆂🅰. ⋙
dicembre-17 aprile e 26 giugno-26 settembre – **Pasto** (solo per alloggiati) – **27 cam** solo ½ P 240000.

🏨 **Freina**, via Freina 23 ℘ 0471 795110, freina@val-gardena.com, Fax 0471 794318, ≤ Dolomiti, 🛏, 🌳, – 🛗 📺 ⇔ 🅿. 🆅🆂🅰. ⋙ cam
dicembre-Pasqua e giugno-15 ottobre – **Pasto** carta 40/65000 – **17 cam** ⏛ 180/280000 – ½ P 190000.

🏨 **Welponer**, strada Rainel 6 ℘ 0471 795336, welponer@val-gardena.com, Fax 0471 794074, ≤ Dolomiti e pinete, « Ampio giardino soleggiato con 🌊 riscaldata », 🛏 – ⋙ rist, 📺 🅿 🅱 🆗 🆅🆂🅰. ⋙ rist
20 dicembre-15 aprile e 20 maggio-2 novembre – **Pasto** (solo per alloggiati) – **16 cam** ⏛ 100/200000 – ½ P 170000.

🏨 **Mignon**, via Nives 4 ℘ 0471 795092, info@hotel-mignon.it, Fax 0471 794356, ≤, 🛏, 🌳 – 🛗, ⋙ rist, 📺 & 🅿. ⋙
6 dicembre-16 aprile e 23 giugno-6 ottobre – **Pasto** (solo per alloggiati) – **29 cam** ⏛ 185/340000 – ½ P 200000.

🏨 **Laurin**, strada Meisules 278 ℘ 0471 795105, info@hotel-laurin.it, Fax 0471 794310, 🇫🇬, 🛏 – 🛗 📺 🅿. 🅱 🆗 🆅🆂🅰. ⋙
dicembre-15 aprile e luglio-15 settembre – **Pasto** (chiuso da luglio al 15 settembre) 30/40000 – **25 cam** ⏛ 110/200000 – ½ P 200000.

🏨 **Linder**, strada Nives 36 ℘ 0471 795242, linder@val-gardena.com, Fax 0471 794320, ≤, 🛏 – 🛗 ⋙ rist, 📺 & 🅿. 🅱 ⋙
dicembre-Pasqua e luglio-settembre – **Pasto** (solo per alloggiati) – **27 cam** ⏛ 260/270000 – ½ P 180000.

🏠 **Armin,** via Meisules 161 ℘ 0471 795347, Fax 0471 794363, ⓢ – 🛗 📺 📔 🖭 🖪 ⓞ ⓜⓢ ᴠᴦ
ᵂᴿ rist
5 dicembre-15 aprile e 5 luglio-settembre – **Pasto** (solo per alloggiati) e al Rist. **Grillstub**
(23 dicembre-25 marzo; chiuso a mezzogiorno) carta 40/70000 – **26 cam** ⊇ 120/220000
½ P 170000.

🏠 **Pralong,** via Meisules 341 ℘ 0471 795370, pralong@val-gardena.com, Fax 0471 7941C
⪡, ⓢ – 🛗, ᵂᴿ rist, 📺 📔 🖪 ᴠɪꜱᴀ. ᵂᴿ
4 dicembre-8 aprile e giugno-settembre – **Pasto** (solo per alloggiati) – **27 ca**
solo ½ P 170000.

🏠 **Pozzamanigoni** ⬙, strada La Selva 51 (Sud-Ovest : 1 km) ℘ 0471 79413
Fax 0471 794138, ⪡ «Parco con maneggio e laghetto con pesca a
trota», ⓢ – 🛗, ᵂᴿ rist, 📺 ⟵ 📔 🖪 ⓞⓢ ᴠɪꜱᴀ. ᵂᴿ
dicembre-aprile e giugno-ottobre – **Pasto** (chiuso a mezzogiorno da dicembre ad april
prenotare) 30/50000 – **8 cam** ⊇ 100/160000 – ½ P 120000.

verso Passo Gardena (Grödner Joch) *Sud-Est : 6 km :*

❌ **Gérard,** via Plan de Gralba 37 ✉ 39048 ℘ 0471 795274, gerard@val-gardena.cor
ⓢⓢ Fax 0471 794508, «Servizio all'aperto con ⪡ gruppo Sella e Sassolungo» – 📔
18 dicembre-1 aprile e 20 giugno-15 ottobre – **Pasto** carta 40/80000.

SELVAZZANO DENTRO 35030 Padova 🖽🖽🖽 F 17 – *19 377 ab. alt. 16.*
🖪 Montecchia (chiuso lunedì) ℘ 049 8055050, Fax 049 8055737.
Roma 492 – Padova 12 – Venezia 52 – Vicenza 27.

ˣˣˣ **Relais,** via Montecchia 12 (Sud-Ovest : 3 km) ℘ 049 8055323, Fax 049 8055368, «All'intern
del Golf Club della Montecchia» – ▤ 📔 – ⌂ 150. 🖭 🖪 ⓞ ⓜⓢ ᴠɪꜱᴀ ᴊᴄв
chiuso dal 1° all'8 gennaio, dal 6 al 30 agosto e lunedì – **Pasto** carta 65/105000.

ˣˣ **El Medievolo,** via Scapacchiò 49 ℘ 049 8055635, ㊟, Rist. caratteristico – ▤ 🖭 🖪 ⓞ ⓜ
ᴠɪꜱᴀ. ᵂᴿ
chiuso giugno, luglio, agosto, lunedì e a mezzogiorno (escluso i giorni festivi) – **Past**
specialità spagnole carta 40/60000.

a Tencarola *Est : 3 km* – ✉ 35030 :

🏠🏠 **Piroga,** via Euganea 48 ℘ 049 637966, hpiroga@tin.it, Fax 049 637460, 🏊, ⓢ, ⇜ – 🛗 ▤
ⓢⓢ 📺 ⪤ & ⟵ 📔 – ⌂ 250. 🖭 🖪 ⓞ ⓜⓢ ᴠɪꜱᴀ. ᴊᴄв. ᵂᴿ rist
Pasto (chiuso lunedì) carta 35/55000 – **62 cam** ⊇ 150/220000 – ½ P 130000.

SELVINO 24020 Bergamo 🖽🖽🖽, 🖽🖽🖽 E 11 – *2 011 ab. alt. 956 – a.s. luglio-agosto e Natale – Spor
invernali : 1 000/1 400 m ⛷ 1 ⛷2, ⛷.*
🖪 (chiuso giovedì) corso Milano 19 ℘ 035 763362, Fax 035 761707.
Roma 622 – Bergamo 22 – Brescia 73 – Milano 68.

🏠🏠 **Elvezia** ⬙, via Usignolo 2 ℘ 035 763058, Fax 035 763058, ⇜ – 📺 📔 🖪 ⓞ ⓜⓢ ᴠɪꜱᴀ
ⓢⓢ *chiuso dal 10 al 30 gennaio e dal 1° al 20 settembre* – **Pasto** (chiuso lunedì) carta 35/50000 –
⊇ 12000 – **19 cam** 100/150000 – ½ P 110000.

🏠🏠 **Marcellino,** via Camozzi 38 ℘ 035 763013, Fax 035 763013, ㊟ – 🛗 📺 📔 🖪 ⓞ ⓜⓢ ᴠɪꜱᴀ
ᴊᴄв
Pasto (chiuso martedì) carta 40/60000 – ⊇ 10000 – **32 cam** 90/130000 – ½ P 110000.

SEMPRONIANO 58055 Grosseto 🖽🖽🖽 N 16 – *1 322 ab. alt. 601.*
Roma 182 – Grosseto 61 – Orvieto 85.

a Catabbio *Sud : 6 km* – ✉ 58050 :

❌ **La Posta,** via Verdi 9 ℘ 0564 986376 – 🖪 ᴠɪꜱᴀ
ⓢⓢ *chiuso dal 7 al 28 febbraio, dal 10 al 24 luglio e lunedì* – **Pasto** carta 35/45000.

SENALES (SCHNALS) 39020 Bolzano 🖽🖽🖽 🖽🖽🖽 B 14, 🖽🖽🖽 ⑨ – *1 397 ab. alt. 1 327*
– Sport invernali : a Maso Corto : 2 009/3 260 m ⛷ 1 ⛷4 (anche sci estivo), ⛷.
🖪 a Certosa ℘ 0473 679148, Fax 0473 679177.
*Da Certosa : Roma 692 – Bolzano 55 – Merano 27 – Milano 353 – Passo di Resia 70 –
Trento 113.*

a Madonna di Senales (Unserfrau) *Nord-Ovest : 4 km – alt. 1 500* – ✉ 39020 Senales :

🏠 **Berghotel Tyrol** ⬙, via Madonna 114 ℘ 0473 669690, berghotel.tirol@rolmail.net,
Fax 0473 669743, ⪡, ⓢ, 🏊 – 🛗, ᵂᴿ rist, 📺 📔. ᵂᴿ
chiuso maggio – **Pasto** (solo per alloggiati) – **25 cam** ⊇ 115/190000 – ½ P 105000.

SENALES

Vernago (Vernagt) *Nord-Ovest : 7 km – alt. 1 700 – ⊠ 39020 Senales :*

🏨 **Vernagt** ⑳, ℘ 0473 669636, info@vernagt.com, Fax 0473 669720, ≤ lago e monti, 14, ⌨, ◻ – ⋮ 📺 ⇦ 🅿. AE ⑤ ⓞ ⓩ VISA. ⅏ rist
22 dicembre-28 aprile e 16 giugno-18 novembre – **Pasto** carta 35/55000 – **43 cam** ⊡ 145/260000 – ½ P 150000.

ENIGALLIA *60019 Ancona 429 430 K 21 – 42 275 ab. – a.s. luglio-agosto.*
🖪 *via Morandi 2 ℘ 071 7922725, Fax 071 7924930.*
Roma 296 – Ancona 29 – Fano 28 – Macerata 79 – Perugia 153 – Pesaro 39.

🏨🏨 **Duchi della Rovere**, via Corridoni 3 ℘ 071 7927623, Fax 071 7927784 – ⋮ ≣ 📺 ✆ ⅍, ⇦ – ⋬ 80. AE ⑤ ⓞ ⓩ VISA. ⅏
chiuso dal 23 al 30 dicembre – **Pasto** (chiuso domenica) carta 45/70000 – **44 cam** ⊡ 150/240000, 7 suites – ½ P 160000.

🏨🏨 **Ritz**, lungomare Dante Alighieri 142 ℘ 071 63563, hritz@tin.it, Fax 071 7922080, ≤, « Giardino con percorso vita », ⅃, con acqua di mare riscaldata, ⚓⚬, ☞, ⅍ – ⋮, ≣ rist, 📺 ⅍ 🅿 – ⋬ 280. AE ⑤ ⓞ ⓩ VISA. ⅏
chiuso gennaio e febbraio – **Pasto** (solo per alloggiati) 50/60000 – **140 cam** ⊡ 140/230000, 10 suites – ½ P 160000.

🏨 **Metropol**, lungomare Leonardo da Vinci 11 ℘ 071 7925991, Fax 071 7925991, ≤, ⅃, ⅍ – ⋮ ≣ 📺 🅿. AE ⑤ ⓞ ⓩ VISA. ⅏
25 maggio-15 settembre – **Pasto** (solo per alloggiati) – ⊡ 15000 – **55 cam** 130/160000 – ½ P 140000.

🏨 **SenB Hotel**, viale Bonopera 32 ℘ 071 7927500, info@senbhotel.it, Fax 071 64814 – ⋮ ≣ 📺 – ⋬ 200. AE ⑤ ⓞ ⓩ VISA. ⅏
Pasto (chiuso venerdi e domenica sera) carta 50/70000 – **54 cam** ⊡ 140/200000, 15 suites – ½ P 120000.

🏨 **Bologna**, lungomare Mameli 57 ℘ 071 7923590, Fax 071 7921212, ≤, ⚓⚬ – ⋮ ≣ 📺 ✆ ⅍. AE ⑤ ⓞ ⓩ VISA JCB. ⅏
Pasto carta 40/55000 – **37 cam** ⊡ 120/150000 – ½ P 145000.

🏨 **Cristallo**, lungomare Dante Alighieri 2 ℘ 071 7925767, Fax 071 7925767, ≤, ☞ – ⋮ ≣ 📺. AE ⑤ ⓩ VISA. ⅏ rist
maggio-settembre – **Pasto** carta 40/55000 (15%) – ⊡ 12000 – **60 cam** 100/150000 – ½ P 95000.

🏨 **Mareblù**, lungomare Mameli 50 ℘ 071 7920104, Fax 071 7925402, ≤, ⅃, ⚓⚬ – ⋮ ≣ 📺. AE ⑤ ⓞ ⓩ VISA. ⅏
Pasqua-settembre – **Pasto** 35/45000 – ⊡ 13000 – **54 cam** 95/150000 – ½ P 125000.

🏨 **Bice**, viale Giacomo Leopardi 105 ℘ 071 65221, Fax 071 65221 – ⋮ ≣ 📺 ⅍ ⇦. AE ⑤ ⓞ ⓩ VISA JCB. ⅏ cam
Pasto carta 30/60000 – **28 cam** ⊡ 80/140000 – ½ P 95000.

🏨 **Baltic**, lungomare Dante Alighieri 66 ℘ 071 7925757, Fax 071 7925767, ≤ – ⋮ ≣ 📺. AE ⑤ ⓞ ⓩ VISA. ⅏ rist
giugno-settembre – **Pasto** carta 40/55000 (15%) – ⊡ 12000 – **65 cam** 105/140000 – ½ P 90000.

XX **Uliassi**, banchina di Levante 6 ℘ 071 65463, 🍽 – ⑤ ⓞ ⓩ VISA. ⅏
ⓔ *chiuso gennaio, febbraio e lunedì escluso agosto* – **Pasto** specialità di mare70/140000 e carta 75/110000
Spec. Guazzamollo (zuppa) di scampi. Schiacciata di patate con mazzancolle in salsa di tartufo nero. Rana pescatrice con carciofi, bottarga e salsa al vino bianco (primavera e autunno).

XX **Madonnina del Pescatore**, lungomare Italia 11, a Marzocca Sud-Est : 6 km ⊠ 60017 Marzocca di Senigallia ℘ 071 698267, madonninadelpescatore@tin.it, Fax 071 698484, ≤, 🍽 – ≣. AE ⑤ ⓞ ⓩ VISA
ⓔ *chiuso novembre, lunedì e da ottobre a maggio anche domenica sera* – **Pasto** specialità di mare 140000 e carta 80/115000
Spec. Bresaola di tonno. Paccheri con gamberi e coniglio in "potacchio" (estate). Costoletta di rombo.

XX **Il Barone Rosso** con cam, via Rieti 23 ℘ 071 7926823, 🍽, prenotare – ≣ rist, 📺. AE ⑤ ⓞ ⓩ VISA. ⅏ cam
chiuso dal 25 dicembre al 25 gennaio – **Pasto** (chiuso lunedì escluso dal 15 giugno ad agosto) specialità di mare carta 50/80000 – **7 cam** ⊡ 120/160000.

X **Cucina Mariano**, via Ottorino Manni 25 ℘ 071 7926659, cucinamariano@libero.it, 🍽 – AE ⑤ ⓞ ⓩ VISA
chiuso dal 12 al 30 giugno, dal 10 al 17 settembre, lunedì (escluso agosto) e a mezzogiorno da luglio a settembre – **Pasto** carta 45/65000.

a Scapezzano *Ovest : 6 km –* ⊠ *60010 :*

🏠 **Bel Sit** ♨, via dei Cappuccini 15 ℘ 071 660032, h.belsit@senalibero.it, Fax 071 660833
≤ mare e campagna, « Villa d'epoca in un parco secolare », ⊠, ❀ – ⊡ 🅿, 🖭 🕄 ⓪ ⓌⓈ ⅥⓈ,
❀
12 maggio-settembre – **Pasto** (solo per alloggiati) 30/45000 – ⊡ 12000 – **26 cam** 115
135000 – ½ P 110000.

a Roncitelli *Ovest : 8 km –* ⊠ *60010 :*

✗ **Degli Ulivi**, via Gioco del Pallone 2 ℘ 071 7919670, Fax 071 7919670, ☆ – ⅥⓈ, ❀
chiuso dal 10 al 31 gennaio e martedì – **Pasto** carta 60/90000.

SENORBÌ *Cagliari* **433** I 9 – *Vedere Sardegna alla fine dell'elenco alfabetico.*

SERAVEZZA *55047 Lucca* **428**, **429**, **430** K 12 *G. Toscana – 12 745 ab. alt. 55.*
Roma 376 – Pisa 40 – La Spezia 58 – Firenze 108 – Livorno 60 – Lucca 39 – Massa 24.

✗ **Ulisse l'Osteria**, via Campana 183 ℘ 0584 757420, ☆, Trattoria casalinga, prenotare –
🖭 🕄 ⓪ ⓌⓈ ⅥⓈ
chiuso martedì escluso dal 15 giugno al 15 settembre – **Pasto** carta 45/65000.

a Querceta *Sud-Ovest : 4 km –* ⊠ *55046 :*

🏠 **Da Filiè** senza rist, via Asilo 54 ℘ 0584 742221, hotelfilie@versiliaplanet.it
Fax 0584 769088, ☞ – ⊟ ⅥⒸ 🅿, 🖭 🕄 ⓪ ⓌⓈ ⅥⓈ, ❀
16 cam ⊡ 90/150000.

✗✗ **Da Alberto**, via Alpi Apuane 33/35 ℘ 0584 742300, ☆ – 🅿, 🖭 🕄 ⓪ ⓌⓈ ⅥⓈ, ❀
chiuso dal 1º al 15 febbraio, dal 1º al 15 novembre e martedì – **Pasto** carta 60/95000.

✗✗ **Filiè by Silvio**, via Asilo 16 ℘ 0584 760725, Fax 0584 760725, ☆, Rist. e pizzeria – 🅿, 🖭
🕄 ⓪ ⓌⓈ ⅥⓈ
chiuso lunedì a mezzogiorno in luglio-agosto, tutto il giorno negli altri mesi – **Pasto** carta
55/95000.

Demandez chez le libraire
le catalogue des publications Michelin.

SEREGNO *20038 Milano* **428** F 9 – *39 466 ab. alt. 224.*
Roma 594 – Como 23 – Milano 25 – Bergamo 51 – Lecco 31 – Novara 66.

🏠 **Umberto Primo** senza rist, via Dante 63 ℘ 0362 223377, info@hotelumbertoprimo.it,
Fax 0362 221931 – ⊠ ⊟ ⅥⒸ ⟷ 🅿, 🖾 100. 🖭 🕄 ⓪ ⓌⓈ ⅥⓈ, ❀
chiuso dal 24 dicembre al 2 gennaio e dal 3 al 26 agosto – **52 cam** ⊡ 160/210000.

✗✗ **Osteria del Pomiroeu**, via Garibaldi 37 ℘ 0362 237973, giancarlo@pomiroeu.it,
Fax 0362 325340, ☆ – 🖭 🕄 ⓪ ⓌⓈ ⅥⓈ, ❀
chiuso dal 5 al 25 agosto, lunedì e martedì a mezzogiorno – **Pasto** carta 65/100000.

SEREN DEL GRAPPA *32030 Belluno* **429** E 17 – *2 571 ab. alt. 387.*
Roma 586 – Belluno 40 – Padova 75 – Trento 72 – Treviso 60 – Vicenza 73.

✗ **Al Pentagono**, piazza Vecellio 1 ℘ 0439 44750 – 🖭 🕄 ⓪ ⓌⓈ ⅥⓈ, ❀
chiuso martedì – **Pasto** carta 40/55000.

SERIATE *24068 Bergamo* **428**, **429** E 11 – *19 798 ab. alt. 248.*
Roma 568 – Bergamo 7 – Brescia 44 – Milano 52.

✗✗ **Meratti**, via Paderno 4 (galleria Italia) ℘ 035 290290, info@meratti.com, Fax 035 290290,
prenotare – ⊟ – 🖾 35. 🖭 🕄 ⓪ ⓌⓈ ⅥⓈ
chiuso dal 7 al 27 agosto e mercoledì – **Pasto** carta 65/120000.

✗ **Vertigo**, via Decò e Canetta 77 ℘ 035 294155, ☆ – 🖭 🕄 ⓪ ⓌⓈ ⅥⓈ
chiuso dal 1º all'8 gennaio, dal 14 al 20 agosto e giovedì – **Pasto** 45000 e carta 45/70000.

SERINO *83028 Avellino* **431** E 26 – *7 137 ab. alt. 415.*
Roma 260 – Avellino 14 – Napoli 55 – Potenza 126 – Salerno 28.

🏠 **Serino** ♨, via Terminio 119 (Est : 4 km) ℘ 0825 594901, hotelserino@netgroup.it,
Fax 0825 594166, ≤, ☆, « Giardino con ⊠ » – ⊠ ⊟ ⅥⒸ ⟷ 🅿, 🖾 500. 🖭 🕄 ⓪ ⓌⓈ ⅥⓈ
ⒿⒸⒷ, ❀
Pasto al Rist. *Antica Osteria "O Calabrisuotto"* carta 40/60000 – **50 cam** ⊡ 140/170000,
2 suites – ½ P 170000.

erso Giffoni *Sud : 7 km :*

※ **Chalet del Buongustaio,** via Giffoni ⊠ 83028 ℘ 0825 542976, *Fax 0825 542976,* ≤,
☞ 🏠, Rist. e pizzeria – 🅿. 🕮 🚯 ⑩ ⓞ VISA. ﹪
chiuso martedì e da dicembre a marzo aperto solo sabato e domenica – **Pasto** carta
35/50000.

ERLE *25080 Brescia* 🛄🛄, 🛄🛄 *F 13 – 2 853 ab. alt. 493.*
Roma 550 – Brescia 21 – Verona 73.

Castello *Nord-Ovest : 3 km – ⊠ 25080 Serle :*

※ **Trattoria Castello,** via Castello 20 ℘ 030 6910001, *Fax 030 6910001,* prenotare – 🅿. 🕮
⑩
chiuso dal 20 al 30 agosto e martedì – **Pasto** carta 40/65000.

Valpiana *Nord : 7 km – ⊠ 25080 Serle :*

※ Rifugio Valpiana, località Valpiana 2 ℘ 030 6910240, ≤ colline e lago, prenotare, ☞ – 🅿.
stagionale.

ERMONETA *04010 Latina* 🛄🛄 *R 20 – 6 804 ab. alt. 257.*
Roma 77 – Frosinone 65 – Latina 17.

🏠 **Principe Serrone** ⟍ *senza rist,* via del Serrone 1 ℘ 0773 30342, *Fax 0773 30336,* ≤
vallata – 📺. 🕮 🚯 VISA. ﹪
13 cam ☷ 80/140000.

ERNIGA *Brescia* 🛄🛄 *F 13 – Vedere Salò.*

ERPIOLLE *Firenze – Vedere Firenze.*

ERRA DE' CONTI *60030 Ancona* 🛄🛄 *L 21 – 3 386 ab. alt. 217.*
Roma 242 – Ancona 61 – Foligno 89 – Gubbio 57 – Pesaro 62.

🏠 **De' Conti,** via Santa Lucia 58 ℘ 0731 879913, *Fax 0731 879913,* ☞ – 🍴 rist, 📺 🅿. 🕮 🚯
⑩ ⓞ VISA. ﹪
Pasto *(chiuso dal 27 dicembre al 6 gennaio, domenica sera e lunedì a mezzogiorno)* carta
40/65000 – ☷ 10000 – **28 cam** 110/150000 – ½ P 100000.

SERRAMAZZONI *41028 Modena* 🛄🛄, 🛄🛄, 🛄🛄 *I 14 – 6 436 ab. alt. 822.*
Roma 357 – Bologna 77 – Modena 33 – Pistoia 101.

a Montagnana *Nord : 10 km – ⊠ 41020 :*

※※※ **La Noce,** via Giardini Nord 9764 ℘ 0536 957174, *lanoce@team2000-al.com,*
Fax 0536 957266, solo su prenotazione a mezzogiorno – 🕮 🚯 ⑩ ⓞ VISA 🇯🇨🇧. ﹪
chiuso dal 2 al 12 gennaio, dal 1° al 26 agosto e domenica – **Pasto** carta 60/75000.

SERRAVALLE *Perugia* 🛄🛄 *N 21 – Vedere Norcia.*

SERRAVALLE SCRIVIA *15069 Alessandria* 🛄🛄 *H 8 – 5 938 ab. alt. 230.*
Roma 547 – Alessandria 31 – Genova 54 – Milano 95 – Savona 87 – Torino 121.

🏠 **Bollina** *senza rist,* via Novi 25 (Nord : 1 km) ℘ 0143 633517, *Fax 0143 633709,* ☞ – 🍴 📺
🕹 ⟵ 🅿. 🕮 🚯 ⑩ ⓞ VISA
32 cam ☷ 100/140000.

SERRUNGARINA *61030 Pesaro e Urbino* 🛄🛄, 🛄🛄 *K 20 – 2 161 ab. alt. 209.*
Roma 245 – Rimini 64 – Ancona 70 – Fano 13 – Gubbio 64 – Pesaro 24 – Urbino 30.

a Bargni *Ovest : 3 km – ⊠ 61030 :*

🏠 **Casa Oliva** ⟍, via Castello 19 ℘ 0721 891500, *Fax 0721 891500,* ≤ colline, prenotare –
🍴, 🍴 rist, 📺 🕹 🅿. 🕮 🚯 ⑩ ⓞ VISA. ﹪
chiuso dal 10 al 31 gennaio – **Pasto** *(chiuso lunedì)* carta 50/65000 – ☷ 15000 – **16 cam**
65/100000, 🍴 10000 – ½ P 80000.

SERVIGLIANO 63029 Ascoli Piceno 430 M 22 – 2 322 ab. alt. 216.
Roma 224 – Ascoli Piceno 56 – Ancona 85 – Macerata 43.

X **San Marco** con cam, via Garibaldi 14 ℰ 0734 750761, Fax 0734 750740 – 🛗 📺 🅿. 🖭 🗉
🕮 ◑ *VISA*. ⌘
chiuso gennaio – **Pasto** *(chiuso giovedì)* carta 35/50000 – ⊇ 8000 – **18 cam** 65/85000 –
½ P 85000.

SESTO (SEXTEN) 39030 Bolzano 429 B 19 *G. Italia* – 1 918 ab. alt. 1 311 – Sport invernali : 1 310
2 205 m ⸕ 1 ⸕ 3, ⸕; a Versciaco : 1 132/2 050 m ⸕ 1.
Dintorni *Val di Sesto★★* Nord per la strada S 52 e Sud verso Campo Fiscalino.
🖪 via Dolomiti 45 ℰ 0474 710310, Fax 0474 710318.
Roma 697 – Cortina d'Ampezzo 44 – Belluno 96 – Bolzano 116 – Milano 439 – Trento 173.

🏨 **San Vito-St. Veit**, via Europa 16 ℰ 0474 710390, info@hotel-st-veit.com,
Fax 0474 710072, ≤ Dolomiti e vallata, 🖚, 🔲, 🛲 – 🛏 rist, 📺 🅿. ⌘ rist
Natale-Pasqua e giugno-15 ottobre – **Pasto** carta 45/80000 – **25 cam** solo ½ P 150000.

🏠 **Monika** ⑤, via del Parco 2 ℰ 0474 710384, info@monika.it, Fax 0474 710177, ≤, 🖚, 🛲
– 🛗, ⌘ rist, 📺 ➡ 🅿. ⌘ cam
16 dicembre-marzo e 20 maggio-15 ottobre – **Pasto** carta 50/85000 – **27 cam**
solo ½ P 105000.

a Moso (Moos) Sud-Est : 2 km – alt. 1 339 – ✉ 39030 Sesto :

🏨 **Rainer e Residence Königswarte**, via San Giuseppe 40 ℰ 0474 710366, rainer@suc
🕮 irol.com, Fax 0474 710163, ≤ Dolomiti e valle Fiscalina, Centro benessere, ⅃ᴓ, 🖚, 🔲, 🛲 –
🛗, ☰ rist, 📺 ➡ 🅿. 🖭 ◑ *VISA*. ⌘ rist
20 dicembre-18 aprile e 20 maggio-10 ottobre – **Pasto** carta 30/80000 – **45 cam** ⊇ 240
360000, 10 suites – ½ P 180000.

🏨 **Sport e Kurhotel Bad Moos** Ⓜ ⑤, via Val Fiscalina 27 ℰ 0474 713100, badmoos@s
dtirol.com, Fax 0474 713333, ≤ Dolomiti, « Ristorante serale in stuben del XIV-XVII secolo »,
⅃ᴓ, 🖚, 🔲 riscaldata, 🔲, 🛲, ♣ – 🛗, ☰ rist, 📺 ➡ – 🛤 90. 🖭 ◑ *VISA*. ⌘
20 dicembre-30 marzo e 3 giugno-7 ottobre – **Pasto** carta 50/90000 – **48 cam** ⊇ 225,
400000 – ½ P 245000.

🏨 **Berghotel e Residence Tirol** ⑤, via Monte Elmo 10 ℰ 0474 710386, info@bergho
el.com, Fax 0474 710455, ≤ Dolomiti e valle Fiscalina, ⅃ᴓ, 🖚, 🛲 – 🛗 📺 ➡ 🅿. ⌘
6 dicembre-Pasqua e 25 maggio-10 ottobre – **Pasto** *(solo per alloggiati)* – **37 cam** ⊇ 140
280000, 7 suites – ½ P 170000.

🏨 **Tre Cime-Drei Zinnen**, via San Giuseppe 28 ℰ 0474 713500, info@hotel-drei-zinnen.co
m, Fax 0474 710092, ≤ Dolomiti e valle Fiscalina, 🖚, 🔲 riscaldata, 🛲 – 🛗 📺 🅿. 🖭 🗉 ◑
◑◐ *VISA*. ⌘ rist
22 dicembre-Pasqua e 20 giugno-ottobre – **Pasto** *(solo per alloggiati)* 30/70000 – **41 cam**
⊇ 190/320000 – ½ P 180000.

🏠 **Alpi** ⑤, via Alpe di Nemes 5 ℰ 0474 710378, info@hotel-alpi.com, Fax 0474 710009, ≤,
⅃ᴓ, 🖚 – 🛗, ☰ rist, 📺 ➡. ⌘ cam
20 dicembre-Pasqua e giugno-15 ottobre – **Pasto** *(chiuso a mezzogiorno)* 25/35000 –
24 cam ⊇ 140/200000 – ½ P 120000.

a Campo Fiscalino (Fischleinboden) Sud : 4 km – alt. 1 451 – ✉ 39030 Sesto :

🏨 **Dolomiti-Dolomitenhof** ⑤, via Val Fiscalina 33 ℰ 0474 710364, info@dolomitenho
.com, Fax 0474 710131, ≤ pinete e Dolomiti, Centro benessere, ⅃ᴓ, 🖚, 🔲, 🛲 – 🛗 📺 🛋
🅿. 🖭 🗉 ◑◐ *VISA*
18 dicembre-20 marzo e 10 giugno-6 ottobre – **Pasto** carta 40/75000 – **30 cam** ⊇ 165,
300000 – ½ P 160000.

a Monte Croce di Comelico (Passo) (Kreuzbergpass) Sud-Est : 7,5 km – alt. 1 636 – ✉ 39030
Sesto :

🏨 **Passo Monte Croce-Kreuzbergpass** ⑤, via San Giuseppe 55 ✉ 39030 Sesto in
Pusteria ℰ 0474 710328, hotel@passomontecroce.com, Fax 0474 710383, ≤ Dolomiti,
Centro benessere e campo pratica golf, ⅃ᴓ, 🖚, 🔲, ⌘ – 📺 🅿. 🖭 🗉 ◑◐ *VISA*
dicembre-aprile e giugno-settembre – **Pasto** carta 50/65000 – **53 cam** ⊇ 170/220000,
10 suites – ½ P 190000.

SESTO AL REGHENA 33079 Pordenone 429 E 20 – 5 243 ab. alt. 13.
Roma 570 – Udine 66 – Pordenone 22 – Treviso 52 – Trieste 101 – Venezia 72.

🏨 **In Sylvis**, via Friuli 2 ℰ 0434 694911 e rist. ℰ 0434 694950, Fax 0434 694990 – 🛗
⌘ cam, ☰ 📺 📞 🅿 – 🛤 100. 🖭 🗉 ◑ ◑◐ *VISA*
Pasto al Rist. **Abate Ermanno** *(chiuso lunedì)* carta 45/80000 – **33 cam** ⊇ 145/160000 –
½ P 110000.

SESTO CALENDE 21018 Varese 428 E 7 – 9 793 ab. alt. 198.
Roma 632 – Stresa 25 – Como 50 – Milano 55 – Novara 39 – Varese 23.

🏠 **Tre Re,** piazza Garibaldi 25 ℘ 0331 924229, Fax 0331 913023, ≼ – 🛊 ☰ 🔟. 🌆 🛐 ⑩ 🐠 🌆.
🕸 rist
chiuso dal 17 dicembre a gennaio – **Pasto** *(chiuso venerdì)* carta 50/80000 – ☲ 15000 –
34 cam 130/180000 – ½ P 140000.

🏠 **David,** via Roma 56 ℘ 0331 920182, Fax 0331 913939 – 🛊 ☰ 🔟 ➡ 🅿. 🌆 🛐 ⑩ 🐠 🌆.
🕸
chiuso dicembre – **Pasto** *(chiuso venerdì)* carta 40/75000 – **13 cam** ☲ 130/150000 –
½ P 100000.

🍴🍴 **La Biscia,** piazza De Cristoforis 1 ℘ 0331 924435, 🌁 – 🌆 🛐 ⑩ 🐠 🌆.
chiuso dal 23 dicembre all'8 gennaio, domenica sera e lunedì – **Pasto** carta 50/110000.

a Lisanza Nord-Ovest : 3 km – ✉ 21018 Sesto Calende :

🍴🍴🍴 **Da Mosè,** via Ponzello 14 ℘ 0331 977210, Fax 0331 977210, prenotare – 🅿. 🌆 🛐 ⑩ 🐠
🌆.
*chiuso dal 24 dicembre a febbraio, dall'8 al 21 agosto, lunedì, martedì e a mezzogiorno
(escluso i giorni festivi)* – **Pasto** carta 75/120000 (10%).

SESTO ED UNITI 26028 Cremona 428 G 11 – 2 781 ab. alt. 52.
Roma 528 – Parma 77 – Piacenza 33 – Bergamo 71 – Brescia 68 – Cremona 10 – Mantova 79.

a Casanova del Morbasco Est : 3 km – ✉ 26028 Sesto ed Uniti :

🍴🍴 **La Cantina di Bacco,** via Cavatigozzi 34 ℘ 0372 710992 – 🅿.

In questa guida

uno stesso simbolo, una stessa parola
stampati in rosso o in **nero**, in magro o in *grassetto*
hanno un significato diverso.

Leggete attentamente le pagine dell'introduzione.

SESTO FIORENTINO 50019 Firenze 430 K 15 – 46 809 ab. alt. 55.
Roma 283 – Firenze 10 – Arezzo 94 – Bologna 93 – Pistoia 33 – Siena 83.

Pianta di Firenze : percorsi di attraversamento.

🏨 **Park Hotel Alexander** ⬙, via XX Settembre 200 ℘ 055 446121 e rist. 055 4491691,
Fax 055 440016, 🌁, « Villa del 1300 con grande parco », 🏊, 🏌 – 🛊 ☰ 🔟 🕭 🅿 – 🔬 80. 🌆
🛐 ⑩ 🐠 🌆. 🕸   AR a
Pasto al Rist. *La Limonaia* carta 55/75000 – **53 cam** ☲ 380/560000.

🏨 **Novotel Firenze Nord** Ⓜ, via Tevere 23, località Osmannoro ℘ 055 308338, *novotel.fir
enze@accor-hotels.it,* Fax 055 308336, 🏊 – 🛊, 🛏 cam, ☰ 🔟 📞 🕭 ➡ 🅿 – 🔬 300. 🌆 🛐
⑩ 🐠 🌆. 🕸 rist   AR b
Pasto carta 50/80000 – **180 cam** ☲ 330/440000.

SESTOLA 41029 Modena 428, 429, 430 J 14 – 2 696 ab. alt. 1 020 – a.s. febbraio-15 marzo,
15 luglio-agosto e Natale – Sport invernali : 1 020/2 010 m ≰ 1 ≰ 22, ≰.
🚩 piazza Pier Maria Passerini 18 ℘ 0536 62324, Fax 0536 61621.
Roma 387 – Bologna 90 – Firenze 113 – Lucca 99 – Milano 240 – Modena 71 – Pistoia 77.

🏠 **San Marco** ⬙, via delle Rose 2 ℘ 0536 62330, Fax 0536 62305, ≼, 🌃, 🍴 – 🛊 🔟 🅿
45 cam.

🏠 **Tirolo** ⬙, via delle Rose 9 ℘ 0536 62523, *tirolo@msw.it,* Fax 0536 62523, ≼, 🌃, 🍴 – 🔟
🅿. 🌆 🛐 ⑩ 🐠 🌆. 🕸
Natale-marzo e giugno-settembre – **Pasto** 35/45000 – ☲ 15000 – **39 cam** 70/130000 –
½ P 100000.

🏠 **Nuovo Parco,** corso Umberto I, 61 ℘ 0536 62322, Fax 0536 60943, ≼, « Piccolo parco »
– 🛊 🔟 🅿. 🛐 🌆. 🕸 rist
chiuso maggio ed ottobre – **Pasto** 30/40000 – ☲ 10000 – **39 cam** 80/120000 –
½ P 100000.

🍴🍴 **San Rocco** con cam, corso Umberto I ℘ 0536 62382, *sanrocco@msw.it,* Fax 0536 60820,
Coperti limitati; prenotare – 🔟 ➡. 🌆 🛐 ⑩ 🐠 🌆 🇯🇨🇧. 🕸
chiuso aprile e maggio – **Pasto** *(chiuso lunedì)* 50/60000 e carta 60/80000 – ☲ 18000 –
11 cam 130/150000, suite – ½ P 130000.

🍴 **Il Faggio,** corso Libertà 68 ℘ 0536 62211 – 🌆 🛐 ⑩ 🐠 🌆. 🕸
chiuso giugno e lunedì – **Pasto** carta 45/75000.

SESTO SAN GIOVANNI 20099 Milano 428 F 9 – 81 663 ab. alt. 137.
Roma 565 – Milano 9 – Bergamo 43.

Pianta d'insieme di Milano.

🏦 **Abacus** M senza rist, via Monte Grappa 39 ℰ 02 26225858, Fax 02 26225860, ☎, ▨ – ▮
▤ ▥ ᴅ 🖭 – 🕍 80. ▦ 🕄 ⓪ ⓰ ▨. ※   BO
chiuso Natale ed agosto – ☲ 18000 – **92 cam** 300/450000, 2 suites.

✕✕ **Al Molo di Via Verdi**, via Verdi 75 ℰ 02 26221740, Fax 02 26221740, Rist. e pizzer
serale – ▤. ▦ 🕄 ⓪ ⓰ ▨. ※   BO
chiuso dal 6 al 27 agosto e lunedì – **Pasto** specialità di mare carta 50/80000.

SESTRIERE 10058 Torino 428 H 2 – 897 ab. alt. 2 033 – a.s. 6 febbraio-6 marzo, Pasqua e Natale
Sport invernali : 2 035/2 823 m ⟡ 1 ⟨ 6, ⟩ (Comprensorio Via Lattea).
🛝 *(18 giugno-3 settembre)* ℰ 0122 799411, Fax 0122 76317.
🚩 *via Louset* ℰ 0122 755444, Fax 0122 755171.
Roma 750 – Briançon 32 – Cuneo 118 – Milano 240 – Torino 93.

🏨 **Gd H. Principi di Piemonte** ⬙, via Sauze 3 ℰ 0122 7941, Fax 0122 755411, ≼, ☎, ▨
– ▮ ▥ ⟺ ▶. – 🕍 300. ▦ 🕄 ⓪ ⓰ ▨. ※ rist
dicembre-aprile e 24 giugno-agosto – **Pasto** *(dicembre-aprile)* carta 60/100000 – **96 cam**
☲ 330/580000, 4 suites – ½ P 330000.

✕ **Last Tango** via La Glesia 5/a ℰ 0122 76337, *Fax 0122 76337*, Coperti limitati; prenotare
🕄 ⓪ ▨. ※
Pasto carta 55/85000.

a Borgata Sestriere *Nord-Est : 3 km –* ✉ *10058 Sestriere :*

🏠 **Sciatori**, via San Filippo 5 ℰ 0122 70323, *Fax 0122 70196* – ▥. 🕄 ⓰ ▨. ※ rist
dicembre-aprile e luglio-agosto – **Pasto** 35000 – ☲ 20000 – **25 cam** 120/160000
½ P 145000.

a Champlas-Janvier *Sud-Ovest : 5 km –* ✉ *10058 Sestriere :*

✕✕ **Du Grand Père**, via Forte Seguin 14 ℰ 0122 755970, Coperti limitati; prenotare – ▣
stagionale.

SESTRI LEVANTE 16039 Genova 428 J 10 *G. Italia* – 20 295 ab..
🚩 *piazza Sant'Antonio 10* ℰ 0185 457011, Fax 0185 459575.
Roma 457 – Genova 50 – Milano 183 – Portofino 34 – La Spezia 59.

🏦 **Gd H. dei Castelli** ⬙, via alla Penisola 26 ℰ 0185 485780, *htl.castelli@rainbownet.it*
Fax 0185 44767, ≼ mare e coste, « Costruzioni in stile medioevale sul promontorio
ascensori per il mare », 🔥 – ▮ ▥ ▶. ▦ 🕄 ⓪ ⓰ ▨ ᴊᴄʙ. ※ rist
maggio-10 ottobre – **Pasto** carta 65/100000 solo snack a mezzogiorno – ☲ 20000
25 cam 260/360000, 5 suites – ½ P 280000.

🏦 **Grand Hotel Villa Balbi**, viale Rimembranza 1 ℰ 0185 42941, *villabalbi@pm.itnet.it*
Fax 0185 482459, 🏖, « Parco-giardino con ⟅ riscaldata », 🔥 – ▮ ▤ ▥ ▶. – 🕍 80. ▦ 🕄
⓪ ⓰ ▨. ※
chiuso dal 20 ottobre al 27 dicembre – **Pasto** 60/110000 – **99 cam** ☲ 300/480000
½ P 280000.

🏦 **Miramare** ⬙, via Cappellini 9 ℰ 0185 480855, *hrm.miramare@rainbownet.it*
Fax 0185 41055, ≼ baia del Silenzio, 🏖 – ▮ ▤ cam, ▥ – 🕍 80. ▦ 🕄 ⓪ ⓰ ▨. ※
Pasto *(chiuso da novembre a gennaio)* carta 65/100000 – **43 cam** ☲ 300/400000
½ P 270000.

🏦 **Vis à Vis** ⬙, via della Chiusa 28 ℰ 0185 42661, *visavis@hotelvisavis.com*
Fax 0185 480853, ≼ mare e città, « Terrazza-solarium con ⟅ riscaldata », 🏊 – ▮ ▤ ▥ ▶. –
🕍 180. ▦ 🕄 ⓪ ⓰ ▨. ※ rist
chiuso dall'8 gennaio all'8 febbraio – **Pasto** carta 60/90000 – **48 cam** ☲ 190/300000
3 suites – ½ P 240000.

🏠 **Helvetia** ⬙ senza rist, via Cappuccini 43 ℰ 0185 41175, *helvetia@hotelhelvetia.it*
Fax 0185 457216, ≼ baia del Silenzio, « Terrazze-giardino fiorite », 🔥 – ▮ ▤ ▥ ⟺. ▦
🕄 ⓰ ▨. ※
marzo-ottobre – **24 cam** ☲ 190/260000.

🏠 **Due Mari**, vico del Coro 18 ℰ 0185 42695, Fax 0185 42698, ≼, 🏖 – ▮ ▥ ⛆ ▶ – 🕍 50. ▦
🕄 ⓰ ▨. ※ rist
chiuso dal 24 ottobre al 23 dicembre – **Pasto** 45/55000 – ☲ 12500 – **29 cam** 140/195000
½ P 140000.

🏠 **Sereno** ⬙, via Val di Canepa 96 ℰ 0185 43302, *Fax 0185 457301* – ▤ ▥ ▶. ▦ 🕄 ⓪ ⓰
▨ ᴊᴄʙ. ※ rist
Pasto 35000 – **10 cam** ☲ 120/150000 – ½ P 115000.

🏠 **Marina** ⬙, via Fascie 100 ℰ 0185 487332, *marinahotel@marinahotel.it*, Fax 0185 41527 –
▤ cam, ▥. ▦ 🕄 ⓰ ▨. ※
chiuso dal 15 gennaio a febbraio – **Pasto** *(solo per alloggiati)* – ☲ 10000 – **17 cam**
80/100000 – ½ P 90000.

XX **Santi's,** viale Rimembranza 46 ℘ 0185 485019 – AE ⑤ ① ⓞ VISA JCB
chiuso dal 5 novembre al 20 dicembre e lunedì – **Pasto** carta 50/75000.

XX **San Marco,** via Queirolo (al porto) ℘ 0185 41459, *Fax 0185 41459,* ≤, 斧 – AE ⑤ ① ⓞ
VISA JCB
chiuso dal 5 al 24 novembre, mercoledì e a mezzogiorno in agosto – **Pasto** carta 50/85000.

XX **El Pescador,** via Queirolo (al porto) ℘ 0185 42888, *Fax 0185 41491,* ≤ – ▤ P. AE ⑤ ①
ⓞ VISA
chiuso dal 15 dicembre al 1° marzo e martedì – **Pasto** carta 60/80000.

XX **Portobello,** via Portobello 16 ℘ 0185 41566, 斧 – ▤. AE ⑤ ① ⓞ VISA JCB. ⅜
chiuso da gennaio al 23 febbraio, dal 3 novembre a dicembre e mercoledì (escluso luglio-agosto) – **Pasto** carta 50/90000.

Trigoso *Est : 1,5 km* – ⊠ 16039 *Sestri Levante :*

XX **Fiammenghilla Fieschi,** via Pestella 6 ℘ 0185 481041, Coperti limitati; prenotare,
❀ « In un antico palazzo », ⌨ – ▤ P. – 🔏 25. AE ⑤ ① ⓞ VISA JCB
chiuso dal 27 gennaio al 10 febbraio, dal 1° al 10 novembre, lunedì e a mezzogiorno (escluso i giorni festivi) – **Pasto** 100000 e carta 80/125000
Spec. Novellini in padella, olio extravergine e basilico (primavera-estate). Tagliolini della casa, fiori di zucchine, pistilli di zafferano e gamberi. Filetti di triglie al cartoccio con erbe fini e podomodoro fresco.

Riva Trigoso *Sud-Est : 2 km* – ⊠ 16039 :

XX **Asseü,** via G.B. da Ponzerone 2, strada per Moneglia ℘ 0185 42342, *Fax 0185 42342,* ≤,
« Servizio estivo in terrazza sul mare » – P. ⑤ ⓞ VISA
chiuso novembre, mercoledì escluso in agosto e da gennaio a marzo anche lunedì e martedì – **Pasto** carta 50/90000.

Dans ce guide

un même symbole, un même mot,
imprimé en rouge ou en noir, en maigre ou en **gras**,
n'ont pas tout à fait la même signification.

Lisez attentivement les pages explicatives.

ESTRI PONENTE *Genova* – Vedere Genova.

ETTEQUERCE (SIEBENEICH) *Bolzano* 218 ⑳ – Vedere Terlano.

ETTIGNANO *Firenze* 430 K 15 – Vedere Firenze.

ETTIMO MILANESE 20019 Milano 428 F 9, 219 ⑱ – 17 343 ab. alt. 134.
Roma 586 – Milano 13 – Novara 43 – Pavia 45 – Varese 51.

X **Olonella,** via Gramsci 3 ℘ 02 3282028, *Fax 02 33500872,* 斧 – P. AE ⑤ ① ⓞ VISA
chiuso agosto, sabato e domenica sera – **Pasto** specialità alla brace carta 50/75000.

ETTIMO TORINESE 10036 Torino 428 G 5 – 47 267 ab. alt. 207.
Roma 698 – Torino 12 – Aosta 109 – Milano 132 – Novara 86 – Vercelli 62.

Pianta d'insieme di Torino.

🏛 **Green Center Hotel** Ⓜ senza rist, via Milano 177 (Nord-Est : 2 km) ℘ 011 8005661, *gre
enhot@ipsnet.it, Fax 011 8004419* – 📶 ▤ TV ✆ ₲. P. AE ⑤ ① ⓞ VISA. ⅜
41 cam ⊇ 190/250000, 4 suites.

ull'autostrada al bivio A4 - A5 *Ovest : 5 km :*

🏛 **Alliance Hotel Torino,** strada Cebrosa 55 ⊠ 10036 ℘ 011 8977966, *alliance.torino@alli
ancealberghi.com, Fax 011 8977371* – 📶, ❦ cam, ▤ TV P. – 🔏 60. AE ⑤ ① ⓞ VISA JCB.
⅜ rist   HT n
Pasto carta 45/80000 – **100 cam** ⊇ 220/260000.

ETTIMO VITTONE 10010 Torino 428 F 9, 219 ⑭ – 1 607 ab. alt. 282.
Roma 693 – Aosta 57 – Ivrea 10 – Milano 125 – Novara 79 – Torino 59.

X **Locanda dell'Angelo,** via Marconi 6 ℘ 0125 658453, *Fax 0125 658920,* 斧. AE ⑤ ①
ⓞ VISA
chiuso luglio e mercoledì – **Pasto** carta 40/65000.

SEVESO 20030 Milano 428 F 9 – 18 686 ab. alt. 207.
Roma 595 – Como 22 – Milano 21 – Monza 15 – Varese 41.

XX **La Sprelunga**, via Sprelunga 55 ℘ 0362 503150, Fax 0362 503150 – **P. AE S ⓞ ⓒ VISA**
⅗⅗
chiuso dal 1° al 10 gennaio, agosto, domenica sera e lunedì – **Pasto** specialità di mar
80/90000 e carta 65/110000.

XX **Osteria delle Bocce**, piazza Verdi 7 ℘ 0362 502282, Fax 0362 502282, 🏖 – **AE S** ⓒ
ⓒ VISA JCB. ⅗⅗
chiuso dal 6 al 27 agosto e lunedì – **Pasto** carta 55/95000.

SEXTEN = Sesto.

SEZZE 04018 Latina 430 R 21 – 22 442 ab. alt. 319.
Roma 85 – Frosinone 41 – Napoli 153.

in prossimità della strada statale 156 Sud-Est : 11 km

XX **Da Angeluccio**, via Ponte Ferraioli 48 ℘ 0773 899146, Fax 0773 899018, ⌿, 🚗 – 🗐
AE S ⓒ VISA. ⅗⅗
chiuso dal 1° al 15 novembre, lunedì, martedì a mezzogiorno da luglio al 15 settembre
Pasto carta 45/80000.

SFERRACAVALLO Palermo 432 M 21 – Vedere Sicilia (Palermo) alla fine dell'elenco alfabetico.

SFRUZ 38010 Trento 429 C 15 – 268 ab. alt. 1 015.
Roma 617 – Bolzano 72 – Sondrio 132 – Trento 38.

X **Baita 7 Larici**, località Sette Larici Nord-Est : 2,5 km ℘ 0463 536360, Fax 0463 53636
🏖 – **P. AE S ⓒ VISA**. ⅗⅗
chiuso gennaio, martedì sera e mercoledì (escluso Natale, luglio, agosto) – **Pasto** car
40/65000.

SGONICO 34010 Trieste 429 E 23 – 2 213 ab. alt. 282.
Roma 656 – Udine 71 – Portogruaro 86 – Trieste 14.

a Devincina Sud-Ovest : 3,5 km – ✉ 34010 Sgonico :

X **Savron**, via Devincina 25 ℘ 040 225592 – 🗐 **P. S ⓒ VISA**
chiuso dal 7 al 28 febbraio, martedì e mercoledì – **Pasto** carta 45/60000.

SIBARI 87070 Cosenza 431 H 31 G. Italia.
Roma 488 – Cosenza 69 – Potenza 186 – Taranto 126.

a Marina di Sibari Est : 3 km :

XX **Cavallino**, contrada Salicetta ℘ 0981 784179, 🏖 – 🗐 **P. AE S ⓞ ⓒ VISA**. ⅗⅗
chiuso dal 10 al 25 novembre e lunedì – **Pasto** carta 40/75000.

ai Laghi di Sibari Sud-Est : 7 km :

X **Oleandro** 🐾 con cam, ✉ 87070 ℘ 0981 79141, Fax 0981 79200, 🏖 – 🗐 cam, 📺 ⚓
ⓒⓞ **AE S ⓞ ⓒ VISA JCB**. ⅗⅗ rist
Pasto carta 35/55000 – **23 cam** ⌷ 95/130000 – ½ P 115000.

SICILIA (Isola di) 432 – Vedere alla fine dell'elenco alfabetico.

SICULIANA Agrigento 432 O 22 – Vedere Sicilia alla fine dell'elenco alfabetico.

SIDERNO 89048 Reggio di Calabria 431 M 30 – 17 065 ab..
Roma 697 – Reggio di Calabria 103 – Catanzaro 93 – Crotone 144.

🏨 **Gd H. President**, strada statale 106 (Sud-Ovest : 2 km) ℘ 0964 343191, president@epi.
firi.it, Fax 0964 342746, ⌂, 🏊, 🐾, 🚗, ⌿ – 🛗 🗐 📺 **P** – 🕍 400. **AE S ⓞ ⓒ VISA**. ⅗⅗
Pasto carta 45/55000 – **116 cam** ⌷ 135/180000, 2 suites – ½ P 140000.

X **La Vecchia Hosteria**, via Matteotti 5 ℘ 0964 388880, 🏖, Rist. e pizzeria, prenotare
🗐. **AE S ⓞ ⓒ VISA**. ⅗⅗
chiuso mercoledì escluso luglio-agosto – **Pasto** specialità di mare e della tradizione loca
carta 40/60000.

SIEBENEICH = Settequerce.

714

ENA 53100 🄿 🄰🄱🄾 M 16 *G. Toscana – 54 256 ab. alt. 322.*

Vedere *Piazza del Campo★★★* BX : *palazzo Pubblico★★★* H, ✳★★ *dalla Torre del Mangia –
Duomo★★★* AX – *Museo dell'Opera Metropolitana★★* ABX **M1** – *Battistero di San Giovan-
ni★ : fonte battesimale★★* AX **A** – *Palazzo Buonsignori★ : pinacoteca★★★* BX – *Via di Città★*
BX – *Via Banchi di Sopra★* BVX – *Piazza Salimbeni★* BV – *Basilica di San Domenico★ :
tabernacolo★ di Giovanni di Stefano e affreschi★ del Sodoma* AVX – *Adorazione del Croci-
fisso★ del Perugino, opere★ di Ambrogio Lorenzetti, Matteo di Giovanni e Sodoma nella
chiesa di Sant'Agostino* BX.

🄱 *piazza del Campo 56 ℘ 0577 280551, Fax 0577 270676.*

A.C.I. *viale Vittorio Veneto 47 ℘ 0577 49002.*

Roma 230 ② – Firenze 68 ⑤ – Livorno 116 ⑤ – Milano 363 ⑤ – Perugia 107 ② – Pisa 106 ⑤.

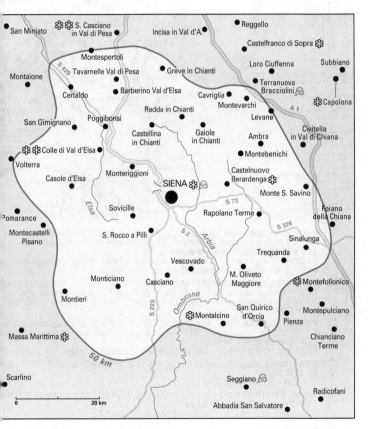

🏨 **Park Hotel Siena** ⌾, via di Marciano 18 ℘ 0577 44803, *info@parkhotelsiena.it*,
Fax 0577 49020, ≼, 斎, « Residenza patrizia del 16° secolo in un parco con campo pratica
golf », 🏊, ⁒ – 🖃, 🔆 cam, 🖃 📺 🄿 – 🔬 100. 🄰🄴 🖫 ⑩ 🐵 🆅🆂🅰 🄹🄲🄱, 🛇   T a
Pasto *(chiuso martedì)* carta 110/180000 – ⊇ 44000 – **69 cam** 530/660000, 2 suites –
½ P 440000.

🏨 **Certosa di Maggiano** ⌾, strada di Certosa 82 ℘ 0577 288180, *info@certosadimaggia
no.it, Fax 0577 288189*, ≼, 斎, « Certosa del 14° secolo; parco con 🏊 riscaldata », ⁒ –
🖃 cam, 📺 🄿. 🄰🄴 🖫 🐵 🆅🆂🅰 🄹🄲🄱, 🛇   U m
Pasto carta 120/150000 – **6 cam** ⊇ 630/1000000, 11 suites 1100/1600000 – ½ P 700000.

🏨 **Jolly Hotel Siena**, piazza La Lizza 1 ℘ 0577 288448, *Fax 0577 41272*, ≼ – 🖃, 🔆 cam, 🖃
📺 – 🔬 220. 🄰🄴 🖫 ⑩ 🐵 🆅🆂🅰, 🛇 rist   AV a
Pasto *(chiuso a mezzogiorno)* carta 60/95000 – **123 cam** ⊇ 295/430000, 3 suites.

715

SIENA

Circolazione regolamentata
nel centro città

Aretina (Via) . . . . U 3
Banchi di Sopra (Via). . . BVX 4
Banchi di Sotto (Via) . . . . BX 6
Beccafumi (Via D.) . . . . . . BV 9
Bracci (Viale Mario) . . . . . . T 12
Camporegio (Via) . . . . . . AV 15
Cantine (Via delle) . . . . . BX 16
Capitano (Via del) . . . . . . AX 17
Casato di Sopra . . . . BX 18
Cavour (Vle C. Benso di) . . T 21
Città (Via di) . . . . BX
Esterna di Fontebranda
   (Via) . . . . U 26
Fiorentina (Via) . . . . T 28
Fusari (Via dei) . . . . AX 31
Galluzza (Via della) . . . . . AX 32
Gazzani (Via) . . . . AV 33
Gigli (Via Girolamo) . . . . . U 35
Maitani (Via Lorenzo) . . . . BV 39
Malizia (Strada di) . . . . . . T 40
Massetana (Strada) . . . . . AX 42
Montanini (Via dei) . . . . . AV
Montluc (Via Biagio di) . . . T 45
Orlandi (Via Nazareno) . . . T 47
Orti (Via degli) . . . . BV 49
Pellegrini (Via dei) . . . . . BX 50
Peruzzi (Via B.) . . . . TU 52
Pian dei Mantellini . . . . . AX 53
Pian d'Ovile . . . . ABV 54
Piccolomini (Via E.S.) . . . . U 57
Porrione (Via del) . . . . . BX 59
Ricasoli (Via) . . . . T 63
Rinaldini (Via) . . . . BX 64
S. Caterina (Via di) . . . . . AX 67
S. Girolamo (Via) . . . . . . BX 68
Sardegna (Via) . . . . T 73
Scacciapensieri (Strada) . . . T 74
Sclavo (Via Achille) . . . . . T 75
Tolomei (Piazza) . . . . . . BV 78
Tufi (Via dei) . . . . U 82
Vittorio Emanuele II (Vle) AV 85
Vittorio Veneto (Viale) . . . . T 87

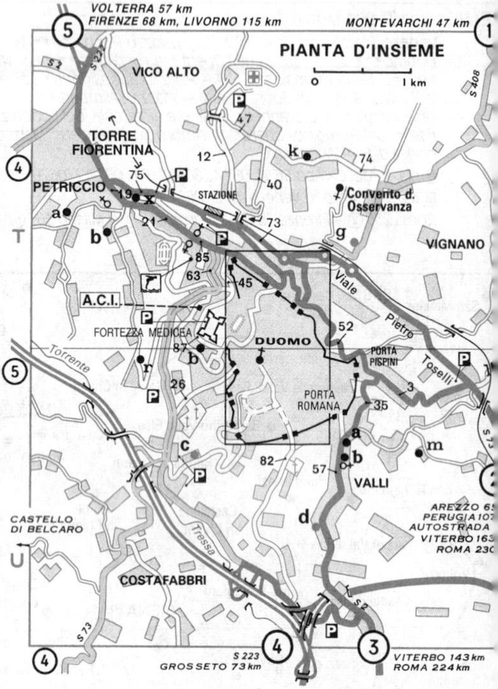

Villa Scacciapensieri ⑤, via di Scacciapensieri 10 ℘ 0577 41441, *villasca@tin*
Fax 0577 270854, « Servizio rist. estivo in giardino fiorito e parco con ≼ città e colli »,
✗ – ⑂ ▤ ⊡ ᴘ – ♠ 25. ▲ ᔕ ⑩ ⑩ VISA. ✗ rist   T
24 dicembre-4 gennaio e 15 marzo-20 novembre – **Pasto** *(chiuso mercoledì)* carta 7
90000 (15 %) – **27 cam** ⊡ 230/420000, 4 suites – ½ P 280000.

Garden ⑤, via Custoza 2 ℘ 0577 47056, *Fax 0577 46050*, « Parco ombreggiato e serviz
estivo in terrazza panoramica », ⊃, ✗ – ⑂ ▤ ⊡ ᴘ – ♠ 500. ▲ ᔕ ⑩ ⑩ VISA JCB. ✗
(chiuso a mezzogiorno da novembre a gennaio) carta 55/75000 – **125 cam** ⊡ 295/3500
– ½ P 220000.   T

Palazzo Ravizza, Piano dei Mantellini 34 ℘ 0577 280462, *bureau@palazzoravizza*
Fax 0577 221597, « Costruzione del 17° secolo con servizio rist. estivo in giardino » – ⑂
⊡ ᴘ. ▲ ᔕ ⑩ ⑩ VISA. ✗ rist   AX
Pasto carta 65/90000 (15 %) – ⊡ 30000 – **33 cam** 120/240000, 5 suites – ½ P 190000.

Villa Liberty senza rist, viale Vittorio Veneto 11 ℘ 0577 44966, *Fax 0577 44770* – ⑂
⊡ ᴘ. ▲ ᔕ VISA. ✗   TU
⊡ 17000 – **18 cam** 130/200000.

Santa Caterina senza rist, via Piccolomini 7 ℘ 0577 221105, *Fax 0577 27108*
« Giardino » – ▤ ⊡. ▲ ᔕ ⑩ ⑩ VISA   U
chiuso dal 15 gennaio al 15 febbraio – **19 cam** ⊡ 185/260000.

Duomo senza rist, via Stalloreggi 38 ℘ 0577 289088, *hduomo@comune.siena.*
Fax 0577 43043, ≼ – ⑂ ▤ ⊡. ▲ ᔕ ⑩ ⑩ VISA JCB   AX
23 cam ⊡ 200/250000.

Piccolo Hotel Oliveta, senza rist, via Piccolomini 35 ℘ 0577 283930, *mail@oliveta.co*
Fax 0577 270009 – ⊡ ᴘ. ▲ ᔕ ⑩ ⑩ VISA   U
6 gennaio-15 marzo – **15 cam** ⊡ 250/300000.

Arcobaleno ⑤ via Fiorentina 32/40 ℘ 0577 271092 e rist ℘ 0577 271095, *info@hotelar*
baleno.com, Fax 0577 271423, 🌣, 🌿 – ▤ ⊡ ⊂ ᴘ. ▲ ᔕ ⑩ ⑩ VISA. ✗ rist   T
Pasto al Rist. *Il Vecchio Pozzo (chiuso domenica)* carta 35/55000 – ⊡ 18000 – **16 ca**
170/210000 – ½ P 145000.

Castagneto ⑤ senza rist, via dei Cappuccini 39 ℘ 0577 45103, *Fax 0577 283266*, ≼ cit
e colli, 🌿 – ⊡ ⑩ ᴘ. ✗
chiuso dal 1° dicembre al 15 marzo – ⊡ 15000 – **11 cam** 130/200000.

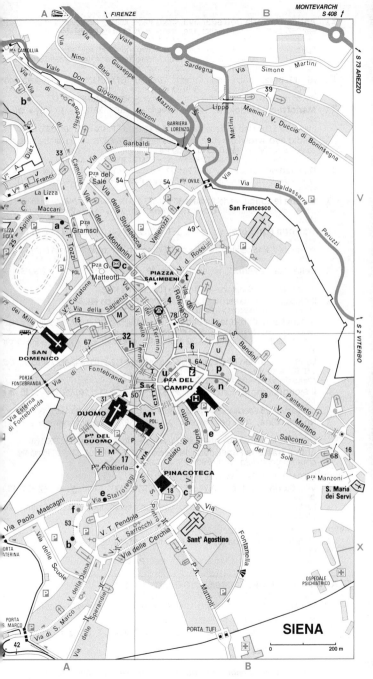

SIENA

717

XX **Antica Trattoria Botteganova**, strada statale 408 per Montevarchi ℰ 0577 28425
❀ Fax 0577 271519, Coperti limitati; prenotare – ▤ **P.** 🄰🄴 🔂 🔴 🆎 𝖵𝖨𝖲𝖠 𝖩𝖢𝖡. ℅ T
chiuso lunedì – **Pasto** 75/90000 e carta 80/110000 (10%)
Spec. Tortelli di pecorino con fonduta di Parmigiano e tartufo. Tortino di melanzane
forno e mozzarella di bufala con salsa di pomodoro fresco e basilico (estate). Tortino tiepid
di cioccolato nero con salsa di cioccolato bianco.

XX **Al Mangia**, piazza del Campo 42/45 ℰ 0577 281121, almangia@almangia
≼ piazza, 🏤 – 🄰🄴 🔂 🔴 🆎 𝖵𝖨𝖲𝖠. ℅ Fax 0577 43997, BX
chiuso mercoledì escluso da marzo al 4 novembre – **Pasto** carta 80/110000.

XX **Mariotti-da Mugolone**, via dei Pellegrini 8 ℰ 0577 283235 – 🄰🄴 🔂 🔴 𝖵𝖨
℅ BX
chiuso dal 21 gennaio al 7 febbraio e dal 15 al 31 luglio – **Pasto** carta 50/70000 (13%).

XX **Medio Evo**, via dei Rossi 40 ℰ 0577 280315, Fax 0577 45376, « In un caratteristico palaz
zo del 13° secolo » – 🄰 50. 🄰🄴 🔂 🔴 🆎 𝖵𝖨𝖲𝖠 BV
chiuso giovedì, gennaio e dal 15 al 31 luglio – **Pasto** carta 55/80000 (15%).

XX **Da Enzo**, via Camollia 49 ℰ 0577 281277, Fax 0577 49760 – 🄰🄴 🔂 🔴 🆎 𝖵𝖨𝖲𝖠 𝖩𝖢𝖡. ℅
chiuso dal 15 luglio al 15 agosto e domenica – **Pasto** 40/90000 (10%) e carta 55/1150
(10%). AV

X **Osteria le Logge**, via del Porrione 33 ℰ 0577 48013, Fax 0577 224797 – 🄰🄴 🔂 🔴 𝖵𝖨𝖲𝖠
chiuso dal 15 novembre al 5 dicembre, domenica ed i giorni festivi – **Pasto** carta 70/1000
(10%). BX

X **Trattoria Fori Porta**, via Tolomei ℰ 0577 222100, Fax 0577 222822 – ▤. 🄰🄴 🔂 🔴 🄲
𝖵𝖨𝖲𝖠 𝖩𝖢𝖡 U
chiuso dal 7 al 15 gennaio, dal 25 luglio al 10 agosto e mercoledì – **Pasto** carta 50/8000
(10%).

X **Nello "La Taverna"**, via del Porrione 28 ℰ 0577 289043, Fax 0577 289043 – 🄴
▤. 🄰🄴 BX
chiuso gennaio e domenica – **Pasto** carta 60/85000 (13%).

X **Il Giuggiolo**, via Massetana 30 ℰ 0577 284295, 🏤 – 🔂 🆎 𝖵𝖨𝖲𝖠. ℅ U
chiuso agosto e mercoledì – **Pasto** carta 40/50000 (10%).

X **Grotta Santa Caterina-da Bagoga**, via della Galluzza 26 ℰ 0577 282208, bagoga@
ailcity.com, Fax 0577 271179 – 🄰🄴 🔂 🆎 𝖵𝖨𝖲𝖠 𝖩𝖢𝖡 AX
chiuso dal 1º al 7 febbraio, dal 20 al 30 luglio, domenica sera e lunedì – **Pasto** car
45/75000 (10%).

X **La Taverna di San Giuseppe**, via Giovanni Duprè 132 ℰ 0577 42286, Fax 0577 2196.
– 🄰🄴 🔴 🆎 𝖵𝖨𝖲𝖠 BX
chiuso domenica – **Pasto** carta 50/80000 (10%).

X **Il Biondo**, vicolo del Rustichetto 10 ℰ 0577 280739, Fax 0577 280739, 🏤 – 🄰🄴 🔂 🔴 🄲
𝖵𝖨𝖲𝖠 AV
chiuso dal 7 al 31 gennaio, dal 5 al 13 luglio e mercoledì – **Pasto** carta 45/70000 (12%).

X **Nonna Gina**, Pian dei Mantellini 2 ℰ 0577 287247, nonnagina@freemail.it –
𝖵𝖨𝖲𝖠 AX
chiuso dal 10 al 30 gennaio, dal 15 al 30 luglio e lunedì – **Pasto** carta 35/55000 (10%).

X **Antica Trattoria Papei**, piazza del Mercato 6 ℰ 0577 280894, 🏤 – 🄰🄴 🔂 🆎 𝖵𝖨𝖲𝖠
🍴 chiuso lunedì escluso i giorni festivi – **Pasto** carta 40/70000. BX

a Quercegrossa Nord : 8 km per S 222 T – ✉ 53010 :

🏠 **Villa Gloria**, Sud : 1 km ℰ 0577 327103, Fax 0577 327004, ≼ colli, ⟍, 🌳 – 📺 **P.** 🄰🄴 🔂 🄲
🆎 𝖵𝖨𝖲𝖠. ℅ rist
Pasto (aprile-ottobre chiuso a mezzogiorno e solo per alloggiati) 40000 – **35 cam** ⟳ 20€
240000 – ½ P 160000.

a Vagliagli Nord-Est : 11,5 km per S 222 T – ✉ 53019 :

X **La Taverna di Vagliagli**, via del Sergente 4 ℰ 0577 322532, Fax 0577 321842, 🏤 – 🄴
🔂 🔴 🆎 𝖵𝖨𝖲𝖠. ℅
chiuso dal 23 gennaio al 15 febbraio e martedì – **Pasto** carta 45/75000.

SILANDRO (SCHLANDERS) 39028 Bolzano 🗺🗺, 🗺🗺 C 14 – 5 748 ab. alt. 721.
🄸 via Covelano 27 ℰ 0473 730155, Fax 0473 621615.
Roma 699 – Bolzano 62 – Merano 34 – Milano 272 – Passo di Resia 45 – Trento 120.

a Vezzano (Vezzan) Est : 4 km – ✉ 39028 Silandro :

🏠 Sporthotel Vetzan ⬖, ℰ 0473 742525, Fax 0473 742467, ≼, 🏤, 🄵🄰, 🆎, ⟍, 🌳, ℅ –
📺 ⟳
stagionale – **20 cam**.

Leggete attentamente l'introduzione : è la « chiave » della guida.

ILEA 31057 Treviso 429 F 18 – 9 045 ab..

Roma 541 – Venezia 26 – Padova 50 – Treviso 5.

🏠 **Roy**, via Cendon 16 ☎ 0422 460112, info@royhotel.it, Fax 0422 460123, 🏊 – 🔆 cam, 🔲
📺 ✆ ఈ 🅿 – 🔬 60. 🖭 🕃 ⓪ 🐿 🚾 JCB. 🛠
chiuso dal 23 al 27 dicembre e dal 12 al 18 agosto – **Pasto** (chiuso dal 10 al 29 agosto e
domenica) carta 40/65000 – **35 cam** 🖙 130/195000 – ½ P 140000.

✕✕ **Da Dino**, via Lanzaghe 13 ☎ 0422 360765, 😩, prenotare – 🅿. 🛠
chiuso dal 24 al 31 dicembre ,dal 1° al 20 agosto, martedì sera e mercoledì – **Pasto** carta
40/60000.

ILVI MARINA 64029 Teramo 430 O 24 – 13 396 ab. – a.s. luglio-agosto.

Dintorni Atri : Cattedrale★★ Nord-Ovest : 11 km – Paesaggio★★ (Bolge), Nord-Ovest :
12 km.

🚹 lungomare Garibaldi 208 ☎ 085 930343, Fax 085 930026.
Roma 216 – Pescara 19 – L'Aquila 114 – Ascoli Piceno 77 – Teramo 45.

🏨 **Mion**, viale Garibaldi 22 ☎ 085 9350935, info@mionhotel.com, Fax 085 9350864, ≤,
« Servizio rist. estivo in terrazza fiorita », 🏊, 🐾, – 🛗 🔆, 🔲 cam, 📺 🚗 🅿. 🖭 🕃 ⓪ 🐿
🚾. 🛠
maggio-settembre – **Pasto** carta 80/110000 – 🖙 25000 – **59 cam** 210/260000, 5 suites –
½ P 235000.

🏠 **Parco delle Rose**, viale Garibaldi 36 ☎ 085 9350989, Fax 085 9350987, ≤, 🏊, 🐾, 🌾 –
🛗 📺 🅿. 🖭 🕃 ⓪ 🐿 🚾 JCB. 🛠
12 maggio-22 settembre – **Pasto** (solo per alloggiati) 40/50000 – **63 cam** 🖙 180/200000 –
½ P 170000.

🏡 **Cirillo**, viale Garibaldi 238 ☎ 085 930404, hcirillo@insinet.it, Fax 085 9350950, ≤, 🐾 – 🛗
🔲. 🕃 🐿 🚾. 🛠
20 maggio-20 settembre – **Pasto** (solo per alloggiati) 35000 – 🖙 7500 – **45 cam** 85/150000
– ½ P 140000.

🏡 **Miramare**, viale Garibaldi 134 ☎ 085 930235, Fax 085 9351533, ≤, 😩, 🏊, 🐾, 🌾 – 🛗.
🕃 🚾. 🛠
aprile-settembre – **Pasto** carta 35/50000 – 🖙 11000 – **51 cam** 60/120000 – ½ P 125000.

✕✕ **Don Ambrosio** 🦢 con cam, contrada Piomba 49 ☎ 085 9351060, Fax 085 9355140,
« Servizio estivo in giardino » – 🔆 rist, 📺 🅿. 🖭 🕃 ⓪ 🐿 🚾. 🛠
chiuso dal 1° al 15 novembre e dal 15 al 28 febbraio – **Pasto** (chiuso martedì) carta
30/50000 – senza 🖙 **5 cam** 60/100000.

INALUNGA 53048 Siena 430 M 17 G. Toscana – 11 681 ab. alt. 365.

Roma 188 – Siena 45 – Arezzo 44 – Firenze 103 – Perugia 65.

🏨 **Locanda dell'Amorosa** 🦢, Sud : 2 km ☎ 0577 679497, locanda@amorosa.it,
Fax 0577 632001, 😩, « In un'antica fattoria », 🌾 – 🔲 📺 ✆ 🅿 – 🔬 80. 🖭 🕃 ⓪ 🐿 🚾.
🛠
chiuso dal 7 gennaio al 7 marzo – **Pasto** (prenotare; chiuso lunedì e martedì a mezzo-
giorno) carta 75/115000 – **14 cam** 🖙 390/480000, 6 suites.

🏡 **Santorotto**, via Trento 171 (Est : 1 km) ☎ 0577 679012, Fax 0577 679012 – 📺 🅿. 🕃 🐿
🚾. 🛠 rist
Pasto (solo per alloggiati) carta 25/40000 – 🖙 8000 – **27 cam** 60/100000 – ½ P 80000.

✕ **Da Santorotto**, via Trento 173 (Est : 1 km) ☎ 0577 678608, santorotto@inwind.it,
Fax 0577 678608 – 🔲 🅿. 🕃 🐿 🚾. 🛠
chiuso dal 10 al 23 agosto, sabato a mezzogiorno e martedì sera – **Pasto** carta 35/55000.

Bettolle Est : 6,5 km – ✉ 53040 :

🏡 **Locanda La Bandita** 🦢, via Bandita 72 (Nord : 1 km) ☎ 0577 624649, locandalabandita
@inwind.it, Fax 0577 624649, 😩, « In un'antica casa colonica », 🌾 – 🅿. 🖭 🕃 ⓪ 🐿 🚾.
🛠 rist
chiuso febbraio – **Pasto** carta 50/80000 – **9 cam** 🖙 120/160000 – ½ P 120000.

INISCOLA Nuoro 433 F 11 – Vedere Sardegna alla fine dell'elenco alfabetico.

IPONTO Foggia – Vedere Manfredonia.

IRACUSA 🅿 432 P 27 – Vedere Sicilia alla fine dell'elenco alfabetico.

IRIO (Lago) Torino 219 ⑭ – Vedere Ivrea.

SIRMIONE 25019 Brescia 428, 429 F 13 *G. Italia – 6 399 ab. alt. 68 – Stazione termale (marz novembre), a.s. Pasqua e luglio-settembre.*

La limitazione d'accesso degli autoveicoli al centro storico è regolata da norme legislative
Vedere Località** – Grotte di Catullo : cornice pittoresca** – Rocca Scaligera*.

🔃 *viale Marconi 8 ℰ 030 916245, Fax 030 916222.*

Roma 524 – Brescia 39 – Verona 35 – Bergamo 86 – Milano 127 – Trento 108 – Venezia 14

Villa Cortine Palace Hotel ⑤, via Grotte 12 ℰ 030 9905890, *info@hotelvillacortine om.*, Fax 030 916390, ㎡, « Grande parco digradante sul lago », ⏋ riscaldata, ▲⚲, ⚒ –
■ �📺 ❈ 🄿, 🄰🄴 🛇 ⑩ ⑳ 𝘝𝘐𝘚𝘈. ⚹⚹ rist
5 aprile-21 ottobre – **Pasto** carta 85/170000 – **52 cam** ⇄ 670/700000, 2 suites
½ P 540000.

Gd H. Terme, viale Marconi 7 ℰ 030 916261, *ght@termedisirmione.com* Fax 030 916568, ≼, « Giardino in riva al lago con ⏋ », ᛖ₆, ⏋, ▲⚲, ⚒ – ⅀ ■ 📺 🄿 – 🕯 8
🄰🄴 🛇 ⑩ ⑳ 𝘝𝘐𝘚𝘈. ⚹⚹ rist
aprile-7 novembre – **Pasto** carta 70/120000 – **57 cam** ⇄ 425/630000, suite – ½ P 37500

Sirmione, piazza Castello 19 ℰ 030 916331, *hs@termedisirmione.com*, Fax 030 91655
≼, « Servizio estivo sotto un pergolato in riva al lago », ⏋ riscaldata, ⚒ – ⅀ ■ 📺 🄿. 🄰🄴
⑩ ⑳ 𝘝𝘐𝘚𝘈. ⚹⚹ rist
aprile-10 novembre – **Pasto** carta 45/80000 – **101 cam** ⇄ 255/435000 – ½ P 255000.

Fonte Boiola, viale Marconi 11 ℰ 030 916431, *hfb@termedisirmione.co* Fax 030 916435, ≼, « Giardino in riva al lago con ⏋ termale », ▲⚲, ⚒ – ⅀ ■ 📺 🄿. 🄰🄴
⑩ ⑳ 𝘝𝘐𝘚𝘈. ⚹⚹ rist
Pasto carta 50/70000 – **60 cam** ⇄ 190/320000 – ½ P 190000.

Catullo, piazza Flaminia 7 ℰ 030 9905811, Fax 030 916444, ≼, « Giardino in riva al lag con pontile-solarium » – ⅀ ■ 📺 🄿. 🄰🄴 🛇 ⑩ ⑳ 𝘝𝘐𝘚𝘈 🄹🄲🄱. ⚹⚹ rist
chiuso dal 5 novembre al 20 dicembre e dal 10 gennaio al 1° marzo – **Pasto** (solo p alloggiati) 40/60000 – **57 cam** ⇄ 170/220000 – ½ P 145000.

Ideal ⑤, via Catullo 31 ℰ 030 9904245, Fax 030 9904245, ≼ lago, « Giardino-uliveto cc discesa al lago », ▲⚲, – ⅀ 📺 🄿. 🄰🄴 🛇 ⑩ ⑳ 𝘝𝘐𝘚𝘈. ⚹⚹
aprile-ottobre – **Pasto** (solo per alloggiati) carta 60/65000 – **33 cam** ⇄ 170/23000
2 suites – ½ P 160000.

Olivi ⑤, via San Pietro 5 ℰ 030 9905365, *hotel-olivi@gardalake.it*, Fax 030 916472, «
« Giardino ombreggiato con ⏋ » – ⅀ ■ 📺 🄿 – 🕯 150. 🄰🄴 🛇 ⑩ ⑳ 𝘝𝘐𝘚𝘈. ⚹⚹ rist
chiuso gennaio – **Pasto** 70000 – **58 cam** ⇄ 180/320000 – ½ P 200000.

La Paül, via XXV Aprile 26 ℰ 030 916077, *hotellapaul@numerica.it*, Fax 030 9905505, «
« Giardino sul lago », ⏋, ▲⚲, ㎡ – ⅀ ■ 📺 🄿. 🄰🄴 🛇 ⑩ ⑳ 𝘝𝘐𝘚𝘈. ⚹⚹
Pasto (15 marzo-ottobre) 30000 – **59 cam** ⇄ 140/230000 – ½ P 145000.

Du Lac, via 25 Aprile 60 ℰ 030 916026, Fax 030 916582, ≼, ⏋, ▲⚲, ㎡ – ⅀ cam, 📺
𝘝𝘐𝘚𝘈. ⚹⚹
aprile-24 ottobre – **Pasto** (chiuso a mezzogiorno) 50/65000 – **35 cam** ⇄ 140/200000
½ P 135000.

Flaminia senza rist, piazza Flaminia 8 ℰ 030 916457, Fax 030 916193, ≼, « Terraz solarium in riva al lago » – ⅀ ■ 📺 🄿. 🄰🄴 🛇 ⑩ ⑳ 𝘝𝘐𝘚𝘈
43 cam ⇄ 160/240000.

Break's Sirmione Hotel Ⓜ, viale Marconi 31 ℰ 030 9196184, *info@breakshotel.cor* Fax 030 9905573, Terrazza-solarium con ⏋, Ristorante con piano-bar – ⅀ ■ 📺 🆎
🕯 70. 🄰🄴 🛇 ⑩ ⑳ 𝘝𝘐𝘚𝘈. ⚹⚹
Pasto (aprile-ottobre) carta 45/85000 – ⇄ 15000 – **46 cam** 190/280000 – ½ P 190000.

Miramar, via 25 Aprile 22 ℰ 030 916239, *hotelmiramar@libero.it*, Fax 030 916593, «
« Giardino in riva al lago », ▲⚲, – ■ 📺 🄿. 🛇 ⑩ ⑳ 𝘝𝘐𝘚𝘈. ⚹⚹
marzo-novembre – **Pasto** (solo per alloggiati) 40/55000 – **30 cam** ⇄ 90/190000
½ P 130000.

Marconi, senza rist, ℰ 030 916007, *hmarconi@tiscalinet.it*, Fax 030 916587, ≼, ▲⚲, «
📺. 🄰🄴 🛇 ⑩ ⑳ 𝘝𝘐𝘚𝘈. ⚹⚹
23 marzo-11 novembre – **23 cam** ⇄ 110/170000.

Desiree ⑤, via San Pietro 2 ℰ 030 9905244, Fax 030 916241, ≼, ㎡ – ⅀ ■ 📺 🄿. 🄰🄴
⑩ ⑳ 𝘝𝘐𝘚𝘈. ⚹⚹ rist
15 marzo-15 novembre – **Pasto** carta 40/50000 – **34 cam** ⇄ 155/165000 – ⇄ 10000
½ P 125000.

Mon Repos ⑤, via Arici 2 ℰ 030 9905290, *monrepos@numerica.it*, Fax 030 916546, «
« Giardino-uliveto con ⏋ » – ■ rist, 📺 🄿. 🄰🄴 🛇 ⑳ 𝘝𝘐𝘚𝘈. ⚹⚹ rist
Pasqua-novembre – **Pasto** 45/50000 – **24 cam** ⇄ 150/215000 – ½ P 140000.

Villa Maria ⑤, via San Pietro in Mavino 8 ℰ 030 916090, Fax 030 916123 – ⅀, ■ rist, 📺
🄿. 🄰🄴 🛇 ⑳ 𝘝𝘐𝘚𝘈. ⚹⚹
aprile-4 novembre – **Pasto** (solo per alloggiati) 35/50000 – **25 cam** ⇄ 95/160000
½ P 115000.

🏨 **Astoria Lido** 🦢 senza rist, via Benaco 20 🅟 030 9904392, *info@astorialido.it*, Fax 030 9906818, ≼, 🐾, 🌊 – 📺 🅿. 🔄 *VISA*
Pasqua-15 ottobre – **22 cam** ⬜ 120/160000.

🏨 **Corte Regina** senza rist, via Antiche Mura 11 🅟 030 916147, Fax 030 916147 – 📶 ☰ 📺 🕭 🅿. 🔄 🗭 🔘 🔄 *VISA*
15 marzo-ottobre – **15 cam** ⬜ 110/180000.

🏨 **Speranza** senza rist, via Casello 6 🅟 030 916116, Fax 030 916403 – 📶 ☰ 📺 🅿. 🖭 🔄 🔘 🗭 *VISA* *JCB*
marzo-novembre – **13 cam** ⬜ 90/120000.

ⅩⅩⅩ **Signori,** via Romagnoli 23 🅟 030 916017, Fax 030 916193, ≼, « Servizio estivo in terrazza sul lago » – 🖭 🔄 🔘 🗭 *VISA*. 🛠
chiuso dal 6 novembre al 20 dicembre e lunedì – **Pasto** 70/110000 e carta 95/115000.

ⅩⅩⅩ **La Rucola,** vicolo Strentelle 7 🅟 030 916326, Fax 030 9196551, Coperti limitati; prenotare – ☰. 🖭 🔄 🗭 *VISA* *JCB*
chiuso da gennaio al 14 febbraio, giovedì e venerdì a mezzogiorno – **Pasto** 85000 bc, 100000 e carta 85/110000.

ⅩⅩ **Trattoria Antica Contrada,** via Colombare 23 🅟 030 9904369, �, prenotare – ☰. 🖭 🔄 🔘 🗭 *VISA*
chiuso gennaio, lunedì e martedì a mezzogiorno – **Pasto** carta 50/105000.

ⅩⅩ **San Salvatore,** via San Salvatore 5 🅟 030 916248, Fax 030 916057, 🌮 – ☰. 🖭 🔄 🔘 🗭 *VISA*
chiuso dal 17 novembre a gennaio e mercoledì – **Pasto** carta 55/90000 (15 %).

Ⅹ **Risorgimento,** piazza Carducci 5 🅟 030 916325, Fax 030 916325, 🌮 – ☰. 🖭 🔄 🔘 🗭 *VISA*
15 febbraio-15 novembre; chiuso martedì escluso da luglio a settembre – **Pasto** carta 40/95000 (15 %).

Colombare Sud : 3,5 km – ⬜ 25010 Colombare di Sirmione :

🏨 **Porto Azzurro,** via Salvo d'Acquisto 1 🅟 030 9904830, *pazzurro@gardanet.it*, Fax 030 9904830, 🌊, 🌮, 🛇 – 📶 ☰ 📺 🕭 🚗 🅿 – 🔏 80. 🔄 🗭 *VISA*. 🛠
chiuso gennaio e febbraio – **Pasto** 30/40000 – ⬜ 10000 – **33 cam** 180000 – ½ P 130000.

🏨 **Europa** 🦢, via Liguria 1 🅟 030 919047, *europahotelsirmione@tin.it*, Fax 030 9196472, ≼, 🌊, 🐾, 🌮 – ☰ 📺 🅿. 🖭 🔄 🔘 🗭 *VISA*. 🛠
aprile-ottobre – **Pasto** (solo per alloggiati) – **25 cam** ⬜ 140/190000 – ½ P 130000.

🏨 **Mirage** senza rist, via 4 Novembre 9 🅟 030 9196504, Fax 030 9196245 – 📶 ☰ 📺 🚗. 🖭 🔄 🔘 🗭 *VISA* *JCB*. 🛠
⬜ 18000 – **16 cam** 110/165000.

ⅩⅩ **La Darsena,** via Salvo D'Acquisto 7 🅟 030 9196071, Fax 030 9196071, 🌮 – ☰ 🅿. 🖭 🔄 🔘 🗭 *VISA*. 🛠
chiuso lunedì – **Pasto** carta 55/85000.

Lugana Sud-Est : 5 km – ⬜ 25010 Colombare di Sirmione:

🏨 **Arena** senza rist, via Verona 90 🅟 030 9904828, *info@hotelarena.it*, Fax 030 9904821, 🌊 – ☰ 📺 🕭 🚗 🅿. 🖭 🔄 🔘 🗭 *VISA*. 🛠
chiuso dal 2 gennaio al 20 marzo – ⬜ 12000 – **25 cam** 100/140000.

🏨 **Derby,** via Verona 122 🅟 030 919482, Fax 030 9906631 – ☰ cam, 📺 🚗 🅿. 🖭 🔄 🔘 🗭 *VISA*. 🛠
chiuso da dicembre al 15 febbraio – **Pasto** (solo per alloggiati e chiuso a mezzogiorno) 30000 – ⬜ 15000 – **14 cam** 95/125000 – ½ P 100000.

🏨 **Bolero** senza rist, via Verona 254 🅟 030 9196120, *hotel-bolero@gardalake.it*, Fax 030 9904213, 🌊, 🌮 – ☰ 📺 🅿. 🖭 🔄 🔘 🗭 *VISA*
⬜ 25000 – **8 cam** 130/160000.

ⅩⅩⅩ **Vecchia Lugana,** piazzale Vecchia Lugana 1 🅟 030 9196023, *info@vecchialugana.com*, ❀ Fax 030 9904045, prenotare, « Servizio estivo in terrazza sul lago », 🌮 – 🅿 – 🔏 50. 🖭 🔄 🔘 🗭 *VISA* *JCB*. 🛠
chiuso dal 3 gennaio al 15 febbraio, lunedì, martedì; in novembre aperto solo venerdì sera, sabato e domenica – **Pasto** 80/100000 (15 %) e carta 75/115000 (15 %)
Spec. Paste fresche della casa. Carni e pesci gardesani alla griglia. Crostate di frutta fresca.

SIROLO 60020 Ancona 🕮🕮🕮 L 22 – 3 261 ab. – a.s. luglio-agosto.
🏌 Conero (chiuso martedì) 🅟 071 7360613, Fax 071 7360380.
🅱 (giugno-settembre) via Moricone 🅟 071 9330611.
Roma 304 – Ancona 18 – Loreto 16 – Macerata 43 – Porto Recanati 11.

🏨 **La Conchiglia Verde** 🔇, via Giovanni XXIII, 12 ☎ 071 9330018, *Fax 071 933001*
🏊 riscaldata, 🌳 – [TV] [P]. [AE] [S] 🔘 [MC] [VISA] [JCB]. 🚫
Pasto *(chiuso a mezzogiorno)* 40/75000 – **26 cam** ☕ 180000 – ½ P 145000.

🏨 **Locanda Ristorante Rocco,** via Torrione 1 ☎ 071 9330558, *Fax 071 9330558,* ☂ – |
🚭 rist, ❄ [TV]. 🚫
20 dicembre-6 gennaio e Pasqua-ottobre – **Pasto** *(Pasqua-ottobre; chiuso martedì esclus da giugno a settembre)* carta 60/95000 – **7 cam** ☕ 230000 – ½ P 170000.

🍴 **Hostaria il Grottino,** via dell'Ospedale 9 ☎ 071 9331218, ☂, prenotare – ❄. [AE] [S]
[MC] [VISA]. 🚫
chiuso dal 15 al 30 gennaio, dal 15 al 30 novembre, i mezzogiorno di martedì e giovedì d 15 giugno al 15 settembre, martedì negli altri mesi – **Pasto** specialità di mare car 50/80000.

al monte Conero (Badia di San Pietro) *Nord-Ovest : 5,5 km – alt. 572 – ✉ 60020 Sirolo :*

🏨 **Monteconero** 🔇, via Monteconero 26 ☎ 071 9330592, *monteconero.hotel@festnet.*
Fax 071 9330365, ≤ mare e costa, « Antica abbazia camaldolese in un grande parco »,
🎾 – |🛗| [TV] [P] – 🏛 70. [AE] [S] 🔘 [MC] [VISA]. 🚫
15 marzo-15 novembre – **Pasto** carta 55/80000 (10 %) – **50 cam** ☕ 180/230000, 9 suites
½ P 170000.

SIUSI ALLO SCILIAR (SEIS AM SCHLERN) *39040 Bolzano [429] C 16 – alt. 988 – Sport inverna*
vedere Alpe di Siusi.
[i] *via Sciliar 16 ☎ 0471 706124, Fax 0471 706600.*
Roma 664 – Bolzano 24 – Bressanone 29 – Milano 322 – Ortisei 15 – Trento 83.

🏨 Genziana-Enzian, piazza Oswald Von Wolkenstein 2 ☎ 0471 705050, *Fax 0471 707010,*
🏋, ♨, 🏊, 🌳 – |🛗|, ❄ rist, [TV] [P]
stagionale – **33 cam.**

🏨 **Europa,** piazza Oswald Von Wolkenstein 5 ☎ 0471 706174, *hoteleuropa@dnet.*
Fax 0471 707222, ≤, 🏋, ♨, 🌳 – |🛗| [TV] [P]. [S] 🔘 [MC] [VISA]. 🚫 rist
chiuso dal 20 aprile al 15 maggio e dal 4 novembre al 15 dicembre – **Pasto** (solo p alloggiati) 35/50000 – **35 cam** ☕ 100/180000, 2 suites – ½ P 130000.

🏨 **Parc Hotel Florian** 🔇, via Ibsen 19 ☎ 0471 706137, *Fax 0471 707505,* ≤ Sciliar, « Gia dino », ♨, 🏊 riscaldata – [TV] [P]. [AE] [S] 🔘 [MC] [VISA]. 🚫
20 dicembre-20 aprile e giugno-15 ottobre – **Pasto** (solo per alloggiati) 50/70000 – **30 car**
☕ 130/260000 – ½ P 150000.

🏨 **Aquila Nera-Schwarzer Adler,** via Laurin 7 ☎ 0471 706146, *schwarzer.adler.seis@c et.it, Fax 0471 706335,* ☂, 🏊 – |🛗| [TV] ♿ [P]. [AE] [S] 🔘 [MC] [VISA] [JCB]. 🚫 rist
25 dicembre-3 aprile e 28 maggio-ottobre – **Pasto** *(chiuso mercoledì)* carta 40/85000
21 cam ☕ 165/330000 – ½ P 140000.

a Razzes (Ratzes) *Sud-Est : 3 km – alt. 1 205 – ✉ 39040 Siusi allo Sciliar :*

🏨 **Bad Ratzes** 🔇, via Ratzes 29 ☎ 0471 706131, *info@badratzes.it, Fax 0471 707199,*
Sciliar e pinete, « In pineta », ♨, 🏊, 🌳 – |🛗|, ❄ rist, [TV] 🚗 [P]. [S] [VISA]. 🚫 cam
10 dicembre-15 aprile e giugno-settembre – **Pasto** (solo per alloggiati e *chiuso a mezz giorno)* – **48 cam** ☕ 180/360000 – ½ P 190000.

SIZZANO *28070 Novara [428] F 13, [219] ⑯ – 1 462 ab. alt. 225.*
Roma 641 – Stresa 50 – Biella 42 – Milano 66 – Novara 20.

🍴🍴 **Impero,** via Roma 13 ☎ 0321 820576 – [AE] [S] [MC] [VISA]
chiuso 26 dicembre al 4 gennaio, agosto, domenica sera e lunedì – **Pasto** carta 45/65000.

SOAVE *37038 Verona [429] F 15 – 6 482 ab. alt. 40.*
Roma 524 – Verona 22 – Milano 178 – Rovigo 76 – Venezia 95 – Vicenza 32.

🏨 **Roxy Plaza** [M] senza rist, via San Matteo 4 ☎ 045 6190660, *roxyplaza@tin.i*
Fax 045 6190676 – |🛗| ❄ [TV] ♿ 🚗. [AE] [S] 🔘 [MC] [VISA]
37 cam ☕ 125/180000.

🍴🍴 **Lo Scudo,** via San Matteo 46 ☎ 045 7680766, Coperti limitati; prenotare – ❄ [P]. [AE] [S]
[MC] [VISA]. 🚫
chiuso dal 1°al 15 febbraio, dal 15 al 30 agosto, domenica sera e lunedì – **Pasto** car 65/105000.

🍴🍴 **Al Gambero** con cam, corso Vittorio Emanuele 5 ☎ 045 7680010, *Fax 045 7680010*
❄ rist – 🏛 30. [AE] [S] [MC] [VISA]. 🚫 cam
Pasto *(chiuso dal 10 al 30 agosto, martedì sera e mercoledì)* carta 35/45000 – ☕ 13000
12 cam 60/90000 – ½ P 80000.

SOCI *Arezzo [429], [430] K 17 – Vedere Bibbiena.*

SOGNA Arezzo – Vedere Ambra.

SOIANO DEL LAGO 25080 Brescia 428 F 13 – 1 527 ab. alt. 203.
Roma 538 – Brescia 27 – Mantova 77 – Milano 128 – Trento 106 – Verona 53.

XX **Il Grillo Parlante**, via Avanzi 9/A (Sud : 1,5 km) ℰ 0365 502312, Fax 0365 502312, « Servizio estivo in terrazza » – **P**. AE S ① ⑥ VISA. ⋘
chiuso dal 2 al 10 gennaio, dal 2 al 20 novembre e lunedì (escluso luglio-agosto) – **Pasto** carta 45/75000.

XX **Aurora**, via Ciucani 1/7 ℰ 0365 674101, Fax 0365 674101, ≼, 🏤 – **P**. AE S ① ⑥ VISA. ⋘
chiuso mercoledì – **Pasto** carta 30/65000.

SOLANAS Cagliari 433 J 10 – Vedere Sardegna (Villasimius) alla fine dell'elenco alfabetico.

SOLAROLO 48027 Ravenna 429, 430 I 17 – 4 219 ab. alt. 24.
Roma 373 – Bologna 50 – Ravenna 41 – Forlì 29 – Rimini 72.

X **L'Ustarejà di Du Butò-Centrale** con cam, via Fioroni 11 ℰ 0546 51109, dubuto@lamiarete.com, Fax 0546 51364 – 📺 ℰ – 🏤 25. AE S ① ⑥ VISA JCB. ⋘
Pasto (chiuso lunedì) carta 40/65000 – ⌷ 15000 – **15 cam** 70/105000 – ½ P 85000.

SOLAROLO RAINERIO 26030 Cremona 428 G 13 – 963 ab. alt. 28.
Roma 487 – Parma 36 – Brescia 67 – Cremona 27 – Mantova 42.

XX **La Clochette** con cam, via Borgo 2 ℰ 0375 91010, Fax 0375 310151, 🏤, 🏤 – 🗏 📺 **P**. AE S ① ⑥ VISA
Pasto (chiuso martedì) carta 40/70000 – ⌷ 7000 – **15 cam** 60/100000 – ½ P 80000.

SOLCIO Novara 219 ⑦ – Vedere Lesa.

SOLDA (SULDEN) 39029 Bolzano 428, 429 C 13 – alt. 1 906 – Sport invernali : 1 840/3 250 m ≤ 1 ≤ 8, ≰.
🛈 ℰ 0473 613015, Fax 0473 613182.
Roma 733 – Sondrio 115 – Bolzano 96 – Merano 68 – Milano 281 – Passo di Resia 50 – Passo dello Stelvio 29 – Trento 154.

🏨 **Marlet** ≶, via Principale 110 ℰ 0473 613075, hotel.marlet.sulden.@rolmail.net, Fax 0473 613190, ≼ gruppo Ortles e vallata, 🛵, ≊, 🔲 – 🗏, ⋘ rist, 📺 **P**. S VISA. ⋘ rist
18 dicembre-10 maggio e luglio-settembre – **Pasto** (solo per alloggiati) carta 45/60000 – **25 cam** solo ½ P 145000.

🏨 **Eller**, Solda 15 ℰ 0473 613021, info@hoteleller.com, Fax 0473 613181, ≼, ≊, 🏤 – 🗏 ⋘ 📺 **P**. S ⑥ VISA. ⋘
dicembre-5 maggio e luglio-29 settembre – **Pasto** (chiuso a mezzogiorno da dicembre a marzo) carta 55/80000 – **50 cam** ⌷ 80/160000 – ½ P 130000.

🏨 **Mignon**, Solda 47 ℰ 0473 613045, mignon@tophotels.net, Fax 0473 613194, ≼ gruppo Ortles, ≊ – 📺 **P**. S ⑥ VISA. ⋘ rist
27 novembre-1°maggio e luglio-25 settembre – **Pasto** (solo per alloggiati) 35000 – **19 cam** ⌷ 105/200000, 4 suites – ½ P 120000.

SOLFERINO 46040 Mantova 428, 429 F 13 G. Italia – 2 196 ab. alt. 131.
Roma 506 – Brescia 37 – Cremona 59 – Mantova 36 – Milano 127 – Parma 80 – Verona 44.

X **Da Claudio-al Nido del Falco**, via Garibaldi 39 ℰ 0376 854249 – **P**. S VISA. ⋘
chiuso agosto e lunedì, da giugno a settembre anche sabato a mezzogiorno – **Pasto** carta 45/65000.

SOLIERA 41019 Modena 428, 429 H 14 – 12 675 ab. alt. 29.
Roma 420 – Bologna 56 – Milano 176 – Modena 12 – Reggio nell'Emilia 33 – Verona 91.

XX **Lancellotti** con cam, via Grandi 120 ℰ 059 567406, Fax 059 565431, prenotare – 🗏, ≡ rist, 📺. S ① ⑥ VISA. ⋘ rist
chiuso dal 24 dicembre al 7 gennaio e dal 1° al 20 agosto – **Pasto** (chiuso domenica e lunedì) carta 70/100000 – ⌷ 18000 – **13 cam** 95/140000, 3 suites
Spec. Tortellini in brodo. Straccetti alle erbette odorose e aceto balsamico tradizionale di Modena. Mischianza di erbe aromatiche, insalate, fiori di nasturzio e borragine.

Limidi Nord : 3 km – ✉ 41010 :

XX **La Baita**, via Carpi-Ravarino 124 ℰ 059 561633 – ≡ **P**. AE S ① ⑥ VISA JCB. ⋘
chiuso agosto e domenica – **Pasto** specialità di mare carta 85/100000.

SOLIGHETTO Treviso – Vedere Pieve di Soligo.

SOLIGO Treviso – Vedere Farra di Soligo.

SOLDA Savona 428 J 6 – Vedere Alassio.

SOMANO 12060 Cuneo 428 I 6 – 401 ab. alt. 516.
Roma 618 – Cuneo 60 – Asti 57 – Savona 73 – Torino 76.

XX **Conte d'Aste** con cam, via Roma 6 ℘ 0173 730102, Fax 0173 730142, prenotare
≡ rist, 📺 🅿 🖭 🕃 💿 🐼 𝘝𝘐𝘚𝘈
Pasto (chiuso mercoledì) carta 40/60000 – **15 cam** ⊈ 90/140000 – ½ P 120000.

SOMMACAMPAGNA 37066 Verona 428, 429 F 14 – 12 385 ab. alt. 121.
🖥 Verona (chiuso martedì) ℘ 045 510060, Fax 045 510242.
Roma 500 – Verona 15 – Brescia 56 – Mantova 39 – Milano 144.

XX **Merica** con cam, via Rezzola 75, località Palazzo ℘ 045 515160, Fax 045 515344 – ≡ rist
📺 🅿 🖭 🕃 💿 💿 𝘝𝘐𝘚𝘈 . ⋙
chiuso dal 26 dicembre al 6 gennaio e dal 1° al 25 agosto – **Pasto** (chiuso lunedì e giove..
sera) carta 45/70000 – ⊈ 10000 – **11 cam** 120/150000.

sull'autostrada A 4 - Monte Baldo Nord o per Casella

🏛 **Saccardi Quadrante Europa,** via Ciro Ferrari 8 ⊠ 37060 Caselle di Sommacampagn..
℘ 045 8581400, hotelsaccardi@iol.it, Fax 045 8581402, ☎, 🔲 – 🛗 ≡ 📺 🕹 🚗 🅿
🏂 450. 🖭 🕃 💿 💿 𝘝𝘐𝘚𝘈 . ⋙
Pasto carta 55/85000 (15 %) – **120 cam** ⊈ 250/330000, 6 suites – ½ P 205000.

Europe	If the name of the hotel is not in bold type, on arrival ask the hotelier his prices.

SOMMA LOMBARDO 21019 Varese 428 E 8, 219 ⑰ – 16 414 ab. alt. 281.
Roma 626 – Stresa 35 – Como 58 – Milano 49 – Novara 38 – Varese 26.

a Case Nuove Sud : 6 km – ⊠ 21019 Somma Lombardo :

X **La Quercia,** via Tornavento 11 ℘ 0331 230808 – ≡ 🅿 🖭 🕃 💿 💿 𝘝𝘐𝘚𝘈 . ⋙
chiuso dal 22 dicembre all'8 gennaio, dal 1° al 20 agosto, lunedì sera e martedì – **Pasto**
specialità arrosti e bolliti al carrello carta 50/70000.

SOMMARIVA DEL BOSCO 12048 Cuneo 428 H 5 – 5 741 ab. alt. 291.
Roma 662 – Torino 42 – Alessandria 83 – Cuneo 52 – Savona 108.

X **Del Viaggiatore,** via VI Maggio 18 ℘ 0172 55659, Fax 0172 55659, Coperti limitat..
prenotare – ≡. 🖭 🕃 💿 💿 𝘝𝘐𝘚𝘈
chiuso dal 10 al 30 agosto e domenica – **Pasto** 55000 e carta 45/75000.

SOMMARIVA PERNO 12040 Cuneo 428 H 5 – 2 593 ab. alt. 389.
Roma 648 – Torino 50 – Alessandria 77 – Asti 42 – Cuneo 53 – Savona 110.

🏛 **Roero Park Hotel** ॐ, località Maunera 45 ℘ 0172 468822, Fax 0172 468815, 🐎 – 🛗 ≡
📺 🕹 🅿 – 🏂 500. 🖭 🕃 💿 💿 𝘝𝘐𝘚𝘈
Pasto carta 40/60000 – **58 cam** ⊈ 150/200000, 2 suites – ½ P 140000.

SONA 37060 Verona 429 F 14 – 14 044 ab. alt. 169.
Roma 433 – Verona 15 – Brescia 57 – Mantova 39.

X **Gabriella,** via Valle 1, località Valle di Sona ℘ 045 6081561, Fax 045 6081561, 🍴 – 🅿 🖪
🕃 💿 💿 𝘝𝘐𝘚𝘈 . ⋙
chiuso dal 1° al 7 gennaio e dal 1° al 20 agosto – **Pasto** carta 35/60000.

SONDALO 23035 Sondrio 428, 429 D 12, 218 ⑰ – 4 709 ab. alt. 342.
Roma 675 – Sondrio 46 – Passo dello Stelvio 38.

XX **Delle Alpi** con cam, via Bolladore ℘ 0342 802170, Fax 0342 892170 – 📺 🕿 🅿 🖭 🕃 💿
💿 𝘝𝘐𝘚𝘈
Pasto carta 45/70000 – **24 cam** ⊈ 60/120000 – ½ P 85000.

ONDRIO 23100 🅿 428 , 429 D 11 – 22 006 ab. alt. 307.

🚡 Valtellina (marzo-novembre) a Caiolo ⊠ 23010 ℘ 0342 354009, Fax 0342 354528, Ovest :
4 km.

🛈 via Cesare Battisti 12 ℘ 0342 512500, Fax 0342 212590.

A.C.I. viale Milano 12 ℘ 0342 212213.

Roma 698 – Bergamo 115 – Bolzano 171 – Bormio 64 – Lugano 96 – Milano 138 –
St-Moritz 110.

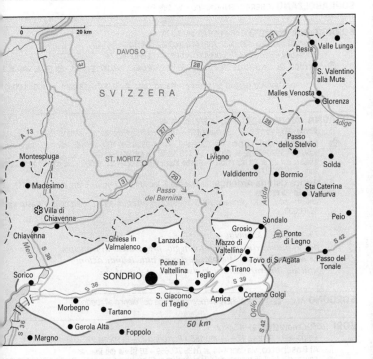

🏨 **Della Posta,** piazza Garibaldi 19 ℘ 0342 510404, info@hotelposta.so.it, Fax 0342 510210,
�, ⏸ – 🛗 📺 🅿 – 🕍 70. 🖭 🛐 ⓪ 🐠 𝘝𝘐𝘚𝘈
Pasto al Rist. **Sozzani** (chiuso dal 25 luglio al 25 agosto e domenica) 50000 e carta 60/90000
– **40 cam** ⊇ 135/225000, suite – ½ P 160000.

🏨 **Vittoria** Ⓜ senza rist, via Bernina 1 ℘ 0342 533888, info@vittoriahotel.com,
Fax 0342 533888 – 🛗 🌤 ☰ 📺 ✆ 🛗 ⇔ 🅿 – 🕍 50. 🖭 🛐 ⓪ 🐠 𝘝𝘐𝘚𝘈 JCB
40 cam ⊇ 115/180000.

🏨 **Europa,** lungo Mallero Cadorna 27 ℘ 0342 515010, info@htleuropa.com,
Fax 0342 512895 – 🛗 📺 ✆. 🖭 🛐 ⓪ 🐠 𝘝𝘐𝘚𝘈. 🌤 rist
Pasto (chiuso domenica) carta 45/65000 – ⊇ 14000 – **46 cam** 95/135000 – ½ P 110000.

🍴🍴 **Trippi Grumello,** statale dello Stelvio Est : 1 km ⊠ 23020 Montagna in Valtellina
℘ 0342 212447, Fax 0342 518567, � – 🅿. 🖭 🛐 ⓪ 🐠 𝘝𝘐𝘚𝘈. 🌤
chiuso domenica – **Pasto** carta 40/75000.

▮ **Montagna in Valtellina** Nord-Est : 2 km – alt. 567 – ⊠ 23020 :

🍴🍴 **Dei Castelli,** via Crocefisso 10 ℘ 0342 380445, �, prenotare – 🅿. 🖭 🛐 ⓪ 🐠 𝘝𝘐𝘚𝘈 JCB.
🌤
chiuso dal 25 maggio al 15 giugno, dal 25 ottobre al 15 novembre, domenica sera e lunedì –
Pasto carta 50/90000.

▮ **Sassella** Ovest : 3 km – ⊠ 23100 Sondrio :

🍴🍴 **Torre della Sassella,** località Sassella 17 ℘ 0342 218500, Fax 0342 512776, ≼, « In una
torre del 15° secolo » – 🖭 🛐 ⓪ 🐠 𝘝𝘐𝘚𝘈
chiuso mercoledì – **Pasto** 45000 e carta 50/70000.

a Moia di Albosaggia *Sud : 5 km – alt. 409 – ⊠ 23100 Sondrio :*

ᐱᐱ **Campelli** Ⓜ, via Moia 6 ℘ 0342 510662, Fax 0342 213101, ≤, 佘, ⬧⬧, 屛 – ⍾ ▤ ▥ ⏴
⬧⬧ 🄿 – ⬧ 50, ⷪⷪ 🄑 ⓪ ⯑⯑ 𝘝𝘐𝘚𝘈, ⸝⸝
Pasto *(chiuso dal 1°al 20 agosto, domenica sera e lunedì a mezzogiorno)* carta 50/65000
⟶ 16000 – **34 cam** 85/130000, suite.

SOPRABOLZANO (OBERBOZEN) *Bolzano – Vedere Renon.*

SORAGA *38030 Trento* 𝟜𝟚𝟡 *C 16 – 659 ab. alt. 1 209.*
🄱 *strada da Palua 1 ℘ 0462 768114, Fax 0462 768114.*
Roma 664 – Bolzano 42 – Cortina d'Ampezzo 74 – Trento 74.

🏠 **Arnica** ⬧, via Barbide 30 ℘ 0462 768415, Fax 0462 768220, ⬧⬧, 屛 – ⍾ ▥ ⬧ ⬧⬧ 🄿, 🄑
𝘝𝘐𝘚𝘈, ⸝⸝
dicembre-aprile e giugno-settembre – **Pasto** carta 45/85000 – **18 cam** ⟶ 100/180000
½ P 110000.

SORAGNA *43019 Parma* 𝟜𝟚𝟠 *H 12 – 4 377 ab. alt. 47.*
Roma 480 – Parma 27 – Bologna 118 – Cremona 35 – Fidenza 10 – Milano 104.

ᐱᐱ **Locanda del Lupo,** via Garibaldi 64 ℘ 0524 597100, *info@locandadellupo.com*
Fax 0524 597066 – ⍾ ▤ ▥ 🄿 – ⬧ 120, ⷪⷪ 🄑 ⓪ ⯑⯑ 𝘝𝘐𝘚𝘈, ⸝⸝ rist
chiuso dal 23 al 29 dicembre – **Pasto** carta 60/95000 – ⟶ 15000 – **46 cam** 140/200000
suite – ½ P 180000.

✗ **Antica Osteria Ardenga,** via Maestra 6, località Diolo Nord : 5 km ℘ 0524 599337, 佘
⬧ – ⷪⷪ 🄑 ⓪ ⯑⯑ 𝘝𝘐𝘚𝘈
chiuso dal 3 al 10 gennaio, dal 5 al 25 luglio, martedì sera e mercoledì – **Pasto** carta
35/60000.

Un consiglio Michelin:
per la buona riuscita di un viaggio, preparatelo in anticipo.
Le carte e le guide Michelin vi danno tutte le indicazioni
utili su: itinerari, curiosità, sistemazioni, prezzi, ecc.

SORGONO *Nuoro* 𝟜𝟛𝟛 *G 9 – Vedere Sardegna alla fine dell'elenco alfabetico.*

SORI *16030 Genova* 𝟜𝟚𝟠 *I 9 – 4 548 ab..*
Roma 488 – Genova 17 – Milano 153 – Portofino 20 – La Spezia 91.

✗ **Al Boschetto,** via Caorsi 44 ℘ 0185 700659 – ⷪⷪ 🄑 ⓪ ⯑⯑ 𝘝𝘐𝘚𝘈, ⸝⸝
chiuso dal 15 al 25 marzo, dal 10 settembre al 10 ottobre e martedì – **Pasto** carta 55/75000

SORIANO NEL CIMINO *01038 Viterbo* 𝟜𝟛𝟘 *O 18 – 8 290 ab. alt. 510.*
Roma 95 – Viterbo 17 – Terni 50.

✗ **Gli Oleandri,** con cam, via Cesare Battisti 51 ℘ 0761 748383, *glioleandri@libero.it*
Fax 0761 748222, ≤ Castello Orsini e Centro Storico, 屛 – ▥ 🄿, ⷪⷪ 🄑 ⓪ ⯑⯑ 𝘝𝘐𝘚𝘈, ⸝⸝ rist
Pasto carta 45/60000 – **16 cam** ⟶ 85/120000 – ½ P 85000.

SORICO *22010 Como* 𝟜𝟚𝟠 *D 10,* 𝟚𝟙𝟡 ⑩ *– 1 179 ab. alt. 208.*
Roma 686 – Como 75 – Sondrio 43 – Lugano 53 – Milano 109.

✗ **Beccaccino,** località Boschetto Sud-Est : 2,5 km ℘ 0344 84241 – 🄿, ⸝⸝
chiuso gennaio, lunedì sera e martedì – **Pasto** specialità pesce di lago carta 35/55000.

SORISO *28018 Novara* 𝟜𝟚𝟠 *E 7,* 𝟚𝟙𝟡 ⑯ *– 763 ab. alt. 452.*
Roma 654 – Stresa 35 – Arona 20 – Milano 78 – Novara 40 – Torino 114 – Varese 46.

✗✗✗✗ **Al Sorriso** con cam, via Roma 18 ℘ 0322 983228, Fax 0322 983328, prenotare – ▤ ris
🕃🕃🕃 ▥ ⷪⷪ 🄑 ⓪ ⯑⯑ 𝘝𝘐𝘚𝘈, ⸝⸝
chiuso dall'8 al 25 gennaio e dal 3 al 26 agosto – **Pasto** *(chiuso lunedì e martedì*
mezzogiorno) 170000 e carta 140/220000 – **8 cam** ⟶ 190/320000 – ½ P 320000
Spec. Fungo porcino cotto al naturale, farcito con aglietto selvatico e olio di oliva aromatiz-
zato (giugno-novembre). Ristretto di piselli con perle di melone alla menta (primaver
estate). Pernice rossa con risotto al tartufo bianco d'Alba (autunno-inverno).

ORRENTO 80067 Napoli **431** F 25 *G. Italia* – 17 532 ab. – *a.s. aprile-settembre*.

Vedere *Villa Comunale : ⩽★★ A* – *Belvedere di Correale; ⩽★★ B A* – *Museo Correale di Terranova★ B M* – *Chiostro★ della chiesa di San Francesco A F*.

Dintorni *Penisola Sorrentina★★ : ⩽★★ su Sorrento dal capo di Sorrento (1 h a piedi AR)*, *⩽★★ sul golfo di Napoli dalla strada S 163 per ② (circuito di 33 km)*.

Escursioni *Costiera Amalfitana★★★ – Isola di Capri★★★*.

⟿ *per Capri giornalieri (45 mn) – Caremar-agenzia Morelli, piazza Marinai d'Italia* ℘ *081 8073077, Fax 081 8072479*.

⟿ *per Capri giornalieri (da 20 a 50 mn) – Alilauro, al porto* ℘ *081 8781430, Fax 081 8071221 e Navigazione Libera del Golfo, al porto* ℘ *081 8071812, Fax 081 8781861*.

🛈 *via De Maio 35* ℘ *081 8074033, Fax 081 8773397*.

Roma 257 ① – Napoli 49 ① – Avellino 69 ① – Caserta 74 ① – Castellammare di Stabia 19 ① – Salerno 50 ①.

SORRENTO

S. Antonino (Piazza) . . B 6
S. Cesareo (Via) . . . AB 7
S. Maria di Grazie
(V.) . . . . A 8
Vittoria (Pza della) . . . A 9

e Maio (Via) . . . . . . B 3
alia (Corso) . . . . . AB

🏨🏨🏨🏨 **Gd H. Excelsior Vittoria** ⟆, piazza Tasso 34 ℘ 081 8071044, *Fax 081 8771206*, ⩽ golfo di Napoli e Vesuvio, ㈠, « Giardino-agrumeto con ☒; ascensore per il porto » – 📶, ⩽⟆ rist, 📺 rist – 🔏 90. ⌷⌷ ⌷ ⓪ ⓪⓪ *VISA*. ⅀⅀ rist
Pasto carta 100/140000 – ⇄ 20000 – **107 cam** 415/655000, 14 suites – ½ P 440000.
B u

🏨🏨🏨 **Imperial Tramontano,** via Vittorio Veneto 1 ℘ 081 8782588, *imperial@tramontano.com*, *Fax 081 8072344*, ⩽ Giardino fiorito ed ascensore per la spiaggia », ☒, ⫘⟆ – 📶, ⩽⟆ rist, 📺 – 🔏 180. ⌷⌷ 🅂 ⓪⓪ *VISA*. ⅀⅀ rist
chiuso gennaio e febbraio – **Pasto** 80000 – **106 cam** ⇄ 410/460000, 10 suites – ½ P 295000.
A b

🏨🏨🏨 **Gd H. Riviera** ⟆, via Califano 22 ℘ 081 8072011, *riviera@syrene.it, Fax 081 8772100*, ⩽ golfo di Napoli e Vesuvio, « Giardino con ☒ a picco sul mare; ascensore per la spiaggia », ⫘⟆ – 📶 📺 – 🔏 100. ⌷⌷ 🅂 ⓪ ⓪⓪ *VISA* JCB. ⅀⅀
aprile-ottobre – **Pasto** carta 75/105000 – ⇄ 30000 – **94 cam** 215/330000, suite – ½ P 350000.
B m

🏨🏨 **Bellevue Syrene** ⟆, piazza della Vittoria 5 ℘ 081 8781024, *bellavue@sorrentopalace.it, Fax 081 8783963*, ⩽ golfo di Napoli e Vesuvio, ㈠, « Giardino, terrazze fiorite ed ascensore per la spiaggia », ⫘⟆ – 📶 📺 ⓋⒷ. ⌷⌷ 🅂 ⓪ ⓪⓪ *VISA* JCB. ⅀⅀
Pasto 70000 – **74 cam** ⇄ 385/550000 – ½ P 315000.
A k

🏨🏨 **Gd H. Capodimonte,** via Capo 14 ℘ 081 8784555, *capodimonte@manniellohotels.it, Fax 081 8071193*, ⩽ golfo di Napoli e Vesuvio, ㈠, « Agrumeto e terrazze fiorite con ☒ » – 📶 📺 Ⓟ. ⌷⌷ ⓪ ⓪⓪ *VISA*. ⅀⅀ rist
marzo-ottobre – **Pasto** 75000 – **189 cam** ⇄ 370/440000, 3 suites – ½ P 280000.
A g

🏨🏨 **Belair** ⟆, via Capo 29 ℘ 081 8071622, *hbelair@russogroup.com*, ⩽ golfo di Napoli e Vesuvio, « Piccole terrazze fiorite con ☒ » – 📶 📺 Ⓟ. ⌷⌷ 🅂 ⓪ ⓪⓪ *VISA* JCB. ⅀⅀
chiuso gennaio-febbraio e novembre-dicembre – **Pasto** carta 50/70000 (10%) – **48 cam** ⇄ 305/400000, 3 suites – ½ P 245000.
A y

🏨🏨 **Bristol,** via Capo 22 ℘ 081 8784522, *bristol@acamopora.it, Fax 081 8071910*, ⩽ golfo di Napoli e Vesuvio, « Terrazza panoramica con ☒ », ⟆⟆ – 📶 📺 Ⓟ – 🔏 80. ⌷⌷ 🅂 ⓪ ⓪⓪ *VISA*. ⅀⅀ rist
Pasto carta 65/90000 – **137 cam** ⇄ 300/400000 – ½ P 240000.
A a

Royal, via Correale 42 ℰ 081 8073434, ghroyal@manniellohotels.it, Fax 081 8772905, golfo di Napoli e Vesuvio, ⌂, « Giardino-agrumeto con ⌂ ed ascensore per la spiaggia ⌂ – 🛗 🖀 📺. 🖭 🖪 ① 🕮 𝘝𝘐𝘚𝘈. ⌘ rist
B
marzo-ottobre – **Pasto** carta 75/100000 – **95 cam** ⊇ 410/480000, suite – ½ P 300000.

Gd H. Ambasciatori, via Califano 18 ℰ 081 8782025, ambasciatori@manniellohotels. Fax 081 8071021, ≤ golfo di Napoli e Vesuvio, « Terrazze fiorite, agrumeto con ⌂ e ascensore per la spiaggia », ⌂ – 🛗 🖀 📺 ℙ – 🖄 180. 🖭 ① 🕮 𝘝𝘐𝘚𝘈. ⌘ rist
B
chiuso da gennaio al 26 marzo – **Pasto** carta 75/100000 – **103 cam** ⊇ 390/460000, 6 suite – ½ P 290000.

La Solara, via Capo 118 (Ovest : 2 km) ⊠ 80060 Capo di Sorrento ℰ 081 5338000, info@solara.com, Fax 081 8071501, ≤, ⌂ – 🛗, ⌘ rist, 🖀 📺 ℙ. 🖭 🖪 ① 🕮 𝘝𝘐𝘚𝘈 𝗝𝗖𝗕. ⌘ rist
chiuso gennaio e febbraio – **Pasto** carta 60/90000 – **37 cam** ⊇ 300/360000, 3 suites ½ P 200000.
per ②

Regina ♨, via Marina Grande 10 ℰ 081 8782722, Fax 081 8782721, ≤, « Giardino agrumeto » – 🛗, 🖀 rist, 📺 ⌂. 🖭 🖪 ① 🕮 𝘝𝘐𝘚𝘈.
A
marzo-ottobre – **Pasto** (solo per alloggiati e chiuso a mezzogiorno) 65000 – **36 cam** ⊇ 150/240000 – ½ P 160000.

Villa di Sorrento senza rist, viale Enrico Caruso 6 ℰ 081 8781068, Fax 081 8072679 – 🖀 📺. 🖭 🖪 ① 🕮 𝘝𝘐𝘚𝘈
B
⊇ 20000 – **21 cam** 120/200000.

Gardenia, corso Italia 258 ℰ 081 8772365, info@hotelgardenia.com, Fax 081 8074486, ⌂ – 🛗 🖀 📺 ℙ. 🖭 🖪 ① 🕮 𝘝𝘐𝘚𝘈. ⌘
per ①
chiuso dall'11 gennaio al 20 febbraio – **Pasto** (aprile-ottobre; solo per alloggiati) 30/40000 – ⊇ 20000 – **27 cam** 180/200000 – ½ P 150000.

La Tonnarella, via Capo 31 ℰ 081 8781153 e rist. ℰ 081 8781016, Fax 081 8782169, ≤ Ascensore per la spiaggia, « Terrazza panoramica », ⌂ – 🛗 🖀 📺 ℙ. 🖭 🖪 ① 🕮 𝘝𝘐𝘚𝘈 ⌘ rist
A
Pasto carta 40/85000 e al Rist. **Tonnarella a Mare** (11 marzo-15 novembre; chiuso la sera dal 15 maggio al 15 settembre) carta 35/75000 – **21 cam** ⊇ 250000 – ½ P 155000.

Désirée, senza rist, via Capo 31/bis ℰ 081 8781563, Fax 081 8781563, ≤, Ascensore per spiaggia, « Terrazza-solarium », ⌂, ⌘ – ℙ.
A
chiuso febbraio – **22 cam** ⊇ 100/160000.

Caruso, via Sant'Antonino 12 ℰ 081 8073156, Fax 081 8072899, prenotare – 🖀. 🖭 🖪 ① 🕮 𝘝𝘐𝘚𝘈 𝗝𝗖𝗕
B
Pasto carta 75/115000.

L'Antica Trattoria, via Padre R. Giuliani 33 ℰ 081 8071082, Fax 081 8071082, « Servizio estivo sotto un pergolato » – ⌘ rist, 🖀. 🖭 🖪 ① 🕮 𝘝𝘐𝘚𝘈 𝗝𝗖𝗕. ⌘
A
chiuso febbraio e lunedì (escluso da luglio a settembre) – **Pasto** 60000 e carta 75/125000.

La Fenice, via Degli Aranci 11 ℰ 081 8781652, Fax 081 5324154, ⌂, Rist. e pizzeria – 🖀 🖭 🖪 ① 🕮 𝘝𝘐𝘚𝘈. ⌘
A
chiuso lunedì escluso agosto – **Pasto** carta 35/75000.

Zi'ntonio, via De Maio 11 ℰ 081 8781623, info@zintonio.it, Fax 081 8781623, Rist. pizzeria, « Ambiente caratteristico » – 🖀. 🖭 🖪 ① 🕮 𝘝𝘐𝘚𝘈
B
chiuso martedì escluso marzo-ottobre – **Pasto** carta 35/70000.

Taverna Azzurra-da Salvatore, via Marina Grande 166 ℰ 081 8772510 Fax 081 8772510, ⌂, prenotare – 🖀. 🖪 ① 🕮 𝘝𝘐𝘚𝘈. ⌘
A
chiuso lunedì da gennaio a maggio – **Pasto** cucina marinara carta 30/75000.

sulla strada statale 145 per ② :

President ♨, via Nastro Verde 26 (Ovest : 3 km) ⊠ 80067 Sorrento ℰ 081 8782262, president@acampora.it, Fax 081 8785411, ≤ golfo di Napoli, Vesuvio e Sorrento, « Giardino fiorito e terrazze con ⌂ » – 🛗 🖀 📺 ℙ. 🖭 🖪 ① 🕮 𝘝𝘐𝘚𝘈. ⌘
15 marzo-ottobre – **Pasto** carta 45/60000 – **106 cam** ⊇ 390/450000, suite – ½ P 300000.

SOSPIROLO 32037 Belluno **429** D 18 – 3 298 ab. alt. 457.
Roma 629 – Belluno 15.

Sospirolo Park Hotel ♨, località Susin ℰ 0437 89185, parkhotel@debbie.worknet.it Fax 0437 899177, ≤, « Parco », ⌂ – 🛗 📺 ℙ. – 🖄 100. 🖭 🖪 🕮 𝘝𝘐𝘚𝘈. ⌘ rist
chiuso da gennaio a marzo – **Pasto** (chiuso domenica sera e a mezzogiorno escluso luglio-agosto) carta 30/40000 – **21 cam** ⊇ 90/140000, suite – ½ P 100000.

SOVANA 58010 Grosseto **430** O 16 G. Toscana – alt. 291.
Roma 172 – Viterbo 63 – Firenze 226 – Grosseto 82 – Orbetello 70 – Orvieto 61.

Scilla, via Rodolfo Siviero 1/3 ℰ 0564 616531, Fax 0564 614329, ⌂, ⌘ – ℙ. – 🖄 100. 🖭 🖪 ① 🕮 𝘝𝘐𝘚𝘈. ⌘
chiuso febbraio e martedì – **Pasto** carta 35/60000.

OVERATO 88068 Catanzaro 431 K 31 – 10 739 ab..
- 🖪 via San Giovanni Bosco 192 🌮 0967 25432.
- Roma 636 – Reggio di Calabria 153 – Catanzaro 32 – Cosenza 123 – Crotone 83.

🏨 **San Domenico**, via della Galleria 🌮 0967 23121, hsd@columbus.it, Fax 0967 521109, ≤,
🍽, 🐎 – 🛗 🔟 🕻 📞 🖪 – 🔏 160. 🖭 🕃 ⑩ 🐠 🚾. 🛠
aprile-ottobre – **Pasto** carta 40/60000 – ⊊ 12000 – **80 cam** 130/180000 – ½ P 170000.

🏨 **Gli Ulivi**, via Aldo Moro 1 🌮 0967 521194, gliulivi@libero.it, Fax 0967 21487, 🐎, 🐎 – 🛗
🔟 🖪 – 🔏 30. 🖭 🕃 ⑩ 🐠 🚾. 🛠
chiuso dal 23 dicembre al 14 gennaio – **Pasto** carta 40/60000 – **44 cam** ⊊ 150/180000 –
½ P 140000.

🏨 **Il Nocchiero**, piazza Maria Ausiliatrice 18 🌮 0967 21491, hotelnocchiero@libero.it,
Fax 0967 23617 – 🛗 🔟 🔟 – 🔏 70. 🖭 🕃 ⑩ 🐠 🚾. 🛠
chiuso dal 21 dicembre al 7 gennaio – **Pasto** carta 40/50000 – **35 cam** ⊊ 110/160000, suite
– ½ P 130000.

🍴 **Riviera**, via Regina Elena 4/6 🌮 0967 25738, prenotare – 🍽. 🚾 – chiuso lunedì – **Pasto**
carta 40/65000.

OVICILLE 53018 Siena 430 M 15 – 8 264 ab. alt. 265.
- Roma 240 – Siena 14 – Firenze 78 – Livorno 122 – Perugia 117.

🏛 **Borgo Pretale** ﹥, località Pretale Sud-Ovest : 13 km 🌮 0577 345401, borgopret@ftbcc.
it, Fax 0577 345625, ≤, 🍽, « Caratteristico borgo in un grande parco con 🎴, ♨, campo
pratica golf e tiro con l'arco », 🏋, 🚡 – 🍽 🔟 🖪 – 🔏 60. 🖭 🕃 ⑩ 🐠 🚾. 🛠
15 aprile-15 novembre – **Pasto** (solo su prenotazione e chiuso a mezzogiorno) 70/90000 –
30 cam ⊊ 260/390000, 5 suites – ½ P 270000.

PARONE 10080 Torino 428 F 4, 219 ⑬ – 1 180 ab. alt. 552.
- Roma 708 – Torino 48 – Aosta 97 – Milano 146.

🍴🍴 **La Rocca**, via Arduino 6 🌮 0124 808867, prenotare – 🖪 🖭 🕃 ⑩ 🐠 🚾. 🛠
chiuso da febbraio al 15 marzo, dal 1° al 14 agosto, giovedì e domenica sera – **Pasto** 75000
e carta 50/95000.

PARTAIA Livorno – Vedere Elba (Isola d') : Marciana Marina.

PARTIVENTO Cagliari 433 K 8 – Vedere Sardegna (Domus de Maria) alla fine dell'elenco
alfabetico.

PAZZAVENTO Pistoia – Vedere Pistoia.

PELLO 06038 Perugia 430 N 20 G. Italia – 8 142 ab. alt. 314.
- Vedere Affreschi★★ del Pinturicchio nella chiesa di Santa Maria Maggiore.
- 🖪 piazza Matteotti 3 🌮 0742 301009, Fax 0742 301009.
- Roma 165 – Perugia 31 – Assisi 12 – Foligno 5 – Terni 66.

🏛 **Palazzo Bocci**, via Cavour 17 🌮 0742 301021, bocci@bcsnet.it, Fax 0742 301464, ≤,
« Residenza signorile d'epoca », 🐎 – 🛗 🔟 🔟 🕹 – 🔏 25. 🖭 🕃 ⑩ 🐠 🚾 🐾
Pasto vedere rist **Il Molino** – **17 cam** ⊊ 140/250000, 6 suites.

🏨 **La Bastiglia** ﹥, via dei Molini 17 🌮 0742 651277, fancelli@labastiglia.com,
Fax 0742 301159, ≤, 🍽 – 🍽 🔟 – 🔏 90. 🖭 🕃 ⑩ 🐠 🚾. 🛠
chiuso dal 7 al 28 gennaio e dal 21 al 28 luglio – **Pasto** (chiuso mercoledì e giovedì a
mezzogiorno) carta 65/100000 – **33 cam** ⊊ 200/220000 – ½ P 160000.

🏨 **Del Teatro**, via Giulia 24 🌮 0742 301140, hoteldelteatro@melink.it, Fax 0742 301612, ≤ –
🛗 🔟 – 🔏 30. 🖭 🕃 ⑩ 🐠 🚾. 🛠
chiuso dal 10 al 31 gennaio – **Pasto** vedere rist **Il Cacciatore** – ⊊ 10000 – **11 cam**
130/170000 – ½ P 130000.

🍴🍴 **Il Molino**, piazza Matteotti 6/7 🌮 0742 651305, 🍽 – 🍽. 🖭 🕃 ⑩ 🐠 🚾 🐾
chiuso martedì – **Pasto** carta 45/85000.

🍴 **Il Cacciatore** con cam, via Giulia 42 🌮 0742 651141, Fax 0742 301603, ≤, 🍽, « Servizio
estivo in terrazza panoramica » – 🔟 🚗. 🖭 🕃 ⑩ 🐠 🚾. 🛠
chiuso dal 1° al 14 luglio – **Pasto** (chiuso a mezzogiorno escluso domenica e i giorni festivi)
carta 50/65000 – ⊊ 10000 – **21 cam** 90/140000 – ½ P 115000.

PERLONGA 04029 Latina 430 S 22 G. Italia – 3 417 ab. – a.s. Pasqua e luglio-agosto.
- Roma 127 – Frosinone 76 – Latina 57 – Napoli 106 – Terracina 18.

🏨 **Aurora** senza rist, via Cristoforo Colombo 15 🌮 0771 549266, aurorahotel@aurorahotel.it,
Fax 0771 548014, ≤, 🐎, 🐎 – 🛗 🔟 🖪 – 🔏 60. 🖭 🕃 ⑩ 🐠 🚾 🏦 🐾
Pasqua-ottobre – **44 cam** ⊊ 200/300000.

🏠 **La Playa,** via Cristoforo Colombo ℘ 0771 549496, *Fax 0771 548106,* ⅃, ▲⌨ ❀ – ⧈ Ⅰ
🛗 Ⅴ Ⅴ, Æ Ⅵ ⱷ Ⅶ ⱴ *VISA* ⅏
Pasto *(maggio-ottobre; chiuso a mezzogiorno)* carta 55/80000 – **39 cam** ⅏ 260/315000
½ P 190000.

🏠 **La Sirenella,** via Cristoforo Colombo 25 ℘ 0771 549186, *albergo@lasirenella.com*
Fax 0771 549189, ≤, ▲⌨ – ⧈, ↔ rist, ▤ Ⅴ ⱷ Ⅵ Æ Ⅵ ⱷ Ⅶ ⅏
Pasto *(solo per alloggiati)* 40/60000 – **40 cam** ⅏ 130/200000 – P 180000.

🏠 **Major,** via I Romita 4 ℘ 0771 549245, *major@meda.it, Fax 0771 549244,* Ⅰ₅, ▲⌨ – ▤ Ⅰ
ⱷ Ⅵ Æ Ⅵ ⱷ Ⅶ *VISA*
Pasto *(solo per alloggiati)* 50000 – **16 cam** ⅏ 120/180000 – ½ P 150000.

🗶🗶 **Gli Archi,** via Ottaviano 17 (centro storico) ℘ 0771 548300, *Fax 0771 557035,* ⅏ – Æ
Ⅵ ⱷ Ⅶ *JCB* ⅏
chiuso gennaio e mercoledì – **Pasto** specialità di mare carta 55/85000.

🗶🗶 **La Bisaccia,** via I Romita 25 ℘ 0771 548576 – ▤. Æ Ⅵ ⱷ Ⅵ ⱷ *VISA* *JCB* ⅏
chiuso novembre e martedì (escluso dal 15 giugno a settembre) – **Pasto** carta 40/70000
(10 %).

SPEZIALE *Brindisi* ⓐ⓵⓵ *E 34 – Vedere Fasano.*

SPEZZANO PICCOLO 87050 *Cosenza* ⓐ⓵⓵ *J 31 – 2 060 ab. alt. 720.*
Roma 529 – Cosenza 15 – Catanzaro 110.

🏠 **Petite Etoile,** contrada Acqua Coperta (Nord-Est: 2 km) ℘ 0984 43518
⊜ *Fax 0984 435912 –* Ⅴ Ⅴ. ⅏
Pasto carta 30/45000 – **18 cam** ⅏ 65/100000 – ½ P 80000.

*Den Katalog der **Michelin-Veröffentlichungen**
erhalten Sie bei Ihrem Buchhändler*

SPIAZZO 38088 *Trento* ⓐ⓶⓼, ⓐ⓶⓽ *D 14 – 1 111 ab. alt. 650 – a.s. 12 febbraio-12 marzo, Pasqua e
Natale.*
Roma 622 – Trento 49 – Bolzano 112 – Brescia 96 – Madonna di Campiglio 21 – Milano 187.

🗶🗶 **Mezzosoldo** con cam, a Mortaso Nord: 1 km ℘ 0465 801067, *albergomezzosoldo@cr*
⊗ *urfing.net, Fax 0465 801078,* « Ambiente tipico con arredi d'epoca » – ⧈ Ⅴ Ⅴ. Ⅵ ⱷ Ⅵ *VISA*
⅏
5 dicembre-15 aprile e 10 giugno-25 settembre – **Pasto** *(chiuso giovedì)* 60000 – **26 cam**
⅏ 130/150000 – ½ P 100000
Spec. Carne salada di cervo con "radìc dell'ors" (erba selvatica). "Mosana" (zuppa di
polenta) con tartufo del monte Baldo e porcini (inverno). Fiocco di neve (gelato alla panna
con noci caramellate calde e miele).

SPILAMBERTO 41057 *Modena* ⓐ⓶⓼, ⓐ⓶⓽, ⓐ⓷⓪ *I 15 – 10 717 ab. alt. 69.*
Roma 408 – Bologna 38 – Modena 16.

🗶🗶 **Da Cesare,** via San Giovanni 38 ℘ 059 784259, *Coperti limitati; prenotare –* Æ Ⅵ ⱷ Ⅵ *VISA*
⊜ ⅏
chiuso dal 15 al 30 maggio, dal 20 luglio al 20 agosto, domenica sera e lunedì – **Pasto** carta
35/55000.

SPILIMBERGO 33097 *Pordenone* ⓐ⓶⓽ *D 20 – 10 971 ab. alt. 132.*
Roma 625 – Udine 30 – Milano 364 – Pordenone 33 – Tarvisio 97 – Treviso 101 – Trieste 98.

🏠 **Gd H. President,** via Cividale ℘ 0427 50050, *Fax 0427 50333,* ⅏ – ⧈ ▤ Ⅴ ⅍ Ⅴ
⅍ 120. Æ Ⅵ ⱷ Ⅵ ⱷ *VISA.* ⅏ rist
Pasto *(chiuso dal 21 luglio al 20 agosto e lunedì)* carta 40/60000 – ⅏ 16000 – **33 cam**
110/180000 – ½ P 150000.

🗶🗶 **La Torre,** piazza Castello ℘ 0427 50555, *Fax 0427 50555, Coperti limitati; prenotare,* « In
un castello medioevale » – ▤. Æ Ⅵ ⱷ Ⅵ ⱷ *VISA.* ⅏
chiuso domenica sera e lunedì – **Pasto** carta 50/75000.

SPINEA 30038 *Venezia* ⓐ⓶⓽ *F 18 – 24 834 ab..*
Roma 507 – Padova 34 – Venezia 18 – Mestre 7.

🏠 **Raffaello** senza rist, via Roma 305 ℘ 041 5411660, *Fax 041 5411511 –* ⧈ ▤ Ⅴ ⅍ Ⅴ
⅍ 100. Æ Ⅵ ⱷ Ⅵ ⱷ *VISA.* ⅏
27 cam ⅏ 100/160000.

PINO D'ADDA 26016 Cremona 428 F 10, 219 20 – 5 678 ab. alt. 84.
Roma 558 – Bergamo 41 – Milano 30 – Cremona 54 – Piacenza 51.

XXX **Paredes y Cereda**, via Roma 4 ℘ 0373 965041, Fax 0373 965041, 🏤 – 🖭. 🖭 🚾 🖭 🐠 🐠
🚾 🗷🗉🖾. ℅
chiuso dal 1° al 22 gennaio, dal 6 al 16 agosto e lunedì – **Pasto** carta 55/70000.

PIRANO 24050 Bergamo 428 F 11 – 4 231 ab. alt. 156.
Roma 591 – Bergamo 16 – Brescia 48 – Milano 42 – Piacenza 75.

X **3 Noci-da Camillo**, via Petrarca 16 ℘ 035 877158, 🏤 – 🖭 🚾 🖭 🐠 🐠 🚾. ℅
🚘 chiuso dal 1° al 20 agosto, domenica sera e lunedì – **Pasto** specialità alla brace carta
45/75000.

POLETO 06049 Perugia 430 N 20 G. Italia – 37 647 ab. alt. 405.
Vedere Piazza del Duomo★ : Duomo★★ Y – Ponte delle Torri★★ Z – Chiesa di San Gregorio
Maggiore★ Y D – Basilica di San Salvatore★ Y B.
Dintorni Strada★ per Monteluco per ②.
🛈 piazza Libertà 7 ℘ 0743 220311, Fax 0743 46241.
Roma 130 ② – Perugia 63 ① – Terni 28 ② – Ascoli Piceno 123 ① – Assisi 48 ① – Foligno 28
① – Orvieto 84 ③ – Rieti 58 ②.

*In occasione di acune manifestazioni commerciali o turistiche i prezzi degli alberghi
potrebbero subire un sensibile aumento (informatevi al momento della prenotazione)*

Pianta pagina seguente

🏨 **Albornoz Palace Hotel** M, viale Matteotti ℘ 0743 221221, info@albornozpalace.com,
Fax 0743 221600, ≤, 🏤, « Opere di artisti contemporanei », 🔝 riscaldata, 🐖 – 🛗 ▤ 🖭 🕭
🚗 🖭 – 🕮 500. 🖭 🕄 🕦 🐠 🚾. ℅   1 km per ②
Pasto (chiuso lunedì) carta 45/70000 – 🖵 20000 – **92 cam** 160/200000, 4 suites –
½ P 160000.

🏨 **San Luca** M senza rist, via Interna delle Mura 21 ℘ 0743 223399, sanluca@hotelsanluca.c
om, Fax 0743 223800, 🐖 – 🛗 ▤ 🖭 🕭 🕭 🐖 – 🕮 90. 🖭 🕄 🕦 🐠 🚾. ℅   Y b
34 cam 🖵 190/420000, suite.

🏨 **Palazzo Dragoni** senza rist, via Duomo 13 ℘ 0743 222220, Fax 0743 222225, ≤ Duomo
e dintorni, « Costruzione del 16° secolo » – 🛗 ▤ 🖭 – 🕮 25. 🕄 🕦 🐠 🚾. ℅   Y h
15 cam 🖵 230/280000.

🏨 **Dei Duchi**, viale Matteotti 4 ℘ 0743 44541, hotel@hoteldeiduchi.com, Fax 0743 44543,
≤, 🏤 – 🛗 ▤ 🖭 🕭 🕭 – 🕮 90. 🖭 🕄 🕦 🐠 🚾. ℅   Z c
Pasto (chiuso martedì) carta 40/65000 – 🖵 20000 – **47 cam** 130/180000, 2 suites –
½ P 150000.

🏨 **Gattapone** 🏠 senza rist, via del Ponte 6 ℘ 0743 223447, gattapone@mail.
carbusiness.it, Fax 0743 223448, « In posizione dominante con ≤ sul ponte delle torri e
Monteluco », 🐖 – 🖭. 🖭 🕄 🕦 🐠 🚾 🗷🗉🖾   Z d
15 cam 🖵 270/420000.

🏨 **Il Barbarossa**, via Licina 12 ℘ 0743 43644, Fax 0743 222060, « Circondato da un grande
uliveto », 🐖 – 🛗 ▤ 🖭 🖭 – 🕮 60. 🖭 🕄 🕦 🐠 🚾. ℅ rist   per ①
Pasto (chiuso lunedì) carta 40/55000 – **10 cam** 🖵 140/190000 – ½ P 125000.

🏨 **Charleston** senza rist, piazza Collicola 10 ℘ 0743 220052, hotelcharleston@edisons.it,
Fax 0743 221244, 🕭 – 🛗 ▤ 🖭 🐖 – 🕮 50. 🖭 🕄 🕦 🐠 🚾   Z v
🖵 10000 – **21 cam** 110/150000.

🏨 **Aurora**, via Apollinare 3 ℘ 0743 220315, hotelaurora@viriglio.it, Fax 0743 221885 – 🖭 🕭.
🖭 🕄 🕦 🐠 🚾. ℅   Z h
Pasto vedere rist **Apollinare** – **23 cam** 🖵 115/150000 – ½ P 110000.

🏨 **Europa** senza rist, viale Trento e Trieste 201 ℘ 0743 46949, europahotel@tin.it,
Fax 0743 221654 – 🛗 ▤ 🖭. 🖭 🕄 🕦 🐠 🚾   Y
24 cam 🖵 105/140000.

XXX **Apollinare** - Hotel Aurora, via Sant'Agata 14 ℘ 0743 223256, Fax 0743 221885, 🏤 – 🖭
🕄 🕦 🐠 🚾. ℅   Z h
Pasto 50/70000 bc e carta 45/70000.

XX **Il Panciolle**, vicolo degli Eroli 1 (via Duomo) ℘ 0743 45598, Fax 0743 224289, « Servizio
estivo in terrazza con ≤ » – 🖭 🕄 🕦 🐠 🚾. ℅   Y n
chiuso dall'8 novembre all'8 dicembre e mercoledì – **Pasto** 50/175000 bc e carta 60/
120000.

XX **Il Tartufo**, piazza Garibaldi 24 ℘ 0743 40236, truffles@libero.it, Fax 0743 40236, 🏤 – ▤.
🖭 🖭 🕄 🕦 🐠 🚾   Y m
chiuso dal 7 al 15 febbraio, dal 20 al 30 luglio, domenica sera e lunedì – **Pasto** 35/65000 e
carta 45/65000.

XX **Sabatini**, corso Mazzini 52/54 ℘ 0743 221831, « Servizio estivo all'aperto » – 🖭 🕄 🕦 🐠
🚾   Z b
chiuso dal 1° al 10 agosto e lunedì – **Pasto** carta 45/85000.

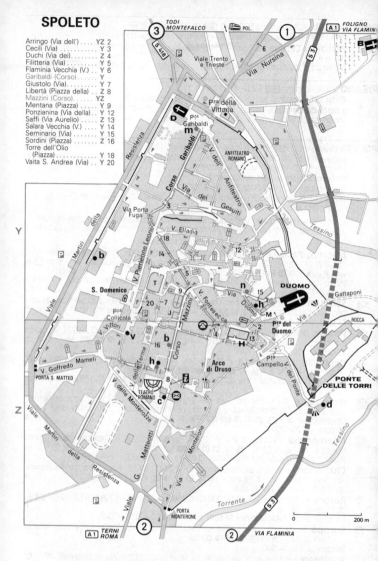

SPOLETO

Arringo (Via dell') .... YZ 2
Cecili (Via) .... Y 3
Duchi (Via dei) .... Z 4
Filitteria (Via) .... Y 5
Flaminia Vecchia (V.) .. Y 6
Garibaldi (Corso)...... Y
Giustolo (Via) .... Y 7
Libertà (Piazza della) .. Z 8
Mazzini (Corso)....... YZ
Mentana (Piazza) ..... Y 9
Ponzianina (Via della).. Y 12
Saffi (Via Aurelio) .... Z 13
Salara Vecchia (V.) .... Y 14
Seminario (Via) .... Y 15
Sordini (Piazza) ...... Z 16
Torre dell'Olio
(Piazza) .... Y 18
Vaita S. Andrea (Via) .. Y 20

sulla strada statale 3 - via Flaminia :

- ✗ **Il Capanno,** località Torrecola per ② : 8 km ⊠ 06049 ℰ 0743 54119, ilcapannoristoran
  @tin.it, Fax 0743 225000, prenotare, « Servizio estivo all'aperto » – ℙ. ᴀᴇ 🆂 ① ⓿⑧ 𝚅𝙸𝚂𝙰 𝙹ᴄ
  chiuso lunedì – Pasto carta 45/70000.

- ✗ **Al Palazzaccio-da Piero,** località San Giacomo per ① : 8 km ⊠ 06048 San Giacomo
  ⊚ Spoleto ℰ 0743 520168, Fax 0743 520845, 🈺 – ℙ. 🆂 ⓿⑧ 𝚅𝙸𝚂𝙰. ⚘
  chiuso lunedì e Natale – Pasto carta 35/50000.

a Madonna di Baiano per ③ : 7 km : – ⊠ 06040 Baiano di Spoleto :

- 🏨 **San Sebastiano in Spoleto** ⚲, via Acquasparta 4 ℰ 0743 539805, Fax 0743 53996
  🈺, « Residenza di campagna con arredi d'epoca » – 𝚃𝚅 ℙ. ᴀᴇ 🆂 ① ⓿⑧ 𝚅𝙸𝚂𝙰. ⚘
  Pasto (chiuso lunedì) carta 45/60000 – **12 cam** ⊇ 125/165000, suite – ½ P 120000.

732

Poreta *per* ① : 11 km – ✉ 06049 *Spoleto* :

🏠 **Castello di Poreta** ⤫, 𝒫 0743 275810, Fax 0743 270175, ≤ vallata, 🏕 – 📺 🅿. 🕮 🕃 ① ⓪ 🆚. 🛠 rist
Pasto *(chiuso lunedì)* carta 45/65000 – **8 cam** ⊆ 160/190000 – ½ P 135000.

POLTORE 65010 *Pescara* 430 O 24 – 15 205 ab. alt. 105.
Roma 212 – Pescara 8 – Chieti 13 – L'Aquila 105 – Terano 58.

🏠🏠 **Montinope** ⤫, via Montinope 𝒫 085 4962836, Fax 085 4962143, ≤ colline e dintorni –
📱 🗐 📺 📞 🅿 – 🔏 150. 🕮 🕃 ① ⓪ 🆚. 🛠
Pasto *(chiuso lunedì)* carta 50/100000 – **14 cam** ⊆ 180/280000, 2 suites.

POTORNO 17028 *Savona* 428 J 7 – 4 265 ab..
🖪 *via Aurelia 119 𝒫 019 7415008, Fax 019 7415811.*
Roma 560 – Genova 61 – Cuneo 105 – Imperia 61 – Milano 184 – Savona 15.

🏠🏠 **Tirreno**, via Aurelia 2 𝒫 019 745106, tirrenoh@tin.it, Fax 019 745061, ≤, 🏕, 🐾 – 📱,
🗐 rist, 📺 – 🔏 50. 🕮 🕃 ① ⓪ 🆚. 🛠 rist
chiuso dal 15 ottobre al 20 dicembre – **Pasto** carta 40/80000 – **39 cam** ⊆ 150/250000 –
½ P 170000.

🏠🏠 **Riviera**, via Berninzoni 18 𝒫 019 745320, Fax 019 747782, 🏖, ⤬, 🏕, 🛠 – 📱, 🗐 rist, 📺
🚗 – 🔏 80. 🕮 🕃 ① ⓪ 🆚 🕽🕮. 🛠
Pasto carta 50/65000 – **45 cam** ⊆ 110/150000 – ½ P 130000.

🏠🏠 **Premuda**, piazza Rizzo 10 𝒫 019 745157, Fax 019 747416, ≤, 🏕, 🐾 – 📺 🅿. 🕮 🕃 ①
⓪ 🆚. 🛠 rist
Pasqua-20 ottobre – **Pasto** *(maggio-settembre; chiuso la sera)* carta 40/55000 – **21 cam**
⊆ 180/200000.

🏠 **Zunino**, via Serra 23 𝒫 019 745441, Fax 019 743301, 🏕 – 📱 🗐 🅿. 🕮 🕃 ① ⓪ 🆚. 🛠 rist
⊶ **Pasto** carta 35/70000 – ⊆ 10000 – **33 cam** 120/140000 – ½ P 110000.

🏠 **La Perla**, via Lombardia 6 𝒫 019 746223, Fax 019 746223 – 📱 📺 🅿 🕮 🕃 ① ⓪ 🆚. 🛠
febbraio-ottobre – **Pasto** carta 45/70000 – ⊆ 12000 – **17 cam** 80/120000 – ½ P 95000.

PRESIANO 31027 *Treviso* 429 E 18 – 9 593 ab. alt. 56.
Roma 558 – Venezia 44 – Belluno 64 – Treviso 14 – Vicenza 72.

🍴🍴 **Da Domenico**, località Lovadina Sud-Est : 3 km 𝒫 0422 881261, dadomenico@sevenonli
⊶ ne.it, Fax 0422 887074, « Servizio estivo in giardino e laghetto con pesca sportiva » – 🅿 –
🔏 30. 🕮 🕃 ① ⓪ 🆚. 🛠
chiuso dal 15 al 30 luglio, lunedì sera e martedì – **Pasto** carta 35/65000.

STAFFOLI 56020 *Pisa* 430 K 14 – alt. 28.
Roma 312 – Firenze 52 – Pisa 36 – Livorno 46 – Pistoia 33 – Siena 85.

🍴🍴 **Da Beppe**, via Livornese 35/37 𝒫 0571 37002, Fax 0571 37385, 🏕 – 🗐. 🕮 🕃 ① ⓪ 🆚.
✿ 🛠
chiuso dall'11 al 30 agosto, domenica sera e lunedì – **Pasto** specialità di mare 100000 e
carta 60/110000
Spec. Cocotte di gamberi con funghi porcini (giugno-ottobre). Branzino ripieno di astice
con dadolata di verdure. Ananas con finocchio, crema all'anice e aceto balsamico.

STALLAVENA Verona 428, 429 F 14 – Vedere Grezzana.

STANGHELLA 35048 *Padova* 429 G 17 – 4 492 ab..
Roma 446 – Padova 37 – Bologna 84 – Chioggia 57 – Ferrara 37 – Venezia 80.

🍴🍴 **Giardino** con cam, piazza Pighin 35/36 𝒫 0425 958695, info@hotel_giardino.com,
⊶ Fax 0425 958696 – 📱 🗐 📺 📞 🚗 🅿 – 🔏 100. 🕮 🕃 ① ⓪ 🆚 🕽🕮. 🛠 rist
Pasto *(chiuso dal 1º al 21 agosto)* carta 35/95000 – ⊆ 15000 – **16 cam** 150/190000 –
½ P 160000.

STEGONA (STEGEN) Bolzano 429 B 17 – Vedere Brunico.

STEINEGG = Collepietra.

STELLANELLO 17020 Savona **428** K 6 – 709 ab. alt. 141.

Roma 606 – Imperia 23 – Genova 110 – Savona 62 – Ventimiglia 68.

☒ 🍴 **Antico Borgo,** località Ciccioni (Ovest : 2,5 km) ℘ 0182 668051, Coperti limitati; prenc tare – **P** ⅏

chiuso mercoledì – **Pasto** carta 25/45000.

STELVIO (Passo dello) (STILFSER JOCH) Bolzano e Sondrio **428**, **429** C 13 – alt. 2 757 – Spo invernali : solo sci estivo (giugno-novembre) : 2 757/3 400 m ✑ 2 ✓ 8, ✗.

Roma 740 – Sondrio 85 – Bolzano 103 – Bormio 20 – Merano 222 – Trento 16ͺ

🏨 **Passo dello Stelvio,** ☒ 39020 Stelvio ℘ 0342 903162, Fax 0425 903664, ≤ grupp Ortles e vallata, ☎ – 🛗 🔟 ⇌ **P**. 🗓 🐵 **VISA**. ⅏ rist

25 maggio-8 dicembre – **Pasto** carta 40/70000 – ⌿ 20000 – **80 cam** ⌿ 120/180000 – ½ P 120000.

STENICO 38070 Trento **428**, **429** D 14 – 1 061 ab. alt. 660 – a.s. Pasqua e Natale.

Roma 603 – Trento 31 – Brescia 103 – Milano 194 – Riva del Garda 29.

a Villa Banale Est : 3 km – ☒ 38070 :

🏨 **Alpino,** via III Novembre 30 ℘ 0465 701459, hotalpino@tin.it, Fax 0465 702599 – 🛗 🔟 **[** 🗓 🐵 **VISA**. ⅏.

Pasto (aprile-ottobre) 30/35000 – ⌿ 12000 – **33 cam** 55/110000 – ½ P 95000.

STERZING = Vipiteno.

STILFSER JOCH = Stelvio (Passo dello).

STRADA IN CHIANTI Firenze **430** L 15 – Vedere Greve in Chianti.

STRADELLA 27049 Pavia **428** G 9 – 10 820 ab. alt. 101.

Roma 547 – Piacenza 37 – Alessandria 62 – Genova 116 – Milano 59 – Pavia 21.

🏨 **Italia** senza rist, via Mazzini 4 ℘ 0385 245178, Fax 0385 240847 – 🛗 🖿 🔟 ₺ **P** – 🕍 80. 🏛 🗓 ⓪ 🐵 **VISA** **JCB**

⌿ 10000 – **30 cam** 100/150000.

STRESA 28838 Verbania **428** E 7 G. Italia – 4 883 ab. alt. 200 – Sport invernali : a Mottarone: 803 1 491 m ✑ 1 ✓ 5, ✗.

Vedere Cornice pittoresca★★ – Villa Pallavicino★ Y.

Escursioni Isole Borromee★★★ : giro turistico da 5 a 30 mn di battello – Mottarone★★★ O 29 km (strada di Armeno) o 18 km (strada panoramica di Alpino, a pedaggio da Alpino) 15 mn di funivia Y.

🏌 Iles Borromées (chiuso lunedì escluso luglio-agosto e gennaio) località Motta Rossa ☒ 28833 Brovello Carpugnino ℘ 0323 929285, Fax 0323 929190, per ① : 5 km;

🏌 Alpino di Stresa (chiuso gennaio, febbraio)a Vezzo ☒ 28839 ℘ 0323 20642, Fax 032 208900, per ② : 7,5 km.

⇌ per le Isole Borromee giornalieri (10 mn) – Navigazione Lago Maggiore, piazza Marcor ℘ 0323 30393.

🚃 via Canonica 8 ℘ 0323 30150, Fax 0323 32561.

Roma 657 ① – Brig 108 ③ – Como 75 ① – Locarno 55 ③ – Milano 80 ① – Novara 56 ① – Torino 134 ①.

Pianta pagina seguente

🏨🏨🏨 **Gd H. des Iles Borromées,** lungolago Umberto I 67 ℘ 0323 938938, borromees@stre a.net, Fax 0323 32405, « Parco e giardino fiorito con ≤ isole Borromee », ₣₆, ☎, ⬛, ⅏ – 🛗 🖿 🔟 ₺ ⇌ **P** – 🕍 250. 🏛 🗓 ⓪ 🐵 **VISA**. ⅏ rist Y ꟾ

Pasto carta 80/155000 – **160 cam** ⌿ 485/640000, 20 suites – ½ P 405000.

🏨🏨 **Gd H. Bristol,** lungolago Umberto I 73/75 ℘ 0323 32601, centralreservation@zacchera otels.com, Fax 0323 33622, ≤ Isole Borromee, 🈐, « Parco », ₣₆, ☎, ⬛, ⬛ – 🛗 🖿 🔟 ₺ ⇌ – 🕍 270. 🏛 🗓 ⓪ 🐵 **VISA**. ⅏ rist Y ꟾ

chiuso dal 15 novembre a dicembre – **Pasto** carta 70/100000 – **260 cam** ⌿ 360/460000, 15 suites – ½ P 320000.

🏨🏨 **Regina Palace,** lungolago Umberto I 33 ℘ 0323 936936, h.regina@stresa.net Fax 0323 936666, ≤ isole Borromee, 🈐, « Parco e giardino fiorito con ⬛ riscaldata », ₣₆ ☎, ⅏ – 🛗 🖿 🔟 ₺ ₺ **P** – 🕍 300. 🏛 🗓 ⓪ 🐵 **VISA**. ⅏ rist Y ꟾ

15 marzo-15 novembre – **Pasto** 70000 e al Rist. **Charleston** (chiuso a mezzogiorno) carta 85/125000 – **165 cam** ⌿ 350/580000, 3 suites – ½ P 330000.

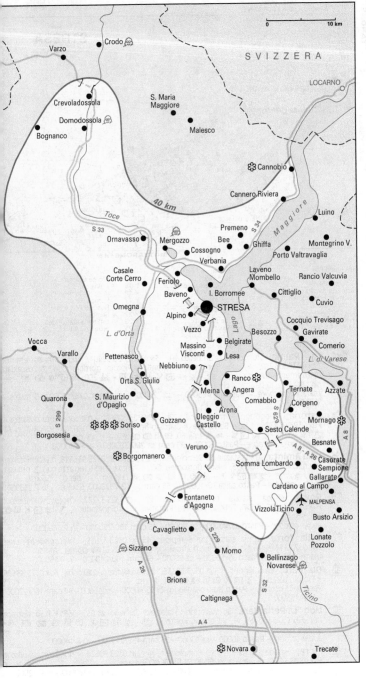

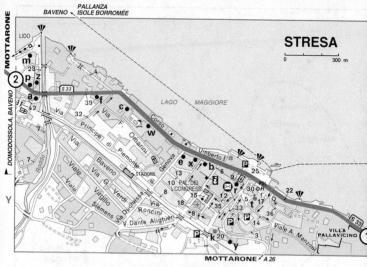

Bolongaro (Via F.)	Y 3
Borromeo (Via F.)	Y 4
Cadorna (Piazza)	Y 5
Canonica (Via P.)	Y 6
Cardinale F. Borromeo (Via)	Y 7
Carducci (Via G.)	Y 8
Cavour (Via)	Y 9
D'Azeglio (Via M.)	Y 10
De Amicis (Via E.)	Y 12

De Martini (Via C.)	Y 13
Devit (Via)	Y 14
Europa (Piazzale)	Y 15
Fulgosi (Via)	Y 18
Garibaldi (Via G.)	Y 17
Gignous (Via)	Y 20
Italia (Corso)	Y 22
Lido (Viale)	Y 23
Marconi (Piazza)	Y 25

Mazzini (Via G.)	Y 30
Monte Grappa (Via del)	Y 32
Principe Tomaso (Via)	Y 33
Roma (Via)	Y 35
Rosmini (Via A.)	Y 36
Sempione (Strada statale del)	Y 39
Volta (Via A.)	Y 42

La Palma, lungolago Umberto I 33   ℰ 0323 32401, h.lapalma@stresa.net
Fax 0323 933930, ≤ isole Borromee e monti, « Piccolo giardino con ⌒ riscaldata
direttamente sul lago », ℔, ≊ – ⃦ ≡ 🖵 ✆ & ⇐ 🅿 – 🕭 200. 🖭 🕃 ⓪ 🞇 🆅🅸🆂🅰 🅹🅲🅱
🞖 rist
marzo-novembre – **Pasto** 60/65000 – ⚌ 23000 – **114 cam** 275/340000, 5 suites –
½ P 240000.   Y e

Astoria, lungolago Umberto I 31   ℰ 0323 32566, h.astoria@interbusiness.it
Fax 0323 933785, ≤ isole Borromee, « Giardino fiorito e roof-garden con solarium », ℔
⌒ riscaldata – ⃦ ≡ 🖵 ✆ ⇐ 🅿 – 🕭 60. 🖭 🕃 ⓪ 🞇 🆅🅸🆂🅰 🞖 rist
27 marzo-25 ottobre – **Pasto** 50000 – **96 cam** ⚌ 250/300000 – ½ P 210000.   Y x

Villa Aminta, strada statale del Sempione 123 ⊠ 28838 ℰ 0323 933818, h.villaminta@str
esa.net, Fax 0323 933955, ≤ isole Borromee, 🏫, « Parco fiorito e terrazza con ⌒ riscalda-
ta », ℔₀, ℀ – ⃦ ≡ 🖵 ✆ 🅿 – 🕭 80. 🖭 🕃 ⓪ 🞇 🆅🅸🆂🅰 🞖 rist   per ② : 1,5 km
marzo-ottobre – **Pasto** carta 70/100000 – **55 cam** ⚌ 300/370000, 5 suites – ½ P 230000.

Royal, strada statale del Sempione 22   ℰ 0323 32777, hotelroyal@libero.it,
Fax 0323 33633, ≤, 🏫, Collezione d'arte figurativa, « Giardino fiorito », ⌒ – ⃦ 🖵 🕃 🕃 🞇
🆅🅸🆂🅰, 🞖
aprile-ottobre – **Pasto** 35/40000 – ⚌ 20000 – **45 cam** 160/220000 – ½ P 160000.   Y z

Della Torre, strada statale del Sempione 45   ℰ 0323 32555, dellatorre@stresa.net,
Fax 0323 31175, ≤, 🏫, « Giardino fiorito » – ⃦ 🖵 & 🅿 🖭 ⓪ 🞇 🆅🅸🆂🅰 🞖 rist   Y a
marzo-ottobre – **Pasto** 35/50000 – ⚌ 20000 – **64 cam** 160/210000 – ½ P 150000.

Du Parc, via Gignous 1   ℰ 0323 30335, duparc@internetpiu.com, Fax 0323 33596,
« Piccolo parco » – ⃦ 🖵 🅿. 🖭 🕃 ⓪ 🞇 🆅🅸🆂🅰. 🞖 rist   Y y
Pasqua-15 ottobre – **Pasto** (solo per alloggiati) 30/40000 – ⚌ 15000 – **34 cam** 160/200000
– ½ P 155000.

Lido "La Perla Nera" 🌊, viale Lido 15 (al lido di Carciano) ℰ 0323 33611, h.lido@stresa.
net, Fax 0323 933785, ≤, « Giardino fiorito », ⃦ – ⃦ ≡ 🖵 🅿. 🖭 🕃 ⓪ 🞇 🆅🅸🆂🅰 🅹🅲🅱
🞖 rist
aprile-ottobre – **Pasto** 40000 – ⚌ 15000 – **36 cam** 150/210000 – ½ P 140000.   Y m

Flora, strada statale del Sempione 26   ℰ 0323 30524, florastresa@libero.it,
Fax 0323 33372, ≤, 🏫 – ⃦ ≡ 🖵 🅿. 🖭 🕃 ⓪ 🞇 🆅🅸🆂🅰 🅹🅲🅱   Y p
20 marzo-3 novembre – **Pasto** 30/55000 – ⚌ 15000 – **23 cam** 90/160000 – ½ P 125000.

736

🏠 **La Fontana** senza rist, strada statale del Sempione 1 ℰ 0323 32707, Fax 0323 32708, ≤,
« Piccolo parco ombreggiato » – 🛗 📺 📭. 🎿 🛐 🕦 🐵 _VISA_
Y f
chiuso gennaio e dicembre – ⊑ 14000 – **20 cam** 115/130000.

🏠 **Moderno,** via Cavour 33 ℰ 0323 933773, moderno@hms.it, Fax 0323 933775, 🎐 – 🛗 📺
– 🔏 25. 🎿 🛐 🕦 🐵 _VISA_
Y r
20 marzo-20 ottobre – **Pasto** carta 45/80000 – ⊑ 15000 – **52 cam** 155/180000 –
1/2 P 140000.

XX **Piemontese,** via Mazzini 25 ℰ 0323 30235, Fax 0323 30235, « Servizio estivo all'aperto »
– 🎿 🛐 🐵 _VISA_. 🛇
Y t
chiuso dicembre, gennaio, lunedì e da ottobre a maggio anche domenica sera – **Pasto**
85000 e carta 70/105000 (10%).

XX **Triangolo,** via Roma 61 ℰ 0323 32736, Fax 0323 32736, 🎐, Rist. e pizzeria – 🎿 🛐 🕦 🐵
VISA _JCB_
Y k
chiuso novembre o dicembre e martedì (escluso agosto) – **Pasto** carta 50/85000.

STROMBOLI (Isola) *Messina* 🗾🗾🗾, 🗾🗾🗾 K 27 – *Vedere Sicilia (Eolie, isole) alla fine dell'elenco
alfabetico.*

STRONCONE *05039 Terni* 🗾🗾🗾 O 20 – *alt. 451.*
Roma 112 – Terni 12 – Rieti 45.

🏠 **La Porta del Tempo** ⊱ senza rist, via del Sacramento 2 ℰ 0744 608190, info@portadel
tempo.com, Fax 0744 609034, « In un palazzo antico nel cuore del borgo medievale » – 📺.
🎿 🛐 🕦 🐵 _VISA_
8 cam ⊑ 110/200000.

XX **Taverna de Porta Nova,** via Porta Nova 1 ℰ 0744 60496, « In un convento quattro-
🐵 centesco » – 🛐 🐵 _VISA_. 🛇
*chiuso dal 1° al 26 gennaio, dal 1° al 15 agosto, mercoledì e a mezzogiorno (escluso i giorni
festivi)* – **Pasto** carta 45/85000.

STROPPO *12020 Cuneo* 🗾🗾🗾 I 3 – *112 ab. alt. 1 087.*
Roma 677 – Cuneo – Genova 184 – Torino 110.

X **Lou Sarvanot,** via Nazionale 64 ℰ 0171 999159, prenotare – 🎿 🛐 🐵 _VISA_. 🛇
🐵 *chiuso a mezzogiorno (escluso sabato-domenica), lunedì e da ottobre a giugno anche
martedì* – **Pasto** carta 30/55000.

STROVE *Siena* 🗾🗾🗾 L 15 – *Vedere Monteriggioni.*

SUBBIANO *52010 Arezzo* 🗾🗾🗾 L 17 – *5 361 ab. alt. 266.*
Roma 224 – Rimini 131 – Siena 75 – Arezzo 15 – Firenze 90 – Gubbio 96 – Perugia 87.

🏠 **Relais Torre Santa Flora,** località Il Palazzo 169 (Sud-Est : 3 km) ℰ 0575 421045,
Fax 0575 489607, ≤, 🎐, 🏊, 🎋 – 🗖 📺 📭. 🎿 🛐 🕦 🐵 _VISA_. 🛇
Pasto *(chiuso lunedì a mezzogiorno da Pasqua a novembre, tutto il giorno negli altri mesi)*
carta 65/85000 – **10 cam** ⊑ 180/300000, suite.

SU GOLOGONE *Nuoro* 🗾🗾🗾 G 10 – *Vedere Sardegna (Oliena) alla fine dell'elenco alfabetico.*

SULDEN = Solda.

> *Non confondete :*
>
> | | |
> |---|---|
> | Confort degli alberghi | : 🏨🏨🏨 ... 🏠, 🛖 |
> | Confort dei ristoranti | : XXXXX ... X |
> | Qualità della tavola | : ❀❀❀, ❀❀, ❀, 🍴 |

SULMONA 67039 L'Aquila 430 P 23 G. Italia – 25 407 ab. alt. 375.

Vedere Palazzo dell'Annunziata★★ – Porta Napoli★.

Dintorni Itinerario nel Massiccio degli Abruzzi★★★.

🗗 corso Ovidio 208 ℘ 0864 53276, Fax 0864 53276.

Roma 154 – Pescara 73 – L'Aquila 73 – Avezzano 57 – Chieti 62 – Isernia 76 – Napoli 186.

✗ **Gino,** piazza Plebiscito 12 ℘ 0864 52289 – 🛠

🚭 chiuso la sera e domenica – **Pasto** carta 35/50000.

sulla strada statale 17 Nord-Ovest : 3,5 km :

🏨 **Santacroce,** ⊠ 67039 ℘ 0864 251696, meeting@arc.it, Fax 0864 251696, 🐎 – 🛗 ▤ 🗜
🕭 🚗 – 🔬 100. 🖭 🕄 ⓞ ⓒⓞ 🈁. 🛠
Pasto al Rist. **Meeting** (chiuso venerdì) carta 40/55000 – **31 cam** 🖙 85/120000
½ P 80000.

Ferienreisen wollen gut vorbereitet sein.

Die Straßenkarten und Führer von Michelin

geben Ihnen Anregungen und praktische Hinweise zur Gestaltung Ihrer Reise:
Streckenvorschläge, Auswahl und Besichtigungsbedingungen
der Sehenswürdigkeiten, Unterkunft, Preise... u. a. m.

SULZANO 25058 Brescia 428 , 429 E 12 – 1 477 ab. alt. 205 – a.s. Pasqua e luglio-15 settembre.

Roma 586 – Brescia 28 – Bergamo 44 – Edolo 72 – Milano 85.

✗✗ **Le Palafitte,** via Cesare Battisti 7 (Sud : 1,5 km) ℘ 030 985145, Fax 030 985295, ≼, 🎇
prenotare, « Padiglione sul lago » – 🄿. 🖭 🕄 🈁
chiuso mercoledì e da ottobre ad aprile anche martedì sera – **Pasto** carta 50/90000.

SUNA Verbania 428 E 7 – Vedere Verbania.

SUPERGA Torino – alt. 670.

Vedere Basilica★ : ≼★★★, tombe reali★.

SUSA 10059 Torino 428 G 3 – 6 598 ab. alt. 503 – a.s. giugno-settembre e Natale.

Roma 718 – Briançon 55 – Milano 190 – Col du Mont Cenis 30 – Torino 53.

🏨 **Napoleon,** via Mazzini 44 ℘ 0122 622855, hotelnapoleon@hotelnapoleon.it
Fax 0122 31900 – 🛗 🔟 🕿 🚗 – 🔬 80. 🖭 🕄 ⓞ ⓒⓞ 🈁. 🛠 rist
Pasto (chiuso gennaio, sabato e domenica sera escluso da luglio a settembre) carta
40/60000 – 🖙 15000 – **62 cam** 120/150000 – ½ P 130000.

SUSEGANA 31058 Treviso 429 E 18 – 10 425 ab. alt. 77.

Roma 572 – Belluno 57 – Trento 143 – Treviso 22.

✗ **La Vigna,** via Crevada 20 (Nord : 3 km) ℘ 0438 62430, Fax 0438 62430, ≼, 🎇 , « Servizio
estivo all'aperto » – 🛬 🄿. 🖭 🕄 ⓞ ⓒⓞ 🈁. 🛠
chiuso domenica sera e lunedì – **Pasto** carta 40/55000.

SUTERA Caltanissetta 432 O 23 – Vedere Sicilia alla fine dell'elenco alfabetico.

SUTRI 01015 Viterbo 430 P 18 – 5 086 ab. alt. 270.

🏌️ Le Querce (chiuso mercoledì) località San Martino ⊠ 01015 Sutri ℘ 0761 600789, Fax
0761 600142.

Roma 52 – Viterbo 31 – Civitavecchia 60 – Terni 76.

✗ **Il Vescovado,** via del Vescovado 9 ℘ 0761 608811, 🎇
chiuso lunedì – **Pasto** carta 40/55000.

sulla strada statale Cassia al km 46,700 Est : 6 Km :

🏨 **Il Borgo di Sutri,** località Mezzaroma Nuova 552 ⊠ 01015 ℘ 0761 608690, ilborgo@
tin.it, Fax 0761 608308, 🎇 , 🐎 – ▤ cam, 🔟 🄿. 🖭 🕄 ⓞ ⓒⓞ 🈁
Pasto (chiuso giovedì) carta 45/80000 – **21 cam** 🖙 180/240000 – ½ P 160000.

SUTRIO *33020 Udine* [429] C 20 – *1 410 ab. alt. 572.*
Roma 690 – Udine 63 – Lienz 61 – Villach 104.

🍴 **Alle Trote,** località Noiaris Sud : 1 km ☎ 0433 778329, 🌳 – [P]. [$] [MC] [VISA]. ✗
maggio-settembre; chiuso martedì escluso luglio-agosto – **Pasto** carta 30/45000.

SUVERETO *57028 Livorno* [430] M 14 – *2 954 ab. alt. 127.*
Roma 232 – Grosseto 58 – Livorno 87 – Piombino 27 – Siena 143.

🍴🍴 **Eno-Oliteca Ombrone,** piazza dei Giudici 1 ☎ 0565 829336, *Fax 0565 828297*, Coperti limitati; prenotare, « Vecchio frantoio del '300 con cucina tipica » – [AE] [$] [MC] [VISA]
chiuso dall'8 gennaio al 13 febbraio, i mezzogiorno di lunedì e martedì in luglio-agosto, lunedì negli altri mesi – **Pasto** 60000 e carta 75/100000 (15 %).

SUZZARA *46029 Mantova* [428], [429] I 9 – *17 588 ab. alt. 20.*
Roma 453 – Parma 48 – Verona 64 – Cremona 74 – Mantova 21 – Milano 167 – Modena 51 – Reggio nell'Emilia 41.

🍴 **Da Battista** con cam, piazza Castello 14/A ☎ 0376 531225, *Fax 0376 531225* – [TV]. [$] [O] [MC] [VISA]. ✗
chiuso dall'11 al 25 agosto e domenica – **Pasto** carta 45/70000 – ☕ 10000 – **7 cam** 80/100000 – ½ P 70000.

TABIANO BAGNI *43030 Parma* [428], [429] H 12 – *alt. 162 – Stazione termale (marzo-novembre), a.s. agosto-25 ottobre.*
[i] *(agosto-ottobre) alle terme* ☎ *0524 565482.*
Roma 486 – Parma 31 – Piacenza 57 – Bologna 124 – Fidenza 8 – Milano 110 – Salsomaggiore Terme 5.

🏨 **Grande Albergo Astro** 🐦, via Castello 2 ☎ 0524 565523, *Fax 0524 565497*, ≤, « Terrazza solarium con 🏊 », 🏋, ♨, 🌴 – 🛗, ❄ cam, [TV] 🚗 [P] – 👥 850. [AE] [$] [O] [MC] [VISA]. ✗ rist
Pasto (solo per alloggiati) 50/60000 – **115 cam** ☕ 200/260000 – ½ P 180000.

🏨 **Napoleon,** via delle Terme 11 bis ☎ 0524 565261, *Fax 0524 565230*, « Giardino », 🏋, ♨, 🏊 – 🛗, 🚭 rist, ❄ rist, [TV] [P] – 👥 100. [AE] [$] [O] [MC] [VISA] [JCB]. ✗ rist
chiuso dal 15 al 28 dicembre e dal 6 al 20 gennaio – **Pasto** 35/45000 – **57 cam** ☕ 135/160000 – ½ P 120000.

🏨 **Pandos** 🐦, via delle Fonti 15 ☎ 0524 565276, *info@pandos.com*, *Fax 0524 565287*, 🏋, 🏊, 🌳 – 🛗, 🚭 rist, ❄ rist, [TV] [P]. [AE] [$] [MC] [VISA]. ✗ rist
15 aprile-novembre – **Pasto** 45000 – **57 cam** ☕ 130/160000 – ½ P 110000.

🏨 **Park Hotel Fantoni** 🐦, via Castello 6 ☎ 0524 565141, *phfantoni@tin.it*, *Fax 0524 565141*, « Giardino ombreggiato con 🏊 », 🏊 – 🛗, ❄ cam, [TV] 🚗 [P]. [$] [O] [MC] [VISA] [JCB]. ✗
aprile-novembre – **Pasto** 35/45000 – ☕ 12000 – **34 cam** 80/140000 – ½ P 100000.

🏨 **Rossini** 🐦, via delle Fonti 10 ☎ 0524 565173, *Fax 0524 565734*, « Terrazza solarium », ♨ – 🛗, 🚭 rist, [TV] 📞 [P]. [AE] [VISA]. ✗ rist
aprile-novembre – **Pasto** 45000 – ☕ 12000 – **57 cam** 120/170000 – ½ P 100000.

🏨 **Quisisana,** viale Fidenza 5 ☎ 0524 565252, *Fax 0524 565101*, 🌳 – 🛗 [TV] [P]. [$] [MC] [VISA]. ✗ rist
15 aprile-15 novembre – **Pasto** 35000 – ☕ 10000 – **49 cam** 90/130000 – ½ P 90000.

🏨 **Panoramik** 🐦, via Tabiano 50 ☎ 0524 565423, *Fax 0524 565594*, ≤, « Giardino ombreggiato », 🏊 riscaldata – 🛗 [TV] [P]. [AE] [$] [O] [MC] [VISA] [JCB]. ✗ rist
marzo-novembre – **Pasto** carta 40/65000 – **35 cam** ☕ 85/150000 – ½ P 100000.

🍴 **Locanda del Colle-da Oscar,** al Castello Sud : 3,5 km ☎ 0524 565676, *Fax 0524 565702*, ⛱, prenotare – [P]. [AE] [$] [O] [MC] [VISA] [JCB]. ✗
chiuso dal 1° al 15 febbraio e lunedì (escluso da agosto a settembre) – **Pasto** carta 50/70000.

TAGLIACOZZO *67069 L'Aquila* [430] P 21 – *6 708 ab. alt. 775.*
Roma 97 – L'Aquila 52 – Avezzano 16 – Frosinone 87 – Pescara 123.

🏨 **Hotel Park** senza rist, via Tiburtina Valeria km 99 ☎ 0863 610786, *Fax 0863 610786*, 🏊, 🎾 – 🛗 [TV] [P]. [AE] [$] [O] [MC] [VISA]
60 cam ☕ 140/200000.

🍴 **Tagliacozzo,** via Lungo Imele 43 ☎ 0863 66499 – [$] [O] [MC] [VISA]
aprile-ottobre; chiuso martedì escluso dal 15 giugno al 15 settembre – **Pasto** carta 40/95000.

TAGLIATA *Ravenna – Vedere Cervia.*

TALAMONE *Grosseto* 430 O 15 – *Vedere Fonteblanda.*

TAMBRE *Belluno* 429 D 19 – *1 576 ab. alt. 922 –* ⊠ *32010 Tambre d'Alpago.*
　　 ⓖ *Cansiglio (maggio-ottobre) a Pian del Cansiglio* ⊠ *32010 Tambre* ℘ *0438 585398, Fa 0438 585398, Sud : 11 km.*
　　 ⓩ *piazza Martiri 1* ℘ *0437 49277, Fax 0437 49246.*
　　 Roma 613 – Belluno 30 – Cortina d'Ampezzo 83 – Milano 352 – Treviso 73 – Venezia 102.

🏠　**Alle Alpi**, via Campei 32 ℘ 0437 49022, Fax 0437 439688, 🕿, 🐾, 🛏 – 📺 📮. 🕸
　　 chiuso ottobre e novembre – **Pasto** *(chiuso mercoledì)* 30000 – ⌧ 10000 – **28 car** 80/110000 – ½ P 100000.

a Col Indes *Sud-Est : 5 km – alt. 1 200 –* ⊠ *32010 Tambre :*

✗　**Col Indes** 🌢 con cam, ℘ 0437 49274, Fax 0437 49601, ≼ – 📺 📮. 🕸
🕾　*giugno-settembre –* **Pasto** *carta 35/55000 –* **8 cam** ⌧ 80/125000 – ½ P 90000.

TAMION *Trento – Vedere Vigo di Fassa.*

Ferienreisen wollen gut vorbereitet sein.
Die Straßenkarten und Führer von Michelin
geben Ihnen Anregungen und praktische Hinweise zur Gestaltung Ihrer Reise
Streckenvorschläge, Auswahl und Besichtigungsbedingungen
der Sehenswürdigkeiten, Unterkunft, Preise... u. a. m.

TAORMINA *Messina* 432 N 27 – *Vedere Sicilia alla fine dell'elenco alfabetico.*

TARANTO 74100 ℙ 431 F 33 *G. Italia – 208 214 ab..*
　　 Vedere *Museo Nazionale** : ceramiche*** , sala degli ori*** – Lungomare Vittorio Ema nuele** – Giardini Comunali* – Cappella di San Cataldo* nel Duomo.*
　　 ⓖ *Riva dei Tessali (chiuso martedì)* ⊠ *74011 Castellaneta* ℘ *099 8431844, Fax 099 8431844 per* ③ *: 34 km.*
　　 ⓩ *corso Umberto 113* ℘ *099 4532392, Fax 099 4532397.*
　　 A.C.I. *via Giustino Fortunato* ℘ *099 7706434.*
　　 Roma 532 ③ *– Brindisi 70* ① *– Bari 94* ③ *– Napoli 344* ③.

Pianta pagina a lato

🏨　**Gd H. Delfino**, viale Virgilio 66 ℘ 099 7323232, ghdelfin@grandhoteldelfino.it Fax 099 7304654, ≼, 佘, 🛏, ☒ – 📳 🗏 📺 🔥 📮 – 🔬 350. 🝏 🕄 ① 🐽 🚾. 🕸 rist
　　 Pasto *carta 55/90000 –* **198 cam** ⌧ 160/200000, 6 suites – ½ P 150000.

🏨　**Europa** senza rist, via Roma 2 ℘ 099 4544111, hoteleuropa@planio.it, Fax 099 4544115 ≼ – 📳 🗏 📺 🕄 ① 🐽 🚾
　　 40 cam ⌧ 150/280000, 3 suites.

🏨　**Palace**, viale Virgilio 10 ℘ 099 4594771, hphotel@hurricane.it, Fax 099 4594771, ≼ – 📳 🗏 📺 ⇌ 📮 – 🔬 300. 🝏 🕄 ① 🐽 🚾, 🕸
　　 Pasto *carta 35/50000 –* **73 cam** ⌧ 165/245000 – ½ P 150000.

✗✗　**Il Caffè**, via d'Aquino 8 ℘ 099 4525097, Fax 099 4525097, Rist. e pizzeria – 🗏. 🝏 🕄 ① 🐽 🚾
　　 chiuso martedì – **Pasto** *carta 45/85000.*

✗　**Gesù Cristo**, via Cesare Battisti 10 ℘ 099 4777253 – 🗏. 🝏 🕄 ① 🚾
🕾　*chiuso domenica sera e lunedì –* **Pasto** *specialità frutti di mare crudi 35/45000 bc e carta 35/50000 bc.*

a Lama *Sud : 8 km –* ⊠ *74020 :*

✗✗✗　**Le Vecchie Cantine**, via Girasoli 23 ℘ 099 7772589, Fax 099 7772589, 佘, Rist. e pizze ria, prenotare – 📮. 🝏 🕄 ① 🐽 🚾 😊, 🕸
　　 chiuso mercoledì, a mezzogiorno (escluso domenica), da luglio al 5 settembre chiuso anche domenica a mezzogiorno – **Pasto** *carta 40/75000.*

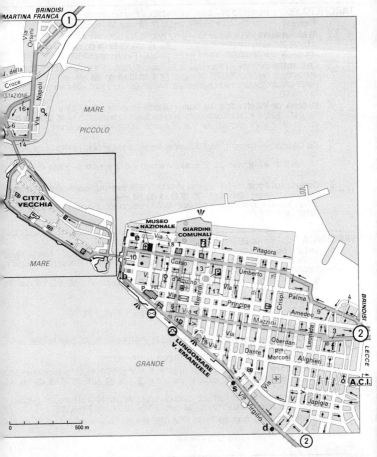

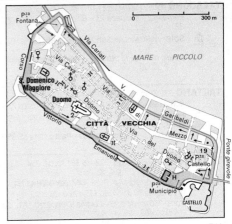

TARANTO

Arcivescovado
  (Piazza) 2
Aquino (Via d')
Battisti (Via Cesare) 3
Cugini (Via) 4
De Cesare (Via G.) 5
Duca d'Aosta (Viale) 6
Ebalia (Piazza) 8
Galanto (Via) 9
Mari (Corso due) 10
Mignogna (Via Nicola) 13
Palma (Via di)
Ponte (Vico del) 14
Porto Mercantile (Via) 16
Pupino (Via) 17
Roma (Via) 18
Vasto (Via del) 19

TARCENTO 33017 Udine **429** D 21 – 8 541 ab. alt. 230 – a.s. luglio-agosto.

Roma 657 – Udine 19 – Milano 396 – Tarvisio 76 – Trieste 90 – Venezia 146.

XX **Al Mulin Vieri,** via Dei Molini 1 ℘ 0432 785076, Fax 0432 785076, ≼, « Ristorante in ri▮ al fiume con servizio estivo all'aperto » – ℙ. – ♨ 100. ஊ 🕒 ⓞ ⓒ 𝑽𝑰𝑺𝑨 JCB
chiuso dal 10 al 28 ottobre, lunedì sera e martedì – **Pasto** carta 50/70000.

XX **Costantini** con cam, Via Pontebbana 12, località Collalto SO : 4 km ℘ 0432 792004, hrcc antini@tin.it, Fax 0432 792372, ☞ – ⧉ ▤ ⓣⓥ ℙ. ஊ 🕒 ⓞ ⓒ 𝑽𝑰𝑺𝑨 JCB. ⨯
Pasto (chiuso domenica sera e lunedì) carta 40/80000 – ⊇ 15000 – **20 cam** ⊇ 70/100000▮
½ P 80000.

X **Osteria di Villafredda,** via Liruti 7, località Loneriacco Sud : 2 km ℘ 0432 79215▮ Fax 0432 792153, « Casa di campagna con servizio estivo in giardino » – ℙ. ஊ 🕒 ⓞ ⓒ 𝑽▮
chiuso dal 7 al 28 gennaio, dal 5 al 26 agosto, domenica sera e lunedì – **Pasto** car▮ 50/75000.

X **Da Gaspar,** via Gaspar 1, località Zomeais Nord : 2,5 km ℘ 0432 785950, ≼, prenotare ⨯
chiuso dal 1° al 7 gennaio, dal 15 luglio al 7 agosto, lunedì e martedì – **Pasto** 45000 e car▮ 40/60000.

X **Osteria sul Ronc,** via Dei Fagnà 39 ℘ 0432 785876, osteriasulronc@libera.it, ≼, prenot▮ re, « Servizio estivo all'aperto » – ℙ. ஊ 🕒 ⓞ ⓒ 𝑽𝑰𝑺𝑨 JCB
chiuso giovedì e da settembre a maggio anche a mezzogiorno escluso sabato-domenica
Pasto carta 40/60000.

TARQUINIA 01016 Viterbo **430** P 17 G. Italia – 15 079 ab. alt. 133.

Vedere Necropoli Etrusca⋆⋆ : pitture⋆⋆⋆ nelle camere funerarie SE : 4 km – Palazz▮ Vitelleschi⋆ : cavalli alati⋆⋆⋆ nel museo Nazionale Tarquiniense⋆ – Chiesa di Santa Maria Castello⋆.

🇹₉ (chiuso martedì) località Marina Velca ⊠ 01016 Tarquinia ℘ 0766 812109, Fax 076▮ 812109.

🇧 piazza Cavour 1 ℘ 0766 856384, Fax 0766 840479.

Roma 96 – Viterbo 45 – Civitavecchia 20 – Grosseto 92 – Orvieto 90.

a Lido di Tarquinia Sud-Ovest : 6 km – ⊠ 01010 :

🏨 **La Torraccia** senza rist, viale Mediterraneo 45 ℘ 0766 864375, Fax 0766 864296, ☞ – ▤ ⓣⓥ – ♨ 50. ஊ 🕒 ⓞ ⓒ 𝑽𝑰𝑺𝑨. ⨯
chiuso dal 20 dicembre all'8 gennaio – **18 cam** ⊇ 140/170000.

XX **Velcamare** con cam, via degli Argonauti 1 ℘ 0766 864380, pompei@etruria.▮ Fax 0766 864024, « Servizio estivo in giardino », ♨ – ▤ ⓣⓥ ⅋ ℙ. ஊ 🕒 ⓞ ⓒ 𝑽𝑰𝑺𝑨 JC▮ ⨯ rist
febbraio-ottobre – **Pasto** (chiuso martedì escluso da giugno a settembre) specialità ▮ mare 50/95000 e carta 60/110000 – **24 cam** ⊇ 115/190000 – ½ P 160000.

X **Gradinoro,** lungomare dei Tirreni 17 ℘ 0766 864045, Fax 0766 869834, ▮ – ▤. ஊ 🕒 ⓞ ⓒ 𝑽𝑰𝑺𝑨
marzo-novembre – **Pasto** carta 40/85000.

TARSOGNO 43050 Parma **428** I 10 – alt. 822 – a.s. luglio-agosto.

Roma 472 – La Spezia 73 – Bologna 182 – Genova 108 – Milano 161 – Parma 86 – Piacenz▮ 97.

🏠 **Sole,** via Provinciale Sud 24 ℘ 0525 89142, Fax 0525 89398, ≼ – ⧉ ℙ. ஊ 🕒 ⓞ ⓒ 𝑽𝑰𝑺𝑨 JCB ⨯
chiuso dal 1° al 15 ottobre – **Pasto** (chiuso giovedì) carta 40/60000 – **33 cam** ⊇ 90/12000▮ – ½ P 90000.

TARTANO 23010 Sondrio **428** D 11 – 281 ab. alt. 1 147.

Roma 695 – Sondrio 34 – Chiavenna 61 – Lecco 77 – Milano 133.

🏠 **La Gran Baita** ⨎, via Castino 7 ℘ 0342 645043, Fax 0342 645043, ≼, ☎, ☞ – ⧉▮ ⨯ rist, ℙ. 🕒 ⓒ 𝑽𝑰𝑺𝑨
chiuso dal 6 gennaio a Pasqua – **Pasto** carta 35/55000 – **34 cam** ⊇ 50/80000 – ½ P 70000▮

TARVISIO 33018 Udine **429** C 22 – 5 381 ab. alt. 754 – a.s. luglio-agosto e Natale – Sport invernali 754/1 753 m ≼ 1 ≼ 4, ⨯.

🇹₉ (aprile-ottobre) ℘ 0428 2047, Fax 0428 41051.

🇧 via Roma 10 ℘ 0428 2135, Fax 0428 2972.

Roma 730 – Udine 95 – Cortina d'Ampezzo 170 – Gorizia 133 – Klagenfurt 67 – Ljubljana 100 – Milano 469.

🏠 **Edelhof,** via Diaz 13 ✆ 0428 644025, *Fax 0428 644735,* « Ambienti di ispirazione tardo gotica », 🚗 – 📶 📺 🅿️. 🆎 🕄 ① ⓿
Pasto *(chiuso lunedì escluso dicembre-gennaio e 15 luglio-agosto)* carta 40/100000 –
10 cam ⌆ 140/180000, 2 suites – ½ P 120000.

✕ **Italia,** via Roma 103 ✆ 0428 2041 – 🆎 🕄 ① ⓿ *VISA*. ✼
chiuso dal 1° al 15 giugno e dal 15 al 30 novembre – **Pasto** carta 40/60000.

AUFERS IM MÜNSTERTAL = Tubre.

AVAGNACCO 33010 Udine 429 D 21 – 12 267 ab. alt. 137.
Roma 645 – Udine 9 – Tarvisio 84 – Trieste 78 – Venezia 134.

✕✕ **Al Grop,** via Matteotti 1 ✆ 0432 660240, elgrop@tin.it, *Fax 0432 650158,* 🏠 – 🅿️. 🆎 🕄 ①
⓿ *VISA* *JCB*
chiuso dal 1° al 15 agosto, mercoledì sera e giovedì – **Pasto** carta 60/80000.

AVARNELLE VAL DI PESA 50028 Firenze 430 L 15 – 7 113 ab. alt. 378.
Roma 268 – Firenze 29 – Siena 41 – Livorno 92.

✕ **La Gramola,** via delle Fonti 1 ✆ 055 8050321, osteria@gramola.it, *Fax 055 8050321,* 🏠 –
🆎 🕄 *VISA*. ✼
chiuso a mezzogiorno (escluso i giorni festivi e martedì) – **Pasto** carta 40/60000.

Sambuca *Est : 4 km –* ✉ 50020 :

🏠 **Torricelle-Zucchi** senza rist, via Cellini 32 ✆ 055 8071780, zucchihotel@ftbcc.it,
Fax 055 8071102 – 📺 🅿️. 🕄 ⓿ *VISA*. ✼
chiuso dal 20 dicembre al 14 gennaio – ⌆ 15000 – **13 cam** 85/105000.

n prossimità uscita superstrada Firenze-Siena *Nord-Est : 5 km :*

🏠 **Park Hotel Chianti** senza rist, località Pontenuovo ✉ 50028 ✆ 055 8070106, *info@par khotelchianti.com, Fax 055 8070121,* 🛋 – 📶 🖥 📺 🅿️. 🆎 🕄 ⓿ *VISA*. ✼
chiuso dal 24 dicembre al 3 gennaio – **43 cam** ⌆ 165/210000.

San Donato in Poggio *Sud-Est : 7 km –* ✉ 50020 :

✕ **Antica Trattoria la Toppa,** via del Giglio 43 ✆ 055 8072900, *Fax 055 8072900,* 🏠 – 🆎
🕄 ⓿ *VISA*
chiuso dal 31 dicembre al 5 febbraio e lunedì – **Pasto** carta 35/50000 (10 %).

AVAZZANO CON VILLAVESCO 26838 Lodi 428 G 10 – 4 803 ab. alt. 80.
Roma 543 – Milano 29 – Piacenza 48 – Bergamo 56 – Brescia 74 – Cremona 64 – Pavia 39.

🏠 **Napoleon** senza rist, via Garibaldi 34 ✆ 0371 760824, napoleon@pmp.it, *Fax 0371 760827*
– 📶 🖥 📺 🅿️. 🆎 🕄 ① ⓿ *VISA*
⌆ 12000 – **26 cam** 120/150000.

AVERNELLE Modena – Vedere Vignola.

AVIANO 73057 Lecce 431 H 36 – 12 599 ab. alt. 55.
Roma 616 – Brindisi 91 – Bari 203 – Lecce 55 – Otranto 60 – Taranto 118.

✕ **A Casa tu Martinu,** via Corsica 97 ✆ 0833 913652, *Fax 0833 911550,* 🏠 – 🆎 🕄 ① *VISA*
🏮 *chiuso dal 14 settembre al 14 ottobre, lunedì e a mezzogiorno escluso domenica, festivi e da giugno a settembre –* **Pasto** carta 25/40000.

EGLIO 23036 Sondrio 428 , 429 D 12 – 4 909 ab. alt. 856.
Roma 719 – Sondrio 20 – Edolo 37 – Milano 158 – Passo dello Stelvio 76.

🏠 **Combolo,** via Roma 5 ✆ 0342 780083, hotelcombolo@libero.it, *Fax 0342 781190,* « Ter-razza-giardino », 🛋, 🚗 – 📶 📺 🚗 🅿️. 🆎 🕄 ⓿ *VISA*. ✼
Pasto *(chiuso martedì escluso da maggio a settembre)* carta 45/65000 – ⌆ 10000 –
45 cam 90/120000 – ½ P 120000.

🏠 **Meden,** via Roma 29 ✆ 0342 780080, *Fax 0342 780349,* 🚗 – 📶 🅿️. 🆎 🕄 *VISA*. ✼
luglio-ottobre – **Pasto** 30000 – ⌆ 5000 – **36 cam** 60/100000 – ½ P 100000.

EL (TÖLL) Bolzano 218 ⑩ – Vedere Parcines.

TELGATE 24060 Bergamo **428**, **429** F 11 – 4 115 ab. alt. 181.
Roma 574 – Bergamo 19 – Brescia 32 – Cremona 84 – Milano 67.

XX **Il Leone d'Oro** con cam, via Dante Alighieri 17 ℰ 035 4420803, booking@hotelleonedo
.com, Fax 035 4420198 – 🗏 🗹 🖭 🗟 ⑨ 🐽 💌 🗷 🐆
chiuso agosto – **Pasto** (chiuso martedì) carta 50/70000 – **9 cam** 🖙 160/180000
½ P 120000.

TELLARO La Spezia **428**, **429**, **430** J 11 – Vedere Lerici.

TEMPIO PAUSANIA Sassari **433** E 9 – Vedere Sardegna alla fine dell'elenco alfabetico.

TENCAROLA Padova – Vedere Selvazzano Dentro.

TENNA 38050 Trento **429** D 15 – 831 ab. alt. 556 – a.s. Pasqua e Natale.
🖸 (giugno-15 settembre) piazza Municipio t° 0461 706396.
Roma 607 – Trento 18 – Belluno 93 – Bolzano 79 – Milano 263 – Venezia 144.

🏛 **Margherita** ≫, località Pineta Alberè 2 (Nord-Ovest : 2 km) ℰ 0461 70644*
Fax 0461 707854, 🖄, « In pineta », ≤s, ⅀, 🐎, ℅ – 🛊 🗹 🄿 – 🕍 150. 🖭 🗟 ⑨ 🐽 💌
🐆
aprile-ottobre – **Pasto** carta 40/65000 – **52 cam** 🖙 95/170000 – ½ P 115000.

TENNO 38060 Trento **428**, **429** E 14 – 1 728 ab. alt. 435 – a.s. Natale-20 gennaio e Pasqua.
🖸 (maggio-settembre) ℰ 0464 500848.
Roma 585 – Trento 41 – Brescia 84 – Milano 179 – Riva del Garda 9.

🏛 **Clubhotel Lago di Tenno**, Nord : 3,5 km ℰ 0464 502031, Fax 0464 502101, ≤, « Serv
zio rist. estivo all'aperto », ⅀, 🐎, ℅ – 🗹 🕹 🖘 🄿 – 🕍 60. 🖭 🗟 ⑨ 🐽 💌 🐆 rist
chiuso novembre e febbraio – **Pasto** (chiuso martedì) carta 40/65000 – 🖙 25000 – **54 cam**
120/200000 – ½ P 140000.

X **Foci-da Rita**, via Grotta Cascata 10, località Le Foci Sud : 4,5 km ℰ 0464 55572!
⊜ Fax 0464 555725 – 🄿. 🖭 🗟 💌 🐆
chiuso luglio e lunedì (escluso agosto) – **Pasto** carta 40/60000.

TEOLO 35037 Padova **429** F 17 – 8 243 ab. alt. 175.
Roma 498 – Padova 21 – Abano Terme 14 – Ferrara 83 – Mantova 95 – Milano 240
Venezia 57.

🏛 **Villa Lussana**, via Chiesa 1 ℰ 049 9925530, hotelvillalussana@libero.it, Fax 049 992553(
≤ – 🗏 🗹 🄿. 🖭 🗟 ⑨ 🐽 💌
Pasto (chiuso martedì escluso da giugno a settembre) carta 45/75000 – **11 cam** 🖙 100
150000 – ½ P 110000.

a Castelnuovo Sud-Est : 3 km – ⌖ 35037 :
X **Trattoria al Sasso**, via Ronco 11 ℰ 049 9925073, Fax 049 9925559 – 🄿. 🖭 🐆
chiuso mercoledì e a mezzogiorno (escluso sabato-domenica) – **Pasto** carta 50/70000.

TERAMO 64100 🄿 **430** O 23 – 52 389 ab. alt. 265.
🖸 via Carducci 17 ℰ 0861 244222, Fax 0861 244357.
A.C.I. corso Cerulli 81 ℰ 0861 243244.
Roma 182 – Ascoli Piceno 39 – Ancona 137 – L'Aquila 66 – Chieti 72 – Pescara 57.

XX **Duomo**, via Stazio 9 ℰ 0861 241774, Fax 0861 242991 – 🗏. 🖭 🗟 ⑨ 🐽 💌 🗷🄱 🐆
chiuso dal 7 al 27 gennaio, domenica sera e lunedì – **Pasto** carta 40/60000.

X **Moderno**, Coste Sant'Agostino ℰ 0861 414559, Fax 0861 414559 – 🗏 🄿. 🖭 🗟 ⑨ 🐽 💌
⊜ 🗷🄱 🐆
chiuso dal 10 al 20 agosto e lunedì – **Pasto** carta 35/60000.

TERENTO (TERENTEN) 39030 Bolzano **429** B 17 – 1 562 ab. alt. 1 210.
🖸 via San Giorgio 1 ℰ 0472 546140, Fax 0472 546340.
Roma 692 – Cortina d'Ampezzo 76 – Bolzano 64 – Brunico 13 – Lienz 86.

🏛 **Wiedenhofer**, Strada del Sole 19 ℰ 0472 546116, wiedenhofer@rolmail.net
⊜ Fax 0472 546366, ≤, 🕭, ≤s, ⅀, 🐎 – 🛊 🄿. 🖭 🗟 ⑨ 🐽 💌 🐆 rist
chiuso da novembre a Natale – **Pasto** carta 35/55000 – **32 cam** 🖙 95/160000 –
½ P 100000.

ERLANO (TERLAN) *39018 Bolzano* 🗺 *C 15,* 🗺 ㉑ *– 3 499 ab. alt. 246.*

🛈 *piazza Weiser 2 ℘ 0471 257165, Fax 0471 257830.*

Roma 646 – Bolzano 9 – Merano 19 – Milano 307 – Trento 67.

🏨 **Weingarten,** via Principale 42 ℘ 0471 257174, weingarten@dnet.it, Fax 0471 257776, 😋, « Giardino ombreggiato con 🔼 riscaldata » – 📱, 🍴 rist, 📺 ⅋, 🅿. 🕄 🐾 🚾
chiuso dall'8 gennaio al 14 marzo – **Pasto** *(chiuso domenica da giugno ad ottobre, lunedì da novembre a gennaio)* carta 50/75000 – **22 cam** ☑ 90/170000, suite – ½ P 105000.

Settequerce (Siebeneich) *Sud-Est : 3 km –* ⌧ *39018 :*

🏠 **Greifenstein** senza rist, via Bolzano 2 ℘ 0471 918451, Fax 0471 201584, ≤, 🔼, 🗺 – 📺
🅿. 🕄 🐾 🚾. 🛠
10 marzo-10 novembre – **12 cam** ☑ 95/140000.

🍴 **Patauner,** via Bolzano 6 ℘ 0471 918502, 😋 – 🅿. 🕄 🐾 🚾
🍽 *chiuso dal 14 al 28 febbraio, dal 1° al 20 luglio e giovedì* – **Pasto** carta 35/55000.

Vilpiano (Vilpian) *Nord-Ovest : 4 km –* ⌧ *39010 Bolzano :*

🏠 **Sparerhof,** via Nalles 2 ℘ 0471 678671, info@hotelsparerhof.it, Fax 0471 678342, 😋, « Galleria d'arte contemporanea », 😋, 🔼, 🗺 – 📺 🅿. 🕄 🕄 🐾 🚾. 🛠 rist
Pasto *(chiuso gennaio, febbraio e domenica escluso da aprile a maggio)* carta 40/70000 – **19 cam** ☑ 80/140000 – ½ P 85000.

ERME – *Vedere di seguito o al nome proprio della località termale.*

ERME LUIGIANE *Cosenza* 🗺 *I 29 – alt. 178 –* ⌧ *87020 Acquappesa – Stazione termale (maggio-ottobre).*

Roma 475 – Cosenza 49 – Castrovillari 107 – Catanzaro 110 – Paola 16.

🏨 **Gd H. delle Terme,** via Fausto Gullo 6 ℘ 0982 94052, Fax 0982 94478, 🌡, 🔼 termale, 🚲 – 📱 ▤ 📺 🅿 – 🔏 200
stagionale – **125 cam.**

🏠 **Parco delle Rose,** via Pantano 78 ℘ 0982 94090, Fax 0982 94479, 🔼 – 📱 📺 🅿. 🕄 🕄 🐾
🍽 🚾. 🛠
maggio-ottobre – **Pasto** carta 30/60000 – **51 cam** ☑ 100/120000 – ½ P 100000.

ERMENO SULLA STRADA DEL VINO (TRAMIN AN DER WEINSTRASSE) *39040 Bolzano* 🗺 *C 15,* 🗺 ㉑ *– 3 153 ab. alt. 276.*

🛈 *piazza Municipio 11 ℘ 0471 860131, Fax 0471 860820.*

Roma 630 – Bolzano 24 – Milano 288 – Trento 48.

🏨 **Mühle-Mayer** 🦢, via Molini 58 (Ovest : 1 km) ℘ 0471 860219, Fax 0471 860946, ≤, 😋, « Giardino-solarium », 🚲, 😋, 🔳 – 📺 🅿. 🕄 🚾. 🛠
20 marzo-10 novembre – **Pasto** *(solo per alloggiati e chiuso a mezzogiorno)* 50/70000 – **15 cam** ☑ 185/270000, 2 suites – ½ P 180000.

🏨 **Tirolerhof,** via Parco 1 ℘ 0471 860163, tirolerhof@tirolerhof.com, Fax 0471 860154, ≤, 😋, 😋, 🔼 riscaldata, – 📱 📺 🅿. 🖭 🕄 🐾 🚾. 🛠 rist
Pasqua-ottobre – **Pasto** *(solo per alloggiati)* 30/40000 – **30 cam** ☑ 120/210000 – ½ P 120000.

🏨 **Arndt,** strada del Vino 34 ℘ 0471 860336, hotel.arndt@dnet.it, Fax 0471 860901, ≤, 😋, 🔼 riscaldata, 🗺 – 📱 📺 🅿. 🕄 🐾 🚾. 🛠
aprile-10 novembre – **Pasto** carta 45/70000 – **22 cam** ☑ 90/180000 – ½ P 120000.

ERME VIGLIATORE *Messina,* 🗺 *M 27 – Vedere Sicilia alla fine dell'elenco alfabetico.*

TERMINI IMERESE *Palermo* 🗺 *N 23 – Vedere Sicilia alla fine dell'elenco alfabetico.*

Pleasant hotels or restaurants are shown
in the Guide by a red sign.
Please send us the names
of any where you have enjoyed your stay.
Your **Michelin Guide** will be even better.

745

TERMOLI *86039 Campobasso* [430] P 26, [431] A 26 – *30 337 ab..*

⛴ *per le Isole Tremiti giugno-settembre giornaliero (40 mn) – Navigazione Libera d Golfo, al porto* ☎ *0875 703937, Fax 0875 704859.*

⛴ *per le Isole Tremiti giugno-settembre giornalieri (50 mn) – Adriatica di Navigazion agenzia Adriashipping, al porto banchina Nord-Est* ☎ *0875 705343, Fax 0875 702345 Navigazione Libera del Golfo-agenzia Dibrino, corso Umberto I* ☎ *0875 703937, Fax 087 704859.*

[i] *piazza Bega* ☎ *0875 706754, Fax 0875 704956.*

Roma 300 – Pescara 98 – Campobasso 69 – Foggia 88 – Isernia 112 – Napoli 200.

🏨 **Gd H. Somerist** senza rist, via Vincenzo Cuoco 14 ☎ 0875 706760, *somerist@tin.. Fax 0875 706760*, ←, ⛱, 🏖 – 🛗 ▤ [TV] 📞 – 🏛 300. [AE] [S] ⦿ [MC] [VISA] [JCB]. ✗ rist
20 cam ☕ 165/235000.

🏨 **Mistral,** lungomare Cristoforo Colombo 50 ☎ 0875 705246, *Fax 0875 705220*, ←, 🏖 – ▤ [TV] 📞 🚗. [AE] [S] ⦿ [MC] [VISA]. ✗
Pasto *(chiuso a mezzogiorno e lunedì escluso da aprile a settembre)* carta 45/70000
61 cam ☕ 135/210000, 2 suites – ½ P 130000.

🏨 **Meridiano,** lungomare Cristoforo Colombo 52/a ☎ 0875 705946, *meridiano@tin.. Fax 0875 702696*, ←, 🏖 – 🛗, ▤ rist, [TV] 📞 🚗 [P] – 🏛 200. [AE] [S] ⦿ [MC] [VISA]. ✗ rist
Pasto *(maggio-settembre)* carta 45/60000 – ☕ 10000 – **62 cam** 120/130000 – ½ P 9500C

🏨 **Corona,** via Mario Milano 2/A ☎ 0875 84041, *Fax 0875 84043* – 🛗 ▤ [TV]. [AE] [S] [MC] [VISA]
Pasto al Rist. ***Bel Ami*** carta 40/60000 – **42 cam** ☕ 120/180000 – ½ P 140000.

🍴🍴 **San Carlo,** piazza Duomo ☎ 0875 705295, « In un edificio del borgo medievale » – [AE] [⦿ [MC] [VISA]. ✗
chiuso martedì escluso agosto – **Pasto** specialità di mare, menù suggerito dal proprietari 45/65000 (a mezzogiorno) 65/85000 (la sera).

🍴 **Bellevue,** via Fratelli Brigida 28 ☎ 0875 706632, *Fax 0875 706632* – ▤. [AE] [S] [MC] [VISA] [JC ✗
chiuso dal 25 agosto al 15 settembre e lunedì – **Pasto** carta 50/75000.

🍴 **Da Noi Tre,** via Fratelli Brigida 34 ☎ 0875 703639 – ▤. [AE] [S] ⦿ [MC] [VISA]. ✗
chiuso dal 24 al 26 dicembre e lunedì – **Pasto** carta 30/60000.

🍴 **Z' Bass,** via Oberdan 8 ☎ 0875 706703, *Fax 0875 706703*, ⛱ – ▤. [AE] [S] ⦿ [MC] [VISA] [JC ✗
chiuso lunedì escluso da giugno a settembre – Pasto carta 45/70000.

🍴 **Borgo,** via Borgo 10 ☎ 0875 707347, ⛱ – ✗
chiuso lunedì da ottobre a marzo – **Pasto** cucina termolese carta 35/60000.

sulla strada statale 87 *Sud-Est : 5 km :*

🏨 **Europa,** ✉ 86039 ☎ 0875 751815, *Fax 0875 751781* – 🛗 ▤ [TV] [P] – 🏛 100. [AE] [S] ⦿ [M [VISA]. ✗
Pasto carta 30/60000 – ☕ 10000 – **33 cam** 95/130000 – ½ P 95000.

sulla strada statale 16 :

🏨 **Glower,** strada statale 16 Europa 2 (Ovest : 6 km) ✉ 86039 ☎ 0875 52528, *glower@tin.i Fax 0875 52520*, ←, 🏖 – [TV] [P]. [AE] [S] ⦿ [MC] [VISA]. ✗ cam
Pasto carta 35/50000 – **21 cam** ☕ 100/140000 – ½ P 110000.

🍴🍴 **Torre Sinarca,** strada statale 16 Europa 2 (Ovest : 3 km) ✉ 86039 ☎ 0875 703318, ← ⛱, « In una torre del 16° secolo », 🏖 – ▤ [P]. [AE] [S] ⦿ [MC] [VISA]. ✗
chiuso novembre, domenica sera e lunedì – **Pasto** carta 50/70000.

🍴🍴 **Villa Delle Rose,** strada statale 16 (Ovest : 5 km) ✉ 86039 ☎ 0875 52565, ⛱ – ▤ [P]. [A ⦿ [MC] [VISA]. ✗
chiuso lunedì – **Pasto** carta 45/65000.

TERNATE *21020 Varese* [219] ⑦ – *2 256 ab. alt. 281.*

Roma 626 – Stresa 35 – Como 45 – Laveno Mombello 22 – Lugano 54 – Varese 29.

🍴🍴 **Locanda del Lago,** via Motta 25 ☎ 0332 960864, *Fax 0332 960864*, prenotare – ▤ [P]. [S [MC] [VISA]. ✗
chiuso dal 1° al 15 gennaio, dal 12 al 29 agosto, lunedì e martedì a mezzogiorno da maggio a settembre, anche martedì sera negli altri mesi – **Pasto** specialità pesce di lago carta 60/85000.

TERNI *05100* [P] [430] O 19 *G. Italia* – *107 770 ab. alt. 130.*

Dintorni *Cascata delle Marmore*★★ *per* ③ *: 7 km.*

[i] *viale Cesare Battisti 7* ☎ *0744 423047, Fax 0744 427259.*

[A.C.I.] *viale Cesare Battisti 121/C* ☎ *0744 425746.*

Roma 103 ⑤ *– Napoli 316* ⑤ *– Perugia 82* ⑤*.*

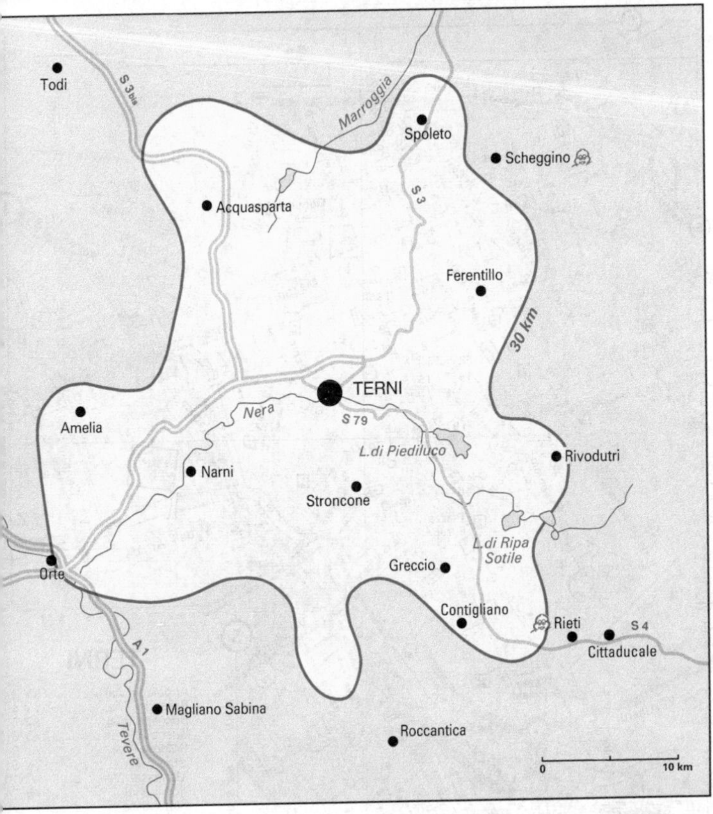

Michelangelo Palace Ⓜ, viale della Stazione 63 ✆ 0744 202711, *michelangelohotel@libero.it, Fax 0744 2027200*, ⛍, 🏊 – |♦| ▤ 📺 ☏ ♿ 🚗 🅿 – 🔔 300. AE Ⓢ ⓓ ⓂⒸ VISA. ✂
Pasto carta 35/55000 – **74 cam** ☕ 140/190000, 4 suites – ½ P 125000. BY a

Garden, viale Bramante 4, uscita raccordo Terni Ovest ✆ 0744 300041 e rist ✆ 0744 300375, *gardentr@tin.it, Fax 0744 300414*, 🏊, 🌳 – |♦|, ⊁ cam, ▤ 📺 ☏ 🅿 – 🔔 300. AE Ⓢ ⓓ ⓂⒸ VISA. ✂
Pasto al Rist. ***Il Melograno*** *(chiuso domenica sera)* carta 40/60000 – **92 cam** ☕ 180/230000, 7 suites – ½ P 150000. per via Cesare Battisti AY

Locanda di Colle dell'Oro ⛰, strada di Palmetta 31 (Nord : 1 km) ✆ 0744 432379, *locanda@colledelloro.it, Fax 0744 437826*, 🏠, « Casa in collina con ≤ Terni », 🏊, 🌳 – ▤ 📺 ♿ 🚗 🅿. AE Ⓢ ⓓ ⓂⒸ VISA. ✂ rist 1 km per ①
Pasto *(chiuso domenica in luglio-agosto, martedì negli altri mesi)* carta 45/85000 – **9 cam** ☕ 145/210000, suite.

sulla strada statale 209 *per* ② :

Villa Graziani, Villa Valle Papigno Est : 4 km ✉ 05031 Arrone ✆ 0744 67138, *Fax 0744 67653*, 🏠, prenotare – 🅿. AE Ⓢ ⓓ ⓂⒸ VISA JCB
chiuso dal 18 al 29 agosto, domenica sera e lunedì – **Pasto** 35/50000 e carta 45/65000.

Grottino del Nera, vocabolo Colleporto 21, località Casteldilago Est : 11 km ✉ 05031 Arrone ✆ 0744 389104 – ▤ 🅿. AE Ⓢ ⓓ ⓂⒸ VISA. ✂
chiuso mercoledì – **Pasto** carta 35/60000.

uscita raccordo Terni Ovest :

Classhotel Ⓜ, via Dalla Chiesa 1 ✆ 0744 306024, *Fax 0744 300628* – |♦|, ⊁ cam, ▤ 📺 ☏ ♿ 🚗 🅿. AE Ⓢ ⓓ ⓂⒸ VISA. ✂
Pasto carta 30/45000 – **69 cam** ☕ 100/160000.

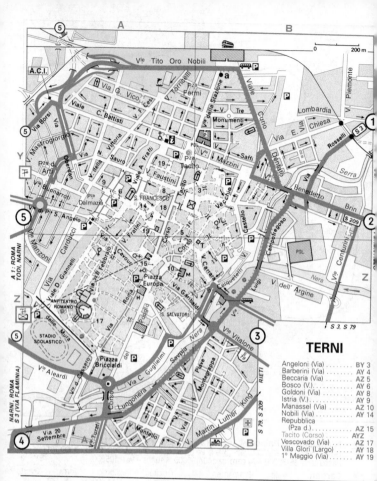

TERNI

Angeloni (Via) . . . . BY 3
Barberini (Via) . . . . AY 4
Beccaria (Via) . . . . AZ 5
Bosco (V.) . . . . AY 6
Goldoni (Via) . . . . AY 8
Istria (V.) . . . . AY 9
Manassei (Via) . . . . AZ 10
Nobili (Via) . . . . AY 14
Repubblica
 (Pza d.) . . . . AZ 15
Tacito (Corso) . . . . AYZ
Vescovado (Via) . . . . . . AZ 17
Villa Glori (Largo) . . . . . AY 18
1° Maggio (Via) . . . . AY 19

TERRACINA 04019 Latina 四30 S 21 G. Italia – 38 662 ab. – a.s. Pasqua e luglio-agosto.

Vedere Candelabro pasquale★ nel Duomo.

Dintorni Tempio di Giove Anxur★ : ❄★★ Est : 4 km e 15 mn a piedi AR.

⚓ per Ponza giornaliero (2 h 15 mn) – Anxur Tours, viale della Vittoria 40 ℘ 0773 723978, Fax 0773 723979.

🇮 via Leopardi ℘ 0773 727759, Fax 0773 727964.

Roma 109 – Frosinone 58 – Gaeta 35 – Latina 39 – Napoli 123.

🏨 **Grand Hotel Palace** 🅼, lungomare Matteotti 2 ℘ 0773 709523, Fax 0773 709623, ←
🅰◦ – 🛗 🗏 📺 🕭 ⇔ 🅿 – 🔬 50. 🖭 🕃 ① 🐵 🖼. 🛠 cam
Pasto (aprile-settembre e solo per alloggiati) carta 55/120000 (15%) – **72 cam** 😅 280/
450000 – ½ P 250000.

🍴🍴 **Il Grappolo d'Uva,** lungomare Matteotti 1 ℘ 0773 702521, grappoloduva@libero.it,
Fax 0773 702521, ← – 🗏 🅿. 🖭 🕃 ① 🐵 🖼 🍷
chiuso gennaio o novembre e mercoledì – **Pasto** carta 50/100000.

🍴🍴 **La Tartana-da Mario l'Ostricaro,** via Appia al km 102,700 ℘ 0773 702461,
Fax 0773 703656, ←, 🍽 – 🅿. 🖭 🕃 ① 🐵 🖼. 🛠
chiuso dicembre e martedì – **Pasto** specialità frutti di mare carta 80/130000 (15%).

🍴 **Bottega Sarra 1932,** via Villafranca 34 ℘ 0773 702045 – 🗏. 🕃 ① 🐵 🖼 🖵. 🛠
chiuso lunedì – **Pasto** carta 40/80000.

✗ **Al Geranio,** via Tripoli 36 ✆ 0773 700101, 霜 – ▣. ✿
chiuso dal 1° al 20 novembre e lunedì in bassa stagione – **Pasto** carta 65/110000.

✗ **Hostaria Gambero Rosso,** via Badino ✆ 0773 700687, 霜 – ◪ ▮ ◉ ◉ *VISA*. ✿
chiuso martedì – **Pasto** carta 45/60000.

TERRALBA *Cagliari* **433** H 7 – *Vedere Sardegna alla fine dell'elenco alfabetico.*

TERRANOVA DI POLLINO *85030 Potenza* **431** H 30 – *1 770 ab. alt. 920.*
Roma 467 – Cosenza 157 – Matera 136 – Potenza 152 – Sapri 116 – Taranto 145.

🏠 **Picchio Nero** ᠍᠍, via Mulino 1 ✆ 0973 93170, picchionero@picchionero.com,
Fax 0973 93170, ◄, 霜 – 🛗 ▤ ⦿ ◣ ◪ ◪ ▣ ◉ ◉ *VISA*. ✿
Pasto carta 35/60000 – **25 cam** ☲ 85/105000 – ½ P 85000.

✗ **Luna Rossa,** ✆ 0973 93254, Fax 0973 93406, « *Servizio estivo in terrazza panoramica* » –
◪ ▮ *VISA*
chiuso mercoledì – **Pasto** 45000 bc e carta 30/45000.

TERRANUOVA BRACCIOLINI *52028 Arezzo* **430** L 16 – *10 891 ab. alt. 156.*
Roma 227 – Firenze 47 – Siena 51 – Arezzo 37.

a Penna Alta *Nord-Est : 3 km* – ✉ *52028 Terranuova Bracciolini :*

✗ **Osteria il Canto del Maggio,** località Penna Alta 30/d ✆ 055 9705147,
Fax 055 9705147, ◄, prenotare, « *Servizio estivo in giardino* » – ▣. ◪ ▮ ◉ ◉ *VISA*
chiuso novembre e a mezzogiorno (escluso la domenica) – **Pasto** carta 50/70000.

Prices For notes on the prices quoted in this Guide,
see the introduction.

TERRASINI *Palermo* **432** M 21 – *Vedere Sicilia alla fine dell'elenco alfabetico.*

TERRUGGIA *15030 Alessandria* **428** G 7 – *810 ab. alt. 199.*
Roma 623 – Alessandria 34 – Asti 38 – Milano 125 – Torino 92.

🏠 **Ariotto** ᠍᠍ con cam, via Prato 39 ✆ 0142 40281, ariotto@docnet.it, Fax 0142 402823, ◄,
« *Piccolo parco ombreggiato* », ▩ – ▤ ▣. ◢ 100. ◪ ▮ ◉ ◉ *VISA*
Pasto *(chiuso mercoledì)* 65/85000 – **45 cam** ☲ 150/200000 – ½ P 125000.

TESERO *38038 Trento* **429** D 16 – *2 570 ab. alt. 991.*
🄳 *via Roma 35* ✆ 0462 241140.
Roma 644 – Bolzano 50 – Trento 54 – Belluno 91 – Cortina d'Ampezzo 96.

🏠 **Park Hotel Rio Stava,** via Mulini 20 ✆ 0462 814446, info@hotelriostava.com,
Fax 0462 813785, ◄, « *Giardino-pineta* », ☎ – 🛗 ▤ 占 ⇔ ▣. ◪ ▮ ◉ ◉ *VISA*. ✿
chiuso maggio e novembre – **Pasto** carta 35/50000 – ☲ 15000 – **46 cam** 155/280000 –
½ P 130000.

TESIDO (TAISTEN) *Bolzano – Vedere Monguelfo.*

TESIMO (TISENS) *39010 Bolzano* **429** C 15, **218** ⑳ – *1 756 ab. alt. 631.*
🄳 *piazza Principale 80* ✆ 0473 920888, Fax 0473 920552.
Roma 648 – Bolzano 20 – Merano 20 – Trento 77.

✗✗ **Zum Löwen,** via Centro 72 ✆ 0473 920927, Fax 0473 920578, prenotare – ◪ ▮ ◉ ◉
VISA. ✿
chiuso domenica e lunedì a mezzogiorno – **Pasto** 80000 carta 75/120000.

TIERS = *Tires.*

TIGLIETO *16010 Genova* **428** I 7 – *622 ab. alt. 510.*
Roma 550 – Genova 51 – Alessandria 54 – Milano 130 – Savona 52.

🏠 **Pigan,** ✆ 010 929015, Fax 010 929015, « *Boschetto* » – ▣. ✿
Pasto *(chiuso martedì escluso da luglio a settembre)* carta 35/50000 – ☲ 12000 – **11 cam**
90/130000 – P 95000.

TIGLIOLE *14016 Asti* **428** H 6 – *1 630 ab. alt. 239.*

Roma 628 – Torino 60 – Alessandria 49 – Asti 14 – Cuneo 91 – Milano 139.

XXX **Vittoria,** via Roma 14 *℘ 0141 667123, Fax 0141 667630, solo su prenotazione,* 🐎 – ▤ ⌾ ▣ ❸ ⓞ ⓞⓞ *VISA*, ⚘
chiuso gennaio, dal 14 al 28 agosto, domenica sera, lunedì e in giugno-luglio-agosto anche a mezzogiorno esclusi sabato e domenica – **Pasto** 85/100000 e carta 85/125000
Spec. Terrina di verdure con fegato d'oca. Ravioli di caprino su salsa di scalogno e zucchine. Mousse di moscato passito alla frutta di stagione.

TIGNALE *25080 Brescia* **428**, **429** E 14 – *1 290 ab. alt. 560 – a.s. Pasqua e luglio-15 settembre.*

Roma 574 – Trento 72 – Brescia 57 – Milano 152 – Salò 26.

🏨 **La Rotonda** ⬧, *via Provinciale 5, località Gardola ℘ 0365 760066, hotellarotonda@liber .it, Fax 0365 760214,* ≼, **ƒ₆**, ☎, ⌧, ▥, 🐎, ⚘ – ▯ ▣ **P.** ⌾ ❸ ⓞ ⓞⓞ *VISA*, ⚘ *rist*
aprile-20 ottobre – **Pasto** 20/25000 – ⌧ 12000 – **59 cam** 70/100000 – ½ P 90000.

🏨 **Bellavista,** via Trento 16, località Gardola *℘ 0365 760194, Fax 0365 760214,* ≼ lago e monte Baldo, ⌧, 🐎 – ▯ ▣ **P.** ⌾ ❸ ⓞ ⓞⓞ *VISA*, ⚘ *rist*
aprile-20 ottobre – **Pasto** 20/25000 – ⌧ 12000 – **39 cam** 70/100000 – ½ P 90000.

TIMOLINE *Brescia – Vedere Corte Franca.*

TIRANO *23037 Sondrio* **428**, **429** D 12 *G. Italia – 8 807 ab. alt. 450.*

Roma 725 – Sondrio 26 – Passo del Bernina 35 – Bolzano 163 – Milano 164 – Passo dello Stelvio 58.

🏠 **Piccolo Mondo** ⬧, *via Porta Milanese 81 ℘ 0342 701489, Fax 0342 701489,* 🍴, 🐎 – ▤ ▣ **P.** ⌾ ❸ ⓞ ⓞⓞ *VISA* ᴊᴄʙ
Pasto al Rist. **Le Clochard** 30/35000 e carta 45/70000 – ⌧ 15000 – **13 cam** 100000 – ½ P 95000.

XX **Bernina,** piazza Stazione *℘ 0342 701302, cm.studio@novanet.it, Fax 0342 701430,* 🍴 – ▤ *rist,* ▣. ⌾ ❸ ⓞ ⓞⓞ *VISA*
chiuso dal 15 al 30 novembre – **Pasto** 30/35000 e carta 50/70000 (15 %).

sulla strada statale 38 *Nord-Est : 3 km*

🏨 **Valchiosa,** via Valchiosa 17 ⊠ 23030 Sernio *℘ 0342 701292, valchiosa@libero.it Fax 0342 705484,* ≼ – ▯, ▤ *rist,* ▣ ✆ **P.** ⌾ ❸ ⓞ ⓞⓞ *VISA*
Pasto (chiuso lunedì escluso agosto) carta 35/65000 – ⌧ 15000 – **22 cam** 70/110000 – ½ P 95000.

TIRES (TIERS) *39050 Bolzano* **429** C 16 – *909 ab. alt. 1 028.*
🚹 *via San Giorgio 38 ℘ 0471 642127, Fax 0471 642005.*
Roma 658 – Bolzano 26 – Bressanone 40 – Milano 316 – Trento 77.

a San Cipriano (St. Zyprian) *Est : 3 km –* ⊠ *39050 Tires :*

🏨 **Cyprianerhof** ⬧, *via San Cipriano 88/a ℘ 0471 642143, hotel@cyprianerhof.com, Fax 0471 642141,* ≼ Catinaccio e pinete, 🍴, ☎, 🐎 – ▯ ▣ ✆ **P.** ❸ ⓞⓞ *VISA*
chiuso dal 10 novembre al 25 dicembre – **Pasto** (chiuso giovedì escluso da maggio a novembre) carta 50/80000 – **34 cam** ⌧ 140/280000 – ½ P 150000.

🏠 **Stefaner** ⬧, *via San Cipriano 88 d ℘ 0471 642175, info@stefaner.com, Fax 0471 642302,* ≼ Catinaccio e pinete, 🐎 – ▯ ▣ **P.** ⚘
15 cam solo ½ P 105000.

TIROLO (TIROL) *39019 Bolzano* **429** B 15, **218** ⑩ *G. Italia – 2 357 ab. alt. 592.*
🚹 *via Principale 31 ℘ 0473 923314, Fax 0473 923012.*
Roma 669 – Bolzano 32 – Merano 4 – Milano 330.

Pianta : vedere Merano.

🏨🏨 **Erika** Ⓜ, *via Principale 39 ℘ 0473 926111, info@erika.it, Fax 0473 926100,* ≼ monti e Merano, 🍴, « Giardino con ⌧ riscaldata e centro benessere », **ƒ₆**, ☎, ▥, ⚘ – ▯, ⚘ *rist,* ▤ *rist,* ▣ ⬌ **P** – 🔔 150. ⌾ ❸ ⓞ ⓞⓞ *VISA*, ⚘ *rist*
A u
chiuso gennaio e febbraio – **Pasto** 70/90000 – **52 cam** ⌧ 215/400000 – ½ P 295000.

🏨🏨 **Castel** Ⓜ ⬧, *via dei Castagni 60 ℘ 0473 923693, info@hotel-castel.com, Fax 0473 923113,* ≼ monti e Merano, 🍴, **ƒ₆**, ☎, ⌧ riscaldata, ▥, 🐎, ⚘ – ▯, ⚘ *rist,* ▤ ▣ ⬌ – 🔔 70. ❸ ⓞⓞ *VISA*, ⚘ *rist*
A u
15 marzo-15 novembre – **Pasto** (chiuso martedì) carta 95/130000 – **31 cam** ⌧ 320/495000, 13 suites – ½ P 270000.

🏠 **Gartner**, via Principale 65 ℰ 0473 923414, gartner@sudtirol.com, Fax 0473 923120, ≤
monti e Merano, « Giardino con ⚥ », 𝐼₆, 𝗌, ⬛ – ▐, ⇔ rist, 📺 🅿. AB z
marzo-novembre – **Pasto** 55/70000 (solo alla sera) e carta 40/80000 (solo a mezzogiorno) –
31 cam ⇆ 175/380000 – ½ P 190000.

🏠 **Patrizia** ⬎, via Aslago 62 ℰ 0473 923485, info@hotel-patrizia.it, Fax 0473 923144, ≤
monti e Merano, 𝄃, « Giardino con ⚥ », ⬛ – ▐, ⇔ rist 📺 🅿. 🅂 🗓 ⇔ rist
24 marzo-11 novembre – **Pasto** (solo per alloggiati) – **25 cam** ⇆ 170/340000 – A c
½ P 180000.

🏠 **Küglerhof** ⬎, via Aslago 82 ℰ 0473 923428, kuglerhof@rolmail.net, Fax 0473 923699, ≤
monti e vallata, « Giardino con ⚥ riscaldata », 𝗌 – ▐ 📺 🅿. 🅰 🗓 ⑩ 🕮 𝑉𝐼𝑆𝐴. ⇔ rist A r
aprile-10 novembre – **Pasto** (solo per alloggiati) – **23 cam** ⇆ 190/290000 – ½ P 190000.

🏠 **Golserhof**, via Aica 32 ℰ 0473 923294, info@golserhof.it, Fax 0473 923211, ≤, 𝗌, ⬛,
𝄃 – ⇔ rist, 📺 ⟵ 🅿. 🕮 𝑉𝐼𝑆𝐴. ⇔ rist B w
10 marzo-11 novembre – **Pasto** (solo per alloggiati) – **30 cam** ⇆ 120/250000 –
½ P 140000.

*Les principales voies commerçantes figurent en rouge
au début de la liste des rues des plans de villes.*

TIRRENIA 56018 Pisa 𝟜𝟚𝟠, 𝟜𝟚𝟿, 𝟜𝟛𝟘 L 12 G. Toscana – a.s. luglio-agosto.

🏌 Cosmopolitan ℰ 050 33633, Fax 050 384707;

🏌 (chiuso martedì) ℰ 050 37518, Fax 050 33286.

🅱 (maggio-settembre) viale del Tirreno 26/b ℰ 050 32510.
Roma 332 – Pisa 18 – Firenze 108 – Livorno 11 – Siena 123 – Viareggio 36.

🏠 **Gd H. Golf** ⬎, via dell'Edera 29 ℰ 050 37545, info@grandhotelgolf.it, Fax 050 32111,
« Parco con ⚥ e ⚥ », 𝐼₆, 𝗌, 🏊 – ▐ ▤ 📺 🅿 – 🖾 200. 🅰 🗓 ⑩ 🕮 𝑉𝐼𝑆𝐴. ⇔ rist
Pasto carta 55/75000 – **77 cam** ⇆ 220/315000 – ½ P 245000.

🏠 **Gd H. Continental**, largo Belvedere 26 ℰ 050 37031, info@grandhotelcontinental.it,
Fax 050 37283, ≤, ⬛, 🏊, 𝄃, ⚥ – ▐ ▤ 📺 ⚥ & ⟵ – 🖾 280. 🅰 🗓 ⑩ 🕮 𝑉𝐼𝑆𝐴. ⇔ rist
Pasto 35/50000 – **165 cam** ⇆ 230/330000, 8 suites – ½ P 210000.

🏠 **San Francesco** ⬎, via delle Salvie 50 ℰ 050 33572, Fax 050 33630, ⬛, 𝄃 – ▐ 📺 ⚥
🅿 – 🖾 30. 🅰 🗓 ⑩ 🕮 𝑉𝐼𝑆𝐴. ⇔ rist
Pasto (Pasqua-ottobre) carta 55/75000 – **25 cam** ⇆ 190/280000 – ½ P 190000.

🏠 **Il Gabbiano**, via della Bigattiera 13 ℰ 050 32223, Fax 050 33064, 𝄃 – ▤ 📺 ⚥ 🅿 – 🖾 40.
🅰 🗓 ⑩ 🕮 𝑉𝐼𝑆𝐴. ⇔
aprile-ottobre – **Pasto** carta 35/60000 – **16 cam** ⇆ 210000 – ½ P 130000.

🏠 **Medusa** ⬎, via degli Oleandri 37 ℰ 050 37125, Fax 050 30400, 𝄃 – 📺 🅿. 🅰 🗓 ⑩ 🕮
𝑉𝐼𝑆𝐴. ⇔ rist
Pasqua-ottobre – **Pasto** (solo per alloggiati) – ⇆ 12000 – **32 cam** 90/140000 – ½ P 110000.

❌❌ **Dante e Ivana**, via del Tirreno 207/c ℰ 050 32549, Fax 050 32549, prenotare – ▤. 🅰 🗓
⑩ 🕮 𝑉𝐼𝑆𝐴. ⇔
chiuso dal 9 al 13 aprile, dal 15 al 20 giugno, domenica e lunedì a mezzogiorno – **Pasto**
specialità di mare carta 60/105000.

❌ **Martini**, via dell'Edera 16 ℰ 050 37592 – ▤. 🅰 🗓 ⑩ 🕮 𝑉𝐼𝑆𝐴 𝐽𝐶𝐵
chiuso lunedì a mezzogiorno e martedì – **Pasto** carta 60/85000 (12 %).

TISENS = Tesimo.

TIVOLI 00019 Roma 𝟜𝟛𝟘 Q 20 G. Roma – 52 809 ab. alt. 225.
Vedere Località⋆⋆⋆ – Villa d'Este⋆⋆⋆ – Villa Gregoriana⋆⋆ : grande cascata⋆⋆.
Dintorni Villa Adriana⋆⋆⋆ per ③ : 6 km.
🅱 largo Garibaldi ℰ 0774 311249, Fax 0774 331294.
Roma 36 ③ – Avezzano 74 ② – Frosinone 79 ③ – Pescara 180 ② – Rieti 76 ③.

Pianta pagina seguente

🏠 **Torre Sant'Angelo** ⬎, via Quintilio Varo ℰ 0774 332533, Fax 0774 332533, 𝄃, « ⚥ su
terrazza panoramica con ≤ Tivoli e vallata », 𝄃 – ▐ ▤ 📺 & 🅿 – 🖾 220. 🅰 🗓 ⑩
𝑉𝐼𝑆𝐴. ⇔ per via Quintilio Varo
Pasto (chiuso lunedì) carta 65/105000 – **31 cam** ⇆ 220/250000, 4 suites – ½ P 165000.

🏠 **Sirene**, piazza Massimo 4 ℰ 0774 330605, hotel.sirene@travel.it, Fax 0774 330608, ≤,
« Servizio rist. estivo in terrazza con ≤ cascate fiume Aniene ed il tempio di Vesta e Sibilla »
– ▐ ▤ 📺 – 🖾 150. 🅰 🗓 ⑩ 🕮 𝑉𝐼𝑆𝐴 a
Pasto carta 45/75000 – **40 cam** ⇆ 160/260000 – ½ P 180000.

a Pontelucano per ③ : 6 km – ✉ 00010 :

🏨 **Motel River,** via Tiburtina km. 25,400 ℰ 0774 528281, Fax 0774 528281 – 🛗 ▤ 📺 🄿. 🅰🄴 🛐 ⓪ ⓴ 🆅🅸🆂🅰. ✄

Pasto carta 35/50000 – 49 cam ⊡ 120/170000 – ½ P 120000.

a Villa Adriana per ③ : 6 km – ✉ 00010 :

🏨 **Maniero,** via di Villa Adriana 33 ℰ 0774 530208, Fax 0774 533797, 🍴 – 🛗 ▤ 📺 🕭 🄿 – 🔬 160. 🅰🄴 🛐 ⓪ ⓴ 🆅🅸🆂🅰. ✄
Pasto (chiuso lunedì) carta 30/40000 bc – 35 cam ⊡ 110/160000 – ½ P 100000.

XXX **Adriano** ⚓ con cam, via di Villa Adriana 194 ℰ 0774 382235, Fax 0774 535122, prenotare, « Servizio all'aperto », 🍴, ✄ cam, ▤ cam, 📺 🄿. 🅰🄴 🛐 ⓪ ⓴ 🆅🅸🆂🅰. ✄
Pasto (chiuso domenica sera) carta 70/100000 – 10 cam ⊡ 180/200000.

a Bagni di Tivoli Ovest : 9 km – ✉ 00011 :

🏨 **Grand Hotel Duca d'Este** Ⓜ, via Tiburtina Valeria 330 ℰ 0774 3883, ducadeste@ducadeste.com, Fax 0774 388101, « Giardino con 🏊 », 🛁, 🈂, 🏊, 🍴 – 🛗 ▤ 📺 🕭 ⟲ 🄿 – 🔬 400. 🅰🄴 🛐 ⓪ ⓴ 🆅🅸🆂🅰. ✄
Pasto al Rist. *Granduca* carta 50/80000 – 176 cam ⊡ 200/300000, 8 suites – ½ P 190000.

TOBLACH = Dobbiaco.

TOCCO DA CASAURIA 65028 Pescara ⚞430⚟ P 23 – 2 861 ab. alt. 356.
Roma 185 – Pescara 51 – Chieti 30 – L'Aquila 72 – Sulmona 25.

X **Villa dei Venti,** contrada Mangiabuono 9 ℰ 085 8809395, opssne@tin.it, Fax 085 8809395, 🍴, « Giardino-pineta » – 🄿. 🛐 ⓪ ⓴ 🆅🅸🆂🅰. ✄
chiuso lunedì – Pasto carta 35/60000.

TODI 06059 Perugia ⚞430⚟ N 19 G. Italia – 16 905 ab. alt. 411.
Vedere Piazza del Popolo★★ : palazzo dei Priori★, palazzo del Capitano★, palazzo del Popolo★ – Chiesa di San Fortunato★★ – ≤★★ sulla vallata da piazza Garibaldi – Duomo★ – Chiesa di Santa Maria della Consolazione★ O : 1 km per la strada di Orvieto.
🛈 piazza Umberto I°, 6 ℰ 075 8943395, Fax 075 8942406.
Roma 130 – Perugia 47 – Terni 42 – Viterbo 88 – Assisi 60 – Orvieto 39 – Spoleto 45.

🏨 **Fonte Cesia,** via Lorenzo Leonj 3 ℰ 075 8943737, f.cesia@full-service.it, Fax 075 8944677, « Servizio estivo all'aperto » – 🛗 ▤ 📺 🕭 🄿 – 🔬 100. 🅰🄴 🛐 ⓪ ⓴ 🆅🅸🆂🅰. ✄
Pasto al Rist. *Le Palme* (chiuso mercoledì da ottobre a marzo) carta 55/100000 – 34 cam ⊡ 200/360000 – ½ P 230000.

🏨 **Bramante,** via Orvietana 48 ℰ 075 8948382, bramante@hotelbramante.it, Fax 075 8948074, « Servizio estivo in terrazza con ≤ », 🏊, 🍴, 🍴 – 🛗 ▤ 📺 🄿 – 🔬 120. 🅰🄴 🛐 ⓪ ⓴ 🆅🅸🆂🅰
Pasto (chiuso lunedì) carta 55/85000 – 43 cam ⊡ 200/280000 – ½ P 180000.

TIVOLI

Circolazione stradale regolamentata nel centro città

Battisti (Largo Cesare)	2	
Boselli (Via)	3	
Collegio (Via del)	4	
Gesù (Via del)	5	
Lione (Via)	6	
Moro (Via Aldo)	7	
Munazio Planco (Via)	8	
Nazioni Unite (Piazza delle)	9	
Parmegiani (Via A.)	10	
Parrozzani (Via A.)	12	
Plebiscito (Piazza)	13	
Ponte Gregoriano (Via)	14	
Rivarola (Piazza)	16	
Sosii (Via dei)	20	
Todini (Vicolo)	21	
Trento (Piazza)	22	
Trevio (Via del)	24	

🏠 **Villaluisa**, via Cortesi 147 ℰ 075 8948571, *villaluisa@villaluisa.it*, Fax 075 8948472, « Parco », 🔼 – 🛗 📺 ৬ 🅿 – 🔬 60. 🖫 ⬤⬤ VISA. 🛠
Pasto *(chiuso mercoledì da novembre a marzo)* carta 45/85000 – ☲ 10000 – **40 cam** 120/170000 – ½ P 125000.

🏠 **San Lorenzo Tre** senza rist, via San Lorenzo 3 ℰ 075 8944555, *lorenzotre@edisons.it*, Fax 075 8944555 – 🛠
chiuso gennaio e febbraio – **6 cam** ☲ 95/170000.

╳ **Antica Osteria De La Valle**, via Ciuffelli 19 ℰ 075 8944848, Fax 075 8944848 – 🖫 ⬤⬤ VISA. 🛠
chiuso lunedì – **Pasto** carta 40/55000.

a Collevalenza *Sud-Est : 8 km –* ⊠ *57033 :*

🏛 **Relais Todini** ⏳, Vocabolo Cervara ℰ 075 887521, Fax 075 887182, ⚶ Todi e dintorni, ⌂, servizio navetta per Todi, « Vasta tenuta agricola e parco con animali », 🕧, 🖫, 🔼 riscaldata, 🛠 – 🗏 📺 📞 ৬ 🅿 – 🔬 70. 🖭 🖫 ⬤ ⬤⬤ VISA. 🛠
Pasto *(chiuso da lunedì a mercoledì)* carta 60/100000 – **7 cam** ☲ 250/380000, 5 suites 500000 – ½ P 270000.

*Prezzo del pasto : salvo indicazione specifica « bc »,
le bevande non sono comprese nel prezzo.*

TOFANA DI MEZZO *Belluno G. Italia – alt. 3 244.*
Vedere ⚶ ⭐⭐⭐ *Cortina d'Ampezzo 15 mn di funivia.*

TOIRANO *17055 Savona* 428 *J 6 – 1 989 ab. alt. 45.*
Roma 580 – Imperia 43 – Genova 87 – San Remo 71.

╳ **Al Ravanello Incoronato**, via Parodi 27/A ℰ 0182 921991, ⌂ – ≣. 🖫 ⬤⬤ VISA
chiuso dal 10 al 30 gennaio, martedì e a mezzogiorno (escluso sabato, domenica ed i giorni festivi), da giugno a settembre chiuso anche sabato a mezzogiorno – **Pasto** carta 40/60000.

TOLÈ *40040 Bologna* 429, 430 *J 15 – alt. 678.*
Roma 374 – Bologna 42 – Modena 48 – Pistoia 66.

🏠 **Falco D'Oro**, via Venola 27 ℰ 051 919084, Fax 051 919068, ⌂ – 🗏 📺 🅿 – 🔬 60. 🖭 🖫 ⬤ ⬤⬤ VISA
Pasto carta 35/60000 – **62 cam** ☲ 190/270000 – ½ P 95000.

TOLENTINO *62029 Macerata* 430 *M 21 G. Italia – 18 934 ab. alt. 224 – a.s. 10 luglio-13 settembre.*
Vedere *Basilica di San Nicola★★.*
🅱 *piazza Libertà 19 ℰ 0733 972937, Fax 0733 972937.*
Roma 246 – Ancona 88 – Ascoli Piceno 90 – Macerata 18.

🏛 **Hotel 77**, viale Buozzi 90 ℰ 0733 967400, *info@hotel77.com*, Fax 0733 960147, 🔼 – 🗏 ≣ 📺 📞 🅿 – 🔬 250
49 cam, suite.

TONALE (Passo del) *Trento e Brescia* 428, 429 *D 13 – alt. 1 883 – a.s. febbraio-aprile e Natale – Sport invernali : 1 883/3 016 m ⚶ 1 ⚶ 19 (anche sci estivo), ⚶.*
🅱 *via Nazionale 12/b ℰ 0364 903838, Fax 0364 903895.*
Roma 688 – Sondrio 76 – Bolzano 94 – Brescia 130 – Milano 177 – Ponte di Legno 11 – Trento 90.

🏠 **La Mirandola** ⏳, ⊠ 38020 Passo del Tonale ℰ 0364 903933, *lamirandola@tin.it*, Fax 0364 903922, ≤, Nel periodo invernale raggiungibile solo con gatto delle nevi – 🗏 📺 🅿. 🖫 ⬤⬤ VISA
dicembre-Pasqua e dal 15 giugno al 15 settembre – **Pasto** carta 45/65000 – **30 cam** ☲ 130/200000 – ½ P 145000.

🏠 **Delle Alpi**, via Circonvallazione 20 ℰ 0364 903919, *dellealpi@supereva.it*, Fax 0364 903729, ≤ – 🗏 📺 ⇔ 🅿. 🖭 🖫 ⬤ ⬤⬤ VISA. 🛠
dicembre-Pasqua e dal 15 giugno al 15 settembre – **Pasto** carta 45/70000 – **34 cam** ☲ 200/260000 – ½ P 180000.

🏠 **Orchidea**, ℰ 0364 903935, Fax 0364 903727, ≤ – 📺 ⇔ 🅿. 🖭 🖫 ⬤⬤ VISA. 🛠
dicembre-aprile e luglio-agosto – **Pasto** 20/30000 – **27 cam** ☲ 70/100000 – ½ P 75000.

🏠 **Sole,** via Nazionale 27 ⊠ 38020 Passo del Tonale ℰ 0364 903970, *hotelsole@tin.it*
Fax 0364 903944, ≤, ⓢ – 🛗 📺 🅿, ⚗ 🔒 ⓞ ⓪ 𝚅𝙸𝚂𝙰. ※
chiuso dal 5 maggio al 28 giugno e dal 15 settembre al 27 ottobre – **Pasto** carta 45/65000 –
⊇ 20000 – **30 cam** 75/135000 – ½ P 110000.

🏠 **Dolomiti,** Via Case Sparse 102 ⊠ 25056 Ponte di Legno ℰ 0364 900251, *hotdol@tin.it*
Fax 0364 900260, ← – 🛗 📺 ⟵ 🅿, ⚗ 🔒 ⓞ ⓪ 𝚅𝙸𝚂𝙰. ※ rist
Pasto *(chiuso maggio-giugno e settembre-ottobre)* carta 40/60000 – **51 cam** ⊇ 140/
160000 – ½ P 140000.

TONDI DI FALORIA *Belluno G. Italia – alt. 2 343.*
Vedere ※★★★ *Cortina d'Ampezzo 20 mn di funivia.*

TORBOLE 38069 Trento 𝟺𝟸𝟾, 𝟺𝟸𝟿 E 14 *G. Italia – alt. 85 – a.s. 23 dicembre-20 gennaio e Pasqua.*
🅱 *lungolago Verona 19* ℰ 0464 505177, Fax 0464 505643.
Roma 569 – Trento 39 – Brescia 79 – Milano 174 – Verona 83.

🏨🏨 **Piccolo Mondo,** via Matteotti 7 ℰ 0464 505271, Fax 0464 505295, Ⅰ₆, ⓢ, ⬛, 🐦, ※ –
🛗 📺 🅿, 🔒 ⓞ ⓪ 𝚅𝙸𝚂𝙰. ※ rist
aprile-ottobre – **Pasto** carta 55/75000 – ⊇ 25000 – **36 cam** 150/220000 – ½ P 160000.

🏠🏠 **Lido Blu** ♨, via Foci del Sarca 1 ℰ 0464 505180, *lidoblu@lidoblu.it,* Fax 0464 505931, ≤,
🐦, « In riva al lago », Ⅰ₆, ⓢ, ⬛, 🐦₀ – 🛗, ⬛ rist, 📺 ⚗ 🅿 – 🔏 50. ⚗ 🔒 ⓞ ⓪ 𝚅𝙸𝚂𝙰.
※ rist
chiuso dal 10 novembre al 20 dicembre – **Pasto** carta 45/70000 – **40 cam** ⊇ 155/280000 –
½ P 165000.

🏠🏠 **Caravel,** via Coize 2 ℰ 0464 505724, Fax 0464 505935, ⬛ – 🛗, ⬛ rist, 📺 🅿, ⚗ 🔒 ⓞ ⓪
𝚅𝙸𝚂𝙰 𝙹𝙲𝙱. ※ rist
marzo-novembre – **Pasto** carta 35/50000 – **62 cam** ⊇ 165/180000 – ½ P 115000.

🏠 **Villa Magnolia** senza rist, via Al Cor 10 ℰ 0464 505050, *magnolia@torbole.com,*
Fax 0464 505050, ⬛, 🐦 – 🛗 & 🅿, 🔒 𝚅𝙸𝚂𝙰. ※
aprile-4 novembre – ⊇ 12000 – **21 cam** 85/100000.

✕✕ **La Terrazza,** via Pasubio 15 ℰ 0464 506083, Fax 0464 506083, prenotare, « Servizio in
veranda con ≤ lago » – ⬛. ⚗ 🔒 ⓞ ⓪ 𝚅𝙸𝚂𝙰
chiuso febbraio, marzo, novembre e martedi – **Pasto** carta 50/100000.

TORCELLO *Venezia – Vedere Venezia.*

TORGIANO 06089 Perugia 𝟺𝟹𝟶 M 19 *G. Italia – 5 252 ab. alt. 219.*
Vedere Museo del Vino★.
Roma 158 – Perugia 15 – Assisi 27 – Orvieto 60 – Terni 69.

🏨🏨 **Le Tre Vaselle,** via Garibaldi 48 ℰ 075 9880447, Fax 075 9880214, ≤, 🐦, Ⅰ₆, ⓢ, ⬛, 🐦
– 🛗 ❄ ⬛ 📺 ⟵ 🅿 – 🔏 200. ⚗ 🔒 ⓞ ⓪ 𝚅𝙸𝚂𝙰 𝙹𝙲𝙱. ※
Pasto al Rist. **Le Melagrane** *(prenotare)* carta 80/110000 – **47 cam** ⊇ 260/360000,
13 suites.

TORINO

10100 ℙ 428 G 5 *G. Italia – 903 705 ab. alt. 239.*

Roma 669 ⑦ – Briançon 108 ⑪ – Chambéry 209 ⑪ – Genève 252 ③ – Genova 170 ⑦ – Grenoble 224 ⑪ – Milano 140 ③ – Nice 220 ⑨.

UFFICIO INFORMAZIONI TURISTICHE

🚩 *piazza Castello 161* ✉ *10122* ☏ *011 535181, Fax 011 530070.*

🚩 *Stazione Porta Nuova* ✉ *10125* ☏ *011 531327, Fax 011 5617095.*

A.C.I. *via Giovanni Giolitti 15* ✉ *10123* ☏ *011 57791.*

INFORMAZIONI PRATICHE

✈ *Città di Torino di Caselle per ① : 15 km* ☏ *011 5676361.*
Alitalia, via Lagrange 35 ✉ *10123* ☏ *011 57691, Fax 011 5769220.*

🏌 *I Roveri (chiuso lunedì) a La Mandria* ✉ *10070 Fiano Torinese* ☏ *011 9235719, Fax 011 9235669 per ① : 18 km ;*

🏌 *e* 🏌 *Torino (marzo-novembre ; chiuso lunedì) a Fiano Torinese* ✉ *10070* ☏ *011 9235440, Fax 011 9235886, per ① : 20 km ;*

🏌 *Le Fronde (chiuso martedì, gennaio e febbraio) ad Avigliana* ✉ *10051* ☏ *011 9328053, Fax 011 9320928, Ovest : 24 km ;*

🏌 *Stupinigi (chiuso lunedì) a Stupinigi* ✉ *10040* ☏ *011 3472640, Fax 011 3978038* FU *;*

🏌 *Vinovo (chiuso lunedì e dal 20 dicembre al 10 gennaio) a Vinovo* ✉ *10048* ☏ *011 9653880, Fax 011 9623748* FU.

LUOGHI DI INTERESSE

Piazza San Carlo★★ CXY – Museo Egizio★★★, galleria Sabauda★★ nel palazzo dell'Accademia delle Scienze CX M¹ – Duomo★ VX : reliquia della Sacra Sindone★★★ – Mole Antonelliana★ : ☀★★ DX
Palazzo Madama★ : museo d'Arte Antica★ CX A – Palazzo Reale★ : Armeria Reale★ CDVX – Museo del Risorgimento★ a palazzo Carignano★★ CX M² – Museo dell'Automobile Carlo Biscaretti di Ruffia★★ GU M³ – Borgo Medioevale★ nel parco del Valentino CDZ.

DINTORNI

Basilica di Superga★ : ≼★★★ HT – Circuito della Maddalena★ GHTU : ≼★★ sulla città dalla strada Superga-Pino Torinese, ≼★ sulla città dalla strada Colle della Maddalena-Cavoretto.

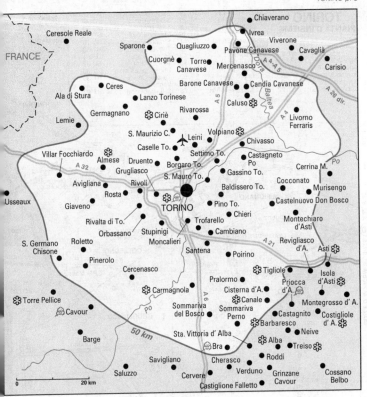

Un consiglio **Michelin**:

per la buona riuscita di un viaggio, preparatelo in anticipo.
*Le **carte** e le **guide Michelin** vi danno tutte le indicazioni*
utili su: itinerari, curiosità, sistemazioni, prezzi, ecc.

Un conseil **Michelin** :

pour réussir vos voyages, préparez-les à l'avance.
*Les **cartes** et **guides Michelin** vous donnent toutes indications utiles sur :*
itinéraires, visite des curiosités, logement, prix, etc.

Ferienreisen wollen gut vorbereitet sein.

Die Straßenkarten und **Führer** von **Michelin**
geben Ihnen Anregungen und praktische Hinweise zur Gestaltung Ihrer
Reise:
Streckenvorschläge, Auswahl und Besichtigungsbedingungen
der Sehenswürdigkeiten, Unterkunft, Preise... u. a. m.

We suggest:

for a successful tour, that you prepare it in advance.
***Michelin maps** and **guides**, will give you much useful information on route*
planning,
places of interest, accommodation, prices etc.

TORINO
PIANTA D'INSIEME

Aeroporto
(Strada dell') ..... GT 2
Agnelli (Corso G.) ..... FU 3
Agudio (Via T.) ..... HT 5
Bogino (Via) ..... GU 8
Borgaro (Via) ..... GT 9
Cebrosa (Str. d.) ..... HT 22

Cosenza (Corso) ..... FGU 29
De Sanctis (Via F.) ..... FT 30
Garibaldi (Corso) ..... GT 36
Grosseto (Corso) ..... GT 39
Lazio (Lungo Stura) ..... HT 41
Maroncelli
(Corso P.) ..... GU 43
Potenza (Corso) ..... GT 58
Rebaudengo
(P. Conti) ..... GT 59
Regio Parco (Corso) ..... HT 61
S. M. Mazzarello (Via) .. FT 68

Sansovino (Via A.) ... FGT 71
Savona (Corso) ..... GU 72
Sestriere (Via) ..... GU 74
Stampini (Via E.) ..... GT 78
Stradella (Via) ..... GT 79
Thovez (Viale E.) ..... GHT 80
Torino (Strada) ..... GU 81
Torino (Viale) ..... FU 82
Unità d'Italia (Corso) .. GU 86
Vercelli (Corso) ..... HT 89
Voghera
(Lungo Dora) ..... HT 92

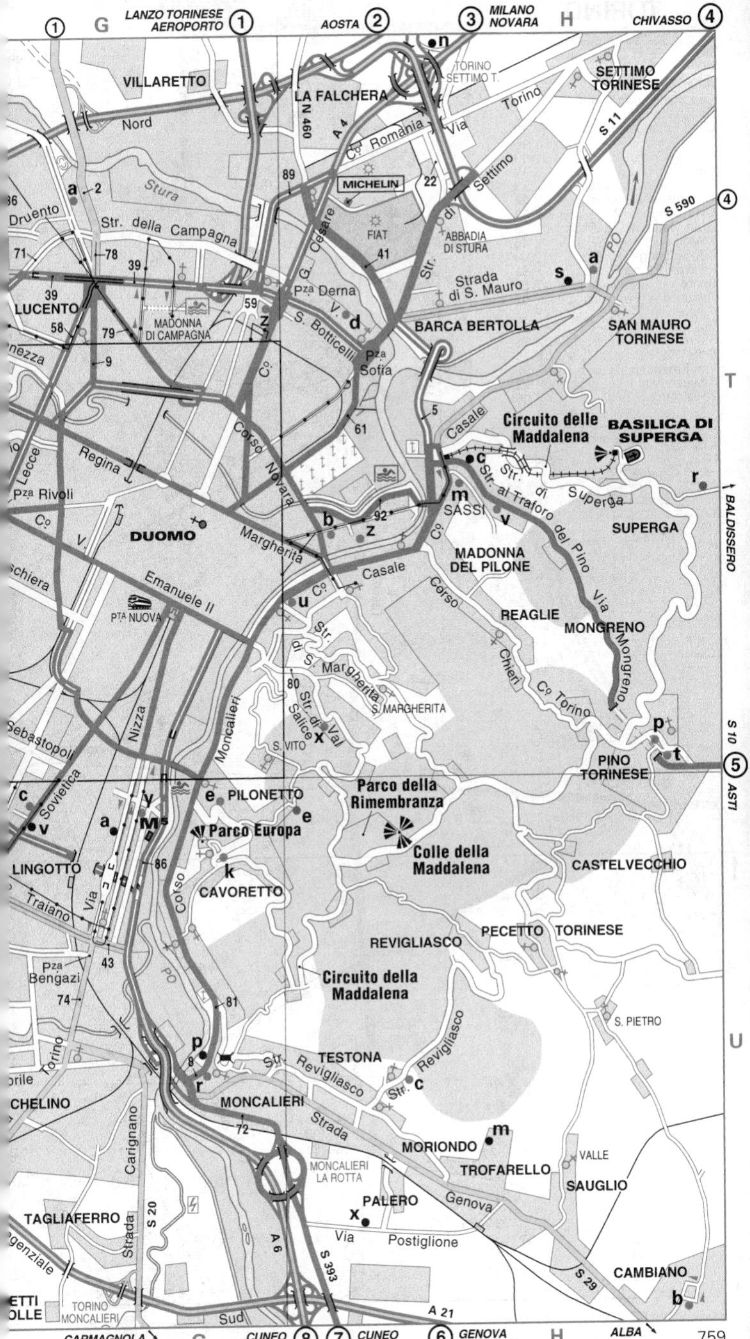

① G *LANZO TORINESE* ① *AOSTA* ② ③ *MILANO* H *CHIVASSO* ④
AEROPORTO *NOVARA*

VILLARETTO
n
TORINO
SETTIMO
TORINESE
SETTIMO T.
LA FALCHERA
Nord
Stura
A 4
Via
Romania
Via
S 11
Settimo
④
a 2
S 590
④
Druento
Str. della Campagna
89
MICHELIN
22
PO
T
71
78
39
FIAT
41
ABBADIA
S 590
39
59
DI STURA
a
s
SAN MAURO
LUCENTO
58
79
Pza Derna
Str.
Strada
TORINESE
9
MADONNA
v d
di S. Mauro
DI CAMPAGNA
S. Botticelli
Pza
BARCA BERTOLLA
Sofia
Regina
61
5
Casale
Circuito delle
BASILICA DI
Pza Rivoli
Maddalena
SUPERGA
r
Co
c
di
Superga
BALDISSERO
DUOMO
b
92
m
v
SUPERGA
z
SASSI
Margherita
MADONNA
Emanuele II
Casale
DEL PILONE
PTA NUOVA
Corso
REAGLIE
u
Co
MONGRENO
Chieri
Str.
Co Torino
Nizza
di S.
S. MARGHERITA
Margherita
80
Str. di Val
p
S 10
Sebastopoli
Salice
PINO
t
S. VITO
x
TORINESE
⑤
c
Parco della
ASTI
Sovietica
e
PILONETTO
Rimembranza
v
a
M
Parco Europa
e
LINGOTTO
86
Colle della
CASTELVECCHIO
k
Maddalena
CAVORETTO
Traiano
Corso
REVIGLIASCO
PECETTO TORINESE
Pza
43
Bengazi
Circuito della
74
81
Maddalena
S. PIETRO
U
p
TESTONA
Str. Revigliasco
8
Revigliasco
CHELINO
r
Str.
c
MORIONDO
m
72
MONCALIERI
VALLE
Strada
Genova
MONCALIERI
SAUGLIO
LA ROTTA
TROFARELLO
Carignano
PALERO
S 20
A 6
x
Via
Postiglione
CAMBIANO
TAGLIAFERRO
S 393
b
OLLE
TORINO
A 21
S 29
MONCALIERI
Sud
G ⑧ ⑦ *CUNEO* ⑥ *GENOVA* H *ALBA*
CARMAGNOLA *CUNEO* *PIACENZA*
SALUZZO *SAVONA*

759

TORINO

Circolazione regolamentata
nel centro città

Alfieri (Via) . . . . CY 6
Cadorna (Lungo Po L.) . . DY 10
Carignano (Piazza) . . . . . . CX 12
Carlo Emanuele II (Pza) . . CY 13
Carlo Felice (Piazza) . . . . DY 16
Casale (Corso) . . . . DY 18
Castello (Piazza) . . . . CX 19
Cesare Augusto (Pza) . . . CV 23
Consolata (Via della) . . . . CV 27
Diaz (Lungo Po A.) . . . . . DY 32
Gran Madre di Dio (Pza) . . DY 38
Milano (Via) . . . . CV 46
Napoli (Lunga Dora) . . . . . CV 50
Palazzo di Città (Pza d.) . . CX 51
Ponte Vitt. Emanuele I . . . DY 55
Repubblica (Pza della) . . . CV 62
Roma (Via) . . . . CXY
S. Carlo (Piazza) . . . . CXY
S. F. d'Assisi (Via) . . . . . . CX 66
Solferino (Piazza) . . . . CX 75
Vitt. Emanuele II (Lgo) . . . BCY 90
4 Marzo (Via) . . . . CX 93
20 Settembre (Via) . . . . . CXY 96

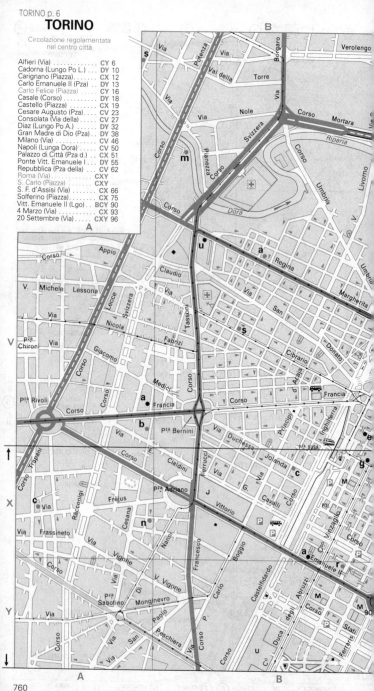

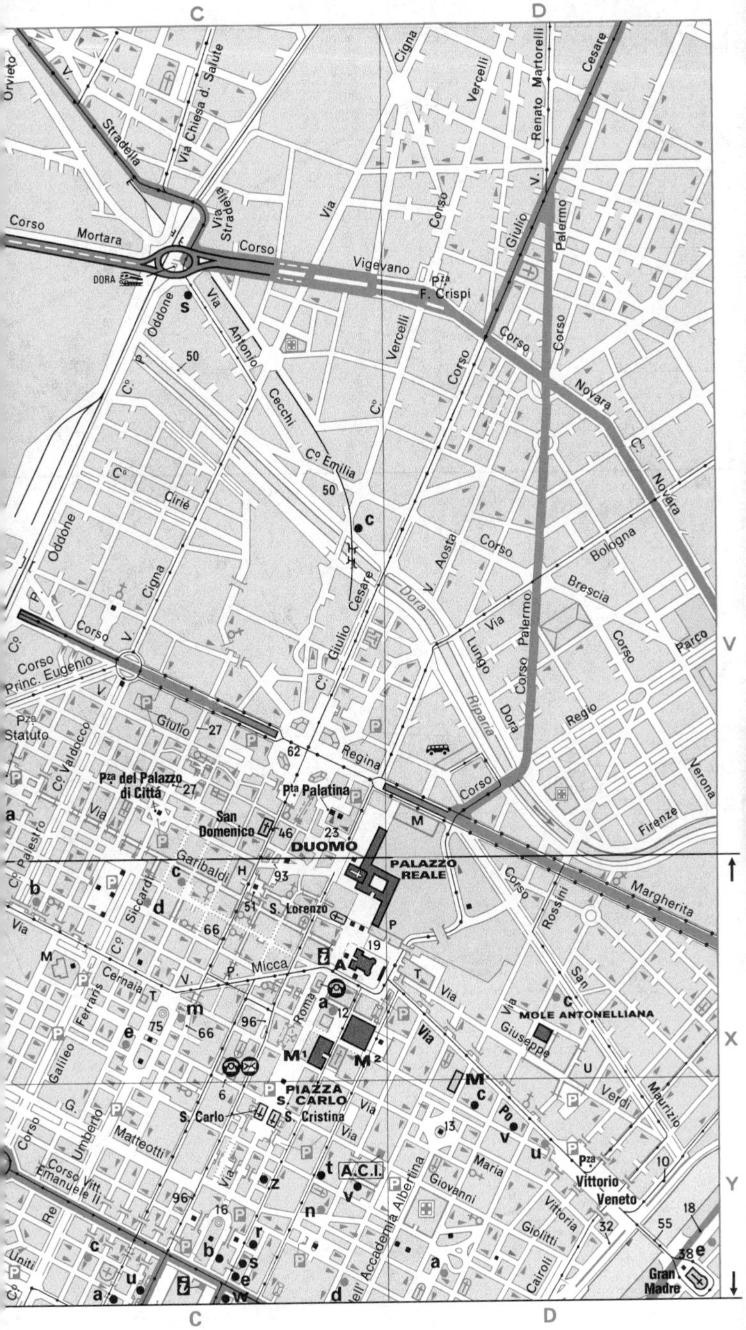
C
D
Orvieto
V. Stradella
Via Chiesa d. Salute
Via Stradella
Corso Mortara
DORA
Corso Vigevano
Via Cigna
Corso Vercelli
Renato Martorelli
Cesare
V. Giulio
Palermo
Pza F. Crispi
Oddone
s
Via Antonio
50
Cecchi
Co. Vercelli
Corso
Corso
Corso Novara
Co. Emilia
50
c
Co. Ciriè
Oddone
Cigna
Co. Giulio Cesare
Dora
V. Aosta
Corso Bologna
Brescia
Co. Novara
Corso V.
Via Lungo Dora
Corso Palermo
Riparia
Corso
Parco
V
Corso Princ. Eugenio
V.
Giulio
27
Pza Statuto
Co. Valdocco
62
Regina
Regio
Verona
Pza del Palazzo di Città
27
Pta Palatina
Corso
a
Via
San Domenico
46
23
M
Firenze
DUOMO
PALAZZO REALE
Co. Palestro
b
Garibaldi
H
93
Corso
Rossini
Margherita
Siccardi
c
d
51
S. Lorenzo
P
66
19
Via
M
Co.
P. Micca
A
T
San
Cernaia
T
V.
a
Via
c
m
Ferraris
96
Roma
12
Via
MOLE ANTONELLIANA
Via Giuseppe
X
e
75
66
M1
M2
U
Galileo
6
PIAZZA S. CARLO
M
Verdi
G.
Via
c
Maurizio
Corso
Umberto
S. Carlo
S. Cristina
Po
v
Matteotti
Via
13
u
Pza
10
Corso Vitt. Emanuele II
Via
t
A.C.I.
Maria
Vittorio Veneto
Y
z
v
Giovanni
96
16
n
dell' Accademia Albertina
Vittoria
32
18
Re
r
Giolitti
55
c
b
s
a
Cairoli
38
e
Uniti
u
e
Gran Madre
Co.
a
w
d
C
D

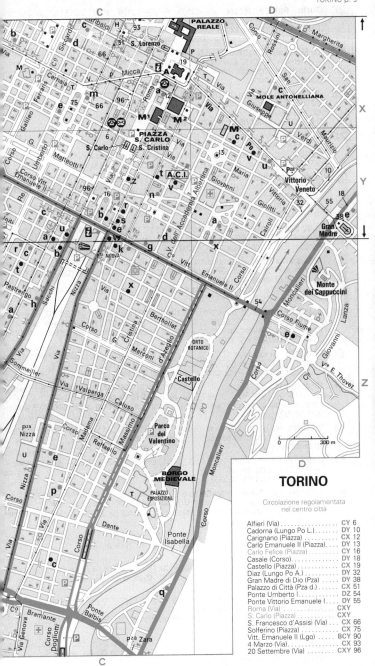

TORINO

Circolazione regolamentata
nel centro città

Alfieri (Via) . . . . CY 6
Cadorna (Lungo Po L.) . . . . DY 10
Carignano (Piazza) . . . . CX 12
Carlo Emanuele II (Piazza) . . . . DY 13
Carlo Felice (Piazza) . . . . CY 16
Casale (Corso) . . . . DY 18
Castello (Piazza) . . . . CX 19
Diaz (Lungo Po A.) . . . . DY 32
Gran Madre di Dio (Pza) . . . . . DY 38
Palazzo di Città (Pza d.) . . . . . CX 51
Ponte Umberto I. . . . . DZ 54
Ponte Vittorio Emanuele I. . . . . DY 55
Roma (Via) . . . . CXY
S. Carlo (Piazza) . . . . CXY
S. Francesco d'Assisi (Via) . . . CX 66
Solferino (Piazza) . . . . CX 75
Vitt. Emanuele II (Lgo) . . . . . . BCY 90
4 Marzo (Via) . . . . CX 93
20 Settembre (Via) . . . . CXY 96

763

Turin Palace Hotel, via Sacchi 8 ⊠ 10128 ℰ 011 5625511, palace@thi.it
Fax 011 5612187 – 🛗 ▤ 📺 ✆ 🔥 ⟷ – 🛗 200. 🖭 🛐 ⓞ ⓦⓞ 𝘝𝘐𝘚𝘈 𝘑𝘊𝘉. 🛇 rist   CY
Pasto al Rist. **Vigna Reale** (chiuso agosto, sabato e domenica a mezzogiorno) cart
80/110000 – **123 cam** ⊇ 370/460000, 2 suites.

Le Meridien Lingotto Ⓜ, via Nizza 262 ⊠ 10126 ℰ 011 6642000, Fax 011 6642001, ⟷
– 🛗, 🔆 cam, ▤ 📺 ✆ 🔥 ⟷ 🅿 – 🛗 67. 🖭 🛐 ⓞ ⓦⓞ 𝘝𝘐𝘚𝘈. 🛇   GU
Pasto al Rist. **Torpedo** (chiuso dal 9 al 22 agosto e lunedì) carta 95/170000 – **240 cam**
⊇ 495000, 13 suites.

Jolly Hotel Principi di Piemonte, via Gobetti 15 ⊠ 10123 ℰ 011 5629693, torino_p
incipidipiemonte@jollyhotels.it, Fax 011 5620270 – 🛗, 🔆 cam, ▤ 📺 – 🛗 300. 🖭 🛐 ⓞ
ⓦⓞ 𝘝𝘐𝘚𝘈. 🛇
Pasto al Rist. **L' Gentilom** carta 70/110000 – **89 cam** ⊇ 445/510000, 8 suites.   CY

Gd H. Sitea, via Carlo Alberto 35 ⊠ 10123 ℰ 011 5170171, sitea@thi.it, Fax 011 548090-
🛗, 🔆 cam, ▤ 📺 ✆ – 🛗 100. 🖭 🛐 ⓞ ⓦⓞ 𝘝𝘐𝘚𝘈. 🛇 rist   CY
Pasto al Rist. **Carignano** (chiuso agosto, sabato e domenica a mezzogiorno) carta 70.
100000 – **116 cam** ⊇ 335/450000, 2 appartamenti – ½ P 325000.

Jolly Hotel Ambasciatori, corso Vittorio Emanuele II 104 ⊠ 10121 ℰ 011 5752
torino-ambasciatori@jollyhotels.it, Fax 011 544978 – 🛗, 🔆 cam, ▤ 📺 – 🛗 400. 🖭 🛐 ⓞ
ⓦⓞ 𝘝𝘐𝘚𝘈. 🛇 rist   BX
Pasto al Rist. **Il Diplomatico** carta 70/110000 – **199 cam** ⊇ 330/380000, 4 suites -
½ P 250000.

Jolly Hotel Ligure Ⓜ, piazza Carlo Felice 85 ⊠ 10123 ℰ 011 55641, torino_ligure@jolly
hotels.it, Fax 011 535438 – 🛗, 🔆 cam, ▤ 📺 – 🛗 200. 🖭 🛐 ⓞ ⓦⓞ 𝘝𝘐𝘚𝘈. 🛇 rist   CY
Pasto al Rist. **Birichino** carta 65/110000 – **167 cam** ⊇ 335/390000, 2 suites – ½ P 260000

Relais Villa Sassi 🍸, strada al Traforo del Pino 47 ⊠ 10132 ℰ 011 8980556, info@villasa
ssi.com, Fax 011 8980095, 🌰, « Villa settecentesca in un grande parco » – 🛗 ▤ 📺 🅿 –
🛗 200. 🖭 🛐 ⓞ ⓦⓞ 𝘝𝘐𝘚𝘈. 🛇 rist   HT
chiuso agosto – Pasto al Rist. **Villa Sassi** (chiuso agosto e domenica) 60/90000 e carta
90/130000 – **17 cam** ⊇ 330/420000.

Starhotel Majestic, corso Vittorio Emanuele II 54 ⊠ 10123 ℰ 011 539153, majestic.to
@starhotels.it, Fax 011 534963 – 🛗 🔆 ▤ 📺 🔥 – 🛗 600. 🖭 🛐 ⓞ ⓦⓞ 𝘝𝘐𝘚𝘈 𝘑𝘊𝘉. 🛇
Pasto al Rist. **Le Regine** (chiuso agosto e mezzogiorno) carta 65/120000 – **162 cam**
⊇ 440/500000 – ½ P 315000.   CY

Concord, via Lagrange 47 ⊠ 10123 ℰ 011 5176756, prenotazioni@hotelconcord.com,
Fax 011 5176305 – 🛗 ▤ 📺 🔥 – 🛗 200. 🖭 🛐 ⓞ ⓦⓞ 𝘝𝘐𝘚𝘈. 🛇 rist   CY
Pasto carta 50/90000 – **135 cam** ⊇ 340/400000, 4 suites – ½ P 240000.

Diplomatic, via Cernaia 42 ⊠ 10122 ℰ 011 5612444, info@hotel-diplomatic.it,
Fax 011 540472 – 🛗, 🔆 cam, ▤ 📺 ✆ – 🛗 180. 🖭 🛐 ⓞ ⓦⓞ 𝘝𝘐𝘚𝘈. 🛇 rist   BX
Pasto (solo per alloggiati; chiuso sabato e domenica) – **123 cam** ⊇ 280/390000, 3 suites –
½ P 245000.

Victoria senza rist, via Nino Costa 4 ⊠ 10123 ℰ 011 5611909, Fax 011 5611806,
« Ambienti personalizzati ed eleganti » – 🛗 ▤ 📺. 🖭 🛐 ⓞ ⓦⓞ 𝘝𝘐𝘚𝘈. 🛇   CY
90 cam ⊇ 220/290000.

City senza rist, via Juvarra 25 ⊠ 10122 ℰ 011 540546, Fax 011 548188 – 🛗 ▤ 📺 🔥 ⟷ –
🛗 60. 🖭 🛐 ⓞ ⓦⓞ 𝘝𝘐𝘚𝘈. 🛇   BV
⊇ 25000 – **57 cam** 300/400000.

Holiday Inn Turin City Centre Ⓜ, via Assietta 3 ⊠ 10128 ℰ 011 5167111,
Fax 011 5167699 – 🛗, 🔆 cam, ▤ 📺 ✆ 🔥 ⟷ – 🛗 40. 🖭 🛐 ⓞ ⓦⓞ 𝘝𝘐𝘚𝘈 𝘑𝘊𝘉.   CY
Pasto al Rist. **Camerana** (chiuso a mezzogiorno) carta 40/60000 – ⊇ 25000 – **57 cam**
285/395000 – ½ P 160000.

Boston senza rist, via Massena 70 ⊠ 10128 ℰ 011 500359, hotel.boston@hotelres.it,
Fax 011 599358, 🌰 – 🛗 ▤ 📺 🔥 ⟷ – 🛗 50. 🖭 🛐 ⓞ ⓦⓞ 𝘝𝘐𝘚𝘈   BZ
81 cam ⊇ 220/300000, 5 suites.

Genio senza rist, corso Vittorio Emanuele II 47 ⊠ 10125 ℰ 011 6505771, hotel.genio@hot
elres.it, Fax 011 6508264 – 🛗 🔆 ▤ 📺 – 🛗 25. 🖭 🛐 ⓞ ⓦⓞ 𝘝𝘐𝘚𝘈 𝘑𝘊𝘉   CYZ
117 cam ⊇ 220/300000, 3 suites.

Royal, corso Regina Margherita 249 ⊠ 10144 ℰ 011 4376777, Fax 011 4376393 – 🛗 ▤ 📺
🔥 ⟷ 🅿 – 🛗 600. 🖭 🛐 ⓞ ⓦⓞ 𝘝𝘐𝘚𝘈 𝘑𝘊𝘉   BV
– Pasto (chiuso sabato e domenica a mezzogiorno) carta 50/75000 – **70 cam** ⊇ 200/
250000 – ½ P 180000.

Genova e Stazione senza rist, via Sacchi 14/b ⊠ 10128 ℰ 011 5629400, hotel.genova
@hotelres.it, Fax 011 5629896 – 🛗 ▤ 📺 🔥 – 🛗 70. 🖭 🛐 ⓞ ⓦⓞ 𝘝𝘐𝘚𝘈. 🛇   CZ
59 cam ⊇ 210/275000, 4 suites.

🏨 **Crimea** senza rist, via Mentana 3 ⊠ 10133 ℰ 011 6604700, *hotel.crimea@hotelres.it*, *Fax 011 6604912* – 📳 📺 🚗 – 🔏 35. 🖭 🖫 ① ◑◐ 𝖵𝖨𝖲𝖠. 🛠 DZ e
48 cam ⊆ 180/250000, suite.

🏨 **Gran Mogol** senza rist, via Guarini 2 ⊠ 10123 ℰ 011 5612120, *hotel.gmogol@hotelres.it*, *Fax 011 5623160* – 📳 ✢✢ 🗏 📺. 🖭 🖫 ① ◑◐ 𝖵𝖨𝖲𝖠 🖵🖧🖲 CY r
chiuso dal 23 dicembre al 1° gennaio ed agosto – **45 cam** ⊆ 200/270000.

🏨 **President** senza rist, via Cecchi 67 ⊠ 10152 ℰ 011 859555, *info@hotelpresident-to.it*, *Fax 011 2480465* – 📳 🗏 📺 – 🔏 60. 🖭 🖫 ① ◑◐ 𝖵𝖨𝖲𝖠 CV s
72 cam ⊆ 170/220000.

🏨 **Giotto** senza rist, via Giotto 27 ⊠ 10126 ℰ 011 6637172, *Fax 011 6637173* – 📳 🗏 📺 ♿ – 🔏 50. 🖭 🖫 ① ◑◐ 𝖵𝖨𝖲𝖠 🖵🖧🖲. 🛠 CZ c
50 cam ⊆ 150/195000.

🏨 **Amadeus** senza rist, via Principe Amedeo 41 bis ⊠ 10123 ℰ 011 8174951, *Fax 011 8174953* – 🗏 📺. 🖭 🖫 ① ◑◐ 𝖵𝖨𝖲𝖠 🖵🖧🖲 DY v
chiuso agosto – **28 cam** ⊆ 130/170000.

🏨 **Alexandra** senza rist, lungo Dora Napoli 14 ⊠ 10152 ℰ 011 858327, *Fax 011 2483805* – 📳 🗏 📺 🚗. 🖭 🖫 ① ◑◐ 𝖵𝖨𝖲𝖠 CV c
chiuso dal 24 al 30 dicembre e dal 30 luglio al 27 agosto – **57 cam** ⊆ 130/180000.

🏨 **Lancaster** senza rist, corso Filippo Turati 8 ⊠ 10128 ℰ 011 5681982, *hotel.lancaster@co ntacta.it*, *Fax 011 5683019* – 📳 🗏 📺 ♿. 🖭 🖫 ① ◑◐ 𝖵𝖨𝖲𝖠 BZ r
chiuso dal 5 al 20 agosto – **77 cam** ⊆ 170/230000.

🏨 **Cairo** senza rist, via La Loggia 6 ⊠ 10134 ℰ 011 3171555, *hcairo@ipsnet.it*, *Fax 011 3172027* – 📳 🗏 📺 🅿. 🖭 🖫 ① ◑◐ 𝖵𝖨𝖲𝖠 GU v
chiuso dal 1° al 28 agosto – ⊆ 20000 – **50 cam** 170/230000.

🏨 **Piemontese** senza rist, via Berthollet 21 ⊠ 10125 ℰ 011 6698101, *hotel.piemontese@t orino.alp.com.it*, *Fax 011 6690571* – 📳 ✢✢ 🗏 📺 🅿. 🖭 🖫 ① ◑◐ 𝖵𝖨𝖲𝖠 CZ x
37 cam ⊆ 160/220000.

🏨 **Due Mondi**, via Saluzzo 3 ⊠ 10125 ℰ 011 6698981, *Fax 011 6699383* – 📳 🗏 📺. 🖭 🖫 ① ◑◐ 𝖵𝖨𝖲𝖠 🖵🖧🖲 CZ k
chiuso dal 10 al 20 agosto – **Pasto** carta 45/80000 – **44 cam** ⊆ 180/240000.

🏨 **Tourist** senza rist, via Alpignano 3 angolo corso Francia 92 ⊠ 10143 ℰ 011 7761740, *Fax 011 7493431* – 📳 🗏 📺. 🖭 🖫 ① ◑◐ 𝖵𝖨𝖲𝖠. 🛠 AV a
chiuso dal 28 luglio al 5 settembre – ⊆ 20000 – **28 cam** 250/300000.

🏨 **Des Artistes** senza rist, via Principe Amedeo 21 ⊠ 10123 ℰ 011 8124416, *artistes@deale r.it*, *Fax 011 8124466* – 📳 📺. 🖭 🖫 ① ◑◐ 𝖵𝖨𝖲𝖠. 🛠 DY c
22 cam ⊆ 160/200000.

🏨 **Giada** senza rist, via Gasparo Barbera 6 ⊠ 10135 ℰ 011 3489383, *Fax 011 3489383* – 📳 🗏 📺 🅿. 🖫 ◑◐ 𝖵𝖨𝖲𝖠 FU u
28 cam ⊆ 100/130000.

🏨 **Montevecchio** senza rist, via Montevecchio 13 ⊠ 10128 ℰ 011 5620023, *Fax 011 5623047* – 📺 ♿. 🖭 🖫 ① ◑◐ 𝖵𝖨𝖲𝖠 CZ t
chiuso dall'11 al 19 agosto – **29 cam** ⊆ 110/140000.

🍴🍴🍴🍴 **Del Cambio**, piazza Carignano 2 ⊠ 10123 ℰ 011 543760, *Fax 011 535282*, Locale stori-co-gran tradizione, prenotare, « Decorazioni ottocentesche » – 🗏. 🖭 🖫 ① ◑◐ 𝖵𝖨𝖲𝖠. 🛠
chiuso dal 5 al 28 agosto e domenica – **Pasto** 80/110000 (a mezzogiorno) 100/125000 (alla sera) e carta 85/140000 (15 %). CX a

🍴🍴🍴 **Balbo**, via Andrea Doria 11 ⊠ 10123 ℰ 011 8395775, *Fax 011 8151042*, prenotare – 🗏. 🖭 🖫 ① ◑◐ 𝖵𝖨𝖲𝖠. 🛠 CY n
❀ *chiuso dal 25 luglio al 20 agosto e lunedì* – **Pasto** 110/130000 e carta 110/205000
Spec. Millefoglie di storione all'olio extra vergine d'oliva (aprile-settembre). Ravioli di cape-sante con guanciale di maiale al timo. Animelle di vitello e creste di gallo con crema di formaggio Castelmagno e tartufo bianco d'Alba (ottobre-dicembre).

🍴🍴🍴 **Vintage 1997**, piazza Solferino 16/h ⊠ 10121 ℰ 011 535948, *Fax 011 535948*, prenotare – 🗏. 🖭 🖫 ① ◑◐ 𝖵𝖨𝖲𝖠 CX e
chiuso dal 6 al 31 agosto, sabato a mezzogiorno e domenica – **Pasto** 45000 (a mezzogior-no) 60/85000 (alla sera) carta 65/90000.

🍴🍴🍴 **La Prima Smarrita**, corso Unione Sovietica 244 ⊠ 10134 ℰ 011 3179657, *Fax 011 3179191*, prenotare – 🗏. 🖭 🖫 ① ◑◐ 𝖵𝖨𝖲𝖠. 🛠 GU c
chiuso dal 5 al 20 agosto – **Pasto** carta 70/90000.

🍴🍴🍴 **Rendez Vous**, corso Vittorio Emanuele II, 38 ⊠ 10123 ℰ 011 887666, *Fax 011 889362*, prenotare la sera – 🗏. 🖭 🖫 ① ◑◐ 𝖵𝖨𝖲𝖠. 🛠 CZ g
chiuso sabato a mezzogiorno e domenica – **Pasto** 40000 (a mezzogiorno) e carta 60/105000.

🍴🍴🍴 **Villa Somis,** strada Val Pattonera 138 ✉ 10133 ☎ 011 6613086, *villasomis@comsols.com* *Fax 011 6614626*, ⩽, prenotare, « In una villa settecentesca con parco; servizio estivo sotto un pergolato » – [P]. [AE] [S] [MC] VISA — HU e
chiuso dal 26 dicembre al 10 gennaio e lunedì – **Pasto** carta 65/110000.

🍴🍴🍴 **La Cloche,** strada al Traforo del Pino 106 ✉ 10132 ☎ 011 8994213, *info@lacloche.it* *Fax 011 8981522* – ❄ [P] – 🏛 100. [AE] [S] [O] [MC] VISA — HT v
chiuso dal 10 al 24 agosto, domenica sera e lunedì – **Pasto** carta 75/145000.

🍴🍴🍴 **Marco Polo,** via Marco Polo 38 ✉ 10129 ☎ 011 500096, *Fax 011 599900*, prenotare – ❄. [AE] [S] [O] [MC] VISA JCB — BZ f
chiuso a mezzogiorno (escluso domenica) e lunedì – **Pasto** specialità di mare 90000 carta 80/135000.

🍴🍴 **Al Gatto Nero,** corso Filippo Turati 14 ✉ 10128 ☎ 011 590414, *Fax 011 502245* – ❄. [AE] [S] [O] [MC] VISA. 🚫🐕 — BZ z
chiuso agosto e domenica – **Pasto** carta 70/90000.

🍴🍴 **Porta Rossa,** via Passalacqua 3/b ✉ 10122 ☎ 011 530816, *Fax 011 530816*, prenotare – ❄. [AE] [S] [O] [MC] VISA. 🚫🐕 — CV a
chiuso dal 26 dicembre al 10 gennaio, dal 14 al 22 aprile, agosto, sabato a mezzogiorno e domenica – **Pasto** 35/50000 (solo a mezzogiorno) 80000 e carta 65/120000.

🍴🍴 **Al Bue Rosso,** corso Casale 10 ✉ 10131 ☎ 011 8191393, *Fax 011 8191393* – ❄. [AE] [S] [O] [MC] VISA. 🚫🐕 — DY e
chiuso agosto, sabato a mezzogiorno e lunedì – **Pasto** carta 65/90000 (10 %).

🍴🍴 **Trait d'Union,** via degli Stampatori 4 ✉ 10122 ☎ 011 5612506, *Fax 011 5633896*, 🏠, Coperti limitati; prenotare la sera – ❄. [AE] [S] [O] [MC] VISA JCB. 🚫🐕 — CX c
chiuso agosto, domenica e sabato a mezzogiorno – **Pasto** carta 60/85000.

🍴🍴 **Galante,** corso Palestro 15 ✉ 10122 ☎ 011 537757, *Fax 011 532163* – ❄. [AE] [S] [O] [MC] VISA JCB — CX b
chiuso agosto, sabato a mezzogiorno e domenica – **Pasto** carta 60/100000.

🍴🍴 **Il Porticciolo,** via Barletta 58 ✉ 10136 ☎ 011 321601, prenotare – ❄. [AE] [S] [O] [MC] VISA — AZ a
chiuso agosto, sabato a mezzogiorno e lunedì – **Pasto** specialità di mare 95000 e carta 85000/110000.

🍴🍴 **Duchesse,** via Duchessa Jolanda 7 ang. via Beaumont ✉ 10138 ☎ 011 4346494, *Fax 011 4346494* – ❄. [AE] [S] [O] [MC] VISA. 🚫🐕 — BX c
chiuso dal 25 dicembre al 3 gennaio, agosto e domenica – **Pasto** carta 60/95000.

🍴🍴 **Perbacco,** via Mazzini 31 ✉ 10123 ☎ 011 882110, prenotare – ❄. [AE] [S] [O] VISA — DZ x
chiuso agosto, domenica e a mezzogiorno – **Pasto** 45000.

🍴🍴 **Ij Brandè,** via Massena 5 ✉ 10128 ☎ 011 537279, *Fax 011 537279*, prenotare la sera – ❄. [AE] [S] [O] [MC] VISA. 🚫🐕 — CY c
chiuso domenica e lunedì a mezzogiorno – **Pasto** carta 50/80000.

🍴🍴 **Locanda Botticelli,** strada Arrivore 9 ✉ 10154 ☎ 011 2422012, *Fax 011 2464662*, prenotare – ❄. [S] [O] [MC] VISA JCB — HT d
chiuso agosto e domenica – **Pasto** carta 55/75000.

🍴🍴 **Il 58,** via San Secondo 58 ✉ 10128 ☎ 011 505566, *Fax 011 505566* – ❄. [AE] [S] [O] [MC] VISA. 🚫🐕 — CZ a
chiuso settembre e lunedì – **Pasto** specialità di mare 60000 carta 50/70000.

🍴🍴 **Solferino,** piazza Solferino 3 ✉ 10121 ☎ 011 535851, *Fax 011 535195* – ❄. [AE] [S] [O] [MC] VISA. 🚫🐕 — CX m
chiuso agosto, venerdì sera e sabato – **Pasto** carta 45/65000.

🍴🍴 **Ponte Vecchio,** via San Francesco da Paola 41 ✉ 10123 ☎ 011 835100 – ❄. [AE] [S] [O] [MC] VISA — CY d
chiuso agosto, lunedì e martedì a mezzogiorno – **Pasto** carta 50/85000.

🍴🍴 **Al Ghibellin Fuggiasco,** via Leoni 16 f ✉ 10134 ☎ 011 3196115, *Fax 011 3196115* – ❄. [AE] [S] [O] [MC] VISA JCB — BZ b
chiuso dal 2 al 10 gennaio, dal 10 al 20 agosto, domenica sera e lunedì – **Pasto** carta 70/120000.

🍴🍴 **Giovanni,** via Gioberti 24 ✉ 10128 ☎ 011 539842 – ❄. [AE] [S] [O] [MC] VISA JCB — CZ c
chiuso agosto e domenica – **Pasto** 25/40000 (a mezzogiorno) 70000 (la sera) e carta 55/85000.

🍴🍴 **Gianfaldoni,** via Pastrengo 2 ✉ 10128 ☎ 011 5175041, *Fax 011 5175041* – ❄. [AE] [S] [O] [MC] VISA — CZ h
chiuso agosto e mercoledì – **Pasto** carta 50/85000.

🍴🍴 **Il Ciacolon,** viale 25 Aprile 11 ✉ 10133 ☎ 011 6610911, *Fax 011 6611060* – [AE] [S] [O] [MC] VISA JCB — GU e
chiuso dal 16 al 31 agosto, domenica sera, lunedì e a mezzogiorno – **Pasto** specialità venete 35/65000.

XX **Mina,** via Ellero 36 ✉ 10126 𝒫 011 6963608, *Fax 011 6960459*, 🍴 – ▤. 🅰🅴 🆂 ⓞ ⓥⓞ 𝓥𝓘𝓢𝓐
chiuso agosto, lunedì e dal 15 giugno a luglio anche domenica sera – **Pasto** specialità
piemontesi 50000 e carta 55/85000. GU y

XX **Mara e Felice,** via Foglizzo 8 ✉ 10149 𝒫 011 731719, *Fax 011 4557681* – 🅰🅴 ⓞ
ⓥⓞ 𝓥𝓘𝓢𝓐 AV s
chiuso agosto, sabato a mezzogiorno e domenica – **Pasto** specialità di mare carta 60/
90000.

XX **Giudice,** Strada Val Salice 78 ✉ 10131 𝒫 011 6602020, *giudice@newnet.org*,
Fax 011 6600779, 🍴 – 🍽 rist, 🅿. 🅰🅴 ⓞ ⓥⓞ 𝓥𝓘𝓢𝓐 HT x
chiuso dal 10 al 25 gennaio, martedì e mercoledì a mezzogiorno – **Pasto** 55000 e carta
60/90000.

XX **Del Grappolo,** via Cigliano 38 ✉ 10135 𝒫 011 8154227, *Fax 011 2484544* – ▤. 🅰🅴 🆂 ⓞ
ⓥⓞ 𝓥𝓘𝓢𝓐 𝓙𝓒𝓑 HT z
chiuso agosto e domenica – carta 50/75000.

XX **Da Benito,** corso Siracusa 142 ✉ 10137 𝒫 011 3090354, *Fax 011 3090353* – ▤. 🅰🅴 🆂 ⓞ
ⓥⓞ 𝓥𝓘𝓢𝓐 𝓙𝓒𝓑. 🦟 FT v
chiuso agosto, domenica sera e lunedì – **Pasto** specialità di mare 55/75000.

XX **Etrusco,** via Cibrario 52 ✉ 10144 𝒫 011 480285 – ▤. 🅰🅴 🆂 ⓞ ⓥⓞ 𝓥𝓘𝓢𝓐 𝓙𝓒𝓑. 🦟 BV s
chiuso gennaio e lunedì – **Pasto** specialità di mare carta 50/80000.

XX **I Bassotti,** via Saffi 2 ✉ 10138 𝒫 011 4332213 – ▤. 🅰🅴 🆂 ⓥⓞ 𝓥𝓘𝓢𝓐. 🦟 AV b
🐂 *chiuso dal 25 luglio al 25 agosto e lunedì* – **Pasto** carta 35/65000.

XX **Hosteria la Vallèe,** via Provana 3 b ✉ 10123 𝒫 011 8121788, *Fax 011 8121788*, Coperti
limitati; prenotare – ▤. 🆂 ⓞ 𝓥𝓘𝓢𝓐 DY a
chiuso a mezzogiorno e domenica – **Pasto** 65000 e carta 70/115000.

XX **Crocetta,** via Marco Polo 21 ✉ 10129 𝒫 011 5817665, 🍴 – ▤. 🅰🅴 🆂 ⓞ ⓥⓞ 𝓥𝓘𝓢𝓐 𝓙𝓒𝓑
chiuso agosto e domenica – **Pasto** carta 55/80000. BZ d

XX **Le Due Isole,** via Saluzzo 82 ✉ 10126 𝒫 011 6692591 – 🆂 ⓥⓞ 𝓥𝓘𝓢𝓐. 🦟 CZ e
chiuso agosto, domenica e lunedì sera – **Pasto** specialità di mare carta 45/65000.

X **Taverna delle Rose,** via Massena 24 ✉ 10128 𝒫 011 538345, « Ambiente carat-
teristico » – ▤. 🅰🅴 🆂 ⓞ ⓥⓞ 𝓥𝓘𝓢𝓐 𝓙𝓒𝓑. 🦟 CZ r
chiuso agosto, sabato a mezzogiorno e domenica – **Pasto** carta 60/90000.

X **La Capannina,** via Donati 1 ✉ 10121 𝒫 011 545405, *Fax 011 547451* – ▤. 🅰🅴 🆂 ⓞ ⓥⓞ
𝓥𝓘𝓢𝓐 BY r
chiuso agosto e domenica – **Pasto** specialità piemontesi carta 40/70000.

X **Serendip,** via Lombriasco 4 ✉ 10139 𝒫 011 4332210, *ristoseren@tin.it*, prenotare la sera
▤. 🅰🅴 🆂 ⓞ ⓥⓞ 𝓥𝓘𝓢𝓐 AX n
chiuso dal 15 al 30 agosto, sabato a mezzogiorno e domenica – **Pasto** carta 50/85000.

X **Ristorantino Tefy,** corso Belgio 26 ✉ 10153 𝒫 011 837332, *Fax 011 837332* – ▤. 🅰🅴 🆂
ⓞ ⓥⓞ 𝓥𝓘𝓢𝓐 𝓙𝓒𝓑. 🦟 HT b
🐂 *chiuso dal 1° al 15 dicembre, agosto e domenica* – **Pasto** specialità umbre 50/60000 e carta
50/90000.

X **Trômlin,** via alla Parrocchia 7, a Cavoretto ✉ 10133 𝒫 011 6613050, Coperti limitati;
prenotare GU k
chiuso dal 16 agosto al 3 settembre e a mezzogiorno (escluso i giorni festivi) – **Pasto** (menu
a sorpresa tipico piemontese) 55000 bc.

X **Da Toci,** corso Moncalieri 190 ✉ 10133 𝒫 011 6614809, 🍴 – ▤ 🆂 ⓞ ⓥⓞ 𝓥𝓘𝓢𝓐. 🦟
chiuso domenica, lunedì a mezzogiorno e dal 16 agosto al 5 settembre – **Pasto** specialità di
mare carta 40/70000. CZ q

X **C'era una volta,** corso Vittorio Emanuele II 41 ✉ 10125 𝒫 011 6504589,
Fax 011 6505774, prenotare – ▤. 🅰🅴 🆂 ⓞ ⓥⓞ 𝓥𝓘𝓢𝓐 𝓙𝓒𝓑 CZ k
chiuso dal 1° al 27 agosto e a mezzogiorno – **Pasto** specialità piemontesi 45000 e carta
40/85000.

X **'I Birichin,** via Monti 16 ✉ 10126 𝒫 011 657457, *Fax 011 657457* – ▤. 🅰🅴 🆂 ⓞ ⓥⓞ 𝓥𝓘𝓢𝓐
𝓙𝓒𝓑 CZ p
chiuso dal 1° al 7 gennaio, dal 6 al 26 agosto e domenica – **Pasto** 50/55000 e carta
50/80000.

X Spada Reale, via Principe Amedeo 53 ✉ 10123 𝒫 011 8171363, *Fax 011 887410* –
▤ DY u

X **Anaconda,** via Angiolino 16 (corso Potenza) ✉ 10143 𝒫 011 752903, *Fax 011 752903*,
Trattoria rustica, « Servizio estivo all'aperto » – 🅿. 🅰🅴 🆂 ⓞ ⓥⓞ 𝓥𝓘𝓢𝓐 𝓙𝓒𝓑 BV m
chiuso agosto, venerdì sera e sabato – **Pasto** 55000 bc.

X **Le Maschere,** via Fidia 28 ang. via Vandalino ✉ 10141 𝒫 011 728928, Coperti limitati;
🐂 prenotare – ▤. 🅰🅴 🆂 ⓞ ⓥⓞ 𝓥𝓘𝓢𝓐 FT a
chiuso domenica e mercoledì sera – **Pasto** carta 35/60000.

X **Mon Ami,** via San Dalmazzo 16 ang. via Santa Maria ✉ 10122 ℘ 011 538288 *Fax 011 5132784,* – AE S ● MC VISA CX
chiuso agosto, domenica sera e lunedì – **Pasto** specialità di mare carta 40/70000.

X **L'Osteria del Corso,** corso Regina Margherita 252/b ✉ 10144 ℘ 011 480665 *Fax 011 480665* – ▤. AE S MC VISA. ✻ BV
chiuso dal 26 dicembre al 6 gennaio, dal 10 al 26 agosto e domenica – **Pasto** 30/50000 e carta 40/60000.

X **Trattoria Torricelli,** via Torricelli 51 ✉ 10129 ℘ 011 599814, *tratorri@tin.it Fax 011 5819508* – ▤. AE S ● MC VISA JCB BZ
chiuso dal 1° al 6 gennaio dal 10 al 30 agosto, domenica e lunedì a mezzogiorno – **Pasto** carta 45/85000.

X **Del Buongustaio,** corso Taranto 14 ✉ 10155 ℘ 011 2463284 – ▤. ✻ GT
chiuso dall'8 al 28 agosto e lunedì – **Pasto** 25/40000.

X **Monferrato,** via Monferrato 6 ✉ 10131 ℘ 011 8190674, *info@monferrato.to.it, Fax 011 8197661* – ▤ S VISA HT
chiuso sabato a mezzogiorno e domenica – **Pasto** carta 45/90000.

X **Antiche Sere,** via Cenischia 9/a ✉ 10139 ℘ 011 3854347, Osteria tipica, « Servizio estivo sotto un pergolato » AX
chiuso Natale, agosto, domenica e a mezzogiorno – **Pasto** specialità regionali carta 45/70000.

X **Trattoria della Posta,** strada Mongreno 16 ✉ 10132 ℘ 011 8980193, *Fax 011 8994604,* Trattoria d'habitués – ▤. ✻ HT
chiuso dal 23 dicembre al 7 gennaio, agosto, domenica sera e lunedì – **Pasto** specialità formaggi piemontesi carta 40/65000.

X **Osteria Val Granda,** via Lanzo 88 ✉ 10148 ℘ 011 2264420, *Fax 011 2264240,* Trattoria rustica, « Servizio estivo sotto un pergolato » – AE S ● MC VISA GT
chiuso dal 10 al 30 agosto, sabato a mezzogiorno, domenica e lunedì sera – **Pasto** specialità piemontesi 45/55000 (solo la sera) carta 45/70000.

TORNELLO *Pavia – Vedere Mezzanino.*

TORNO 22020 Como 428 E 9, 219 ⑨ *G. Italia – 1 231 ab. alt. 225.*

Vedere *Portale*★ *della chiesa di San Giovanni.*
Roma 633 – Como 7 – Bellagio 23 – Lugano 40 – Milano 56.

Villa Flora ⛵, via Terazzo 11 ℘ 031 419222, *Fax 031 418318,* ←, ⛱, ⛵, ⛺, ⛱ – |$| TV P. AE S MC VISA. ✻
marzo-ottobre – **Pasto** *(chiuso martedì escluso dal 15 giugno al 15 settembre)* carta 45/80000 – ☕ 16000 – **20 cam** 100/130000 – ½ P 110000.

XX **Vapore** ⛵ con cam, via Plinio 20 ℘ 031 419311, *Fax 031 419031,* ←, « Servizio estivo in terrazza ombreggiata in riva al lago » – |$| TV. AE S MC VISA. ✻ cam
chiuso febbraio e novembre – **Pasto** *(chiuso mercoledì)* carta 45/75000 – ☕ 10000 – **12 cam** 110/130000.

TORRE A MARE 70045 Bari 431 D 33.

Roma 463 – Bari 12 – Brindisi 101 – Foggia 144 – Taranto 94.

X **Da Nicola,** via Principe di Piemonte 3 ℘ 080 5430043, *Fax 080 5430043,* ←, ⛱ – P. AE S ● MC VISA JCB. ✻
chiuso dal 20 dicembre al 20 gennaio, domenica sera e lunedì – **Pasto** specialità di mare carta 40/65000 (15 %).

TORRE ANNUNZIATA 80058 Napoli 431 E 25 *G. Italia – 46 864 ab. alt. 14.*

Vedere *Villa di Oplontis*★★.
Roma 240 – Napoli 27 – Avellino 53 – Caserta 53 – Salerno 28 – Sorrento 26.

Grillo Verde, piazza Imbriani 19 ℘ 081 8611290, *hgv@hotelgrilloverde.it, Fax 081 8617872* – |$|, ▤ cam, TV 🚗 P. AE S ● MC VISA
Pasto *(chiuso martedì)* carta 40/65000 – **15 cam** ☕ 90/135000 – ½ P 90000.

TORRE BERETTI E CASTELLARO 27030 Pavia 428 G 8 – *567 ab. alt. 93.*

Roma 602 – Alessandria 26 – Milano 74 – Pavia 46 – Torino 112.

X **Da Agostino,** via Stazione 43 ℘ 0384 84194, solo su prenotazione ▤. AE S VISA. ✻
chiuso dal 7 al 20 gennaio, agosto e mercoledì – **Pasto** 55/60000.

TORRE CANAVESE 10010 Torino 219 (4), 428 F 5 – *625 ab. alt. 418.*
Roma 689 – Torino 41 – Aosta 85 – Ivrea 18.

 X **Italia,** via Baldissero 21 ℘ 0124 501076, Fax 0124 501076, 斎 – 回. 延 🕄 ⓞ ⓦⓢⓐ. ⅍
 ⊗ *chiuso domenica sera e lunedi* – **Pasto** carta 35/55000.

TORRE CANNE 72010 Brindisi 431 E 34 – *Stazione termale (marzo-ottobre), a.s. 20 giugno-*
agosto.
Roma 517 – Brindisi 47 – Bari 67 – Taranto 57.

 🏨 **Del Levante** ⑤, via Appia 22 ℘ 080 4820160, Fax 080 4820096, ≤, 🗲, 🏖, �🚀, ℀ – 🕸
 ☰ 🗐 ૐ 🄿 – ⚸ 300. 延 🕄 ⓞ ⓦⓢⓐ ⒿⒸⒷ. ⅍
 Pasto 35/60000 – **149 cam** ⊑ 195/250000 – ½ P 190000.

 🏠 **Eden,** via Potenza 50 ℘ 080 4829822, eden@mail.media.it, Fax 080 4820330, « Terrazza-
 solarium con 🗲 », 🚀 – 🕸 🗐 🔟 🄿 – ⚸ 220. 延 🕄 ⓞ ⓦⓢⓐ. ⅍
 aprile-ottobre – **Pasto** carta 40/55000 – **87 cam** ⊑ 170/190000 – ½ P 140000.

 XX **Il Finanziere,** via Eroi del mare 4 ℘ 080 4820109, Fax 080 4820109, prenotare, « Servizio
 estivo in terrazza sul mare » – ☰ 🄿. 延 🕄 ⓞ ⓦⓢⓐ ⒿⒸⒷ
 marzo-ottobre; chiuso mercoledi escluso luglio ed agosto – **Pasto** carta 45/55000.

TORRE DEI CORSARI Cagliari 433 H 7 – Vedere Sardegna (Marina di Arbus) alla fine dell'elenco
alfabetico.

TORRE DEL GRECO 80059 Napoli 431 E 25 – *94 505 ab. – a.s. maggio-15 ottobre.*
Vedere *Scavi di Ercolano★★ Nord-Ovest : 3 km.*
Dintorni *Vesuvio★★★ Nord-Est : 13 km e 45 mn a piedi AR.*
Roma 227 – Napoli 15 – Caserta 40 – Castellammare di Stabia 17 – Salerno 43.

in prossimità casello autostrada A 3 :

 🏨 **Sakura** ⑤, via De Nicola 26/28 ⊠ 80059 ℘ 081 8493144, sakurahotel@libero.it,
 Fax 081 8491122, « Parco », 🗲 – 🕸 ☰ 🔟 🄿 – ⚸ 180. 延 🕄 ⓞ ⓦⓢⓐ ⒿⒸⒷ. ⅍
 Pasto carta 70/95000 – **83 cam** ⊑ 230/320000, 8 suites – ½ P 210000.

 🏠 **Marad** ⑤, via San Sebastiano 24 ⊠ 80059 ℘ 081 8492168, marad@marad.it,
 Fax 081 8828716, 🗲, 🚀 – 🕸 🔟 🄿 – ⚸ 120. 延 🕄 ⓞ ⓦⓢⓐ. ⅍
 Pasto 45/55000 vedere anche rist **La Mammola** – **74 cam** ⊑ 150/210000 – ½ P 135000.

 XX **La Mammola,** via San Sebastiano 24 ℘ 081 8825664, prenotare – ☰ 🄿. 延 🕄 ⓞ ⓦⓢⓐ.
 ⅍ – *chiuso dal 1° al 15 agosto, domenica sera e a mezzogiorno* – **Pasto** carta 50/95000.

TORRE DEL LAGO PUCCINI 55048 Lucca 428, 430 K 12 G. Toscana – *a.s. Carnevale, Pasqua,*
15 giugno-15 settembre e Natale.
Roma 369 – Pisa 14 – Firenze 95 – Lucca 25 – Massa 31 – Milano 260 – Viareggio 5.

 XX **Lombardi,** via Aurelia 127 ℘ 0584 341044, Fax 0584 350311, 🚀 – ☰ 🄿. 延 🕄 ⓞ ⓦⓢⓐ.
 ⊗ ⅍
 chiuso martedi – **Pasto** specialità di mare carta 35/55000.

al lago di Massaciuccoli Est : 1 km :

 XX **Da Cecco,** Belvedere Puccini ⊠ 55048 ℘ 0584 341022, Fax 0584 341022 – ☰. 延 🕄 ⓞ
 ⓦⓢⓐ. ⅍
 chiuso dal 20 novembre al 15 dicembre, domenica sera e lunedì – **Pasto** carta 40/55000.

 X **Butterfly** con cam, belvedere Puccini 24/26 ⊠ 55048 ℘ 0584 341024, Fax 0584 341024,
 🚀 – 🄿. 延 🕄 ⓞ ⓦⓢⓐ ⒿⒸⒷ. ⅍
 chiuso dal 5 al 20 novembre – **Pasto** *(chiuso giovedi)* carta 40/55000 (10 %) – ⊑ 10000 –
 10 cam 60/90000 – ½ P 85000.

al mare Ovest : 2 km :

 XX **Angelo,** viale Europa 20 ⊠ 55048 ℘ 0584 341668 – ☰ 🄿. 延 🕄 ⓞ ⓦⓢⓐ. ⅍
 chiuso novembre, martedi, da lunedi a venerdi da dicembre ad aprile e a mezzogiorno
 (escluso domenica e i giorni festivi) – **Pasto** specialità di mare carta 80/105000.

TORRE DE' PICENARDI 26038 Cremona 428, 429 G 12 – *1 896 ab. alt. 39.*
Roma 498 – Parma 54 – Brescia 52 – Cremona 23 – Mantova 43.

 XX **Italia,** via Garibaldi 1 ℘ 0375 394060, Fax 0375 394209 – ☰ 🄿. 延 🕄 ⓞ ⓦⓢⓐ ⒿⒸⒷ
 ⊛ *chiuso dal 2 al 12 gennaio, dal 2 al 26 agosto, domenica sera e lunedi* – **Pasto** 65000 e carta
 55/80000
 Spec. Insalata di fegato d'oca e frittura di cipollotti (primavera). Tortelli di faraona al timo
 con fonduta di cipolle. Cosciotto di coniglio ripieno con pesche glassate (estate).

TORRE DI FINE *Venezia* [429] F 20 – *Vedere Eraclea.*

TORRE DI PALME *Ascoli Piceno* [430] M 23 – *Vedere Fermo.*

TORREGLIA *35038 Padova* [429] F 17 – *5 819 ab. alt. 18.*

Roma 486 – Padova 16 – Abano Terme 5 – Milano 251 – Rovigo 36 – Venezia 54.

XX **Antica Trattoria Ballotta,** via Carromatto 2 (Ovest : 1 km) ☎ 049 5212970, *info@ballotta.it, Fax 049 5211385,* « Servizio estivo sotto un pergolato » – ▤ [P]. [AE] [$] ⓞ [MC] [VISA]
chiuso gennaio, martedì e da ottobre a dicembre anche lunedì – **Pasto** carta 40/60000.

X **Al Castelletto-da Taparo,** via Castelletto 44 (Sud : 1,5 km) ☎ 049 5211060, *Fax 049 5211685,* « Servizio estivo sotto un pergolato », 🌳 – [P]. [AE] [$] ⓞ [MC] [VISA] [JCB]
chiuso dal 15 gennaio all'8 febbraio e lunedì – **Pasto** carta 40/60000.

TORREGROTTA *Messina* [432] M 28 – *Vedere Sicilia alla fine dell'elenco alfabetico.*

TORRE LAPILLO *Lecce* [431] G 35 – *Vedere Porto Cesareo.*

TORRE PEDRERA *Rimini* [430] J 19 – *Vedere Rimini.*

TORRE PELLICE *10066 Torino* [428] H 3 – *4 541 ab. alt. 516.*

Roma 708 – Torino 58 – Cuneo 64 – Milano 201 – Sestriere 71.

🏠 **Gilly,** corso Lombardini 1 ☎ 0121 932477, *Fax 0121 932924,* ≘, 🏊, 🌳 – |‡| [TV] [P] – 🏛 120. [AE] [$] ⓞ [MC] [VISA]. ✂
chiuso dal 2 al 20 gennaio – **Pasto** carta 40/60000 – **31 cam** ☕ 140/190000, 2 suites – ½ P 135000.

XXX **Flipot** con cam, corso Gramsci 17 ☎ 0121 953465, *Fax 0121 91236* – [TV]. [AE] [$] ⓞ [MC] [VISA]. ✂
✿ *chiuso 24-25-26 dicembre e dal 1° al 20 giugno* – **Pasto** *(chiuso lunedì e martedì escluso luglio-settembre)* carta 75/130000 – **7 cam** ☕ 120/150000 – ½ P 120000
Spec. Fiore di zucchina alla spuma di salmerino e suo filetto (primavera-estate). Cosciotto di agnello cotto nel fieno maggengo. Biancomangiare di latte di pecora, sorbetto di pino mugo.

TORRE SAN GIOVANNI *Lecce* [431] H 36 – ✉ *73059 Ugento – a.s. luglio-agosto.*

Roma 652 – Brindisi 105 – Gallipoli 24 – Lecce 62 – Otranto 50 – Taranto 117.

🏠 **Hyencos Calòs e Callyon,** piazza dei Re Ugentini ☎ 0833 931088, *hyencos@topvideo.net, Fax 0833 931097,* ≤, 🏖, 🏖 – |‡| ▤ [TV] [P] – 🏛 100. [AE] [$] ⓞ [MC] [VISA]. ✂ rist
chiuso novembre e dicembre – **Pasto** *(chiuso da ottobre ad aprile)* 25/45000 – **61 cam** ☕ 130/210000 – ½ P 145000.

🏠 **Tito,** litoranea Gallipoli-Santa Maria di Leuca Nord-Ovest : 1,5 km ☎ 0833 931054, *hoteltito@hoteltito.com, Fax 0833 931225,* ≤, 🏖, 🌳 – |‡| ▤ [TV] 🚗 [P]. [AE] [$] ⓞ [MC] [VISA]. ✂ rist
maggio-settembre – **Pasto** (solo per alloggiati) 35/40000 – ☕ 20000 – **40 cam** 100/120000 – ½ P 140000.

TORRIANA *47825 Rimini* [429], [430] K 19 – *1 133 ab. alt. 337.*

Roma 307 – Rimini 21 – Forlì 56 – Ravenna 60.

a Montebello *Sud-Ovest : 3,5 km – alt. 452 –* ✉ *47825 Torriana :*

X **Pacini,** via Castello di Montebello 5/6 ☎ 0541 675410, *ristorantepacini@tin.it, Fax 0541 675236,* ≤, 🌳 – [AE] [$] ⓞ [MC] [VISA]. ✂
chiuso mercoledì escluso luglio-agosto – **Pasto** carta 30/50000.

TORRI DEL BENACO *37010 Verona* [428], [429] F 14 – *2 742 ab. alt. 68.*

⛴ *per Toscolano-Maderno giornalieri (escluso Natale) (30 mn) – a Toscolano Maderno, Navigazione Lago di Garda, lungolago Zanardelli ☎ 045 641389.*

[i] *(Pasqua-settembre) via fratelli Lavanda 5 ☎ 045 7225120, Fax 045 6296482.*

Roma 535 – Verona 37 – Brescia 72 – Mantova 73 – Milano 159 – Trento 81 – Venezia 159.

🏠 **Gardesana,** piazza Calderini 20 ☎ 045 7225411, *gardesana@easynet.it, Fax 045 7225771,* ≤, 🌳 – |‡| ▤ [TV] ♿ [P]. [AE] [$] ⓞ [MC] [VISA]. ✂
febbraio-4 novembre – **Pasto** *(aprile-ottobre; chiuso a mezzogiorno)* carta 60/80000 – **34 cam** ☕ 170/250000.

🏨 **Galvani,** località Pontirola 7 ☎ 045 7225103, *hotelgalvani@gardanews.it, Fax 045 6296618*, <, 🏊, 🏊, 🏊, 🌳 – 🛗 ❄ [TV] 🚗 [P] – 🎤 60. [AE] [S] ⦿ [MC] [VISA]. 🚫
chiuso dal 25 gennaio a febbraio – **Pasto** *(chiuso martedì)* carta 55/85000 – ☕ 25000 – **34 cam** 210/250000 – 1/2 P 160000.

🏨 **Europa** 🔇, via Gabriele D'Annunzio 13/15 ☎ 045 7225086, *info@europatorri.com, Fax 045 6296632*, <, « Parco-uliveto », 🏊 – [P]. [S] [MC] [VISA]. 🚫
Pasqua-10 ottobre – **Pasto** (solo per alloggiati) – ☕ 28000 – **18 cam** 165000 – 1/2 P 140000.

🏨 **Al Caminetto,** via Gardesana 52 ☎ 045 7225524, *info@alcaminetto.com, Fax 045 7225099*, 🍽, 🌳 – [P]. 🚫
Pasqua-novembre – **Pasto** (solo per alloggiati e *chiuso a mezzogiorno*) 30/35000 – **15 cam** ☕ 140/160000 – 1/2 P 90000.

🍴🍴 **Al Caval** con cam, via Gardesana 186 ☎ 045 7225666, *info@alcaval.com, Fax 045 6296570*, 🍽 – ❄ cam, [TV] [P]. [AE] [S] ⦿ [MC] [VISA] [JCB]. 🚫 rist
chiuso dal 15 gennaio al 20 marzo – **Pasto** *(chiuso a mezzogiorno escluso i giorni festivi e lunedì da ottobre al 15 giugno)* carta 50/70000 – ☕ 20000 – **22 cam** 130/140000 – 1/2 P 120000.

🍴 **Bell'Arrivo,** piazza Calderini 10 ☎ 045 6299028, 🍽 – ❄. [AE] [S] ⦿ [MC] [VISA]
chiuso lunedì escluso luglio-agosto – **Pasto** carta 40/85000.

ad Albisano *Nord-Est : 4,5 km* – ✉ *37010 Torri del Benaco :*

🏨 **Panorama,** via S. Zeno 9 ☎ 045 7225102, *Fax 045 6290162*, < lago e Torri del Benaco, « Servizio rist. estivo in terrazza panoramica », 🏊 – [TV] [P]. [AE] [S] ⦿ [MC] [VISA]
marzo-ottobre – **Pasto** carta 40/55000 – ☕ 15000 – **28 cam** 80/95000 – 1/2 P 85000.

Un conseil Michelin :
pour réussir vos voyages, préparez-les à l'avance.
*Les **cartes** et **guides Michelin** vous donnent toutes indications utiles sur : itinéraires, visite des curiosités, logement, prix, etc.*

TORRILE *43030 Parma* [428], [429] H 12 – *5 811 ab. alt. 32.*
Roma 470 – Parma 13 – Mantova 51 – Milano 134.

a San Polo *Sud-Est : 4 km* – ✉ *43056 :*

🏨 **Ducathotel,** via Achille Grandi 7 ☎ 0521 819929, *ducathtl@tin.it, Fax 0521 813482* – 🛗 ❄ [TV] [P]. [AE] [S] ⦿ [MC] [VISA] [JCB]. 🚫
Pasto (solo per alloggiati e *chiuso a mezzogiorno, venerdì, sabato e domenica*) – ☕ 12000 – **18 cam** 80/115000 – 1/2 P 90000.

a Vicomero *Sud : 6 km* – ✉ *43030 :*

🍴🍴 **Romani,** via dei Ronchi 2 ☎ 0521 314117, *Fax 0521 314292*, 🌳 – 🛗 ❄ [P]. [AE] [S] ⦿ [MC] [VISA]. 🚫
chiuso dal 1° al 14 agosto, mercoledì e giovedì a mezzogiorno – **Pasto** carta 40/75000.

TORTOLÌ *Nuoro* [433] H 10 – *Vedere Sardegna alla fine dell'elenco alfabetico.*

TORTONA *15057 Alessandria* [428] H 8 – *26 543 ab. alt. 114.*
Roma 567 – Alessandria 22 – Genova 73 – Milano 73 – Novara 71 – Pavia 52 – Piacenza 76 – Torino 112.

🏨 **Villa Giulia** [M] senza rist, corso Alessandria 7/A ☎ 0131 862396, *Fax 0131 868561*, 🌳 – 🛗 ❄ [TV] [P] – 🎤 50. [AE] [S] ⦿ [MC] [VISA]. 🚫
☕ 20000 – **12 cam** 135/160000.

🏨 **Vittoria** senza rist, corso Romita 57 ☎ 0131 861325, *Fax 0131 820714* – 🛗 ❄ [TV] 🚗 [P]. [AE] [S] ⦿ [MC] [VISA]. 🚫
chiuso dal 14 al 28 dicembre – ☕ 15000 – **27 cam** 100/150000.

🍴 **Vineria Derthona,** via Seminario 21 ☎ 0131 812468, *Fax 0131 812468*, Vineria con cucina – ❄. [AE] [S] ⦿ [MC] [VISA]
chiuso dal 10 al 25 agosto, lunedì, sabato e domenica a mezzogiorno – **Pasto** carta 40/60000.

sulla strada statale 35 *Sud : 1,5 km :*

🍴🍴 **Aurora Girarrosto** con cam, strada statale per Genova 13 ✉ 15057 ☎ 0131 863033, *girarrosto@ciaoweb.it, Fax 0131 821323* – 🛗 ❄ [TV] [P] – 🎤 60. [AE] [S] ⦿ [MC] [VISA] [JCB]
Pasto *(chiuso lunedì e dal 5 al 20 agosto)* carta 60/110000 – **17 cam** ☕ 110/170000, ❄ 15000.

TORTORETO *64018 Teramo* **430** *N 23 – 8 144 ab. alt. 227 – a.s. luglio-agosto.*
Roma 215 – Ascoli Piceno 47 – Pescara 57 – Ancona 108 – L'Aquila 106 – Teramo 33.

a Tortoreto Lido *Est : 3 km – ⊠ 64019 :*

🏢 Green Park Hotel, via F.lli Bandiera 32 ℰ 0861 777184, greenpark@infinito.it, 🐾, 🛥 –
📶, 🗐 cam, 📺 🕭 🅿 🛗 *VISA*. ⚹⚹
maggio-settembre – **Pasto** (solo per alloggiati) – � 5000 – **26 cam** 100/120000 –
½ P 100000.

🏢 **Costa Verde**, lungomare Sirena 384 ℰ 0861 787096, costaverde@dvialca.com
Fax 0861 786647, ≤, ☼, 🐾, 🛥 – 📶, 🗐 rist, 📺 🚗 🅿 🛗 🕭 🟠 *VISA*. ⚹⚹ rist
maggio-settembre – **Pasto** 30/35000 – � 12000 – **50 cam** 100/120000 – ½ P 120000.

🏢 **Lady G,** via Amerigo Vespucci 21/23 ℰ 0861 788008, Fax 0861 788670, ☼, 🐾 – 📶 📺 🅿
🛗 *VISA*. ⚹⚹
aprile-settembre – **Pasto** carta 45/60000 – � 15000 – **36 cam** 105/120000 – ½ P 125000.

TOR VAIANICA *00040 Roma* **430** *R 19.*

ⓕ *Marediroma (chiuso lunedì) a Marina di Ardea ⊠ 00040 ℰ 06 9133250, Fax 06 9133250.*
Roma 34 – Anzio 25 – Latina 50 – Lido di Ostia 20.

🍴 **Zi Checco,** lungomare delle Sirene 1 ℰ 06 9157157, zichecco@zichecco.it, ≤, 🍽, 🐾 –
🅿 🛗 🕭 🟠 🟠 *VISA*. ⚹⚹
chiuso dal 2 al 18 novembre e lunedì (escluso giugno, luglio ed agosto) – **Pasto** specialità di
mare carta 45/70000.

TOSCOLANO-MADERNO *Brescia* **428**, **429** *F 13 – 7 109 ab. alt. 80 – a.s. Pasqua e luglio-*
15 settembre.

⛴ *per Torri del Benaco giornalieri (escluso Natale) (30 mn) – Navigazione Lago di Garda,*
lungolago Zanardelli ℰ 0365 641389.

🅱 *a Maderno, lungolago Zanardelli 18 ⊠ 25080 ℰ 0365 641330, Fax 0365 641330.*
Roma 556 – Brescia 39 – Verona 44 – Bergamo 93 – Mantova 95 – Milano 134 – Trento 86.

Maderno *– ⊠ 25080 :*

🏨 **Milano,** lungolago Zanardelli 12 ℰ 0365 540595, Fax 0365 641223, ≤, « Giardino con ☼ »
– 📶 📺 🅿. *VISA*. ⚹⚹ rist
aprile-15 ottobre – **Pasto** (solo per alloggiati) 35000 – � 15000 – **38 cam** 120/170000 –
½ P 140000.

🏨 **Maderno,** via Statale 12 ℰ 0365 641070, hmaderno@tin.it, Fax 0365 644277, « Giardino
ombreggiato con ☼ » – 📶 🗐 📺 🅿 🛗 🕭 🟠 🟠 *VISA* *JCB*. ⚹⚹ rist
aprile-ottobre – **Pasto** 50/60000 – **45 cam** ☼ 150/240000 – ½ P 145000.

🍴🍴 **San Marco** con cam, piazza San Marco 5 ℰ 0365 641103, Fax 0365 540592, ≤, 🍽 – 📶 📺
🕭, 🛗 🕭 🟠 🟠 *VISA* *JCB*
chiuso da novembre al 20 dicembre – **Pasto** carta 55/80000 – ☼ 15000 – **21 cam** 90/
120000 – ½ P 90000.

TOVEL (Lago di) *Trento* **428**, **429** *D 14 G. Italia.*

TOVO DI SANT'AGATA *23030 Sondrio* **428** *D 12,* **218** ⑰ *– 564 ab. alt. 531.*
Roma 680 – Sondrio 33 – Bormio 31.

🏢 **Villa Tina,** via Italia ℰ 0342 770123, Fax 0342 770123, ☼ – 📶 📺 🕭 🚗. 🛗 🕭 🟠 🟠 *VISA*
JCB. ⚹⚹
Pasto vedere rist **Franca** – ☼ 10000 – **8 cam** 80/120000 – ½ P 90000.

🍴🍴 **Franca** con cam, via Roma 13 ℰ 0342 770064, Fax 0342 770064 – 📶 📺 🚗 🅿 🛗 🕭 🟠
🟠 *VISA* *JCB*. ⚹⚹
Pasto *(chiuso domenica escluso luglio-agosto)* carta 40/65000 – ☼ 10000 – **14 cam**
80/120000 – ½ P 90000.

TRACINO *Trapani* **432** *Q 18 – Vedere Sicilia (Pantelleria Isola di) alla fine dell'elenco alfabetico.*

TRADATE *21049 Varese* **428** *E 8,* **219** ⑱ *– 15 854 ab. alt. 303.*
Roma 614 – Como 29 – Gallarate 12 – Milano 39 – Varese 14.

🍴🍴 **Tradate,** via Volta 20 ℰ 0331 841401, Fax 0331 841401 – 🛗 🕭 🟠 🟠 *VISA* *JCB*. ⚹⚹
chiuso dal 24 dicembre al 5 gennaio, agosto e domenica – **Pasto** specialità di mare carta
65/110000.

🍴🍴 **Antico Ostello Lombardo,** via Vincenzo Monti 8 ℰ 0331 842832, 🍽, Coperti limitati;
prenotare – ⚹⚹
chiuso dal 1° al 23 gennaio, agosto, lunedì e sabato a mezzogiorno – **Pasto** carta 65/
105000.

RAMIN AN DER WEINSTRASSE = Termeno sulla Strada del Vino.

RAMUSCHIO Modena **429** H 15 – Vedere Mirandola.

RANI 70059 Bari **431** D 31 G. Italia – 53 732 ab..
    Vedere Cattedrale★★ – Giardino pubblico★.
    🏛 piazza Trieste 10 ℘ 0883 588830, Fax 0883 588830.
    Roma 414 – Bari 46 – Barletta 13 – Foggia 97 – Matera 78 – Taranto 132.

🏠🏠   **Regia,** piazza Mons. Addazi 2 ℘ 0883 584444, Fax 0883 506595, ≤, 🚔, « Servizio estivo all'aperto con ≤ mare e porto » – 📳 ▤ 📺 ₺ 🅿. 🖭 🕄 ① ◑◐ 𝖵𝖨𝖲𝖠 🗜. 🛠
    Pasto (chiuso dal 15 al 30 novembre e lunedì) carta 50/65000 – **10 cam** ⊃ 150/210000 – ½ P 145000.

🏠🏠   **Royal,** via De Robertis 29 ℘ 0883 588777, Fax 0883 582224 – 📳 ▤ 📺 ⟳. 🖭 🕄 ① ◑◐
 🚳 𝖵𝖨𝖲𝖠. 🛠 rist
    Pasto carta 35/55000 – **39 cam** ⊃ 130/200000 – ½ P 150000.

🏠   **Trani,** corso Imbriani 137 ℘ 0883 588010, Fax 0883 587625 – 📳 📺 ⟳ – 🏔 160. 🖭 🕄 ①
  ◑◐ 𝖵𝖨𝖲𝖠. 🛠
    Pasto carta 40/65000 – ⊃ 10000 – **50 cam** 80/125000 – ½ P 100000.

✖✖   **Torrente Antico,** via Fusco 3 ℘ 0883 487911, Coperti limitati; prenotare – ▤
    chiuso domenica sera e lunedì – **Pasto** carta 50/100000.

✖✖   **Il Melograno,** via Bovio 189 ℘ 0883 486966, 🚔 – 🖭 🕄 ① ◑◐ 𝖵𝖨𝖲𝖠 🗖🗖
    chiuso gennaio e mercoledì – **Pasto** specialità di mare carta 40/75000.

TRAPANI 🅿 **432** M 19 – Vedere Sicilia alla fine dell'elenco alfabetico.

TRAVAGLIATO 25039 Brescia **428**, **429** F 12 – 10 829 ab. alt. 129.
    Roma 549 – Brescia 12 – Bergamo 41 – Piacenza 36 – Verona 80.

✖   **Ringo,** via Brescia 41 ℘ 030 660680, Fax 030 6864189, prenotare – ▤ 🅿. 🛠
😊   chiuso dal 25 luglio al 1° settembre, a mezzogiorno (escluso domenica ed i giorni festivi), lunedì e martedì – **Pasto** specialità di mare 60/90000 e carta 60/90000
    Spec. Granseola alla veneziana. Stracci con astice bretone e piselli. Scaloppa di dentice reale al forno.

TRAVAZZANO Piacenza **428** H 11 – Vedere Carpaneto Piacentino.

TRAVERSAGNA Pistoia – Vedere Montecatini Terme.

TRAVERSELLA 10080 Torino **428** F 5, **219** ⑭ – 408 ab. alt. 827.
    Roma 703 – Aosta 85 – Milano 142 – Torino 70.

✖✖   **Miniere** ⌂ con cam, piazza Martiri ℘ 0125 749005, leminiere@ciaoweb.it,
🍴   Fax 0125 794007, ≤ vallata, 🚿 – 📳 📺. 🖭 🕄 ① ◑◐ 𝖵𝖨𝖲𝖠. 🛠
    chiuso dal 10 gennaio al 10 febbraio – **Pasto** (chiuso lunedì e martedì dal 15 ottobre al 15 maggio) carta 40/65000 – ⊃ 7000 – **26 cam** 60/90000 – ½ P 85000.

TREBBO DI RENO Bologna **429**, **430** I 15 – Vedere Castel Maggiore.

TREBISACCE 87075 Cosenza **431** H 31 – 9 053 ab..
    Roma 484 – Cosenza 85 – Castrovillari 40 – Catanzaro 183 – Napoli 278 – Taranto 115.

✖   **Trattoria del Sole,** via Piave 14 bis ℘ 0981 51797, 🚔 – 🕄 ◑◐ 𝖵𝖨𝖲𝖠
😊   chiuso domenica escluso dal 15 giugno al 15 settembre – **Pasto** carta 30/50000.

TRECASTAGNI Catania **432** O 27 – Vedere Sicilia alla fine dell'elenco alfabetico.

TRECATE 28069 Novara **428** F 8 – 16 554 ab. alt. 136.
    Roma 621 – Stresa 62 – Milano 47 – Torino 102.

✖✖   **Macrì,** piazza Cattaneo 20/A ℘ 0321 71251, Fax 0321 71251, Coperti limitati; prenotare –
    ▤. 🖭 🕄 𝖵𝖨𝖲𝖠. 🛠
    chiuso dal 13 al 28 agosto, sabato a mezzogiorno e lunedì – **Pasto** carta 55/100000.

✖✖   **Caffe' Groppi,** via Mameli 20 ℘ 0321 71154, solo su prenotazione – 🖭 🕄 ◑◐ 𝖵𝖨𝖲𝖠. 🛠
    chiuso domenica sera e lunedì – **Pasto** 70/95000 e carta 70/135000.

TRECCHINA *85049 Potenza* [431] G 29 – *2 455 ab. alt. 500.*
Roma 408 – Potenza 112 – Castrovillari 77 – Napoli 205 – Salerno 150.

🍴 **L'Aia dei Cappellani,** contrada Maurino (Nord : 2 km) ☎ 0973 826937, ≤, 🏖 – [P]. 🚫
chiuso dal 1° al 15 novembre e martedì (escluso dal 15 giugno al 15 settembre) – Past 25000.

TREDOZIO *47019 Forlì-Cesena* [429], [430] J 17 – *1 349 ab. alt. 334.*
Roma 327 – Firenze 89 – Bologna 80 – Forlì 43.

🍴🍴 **Mulino San Michele,** via Perisauli 6 ☎ 0546 943677, *Fax 0546 943987*, Coperti limitat prenotare – 🚫
chiuso a mezzogiorno (escluso i giorni festivi) e lunedì – **Pasto** 70000 bc.

TREGNAGO *37039 Verona* [429] F 15 – *4 795 ab. alt. 317.*
Roma 531 – Verona 22 – Padova 78 – Vicenza 48.

🍴 **Villa De Winckels,** via Sorio 30, località Marcemigo (Nord-Ovest : 1 km) ☎ 045 650013 *Fax 045 6500133* – [P]. AE $ ⓓ MC VISA
chiuso dal 1° al 7 gennaio e lunedì – **Pasto** carta 45/70000.

TREISO *12050 Cuneo* [428] H 6 – *756 ab. alt. 412.*
Roma 644 – Torino 65 – Alba 6 – Alessandria 65 – Cuneo 68 – Savona 105.

🍴🍴 **La Ciau del Tornavento,** piazza Baracco 7 ☎ 0173 638333, *Fax 0173 638352*, prenota re, « Servizio estivo all'aperto in terrazza panoramica » – $ MC VISA
chiuso gennaio, mercoledì e giovedì a mezzogiorno – **Pasto** carta 55/90000
Spec. Storione in crosta di lavanda su fonduta di pomodoro fresco. Agnolotti del "plin ripieni di Sairass cotti nel fieno. Coniglio ai frutti di bosco.

Se cercate un albergo tranquillo,
oltre a consultare le carte dell'introduzione,
individuate nell'elenco degli esercizi quelli con il simbolo 🐴 *o* 🐴.

TREMEZZO *22019 Como* [428] E 9 *G. Italia* – *1 354 ab. alt. 245.*
Vedere *Località*★★★ – *Villa Carlotta*★★★ – *Parco comunale*★.
Dintorni *Cadenabbia*★★ : ≤★★ *dalla cappella di San Martino (1 h e 30 mn a piedi AR).*
[i] *(maggio-ottobre) piazzale Trieste 1* ☎ *0344 40493.*
Roma 655 – Como 31 – Lugano 33 – Menaggio 5 – Milano 78 – Sondrio 73.

🏨 **Grand Hotel Tremezzo,** ☎ 0344 42491, *info@grandhoteltremezzo.com Fax 0344 40201*, ≤ lago e monti, 🏖, « Parco », Fō, ≘s, 🏊 riscaldata, 🎾 – |$| ≡ [TV] 🚗 [P] – 🏛 300. AE $ ⓓ MC VISA JCB. 🚫 rist
4 marzo-14 novembre – **Pasto** carta 80/120000 – **98 cam** ☕ 390/645000, 2 suites – ½ P 390000.

🏨 **Villa Edy** 🐴 senza rist, località Bolvedro Ovest : 1 km ☎ 0344 40161, *Fax 0344 40015*, 🏊, 🏖, 🎾 – [TV] [P]. $ MC VISA. 🚫
aprile-ottobre – ☕ 18000 – **12 cam** 120/140000.

🏨 **Rusall** 🐴, località Rogaro Ovest : 1,5 km ☎ 0344 40408, *Fax 0344 40447*, ≤ lago e monti, « Terrazza-giardino », 🎾 – [P]. AE $ ⓓ MC VISA JCB. 🚫 rist
chiuso dal 2 gennaio al 19 marzo – **Pasto** *(chiuso mercoledì escluso dal 15 giugno al 15 settembre)* carta 40/70000 – **19 cam** ☕ 130/170000 – ½ P 120000.

🍴 **La Fagurida,** località Rogaro Ovest : 1,5 km ☎ 0344 40676, 🏖, Trattoria tipica – [P]. AE $ MC VISA. 🚫
chiuso dal 25 dicembre al 15 febbraio e lunedì – **Pasto** cucina casalinga carta 50/80000.

TREMITI (Isole) *Foggia* [431] A 28 – *374 ab. alt. da 0 a 116 – a.s. luglio-13 settembre.*
La limitazione d'accesso degli autoveicoli è regolata da norme legislative.
Vedere *Isola di San Domino*★ – *Isola di San Nicola*★ – **Elicotteri**: *per Foggia* - ☎ *0881 617916.*
⛴ *per Termoli giugno-settembre giornaliero (1 h 40 mn) – Navigazione Libera del Golfo-agenzia Dibrino, corso Umberto I Termoli* ☎ *0875 703937, Fax 0875 704859.*
⛴ *per Termoli giugno-settembre giornalieri (50 mn); per Ortona giugno-settembre giornaliero (2 h 45 mn); per Vieste giugno-settembre giornaliero (1 h); per Punta Penna di Vasto giugno-settembre giornaliero (1 h 30 mn), per Manfredonia giugno-settembre giornaliero (2 h) – Adriatica di Navigazione-agenzia Cafiero, via degli Abbati 10* ☎ *0882 463008, Fax 0882 463008 e Navigazione Libera del Golfo-agenzia Dibrino, corso Umberto I Termoli* ☎ *0875 703937, Fax 0875 704859.*

San Domino (Isola) – ✉ *71040 San Nicola di Tremiti* :

Gabbiano, ☎ 0882 463410, *h.gabbiano@tiscalinet.it, Fax 0882 463428,* ≤ mare ed isola di San Nicola, 🏖 – ▤ [TV] – 🎤 80. [AE] [$] ⓓ ⓜⓒ VISA JCB. ✂ rist
Pasto carta 45/80000 – **40 cam** ☕ 150/240000 – ½ P 150000.

San Domino 🌿, ☎ 0882 463404, *Fax 0882 463221* – ▤ rist, [TV]. [$] ⓜⓒ VISA. ✂
Pasto carta 40/55000 – **25 cam** ☕ 100/180000 – ½ P 150000.

TREMOSINE *25010 Brescia* [428], [429] E 14 – *1 919 ab. alt. 414 – a.s. Pasqua e luglio-15 settembre.*
Roma 581 – Trento 62 – Brescia 64 – Milano 159 – Riva del Garda 19.

Le Balze 🌿, via delle Balze 8, località Campi-Voltino alt. 690 ☎ 0365 917179, *Fax 0365 917033,* ≤ lago e monte Baldo, Scuola di tennis, ⛹, ≘s, 🏊, 🌳, 🎾 – 🛗 [TV] [P]. [AE] [$] ⓓ ⓜⓒ VISA. ✂ rist
aprile-ottobre – **Pasto** carta 40/60000 – **81 cam** ☕ 115/230000 – ½ P 135000.

Pineta Campi 🌿, via Campi 2, località Campi-Voltino alt. 690 ☎ 0365 912011, *pinetacampi@gardalake.it, Fax 0365 917015,* ≤ lago e monte Baldo, Scuola di tennis, ⛹, ≘s, 🏊, 🏊, 🌳, 🎾 – 🛗 [TV] [P] – 🎤 50. [AE] [$] ⓓ ⓜⓒ VISA JCB. ✂
15 marzo-ottobre – **Pasto** carta 35/50000 – ☕ 12000 – **72 cam** 80/140000 – ½ P 95000.

Villa Selene 🌿, via Lò, località Pregasio alt. 478 ☎ 0365 953036, *hotelvillaselene@libero.it, Fax 0365 918078,* ≤ lago e Monte Baldo, 🏖, ≘s, 🌳 – [TV] [P]. [AE] [$] ⓜⓒ VISA JCB. ✂
chiuso dal 15 novembre al 18 dicembre – **Pasto** (solo per alloggiati) carta 40/60000 – **11 cam** ☕ 150/270000.

Lucia 🌿, via del Sole 2, localitàd Arias alt. 460 ☎ 0365 953088, *hotellucia@tin.it, Fax 0365 953421,* ≤ lago e monte Baldo, ⛹, ≘s, 🏊, 🌳, 🎾 – [TV] [P]. [$] ⓜⓒ VISA. ✂ rist
marzo-novembre – **Pasto** carta 35/55000 – **40 cam** ☕ 85/150000 – ½ P 85000.

Miralago e Benaco, piazza Cozzaglio 2, località Pieve alt. 433 ☎ 0365 953001, *miralago@gsnet.it, Fax 0365 953046,* ≤ lago e monte Baldo – 🛗 [TV]. [AE] [$] ⓓ ⓜⓒ VISA
chiuso dal 15 gennaio al 15 febbraio – **Pasto** *(chiuso giovedì escluso da aprile ad ottobre)* carta 35/55000 – **25 cam** ☕ 75/140000 – ½ P 85000.

🍴 **San Marco,** via XXV Aprile 1, località Pregasio alt. 478 ☎ 0365 918172, *Fax 0365 953441,* ≤ lago e monte Baldo, 🏖, 🌳 – [P]. [$] ⓓ ⓜⓒ VISA
11 marzo-9 novembre; chiuso lunedì – **Pasto** carta 40/75000 .

In questa guida
uno stesso simbolo, una stessa parola
stampati in rosso o in **nero**, in magro o in ***grassetto***
hanno un significato diverso.
Leggete attentamente le pagine dell'introduzione.

TRENTO *38100* [P] [429] D 15 *G. Italia – 104 906 ab. alt. 194 – a.s. dicembre-aprile – Sport invernali : vedere Bondone (Monte).*
Vedere *Piazza del Duomo★* BZ : *Duomo★, museo Diocesano★* **M1** – *Castello del Buon Consiglio★★* BYZ – *Palazzo Tabarelli★* BZ **F.**
Escursioni *Massiccio di Brenta★★★ per* ⑤.
[i] *via Manci 2* ☎ *0461 983880, Fax 0461 232426.*
[A.C.I.] *via Brennero, 98* ☎ *0461 433116.*
Roma 588 ⑥ – *Bolzano 57* ⑥ – *Brescia 117* ⑤ – *Milano 230* ⑤ – *Verona 101* ⑥ – *Vicenza 96* ③.

Pianta pagina seguente

Grand Hotel Trento [M], via Alfieri 1/3 ☎ 0461 271000, *reservation@trento.boscolo.com, Fax 0461 271001,* ≘s – 🛗, 🚭 cam, ▤ [TV] ♿ 🚗 [P] – 🎤 500. [AE] [$] ⓓ ⓜⓒ VISA JCB. ✂ rist — BZ a
Pasto al rist ***Clesio*** *(chiuso domenica)* carta 60/95000 – **136 cam** ☕ 230/320000, suite – ½ P 170000.

Buonconsiglio [M] senza rist, via Romagnosi 16/18 ☎ 0461 272888, *Fax 0461 272889* – 🛗 ▤ [TV] ♿ – 🎤 40. [AE] [$] ⓓ ⓜⓒ VISA JCB — BY a
chiuso dal 10 al 25 agosto – **46 cam** ☕ 160/200000.

Accademia, vicolo Colico 4/6 ☎ 0461 233600, *info@accademiahotel.it, Fax 0461 230174,* 🏖 – 🛗 ▤ [TV] – 🎤 50. [AE] [$] ⓓ ⓜⓒ VISA — BZ b
chiuso dal 24 dicembre al 6 gennaio – **Pasto** carta 45/90000 – **40 cam** ☕ 190/260000, 2 suites.

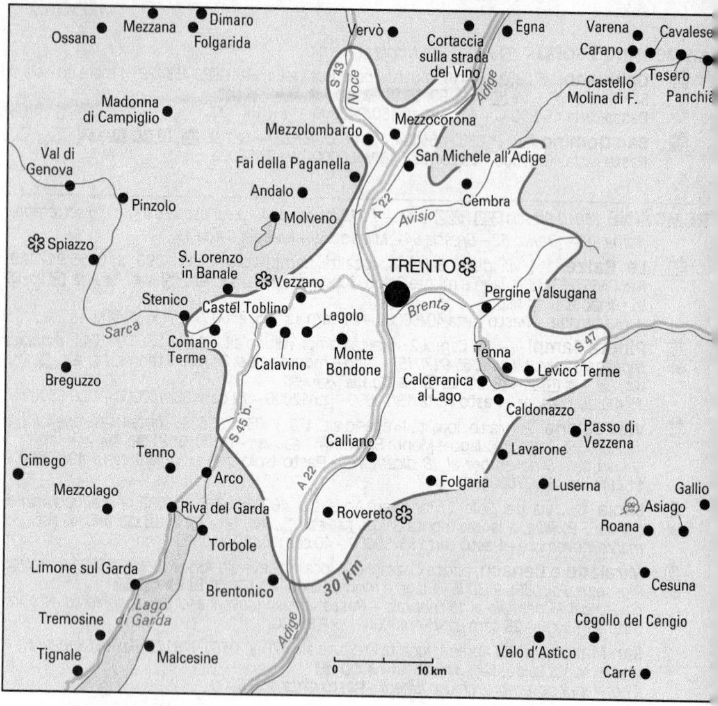
Ossana
Mezzana
Dimaro
Folgarida
Vervò
Cortaccia sulla strada del Vino
Egna
Varena
Cavalese
Carano
Castello Molina di F.
Tesero
Panchià
S 43
Noce
Adige
Madonna di Campiglio
Mezzolombardo
Mezzocorona
Val di Genova
Fai della Paganella
San Michele all'Adige
Andalo
Cembra
Pinzolo
A 22
Molveno
Avisio
Spiazzo
S. Lorenzo in Banale
Vezzano
TRENTO
Stenico
Castel Toblino
Brenta
Pergine Valsugana
Sarca
Lagolo
Comano Terme
Calavino
Monte Bondone
Tenna
S 47
Breguzzo
Calceranica al Lago
Levico Terme
Caldonazzo
S 45 b.
Passo di Vezzena
Tenno
Calliano
Lavarone
Cimego
Arco
A 22
Folgaria
Luserna
Mezzolago
Gallio
Riva del Garda
Rovereto
Asiago
Roana
Torbole
Limone sul Garda
30 km
Cesuna
Brentonico
Lago di Garda
Tremosine
Adige
Cogollo del Cengio
Tignale
Malcesine
0
10 km
Velo d'Astico
Carré

🏨 **America,** via Torre Verde 50 ☎ 0461 983010, *hotel_america@iol.it, Fax 0461 230603* – [lift] [air cond.] [TV] [P] – 🏨 60. [AE] [$] [CB] [MC] [VISA] BYZ c

Pasto *(chiuso dal 17 luglio al 6 agosto e domenica)* carta 45/75000 – **66 cam** ☕ 135/190000 – ½ P 130000.

🏨 **Villa Fontana** senza rist, via Fontana 11 ☎ 0461 829800, *villafontana@villafontana.it, Fax 0461 829759* – [lift] [air cond.] [TV] [♿] [garage] [P] – 🏨 35. [AE] [$] [CB] [MC] [VISA] AY a

24 cam ☕ 100/145000.

🏨 Aquila d'Oro, senza rist, via Belenzani 76 ☎ 0461 986282, *Fax 0461 986282* – [lift] [TV] BZ w

19 cam.

🏨 **San Giorgio** senza rist, via Brescia 133 ☎ 0461 238848, *Fax 0461 238808* – [TV] [P]. [AE] [$] [CB] [MC] [VISA] 1 km per ⑤

10 cam ☕ 100/170000.

🍴 ✿ **Osteria a Le Due Spade,** via Don Rizzi 11 ang. via Verdi ☎ 0461 234343, Coperti limitati; prenotare – [AE] [$] [CB] [MC] [VISA] [JCB] BZ v

chiuso domenica e lunedì a mezzogiorno – **Pasto** 60/85000 e carta 75/105000

Spec. "Strangolapreti" su letto di cavolo verza e guanciale affumicato (autuno-primavera). Filetto di cervo in salsa cassis con tortino di spinaci (estate). Sfogliatina di mele con confettura di albicocche.

🍴 **Osteria Il Cappello,** piazzetta Bruno Lunelli 5 ☎ 0461 235850 – [AE] [$] [CB] [MC] [VISA]. [no dogs] BZ e

chiuso dal 1º al 14 gennaio, dal 18 al 30 giugno, domenica sera e lunedì – **Pasto** carta 45/75000.

🍴 **Antica Trattoria Due Mori,** via San Marco 11 ☎ 0461 984251, *Fax 0461 984251,* [terrace] – [air cond.]. [AE] [$] [CB] [MC] [VISA]. [no dogs] BZ c

chiuso lunedì – **Pasto** carta 40/60000.

a Cognola *per ② : 3 km – ✉ 38050 Cognola di Trento :*

🏨 **Villa Madruzzo** [quiet], via Ponte Alto 26 ☎ 0461 986220, *info@villamadruzzo.it, Fax 0461 986361,* [view], [terrace], « Villa ottocentesca in un parco ombreggiato » – [lift] [TV] [♿] [P] – 🏨 80. [AE] [$] [CB] [MC] [VISA]. [no dogs]

Pasto *(chiuso domenica)* carta 45/70000 – **51 cam** ☕ 120/180000 – ½ P 140000.

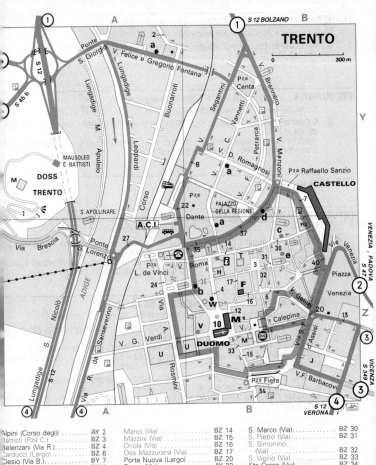

TRENTO

S 12 BOLZANO

300 m

Alpini (Corso degli) .... **AY 2**
Battisti (Pza C.) .... **BZ 3**
Belenzani (Via R.) .... **BZ 4**
Carducci (Largo) .... **BZ 6**
Clesio (Via B.) .... **BY 7**
Dogana (Via) .... **BY 8**
Duomo (Pza del) .... **BZ 10**
Garibaldi (Via) .... **BZ 12**
Grazioli (Via G.) .... **BZ 13**

Manci (Via) .... **BZ 14**
Mazzini (Via) .... **BZ 15**
Oriola (Via) .... **BZ 16**
Oss Mazzurana (Via) ..... **BZ 17**
Porta Nuova (Largo) ..... **AY 22**
Pozzo (Via) .... **AY 22**
Prepositura (Via) .... **AZ 24**
S. Lorenzo
   (Cavalcavia) .... **AZ 27**

S. Marco (Via) .... **BZ 30**
S. Pietro (Via) .... **BZ 31**
S. Simonino
   (Via) .... **BZ 32**
S. Vigilio (Via) .... **BZ 33**
Sta Croce (Via) .... **BZ 34**
Torre Vanga (Via) .... **BZ 35**
Torre Verde (Via) .... **BZ 37**
Ventuno (Via dei) .... **BZ 40**

TRENZANO _25030 Brescia_ 428, 429 F 12 – _4 776 ab. alt. 108._
> _Roma 570 – Brescia 19 – Bergamo 45 – Milano 77._

✖ **Al Convento**, via per Rovato 3, località Convento Nord : 2 km ℁ 030 997759
Fax 030 9977598, Coperti limitati; prenotare – ≡. AE Ⓡ ◑ ◐ VISA JCB. ℯ
chiuso dal 5 al 25 agosto e mercoledì – **Pasto** specialità di mare carta 50/100000.

TREQUANDA _53020 Siena_ 430 M 17 _G. Toscana – 1 441 ab. alt. 462._
> _Roma 202 – Siena 55 – Arezzo 53 – Perugia 77._

✖ **Il Conte Matto**, via Maresca 1 ℁ 0577 662079, Fax 0577 662079, prenotare – AE Ⓡ ◑
◐ VISA JCB. ℯ
_chiuso dal 10 gennaio al 6 febbraio, martedì a mezzogiorno da giugno ad ottobre e tutto
giorno negli altri mesi_ – **Pasto** carta 35/80000 (10 %).

TRESANA _Massa-Carrara_

TRESCORE BALNEARIO _24069 Bergamo_ 428, 429 E 11 – _8 020 ab. alt. 271 – a.s. luglio-agosto_
> _Roma 593 – Bergamo 15 – Brescia 49 – Lovere 27 – Milano 60._

🏨 **Della Torre**, piazza Cavour 26 ℁ 035 941365, _info@albergotorre.it_, Fax 035 940889, ₩
« Giardino » – ☐ ☎ ◂ P – ℌ 200. AE Ⓡ ◑ ◐ VISA. ℯ
Pasto 35/50000 e al Rist. _Sala del Pozzo_ (chiuso domenica sera e lunedì escluso luglio e
agosto) carta 60/110000 – ⇌ 12000 – **29 cam** 120/180000 – ½ P 130000.

TRESCORE CREMASCO _26017 Cremona_ 428 F 10, 219 ⑳ – _2 340 ab. alt. 86._
> _Roma 554 – Bergamo 37 – Brescia 54 – Cremona 45 – Milano 42 – Piacenza 45._

✖✖ **Trattoria del Fulmine**, via Carioni 12 ℁ 0373 273103, Fax 0373 273103, ₩, Coperti
❋ limitati; prenotare – ≡. AE Ⓡ ◑ ◐ VISA JCB. ℯ
chiuso dal 1° al 10 gennaio, agosto, domenica sera e lunedì – **Pasto** carta 70/105000
Spec. Padellata di funghi porcini con fegato d'oca e patate al forno (autunno). Risotto
all'anguilla (primavera-estate). Anatra al profumo di spezie e vino rosso.

✖✖ **Bistek**, viale De Gasperi 31 ℁ 0373 273046, _bistek.ristorante@tin.it_, Fax 0373 290217, prenotare – ≡ P. AE Ⓡ ◑ ◐ VISA. ℯ
chiuso dal 1° al 10 gennaio, dal 30 luglio al 24 agosto, martedì sera e mercoledì – **Pasto**
carta 40/65000.

TREVI _06039 Perugia_ 430 N 20 – _7 712 ab. alt. 412._
> _Roma 150 – Perugia 48 – Foligno 13 – Spoleto 21 – Terni 52._

🏠 **Trevi** senza rist, via Fantosati 2 ℁ 0742 780922, _trevihotel@tiscalinet.it_, Fax 0742 780772
₫, « In un antico palazzo del centro storico » – ☐ ♻. AE Ⓡ ◑ ◐ VISA. ℯ
12 cam ⇌ 160/210000.

✖ Maggiolini, via San Francesco 20 ℁ 0742 381534, Fax 0742 381534.

a Matigge _Nord : 3 km –_ ✉ _06039 :_

✖ **L'Ulivo**, via Monte Bianco 23 ℁ 0742 78969, Fax 0742 78969, ₩ – P. AE Ⓡ ◑ ◐ VISA
JCB. ℯ
chiuso lunedì e martedì – **Pasto** (menu tipici suggeriti dal proprietario) 50000 bc.

sulla strada statale 3 via Flaminia Vecchia

🏨 **Della Torre** M, strada statale Flaminia km 147 (Nord-Ovest : 5 km) ℁ 0742 391212, _htl@_
olignohotel.com, Fax 0742 391200, ₩, ∃, ℸ, ℇ, ✖ – ♻ ≡ ☐ ♻ P – ℌ 450. AE Ⓡ ◑
◐ VISA. ℯ
Pasto carta 40/75000 – **135 cam** ⇌ 130/180000 – ½ P 125000.

✖✖ **Taverna del Pescatore**, via Chiesa Tonda 50 (Sud : 4 km) ✉ 06039 ℁ 0742 780920,
Fax 0742 381599, ₩, « Servizio estivo all'aperto in riva al Clitunno » – P. AE Ⓡ ◑ ◐ VISA
chiuso gennaio e mercoledì – **Pasto** 65/80000 e carta 50/85000.

Le carte stradali Michelin sono costantemente aggiornate.

REVIGLIO *24047 Bergamo* [428] F 10 – *25 467 ab. alt. 126.*

Roma 576 – Bergamo 21 – Brescia 57 – Cremona 62 – Milano 37 – Piacenza 68.

🏨 **Treviglio,** piazza Giuseppe Verdi 7 ☎ 0363 43744, *Fax 0363 49971* – ⇕ ▤ [TV] ♿ [P]. [AE] [S] ⓓ [MC] [VISA]
chiuso dal 7 al 29 agosto – **Pasto** *(chiuso venerdì sera, sabato e domenica a mezzogiorno)* carta 40/65000 – ☕ 10000 – **31 cam** 95/140000, ▤ 10000 – 1/2 P 90000.

🍴🍴🍴 ✿ **San Martino,** viale Cesare Battisti 3 ☎ 0363 49075, *Fax 0363 301572*, prenotare – ▤. [AE] [S] ⓓ [MC] [VISA]
chiuso dal 26 dicembre al 10 gennaio, dal 10 al 25 agosto, domenica sera e lunedì – **Pasto** specialità di mare 60/120000 e carta 85/130000
Spec. Scorfano farcito cotto in brodo di bouillabaisse. Ravioli di sedano e merluzzo di Bilbao. Piccione disossato e farcito con foie gras.

🍴🍴 Cafe' Nazionale, via Roma 10 ☎ 0363 48720.

'REVIGNANO ROMANO *00069 Roma* [430] P 18 – *4 403 ab. alt. 166.*

Roma 49 – Viterbo 44 – Civitavecchia 63 – Terni 86.

🍴 **La Grotta Azzurra,** piazza Vittorio Emanuele 4 ☎ 06 9999420, *Fax 06 9985072*, ≤, « Servizio estivo in giardino » – [AE] [S] ⓓ [VISA]
chiuso dal 24 dicembre al 4 gennaio, settembre e martedì – **Pasto** carta 55/80000.

In questa guida
uno stesso simbolo, una stessa parola
stampati in rosso o in **nero**, in magro o in ***grassetto***
hanno un significato diverso.
Leggete attentamente le pagine dell'introduzione.

TREVIOLO *24048 Bergamo* [428] E 10 – *8 496 ab. alt. 222.*

Roma 584 – Bergamo 6 – Lecco 26 – Milano 43.

🏨 **Maxim** senza rist, via Compagnoni 31 (Ovest : 1 km) ☎ 035 201100, *Fax 035 692605* – ⇕ ▤ [TV] ♿ [P] – 🪑 200. [AE] [S] ⓓ [MC] [VISA]. ✗
chiuso dall'8 al 22 agosto – ☕ 15000 – **63 cam** 110/160000.

TREVISO *31100* [P] [429] E 18 *G. Italia – 81 771 ab. alt. 15.*

Vedere *Piazza dei Signori*★ **BY 21** *: palazzo dei Trecento*★ **A**, *affreschi*★ *nella chiesa di Santa Lucia* **B** – *Chiesa di San Nicolò*★ **AZ** – *Museo Civico Bailo*★ **AY M.**

⛳ *Villa Condulmer (chiuso lunedì) a Zerman* ✉ *31021* ☎ *041 457062, Fax 041 457202, per* ④ *: 13 km.*

✈ *San Giuseppe, Sud-Ovest : 5 km* **AZ** ☎ *0422 315131.*

[i] *piazza Monte di Pietà 8* ☎ *0422 547632, Fax 0422 419092.*

[A.C.I.] *piazza San Pio X 6* ☎ *0422 547801.*

Roma 541 ④ – *Venezia 30* ④ – *Bolzano 197* ⑤ – *Milano 264* ④ – *Padova 50* ④ – *Trieste 145* ②.

Pianta pagina seguente

🏨 **Al Foghèr,** viale della Repubblica 10 ☎ 0422 432950, *htl@alfogher.com, Fax 0422 430391* – ⇕ ▤ [TV] ♿ [P] – 🪑 80. [AE] [S] ⓓ [MC] [VISA] [JCB] per ⑤
Pasto *(chiuso agosto e domenica)* carta 45/65000 – **54 cam** ☕ 175/270000, suite – 1/2 P 180000.

🏨 **Cà del Galletto,** via Santa Bona Vecchia 30 ☎ 0422 432550, *Fax 0422 432510*, 🎾 – ⇕ ▤ [TV] [P] – 🪑 200. [AE] [S] ⓓ [MC] [VISA]. ✗ rist
per viale Luzzatti **AY**
Pasto *(chiuso agosto e domenica)* carta 40/60000 – **72 cam** ☕ 160/260000.

🏠 **Carlton,** largo Porta Altinia 15 ℘ 0422 411661, info@hotelcarlton.it, Fax 0422 411620 – |❄| 🖳 📺 📞 🅿 – 🛗 70. 🖭 🕥 ⑩ ⚭ 🆅🆂🅰 🅹🅲🅱. ⅊ rist   BZ **a**
Pasto (chiuso agosto) carta 40/65000 – ⚏ 20000 – **93 cam** 190/300000 – ½ P 200000.

🏠🏠 **Scala,** viale Felissent 1 ℘ 0422 307600, hscala@iol.it, Fax 0422 305048 – 🖳 📺 – 🛗 30. 🖭 🕥 ⑩ ⚭ 🆅🆂🅰. ⅊ rist per ①
Pasto carta 55/85000 – ⚏ 15000 – **20 cam** 115/195000 – ½ P 155000.

🏠 **Al Giardino** senza rist, via Sant'Antonino 300/a (Sud: 1,5 km) ℘ 0422 406406, albgiard@tin.it, Fax 0422 406406, 🌳 – 🖳 📺 ⅊ 🅿 🖭 🕥 ⑩ ⚭ 🆅🆂🅰. ⅊ per ③
⚏ 8000 – **45 cam** 80/120000.

XX **Beccherie,** piazza Ancillotto 10 ℘ 0422 540871, Fax 0422 540871, 🌞 – 🗏. 🖭 🕥 ⑩ ⚭ 🆅🆂🅰. ⅊   BY **c**
chiuso dal 15 al 30 luglio – **Pasto** (chiuso domenica sera e lunedì) cucina tradizionale trevigiana carta 55/75000.

XX **Da Renzia,** strada del Mozzato 9 ℘ 0422 403903, Fax 0422 403903, 🌞, Coperti limitati; solo su prenotazione a mezzogiorno – 🗏 🅿. 🕥. ⅊ per ④
chiuso agosto, domenica e a mezzogiorno – **Pasto** carta 60/90000.

XX **L'Incontro,** largo Porta Altinia 13 ℘ 0422 547717, lincontro@sevenonline.it, Fax 0422 547623 – 🗏. 🖭 🕥 ⑩ ⚭ 🆅🆂🅰. ⅊   BZ **a**
chiuso dal 10 al 31 agosto, mercoledì e giovedì a mezzogiorno – **Pasto** carta 65/90000 (12%).

XX **All'Antica Torre,** via Inferiore 55 ℘ 0422 583694 – 🗏. 🖭 🕥 ⑩ ⚭ 🆅🆂🅰 🅹🅲🅱. ⅊ BY **a**
chiuso agosto e domenica – **Pasto** carta 45/90000.

X **Toni del Spin,** via Inferiore 7 ℘ 0422 543829, 0422 583110, Trattoria tipica, prenotare 🗏. 🖭 🕥 ⑩ ⚭ 🆅🆂🅰 🅹🅲🅱   BY **g**
chiuso dal 25 luglio al 25 agosto, domenica e lunedì a mezzogiorno – **Pasto** carta 35/60000.

Calmaggiore (Via)	BY
Filippini (Via)	BY 2
Indipendenza (Pza e Via)	BY 3
Monte di Pietà (Piazza)	BY 4
Municipio (Via)	BY 6
Palestro (Via)	CY 7
Pescheria (Via)	CY 10
Popolo (Corso del)	BZ
Regg. Italia Libera (Via)	CZ 12
S. Antonio da Padova (Vle)	BY 13
S. Caterina (Via)	CY 14
S. Francesco (Pza e Via)	CY 15
S. Leonardo (Pza e Via)	CY 16
S. Parisio (Via)	CY 17
S. Vito (Piazza e Via)	BY 19
Signori (Piazza dei)	BY 21
Vittoria (Piazza della)	BZ 23
20 Settembre (Via)	BY 24

TREVISO

Michelin cura il costante e scrupoloso aggiornamento delle sue pubblicazioni turistiche, in vendita nelle librerie.

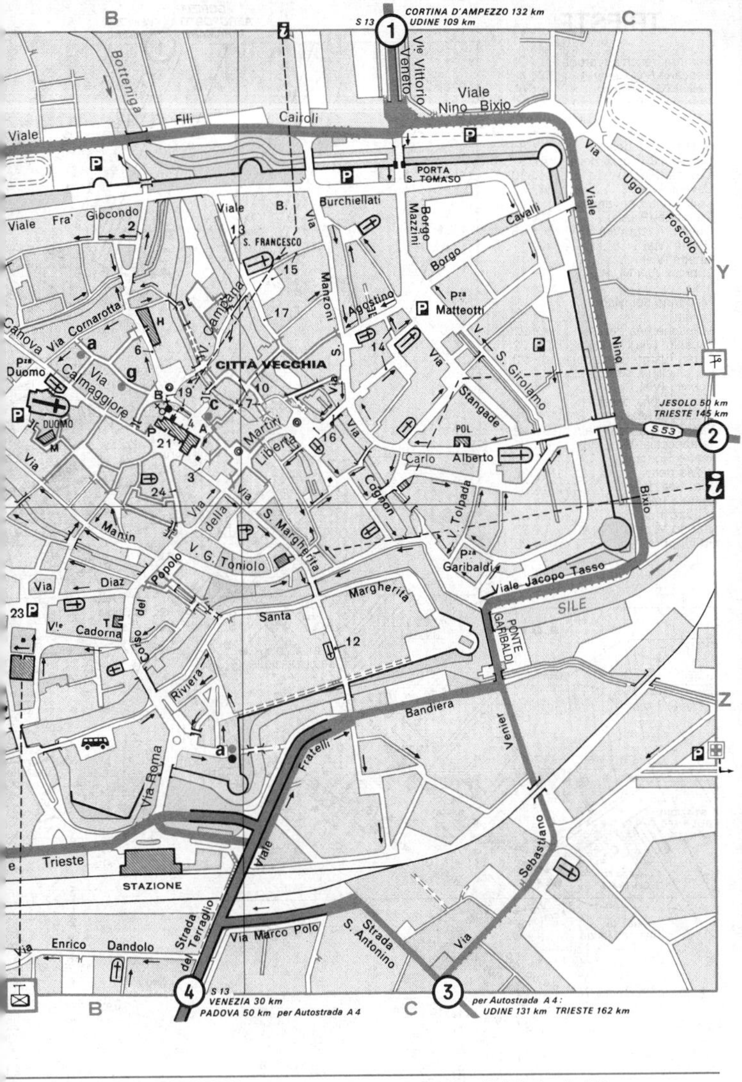

TREZZANO SUL NAVIGLIO *20090 Milano* [428] F 9, [219] ⑱ – *18 795 ab. alt. 116.*

Roma 595 – Milano 13 – Novara 43 – Pavia 34.

🏨 **Eur** senza rist, tangenziale Ovest, uscita Vigeranese ☎ 02 4451951, *Fax 02 4451075* – |‡|, ▤ [TV] [P] – 🏛 50. AE [S] ⦿ [MC] VISA. JCB
39 cam ☕ 140/190000.

🏨 **Blu Visconti** 🌿, via Goldoni 49 ☎ 02 48402094 e rist ☎ 02 48403889, *Fax 02 48403095,* ☂ – |‡|, ▤ [TV] ♿ 🚗 [P] – 🏛 50. AE [S] ⦿ [MC] VISA. JCB. ⊘ cam
chiuso dal 10 al 20 agosto – **Pasto** al rist. Alla Cava (chiuso lunedì) carta 45/90000 – **63 cam** ☕ 140/190000 – 1/2 P 145000 suite.

🍴🍴 **Bacco e Arianna,** Via Circonvallazione 1 ☎ 02 48403895, *Fax 02 48403895,* ☂ prenotare, ▤ [P]. AE [S] ⦿ [MC] VISA. JCB. ⊘
chiuso sabato a mezzogiorno – **Pasto** 50/85000.

TRIESTE

Barriera Vecchia (Largo) . . BY 3
Beccaria (Via Cesare). . . . BX 4
Bellini (Via Vincenzo) . . . . AX 5
Bramante (Via Donato) . . . AY 6
Canale Piccolo (Via del) . . AX 7
Carducci (Via) . . . . BXY
Castello (Via del) . . . . AY 8
Cattedrale (Piazza della) . . AY 9
Cavana (Piazza) . . . . AY 10
Cavana (Via) . . . . AY 12
Cellini (Via Benvenuto) . . . AY 13
Dalmazia (Piazza) . . . . . . BX 14
Duca d'Aosta (Via) . . . . . AX 15
Galatti (Via) . . . . AX 17
Ghega (Via) . . . . AX 18
Imbriani (Via M. R.) . . . . . BY 19
Italia (Corso) . . . . ABY
Madonna del Mare
  (Via) . . . . AY 20
Monache (Via delle) . . . . . AY 21
Paganini (Via Nicolò) . . . . BX 22
Pitteri (Largo Riccardo) . . AY 23
Ponchielli (V. Amilcare) . . BX 24
Rossini (Via) . . . . AX 25
Rotonda (Via della) . . . . . AY 26
S. Giusto (Via) . . . . AY 28
Sansovino (Piazza del) . . . AY 29
Tarabocchia (Via Emo) . . . BY 31
Teatro Romano
  (Via del) . . . . AY 32
Torri (Via delle) . . . . BX 33
Unità d'Italia
  (Piazza dell') . . . . AY 35
Vittorio Veneto (Piazza) . . AX 37
30 Ottobre (Via) . . . . ABX 38

Circolazione regolamentata
nel centro città

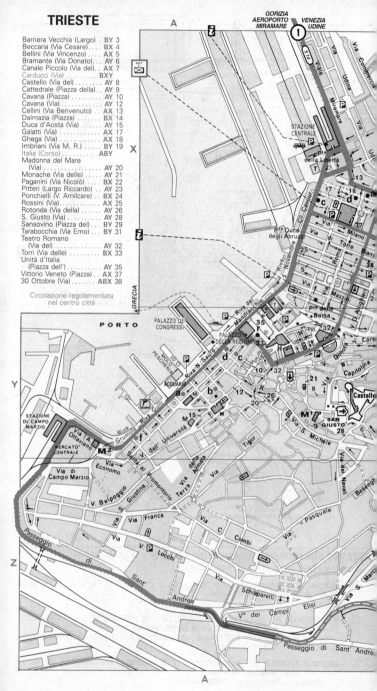

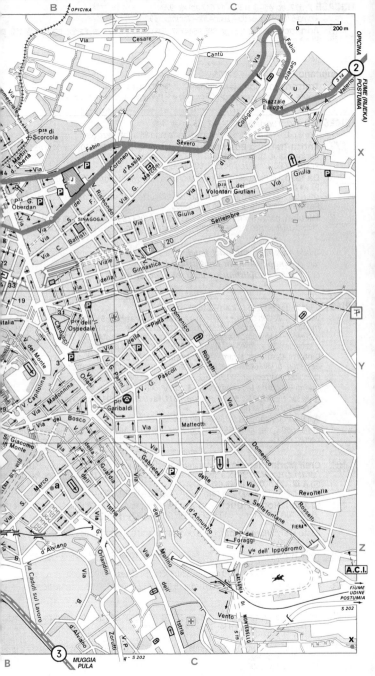

TRICASE 73039 Lecce **431** H 37 – 17 617 ab. alt. 97.
Roma 670 – Brindisi 95 – Lecce 52 – Taranto 139.

🏠 **Adriatico**, via Tartini 34 ℘ 0833 544737, Fax 0833 544737 – 📵, 🍴 rist, 📺 🅿 – 🛗 100. 🅰
⊚⊚ 🛇 ⊕ ⊚ ⊚ 🕿🕭 🚾 ✄ cam
Pasto *(chiuso domenica escluso da giugno a settembre)* carta 35/65000 – **20 cam** ☑ 75
140000 – ½ P 90000.

a Lucugnano *Ovest : 4 km –* ⊠ 73030 :

🍴 **Trattoria Iolanda**, via Montanara 2 ℘ 0833 784164, 😚 –
🔊 *chiuso mercoledì escluso dal 16 giugno a settembre –* **Pasto** carta 35/45000.

TRICESIMO 33019 Udine **429** D 21 – 7 153 ab. alt. 198.
Roma 642 – Udine 12 – Pordenone 64 – Tarvisio 86 – Tolmezzo 38.

🍴🍴🍴 **Antica Trattoria Boschetti**, piazza Mazzini 10 ℘ 0432 851230, Fax 0432 851230, pre
notare – 🍴 🅿. 🅰🅴 🛇 ⊕ ⊚ 🚾
Pasto 50000 (a mezzogiorno) 80000 (la sera) e carta 60/85000.

🍴 **Da Toso**, via Pozzuolo 16, località Leonacco Sud-Ovest : 2 km ℘ 0432 852515, 😚 – 🍴 🅿
🛇 ⊕ ⊚ 🚾
chiuso dal 24 gennaio all'11 febbraio, dal 15 agosto al 15 settembre, martedì e mercoledì –
Pasto specialità alla griglia carta 45/65000.

🍴 **Miculan**, piazza Libertà 16 ℘ 0432 851504, Fax 0432 851504 – 🅰🅴 🛇 ⊕ ⊚ ⊚ 🚾. ✄
chiuso dal 9 agosto al 1° settembre, mercoledì sera e giovedì – **Pasto** carta 40/55000.

When looking for a quiet hotel
use the maps found in the introduction
or look for establishments with the sign 🟞 *or* 🟞.

TRIESTE 34100 🄿 **429** F 23 *G. Italia* – 216 459 ab..
Vedere Colle San Giusto★★ AY – Piazza della Cattedrale★ AY 9 – Basilica di San Giusto★ AY
mosaico★★ nell'abside, ≼★ su Trieste dal campanile – Collezioni di armi antiche★ ne
castello AY – Vasi greci★ e bronzetti★ nel museo di Storia e d'Arte AY **M1** – Piazza dell'Unit.
d'Italia★ AY **35** – Museo del Mare★ AY **M2** : sezione della pesca★★.
Dintorni Castello di Miramare★ : giardino★ per ① : 8 km – ≼★★ su Trieste e il golfo da
Belvedere di Villa Opicina per ② : 9 km – ✳★★ dal santuario del Monte Grisa per ① : 10 km.
🏌 *(chiuso martedì)* ℘ 040 226159, Fax 040 226159, per ② : 7 km.
✈ di Ronchi dei Legionari per ① : 32 km ℘ 0481 773224, Fax 0481 474150.
🖪 via San Nicolò 20 ⊠ 34121 ℘ 040 679611, Fax 040 6796299 – Stazione Centrale ⊠ 3413.
℘ 040 420182, Fax 040 416806.
A.C.I. via Cumano 2 ⊠ 34139 ℘ 040 393222.
Roma 669 ① – Udine 68 ① – Ljubljana 100 ② – Milano 408 ① – Venezia 158 ① –
Zagreb 236 ②.

Pianta pagina precedente

🏨🏨🏨 **Greif Maria Theresia**, viale Miramare 109, località Barcola ⊠ 34136 ℘ 040 410115, *gre*
*fts@tin.it, Fax 040 413053, « Servizio rist. estivo con ≼ mare », 🗡, 🕿, 🏊 – 📵, ⬅ cam, 🖿
📺 📶 🅿 – 🛗 100. 🅰🅴 🛇 ⊕ ⊚ 🚾. ✄ rist   per ①
Pasto carta 55/100000 – **36 cam** ☑ 310/390000 – ½ P 220000.

🏨🏨🏨 **Grand Hotel Duchi d'Aosta**, piazza Unità d'Italia 2 ⊠ 3412¹
℘ 040 7600011 e rist ℘ 040 365646, Fax 040 366092 – 📵 🖿 📺 – 🛗 30. 🅰🅴 🛇 ⊕ ⊚ 🚾
✄   AY r
Pasto al Rist. **Harry's Grill** *(chiuso domenica)* carta 80/110000 – **55 cam** ☑ 340/460000 –
½ P 285000.

🏨🏨 **Jolly Hotel**, corso Cavour 7 ⊠ 34132 ℘ 040 7600055, Fax 040 362699 – 📵, ⬅ cam, 🖿
📺 🕭 – 🛗 220. 🅰🅴 🛇 ⊕ ⊚ 🚾 🕿🕭. ✄ rist   AX c
Pasto 50/85000 – **170 cam** ☑ 330/390000, 4 suites – ½ P 245000.

🏨🏨 **Colombia** senza rist, via della Geppa 18 ⊠ 34132 ℘ 040 369333, Fax 040 369644 – 📵 🖿
📺. 🅰🅴 🛇 ⊕ ⊚ 🚾   AX a
40 cam ☑ 220/280000.

🏨🏨 **Italia** senza rist, via della Geppa 15 ⊠ 34132 ℘ 040 369900, *info@hotel-italia.it*,
Fax 040 630540 – 📵 🖿 📺 🕻. 🅰🅴 🛇 ⊕ ⊚ 🚾 🕿🕭   AX d
38 cam ☑ 155/190000.

🏠 **Abbazia** senza rist, via della Geppa 20 ⊠ 34132 ℘ 040 369464, Fax 040 369769 – 📵 🖿
📺. 🅰🅴 🛇 ⊕ ⊚ 🚾   AX a
21 cam ☑ 150/220000.

XX **Ai Fiori,** piazza Hortis 7 ⊠ 34124 *ℰ* 040 300633, *Fax 040 300633* – 🗐 . 🗚 🗓 ⑩ ⑩ 𝘝𝘐𝘚𝘈
⊛   *chiuso dal 25 dicembre al 1° gennaio, dal 1° al 20 luglio, domenica e lunedì* – Pasto
  specialità di mare 60/80000 e carta 60/90000.   AY b

XX **Città di Cherso,** via Cadorna 6 ⊠ 34124 *ℰ* 040 366044, prenotare 🗐 . 🗚 🗓 ⑩ ⑩ 𝘝𝘐𝘚𝘈
  chiuso agosto e martedì – Pasto specialità di mare carta 60/85000.   AY c

XX **Al Bragozzo,** riva Nazario Sauro 22 ⊠ 34123 *ℰ* 040 303001, *Fax 040 823863* – 🗐 . 🗚
⑩ ⑩ 𝘝𝘐𝘚𝘈 𝖩𝖢𝖡 . ⊛   AY a
  chiuso dal 20 dicembre al 10 gennaio, dal 25 giugno al 10 luglio, domenica e lunedì – Pasto
  carta 60/85000 (12%).

XX **L'Ambasciata d'Abruzzo,** via Furlani 6 ⊠ 34149 *ℰ* 040 395050 – 🗐 🗚 . 🗚 🗓 ⑩ ⑩
𝘝𝘐𝘚𝘈 . ⊛   CZ x
  chiuso lunedì – Pasto specialità abruzzesi carta 50/70000.

XX **Montecarlo,** via San Marco 10 ⊠ 34144 *ℰ* 040 662545, *Fax 040 662545,* � – 🗓 ⑩ 𝘝𝘐𝘚𝘈
⊛   *chiuso lunedì* – Pasto carta 35/50000.   BZ a

X **Al Nuovo Antico Pavone,** Riva Grumula 2 e ⊠ 34123 *ℰ* 040 303899, *Fax 040 303899,*
� – 🗚 🗓 ⑩ ⑩ 𝘝𝘐𝘚𝘈   AY f
  chiuso domenica e lunedì a mezzogiorno – Pasto specialità di mare carta 60/80000.

X **Scabar,** via Erta Sant'Anna 63 *ℰ* 810368, ≤, prenotare – 🗚 . 🗚 🗓 ⑩ ⑩ 𝘝𝘐𝘚𝘈
  chiuso febbraio, agosto e lunedì – Pasto specialità di mare carta 55/70000.   per ③

X **Hostaria alle Bandierette,** via Nazario Sauro 2 ⊠ 34143 *ℰ* 040 300686,
Fax 040 306894, � – 🗐 . 🗚 🗓 ⑩ ⑩ 𝘝𝘐𝘚𝘈 𝖩𝖢𝖡   AY d
  chiuso dal 1° al 15 gennaio e lunedì – Pasto specialità di mare carta 60/75000.

ʼRIGOSO *Genova – Vedere Sestri Levante.*

ʼRISSINO *36070 Vicenza* 𝟦𝟤𝟫 *F 16 – 7 759 ab. alt. 221.*
  Roma 550 – Verona 49 – Milano 204 – Vicenza 21.

XXX **Cà Masieri** ⤢ con cam, località Masieri 16 (Ovest : 2 km) *ℰ* 0445 962100 e ho-
tel *ℰ* 0445 490122, *camasieri@primopiano.it, Fax 0445 490455,* prenotare, « Complesso
rurale del 18° secolo; servizio estivo all'aperto », 🍴, – 📺 🗚 . 🗚 🗓 ⑩ ⑩ 𝘝𝘐𝘚𝘈
Pasto *(chiuso domenica e lunedì a mezzogiorno)* carta 70/115000 – 🖙 15000 – 7 cam
120/180000, 5 suites 200/250000.

ʼROFARELLO *10028 Torino* 𝟦𝟤𝟪 *H 5 – 9 829 ab. alt. 276.*
  Roma 656 – Torino 15 – Asti 46 – Cuneo 74.

                              Pianta d'insieme di Torino.

🏨 **Park Hotel Villa Salzea** ⤢, via Vicoforte 2 *ℰ* 011 6497809, *Fax 011 6498549,* �,
« Villa settecentesca con parco ombreggiato », 🍴 – 🛗 📺 🗚 . – 🏊 100. 🗚 🗓 ⑩ 𝘝𝘐𝘚𝘈 . ⊛
  chiuso dal 26 dicembre al 7 gennaio – **Pasto** *(chiuso agosto e a mezzogiorno)* carta
60/90000 – 22 cam 🖙 180/200000 – ½ P 170000.   HU m

ʼROPEA *89861 Vibo Valentia* 𝟦𝟥𝟣 *K 29 G. Italia – 7 127 ab..*
  Roma 636 – Reggio di Calabria 140 – Catanzaro 92 – Cosenza 121 – Gioia Tauro 77.

X **Pimm's,** Largo Migliarese 2 *ℰ* 0963 666105, Coperti limitati; prenotare, « A picco sul
mare » – 🗓 ⑩ ⑩ 𝘝𝘐𝘚𝘈 𝖩𝖢𝖡 . ⊛
  chiuso dal 7 al 31 gennaio e lunedì (escluso luglio-agosto) – Pasto carta 50/80000.

◼ **San Nicolò di Ricadi** *Sud-Ovest : 9 km – ⊠ 89865 :*

X **La Fattoria,** località Torre Ruffa *ℰ* 0963 663070, *Fax 0963 663070,* Rist. con pizzeria
⊛   serale – 🗚 . 🗚 🗓 ⑩ ⑩ 𝘝𝘐𝘚𝘈
  giugno-settembre – Pasto carta 35/50000.

◼ **Capo Vaticano** *Sud-Ovest : 10 km – ⊠ 89865 San Nicolò di Ricadi :*

🏠 **Punta Faro** ⤢, località Grotticelle *ℰ* 0963 663139, *Fax 0963 663968,* 🍴, 🏖 – 🗚 . 🗓 ⑩ ⑩
⊛   *26 maggio-22 settembre* – Pasto carta 30/35000 – 25 cam 🖙 75/120000 – ½ P 110000.

ʼRULLI (Regione dei) *Bari e Taranto* 𝟦𝟥𝟣 *E 33 G. Italia.*

ʼUENNO *38019 Trento* 𝟦𝟤𝟪 *D 15,* 𝟤𝟣𝟪 ⑲ *– 2 260 ab. alt. 629 – a.s. dicembre-aprile.*
  Dintorni *Lago di Tovel*★★★ *Sud-Ovest : 11 km.*
  Roma 621 – Bolzano 66 – Milano 275 – Trento 37.

🏠 **Tuenno,** piazza Alpini 22 *ℰ* 0463 450454, *Fax 0463 451606* – 🛗 📺 . 🗚 🗓 ⑩ ⑩ 𝘝𝘐𝘚𝘈 . ⊛
⊛   *chiuso dal 2 al 14 gennaio* – **Pasto** carta 35/65000 – 🖙 7000 – 18 cam 70/110000 –
  P 180000.

TURCHINO (Passo del) Genova **428** I 8 – alt. 582.
  Roma 533 – Genova 28 – Alessandria 83.

✗ **Da Mario**, via Fado 309 ⊠ 16010 Mele ℘ 010 631824, Fax 010 631821 – 🅿. 🖭 🕄 ⊙ ⓒ
  VISA . ✖
  chiuso gennaio, febbraio, lunedì e martedì – **Pasto** carta 40/75000.

TUSCANIA 01017 Viterbo **430** O 17 G. Italia – 7 902 ab. alt. 166.
  Vedere *Chiesa di San Pietro★★* : *cripta★★* – *Chiesa di Santa Maria Maggiore★* : *portali★★*.
  Roma 89 – Viterbo 24 – Civitavecchia 44 – Orvieto 54 – Siena 144 – Tarquinia 25.

✗✗ **Al Gallo** ⏃ con cam, via del Gallo 22 ℘ 0761 443388, *gallotus@tin.it*, Fax 0761 443628 –
❀ ▦ 🖭 🅿. 🖭 🕄 ⊙ ⓒⓢ *VISA*
  Pasto *(chiuso gennaio e lunedì)* carta 50/85000 – **13 cam** ☳ 150/225000 – ½ P 180000
  Spec. Controfiletto di manzo sotto sale con insalata di campo ed ortaggi. Strozzapreti cc
  alici fresche e peperoncini verdi dolci (primavera). Filetto di cervo con fonduta di cipol
  rosse.

UBIALE CLANEZZO 24010 Bergamo **428** E 11 – 1 265 ab. alt. 292.
  Roma 581 – Bergamo 10 – Lecco 36 – Milano 55.

a Clanezzo – ⊠ 24010 Ubiale Clanezzo :

🏠 **Castello di Clanezzo** ⏃, piazza Castello 4 ℘ 035 641567, *castello.clanezzo@tin.*
  Fax 035 641567, « Residenza d'epoca con parco », 🔲 – 🛗, ▦ cam, 🖭 🅿 – 🔬 150. 🖭 ◗
  ⓒⓢ *VISA* . ✖ cam
  Pasto *(chiuso martedì)* carta 60/80000 – **12 cam** ☳ 90/200000 – ½ P 125000.

  When looking for a quiet hotel
  use the maps found in the introduction
  or look for establishments with the sign ⏃ *or* ⏃.

UDINE 33100 🄿 **429** D 21 G. Italia – 94 932 ab. alt. 114.
  Vedere *Piazza della Libertà★★* AY **14** – *Decorazioni interne★* nel Duomo ABY **B** – *Affre
  schi★* nel palazzo Arcivescovile BY **A**.
  Dintorni *Passariano* : *Villa Manin★★* Sud-Ovest : 30 km.
  🄸🄶 *(chiuso martedì)* a Fagagna-Villaverde ⊠ 33034 ℘ 0432 800418, Fax 0432 81000€
  Ovest : 15 km per via Martignacco AY.
  ✈ di Ronchi dei Legionari per ③ : 37 km ℘ 0481 773224, Fax 0481 474150.
  🄱 piazza I Maggio 7 ℘ 0432 295972 Fax 0432 504743.
  A.C.I. viale Tricesimo 46 per ① ℘ 0432 482565.
  Roma 638 ④ – Milano 377 ④ – Trieste 71 ④ – Venezia 127 ④.

Pianta pagina a lato

🏨 **Astoria Hotel Italia**, piazza 20 Settembre 24 ℘ 0432 505091, *astoria@hotelastoria.ud*
  e.it, Fax 0432 509070 – 🛗 ▦ 🖭 🕒 🔥 – 🔬 110. 🖭 🕄 ⊙ AZ
  Pasto *(chiuso dal 5 al 19 agosto)* carta 60/80000 – ☳ 22000 – **72 cam** 210/280000, 3 suite
  – ½ P 280000.

🏨 **Friuli** 🎟, viale Ledra 24 ℘ 0432 234351, *friuli@hotelfriuli.udine.it*, Fax 0432 234606 – 🛗 ▦
  🖭 🔥 🅿. 🖭 🕄 ⊙ ⓒⓢ *VISA* . ✖ AY
  chiuso dal 25 dicembre al 6 gennaio – **Pasto** *(chiuso domenica)* carta 45/60000 – ☳ 1600
  – **91 cam** 110/180000, 9 suites – ½ P 140000.

🏨 **Là di Moret**, viale Tricesimo 276 ℘ 0432 545096, *hotel-ladimoret@xnet.i*
  Fax 0432 545096, ☎, ☷, ☞, ✖ – 🛗 ▦ 🖭 🔥 🅿 – 🔬 300. 🖭 🕄 ⊙ ⓒⓢ *VISA* . ✖ rist
  Pasto *(chiuso domenica sera e lunedì a mezzogiorno)* carta 55/85000 – **82 cam** ☳ 145
  210000, 2 suites – ½ P 125000. per ①

🏨 **President** senza rist, via Duino 8 ℘ 0432 509905, *info@hotelpresident_ud.con*
  Fax 0432 507287 – 🛗 ▦ 🖭 🅿 – 🔬 70. 🖭 🕄 ⊙ ⓒⓢ *VISA* . ✖ BY
  ☳ 14000 – **67 cam** 130/185000.

🏨 **Principe** senza rist, viale Europa Unita 51 ℘ 0432 506000, *hotelprincipe@tin.i*
  Fax 0432 502221 – 🛗 ▦ 🖭 🅿. 🖭 🕄 ⊙ ⓒⓢ *VISA* JCB BZ
  ☳ 12000 – **26 cam** 100/160000.

🏨 **Clocchiatti** senza rist, via Cividale 29 ℘ 0432 505047, *info@hotelclocchiatti.con*
  Fax 0432 505047 – ▦ 🖭 🅿. 🖭 🕄 ⊙ ⓒⓢ *VISA* . ✖ BY
  chiuso dal 20 dicembre al 15 gennaio – ☳ 15000 – **13 cam** 110/180000.

✗ **Alla Vedova**, via Tavagnacco 9 ℘ 0432 470291, Fax 0432 470291, « Servizio estivo i
  giardino » – 🅿. 🕄 ⓒⓢ *VISA* per ①
  chiuso dal 10 al 25 agosto, domenica sera e lunedì – **Pasto** carta 45/65000.

ÖSTERREICH

Sappada
Ravascletto
Sutrio
Malborghetto
Sauris
Arta Terme
Tarvisio
Villa Santina
Moggio Udinese

50 km

SLOVENIJA

Gemona del Friuli
Osoppo
Magnano in Riviera
Meduno
Majano
Tarcento
S. Daniele del Friuli
Colloredo di M. Albano
Tricesimo
Pulfero
anna
Spilimbergo
Reana del Roiale
Vivaro
Fagagna
Tavagnacco
San Quirino
UDINE
Cividale del Friuli
Casarsa della Delizia
Codroipo
Buttrio
Dolegna del Collio
Pordenone
Lavariano
Cormons
San Floriano del Collio
San Vito al T.
Gradiscutta
San Giovanni al Natisone
Mossa
Gorizia
iume Veneto
Rivignano
Palmanova
Mariano del Friuli
Savogna d'Isonzo
asiano di ordenone
Sesto al Reghena
Pocenia
Cervignano del Friuli
Gradisca d'Isonzo
Ronchi dei Legionari
Pramaggiore
Palazzolo dello Stella
Monfalcone
radipozzo
Latisana
Villa Vicentina
Portogruaro
Marano Lagunare
Aquileia
S. Canzian d'Isonzo
Duino Aurisina
Sgonico
Monrupino
San Michele al Tagliamento
Grignano
Villa Opicina
Livenza
Lignano Sabbiadoro
Grado
Golfo di Trieste
Trieste
Pesek
Eraclea
Bibione
Muggia
Caorle

✕ **Trattoria alla Colonna,** via Gemona 98 ☎ 0432 510177, *Fax 0432 510177,* 😀 – 🄰🄴 🛇
　① ㎆ ⓥ𝗜𝗦𝗔　　　　　　　　　　　　　　　　　　　　　　　　　　　　　　AY b
　chiuso dal 1° al 15 gennaio, dal 15 al 30 luglio, domenica e lunedì a mezzogiorno – **Pasto**
　carta 50/80000.

Godia *per* ① : *6 km* – ⊠ *33100* :

✕✕ **Agli Amici,** via Liguria 250 ☎ 0432 565411, *Fax 0432 565555,* 😀, *prenotare* – ▤ 🄿. 🄰🄴 🛇
❀　① ㎆ ⓥ𝗜𝗦𝗔
　chiuso dal 10 al 16 gennaio, dal 10 al 31 luglio, domenica sera e lunedì – **Pasto** carta
　70/120000
　Spec. Gnocchi di patate con canestrelli, timo e pomodoro confit (estate). Millefoglie di
　filetto e foie-gras d'oca con salsa al passito (autunno-inverno). Capesante scottate con
　vellutina di aglio orsino (primavera) .

Cussignacco *per* ③ : *6 km* – ⊠ *33100* :

🏨 Executive Ⓜ, viale Palmanova, ang. via Masieri 4 ☎ 0432 602880, *Fax 0432 602858,* 𝐼𝗌, 🛋
　– ⧫ ▤ 📺 ᵬ. 🄿 – 🛱 50
　77 cam.

787

UDINE

Bartolini (Riva) . . . . AY 3
Calzolai (Via) . . . . BZ 4
Carducci (Via) . . . . BZ 5
Cavedalis (Piazzale G.B.) . . . . AY 6

Cavour (Via) . . . . AY 7
D'Annunzio (Piazzale) . . . . . . BZ 8
Diacono (Piazzale Paolo) . . . . AY 9
Gelso (Via del) . . . . AZ 12
Leopardi (Viale G.) . . . . BZ 13
Libertà (Piazza della) . . . . AY 14
Manin (Via) . . . . BY 16
Marconi (Piazza) . . . . AY 17

Matteotti (Piazza) . . . . AY
Mercato Vecchio
  (Via) . . . . AY
Patriarcato (Piazza) . . . . BY
Piave (Via) . . . . BYZ
Rialto (Via) . . . . AY
Vittorio Veneto (Via) . . . . BY
26 Luglio (Piazzale) . . . . AZ

ULIVETO TERME 56010 Pisa 428, 430 K 13.

Roma 312 – Pisa 13 – Firenze 66 – Livorno 33 – Siena 104.

XX **Osteria Vecchia Noce,** località Noce Est : 1 km ℘ 050 788229, Fax 050 789714, 斎 –
AE S ① ⓞⓢ VISA. ⫫
chiuso dal 5 al 25 agosto, martedì sera e mercoledì – **Pasto** carta 50/75000.

X **Da Cinotto,** via Provinciale Vicarese 132 ℘ 050 788043, 斎, Trattoria casalinga – P. S ⓒ
VISA. ⫫
chiuso agosto, venerdì sera e sabato – **Pasto** carta 40/55000.

LTIMO (ULTEN) Bolzano **428** , **429** C 15, **218** ⑲ – 2 996 ab. alt. (frazione Santa Valburga) 1 190.
 🛈 a Santa Valburga ⊠ 39016 ℰ 0473 795387, Fax 0473 795049.
 Da Santa Valburga : Roma 680 – Bolzano 46 – Merano 28 – Milano 341 – Trento 102.

San Nicolò (St. Nikolaus) Sud-Ovest : 8 km – alt. 1 256 – ⊠ 39010 :

 🏨 **Waltershof** ⤸, ℰ 0473 790144, waltershof@rolmail.net, Fax 0473 790387, ≤, ≘s, ⬛,
 ⤰, ⤲ – 📺 🅿. ⬝⬝ rist
 20 dicembre-22 aprile e giugno-4 novembre – **Pasto** (solo per alloggiati e chiuso a mezzo-
 giorno) 35/55000 – **20 cam** ⊊ 140/250000 – ½ P 150000.

RBINO 61029 Pesaro e Urbino **429** , **430** K 19 G. Italia – 15 147 ab. alt. 451 – a.s. luglio-settembre.
 Vedere Palazzo Ducale★★★ : galleria nazionale delle Marche★★ **M** – Strada panoramica★★ :
 ≤★★ – Affreschi★ nella chiesa-oratorio di San Giovanni Battista **F** – Presepio★ nella chiesa di
 San Giuseppe **B** – Casa di Raffaello★ **A**.
 🛈 piazza Rinascimento 1 ℰ 0722 2613, Fax 0722 2441.
 Roma 270 ② – Rimini 61 ① – Ancona 103 ① – Arezzo 107 ③ – Fano 47 ② – Perugia 101 ② –
 Pesaro 36 ①.

URBINO

Circolazione regolamentata
nel centro città

arocci (Via)	2
omandino (Viale)	4
on Minzoni (Viale)	5
uca Federico (Pza)	6
ro dei Debitori (Via)	8
atteotti (Via)	10
azzini (Via)	12
ercatale (Borgo)	13
ave (Via)	16
uccinotti (Via)	17
affaello (Via)	19
epubblica (Pza della)	20
nascimento (Pza)	22
Chiara (Via)	23
Francesco (Pza)	24
Girolamo (Via)	25
azione (Via della)	28
rgili (Via)	29
tt. Veneto (Via)	30

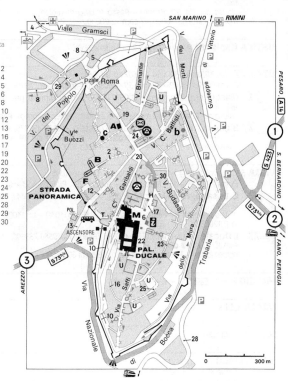

 🏨 **Mamiani** ⤸, via Bernini 6 ℰ 0722 322309 e rist. ℰ 0722 2455, mamiani@info-net.it,
 Fax 0722 327742, ≤ – |≝|, ⇖ cam, ⬛ 📺 ⅙ 🅿 – 🔏 120. ⬝⬝ ⓢ ⓞ ⓥⓢ ⓥⓘⓢⓐ. ⬝⬝ rist
 chiuso dal 22 al 28 dicembre – **Pasto** al Rist. **Il Giardino della Galla** (chiuso mercoledi) carta
 35/65000 – **72 cam** ⊊ 140/300000.　　　　　per via Giuseppe di Vittorio

 🏨 **Raffaello** senza rist, via Santa Margherita 40 ℰ 0722 4896, Fax 0722 328540 – |≝| ⬛ 📺. ⬝⬝
 ⓢ ⓞⓢ ⓥⓘⓢⓐ　　　　　　　　　　　　　　　　　　　　　　　　　　C
 chiuso dal 15 dicembre al 7 gennaio e dal 4 al 15 luglio – **14 cam** ⊊ 160/220000.

Dei Duchi senza rist., via G. Dini 12 *&* 0722 328226, *deiduchi@viphotels*
Fax 0722 328009 – 📱 ≣ 📺 – 🖕 200. 🖭 🚯 ① ⑩ 𝘝𝘐𝘚𝘈   per viale Gramsci
🖙 15000 – **67 cam** 80/160000, 10 suites.

Vecchia Urbino, via dei Vasari 3/5 *&* 0722 4447, *ristorante_vecchiaurbino@yahoo*
Fax 0722 4447 – 🖭 🚯 ① ⑩ 𝘝𝘐𝘚𝘈 🛠
chiuso martedì – **Pasto** 55/70000 bc e carta 60/85000.

Vanda, via Mari 4, località Castelcavallino *&* 0722 349117, Fax 0722 328438, Rist. e pizze
serale, « Servizio estivo all'aperto con ≤ » – 🖭 🖭 🚯 ① ⑩ 𝘝𝘐𝘚𝘈
chiuso dal 22 dicembre al 4 gennaio, dall'8 al 21 luglio e mercoledì (escluso agosto) – Past
35/70000 e carta 45/70000.   7 km per viale Gramsci

Nenè ⚲ con cam, via Crocicchia *&* 0722 2996, *nene@assotel.net*, Fax 0722 350161,
« Fabbricato rurale ristrutturato », 🐾 – 📺 🕭 🖭 🖭 🚯 ① ⑩ 𝘝𝘐𝘚𝘈
Pasto carta 30/55000 – 🖙 10000 – **7 cam** 70/100000 – ½ P 75000.

2,5 km per ③

USSEAUX 10060 Torino 🗠🗠🗠 G 3 – 214 ab. alt. 1 217 – a.s. luglio-agosto e Natale.
Roma 806 – Torino 79 – Sestriere 18.

Lago del Laux ⚲ con cam, via al Lago 7 *&* 0121 83944, Fax 0121 83944, solo
prenotazione, « In riva ad un laghetto, con minigolf e pesca sportiva » – 📺 🖭 🖭 🚯 ① ◖
𝘝𝘐𝘚𝘈. 🛠
chiuso dal 1ºal 20 ottobre – **Pasto** (chiuso mercoledì, e da novembre a marzo anch
martedì) carta 45/70000 – **7 cam** 🖙 200000 – ½ P 140000.

USTICA (Isola di) Palermo 🗠🗠🗠 K 21 – Vedere Sicilia.

UZZANO 51010 Pistoia 🗠🗠🗠 K 14 – 4 607 ab. alt. 261.
Roma 336 – Pisa 42 – Firenze 59 – Lucca 20 – Montecatini Terme 9 – Pistoia 31.

Mason, località San Allucio *&* 0572 451363, Coperti limitati; prenotare – ≣ 🖭 🖭 🚯 ① ◖
𝘝𝘐𝘚𝘈 🛠
chiuso dal 15 al 25 agosto, mercoledì e sabato a mezzogiorno – **Pasto** carta 50/100000.

Bigiano, via Bardelli 5 località Uzzano Castello *&* 0572 488775, Fax 0572 478775, prenot
re, « Servizio estivo sotto un pergolato » – 🖭 🖭 🚯 ① ⑩ 𝘝𝘐𝘚𝘈. 🛠
chiuso dal 1º al 10 ottobre e martedì – **Pasto** 40000 e carta 40/55000.

VADA 57018 Livorno 🗠🗠🗠 L 13 – a.s. 15 giugno-15 settembre.
Roma 292 – Pisa 48 – Firenze 143 – Livorno 29 – Piombino 53 – Siena 101.

Quisisana, via di Marina 37 *&* 0586 788220, Fax 0586 788441, 🐾 – 📱 📺 🖭 🚯 ⑩ 𝘝𝘐
🛠 rist
chiuso novembre – **Pasto** (chiuso lunedì) 35000 (10%) – 🖙 13000 – **32 cam** 100/140000
½ P 120000.

Il Ducale, piazza Garibaldi 33 *&* 0586 788600, Fax 0586 788600, Coperti limitati; prenota
– ≣ 🖭 🖭 🚯 ① ⑩ 𝘝𝘐𝘚𝘈 🗡🗡🗡
chiuso lunedì – **Pasto** specialità di mare carta 60/95000.

VAGGIO Firenze 🗠🗠🗠 L 16 – Vedere Reggello.

VAGLIAGLI Siena – Vedere Siena.

VAHRN = Varna.

VALBREMBO 24030 Bergamo 🗠🗠🗠 ⑳ – 3 613 ab. alt. 260.
Roma 606 – Bergamo 11 – Lecco 29 – Milano 47.

Ponte di Briolo, via Briolo 2, località Briolo Ovest : 1,5 km *&* 035 61119
Fax 035 615944, 🏡 – 🖭 🚯 ① ⑩ 𝘝𝘐𝘚𝘈 🗡🗡🗡
chiuso dal 13 al 19 agosto, domenica sera e mercoledì – **Pasto** carta 65/95000.

VALBRUNA Udine 🗠🗠🗠 C 22 – Vedere Malborghetto.

VAL CANALI Trento – Vedere Fiera di Primiero.

ALDAGNO 36078 Vicenza **429** F 15 – 27 065 ab. alt. 266.

Roma 561 – Verona 62 – Milano 219 – Trento 86 – Vicenza 34.

X **Hostaria a le Bele**, località Maso Ovest : 4 km ℰ 0445 970270, Fax 0445 970270, prenotare, « Trattoria tipica » – **P**. **AE** **S** **O** **OO** **VISA** **JCB**. ✸
chiuso dal 10 al 20 gennaio, agosto, lunedì e martedì a mezzogiorno – Pasto carta 40/65000.

ALDAORA (OLANG) 39030 Bolzano **429** B 18 – 2 777 ab. alt. 1 083 – Sport invernali : Plan de Corones : 1 083/2 273 m ≰ 12 ≴ 19, ≵.

🖪 a Valdaora di Mezzo-palazzo del Comune ℰ 0474 496277, Fax 0474 498005.

Roma 726 – Cortina d'Ampezzo 51 – Bolzano 88 – Brunico 11 – Dobbiaco 19 – Milano 387 – Trento 148.

🏨 **Post**, vicolo della Chiesa 6, a Valdaora di Sopra ℰ 0474 496127, Fax 0474 498019, ≤, Maneggio con scuola di equitazione, **⛟**, **▨** – **[]**, **⇻** rist, **ⅣⅤ** **⇐** **P**. **S**. ✸
3 dicembre-2 aprile e 20 maggio-25 ottobre – Pasto (chiuso mercoledì) carta 45/85000 – **32 cam** ⊇ 145/260000, 4 suites – ½ P 150000.

🏨 **Berghotel Zirm** ⯗, via Egger 16, a Sorafurcia (alt. 1 360) ℰ 0474 592054, info@berghot el-zirm.com, Fax 0474 592051, ≤ vallata e monti, **𝄜**, **⛟**, **▨** – **ⅣⅤ** **P**. **S** **OO** **VISA**. ✸ rist
dicembre-20 aprile e giugno-20 ottobre – Pasto (solo per alloggiati) – **6 cam** ⊇ 100/140000, 28 suites 180/240000 – ½ P 200000.

🏨 **Hubertus** ⯗, via Furcia 5, a Sorafurcia (alt. 1 250) ℰ 0474 592104, info@hotel-hubertus. com., Fax 0474 592114, ≤ monti e vallata, **𝄜**, **⛟**, **▨**, **⍟** – **[]**, **⊟** rist, **ⅣⅤ** **⛟** **P**. **S** **OO** **VISA**. ✸ rist
chiuso novembre – Pasto (solo per alloggiati) – **30 cam** ⊇ 240/430000 – ½ P 240000.

🏨 **Messnerwirt** ⯗, vicolo della Chiesa 7, a Valdaora di Sopra ℰ 0474 496178, info@messne rwirt.com, Fax 0474 498087, **⯑**, **⛟**, **⍟** – **⇻** rist, **ⅣⅤ** **P**. **S** **O** **OO** **VISA**
chiuso dal 7 novembre al 17 dicembre – Pasto carta 40/70000 – **21 cam** ⊇ 130/210000 – ½ P 130000.

🏨 **Markushof** ⯗, via dei Prati 9, a Valdaora di Sopra ℰ 0474 496250, info@markushof.it, Fax 0474 498241, ≤ vallata e monte Plan de Corones, **⯑**, **⛟**, **⍟** – **⇻** rist, **ⅣⅤ** **⇐** **P**. **S** **OO** **VISA**. ✸ rist
8 dicembre-8 aprile e 26 maggio-21 ottobre – Pasto (solo per alloggiati, chiuso a mezzogiorno e giovedì) 30/45000 – **25 cam** ⊇ 95/180000 – ½ P 140000.

ALDERICE Trapani **432** M 19 – Vedere Sicilia alla fine dell'elenco alfabetico.

AL DI GENOVA Trento **428** D 13.

Vedere Vallata★★★ – Cascata di Nardis★★.

Roma 636 – Trento 66 – Bolzano 106 – Brescia 110 – Madonna di Campiglio 17 – Milano 201.

X **Cascata Nardis**, alt. 945 ⊠ 38080 Carisolo ℰ 0465 501454, ≤ cascata, **⯑**, **⍟** – **P**. ✸
Pasqua-ottobre – Pasto carta 35/65000.

AL DI VIZZE (PFITSCH) Bolzano **429** B 16.

ALDOBBIADENE 31049 Treviso **429** E 17 – 10 667 ab. alt. 252.

Roma 563 – Belluno 47 – Milano 268 – Trento 105 – Treviso 36 – Udine 112 – Venezia 66.

🏨 **Diana** senza rist, via Roma 49 ℰ 0423 976222, Fax 0423 972237 – **[]** **⊟** **ⅣⅤ** **⚬** **⇐** – **🔬** 60. **AE** **S** **VISA**.
⊇ 15000 – **47 cam** 130/160000.

Bigolino Sud : 5 km – ⊠ 31030 :

XX **Tre Noghere**, via Crede 1 ℰ 0423 980316, Fax 0423 981333 – **P**. **AE** **S** **O** **VISA**. ✸
chiuso luglio, domenica sera e lunedì – Pasto carta 50/65000.

X **Casa Caldart**, via Erizzo 165 ℰ 0423 980333, Fax 0423 980333, **⯑** – **⊟** **P**. **AE** **S** **O** **OO** **VISA** **JCB**. ✸
chiuso dal 18 al 31 gennaio, dal 21 giugno all'11 luglio, lunedì sera e martedì – Pasto carta 35/50000.

*Pour être inscrit au **guide Michelin***
- pas de piston,
- pas de pot-de-vin !

VALEGGIO SUL MINCIO 37067 Verona 428 , 429 F 14 G. Italia – 10 497 ab. alt. 88.
Vedere Parco Giardino Sigurtà★★.
Roma 496 – Verona 28 – Brescia 56 – Mantova 25 – Milano 143 – Venezia 147.

🏠 **Eden** senza rist, via Don G. Beltrame 10 🖉 045 6370850, eden@mclink.it, Fax 045 63708
– 🛗 🗏 📺 📞 ❧ 🅿. 🖭 🕄 ⓞ 🐼 𝘝𝘐𝘚𝘈 ᴊᴄʙ. ⋘
30 cam ⊇ 120/160000.

XX **Lepre**, via Marsala 5 🖉 045 7950011, Fax 045 6370735, 🏤
chiuso a mezzogiorno.

XX **Borsa**, via Goito 2 🖉 045 7950093, Fax 045 7950776 – 🗏 🅿. 🖭 🕄 𝘝𝘐𝘚𝘈. ⋘
chiuso dal 10 luglio al 10 agosto, martedì sera e mercoledì – **Pasto** carta 50/70000.

a Borghetto Ovest : 1 km – alt. 68 – ✉ 37067 Valeggio sul Mincio :

🏠 **Faccioli**, via Tiepolo 4 🖉 045 6370605, Fax 045 6370571 – 🗏 📺 🅿. 🖭 🕄 ⓞ 🐼 𝘝𝘐𝘚𝘈 ᴊᴄ
chiuso dal 6 al 16 gennaio – **Pasto** vedere rist **Gatto Moro** – 8 cam ⊇ 130/140000.

XX **Antica Locanda Mincio**, via Buonarroti 12 🖉 045 7950059, Fax 045 6370455, « Ser
zio estivo in terrazza ombreggiata in riva al fiume » – 🗏. 🖭 🕄 ⓞ 🐼 𝘝𝘐𝘚𝘈. ⋘
chiuso dal 1° al 15 febbraio, dal 2 al 16 novembre, mercoledì e giovedì – **Pasto** car
45/85000.

X **Gatto Moro**, via Giotto 21 🖉 045 6370570, Fax 045 6370571, 🏤 – 🅿. 🖭 🕄 ⓞ 🐼 𝘝
ᴊᴄʙ. ⋘
chiuso dal 30 gennaio al 15 febbraio e dal 1° al 10 agosto, martedì sera e mercoledì – **Past**
carta 55/75000.

a Santa Lucia dei Monti Nord-Est : 5 km – alt. 145 – ✉ 37067 Valeggio sul Mincio :

X **Belvedere** ⌂ con cam, 🖉 045 6301019, Fax 045 6303652, ≼, « Servizio estivo
giardino » – 🗏 cam, 📺 🅿. 🖭 🕄 ⓞ 🐼 𝘝𝘐𝘚𝘈. ⋘
chiuso dal 25 gennaio al 10 febbraio e dal 15 giugno al 1° luglio – **Pasto** (chiuso mercoledì
giovedì) carta 45/60000 – ⊇ 12000 – **7 cam** 70/100000 – 1/2 P 90000.

VAL FERRET Aosta 219 ① – Vedere Courmayeur.

VALGRISENCHE 11010 Aosta 428 F 3, 219 ⑪ – 184 ab. alt. 1 664 – a.s. 9 gennaio-marzo
luglio-agosto.
Roma 776 – Aosta 30 – Courmayeur 39 – Milano 215 – Colle del Piccolo San Bernardo 57.

a Planaval Nord-Est : 5 km – alt. 1 557 – ✉ 11010 Valgrisenche :

🏠 **Paramont** ⌂, 🖉 0165 97106, Fax 0165 97159, ≼, 🌳 – 🅿. 🖭 🕄 𝘝𝘐𝘚𝘈. ⋘
chiuso dal 15 maggio al 10 giugno e novembre – **Pasto** (chiuso lunedì) carta 35/55000 – ⋅
10000 – **20 cam** 75/110000 – 1/2 P 90000.

VALLADA AGORDINA 32020 Belluno – 559 ab. alt. 969.
Roma 660 – Belluno 47 – Cortina d'Ampezzo 55 – Bolzano 71 – Milano 361 – Trento 115
Venezia 149.

X **Val Biois**, frazione Celat 🖉 0437 591233, Fax 0437 588014 – 🅿. 🖭 🕄 ⓞ 🐼 𝘝𝘐𝘚𝘈
chiuso novembre, lunedì e a mezzogiorno escluso sabato-domenica e luglio-agosto
Pasto carta 45/90000.

VALLE AURINA (AHRNTAL) 39030 Bolzano 429 B 17 – 5 511 ab. alt. 1457.
Roma 726 – Cortina d'Ampezzo 78 – Bolzano 94 – Dobbiaco 48.

a Cadipietra (Steinhaus) – alt. 1054 – ✉ 39030.
🄱 🖉 0474 652198, Fax 0474 652491 :

🏠 **Alpenschlössl** M, Cadipietra 123 🖉 0474 651010, Fax 0474 651008, ≼, ☎, 🔲 – 🛗
↝ rist, 📺 📞 ᗱ. 🅿. 🕄 🐼 𝘝𝘐𝘚𝘈. ⋘ rist
chiuso da novembre al 15 dicembre – **Pasto** (solo per alloggiati) 70000 – **32 cam** ⊇ 230
400000, 2 suites – 1/2 P 255000.

X **Spezialitätenstube**, Cadipietra 21 (Nord-Est 1 km) 🖉 0474 652130, Fax 0474 65232
🅿. ⋘
chiuso giugno e da novembre al 20 dicembre – **Pasto** carta 35/65000.

a Lutago (Luttach) – alt. 956 – ✉ 39030.
🄱 🖉 0474 671136, Fax 0474 671666 :

🏠 **Schwarzenstein** ⌂, via del Paese 11 🖉 0474 674100, info@schwarzenstein.cor
Fax 0474 674444, ≼, 𝕚δ, ☎, 🔲, 🌳 – 🛗, ↝ rist, 🗏 rist, 📺 δ ᗱ 🅿. ⋘
20 dicembre-15 aprile e 15 maggio-ottobre – **Pasto** (chiuso lunedì da ottobre a marz
carta 35/65000 – **52 cam** ⊇ 130/285000 – 1/2 P 175000.

Casere (Kasern) – *alt. 1582* – ⊠ *39030 Predoi* :

🍴 **Berghotel Kasern** ♨ con cam, 𝄞 0474 654185, *info@casere.it*, Fax 0474 654190, ≤,
🍸, ⓢ, 🦌 – 📺 🄿. 🅂 🕼 🆅🆂🅰. 🛇 rist
chiuso da novembre a Natale – **Pasto** *(chiuso mercoledì)* carta 35/65000 – **26 cam** ⊑ 160/
195000 – ½ P 115000.

ALLEBONA *18012 Imperia* – *1 056 ab. alt. 149.*
Roma 654 – *Imperia 44* – *Monte Carlo 26.*

🍴 **Degli Amici**, piazza della Libertà 25 𝄞 0184 253526, 🍸 , prenotare
chiuso dal 19 settembre al 18 ottobre e lunedì – **Pasto** carta 35/45000.

ALLECROSIA *18019 Imperia* 🄰🄰🄰 K 4 – *7 447 ab. alt. 45.*
Roma 652 – *Imperia 46* – *Bordighera 2* – *Cuneo 94* – *Monte Carlo 26* – *San Remo 14.*

🏠 **Miramare** senza rist, via Marconi 93 𝄞 0184 295566, Fax 0184 295566 – 📺 🄰🄴 🅂 🕼 🆅🆂🅰
13 cam ⊑ 90/140000.

🍴🍴 **Giappun**, via Maonaira 7 𝄞 0184 250560, Fax 0184 250560, prenotare – 🍽. 🄰🄴 🅂 🕽 🕼
🆅🆂🅰 🄹🄲🄱
chiuso dal 20 al 30 giugno, dal 15 al 30 novembre, mercoledì e giovedì a mezzogiorno –
Pasto 50000 *(solo a mezzogiorno escluso sabato-domenica)* 85000 e carta 80/135000
Spec. Scampi al vapore con purea di fagioli bianchi di Pigna. Frittura di pesce e crostacei.
Ravioli di patate con gamberi e carciofi *(autunno-inverno)*.

🍴🍴 **Torrione**, via Aprosio 394 𝄞 0184 295671 – 🍽. 🄰🄴 🅂 🕽 🕼 🆅🆂🅰
chiuso dal 10 al 20 novembre, domenica sera e lunedì – **Pasto** carta 50/80000.

Europe	Se il nome di un albergo è stampato in carattere magro, chiedete al vostro arrivo le condizioni che vi saranno praticate.

ALLE DI CADORE *32040 Belluno* 🄰🄰🄰 C 18 – *2 128 ab. alt. 819.*
Roma 646 – *Cortina d'Ampezzo 27* – *Belluno 45* – *Bolzano 159.*

🍴🍴 **Il Portico**, via Rusecco 𝄞 0435 30236, Rist. e pizzeria – 🄿. 🄰🄴 🅂 🕼 🆅🆂🅰
chiuso dal 15 giugno al 10 luglio e lunedì da ottobre a marzo – **Pasto** carta 50/75000.

ALLE DI CASIES (GSIES) *39030 Bolzano* 🄰🄰🄰 B 18 – *2 090 ab.* – *Sport invernali : Plan de Coro-
nes : 1 200/2 273 m ≤ 12 ≤ 19, ≰.*
🄱 *a San Martino* 𝄞 0474 978436, Fax 0474 978226.
Roma 746 – *Cortina d'Ampezzo 59* – *Brunico 31.*

🏛 **Quelle** ♨, a Santa Maddalena alt. 1 398 𝄞 0474 948111, *info@hotel-quelle.com*,
Fax 0474 948091, ≤, « Giardino con laghetto e torrente », 🐟, ⓢ, 🖾 – 🛗 📺 🛆 🄿. 🆅🆂🅰. 🛇
chiuso dal 20 marzo al 20 maggio e dal 2 novembre al 3 dicembre – **Pasto** carta 50/75000 –
22 cam ⊑ 120/230000, 11 suites 280/380000 – ½ P 185000.

🍴 **Durnwald**, a Planca di Sotto alt. 1 223 𝄞 0474 746920, Fax 0474 746886, 🍸 – 🄿
chiuso giugno e lunedì – **Pasto** carta 35/75000.

ALLEDORIA *Sassari* 🄰🄳🄳 E 8 – *Vedere Sardegna alla fine dell'elenco alfabetico.*

ALLELUNGA (LANGTAUFERS) *Bolzano* 🄰🄰🄰 B 13 – *alt. 1912 (Melago)* – ⊠ *39020 Curon Venosta.*
Da Melago: Roma 740 – *Sondrio 148* – *Bolzano 116* – *Landeck 63.*

🏠 **Köllemann** ♨, a Melago 𝄞 0473 633291, *gasthof.koellemann@rolmail.net*,
Fax 0473 633502, ≤ Monte Palla Bianca, 🍸, 🍸, ⓢ – 🦌 rist, 📺 🄿. 🄰🄴 🅂 🕽 🕼 🆅🆂🅰
chiuso dal 10 giugno al 1° luglio e dal 1° novembre al 20 dicembre – **Pasto** *(chiuso giovedì)*
carta 50/85000 – **10 cam** ⊑ 70/120000 – ½ P 90000.

ALLERANO *01030 Viterbo* 🄰🄳🄾 O 18 – *2 478 ab. alt. 403.*
Roma 75 – *Viterbo 15* – *Civitavecchia 83* – *Terni 54.*

🍴🍴 **Al Poggio**, via Janni 7 𝄞 0761 751248, 🍸 – 🍽 🄿. 🄰🄴 🅂 🕽 🕼 🆅🆂🅰 🄹🄲🄱
chiuso martedì – **Pasto** carta 40/65000.

ALLES (VALS) *Bolzano* – *Vedere Rio di Pusteria.*

VALLESACCARDA 83050 Avellino 431 D 27 – 1 792 ab. alt. 600.

Roma 301 – Foggia 65 – Avellino 60 – Napoli 115 – Salerno 96.

XX **Oasis-Sapori Antichi**, via Provinciale Vallesaccarda ℘ 0827 97021, Fax 0827 97541 – 🕄 ⑩ 🐠 📨 JCB. 🛠
☺
ⓐ *chiuso dal 20 al 30 luglio e giovedì* – Pasto antica cucina irpina 30000 (solo a mezzogiorno) 45/65000 e carta 40/70000
Spec. Ricottina di fuscella con lardo di montagna al pepe nero (settembre-giugno). Laccatini al ragù d'agnello e caciocavallo maggengo. Capretto dei pascoli irpini alla vecchia maniera.

XX **Minicuccio** con cam, via Santa Maria 24/26 ℘ 0827 97030, Fax 0827 97454 – 🗐 🔟 📭 ▦ 🛓 150. 🖭 🕄 ⑩ 🐠 📨 JCB. 🛠
Pasto *(chiuso lunedì)* antica cucina irpina carta 30/45000 – 🖙 5000 – **10 cam** 70/95000 – ½ P 75000.

VALLE SAN FLORIANO Vicenza – Vedere Marostica.

VALLIO TERME 25080 Brescia 428, 429 F 13 – 1 088 ab. alt. 308.

Roma 549 – Brescia 25 – Bergamo 72 – Milano 116.

🏠 **Parco della Fonte** 🌤, via Sopranico 2 ℘ 0365 370032, Fax 0365 370412, ≼ – 🛊 🅿. 🕄 ⑩ 🐠 📨. 🛠
chiuso dal 9 gennaio al 1° febbraio – **Pasto** carta 40/80000 e al Rist. **Il Mirto** *(chiuso da gennaio al 15 febbraio)* carta 70/120000 – 🖙 8000 – **40 cam** 🖙 95/150000 – ½ P 105000.

VALLO DELLA LUCANIA 84078 Salerno 431 G 27 – 8 674 ab. alt. 380.

Roma 343 – Potenza 148 – Agropoli 35 – Napoli 143 – Salerno 88 – Sapri 56.

X **La Chioccia d'Oro**, località Massa-al bivio per Novi Velia ⊠ 84050 Massa della Lucania ℘ 0974 70004, 🎰 – 🗐 🅿. 🕄 ⑩ 🐠 📨. 🛠
chiuso dal 20 al 28 febbraio, dal 1° al 10 settembre e venerdì – **Pasto** carta 30/45000.

VALLONGA Trento – Vedere Vigo di Fassa.

VALMADRERA 23868 Lecco 428 E 10, 219 ⑨ – 10 753 ab. alt. 237.

Roma 626 – Como 27 – Bergamo 37 – Lecco 4 – Milano 54 – Sondrio 83.

🏠 **Al Terrazzo**, via Parè 73 ℘ 0341 583106, Fax 0341 201118, ≼, « Servizio rist. estivo in terrazza sul lago », 🎰 – 🗐 cam, 🔟 & 🅿 – 🛓 60. 🖭 🕄 ⑩ 🐠 📨. 🛠
Pasto carta 55/80000 – 🖙 15000 – **12 cam** 120/215000 – ½ P 170000.

VALNONTEY Aosta 428 F 4 – Vedere Cogne.

VALPELLINE 11020 Aosta 428 E 3, 219 ② – 616 ab. alt. 954.

Roma 752 – Aosta 17 – Colle del Gran San Bernardo 39 – Milano 203 – Torino 132.

🏠 **Le Lievre Amoreux**, località Chozod 12 ℘ 0165 713966, lievre@galactica.it Fax 0165 713960, ≼, – 🛊 🔟 🅿. 🕄 ⑩ 🐠 📨. 🛠 rist
chiuso dal 10 al 29 gennaio – **Pasto** *(chiuso mercoledì)* carta 40/55000 – **16 cam** 🖙 120/180000 – ½ P 140000.

VALPIANA Brescia – Vedere Serle.

VALSAVARENCHE 11010 Aosta 428 F 3 – 191 ab. alt. 1 540 – a.s. Pasqua, luglio-agosto e Natale.

Roma 776 – Aosta 29 – Courmayeur 42 – Milano 214.

🏠 **Parco Nazionale**, frazione Degioz 75 ℘ 0165 905706, Fax 0165 905805, ≼, 🎰 – 🛊 🕄 📨. 🛠
Pasqua-settembre – **Pasto** 30/40000 – 🖙 15000 – **28 cam** 70/130000 – ½ P 110000.

a Eau Rousse Sud : 3 km – ⊠ 11010 Valsavarenche:

🏠 **A l' Hostellerie du Paradis** 🌤, ℘ 0165 905972, Fax 0165 905971, prenotare, « Caratteristico borgo di montagna », 🖴, 🔲 – 🔟 &. 🖭 🕄 ⑩ 🐠 📨. 🛠 rist
Pasto carta 40/90000 – 🖙 15000 – **30 cam** 80/100000 – ½ P 125000.

a Pont Sud : 9 km – alt. 1 946 – ⊠ 11010 Valsavarenche:

🏠 **Genzianella** 🌤, ℘ 0165 95393 e rist ℘ 0165 95934, genzianella.pont@tiscalinet.it Fax 0165 95397, ≼ Gran Paradiso – 🅿. 🛠 rist
15 giugno-20 settembre – **Pasto** carta 35/55000 – 🖙 17000 – **26 cam** 80/140000 – ½ P 110000.

VALSOLDA 22010 Como 428 D 9, 219 ⑧ – 1 736 ab. alt. (frazione San Mamete) 265.
Roma 664 – Como 41 – Lugano 9 – Menaggio 18 – Milano 87.

San Mamete – ⊠ 22010 :

🏠 **Stella d'Italia,** piazza Roma 1 ℘ 0344 68139, Fax 0344 68729, ≤, 佘, « Terrazza-giardino sul lago », ▲⚓ – 🛗 🔟 🚗. 🕮 🖽 🐠 🚾. 🛠 rist
10 aprile-5 ottobre – Pasto carta 50/70000 – 34 cam ☲ 185/255000 – ½ P 160000.

VALTOURNENCHE 11028 Aosta 428 E 4 – 2 287 ab. alt. 1 524 – a.s. febbraio-Pasqua, 20 luglio-agosto e Natale – Sport invernali : 1 524/3 100 m ⬈ 1 ⬊ 5, ⬩ (anche sci estivo a Breuil-Cervinia).
🔎 via Roma 9 ℘ 0166 92029, Fax 0166 92430.
Roma 740 – Aosta 47 – Breuil-Cervinia 9 – Milano 178 – Torino 107.

🏠 **Tourist** 🅼, via Roma 32 ℘ 0166 92070, h.tourist@cash.it, Fax 0166 93129, 🌫 – 🛗,
🗯 rist, 🔟 🛌 🅿. 🕮 🖽 🐠 🚾. 🛠
dicembre-maggio e giugno-settembre – Pasto 35/45000 – ☲ 15000 – 34 cam 140000 –
½ P 130000.

🏠 **Grandes Murailles,** via Roma 78 ℘ 0166 932702, hotel.g.murailles@netvallee.it,
Fax 0166 932956, « Arredato con mobili d'epoca di famiglia », ⬆ – 🛗 🔟 🛌 🚗. 🖽 🐠
🚾. 🛠
chiuso dal 15 maggio a giugno, dal 1° al 15 settembre e dal 15 al 31 ottobre – ☲ 15000 –
16 cam ☲ 140/230000.

🏠 **Bijou,** piazza Carrel 4 ℘ 0166 92109, Fax 0166 92264, ≤ – 🛗 🔟. 🕮 🖽 🐠 🚾. 🛠 rist
chiuso maggio ed ottobre – Pasto carta 35/50000 – ☲ 16000 – 20 cam 70/130000 –
½ P 100000.

🏠 **Al Caminetto,** via Roma 30 ℘ 0166 92150, Fax 0166 92150, ≤ – 🔟. 🛠
novembre-aprile e luglio-agosto – Pasto (chiuso giovedì) carta 25/40000 – ☲ 15000 –
18 cam 80/120000 – ½ P 90000.

🍴 **Jaj Alaj,** frazione Evette 22 ℘ 0166 92185 – 🕮 🖽 🛈 🐠 🚾. 🛠
chiuso dal 10 al 30 giugno e giovedì in bassa stagione – Pasto carta 40/60000.

VALVERDE Forlì-Cesena 430 J 19 – Vedere Cesenatico.

VARALLO 13019 Vercelli 428 E 6, 219 ⑥ – 7 543 ab. alt. 451 – a.s. luglio-agosto e Natale.
Vedere Sacro Monte★★.
🔎 corso Roma 38 t° 0163 51280, Fax 0163 53091.
Roma 679 – Biella 59 – Milano 105 – Novara 59 – Stresa 43 – Torino 121 – Vercelli 65.

Crosa Est : 3 km – ⊠ 13019 Varallo :

🍴 **Delzanno,** ℘ 0163 51439, 佘 – 🅿. 🕮 🖽 🛈 🐠 🚾. 🛠
chiuso dal 1° al 10 settembre e lunedì – Pasto carta 35/65000.

Sacro Monte Nord : 4 km – ⊠ 13019 Varallo :

🏠 **Sacro Monte** ⏳, ℘ 0163 54254, sacromonte@iol.it, Fax 0163 51189, 佘, 🌫 – 🔟 🅿. 🕮
🖽 🛈 🐠 🚾. 🛠 rist
aprile-ottobre – Pasto (chiuso lunedì escluso da luglio a settembre) carta 40/75000 – ☲
15000 – 24 cam 85/130000 – ½ P 90000.

VARANO DE' MELEGARI 43040 Parma 428 , 429 , 430 H 12 – 2 137 ab. alt. 190.
Roma 489 – Parma 36 – Piacenza 79 – Cremona 85 – La Spezia 97.

🏠 **Della Roccia,** via Martiri della Libertà 2 ℘ 0525 53728, Fax 0525 53692, 🌫 – 🛗 🗐 🔟 🛌
🅿. 🕮 🖽 🛈 🐠 🚾
chiuso dal 7 al 17 agosto – Pasto carta 40/70000 – 36 cam ☲ 180000 – ½ P 140000.

🍴🍴 Castello, via Martiri della Libertà 129 ℘ 0525 53156, 佘, Coperti limitati; prenotare – 🗯
🅿. 🖽 🛈 🐠 🚾. 🛠

Donnez-nous votre avis sur les restaurants que nous recommandons,
leurs spécialités, leurs vins de pays.

795

VARAZZE 17019 Savona 428 I 7 *G. Italia* – 13 789 ab..

🛈 *viale Nazioni Unite (palazzo Comunale)* 𝄞 019 935043, Fax 019 935916.

Roma 534 – Genova 36 – Alessandria 82 – Cuneo 112 – Milano 158 – Savona 12 – Torino 15.

🏫🏫 **Eden,** via Villagrande 1 𝄞 019 932888, *eden-hotel@interbusiness.it*, Fax 019 96315 – 🛗 🔟 🕻 ℙ – 🔏 60. 🆎 🕄 ⓞ ⓜⓞ 𝚅𝙸𝚂𝙰 𝙹𝙲𝙱. 🛠
Pasto *(luglio-agosto)* carta 50/70000 e vedere anche rist ***Antico Genovese*** – ⚏ 14000
45 cam 90/175000 – ½ P 165000.

🏫🏫 **El Chico,** strada Romana 63 (strada statale Aurelia) Est : 1 km 𝄞 019 931388, *elchico.sv@
estwestern.it*, Fax 019 932423, ≼, « Parco ombreggiato con ⛱ », 𝐼𝑠 – 🔟 ℙ – 🔏 125. 🖪
🕄 ⓞ ⓜⓞ 𝚅𝙸𝚂𝙰. 🛠
chiuso dal 20 dicembre a gennaio – **Pasto** 45000 – **38 cam** ⚏ 150/250000 – ½ P 170000.

🏫🏫 **Cristallo,** via Cilea 4 𝄞 019 97264, *info@cristallohotel.it*, Fax 019 9355757, 𝐼𝑠 – 🛗 ▤ 🔟
🚗 ℙ – 🔏 40. 🖪 🕄 ⓞ ⓜⓞ 𝚅𝙸𝚂𝙰 𝙹𝙲𝙱. 🛠 rist
chiuso dal 20 dicembre al 6 gennaio – **Pasto** carta 50/65000 – ⚏ 15000 – **45 cam**
120/180000 – ½ P 150000.

🏩 **Royal,** via Cavour 25 𝄞 019 931166, Fax 019 96664, ≼, 🐾 – 🛗 ▤ 🔟 ℙ – 🔏 50. 🖪 🕄 ⓒ
ⓜⓞ 𝚅𝙸𝚂𝙰. 🛠 rist
Pasto carta 45/60000 – ⚏ 15000 – **30 cam** ⚏ 110/180000 – ½ P 140000.

🏩 **Le Roi,** via Genova 43 𝄞 019 95902, *hotel@leroi.it*, Fax 019 95903 – 🛗 🔟 🕭 ℙ. 🖪 🕄 ⓞ ⓜ
𝚅𝙸𝚂𝙰
Pasto *(chiuso lunedì)* 40/70000 – **16 cam** ⚏ 140/180000 – ½ P 110000.

🏩 **Villa Elena,** via Coda 16 𝄞 019 97526, Fax 019 934277, 🌫 – 🛗 🔟. 🖪 🕄 ⓞ ⓜⓞ 𝚅𝙸𝚂𝙰. 🛠
chiuso da ottobre a Natale – **Pasto** carta 50/75000 – ⚏ 10000 – **47 cam** 95/160000
½ P 120000.

🏠 **Manila,** via Villagrande 3 𝄞 019 934656, Fax 019 931221, 🌫 – 🔟 ℙ. 🖪 🕄 ⓞ ⓜⓞ 𝚅𝙸𝚂𝙰. 🛠 ris
chiuso dal 20 settembre al 20 dicembre – **Pasto** carta 45/70000 – ⚏ 18000 – **14 car
140000 – ½ P 110000.

🏠 **San Nazario** senza rist, via Montanaro 3 𝄞 019 96755, Fax 019 96755 – 🛗 🔟 🕭 ℙ. 🖪 🖪
ⓞ ⓜⓞ 𝚅𝙸𝚂𝙰
⚏ 10000 – **24 cam** 150000.

XX **Santa Caterina,** piazza Santa Caterina 4 𝄞 019 934672, Fax 019 9355267, 🍽 – ▤. 🖪 🖪
ⓞ ⓜⓞ 𝚅𝙸𝚂𝙰 𝙹𝙲𝙱. 🛠
chiuso dall'8 al 30 gennaio e lunedì – **Pasto** carta 70/130000.

XX **Antico Genovese,** corso Colombo 70 𝄞 019 96482, *gabian.srl@interbusiness.i
Fax 019 95965, solo su prenotazione a mezzogiorno –* ▤. 🖪 🕄 ⓞ ⓜⓞ 𝚅𝙸𝚂𝙰. 🛠
*chiuso dal 10 al 22 settembre, dal 22 al 30 dicembre e domenica (escluso da luglio
settembre) –* **Pasto** carta 70/130000.

X **Bri,** piazza Bovani 13 𝄞 019 934605, prenotare – 🖪 🕄 ⓞ ⓜⓞ 𝚅𝙸𝚂𝙰
chiuso dal 1° al 10 novembre e mercoledì – **Pasto** carta 55/85000.

VARENA 38030 Trento 429 D 16 – 796 ab. alt. 1155.

🛈 *(dicembre-aprile e luglio-settembre) via Mercato 34 𝄞 0462 231448, Fax 0462 231448.*

Roma 638 – Trento 64 – Bolzano 44 – Cortina d'Ampezzo 104.

🏠 **Alpino,** via Mercato 8 𝄞 0462 340460, *info@albergoalpino.it*, Fax 0462 231609, ≼, 🌫
▤ rist. 🔟. 🕄 ⓜⓞ 𝚅𝙸𝚂𝙰. 🛠
chiuso dal 7 al 14 maggio e dal 1° al 15 novembre – **Pasto** 30000 – ⚏ 12000 – **25 car
80/140000 – ½ P 115000.

VARENNA 23829 Lecco 428 D 9 *G. Italia* – 830 ab. alt. 220.

Vedere *Giardini★★ di villa Monastero*.

🚢 *per Menaggio (15 mn) e Bellagio (da 15 a 30 mn), giornalieri – Navigazione Lago
Como, via La Riva 34 𝄞 0341 830270.*

Roma 642 – Como 50 – Bergamo 55 – Chiavenna 45 – Lecco 22 – Milano 78 – Sondrio 60.

🏩 **Royal Victoria,** piazza San Giorgio 5 𝄞 0341 815111, *hotelroyalvictoria@promo.i
Fax 0341 830722, ≼, 🌫 – 🛗 🔟 – 🔏 60. 🖪 🕄 ⓞ ⓜⓞ 𝚅𝙸𝚂𝙰. 🛠
Pasto *(chiuso lunedì)* 50000 – ⚏ 22 – **43 cam** ⚏ 220/270000 – ½ P 165000.

XX **Vecchia Varenna,** via Scoscesa 10 𝄞 0341 830793, Fax 0341 830793, « Servizio estivo i
terrazza sul porticciolo con ≼ lago e monti » – 🕄 ⓜⓞ 𝚅𝙸𝚂𝙰
chiuso gennaio, lunedì, anche martedì da febbraio al 10 marzo – **Pasto** carta 55/85000.

Le Ottime Tavole

Per voi abbiamo contraddistinto

alcuni alberghi (🏠 ... 🏫🏫🏫) e ristoranti (X ... XXXXX) con 🍃, 🕸, 🕸🕸 o 🕸🕸🕸.

ARESE *21100* [P] [428] E 8, [219] ⑧ *G. Italia – 83 798 ab. alt. 382.*

Dintorni *Sacro Monte*★★ *: ≤*★★ *Nord-Ovest : 8 km – Campo dei Fiori*★★ *: ☼*★★ *Nord-Ovest : 10 km.*

⛳18 *(chiuso lunedì) a Luvinate ✉ 21020 ☎ 0332 229302, Fax 0332 222107, per ⑤ : 6 km;*

⛳18 *Dei Laghi a Travedona Monate (chiuso martedì e gennaio) ✉ 21028 ☎ 0332 978101, Fax 0332 977532, Ovest : 12 km.*

[i] *viale Ippodromo 9 ☎ 0332 284624, Fax 0332 238093 – via Carrobbio 2 ☎ 0332 283604, Fax 0332 283604.*

[A.C.I.] *viale Milano 25 ☎ 0332 285150.*

Roma 633 ④ – Como 27 ② – Bellinzona 65 ② – Lugano 32 ① – Milano 56 ④ – Novara 53 ③ – Stresa 48 ③.

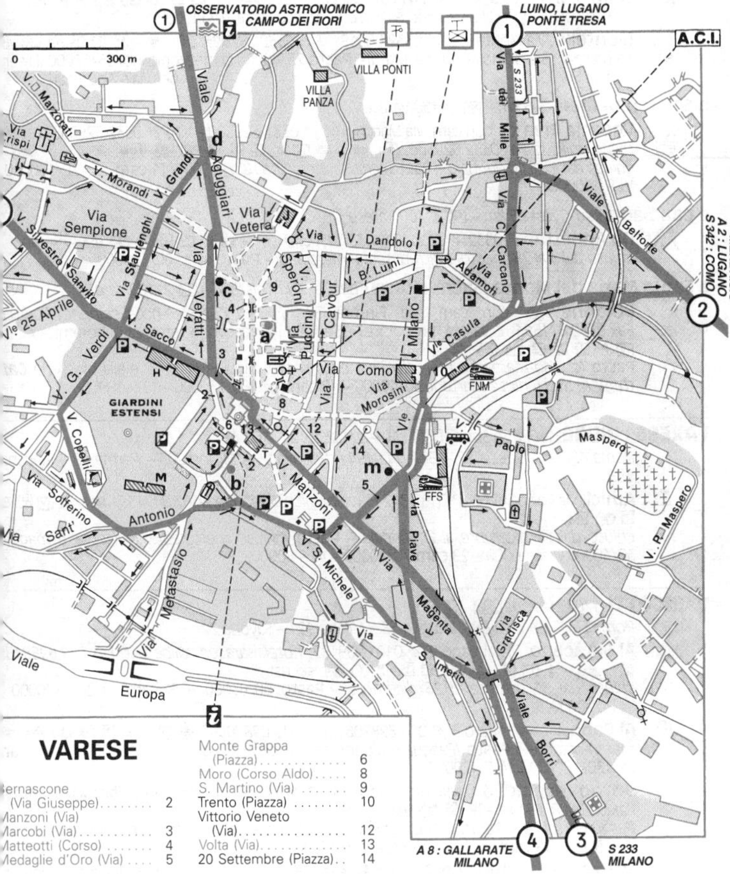

VARESE

Bernascone (Via Giuseppe)	2
Manzoni (Via)	
Marcobi (Via)	3
Matteotti (Corso)	4
Medaglie d'Oro (Via)	5
Monte Grappa (Piazza)	6
Moro (Corso Aldo)	8
S. Martino (Via)	9
Trento (Piazza)	10
Vittorio Veneto (Via)	12
Volta (Via)	13
20 Settembre (Piazza)	14

🏨 **Palace Grand Hotel** ⊗, a Colle Campigli, via L. Manara 11 ☎ 0332 312600, *Fax 0332 312870*, ≤, « Parco », 🎾 – |‡| [TV] [P] – 🏛 200. [AE] [$] ⓞ [MC] [VISA] [JCB]. ⊗ rist
Pasto carta 60/115000 – **112 cam** ☕ 330/500000, suite. per ⑤

🏨 **City Hotel** senza rist, via Medaglie d'Oro 35 ☎ 0332 281304, *Fax 0332 232882* – |‡| ▤ [TV] 🚗 – 🏛 50. [AE] [$] ⓞ [MC] [VISA] m
47 cam ☕ 185/250000.

🏨 **Bologna,** via Broggi 7 ☎ 0332 234362, *info@albergobologna.com, Fax 0332 287500*, 🍴 – |‡| ▤ [TV] ♿. [AE] [$] ⓞ [MC] [VISA] c
chiuso dal 1° al 15 agosto – **Pasto** *(chiuso sabato)* carta 45/70000 – **17 cam** ☕ 100/130000 – ½ P 140000.

🍴🍴🍴 **Lago Maggiore,** via Carrobbio 19 ☎ 0332 231183, *Fax 0332 231183*, Coperti limita prenotare – ▤. [AE] [S] ⓞ [MC] [VISA]. ⚘
chiuso 25-26 dicembre, 1° gennaio, luglio, domenica e lunedì a mezzogiorno – **Pasto** car 75000/130000.

🍴🍴🍴 **Il Gestore,** viale Aguggiari 48 ☎ 0332 236404, ☂, « Parco » – ♿ [P]. [AE] [S] ⓞ [MC] [VI ⚘ d
chiuso dal 1° al 10 gennaio e dal 15 al 31 agosto e lunedì – **Pasto** carta 60/100000.

🍴🍴 **Al Vecchio Convento,** viale Borri 348 ☎ 0332 261005, *Fax 0332 810701* – [P]. [AE] [S] [MC] [VISA] [JCB]. ⚘ per ③
chiuso dal 1° al 7 gennaio, agosto, domenica sera e lunedì – **Pasto** specialità toscane 6000 e carta 50/90000.

🍴🍴 **Teatro,** via Croce 3 ☎ 0332 241124, *Fax 0332 280994* – ▤. [AE] [S] ⓞ [MC] [VISA] [JCB]. ⚘
chiuso dal 25 luglio al 25 agosto e martedì – **Pasto** carta 70/110000.

🍴🍴 **Montello,** via Montello 8 ☎ 0332 286181, *Fax 0332 287895*, ☂, ⛱ – [P]. [AE] [S] ⓞ [MC] [VIS
chiuso dal 15 al 30 novembre e lunedì – **Pasto** 25/40000 (a mezzogiorno) 35/60000 (la ser e carta 50/70000. per viale Aguggiari

a Schiranna *Ovest : 3,5 km – ✉ 21100 Varese :*

🍴🍴 **Vecchia Riva** ⛰ con cam, via Macchi 146 ☎ 0332 329300 e alb. ☎ 0332 329335, *vecch riva@virgilio.it, Fax 0332 329300*, ☂, ⛱ – ▤ [TV] [P]. [AE] [S] ⓞ [MC] [VISA] [JCB]. ⚘
chiuso dal 1° al 10 gennaio – **Pasto** *(chiuso mercoledì)* 25/40000 – **11 cam** ☕ 120/150000 ½ P 110000.

a Capolago *Sud-Ovest : 5 km – ✉ 21100 Varese :*

🍴🍴 **Da Annetta,** ☎ 0332 490230, *Fax 0332 490020*, ☂ – ▤ [P]. [AE] [S] ⓞ [MC] [VISA] [JCB]. ⚘
chiuso dal 3 al 28 agosto, martedì sera e mercoledì – **Pasto** carta 60/100000.

a Santa Maria del Monte (Sacro Monte) *per ⑤ : 8 km alt. 880 – ✉ 21100 Varese :*

🍴🍴 **Colonne** ⛰ con cam, via Fincarà 37 ☎ 0332 224633, *hotel.colonne@libero. Fax 0332 821593*, ≤ vallata, prenotare, « Servizio rist. estivo in terrazza panoramica » – [TV] [P]. [AE] [S] ⓞ [MC] [VISA]. ⚘
Pasto *(chiuso martedì e mercoledì a mezzogiorno)* carta 80/110000 e alla brasserie ***Ca degli Artisti*** *(chiuso martedì)* 30/40000 – **10 cam** ☕ 180/250000 – ½ P 180000.

VARESE LIGURE *19028 La Spezia [428] I 10 – 2 422 ab. alt. 353.*

Roma 457 – La Spezia 57 – Bologna 194 – Genova 90 – Milano 203 – Parma 98 – Piacen 139.

🏠 **Amici,** via Garibaldi 80 ☎ 0187 842139, *albamici@tin.it, Fax 0187 842139*, ⛱ – |♦| [TV] [P]. [S] [MC] [VISA]
chiuso dal 24 dicembre al 2 gennaio – **Pasto** *(chiuso mercoledì da ottobre a maggi* 30/40000 – ☕ 10000 – **29 cam** 70/90000 – ½ P 80000.

VARIGOTTI *17029 Savona [428] J 7.*

Roma 567 – Genova 68 – Imperia 58 – Milano 191 – Savona 22.

🏠 **Al Saraceno,** via al Capo 2 ☎ 019 6988182, *hotelalsaraceno@libero.it, Fax 019 698818* ☂, 🏖 – |♦| [TV] [P] – 🏛 90. [AE] [S] ⓞ [MC] [VISA]. ⚘ rist
chiuso dal 31 ottobre al 26 dicembre – **Pasto** 50/65000 – **32 cam** ☕ 270/370000 ½ P 220000.

🏠 **Al Capo,** vico Mendaro 3 ☎ 019 6988066, *Fax 019 6988066* – |♦| [TV] 🚗. [S] ⓞ [MC] [VISA]. ⚘
marzo-ottobre – **Pasto** *(Pasqua e giugno-settembre;* solo per alloggiati*)* 40000 – **25 ca** ☕ 120/180000 – ½ P 120000.

🏠 **Borgovecchio** ⛰, via del Capo 45 ☎ 019 698010, *info@hotelborgovecchio. Fax 019 698559*, ⛱ – [P]. [S] [MC] [VISA]. ⚘ rist
Pasqua-ottobre – **Pasto** *(chiuso sino al 20 maggio e dal 20 settembre ad ottobre)* cart 40/65000 – **28 cam** ☕ 110/170000 – ½ P 130000.

🍴🍴 **Muraglia-Conchiglia d'Oro,** via Aurelia 133 ☎ 019 698015, Coperti limitati; prenota – [P]. [AE] [S] ⓞ [MC] [VISA]. ⚘
✿ *chiuso dal 15 gennaio al 15 febbraio, mercoledì e da ottobre a maggio anche martedì* **Pasto** carta 75/110000
Spec. Spaghetti alle triglie. Zuppetta di acciughe. Grigliata mista.

🍴 **La Caravella,** via Aurelia 56 ☎ 019 698028, ≤, prenotare – [P]. [AE] [S] [MC] [VISA]. ⚘
chiuso novembre e lunedì – **Pasto** carta 50/85000.

Halten Sie beim Betreten des Hotels oder des Restaurants den Führer in der Hand.
Sie zeigen damit, daß Sie aufgrund dieser Empfehlung gekommen sind.

ARZI 27057 Pavia 428 H 9 – 3 588 ab. alt. 416.

🖪 piazza della Fiera ℘ 0383 545221.

Roma 585 – Piacenza 69 – Alessandria 59 – Genova 111 – Pavia 54.

XX **Sotto i Portici**, via del Mercato 10 ℘ 0383 52990, Coperti limitati; prenotare – 🛗. 🖪 ⓞ
🐵 VISA. 🛠
chiuso lunedì, martedì e a mezzogiorno (escluso la domenica e i festivi) – **Pasto** carta
55/65000.

X **Corona da Andrea** con cam, piazza della Fiera 19 ℘ 0383 52043, Fax 0383 545345 – 🛗
🐵 🔟. 🖭 🖪 ⓞ ⓞⓞ VISA JCB. 🛠
chiuso dal 3 al 30 gennaio – **Pasto** (chiuso lunedì) carta 30/70000 – ☷ 8000 – **13 cam**
95/160000 – ½ P 140000.

erso Pian d'Armà Sud : 7 km :

X **Buscone**, località Bosmenso 41 ℘ 0383 52224, Trattoria casalinga – 🖪 ⓞ ⓞⓞ VISA. 🛠
🐵 chiuso lunedì escluso luglio e agosto – **Pasto** carta 30/45000.

ARZO 28868 Verbania 428 D 6, 217 ⑱ – 2 274 ab. alt. 568 – Sport invernali : a San Domenico :
1 320/2 320 m ⚞4, ⚡.

Roma 711 – Stresa 45 – Domodossola 13 – Iselle 13 – Milano 104 – Novara 55 – Torino 176.

San Domenico Nord-Ovest : 11 km – alt. 1 420 – ⊠ 28868 Varzo :

🏠 **Cuccini** ⏎, ℘ 0324 7061, Fax 0324 7061, ≼, « In pineta », ☞ – 🅿. 🛠
20 dicembre-10 aprile e giugno-settembre – **Pasto** carta 35/55000 (10 %) – ☷ 12000 –
23 cam 40/80000 – ½ P 70000.

ASON Trento – Vedere Bondone (Monte).

ASTO 66054 Chieti 430 P 26 – 34 770 ab. alt. 144 – a.s. 20 giugno-agosto.

⛴ da Punta Penna per le Isole Tremiti giugno-settembre giornaliero (1 h 30 mn) – Adriatica
di Navigazione-agenzia Massacesi, piazza Diomede 3 ℘ 0873 362680, Fax 0873 69380.

🖪 piazza del Popolo 18 ℘ 0873 367312.

Roma 271 – Pescara 70 – L'Aquila 166 – Campobasso 96 – Chieti 75 – Foggia 118.

XX **Castello Aragona**, via San Michele 105 ℘ 0873 69885, Fax 0873 69885, « Servizio estivo
in terrazza-giardino ombreggiato con ≼ mare » – 🗏 🅿. 🖭 🖪 ⓞ ⓞⓞ VISA. 🛠
chiuso dal 24 al 28 dicembre e lunedì – **Pasto** specialità di mare carta 45/65000.

X **Zi' Albina**, via Marchesani 15 ℘ 0873 367429 – 🗏. 🖭 🖪 ⓞⓞ VISA. 🛠
chiuso dal 10 al 20 agosto e lunedì – **Pasto** specialità di mare carta 45/75000.

X **Lo Scudo**, corso Garibaldi 39 ℘ 0873 367782, Fax 0873 367782, 😤 – 🖭 🖪 ⓞ ⓞⓞ VISA
chiuso martedì in bassa stagione – **Pasto** carta 40/60000 (10 %).

'ASTO (Marina di) 66055 Chieti 430 P 26 – a.s. 20 giugno-agosto.

Roma 275 – Pescara 72 – Chieti 74 – Vasto 3.

ulla strada statale 16 :

🏨 **Excelsior** M, contrada Buonanotte Sud : 4 km ⊠ 66055 ℘ 0873 802222,
Fax 0873 802403, ≼, ⚤, ⛱ – 🛗 🗏 🔟 ᵫ 🅿 – 🕍 120
55 cam, 10 suites.

🏠 **Sporting**, Sud : 2,5 km ⊠ 66055 ℘ 0873 801908, Fax 0873 801404, « Terrazza-giardino
fiorita », ⛱, 🛠 – 🔟 ᵫ 🅿 🖭 🖪 ⓞ ⓞⓞ VISA. 🛠
Pasto carta 40/60000 – ☷ 15000 – **22 cam** 110/160000 – ½ P 110000.

XX **Villa Vignola** ⏎ con cam, località Vignola Nord : 6 km ⊠ 66054 Vasto ℘ 0873 310050,
Fax 0873 310060, 😤, prenotare, « Giardino con accesso diretto al mare e ≼ mare e costa »
– 🗏 🔟 🅿. 🖭 🖪 ⓞ ⓞⓞ VISA JCB. 🛠
chiuso dal 21 al 28 dicembre – **Pasto** specialità di mare carta 50/65000 – **5 cam** ☷ 150/
250000.

XX **Il Corsaro**, località Punta Penna-Porto di Vasto Nord : 8 km ⊠ 66054 Vasto
℘ 0873 310113, ≼, 😤, prenotare – 🅿. 🖭 🖪 ⓞⓞ VISA. 🛠
chiuso lunedì escluso da aprile ad ottobre – **Pasto** specialità di mare carta 60/80000 (10 %).

'EDELAGO 31050 Treviso 429 E 18 – 13 666 ab. alt. 43.

Roma 534 – Padova 43 – Bassano del Grappa 28 – Belluno 28 – Treviso 18.

🏨 **Antica Postumia** M, via Monte Grappa 36 (Nord-Ovest : 2 km) ℘ 0423 7020,
Fax 0423 702257, « Parco », 🛵, 🛠 – 🛗 🗏 🔟 ᵫ ᵫ ᵫ 🅿 – 🕍 100. 🖭 🖪 ⓞ ⓞⓞ VISA.
🛠 rist
Pasto (chiuso mercoledì) carta 40/60000 – **48 cam** ☷ 115/140000 – ½ P 105000.

VEDOLE *Parma – Vedere Colorno.*

VELLETRI *00049 Roma* 🔢 *Q 20 G. Roma – 48 645 ab. alt. 352.*

Escursioni *Castelli romani*★★ *NO per la via dei Laghi o per la strada S 7, Appia Ant (circuito di 60 km).*

🛈 *viale dei Volsci 8 ℰ 06 9630896, Fax 06 963367.*

Roma 36 – Anzio 43 – Frosinone 61 – Latina 29 – Terracina 63 – Tivoli 56.

XX **Da Benito al Bosco** 🦢 con cam, contrada Morice 20 ℰ 06 9633991, *Fax 06 96414* 🏡, « Piccolo parco con 🏊 » – 🔲 📺 ❤ ⅋ 📞 – 🔏 200/300. 🆎 🅂 ① ⓜⓞ 💳 ꞼꞲ꜀ꞵ
Pasto carta 55/85000 – **60 cam** 🗕 120/150000, 2 suites, ▦ 20000 – ½ P 130000.

VELLO *Brescia* 🔢 *E 12 – alt. 190 – ✉ 25054 Marone.*

Roma 591 – Brescia 34 – Milano 100.

X **Trattoria Glisenti,** via Provinciale 34 ℰ 030 987222, 🏡. 🛇
chiuso gennaio e giovedì – **Pasto** specialità pesce di lago carta 40/70000.

VELO D'ASTICO *36010 Vicenza* 🔢 *E 16 – 2 292 ab. alt. 362.*

Roma 551 – Trento 57 – Treviso 83 – Verona 81 – Vicenza 36.

XX **Giorgio e Flora,** via Baldonò 1, al lago Nord-Ovest : 2 km ℰ 0445 71306
Fax 0445 713068, 🏡 – 📳. 🆎 🅂 ① ⓜⓞ 💳. 🛇
chiuso dal 1° al 20 gennaio, dal 15 giugno al 10 luglio, lunedì e martedì – **Pasto** car 50/70000.

VELO VERONESE *37030 Verona* 🔢 *F 15 – 812 ab. alt. 1 087.*

Roma 529 – Verona 35 – Brescia 103 – Milano 193 – Venezia 144 – Vicenza 81.

X **Tredici Comuni** con cam, piazza della Vittoria 31 ℰ 045 7835566, *Fax 045 7835566 –* 🄴
🅂 ⓜⓞ 💳. 🛇
chiuso dal 15 settembre al 14 ottobre – **Pasto** *(chiuso martedì)* carta 30/40000 – **16 ca**
🗕 55/100000 – ½ P 65000.

VENEZIA

30100 ℙ **429** F 19 *G. Venezia – 277 305 ab.*

Roma 528 – Bologna 152 – Milano 267 – Trieste 158.

INFORMAZIONI PRATICHE

🖪 *calle Ascensione – San Marco 71/f* ✉ *30124* ℘ *041 5297811, Fax 041 5230399.*

🖪 *Stazione Santa Lucia* ✉ *30121* ℘ *041 5298727, Fax 041 719078.*

✈ *Marco Polo di Tessera, Nord-Est : 13 km* ℘ *041 2606111.*
Alitalia, via Sansovino 7 Mestre-Venezia ✉ *30173* ℘ *041 2581111, Fax 041 2581246.*

🚢 *da piazzale Roma (Tronchetto) per il Lido-San Nicolò giornalieri (35 mn); dal Lido Alberoni per l'Isola di Pellestrina-Santa Maria del Mare giornalieri (15 mn).*

🚢 *da Riva degli Schiavoni per Punta Sabbioni giornalieri (40 mn);*
da Punta Sabbioni per le Isole di Burano (30 mn), Torcello (40 mn), Murano (1 h 10 mn), giornalieri;
dalle Fondamenta Nuove per le Isole di Murano (10 mn), Burano (50 mn), Torcello (50 mn), giornalieri;
dalle Fondamenta Nuove per Treporti di Cavallino giornalieri (1 h 10 mn);
da Treporti di Cavallino per Venezia-Fondamenta Nuove (1 h 10 mn) per le Isole di Murano (1 h), Burano (20 mn), Torcello (25 mn), giornalieri –
Informazioni: ACTV-Azienda Consorzio Trasporti Veneziano, piazzale Roma ✉ *30135* ℘ *041 5287886, Fax 041 5207135.*

🏌₁₈ *(chiuso lunedì) al Lido Alberoni* ✉ *30011* ℘ *041 731333, Fax 041 731339, 15 mn di vaporetto e 9 km;*

🏌₂₇ *Ca' della Nave (chiuso martedì) a Martellago* ✉ *30030* ℘ *041 5401555, Fax 041 5401926, Nord-Ovest : 12 km;*

🏌₂₇ *Villa Condulmer (chiuso lunedì) a Zerman di Mogliano Veneto* ✉ *31020* ℘ *041 457062, Fax 041 457202, Nord : 17 km.*

LUOGHI DI INTERESSE

Piazza San Marco★★★ KZ *– Basilica*★★★ LZ *– Palazzo Ducale*★★★ LZ *– Campanile*★★ : ❊★★ KLZ Q *– Museo Correr*★★ KZ M¹ *– Ponte dei Sospiri*★★ LZ.

Canal Grande★★★ :
Ponte di Rialto★★ KY *– Ca' d'Oro*★★★ JX *– Gallerie dell'Accademia*★★★ BV *– Ca' Dario*★ DV *– Ca' Rezzonico*★★ BV *– Palazzo Grassi*★ BV *– Palazzo Vendramin-Calergi*★ CT
Collezione Peggy Guggenheim★★ *nel palazzo Venier dei Leoni* DV M¹ *– Ca' Pesaro*★ JX.

Chiese :
Santa Maria della Salute★★ DV *– San Giorgio Maggiore*★ : ❊★★★ *dal campanile* FV *– San Zanipolo*★★ LX *– Santa Maria Gloriosa dei Frari*★★★ BTU *– San Zaccaria*★★ LZ *– Decorazione interna*★★ *del Veronese nella chiesa di San Sebastiano* BV *– Soffitto*★ *della chiesa di San Pantaleone* BU *– Santa Maria dei Miracoli*★ KLX *– San Francesco della Vigna*★ FT

Ghetto★★ BT *– Scuola Grande di San Rocco*★★★ BU *– Scuola di San Giorgio degli Schiavoni*★★★ FU *– Scuola Grande dei Carmini*★ BV *– Scuola Grande di San Marco*★ LX *– Palazzo Labia*★★ BT

Murano★★ : *museo di arte vetraria*★, *chiesa dei Santi Maria e Donato*★★ *– Burano*★★ *– Torcello*★★ : *mosaici*★★ *nella basilica di Santa Maria Assunta.*

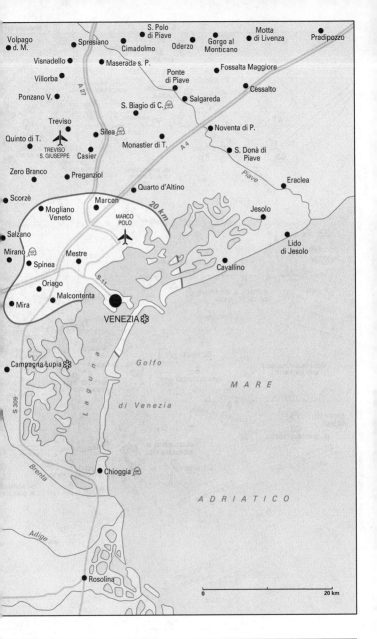

Le Ottime Tavole

Per voi abbiamo contraddistinto

alcuni alberghi (🏠 ... 🏠🏠🏠) e ristoranti (✗ ... ✗✗✗✗✗) con 🍃, ❀, ❀❀ o ❀❀❀.

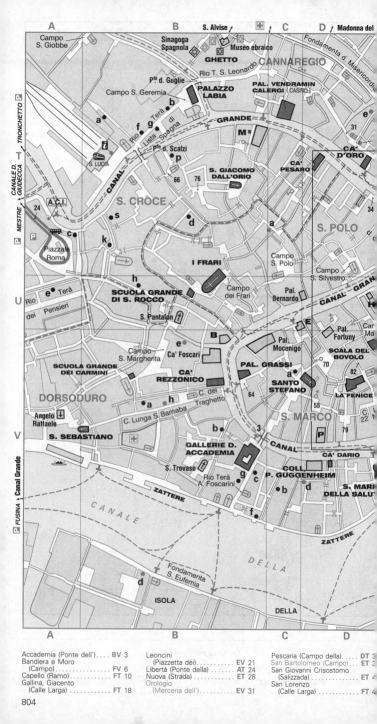

Accademia (Ponte dell')	BV	3
Bandiera e Moro (Campo)	FV	6
Capello (Ramo)	FT	10
Gallina, Giacinto (Calle Larga)	FT	18
Leoncini (Piazzetta dei)	EV	21
Libertà (Ponte della)	AT	24
Nuova (Strada)	ET	28
Orologio (Mercerie dell')	EV	31
Pescaria (Campo della)	DT	3
San Bartolomeo (Campo)	ET	3
San Giovanni Crisostomo (Salizzada)	ET	4
San Lorenzo (Calle Larga)	FT	4

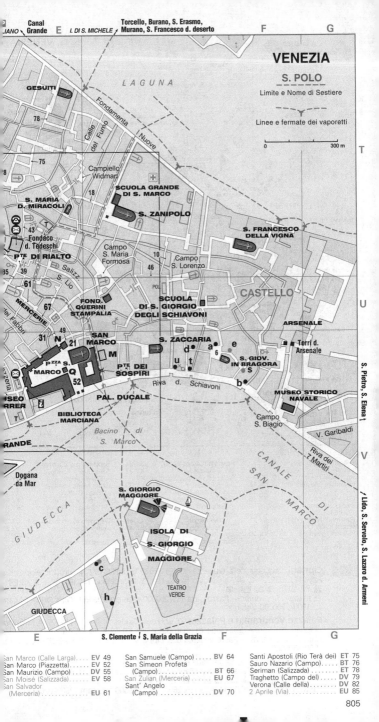

San Marco (Calle Larga) . . . . . EV 49
San Marco (Piazzetta) . . . . . . EV 52
San Maurizio (Campo) . . . . . DV 55
San Moisè (Salizzada) . . . . . EV 58
San Salvador
(Merceria) . . . . EU 61

San Samuele (Campo) . . . . . BV 64
San Simeon Profeta
(Campo) . . . . BT 66
San Zulian (Merceria) . . . . . EU 67
Sant' Angelo
(Campo) . . . . DV 70

Santi Apostoli (Rio Terà dei) ET 75
Sauro Nazario (Campo) . . . . . BT 76
Seriman (Salizzada) . . . . ET 78
Traghetto (Campo del) . . . . . DV 79
Verona (Calle della) . . . . DV 82
2 Aprile (Via) . . . . EU 85

805

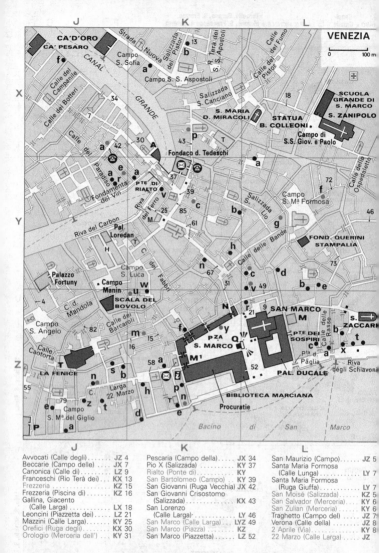

VENEZIA

0 — 100 m

Avvocati (Calle degli)		JZ 4
Beccarie (Campo delle)		JX 7
Canonica (Calle di)		LZ 9
Franceschi (Rio Terà dei)		KX 13
Frezzeria		KZ 15
Frezzeria (Piscina di)		KZ 16
Gallina, Giacento		
(Calle Larga)		LX 18
Leoncini (Piazzetta dei)		LZ 21
Mazzini (Calle Larga)		KY 25
Orefici (Ruga degli)		KX 30
Orologio (Merceria dell')		KY 31

Pescaria (Campo della)		JX 34
Pio X (Salizzada)		KY 37
Rialto (Ponte di)		KY
San Bartolomeo (Campo)		KY 39
San Giovanni (Ruga Vecchia)		JX 42
San Giovanni Crisostomo		
(Salizzada)		KX 43
San Lorenzo		
(Calle Larga)		LY 46
San Marco (Calle Larga)		LYZ 49
San Marco (Piazza)		KZ
San Marco (Piazzetta)		LZ 52

San Maurizio (Campo)		JZ 5
Santa Maria Formosa		
(Calle Lunga)		LY 7
Santa Maria Formosa		
(Ruga Giuffa)		LY 7
San Moisè (Salizzada)		KZ 5
San Salvador (Merceria)		KY 6
San Zulian (Merceria)		KY 6
Traghetto (Campo del)		JZ 7
Verona (Calle della)		JZ 8
2 Aprile (Via)		KY 8
22 Marzo (Calle Larga)		JZ

Cipriani ⟨⟩, isola della Giudecca 10 ⊠ 30133 ℘ 041 5207744, *info@hotelcipriani.i*
Fax 041 5203930, ≤, 佘, « Giardino fiorito con ⟨⟩ riscaldata », ⟨⟩, ⟨⟩, ⟨⟩ – ⟨⟩ ≣ ⟨⟩
⟨⟩ 80. ⟨⟩ ⟨⟩ ⟨⟩ ⟨⟩ **VISA**. ⟨⟩   FV
15 marzo-15 novembre – **Pasto** carta 150/200000 vedere anche Rist. *Cip's Club* – **84 car**
⟨⟩ 1800/2100000, 7 suites.

Palazzo Vendramin e Palazzetto, isola della Giudecca 10 ℘ 041 5207744, *info@ho*
elcipriani.it, ≤ Canale della Giudecca e San Marco – ≣ ⟨⟩. ⟨⟩ ⟨⟩ ⟨⟩ **VISA** ⟨⟩   FV
chiuso sino ad aprile – **Pasto** vedere hotel *Cipriani* – **10 cam** ⟨⟩ 1250/3500000, 5 suite
3900/6500000.

Gritti Palace, campo Santa Maria del Giglio 2467, San Marco ⊠ 30124 ℘ 041 79461
Fax 041 5200942, ≤ Canal Grande, « Servizio rist. estivo all'aperto sul Canal Grande » ⟨⟩ – ⟨⟩
⟨⟩ cam, ≣ ⟨⟩ ⟨⟩ – ⟨⟩ 100. ⟨⟩ ⟨⟩ ⟨⟩ ⟨⟩ **VISA JCB**. ⟨⟩   JZ
Pasto al Rist. *Club del Doge* carta 155/260000 – ⟨⟩ 49500 – **79 cam** 1250000, 6 suites.

DINTORNI DI VENEZIA CON RISORSE ALBERGHIERE

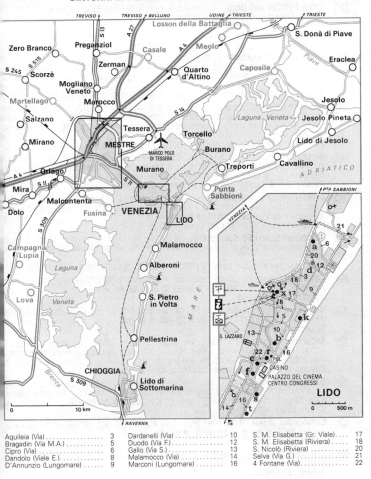

Aquileia (Via)	3	Dardanelli (Via)	10	S. M. Elisabetta (Gr. Viale)	17
Bragadin (Via M.A.)	5	Duodo (Via F.)	12	S. M. Elisabetta (Riviera)	18
Cipro (Via)	6	Gallo (Via S.)	13	S. Nicolò (Riviera)	20
Dandolo (Viale E.)	8	Malamocco (Via)	14	Selva (Via G.)	21
D'Annunzio (Lungomare)	9	Marconi (Lungomare)	16	4 Fontane (Via)	22

🏯🏯🏯 **Danieli**, riva degli Schiavoni 4196, Castello ✉ 30122 ☎ 041 5226480, *reso72.danieli@star woodhotels.com*, Fax 041 5200208, ≼ canale di San Marco, « Hall in cortiletto stile veneziano e servizio rist. estivo in terrazza panoramica » 🛗 – ▯ ⁂ 🗐 ▭ 📺 ❤ – 🔬 150. 🆎 🕄 ⓪ 🐵 **VISA** JCB. ⠿ LZ a
Pasto carta 150/230000 – ☲ 84700 – **233 cam** 625/1265000, 12 suites.

🏯🏯🏯 **Bauer e II Palazzo**, campo San Moisè 1459, San Marco ✉ 30124 ☎ 041 5207022, *booki ng@bauervenezia.it*, Fax 041 5207557, « Servizio rist. estivo in terrazza con ≼ Canal Grande », 𝄫, 🔄 – ▯ ⁂ cam, 🗐 ▭ ❤ – 🔬 150. 🆎 🕄 ⓪ 🐵 **VISA**. ⠿ rist KZ h
Pasto carta 110/190000 – ☲ 50000 – **137 cam** 1350000, 59 suites.

🏯🏯🏯 **Londra Palace**, riva degli Schiavoni 4171 ✉ 30122 ☎ 041 5200533, *info@hotelondra.it*, Fax 041 5225032, ≼ canale di San Marco, 🍽 – ▯ 🗐 ▭ 📺 ❤ – 🔬 150. 🆎 🕄 ⓪ 🐵 **VISA** JCB. ⠿
Pasto al Rist. **Do Leoni** (Rist. elegante; coperti limitati prenotare) carta 115/170000 – **53 cam** ☲ 735/910000 – ½ P 465000. LZ t

🏯🏯🏯 **Luna Hotel Baglioni**, calle larga dell'Ascensione 1243, San Marco ✉ 30124 ☎ 041 5289840, Fax 041 5287160 🛗 – ▯ ⁂ 🗐 ▭ 📺 ❤ – 🔬 150. 🆎 🕄 ⓪ 🐵 **VISA** JCB. ⠿ KZ p
Pasto al Rist. **Canova** (chiuso dal 5 al 20 gennaio e dal 1º al 23 agosto) carta 90/150000 – **115 cam** ☲ 530/1100000, 9 suites.

807

Grand Hotel dei Dogi, Fondamenta Madonna dell'Orto 3500, Cannaregio ⊠ 30121, *℘ 041 2208111, grand.hotel.deidogi@boscolo.com, Fax 041 722278,* ㇱ, « Antico palazzo veneziano con parco secolare » – ⧄ ⊟ ⊡ – ⚏ 50. ℡ ⬧ ⬥ ⬤ ⬤ ⬥ ⬥ ⬥
Pasto *(chiuso lunedì)* carta 90/135000 – **68 cam** ⊡ 550/750000, 7 suites
½ P 450000.   per Madonna dell'Orto DT

The Westin Europa e Regina, Corte Barozzi 2159, San Marco ⊠ 30124, *℘ 041 2400001, res075.europa&regina@westin.com, Fax 041 5231533,* ⬥ Canal Grande, « Servizio rist. estivo all'aperto sul Canal Grande » – ⧄ – ⧄, ⬦⬤ cam, ⊟ ⊡ – ⚏ 120. ℡ ⬧ ⬥ ⬤ ⬤ ⬥ ⬥ ⬥
Pasto al Rist. *La Cusina* carta 145/200000 – ⊡ 89000 – **175 cam** 750/1500000, 10 suites.
                                                                            KZ c

Monaco e Grand Canal, calle Vallaresso 1325, San Marco ⊠ 30124 *℘ 041 5200211, mailbox@hotelmonaco.it, Fax 041 5200501,* ⬥ Canal Grande e Chiesa di Santa Maria della Salute, « Servizio rist. estivo all'aperto sul Canal Grande » – ⧄ ⊟ ⊡ – ⚏ 40. ℡ ⬧ ⬥ ⬤ ⬤
⬥⬥ ⬥⬥ ⬥⬥
Pasto al Rist. *Grand Canal* carta 125/185000 – **71 cam** ⊡ 520/950000, 7 suites.   KZ e

Metropole, riva degli Schiavoni 4149, Castello ⊠ 30122 *℘ 041 5205044, venice@hotelmetropole.com, Fax 041 5223679,* ⬥ canale di San Marco, ㇱ, « Collezioni di piccoli oggetti d'epoca » – ⧄ – ⧄ ⊟ ⊡ – ⚏ 100. ℡ ⬧ ⬥ ⬤ ⬤ ⬥ ⬥ ⬥   FV t
Pasto al Rist. *Al Buffet* 65/70000 – **68 cam** ⊡ 650/900000, 4 suites – ½ P 430000.

Sofitel, Fondamenta Condulmer 245, Santa Croce ⊠ 30135 *℘ 041 710400, sofitel.venezia@accor-hotels.it, Fax 041 710394,* « Servizio rist. in un piacevole giardino d'inverno » – ⧄ –
⧄, ⬦⬤ cam, ⊟ ⊡ – ⚏ 50. ℡ ⬧ ⬥ ⬤ ⬤ ⬥ ⬥ rist   BT k
Pasto carta 85/125000 – **97 cam** ⊡ 660/760000 – ½ P 450000.

Starhotel Splendid-Suisse, Mercerie 760, San Marco ⊠ 30124 *℘ 041 5200755, splendidsuisse.ve@starhotels.it, Fax 041 5286498* – ⧄ ⬦⬤ ⊟ ⊡. ℡ ⬧ ⬥ ⬤ ⬤ ⬥ ⬥
⬥⬥   KY n
Pasto (solo per alloggiati) carta 75/135000 – **168 cam** ⊡ 635/850000 – ½ P 490000.

Cavalletto senza rist, calle del Cavalletto 1107, San Marco ⊠ 30124 *℘ 041 5200955, cavalletto@tin.it, Fax 041 5238184,* ⬥ – ⧄ ⊟ ⊡. ℡ ⬧ ⬥ ⬤ ⬤ ⬥ ⬥   KZ f
107 cam ⊡ 550/750000.

Bellini, senza rist, lista di Spagna 116, Cannaregio ⊠ 30121 *℘ 041 5242488, hotel.bellini@boscolo.com, Fax 041 715193* – ⧄ ⊟ ⊡. ℡ ⬧ ⬥ ⬤ ⬥⬥   BT f
67 cam ⊡ 370/580000.

Saturnia e International, calle larga 22 Marzo 2398, San Marco ⊠ 30124
℘ 041 5208377, info@hotelsaturnia.it, Fax 041 5207131, « Palazzo patrizio del 14° secolo »
– ⧄ ⊟ ⊡ – ⚏ 60. ℡ ⬧ ⬥ ⬤ ⬤ ⬥ ⬥ ⬥   JZ n
Pasto vedere rist *La Caravella* – **91 cam** ⊡ 470/720000.

Locanda Vivaldi senza rist, riva degli Schiavoni 4150/52, Castello ⊠ 30122
℘ 041 2770477, info@locandavivaldi.it, Fax 041 2770489, ⬥ isola di San Giorgio e laguna,
« Piccola terrazza panoramica » – ⧄ – ⧄ ⊟ ⊡ ⬥ ⬧. ℡ ⬧ ⬥ ⬤ ⬤ ⬥ ⬥ ⬥   FV u
22 cam ⊡ 600/800000.

Concordia senza rist, calle larga San Marco 367 ⊠ 30124 *℘ 041 5206866, Fax 041 5206775,* ⬥ – ⧄ ⊟ ⊡. ℡ ⬧ ⬥ ⬤ ⬤ ⬥⬥   LZ r
59 cam ⊡ 620/670000.

Bisanzio ⬥ senza rist, calle della Pietà 3651, Castello ⊠ 30122 *℘ 041 5203100, email@bisanzio.com, Fax 041 5204114* – ⧄ ⊟ ⊡. ℡ ⬧ ⬥ ⬤ ⬥⬥   FV d
45 cam ⊡ 450/490000.

Rialto, riva del Ferro 5149, San Marco ⊠ 30124 *℘ 041 5209166, info@rialtohotel.com, Fax 041 5238958,* ⬥ Ponte di Rialto, ㇱ – ⊟ ⊡. ℡ ⬧ ⬥ ⬤ ⬤ ⬥ ⬥ ⬥   KY v
Pasto *(chiuso sino a aprile)* carta 60/90000 (12%) – **79 cam** ⊡ 300/600000.

Gabrielli Sandwirth, riva degli Schiavoni 4110, Castello ⊠ 30122 *℘ 041 5231580, Fax 041 5209455,* ㇱ, « Cortiletto-giardino e terrazza solarium con ⬥ canale di San Marco »
⧄ – ⧄ ⊟ ⊡. ℡ ⬧ ⬥ ⬤ ⬤ ⬥ ⬥ ⬥ rist   FV b
chiuso dal 25 novembre al 31 dicembre – **Pasto** 50/75000 – **100 cam** ⊡ 450/750000 –
½ P 490000.

Amadeus senza rist, lista di Spagna 227, Cannaregio ⊠ 30121
℘ 041 2206000 e rist ℘ 041 715610, htlamadeus@gardenahotels.it, Fax 041 2204040,
« Giardino » – ⧄ ⊟ ⊡ – ⚏ 120. ℡ ⬧ ⬥ ⬤ ⬤ ⬥ ⬥ ⬥   BT b
63 cam ⊡ 550/600000.

Giorgione senza rist, SS. Apostoli 4587, Cannaregio ⊠ 30131 *℘ 041 5225810, Fax 041 5239092,* « Corte interna fiorita » – ⧄ ⊟ ⊡. ℡ ⬧ ⬥ ⬤ ⬤ ⬥ ⬥. ⬥⬥   KX b
73 cam ⊡ 265/485000, 2 suites.

Montecarlo, calle dei Specchieri 463, San Marco ⊠ 30124 *℘ 041 5207144, mocarl@doge.it, Fax 041 5207789* – ⧄ ⊟ ⊡. ℡ ⬧ ⬥ ⬤ ⬤ ⬥ ⬥ ⬥   LY c
Pasto vedere rist *Antico Pignolo* – **48 cam** ⊡ 500/600000.

Kette senza rist, San Marco-piscina San Moisè 2053 ⊠ 30124 ℰ 041 5207766, *info@hotelk ette.com, Fax 041 5228964* – 🛗 📺. AE 🕄 ⓪ 🐠 VISA. ⨯ JZ s
70 cam ⊆ 440/460000.

Savoia e Jolanda, riva degli Schiavoni 4187, Castello ⊠ 30122 ℰ 041 5206644, *savoia.v e.san@iol.it, Fax 041 5207494,* ≼ canale di San Marco, 🏠 – 🛗 🗏 📺. AE 🕄 ⓪ 🐠 VISA. ⨯
Pasto *(chiuso martedì escluso da marzo al 14 novembre)* carta 65/125000 (12%) – **73 cam** ⊆ 270/390000, suite. LZ x

La Colombina senza rist, calle Remedio 4416, Castello ⊠ 30123 ℰ 041 2770525, *hotelco l@tin.it, Fax 041 2776044* – 🛗 🗏 📞 🕭 – 🔏 20. AE 🕄 ⓪ 🐠 VISA JCB LY d
33 cam ⊆ 410/690000.

Ai Due Fanali senza rist, Campo San Simeon Grande 946, Santa Croce ⊠ 30135 ℰ 041 718490, *Fax 041 718344,* « Altana-solarium » – 🛗 🗏 📺. AE 🕄 ⓪ 🐠 VISA. ⨯ BT p
16 cam ⊆ 290/360000.

Firenze senza rist, Salizada San Moisè 1490, San Marco ⊠ 30124 ℰ 041 5222858, *hotelfiren ze@tin.it, Fax 041 5202668* – 🛗 🗏 📺. AE 🕄 ⓪ 🐠 VISA JCB. ⨯ KZ a
25 cam ⊆ 320/420000.

Panada senza rist, San Marco-calle dei Specchieri 646 ⊠ 30124 ℰ 041 5209088, *info@hot elpanada.com, Fax 041 5209619* – 🛗 🗏 📺. AE 🕄 ⓪ 🐠 VISA JCB LY v
48 cam ⊆ 400/500000.

Flora senza rist, calle larga 22 Marzo 2283/a, San Marco ⊠ 30124 ℰ 041 5205844, *info@h otelflora.it, Fax 041 5228217,* « Piccolo giardino fiorito » – 🛗 🗏 📺. AE 🕄 ⓪ 🐠 VISA JCB. ⨯ JZ t
44 cam ⊆ 300/400000.

Abbazia senza rist, calle Priuli dei Cavalletti 68, Cannaregio ⊠ 30121 ℰ 041 717333, *abba zia@iol.it, Fax 041 717949,* « In un antico convento », 🌿 – 🗏 📺. AE 🕄 ⓪ 🐠 VISA. ⨯
chiuso dal 7 gennaio al 7 febbraio – **39 cam** ⊆ 280/380000. BT a

Belle Arti senza rist, rio terà Foscarini 912/A, Dorsoduro ⊠ 30123 ℰ 041 5226230, *info@ hotelbellearti.com, Fax 041 5280043* – 🛗 🗏 🕭. AE 🕄 ⓪ 🐠 VISA. ⨯ BV g
67 cam ⊆ 220/340000.

American senza rist, fondamenta Bragadin 628, Dorsoduro ⊠ 30123 ℰ 041 5204733, *ho tameri@tin.it, Fax 041 5204048* – 🗏 📺. AE 🕄 🐠 VISA. ⨯ CV b
27 cam ⊆ 300/450000.

Castello senza rist, Castello-calle Figher 4365 ⊠ 30122 ℰ 041 5230217, *info@hotelcastell o.it, Fax 041 5211023* – 🗏 📺. AE 🕄 ⓪ 🐠 VISA LY b
26 cam ⊆ 380/420000.

Santa Chiara senza rist, fondamenta Santa Chiara 548, Santa Croce ⊠ 30125 ℰ 041 5206955, *conalve@doge.it, Fax 041 5228799* – 🛗 🗏 📺 🕭 📭. AE 🕄 ⓪ 🐠 VISA. ⨯ AT c
40 cam ⊆ 260/420000.

Pausania senza rist, fondamenta Gherardini 2824, Dorsoduro ⊠ 30123 ℰ 041 5222083, *Fax 041 5222989,* 🌿 – 🗏 📺. AE 🕄 🐠 VISA JCB BV a
26 cam ⊆ 260/395000.

Santa Marina senza rist, campo Santa Marina 6068, Castello ⊠ 30122 ℰ 041 5239202, *Fax 041 5200907* – 🗏 📺. AE 🕄 ⓪ 🐠 VISA LXY a
30 cam ⊆ 380/420000.

Gardena senza rist, fondamenta dei Tolentini 239, Santa Croce ⊠ 30135 ℰ 041 2205000, *booking@gardenahotels.it, Fax 041 2205020,* 🌿 – 🛗 🗏 📺. AE 🕄 ⓪ 🐠 VISA JCB. ⨯ BT s
22 cam ⊆ 320/480000.

Torino senza rist, calle delle Ostreghe 2356, San Marco ⊠ 30124 ℰ 041 5205222, *Fax 041 5228227* – 🗏 📺. 🕄 🐠 VISA JZ z
20 cam ⊆ 260/360000.

San Cassiano-Cà Favretto senza rist, calle della Rosa 2232, Santa Croce ⊠ 30135 ℰ 041 5241768, *cassiano@sancassiano.it, Fax 041 721033,* ≼ 🖾 – 🗏 📺. AE 🕄 ⓪ 🐠 VISA JCB JX f
36 cam ⊆ 350/450000.

Marconi senza rist, riva del Vin 729, San Polo ⊠ 30125 ℰ 041 5222068, *info@hotelmarco ni.it, Fax 041 5229700* – 🗏 📺. AE 🕄 ⓪ 🐠 VISA JCB KY a
26 cam ⊆ 350/450000.

La Calcina senza rist, fondamenta zattere ai Gesuati 780, Dorsoduro ⊠ 30123 ℰ 041 5206466, *la.calcina@libero.it, Fax 041 5227045,* « Altana panoramica e terrazza sul canale della Giudecca » – 🗏. AE 🕄 ⓪ 🐠 VISA JCB. ⨯ BV f
29 cam ⊆ 170/300000.

Olimpia senza rist, Santa Croce 395-fondamenta delle Burchielle ⊠ 30135 ℰ 041 711041, *info@hotel-olimpia.com, Fax 041 5246777,* 🌿 – 🛗 🗏 📺. AE 🕄 ⓪ 🐠 VISA JCB AU e
37 cam ⊆ 260/390000.

🏠 **Ala** senza rist, campo Santa Maria del Giglio 2494, San Marco ⊠ 30124 ℘ 041 5208333, *a*
htlve@gpnet.it, Fax 041 5206390 – 🛗 ✆ 🗏 📺. 🖭 🕄 ⑨ 🐽 𝘝𝘐𝘚𝘈 JCB. ⋘   JZ
85 cam ⊇ 270/440000.

🏠 **Campiello** senza rist, calle del Vin 4647, Castello ⊠ 30122 ℘ 041 5239682, *campiello@h.*
ampiello.it, Fax 041 5205798 – 🗏 📺. 🖭 🕄 ⑨ 🐽 𝘝𝘐𝘚𝘈. ⋘   LZ
16 cam ⊇ 200/300000.

🏠 **Locanda Ovidius** senza rist, calle Sturion 677/a, San Polo ⊠ 30125 ℘ 041 5237970, *inf*
@hotelovidius.com, Fax 041 5204101 – 🗏 📺. 🖭 🕄 ⑨ 🐽 𝘝𝘐𝘚𝘈. ⋘   JY
9 cam ⊇ 300/450000.

🏠 **Spagna** senza rist, lista di Spagna 184, Cannaregio ⊠ 30121 ℘ 041 715011, *hotel.spagn*
@cash.it, Fax 041 2750256 – 🗏 📺. 🖭 🕄 ⑨ 🐽 𝘝𝘐𝘚𝘈 JCB   BT
19 cam ⊇ 250/400000.

🏠 **San Moisè** senza rist, calle del Cristo 2058, San Marco ⊠ 30124 ℘ 041 5203755, *info@sa.*
moise.it, Fax 041 5210670 – 🗏 📺. 🖭 🕄 ⑨ 𝘝𝘐𝘚𝘈 JCB   JZ
16 cam ⊇ 350/450000.

🏠 **Paganelli** senza rist, riva degli Schiavoni 4687, Castello ⊠ 30122 ℘ 041 5224324, *hotelp*
g@tin.it, Fax 041 5239267 – 🗏 📺. 🖭 🕄 🐽 𝘝𝘐𝘚𝘈. ⋘   LZ
22 cam ⊇ 220/350000.

🏠 **Falier** senza rist, salizzada San Pantalon 130, Santa Croce ⊠ 30135 ℘ 041 710882, *falier*
tin.it, Fax 041 5206554 – 📺. 🖭 🕄 🐽 𝘝𝘐𝘚𝘈. ⋘   BU
19 cam ⊇ 250/310000.

🏠 **Locanda Ai Santi Apostoli** senza rist, strada Nuova 4391, Cannaregio ⊠ 3013
℘ 041 5212612, *aisantia@tin.it*, Fax 041 5212611 – 🛗 🗏 📺. 🖭 🕄 ⑨ 🐽 𝘝𝘐𝘚𝘈   KX
chiuso dal 18 dicembre al 28 febbraio e dal 12 al 22 agosto – **10 cam** ⊇ 420/520000.

🏠 **Locanda Sturion** senza rist, San Polo-calle Sturion 679 ⊠ 30125 ℘ 041 5236243, *info*
locandasturion.com, Fax 041 5228378 – 🗏 📺. 🖭 🕄 🐽 𝘝𝘐𝘚𝘈   JY
11 cam ⊇ 220/390000.

🏠 **Serenissima** senza rist, calle Goldoni 4486, San Marco ⊠ 30124 ℘ 041 5200011, *serenh*
@tin.it, Fax 041 5223292 – 🗏 📺. 🖭 🕄 🐽 𝘝𝘐𝘚𝘈   KYZ
chiuso dal 15 novembre al 16 febbraio – **37 cam** ⊇ 190/300000.

🏠 **Pensione Accademia-Villa Maravage** senza rist, fondamenta Bollani 1058, Dorso
duro ⊠ 30123 ℘ 041 5237846, *Fax 041 5239152*, « Giardino » – 🗏 📺. 🖭 🕄 ⑨ 🐽 𝘝𝘐𝘚𝘈
⋘   BV
27 cam ⊇ 220/420000.

🏠 **Commercio e Pellegrino** senza rist, calle della Rasse 4551/A, Castello ⊠ 3012
℘ 041 5207922, *htlcomm@tin.it*, Fax 041 5225016 – 🛗 🗏 📺. 🖭 🕄 ⑨ 🐽 𝘝𝘐𝘚𝘈 JCB. ⋘   LZ
25 cam ⊇ 340/390000.

🏠 **Agli Alboretti**, rio terà Foscarini 884, Accademia ⊠ 30123 ℘ 041 5230058, *alboret@g*
net.it, Fax 041 5210158, 🌧 – 🗏 cam. 📺. 🖭 🕄 🐽 𝘝𝘐𝘚𝘈   BV
chiuso dal 8 gennaio al 15 febbraio – **Pasto** *(chiuso dal 1° al 21 agosto, mercoledì e giovec*
a mezzogiorno) carta 80/115000 – **19 cam** ⊇ 175/270000 – ½ P 205000.

🏠 **Canaletto** senza rist, calle de la Malvasia 5487, Castello ⊠ 30122 ℘ 041 5220518
Fax 041 5229023 – 🗏 📺. 🖭 🕄 ⑨ 🐽 𝘝𝘐𝘚𝘈   KY
33 cam ⊇ 350/380000.

🏠 **San Zulian** senza rist, calle San Zulian 535, San Marco ⊠ 30124 ℘ 041 5225872
Fax 041 5232265 – 🛗 🗏 📺. 🖭 🕄 ⑨ 🐽 𝘝𝘐𝘚𝘈 JCB   KY
22 cam ⊇ 320/380000.

🏠 **Basilea** senza rist, rio Marin 817, Santa Croce ⊠ 30135 ℘ 041 718477, *basilea@iol.it*
Fax 041 720851 – 🗏 📺. 🖭 🕄 𝘝𝘐𝘚𝘈. ⋘   BT
chiuso dal 10 al 31 gennaio – **30 cam** ⊇ 270/380000.

🏠 **La Residenza** senza rist, campo Bandiera e Moro 3608, Castello ⊠ 30122
℘ 041 5285315, Fax 041 5238859 – 🗏 📺. 🖭 🕄 🐽 𝘝𝘐𝘚𝘈. ⋘   FV
14 cam ⊇ 180/260000.

🏠 **Bridge** senza rist, calle della Sacrestia 4498, Castello ⊠ 30122 ℘ 041 5205287, *hotelbridg*
e@iol.it, Fax 041 5202297 – 🗏 📺. 🖭 🕄 ⑨ 🐽 𝘝𝘐𝘚𝘈. ⋘   LY
10 cam ⊇ 340/400000.

🏠 **Locanda Fiorita** senza rist, campiello Novo 3457/A, San Marco ⊠ 30124
℘ 041 5234754, *locafior@tin.it*, Fax 041 5228043 – 🗏 📺. 🖭 🕄 ⑨ 🐽 𝘝𝘐𝘚𝘈. ⋘   CV
10 cam ⊇ 150/210000.

XXXX **Caffè Quadri**, piazza San Marco 120 ⊠ 30124 ℘ 041 5222105, *Fax 041 5208041*, ⋖
prenotare – ✆ 🗏. 🖭 🕄 ⑨ 🐽 𝘝𝘐𝘚𝘈 JCB. ⋘   KZ
chiuso dal 25 luglio al 17 agosto, lunedì dal 1° novembre al 31 marzo – **Pasto** carta
115/195000.

XXX **Harry's Bar**, calle Vallaresso 1323, San Marco ⊠ 30124 ℘ 041 5285777, *harrys@gpnet.it*
Fax 041 5208822, Rist.-american bar, prenotare – 🗏. 🖭 🕄 ⑨ 🐽 𝘝𝘐𝘚𝘈. ⋘   KZ
Pasto carta 155/210000 (10 %).

🍴🍴🍴 **La Caravella** - Hotel Saturnia e International, calle larga 22 Marzo 2397, San Marco ✉ 30124 ☎ 041 5208901, ⛱, Rist. caratteristico, Coperti limitati prenotare, nei mesi estivi servizio nel cortiletto, « Terrazza-solarium » – ❄. [AE] [$] [D] [MC] [VISA] [JCB]. 🚫🐕 JZ n
Pasto carta 120/155000.

🍴🍴🍴 **La Colomba,** piscina di Frezzeria 1665, San Marco ✉ 30124 ☎ 041 5221175, *Fax 041 5221468*, ⛱, « Raccolta di quadri d'arte contemporanea » – 🚭 ❄ – 👥 60. [AE] [$] [D] [MC] [VISA] [JCB]. 🚫🐕 KZ n
chiuso mercoledì e giovedì a mezzogiorno escluso maggio-ottobre – **Pasto** carta 100/180000 (15 %).

🍴🍴 **Do Forni,** calle dei Specchieri 457/468, San Marco ✉ 30124 ☎ 041 5237729, *Fax 041 5288132*, prenotare – ❄. [AE] [$] [D] [MC] [VISA] [JCB] LY c
Pasto carta 100/150000 (12 %).

🍴🍴 **Antico Pignolo,** calle dei Specchieri 451, San Marco ✉ 30124 ☎ 041 5228123, *anticopignolo@libero.it, Fax 041 5209007*, ⛱ – 🚭 ❄. [AE] [$] [D] [MC] [VISA] [JCB]. 🚫🐕 LY v
Pasto carta 135/215000 (12 %).

🍴🍴 **Osteria da Fiore,** calle del Scaleter 2202/A, San Polo ✉ 30125 ☎ 041 721308, *Fax 041 721343*, Coperti limitati, prenotare – ❄. [AE] [$] [D] [MC] [VISA] [JCB] CT a
✿ *chiuso dal 25 dicembre al 15 gennaio, agosto, domenica e lunedì* – **Pasto** specialità di mare carta 135/210000
Spec. Alghe di mare ai molluschi (marzo-novembre). Misto crudo di branzino, calamaretti, scampi e triglie. Tagliata di tonno al rosmarino.

🍴🍴 **Harry's Dolci,** fondamenta San Biagio 773, Giudecca ✉ 30133 ☎ 041 5224844, *harrys@pop.gnet.it, Fax 041 5222322*, Rist.-caffetteria, « Servizio estivo all'aperto sul Canale della Giudecca » – ❄. [AE] [$] [D] [MC] [VISA] BV d
26 marzo-7 novembre; chiuso martedì – **Pasto** 100/120000 (12 %) e carta 120/210000 (12 %).

🍴🍴 **Cip's Club** - Hotel Cipriani, fondamenta de le Zitelle 10, Giudecca ✉ 30133 ☎ 041 2408575, « Servizio estivo all'aperto sul canale della Giudecca » – ❄. [AE] [$] [D] [MC] [VISA]. 🚫🐕 FV c
chiuso sino a marzo – **Pasto** carta 130/180000.

🍴🍴 **Al Covo,** campiello della Pescaria 3968, Castello ✉ 30122 ☎ 041 5223812, ⛱ – 🚭. 🚫🐕 FV s
chiuso dal 15 dicembre al 15 gennaio, agosto, mercoledì e giovedì – **Pasto** carta 95/135000 (12 %).

🍴🍴 **Fiaschetteria Toscana,** San Giovanni Grisostomo 5719, Cannaregio ✉ 30121 ☎ 041 5285281, *Fax 041 5285521*, ⛱ – ❄. [AE] [$] [MC] [VISA]. 🚫🐕 KX p
chiuso dall'11 luglio all'8 agosto, lunedì a mezzogiorno e martedì – **Pasto** carta 70/100000.

🍴🍴 **Ai Mercanti,** Corte Coppo 4346/A, San Marco ✉ 30124 ☎ 041 5238269, *Fax 041 5238269*, ⛱ – ❄. [AE] [$] [D] [MC] [VISA]. 🚫🐕 KZ u
chiuso domenica e lunedì a mezzogiorno – **Pasto** carta 70/110000.

🍴🍴 **Ai Gondolieri,** fondamenta de l'Ospedaleto 366, Dorsoduro ✉ 30123 ☎ 041 5286396, *aigond@gpnet.it, Fax 041 5210075*, prenotare la sera – [AE] [$] [D] [MC] [VISA]. 🚫🐕 DV d
chiuso martedì – **Pasto** solo piatti di carne carta 100/140000.

🍴🍴 **Da Mario alla Fava,** calle Stagneri 5242 e Galiazzo 5265, San Marco ✉ 30124 ☎ 041 5285147, *Fax 041 5236847*, ⛱ – [AE] [$] [D] [MC] [VISA] KY c
chiuso dal 7 al 20 gennaio – **Pasto** carta 70/100000 (12 %).

🍴 **Corte Sconta,** calle del Pestrin 3886, Castello ✉ 30122 ☎ 041 5227024, *Fax 041 5227513*, « Servizio estivo sotto un pergolato » – 🚫🐕 FV e
chiuso domenica e lunedì – **Pasto** carta 65/115000.

🍴 **Vini da Gigio,** Fondamenta San Felice 3628/a, Cannaregio ✉ 30131 ☎ 041 5285140, *Fax 041 5228597*, Osteria con cucina, Coperti limitati; prenotare – ❄. [AE] [$] [D] [MC] [VISA]. 🚫🐕 DT e
chiuso dal 15 al 31 gennaio, dal 15 al 31 agosto e lunedì – **Pasto** carta 55/85000.

🍴 **Hostaria da Franz,** fondamenta Sant'Isepo 754, Castello ✉ 30122 ☎ 041 5220861, *Fax 041 2419278*, ⛱ – ❄. [AE] [$] [MC] [VISA]. 🚫🐕 per riva dei 7 Martiri
chiuso gennaio, agosto e martedì – **Pasto** carta 80/110000.

🍴 **Trattoria alla Madonna,** calle della Madonna 594, San Polo ✉ 30125 ☎ 041 5223824, *Fax 041 5210167*, Trattoria veneziana – [AE] [$] [MC] [VISA] [JCB]. 🚫🐕 JY e
chiuso dal 24 dicembre a gennaio, dal 4 al 17 agosto e mercoledì – **Pasto** carta 50/75000 (12 %).

🍴 **Alle Testiere,** calle del Mondo Novo 5801, Castello ✉ 30122 ☎ 041 5227220, *Fax 041 5227220*, Osteria con cucina, prenotare – 🚭 ❄. [$] [MC] [VISA] LY g
chiuso dal 24 dicembre al 12 gennaio, dal 25 luglio al 25 agosto e domenica, anche lunedì in giugno-luglio – **Pasto** solo specialità di mare carta 75/115000.

X **Antica Trattoria Furatola,** calle lunga San Barnaba 2870, Dorsoduro ⊠ 3012
    𝒫 041 5208594 – AE 🖼 🕄 ⓞ ◗◗ 𝘝𝘐𝘚𝘈 JCB, ✜
    BV
    chiuso dall'8 al 24 gennaio, agosto, lunedì a mezzogirono e giovedì – **Pasto** specialità c
    mare carta 85/125000.

X **Trattoria Dona Onesta,** calle Dona Onesta 3922, Dorsoduro ⊠ 30123 *𝒫 041 710586*
    Fax 041 710586 – ▤, AE 🕄 🅟 𝘝𝘐𝘚𝘈
    BU
    Pasto carta 35/60000 (10 %).

X **Al Mascaron,** calle Longa Santa Maria Formosa 5225 ⊠ 30121 *𝒫 041 5225995*
    Fax 041 5230744, Bacaro-osteria con uso cucina – ✜
    LY
    chiuso dal 15 dicembre al 15 gennaio e domenica – **Pasto** carta 50/100000.

X **Ostaria Antico Dolo,** ruga vecchia San Giovanni 778, San Polo ⊠ 3012
    𝒫 041 5226546, Fax 041 5226546, Bacaro con cucina, solo su prenotazione la sera – ▤. A
    🕄 ◗◗ 𝘝𝘐𝘚𝘈
    JX
    chiuso dal 1º al 16 gennaio, dal 13 al 16 agosto e domenica – **Pasto** carta 65/105000.

X **Osteria Al Bacco,** fondamenta Capuzine San Girolamo 3054, Cannaregio ⊠ 3012
    𝒫 041 717493, Osteria con cucina, prenotare – AE 🕄 ⓞ ◗◗ 𝘝𝘐𝘚𝘈
    chiuso dal 10 al 25 gennaio, dal 10 al 25 agosto e lunedì – **Pasto** carta 45/90000.
    per via Fondamenta della Misericordia CDT

al Lido *15 mn di vaporetto da San Marco* KZ – ⊠ *30126 Venezia Lido.*
    Accesso consentito agli autoveicoli durante tutto l'anno da Piazzale Roma.
    🖪 *Gran Viale S. M. Elisabetta 6 𝒫 041 5265721 :*

🏨🏨🏨 **The Westin Excelsior,** lungomare Marconi 41 *𝒫 041 5260201, Fax 041 5267276,* ≼
    ▥, 丒, ▥, ⅓, ✜➤ cam, ▥ ▤ ᵭ, ☞ 🅟 – 🛦 600. AE 🕄 ⓞ ◗◗ 𝘝𝘐𝘚𝘈 JCB, ✜
    15 marzo-20 novembre – **Pasto** carta 160/265000 – **193 cam** ⊑ 1095000, 3 suites -
    ½ P 690000.

🏨🏨 **Des Bains,** lungomare Marconi 17 *𝒫 041 5265921, Fax 041 5260113,* ≼, 🏛, « Parco
    fiorito con 丒 riscaldata e ✜ », 𝘐ᵴ, 🐎, ᴬ̳, ✜ – 🛊 ▤ ▥ 🅟 – 🛦 380. AE 🕄 ⓞ ◗◗ 𝘝𝘐𝘚𝘈
    JCB
    marzo-novembre – **Pasto** carta 160/235000 e al Rist. **Pagoda** *(giugno-settembre)* carta
    55/80000 – **191 cam** ⊑ 980000, suite – ½ P 615000.

🏨🏨 **Villa Mabapa,** riviera San Nicolò 16 *𝒫 041 5260590, info@villamabapa.com*
    Fax 041 5269441, « Servizio rist. estivo in giardino » ⬇ – 🛊 ▤ ▥ – 🛦 60. AE 🕄 ⓞ ◗◗ 𝘝𝘐𝘚𝘈
    JCB, ✜ rist
    Pasto *(chiuso a mezzogiorno escluso dal 15 maggio ad ottobre)* carta 70/100000 – **68 cam**
    ⊑ 310/500000 – ½ P 310000.

🏨🏨 **Quattro Fontane** ⅏, via 4 Fontane 16 *𝒫 041 5260227, quafonve@tin.it*
    Fax 041 5260726, « Servizio rist. estivo in giardino », ✜ – ▤ ▥ 🅟 – 🛦 40. AE 🕄 ⓞ ◗◗
    𝘝𝘐𝘚𝘈, ✜ rist
    aprile-14 novembre – **Pasto** carta 110/170000 – **59 cam** ⊑ 550/580000 – ½ P 390000.

🏨🏨 **Le Boulevard** senza rist, Gran Viale S. M. Elisabetta 41 *𝒫 041 5261990, Fax 041 5261917*
    – 🛊 ▤ ▥ 🅟. AE 🕄 ⓞ ◗◗ 𝘝𝘐𝘚𝘈 JCB
    X
    45 cam ⊑ 400/600000.

🏨 **Ca' del Borgo** ⅏ senza rist, piazza delle Erbe 8, località Malamocco Sud : 6 km
    𝒫 041 770749, Fax 041 770744, ≼, « In una villa nobiliare del 1500 », ✜ – ▤ ▥. 🕄 ⓞ
    ◗◗ 𝘝𝘐𝘚𝘈
    8 cam ⊑ 370/470000.

🏨 **Villa Tiziana** ⅏ senza rist, via Andrea Gritti 3 *𝒫 041 5261152, reservation@hoteltiziana.c*
    om, Fax 041 5262145 – ▤ ▥. AE 🕄 ⓞ ◗◗ 𝘝𝘐𝘚𝘈 JCB. ✜
    c
    16 cam ⊑ 360/400000.

🏨 **La Meridiana** senza rist, via Lepanto 45 *𝒫 041 5260343, info@lameridiana.com,*
    Fax 041 5269240, ✜ – 🛊 ▤ ▥ 🅟. AE 🕄 ⓞ ◗◗ 𝘝𝘐𝘚𝘈
    b
    16 febbraio-16 novembre – **33 cam** ⊑ 320/360000.

🏨 **Petit Palais** senza rist, lungomare Marconi 54 *𝒫 041 5265993, info@hotelpetitpalais.co*
    m, Fax 041 5260781, ≼ – 🛊 ▤ ▥. AE 🕄 ⓞ ◗◗ 𝘝𝘐𝘚𝘈
    t
    chiuso da dicembre al 1º febbraio – **26 cam** ⊑ 320/360000.

🏨 **Villa Stella** senza rist, via Sandro Gallo 111 ⊠ 30126 *𝒫 041 5260745, stella@villastella*
    .com, Fax 041 5261081, ✜ – ▥ 🅟. AE 🕄 ⓞ ◗◗ 𝘝𝘐𝘚𝘈. ✜
    f
    Carnevale e aprile-ottobre – **12 cam** ⊑ 180/240000.

X **Trattoria Favorita,** via Francesco Duodo 33 *𝒫 041 5261626, Fax 041 5261626,* « Servi-
    zio estivo all'aperto » – AE 🕄 ⓞ ◗◗ 𝘝𝘐𝘚𝘈 JCB. ✜
    d
    chiuso dal 15 gennaio al 15 febbraio e lunedì – **Pasto** carta 60/90000.

✗ **Al Vecio Cantier,** via della Droma 76 località Alberoni Sud : 10 km ⊠ 30011 Alberoni
   ℘ 041 5268130, Fax 041 731377, 斎, prenotare – AE ⑤ ⓪ ⓪ⓒ 𝑉𝐼𝑆𝐴 JCB, ⁕
chiuso gennaio, novembre, lunedì e martedì, da giugno a settembre aperto martedì sera –
Pasto specialità di mare carta 60/120000.

✗ **Andri,** Via Lepanto 21 ℘ 041 5265482 – AE 𝑉𝐼𝑆𝐴, ⁕
chiuso gennaio, febbraio, lunedì e martedì – **Pasto** carta 55/85000.

Murano *10 mn di vaporetto da Fondamenta Nuove* EFT *e 1 h 10 mn di vaporetto da Punta
Sabbioni –* ⊠ 30141 :

✗ **Ai Frati,** Fondamenta Venier 4 ℘ 041 736694, Fax 041 739346, Trattoria marinara, « Servi-
   zio estivo in terrazza sul canale » – ⑤ ⓪ⓒ 𝑉𝐼𝑆𝐴, ⁕
chiuso febbraio e giovedì – **Pasto** carta 50/75000 (12 %).

✗ **Busa-alla Torre,** piazza Santo Stefano 3 ℘ 041 739662, Fax 041 739662, 斎 – AE ⑤ ⓪
   ⓪ⓒ 𝑉𝐼𝑆𝐴, ⁕
chiuso la sera – **Pasto** carta 45/95000 (12 %).

Burano *50 mn di vaporetto da Fondamenta Nuove* EFT *e 32 mn di vaporetto da Punta Sabbioni –*
⊠ 30012 :

✗ **Da Romano,** via Galuppi 221 ℘ 041 730030, Fax 041 735217, 斎, « Raccolta di quadri di
   pittori contemporanei » – ☰, AE ⑤ ⓪ ⓪ⓒ 𝑉𝐼𝑆𝐴
chiuso dal 15 dicembre al 15 febbraio, domenica sera e martedì – **Pasto** carta 60/90000
(12%).

✗ **Al Gatto Nero-da Ruggero,** Fondamenta della Giudecca 88 ℘ 041 730120,
   Fax 041 735570, 斎, Trattoria tipica – AE ⑤ ⓪ ⓪ⓒ 𝑉𝐼𝑆𝐴, ⁕
chiuso dal 15 al 31 gennaio, dal 15 al 30 novembre e lunedì – **Pasto** carta 50/100000.

Torcello *45 mn di vaporetto da Fondamenta Nuove* EFT *e 37 mn di vaporetto da Punta Sabbioni
–* ⊠ 30012 Burano :

✗✗ **Locanda Cipriani,** piazza Santa Fosca 29 ℘ 041 730150, *info@locandacipriani.com*,
   Fax 041 735433, « Servizio estivo in giardino » – ☰, AE ⑤ ⓪ ⓪ⓒ 𝑉𝐼𝑆𝐴
chiuso da gennaio al 15 febbraio e martedì – **Pasto** 70/80000 (a mezzogiorno) 120000 (la
sere) e carta 110/145000.

Pellestrina *1 h e 10 mn di vaporetto da riva degli Schiavoni* GZ *o 45 mn di autobus dal Lido –*
⊠ 30010 :

✗ **Da Celeste,** via Vianelli 625/B ℘ 041 967355, Fax 041 5277914, « Servizio estivo in terraz-
   za sul mare » – ☰, ⁕
marzo-ottobre chiuso mercoledì – **Pasto** solo specialità di mare carta 60/90000.

VENOSA 85029 Potenza ⓸⓷⓵ E 29 – *12 201 ab. alt. 412.*
Roma 327 – Bari 128 – Foggia 74 – Napoli 139 – Potenza 68.

🏨 **Il Guiscardo,** via Accademia dei Rinascenti 106 ℘ 0972 32362, Fax 0972 32916, ☞ – 🛗
⊚   ☰ 📺 ⇦ 🅿 – 🕍 200. AE ⑤ ⓪ ⓪ⓒ 𝑉𝐼𝑆𝐴 JCB, ⁕
Pasto carta 25/45000 – **36 cam** ☲ 85/120000 – ½ P 85000.

🏨 **Villa del Sorriso,** via Appia 135 ℘ 0972 35975, Fax 0972 32082 – 📺 ⇦ 🅿 AE ⑤ ⓪ⓒ 𝑉𝐼𝑆𝐴
JCB, ⁕
Pasto (solo per alloggiati) 30/35000 – ☲ 5000 – **29 cam** 65/85000 – ½ P 75000.

VENTIMIGLIA 18039 Imperia ⓸⓶⓼ K 4 *G. Italia – 26 752 ab..*
   Dintorni *Giardini Hanbury*⋆⋆ *a Mortola Inferiore Ovest : 6 km.*
   Escursioni *Riviera di Ponente*⋆ *Est.*
   🛈 *via Cavour 61 ℘ 0184 351183, Fax 0184 351183.*
   *Roma 658 ① – Imperia 48 ② – Cuneo 89 ① – Genova 159 ① – Milano 282 ① – Nice 40 ① –
San Remo 17 ②.*

Pianta pagina seguente

🏨 **Sole Mare,** via Marconi 22 ℘ 0184 351854 e rist ℘ 0184 230878, Fax 0184 230988, ≼ – 🛗
⊚   📺 AE ⑤ ⓪ ⓪ⓒ 𝑉𝐼𝑆𝐴, ⁕ cam   a
Pasto al rist *Pasta e Basta* (solo primi piatti) *chiuso dal 1° al 18 novembre, a mezzogiorno
(escluso venerdì-sabato-domenica) e lunedì* carta 30/45000 – ☲ 12000 – **28 cam** 100/
150000.

🏨 **Sea Gull** senza rist, via Marconi 24 ℘ 0184 351726, *info@seagullhotel.it*, Fax 0184 231217,
≼ – 🛗 📺, AE ⑤ ⓪ ⓪ⓒ 𝑉𝐼𝑆𝐴, ⁕   k
☲ 12000 – **27 cam** 95/160000.

🏨 **Posta** senza rist, via Sottoconvento 15 ℘ 0184 351218, Fax 0184 231600 – 🛗 ☰ 📺 ✆ 👌
⇦, AE ⑤ ⓪ ⓪ⓒ 𝑉𝐼𝑆𝐴 JCB, ⁕   u
26 cam ☲ 120/150000.

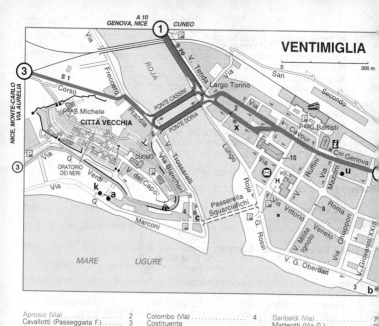

Aprosio (Via) 2
Cavallotti (Passeggiata F.) 3
Cavour (Via)

Colombo (Via) 4
Costituente
   (Piazza della) 6

Garibaldi (Via) 7
Matteotti (Via G.) 8
Repubblica (Corso della) 1

XX **Marco Polo**, passeggiata Cavallotti 2 ℰ 0184 352678, Fax 0184 355684, 🛱, 🍴 – 🗛🖪
🕦 VISA
chiuso dal 4 novembre al 3 dicembre, dal 13 gennaio all'11 febbraio, domenica sera e lunedì
(escluso luglio-agosto) – **Pasto** carta 60/90000.

XX **Ustaria d'a Porta Marina**, via Trossarelli 22 ℰ 0184 351650 – 🔳, 🗛🖪🕦 🕦 VISA JCB
chiuso dal 20 al 30 novembre, martedì sera e mercoledì (escluso luglio-agosto) – **Pasto**
50/80000 e carta 60/80000.

X **Cuneo**, via Aprosio 16 ℰ 0184 33576 – 🔳
chiuso dal 15 giugno al 15 luglio, martedì sera e mercoledì – **Pasto** 30000 e carta 50/80000.

a Castel d'Appio per ③ : 5 km – alt. 344 – ⊠ 18039 :

🏨 **La Riserva** ⤺, ℰ 0184 229533, info@lariserva.it, Fax 0184 229712, ≤ mare e costa
« Servizio rist. estivo in terrazza panoramica », ⤼, 🛱 – 🖵 🖪, 🗛🖪🕦 🕦 VISA
aprile-settembre – **Pasto** carta 60/100000 (15 %) – **25 cam** ⊑ 170/230000 – ½ P 170000.

verso la frontiera di Ponte San Ludovico :

XXXX **Baia Beniamin** ⤺ con cam, corso Europa 63, località Grimaldi Inferiore per ③ : 6 km ⊠
❀ 18039 Ventimiglia ℰ 0184 38002, baiabeniamin@libero.it, Fax 0184 38002, ≤, 🛱, Coperti
limitati; prenotare, « In una piccola baia-terrazze fiorite digradanti verso il mare », 🍴 – 🖵
🖪, 🗛🖪🕦 🕦 VISA
chiuso dal 22 al 29 marzo e novembre – **Pasto** (chiuso domenica sera e lunedì, in luglio-
agosto solo lunedì) 75000 (solo a mezzogiorno ed escluso i giorni festivi) 120000 e carta
110/160000 – **5 cam** ⊑ 400000
Spec. Moscardini rosolati su crema di zucchine. Baccalà mantecato "brand de cujun".
Grande insalata di mare tiepida.

XXX **Balzi Rossi**, via Balzi Rossi 2-ponte San Ludovico, alla frontiera per ③ : 8 km ⊠ 18039
❀ Ventimiglia ℰ 0184 38132, Fax 0184 38532, 🛱, Coperti limitati; prenotare, « Servizio esti-
vo in terrazza con ≤ mare e costa » – 🔳, 🗛🖪🕦 🕦 VISA. ⨯
chiuso dal 1° all'8 marzo, dal 10 al 30 novembre, lunedì, martedì a mezzogiorno ed in luglio-
agosto anche domenica a mezzogiorno – **Pasto** 65000 (solo a mezzogiorno) 135000 e carta
115/190000
Spec. Guazzetto di frutti di mare. Farfalle di pasta fresca con astice e zucchine. Sformato
caldo al gianduja con salsa inglese alla menta.

VENUSIO Matera 🗺️ E 31 – Vedere Matera.

VERBANIA 🅿 428 E 7 – 30 383 ab. alt. 197 (frazione Pallanza).

Vedere *Pallanza★★ – Lungolago★★ – Villa Taranto★★*.

Escursioni *Isole Borromee★★★* (giro turistico : da Intra 25-50 mn di battello e da Pallanza 10-30 mn di battello).

🏌 (chiuso mercoledì) ℰ 0323 80800, Fax 0323 80771;

🏌 *Piandisole* (aprile-novembre; chiuso mercoledì escluso dal 14 giugno al 13 settembre) a Premeno ⊠ 28818 ℰ 0323 587100, Fax 0323 587100, Nord-Est : 11 km.

🛳 da Intra per Laveno-Mombello giornalieri (20 mn); da Pallanza per le Isole Borromee giornalieri (40 mn) – Navigazione Lago Maggiore: a Intra ℰ 0323 402321 e a Pallanza ℰ 0323 503220.

🗓 a Pallanza, corso Zanitello 6/8 ℰ 0323 503249, Fax 0323 503249.

Roma 674 – Stresa 17 – Domodossola 38 – Locarno 42 – Milano 95 – Novara 72 – Torino 146.

a Intra – ⊠ 28921 :

🏨 **Ancora** senza rist, corso Mameli 65 ℰ 0323 53951, *info@hotelancora.it*, Fax 0323 53978, ≼ – 📳 🗏 📺, 🝙 🕄 ① ◎◎ 📼 J⊆B
⊇ 20000 – **21 cam** 160/240000, suite.

🏨 **Intra** senza rist, corso Mameli 133 ℰ 0323 581393, Fax 0323 581404 – 📳 🗏 📺 ⅙. 🝙 🕄 ① ◎◎ 📼
⊇ 15000 – **34 cam** 100/190000.

🏨 **Touring**, corso Garibaldi 26 ℰ 0323 404040, *brusapignatt@mindless.com*, Fax 0323 519001 – 🗏 rist, 📺 🅿. 🝙 🕄 ① ◎◎ 📼. ✵
chiuso dal 23 dicembre al 23 gennaio – **Pasto** (solo per alloggiati e *chiuso venerdì, sabato e domenica*) 35/40000 – ⊇ 10000 – **24 cam** 70/110000, 5 suites – ½ P 95000.

✗✗ **La Tavernetta**, via San Vittore 22 ℰ 0323 402635, 🌇 – 🝙 🕄 ① ◎◎ 📼
chiuso novembre e martedì – **Pasto** carta 45/70000.

✗✗ **Trattoria le Volte**, via San Vittore 149 ℰ 0323 404051, 🌇 – 🝙 🕄 ① ◎◎ 📼
chiuso dal 1° al 10 febbraio, dal 25 luglio al 10 agosto e mercoledì – **Pasto** carta 40/65000.

✗✗ **Taverna Mikonos**, via Tonazzi 5 ℰ 0323 401439, prenotare – 🗏. 🕄 ① ◎◎ 📼
chiuso dal 6 al 20 novembre e mercoledì – **Pasto** cucina greca carta 40/65000.

a Pallanza – ⊠ 28922 :

✗✗ **Il Torchio**, via Manzoni 20 ℰ 0323 503352, *torchio@mail.archi.it*, Fax 0323 503352, Coperti limitati; prenotare – 🗏. 🝙 🕄 ① ◎◎ 📼 J⊆B
chiuso mercoledì – **Pasto** carta 50/80000.

✗ **Osteria dell'Angolo**, piazza Garibaldi 35 ℰ 0323 556362, 🌇, Coperti limitati; prenotare – 🝙 🕄 ① ◎◎ 📼. ✵
chiuso gennaio o febbraio e lunedì – **Pasto** carta 45/80000.

a Suna Nord-Ovest : 2 km – ⊠ 28925 :

✗✗✗ **Il Monastero**, via Castelfidardo 5 ℰ 0323 502544, Fax 0323 502544, prenotare – 🗏. 🝙 🕄 ① ◎◎ 📼
chiuso dal 25 luglio al 10 agosto e lunedì – **Pasto** carta 65/100000.

a Fondotoce Nord-Ovest : 6 km – ⊠ 28924 :

✗✗✗ **Piccolo Lago** con cam, via Turati 87, al lago di Mergozzo Nord-Ovest : 2 km ℰ 0323 586792, *h.piccololago@stresa.net*, Fax 0323 586791, ≼, « Servizio estivo in terrazza sul lago », 🐾, 🍴 – 🗏 rist, 📺 🅿 – 🔏 60. 🝙 🕄 ① ◎◎ 📼. ✵ rist
chiuso dal 20 dicembre al 20 gennaio e lunedì (escluso da giugno a settembre) **Pasto** 90/130000 e carta 85/135000 – **12 cam** ⊇ 150/230000 – ½ P 155000.

VERBANO *Vedere Lago Maggiore.*

VERCELLI 13100 🅿 428 G 7 – 47 946 ab. alt. 131.

A.C.I. corso Fiume 73 ℰ 0161 257822.

Roma 633 ⑤ – Alessandria 55 ③ – Aosta 121 ③ – Milano 74 ⑤ – Novara 23 ① – Pavia 70 ① – Torino 80 ③.

Pianta pagina seguente

✗✗ **Giardinetto** con cam, via Sereno 3 ℰ 0161 257230, *giardi.dan@tiscalinet.it*, Fax 0161 259311, 🌇, 🐜 – 🗏 📺. 🝙 🕄 ① ◎◎ 📼. ✵ cam c
chiuso agosto – **Pasto** (*chiuso lunedì*) carta 65/125000 – **8 cam** ⊇ 120/150000 – ½ P 140000.

✗ **Il Paiolo**, corso Garibaldi 72 ℰ 0161 250577, Fax 0161 250577, prenotare – 🗏. 🝙 🕄 ◎◎ 📼 a
chiuso dal 20 luglio al 20 agosto e giovedì – **Pasto** carta 50/75000.

VERCELLI

Borgogna (Via Antonio).......... 2
Brigata Cagliari (Largo)......... 3
Cagna (Via G. A.)............... 4
Cavour (Piazza)
Chicco (Via)................... 5

D'Angennes (Piazza A.)........ 8
Dante Alighieri (Via)
De Amicis (Via Edmondo).... 9
Ferraris (Via G.)
Foá (Via A.)................... 10
Fratelli Ponti (Via)............ 12
Gastaldi (Corso).............. 13
Goito (Via)................... 15
Libertà (Corso)

Martiri della Libertà (Piazza)... 1
Matteotti (Corso)............. 1
Mazzucchelli (Piazza)......... 1
Monte di Pietà (Via).......... 2
Palazzo Vecchio (Piazza)...... 2
S. Eusebio (Piazza)........... 2
Vallotti (Via)................. 2
Zumaglini (Piazza)............ 2
20 Settembre (Via).......... 2

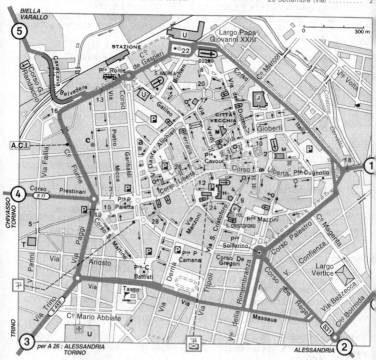

Le carte stradali Michelin sono costantemente aggiornate.

VERDUNO 12060 Cuneo 428 I 5 – 493 ab. alt. 378.

Roma 645 – Cuneo 59 – Torino 61 – Asti 45 – Milano 165 – Savona 98.

🏛 **Real Castello** ⏚, via Umberto I, 9 ℘ 0172 470125, castellodiverduno@castellodiverdur o.com, Fax 0172 470298, ≤, « Castello sabaudo del 18° secolo », ☞ – 🅿 🆎 🆂 ① ⑩ 🆅🆂🅰 ❀

marzo-novembre – **Pasto** (chiuso a mezzogiorno; prenotare) carta 65/105000 – **13 cam** ⊑ 240/250000 – ½ P 230000.

✕ **Il Falstaff**, via Comm. Schiavino 1 ℘ 0172 470244, Fax 0172 470244, solo su prenotazio-ne – 🆎 🆂 ① ⑩ 🆅🆂🅰 ❀
chiuso gennaio, dal 1° al 15 agosto e lunedì – **Pasto** carta 50/80000.

VERGATO 40048 Bologna 429, 430 J 15 – 6 587 ab. alt. 195.

Roma 350 – Bologna 36 – Firenze 82 – Pistoia 53.

sulla strada statale 64 Nord-Est : 5 km :

✕ **Osteria Camugnone**, via Nazionale 42 ✉ 40038 ℘ 051 917332, ☞, prenotare. ❀
chiuso maggio, ottobre, lunedì, martedì e mercoledì – **Pasto** carta 35/50000.

VERGHERETO 47028 Forlì-Cesena.

VERGIANO Rimini – Vedere Rimini.

VERNAGO (VERNAGT) Bolzano 428 ⑨ – Vedere Senales.

VERNAZZA La Spezia 428 J 11 G. Italia – 1 117 ab..
Vedere Località★★.
Dintorni Regione delle Cinque Terre★★ Sud-Est e Ovest per ferrovia– Monterosso al Mare
5 mn di ferrovia – Riomaggiore 10 mn di ferrovia.

VERONA 37100 P 428, 429 F 14 G. Italia – 255 268 ab. alt. 59.
Vedere Chiesa di San Zeno Maggiore★★ : porte★★★, trittico del Mantegna★★ AY – Piazza
delle Erbe★★ CY – Piazza dei Signori★★ CY – Arche Scaligere★★ CY K – Arena★★ : ☀★★
BCYZ – Castelvecchio★★ : museo d'Arte★★ BY – Ponte Scaligero★★ BY – Chiesa di
Sant'Anastasia★ : affresco★★ di Pisanello CY F – ≼★★ dalle terrazze di Castel San Pietro CY
D – Teatro Romano★ CY C – Duomo★ CY A – Chiesa di San Fermo Maggiore★ CYZ B.

🏌 Parco della Musella (chiuso lunedì) Tenuta Musella Cà dei Mori ⊠ 37036 San Martino Buon
Albergo 𝒫 0328 41787676 Fax 045 994756, Est : 7 km;
🏌 Verona (chiuso martedì) a Sommacampagna ⊠ 37066 𝒫 045 510060, Fax 045 510242,
Ovest : 13 km.
✈ di Villafranca, per ④ : 14 km 𝒫 045 8095666, Fax 045 8095706.
🛈 Ingresso Scavi Scaligeri 𝒫 045 8068680, Fax 045 8003638 – Stazione Porta Nuova
𝒫 045 8000861 – aeroporto Villafranca 𝒫 045 8619163.
A.C.I. via della Valverde 34 ⊠ 37122 𝒫 045 595333.
Roma 503 ③ – Milano 157 ③ – Venezia 114 ②.

*In occasione di alcune manifestazioni commerciali o turistiche i prezzi degli alberghi
potrebbero subire un sensibile aumento (informatevi al momento della prenotazione)*

Piante pagine seguenti

🏨🏨🏨 **Due Torri Baglioni**, piazza Sant'Anastasia 4 ⊠ 37121 𝒫 045 595044, Fax 045 8004130,
« Elegante arredamento e collezione di tazzine » – 📶 🗏 📺 ৬ – 🕍 220. 🝗 🕄 ⓞ 🐾 🚾
﹩ rist   CY x
Pasto al Rist. **All'Aquila** carta 85/120000 – **87 cam** ⊿ 455/805000, 3 suites – ½ P 470000.

🏨🏨🏨 **Gabbia d'Oro** senza rist, corso Porta Borsari 4/a ⊠ 37121 𝒫 045 8003060,
Fax 045 590293 – 📶 🗏 📺. 🝗 🕄 ⓞ 🐾 🚾. ﹩   CY t
⊿ 45000 – 8 cam 550/680000, 19 suites 550/1600000.

🏨🏨🏨 **Leon d'Oro** Ⓜ, viale Piave 5 ⊠ 37135 𝒫 045 8049049, Fax 045 8014857 – 📶 🗏 📺 ⇌ P̌.
– 🕍 400. 🝗 🕄 ⓞ 🐾 🚾 🅵. ﹩ rist   BZ g
Pasto carta 45/75000 – **198 cam** ⊿ 330/450000, 4 suites.

🏨🏨 **Victoria** Ⓜ 🕭 senza rist, via Adua 6 ⊠ 37121 𝒫 045 590566, victoria@hotelvictoria.it,
Fax 045 590155, 𝄞 – 📶 🗏 📺 ৬ ⇌ – 🕍 75. 🝗 🕄 ⓞ 🐾 🚾 🅵
63 cam ⊿ 350/450000, 4 suites.   BY r

🏨🏨 **Colomba d'Oro** senza rist, via Cattaneo 10 ⊠ 37121 𝒫 045 595300, info@colombaho
tel.com, Fax 045 594974 – 📶 🗏 📺 ৬ ⇌ – 🕍 50. 🝗 🕄 ⓞ 🐾 🚾. ﹩
⊿ 26000 – **47 cam** 230/375000, 2 suites.   BY n

🏨🏨 **Accademia**, via Scala 12 ⊠ 37121 𝒫 045 596222, Fax 045 8008440 – 🗏 📺 ৬ –
🕍 100. 🝗 🕄 ⓞ 🐾 🚾. ﹩   CY d
Pasto vedere rist **Accademia** – **98 cam** ⊿ 280/435000, 7 suites.

🏨🏨 **San Marco** Ⓜ senza rist, via Longhena 42 ⊠ 37138 𝒫 045 569011, sanmarco@sanmar
co.vr.it, Fax 045 572299, 𝄞, ⇶, ⊠ – 📶 🗏 📺 ৬ ⇌ – 🕍 80. 🝗 🕄 ⓞ 🐾 🚾 🅵 AY n
62 cam ⊿ 250/350000.

🏨🏨 **Hotel Palace**, via Galvani 19 ⊠ 37138 𝒫 045 575700, info@hotelpalace.vr.it,
Fax 045 576667 – 📶 🗏 📺 ⇌ – 🕍 100. 🝗 🕄 ⓞ 🐾 🚾. ﹩   AY x
Pasto (solo per alloggiati e chiuso a mezzogiorno) carta 50/70000 – **64 cam** ⊿ 280/395000
– ½ P 240000.

🏨🏨 **Leopardi** senza rist, via Leopardi 16 ⊠ 37138 𝒫 045 8101444, leopardi@leopardi.vr.it,
Fax 045 8100523 – 📶 🗏 📺 ৬ ⇌ P – 🕍 150. 🝗 🕄 ⓞ 🐾 🚾 🅵   AY a
81 cam ⊿ 285/330000.

🏨🏨 **Montresor Hotel Giberti** Ⓜ senza rist, via Giberti 7 ⊠ 37122 𝒫 045 8006900, hotels@
montresor.it, Fax 045 8006900 – 📶 🗏 📺 ৬ ⇌ – 🕍 60. 🝗 🕄 ⓞ 🐾 🚾. ﹩   BZ e
⊿ 10000 – **80 cam** 260/400000.

🏨🏨 **Grand Hotel** senza rist, corso Porta Nuova 105 ⊠ 37122 𝒫 045 595600, info@grandhot
el.vr.it, Fax 045 596385 – 📶 🗏 📺 – 🕍 170. 🝗 🕄 ⓞ 🐾 🚾 🅵. ﹩   BZ b
62 cam ⊿ 200/310000, 5 suites.

🏨 **Firenze** senza rist, corso Porta Nuova 88 ⊠ 37122 𝒫 045 8011510, hfirenze@tin.it,
Fax 045 8030374 – 📶 🗏 📺 ৬ ⇌ – 🕍 50. 🝗 🕄 ⓞ 🐾 🚾 🅵   BZ d
41 cam ⊿ 360/400000, 2 suites.

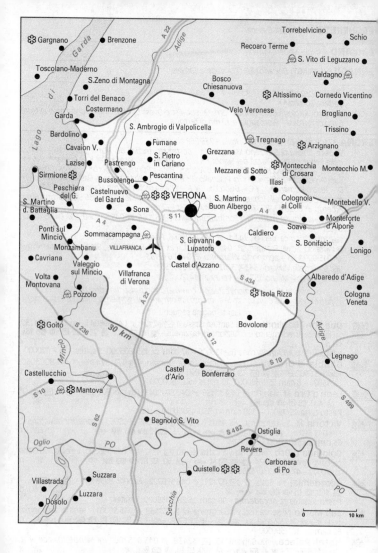

Maxim M senza rist, via Belviglieri 42 ⊠ 37131 ℰ 045 8401800, *maxim@maximverona.it*
Fax 045 8401818 – 📱 ▤ 📺 ✆ 🛴 ☎ – 🔏 100. 🖭 🗟 ⑩ 🐠 *VISA* JCB
chiuso dal 24 dicembre al 6 gennaio – **145 cam** ☷ 220/235000.　　　　2 km per ②

Giulietta e Romeo senza rist, vicolo Tre Marchetti 3 ⊠ 37121 ℰ 045 8003554, *info@giu-
liettaeromeo.com*, Fax 045 8010862 – 📱 ▤ 📺 – 🔏 25. 🖭 🗟 ⑩ 🐠 *VISA*. ✵　　CY z
30 cam ☷ 185/295000.

Bologna, via Alberto Mario 18 ⊠ 37121 ℰ 045 8006830, *hotelbologna@tin.it*
Fax 045 8010602 – 📱 ▤ 📺 🖭 🗟 ⑩ 🐠 *VISA*. ✵　　　　　　　　　　BY x
Pasto vedere rist **Rubiani** – **32 cam** ☷ 200/280000.

De' Capuleti senza rist, via del Pontiere 26 ⊠ 37122 ℰ 045 8000154, Fax 045 8032970 –
📱 ▤ 📺 – 🔏 30. 🖭 🗟 ⑩ 🐠 *VISA*. ✵　　　　　　　　　　　　　CZ s
chiuso dal 24 dicembre al 10 gennaio – **42 cam** ☷ 180/280000.

🏨 **Martini** senza rist, via Camuzzoni 2/b ⌧ 37138 ℰ 045 569400, Fax 045 577620 – 📳 🗐 📺
&, 🚗, 🖭 🕄 ⓪ ⓿ 𝘝𝘐𝘚𝘈. ℀   AZ p
40 cam ⌑ 250/285000.

🏨 **Porta Palio** senza rist, via Galliano 21 ⌧ 37138 ℰ 045 8102140, paliote@sis.it,
Fax 045 8101771, ℟, ☎ – 📳 🗐 📺 🕄 🚗 🖭 – 🕍 50. 🖭 🕄 ⓪ ⓿ 𝘝𝘐𝘚𝘈   AY c
55 cam ⌑ 190/255000.

🏨 **Mastino** senza rist, corso Porta Nuova 16 ⌧ 37131 ℰ 045 595388, hotelmastino@ali
net.it, Fax 045 597718 – 📳 🗐 📺 – 🕍 25. 🖭 🕄 ⓪ ⓿ 𝘝𝘐𝘚𝘈   BZ a
40 cam ⌑ 240/290000.

🏨 **Novo Hotel Rossi** senza rist, via delle Coste 2 ⌧ 37138 ℰ 045 569022, Fax 045 578297
– 📳 🗐 📺 &, 🅿, 🖭 🕄 ⓪ ⓿ 𝘝𝘐𝘚𝘈   AZ a
38 cam ⌑ 175/270000.

🏨 **Italia,** via Mameli 58/66 ⌧ 37126 ℰ 045 918088 e rist ℰ 045 914131, itahot@iol.it,
Fax 045 8348028 – 📳, ⚞ cam, 🗐 📺 🚗. ☎ 🖭 cam   BY p
Pasto al Rist. **Il Babbo** (chiuso domenica) carta 50/70000 – **58 cam** ⌑ 180/270000.

🏨 **Torcolo** senza rist, vicolo Listone 3 ⌧ 37121 ℰ 045 8007512, Fax 045 8004058 – 📳 🗐 📺.
🖭 🕄 ⓪ ⓿ 𝘝𝘐𝘚𝘈   BY s
chiuso dal 7 gennaio all'8 febbraio – ⌑ 18000 – **19 cam** 125/180000.

🏨 **Cavour** senza rist, vicolo Chiodo 4 ⌧ 37121 ℰ 045 590166, Fax 045 590508 – 🗐 📺. ℀
chiuso dal 9 gennaio al 9 febbraio – ⌑ 16000 – **22 cam** 125/220000.   BY c

🏨 **Aurora** senza rist, piazza delle Erbe 2 ⌧ 37121 ℰ 045 594717, Fax 045 8010860 – 🗐 📺.
🖭 🕄 ⓪ ⓿ 𝘝𝘐𝘚𝘈   CY g
19 cam ⌑ 190/210000.

🏵🏵🏵🏵 **Il Desco,** via Dietro San Sebastiano 7 ⌧ 37121 ℰ 045 595358, Fax 045 590236, Coperti
✿✿ limitati; prenotare – 🗐. 🖭 🕄 ⓪ ⓿ 𝘝𝘐𝘚𝘈. ℀   CY q
chiuso dal 25 dicembre al 10 gennaio, Pasqua, dal 15 al 30 giugno, domenica e lunedì, solo
domenica in luglio, agosto e dicembre – **Pasto** 180000 e carta 120/180000
Spec. Animelle con rape bianche e patate al sesamo. Raviolini di maialino da latte con
gamberi in brodetto tiepido. Verdurine dell'orto con petto di faraona lardellato e tartufo
nero.

🏵🏵🏵 **12 Apostoli,** corticella San Marco 3 ⌧ 37121 ℰ 045 596999, dodiciapostoli@tiscalinet.it,
Fax 045 591530 – 🗐. 🖭 🕄 ⓪ ⓿ 𝘝𝘐𝘚𝘈. ℀   CY v
chiuso dal 2 all'8 gennaio, dal 15 giugno al 5 luglio, lunedì e domenica sera – **Pasto** carta
90/125000 (15 %).

🏵🏵🏵 **Maffei,** piazza delle Erbe 38 ⌧ 37121 ℰ 045 8010015, Fax 045 8005124, 🎵, « Scavi
archeologici romani nei sotterranei » – 🗐. 🖭 🕄 ⓪ ⓿ 𝘝𝘐𝘚𝘈. ℀   CY c
chiuso lunedì a mezzogiorno escluso luglio-agosto – **Pasto** carta 65/90000.

🏵🏵🏵 **Arche,** via Arche Scaligere 6 ⌧ 37121 ℰ 045 8007415, Fax 045 8007415, Coperti limitati;
prenotare – 🗐. 🖭 🕄 ⓪ ⓿ 𝘝𝘐𝘚𝘈 𝙅𝘾𝘽. ℀   CY y
chiuso dal 16 gennaio al 13 febbraio, domenica e lunedì a mezzogiorno – **Pasto** 100000 e
carta 80/120000 (12 %).

🏵🏵🏵 **Baracca,** via Legnago 120 ⌧ 37134 ℰ 045 500013, Fax 045 500013, 🎵, prenotare – 🅿.
🕄 ⓪ ⓿ 𝘝𝘐𝘚𝘈. ℀   2,5 km per ③
chiuso domenica – **Pasto** specialità di mare carta 75/100000.

🏵🏵🏵 **Tre Corone,** piazza Brà 16 ⌧ 37121 ℰ 045 8002462, Fax 045 8011810, 🎵 – 🖭 🕄 ⓪ ⓿
𝘝𝘐𝘚𝘈. ℀   BY s
Pasto carta 80/115000 (15 %).

🏵🏵 **Re Teodorico,** piazzale Castel San Pietro ⌧ 37129 ℰ 045 8349990, Fax 045 8349990, ⬍
città e fiume Adige, 🎵, « Servizio estivo in terrazza » – 🖭 🕄 ⓪ ⓿ 𝘝𝘐𝘚𝘈   CY k
chiuso dal 7 al 31 gennaio e mercoledì – **Pasto** carta 75/140000.

🏵🏵 **Accademia,** via Scala 10 ⌧ 37121 ℰ 045 8006072, accademiaristorante@tin.it,
Fax 045 8006072 – 🗐. 🖭 🕄 ⓪ ⓿ 𝘝𝘐𝘚𝘈. ℀   CY d
chiuso domenica escluso luglio-agosto – **Pasto** carta 65/110000.

🏵🏵 **Rubiani,** piazzetta Scalette Rubiani 3 ⌧ 37121 ℰ 045 8006830, Fax 045 8009999, 🎵 – 🖭
🕄 ⓪ ⓿ 𝘝𝘐𝘚𝘈. ℀   BY x
chiuso dal 25 gennaio al 25 febbraio e domenica – **Pasto** carta 60/90000 (15 %).

🏵🏵 El Cantinon, via San Rocchetto 11 ⌧ 37121 ℰ 045 595291, Fax 045 595291 – 🗐   CY s

🏵🏵 **Locanda di Castelvecchio,** corso Cavour 49 ⌧ 37121 ℰ 045 8030097,
Fax 045 8013124, 🎵 – 🗐. 🖭 🕄 ⓪ ⓿ 𝘝𝘐𝘚𝘈 𝙅𝘾𝘽. ℀   BY a
chiuso dal 26 dicembre al 4 gennaio, dal 18 giugno al 2 luglio, martedì e mercoledì a
mezzogiorno – **Pasto** specialità arrosti e bollito misto carta 70/85000.

🏵🏵 **Greppia,** vicolo Samaritana 3 ⌧ 37121 ℰ 045 8004577, Fax 045 595090, 🎵 – 🗐. 🖭 🕄
⓪ ⓿ 𝘝𝘐𝘚𝘈   CY m
chiuso dal 15 al 30 gennaio, dal 15 al 30 giugno e lunedì – **Pasto** carta 50/70000.

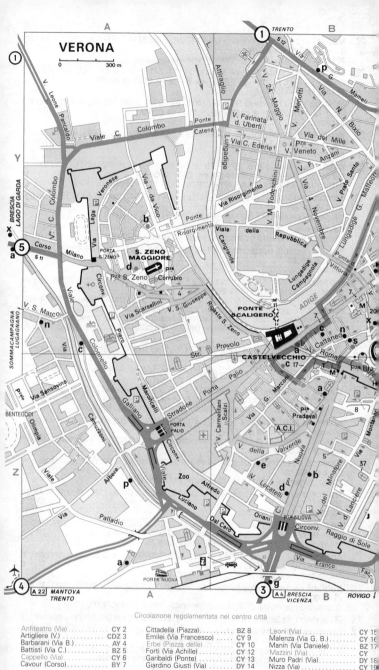

VERONA

0   300 m

Anfiteatro (Via)	CY 2
Artigliere (V.)	CDZ 3
Barbarani (Via B.)	AY 4
Battisti (Via C.)	BZ 5
Cappello (Via)	CY 6
Cavour (Corso)	BY 7

Cittadella (Piazza)	BZ 8
Emilei (Via Francesco)	CY 9
Erbe (Piazza delle)	CY 10
Forti (Via Achille)	CY 12
Garibaldi (Ponte)	CY 13
Giardino Giusti (Via)	DY 14

Leoni (Via)	CY 15
Malenza (Via G. B.)	CY 16
Manin (Via Daniele)	BZ 17
Mazzini (Via)	CY
Muro Padri (Via)	DY 18
Nizza (Via)	CY 19

Circolazione regolamentata nel centro città

Per visitare una città o una regione: utilizzate le **guide Verdi Michelin.**

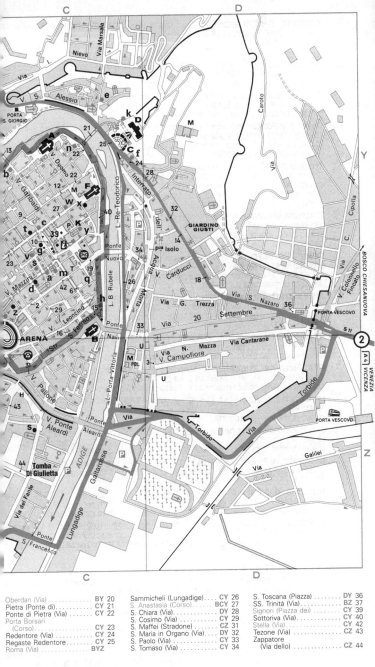

Oberdan (Via) . . . . **BY** 20	Sammicheli (Lungadige) . . . . **CY** 26	S. Toscana (Piazza) . . . . **DY** 36
Pietra (Ponte di) . . . . **CY** 21	S. Anastasia (Corso) . . . . . . **BCY** 27	SS. Trinità (Via) . . . . **BZ** 37
Ponte di Pietra (Via) . . . . . . **CY** 22	S. Chiara (Via) . . . . **DY** 28	Signori (Piazza dei) . . . . **CY** 39
Porta Borsari	S. Cosimo (Via) . . . . **CY** 29	Sottoriva (Via) . . . . **CY** 40
(Corso) . . . . **CY** 23	S. Maffei (Stradone) . . . . **CZ** 31	Stella (Via) . . . . **CY** 42
Redentore (Via) . . . . **CY** 24	S. Maria in Organo (Via) . . . . **DY** 32	Tezone (Via) . . . . **CZ** 43
Regaste Redentore . . . . **CY** 25	S. Paolo (Via) . . . . **CY** 33	Zappatore
Roma (Via) . . . . **BYZ**	S. Tomaso (Via) . . . . **CY** 34	(Via dello) . . . . **CZ** 44

Pour visiter une ville ou une région : utilisez les guides Verts Michelin.

821

🍴🍴 **Trattoria Sant'Anastasia,** corso Sant'Anastasia 27 ✉ 37121 ☎ 045 800917… *Fax 045 8009177* – ▤. [AE] [$] ⓓ ⓜ [VISA] [JCB]. 🚭 CY …
chiuso domenica e lunedì a mezzogiorno dal 26 giugno al 4 settembre e mercoledì neg… altri mesi – **Pasto** carta 65/100000.

🍴🍴 **Antico Tripoli,** via Spagna 2/b ✉ 37123 ☎ 045 8035756, *info-anticotripoli@anticotripo… com, Fax 045 8046165,* ⛱ – ▤. [AE] [$] ⓓ ⓜ [VISA] AY …
chiuso dal 10 al 21 agosto e sabato a mezzogiorno – **Pasto** carta 50/75000.

🍴 **Alla Pergola,** piazzetta Santa Maria in Solaro 10 ✉ 37121 ☎ 045 800474… *Fax 045 8004744* – ▤. [AE] [$] ⓓ [VISA]. 🚭 CY …
chiuso mercoledì – **Pasto** carta 60/115000.

🍴 **Osteria la Fontanina,** Portichetti Fontanelle Santo Stefano 3 ✉ 37129 ☎ 045 91330… *Fax 045 913305,* prenotare la sera, « Ambiente caratteristico » – ▤. [AE] [$] ⓓ ⓜ [VISA]
chiuso dal 10 al 26 agosto, domenica e lunedì a mezzogiorno – **Pasto** specialità di mar… 100/110000 e carta 85/110000. CY …

🍴 **Tre Marchetti,** vicolo Tre Marchetti 19/b ✉ 37121 ☎ 045 8030463, *Fax 045 800292…* Coperti limitati; prenotare – ▤. [AE] [$] ⓓ ⓜ [VISA]. 🚭 CY …
chiuso dal 20 dicembre al 6 gennaio, dal 15 al 30 giugno, dal 1° al 15 settembre, lunedì i… luglio-agosto, domenica e lunedì a mezzogiorno negli altri mesi – **Pasto** carta 70/10000… (15%).

🍴 **Trattoria al Calmiere,** piazza San Zeno 10 ✉ 37123 ☎ 045 8030765, *Fax 045 803190…* ⛱, prenotare la sera – [AE] [$] ⓓ ⓜ [VISA]. 🚭 AY …
chiuso dal 30 dicembre al 15 gennaio, dal 1° al 20 luglio, mercoledì sera e giovedì – **Past…** carta 55/75000 (10%).

🍴 **Osteria l'Oste Scuro,** vicolo San Silvestro 10 ✉ 37122 ☎ 045 592650, *Fax 045 804663…* prenotare – ▤. [$] ⓜ [VISA] BZ …
chiuso dal 1° al 7 gennaio, dall'8 al 25 agosto, domenica e lunedì a mezzogiorno – **Past…** specialità di mare carta 80/120000.

🍴 **Antica Trattoria da l'Amelia,** lungadige Rubele 32 ✉ 37121 ☎ 045 8005526, *ameli… @trattoriaamelia.com, Fax 045 8041814* – 🚭. [AE] [$] ⓓ ⓜ [VISA] [JCB] CY …
chiuso dal 1° al 10 gennaio, dal 12 al 23 agosto, domenica e lunedì a mezzogiorno – **Past…** carta 45/75000.

🍴 **Bottega del Vino,** via Scudo di Francia 3 ✉ 37121 ☎ 045 8004535, *bottega.vino@ifinet… it, Fax 045 8012273,* « Tipica taverna con mescita vini » – ▤. [AE] [$] ⓓ ⓜ [VISA]. 🚭 CY …
chiuso martedì escluso luglio-agosto – **Pasto** carta 60/115000.

🍴 **Alla Fiera-da Ruggero,** via Scopoli 9 ✉ 37136 ☎ 045 508808, *ristfiera@iol.it, Fax 045 500861,* ⛱ – ▤ – 🅿 60. [AE] [$] ⓓ ⓜ [VISA] [JCB]. 🚭 1 km per ③
chiuso dal 10 al 31 agosto e domenica – **Pasto** specialità di mare carta 70/110000.

🍴 **La Torretta,** piazza Broilo 1 ✉ 37121 ☎ 045 8010099, *Fax 045 8010099,* ⛱ – ▤. [AE] [$] ⓓ ⓜ [VISA]. 🚭 CY …
chiuso domenica – **Pasto** carta 70/100000.

🍴 **San Basilio alla Pergola,** via Pisano 9 ✉ 37131 ☎ 045 520475, *Fax 045 520475,* ⛱ – [$] [VISA]. 🚭 2 km per ②
chiuso dal 1° al 15 gennaio e dal 14 al 21 settembre – **Pasto** carta 40/60000.

🍴 **La Stueta,** via Redentore 4/b ✉ 37129 ☎ 045 8032462 – [AE] [$] ⓓ ⓜ [VISA] CY …
chiuso dal 7 al 14 gennaio, dal 4 al 25 luglio, lunedì e martedì a mezzogiorno – **Pasto** carta 40/50000.

🍴 **Trattoria dal Gal,** via Don Segala 39/a, frazione San Massimo ✉ 37139 Verona ☎ 045 8903097 – [$] ⓓ ⓜ [VISA]. 🚭 2 km per via San Marco AY
chiuso dal 30 luglio al 20 agosto, domenica sera e lunedì – **Pasto** carta 45/60000.

🍴 **Hostaria la Poiana,** via Segorte 7, località Poiana ✉ 37030 Poiano di Valpantena ☎ 045 551939, ⛱ – [P]. [$] [VISA]. 🚭 3,5 km per via Colonnello Fincato DY
chiuso dal 1° al 15 febbraio, dal 10 al 27 agosto e martedì – **Pasto** specialità calabresi carta 45/70000.

sulla strada statale 11 via Bresciana :

🏨 Euromotel Crocebianca, senza rist, via Bresciana 2 (per ⑤ : *2,5 km*) ✉ 37139 Verona ☎ 045 8903890, *Fax 045 8903999* – [lift], 🚭 cam, ▤ [TV] ♿ [P]
67 cam.

🏨 **Elefante,** via Bresciana 27 (per ⑤ : *3,5 km*) ✉ 37139 Verona ☎ 045 8903700, *hotelelefant e@tin.it, Fax 045 8903900* – [TV] ♿ [P]. [AE] [$] ⓓ ⓜ [VISA]. 🚭
Pasto *(chiuso dal 6 al 26 agosto, sabato sera e domenica)* carta 45/60000 – ☕ 15000 – **10 cam** 100/160000 – ½ P 140000.

🍴🍴 **Nuova Cà de l'Ebreo,** via Bresciana 48/b (per ⑤ : *4,5 km*) ✉ 37139 Verona ☎ 045 8510240, *bordin@rdnet.it, Fax 045 8510033,* ⛱ – ▤ [P]. [AE] [$] ⓓ ⓜ [VISA] [JCB]
chiuso dal 12 al 19 agosto, lunedì sera e martedì – **Pasto** carta 50/75000.

a **Parona di Valpolicella** per ① : 3,5 km – ✉ 37025 :

🏨 **Borghetti**, via Valpolicella 47 ℰ 045 942366, Fax 045 942367 – 📶 🖳 📺 ᵫ 🚗, AE ⑤ ⓪ ⓪ VISA JCB.
Pasto *(chiuso domenica)* 30000 – ⚏ 18000 – **42 cam** 120/160000 – ½ P 130000.

a **San Michele Extra** per ② : 4 km – ✉ 37132 :

🏨 **Gardenia**, via Unità d'Italia 350 ℰ 045 972122, Fax 045 8920157 – 📶, ⅍ rist, 📺 🖳 ᵫ
🚗 🖳, AE ⑤ ⓪ ⓪ VISA. ⅍
Pasto *(chiuso dal 24 dicembre al 7 gennaio, sabato a mezzogiorno e domenica)* carta
40/65000 – **56 cam** ⚏ 180/220000 – ½ P 145000.

🏨 **Holiday Inn Verona**, via Unità d'Italia 346 ℰ 045 8952501, Fax 045 8952501, 😟, 🚅,
📶, ⅍ cam, 🖳 📺 🖳 – 🔬 100. AE ⑤ ⓪ ⓪ VISA JCB. ⅍
Pasto carta 35/60000 – **112 cam** ⚏ 280/320000.

in **prossimità casello autostrada A 4-Verona Sud** per ③ : 5 km :

🏨 Ibis, via Fermi 11/c ✉ 37135 ℰ 045 8203720, Fax 045 8203903 – 📶, ⅍ cam, 🖳 📺 ᵫ 🚗
🖳 – 🔬 120
145 cam.

🏨 **Sud Point Hotel**, via Fermi 13/b ✉ 37135 ℰ 045 8200922, info@hotelsudpoint.com,
Fax 045 8200933 – 📶 🖳 📺 ᵫ 🚗 🖳 – 🔬 50. AE ⑤ ⓪ ⓪ VISA. ⅍
chiuso dal 22 dicembre all'8 gennaio – **Pasto** *(chiuso a mezzogiorno)* carta 35/50000 –
64 cam ⚏ 195/220000 – ½ P 110000.

a **Madonna di Dossobuono** per ③ : 8 km – ✉ 37062 Dossobuono :

🍴 **Ciccarelli**, Via Mantovana 171 ℰ 045 953986, Fax 045 8649505, Trattoria di campagna –
🖳 🖳, AE ⑤ ⓪ ⓪ VISA. ⅍
chiuso dal 8 luglio al 17 agosto, venerdì sera e sabato – Pasto carta 45/65000.

VERRÈS 11029 Aosta 🔢 F 5 *G. Italia – 2 627 ab. alt. 395 – a.s. luglio-agosto.*
Roma 711 – Aosta 38 – Ivrea 35 – Milano 149 – Torino 78.

🍴🍴 **Da Pierre** con cam, via Martorey 73 ℰ 0125 929376, Fax 0125 921076, « Servizio rist.
estivo in giardino » – ⅍ rist, 📺 🖳, AE ⑤ ⓪ ⓪ VISA
Pasto *(chiuso martedì)* carta 70/110000 – ⚏ 14000 – **12 cam** 85/140000 – ½ P 150000.

VERUNO 28010 Novara 🔢 ⑯ – 1 539 ab. alt. 357.
Roma 650 – Stresa 23 – Domodossola 57 – Milano 78 – Novara 35 – Torino 109 – Varese 40.

🍴🍴 **L'Olimpia**, via Martiri 5 ℰ 0322 830138, Fax 0322 830138, prenotare – 🖳. ⑤ ⓪ VISA
chiuso gennaio, lunedì e in agosto anche a mezzogiorno – **Pasto** specialità di mare carta
45/75000.

VERVÒ 38010 Trento 🔢 D 15, 🔢 ⑳ – 651 ab. alt. 886 – a.s. dicembre-aprile.
Roma 626 – Bolzano 65 – Trento 40 – Milano 282.

a **Predaia** Est : 3 km – alt. 1 200 – ✉ 38010 Vervò :

🏠 **Rifugio Sores** 🌲, ℰ 0463 463500, Fax 0463 463600, « Giardino ombreggiato » – 📺 🖳.
⑤ VISA. ⅍ rist
chiuso novembre – **Pasto** *(chiuso martedì)* carta 40/60000 – **26 cam** ⚏ 75/130000 –
½ P 80000.

VERZUOLO 12039 Cuneo 🔢 I 4 – 6 107 ab. alt. 420.
Roma 668 – Cuneo 26 – Asti 82 – Sestriere 92 – Torino 58.

🍴🍴 **La Scala**, via Provinciale Cuneo 4 ℰ 0175 85194, prenotare – AE ⓪ ⓪ VISA. ⅍
chiuso agosto e lunedì – **Pasto** specialità di mare carta 45/70000.

VESCOVADO DI MURLO *Siena* 430 *M 16 – alt. 317 –* ⊠ *53016 Murlo.*
  Roma 233 – Siena 24 – Grosseto 64.

   🏠 **Albergo di Murlo**, via Martiri di Rigosecco 1 ℰ 0577 814033, *albergmurlo@ftbcc.it*
       Fax 0577 814243, ⇐, ♨, ℁ – TV P AE ᗌ ① ◑◐ VISA. ℅
       marzo-6 novembre – **Pasto** *(chiuso a mezzogiorno)* carta 40/55000 – **44 cam** ⇌ 130,
       160000 – ½ P 100000.

VESUVIO *Napoli* 431 *E 25 G. Italia.*

VETRIOLO TERME *Trento – Vedere Levico Terme.*

VEZZA D'ALBA *12040 Cuneo* 428 *H 5 – 2 055 ab. alt. 353.*
   Roma 641 – Torino 54 – Asti 30 – Cuneo 68 – Milano 170.

   ✕✕✕ **La Pergola**, piazza San Carlo 1, località Borgonuovo ℰ 0173 65178, *Fax 0173 65178,* solo
        su prenotazione – 🍴, AE ᗌ ① ◑◐ VISA
        chiuso dal 15 al 25 agosto, martedì e in luglio-agosto anche a mezzogiorno – **Pasto**
        55/70000 e carta 45/70000.

VEZZANO *38070 Trento* 428, 429 *D 14 – 1 871 ab. alt. 385 – a.s. dicembre-aprile.*
   Vedere *Lago di Toblino★ S : 4 km.*
   Roma 599 – Trento 11 – Bolzano 68 – Brescia 104 – Milano 197.

   ✕✕ **Fior di Roccia**, località Lon Nord-Ovest : 2,5 km ℰ 0461 864029, *Fax 0461 340640,* 🏠
   ⱬ   prenotare – P. AE ᗌ ① ◑◐ VISA JCB
        chiuso domenica sera e lunedì – **Pasto** 45/65000 e carta 60/100000
        Spec. Soffiatino di melanzane con fonduta di formaggio tenero (estate). Farfalle caserecce
        con rucola, fagiolini e ricotta affumicata (estate-autunno). Filettino di maiale in crosta di
        erbette aromatiche.

   ✕✕ **Al Vecchio Mulino**, via Nazionale 1 (Est : 2 km) ℰ 0461 864277, *Fax 0461 864277,* 🏠
        « Laghetto con pesca sportiva » – P. AE ᗌ ① ◑◐ VISA. ℅
        Pasto carta 40/70000.

VEZZANO (VEZZAN) *Bolzano* 428, 429 *D 14,* 218 ⑱ ⑲ *– Vedere Silandro.*

VEZZENA (Passo di) *Trento* 429 *E 16 – alt. 1 402.*
   Roma 580 – Trento 33 – Milnao 227 – Rovereto 30 – Treviso 120 – Verona 100 – Vicenza 73.

   🏠🏠 **Vezzena**, ⊠ 38040 Luserna ℰ 0464 783073, *Fax 0464 783167,* ⇐, Ⅰ☚, ♨ – ⇐ P. AE ᗌ
   ⬡   ① ◑◐ VISA. ℅ rist
        Pasto carta 35/50000 – **51 cam** ⇌ 110/190000 – ½ P 100000.

VEZZO *28839 Verbania* 428 *E 7,* 219 ⑥ ⑦ *– alt. 530.*
   ⚑ *Alpino (chiuso gennaio e febbraio)* ℰ 0323 20642, *Fax 0323 20642, Ovest : 2,5 km.*
   Roma 662 – Stresa 5 – Milano 85 – Novara 61 – Torino 139.

   🏠 **Bel Soggiorno** ⚹, via 4 Novembre 8 ℰ 0323 20226, *Fax 0323 20021* – TV P. AE ᗌ ①
        ◑◐ VISA. ℅ rist
        15 marzo-ottobre – **Pasto** *(solo per alloggiati)* 30/40000 – ⇌ 18000 – **26 cam** 95/135000 –
        ½ P 100000.

VIADANA *46019 Mantova* 428, 429 *H 13 – 16 783 ab. alt. 26.*
   *Roma 458 – Parma 27 – Cremona 52 – Mantova 39 – Milano 149 – Modena 56 – Reggio
   nell'Emilia 33.*

   🏠🏠 **Europa**, vicolo Ginnasio 9 ℰ 0375 780404, *hoteleuropa@spiderlink.it, Fax 0375 780404 –*
        🍴 rist, TV ✆ P. AE ᗌ ① ◑◐ VISA. ℅ cam
        chiuso dal 24 dicembre al 6 gennaio ed agosto – **Pasto** al rist. **Simonazzi** *(chiuso dal 24
        dicembre al 6 gennaio, agosto, sabato a mezzogiorno e domenica sera)* carta 45/75000 –
        18 cam ⇌ 100/150000 – ½ P 120000.

a Cicognara *Nord-Ovest : 3 km –* ⊠ *46015 :*

   🏠 **Vittoria**, piazza Don Mazzolari 1 ℰ 0375 790222, *Fax 0375 790232* – ⬙ 🍴 TV P. ᗌ ① ◑◐
        VISA JCB. ℅
        chiuso dal 1° al 15 gennaio – **Pasto** *(chiuso domenica)* carta 40/65000 – ⇌ 10000 – **17 cam**
        70/90000 – ½ P 80000.

VIANO 42030 Reggio nell'Emilia **428**, **430** I 13 – 2 943 ab. alt. 275.

Roma 435 – Parma 59 – Milano 171 – Modena 35 – Reggio nell'Emilia 22.

La Capannina, via Provinciale 16 ℘ 0522 988526 – **P.** **S** **OO** **VISA**. ⌘
chiuso dal 24 dicembre al 6 gennaio, dal 17 luglio al 23 agosto, domenica e lunedì – Pasto
carta 40/60000.

VIAREGGIO 55049 Lucca **428**, **429**, **430** K 12 *G. Toscana* – 58 531 ab. – *a.s. Carnevale, Pasqua,
15 giugno-15 settembre e Natale.*

🟥 viale Carducci 10 ℘ 0584 962233, Fax 0584 47336.

Roma 371 ② – La Spezia 65 ① – Pisa 21 ② – Bologna 180 ② – Firenze 97 ② – Livorno 39 ③.

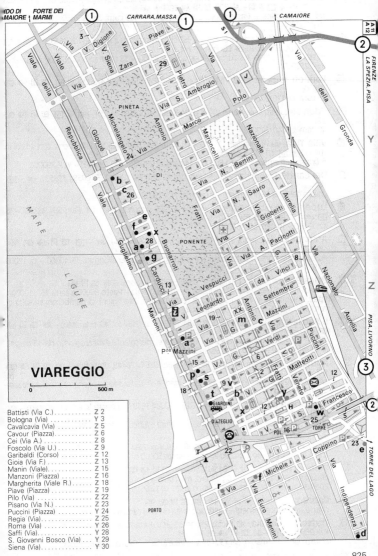

VIAREGGIO

0 — 500 m

Battisti (Via C.)	Z 2
Bologna (Via)	Y 3
Cavalcavia (Via)	Z 5
Cavour (Piazza)	Z 6
Cei (Via A.)	Z 8
Foscolo (Via U.)	Z 9
Garibaldi (Corso)	Z 12
Gioia (Via F.)	Z 13
Manin (Viale)	Z 15
Manzoni (Piazza)	Z 16
Margherita (Viale R.)	Z 18
Piave (Piazza)	Z 19
Pilo (Via)	Z 22
Pisano (Via N.)	Z 23
Puccini (Piazza)	Y 24
Regia (Via)	Z 25
Roma (Via)	Y 26
Saffi (Via)	Y 28
S. Giovanni Bosco (Via)	Y 29
Siena (Via)	Y 30

Plaza e de Russie, piazza d'Azeglio 1 ☎ 0584 44449, *info@plazaederussie.com*, *Fax 0584 44031*, « Roof-restaurant con ≤ » – 🛗 ▤ 📺 📞 🅿 – 🏛 90. AE 🅂 ⓘ MC VISA. ✂ Z t
Pasto al Rist. ***La Terrazza*** carta 65/115000 – **52 cam** ☕ 285/430000 – 1/2 P 280000.

Astor, lungomare Carducci 54 ☎ 0584 50301, *astorpr@tin.it*, *Fax 0584 55181*, ⛱, 🏋, 🏊 – 🛗 ▤ 📺 📞 ♿ 🚗 – 🏛 150. AE 🅂 ⓘ MC VISA JCB. ✂ Y f
Pasto carta 65/100000 – **50 cam** ☕ 330/495000, 8 suites – 1/2 P 300000.

Excelsior, viale Carducci 88 ☎ 0584 50726, *viareggio.excelsior@flashnet.it*, *Fax 0584 50729*, ≤ – 🛗 ▤ 📺 ♿. AE 🅂 ⓘ MC VISA. ✂ rist Y b
aprile-ottobre – **Pasto** carta 50/85000 – **76 cam** ☕ 200/320000, 7 suites – 1/2 P 200000.

Grand Hotel Royal, viale Carducci 44 ☎ 0584 45151, *Fax 0584 31438*, ⛱, « Giardino con 🏊 » – 🛗 📺 ♿ 🅿 – 🏛 200. AE 🅂 ⓘ MC VISA. ✂ Z g
febbraio-ottobre – **Pasto** (solo per alloggiati) – **105 cam** ☕ 280/450000, 2 suites – 1/2 P 250000.

President, viale Carducci 5 ☎ 0584 962712, *preshtl@ats.it*, *Fax 0584 963658*, ≤ – 🛗 ▤ 📺 🚗 🅿 – 🏛 100. AE 🅂 ⓘ MC VISA. ✂ rist Z a
Pasto *(aprile-ottobre;* solo per alloggiati) 60/80000 – **35 cam** ☕ 300/360000, 2 suites – 1/2 P 250000.

London senza rist, viale Manin 16 ☎ 0584 49841, *Fax 0584 47522* – 🛗 📺. AE 🅂 ⓘ MC VISA. ✂ Z s
25 cam ☕ 120/200000.

Eden senza rist, viale Manin 27 ☎ 0584 30902, *Fax 0584 963807* – 🛗 ▤ 📺. AE 🅂 ⓘ MC VISA Z p
42 cam ☕ 140/220000.

Villa Tina, via Aurelio Saffi 2 ☎ 0584 44450, *Fax 0584 44450*, « Villa liberty con arredi in stile » – 🛗 📺. AE 🅂 ⓘ MC VISA. ✂ rist Y a
febbraio-settembre – **Pasto** 60000 – **14 cam** ☕ 210/350000, 2 suites – 1/2 P 200000.

Dei Cantieri senza rist, via Indipendenza 72 ☎ 0584 388112, *Fax 0584 388561*, 🌳 – 📺. ✂ Z d
chiuso dal 20 al 30 novembre – **7 cam** ☕ 110/150000.

Lupori senza rist, via Galvani 9 ☎ 0584 962266, *lupori.hotel@tin.it*, *Fax 0584 962267* – 🛗 📺 🚗. AE 🅂 ⓘ MC VISA Z w
☕ 15000 – **19 cam** 90/130000.

Arcangelo, via Carrara 23 ☎ 0584 47123, *Fax 0584 47314*, 🌳 – 📺. AE 🅂 ⓘ MC VISA. ✂ rist Y x
Pasqua-settembre – **Pasto** *(chiuso sino a giugno e* solo per alloggiati) 35/40000 – ☕ 12000 – **19 cam** 100/125000 – 1/2 P 120000.

XXX ✿ **L'Oca Bianca,** via Coppino 409 ☎ 0584 388477, ≤ porto – ▤. AE 🅂 VISA Z r
chiuso martedì (escluso luglio-agosto) e a mezzogiorno – **Pasto** 80000 e carta 75/110000
Spec. Calamaretti al forno su salsa al rosso d'uovo. Zite ripiene di gamberoni su salsa di verdure. Orata al forno in crosta di patate e lardo.

XXX **Il Patriarca,** viale Carducci 79 ☎ 0584 53126, *Fax 0584 54240*, prenotare – ▤. AE 🅂 ⓘ MC VISA JCB Y c
chiuso dal 2 al 17 gennaio, dal 2 al 17 novembre, mercoledì e a mezzogiorno dal 15 giugno al 15 settembre – **Pasto** carta 85/140000.

XX **Romano,** via Mazzini 122 ☎ 0584 31382, *Fax 0584 426448*, prenotare – ▤. AE 🅂 ⓘ MC VISA Z m
chiuso dal 27 dicembre al 20 gennaio, lunedì e in luglio-agosto anche martedì a mezzogiorno – **Pasto** carta 80/120000.

XX **Trattoria a Il Porto,** via Coppino 319 ☎ 0584 383878, Coperti limitati; prenotare – ▤. AE 🅂 ⓘ MC VISA JCB. ✂ Z f
chiuso dal 15 dicembre al 15 gennaio, domenica e lunedì a mezzogiorno – **Pasto** specialità di mare carta 60/70000.

XX **Montecatini,** viale Manin 8 ☎ 0584 962129, *Fax 0584 325189*, ⛱ – AE 🅂 ⓘ MC VISA
chiuso lunedì escluso luglio ed agosto – **Pasto** 50000 carta 65/90000. Z t

XX **Pino,** via Matteotti 18 ☎ 0584 961356 – ▤. AE 🅂 ⓘ MC VISA. ✂ Z b
chiuso dal 20 dicembre al 20 gennaio, mercoledì e giovedì a mezzogiorno; in luglio-agosto aperto solo la sera – **Pasto** specialità di mare carta 65/105000.

XX **Cabreo,** via Firenze 14 ☎ 54643 – ▤. AE 🅂 MC VISA Y e
chiuso novembre e lunedì – **Pasto** specailità di mare carta 60/100000.

XX **Trattoria Scintilla,** via Nicola Pisano 33 ☎ 0584 387096, *trattoria.scintilla@tiscalinet.it*, *Fax 0584 386701* – ▤. AE 🅂 ⓘ MC VISA. ✂ Z e
chiuso dal 1° al 7 marzo, dal 13 al 19 agosto e lunedì – **Pasto** carta 60/80000.

XX **Mirage** con cam, via Zanardelli 12/14 ℘ 0584 48446 e hotel ℘ 0584 32222, Fax 0584 30348 – 🛗 🖃 📺. 🆎 🕏 ① ⓪ 🔘 VISA JCB
Z s
chiuso dal 10 gennaio al 10 febbraio – **Pasto** (chiuso martedì) carta 55/80000 – **10 cam** ⊐ 135/210000.

XX **Il Garibaldino,** via Fratti 66 ℘ 0584 961337, prenotare – ≡. 🆎 🕏 ① ⓪ VISA. ℅ Z y
chiuso a mezzogiorno (escluso sabato e domenica) dal 15 giugno a settembre e martedì a mezzogiorno negli altri mesi – **Pasto** carta 60/90000.

XX **Da Remo,** via Paolina Bonaparte 47 ℘ 0584 48440 – ≡. 🆎 🕏 ① ⓪ VISA Z x
chiuso dal 5 al 25 ottobre e lunedì – **Pasto** carta 60/80000.

X **Da Giorgio,** via Zanardelli 71 ℘ 0584 44493 – ≡. 🆎 🕏 ① ⓪ VISA. ℅ Z v
chiuso dal 24 dicembre al 5 gennaio e dal 10 al 20 ottobre – **Pasto** specialità di mare carta 45/85000.

X **Bombetta,** via Fratti 27 ℘ 0584 961380 – ≡. 🆎 🕏 ① ⓪ VISA. ℅ Z y
chiuso novembre, lunedì sera e martedì – **Pasto** carta 55/90000.

X **Il Puntodivino,** via Mazzini 229 ℘ 0584 31046, roberto@ilpuntodivino.com, Rist. con
⊗ enoteca – ≡. 🆎 🕏 ① ⓪ VISA Z c
chiuso dal 25 dicembre al 25 gennaio, lunedì e martedì a mezzogiorno in luglio-agosto – **Pasto** carta 35/65000.

VIAROLO 43010 Parma 四二八, 四二九 H 12 – alt. 41.
Roma 465 – Parma 11 – Bologna 108 – Milano 127 – Piacenza 67 – La Spezia 121.

X **Gelmino,** via Cremonese 161 ℘ 0521 605123, Fax 0521 392491, 🏠 – 🍴 ≡ 🅿. 🆎 🕏 ①
⓪ VISA. ℅
chiuso dal 10 al 31 agosto, domenica sera e lunedì – **Pasto** carta 40/70000.

| Europe | Se il nome di un albergo è stampato in carattere magro, chiedete al vostro arrivo le condizioni che vi saranno praticate. |

VIBO VALENTIA 89900 🅿 四三一 K 30 – 35 328 ab. alt. 476.
🎗 via Forgiari 20 ℘ 0963 42008, Fax 0963 44318.
A.C.I. viale Affaccio 80 ℘ 0963 591732.
Roma 613 – Reggio di Calabria 94 – Catanzaro 69 – Cosenza 98 – Gioia Tauro 40.

🏨 **501 Hotel,** via Madonnella ℘ 0963 43951, hotelvv@tin.it, Fax 0963 43400, ≤, ⊥ – 🍴 🛗 ≡ 📺
🅿 – 🔬 350. 🆎 🕏 ① ⓪ VISA. ℅ rist
Pasto carta 50/75000 – **121 cam** ⊐ 200/270000, 3 suites – ½ P 170000.

XX **Daffinà,** via San Ruba 20 ℘ 0963 592444 – ≡. 🆎 🕏 ① ⓪. ℅
chiuso le sere di venerdì e domenica – **Pasto** 40/55000 (a mezzogiorno) 60/90000 (alla sera) e carta 50/85000.

a Vibo Valentia Marina Nord : 10 km – ✉ 89811 :

🏨 **Cala del Porto,** senza rist, I Traversa via Roma, info@caladelporto.com – 🍴 ≡ 📺 📶 & 🅿
– 🔬 90. 🆎 🕏 ① ⓪ VISA JCB. ℅
30 cam ⊐ 165/220000, 3 suites.

XXX **L'Approdo,** via Roma 22 ℘ 0963 572640, Fax 0963 572640, 🏠 – ≡. 🆎 🕏 ① ⓪ VISA
⊗ JCB. ℅
Pasto carta 65/95000
Spec. Ostriche gratinate con funghi porcini. Bocconcini di rana pescatrice con fave. Sorbetto al cedro di Calabria.

XX **Maria Rosa,** via Toscana 13/15 ℘ 0963 572538, 🏠 – 🕏 ⓪ VISA. ℅
⊗ chiuso dal 15 dicembre al 15 gennaio e lunedì (escluso dal 15 giugno al 15 settembre) – **Pasto** specialità di mare carta 30/50000.

VICCHIO 50039 Firenze 四二九 K 16 G. Toscana – 7 043 ab. alt. 203.
Roma 301 – Firenze 32 – Bologna 96.

a Campestri Sud : 5 km – ✉ 50039 Vicchio :

🏨 **Villa Campestri** ≫ via di Campestri 19/22 ℘ 055 8490107, villa.campestri@villacampestri.it, Fax 055 8490108, « Villa trecentesca in un parco con ⊥ e maneggio » – 📺 🅿. 🆎 🕏 ⓪
VISA. ℅
chiuso sino al 15 marzo – **Pasto** carta 65/90000 – **20 cam** ⊐ 280/350000, suite – ½ P 240000.

VICENO Verbania 二一七 ⑲ – Vedere Crodo.

VICENZA *36100* [P] [429] F 16 *G. Italia – 109 738 ab. alt. 40.*

Vedere *Teatro Olimpico*★★ BY A : *scena*★★★ – *Piazza dei Signori*★★ BYZ34 : *Basilica*★★ B BTorre *Bissara*★ BZ C, *Loggia del Capitanio*★ BZD – *Museo Civico*★ BY M : *Crocifissione*★ *di Memling – Battesimo di Cristo*★★ *del Bellini, Adorazione dei Magi*★★ *del Verones soffitto*★ *nella chiesa della Santa Corona* BY E – *Corso Andrea Palladio*★ ABYZ – *Polittico nel Duomo* AZ F – *Villa Valmarana "ai Nani"*★★ : *affreschi del Tiepolo*★★★ *per* ④ : *2 km – L Rotonda*★ *del Palladio per* ④ : *2 km – Basilica di Monte Berico*★ : ❋★★ *2 km* BZ.

⛳18 *Colli Berici (chiuso lunedì) a Brendola* ✉ *36040* ☎ *0444 601780, Fax 0444 400777;*

⛳9 *(chiuso dal 25 dicembre al 6 gennaio e dal 2 al 20 agosto)* ☎ *0444 340448, Fax 044 278028, Ovest : 7 km.*

[i] *piazza Matteotti 12* ☎ *0444 320854, Fax 0444 327072.*

[A.C.I.] *viale della Pace 260* ☎ *0444 510501.*

Roma 523 ③ – *Padova 37* ③ – *Milano 204* ⑤ – *Verona 51* ⑤.

Pianta pagina a lato

Hotel de la Ville [M], viale Verona 12 ☎ 0444 549049, *hdelaville@boscolo.com Fax 0444 569183* – |‡|, ⇹ ▤ [TV] ♿ 🚗 – 🏛 200. [AE] [S] ⓞ [MC] [VISA] [JCB]
Pasto al Rist. ***Vino & Blues*** *(chiuso agosto e domenica)* carta 45/75000 – **113 cam** ☕ 350 420000, 7 suites. 1 km per ⑤

Jolly Hotel Tiepolo [M], viale S. Lazzaro 110 ☎ 0444 954011, *vicenza_tiepolo@jollyhote s.it, Fax 0444 966111* – |‡|, ⇹ cam, ▤ [TV] ☎ ♿ [P] – 🏛 250. [AE] [S] ⓞ [MC] [VISA] [JCB] ⇹ rist 2 km per ⑤
Pasto al Rist. ***Le Muse*** carta 50/115000 – **115 cam** ☕ 280/350000 – 1/2 P 340000.

Jolly Hotel Europa, strada padana verso Verona 11 ☎ 0444 564111, *vicenza_Europ @jollyhotels.it, Fax 0444 564382* – |‡| ▤ [TV] ☎ 🚗 [P] – 🏛 180. [AE] [S] ⓞ [MC] [VISA]. ⇹ rist
Pasto *(chiuso sabato)* carta 55/90000 – **124 cam** ☕ 260/320000. 2 km per ⑤

Da Porto [M] senza rist, via del Sole ☎ 0444 964848, *daporto@witcom.com Fax 0444 964852* – |‡| ▤ [TV] ♿ [P]. [AE] [S] ⓞ [MC] [VISA]. ⇹ 1 km per ⑥
☕ 20000 – **54 cam** 255000, 18 suites.

Giardini [M] senza rist, via Giuriolo 10 ☎ 0444 326458, *hgiardini.vi@iol.it, Fax 0444 32645* – |‡| ▤ [TV] ☎ ♿ [P] – 🏛 30. [AE] [S] ⓞ [MC] [VISA] [JCB]. ⇹ BY a
chiuso dal 23 dicembre al 3 gennaio – **17 cam** ☕ 200/250000.

🍴🍴 **Storione,** via Pasubio 62/64 ☎ 0444 566506, *Fax 0444 571644,* ☂ – ▤ [P]. [AE] [S] ⓞ [MC] [VISA]. ⇹ 2 km per ⑥
chiuso domenica – **Pasto** specialità di mare carta 60/110000.

🍴🍴 **Tre Visi-Vecchio Roma,** corso Palladio 25 ☎ 0444 324868, *Fax 0444 324868,* ☂, prenotare – ▤. [AE] [S] ⓞ [MC] [VISA] [JCB]. ⇹ AZ b
chiuso dal 20 gennaio al 10 febbraio, domenica sera e lunedì – **Pasto** carta 50/80000.

🍴🍴 **Antico Ristorante Agli Schioppi,** contrà del Castello 26 ☎ 0444 543701, *rist.aglisch oppi@libero.it, Fax 0444 543701,* ☂ – [AE] [S] ⓞ [MC] [VISA]. ⇹ AZ c
chiuso dal 1° al 6 gennaio, dal 16 luglio all'11 agosto, sabato sera e domenica – **Pasto** carta 45/60000.

🍴 **Ponte delle Bele,** contrà Ponte delle Bele 5 ☎ 0444 320647, *pontedellebele@libero.it, Fax 0444 320647* – ▤. [AE] [S] ⓞ [MC] [VISA] AZ a
chiuso dal 17 al 23 gennaio, dal 7 al 21 agosto e domenica – **Pasto** specialità trentine e sudtirolesi carta 40/55000.

🍴 **Al Pestello,** contrà Santo Stefano 3 ☎ 0444 323721, *elpestello@libero.it,* ☂, prenotare – [AE] [S] ⓞ [MC] [VISA] [JCB] BY c
chiuso dal 24 al 30 maggio, dal 10 al 30 ottobre e domenica – **Pasto** cucina tradizionale veneta carta 35/65000 (10 %).

in prossimità casello autostrada A 4 - Vicenza Ovest *per* ⑤ *: 3 km :*

Holiday Inn Vicenza, viale degli Scaligeri 64 ✉ 36100 ☎ 0444 564711, *holidayinn.vicenza@alliancealaberghi.com, Fax 0444 566852* – |‡| ⇹ ▤ [TV] ♿ [P] – 🏛 100. [AE] [S] ⓞ [MC] [VISA] [JCB]. ⇹
Pasto carta 35/55000 – **124 cam** ☕ 260/300000.

Alfa Fiera Hotel, via dell'Oreficeria 50 ✉ 36100 ☎ 0444 565455 e rist ☎ 0444 571577, *info@alfafierahotel.it, Fax 0444 566027,* Ꮭ, ♨ – |‡|, ⇹ cam, ▤ [TV] ☎ ♿ [P] – 🏛 450. [AE] [S] ⓞ [MC] [VISA]. ⇹
Pasto *(chiuso domenica ed agosto)* carta 55/75000 – **90 cam** ☕ 190/240000.

sulla strada statale 11 *per* ③ *: 5 km :*

🍴🍴 **Da Remo,** via Caimpenta 14 ✉ 36100 ☎ 0444 911007, *Fax 0444 911856,* « Casa colonica con servizio estivo all'aperto » – [P]. [AE] [S] ⓞ [MC] [VISA] [JCB]
chiuso dal 23 dicembre al 6 gennaio, agosto, domenica, lunedì a luglio e negli altri mesi domenica sera e lunedì. – **Pasto** carta 50/90000.

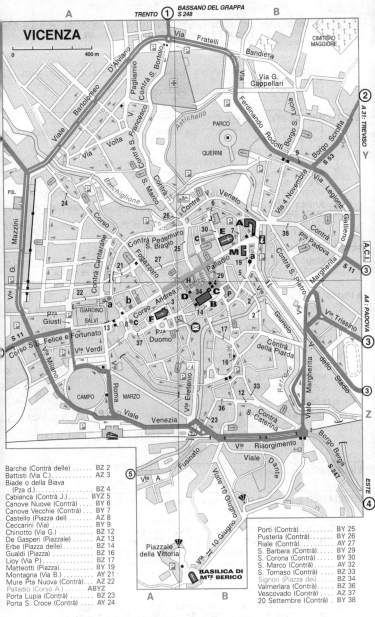

VICENZA

BASSANO DEL GRAPPA
S 248

TRENTO

CIMITERO MAGGIORE

Via Fratelli Bandiera

Via G. Cappellari

A 31: TREVISO

Ferdinando Rodolfi

Borgo Scrofa

S 53

Via 4 Novembre

Via Legione Gallieno

A.C.I.

S 11

A4: PADOVA

Contrà S. Pietro

Pra Padova

Contrà

Margherita

V.le Trissino

PARCO

QUERINI

Astichello

Brachiglione

V. Veneto

Contrà

Palladio

Contrà Pedemuro S. Biagio

Contrà Cantarane

Corso

Fogazzaro

GIARDINO SALVI

Corso Andrea

Pza Duomo

Giuriolo

Contrà della Piarda

Rettrone

V.le dello Stadio

Viale Margherita

ESTE

S 247

Borgo Berga

V.le Verdi

Corso S.S. Felice e Fortunato

V.le G.

Mazzini

POL.

CAMPO MARZO

Roma

Viale Venezia

V.le Eretenio

Contrà S. Caterina

V.le Risorgimento

Viale Dante

Circolazione regolamentata nel centro città

Barche (Contrà delle) ...... BZ 2
Battisti (Via C.) .... AZ 3
Biade o della Biava
  (Pza d.) .... BZ 4
Cabianca (Contrà J.) ...... BYZ 5
Canove Nuove (Contrà) .... BY 6
Canove Vecchie (Contrà) ... BY 7
Castello (Piazza del) ...... AZ 8
Ceccarini (Via) .... BY 9
Chinotto (Via G.) .... BZ 12
De Gasperi (Piazzale) ..... AZ 13
Erbe (Piazza delle) .... BZ 14
Gualdi (Piazza) .... BZ 16
Lioy (Via P.) .... BZ 17
Matteotti (Piazza) .... BY 19
Montagna (Via B.) .... AY 21
Mure Pta Nuova (Contrà)... AZ 22
Palladio (Corso A.) .... ABYZ
Porta Lupia (Contrà) ...... BZ 23
Porta S. Croce (Contrà) ... AY 24

Porti (Contrà) .... BY 25
Pusterla (Contrà) .... BY 26
Riale (Contrà) .... AY 27
S. Barbara (Contrà) .... BY 29
S. Corona (Contrà) .... BY 30
S. Marco (Contrà) .... AY 32
S. Tomaso (Contrà) .... BZ 33
Signori (Piazza dei) ...... BZ 34
Valmerlara (Contrà) .... BZ 36
Vescovado (Contrà) .... AZ 37
20 Settembre (Contrà) . BY 38

Piazzale della Vittoria

BASILICA DI MTE BERICO

in prossimità casello autostrada A 4-Vicenza Est per ③ : 7 km :

Viest Motel senza rist, strada Pelosa 241 ⊠ 36100 ℘ 0444 582677, *viest@ascom.vi.it*,
Fax 0444 582434, 🚗, ⁓ – 🗏 TV ☎ 🅿. 🖭 🕄 ⓪ ⓪⓪ VISA
☎ 20000 – **61 cam** 185/290000.

829

🏨 **Victoria** senza rist, strada padana verso Padova 52 ✉ 36100 ☎ 0444 912299, *Fax 0444 912570,* 🏋 – 🛗 ❄ [TV] ♿ 🚗 [P] – 🎤 100. [AE] [S] ⓞ [MC] [VISA]
56 cam ☕ 105/130000, 15 suites.

a Cavazzale *per ① : 7 km – ✉ 36010 :*

🍴🍴 **Al Giardinetto,** via Roi 71 ☎ 0444 595044, *giardinetto@goldnet.it, Fax 0444 946636* – ❄ [P]. [AE] [S] ⓞ [MC] [VISA]. 🚫🐕
chiuso luglio domenica sera e lunedì – **Pasto** carta 50/70000.

VICO EQUENSE *80069 Napoli* [431] F 25 *G. Italia – 20 395 ab. – a.s. luglio-settembre.*

Dintorni *Monte Faito★★ : ※★★★ dal belvedere dei Capi e ※★★★ dalla cappella di San Michele Est : 14 km.*
[i] *via San Ciro 16 ☎ 081 8015752.*
Roma 248 – Napoli 40 – Castellammare di Stabia 10 – Salerno 41 – Sorrento 9.

🍴🍴 **San Vincenzo,** via Vescovado 1 ☎ 081 8015028, ⛱, « Servizio estivo in giardino » – ❄. [AE] [S] ⓞ [MC] [VISA] [JCB]. 🚫🐕
chiuso mercoledì escluso dal 15 giugno al 15 settembre – **Pasto** carta 50/100000.

🍴 **Antica Osteria Nonna Rosa,** via privata Bonea 4, località Pietrapiano Est : 2 km ☎ 081 8799055, prenotare – ❄. [AE] [S] [MC] [VISA]
chiuso dal 1° al 15 novembre e mercoledì (escluso dal 15 giugno al 15 settembre) – **Pasto** 50/75000 e carta 40/70000.

sulla strada statale 145 *Sud-Ovest : 2 km :*

🏨 **Mega Mare** 🐦 senza rist, Punta Scutolo ✉ 80069 ☎ 081 8028494, *Fax 081 8028777,* « Posizione panoramica a picco sul mare », 🏊 – 🛗 ❄ [TV] [P]. [AE] [S] ⓞ [MC] [VISA]
27 cam ☕ 150/225000.

a Marina Equa *Sud : 2,5 km – ✉ 80069 Vico Equense :*

🏨 **Eden Bleu,** via Murrano 17 ☎ 081 8028550, *Fax 081 8028574* – 🛗 [P]. [AE] [S] ⓞ [MC] [VISA]. 🚫🐕 rist
aprile-ottobre – **Pasto** 25/35000 – **15 cam** ☕ 160/220000, 4 suites – 1/2 P 160000.

🍴🍴 ✿ **Torre del Saracino,** via Torretta 9 ☎ 081 8028555, *Fax 081 8028555,* ⛱ – [P]. [AE] [S] ⓞ [MC] [VISA]
chiuso dal 10 al 30 gennaio e lunedì – **Pasto** specialità di mare 80000 e carta 75/135000
Spec. Lasagnetta di crudo di calamari, alici, gamberetti e scampetti con salsa di pesto leggero. Paccheri di Gragnano con alici e peperoncini verdi. Filetto di nasello da amo con purea di melanzane e tortino di pomodorini e zucchine.

a Capo la Gala *Nord : 3 km – ✉ 80069 Vico Equense :*

🏨 **Capo la Gala** 🐦, ☎ 081 8015758, *Fax 081 8798747,* ≤ mare, ⛱, « Sulla scogliera », 🏊, 🏖, 🛏 – 🛗 [TV] [P]. [AE] [S] ⓞ [MC] [VISA]. 🚫🐕
aprile-ottobre – **Pasto** *(giugno - settembre)* 60/80000 (15%) – **18 cam** ☕ 190/280000 – 1/2 P 195000.

VICOMERO *Parma – Vedere Torrile.*

VIDICIATICO *Bologna* [430] J 14 – *Vedere Lizzano in Belvedere.*

VIESTE *71019 Foggia* [431] B 30 *G. Italia – 13 576 ab. – a.s. luglio-13 settembre.*

Vedere *≤★ sulla cala di San Felice dalla Testa del Gargano Sud : 8 km.*
Escursioni *Strada panoramica★★ per Mattinata Sud-Ovest.*
⛴ *per le Isole Tremiti giugno-settembre giornaliero (1 h) – Adriatica di Navigazione-agenzia Gargano Viaggi, piazza Roma 7 ☎ 0884 708501, Fax 0884 707393.*
[i] *piazza Kennedy ☎ 0884 708806, Fax 0884 707495.*
Roma 420 – Foggia 92 – Bari 179 – San Severo 101 – Termoli 127.

🏨 **Pizzomunno Vieste Palace,** lungomare di Pizzomunno ☎ 0884 707321, *pizzomunno@viesteonline.it, Fax 0884 708843,* ⛱, « Giardino fiorito con 🏊 », 🏋, 🏊, 🏖, 🎾 – 🛗, 🚭 cam, ❄ [TV] [P] – 🎤 380. [AE] [S] ⓞ [MC] [VISA] [JCB]. 🚫🐕
aprile-10 ottobre – **Pasto** carta 90/100000 – **168 cam** ☕ 670/940000, 15 suites – 1/2 P 750000.

🏨 **Seggio** 🐦, via Veste 7 ☎ 0884 708123, *Fax 0884 708727,* ≤, 🏊, 🏖 – 🛗 ❄ [TV] 🚗. [AE] [S] ⓞ [MC] [VISA]. 🚫🐕
aprile-ottobre – **Pasto** carta 35/50000 – **30 cam** ☕ 150/190000 – 1/2 P 145000.

🏠 **Svevo** ⬧ senza rist, via Fratelli Bandiera 10 ℘ 0884 708830, Fax 0884 708830, ≤,
« Terrazza-solarium panoramica con ⴵ » – 🝰 📺 🗗. 🕄 VISA. ⬧
30 maggio-15 ottobre – **Pasto** *(luglio-agosto: solo per alloggiati)* – **30 cam** ⌑ 120/
180000 (solo ½ P luglio e agosto) – ½ P 150000.

🏠 **Punta San Francesco,** via San Francesco 2 ℘ 0884 701422, Fax 0884 701424, « Terraz-
za-solarium con ≤ mare e costa » – 🝰. 🕄 VISA. ⬧
Pasto *(giugno-10 settembre; solo per alloggiati)* – **14 cam** ⌑ 120/190000.

❌❌ **Al Dragone,** via Duomo 8 ℘ 0884 701212, Fax 0884 701212, « In una grotta naturale » –
🝰. 🖭 🕄 ⓞ 🝰 VISA. ⬧
aprile-ottobre – **Pasto** carta 40/70000 (10%).

❌ **Taverna al Cantinone,** via Mafrolla 26 ℘ 0884 707940 – 🝰. 🕄 VISA. ⬧
Pasqua-ottobre; chiuso venerdì sino a maggio – **Pasto** carta 35/65000.

▪ **Lido di Portonuovo** *Sud-Est : 5 km* – ✉ 71019 Vieste :

🏠 **Gargano,** ℘ 0884 700911, *hotelgargano@viesteonline.it,* Fax 0884 700912, ≤ mare, iso-
lotti e Vieste, ⴵ, 🛥, 🝰, ❌ – 🝰 🝰 📺 🗗. 🖭 🕄 ⓞ 🝰 VISA. ⬧
aprile-settembre – **Pasto** *(solo per alloggiati)* – **76 cam** ⌑ 200/270000 (solo ½ P lu-
glio e agosto) – ½ P 190000.

▪ **sulla strada litoranea** *Nord-Ovest : 10 km :*

🏠 **Sfinalicchio,** ✉ 71019 ℘ 0884 706529, Fax 0884 702010, 🛥, 🝰, ❌ – 🝰 🗗. 🕄 🝰 VISA.
⬧
Pasqua-ottobre – **Pasto** carta 30/55000 – ⌑ 7000 – **37 cam** 170/250000 – ½ P 155000.

Die Preise   Einzelheiten über die in diesem Reiseführer angegebenen Preise
finden Sie in der Einleitung.

VIGANÒ *23897 Lecco* 🏳🏳🏳 ⑲ – *1 733 ab. alt. 395.*
Roma 607 – Como 30 – Bergamo 33 – Lecco 20 – Milano 38.

❌❌❌ **Pierino Penati,** via XXIV Maggio 36 ℘ 039 956020, *ristorante@pierinopenati.it,*
Fax 039 9211400, « Veranda immersa nel verde », 🝰 – 🗗 – 🝰 50. 🖭 🕄 ⓞ 🝰 VISA. ⬧
❀   *chiuso dal 2 all'11 gennaio, dal 2 al 23 agosto, domenica sera e lunedì* – **Pasto** 50000 (a
mezzogiorno) 100000 (alla sera) e carta 60/100000
Spec. Risotto con ortiche, finferli e fiori di campo, servito nella pagnotta (estate). Manzo
cotto a vapore all'extravergine di oliva, sale grosso e cinque condimenti (autunno). Costo-
letta alla milanese, cestino di patate.

VIGANO *Milano* 🏳🏳🏳 *F 9 – Vedere Gaggiano.*

VIGEVANO *27029 Pavia* 🏳🏳🏳 *G 8 G. Italia – 59 486 ab. alt. 116.*
Vedere *Piazza Ducale*★★.
🏌 *(chiuso martedì)* ℘ 0381 346628, Fax 0381 346091, *Sud-Est : 3 km.*
A.C.I. viale Mazzini 40/42 ℘ 0381 78032.
Roma 601 – Alessandria 69 – Milano 35 – Novara 27 – Pavia 37 – Torino 106 – Vercelli 44.

🏠 **Europa** senza rist, via Trivulzio 8 ℘ 0381 908501, *hoteleuropa@ciesse-sistemi.com,*
Fax 0381 87054 – 🝰 🝰 📺 🝰 🝰 🝰 🗗 – 🝰 25. 🖭 🕄 ⓞ 🝰 VISA
chiuso dal 24 dicembre al 5 gennaio e dal 4 al 23 agosto – **42 cam** ⌑ 150/220000.

❌❌❌ **I Castagni,** via Ottobiano 8/20 (Sud : 2 km) ℘ 0381 42860, Fax 0381 346232, Coperti
limitati; prenotare, 🝰 – 🝰 🗗. 🖭 🕄 🝰 VISA. ⬧
❀   *chiuso dal 2 al 10 gennaio, dal 6 al 31 agosto, domenica sera e lunedì; in giugno e luglio
anche martedì a mezzogiorno* – **Pasto** 65/70000 e carta 55/100000
Spec. Rollatina di storione ripena di gambero di fiume con vellutata di patate, cipollotto e
caviale Sevruga. Risotto con funghi porcini, zafferano in fili e sugo di animelle (estate -
autunno). Piccione disossato alle due cotture con salsa di fegatini e tartufo nero.

❌ **Da Maiuccia,** via Sacchetti 10 ℘ 0381 83469, Fax 0381 83469, Specialità di mare, preno-
tare – 🝰. 🖭 🕄 ⓞ 🝰 VISA
chiuso dal 24 al 30 dicembre, agosto, domenica sera e lunedì – **Pasto** carta 50/110000.

VIGGIANELLO *85040 Potenza* 🏳🏳🏳 *H 30 – 3 610 ab. alt. 500.*
Roma 423 – Cosenza 130 – Lagonegro 45 – Potenza 135.

🏠 **Parco Hotel Pollino,** via Marcaldo ℘ 0973 664018, Fax 0973 664019, 🝰, ⴵ, ❌ – 🝰 📺
🗗 – 🝰 150. 🕄 ⓞ 🝰 VISA. ⬧
Pasto 25/35000 – ⌑ 7500 – **40 cam** 60/100000 – ½ P 85000.

VIGNOLA 41058 Modena 428, 429, 430 I 15 – 20 661 ab. alt. 125.

Roma 398 – Bologna 43 – Milano 192 – Modena 22 – Pistoia 110 – Reggio nell'Emilia 47.

✗ **La Bolognese**, via Muratori 1 ℘ 059 771207 – ☰, ⌶ ☒ ☒ ☒ ☒. ⌘
chiuso agosto, venerdì sera e sabato – **Pasto** carta 40/60000.

a Tavernelle Sud-Ovest : 3 km – ⌧ 41058 Vignola :

✗✗ **Antica Trattoria Moretto**, via Frignanese 2373 ℘ 059 772785, Fax 059 772785, ☎
☒ ☒ ☒ ☒
chiuso dal 10 al 20 gennaio e lunedì – Pasto carta 45/55000.

VIGO DI CADORE 32040 Belluno 429 C 19 – 1 680 ab. alt. 951.

🚩 (giugno-15 settembre) ℘ 0435 77058.

Roma 658 – Cortina d'Ampezzo 46 – Belluno 57 – Milano 400 – Venezia 147.

🏠 **Sporting** ❧, via Fabbro 32, a Pelos ℘ 0435 77103, Fax 0435 77103, ≤, ☐ riscaldata, ☛
– ☒ ☒. ⌘
15 giugno-15 settembre – **Pasto** carta 40/55000 – ☲ 15000 – **16 cam** 125/170000
P 140000.

VIGO DI FASSA 38039 Trento 429 C 17 G. Italia – 1 032 ab. alt. 1 342 – a.s. 28 gennaio-11 marzo
Natale – Sport invernali : 1 320/2 096 m ⚡ 1 ⚡ 6, ⚡ (vedere anche Pozza di Fassa).

🚩 via Roma 18 ℘ 0462 764093, Fax 0462 764877.

Roma 676 – Bolzano 36 – Canazei 13 – Passo di Costalunga 9 – Milano 334 – Trento 94.

🏨 **Park Hotel Corona**, via Dolomiti 8 ℘ 0462 764211, info@hotelcorona.com
Fax 0462 764777, ≤, ☒, ☎, ☐, ☛, ✗ – ☒ ☒ ☛ ☒ ☒. ⌘
18 dicembre-marzo e 18 giugno-5 ottobre – **Pasto** (solo per alloggiati) 45/65000 – **60 cam**
☲ 200/320000, 10 suites – ½ P 195000.

🏨 **Catinaccio**, piazza Europa ℘ 0462 764209, Fax 0462 763712, ≤, ☎ – ☒ ☒ ☛ ☒. ⌘
20 dicembre-11 aprile e 27 giugno-26 settembre – **Pasto** carta 35/50000 – **22 cam** ☲ 130
175000 – ½ P 125000.

🏨 **Olympic**, via Dolomiti 10 ℘ 0462 764225, h.olympic@tin.it, Fax 0462 764636, ≤, ☎, ☛
☒, ⌘ rist, ☒ ☒. ⌘
chiuso dal 15 al 30 giugno e novembre – **Pasto** (chiuso lunedì a mezzogiorno) carta
40/55000 – **24 cam** ☲ 150/180000 – ½ P 150000.

🏨 **Andes**, piazza Europa ℘ 0462 764575, info@hotelandes.com, Fax 0462 764598, ≤, ☒
☎ – ☒ ☒ ☛ ☒ ☒ ☒ ☒ ☒. ⌘
chiuso maggio e novembre – **Pasto** (chiuso lunedì in bassa stagione) carta 35/50000 – ☲
14000 – **31 cam** 100/180000 – ½ P 130000.

🏠 **Millenium**, via Dolomiti 2, località San Giovanni Est : 1 km ℘ 0462 764155
Fax 0462 762091 – ☒ ☒ ☒ ☒. ⌘
dicembre-maggio e maggio-ottobre – **Pasto** 25000 – **10 cam** ☲ 90/140000 – ½ P 115000.

a Vallonga Sud-Ovest : 2,5 km – ⌧ 38039 Vigo di Fassa :

🏠 **Millefiori**, via Carezza 10 ℘ 0462 769000, hotelmillefiori@fassaweb.net, Fax 0462 769119
≤ Dolomiti e pinete, « Servizio ristorante estivo in terrazza » – ☒ ☛ ☒ ☒ ☒ ☒ ☒
⌘ rist
chiuso dal 20 giugno al 1° luglio e dal 4 novembre al 4 dicembre – **Pasto** carta 30/45000 –
14 cam ☲ 60/110000 – ½ P 100000.

a Tamion Sud-Ovest : 3,5 km – ⌧ 38039 Vigo di Fassa :

🏠 **Gran Mugon** ❧, ℘ 0462 769108, granmugon@infinito.it, Fax 0462 769108, ≤, ☎ –
⌘ rist, ☒ ☒ ☒ ☒. ⌘ rist
20 dicembre-24 aprile e 25 giugno-15 ottobre – **Pasto** (solo per alloggiati) – **21 cam**
☲ 95/125000 – ½ P 115000.

VILLA Brescia – Vedere Gargnano.

VILLA ADRIANA Roma 430 Q 20 – Vedere Tivoli.

VILLA BANALE Trento – Vedere Stenico.

Per l'inserimento in guida,
Michelin non accetta
né favori, né denaro!

VILLABASSA (NIEDERDORF) 39039 *Bolzano* **429** B 18 – *1 337 ab. alt. 1 158.*
🛈 *Palazzo del Comune* 𝓟 *0474 745136, Fax 0474 745283.*
Roma 738 – Cortina d'Ampezzo 36 – Bolzano 100 – Brunico 23 – Milano 399 – Trento 160.

🏨 **Aquila-Adler,** piazza Von Kurz 3 𝓟 *0474 745128, Fax 0474 745278,* **Ⅰ**, **🕿**, **◪** – **⧄** **📺** **🅿**.
AE **⑤** **◑◎** **VISA**. **%**
chiuso dal 5 novembre al 18 dicembre ed aprile – **Pasto** vedere rist **Aquila-Adler** – 45 cam
⚏ 135/240000 – ½ P 140000.

XX **Aquila-Adler** - Hotel Aquila-Adler, piazza Von Kurz 3 𝓟 *0474 745128,* prenotare – **⭲⭰** **🅿**.
AE **⑤** **◑◎** **VISA**. **%**
chiuso dal 5 novembre al 18 dicembre e martedì – **Pasto** 65000 e carta 50/95000.

X **Friedlerhof,** via Hans Wassermann 14 𝓟 *0474 745003, Fax 0474 745003,* prenotare – **🅿**.
AE **⑤** **◑◎** **VISA**. **%**
chiuso dal 6 al 27 gennaio e martedì – **Pasto** carta 50/75000.

VILLA D'ADDA 24030 *Bergamo* **428** E 10 – *3 937 ab. alt. 286.*
Roma 617 – Bergamo 24 – Como 40 – Lecco 22 – Milano 49.

XX **La Corte del Noce,** via Biffi 8 𝓟 *035 792277, mail@lacortedelnoce.it, Fax 035 790311,*
⌂⌂ – **AE** **⑤** **◑◎** **VISA**. **%**
chiuso dal 1° al 7 gennaio, dal 1° al 15 settembre e lunedì – **Pasto** carta 60/80000.

VILLA D'ALMÈ 24018 *Bergamo* **428** E 10 – *6 405 ab. alt. 289.*
Roma 601 – Bergamo 14 – Lecco 31 – Milano 58.

XX **Osteria della Brughiera,** via Brughiera 49 𝓟 *035 638008, s.arrigoni@labrughiera.com,*
✿ *Fax 035 635448, « Servizio estivo in giardino »* – **AE** **⑤** **◑◎** **VISA** **JCB**. **%**
chiuso dal 1°al 7 gennaio, dal 10 al 31 agosto, lunedì e martedì a mezzogiorno – **Pasto** carta
75/130000
Spec. Fungo porcino ripieno con fegato grasso e aromi verdi al lardo, porro e basilico fritto
(luglio-novembre). Raviolini di vitello, asparagi e sugo d'arrosto. Maialino da latte agli aromi
e sale grosso, pinzimonio di verdure (novembre-maggio).

VILLA DI CHIAVENNA 23029 *Sondrio* **428** C 10, **218** ⑭ – *1 119 ab. alt. 625.*
Roma 692 – Sondrio 69 – Chiavenna 8 – Milano 131 – Saint Moritz 41.

XX **La Lanterna Verde,** frazione San Barnaba 7 (Sud-Est : 2 km) 𝓟 *0343 38588, lanver@*
✿ *tin.it, Fax 0343 38593,* ✿ – **🅿**. **AE** **⑤** **◑◎** **VISA**. **%**
chiuso dal 16 al 27 giugno, dal 19 novembre al 6 dicembre, mercoledì e giovedì a mezzo-
giorno, solo mercoledì in luglio-agosto – **Pasto** carta 50/90000
Spec. Foie gras d'oca farcito di frutta secca con confettura di peperoni rossi. Tajadin di Villa.
Sella di maialino da latte al forno con verdure caramellate al balsamico.

VILLAFRANCA DI VERONA 37069 *Verona* **429** F 14 – *28 989 ab. alt. 54.*
🛅 *località Casella 32-Pozzomoretto* 𝓟 *045 6303341, Fax 045 6303341.*
⚕ *Valerio Catullo* 𝓟 *045 8095666, Fax 045 8095706.*
Roma 483 – Verona 19 – Brescia 61 – Mantova 22 – Vicenza 70.

XX **Antica Ca' 21,** via Quadrato 21 𝓟 *045 6304079, ca21@globalway.it, Fax 045 6303746 –* **▤**
🅿. **AE** **⑤** **①** **◑◎** **VISA**
chiuso dal 1° al 10 gennaio e domenica – **Pasto** carta 55/75000.

a Dossobuono *Nord-Est : 7 km –* **✉** *37062 :*

XX **El Granar del Papa,** via Staffali 20 𝓟 *045 8600096, Fax 045 8600565 –* **⭲⭰** **▤** **🅿**. **AE** **⑤**
① **◑◎** **VISA**. **%**
chiuso dal 1° al 7 gennaio, dal 20 luglio al 20 agosto, domenica sera e lunedì – **Pasto** carta
60/95000.

XX **Cavour,** via Cavour 40 𝓟 *045 513038, Fax 045 8600595,* ✿ – **⭲⭰** **▤** **🅿**. **AE** **⑤** **①** **◑◎** **VISA**.
%
chiuso dal 10 al 24 agosto, domenica in luglio-agosto e mercoledì negli altri mesi – **Pasto**
carta 50/70000.

VILLAFRANCA IN LUNIGIANA 54028 *Massa-Carrara* **428**, **429**, **430** J 11 – *4 704 ab. alt. 131.*
Roma 420 – La Spezia 31 – Parma 88.

a Mocrone *Nord-Est : 4 km –* **✉** *54028 Villafranca in Lunigiana :*

X **Gavarini** con cam, via Benedicenti 50 𝓟 *0187 493115, Fax 0187 495790, « Giardino*
⊜ *fiorito »* – **▤** rist, **📺** **🅿**. **AE** **⑤** **①** **◑◎** **VISA**. **%**
chiuso dal 13 al 30 novembre – **Pasto** *(chiuso mercoledì)* carta 30/45000 – **⚏** 5000 – **5 cam**
60/100000 – ½ P 75000.

VILLAFRATI *Palermo* 432 N 22 – *Vedere Sicilia alla fine dell'elenco alfabetico.*

VILLAIR DE QUART *Aosta* 428 E 4, 219 ③ – *Vedere Aosta.*

VILLAMARINA *Forlì-Cesena* 430 J 19 – *Vedere Cesenatico.*

VILLANDRO (VILLANDERS) 39040 Bolzano 429 C 16 – *1 808 ab. alt. 880.*
🖪 *Santo Stefano 120 ℘ 0472 843121, Fax 0472 843347.*
Roma 669 – Bolzano 28 – Bressanone 13 – Cortina d'Ampezzo 100 – Trento 88.

XX **Ansitz Zum Steinbock** con cam, Santo Stefano 38 ℘ 0472 843111, *steinbock@dnet.i*
Fax 0472 843468, ≤, « Edificio del 17° secolo con servizio estivo all'aperto » – 📺 🅿. 🖽 🕏
🐠 *VISA*
chiuso dal 7 gennaio al 7 marzo – **Pasto** *(chiuso lunedì)* 80000 e carta 50/80000 – **16 cam**
⇄ 90/140000 – ½ P 95000.

VILLANOVA *Bologna* 430 I 16 – *Vedere Bologna.*

VILLANOVA D'ALBENGA 17038 Savona 428 J 6 – *2 000 ab. alt. 35.*
Roma 587 – Imperia 33 – Alassio 15 – Genova 92 – Mondovì 83 – San Remo 60 – Savona 46

X **Osteria l'Ariete,** vico Lerrone 2 ℘ 0182 582187, Fax 0182 582187, Coperti limitati; pre
🏠 notare – 🔳. 🖽 🕏 🐠 *VISA*
chiuso dal 1° al 20 ottobre e mercoledì (escluso giugno-settembre) – Pasto degustazione
formaggi carta 40/65000.

VILLANOVAFORRU *Cagliari* 433 I 8 – *Vedere Sardegna alla fine dell'elenco alfabetico.*

VILLA REY *Cagliari* – *Vedere Sardegna (Castiadas) alla fine dell'elenco alfabetico.*

VILLAR FOCCHIARDO 10050 Torino 428 G 3 – *alt. 450.*
Roma 703 – Torino 42 – Susa 16.

XX **La Giaconera,** via Antica di Francia 1 ℘ 011 9645000, *lagiaconera@libero.it*
Fax 011 9645143, « In un'antica locanda del seicento » – 🅿. 🖽 🕏 🕕 🐠 *VISA*. 🛠
chiuso agosto, lunedì e martedì – **Pasto** 70000.

VILLA ROSA *Teramo* 430 N 23 – *Vedere Martinsicuro.*

VILLAROTTA *Reggio nell'Emilia* 429 H 14 – *Vedere Luzzara.*

VILLA SAN GIOVANNI 89018 Reggio di Calabria 431 M 28 *G. Italia – 12 680 ab. alt. 21.*
Escursioni Costa Viola★ a Nord per la strada S 18.
🚢 *per Messina giornalieri (20 mn) – Società Caronte Shipping, via Marina 30 ℘ 0965*
793131, Fax 0965 793128 e Ferrovie Stato, piazza Stazione ℘ 0965 758241.
Roma 653 – Reggio di Calabria 14.

🏨 **Gd H. De la Ville,** via Ammiraglio Curzon prolungamento Sud ℘ 0965 795600
Fax 0965 795640, ⇄ – 📗, 🛏 cam, 🔳 📺 📞 🚗 🅿 – 🔬 180. 🖽 🕏 🕕 🐠 *VISA*. 🛠
Pasto 50/70000 – **55 cam** ⇄ 210/275000, 10 suites – ½ P 205000.

X **Vecchia Villa,** via Garibaldi 104 ℘ 0965 751125, Fax 0965 795670, Rist. e pizzeria – 🖽 🕏
🕕 *VISA*
chiuso agosto e mercoledì – **Pasto** carta 40/70000.

VILLA SANTINA 33029 Udine 429 C 20 – *2 216 ab. alt. 363.*
Roma 692 – Udine 55 – Cortina D'Ampezzo 93 – Villach 99.

X **Vecchia Osteria Cimenti** con cam, via Cesare Battisti 1 ℘ 0433 750491,
🍴 Fax 0433 750491, 🏠 – 📗 📺 🅿
chiuso dal 25 giugno al 2 luglio – **Pasto** *(chiuso lunedì)* carta 35/60000 – **8 cam** ⇄ 120/
180000 – ½ P 130000.

VILLASIMIUS *Cagliari* 433 J 10 – *Vedere Sardegna alla fine dell'elenco alfabetico.*

VILLASTRADA 46030 Mantova 428, 429 H 13 – alt. 22.
Roma 461 – Parma 40 – Verona 74 – Mantova 33 – Milano 161 – Modena 58 – Reggio nell'Emilia 38.

X **Nizzoli**, via Garibaldi 18 ℘ 0375 838066, Fax 0375 899991 – AE S ⓞ ⓞⓞ VISA. ℀
chiuso dal 24 al 29 dicembre e mercoledì – **Pasto** carta 50/65000.

VILLA VICENTINA 33059 Udine 429 D 21 – 1 303 ab. alt. 11.
Roma 619 – Udine 40 – Gorizia 28 – Trieste 45 – Venezia 120.

🏠 **Ai Cjastinars**, borgo Pacco 1, strada statale 14 (Sud : 1 km) ℘ 0431 970282, cjastin@wave
net.it, Fax 0431 969037, 🌳 – 🍴 cam, 🆚 🕭 🄿 – 🛣 40. AE S ⓞ ⓞⓞ VISA JCB. ℀ rist
Pasto (chiuso venerdì) carta 35/60000 – **15 cam** ☑ 100/160000 – ½ P 110000.

VILLETTA BARREA 67030 L'Aquila 430 Q 23, 431 B 23 – 594 ab. alt. 990.
Roma 179 – Frosinone 72 – L'Aquila 151 – Isernia 50 – Pescara 138.

🏠 **Il Pescatore**, via Roma ℘ 0864 89347, Fax 0864 89439 – 🍴 🆚 🕭 🄿 – 🛣 100. S ⓞ ⓞⓞ
VISA. ℀
Pasto carta 35/45000 – **36 cam** ☑ 50/90000 – ½ P 90000.

🏠 **Il Vecchio Pescatore**, via Benedetto Virgilio ℘ 0864 89274, Fax 0864 89255 – 🆚. AE S
ⓞ ⓞⓞ VISA. ℀
Pasto (solo per alloggiati) carta 30/45000 – **12 cam** ☑ 55/95000 – ½ P 85000.

X **Trattoria del Pescatore**, via Benedetto Virgilio 175 ℘ 0864 89152 – ℀
chiuso giovedì – **Pasto** carta 30/45000.

Leggete attentamente l'introduzione : è la « chiave » della guida.

VILLNOSS = Funes.

VILLORBA 31050 Treviso 429 E 18 – 16 632 ab. alt. 38.
Roma 554 – Venezia 49 – Belluno 71 – Trento 134 – Treviso 10.

a Fontane Sud : 6 km – ✉ 31020 :

XX **Da Dino**, via Doberdò 3 ℘ 0422 421270, ristorantedadino@libero.it, Fax 0422 420564,
🌳, prenotare – 🄿. AE S ⓞⓞ VISA. ℀
chiuso dal 10 al 25 agosto e domenica – **Pasto** carta 35/55000.

VILMINORE DI SCALVE 24020 Bergamo 428, 429 D E 12 – 1 529 ab. alt. 1 019.
Roma 617 – Brescia 69 – Bergamo 65 – Edolo 50 – Milano 110.

XX **Brescia** con cam, piazza della Giustizia 4 ℘ 0346 51019, Fax 0346 51555 – 🍴 🆚 🄿. ℀
Pasto (chiuso lunedì) carta 40/60000 – ☑ 14000 – **19 cam** 90/110000 – ½ P 90000.

VILPIAN = Vilpiano.

VILPIANO (VILPIAN) Bolzano 429 C 15, 218 ⑳ – Vedere Terlano.

VIMERCATE 20059 Milano 428 F 10, 219 ⑲ – 25 532 ab. alt. 194.
Roma 582 – Milano 24 – Bergamo 36 – Como 45 – Lecco 33 – Monza 8.

🏨 **Cosmo** M, via Torri Bianche 4 (Centro Direzionale) ℘ 039 69961 e rist ℘ 039 6996706, hot
elcosmo@hotelcosmo.com, Fax 039 6996777, 🌳, 🎴, 🛱 – 🍴, 🔆 cam, 🗐 🆚 🕑 🕭 🚗 🄿
– 🛣 150. AE S ⓞ ⓞⓞ VISA JCB
chiuso dal 24 dicembre al 2 gennaio e dal 3 al 20 agosto – **Pasto** al Rist. **Valentino** (chiuso
sabato e domenica a mezzogiorno) carta 65/95000 – **122 cam** ☑ 290/360000 –
½ P 240000.

VINCI 50059 Firenze 429, 430 K 14 G. Toscana – 13 964 ab. alt. 98.
🯅 via della Torre 11 ℘ 0571 568012, Fax 0571 567930.
Roma 304 – Firenze 40 – Lucca 54 – Livorno 72 – Pistoia 25.

🏠 **Alexandra**, via Dei Martiri 82 ℘ 0571 56224 e rist. ℘ 0571 568010, Fax 0571 567972 – 🆚
🄿 – 🛣 30. AE S ⓞ ⓞⓞ VISA. ℀
Pasto al Rist. **La Limonaia** (chiuso lunedì) carta 45/65000 – ☑ 15000 – **37 cam** 125/
170000, 🗐 14000 – ½ P 95000.

VIPITENO (STERZING) 39049 Bolzano 🗺️👐 B 16 G. Italia – 5 702 ab. alt. 948 – Sport invernali : 948/
2 161 m ≰ 1 ≴ 4, ≰.

Vedere Via Città Nuova★.

🛈 piazza Città 3 ℘ 0472 765325, Fax 0472 765441.

Roma 708 – Bolzano 66 – Brennero 13 – Bressanone 30 – Merano 58 – Milano 369 –
Trento 130.

🏨 **Aquila Nera-Schwarzer Adler**, piazza Città 1 ℘ 0472 764064, schwarzeradler@rc
mail.net, Fax 0472 766522, �, 🔄 – 🛗 📺 📂 – 🔬 30. 🔂 🕙 ⚫ 🌃
chiuso dal 26 giugno al 13 luglio e dal 5 novembre al 20 dicembre – **Pasto** (chiuso martec
escluso luglio-agosto) carta 60/85000 – **29 cam** 🆑 145/220000, 6 suites – ½ P 170000.

in Val di Vizze (Pfitsch) :.

🏨 **Wiesnerhof**, via Val di Vizze 98, località Prati Est : 3 km ⬜ 39049 Vizze ℘ 0472 765222
Fax 0472 765703, ≤, 🌞, 🗜, 🌖, 🔄, 🖤 – 🛗 📺 📂 🖪 🕙 30. 🌃 ⚫ rist
chiuso dal 7 novembre al 25 dicembre e dal 22 aprile al 10 maggio – **Pasto** (chiuso luned..
carta 60/85000 – **34 cam** 🆑 120/200000 – ½ P 130000.

🏨 **Rose**, via Val di Vizze 119, località Prati Est : 3 km ⬜ 39040 Vizze ℘ 0472 764300, info@ho..
elrose.it, Fax 0472 764639, 🗜, 🌞 – 🛗 📺 📂 ⚫ rist
Natale-Pasqua e giugno-ottobre – **Pasto** (solo per alloggiati) carta 40/55000 – **22 cam**
🆑 90/160000 – ½ P 105000.

🏨 **Kranebitt** 🌄, località Caminata alt. 1441 (Est : 16 km) ⬜ 39040 Vizze ℘ 0472 646019, in
o@kranebitt.com, Fax 0472 646088, ≤ monti e vallata, 🗜, 🌞, 🔄 – 🛗 📺 🖤 🚗 📂 🌃 🕙
🔂 ⚫ ⚫ 🌃 ⚫ rist
24 dicembre-17 aprile e 5 maggio-2 novembre – **Pasto** carta 35/65000 – **39 cam** 🆑 90/
160000 – ½ P 95000.

🍴🍴 **Pretzhof**, località Tulve alt. 1280 (Est : 8 km) ⬜ 39040 Vizze ℘ 0472 764455, info@pretzh
of.com, Fax 0472 764455, ≤, 🌞, « Ambiente caratteristico » – 📂 🌃 ⚫ ⚫ 🌃
chiuso dal 23 al 25 dicembre, dal 15 al 25 gennaio, Carnevale, dal 1° al 10 luglio, dal 10 a
20 settembre, lunedì e martedì – **Pasto** carta 50/75000.

VISERBA Rimini 🗺️🔢 J 19 – Vedere Rimini.

VISERBELLA Rimini 🗺️🔢 J 19 – Vedere Rimini.

VISNADELLO 31050 Treviso 🗺️👐 E 18 – alt. 46.

Roma 555 – Venezia 41 – Belluno 67 – Treviso 11 – Vicenza 69.

🍴🍴 **Da Nano**, via Gritti 145 ℘ 0422 928911 – 🍽 📂 🌃 🕙 ⚫ ⚫ 🌃
chiuso dal 1° al 7 gennaio, agosto, domenica sera e lunedì – **Pasto** specialità di mare carta
65/85000.

VITERBO 01100 🅿 🔢 O 18 G. Italia – 60 212 ab. alt. 327.

Vedere Piazza San Lorenzo★★ Z – Palazzo dei Papi★★ Z – Quartiere San Pellegrino★★ Z.

Dintorni Villa Lante★★ a Bagnaia per ① : 5 km – Teatro romano★ di Ferento 9 km a Noro
per viale Baracca Y.

🛈 piazza San Carluccio ℘ 0761 304795, Fax 0761 220957.

🅰.🅲.🅸. via Marini 16 ℘ 0761 324806.

Roma 104 ③ – Chianciano Terme 100 ④ – Civitavecchia 58 ③ – Grosseto 123 ③ – Milano
508 ④ – Orvieto 45 ④ – Perugia 127 ④ – Siena 143 ④ – Terni 62 ①.

Pianta pagine seguenti

🏨 **Grand Hotel Salus e delle Terme** Ⓜ, strada Tuscanese 26/28 ℘ 0761 3581,
Fax 0761 354262, Grotta Naturale, 🗜, 🌞, 🔄, 🗜, 🖤, ≑ – 🛗 🍽 📺 🖤 📂 – 🔬 500. 🌃 🕙 ⚫
⚫ 🌃 🌃 ⚫ rist   3 km per via Faul YZ
Pasto carta 45/60000 – 🆑 20000 – **100 cam** 180/240000, 7 suites – ½ P 180000.

🏨 **Niccolò V** 🌄 senza rist, strada Bagni 12 ℘ 0761 3501, info@termedeipapi.it,
Fax 0761 352451, Grotta naturale, 🗜, 🌞, 🔄 termale, 🖤, ≑ – 🛗 🍽 📺 🖤 📂 – 🔬 300. 🌃
🕙 🕙 ⚫ ⚫ 🌃 🌃   3 km per via Faul YZ
20 cam 🆑 250/340000, 3 suites.

🏨 **Mini Palace Hotel** senza rist, via Santa Maria della Grotticella 2 ℘ 0761 309742, info@mi
nipalacehotel.com, Fax 0761 344715 – 🛗 🍽 📺 🖤 🚗 📂 – 🔬 70. 🌃 🕙 🕙 ⚫ ⚫ 🌃 🌃 🌃
36 cam 🆑 115/165000.   Z n

🏨 **Balletti Palace Hotel**, viale Francesco Molini 8 ℘ 0761 344777, info@balletti.it,
Fax 0761 344777 – 🛗 📺 – 🔬 200. 🌃 🕙 🕙 ⚫ ⚫ 🌃 🌃   per viale Trento Y
Pasto carta 40/65000 – **105 cam** 🆑 130/220000, 2 suites – ½ P 115000.

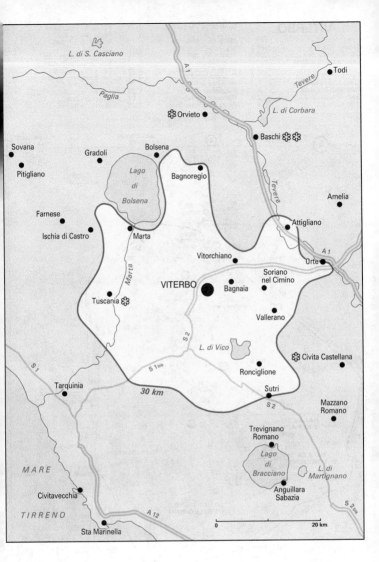

🏨 **Nibbio** senza rist, piazzale Gramsci 🖉 0761 326514, *hotelnibbio@libero.it,*
Fax 0761 321808 – 🛗 ≣ 🔟 📞 🚗 – 🔬 50. 🖭 🕄 ⓪ 🐽 𝘝𝘐𝘚𝘈. 🛠   Y   a
27 cam ⇆ 140/180000.

🏨 **Gatti**, via Santa Lucia 🖉 0761 270919, *Fax 0761 250529* – 🛗 ≣ 🔟 🕭 🅿. 🖭 🕄 ⓪ 🐽 𝘝𝘐𝘚𝘈
🅹🅲🅱. 🛠   per viale Baracca   Y
Pasto carta 35/50000 – **36 cam** ⇆ 110/170000 – ½ P 105000.

🏨 **Tuscia** senza rist, via Cairoli 41 🖉 0761 344400, *Fax 0761 345976* – 🛗 🔟 🚗 – 🔬 40. 🖭
🕄 ⓪ 🐽 𝘝𝘐𝘚𝘈. 🛠   Y   r
39 cam ⇆ 95/150000.

🗙🗙🗙 **La Zaffera**, piazza San Carluccio 7 🖉 0761 344265, *Fax 0761 322210,* 🍴, « In un mona-
stero del XIII secolo » – 🔬 50. 🖭 🕄 ⓪ 🐽 𝘝𝘐𝘚𝘈 🅹🅲🅱. 🛠   Z   c
chiuso domenica sera e lunedì – **Pasto** carta 50/65000.

VITERBO

Ascenzi (Via F.) .... Y 2
Caduti (Piazza dei) .... Y 3
Cardinale La Fontaine
  (Via) .... Z 4
Carmine (Via del) .... Z 6
Crispi (Piazza F.) .... Y 7
Fabbriche (Via delle) .... Z 10
Gesù (Piazza del) .... Z 12
Italia (Corso) .... Y

Lorenzo da Viterbo (Via) ..... Z 13
Marconi (Via G.) .... Y
Maria SS. Liberatrice (Via) .. Y 15
Matteotti (Via G.) .... Y
Meone (Via del) .... Y 16
Mille (Via dei) .... Y 17
Morte (Piazza della) .... Z 18
Orologio Vecchio (Via) .... Y 19
Pace (Via della) .... Z 20
Piaggiarelle (Via D.) .... Z 23
Pianoscarano (Via di) .... Z 24
Pietra del Pesce (Via) .... Z 25

Plebiscito (Piazza del) ...... Y 26
Roma (Via) .... Y 27
Rosselli (Via Fratelli) ...... Y 28
Saffi (Via) .... YZ 29
San Bonaventura (Via) .... Y 32
San Carluccio (Piazza) .... Z 33
San Leonardo (Via) .... Z 36
San Pellegrino (Piazza) ...... Z 37
San Pellegrino (Via) .... Z 39
Trinità (Piazza della) .... Y 40
Vallepiatta (Via) .... Y 41
Verità (Via della) .... Y 43

Circolazione stradale regolamentata nel centro città

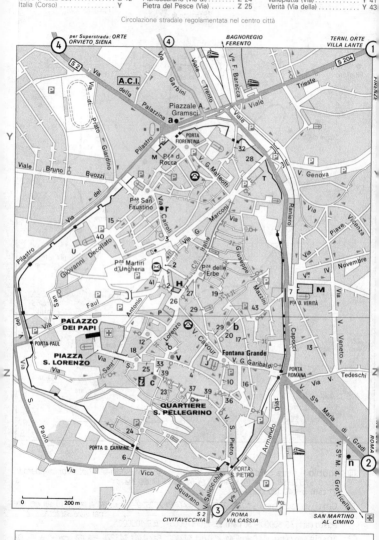

Ne confondez pas :

Confort des hôtels	: 🏨🏨🏨 ... 🏠, 🏠
Confort des restaurants	: XXXXX ... X
Qualité de la table	: ✿✿✿, ✿✿, ✿, 🍴

🍴 **Il Portico,** piazza Don Mario Gargiuli 11 ☎ 0761 321143, *Fax 0761 321143* – ⊁ ▤. [AE] [S] [O] [MC] [VISA]. ⊁ Z v
chiuso lunedì – **Pasto** carta 35/65000.

🍴 **La Spigola,** via Della Pace 40 ☎ 0761 303049, *Fax 0761 303049.* [AE] [S] [O] [VISA]. ⊁
chiuso mercoledì – **Pasto** specialità di mare carta 50/75000. Z b

a San Martino al Cimino *Sud : 6,5 km Z – alt. 561 – ✉ 01030 :*

🏨 **Balletti Park Hotel** ⛰, via Umbria 2/2-a ☎ 0761 3771, *Fax 0761 379496*, ←, 🌳, « Villini nel verde con tennis e 🏊 », 🏊, 🌳 – 🛗 ▤ [TV] [P] – 🎤 350. [AE] [S] [O] [MC] [VISA]. ⊁
Pasto al Rist. ***Il Cavaliere*** carta 45/65000 – **102 cam** ☕ 115/285000, 34 suites – 1/2 P 185000.

🍴🍴 **Pino,** via Abate Lamberto 2/4 ☎ 0761 379242, *Fax 0761 379242*, « Servizio estivo in giardino » – ▤. [AE] [S] [O] [MC] [VISA]. ⊁
chiuso martedì – **Pasto** carta 50/90000.

VITICCIO *Livorno – Vedere Elba (Isola d') : Portoferraio.*

VITORCHIANO *01030 Viterbo* [430] O 18 – *3 084 ab. alt. 285.*
Roma 113 – Viterbo 11 – Orvieto 45 – Terni 55.

🍴🍴 **Al Pallone** con cam, via Sorianese 1 (Sud : 3 km) ☎ 0761 370344 e hotel ☎ 0761 371140, *Fax 0761 371111*, 🌳, 🌳 – ▤ [TV] ♿ 🚗 [P]. [AE] [S] [O] [MC] [VISA] [JCB]. ⊁
chiuso dall'8 al 29 gennaio e dal 2 al 16 luglio – **Pasto** *(chiuso domenica sera e mercoledì)* carta 40/80000 – **8 cam** ☕ 80/120000, 4 suites 160000.

VITTORIA *Ragusa* [432] Q 25 – *Vedere Sicilia.*

VITTORIA (Santuario della) *Genova – Vedere Mignanego.*

VITTORIO VENETO *31029 Treviso* [429] E 18 – *28 947 ab. alt. 136.*
Vedere *Affreschi★ nella chiesa di San Giovanni.*
⛳18 *Cansiglio (maggio-ottobre) a Pian del Cansiglio ✉ 32010 Tambre ☎ 0438 585398, Fax 0438 585398, Nord-Est : 21 km.*
[i] *piazza del Popolo 18 ☎ 0438 57243, Fax 0438 53629.*
Roma 581 – Belluno 37 – Cortina d'Ampezzo 92 – Milano 320 – Treviso 41 – Udine 80 – Venezia 70.

🏨 **Terme,** via delle Terme 4 ☎ 0438 554345, *ohhda@tin.it, Fax 0438 554347*, 🌳 – 🛗 ▤ [TV] 🚗 – 🎤 200. [AE] [S] [MC] [VISA]. ⊁
Pasto *(chiuso lunedì)* carta 50/75000 – **39 cam** ☕ 130/180000 – 1/2 P 150000.

🍴🍴 **Locanda al Postiglione,** via Cavour 39 ☎ 0438 556924, *Fax 0438 556924* – [P]. [AE] [S] [O] [MC] [VISA]. ⊁
chiuso dal 22 luglio all'11 agosto e martedì – **Pasto** carta 35/50000.

🍴 **Flora** con cam, viale Trento e Trieste 26 ☎ 0438 53142, *hotelflora@libero.it, Fax 0438 941440*, 🌳 – 🛗 [TV] [P]. [AE] [S] [O] [MC] [VISA]
Pasto *(chiuso lunedì)* carta 45/85000 – **21 cam** ☕ 85/130000 – 1/2 P 110000.

VIVARO *33099 Pordenone* [429] D20 – *1 235 ab. alt. 128.*
Roma 614 – Udine 44 – Pordenone 26 – Venezia 110.

🍴 **Gelindo dei Magredi** con cam, via Roma 16 ☎ 0427 97037, *gelindodeimagredi@libero.it, Fax 0427 97515*, 🌳, Azienda agrituristica con maneggio e scuola di equitazione – ▤ [TV] [P]. [S] [O] [MC] [VISA]
chiuso dal 10 al 16 gennaio – **Pasto** *(chiuso martedì)* carta 40/65000 – **15 cam** ☕ 100/130000 – 1/2 P 110000.

VIVERONE *13886 Biella* [428] F 6, [219] ⑮ – *1 376 ab. alt. 407 – a.s. luglio-13 settembre.*
Roma 661 – Torino 58 – Biella 23 – Ivrea 16 – Milano 97 – Novara 51 – Vercelli 32.

🏨 **Marina** ⛰, frazione Comuna 10 ☎ 0161 987577, *Fax 0161 98689*, ←, 🌳, « Giardino in riva al lago », 🏊, ⛵, 🎾 – 🛗 [TV] [P] – 🎤 30. [AE] [S] [O] [MC] [VISA]. ⊁
Pasto *(chiuso venerdì escluso dal 15 maggio al 15 settembre)* carta 40/65000 – ☕ 18000 – **60 cam** 130/180000 – 1/2 P 120000.

🏨 **Royal,** viale Lungolago 19, al lido ☎ 0161 98142, *Fax 0161 987038*, ←, 🌳 – 🛗 ▤ [TV] 🚗 – 🎤 60. [AE] [S] [O] [MC] [VISA] [JCB]
Pasto carta 40/60000 – ☕ 10000 – **50 cam** 90/130000 – 1/2 P 100000.

X
 Rolle, via Frate Lebole 27, frazione Rolle ✆ 0161 98668, Fax 0161 98668, « Servizio estiv
ᗡ in terrazza panoramica » – **P.** AE **S** ① **@** *VISA*
 chiuso dal 14 al 21 giugno, dal 6 al 13 settembre e mercoledì; in luglio-agosto apert
 mercoledì sera – **Pasto** carta 35/60000.

VIZZOLA TICINO 21010 Varese **428** F 8, **219** ⑰ – 421 ab. alt. 221.
 Roma 619 – Stresa 42 – Como 55 – Milano 51 – Novara 27 – Varese 33.

血血
 Villa Malpensa, via Sacconago 1 ✆ 0331 230944, hotvil@malpensa.it, Fax 0331 230950
 « Giardino con 🏊 » – 📳 🗐 🔟 ✆ **P** – 🛦 80. AE **S** ① **@** *VISA*. 🛠
 Pasto *(chiuso a mezzogiorno)* carta 60/100000 – **65 cam** ☑ 250/320000.

a Castelnovate Nord-Ovest : 2,5 km – ✉ 21010 Vizzola Ticino :

X
 Concorde, via Mazzini 2 ✆ 0331 230839, 🌡, « Trattoria rustica » – **S** **@** *VISA*
ᗡ *chiuso agosto e mercoledì* – **Pasto** carta 35/65000.

VOCCA 13020 Vercelli **428** E 6 – 130 ab. alt. 506.
 Roma 680 – Stresa 48 – Biella 62 – Milano 104 – Novara 70 – Vercelli 74.

X
 Il Ghiottone, località Chiesa 2 ✆ 0163 560911, Fax 0163 63560912, 🌡, Coperti limitati
 prenotare – AE **S** **@** *VISA*
 chiuso giovedì (escluso agosto) e da ottobre a luglio anche a mezzogiorno (escluso i giorn
 festivi e prefestivi) – **Pasto** 50000 e carta 40/70000.

VODO CADORE 32040 Belluno **429** C 18 – 941 ab. alt. 901.
 Roma 654 – Cortina d'Ampezzo 17 – Belluno 49 – Milano 392 – Venezia 139.

XX
 Al Capriolo, via Nazionale 108 ✆ 0435 489207, Fax 0435 489166 – **P.** AE **S** ① **@** *VISA*
 5 dicembre-9 maggio e 15 giugno-15 ottobre chiuso martedì e mercoledì a mezzogiorno
 da gennaio ad aprile – **Pasto** 55000 e carta 65/85000.

XX
 La Chiusa, località La Chiusa-Ruvignan Sud-Est : 3 km ✆ 0435 489288, lachiusa@cortina
 net.it, Fax 0435 488048, prenotare la sera, « Immerso nel verde di un bosco » – **P.** AE **S** ①
 @ *VISA*. 🛠
 chiuso dal 15 al 30 ottobre, lunedì e martedì in bassa stagione – **Pasto** carta 45/70000.

VOGHIERA 44019 Ferrara **429** H 17 – 3 966 ab..
 Roma 444 – Bologna 60 – Ferrara 16 – Ravenna 61.

XX
 Trattoria del Belriguardo, piazza Giovanni XXIII 7 ✆ 0532 328040 – 🗐. AE **S** ① **@**
 VISA
 chiuso dal 17 al 31 gennaio, dal 15 al 30 giugno, martedì sera e mercoledì – **Pasto** carta
 55/80000.

VOLPIANO 10088 Torino **428** G 5 – 13 068 ab. alt. 219.
 Roma 687 – Torino 17 – Aosta 97 – Milano 126.

XXX
 La Noce, corso Regina Margherita 19 ✆ 011 9882383, solo su prenotazione – 🗐. AE **S** ①
ⓈⓈ **@** *VISA*. 🛠
 chiuso dal 24 dicembre al 6 gennaio, dal 7 al 30 agosto, domenica, lunedì e a mezzogiorno –
 Pasto specialità di mare (menù suggerito dal proprietario) 105/140000
 Spec. Battuto di pescatrice all'olio aromatizzato. Fettuccie fresche con calamari e crema di
 basilico. Aragosta in insalata con pomodorini e cipolla di Tropea (inverno).

VÖLS AM SCHLERN = Fiè allo Sciliar.

VOLTA MANTOVANA 46049 Mantova **428**, **429** G 13 – 6 377 ab. alt. 127.
 Roma 488 – Verona 39 – Brescia 60 – Mantova 25.

🏠
 Buca di Bacco, via San Martino 6 ✆ 0376 801277, Fax 0376 801664, 🍴 – 📳 🗐 🔟 🚗 **P.** –
ᗡ 🛦 40. AE **S** ① **@** *VISA*. 🛠
 Pasto carta 35/45000 – ☑ 10000 – **37 cam** 90/140000 – ½ P 90000.

VOLTERRA 56048 Pisa **430** L 14 G. Toscana – 11 686 ab. alt. 531.
 Vedere Piazza dei Priori★★ – Duomo★ : Deposizione lignea★★ – Battistero★ – ⬅★★ dal viale
 dei Ponti – Museo Etrusco Guarnacci★ – Porta all'Arco★.
 🖪 piazza dei Priori 20 ✆ 0588 87257, Fax 0588 87257.
 Roma 287 ② – Firenze 76 ② – Siena 50 ② – Livorno 73 ③ – Milano 377 ② – Pisa 64 ①.

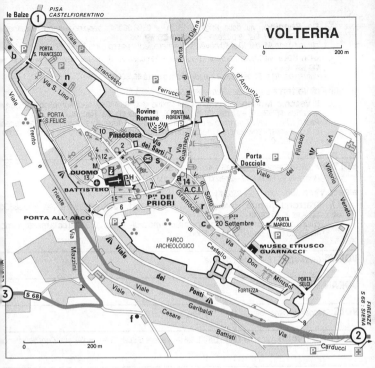

Circolazione stradale regolamentata nel centro città

Buonparenti (Via)	2	Matteotti (Via)	7	Roma (Via)	12
Franceschini (Via)	4	Porta Selci		S. Giovanni (Pza)	13
Marchesi (Via)	5	(Via di)	8	S. Michele (Piazza)	14
Martiri della Libertà (Piazza)	6	Ricciarelli (Via)	10	Turazza (Via)	15

San Lino senza rist, via San Lino 26 ℘ 0588 85250, hotels.lino@iol.it, Fax 0588 80620, ⍓ –
📶 🍽 📺 🕭 🚗, 🅰🅴 🆂 🄾 🄾🄾 𝑉𝐼𝑆𝐴. 🍴   n
chiuso dal 15 novembre al 15 dicembre – **43 cam** 🖙 150/190000.

Villa Nencini ⍓, borgo Santo Stefano 55 ℘ 0588 86571, Fax 0588 80601, ≼, « Giardino
e boschetto con ⍓ » – 📺 🅿. 🅰🅴 🆂 🄾🄾 𝑉𝐼𝑆𝐴. 🍴 rist   b
Pasto carta 40/55000 – 🖙 15000 – **35 cam** 120/140000 – ½ P 110000.

Villa Rioddi ⍓ senza rist, località Rioddi ℘ 0588 88053, v.rioddi@sirt.pisa.it,
Fax 0588 88074, ≼, « Giardino con ⍓ » – 📺 🕭 🅿. 🅰🅴 🄾 🄾🄾 𝑉𝐼𝑆𝐴. 🍴 2 km per ③
chiuso dal 15 gennaio al 1° marzo e dal 10 al 30 novembre – 🖙 10000 – **13 cam** 150000.

Sole ⍓ senza rist, via dei Cappuccini 10 ℘ 0588 84000, Fax 0588 84000, 🚲 – 📺 🅿. 🅰🅴 🆂
🄾🄾 𝑉𝐼𝑆𝐴. 🍴   f
🖙 10000 – **10 cam** 100/120000.

Il Sacco Fiorentino, piazza 20 Settembre 18 ℘ 0588 88537, Fax 0588 88537 – 🍽. 🅰🅴 🆂
🄾 🄾🄾 𝑉𝐼𝑆𝐴   c
chiuso dal 10 gennaio al 25 febbraio e mercoledì – **Pasto** carta 35/65000.

Ombra della Sera, via A. Gramsci 70 ℘ 0588 86663, Fax 0588 90470, 🍽 – 🅰🅴 🆂 🄾 🄾🄾
𝑉𝐼𝑆𝐴   r
chiuso dal 20 gennaio al 10 febbraio, lunedì e novembre – **Pasto** carta 50/75000 (10%).

Vecchia Osteria dei Poeti, via Matteotti 55 ℘ 0588 86029, Fax 0588 86029 – 🅰🅴 🆂 🄾
🄾🄾 𝑉𝐼𝑆𝐴 𝐽𝐶𝐵   z
chiuso dal 15 gennaio al 15 febbraio e giovedì – **Pasto** carta 35/100000 (10%).

✗ **Da Beppino**, via delle Prigioni 13/21 ℰ 0588 86051, *beppino.volterra@tiscalinet.i* Fax 0588 86051, Rist. e pizzeria – 🖭 🕄 🕦 🐠 *VISA*, ⁒
chiuso gennaio, dal 10 al 30 novembre e mercoledì – **Pasto** carta 35/55000 (10%).

✗ **Don Beta**, via Matteotti 39 ℰ 0588 86730, Fax 0588 90491, Rist. e pizzeria – 🗐. 🖭 🕄 🕦
🐠 *VISA* JCB
a
chiuso dal 10 al 31 gennaio e lunedì – **Pasto** carta 40/60000.

a Saline di Volterra *Sud-Ovest : 9 km –* ✉ *56047 :*

✗✗ **Il Vecchio Mulino** con cam, via del Molino ℰ 0588 44060, *vecchiomulino@sirt.pisa.i* Fax 0588 44238, 佘 – 🗐 rist, 🔟 🅿 – 🛦 200. 🖭 🕄 🕦 🐠 *VISA* JCB, ⁒
Pasto *(chiuso dal 23 gennaio al 6 febbraio, dal 13 al 26 novembre, domenica sera e lunea in luglio-agosto solo lunedì a mezzogiorno)* carta 40/80000 – ☕ 15000 – **9 cam** 90/12000●
– ½ P 110000.

VOLTIDO *23034 Cremona* 🗺🟨🟨 *G 13 – 460 ab. alt. 35.*
Roma 493 – Parma 42 – Brescia 57 – Cremona 30 – Mantova 42.

a Recorfano *Sud : 1 km –* ✉ *23034 Voltido :*

✗✗ **Trattoria Gianna**, via Maggiore 12 ℰ 0375 98351, *gianncle@libero.it*, Fax 0375 9835↑
佘 – 🗐 🅿. 🕄 🐠 *VISA*
chiuso dal 24 luglio all'8 agosto, lunedì sera e martedì – **Pasto** 20/30000 bc (a mezzogiorno 40/50000 bc (la sera) e carta 25/50000.

VOLTRI *Genova* 🗺🟨🟨 *I 8 – Vedere Genova.*

VORAN = *Verano.*

VOZE *Savona – Vedere Noli.*

VULCANO (Isola) *Messina* 🟥🟥🟥, 🟥🟥🟥 *L 26 – Vedere Sicilia (Eolie, isole) alla fine dell'elenco alfabetico.*

WELSBERG = *Monguelfo.*

WELSCHNOFEN = *Nova Levante.*

WOLKENSTEIN IN GRÖDEN = *Selva di Val Gardena.*

ZADINA PINETA *Forlì-Cesena – Vedere Cesenatico.*

ZAFFERANA ETNEA *Catania* 🟥🟥🟥 *N 27 – Vedere Sicilia alla fine dell'elenco alfabetico.*

ZELARINO *Venezia* 🗺🟨🟨 *F 18 – Vedere Mestre.*

ZERBA *29020 Piacenza* 🗺🟨🟨 *I 9 – 144 ab. alt. 906.*
Roma 534 – Piacenza 85 – Genova 56 – Pavia 91.

a Capannette di Pey *Nord-Ovest : 12 km – alt. 1 449 –* ✉ *29020 Zerba :*

🏠 **Capannette di Pey** ⤳, frazione Capannette di Pey 26 ℰ 0523 935129,
Fax 0523 935234, ≤, Turismo equestre – 🅿. 🖭 🕄 🐠 *VISA*, ⁒
chiuso novembre – **Pasto** *(chiuso martedì)* carta 40/50000 – ☕ 8000 – **21 cam** 55/80000 –
½ P 75000.

ZERO BRANCO *31059 Treviso* 🗺🟨🟨 *F 18 – 8 193 ab. alt. 18.*
Roma 538 – Padova 35 – Venezia 29 – Milano 271 – Treviso 13.

✗✗✗ **Ca' Busatti**, via Gallese 26 (Nord-Ovest : 3 km) ℰ 0422 97629, Fax 0422 97629, 佘,
Coperti limitati; prenotare, « Elegante cas in campagna », ⇗ – 🅿
chiuso dal 6 al 31 gennaio, domenica sera (luglio-agosto anche a mezzogiorno) e lunedì –
Pasto carta 60/85000.

ZIANO DI FIEMME 38030 Trento 429 D 16 – 1 482 ab. alt. 953 – a.s. 25 gennaio-Pasqua e Natale – Sport invernali : 953/1 209 m ≰ 1, ≰.

🖪 piazza Italia ℘ 0462 570016.

Roma 657 – Bolzano 53 – Belluno 83 – Canazei 30 – Milano 315 – Trento 75.

🏤 **Al Polo,** via Nazionale 7/9 ℘ 0462 571131, info@hotelalpolo.com, Fax 0462 571833, ☎s, 🐆 – 🛊, 🗏 rist, 📺 🖭 🖪 VISA, ❄
chiuso maggio e novembre – **Pasto** (chiuso giovedi) carta 50/70000 – **40 cam** ⊇ 130/165000 – ½ P 115000.

ZIBELLO 43010 Parma 428, 429 G 12 – 2 012 ab. alt. 35.

Roma 493 – Parma 36 – Cremona 28 – Milano 103 – Piacenza 41.

✗ **Trattoria la Buca,** via Ghizzi 6 ℘ 0524 99214, tratbuca@tin.it, Fax 0524 99720, 🛖, prenotare – 🖸
chiuso dal 1° al 15 luglio e martedi – **Pasto** carta 55/85000.

ZINZULUSA (Grotta) Lecce 431 G 37 – Vedere Castro Marina.

ZOCCA 41059 Modena 428, 429, 430 I 14 – 4 483 ab. alt. 758 – a.s. luglio-agosto.

Roma 385 – Bologna 57 – Milano 218 – Modena 49 – Pistoia 84 – Reggio nell'Emilia 75.

🏠 **Panoramic,** via Tesi 690 ℘ 059 987010, Fax 059 987156, ≤, 🐆 – 🛊 📺 🖭 🕮 🖪 ① 🐼 VISA, ❄
chiuso dal 7 gennaio a marzo – **Pasto** (chiuso lunedi escluso da giugno al 15 settembre) carta 35/55000 – ⊇ 15000 – **36 cam** 90/140000 – ½ P 110000.

ZOGNO 24019 Bergamo 428 E 10 – 9 025 ab. alt. 334.

Roma 619 – Bergamo 18 – Brescia 70 – Como 64 – Milano 60 – San Pellegrino Terme 7.

✗✗ **Tavernetta,** via Roma 8 ℘ 0345 91372, Coperti limitati; prenotare – 🗏, 🕮 🖪 🐼 VISA
chiuso dal 1° al 15 gennaio, martedi sera e mercoledi – **Pasto** specialità di mare 70000 e carta 55/80000.

ad Ambria Nord-Est : 2 km – ⊠ 24019 Zogno :

✗ **Da Gianni** con cam, via Tiolo 37 ℘ 0345 91093, albergo.gianni@tiscalinet.it, Fax 0345 93675 – 📺 ⇔ 🖭 🕮 🖪 ① 🐼 VISA
chiuso dal 15 al 30 giugno – **Pasto** (chiuso lunedi escluso luglio-agosto) carta 30/50000 – ⊇ 12000 – **9 cam** 65/90000 – ½ P 75000.

ZOLA PREDOSA 40069 Bologna 429, 430 I 15 – 16 012 ab. alt. 82.

Roma 378 – Bologna 12 – Milano 209 – Modena 33.

🏤 **Zolahotel** senza rist, via Risorgimento 186 ℘ 051 751101, Fax 051 751101 – 🛊 🗏 📺 🖭 – 🕍 130. 🕮 🖪 ① 🐼 VISA, ❄
chiuso dal 5 al 19 agosto – **108 cam** ⊇ 145/210000.

✗ **Masetti,** via Gesso 70, località Gesso Sud : 1 km ℘ 051 755131, Fax 051 755131, 🛖 – 🖭. 🕮 🖪 ① 🐼 VISA, ❄
chiuso dal 1° al 24 agosto, venerdi e sabato a mezzogiorno – **Pasto** carta 35/60000.

ZOLDO ALTO 32010 Belluno 429 C 18 – 1 214 ab. alt. (frazione Fusine) 1 177 – Sport invernali : 800/1 845 m ≰ 1 ≰ 10, ≰ (vedere anche Alleghe).

🖪 frazione Mareson ℘ 0437 789145.

Roma 646 – Cortina d'Ampezzo 48 – Belluno 40 – Milano 388 – Pieve di Cadore 39 – Venezia 135.

🏤 **Corona,** frazione Mareson, alt. 1 338 ℘ 0437 789290, Fax 0437 789490, ≤ Dolomiti e monte Civetta – 🛊 🖭. VISA, ❄
dicembre-Pasqua e giugno-10 settembre – **Pasto** 30000 – **40 cam** ⊇ 105/160000.

🏠 **Bosco Verde** ⑤, frazione Pecol, alt. 1 375 ℘ 0437 789151, boscoverde@libero.it, Fax 0437 788757 – ❄ rist, 📺 🖭 🕮 🖪 ① 🐼 VISA, ❄
dicembre-aprile e giugno-settembre – **Pasto** carta 45/60000 – **22 cam** ⊇ 90/160000 – ½ P 120000.

🏠 **La Baita** ⑤ senza rist, frazione Pecol, alt. 1 375 ℘ 0437 789445, Fax 0437 789163 – 🖭. ❄
12 cam ⊇ 90/180000.

ZORZINO Bergamo – Vedere Riva di Solto.

ZWISCHENWASSER = Longega.

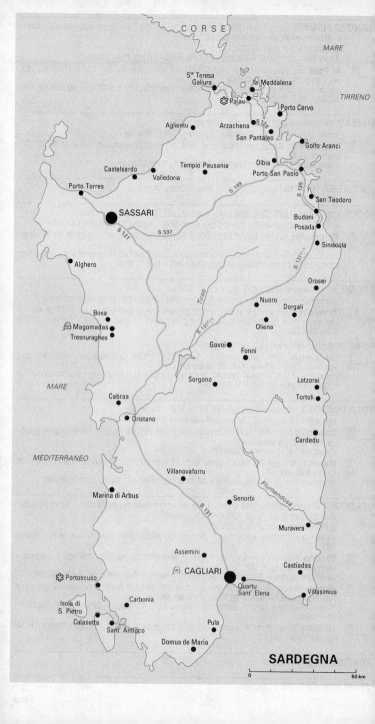

SARDEGNA

0   50 km

SARDEGNA

[33] – *1 651 888 ab. alt. da 0 a 1 834 (Punta La Marmora, monti del Gennargentu).*

✈ **vedere :** *Alghero, Cagliari, Olbia e Sassari.*

⛴ **per la Sardegna vedere :** *Civitavecchia, Fiumicino, Genova, La Spezia, Livorno, Palermo, Trapani;* **dalla Sardegna vedere :** *Cagliari, Golfo Aranci, Olbia, Porto Torres, Tortolì (Arbatax).*

AGLIENTU *07020 Sassari* [433] D 9 – *1 078 ab..*
Cagliari 253 – Olbia 70 – Sassari 88.

🍴 **Lu Fraili,** via Dante 32 ☎ 079 654369 – ▤. [AE] [S] [D] [MC] VISA JCB. ✗
maggio-settembre; chiuso lunedì sino al 15 giugno – **Pasto** specialità galluresi carta 40/70000.

ALGHERO *07041 Sassari* [433] F 6 *G. Italia – 40 574 ab. – a.s. 20 giugno-15 settembre.*
Vedere *Città vecchia★.*
Dintorni *Grotta di Nettuno★★★ Nord-Ovest : 26,5 km – Strada per Capo Caccia ≤★★ – Nuraghe Palmavera★ Nord-Ovest : 10 km.*
✈ *di Fertilia Nord-Ovest : 11 km ☎ 079 935033, Fax 079 935195.*
ℹ *piazza Portaterra 9 ☎ 079 979054, Fax 079 974881 – Aeroporto di Fertilia ☎ 079 935124, Fax 079 935124.*
Cagliari 227 – Nuoro 136 – Olbia 137 – Porto Torres 35 – Sassari 35.

🏨 **Calabona** 🔇, località Calabona ☎ 079 975728, *calabona@algheronet.it, Fax 079 981046,* ≤, 🏋, ⛱, 🏊, 🎾 – 🛗 ▤ 📺 🅿 – 👥 400. [AE] [S] [D] [MC] VISA. ✗ rist
25 marzo-ottobre – **Pasto** 50/60000 – **110 cam** ☕ 210/320000 – 1/2 P 220000.

🏨 **Villa Las Tronas** 🔇, lungomare Valencia 1 ☎ 079 981818, *Fax 079 981044,* ≤ mare e scogliere, « Residenza patrizia dei primi del '900 su un piccolo promontorio », 🏊 acqua di mare, 🎾, 🌳 – 🛗 ▤ 📺 🅿. [AE] [S] [D] [MC] VISA. ✗
Pasto *(16 maggio-settembre)* carta 90/100000 – **28 cam** ☕ 315/520000, suite.

🏨 **Florida,** via Lido 15 ☎ 079 950535, *hotelflorida@ssnet.it, Fax 079 985424,* ≤, 🏋, 🏊 – 🛗 ▤ 📺 🅿. [AE] [S] [D] [MC] VISA. ✗
chiuso novembre – **Pasto** *(aprile-ottobre)* 35/50000 – **73 cam** ☕ 150/235000 – 1/2 P 160000.

🍴🍴 **Il Pavone,** piazza Sulis 3/4 ☎ 079 979584, *Fax 079 979584* – ▤. [AE] [S] [D] [MC] VISA. ✗
chiuso novembre, domenica e mercoledì sera da ottobre a maggio e da giiugno a settembre anche mercoledì a mezzogiorno – **Pasto** 70/120000 e carta 75/100000.

🍴🍴 **Al Tuguri,** via Maiorca 113/115 ☎ 079 976772, *Fax 079 976772,* prenotare, « Ambiente caratteristico » – ▤. ✗
chiuso dal 20 dicembre al 20 gennaio e domenica – **Pasto** 50/65000 (15 %) e carta 50/70000 (15 %).

🍴🍴 **Rafel,** via Lido 20 ☎ 079 950385, ≤, prenotare – ▤. [AE] [S] [D] [MC] VISA. ✗
chiuso dal 20 dicembre al 20 gennaio e giovedì in bassa stagione – **Pasto** carta 50/75000.

a Porto Conte *Nord-Ovest : 13 km* [433] F 6 – ✉ *07041 Alghero :*

🏨 **El Faro** 🔇, ☎ 079 942010, *Fax 079 942030,* ≤ golfo e Capo Caccia, 🌳, scogliera, ⛱, 🏊, 🎾 – 🛗 ▤ 📺 🅿 – 👥 180. [AE] [S] [D] [MC] VISA. ✗ rist
12 maggio-15 ottobre – **Pasto** carta 55/115000 – **97 cam** ☕ 310/480000, 5 suites – 1/2 P 260000.

ARZACHENA *07021 Sassari* [433] D 10 *G. Italia – 10 448 ab. alt. 83 – a.s. 20 giugno-15 settembre.*
Dintorni *Costa Smeralda★★.*
⛳ *Pevero a Porto Cervo (Costa Smeralda) ✉ 07020, ☎ 0789 958020, Fax 0789 96572, Nord-Est : 18,5 km.*
✈ *della Costa Smeralda : vedere Olbia.*
ℹ *via Paolo Dettori ☎ 0789 82624, Fax 0789 81090.*
Cagliari 311 – Olbia 26 – Palau 14 – Porto Torres 147 – Sassari 129.

🏨 **Albatros Club Hotel,** viale Costa Smeralda 28 ☎ 0789 83333, *albatrosclub.hotel@tiscali net.it, Fax 0789 840064* – 🛗 ▤ 📺 ♿ 🅿. [AE] [S] [D] [MC] VISA. ✗
Pasto *(aprile-ottobre)* carta 25/85000 – **34 cam** ☕ 110/170000 (solo 1/2 P in agosto) – 1/2 P 180000.

a Cannigione *Nord Est : 6,5 km* – ✉ *07020 :*

🏨 **Micalosu** 🔇, località Micalosu Nord-Est : 3 km ☎ 0789 86326, *htlmica@tin.it, Fax 0789 86329,* ≤ golfo di Arzachena, 🌳, 🏊 – 📺 🅿. [AE] [S] [D] [MC] VISA. ✗
aprile-ottobre – **Pasto** 40/50000 – **55 cam** ☕ 220/320000 – 1/2 P 180000.

strada provinciale Arzachena-Porto Cervo *Est : 6,5 km :*

🍴 **Lu Stazzu,** al bivio per Baia Sardinia ✉ 07021 Arzachena ☎ 0789 82711, *lustazzu@gallura. net, Fax 0789 82711,* ≤, 🌳, « In un boschetto di ulivi e ginepri » – 🅿. [AE] [S] [D] [MC] VISA
Pasqua-settembre – **Pasto** carta 50/80000.

Costa Smeralda :

a Porto Cervo – ⊠ *07020* – *a.s. 20 giugno-15 settembre* :

🏨 **Cervo** ⦰, ℰ 0789 931111, *res064cervo@sheraton.com*, Fax 0789 931613, ≤, 🏛
« Piccolo patio », 𝟭𝟱, ☎, ⅃ riscaldata, ▣, ℀ – ▤ 📺 ℙ. ㏘ 🅱 ⓪ ⓒⓞ 𝘝𝘐𝘚𝘈. ℀
Pasto *(aprile-ottobre)* carta 135/185000 – **106 cam** solo ½ P 795000, 2 suites – P 850000

🏨 **Le Ginestre** ⦰, Nord : 1 km ℰ 0789 92030, Fax 0789 94087, ≤, 🏛, ⅃, 🐾, 🚲, ℀
▤ 📺 ℙ – ⚖ 200. ㏘ 🅱 ⓪ ⓒⓞ 𝘝𝘐𝘚𝘈. ℀ rist
aprile-ottobre – **Pasto** 120000 – **78 cam** ⵣ 680/900000 – ½ P 400000.

✕✕✕ **Gianni Pedrinelli,** strada provinciale bivio Pevero Sud : 1,5 km ℰ 0789 9243●
Fax 0789 92616, 🏛, « Servizio estivo in terrazza » – ℙ. ㏘ 🅱 ⓪ ⓒⓞ 𝘝𝘐𝘚𝘈. ℀
marzo-ottobre; chiuso a mezzogiorno in luglio-agosto – **Pasto** carta 80/115000.

✕ Dante, località Sottovento Sud : 2,5 km ℰ 0789 92432, Fax 0789 92362, 🏛, Rist. e pizzer
– ℙ
stagionale.

a Pitrizza – ⊠ *07020 Porto Cervo* – *a.s. 20 giugno-15 settembre* :

🏨 **Pitrizza** ⦰, ℰ 0789 930111, *res066pitrizza@luxorycollection.com*, Fax 0789 930611, ≤
baia, 🏛, « Ville indipendenti digradanti sul mare e immerse nel verde », 𝟭𝟱, ⅃ acqua d
mare, 🐾, 🚲 – ▤ 📺 ℂ ℙ – ⚖ 50. ㏘ 🅱 ⓪ ⓒⓞ 𝘝𝘐𝘚𝘈 𝙅𝘾𝘽. ℀
10 maggio-14 ottobre – **Pasto** 250/300000 – **38 cam** solo ½ P 1500000, 13 suites.

a Romazzino – ⊠ *07020 Porto Cervo* – *a.s. 20 giugno-15 settembre* :

🏨 **Romazzino** ⦰, ℰ 0789 977111, *res067romazzino@luxorycollection.com*
Fax 0789 977614, ≤ mare ed isolotti, 🏛, pontile d'attracco privato, « Giardino con ⅃
d'acqua di mare », 🐾, ℀, 𝟭𝟴 – ⚡ ▤ 📺 ℂ ℙ. ㏘ 🅱 ⓪ ⓒⓞ 𝘝𝘐𝘚𝘈 𝙅𝘾𝘽. ℀
26 aprile-14 ottobre – **Pasto** 220/280000 – **88 cam** solo ½ P 1305000, 6 suites –
P 1360000.

a Cala di Volpe – ⊠ *07020 Porto Cervo* – *a.s. 20 giugno-15 settembre* :

🏨 **Cala di Volpe** ⦰, ℰ 0789 976111, *res059caladivolpe@luxorycollection.com*
Fax 0789 976617, ≤ baia, 🏛, porticciolo privato, 𝟭𝟱, ⅃, 🐾, 🚲, ℀, – ⚡ ▤ 📺 ℙ. ㏘ 🅱
⓪ ⓒⓞ 𝘝𝘐𝘚𝘈 𝙅𝘾𝘽.
29 marzo-ottobre – **Pasto** 220/280000 – **109 cam** solo ½ P 1365000, 12 suites –
P 1420000.

🏨 **Nibaru** ⦰ senza rist, ℰ 0789 96038, *hotelnibaru@tiscalinet.it*, Fax 0789 96474, 🏛
« Terrazza con ⅃ », – ▤ 📺 ℙ. ㏘ 🅱 ⓪ ⓒⓞ 𝘝𝘐𝘚𝘈. ℀
maggio-15 ottobre – ⵣ 25000 – **45 cam** 290/390000.

a Baia Sardinia – ⊠ *07020* : – *a.s. 20 giugno-15 settembre* :

🏨 **Club Hotel,** ℰ 0789 99006, *batahotels@tin.it*, Fax 0789 99286, ≤, 🐾 – ⚡ ▤ 📺 ℙ. ㏘ 🅱
⓪ ⓒⓞ 𝘝𝘐𝘚𝘈. ℀ rist
Pasqua-ottobre – **Pasto** vedere rist *Casablanca* – ⵣ 24000 – **84 cam** 185/335000 –
½ P 375000.

🏨 **Mon Repos** ⦰, ℰ 0789 99011, *monrepos@tin.it*, Fax 0789 99050, ≤ mare e costa
« Dominante la baia con ⅃ in terrazza panoramica », 🐾, 🚲 – ▤ 📺 ℙ 🅱 ⓒⓞ 𝘝𝘐𝘚𝘈. ℀
Pasqua-15 ottobre – **Pasto** vedere rist *Conchiglia* – **49 cam** ⵣ 175/400000, 2 suites –
½ P 260000.

🏨 **La Bisaccia** ⦰, ℰ 0789 99002, Fax 0789 99162, ≤ arcipelago della Maddalena, 🏛
« Giardino digradante sul mare », ⅃, 🐾 – ⚡ ▤ 📺 ℙ – ⚖ 80. ㏘ 🅱 ⓪ ⓒⓞ 𝘝𝘐𝘚𝘈. ℀
20 maggio-15 ottobre – **Pasto** (solo per alloggiati) carta 80/125000 – **101 cam** ⵣ 295/
590000 – ½ P 325000.

🏨 **Pulicinu** ⦰, località Pulicinu Sud : 3 km ℰ 0789 933001, *hotelpulicinu@nuragica.it*,
Fax 0789 933090, ≤, 🏛, « Giardino con ⅃ », 🐾 – ▤ 📺 ℙ. ㏘ 🅱 ⓪ ⓒⓞ 𝘝𝘐𝘚𝘈. ℀ rist
maggio-settembre – **Pasto** carta 45/70000 – **42 cam** solo ½ P 250000.

🏨 **Olimpia** ⦰ senza rist, ℰ 0789 99176, Fax 0789 99191, ≤ arcipelago della Maddalena, ⅃ –
ℙ. ㏘ 🅱 ⓪ ⓒⓞ 𝘝𝘐𝘚𝘈
10 maggio-settembre – **17 cam** ⵣ 150/250000.

✕✕✕ **Casablanca** - Hotel Club Hotel, ℰ 0789 99006, Fax 0789 99286, Rist.-piano bar, prenota-
re, « Servizio estivo in terrazza panoramica » – ㏘ 🅱 ⓪ ⓒⓞ 𝘝𝘐𝘚𝘈. ℀
20 maggio-20 settembre; chiuso a mezzogiorno – **Pasto** 90/100000 e carta 95/125000.

✕✕ **Conchiglia** - Hotel Mon Repos, ℰ 0789 99241, Fax 0789 99241, 🏛, « Servizio estivo in
terrazza panoramica » – ▤. 🅱 ⓪ 𝘝𝘐𝘚𝘈. ℀
Pasqua-10 ottobre – **Pasto** carta 85/135000.

SSEMINI *09032 Cagliari* 433 J 8 – *23 516 ab.*.
Cagliari 14.

Grillo, via Carmine 132 ✆ 070 946350, *hotelgrillo@tiscalinet.it, Fax 070 946826*, Rist. e pizzeria, – ☰ 150. AE Ⓢ ⓓ ⓜⓒ VISA. ✻ rist
Pasto *(chiuso domenica ed agosto)* carta 35/55000 – ☐ 12000 – **72 cam** 140/170000 – ½ P 130000.

AIA SARDINIA *Sassari* 433 D 10 – *Vedere Arzachena : Costa Smeralda.*

OSA *08013 Nuoro* 433 G 7 – *7 992 ab. alt. 10.*
Alghero 64 – Cagliari 172 – Nuoro 86 – Olbia 151 – Oristano 64 – Porto Torres 99 – Sassari 99.

Mannu, viale Alghero 28 ✆ 0785 375306, *Fax 0785 375308* – ☰ TV P. AE Ⓢ ⓜⓒ VISA. ✻ rist
Pasto *(chiuso domenica sera e lunedì)* carta 45/65000 – **28 cam** ☐ 80/130000 – ½ P 115000.

Borgo Sant'Ignazio, via Sant'Ignazio 33 ✆ 0785 374662, *Fax 0785 374154*, « Caratteristico edificio del centro storico » – ☰. AE Ⓢ ⓓ ⓜⓒ VISA
chiuso dal 6 al 30 novembre e lunedì – **Pasto** carta 40/65000.

Bosa Marina *Sud-Ovest : 2,5 km – ✉ 08013 – a.s. luglio-10 settembre :*

Al Gabbiano, viale Mediterraneo 5 ✆ 0785 374123, *gabbianohotel@tiscalinet.it, Fax 0785 374109*, , – ☰ TV P. AE Ⓢ ⓓ ⓜⓒ VISA JCB. ✻
Pasto *(chiuso da novembre a Pasqua)* carta 45/65000 – ☐ 10000 – **30 cam** 115/140000, ☰ 5000 – ½ P 135000.

BUDONI *08020 Nuoro* 433 E 11 – *4 117 ab. – a.s. luglio-10 settembre.*
Cagliari 248 – Nuoro 67 – Olbia 37 – Porto Torres 154 – Sassari 136.

Il Portico, via Nazionale 107 ✆ 0784 844450, *Fax 0784 844450*, – ☰. AE Ⓢ ⓓ ⓜⓒ VISA. ✻
chiuso dal 10 ottobre al 10 dicembre e lunedì in bassa stagione – **Pasto** carta 35/85000.

CABRAS *09072 Oristano* 433 H 7 – *8 938 ab.*.
Alghero 108 – Cagliari 101 – Iglesias 114 – Nuoro 95 – Oristano 7 – Sassari 122.

Sa Funtà, via Garibaldi 25 ✆ 0783 290685, prenotare, « Antico pozzo nuragico » – ✻
chiuso dal 15 dicembre a febbraio e domenica – **Pasto** carta 45/65000.

CAGLIARI *09100* P 433 J 9 *G. Italia – 165 926 ab.*.
Vedere *Museo Nazionale Archeologico★ : bronzetti★★★ Y – ≤★★ dalla terrazza Umberto I Z – Pulpiti★★ nella Cattedrale Y – Torre di San Pancrazio★ Y – Torre dell'Elefante★ Y.*
Escursioni *Strada★★★ per Muravera per ①.*
di Elmas per ② : 6 km ✆ 070 240079, Fax 070 240670 – Alitalia, via Caprera 12 ✉ 09123 ✆ 070 60101, Fax 070 660362.
per Civitavecchia giornaliero (14 h 30 mn)) e Genova 15 luglio-10 settembre mercoledì e venerdì (20 h); per Napoli 15 luglio-11 settembre lunedì, mercoledì negli altri mesi (16 h 15 mn); per Palermo venerdì (13 h 30 mn) e Trapani domenica (11 h) – Tirrenia Navigazione, stazione marittima ✆ 1478 99000, Fax 070 663853.
piazza Matteotti 9 ✉ 09123 ✆ 070 669255 – Aeroporto di Elmas ✉ 09132 ✆ 070 240200.
A.C.I. *via San Simone 60 ✉ 09122 ✆ 070 283000.*
Nuoro 182 ② – Porto Torres 229 ② – Sassari 211 ②.

Pianta pagina seguente

Regina Margherita senza rist, viale Regina Margherita 44 ✉ 09124 ✆ 070 670342, *htlrm@tiscalinet.it, Fax 070 668325* – ☰ TV – 300. AE Ⓢ ⓓ ⓜⓒ VISA. ✻ Z g
☐ 20000 – **99 cam** ☐ 225/290000.

Caesar's M, via Darwin 2/4 ✉ 09126 ✆ 070 340750 e rist. ✆ 070 304768, *caesarshotel@tiscalinet.it, Fax 070 340755* – ☰ TV – 300. AE Ⓢ ⓓ VISA. ✻
chiuso dal 6 al 29 agosto – **Pasto** al Rist. ***Da Cesare*** carta 40/65000 – **44 cam** ☐ 180/250000, 4 suites. per viale Armando Diaz Z

Jolly Hotel Cagliari, circonvallazione Nuova ✉ 09134 Pirri ✆ 070 521373, *jolly.cagliari@alliancealberghi.com, Fax 070 502222* – ☰ TV P – 200. AE Ⓢ ⓓ ⓜⓒ VISA JCB. ✻
Pasto carta 35/65000 – **129 cam** ☐ 200/240000. 4 km per via Dante Y

Mediterraneo, lungomare Cristoforo Colombo 46 ✉ 09125 ✆ 070 301271, *Fax 070 301274*, ≤, – ☰ TV P – 650. AE Ⓢ ⓓ ⓜⓒ VISA. ✻ rist Z t
Pasto al Rist. ***Al Golfo*** 50/95000 – **140 cam** ☐ 225/290000 – ½ P 175000.

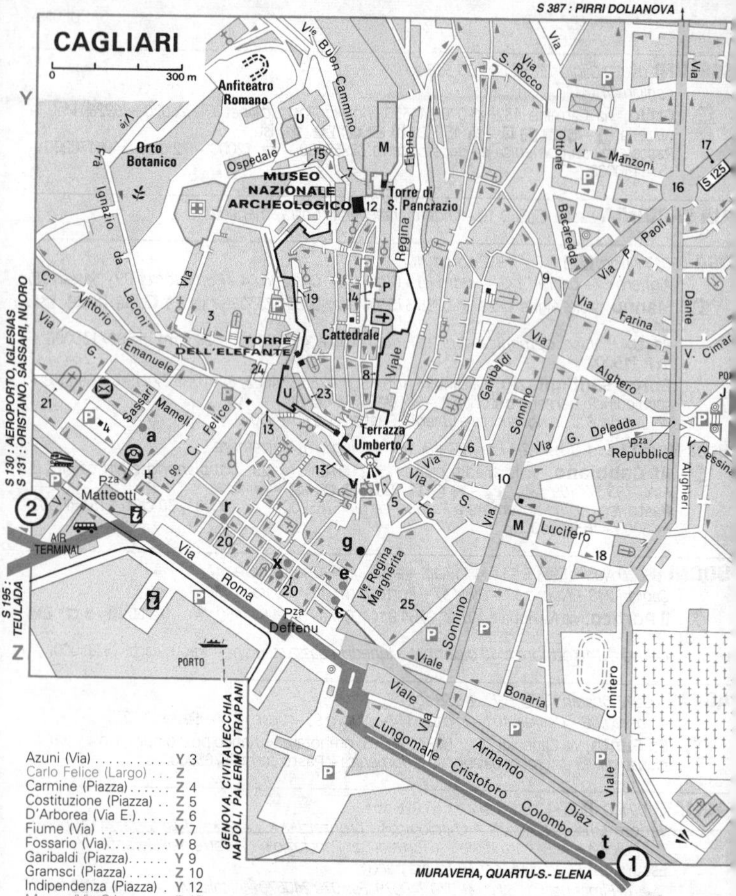

CAGLIARI
0
300 m
S 387 : PIRRI DOLIANOVA
Y
Z
Anfiteatro Romano
Orto Botanico
MUSEO NAZIONALE ARCHEOLOGICO
Torre di S. Pancrazio
TORRE DELL'ELEFANTE
Cattedrale
Terrazza Umberto I
Ospedale
V^le Buon Cammino
Via Fra Ignazio da Laconi
C^o Vittorio Emanuele
Via G. Mameli
Via Sassari
L^go C. Felice
Via Regina Elena
Viale Regina
Via S. Rocco
V. Manzoni
Ottone
Bacaredda
Via P. Paoli
Via Farina
Dante
V. Cimar
Via Alghero
Via G. Deledda
P^za Repubblica
V. Pessina
Alghieri
Via Garibaldi
Sonnino
Via Sonnino
Via S. Lucifero
V^le Regina Margherita
Viale Bonaria
Cimitero
Viale Armando Diaz
Via Roma
Lungomare Cristoforo Colombo
P^za Matteotti
P^za Deffenu
AIR TERMINAL
PORTO
S 130 : AEROPORTO, IGLESIAS
S 131 : ORISTANO, SASSARI, NUORO
S 195 : TEULADA
GENOVA, CIVITAVECCHIA
NAPOLI, PALERMO, TRAPANI
MURAVERA, QUARTU-S.- ELENA
S 125

Circolazione regolamentata nel centro città

Azuni (Via) . . . . Y 3
Carlo Felice (Largo) . . . Z
Carmine (Piazza) . . . . . . Z 4
Costituzione (Piazza) . . Z 5
D'Arborea (Via E.) . . . . . Z 6
Fiume (Via) . . . . Y 7
Fossario (Via) . . . . Y 8
Garibaldi (Piazza) . . . . . . Y 9
Gramsci (Piazza) . . . . . . Z 10
Indipendenza (Piazza) . Y 12
Manno (Via G.) . . . . Z 13
Martini (Via) . . . . Y 14
Porceli (Via) . . . . Y 15
Roma (Via) . . . . Z
S. Benedetto (Piazza) . Y 16
S. Benedetto (Via) . . . . Y 17
S. Cosimo (Piazza) . . . . Z 18
S. Croce (Via) . . . . Y 19
Sardegna (Via) . . . . Z 20
Trieste (Viale) . . . . Z 21
Università (Via) . . . . Z 2
Yenne (Piazza) . . . . Y 2
20 Settembre (Via) . . . . Z 2

XXXX **Dal Corsaro,** viale Regina Margherita 28 ✉ 09124 ☎ 070 664318, *Fax 070 653439* – ▤ AE 🅂 ⓓ VISA. ✂ Z
chiuso dal 23 dicembre al 6 gennaio, dal 9 al 25 agosto e domenica – **Pasto** 60/70000 (15 % e carta 70/95000 (15 %).

XX **Antica Hostaria,** via Cavour 60 ✉ 09124 ☎ 070 665870, *Fax 070 665878*, « Ristorant caratteristico con raccolta di quadri » – ▤. AE 🅂 ⓓ MC VISA JCB. ✂ Z
chiuso dal 23 dicembre al 7 gennaio, agosto e domenica – **Pasto** carta 50/70000 (12 %).

XX **Il Molo,** Calata dei Trinitari ✉ 09125 ☎ 070 308959, *Fax 070 344273*, « Veranda sul portic ciolo » – ▤. ✂ per lungomare C. Colombo Z
chiuso lunedì a mezzogiorno e da ottobre a marzo anche domenica sera – **Pasto** specialit di mare carta 50/105000 (10 %).

XX **Saint Remy,** via San Salvatore da Horta angolo via Torino ✉ 09124 ☎ 070 657377 *Fax 070 657377*, « Nella cantina di un edificio cinquecentesco » – ▤. AE 🅂 ⓓ MC VISA Z
chiuso sabato a mezzogiorno e domenica – **Pasto** carta 45/95000.

XX **Al Porto,** via Sardegna 44 ⊠ 09124 ℘ 070 663131, prenotare – 🗏. 🖭 🕄 ⑩ ⑩ 💯 ⼨ᴮ.

Z r

chiuso dal 7 al 21 gennaio, dal 1° al 15 luglio e lunedì – **Pasto** carta 50/75000.

XX Flora via Sassari 43 ℘ 070 664735, « Servizio estivo in giardino » – 🗏

Z a

X **La Stella Marina di Montecristo,** via Sardegna 140 ⊠ 09124 ℘ 070 666692 – 🗏. 🖭 🕄 ⑩ ⑩ 💯. ⼨

Z c

chiuso dal 10 al 20 agosto e lunedì – **Pasto** specialità di cacciagione giovedì e venerdì carta 50/75000.

X **Lillicu,** via Sardegna 78 ⊠ 09124 ℘ 070 652970, Fax 070 652970 – 🗏. 🖭 🕄 ⑩ ⑩ 💯 ⼨ᴮ. ⼨

Z x

chiuso dal 10 agosto al 1° settembre e domenica – Pasto carta 35/55000.

bivio per Capoterra *per ② : 12 km :*

XX **Sa Cardiga e Su Schironi,** strada statale 195 bivio per Capoterra ⊠ 09012 Capoterra ℘ 070 71652, Fax 070 71613 – 🔧 🗏 🅿. 🖭 🕄 ⑩ ⑩ 💯 ⼨ᴮ. ⼨

chiuso dal 15 ottobre al 15 novembre, lunedì (escluso agosto) e da novembre a marzo anche domenica sera – **Pasto** specialità di mare carta 40/75000.

ALA DI VOLPE *Sassari* ⼨ᴮ⼨ D 10 ⼨ᴮ⼨ D 10 – *Vedere Arzachena : Costa Smeralda.*

ALA GONONE *Nuoro* ⼨ᴮ⼨ G 10 – *Vedere Dorgali.*

In questa guida

uno stesso simbolo, una stessa parola
stampati in rosso o in **nero**, in magro o in *grassetto*
hanno un significato diverso.

Leggete attentamente le pagine dell'introduzione.

ALASETTA *09011 Cagliari* ⼨ᴮ⼨ J 7 – *2 788 ab..*

🚢 *per l'Isola di San Pietro-Carloforte giornalieri (30 mn) –* Saremar-agenzia Ser.Ma.Sa., al porto ℘ 0781 88430.

Cagliari 105 – Oristano 145.

🏨 **Luci del Faro** ⼨, località Mangiabarche Sud : 5 km ℘ 0781 810089, Fax 0781 810091, ⩽, navetta per la spiaggia, 🏊, ⩕, ⼨ – 🗏 📺 ⟐ 🅿 – 🔒 50. 🖭 🕄 ⑩ ⑩ 💯. ⼨

chiuso febbraio – **Pasto** 40/90000 – **37 cam** ⊇ 145/240000 – ½ P 190000.

X **Bellavista** con cam, via Panoramica 7 ℘ 0781 88971, Fax 0781 88211, ⩽ mare e costa, ⼨ – 🕄. ⼨

chiuso dal 4 novembre al 15 dicembre – **Pasto** *(chiuso lunedì da ottobre ad aprile)* carta 40/55000 – ⊇ 11000 – **12 cam** 80/105000 – ½ P 125000.

ANNIGIONE *Sassari* ⼨ᴮ⼨ D 10 – *Vedere Arzachena.*

APO D'ORSO *Sassari* – *Vedere Palau.*

ARBONIA *09013 Cagliari* ⼨ᴮ⼨ J 7 – *31 729 ab. alt. 100.*

Cagliari 71 – Oristano 121.

X **Bovo-da Tonino,** via Costituente 18 ℘ 0781 62217, ⿴ – 🗏 🅿. 🖭 🕄 ⑩ 💯. ⼨

chiuso 25-26 dicembre, Pasqua, Ferragosto e domenica – **Pasto** specialità di mare carta 40/80000.

ARDEDU *08040 Nuoro* ⼨ᴮ⼨ H 10 – *1 510 ab. alt. 40.*

Nuoro 80 – Cagliari 134 – Sassari 197.

a Cardedu Marina *Est : 4 km :* – ⊠ *08040 Cardedu :*

🏨 **Corte Bianca** ⼨, località Foddini ℘ 0782 24001, Fax 0782 24054, ⩽, ⿴, « Caratteristico borgo in riva al mare », 🏊, 🐾, ⩕, ⼨ – 🗏 📺 🅿. 🖭 🕄 ⑩ 💯. ⼨

giugno-settembre – **Pasto** 50000 – **53 cam** solo ½ P 280000.

ARLOFORTE *Cagliari* ⼨ᴮ⼨ J 6 – *Vedere San Pietro (Isola di).*

CASTELSARDO *07031 Sassari* **433** *E 8 – 5 282 ab. – a.s. 20 giugno-15 settembre.*
Cagliari 243 – Nuoro 152 – Olbia 100 – Porto Torres 34 – Sassari 32.

🏨 **Riviera da Fofò,** via lungomare Anglona 1 *𝒫 079 470143, hfofo@tin.it, Fax 079 4702*
≤, 🈂️ – 🛗, 🍽 cam, 📺 🅿 – 🔬 50. 🆎 🕃 ① ⓌⓄ 𝘝𝘐𝘚𝘈
Pasto carta 55/95000 – 😐 10000 – **34 cam** 150/240000 – ½ P 200000.

✕✕ **Il Cormorano,** via Colombo 5 *𝒫 079 470628, ristoranteilcormorano@supereva*
Fax 079 470628 – 🍽. 🆎 🕃 ① ⓌⓄ 𝘝𝘐𝘚𝘈 𝘑𝘊𝘉
chiuso martedì in bassa stagione – **Pasto** carta 50/85000.

✕ **Sa Ferula,** corso Italia 1, località Lu Bagnu Sud-Ovest : 4 km *𝒫 079 4740*
Fax 079 474049, ≤, 🈂️ –🅿. 🆎 🕃 ① ⓌⓄ 𝘝𝘐𝘚𝘈 𝘑𝘊𝘉
chiuso dal 20 ottobre al 15 novembre e giovedì in bassa stagione – **Pasto** carta 40/70000

CASTIADAS *09040 Cagliari* **433** *J 10 – alt. 168.*
Cagliari 66 – Muravera 30.

a Villa Rey *Est : 9 km – ⊠ 09040 Castiadas :*

🏨 **Sant'Elmo Beach Hotel** ⊗, *𝒫 070 995161, santelmo@tiscalinet.it, Fax 070 9951*
≤, « Giardino con 🏊 », 🏊, 🐎, ✕ – 🍽 📺 🔥 🅿 – 🔬 300. 🆎 🕃 ① ⓌⓄ 𝘝𝘐𝘚𝘈. ⍀
29 aprile-15 ottobre – **Pasto** 40/60000 – **175 cam** 😐 270000, 4 suites – ½ P 375000.

a Costa Rei *Nord-Est : 13 km – ⊠ 09040 Castiadas*

✕ **Sa Cardiga e Su Pisci,** *𝒫 070 991108, Fax 070 9916036,* 🈂️, Rist. e pizzeria – 🍽 🅿.
🕃 ① ⓌⓄ 𝘝𝘐𝘚𝘈 𝘑𝘊𝘉. ⍀
aprile-ottobre; chiuso giovedì (escluso da giugno a settembre) – **Pasto** carta 50/80000.

COSTA DORATA *Sassari* **433** *E 10 – Vedere Porto San Paolo.*

COSTA REI *Cagliari* **433** *J 10 – Vedere Castiadas.*

COSTA SMERALDA *Sassari* **433** *D 10 – Vedere Arzachena.*

DOMUS DE MARIA *09010 Cagliari* **433** *K 8 – 1 523 ab. alt. 66.*
Cagliari 52 – Oristano 139.

a Spartivento *Sud : 7,5 km – ⊠ 09010 Domus De Maria :*

✕✕ **Crar' e Luna,** viale Chia *𝒫 070 9230056,* ≤, prenotare – 🅿. 🆎 🕃 𝘝𝘐𝘚𝘈
chiuso lunedì (escluso maggio-settembre) e le sere (escluso venerdì-sabato) da gennaio
aprile – **Pasto** carta 50/85000.

DORGALI *08022 Nuoro* **433** *G 10 G. Italia – 8 178 ab. alt. 387 – a.s. luglio-10 settembre.*
Dintorni *Grotta di Ispinigoli★★ Nord : 8 km – Strada★★ per Cala Gonone Est : 10 km*
Nuraghi di Serra Orios★ Nord-Ovest : 10 km – Strada★★★ per Arbatax Sud.
Cagliari 213 – Nuoro 32 – Olbia 114 – Porto Torres 170 – Sassari 152.

✕ **Colibrì,** via Gramsci 14 *𝒫 0784 96054,* 🈂️ – ⍀
aprile-ottobre; chiuso domenica escluso da giugno a settembre – **Pasto** cucina tipica sarda
carta 40/55000.

a Cala Gonone *Est : 9 km – ⊠ 08020 :*

🏨 **Costa Dorada,** lungomare Palmasera 45 *𝒫 0784 93332, Fax 0784 93445,* ≤, 🈂️ – 🍽 📺
🆎 🕃 ① ⓌⓄ 𝘝𝘐𝘚𝘈. ⍀ rist
Pasqua-ottobre – **Pasto** (solo per alloggiati) 40/50000 – 😐 20000 – **29 cam** 165/250000
suite – ½ P 200000.

🏨 **L'Oasi** ⊗, via Garcia Lorca 13 *𝒫 0784 93111, Fax 0784 93444,* ≤ mare e costa, « Giardino
fiorito a terrazze » – 🍽 📺 🅿. 🕃 ⓌⓄ 𝘝𝘐𝘚𝘈. ⍀
Pasqua-10 ottobre – **Pasto** (solo per alloggiati e chiuso a mezzogiorno) 25/35000 – 😐
18000 – **30 cam** 110/140000, 🍽 12000 – ½ P 120000.

🏨 **Miramare,** piazza Giardini 12 *𝒫 0784 93140, miramare@tiscalinet.it, Fax 0784 93469,* ≤
🛗 📺. 🆎 🕃 ⓌⓄ 𝘝𝘐𝘚𝘈. ⍀
Pasqua-settembre – **Pasto** carta 40/60000 – **35 cam** 😐 100/170000 – ½ P 130000.

✕ **Il Pescatore,** via Acqua Dolce 7 *𝒫 0784 93174, Fax 0784 920170,* ≤ – 🍽. 🕃 ⓌⓄ 𝘝𝘐𝘚𝘈
Pasqua-ottobre – **Pasto** specialità di mare carta 50/75000.

alla Grotta di Ispinigoli *Nord : 12 km :*

✕ **Ispinigoli** ⊗ con cam, strada statale 125 al km 210 ⊠ 08022 Dorgali *𝒫 0784 95268*
Fax 0784 94293, ≤, « Servizio estivo in terrazza » – 📺 🅿 – 🔬 200. 🆎 🕃 ⓌⓄ 𝘝𝘐𝘚𝘈. ⍀ rist
marzo-novembre – **Pasto** carta 50/70000 – **24 cam** 😐 120/170000 – ½ P 130000.

Monteviore *Sud : 9 km –* ✉ *08022 Dorgali :*

🏠 **Monteviore** ⤸, strada statale 125 al km 196 ℰ 0784 96293, Fax 0784 96293, ≤ Sopra-
monte e Parco del Gennargentu, 🍽, « Casa colonica tra gli uliveti » – 📺 🅿 🆎 🕃 ① ⓪
🆅🆂🅰 🇯🇨🇧
25 marzo-ottobre – **Pasto** carta 50/70000 – **19 cam** ⊐ 130000 – ½ P 130000.

ONNI *08023 Nuoro* **433** *G 9 – 4 501 ab. alt. 1 000.*

Escursioni *Monti del Gennargentu★★ Sud.*

Cagliari 161 – Nuoro 34 – Olbia 140 – Porto Torres 154 – Sassari 133.

🏠🏠 **Cualbu**, viale del Lavoro 21 ℰ 0784 57054, hotelcualbu@tiscalinet.it, Fax 0784 58403, 🏊,
🌳 – 🛗 📺 🅿 – 🛦 200. 🆎 🕃 ① ⓪ 🆅🆂🅰 🇯🇨🇧. 🛠
Pasto carta 30/50000 – **50 cam** ⊐ 80/120000 – ½ P 95000.

'UILE MARE *Nuoro – Vedere Orosei.*

'AVOI *08020 Nuoro* **433** *G 9 – 2 979 ab. alt. 777 – a.s. luglio-15 settembre.*

Cagliari 179 – Nuoro 35 – Olbia 140 – Porto Torres 141 – Sassari 120.

🏠 **Gusana** ⤸, località lago di Gusana ℰ 0784 53000, Fax 0784 52178, ≤ lago di Gusana, 🌳
– 📺 🅿 🆎 🕃 ⓪ 🆅🆂🅰. 🛠
chiuso novembre – **Pasto** *(chiuso lunedì)* carta 30/40000 – **35 cam** ⊐ 80/120000 –
½ P 80000.

'OLFO ARANCI *07020 Sassari* **433** *E 10 – 2 103 ab. – a.s. 20 giugno-15 settembre.*

🚢 per Civitavecchia 26 marzo-settembre (7 h) e Livorno 26 marzo-12 ottobre giornalieri
(9 h) – Sardinia Ferries, al porto ℰ 0789 46780; per Fiumicino (4 h) e La Spezia (5 h 30 mn)
18 giugno-5 settembre giornalieri – Tirrenia Navigazione, al porto ℰ 1478 99000.

Cagliari 304 – Olbia 19 – PortoTorres 140 – Sassari 122 – Tempio Pausania 64.

🏠🏠 **Margherita** senza rist, via Libertà 91 ℰ 0789 46906, hotelmargherita@tiscalinet.it,
Fax 0789 46851, ≤, 🏊, 🌳 – 🛗 📺 🅿 🆎 🕃 ① ⓪ 🆅🆂🅰
aprile-ottobre – **24 cam** ⊐ 250/350000.

'S MOLAS *Cagliari – Vedere Pula.*

'A CALETTA *Nuoro* **433** *F 11 – Vedere Siniscola.*

'OTZORAI *08040 Nuoro* **433** *H 10 – 2 165 ab. alt. 16 – a.s.luglio-10 settembre.*

Cagliari 145 – Arbatax 9,5 – Nuoro 91.

✕ **L'Isolotto**, via Dante ℰ 0782 669431, 🍽 – 🆎 🕃 ⓪ 🆅🆂🅰. 🛠
giugno-settembre; chiuso lunedì – **Pasto** carta 35/65000 (5 %).

MADDALENA (Arcipelago della) *Sassari* **433** *D 10 G. Italia – alt. da 0 a 212 (monte Teialo-
ne).*

La limitazione d'accesso degli autoveicoli è regolata da norme legislative.

Vedere *Isola della Maddalena★★ – Isola di Caprera★ : casa-museo★ di Garibaldi.*

'La Maddalena *Sassari* **433** *D 10 – 11 698 ab. –* ✉ *07024 – a.s. 20 giugno-15 settembre.*

🚢 per Palau giornalieri (15 mn) – Saremar-agenzia Contemar, via Amendola 15 ℰ 0789
737660, Fax 0789 736449.

🅱 Cala Gavetta ℰ 0789 736321, Fax 0789 736655

🏠🏠 **Garibaldi** ⤸ senza rist, via Lamarmora ℰ 0789 737314, htlgaribaldi@tiscalinet.it,
Fax 0789 737314 – 🛗 📺. 🆎 🕃 ① ⓪ 🆅🆂🅰 🇯🇨🇧. 🛠
chiuso dal 10 dicembre al 5 gennaio – **19 cam** ⊐ 150/230000.

✕✕ **La Terrazza**, via Villa Glori 6 ℰ 0789 735305, Fax 0789 735305, « Servizio estivo in
terrazza » – 🍽. 🆎 🕃 ① ⓪ 🆅🆂🅰. 🛠
chiuso domenica escluso da maggio a settembre – **Pasto** carta 40/70000.

> **Michelin** cura il costante e scrupoloso aggiornamento delle sue
> pubblicazioni turistiche, in vendita nelle librerie.

MAGOMADAS *08010 Nuoro* 433 G 7 – *614 ab. alt. 263.*

Nuoro 85 – Oristano 55 – Sassari 81.

X **Da Riccardo,** via Vittorio Emanuele 13/15 ℰ 0785 35631, prenotare – ▤. ⚘
chiuso martedì – **Pasto** carta 45/65000.

MARAZZINO *Sassari* 433 D 9 – *Vedere Santa Teresa Gallura.*

MARINA DI ARBUS *Cagliari* 433 I 7 – ✉ *09031 Arbus.*

Cagliari 88 – Iglesias 78 – Nuoro 160 – Olbia 240 – Porto Torres 207 – Sassari 187.

Le Dune ⛓, località Piscinas Sud : 8 km ℰ 070 977130, *leduneingurtosu@tiscalinet.i* *Fax 070 977230,* ≤, « Tra le dune, in riva al mare in un antico deposito minerario » – ▤ P
AE 🅂 ⓓ ⓜ VISA. ⚘
Pasto carta 45/70000 – ☕ 15000 – **25 cam** 260/280000 – ½ P 260000.

a Torre dei Corsari *Nord : 18 km* – ✉ *09031 Arbus :*

La Caletta ⛓ ℰ 070 977033, *Fax 070 977173,* ≤ mare e costa, « A ridosso della scoglier con ≤ mare e l'antica torre corsara », ✗ – ▤ TV P – 🏠 150. AE 🅂 ⓓ ⓜ VISA. ⚘
Pasqua-settembre – **Pasto** carta 50/70000 – **32 cam** ☕ 110/150000 – ½ P 140000.

MARINA TORRE GRANDE *Oristano* 433 H 7 – *Vedere Oristano.*

MONTEVIORE *Nuoro* – *Vedere Dorgali.*

MURAVERA *Cagliari* 433 I 10 – *alt. 11.*

Escursioni *Strada*★★★ *per Cagliari Sud-Ovest.*

NETTUNO (Grotta di) *Sassari* 433 F 6 *G. Italia.*

NUORO *08100* P 433 G 9 *G. Italia* – *37 863 ab. alt. 553* – *a.s. luglio-10 settembre.*

Vedere *Museo della vita e delle tradizioni popolari sarde*★.

Dintorni *Monte Ortobene*★ *Est : 9 km.*

ℹ *piazza Italia 19* ℰ *0784 30083, Fax 0784 33432.*

A.C.I. *via Sicilia 39* ℰ *0784 30034.*

Cagliari 182 – Sassari 120.

Paradiso, via Aosta 44 ℰ 0784 35585, *hotelparadiso@libero.it, Fax 0784 232782* – |♦| ▤
TV 🚗 P – 🏠 160. AE 🅂 ⓓ ⓜ VISA. ⚘
Pasto *(chiuso domenica)* carta 40/70000 – **42 cam** ☕ 110/140000 – ½ P 90000.

Segnalateci il vostro parere sui ristoranti che raccomandiamo, indicandoci le loro specialità ed i vini di produzione locale da essi serviti.

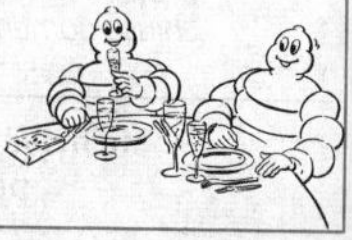

OLBIA 07026 Sassari **433** E 10 – 44 291 ab. – a.s. 20 giugno-15 settembre.

 ✈ della Costa Smeralda Sud-Ovest : 4 km ℘ 0789 52634.

 ⛴ da Golfo Aranci per Livorno aprile-ottobre giornalieri (9 h 15 mn) – Sardinia Ferries, corso Umberto 4 ℘ 0789 25200, Fax 0789 24146; per Civitavecchia giornaliero (da 4 h a 8 h); per Genova 19 giugno-5 settembre giornaliero, negli altri mesi martedigiovedi e sabato (da 6 h a 13 h 30 mn) – Tirrenia Navigazione, stazione marittima Isola Bianca ℘ 1478 99000, Fax 0789 22688 e Grimaldi-Grandi Navi Veloci, stazione marittima Isola Bianca ℘ 0789 200126, Fax 0789 23487.

 🗎 via Catello Piro 1 ℘ 0789 21453, Fax 0789 22221.

 Cagliari 268 ③ – Nuoro 102 ③ – Sassari 103 ③.

Pianta pagina seguente

🏨🏨 **Martini** senza rist, via D'Annunzio ℘ 0789 26066, hmartini@tin.it, Fax 0789 26418, « Ter-razza solarium » – 📳 🗏 🔟 🅿 – 🔬 100. 🖭 🕄 ⓪ 🐵 💳. ⚒ AY **a**
66 cam ⏢ 170/265000.

🏨 **Moderno** senza rist, via G. Buon ℘ 0789 50550, hotel.moderno@tiscalinet.it, Fax 0789 53350 – 📳 🗏 🔟 👌 🚗 – 🔬 25. 🖭 🕄 ⓪ 🐵 💳 JCB. ⚒ AY **b**
32 cam ⏢ 160000.

🏨 **Cavour** senza rist, via Cavour 22 ℘ 0789 204033, hotelcavour@tiscalinet.it, Fax 0788 201096 – 📳 🗏 🔟 📞 👌 🅿. 🖭 🕄 ⓪ 🐵 💳 AZ **c**
21 cam ⏢ 110/160000.

🏨 **La Corte** senza rist, viale Aldo Moro 136 ℘ 0789 53400, hotellacorte@hotellacorte.com, Fax 0789 58116 – 🗏 🔟 🅿 – 🔬 30. 🖭 🕄 ⓪ 🐵 💳 AY
22 cam ⏢ 140/240000.

🏠 **Centrale** senza rist, corso Umberto 85 ℘ 0789 23017, Fax 0789 26464 – 🗏 🔟. 🕄 ⓪ 🐵 💳. ⚒ AZ **e**
⏢ 10000 – 23 cam 120/160000.

🏠 **Gallura,** corso Umberto 145 ℘ 0789 24629, Fax 0789 24629 – 🗏 🔟. 🕄 ⓪ 🐵 💳 chiuso dal 20 dicembre al 6 gennaio – **Pasto** (chiuso lunedi; prenotare) carta 65/90000 – 16 cam ⏢ 110/160000. AZ **q**

✕✕ **Leone e Anna,** via Barcellona 90 ℘ 0789 26333 – 🗏. 🖭 🕄 🐵 💳 AZ chiuso gennaio, febbraio e mercoledi (escluso luglio-agosto) – **Pasto** carta 60/95000.

✕ **Canne al Vento,** via Vignola 33 ℘ 0789 51609, 🌤 – 🗏 🅿. 🖭 🕄 ⓪ 🐵 💳. ⚒ AY **k**
chiuso domenica, Natale e Pasqua – **Pasto** carta 35/55000.

 sulla strada Panoramica Olbia-Golfo Aranci : per ②

🏨🏨 **Stefania,** località Pittulongu Nord-Est : 6 km ⊠ 07026 ℘ 0789 39027 e rist. ℘ 0789 39444, hotel.stefania@tiscali.it, Fax 0789 39186, ⩽ mare, 🌊, 🍖 – 🗏 🔟 🅿. 🖭 🕄 ⓪ 🐵 💳. ⚒
Pasto al Rist. **Da Nino's** (chiuso mercoledi escluso da giugno a settembre) carta 75/110000 (10%) – 28 cam ⏢ 290/370000 – ½ P 220000.

 a Porto Rotondo per ① : 15,5 km – ⊠ 07020 :

🏨🏨 **Sporting** ⚘, via Clelia Donà dalle Rose ℘ 0789 34005, sporthot@tin.it, Fax 0789 34383, ⩽ mare e costa, 🌤, 🌊, 🐚, 🍖 – 🗏 🔟 🅿. 🖭 🕄 ⓪ 🐵 💳. ⚒
aprile-ottobre – **Pasto** carta 105/145000 – 27 cam solo ½ P 830000.

🏨 **S'Astore** ⚘, località Monte Canareddu (Sud : 2 km) ℘ 0789 30000, Fax 0789 30000, ⩽ mare e costa, 🌤, « Terrazze-giardino con 🌊 » – 🗏 🔟 🅿. 🖭 🕄 ⓪ 🐵 💳 JCB. ⚒
10 aprile-10 ottobre – **Pasto** carta 45/85000 – 15 cam ⏢ 200/250000 – ½ P 220000.

✕✕ **Ristorante-Enoteca da Giovannino,** con cam, piazza Quadrata ℘ 0789 35280, Fax 0789 35280, 🌤 – 🗏 🔟.

Gli alberghi o ristoranti ameni sono indicati nella guida
con un simbolo rosso.
Contribuite a mantenere
La Guida Rossa aggiornata segnalandoci
gli alberghi ed i ristoranti dove avete soggiornato piacevolmente.

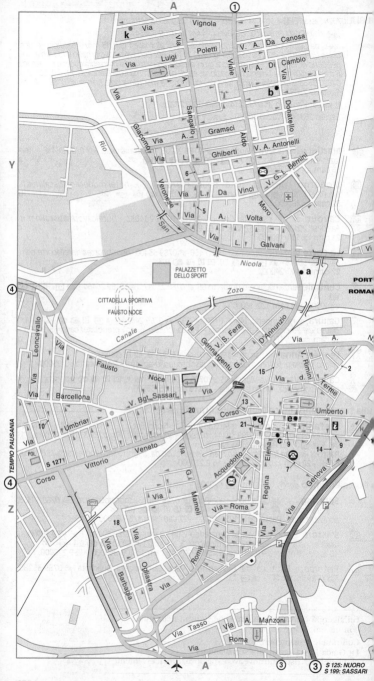

OLBIA

Acquedotto (Via) . . . . **AZ**
Acquedotto Romano (Via) . **AZ** 2
Annunzio (Via G. D') . . . . . . **AZ**
Antonelli (Via A.) . . . . **AY**
Barbagia (Via) . . . . **AZ**
Barcellona (Via) . . . . **AZ**
Bernini (Via G. L.) . . . . **AY**
Bgt. Sassari (Via) . . . . **AZ**
Cambio (Via A. Di) . . . . **AY**
Canosa (Via A. Da) . . . . . . **AY**
Crispi (Piazza) . . . . **AZ** 3
Donatello (Via) . . . . **AY**
Euclide (Via) . . . . **AY** 5
Fabriano (Via G. Da) . . . . . **AY** 6
Fera (Via S.) . . . . **AZ**
Filippi (Via De) . . . . **AZ** 7
Galvani (Via L.) . . . . **AY**
Garibaldi (Via) . . . . **AZ** 9
Gennargentu (Via) . . . . **AZ**
Genova (Via) . . . . **AZ**
Ghiberti (Via L.) . . . . **AY**
Gramsci (Via A.) . . . . **AY**
Isola Bianca (Viale) . . . . . . **BZ**
Leoncavallo (Via) . . . . **AZ**
Lidi (Via dei) . . . . **BY**
Mameli (Via G.) . . . . **AZ**
Manzoni (Via A.) . . . . **AZ**
Marche (Via) . . . . **AZ** 10
Moro (Viale Aldo) . . . . **AY**
Nanni (Via A.) . . . . **AZ**
Noce (Via F.) . . . . **AZ**
Ogliastra (Via) . . . . **AZ**
Pala (Via G.) . . . . **AZ** 13
Piro (Via C.) . . . . **AZ** 14
Poletti (Via L.) . . . . **AY**
Porto Romano (Via) . . . . . . **AZ** 15
Principe Umberto (Corso) **ABZ** 17
Quirra (Via) . . . . **AZ** 18
Regina Elena (Via) . . . . **AZ**
Rimini (Via) . . . . **AZ**
Roma (Via) . . . . **AZ**
Sangallo (Via A.) . . . . **AY**
S. Simplicio (Via) . . . . **AZ** 20
Sassari (Via) . . . . **AZ** 21
Tasso (Via) . . . . **AZ**
Terme (Via delle) . . . . **AZ**
Umberto I (Corso) . . . . **AZ**
Umbria (Via) . . . . **AZ**
Veronese (Via G.) . . . . **AY**
Vignola (Via) . . . . **AY**
Vinci (Via L. Da) . . . . **AY**
Vittorio Veneto (Corso) . . . . **AZ**
Volta (Via A.) . . . . **AY**

OLIENA 08025 Nuoro 433 G 10 *G. Italia – 7 680 ab. alt. 378 – a.s. luglio-10 settembre.*
Dintorni *Sorgente Su Gologone*★ *Nord-Est : 8 km.*
Cagliari 193 – Nuoro 12 – Olbia 116 – Porto Torres 150.

XX **Sa Corte,** via Nuoro ℘ 0784 285313, *sa.corte@tiscali.net, Fax 0784 286020,* 🏡, 🛲 – 🔳
AE 🚫 ⓞ ⓠⓞ VISA JCB
Pasto carta 40/70000.

X **Enis** ⬦ con cam, località Monte Maccione Est : 4 km ℘ 0784 288363, *coopenis@tiscalinet*
⬵ *it, Fax 0784 288473,* ⩽ Badda Manna e monte Ortobene, 🏡, Rist. e pizzeria serale – 🔳 🅿
AE 🚫 ⓞ ⓠⓞ VISA. ⨯ cam
marzo-ottobre – **Pasto** carta 35/65000 – 🖙 12000 – **16 cam** 65/100000 – ½ P 85000.

alla sorgente Su Gologone *Nord-Est : 8 km :*

🏨 **Su Gologone** ⬦, ⌧ 08025 ℘ 0784 287512, *gologone@tin.it, Fax 0784 287668,* ⩽
« Servizio estivo in terrazza con ⩽ campagna », 🛌, 🛲, 🏡, ⨯ – 🔳 🔳 🅿 – 🔏 200. AE 🚫
ⓞ ⓠⓞ VISA JCB
18 dicembre-10 gennaio e marzo-ottobre – **Pasto** carta 60/90000 – **68 cam** 🖙 220,
295000, suite – ½ P 200000.

ORISTANO 09170 🅿 433 H 7 *G. Italia – 33 007 ab..*
Vedere *Opere d'arte*★ *nella chiesa di San Francesco.*
Dintorni *Basilica di Santa Giusta*★ *Sud : 3 km.*
🛈 *via Cagliari 278 ℘ 0783 74191, Fax 0783 302518.*
A.C.I. *via Cagliari 39 ℘ 0783 212458.*
Alghero 137 – Cagliari 93 – Iglesias 97 – Nuoro 92 – Sassari 121.

🏨 **Mistral 2,** via 20 Settembre ℘ 0783 210389, *hmistra@tiscalinet.it, Fax 0783 211000,* 🛌 –
🔳, ⨯ cam, 🔳 🔳 🛲 – 🔏 300 AE 🚫 ⓞ ⓠⓞ VISA. ⨯ rist
Pasto carta 45/70000 – **132 cam** 🖙 105/160000 – ½ P 100000.

XXX **Il Faro,** via Bellini 25 ℘ 0783 70002, *Fax 0783 300861,* Coperti limitati; prenotare – 🔳. 🚫
ⓠⓞ VISA. ⨯
chiuso dal 23 dicembre al 15 gennaio, dal 12 al 26 luglio, domenica sera da ottobre a marzo,
tutto il giorno negli altri mesi – **Pasto** carta 70/120000 (15 %).

XX **Cocco e Dessì,** via Tirso 31 ℘ 0783 300720, *coccoedessi@tiscalinet.it, Fax 0783 300735 –*
🔳. AE 🚫 ⓞ ⓠⓞ VISA. ⨯
chiuso dal 25 dicembre al 15 gennaio, domenica sera e lunedì (escluso agosto) – **Pasto**
carta 50/75000 (10%).

a Marina Torre Grande *Nord-Ovest : 8,5 km –* ⌧ *09072 – a.s. luglio-agosto :*

X **Da Giovanni,** via Colombo 8 ℘ 0783 22051 – 🔳. 🚫 ⓠⓞ VISA. ⨯
chiuso lunedì – **Pasto** carta 45/75000.

OROSEI 08028 Nuoro 433 F 11 – *5 777 ab. alt. 19 – a.s. luglio-10 settembre.*
Dorgali 18 – Nuoro 40 – Olbia 93.

🏨 **Maria Rosaria,** via Grazia Deledda 13 ℘ 0784 98657, *Fax 0784 98596,* 🏡, Rist. e pizzeria
serale, 🛲, 🛲 – 🔳 🔳 🅿. AE 🚫 ⓞ ⓠⓞ VISA. ⨯
Pasto carta 40/60000 – 🖙 10000 – **62 cam** 190/240000 – ½ P 150000.

a Fuile 'e Mare *Nord-Est : 10 km –* ⌧ *08028 Orosei :*

🏨 **Villa Campana** ⬦, ℘ 0784 91068, *villacampana@tiscalinet.it, Fax 0784 91312,* 🏡,
« Giardino fiorito » – 🔳 🅿. AE 🚫 ⓞ ⓠⓞ VISA. ⨯ rist
15 maggio-settembre – **Pasto** *(chiuso a mezzogiorno)* carta 60/80000 – 🖙 22000 – **17 cam**
330000 – ½ P 270000.

PALAU 07020 Sassari 433 D 10 – *3 411 ab. – a.s. 20 giugno-15 settembre.*
Dintorni *Arcipelago della Maddalena*★★ – *Costa Smeralda*★★.
⛴ *per La Maddalena giornalieri (15 mn) – Saremar-agenzia Contemar, piazza del Molo 2*
℘ 0789 709270, Fax 0789 709270.
🛈 *via Nazionale 94 ℘ 0789 709570, Fax 0789 709570.*
Cagliari 325 – Nuoro 144 – Olbia 40 – Porto Torres 127 – Sassari 117 – Tempio Pausania 48.

🏨 **Palau** ⬦, via Baragge ℘ 0789 708468, *info@palauhotel.it, Fax 0789 709817,* ⩽ arcipelago
della Maddalena e costa, 🏡, 🛲 – 🔳 🅿. AE 🚫 ⓞ ⓠⓞ VISA. ⨯
aprile-ottobre – **Pasto** 40/55000 – **83 cam** 🖙 300/420000, 12 suites – ½ P 210000.

XXX **Da Franco,** via Capo d'Orso 1 ℘ 0789 709558, *Fax 0789 709310 –* 🔳. AE 🚫 ⓞ ⓠⓞ VISA. ⨯
chiuso dal 20 dicembre al 4 gennaio e lunedì (escluso da giugno a settembre) – **Pasto** carta
75/110000 (15%).

%% **La Gritta**, località Porto Faro *℘* 0789 708045, *lagritta@tiscalinet.it, Fax* 0789 708045, ≤
£3 mare e isole, prenotare, « Servizio estivo all'aperto », 🐀 – **P.** 🖭 🖾 ① ⓩ 🚾
aprile-ottobre; chiuso mercoledì escluso dal 15 giugno al 15 settembre – **Pasto** carta
85/125000

Spec. Calamaro ripieno con scarola stufata. Tagliolini neri con gamberi e arselle. Filetti di
pesce San Pietro, pomodori, capperi e timo.

%% **Faro**, località Porto Faro *℘* 0789 709565, ≤ arcipelago della Maddalena – 🖭 ① ⓩ 🚾
🖂 *giugno-settembre* – **Pasto** carta 70/95000.

% **La Taverna**, via Rossini *℘* 0789 709289 – ≣. 🖭 🖭 ① ⓩ 🚾 🐀
marzo-novembre; chiuso martedì escluso da giugno a settembre – **Pasto** carta 60/95000.

● **Capo d'Orso** *Est : 5 km* – ⊠ *07020 Palau :*

🏛 **Capo d'Orso** 🐀, località Cala Capra *℘* 0789 702000, *Fax* 0789 702009, ≤, 🏠, « In
pineta », 🏊, 🐀, 🗶 – ≣ 🖭 **P.** – 🚹 150. 🖭 🖭 ① ⓩ 🚾 🐀 rist
15 maggio-6 ottobre – **Pasto** (solo per alloggiati e *chiuso a mezzogiorno*) e al Rist-Pizzeria
Paguro (*15 giugno-15 settembre*) carta 50/80000 – **59 cam** solo ½ P 285000.

● **ITRIZZA** *Sassari* 🖽 *D 10 – Vedere Arzachena : Costa Smeralda.*

● **PORTO CERVO** *Sassari* 🖽 *D 10 – Vedere Arzachena : Costa Smeralda.*

● **PORTO CONTE** *Sassari* 🖽 *F 6 – Vedere Alghero.*

● **PORTO ROTONDO** *Sassari* 🖽 *D 10 – Vedere Olbia.*

● **PORTO SAN PAOLO** *Sassari* 🖽 *E 10 – ⊠ 07020 Vaccileddu – a.s. 20 giugno-15 settembre.*
Cagliari 268 – Nuoro 87 – Olbia 15 – Sassari 114.

% **Cala Junco**, via Nenni 8/10 *℘* 0789 40260, *Fax* 0789 480198, 🏠 – ≣. 🖭 🖭 ① ⓩ 🚾
🐀 *chiuso martedì escluso da maggio a settembre* – **Pasto** carta 45/80000.

● **Costa Dorata** *Sud-Est : 1,5 km* – ⊠ *07020 Vaccileddu :*

🏛 **Don Diego** 🐀, *℘* 0789 40006, *Fax* 0789 40026, ≤ mare ed isola di Tavolara, « Villini
indipendenti e terrazze fiorite con 🏊, 🐀, 🗶 👢 – ≣ 🖭 **P.** 🖭 🖾 ① ⓩ 🚾 🐀
maggio-settembre – **Pasto** (solo per alloggiati) 80/90000 – ⊠ 30000 – **60 cam** 400/750000,
6 suites – ½ P 460000.

● **ORTOSCUSO** *09010 Cagliari* 🖽 *J 7 – 5 505 ab..*
🚢 *da Portovesme per l'Isola di San Pietro-Carloforte giornalieri (40 mn) – a Portovesme,
Saremar-agenzia Ser.Ma.Sa., al porto ℘ 0781 509065.*
Cagliari 77 – Oristano 119.

🏠 **Panorama** senza rist, via Giulio Cesare 42 *℘* 0781 508077, *panorama@medianet-srl.it,
Fax* 0781 509327, ≤ – 🕸 ≣ 🖭 – 🚹 50. 🖭 🖭 ① ⓩ 🚾 🐀
⊠ 10000 – **36 cam** 85/120000.

%%% **La Ghinghetta** 🐀 con cam, via Cavour 26 *℘* 0781 508143, *laghinghetta@tiscalinet.it,
£3 Fax* 0781 508144, ≤, Coperti limitati; prenotare – ≣ 🖭. 🖭 🖭 ① 🚾 🐀
maggio-ottobre – **Pasto** (*chiuso domenica*) carta 85/100000 – **8 cam** ⊠ 205/235000 –
½ P 265000

Spec. Carpaccio di branzino agli aromi d'oriente e limoncello. Lorighitas (pasta di semola)
mantecate con formaggio fresco e tartufi neri. Tonno di corsa, bottarga e il suo musciame.

● **PORTO TORRES** *07046 Sassari* 🖽 *E 7 G. Italia – 21 594 ab..*
Vedere *Chiesa di San Gavino★.*
🚢 *per Genova giornalieri (da 6; a 13 h) – Tirrenia Navigazione, Stazione Marittima ℘ 1478
99000, Fax 079 514109 e Grimaldi-Grandi Navi Veloci, porto Industriale ℘ 079 516034,
Fax 079 516034.*
Alghero 35 – Sassari 19.

ulla strada statale 131 :

% **Li Lioni**, regione Li Lioni *Sud-Est : 3 km* ⊠ 07046 *℘* 079 502286, *lilioni@tiscalinet.it,
Fax* 079 512242, « Servizio estivo all'aperto », 🐀 – ➟ **P.** 🖭 🖭 ① ⓩ 🚾 🐀
chiuso dal 18 al 28 febbraio, novembre e mercoledì – **Pasto** specialità regionali carta
45/65000.

POSADA *08020 Nuoro* 433 *F 11 – 2 302 ab..*
Nuoro 54 – Olbia 47.

🏠 **Donatella**, via Gramsci ℰ 0784 854521, *info@hotel-donatella.it, Fax 0784 854433* – 📺 **⫶**
🅰🅴 🖩 ⓞ 🐾 *VISA*. ⫸
chiuso dal 20 al 30 dicembre – **Pasto** carta 35/65000 – ☲ 10000 – **19 cam** 70/105000
½ P 105000.

PULA *09010 Cagliari* 433 *J 9 – 6 373 ab..*

🏠 *Is Molas, Casella Postale 49* ✉ *09010 Pula* ℰ *070 9241013, Fax 070 9242121, Sud-Ovest
6 km.*
Cagliari 29 – Nuoro 210 – Olbia 314 – Oristano 122 – Porto Torres 258.

🏨 **Baia di Nora** ⊗, *località Su Guventeddu* ℰ *070 9245551, htlbn@hotelbaiadinora.com*
Fax 070 9245600, ☆, « *Giardino e* ⊾ *in riva al mare* », 🛦, 🐾 – ▤ 📺 🄿 – 🛦 200. 🄰
🖩 ⓞ 🐾 *VISA*. ⫸
14 aprile-1° novembre – **Pasto** (*solo per alloggiati*) – **121 cam** ☲ 320/480000 –
½ P 320000.

🏨 **Nora Club Hotel** ⊗ *senza rist, strada per Nora* ℰ *070 924421, noraclub@tiscalinet.i*
Fax 070 92442257, « *Ampio giardino fiorito con* ⊾ » – ▤ 📺 ✔ 🄿. 🄰🄴 🖩 ⓞ 🐾 *VISA*
25 cam ☲ 200/250000.

a Is Molas *Ovest : 4 km* – ✉ *09010 Pula :*

🏨 **Is Molas Golf Hotel** ⊗, ℰ *070 9241006, Fax 070 9241002, a 6 km spiaggia con servizi*
navetta, ⊾, ☆, 🄵 – ▤ 📺 🄿 🄰🄴 🖩 ⓞ 🐾 *VISA*. ⫸
Pasto 50/90000 – **83 cam** ☲ 260/430000 – ½ P 240000.

a Santa Margherita *Sud-Ovest : 6 km* – ✉ *09010 Pula :*

🏨 **Costa dei Fiori** ⊗, *strada statale 195 al Km 33* ℰ *070 9245333, costadeifiori@tin.i*
Fax 070 9245335, « *Giardino con* ⊾ *e* ☆ » – ▤ 📺 🄿 – 🛦 100. 🄰🄴 🖩 ⓞ 🐾 *VISA*. ⫸ *rist*
27 aprile-13 ottobre – **Pasto** (*solo per alloggiati*) carta 60/100000 – **62 cam** ☲ 480/68000
– ½ P 340000.

🏨 **New Barcavela** ⊗, *strada statale 195 al km 40* ℰ *070 9290476, Fax 070 9290480,* ☆
« *In pineta, giardino con* ⊾ », 🛦 – ▤ 📺 ✔ 🄿. 🄰🄴 🖩 ⓞ 🐾 *VISA*. ⫸
aprile-ottobre – **Pasto** carta 65/90000 – **16 cam** ☲ 200/400000, 8 suites – ½ P 240000.

PUNTALDIA *Nuoro – Vedere San Teodoro.*

QUARTU SANT'ELENA *09045 Cagliari* 433 *J 9 – 68 911 ab..*
Cagliari 7 – Nuoro 184 – Olbia 288 – Porto Torres 232 – Sassari 214.

🏨 **Residence Hotel Italia**, *via Panzini ang. viale Colombo* ℰ *070 827070, Fax 070 82707*
– 🛗 ▤ 📺 ✔ ♿ �car 🄿 – 🛦 50. 🄰🄴 🖩 ⓞ 🐾 *VISA*. ⫸
Pasto (*solo per alloggiati e chiuso a mezzogiorno*) 35000 – **76 cam** ☲ 150/180000.

a Sant'Andrea *Est : 8 km* – ✉ *09045 :*

✗✗ **Su Meriagu** con cam, *via Leonardo Da Vinci 140* ℰ *070 890842, Fax 070 890842,* ☆, *Rist*
e pizzeria serale – ▤ 📺 🄿. 🄰🄴 🖩 ⓞ 🐾 *VISA*. ⫸
Pasto (*chiuso martedì escluso da luglio a settembre*) carta 45/65000 – **8 cam** ☲ 90/16000
– ½ P 130000.

ROMAZZINO *Sassari* 433 *D 10 – Vedere Arzachena : Costa Smeralda.*

SAN PANTALEO *07020 Sassari* 433 *D 10 – alt. 169 – a.s. 20 giugno-15 settembre.*
Cagliari 306 – Olbia 21 – Sassari 124.

🏨 **Rocce Sarde** ⊗, *località Milmeggiu Sud-Est : 3 km* ℰ *0789 65265, roccesarde@tisca*
net.it, Fax 0789 65268, ≤ *costa Smeralda, navetta per la spiaggia,* « *Servizio rist. estivo ir*
terrazza panoramica », ⊾, ☆, ☆ – 📺 🄿. 🄰🄴 🖩 ⓞ 🐾 *VISA*. ⫸
aprile-ottobre – **Pasto** (*solo per alloggiati*) 45000 – **80 cam** ☲ 260/360000 – ½ P 195000.

🏠 **Sant'Andrea**, *via Zara 1* ℰ *0789 65205, Fax 0789 65205,* ⊾ – ▤ 📺 🄿. 🄰🄴 🖩 ⓞ 🐾 *VISA*
marzo-ottobre – **Pasto** al Rist. *Giagoni* (*chiuso lunedì in bassa stagione*) carta 70/95000 –
15 cam ☲ 165/290000 – ½ P 180000.

SAN PIETRO (Isola di) *Cagliari* 433 *J 6 – 6 692 ab. alt. da 0 a 211 (monte Guardia dei Mori)*

Carloforte 433 *J 6 – ✉ 09014 – a.s. 25 giugno-7 settembre.*
🚢 *per Portovesme di Portoscuso (40 mn) e Calasetta (30 mn), giornalieri – Saremar
agenzia Ser.Ma.Sa., piazza Carlo Emanuele 28* ℰ *0781 854005, Fax 0781 855589.*
🚉 *corso Tagliafico* ℰ *0781 854009, Fax 0781 854009*

▥ Hieracon, corso Cavour 62 ℰ 0781 854028, Fax 0781 854893, ≼, 龠, 宗 – ▯ ▤ ▥
16 cam, 6 suites.

XX **Da Nicolo,** corso Cavour 32 (dal 15 ottobre al 15 giugno in via Dante 46) ℰ 0781 854048, *danicolo@carloforte.net, Fax 0781 854048*, 龠, prenotare – ▥ 🖪 ⓪ ▥. ✑
chiuso dicembre gennaio e lunedì (escluso da luglio a settembre) – **Pasto** carta 60/95000.

X **Al Tonno di Corsa,** via Marconi 47 ℰ 0781 855106, *Fax 0781 855106*, 龠 – ▥ 🖪 ⓪ ▥.
✑
chiuso dal 23 dicembre al 23 gennaio e lunedì (escluso luglio-agosto) – **Pasto** carta
55/90000.

ANTA MARGHERITA *Cagliari* 🔢 K 8 – *Vedere Pula.*

ANT'ANDREA *Cagliari* 🔢 J 9 – *Vedere Quartu Sant'Elena.*

ANT'ANTIOCO *09017 Cagliari* 🔢 J 7 *G. Italia* – *11 827 ab..*
Vedere *Vestigia di Sulcis★ : tophet★, collezione di stele★ nel museo.*
Cagliari 92 – Calasetta 9 – Nuoro 224 – Olbia 328 – Porto Torres 272 – Sassari 254.

▥ **Moderno,** via Nazionale 82 ℰ 0781 83105, *albergomoderno@yahoo.it, Fax 0781 840252*,
龠 – ▥. ▥ 🖪 ⓪ ▥. ✑
Pasto *(aprile-settembre; chiuso domenica)* carta 50/75000 (10%) – ☷ 6000 – **10 cam**
80/120000 – ½ P 115000.

ANTA REPARATA *Sassari* 🔢 D 9 – *Vedere Santa Teresa Gallura.*

ANTA TERESA GALLURA *07028 Sassari* 🔢 D 9 – *4 160 ab. – a.s. 20 giugno-15 settembre.*
Escursioni *Arcipelago della Maddalena★★.*
🖪 *piazza Vittorio Emanuele 24* ℰ 0789 754127, *Fax 0789 754185.*
Olbia 61 – Porto Torres 105 – Sassari 103.

▦▦ **Corallaro** ✑, località Rena Bianca ℰ 0789 755475, *info@hotelcorallaro.it*,
Fax 0789 755431, ≼ mare e Bocche di Bonifacio, 🎣, ☎, ▥, 宗 – ▯ ▤ ▥ & ▯ – ▨ 40. 🖪
ⓌⓄ ▥. ✑ rist
aprile-15 ottobre – **Pasto** *(solo per alloggiati)* 30000 – **85 cam** ☷ 200/300000 –
½ P 220000.

▥ **Marinaro,** via Angioy 48 ℰ 0789 754112, *htlmarinaro@tiscalinet.it, Fax 0789 755817* – ▯
▤ ▥. ▥ 🖪 ⓌⓄ ▥. ✑
aprile-ottobre – **Pasto** *(chiuso venerdì)* carta 50/65000 – ☷ 15000 – **27 cam** 120/150000 –
½ P 140000.

▥ **Da Cecco,** via Po 3 ℰ 0789 754220, *hoteldacecco@tiscalinet.it, Fax 0789 755634*, « Ter-
razza-solarium con ≼ Bocche di Bonifacio e costa » – ▯, ▤ rist, ▯. ▥ 🖪 ⓪ ⓌⓄ ▥. ✑
25 marzo-ottobre – **Pasto** *(solo per alloggiati)* – ☷ 15000 – **32 cam** 95/125000 –
½ P 130000.

Santa Reparata *Ovest : 3 km –* ✉ *07028 Santa Teresa Gallura :*

XX **S'Andira,** via Orsa Minore 1 ℰ 0789 754273, *sandira@tiscalinet.it, Fax 0789 754273*, 龠,
宗 – ▥ 🖪 ⓪ ⓌⓄ ▥ 🖪. ✑
maggio-settembre – **Pasto** specialità di mare carta 70/100000.

Marazzino *Est : 5 km –* ✉ *07028 Santa Teresa Gallura :*

XX **La Stalla,** ℰ 0789 751514, 龠 – ▯. ▥ 🖪 ⓪ ⓌⓄ ▥
maggio-ottobre – **Pasto** carta 50/75000.

AN TEODORO *08020 Nuoro* 🔢 E 11 – *3 391 ab. – a.s. luglio-10 settembre.*
🖪 *Puntaldia (maggio - settembre; chiuso giovedì)* ℰ 039 324255, *Fax 039 362381.*
Cagliari 258 – Nuoro 77 – Olbia 29 – Porto Torres 146 – Sassari 128.

Puntaldia *Nord : 6 km –* ✉ *08020 San Teodoro :*

▦▦ **Due Lune** ✑, ℰ 0784 864075, *due.lune@tin.it, Fax 0784 864017*, ≼ mare e golfo, 龠,
« In riva al mare, attiguo al campo da Golf » , 🎣, ⟇ acqua di mare, 🐎, 宗, ⚆, – ▤ ▥ ▯ –
▨ 180. ▥ 🖪 ⓪ ⓌⓄ ▥. ✑
20 aprile-4 ottobre – **Pasto** 50/55000 (a mezzogiorno) e 70/80000 (alla sera) – **65 cam**
☷ 550/850000, 2 suites – ½ P 470000.

SASSARI 07100 P 433 E 7 *G. Italia* – *120 803 ab. alt. 225.*

Vedere *Museo Nazionale Sanna★* Z **M** – *Facciata★* del Duomo Y.

Dintorni *Chiesa della Santissima Trinità di Saccargia★★* per ③ : 15 km.

⤴ di Alghero-Fertilia, Sud-Ovest : 30 km *ℰ 079 935033*, Fax 079 935195 – Alitalia, Agen. Sardaviaggi, via Cagliari 30 *ℰ (079)234498*, Fax (079)235343.

🛈 *via Roma 62 ℰ 079 231777*, Fax 079 231777.

A.C.I. *viale Adua 32//B ℰ 079 271462.*

Cagliari 211.

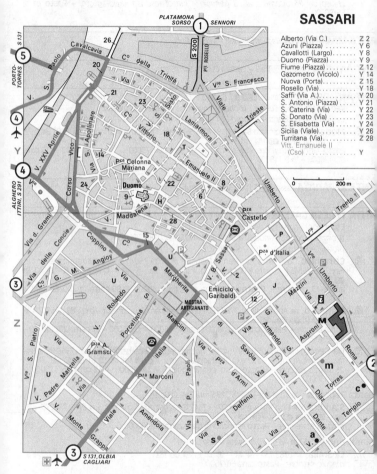

SASSARI

Alberto (Via C.)	Z 2
Azuni (Piazza)	Y 6
Cavallotti (Largo)	Y 8
Duomo (Piazza)	Y 9
Fiume (Piazza)	Z 12
Gazometro (Vicolo)	Y 14
Nuova (Porta)	Z 15
Rosello (Via)	Y 18
Saffi (Via A.)	Y 20
S. Antonio (Piazza)	Y 21
S. Caterina (Via)	Y 22
S. Donato (Via)	Y 23
S. Elisabetta (Via)	Y 24
Sicilia (Viale)	Y 26
Turritana (Via)	Z 28
Vitt. Emanuele II (Cso)	Y

🏛 **Grazia Deledda,** viale Dante 47 *ℰ 079 271235*, *htlg.deleddass@tin.it*, Fax 079 280884
🛗 ≣ 📺 ⇌ 🅿 – 🔬 350. 🆎 🕄 ⓞ 🐵 VISA. ⚭ rist
Pasto *(chiuso domenica)* carta 50/70000 – **147 cam** ⟷ 130/180000, 4 suites
½ P 140000.

🏛 **Leonardo da Vinci** senza rist, via Roma 79 *ℰ 079 280744*, *info@leonardodavincihotel.*
Fax 079 2857233 – 🛗 ≣ 📺 ⇌ – 🔬 140. 🆎 🕄 ⓞ 🐵 VISA JCB. ⚭ Z
114 cam ⟷ 125/175000, 2 suites.

🏛 **Carlo Felice,** via Carlo Felice 43 *ℰ 079 271440*, *carlofelice@tiscalinet.it*, Fax 079 271442
🛗 ≣ 📺 🅿 – 🔬 50. 🆎 🕄 ⓞ 🐵 VISA JCB. ⚭ per via Roma Z
Pasto *(chiuso domenica)* carta 35/50000 – **60 cam** ⟷ 130/160000.

🍴🍴 **Trattoria del Giamaranto,** via Alghero 69 ☎ 079 274598, *Fax 079 274598*, prenotare – ▤. [AE] [S] [D] [MC] [VISA] [JCB]. ✂ Z s
chiuso agosto, domenica e in luglio anche sabato sera – **Pasto** specialità di mare carta 55/80000.

🍴 **Il Senato,** via Alghero 36 ☎ 079 277788 – ▤. [AE] [S] [D] [MC] [VISA]. ✂ Z m
chiuso dal 15 al 31 agosto e domenica – **Pasto** carta 50/85000.

ENORBÌ *09040 Cagliari* [433] I 9 – *4 309 ab. alt. 204.*
Cagliari 41 – Oristano 75.

🏨 **Sporting Hotel Trexenta,** via Piemonte ☎ 070 9809383, *sp.ho.tr@tiscalinet.it, Fax 070 9809386*, ⛱, *Fō*, ♨, 🏊 – [lift] ▤ [TV] ♿ 🚗 [P]. [AE] [S] [D] [MC] [VISA]. ✂
Pasto al Rist. ***Severino 2*** *(chiuso dal 1º al 15 novembre e martedì)* 25/30000 e carta 35/55000 – ☕ 10000 – **28 cam** ☕ 80/120000, 2 suites.

🍴 **Da Severino,** via Piemonte 3/5/7 ☎ 070 9808181, *Fax 070 9806212*, Rist. e pizzeria – ▤. [AE] [S] [MC] [VISA]. ✂
chiuso lunedì – **Pasto** specialità di mare carta 50/65000.

INISCOLA 08029 *Nuoro* [433] F 11 – *11 019 ab. alt. 42 – a.s. luglio-10 settembre.*
Nuoro 47 – Olbia 57.

La Caletta *Nord-Est : 6,5 km* – ✉ *08020 :*

🏨 **L'Aragosta** 🌿, via Ciusa ☎ 0784 810129, *laragostahotel@tiscalinet.it, Fax 0784 810576*, ⛱, 🏊, 🌳 – [TV] [P] – 🏛 120. [AE] [S] [D] [MC] [VISA]. ✂ cam
Pasto carta 40/70000 (10 %) – **27 cam** ☕ 150/200000 – ½ P 150000.

OLANAS *Cagliari* [433] J 10 – *Vedere Villasimius.*

ORGONO *08038 Nuoro* [433] G 9 – *2 002 ab. alt. 688.*
Cagliari 124 – Nuoro 70 – Olbia 174 – Porto Torres 155 – Sassari 137.

🏨 **Villa Fiorita** 🌿, viale Europa 2 ☎ 0784 60129, *Fax 0784 60129*, « Parco-boschetto », 🌳 – [P]. [S] [MC] [VISA]. ✂
Pasto carta 35/50000 – **20 cam** ☕ 70/100000 – ½ P 85000.

🍴 **Da Nino** con cam, corso IV Novembre 24/26 ☎ 0784 60127, *Fax 0784 60127*, « Veranda estiva » – [P]. [AE] [S] [MC] [VISA]. ✂
chiuso dal 15 dicembre a gennaio – **Pasto** cucina casalinga carta 30/50000 – **15 cam** ☕ 75/100000 – ½ P 90000.

PARTIVENTO *Cagliari* [433] K 8 – *Vedere Domus De Maria.*

U GOLOGONE *Nuoro* [433] G 10 – *Vedere Oliena.*

EMPIO PAUSANIA *07029 Sassari* [433] E 9 – *13 972 ab. alt. 566.*
Cagliari 253 – Nuoro 135 – Olbia 45 – Palau 48 – Porto Torres 89 – Sassari 69.

🏨 **Petit Hotel,** piazza De Gasperi 10 ☎ 079 631134, *Fax 079 631760* – [lift] ▤ [TV] ♿ – 🏛 50. [AE] [S] [D] [MC] [VISA]. ✂
Pasto carta 40/65000 – **58 cam** ☕ 130/180000 – ½ P 110000.

🏨 **Pausania inn,** strada statale Nord : 1 km ☎ 079 634039, *pausania.inn@tiscalinet.it, Fax 079 634072*, ≤, 🏊, 🎾 – [lift] [TV] ♿ [P] – 🏛 200. [AE] [S] [D] [MC] [VISA]. ✂
Pasto carta 35/65000 – **53 cam** ☕ 120/170000 – ½ P 110000.

ORRE DEI CORSARI *Cagliari* [433] H 7 – *Vedere Marina di Arbus.*

Segnalateci il vostro parere sui ristoranti che raccomandiamo, indicandoci le loro specialità ed i vini di produzione locale da essi serviti.

TORTOLÌ 08048 Nuoro 433 H 10 – *9 728 ab. alt. 15 – a.s. luglio-10 settembre.*

Dintorni *Strada per Dorgali*★★★ *Nord.*

; da Arbatax per: Civitavecchia 21 luglio-14 settembre venerdì e domenica, negli al mesi mercoledì e domenica (10 h 30 mn), Fiumicino 19 luglio-5 settembre lunedì e merc ledi giornaliero (4 h 45 mn) e Genova giugno-settembre giovedì e sabato, negli altri m martedì e sabato (19 h) – Tirrenia Navigazione-agenzia Torchiani, via Venezia 10 ℰ 07 667841, Fax 0782 667841.

Cagliari 140 – Muravera 76 – Nuoro 96 – Olbia 177 – Porto Torres 234 – Sassari 216.

🏨 **La Bitta,** via Porto Frailis, località Porto Frailis ✉ 08041 Arbatax ℰ 0782 66708 Fax 0782 667228, ≤, 😤, 🗼, 🎿 – 🛗 🗏 📺 ♿ 🅿. 🖭 🕄 ⓪ ⓶⓪ 𝘝𝘐𝘚𝘈. 🛇
Pasto *(chiuso novembre)* carta 45/80000 – **56 cam** ⚏ 180/300000 – ½ P 225000.

🏨 **Victoria,** via Monsignor Virgilio 72 ℰ 0782 623457, Fax 0782 624116, 🗼 – 🛗 🗏 📺 ♿ 🅿 🏨 70. 🖭 🕄 ⓪ ⓶⓪ 𝘝𝘐𝘚𝘈 𝘑𝘊𝘉. 🛇
Pasto *(chiuso dal 20 dicembre al 10 gennaio e domenica)* carta 40/65000 – **60 ca** ⚏ 140/190000 – ½ P 140000.

🏨 La Perla, senza rist, viale Europa, località Porto Frailis ✉ 08041 Arbatax ℰ 0782 66780 Fax 0782 667810, 🐾 – 🗏 📺 🅿
10 cam.

🏨 **Il Vecchio Mulino** senza rist, via Parigi, località Porto Frailis ℰ 0782 664041, *h.vecchio ulino@tiscalinet.it* – 🗏 📺 ♿ 🛬 🅿. 🖭 🕄 ⓪ ⓶⓪ 𝘝𝘐𝘚𝘈. 🛇
15 cam ⚏ 130/160000.

VALLEDORIA 07039 Sassari 433 E 8 – *3 770 ab. alt. 16.*

Cagliari 235 – Olbia 81 – Sassari 42.

🍴🍴 **Park Hotel-Al Camino** con cam, corso Europa ℰ 079 582800, *parkhotel@infovacanz com*, Fax 079 582600, 😤, Rist. e pizzeria serale – 📺 🅿. 🖭 🕄 ⓪ ⓶⓪ 𝘝𝘐𝘚𝘈. 🛇
chiuso dall'8 al 31 gennaio – **Pasto** *(chiuso mercoledì escluso da maggio a settembre)* car 50/80000 – ⚏ 8000 – **7 cam** 105/140000 – ½ P 120000.

VILLANOVAFORRU 09020 Cagliari 433 I 8 – *705 ab. alt. 324.*

Cagliari 62 – Iglesias 71 – Nuoro 142 – Olbia 246 – Porto Torres 190 – Sassari 170.

🍴 **Le Colline** ⌕ con cam, località Funtana Jannus Nord-Ovest : 1 km ℰ 070 930012 Fax 070 9300134 – 🗏 📺 🅿. 🖭 🕄 ⓪ ⓶⓪ 𝘝𝘐𝘚𝘈. 🛇
chiuso dal 3 al 17 gennaio – **Pasto** carta 40/60000 – ⚏ 8000 – **20 cam** 80/120000 ½ P 110000.

VILLA REY Cagliari 433 J10 – *Vedere Castiadas.*

VILLASIMIUS 09049 Cagliari 433 J 10 – *2 880 ab. alt. 44.*

Cagliari 49 – Muravera 43 – Nuoro 225 – Olbia 296 – Porto Torres 273 – Sassari 255.

🏨🏨 **Sofitel Timi Ama** Ⓜ ⌕, località Notteri Sud : 3,5 km ℰ 070 79791, *sofiteltimiama@ cor-hotels.it*, Fax 070 797287, ≤, 😤, Centro talassoterapico, 🏖, 🈺, 🗼, 🔲, 🎿, 🐎, 🍴 🗏 📺 ♿ 🅿 – 🏨 300. 🖭 🕄 ⓪ ⓶⓪ 𝘝𝘐𝘚𝘈. 🛇
maggio-ottobre – **Pasto** *(solo per alloggiati)* carta 40/50000 – **276 cam** solo ½ P 54 715000, 9 suites.

🏨🏨 **Stella Maris** ⌕, località Campulongu Sud-Ovest : 5 km ℰ 070 797100, *stella-maris@s la-maris.com*, Fax 070 797367, ≤ mare e costa, 😤, « Giardino digradante sul mare », 🗼 🏖, 🍴 – 🛗 🗏 📺 ♿ 🅿 – 🏨 80. 🖭 🕄 ⓪ ⓶⓪ 𝘝𝘐𝘚𝘈. 🛇 rist
maggio-10 ottobre – **Pasto** *(solo per alloggiati)* – **43 cam** ⚏ 300/450000 – ½ P 310000.

🏨🏨 **Simius Playa** ⌕, via del Mare ℰ 070 79311, *info@simusplaya.com*, Fax 070 791571, « Giardino fiorito con 🗼 », 🏖, 🍴 – 🗏 📺 🅿. 🖭 🕄 ⓪ ⓶⓪ 𝘝𝘐𝘚𝘈. 🛇 rist
aprile-novembre – **Pasto** carta 60/100000 (15 %) – **37 cam** ⚏ 300/400000, 5 suites ½ P 300000.

a Solanas *Ovest : 11 km –* ✉ 09049 Villasimius :

🍴🍴 **Da Barbara,** strada provinciale per Villasimius ℰ 070 750630, Fax 070 750630 – 🛬 🗏 🖭 🕄 ⓪ ⓶⓪ 𝘝𝘐𝘚𝘈. 🛇
chiuso dicembre e mercoledì (escluso da giugno a settembre) – **Pasto** carta 40/65000.

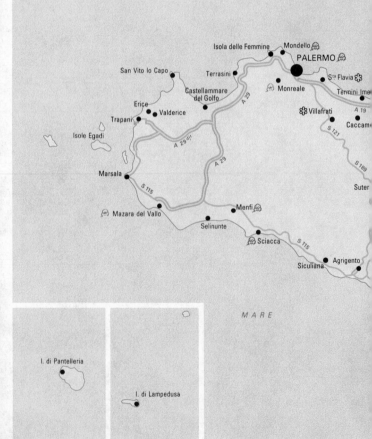

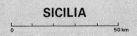

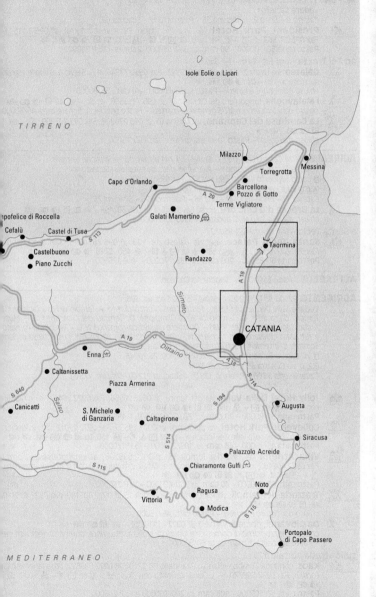

Isole Eolie o Lipari

TIRRENO

Milazzo

Torregrotta

Messina

Capo d'Orlando

Barcellona
Pozzo di Gotto

Terme Vigliatore

mpofelice di Roccella

Galati Mamertino

Cefalù

Castel di Tusa

S 113

Taormina

A 20

Castelbuono

Piano Zucchi

Randazzo

A 18

Simeto

CATANIA

A 19

Dittaino

Enna

A 18

Caltanissetta

S 640

Salso

Piazza Armerina

S 114

Canicatti

S. Michele
di Ganzaria

Caltagirone

S 194

Augusta

S 514

Siracusa

S 115

Palazzolo Acreide

Chiaramonte Gulfi

Vittoria

Ragusa

Noto

Modica

S 115

Portopalo
di Capo Passero

MEDITERRANEO

SICILIA

[432] *G. Sicilia – 5 087 794 ab. alt. da 0 a 3 340 (monte Etna).*

✈ vedere : *Catania, Lampedusa, Marsala, Palermo, Pantelleria, Trapani.*

⛴ per la Sicilia vedere : *Cagliari, Genova, Livorno, Napoli, Reggio di Calabria, Villa S. Giovanni;* dalla Sicilia vedere; *Isole Eolie, Messina, Palermo, Trapani.*

ACI CASTELLO *95021 Catania* [432] O 27 *G. Sicilia – 19 241 ab..*

Vedere *Castello★.*

Catania 9 – Enna 92 – Messina 95 – Palermo 217 – Siracusa 68.

🏨 **President Park Hotel** [M] 🔇, via Litteri 88 (Ovest : 1 km) ☎ 095 711611, *Fax 095 277569,* <, 🏊 – 🛗, 🚭 cam, ❄ 📺 📞 [P] – 👥 300. [AE] [S] [D] [MC] [VISA]. 🚫🐕
Pasto carta 50/100000 – **90 cam** ☕ 240/330000, 2 suites – ½ P 210000.

ad Aci Trezza *Nord-Est : 2 km – ✉ 95026 :*

🍴🍴 **Galatea,** via Livorno 146/A ☎ 095 277913, *Fax 095 277946,* <, « Servizio estivo in terraz[za] sul mare » – ❄ – [AE] [D] [MC] [VISA]. 🚫🐕
chiuso novembre e lunedì – **Pasto** specialità di mare carta 55/80000.

🍴 **I Malavoglia,** lungomare dei Ciclopi 167 ☎ 095 7116556, <, ⛱ – ❄. [AE] [S] [D] [MC] [VISA]
chiuso dal 23 dicembre al 23 gennaio e martedì – **Pasto** specialità di mare carta 45/6000[0]

🍴 **La Cambusa del Capitano,** via Marina 65 ☎ 095 276298, *Fax 095 277800,* ⛱ – ❄.
[S] [D] [MC] [VISA] [JCB]
chiuso mercoledì – **Pasto** specialità di mare carta 60/75000.

ACIREALE *95024 Catania* [432] O 27 *G. Sicilia – 51 741 ab. alt. 161 – Stazione termale.*

Vedere *Piazza del Duomo★ – Facciata★ della chiesa di San Sebastiano.*

[i] *corso Umberto 179 ☎ 095 604521, Fax 095 604306.*

[A.C.I.] *viale Regina Margherita 25 ☎ 095 608330.*

Catania 17 – Enna 100 – Messina 86 – Palermo 225 – Siracusa 76.

🍴🍴 **La Brocca d'u Cinc'oru,** corso Savoia 49/a ☎ 095 607196 – ❄ [AE] [S] [D] [MC] [VISA].
chiuso dal 15 luglio al 20 agosto – **Pasto** 55/75000.

a Santa Tecla *Nord : 3 km – ✉ 95020 :*

🏨 **Santa Tecla Palace** 🔇, via Balestrate 100 ☎ 095 7634015, *santatecla@tin..*
Fax 095 607705, <, 🏊, 🏖, 🎾 – 🛗 ❄ 📺 ♿ [P] – 👥 450. [AE] [S] [D] [MC] [VISA]. 🚫🐕 rist
Pasto carta 60/85000 – **209 cam** ☕ 185/270000 – ½ P 175000.

ACI TREZZA *Catania* [432] O 27 – *Vedere Aci Castello.*

AGRIGENTO *92100* [P] [432] P 22 *G. Sicilia – 55 521 ab. alt. 326.*

Vedere *Valle dei Templi★★★* Y : *Tempio della Concordia★★★* **A**, *Tempio di Hera Lacinia★★* *Tempio d'Eracle★★* **C**, *Tempio di Zeus Olimpio★★* **D**, *Tempio dei Dioscuri★★* **E** – *Mus[eo] Archeologico Regionale★* Y **M1** – *Quartiere ellenistico-romano★* Y **G** – *Sarcofago roman[o] e <★ dalla chiesa di San Nicola* Y **N** – *Città moderna★ : altorilievi★ nella chiesa di San Spirito★* Z, *interno★ e soffitto ligneo★ della Cattedrale.*

[i] *via Cesare Battisti 15 ☎ 0922 20454, Fax 0922 20246.*

[A.C.I.] *via Cimarra 38 ☎ 0922 604284.*

Caltanissetta 58 ③ – Palermo 128 ② – Siracusa 212 ③ – Trapani 175 ⑤.

Pianta pagina a lato

🏨 **Jolly Hotel Della Valle,** via dei Templi ☎ 0922 26966, *Fax 0922 26412,* <, « Giardi[no] con 🏊 » – 🛗 ❄ 📺 – 👥 150. [AE] [S] [D] [MC] [VISA]. 🚫🐕 rist Y
Pasto carta 50/80000 – **90 cam** ☕ 220/300000 – ½ P 195000.

🏨 **Colleverde Park Hotel,** via dei Templi ☎ 0922 29555, *Fax 0922 29012,* ⛱, « Terrazz[a] giardino con < sulla valle dei Templi » – 🛗 ❄ 📺 ♿ [P] – 👥 150. [AE] [S] [D] [MC] [VISA]. 🚫🐕 rist
Pasto carta 45/70000 – **48 cam** ☕ 180/260000 – ½ P 170000. Y

🏨 **Villa Athena** 🔇, via dei Templi 33 ☎ 0922 596288, *athenahotels@asinform.*
Fax 0922 402180, < Tempio della Concordia, ⛱, « Villa del 1700 con giardino-agrumeto 🏊 » – 🚭 rist, ❄ 📺 [P]. [AE] [S] [D] [MC] [VISA]. 🚫🐕 Y
Pasto carta 65/110000 – **40 cam** ☕ 250/400000 – ½ P 250000.

🍴🍴 **Trattoria dei Templi,** via Panoramica dei Templi 15 ☎ 0922 403110, *Fax 0922 40311[0]*
❄. [AE] [S] [D] [MC] [VISA]. 🚫🐕 Y
chiuso novembre e giovedì – **Pasto** carta 45/75000.

🍴 **Da Giovanni,** piazzetta Vadalà 2 ☎ 0922 21110, ⛱ – ❄. [S] [MC] [VISA]. 🚫🐕 Z
chiuso i mezzogiorno di domenica e lunedì da luglio a settembre, domenica negli altri me[si] – **Pasto** specialità di mare carta 60/80000.

sulla strada statale 115 :

🏨 **Kaos,** contrada Cumbo - villaggio Pirandello ✉ 92100 ☎ 0922 598622, *athenahotels@as form.it, Fax 0922 598770,* <, « Giardino fiorito con 🏊 », 🎾 – 🛗 ❄ 📺 [P] – 👥 1000. [AE] [D] [MC] [VISA]. 🚫🐕 Y
Pasto carta 60/105000 – **105 cam** ☕ 240/300000 – ½ P 245000.

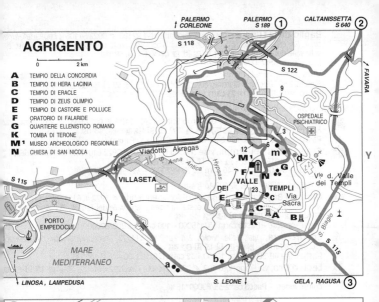

AGRIGENTO

0 —— 2 km

A TEMPIO DELLA CONCORDIA
B TEMPIO DI HERA LACINIA
C TEMPIO DI ERACLE
D TEMPIO DI ZEUS OLIMPIO
E TEMPIO DI CASTORE E POLLUCE
F ORATORIO DI FALARIDE
G QUARTIERE ELLENISTICO ROMANO
K TOMBA DI TERONE
M¹ MUSEO ARCHEOLOGICO REGIONALE
N CHIESA DI SAN NICOLA

PALERMO CORLEONE
PALERMO S 189 ①
CALTANISSETTA S 640 ②
FAVARA
S 118
S 122
S 640
OSPEDALE PSICHIATRICO
Viadotto Akragas
S. Anna Antica
Hypsas
VILLASETA
VALLE DEI TEMPLI
Vⁱᵉ d. Valle dei Templi
Via Sacra
S 115
S. Blagio
PORTO EMPEDOCLE
MARE MEDITERRANEO
S 115
LINOSA, LAMPEDUSA
S. LEONE
GELA, RAGUSA ③

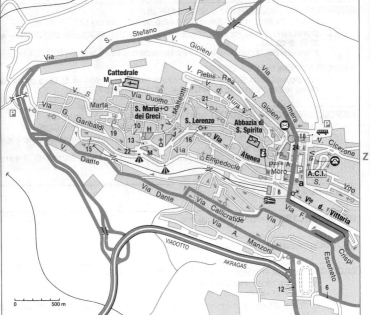

S. Stefano
V. Gioieni
Via
V. Plebis Rea
V. d. Mura 2°
Cattedrale
Via Duomo
V. S. Marta
Via G. Garibaldi
S. Maria dei Greci
S. Lorenzo
Abbazia di S. Spirito
V. Gioieni
Imera
V. Cicerone
P
V. Crispi (Via F.)
V. Dante
Via
Atenea
P.le A. Moro
A.C.I.
Via Vito
V. Dante
Via Empedocle
Via Callicratide
Via A. Manzoni
VIADOTTO AKRAGAS
Vⁱᵉ d. Vittoria
Esseneto
Crispi

0 —— 500 m

Circolazione regolamentata nel centro città

Angeli (Via degli) . . . . Z 2	Marconi (Piazza G.) . . . . Z 8	Rosselli (Piazzale F.) . . . . Z 18
Atenea (Via) . . . . Z	Nuova Favara (Via) . . . . Y 9	S. Giacomo (Largo) . . . . Z 19
Crispi (Via F.) . . . . Y 3	Orfane (Via) . . . . Z 10	S. Girolamo (Via) . . . . Z 21
Don Minzoni	Petrarca (Via) . . . . Y,Z 12	Sinatra (Piazza G.) . . . . Z 22
(Piazza) . . . . Z 4	Pirandello (Piazza) . . . . Z 13	Templi (Via dei) . . . . Y 23
La Malfa (Via U.) . . . . Y,Z 6	Porta di Mare (Via) . . . . Z 15	Vittorio Emanuele
Lena (Piazza) . . . . Z 7	Purgatorio (Piazza del) . . . . . . Z 16	(Piazza) . . . . Z 24

🏡 **Baglio della Luna** ॐ, contrada Maddalusa ⊠ 92100 ℘ 0922 511061, *bagliodellaluna*
tin.it, Fax 0922 598802, 佘, « In una vecchia torre d'avvistamento con giardino fiorito e
sulla valle dei Templi » – 🗏 📺 🅿. 🖭 🗗 ⑩ ⑳ 𝗩𝗜𝗦𝗔 𝗝𝗖𝗕. ℘ rist   Y
Pasto carta 55/75000 (20%) – **24 cam** ⊇ 295/420000, suite – ½ P 275000.

🏠 **Villa Eos**, contrada Cumbo - villaggio Pirandello ⊠ 92100 ℘ 0922 597170, *hve@libero.i*
Fax 0922 597188, ≤, « Giardino con ℥ », ℘ – 🗏 📺 🅿. 🖭 🗗 ⑩ ⑳ 𝗩𝗜𝗦𝗔. ℘   Y
Pasto carta 40/65000 – **23 cam** ⊇ 150/190000 – ½ P 125000.

al Villaggio Mosè per ③ : 3 km :

🏨 **Grand Hotel Mosè**, viale Leonardo Sciascia ⊠ 92100 ℘ 0922 608388, *hotghm@tin.i*
Fax 0922 608377, ℥ – 🛗 🗏 📺 🅿 – 🔬 100. 🖭 🗗 ⑩ ⑳ 𝗩𝗜𝗦𝗔. ℘ rist
Pasto carta 45/80000 – **96 cam** ⊇ 175/270000 – ½ P 160000.

🏨 **Grand Hotel dei Templi**, viale Sciascia ⊠ 92100 ℘ 0922 610175, Fax 0922 606685, ℥
– 🛗, 🛏 cam, 🗏 📺 🅿. – 🔬 400. 🖭 🗗 ⑩ ⑳ 𝗩𝗜𝗦𝗔. ℘ rist
Pasto carta 50/80000 – **146 cam** ⊇ 200/270000 – ½ P 180000.

a San Leone Sud : 7 km Y – ⊠ 92100 Agrigento :

🏨 **Dioscuri Bay Palace**, Lungomare Falcone-Borsellino ℘ 0922 406111, *dioscuri@framo*
-hotels.com, Fax 0922 411297, ≤ costa, Agrigento e la Valle dei Templi, ℥, 🐠 200 – 🛗 🗏
📺 🕭 🅿 – 🔬 200. 🖭 🗗 ⑩ 𝗩𝗜𝗦𝗔. ℘ rist
marzo-ottobre – **Pasto** carta 55/115000 – **100 cam** ⊇ 200/300000, 2 suites – ½ P 18500

🏠 **Costazzurra**, via Delle Viole 2/4 ℘ 0922 411222, *reception@hotelcostazzurra.i*
Fax 0922 414040 – 🛗 🗏 📺 🅿. 🖭 🗗 ⑩ ⑳ 𝗩𝗜𝗦𝗔. ℘
Pasto carta 40/50000 – ⊇ 10000 – **32 cam** 120/180000 – ½ P 140000.

✕✕ **Leon d'Oro**, via Emporium 102 ℘ 0922 414400, Fax 0922 414400, 佘 – 🗏. 🖭 🗗 ⑩ ⑳
𝗩𝗜𝗦𝗔
chiuso lunedì – **Pasto** carta 35/60000 (15%).

AUGUSTA 96011 Siracusa 𝟒𝟑𝟐 P 27 G. Sicilia – 34 196 ab..
Catania 42 – Messina 139 – Palermo 250 – Ragusa 103 – Siracusa 32.

✕✕ **Donna Ina**, località Faro Santa Croce Est : 6,5 km ℘ 0931 983422, Fax 0931 998727 – 🗏
🖭 🗗 ⑩ ⑳ 𝗩𝗜𝗦𝗔
chiuso dall'8 al 14 gennaio e lunedì – **Pasto** specialità di mare carta 40/70000 (15%).

a Brucoli Nord-Ovest : 7,5 km – ⊠ 96010 :

✕✕ **Fragio**, via Libertà 56/58 ℘ 0931 981145, Fax 0931 981145, 佘 – 🗏. 🖭 🗗 ⑩ ⑳ 𝗩𝗜𝗦𝗔. ℘
chiuso settembre e martedì – **Pasto** specialità di mare carta 45/65000.

BARCELLONA POZZO DI GOTTO 98051 Messina 𝟒𝟑𝟐 M 27 – 41 269 ab. alt. 60.
Catania 130 – Enna 181 – Messina 39 – Milazzo 12 – Palermo 195 – Taormina 85.

🏠 **Conca d'Oro**, via Spinesante 20 (Nord : 3 km) ℘ 090 9710128, Fax 090 9710618 – 🛗 🗏
⊜ 📺 🅿. 🖭 🗗 ⑩ ⑳ 𝗩𝗜𝗦𝗔 𝗝𝗖𝗕. ℘
Pasto *(chiuso lunedì)* carta 35/55000 – ⊇ 10000 – **13 cam** 80/130000, 3 suite
– ½ P 110000.

BONAGIA Trapani 𝟒𝟑𝟐 M 19 – Vedere Valderice.

BORGO MOLARA Palermo – Vedere Palermo.

BRUCOLI Siracusa 𝟒𝟑𝟐 P 27 – Vedere Augusta.

CACCAMO 90012 Palermo 𝟒𝟑𝟐 N 22 G. Sicilia – 8 618 ab. alt. 521.
Vedere Castello★ – Piazza Duomo★.
Agrigento 93 – Palermo 43 – Termini Imerese 10.

🏠 **La Spiga d'Oro**, via Margherita 74 ℘ 091 8148968, Fax 091 8148968 – 🛗 🗏 📺 ⟵ 🅿. 🖭
⊜ 🗗 ⑳ 𝗩𝗜𝗦𝗔. ℘
Pasto *(chiuso mercoledì)* carta 25/35000 – **14 cam** ⊇ 65/95000 – ½ P 85000.

CALTAGIRONE 95041 Catania 𝟒𝟑𝟐 P 25 G. Sicilia – 39 225 ab. alt. 608.
Vedere Villa Comunale★ – Scala di Santa Maria del Monte★.
🖪 Palazzo Libertini ℘ 0933 53809, Fax 0933 54610.
Agrigento 153 – Catania 64 – Enna 75 – Ragusa 71 – Siracusa 100.

🏨 **Gd Hotel Villa San Mauro,** via Portosalvo 10 ℰ 0933 26500, *vsm@framon-hotels.it*, Fax 0933 31661, ⊥ – ▯, ✦ cam, ▤ 🗔 & 🅿 – 🛦 200. 🝤 🕄 ◑ 🝤 *VISA*. ✸ rist
Pasto carta 50/85000 – **92 cam** ☷ 180/300000, suite – ½ P 180000.

🍴 **La Scala,** scala Maria Santissima del Monte 8 ℰ 0933 57781, Fax 0933 57781, 🌧 – ▤. 🝤 🕄 ◑ 🝤 *VISA* JCB. ✸
Pasto carta 40/75000.

ALTANISSETTA 93100 🅿 432 O 24 G. Sicilia – 62 595 ab. alt. 588.
🅱 *viale Conte Testasecca 21 ℰ 0934 21089, Fax 0934 21239.*
A.C.I. *via Leone 2 ℰ 0934 501111.*
Catania 109 – Palermo 127.

🏨 **San Michele** Ⓜ, via Fasci Siciliani ℰ 0934 553750, Fax 0934 598791, ⩽, ⊥ – ▯ ▤ 🗔 & 🅿 – 🛦 300. 🝤 🕄 ◑ 🝤 *VISA*. ✸ rist
Pasto *(chiuso dall'8 al 25 agosto)* carta 40/65000 – **136 cam** ☷ 150/220000, 14 suites – ½ P 145000.

🏨 **Ventura,** strada statale 640 (Sud-Ovest : 1,5 km) ℰ 0934 553780, Fax 0934 553785 – ▯ ▤ 🗔 🅿 – 🛦 200. 🝤 🕄 ◑ 🝤 *VISA*. ✸
Pasto *(chiuso domenica)* carta 35/50000 – ☷ 5000 – **67 cam** 85/115000 – ½ P 85000.

🍴 **Cortese,** viale Sicilia 166 ℰ 0934 591686 – ▤. 🕄 ◑ 🝤 *VISA*
chiuso dall'8 al 23 agosto e lunedì – **Pasto** carta 30/45000 (12 %).

🍴 Legumerie le Fontanelle, via Pietro Leone 45, contrada Fontanelle Nord-Ovest 2 km ℰ 0934 592437, Azienda agrituristica con centro ippico, « Servizio estivo all'aperto con ⩽ colline » – 🅿.

AMPOFELICE DI ROCCELLA 90010 Palermo 432 N 23 – 5 707 ab. alt. 50.
Palermo 53 – Caltanissetta 83 – Catania 164.

🏨 Plaia d'Himera Park Hotel ⊗, strada statale 113, contrada Pistavecchia ℰ 0921 933815, Fax 0921 933843, ⩽, 🌧, « ⊥ caratteristica in ampio giardino-solarium », ⚓, ☞, ✸ – ▯ ▤ 🗔 🅿 – 🛦 150
139 cam.

ANICATTÌ 92024 Agrigento 432 O 23 – 34 182 ab. alt. 470.
Agrigento 39 – Caltanissetta 28 – Catania 137 – Ragusa 133.

🏨 **Collina del Faro** senza rist, via G. Puccini 29 ℰ 0922 853062, Fax 0922 851160, 🌧 – ▤ 🗔 🅿. 🝤 🕄 ◑ 🝤 *VISA*
chiuso dal 14 al 16 agosto – **27 cam** ☷ 60/90000.

ANNIZZARO 95020 Catania 432 O 27.
Catania 7 – Enna 90 – Messina 97 – Palermo 215 – Siracusa 66.

🏨 **Sheraton Catania Hotel,** via Antonello da Messina 45 ℰ 095 271557, *sheratoncatania @tin.it*, Fax 095 271380, ⩽, 🛌, ☎, ⊥, ⚓, ✸ – ▯ ▤ 🗔 📞 & ⇔ – 🛦 900. 🕄 ◑ 🝤 *VISA*. ✸
Pasto al Rist. *Il Timo* carta 65/95000 – **167 cam** ☷ 320/450000, 3 suites – ½ P 295000.

🏨 **Gd H. Baia Verde,** via Angelo Musco 8 ℰ 095 491522, *baiaverde@baiaverde.it*, Fax 095 494464, ⩽, 🌧, « Sulla scogliera », ⊥, ⚓, ☞, ✸ – ▯ ▤ 🗔 🅿 – 🛦 300. 🝤 🕄 ◑ 🝤 *VISA*. ✸
Pasto 70000 – **122 cam** ☷ 290/400000.

CAPO D'ORLANDO 98071 Messina 432 M 26 G. Sicilia – 12 692 ab..
🅱 *via Piave 71 A/B ℰ 0941 912784, Fax 0941 912517.*
Catania 135 – Enna 143 – Messina 88 – Palermo 149 – Taormina 132.

🏨 **Il Mulino,** via Andrea Doria 46 ℰ 0941 902431, Fax 0941 911614, ⩽ – ▯ ▤ 🗔 🝤 🕄 ◑ 🝤 *VISA*. ✸
Pasto carta 40/60000 – ☷ 10000 – **92 cam** 140/180000, 7 suites – ½ P 145000.

🏨 **La Meridiana,** località Piana Sud-Ovest : 3 km ℰ 0941 957713, Fax 0941 957713, 🌧, ⊥, ☞ – ▯ ▤ 🗔 & ⇔ 🅿 – 🛦 200. 🝤 🕄 ◑ 🝤 *VISA*. ✸
Pasto *(chiuso domenica da novembre a marzo)* carta 35/55000 – ☷ 10000 – **45 cam** 120/170000 – ½ P 135000.

🏨 La Tartaruga, contrada Lido San Gregorio 70 ℰ 0941 955012, Fax 0941 955056, ⩽, 🌧, ⊥ con acqua di mare – ▯ ▤ 🗔 &
48 cam.

X
ⓔ **Trattoria La Tettoia,** contrada Certari 80 (Sud : 2,5 km) ℘ 0941 902146, « Servizio estivo in terrazza con ≤ mare e costa » – 🅿. ℁
chiuso dal 15 al 30 settembre e lunedì (escluso da luglio a settembre) – **Pasto** cucina casalinga carta 30/50000.

CAPO TAORMINA Messina ⒋⒊⒉ N 27 – Vedere Taormina

CASTELBUONO 90013 Palermo ⒋⒊⒉ N 24 G. Sicilia – 9 723 ab. alt. 423.
Vedere Cappella palatina : stucchi★.
Agrigento 155 – Cefalù 22 – Palermo 90.

X
ⓔ **Romitaggio,** località San Guglielmo Sud : 5 km ℘ 0921 671323, Fax 0921 671323, 🏤 –
chiuso dal 15 giugno al 15 luglio e mercoledì – **Pasto** carta 35/60000.

CASTEL DI TUSA 98070 Messina ⒋⒊⒉ M 24 G. Sicilia.
Vedere Fiumara d'Arte★.
Agrigento 163 – Cefalù 23 – Messina 143 – Palermo 90.

🏠 **Grand Hotel Atelier sul Mare,** via Cesare Battisti 4 ℘ 0921 334295, ateliersulmare@nebro.net, Fax 0921 334283, ≤, 🏤, « Piccolo museo con camere arredate da artisti con temporanei » – 🛗. 🆎 🅱 ⓞ ⓠⓞ 🆅🆂🅰
Pasto 25/50000 – **40 cam** ⊇ 260000 – ½ P 155000.

Leggete attentamente l'introduzione : è la « chiave » della guida.

CASTELLAMMARE DEL GOLFO 91014 Trapani ⒋⒊⒉ M 20 G. Sicilia – 13 981 ab..
Dintorni Rovine di Segesta★★★ Sud : 16 km.
Agrigento 144 – Catania 269 – Messina 295 – Palermo 61 – Trapani 34.

🏠🏠 **Al Madarig,** piazza Petrolo 7 ℘ 0924 33533, almadarig@tin.it, Fax 0924 33790, ≤, 🏤 –
🍴 🆃🆅 – 🛗 90. 🆎 🅱 ⓞ ⓠⓞ 🆅🆂🅰, ℁ rist
Pasto carta 40/55000 – **33 cam** ⊇ 130/190000 – ½ P 120000.

CASTELMOLA Messina ⒋⒊⒉ N 27 – Vedere Taormina.

CATANIA 95100 🄿 ⒋⒊⒉ O 27 G. Sicilia – 337 862 ab..
Vedere Palazzo Biscari★ : decorazione★★ EZ – Piazza del Duomo★ : Duomo★ DZ – Badia Sant'Agata★ B – Via Crociferi★ DYZ – Via Etnea★ : villa Bellini★ DXY – Complesso Monmentale di San Nicolò l'Arena : Monastero★ DYZ S8.
Escursioni Etna★★★ Nord per Nicolosi BU.
✈ di Fontanarossa Sud : 4 km BV ℘ 095 7239111, Fax 095 347121 – Alitalia, via L. Rizzo 18 ✉ 95131 ℘ 095 252111, Fax 095 252252.
🄸 via Cimarosa 10 ✉ 95124 ℘ 095 7306211, Fax 095 316407 – Stazione Ferrovie Stato ✉ 95129 ℘ 095 7306255 – Aeroporto Civile Fontanarossa ℘ 095 7306266.
🄰.🄲.🄸. via Sabotino 3 ✉ 95129 ℘ 095 533381.
Messina 97 ① – Siracusa 59 ③.

Pianta pagina a lato

🏨 **Jolly Hotel Bellini,** piazza Trento 13 ✉ 95129 ℘ 095 316933, catania@tollyhotels.
Fax 095 316832 – 🛗 🍴 🆃🆅 ✆ – 🛗 130. 🆎 🅱 ⓞ ⓠⓞ 🆅🆂🅰 🄹🄲🄱. ℁ rist   EX
Pasto carta 60/100000 – **159 cam** ⊇ 215/280000 – ½ P 190000.

🏠🏠 **Jolly Hotel Ognina,** senza rist, via Messina 626, località Ognina ✉ 95137
℘ 095 7528111, jolly.cataniaognina@alliance.alberghi.com, Fax 095 7121856 – 🛗 ✆ 🍴 🆃
🅿 – 🛗 80. 🆎 🅱 ⓞ ⓠⓞ 🆅🆂🅰 🄹🄲🄱   CU
56 cam ⊇ 200/300000.

XX **Poggio Ducale** con cam, via Paolo Gaifami 5 ✉ 95126 ℘ 095 330016, poggioducale@poggioducale.it, Fax 095 580103 – 🛗 🍴 🆃🆅 ✆ 🅻 ⇔. 🆎 🅱 ⓞ ⓠⓞ 🆅🆂🅰 🄹🄲🄱. ℁   BU
Pasto carta 45/65000 – **25 cam** ⊇ 160/200000 – P 200000.

XX **La Siciliana,** viale Marco Polo 52/a ✉ 95126 ℘ 095 376400, lasiciliana@tiscalinet.
Fax 095 7221300, 🏤, prenotare – 🆎 🅱 ⓞ ⓠⓞ 🆅🆂🅰   CU
chiuso domenica sera, lunedì e la sera dei giorni festivi – **Pasto** carta 50/60000 (15 %).

X
ⓔ **Cantine del Cugno Mezzano,** via Museo Biscari 8 ℘ 095 7158710, Fax 095 715871,
Enoteca con ristorazione, « In un palazzo del 1700 » – 🆎 🅱 ⓞ ⓠⓞ 🆅🆂🅰 🄹🄲🄱. ℁   EZ
chiuso dal 10 al 28 agosto, domenica e a mezzogiorno – **Pasto** carta 45/70000.

X **La Lampara,** via Pasubio 49 ✉ 95127 ℘ 095 383237 – 🍴   CU
Pasto specialità di mare.

CATANIA

agona Artale (Viale)...... CU 2
ngelo Custode (Via)..... BV 3
urora (Via)............... BV 4
arcellona (Via).......... BV 6
eccaria (Via Cesare)..... BU 8
elfiore (Via)............ BV 10
osco (Via del).......... BU 13
antone (Via)............ BU 16
raccciolo
(Via Amm. Antonio).... BV 17
avour (Piazza).......... BU 23
olombo (Via Cristoforo)... BV 24
Annunzio (Via Gabriele)... CU 28
uropa (Piazza).......... CU 30
ocomo (Via)............. BU 31
zi (Via Fabio)........... BV 32
rlanini (Via Carlo)....... BV 33

Galatioto (Via)........... CU 36
Giovanni XXIII
(Piazza Papa).......... CV 38
Giuffrida (Via Vincenzo).... CU 39
Grassi (Via Battista)....... BU 41
Imbriani
(Via Matteo Renato).... BU 43
Indipendenza (Corso).... BV 44
Lavaggi (Via Giovanni).... BV 46
Maria SS. Assunta (Via).... BV 48
Marotta (Via Erasmo)...... CU 49
Martelli Castaldi
(Via Sabato)........... BV 51
Martiri della
Libertà (Corso)........ CV 52
Monserrato (Via)......... BU 55
Montenero (Via).......... BV 56
Nava (Via Cardinale)..... BU 58
Odorico da Pordenone
(Viale)................ BU 59

Palestro (Piazza).......... BV 61
Passo Gravina (Via)....... BU 64
Plaja (Via)............... BV 65
Plebiscito (Via).......... BV 67
Regina Margherita
(Viale)................ BV 71
Regione (Viale della).... BV 72
Risorgimento (Piazza).... BV 73
Roccaromana (Via)....... BV 75
Rotolo (Viale del)....... CU 76
Ruggero di Lauria (Vle).... CU 78
San Nicolò
al Borgo (Via)......... BU 83
Santa Maria
della Catena (Via)...... BV 84
Sanzio (Viale Raffaello)..... CU 85
Stadio (Viale dello)...... BV 88
Stella Polare (Via)....... BV 89
Tempio (Via Domenico)... BV 93
Vivaldi (Viale Fratelli)....... BU 99

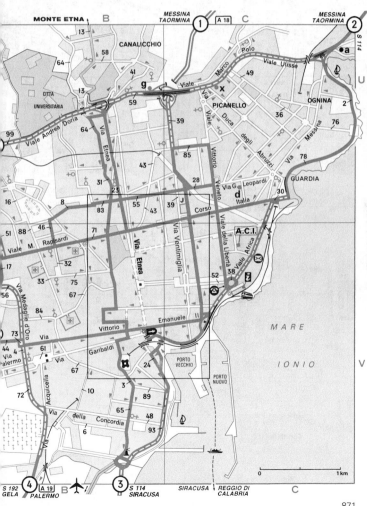

CATANIA

Angelo Custode (Via) . . . . . . **DZ** 3
Benedetto (Piazza A. d.) . . **DZ** 11
Biondi (Via) . . . . **EY** 12
Bovio (Piazza G.) . . . . **EY** 15
Carlo Alberto (Piazza) . . . . **EY** 19
Castello Ursino (Via) . . . . . **DZ** 21
Conte di Torino (Via) . . . . . **EY** 25
Currio (Piazza) . . . . **DZ** 26
Cutelli (Piazza) . . . . **EZ** 27
Dante (Piazza) . . . . **DY** 29

Etnea (Via) . . . . **DXY**
Giuffrida (Via Vincenzo) . . . . **EX** 39
Guardie (Piazza delle) . . . . . . **EY** 42
Imbriani (Via M. R.) . . . . . . **DEX** 43
Landolina (Via) . . . . **EZ** 45
Lupo (Piazza Pietro) . . . . **EY** 47
Museo Biscari (Via) . . . . **EZ** 57
Orlando (V. Vitt. E.) . . . . **EX** 60
Porticello (Via) . . . . **EZ** 68
Rabbordone (Via) . . . . **EY** 69
Rapisardi (Via Michele) . . . . **EY** 70
Rotonda (Via d.) . . . . **DYZ** 77

S. Anna (Via) . . . . **DZ** 7
San F. d'Assisi (Pza) . . . . . **DZ** 8
San Gaetano alle G. (Via) **DEY** 8
San Giuseppe al D. (Via) . . **DZ** 8
Spirito Santo (Piazza) . . . . **EY** 8
Stesicoro (Piazza) . . . . . . **DY** 9
Teatro Massimo (Via) . . . . **EYZ** 9
Trento (Piazza) . . . . **EX** 9
Umberto I (Via) . . . . **DEX**
Università (Piazza dell') . . **DZ** 9
Verga (Piazza) . . . . **EX** 9
Vittorio Emanuele III (Pza) **EY** 10

prossimità casello autostrada Catania Nord uscita Etna-San Gregorio per ① : 4 km :

Garden, via Madonna delle Lacrime 12/b ⊠ 95030 Trappeto ℘ 095 7177767, Fax 095 7177991, 斧, ⌁, 屛 – ▤ ▤ ▥ ▣ – ▵ 200. ᴀᴇ ፡ ᪲ ◍◍ 𝘝𝘐𝘚𝘈. ⚘
Pasto al Rist. **La Vecchia Quercia** carta 50/75000 – **95 cam** ☑ 200/260000, suite – ½ P 230000.

EFALÙ 90015 Palermo **432** M 24 G. Sicilia – 14 026 ab..

Vedere Posizione pittoresca★★ – Duomo★★ – Osterio Magno★ – Museo Mandralisca : ritratto d'ignoto★ di Antonello da Messina.

⛴ per le Isole Eolie giugno-settembre mercoledì, giovedì e venerdì (1 h 30 mn) – Aliscafi SNAV-agenzia Barbaro, corso Ruggero 76 ℘ 0921 421595.

🛈 corso Ruggero 77 ℘ 0921 421050, Fax 0921 422388.

Agrigento 140 – Caltanissetta 101 – Catania 182 – Enna 107 – Messina 166 – Palermo 68.

Riva del Sole, lungomare Colombo 25 ℘ 0921 421230, Fax 0921 421984, ≤, 斧 – ▤ ▤ ▥ ⇔ ▣ – ▵ 100. ᴀᴇ ፡ ◍◍ 𝘝𝘐𝘚𝘈. ⚘ rist
chiuso novembre – **Pasto** carta 45/80000 (15%) – ☑ 13500 – **28 cam** 130/180000, ▤ 10000 – ½ P 135000.

La Brace, via 25 Novembre 10 ℘ 0921 423570, Fax 0921 423570, prenotare – ▤. ᴀᴇ ፡ ◐ ◍◍ 𝘝𝘐𝘚𝘈. ⚘
chiuso dal 15 dicembre al 15 gennaio e lunedì – **Pasto** carta 30/65000.

Ostaria del Duomo, via Seminario 5 ℘ 0921 421838, « Servizio estivo sulla piazza » – ᴀᴇ ፡ ◐ ◍◍ 𝘝𝘐𝘚𝘈
21 febbraio-ottobre chiuso lunedì escluso da giugno a settembre – **Pasto** carta 50/65000.

HIARAMONTE GULFI 97012 Ragusa **432** P 26 G. Sicilia – 8 327 ab. alt. 668.
Agrigento 133 – Catania 88 – Messina 185 – Palermo 257 – Ragusa 20 – Siracusa 77.

Majore, via Martiri Ungheresi 12 ℘ 0932 928019, majoreristorante@tin.it, Fax 0932 928649 – ▤. ᴀᴇ ፡ ◐ ◍◍ 𝘝𝘐𝘚𝘈. ⚘
chiuso luglio e lunedì – **Pasto** specialità a base di carne di maiale carta 25/40000.

GADI (Isole) Trapani **432** N 18 19 G. Sicilia – 4 621 ab. alt. da 0 a 686 (monte Falcone nell'isola di Marettimo).
Vedere Favignana★ : Cala Rossa★ – Levanzo★ : Grotta del Genovese★ – Marettimo★ : giro dell'isola in barca★★.

avignana (Isola) **432** N 18 – ⊠ 91023.

⛴ per Trapani giornalieri (da 1 h a 2 h 45 mn) – a Favignana, Siremar-agenzia Catalano, molo San Leonardo ℘ 0923 921368, Fax 0923 921368.

⛴ per Trapani giornalieri (da 15 mn a 1 h) – a Favignana, Siremar-agenzia Catalano, molo San Leonardo ℘ 0923 921368, Fax (0923)921368.

Aegusa, via Garibaldi 11/17 ℘ 0923 922430, aegusa@cinet.it, Fax 0923 922440, 斧, 屛 – ▤ ▥. ᴀᴇ ፡ ◐ ◍◍ 𝘝𝘐𝘚𝘈 ᴊᴄʙ. ⚘ cam
Pasto (giugno-settembre) carta 45/60000 – **28 cam** ☑ 140/240000 – ½ P 160000.

Egadi, via Colombo 17 ℘ 0923 921232, Fax 0923 921232 – ⇔ rist, ▤ cam, ▥. ᴀᴇ ፡ ◐ ◍◍ 𝘝𝘐𝘚𝘈. ⚘
Pasto (maggio-settembre; solo per alloggiati e chiuso a mezzogiorno) – ☑ 10000 – **12 cam** 60/100000.

ENNA 94100 🅿 432 O 24 *G. Sicilia – 28 424 ab. alt. 942.*

Vedere *Posizione pittoresca*★★ *– Castello*★ : ※★★★ *–* ≼★★ *dal belvedere – Duomo interno*★ *e soffitto*★ *– Torre di Federico*★.

🛈 *via Roma 413 &* 0935 528228, Fax 0935 528229.

A.C.I. *via Roma 200 &* 0935 26299.

Agrigento 92 – Caltanissetta 34 – Catania 83 – Messina 180 – Palermo 133 – Ragusa 138 – Siracusa 136 – Trapani 237.

🏨 **Grande Albergo Sicilia** senza rist, piazza Colaianni 7 *&* 0935 500850, Fax 0935 500486
⇗ – 🛗 📺 – 🔬 120. 🖭 🗗 ➊ ➌ 🚾 JCB
⌀ 10000 – **76 cam** 110/170000.

🍴 **Centrale,** piazza 6 Dicembre 9 *&* 0935 500963, Fax 0935 500963 – 🖭 🗗 ➊ ➌ 🚾 JCB
⚸ ⚸
chiuso sabato escluso da giugno a settembre – **Pasto** carta 35/55000.

EOLIE (Isole) Messina 431 K 26 27, 432 L 26 27 *G. Sicilia – 12 707 ab. alt. da 0 a 962 (monte Fossa delle Felci nell'isola di Salina).*

Vedere *Vulcano*★★★ : *gran cratere*★★★ *(2 h a piedi AR) – Stromboli*★★★ : *ascesa al cratere*★★ *(5 h a piedi AR), escursione notturna in barca*★★ *– Lipari*★ : *Museo Archeologico Eoliano*★★, ※★★★ *dal belvedere di Quattrocchi, giro dell'isola in barca*★★ *– Salina*★ *– Panarea*★ *– Filicudi*★ *– Alicudi*★.

⛴ *per Milazzo giornalieri (da 1 h 30 mn a 4 h) e Napoli lunedì e giovedì, dal 15 giugno 15 settembre lunedì, mercoledì, giovedì, venerdì, sabato e domenica (14 h) – a Lipari Siremar-agenzia Eolian Tours, via Amendola &* 090 9811312, Fax 090 9880170.

⛴ *per Milazzo giornalieri (da 40 mn a 2 h 10 mn) – a Lipari, Siremar-agenzia Eolian Tours via Amendola &* 090 9811312, Fax 090 9880170; Aliscafi SNAV-agenzia Eoltravel, via Vittorio Emanuele 116 *&* 090 9811122, Fax 090 9880311; per Messina-Reggio di Calabria giornaliero (2 h), Cefalù giugno-settembre giovedì, venerdì e sabato (1 h 30 mn) e Palermo giugno-settembre giornaliero (1 h 50 mn); per Napoli giugno-settembre giornaliero (4 h) – a Lipari Aliscafi SNAV-agenzia Eoltravel, via Vittorio Emanuele 116 &* 090 9811122, Fax 090 9880311.

Lipari *(Isola)* 431, 432 L 26 *– 11 026 ab. – ⊠ 98055.*

La limitazione d'accesso degli autoveicoli è regolata da norme legislative.

🛈 *corso Vittorio Emanuele 202 &* 090 9880095, Fax 090 9811190

🏨 **Villa Meligunis,** via Marte 7 *&* 090 9812426, villameligunis@netnet.it, Fax 090 9880149
≼, 🍽, « *Ristorante panoramico* » – 🛗 ▤ 📺 📞 – 🔬 80. 🖭 🗗 ➊ ➌ 🚾 JCB. ⚸
Pasto *(15 aprile-5 novembre)* 50/100000 – **32 cam** ⌀ 300/500000 – ½ P 300000.

🏨 **Giardino sul Mare** ⚓, via Maddalena 65 *&* 090 9811004, Fax 090 9880150, ≼ mare e costa, 🍽, « 🏊 *su terrazza fiorita, accesso privato al mare e scogliera attrezzata* » – 🛗 ▤ 📺 📻 🚾. ⚸
aprile-ottobre – **Pasto** 45/70000 – **47 cam** ⌀ 230/370000 – ½ P 210000.

🏨 **Gattopardo Park Hotel** ⚓, via Diana 67 *&* 090 9811035, gattopardo@netnet.it, Fax 090 9880207, « *Architettura eoliana e terrazze fiorite* » – ▤ rist, 📺, ⚸
marzo-ottobre – **Pasto** carta 55/80000 – ⌀ 15000 – **53 cam** 200/250000 – ½ P 220000.

🏨 **Villa Augustus** senza rist, vico Ausonia 16 *&* 090 9811232, villaaugustus@tin.it, Fax 090 9812233, ⇗ – ▤ 📺. 🖭 🗗 ➊ ➌ 🚾
marzo-ottobre – ⌀ 20000 – **34 cam** 160/260000.

🏨 **Casajanca** senza rist, via Marina Garibaldi 115 località Caneto (Nord : 4 km)
& 090 9880222, casajanca@netnet.it, Fax 090 9813003 – ▤ 📺 ⚿. 🖭 🗗 ➌ 🚾
10 cam ⌀ 350000.

🏨 **Poseidon** senza rist, via Ausonia 7 *&* 090 9812876, poseidon@netnet.it, Fax 090 9880256
– ▤ 📺. 🖭 🗗 ➊ ➌
marzo-ottobre – ⌀ 15000 – **18 cam** 110/210000.

🏨 **Oriente** senza rist, via Marconi 35 *&* 090 9811493, hoteloriente@netnet.it, Fax 090 9880198, « *Giardino ombreggiato e raccolta di materiale etnografico* » – ▤. 🖭 🗗 ➊ ➌ 🚾
Pasqua-ottobre – **32 cam** ⌀ 170/230000.

🍴🍴 **Filippino,** piazza Municipio *&* 090 9811002, filippino@netnet.it, Fax 090 9812878, 🍽
▤. 🖭 🗗 ➊ ➌ 🚾 JCB. ⚸
chiuso dal 16 novembre al 15 dicembre e lunedì (escluso da giugno a settembre) – **Pasto** carta 50/70000 (12 %).

🍴🍴 **E Pulera,** via Diana *&* 090 9811158, Fax 090 9812878, prenotare, « *Servizio in giardino fiorito con pergolato* » – 🖭 🗗 ➊ ➌ 🚾
giugno-ottobre; chiuso a mezzogiorno – **Pasto** cucina tipica isolana carta 50/70000 (12 %).

🍴 **La Nassa,** via Franza 36 *&* 090 9811319, info@lanassavacanze.it, Fax 090 9812256, « *Servizio estivo in terrazza* » – ▤. 🖭 🗗 ➊ ➌ 🚾 JCB. ⚸
27 marzo-7 novembre – **Pasto** carta 50/80000.

🍴 **La Ginestra,** località Pianoconte (Nord-Ovest : 5 km) *&* 090 9822285, Fax 090 9822285, 🍽, Rist. e pizzeria serale – 📰. 🖭 🗗 ➊ ➌ 🚾. ⚸
Pasto carta 40/70000.

Panarea *(Isola)* **431**, **432** L 27 – ⊠ *98050*.
La limitazione d'accesso degli autoveicoli è regolata da norme legislative.

🏠 **Cincotta** ⌂, via San Pietro ℰ 090 983014, *hotel.cincotta@exit.it*, Fax 090 983211, ≤ mare ed isolotti, ⌂, « Terrazza con ⌂ d'acqua di mare » – 🔲 📺. 🆎 🕃 ⓪ ⓪⓪ 🆅🆂🆁 ⌂
20 aprile-10 ottobre – **Pasto** carta 60/85000 – **29 cam** ⌸ 320/380000 – ½ P 240000.

🏠 **La Piazza** ⌂ senza rist, via San Pietro ℰ 090 983176, *hotelpiazza@netnet.it*, Fax 090 983003, ≤ mare ed isolotti, « Terrazza con ⌂ d'acqua di mare », ⌂ – 🔲 📺. 🆎 🕃 ⓪ ⓪⓪ 🆅🆂🆁 ⌂
Pasqua-ottobre – **31 cam** ⌸ 320/380000.

🏠 **Lisca Bianca** senza rist, via Lani 1 ℰ 090 983004, *liscabianca@liscabianca.it*, Fax 090 983291, ≤ – 🔲 📺. 🆎 🕃 ⓪ ⓪⓪ 🆅🆂🆁
Pasqua-4 novembre – **25 cam** ⌸ 360000.

Salina *(Isola)* **431**, **432** L 26 – *2 381 ab.*

🏠 **Signum** ⌂, via Scalo 15 località Malfa ⊠ 98050 Malfa ℰ 090 9844222, *signum.salina@net net.it*, Fax 090 9844102, ≤ mare, costa, Panarea e Stromboli, ⌂, « Caratteristica architettura eoliana », ⌂ – 🕃 ⓪ ⓪⓪ 🆅🆂🆁 🆕🆒🆁 ⌂
Pasto (solo per alloggiati e *chiuso a mezzogiorno*) 40/50000 – **24 cam** ⌸ 190/300000 – ½ P 190000.

🏠 **Bellavista** ⌂ senza rist, via Risorgimento località Santa Marina Salina ⊠ 98050 Leni ℰ 090 9843009, Fax 090 9843009, ≤, « Terrazza solarium panoramica », ⌂ – 🔲 📺. ⌂
aprile-settembre – **14 cam** ⌸ 160/280000.

✗ **Porto Bello**, via Bianchi 1, località Santa Marina Salina ⊠ 98050 Leni ℰ 090 9843125, Fax 090 9843677, ≤, « Servizio estivo sotto un pergolato » – 🆎 🕃 ⓪ ⓪⓪ 🆅🆂🆁 🆕🆒🆁. ⌂
chiuso dal 1° al 30 novembre e mercoledì (escluso da giugno a settembre) – **Pasto** cucina tipica eoliana carta 50/75000.

✗ **Da Franco**, via Belvedere 8 località Santa Marina Salina ⊠ 98050 Leni ℰ 090 9843287, ≤ mare e Lipari, ⌂ – 🔲. 🆎 🕃 ⓪ ⓪⓪ 🆅🆂🆁 🆕🆒🆁. ⌂
chiuso dal 1° al 20 dicembre – **Pasto** specialità eoliane carta 45/75000.

Stromboli *(Isola)* **431**, **432** K 27 – ⊠ *98050*.
La limitazione d'accesso degli autoveicoli è regolata da norme legislative.

🏠 **La Sirenetta-Park Hotel** ⌂, via Marina 33 località Ficogrande ℰ 090 986025, *lasirenet ta@netnet.it*, Fax 090 986124, ≤ Strombolicchio, ⌂, « Caratteristica architettura eoliana », ⌂ con acqua di mare, ⌂ – 🔲 📺 ⌂. 🆎 🕃 ⓪ ⓪⓪ 🆅🆂🆁 ⌂
20 dicembre-10 gennaio e 25 marzo-ottobre – **Pasto** 50/65000 – **56 cam** ⌸ 190/400000 – ½ P 250000.

✗ **Punta Lena**, via Marina località Ficogrande ℰ 090 986204, « Servizio sotto un pergolato con ≤ mare e Strombolicchio » – 🆎 🕃 ⓪ ⓪⓪ 🆅🆂🆁 🆕🆒🆁. ⌂
3 giugno-15 ottobre – **Pasto** carta 55/85000.

Vulcano *(Isola)* **431**, **432** L 26 – ⊠ *98050*.
La limitazione d'accesso degli autoveicoli è regolata da norme legislative.
🚢 *(luglio-settembre)* a Porto Levante ℰ 090 9852028

🏨 **Les Sables Noirs** ⌂, località Porto Ponente ℰ 090 9850, *direzione.lsn@framon-ho tels.it*, Fax 090 9852454, ⌂, « Servizio ristorante in terrazza sul mare con ≤ spiaggia delle sabbie nere », ⌂, ⌂, ⌂ – 🔲 📺 🅿. 🆎 🕃 ⓪ ⓪⓪ 🆅🆂🆁 ⌂
20 aprile-8 ottobre – **Pasto** carta 70/110000 – **48 cam** ⌸ 400/500000 – ½ P 275000.

🏠 **Conti** ⌂, località Porto Ponente ℰ 090 9852012, *conti@netnet.it*, Fax 090 9880150, ≤, ⌂ – 📺. 🆎 ⓪⓪ 🆅🆂🆁. ⌂ rist
maggio-20 ottobre – **Pasto** 30/45000 – **67 cam** ⌸ 170/230000 ½ P 150000.

Filicudi *(Isola)* **432** L 25 – ⊠ *98050*

🏠 **La Canna**, contrada Rosa 2,5 km ℰ 090 9889956, *vianast@tin.it*, Fax 090 9889966, ≤ mare, costa e isole Eolie, « piscina-solarium », ⌂ – 🕃 ⓪⓪ 🆅🆂🆁. ⌂
chiuso novembre – **Pasto** carta 50/60000 – ⌸ 10000 – **10 cam** 95/110000 – ½ P 130000.

✗ **La Sirena** ⌂ con cam, località Pecorini Mare ℰ 090 9889997, *lasirena@netnet.it*, Fax 090 9889207, ≤ mare, prenotare, « Servizio estivo in terrazza sul piccolo porticciolo » – 🆎 🕃 ⓪ ⓪⓪ 🆅🆂🆁. ⌂
chiuso dal 1° al 15 novembre e dal 15 dicembre al 15 gennaio – **Pasto** specialità di mare carta 50/85000 – **4 cam** solo ½ P 140000.

Gli alberghi o ristoranti ameni sono indicati nella guida
con un simbolo rosso.

Contribuite a mantenere
La Guida Rossa aggiornata segnalandoci
gli alberghi ed i ristoranti dove avete soggiornato piacevolmente.

ERICE *91016 Trapani* **432** M 19 *G. Sicilia – 31 026 ab. alt. 751.*

Vedere *Posizione pittoresca**** – ≤*** *dal castello di Venere* – *Chiesa Matrice** – *Mur* *Elimo-Puniche**.

🖪 *viale Conte Pepoli 11* ℰ *0923 869388, Fax 0923 869544.*

Catania 304 – Marsala 45 – Messina 330 – Palermo 96 – Trapani 14 .

🏠 **La Pineta** ⌂, viale N. Nasi ℰ *0923 869783, lapineta@comeg.it, Fax 0923 869788,* ≤, 🍽 « Bungalows in pineta », 🚗 – 🔟 🅿. 🆎 🚺 ⑨ 🐠 VISA. 🛠
Pasto *(chiuso lunedì da novembre ad aprile)* carta 40/55000 – **23 cam** ☲ 150/220000 ½ P 150000.

🏠 **Elimo**, via Vittorio Emanuele 75 ℰ *0923 869377, elimoh@comeg.it, Fax 0923 869252,* ≤ 🛗 🔟 – 🔬 90. 🆎 🚺 ⑨ 🐠 VISA. 🛠
Pasto *(chiuso gennaio)* carta 55/110000 – **21 cam** ☲ 190/330000 – ½ P 185000.

🏠 **Moderno**, via Vittorio Emanuele 63 ℰ *0923 869300, modernoh@tin.it, Fax 0923 869139* 🛗 🗐 🔟 – 🔬 40. 🆎 🚺 ⑨ 🐠 VISA. 🛠 rist
Pasto carta 55/75000 – **40 cam** ☲ 160/200000, 🗏 20000 – ½ P 150000.

❌❌ **Monte San Giuliano**, vicolo San Rocco 7 ℰ *0923 869595, Fax 0923 869835,* ≤, prenc tare la sera, « Servizio estivo in terrazza-giardino » – 🆎 🚺 ⑨ 🐠 VISA. 🛠
chiuso dal 7 al 21 gennaio, dall'8 al 24 novembre e lunedì – **Pasto** carta 45/70000.

ETNA *Catania* **432** N 26 *G. Sicilia.*

Escursioni *Ascesa al versante sud**** *da Nicolosi – Ascesa al versante nord**** *da Lingua glossa.*

In questa guida

uno stesso simbolo, una stessa parola
stampati in rosso o in **nero**, in magro o in **grassetto**
hanno un significato diverso.

Leggete attentamente le pagine dell'introduzione.

FAVIGNANA (Isola di) *Trapani* **432** N 18 – *Vedere Egadi (Isole).*

FILICUDI (Isola) *Messina* **432** L 25 – *Vedere Eolie (Isole).*

FONTANE BIANCHE *Siracusa* **432** Q 27 – *Vedere Siracusa.*

GALATI MAMERTINO *98070 Messina* **432** M 26 – *3 256 ab. alt. 800.*

Catania 118 – Enna 144 – Messina 11094 – Palermo 157 – Taormina.

❌ **Antica Filanda**, contrada Parrazzi ℰ *0941 434715, Fax 0941 434715 –* 🅿. 🚺 🐠 VISA
🚇 *chiuso dal 15 gennaio al 15 febbraio e mercoledì –* **Pasto** cucina del territorio cart 35/45000.

GELA *Caltanissetta* **432** P 24 *G. Sicilia –.*

Vedere *Fortificazioni greche*** *a Capo Soprano – Museo Archeologico Regionale**.

❌❌ **Casanova**, via Venezia 89-91 ℰ *0933 918580,* coperti limitati; prenotare – 🗏. 🆎 🚺 ⑨
🐠 VISA
chiuso dal 15 al 31 agosto, domenica sera, lunedì da settembre a maggio e da giugno a(agosto solo la domenica sera – **Pasto** carta 40/75000.

GIARDINI-NAXOS *98030 Messina* **432** N 27 *G. Sicilia – 9 094 ab..*

🖪 *via Tysandros 54* ⌧ *98030* ℰ *0942 51010, Fax 0942 52848.*

Catania 47 – Messina 54 – Palermo 257 – Taormina 5.

🏠🏠 **Hellenia Yachting Hotel**, via Jannuzzo 41 ℰ *0942 51737, booking@hotel-hellenia.it* *Fax 0942 54310,* ≤, 🏊, 🐚, 🚗 – 🛗 🗐 🔟 🅿 – 🔬 100. 🆎 🚺 ⑨ 🐠 VISA. 🛠
Pasto 50000 – **112 cam** ☲ 265/410000 – ½ P 235000.

🏠🏠 **Arathena Rocks** ⌂, via Calcide Eubea 55 ℰ *0942 51349, arathena@taormina-iol.it* *Fax 0942 51690,* ≤, « Giardino sul mare con 🏊 con acqua di mare », 🏊 – 🛗 🅿. 🆎 🚺 ⑨ 🐠 VISA. 🛠 rist
10 aprile-20 ottobre – **Pasto** *(solo per alloggiati e chiuso a mezzogiorno)* 40/45000 **47 cam** solo ½ P 115000.

🏨 **Le Sabbie d'Oro,** via Schisò 12 ℘ 0942 51227, sabbie@tao.it, Fax 0942 56913, ≤ mare e costa, 🛱, ⚓ – 🛗 ▤ 📺. 🖭 🕃 ➊ 🐼 🌌
marzo-novembre – **Pasto** carta 75/115000 – 🖙 20000 – **39 cam** 115/175000 – ½ P 135000.

🏠 **La Riva,** via Tysandros 52 ℘ 0942 51329, Fax 0942 51329, ≤ – 🛗 📺 🚗. 🕃 ➊ 🐼 🌌 🆑. ⚘ rist
chiuso novembre – **Pasto** (solo per alloggiati) 35000 – 🖙 15000 – **38 cam** 90/110000 – ½ P 110000.

🏠 **Marika,** via Vulcano 2 ℘ 0942 56583, Fax 0942 56584 – 📺 📞. 🖭 🕃 ➊ 🐼 🌌 🆑. ⚘
Pasto (solo per alloggiati) – 🖙 12000 – **10 cam** 80/120000 – ½ P 110000.

🍴 **Sea Sound,** via Jannuzzo 37/A ℘ 0942 54330, Fax 0942 54310, 🛱, « Servizio in terrazza sul mare » – 🖭 🕃 ➊ 🐼 🌌 🆑
maggio-ottobre – **Pasto** carta 35/55000.

ISOLA DELLE FEMMINE 90040 Palermo 🌠 M 21 – 6 186 ab. alt. 12.
Palermo 19 – Trapani 91.

🏨 **Sirenetta,** viale Dei Saraceni 2 (Sud-Ovest : 1,5 km) ℘ 091 8671538, informazioni@sirenetta.it, Fax 091 8698374, 🏖, ⚓ – 🛗 ▤ 📺 📞 & 🚗 🅿. 🖭 🕃 ➊ 🐼 🌌 🆑. ⚘
Pasto (solo per alloggiati) carta 35/50000 – **29 cam** 🖙 150/220000 – ½ P 155000.

LAMPEDUSA (Isola di) Agrigento 🌠 U 19 G. Sicilia – 5 795 ab. alt. da 0 a 133 (Albero Sole)

Lampedusa 🌠 U 19 – ⌕ 92010.
Vedere Baia dell'Isola dei Conigli★★★ – Giro dell'isola in barca★.
Escursioni Linosa★ : giro dell'isola in barca★★.
✈ ℘ 0922 970299.

🏨 **Medusa,** via Rialto Medusa 5 ℘ 0922 970126, hotelmedusa@tin.it, Fax 0922 970023, ≤, 🛱 – 🛗 ▤ 📺. 🖭 🕃 ➊ 🐼 🌌. ⚘
Pasto (aprile-ottobre) 40/65000 – **20 cam** 🖙 250/400000 – ½ P 230000.

🏨 **Martello,** piazza Medusa 1 ℘ 0922 970025, hotelmartello@hotelmartello.it, Fax 0922 971696, ≤ – 🛗 ▤ 📺. 🖭 🕃 🐼 🌌. ⚘ rist
marzo-novembre – **Pasto** carta 35/60000 – **25 cam** 🖙 120/180000 – ½ P 180000.

🏨 **Guitgia Tommasino** ⚘, contrada Guitgia ℘ 0922 970879, guitgiatommasino@tin.it, Fax 0922 970316, ≤, 🛱 – ▤ 📺. 🖭 🕃 🌌. ⚘ cam
marzo-novembre – **Pasto** carta 50/85000 – **35 cam** solo ½ P 240000.

🏠 **Cavalluccio Marino** ⚘, contrada Cala Croce 3 ℘ 0922 970053, Fax 0922 970053, ≤, 🛱, ☂ – ▤ 📺 🅿. ⚘ rist
Pasqua-ottobre – **Pasto** carta 50/75000 – **10 cam** solo ½ P 180000.

🍴🍴 **Gemelli,** via Cala Pisana 2 ℘ 0922 970699, Fax 0922 970699, 🛱 – 🖭 🕃 ➊ 🐼 🌌
giugno-ottobre; chiuso a mezzogiorno – **Pasto** carta 70/105000.

🍴🍴 **Lipadusa,** via Bonfiglio 6 ℘ 0922 971691 – ▤. 🖭 🕃 ➊ 🐼 🌌. ⚘
Pasqua-ottobre: chiuso a mezzogiorno – **Pasto** carta 45/65000.

LETOJANNI 98037 Messina 🌠 N 27 – 2 594 ab..
Catania 53 – Messina 47 – Palermo 274 – Taormina 8.

🍴 **Peppe** con cam, via Vittorio Emanuele 346 ℘ 0942 36159, Fax 0942 36843, 🛱, ⚓ – 🛗, ▤ cam, 📺 &. 🕃 🐼 🌌. ⚘
chiuso gennaio – **Pasto** carta 40/80000 – 🖙 20000 – **45 cam** 130/195000 – ½ P 165000.

LIDO DI NOTO Siracusa 🌠 Q 27 – Vedere Noto.

LIDO DI SPISONE Messina – Vedere Taormina.

LIPARI (Isola) Messina 🌠, 🌠 L 26 – Vedere Eolie (Isole).

MARINELLA Trapani 🌠 O 20 – Vedere Selinunte.

In this guide

a symbol or a character,
printed in red or **black**, in light or ***bold*** type,
does not have the same meaning.

Pay particular attention to the explanatory pages.

MARSALA *91025 Trapani* [432] N 19 *G. Sicilia – 80 798 ab..*
Vedere *Relitto di una nave da guerra punica★ al Museo Archeologico.*
Escursioni *Mozia★ Nord : 10 km – Saline dello Stagnone★.*
✈ *di Birgi Nord : 15 km* ☎ *0923 842502, Fax 0923 842367.*
[i] *via 11 maggio 100* ☎ *0923 714097, Fax 0923 714097.*
Agrigento 134 – Catania 301 – Messina 358 – Palermo 124 – Trapani 31.

🏨 **President,** via Nino Bixio 1 ☎ 0923 999333, *Fax 0923 999115,* Fö, ⛱ – |‡| ▤ [TV] ☎ ♿ [P] 👥 330. AE [S] ⊙ ⊙ VISA. ✂
Pasto carta 40/55000 – ☕ 15000 – **124 cam** 105/180000, 4 suites – ½ P 140000.

🍴🍴 **Delfino,** lungomare Mediterraneo Sud : 4 km ☎ 0923 969565, *Fax 0923 998188,* ⛱ – [P]
AE [S] ⊙ ⊙ VISA JCB. ✂
chiuso martedì escluso da giugno ad agosto – **Pasto** carta 40/70000.

MAZARA DEL VALLO *91026 Trapani* [432] O 19 *G. Sicilia – 51 964 ab..*
Vedere *Cattedrale : interno★.*
[i] *piazza Santa Veneranda 2* ☎ *0923 941727.*
Agrigento 116 – Catania 283 – Marsala 22 – Messina 361 – Palermo 127 – Trapani 53.

🍴🍴 **Il Pescatore,** via Castelvetrano 191 ☎ 0923 947580, *Fax 0923 947580* – ▤ [P]. AE [S] ⊙ ⊙
VISA. ✂
chiuso lunedì – **Pasto** carta 40/55000 (10 %).

*Un consiglio **Michelin:***
per la buona riuscita di un viaggio, preparatelo in anticipo.
*Le **carte** e le **guide Michelin** vi danno tutte le indicazioni utili su: itinerari, curiosità, sistemazioni, prezzi, ecc.*

MAZZARÒ *Messina* [432] N 27 – *Vedere Taormina.*

MENFI *92013 Agrigento* [432] O 20 – *13 013 ab. alt. 119.*
Agrigento 79 – Palermo 122 – Trapani 100.

in prossimità del bivio per Porto Palo *Sud-Ovest : 4 km :*

🍴 **Il Vigneto,** ✉ 92013 ☎ 0925 71732, *Fax 0925 71732,* « Servizio estivo sotto un pergolato in legno » – [P]. [S] ⊙ VISA
chiuso lunedì escluso dal 1º luglio al 15 settembre – **Pasto** carta 35/55000 (10 %).

MESSINA *98100* [P] [431], [432] M 28 *G. Sicilia – 259 156 ab..*
Vedere *Museo Regionale★* BY – *Portale★ del Duomo e orologio astronomico★ sul campanile* BY.
⛴ *Villa San Giovanni giornalieri (35 mn) – Stazione Ferrovie Stato, piazza Repubblica 1* ✉ *98122* ☎ *090 671700; per Villa San Giovanni giornalieri (20 mn) – Società Caronte Shipping, rada San Francesco* ✉ *98121* ☎ *090 52966, Fax 090 345207.*
⛴ *per Reggio di Calabria giornalieri (20 mn) – Stazione Ferrovie Stato, piazza Repubblica* ✉ *98122* ☎ *090 671700; per Reggio di Calabria giornalieri (15 mn) e le Isole Eolie giornalieri (1 h 20 mn).*
– Aliscafi SNAV, via San Raineri 22 ✉ *98122* ☎ *090 7775, Fax 090 717358.*
[i] *via Calabria, isol. 301 bis* ✉ *98122* ☎ *090 674236, Fax 090 674271.*
[A.C.I.] *via Manara, isol. 125* ✉ *98123* ☎ *090 692547.*
Catania 97 ④ – Palermo 235 ⑤.

Pianta pagina a lato

🏨 **Jolly,** corso Garibaldi 126 ✉ 98126 ☎ 090 363860, *Fax 090 5902526,* ← – |‡| ▤ [TV] ♿ – 👥 100. AE [S] ⊙ ⊙ VISA. ✂ rist BY
Pasto carta 60/100000 – **96 cam** ☕ 205/260000 – ½ P 180000.

🍴🍴 **Piero,** via Ghibellina 121 ✉ 98123 ☎ 090 718365 – ▤. AE [S] ⊙ ⊙ VISA. ✂ AZ
chiuso agosto e domenica – **Pasto** carta 50/75000.

🍴 **Savoja,** via Ventisette Luglio 36/38 ✉ 98123 ☎ 090 2934865, *info@ristorantecasasavoia.it, Fax 090 2934865* – ▤. AE [S] ⊙ ⊙ VISA BZ
chiuso dal 15 al 31 agosto, domenica sera e lunedì – **Pasto** carta 40/65000.

MESSINA

ntonello (Piazza)..... BY 2
airoli (Piazza)........ BZ 3
astronovo (Piazza) ... BY 4
oncezione
(Via).............. BY 5
onsolato del Mare
(Via).............. BY 6
uomo (Piazza del) ... BY 8
o Sardo (Piazza) ..... AZ 13
Martino (Via A.) ...... AZ 15
Maurolico
(Piazza Francesco) .. AZ 16
Minutoli
(Largo Giacomo).... BY 17
Mons. D'Arrigo
(Via)............. BY 18
izzo (Via Luigi) ...... BZ 21
Agostino (Via)....... AY 23
Francesco da Paola
(Largo) .... BY 24
Martino (Viale).. ABZ

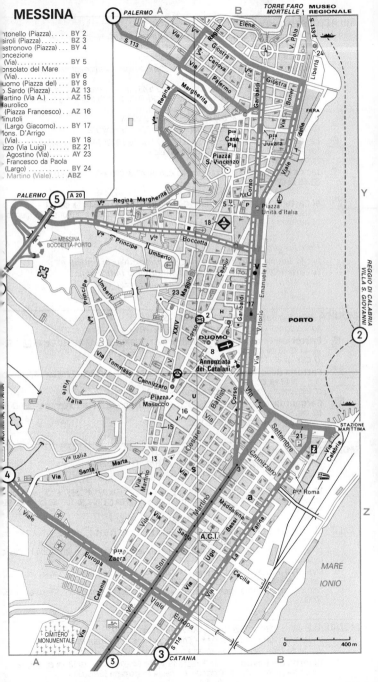

MILAZZO 98057 Messina 432 M 27 G. Sicilia – 32 459 ab..

> **Vedere** Cittadella e Castello★ – Chiesa del Carmine : facciata★.
>
> **Dintorni** Roccavaldina : Farmacia★ Sud-Est : 15 km.
>
> **Escursioni** Isole Eolie★★★ per motonave o aliscafo.
>
> per le Isole Eolie giornalieri (da 1 h 30 mn a 4 h) – Siremar-agenzia Alliatour, via o Mille ℰ 090 9283242, Fax 090 9283243.
>
> per le Isole Eolie giornalieri (da 40 mn a 2 h 45 mn) – Siremar-agenzia Alliatour, via d Mille ℰ 090 9283242, Fax 090 9283243; Aliscafi SNAV-agenzia Delfo Viaggi, via Rizzo 9/1 ℰ 090 9287728, Fax 090 9281798.
>
> 🖪 piazza Caio Duilio 20 ℰ 090 9222865, Fax 090 9222790.
>
> Catania 130 – Enna 193 – Messina 41 – Palermo 209 – Taormina 85.

🏠 **La Bussola** senza rist, via XX Luglio 29 ℰ 090 9221244, labussola@ctonline. Fax 090 9282955 – 🗏 📺 🚗. 🖭 🕄 ① 🐼 🗺
16 cam ⊊ 95/140000.

🏠 **Jack's Hotel** senza rist, via Colonnello Magistri 47 ℰ 090 9283300, Fax 090 9287219 – 📺. 🖭 🕄 🐼 🗺 🗺
⊊ 6000 – **14 cam** 80/120000.

🖇🖇 **Al Castello,** via Federico di Svevia 20 ℰ 090 9282175, 🍽 – 🖭 🕄 ① 🐼 🗺
chiuso dal 10 al 30 gennaio, lunedì e i mezzogiorno di lunedì-martedì dal 15 giugno 15 settembre – **Pasto** specialità di mare carta 40/65000.

> *Un consiglio Michelin:*
>
> *per la buona riuscita di un viaggio, preparatelo in anticipo.*
>
> *Le carte e le guide Michelin vi danno tutte le indicazioni*
>
> *utili su: itinerari, curiosità, sistemazioni, prezzi, ecc.*

MODICA 97015 Ragusa 432 Q 26 – 52 464 ab. alt. 450.

> Agrigento 147 – Caltanissetta 139 – Catania 116 – Ragusa 14 – Siracusa 71.

🏠 **Bristol** senza rist, via Risorgimento 8/b ℰ 0932 762890, Fax 0932 763330 – 🛗 🗏 📺 🕭 🗜
🛗 40. 🖭 🕄 ① 🐼 🗺 🛠
27 cam ⊊ 80/145000. 🛠

🖇🖇 **Fattoria delle Torri,** vico Napolitano 14 ℰ 0932 751286, Fax 0932 751286, 🍽, prenc tare – 🖭 🕄 ① 🐼 🗺 🛠
chiuso lunedì – **Pasto** 40/70000 e carta 45/80000.

🖇🖇 **Gargantua,** corso Umberto I 261 ℰ 0932 752927, Coperti limitati; prenotare – 🖭 🕄 ① 🐼 🗺 🛠
chiuso lunedì – **Pasto** carta 65/80000.

MONDELLO Palermo 432 M 21 G. Sicilia – ✉ Palermo.

> Catania 219 – Marsala 117 – Messina 245 – Palermo 11 – Trapani 97.
>
> Pianta di Palermo : pianta d'insieme.

🏨 **La Torre,** via Piano di Gallo 11 ✉ 90151 ℰ 091 450222, Fax 091 450033, ≤, 🍽, « Terrazz fiorite sulla scogliera », 🏊 d'acqua di mare, 🐎, 🛠 – 🛗 🗏 📺 🗜 – 🛗 300. 🖭 🕄 ① 🐼 🗺 🗺
🗺 EU
Pasto 50/60000 – **170 cam** ⊊ 190/230000 – ½ P 170000.

🖇🖇🖇🖇 **Charleston le Terrazze,** viale Regina Elena ✉ 90151 ℰ 091 450171, ≤, 🍽, « Terrazz sul mare » – 🗏. 🖭 🕄 ① 🐼 🗺 🛠 EU
chiuso dal 10 gennaio al 10 febbraio e mercoledì (escluso da maggio ad ottobre) – **Past** carta 75/100000.

🖇 **Bye Bye Blues,** via del Garofalo 23 ✉ 90149 ℰ 091 6841415, info@byebyeblues.i Fax 091 6844623, 🍽, prenotare – 🗏. 🖭 🕄 ① 🐼 🗺 🛠 EU
chiuso a mezzogiorno (escluso domenica e i giorni festivi) e martedì – **Pasto** carta 45 90000.

MONREALE 90046 Palermo 432 M 21 G. Sicilia – 29 493 ab. alt. 301.

> **Vedere** Località★★★ – Duomo★★★ – Chiostro★★★ – ≤★★ dalle terrazze.
>
> Agrigento 136 – Catania 216 – Marsala 108 – Messina 242 – Palermo 8 – Trapani 88.

🖇 **Taverna del Pavone,** vicolo Pensato 18 ℰ 091 6406209, 🍽 – 🖭 🕄 ① 🐼 🗺 🛠
chiuso dal 26 settembre al 10 ottobre e lunedì – **Pasto** carta 35/45000.

NICOLOSI 95030 Catania 432 O 27 G. Sicilia – 6 163 ab. alt. 698.

Catania 16 – Enna 96 – Messina 89 – Siracusa 79.

🏠 **Corsaro** ◇, località Piazza Cantoniera Etna Sud Nord-Ovest : 18 km ✆ 095 914122, corsa
ro@videobank.it, Fax 095 7801024, ⇐ – �📺 🅿, ⅏ 🖪 ⑩ ⑩ 📨 🗾 ⑯. ⅏
chiuso dal 15 novembre al 24 dicembre – **Pasto** carta 35/50000 – **19 cam** ⇌ 100/150000 –
½ P 100000.

NOTO 96017 Siracusa 432 Q 27 G. Sicilia – 21 663 ab. alt. 159.

Vedere Corso Vittorio Emanuele★★ – Via Corrado Nicolaci★.
Dintorni Cava Grande★★ Nord : 19 km.
🅱 piazza XVI Maggio ✆ 0931 836744, Fax 0931 836744.
Catania 88 – Ragusa 54 – Siracusa 32.

Lido di Noto Sud-Est : 7,5 km – ✉ 96017 Noto :

🏠 **Villa Mediterranea** senza rist, viale Lido ✆ 0931 812330, Fax 0931 812330, 🖳, 🛏 –
☰ 📺 🅿. ⅏
Pasqua-ottobre – **7 cam** ⇌ 120/160000.

PALAZZOLO ACREIDE 96010 Siracusa 432 P 26 G. Sicilia – 9 204 ab. alt. 697.

Vedere Antica Akrai★.
Agrigento 220 – Catania 90 – Enna 142 – Ragusa 40 – Siracusa 49.

✗ **Valentino**, via Galeno ang. Ronco Pisacane ✆ 0931 881840, Fax 0931 881840, 😤, Rist. e
pizzeria – 🖪 🛐 ⑩ ⑩ 📨
Pasto carta 45/60000.

PALERMO 90100 🅿 432 M 22 G. Italia – 683 794 ab..

Vedere Palazzo dei Normanni★★ : Cappella Palatina★★★, mosaici★★★, Antichi Appartamen-
ti Reali★★ AZ – Oratorio del Rosario di San Domenico★★★ BY N2 – Oratorio del Rosario di
Santa Cita★★★ BY N1 – Chiesa di San Giovanni degli Eremiti★★ : chiostro★ AZ – Piazza
Pretoria★★ BY – Piazza Bellini★ BY : Martorana★★, San Cataldo★ – Palazzo Abatellis★ :
Galleria Regionale di Sicilia★★ CY G – Ficus magnolioides★★ nel giardino Garibaldi CY–
Museo Internazionale delle Marionette★★ BY M3 – Museo Archeologico★ : metope dei
Templi di Selinunte★★, ariete★ BY M1– Villa Malfitano★★ – Orto Botanico★ : ficus magno-
lioides★★ CDZ– Catacombe dei Cappuccini★★ EV – Villa Bonanno★ AZ– Cattedrale★ AYZ–
Quattro Canti★ BY – Gancia : interno★ CY– Magione : facciata★ CZ– San Francesco d'Assi-
si★ CY – Palazzo Mirto★ CY – Palazzo Chiaramonte★ CY–Santa Maria alla Catena★ CY S3–
Galleria d'Arte Moderna E. Restivo★ AX– Villino Florio★ EV W – San Giovanni dei Lebbrosi★
FV Q– La Zisa★ EV– Cuba★ EV.

Dintorni Monreale★★★ EV per ③ :8 km – Grotte dell'Addaura★ EF.

✈ Falcone-Borsellino per ④ : 30 km ✆ 091 7020111, Fax 091 7020394 – Alitalia, via
Mazzini 59 ✉ 90139 ✆ 091 6019111, Fax 091 6019346.

🚢 per Genova giornaliero, escluso domenica (20 h) e Livorno martedì, giovedì e sabato
(17 h) – Grimaldi-Grandi Navi Veloci, calata Marinai d'Italia ✉ 90133 ✆ 091 587404, Fax 091
6110088; per Napoli giornaliero (11 h), Genova lunedì, mercoledì, venerdì e dal 18 giugno al
31 dicembre anche domenica (24 h) e Cagliari sabato (13 h 30 mn) – Tirrenia Navigazione,
calata Marinai d'Italia ✉ 90133 ✆ 1478 99000, Fax 091 6021221.

🚤 per le Isole Eolie giugno-settembre giornaliero (1 h 50 mn) – Aliscafi SNAV-agenzia
Barbaro, piazza Principe di Belmonte 51/55 ✉ 90139 ✆ 091 586533, Fax 091 584830.
🅱 piazza Castelnuovo 34 ✉ 90141 ✆ 091 583847, Fax 091 582788 – Aeroporto Punta Raisi
a Cinisi ✆ 091 591698 – piazza Giulio Cesare (Stazione Centrale) ✉ 90127 ✆ 091 6165914.
🅰.🅲.🅸. via delle Alpi 6 ✉ 90144 ✆ 091 300468.
Messina 235 ①.

Piante pagine seguenti

🏨 **Villa Igiea Gd H.**, salita Belmonte 43 ✉ 90142 ✆ 091 6312111, villa-igiea@thi.it,
Fax 091 547654, ⇐, 😤, « Storica villa Liberty con terrazze fiorite sul mare », 🖳, 🛏, 🎾 –
🛗 ☰ 📺 ⅙ 🅿 – 🔏 400. 🖪 🛐 ⑩ ⑩ 📨 🗾. ⅏ rist   FV b
Pasto carta 85/155000 – **111 cam** ⇌ 325/510000, 5 suites – ½ P 330000.

🏨 **Astoria Palace Hotel**, via Montepellegrino 62 ✉ 90142 ✆ 091 6281111, astoria@tin.it,
Fax 091 6372178 – 🛗, ⅍ cam, ☰ 📺 🅿 – 🔏 800. 🖪 🛐 ⑩ ⑩ 📨. ⅏   FV a
Pasto al Rist. **Il Cedro** carta 60/90000 – **326 cam** ⇌ 245/305000, 16 suites – ½ P 200000.

🏨 **Centrale Palace Hotel** 🅼, corso Vittorio Emanuele 327 ✉ 90134 ✆ 091 336666, cpho
tel@tin.it, Fax 091 334881, « In un palazzo del 1700; servizio rist. in terrazza panoramica » –
🛗 ☰ 📺 ⅙ 🚗 🅿 – 🔏 120. 🖪 🛐 ⑩ ⑩ 📨 🗾. ⅏   BY b
Pasto (solo per alloggiati) 65000 – **63 cam** ⇌ 265/380000 – ½ P 255000.

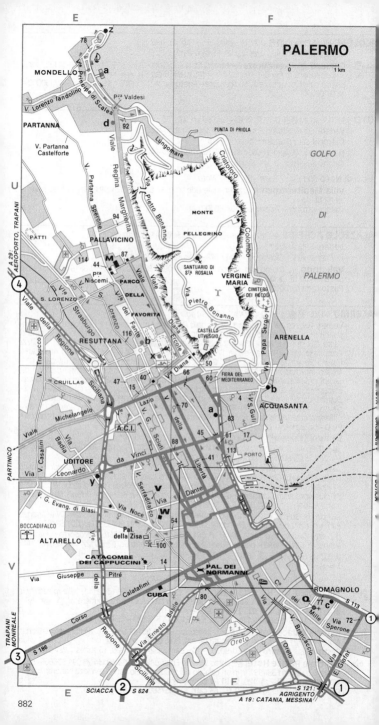

INDICE TOPONOMASTICO DELLE PIANTE DI PALERMO

bergheria (Via).......... BZ 3
oloro (Via)................ CY
nari (Via E.) .... BX
nedeo (Corso A.) .... AYZ
mmiraglio Rizzo (Via L.) . . FV 4
agona (Piazza) .... CY 6
agona (Via d.) .... CY 7
chimede (Via)............ AX 9
chirafi (Via) .... CZ
coleo (Via G.) .... BZ
allarò (Piazza)............ BZ
andiera (Via) .... BY
eati Paoli (Via) .... AY 10
ellini (Piazza) .... BY
enedettini (Via d.) .... AZ 12
occone (Via S.)........... CZ
ologni (Piazza)........ BYZ 13
rigata Verona (Viale) .... EV 15
utera (Via)............... CY
ala (Via d.).............. CY
alatafimi (Corso) .... AZ 16
andelai (Via)............. BY
antieri Navali (V. dei) .... FV 17
appuccini (V. dei) .... AZ, EV 19
aracciolo (Piazza)........ BY 22
arini (Via I.)............. AX 24
armine (Piazza d.) .... BZ 25
assa di Risparmio
  (Piazza) .... BY 27
assari (Via)............ BCY 28
astello (Piazza) .... BCY
astelnuovo (Piazza)...... AX 30
atania (Via).............. AX
attedrale (Piazza d.) ..... AZ 31
avalieri di Malta (Largo) . . BY 33
avour (Via).............. BXY
ervello (Via)............. CY 34
ipolla (Via).............. CZ
ollegio di Maria (Via).... BX 36
olonna Rotta (Via) .... AZ 37
rispi (Via)................ BX
roce dei Vespri
  (Piazza d.) .... BY 39
roce Rossa (Via) ...... EUV 40
alla Chiesa (V. C.A.)...... FV 41
ante (Via) .... AX
ivisi (Via)................ BZ
on Sturzo (Piazza) ...... ABX
onizetti (Via G.)........ ABY 43
uca degli Abruzzi (Viale). . EU 44
uca della Verdura (V.) . . . FV 45
mpedocle Restivo (Via) . . EV 47
rrante (Via).............. BZ 49
avorita (Via della)...... FUV 50
iliciuzza (Via)........... ABZ 52
inocchiaro Aprile (C.) . AY, EV 54
onderia (Piazza) .... CY 57
aribaldi (Via) .... CZ 58
arzilli (Via N.) .... AX
asometro (Piazza) .... DZ
enerale Cardona (Via).... AZ 59

Generale Cascino (Pza) ..... FV 60
Giacchery (Piazza)........ FV 61
Giudici (Discesa d.) .... BY 63
Giullio Cesare (Piazza) .... CZ
Goethe (Via) .... AY
Imperatore Federico (V.)... FV 66
Indipendenza (Piazza)..... AZ
Ingrassia (Via G. F.) ...... CZ
Italico (Foro)............ CYDZ
Juvara Cluviero (Via) ..... AY 67
Kalsa (Piazza d.) .... CY
La Lumia (Via I.)......... AX
Latini (Via B.) .... AX 69
Libertà (Via d.) .... AX
Lincoln (Via) .... CZDY
Magiore Perni (Via) ...... BZ
Maqueda (Via)........... BYZ
Marchese di Villabianca (Via) FV 70
Marconi (Via) .... AX
Maresciallo Diaz (Via) .... FV 72
Marina (Piazza) .... CY
Marino (Via S.) .... BZ 73
Mazzini (Via d.) .... AX
Meccio (Via S.).......... AX 75
Meli (Via) .... BY
Messina (Via) .... AX
Messina Marine (Via) ..... FV 77
Mille (Corso d.)........... CZ
Mondello (Via).......... EU 78
Mongitore (Via A.) .... ABZ
Montegrappa (Via) ...... FV 80
Monteleone (Via) .... BY 82
Monte Pellegrino (Via).... FV 83
Mosca (Via d.)........... AZ 84
Mura del Cattive (Salita) ... CY 85
Museo Etnografico (Vle)... EU 87
Napoli (Via) .... BY
Nasce (Piazza) .... AX
Notarbartolo (Via E.) .. EFV 88
Onorato (Via)............ BX
Oreto (Via)............... BZ
Orleans (Piazza) .... AZ 90
Orlogio (Via) .... BY 91
Palme (Viale delle)....... EU 92
Papireto (Via)............ AYZ
Parisi (Via E.)............ AX
Parrocchia
  (Via della)............. EU 94
Paternostro (Via A.).... BCY 96
Paternostro (Via P.) ...... AX 97
Patti (Via F.)............. BCX
Peranni (Piazza D.) ...... AY 99
Piazza (Via)............ EV 100
Pignatelli d'Aragona (Via) . . AX 102
Pilo (Via R.)............. BXY
Pisani (Corso P.)......... AZ 103
Ponte di Mare (Via) ...... DZ
Ponticello (Via) .... BZ 105
Porta di Castro (Via) ..... ABZ
Porta Montalto (Piazza).... AZ 106
Porta S. Agata (Via) ...... BZ 108

Porto Salvo (Via).......... CY 109
Pretoria (Piazza) .... BY
Principe di Belmonte (Via) . BX
Principe di Scordia (Via) . . . BX
Principe Granatelli (Via) . . ABX 111
Puglisi (Piazza).......... AX
Quattroventi (Via)........ FV 113
Rao (Via C.)............. CZ
Resurrezione (V. della) ... EU 114
Resuttana (Via) .... EU 116
Rivoluzione (Piazza)...... CZ 117
Roma (Via)............ BXCZ
Ruggero Settimo
  (Piazza) .... AX 118
Ruggero Settimo (Via) ... AXY
S. Agata (Via) .... AY 120
S. Agostino (Via) .... AYZ
S. Anna (Piazza) .... BY 121
S. Antonino (Piazza)...... BZ 123
S. Cosmo (Piazza) .... AY 124
S. Domenico (Piazza) .... BY 126
S. Francesco da Paola
  (Piazza) .... AY 127
S. Francesco d'Assisi
  (Piazza) .... CY 129
S. Giorgio dei Genovesi
  (Piazza) .... BY 130
S. Giovanni Decollato
  (Piazetta) .... AZ 132
S. Isidoro alla Guilla
  (Piazza) .... AY 133
S. Oliva (Piazza) .... AX
S. Orsola (Vicolo) .... BZ 134
S. Sebastiano (Via)....... BY 135
S. Teresa (Via) .... CY 136
Sammartino (Via)........ AX 138
Scienze (Via d.).......... AZ
Scina (Via).............. BX
Scuole (Via d.) .... AZ 139
Siracusa (Via)........... AX
Spasimo (Piazza d.) ..... CYZ
Spasimo (Via d.)......... CY 141
Spirito Santo (Via d.)..... ABY 142
Squarcialupo (Via) ...... BY 144
Stabile (Via M.) .... AYBX
Stazzone (Piazza) .... AZ 145
Tiro a segno Nazionale (Via) DZ
Torremuzza (Via) .... CY 147
Tukory (Corso) .... ABZ
Turrisi (Via N.) .... AY
Turrisi Colonna (Via) ..... AX 148
Valverde (Via) .... BY 149
Verdi (Piazza) .... ABY
Villafranca (Via) .... AX
Virgilio (Piazza) .... AX 150
Vittoria (Piazza d.) ...... AZ 151
Vittorio Emanuele
  (Corso) .... AZCY
Volturno (Via) .... AY
XIII Vittime (Piazza d.)... BX 153
XX Settembre (Via) ...... AX

San Paolo Palace, via Messina Marine 91 ⊠ 90123 ℰ 091 6211112, *hotel@sanpaolopalace.it*, Fax 091 6215300, ≤, « Rist. roof-garden », ℝ₆, ≘ₛ, ⊿, ℀ – ≡ ⊞ ⊛ ⅋ & ⊝ ℙ – 🛆 1600. ℀ 🖁 ⑩ ⓸ 𝖵𝖨𝖲𝖠. ℀
Pasto carta 50/70000 – **284 cam** ⊏ 190/250000, 10 suites – ½ P 165000.   **FV c**

Principe di Villafranca senza rist, via G. Turrisi Colonna 4 ⊠ 90141 ℰ 091 6118523, *info@principedivillafranca.it*, Fax 091 588705, ℝ₆ – ≡ ⊞ ⊞ ⊝. ℀ 🖁 ⑩ ⓸ 𝖵𝖨𝖲𝖠. ℀   **AX d**
34 cam ⊏ 230/300000 – ½ P 210000.

Massimo Plaza Hotel Ⓜ senza rist, via Maqueda 437 ⊠ 90133 ℰ 091 325657, *booking@massimoplazahotel.com*, Fax 091 325711, « In un palazzo del centro storico » – ≡ ⊞ ⅋. ℀ 🖁 ⑩ ⓸ 𝖵𝖨𝖲𝖠 𝖩𝖢𝖡   **BY e**
15 cam ⊏ 180/240000.

Villa D'Amato, via Messina Marine 180 ⊠ 90123 ℰ 091 6212767, *villadamato@jumpy.it*, Fax 091 6212767, ℀ – ≡ ⊞ ℙ – 🛆 100. ℀ 🖁 ⑩ ⓸ 𝖵𝖨𝖲𝖠. ℀ rist   1,5 km per ①
Pasto *(chiuso domenica)* carta 45/60000 – **37 cam** ⊏ 140/180000 – ½ P 140000.

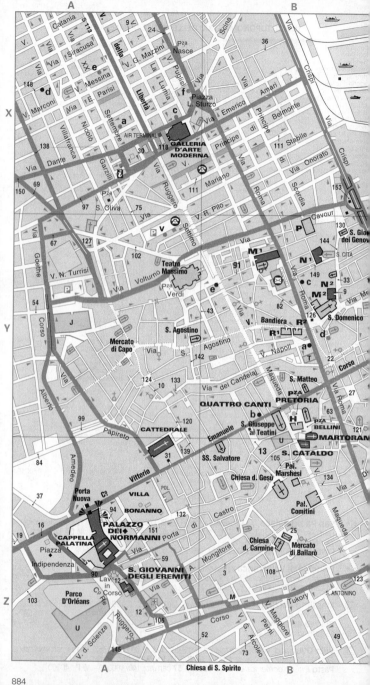

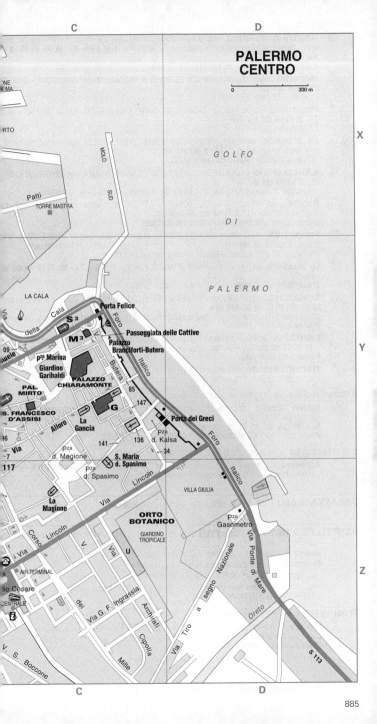

PALERMO CENTRO

0   300 m

GOLFO

DI

PALERMO

C

D

X

Y

Z

MOLO SUD

Patti
TORRE MASTRA

LA CALA

Via della Cala

Porta Felice

Foro Italico

S 3
M 3

Passeggiata delle Cattive

Palazzo
Branciforti-Butera

p^{za} Marina
Giardino Garibaldi

PALAZZO CHIARAMONTE

Butera

85

147

Via Butera

09
uele

PAL.
MIRTO

S. FRANCESCO
D'ASSISI

G

La
Gancia

Porta dei Greci

Foro Italico

Alloro

P^{za}
d. Kalsa

96
-7

Via

P^{za}
d. Magione

141

136

34

117

P^{za}
d. Spasimo

S. Maria
d. Spasimo

Lincoln

La
Magione

Via Lincoln

VILLA GIULIA

Corso Lincoln

Via

**ORTO
BOTANICO**

P^{za}
Gasometro

Via

V.

GIARDINO
TROPICALE

U

Via

Via Segno Nazionale

Via Ponte di Mare

AIR TERMINAL

lio Cesare
CENTRALE

del

Via G. F. Ingrassia

Architafi

Cipolla

Mille

Via Tiro a segno Nazionale

Oreto

S 113

V. S. Boccone

C

D

🏨🏨 **Holiday Inn Palermo,** viale della Regione Siciliana 2620 ⊠ 90145 ℰ 091 6983111, *hol.*
ayinn.palermo@alliancealberghi.com, Fax 091 408198 – |≩| 🗐 🗺 ⚙ 🅿 – 🛦 90. 🕮 🗓 ⓪ ⓪
𝐕𝐈𝐒𝐀 𝐉𝐂𝐁. ⋙   EV
Pasto carta 50/65000 – **95 cam** ⊇ 175/215000.

🏨 **Moderno** senza rist, via Roma 276 ⊠ 90133 ℰ 091 588683, *Fax 091 588260* – |≩| 🗺
🕮 🗓 ⓪ ⓪ 𝐕𝐈𝐒𝐀   BY
⊇ 4000 – **38 cam** 85/115000.

🏨 **Posta** senza rist, via Antonio Gagini 77 ⊠ 90133 ℰ 091 587338, *Fax 091 587347* – |≩|
🗺 🕮 🗓 ⓪ ⓪ 𝐕𝐈𝐒𝐀 𝐉𝐂𝐁   BY
27 cam ⊇ 120/140000.

XXX **La Scuderia,** viale del Fante 9 ⊠ 90146 ℰ 091 520323, *la.scuderia@tiscalinet.*
Fax 091 520467 – 🗐 🅿. 🕮 🗓 ⓪ ⓪ 𝐕𝐈𝐒𝐀. ⋙   EU
chiuso domenica – **Pasto** carta 65/100000.

XX **Il Ristorantino,** piazza De Gasperi 19 ⊠ 90146 ℰ 091 512861, *Fax 091 6702999,* 🏛
🗐. 🕮 🗓 ⓪ ⓪ 𝐕𝐈𝐒𝐀. ⋙   EU
chiuso dal 1° al 9 gennaio, dal 10 al 30 agosto e lunedì – **Pasto** carta 60/85000.

XX **Regine,** via Trapani 4/a ⊠ 90141 ℰ 091 586566, *ristoranteregine@gestelnet.i*
Fax 091 586566 – 🗐. 🕮 🗓 ⓪ ⓪ 𝐕𝐈𝐒𝐀 𝐉𝐂𝐁. ⋙   AX
chiuso agosto e domenica – **Pasto** carta 50/75000.

XX **Friend's Bar,** via Brunelleschi 138 ⊠ 90145 ℰ 091 201401, *Fax 091 201066,* 🏛, prenc
tare – 🗐. 🕮 🗓 ⓪ ⓪ 𝐕𝐈𝐒𝐀. ⋙   per viale Michelangelo   EV
chiuso dal 10 al 31 agosto e lunedì – **Pasto** carta 40/65000.

XX **Lo Scudiero,** via Turati 7 ⊠ 90139 ℰ 091 581628, *Fax 091 581628* – 🗐. 🕮 🗓 ⓪ ⓪ 𝐕𝐈𝐒
𝐉𝐂𝐁. ⋙   AX
chiuso dal 10 al 20 agosto e domenica – **Pasto** carta 55/85000.

XX **Santandrea,** piazza Sant'Andrea 4 ⊠ 90133 ℰ 091 334999, 🏛, Coperti limitati; preno
tare – 🗐. 🕮 🗓 ⓪ ⓪ 𝐕𝐈𝐒𝐀 𝐉𝐂𝐁   BY
chiuso gennaio e martedì, in luglio-agosto chiuso domenica – **Pasto** piatti della tradizione
regionale carta 60/80000.

X **Capricci di Sicilia,** via Istituto Pignatelli 6 angolo piazza Sturzo ⊠ 90139 ℰ 091 32777
– 🗐. 🕮 🗓 ⓪ ⓪ 𝐕𝐈𝐒𝐀 𝐉𝐂𝐁. ⋙   AX
Pasto carta 45/80000.

X **Trattoria Biondo,** via Carducci 15 ⊠ 90141 ℰ 091 583662 – 🗐. 🕮 🗓 ⓪ ⓪ 𝐕𝐈𝐒𝐀. ⋙
chiuso dal 30 luglio al 15 settembre e mercoledì – **Pasto** carta 35/55000 (15%).   AX

a Borgo Molara *per ② : 3 km* – ⊠ 90126 *Palermo* :

🏛🏛 **Baglio Conca d'Oro,** via Aquino 19c ℰ 091 6406286, *hotelbaglio@libero.i*
Fax 091 6408742, 🏛, « In una cartiera del 1700 completamente ristrutturata » – |≩| 🗐 🗺
⚙ & 🅿 – 🛦 500. 🕮 🗓 ⓪ 𝐕𝐈𝐒𝐀. ⋙
Pasto carta 50/70000 – **27 cam** ⊇ 210/300000 – ½ P 200000.

a Sferracavallo *Nord-Ovest : 12 km* – ⊠ 90148 *Palermo* :

X **Il Delfino,** via Torretta 80 ℰ 091 530282, *Fax 091 6914256* – 🗐. 🕮 🗓 ⓪ ⓪ 𝐕𝐈𝐒𝐀 𝐉𝐂𝐁. ⋙
chiuso lunedì – **Pasto** solo piatti di pesce 40000 bc.

PANAREA (Isola) *Messina* **431**, **432** L 27 – *Vedere Eolie (Isole).*

PANTELLERIA (Isola di) *Trapani* **432** Q 17, 18 *G. Italia* – *7 442 ab. alt. da 0 a 836 (Montagn*
Grande).

    Vedere *Entroterra★★ – Montagna Grande★★ Sud-Est : 13 km.*

    Escursioni *Giro dell'isola in macchina★★ e in barca★★.*

    🛫 *Sud-Est : 4 km ℰ 0923 911398, Fax 0923 912496.*

    🚢 *per Trapani giornaliero (4 h 45 mn) – Siremar-agenzia Rizzo, via Borgo Italia 12 ℰ 092*
911104, Fax 0923 911104.

Tracino **432** Q 18 – ⊠ *91017 Pantelleria* :

X **I Mulini,** via Kania 12 ℰ 0923 915398, *Fax 0923 915398,* prenotare, « In un antico mulino
pantesco ristrutturato » – 🅿. 🕮 🗓 ⓪ 𝐕𝐈𝐒𝐀
Pasqua-ottobre – **Pasto** carta 40/75000.

Lisez attentivement l'introduction : c'est la clé du guide.

PIANO ZUCCHI *Palermo* 432 N 23 – *alt. 1 105* – ✉ *90010 Isnello.*
Agrigento 137 – Caltanissetta 79 – Catania 160 – Messina 207 – Palermo 80.

La Montanina ⑤, ☏ 0921 662036, *Fax 0921 662752*, ←, – P. AE S MC VISA. ※
Pasto *(chiuso lunedì)* carta 35/55000 – ☐ 10000 – **42 cam** 65/95000 – 1/2 P 85000.

Piano Torre *Nord-Ovest : 4 km* – ✉ *90010 Isnello* :

Park Hotel ⑤, ☏ 0921 662671, *Fax 0921 662672*, « Caratteristici interni in legno »,
, , ※ – ▤ P – 300
27 cam –

PIAZZA ARMERINA *94015 Enna* 432 O 25 *G. Sicilia* – *22 382 ab. alt. 697.*
Vedere *Centro Storico★.*
Dintorni *Villa romana del Casale★★★ Sud-Ovest : 6 km.*
via Cavour 15 ☏ 0935 680201, Fax 0935 684565.
Caltanissetta 49 – Catania 84 – Enna 34 – Messina 181 – Palermo 164 – Ragusa 103 – Siracusa 134.

Mosaici-da Battiato, contrada Casale Ovest : 3,5 km ☏ 0935 685453, *Fax 0935 685453* – ♿ P. ※
chiuso dal 20 novembre al 25 dicembre – **Pasto** carta 30/40000 – ☐ 7000 – **23 cam** 65/85000 – 1/2 P 70000.

Al Fogher, strada statale 117 bis (Nord : 3 km) ☏ 0935 684123, *Fax 0935 686705*, – P.
AE S MC VISA. ※
chiuso dal 15 agosto al 1° settembre, domenica sera e lunedì – **Pasto** carta 45/70000.

Trattoria la Ruota, contrada Casale Ovest : 3,5 km ☏ 0935 680542, *Fax 0935 680542*,
, prenotare – P. AE S VISA
chiuso la sera escluso da luglio a settembre – **Pasto** cucina casalinga carta 35/45000.

PORTICELLO *Palermo* 432 M 22 – *Vedere Santa Flavia.*

PORTOPALO DI CAPO PASSERO *96010 Siracusa* 432 Q 27 *G. Sicilia* – *3 446 ab. alt. 20.*
Catania 121 – Palermo 325 – Ragusa 56 – Siracusa 58.

Da Maurizio, via Tagliamento 22 ☏ 0931 842644 – AE S MC VISA. ※
chiuso dal 30 ottobre al 20 novembre e martedì – **Pasto** specialità di mare carta 40/75000.

RAGUSA *97100* P 432 Q 26 *G. Sicilia* – *69 631 ab. alt. 498* – *a.s. luglio-agosto.*
Vedere *≤★★ sulla città vecchia dalla strada per Siracusa* – *Posizione pittoresca★* – *Ragusa Ibla★★ : chiesa di San Giorgio★★* – *Palazzo Cosentini : balconi★* – *Palazzo Nicastro★★.*
Dintorni *Modica★ : San Giorgio★★, Museo delle Arti e Tradizioni Popolari★, Facciata★ di San Pietro Sud : 15 km* – *Castello di Donnafugata★ Ovest : 18 km.*
via Capitano Bocchieri 33 (Ibla-Palazzo La Rocca) ☏ 0932 621421, Fax 0932 623476.
A.C.I. *via G. Nicastro, 33 ☏ 0932 642566.*
Agrigento 138 – Caltanissetta 143 – Catania 104 – Palermo 267 – Siracusa 79.

Mediterraneo Palace M, via Roma 189 ☏ 0932 621944, *Fax 0932 623799* – ▤ TV ♿ – 300. AE S MC VISA. ※
Pasto carta 40/60000 – **89 cam** ☐ 160/210000, 2 suites – 1/2 P 140000.

Montreal, via San Giuseppe 6 ang. corso Italia ☏ 0932 621133, *hotelmontreal@sprintnet.it, Fax 0932 621026* – rist, ▤ TV ♿ – 50. AE S MC VISA JCB
Pasto *(chiuso domenica)* carta 25/45000 – **50 cam** ☐ 100/155000 – 1/2 P 105000.

La Pergola, piazza Sturzo 6/7 ☏ 0932 255659, *Fax 0932 255659*, , Rist. e pizzeria – ▤.
AE S VISA. ※
chiuso da agosto al 10 settembre e martedì – **Pasto** specialità di mare carta 45/65000.

a Ibla :

U' Saracinu, via del Convento 9 ✉ 97100 Ragusa ☏ 0932 246976, *Fax 0932 246976* – AE S MC VISA JCB. ※
chiuso mercoledì – **Pasto** specialità regionali carta 25/40000.

Il Barocco, via Orfanotrofio 29 ✉ 97100 Ragusa ☏ 0932 652397, *Fax 0923 655854*, Rist. e pizzeria – ▤. AE S MC VISA JCB. ※
chiuso agosto e mercoledì – **Pasto** carta 30/40000.

verso Marina di Ragusa *Sud-Ovest : 7,5 km* :

Eremo della Giubiliana ⑤, contrada Giubiliana ✉ 97100 Ragusa ☏ 0932 669119, *Fax 0932 623891*, , « In un antico convento », – ▤ TV P. AE S MC VISA JCB. ※
Pasto *(chiuso lunedì)* carta 50/75000 – **9 cam** ☐ 230/355000, 2 suites – 1/2 P 220000.

RANDAZZO *95036 Catania* 432 *N 26 G. Sicilia – 11 566 ab. alt. 754.*

Vedere *Centro Storico★*.

Catania 69 – Caltanissetta 133 – Messina 88 – Taormina 45.

XX **Trattoria Veneziano,** via Romano 8 ℘ 095 7991353, Fax 095 7991353 – ⬛. 🖭 🕄 ℂ
🖭 *VISA*. ⌘
chiuso domenica sera e lunedì – **Pasto** carta 30/50000.

SALINA (Isola) *Messina* 431, 432 *L 26 – Vedere Eolie (Isole).*

SAN GIOVANNI LA PUNTA *95037 Catania* 432 *O 27 – 20 853 ab. alt. 355.*

Catania 10 – Enna 92 – Messina 95 – Siracusa 75.

🏨 **Villa Paradiso dell'Etna** 📎, via per Viagrande 3
℘ 095 7512409 e rist ℘ 095 7512409, hotelvilla@paradisoetna.it, Fax 095 7413861, ≤, 🏠
« Piccolo parco con 🏊; servizio colazione in terrazza roof-garden » – 🛗, ⌦ cam, ⬛ 🖭 ▮
– 🔏 80. 🖭 🕄 ⓪ 🖭 *VISA*. ⌘
Pasto al Rist. *La Pigna* carta 55/100000 – **30 cam** ⊇ 280/380000, 4 suites – ½ P 240000.

XX **Giardino di Bacco,** via Piave 3 ℘ 095 7512727, prenotare, « Servizio estivo in giardino
» – ⬛. 🖭 🕄 ⓪ *VISA*. ⌘
chiuso lunedì e a mezzogiorno (escluso domenica ed i giorni festivi) – **Pasto** carta 40⁄
65000.

Jährlich eine neue Ausgabe
Aktuellste Informationen, jährlich für Sie!

SAN LEONE *Agrigento* 432 *P 22 – Vedere Agrigento.*

SAN MICHELE DI GANZARIA *95040 Catania* 432 *P 25 – 4 834 ab. alt. 450.*

Agrigento 120 – Catania 88 – Caltagirone 15 – Ragusa 78.

🏨 **Pomara** 📎, via Vittorio Veneto 84 ℘ 0933 977090 e rist ℘ 0933 978032, info@hotelp▮
mara.com, Fax 0933 976976, ≤ – 🛗, ⬛ cam, 🖭 🅿 – 🔏 150. 🖭 🕄 ⓪ 🖭 *VISA*
Pasto al Rist. *Pomara* carta 40/50000 – **40 cam** ⊇ 115/150000, ⬛ 10000 – ½ P 125000.

SANTA FLAVIA *90017 Palermo* 432 *M 22 – 9 916 ab..*

Vedere *Rovine di Solunto★* : ≤★★ *dalla cima del colle Nord-Ovest : 2,5 km – Sculture★* ▮
Villa Palagonia a Bagheria Sud-Ovest : 2,5 km.

Agrigento 130 – Caltanissetta 116 – Catania 197 – Messina 223 – Palermo 18.

zona archeologica di Solunto *Nord-Ovest : 1 km :*

XX **La Grotta,** ✉ 90017 ℘ 091 903213, Fax 091 903213, prenotare, « Veranda e terrazza
panoramica sul golfo » – ⬛ 🅿. 🖭 🕄 ⓪ 🖭 *VISA*. ⌘
chiuso dall'8 al 31 gennaio, giovedì e a mezzogiorno (escluso i giorni festivi) – **Pasto**
specialità di mare carta 50/75000.

a Porticello *Nord-Est : 1 km –* ✉ 90010 :

XX **La Muciara-Nello el Greco,** via Roma 105 ℘ 091 957868, Fax 091 957271, « Servizio
🐣 estivo all'aperto » – ⬛. 🖭 🕄 ⓪ 🖭 *VISA*. ⌘
chiuso lunedì – **Pasto** specialità di mare carta 50/85000 (10%)
Spec. Tartara di tonno (maggio-settembre). Spaghetti con profumo mediterraneo (con gam▮
beri, scampi, fasolari, vongole e cozze). "Sfincionata" (pan grattato, pinoli, pomodori) d▮
pesce con scalogno.

XX **Trattoria al Faro Verde,** largo S. Nicolicchia 14 ℘ 091 957977, Fax 091 957977, « Ser▮
vizio estivo all'aperto » – 🖭 🕄 ⓪ 🖭 *VISA*. ⌘
chiuso novembre e martedì – **Pasto** specialità di mare carta 45/60000 (10%).

a Sant'Elia *Nord-Est : 2 km –* ✉ 90010 :

🏨 **Kafara** 📎, ℘ 091 957377, Fax 091 957021, ≤ mare e scogliere, 🏠, « Terrazze fiorite
con 🏊 con acqua di mare sulla scogliera », 🏊, ▲⌂, 🌊, ⌦ – 🛗 ⬛ 🖭 🅿 – 🔏 70. 🖭 🕄 ⓪
🖭 *VISA*. ⌘
Pasto (marzo-ottobre) carta 60/90000 – **65 cam** ⊇ 250/300000, 3 suites – ½ P 190000.

SANTA TECLA *Catania* 432 *O 27 – Vedere Acireale.*

SANT'ELIA *Palermo* 432 *N 25 – Vedere Santa Flavia.*

AN VITO LO CAPO 91010 Trapani**432** M 20 *G. Sicilia – 3 918 ab..*
🛈 *via Savoia 57 ℰ 0923 974300, Fax 0923 974300.*
Palermo 108 – Trapani 38.

🏨 **Capo San Vito**, via San Vito 1 ℰ 0923 972122, *Fax 0923 972559*, ≤, 斎, 🐎 – 🛗 🗏 📺.
🕭 🕮 🕃 ⑩ ⓪ *VISA* JCB. ⋘
Pasqua-ottobre – **Pasto** carta 35/50000 – **35 cam** ⊇ 170/260000 – ½ P 180000.

🏨 **Riva del Sole**, via Generale Arimondi 11 ℰ 0923 972629, *hotelrds@tin.it*,
Fax 0923 972621, 🐎 – 🗏 📺. 🕮 🕃 ⑩ ⓪ *VISA*. ⋘
chiuso dicembre, gennaio e febbraio – **Pasto** carta 35/45000 – **9 cam** ⊇ 120/150000 –
½ P 125000.

🏨 **Halimeda** senza rist, via Generale Arimondi 100 ℰ 0923 972399, *hotelhalimeda@yahoo.it*,
Fax 0923 972399 – 🗏 📺 ☎ ᕱ. 🕮 🕃 ⑩ ⓪ *VISA*. ⋘
9 cam ⊇ 90/150000.

🏨 **Miraspiaggia**, via Lungomare 40 ℰ 0923 972355, *hotel@miraspiaggia.it*,
Fax 0923 972009, ≤, 斎, 🐎 – 🗏 cam, 📺 ☎ ᕱ. 🕮 🕃 ⑩ ⓪ *VISA*. ⋘
marzo-novembre – **Pasto** carta 30/50000 (10 %) – **19 cam** ⊇ 120/160000 – ½ P 140000.

🏨 **Egitarso**, via Lungomare 54 ℰ 0923 972111, *hotelegitarso@libero.it*, *Fax 0923 972062*, ≤,
斎, 🐎 – 🗏 cam, 📺. 🕮 🕃 ⑩ ⓪ *VISA* JCB. ⋘ rist
Pasto carta 40/60000 – **42 cam** ⊇ 240000 – ½ P 150000.

✕✕ **Thaam**, via Abruzzi 32 ℰ 0923 972836, 斎, Coperti limitati; prenotare – 🗏. 🕮 🕃 ⑩ ⓪
VISA. ⋘
chiuso mercoledì escluso da giugno a settembre – **Pasto** specialità siciliane e tunisine carta
45/60000 (15 %).

✕✕ **Da Alfredo**, contrada Valanga 3 (Sud : 1 km) ℰ 0923 972366, *Fax 0923 972366*, ≤, « Servizio estivo all'aperto in terrazza-giardino » – 🅿. 🕮 🕃 ⑩ ⓪ *VISA* JCB
chiuso dal 20 novembre al 20 novembre e lunedì (escluso da marzo ad ottobre) – **Pasto** carta
40/70000.

SCIACCA 92019 Agrigento **432** O 21 *G. Sicilia – 41 019 ab. alt. 60 – Stazione termale (15 aprile-
15 novembre).*
Vedere *Palazzo Scaglione★.*
🛈 *corso Vittorio Emanuele 84 ℰ 0925 21182, Fax 0925 84121.*
Agrigento 63 – Catania 230 – Marsala 71 – Messina 327 – Palermo 134 – Trapani 112.

🏨 **Grande Albergo Terme**, lungomare Nuove Terme ℰ 0925 23133, *ghterme@xtrinakria.
it*, *Fax 0925 21746*, ≤, ≉, ↨ – 🛗 🗏 📺 ᕱ – 🕿 50. 🕮 🕃 ⑩ ⓪ *VISA*. ⋘
chiuso gennaio e febbraio – **Pasto** 50000 – **73 cam** 145/265000, 4 suites – ½ P 165000.

✕ **Hostaria del Vicolo**, vicolo Sammaritano 10 ℰ 0925 23071, *Fax 0925 23071* – 🗏. 🕮 🕃
⑩ ⓪ *VISA*. ⋘
chiuso dal 14 ottobre al 1° novembre e lunedì – **Pasto** carta 45/70000.

SCOGLITTI Ragusa**432** Q 25 – *Vedere Vittoria.*

SEGESTA Trapani**432** N 20 *G. Sicilia – alt. 318 (Ruderi di un'antica città ellenistica).*
Vedere *Rovine★★★ – Tempio★★★ – ≤★★ dalla strada per il Teatro – Teatro★.*

SELINUNTE Trapani **432** O 20 *G. Sicilia (Ruderi di un'antica città sorta attorno al 7° secolo avanti
Cristo).*
Vedere *Rovine★★.*
Dintorni *Cave di Cusa★.*
Agrigento 102 – Catania 269 – Messina 344 – Palermo 114 – Trapani 92.

a Marinella *Sud : 1 km –* ⌧ *91020 :*

🏨 **Alceste**, via Alceste 21 ℰ 0924 46184, *Fax 0924 46143*, 斎 – 🛗 🗏 📺 🅿. 🕮 🕃 ⑩ ⓪ *VISA*.
⋘ cam
chiuso dal 16 novembre al 14 dicembre e dal 16 gennaio al 14 febbraio – **Pasto** carta
40/60000 (10 %) – ⊇ 10000 – **26 cam** 105/135000 – ½ P 120000.

SFERRACAVALLO Palermo**432** M 21 *–Vedere Palermo.*

SICULIANA 92010 Agrigento**432** O 22 – *4 948 ab. alt. 85.*
Agrigento 19 – Palermo 124 – Sciacca 43.

🏨 **Villa Sikania** Ⓜ, strada statale 115 ℰ 0922 817818, *villasikania@villasikania.com*,
Fax 0922 815751, ⛲ – 🛗 🗏 📺 ☎ ᕱ 🅿 – 🕿 900. 🕮 🕃 ⑩ ⓪ *VISA*. ⋘
Pasto carta 45/65000 – **31 cam** ⊇ 150/200000 – ½ P 120000.

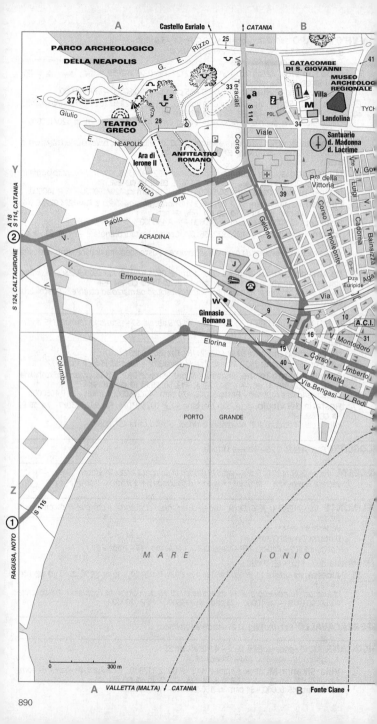

SIRACUSA

Agatocle (Via) . . . . BCY
Agrigento (Via) . . . . BCY 2
Archimede (Piazza) . . . . CZ 3
Arsenale (Via d.) . . . . BCY
Bainsizza (Via) . . . . BY
Bengasi (Via) . . . . BZ
Cadorna (Viale L.) . . . . BY
Capodieci (Via) . . . . CZ 4
Cappuccini (Piazza) . . . . CY
Castello Maniace (Via) . . . . CZ 6
Catania (Via) . . . . BY 7
Columba (Via) . . . . AYZ
Crispi (Via F.) . . . . BY 9
Diaz (Viale A.) . . . . BY 10
Dionisio il Grande (Riviera) . CY 12
Duomo (Piazza) . . . . CZ 13
Elorina (Via) . . . . ABZ
Ermocrate (Via) . . . . AY
Euripide (Piazza) . . . . BY
Foro Siracusano . . . . BYZ 16
Foro Vittorio Emanuele II . CZ
Gelone (Corso) . . . . BY
Gorizia (Via) . . . . BY
Maestranza (Via d.) . . . . . . CZ 18
Malta (Via) . . . . BZ
Marconi (Piazzale) . . . . BZ 19
Matteotti (Corso G.) . . . . . . CZ 21
Mergulensi (Via) . . . . CZ 22
Mirabella (Via) . . . . CZ 24
Montedoro (Via) . . . . BZ
Montegrappa (Via) . . . . CY
Necropoli Groticelle (Via d.) BY 25
Nizza (Via) . . . . CZ
Orsi (Viale P.) . . . . ABY
Pancali (Piazza) . . . . CZ 27
Paradiso (Via) . . . . AY 28
Piave (Via) . . . . BCY
Puglia (Via) . . . . CY 30
Regina Margherita (Viale) BYZ 31
Rizzo (Viale G. E.) . . . . AY
Rodi (Via) . . . . BZ
Roma (Via) . . . . CZ
Romagnoli (Via) . . . . ABY 33
S. Giovanni (Viale) . . . . BY 34
S. Lucia (Piazza) . . . . CY
S. Martino (Via) . . . . CZ 36
Sepolcri (Via d.) . . . . AY 37
Svevia (Piazza F. d.) . . . . . CZ 38
Teocrito (Viale) . . . . BCY
Teracati (Viale) . . . . BY
Testaferrata (Via G.) . . . . . . BY 39
Timoleonte (Corso) . . . . BY
Torino (Via) . . . . CY
Tripoli (Via) . . . . BZ 40
Umberto I (Corso) . . . . BZ
Vittoria (Piazza d.) . . . . BY
Vittorio Veneto (Via) . . . . . CZ
Von Platen (Via A.) . . . . . . BY 41
XX Settembre (Via) . . . . CZ 42

SIRACUSA 96100 🄿 432 P 27 *G. Sicilia – 126 282 ab..*

Vedere *Zona archeologica*★★★ AY : *Teatro Greco*★★★, *Latomia del Paradiso*★★ L2 (*Orecchio di Dionisio*★★★), *Anfiteatro Romano*★ AY – *Museo Archeologico Regionale*★★ BY – *Catacombe di San Giovanni*★★ BY – *Latomia dei Cappuccini*★★ CY – *Ortigia*★★ CZ : *Duomo*★ D – *Fonte Aretusa*★ – *Galleria Regionale di palazzo Bellomo*★ CZ – *Palazzo Mergulese-Montalto*★ CZ R2, *Via della Maestranza*★ CZ.

Escursioni *Passeggiata in barca sul fiume Ciane*★★ *Sud-Ovest : 4 h di barca (a richiesta)* 8 km.

🄱 *via San Sebastiano 45 ℘ 0931 67710, Fax 0931 67803 – via Maestranza 33 ℘ 0931 464255 Fax 0931 60204.*

🄰.🄲.🄸 *Foro Siracusano 27 ℘ 0931 66656.*

Catania 59 ②.

Piante pagine precedenti

🏨 **Grand Hotel** Ⓜ, viale Mazzini 12 ℘ 0931 464600, *Fax 0931 464611*, « Ristorante roof-garden con ≤ città e mare » – 📶, ⇔ cam, 🗖 ᴛᴠ ⴺ 🄿 – 🛦 50. 🖭 🗗 ⓞ 🐠 ᴠɪsᴀ ᴊᴄʙ. ⁓
Pasto carta 60/105000 – **58 cam** ⊃ 260/380000, 2 suites – ½ P 260000.
CZ c

🏨 **Grand Hotel Villa Politi**, via Politi Laudien 2 ℘ 0931 412121, *info@grandhotelvillapoliti.it, Fax 0931 36061*, « Parco con ≤ Latomie dei Cappuccini », 🏊, 🎋 – 📶 🗖 ᴛᴠ ⴺ 🄿 –
🛦 300. 🖭 🗗 ⓞ 🐠 ᴠɪsᴀ. ⁓
Pasto carta 40/80000 – **97 cam** ⊃ 290/340000, 2 suites – ½ P 220000.
CY a

🏨 **Palace Hotel Helios**, viale Scala Greca 201 ℘ 0931 491566, *palacehotel.helios@tin.it, Fax 0931 756612* – 📶 🗖 ᴛᴠ 🄿 – 🛦 250. 🖭 🗗 ⓞ 🐠 ᴠɪsᴀ.
per ②
Pasto 50000 – **136 cam** ⊃ 210/240000 – ½ P 170000.

🏨 **Holiday Inn Siracusa**, viale Teracati 30 ℘ 0931 463232, *Fax 0931 67115* – 📶, ⇔ cam,
🗖 ᴛᴠ 🄿 – 🛦 100. 🖭 🗗 ⓞ 🐠.
BY a
Pasto carta 30/50000 – **83 cam** ⊃ 260/300000.

🏨 **Domus Mariae**, via Vittorio Veneto 76 ℘ 0931 24854, *Fax 0931 24858*, ≤ – 🗖 ᴛᴠ –
🛦 30. 🖭 🗗 ⓞ 🐠 ᴠɪsᴀ ᴊᴄʙ. ⁓ rist
CZ d
Pasto (solo per alloggiati) 35/45000 – **12 cam** ⊃ 180/250000 – ½ P 165000.

🏨 **Park Hotel Helios**, via Filisto 80 ℘ 0931 412233, *parkhotel.helios@tin.it, Fax 0931 38096*, 🏊, 🎋 – 📶 🗖 ᴛᴠ ⴺ 🄿 – 🛦 300. 🖭 🗗 ⓞ 🐠 ᴠɪsᴀ. ⁓
Pasto 50000 – **150 cam** ⊃ 150/180000 – ½ P 130000.
per via Puglia CY

🏨 **Gutkowski** senza rist, lungomare Vittorini 26 ℘ 0931 465861, *info@guthotel.it, Fax 0931 480505* – 📶 🗖 ᴛᴠ. 🖭 🗗 ⓞ 🐠 ᴠɪsᴀ
CZ x
14 cam ⊃ 130/170000.

🏨 **Relax** ♨, viale Epipoli 159 ℘ 0931 740122, *info@hotelrela.it, Fax 0931 740933*, 🏊, 🎋 –
📶 🗖 ᴛᴠ 🄿 🖭 🗗 ⓞ ᴠɪsᴀ. ⁓
per Castello Eurialo ABY
Pasto carta 30/50000 – **41 cam** ⊃ 155/185000 – ½ P 110000.

🏨 **Como** senza rist, piazza Stazione 13 ℘ 0931 464055, *hotelcomo@siracusanews.it, Fax 0931 464056* – 🗖 ᴛᴠ. 🖭 🗗 ⓞ 🐠 ᴠɪsᴀ ᴊᴄʙ. ⁓
BY w
18 cam ⊃ 120/180000.

🍴🍴 **Archimede**, via Gemmellaro 8 ℘ 0931 69701, *Fax 0931 69701* – 🗖. 🖭 🗗 ⓞ 🐠 ᴠɪsᴀ ᴊᴄʙ
chiuso domenica escluso da marzo a novembre – **Pasto** carta 35/45000 (10%).
CZ b

🍴🍴 **Don Camillo**, via Maestranza 96 ℘ 0931 67133, *Fax 0931 67133* – 🗖. 🖭 🗗 ⓞ 🐠 ᴠɪsᴀ
chiuso novembre, Natale e domenica – **Pasto** carta 45/75000 (15%).
CZ a

🍴 **Darsena**, riva Garibaldi 6 ℘ 0931 61522, *Fax 0931 66104*, ≤ – 🗖. 🖭 🗗 ⓞ 🐠 ᴠɪsᴀ. ⁓
chiuso mercoledì – **Pasto** carta 40/55000.
CZ g

a Fontane Bianche *per* ① : *15 km* – ⊠ *96010 Cassibile* :

🍴 **La Spiaggetta**, viale dei Lidi 473 ℘ 0931 790334, *Fax 0931 790317*, ≤ – 🗖 🄿. 🖭 🗗 ⓞ
🐠 ᴠɪsᴀ ᴊᴄʙ
chiuso martedì escluso da aprile a settembre – **Pasto** carta 40/55000.

STROMBOLI (Isola) *Messina* 431, 432 K 27 – *Vedere Eolie (Isole).*

SUTERA 93010 *Caltanissetta* 432 O 23 – *1 815 ab. alt. 580.*

Agrigento 40 – Caltanissetta 67 – Messina 240.

🍴 **Civiletto**, via San Giuseppe 7 ℘ 0934 954587, *prenotare la sera* – 🗖. 🗗 🐠 ᴠɪsᴀ. ⁓
chiuso dal 1° al 10 luglio, domenica sera e lunedì – **Pasto** cucina mediterranea e casalinga carta 25/35000.

TAORMINA *98039 Messina* [432] N 27 *G. Sicilia – 10 669 ab. alt. 250.*

Vedere *Località*★★★ – *Teatro Greco*★★★ : < ★★★ **BZ** – *Giardino pubblico*★★ **BZ** – ✻★★ *dalla piazza 9 Aprile* **AZ** – *Corso Umberto*★ **ABZ** – *Castello* : < ★★ **AZ** – **Escursioni** *Etna*★★★ *Sud-Ovest per Linguaglossa – Castel Mola*★ *Nord-Ovest : 5 km – Gole dell'Alcantara*★.

⛳18 *Il Picciolo (chiuso martedì) contrada Rovitello* ✉ *95030 Castiglione di Sicilia* ☎ *0942 986252, Fax 0942 986252, Ovest : 25 km.*

[i] *piazza Santa Caterina (Palazzo Corvaja)* ☎ *0942 23243, Fax 0942 24941.*

Catania 52 ② – Enna 135 ② – Messina 52 ① – Palermo 255 ② – Siracusa 111 ② – Trapani 359 ②.

Piante pagine seguenti

🏨🏨🏨🏨🏨 **Grand Hotel Timeo** 🐚, via Teatro Greco 59 ☎ 0942 23801, *Fax 0942 628501*, < mare, costa ed Etna, ⛱, « Grande parco e terrazze fiorite » – 🛗 ❄ [TV] 🅿 – 🎤 200. [AE] [S] ⓓ [MC] [VISA] [JCB]. 🐕 BZ x
Pasto al Rist. ***Il Dito e La Luna*** carta 90/150000 – **46 cam** ☕ 520/680000, 10 suites – ½ P 430000.

🏨🏨🏨🏨🏨 **San Domenico Palace** 🐚, piazza San Domenico 5 ☎ 0942 613111, *san-domenico@thi.it*, *Fax 0942 625506*, ⛱, « Convento del 15° secolo con giardino fiorito e < mare, costa ed Etna », 🏋, 🏊 riscaldata – 🛗 ❄ [TV] ♿ 🅿 – 🎤 400. [AE] [S] ⓓ [MC] [VISA] [JCB]. 🐕 AZ m
Pasto carta 75/120000 – **111 cam** ☕ 470/800000, 8 suites – ½ P 500000.

🏨🏨🏨🏨🏨 **Villa Diodoro**, via Bagnoli Croci 75 ☎ 0942 23312, *diodoro@gaishotels.com*, *Fax 0942 23391*, < mare, costa ed Etna, « 🏊 su terrazza panoramica », 🏖 – 🛗 ❄ [TV] ♿ 🅿 – 🎤 400. [AE] [S] ⓓ [MC] [VISA]. 🐕 BZ q
Pasto carta 65/100000 – **102 cam** ☕ 290/420000 – ½ P 270000.

🏨🏨🏨🏨 **Gd H. Miramare**, via Guardiola Vecchia 27 ☎ 0942 23401, *Fax 0942 626223*, < mare e costa, ⛱, 🏊, 🏖, 🎾 – 🛗 ❄ [TV] 🅿. [AE] [S] ⓓ [MC] [VISA]. 🐕 CZ c
marzo-ottobre – **Pasto** carta 65/90000 – **68 cam** ☕ 280/360000 – ½ P 210000.

🏨🏨🏨 **Villa Fabbiano**, senza rist, via Pirandello 81 ☎ 0942 626058, *Fax 0942 23732*, < mare e costa, « Terrazze roof-garden », 🏊 – 🛗 ❄ [TV] 📞 🅿. [AE] [S] ⓓ [MC] [VISA]. 🐕 CZ a
marzo-ottobre – **26 cam** ☕ 280/360000, 4 suites.

🏨🏨🏨 **Villa Ducale** 🐚 senza rist, via Leonardo da Vinci 60 ☎ 0942 28153, *villaducale@tao.it*, *Fax 0942 28710*, < mare, costa ed Etna – ❄ [TV] 🅿. [AE] [S] ⓓ [MC] [VISA] [JCB]. 🐕 AZ p
chiuso sino al 20 febbraio – **13 cam** ☕ 380/440000.

🏨🏨🏨 **Villa Belvedere** senza rist, via Bagnoli Croci 79 ☎ 0942 23791, *info@villabelvedere.it*, *Fax 0942 625830*, < giardini, mare ed Etna, « Parco con 🏊 » – 🛗 🅿. [S] [MC] [VISA] BZ b
chiuso dal 12 novembre al 20 dicembre e dal 13 gennaio al 15 marzo – **47 cam** ☕ 190/290000.

🏨🏨🏨 **Villa Sirina**, contrada Sirina ☎ 0942 51776, *sirina@tao.it*, *Fax 0942 51671*, 🏊, 🏖 – ❄ [TV] 🅿. [AE] [S] ⓓ [MC] [VISA]. 🐕 2 km per via Crocifisso AZ
chiuso dal 10 gennaio al 20 marzo – **Pasto** (solo per alloggiati e *chiuso a mezzogiorno*) – **15 cam** ☕ 170/240000 – ½ P 160000.

🏨🏨🏨 **Isabella**, corso Umberto 58 ☎ 0942 23153, *Fax 0942 23155* – 🛗 ❄ [TV]. [AE] [S] ⓓ [VISA]. 🐕
chiuso dal 7 gennaio al 15 marzo – **Pasto** (solo per alloggiati e *chiuso a mezzogiorno*) 40000 – **32 cam** ☕ 150/230000 – ½ P 160000. BZ c

🏨🏨🏨 **Villa Fiorita** senza rist, via Pirandello 39 ☎ 0942 24122, *Fax 0942 625967*, < mare e costa, 🏊, 🏖 – 🛗 ❄ [TV] 🚗. [AE] [S] [MC] [VISA] BZ s
24 cam ☕ 185/205000.

🏨🏨 **Andromaco** 🐚 senza rist, via Fontana Vecchia ☎ 0942 23436, *andromaco@tin.it*, *Fax 0942 24985*, <, 🏊 – ❄ [TV]. [AE] [S] ⓓ [MC] [VISA] per via Cappuccini BZ
20 cam ☕ 130/200000.

🏨🏨 **Condor** senza rist, via Dietro Cappuccini 25 ☎ 0942 23124, *condor@tao.it*, *Fax 0942 625726*, < – ❄ [TV]. [AE] [S] ⓓ [MC] [VISA] BZ a
12 cam ☕ 110/160000.

🍴🍴🍴🍴 **La Giara**, vico la Floresta 1 ☎ 0942 23360, *Fax 0942 23233*, <, Rist. e piano-bar, Coperti limitati; prenotare – ❄. [AE] [S] ⓓ [MC] [VISA]. 🐕 BZ f
chiuso novembre, febbraio, marzo (escluso venerdì-sabato), a mezzogiorno e lunedì (escluso da luglio a settembre) – **Pasto** carta 80/105000.

🍴🍴 **Nautilus**, via San Pancrazio 48 ☎ 0942 625024, *nautilusristorante@galactica.it*, *Fax 0942 625011*, ⛱, Coperti limitati; prenotare – [S] [MC] [VISA] [JCB] BZ d
chiuso dal 15 gennaio al 15 febbraio, martedì e a mezzogiorno – **Pasto** 70/90000 e carta 45/90000.

🍴🍴 **Maffei's**, via San Domenico de Guzman 1 ☎ 0942 24055, *Fax 0942 24055*, ⛱, Coperti limitati; prenotare – [AE] [S] ⓓ [MC] [VISA]. 🐕 AZ y
chiuso dal 10 gennaio al 20 febbraio e martedì (escluso da Pasqua ad ottobre) – **Pasto** carta 75/110000.

XX **Al Duomo,** vico Ebrei 11 ☏ 0942 625656, *taris@tao.it*, Coperti limitati; prenotare, « Servizio estivo in terrazza » – ▤. 🆎 🆂 ⓪ ⓰ VISA. ⅏
AZ
chiuso febbraio e mercoledì (escluso da aprile a settembre) – **Pasto** specialità siciliane cart 55/95000.

XX **La Griglia,** corso Umberto 54 ☏ 0942 23980, Fax 0942 626047 – ▤. 🆎 🆂 ⓪ ⓰ VISA. ⅏
BZ
chiuso dal 20 novembre al 20 dicembre e martedì – **Pasto** carta 40/80000.

XX **Vicolo Stretto,** via Vicolo Stretto 6 ☏ 0942 23849, *vicolostretto@tao.it*, ≤, 🎇, Coperti limitati; prenotare – ▤. 🆎 🆂 ⓪ ⓰ VISA. ⅏
BZ
chiuso dal 9 al 20 dicembre, dall'8 gennaio al 12 febbraio e lunedì (escluso dal 15 giugno a 15 settembre) – **Pasto** carta 50/85000.

X **Il Baccanale,** piazzetta Filea 1 ☏ 0942 625390, Fax 0942 625390, 🎇 – ▤. 🆂 ⓰ VISA
BZ
chiuso giovedì escluso da aprile a settembre – **Pasto** carta 40/70000.

a Capo Taormina *Sud : 4 km –* ✉ 98030 Mazzarò :

🏨 **Grande Albergo Capotaormina** ⑤, via Nazionale 10598039 ☏ 0942 572111
Fax 0942 625467, ≤ mare e costa, « Terrazza-giardino sulla scogliera, ascensori per la spiaggia », ℔, ≘s, ⊿ con acqua di mare, 🏖 – 🛗 ⅙ cam, ▤ 🆃🆅 ☏ ⇔ 🅿 – 🔬 450. 🆎
🆂 ⓪ VISA. ⅏
CZ
aprile-ottobre – **Pasto** carta 65/100000 – **200 cam** ⊐ 490/660000, 3 suites – ½ P 385000.

a Mazzarò *Est 5,5 km o 5 mn di cabinovia* CZ – ✉ 98030 :

🏨 **Mazzarò Sea Palace,** via Nazionale 147 ☏ 0942 612111, *info@mazzaroseapalace.it*
Fax 0942 626237, ≤ piccola baia, 🎇, « Terrazza-solarium con ⊿ », 🏖 – 🛗 ▤ 🆃🆅 – 🔬 90
🆎 🆂 ⓪ ⓰ VISA. ⅏
aprile-ottobre – **Pasto** 90000 – **81 cam** ⊐ 350/550000, 6 suites – ½ P 445000.

🏨 **Villa Sant'Andrea,** via Nazionale 137 ☏ 0942 23125, *ricevimento.vsa@framon-hotels.it*
Fax 0942 24838, ≤ piccola baia, « Parco con terrazze fiorite sul mare », 🏖 – 🛗 ▤ 🆃🆅 –
🔬 200. 🆎 🆂 ⓪ ⓰ VISA JCB. ⅏
CZ
Pasto carta 55/110000 – **67 cam** ⊐ 405/570000 – ½ P 330000.

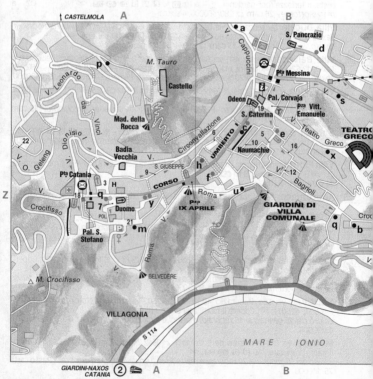

🏨 **La Plage** 🏖, via Nazionale 107 A ☎ 0942 626095, *laplage@tin.it, Fax 0942 625850*, ≤ baia di Isolabella, ⛱, « Boungalows in pineta e terrazze-solarium fiorite », 🏖 – ▤ [TV] [P]. [AE] [S] [MC] [VISA]. ✗
CZ f
Pasto al Rist. ***Re Artù*** *(aprile-ottobre)* carta 55/90000 – **63 cam** ☕ 330/360000 – 1/2 P 240000.

🍴🍴 **Da Giovanni,** via Nazionale ☎ 0942 23531, ≤ mare ed Isolabella – [AE] [S] [D] [MC] [VISA] [JCB]. ✗
CZ e
chiuso dal 7 gennaio al 10 febbraio e lunedì – **Pasto** carta 55/85000.

🍴 **Il Delfino-da Angelo,** via Nazionale ☎ 0942 23004, ≤ piccola baia, ⛱, 🏖 – [AE] [S] [D] [MC] [VISA]
CZ b
15 marzo-ottobre – **Pasto** carta 45/75000.

a Lido di Spisone *Nord-Est: 1,5 km – ✉ 98030 Mazzarò :*

🏨 **Lido Caparena,** via Nazionale 189 ☎ 0942 652033, *caparena@gaishotels.com, Fax 0942 36913*, ≤, « Ampio giardino fiorito con servizio rist. estivo all'aperto », 🏊, 🏖 – [lift] ▤ [TV] ♿ [P] – 👥 200. [AE] [S] [D] [MC] [VISA]. ✗
Pasto carta 55/95000 – **88 cam** ☕ 290/425000 – 1/2 P 265000.

🏨 **Lido Méditerranée,** ☎ 0942 24422, *hlm@taorminahotels.com, Fax 0942 24774*, ≤, ⛱, 🏖 – [lift] ▤ [TV] [P]. [AE] [S] [D] [MC] [VISA]. ✗ rist
aprile-ottobre – **Pasto** 60000 – **72 cam** ☕ 300/350000 – 1/2 P 225000.

🏨 Bay Palace, via Nazionale ☎ 0942 626200, *Fax 0942 626199*, ≤, « Terrazze-solarium con 🏊 panoramica » – [lift] ▤ [TV] **47 cam.**

a Castelmola *Nord-Ovest : 5 km* AZ *– alt. 550 – ✉ 98030 :*

🏨 **Villa Sonia,** via Porta Mola 9 ☎ 0942 28082, *Fax 0942 28083*, ≤ Etna, ⛱, 🏊, 🛋 – [lift] ▤ [TV] ♿ 🚗 [P] – 👥 110. [AE] [S] [MC] [VISA]. ✗
Pasto carta 50/80000 – **28 cam** ☕ 180/290000, 4 suites – 1/2 P 195000.

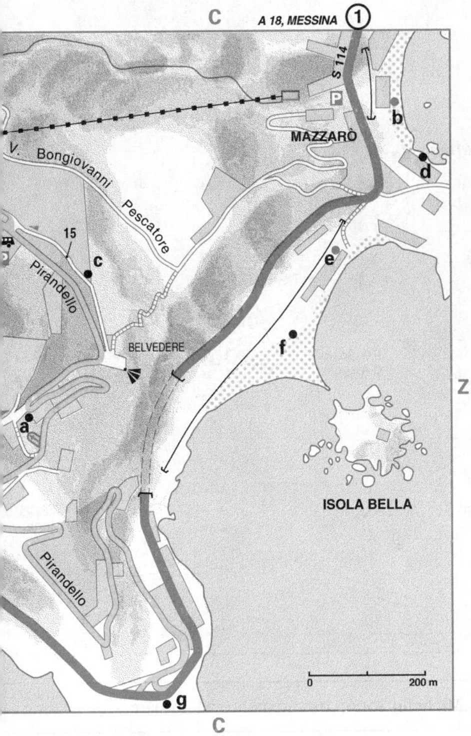

TAORMINA

Circolazione regolamentata nel centro città da giugno a settembre

Carmine (Piazza d.) . . . . . . AZ 3
Don Bosco (Via). . . . . BZ 6
Duomo (Piazza d.). . . . . . . AZ 7
Fazzello (Via) . . . . AZ 9
Giardinazzo (Via) . . . . BZ 10
Ginnasio (Via d.) . . . . BZ 12
Giovanni (Via d.) . . . . BZ 13
Guardiola Vecchia (Via) . . BCZ 15
Jallia Bassia (Via). . . . . BZ 16
S. Antonio (Piazza) . . . . . . AZ 18
S. Caterina (Largo) . . . . . . BZ 19
S. Domenico (Piazzale) . . . AZ 21
Umberto I (Corso) . . . . ABZ
Von Gloeden (Via W.). . . . . AZ 22

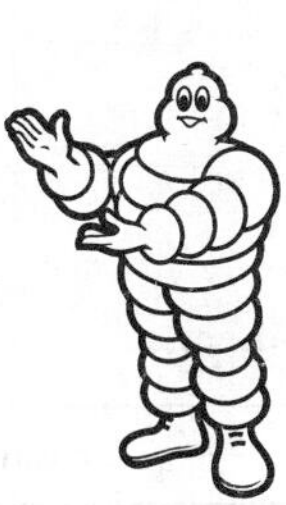

TRAPANI

Alighieri (Lungomare Dante) **BZ**
Archi (Via) . . . . **BY** 3
Bassi (Via L.). . . . . **BZ**
Botteghelle (Via) . . . . **AZ** 4
Carolina (Via) . . . . **AZ** 6
Cassaretto (Via) . . . . **AZ** 7
Catulo Lutazio (Via) . . . . **AZ**
Cesaro (Via) . . . . **BY** 8
Colombo (Via C.) . . . . **AZ** 9
Cosenza (Via) . . . . **BY**
Crispi (Via) . . . . **BZ** 10
Custonaci (Via) . . . . **AZ** 12
Duca d'Aosta (Viale) . . . . **AZ**
Fardella (Via G. B.) . . . . **BY**
Garibaldi (Piazza) . . . . **BZ**
Garibaldi (Via) . . . . **BZ**
Ilio (Via) . . . . **BY** 13
Italia (Corso) . . . . **BZ** 15
Jolanda (Piazza) . . . . **AZ**
Libertà (Via) . . . . **BZ** 16
Libica (Via) . . . . **BY** 18
Madonna di Fatima (Via) . . . **BY** 19
Malta (Piazza) . . . . **BZ**
Manzoni (Via) . . . . **BY** 20
Marino Torre (Via) . . . . **BZ** 21
Marsala (Via) . . . . **BY**
Mattarella (Via P.) . . . . **BY** 22
Matteotti (Piazza) . . . . **BZ** 24
Mazzini (Via) . . . . **BZ**
Mercato del Pesce (Piazza) **BZ** 25
Monte S. Giuliano (Via) . . . . **BY** 27

Mura di Tramontana (Via) . . . **BZ** 28
Nasi (Via N.) . . . . **AZ** 30
Nausicaa (Via) . . . . **BZ** 31
Ninfe (Largo d.) . . . . **AZ** 33
Orfane (Via) . . . . **BZ** 34
Orti (Via) . . . . **BY**
Osorio (Via) . . . . **BZ**
Pace (Via della) . . . . **BY** 36
Palermo (Via) . . . . **BY** 37
Pallante (Via) . . . . **BZ** 39
Palmeri (Via G.) . . . . **BZ** 40
Palmerio Abate (Via) . . . . **BZ** 42
Passo Enea (Via) . . . . **BZ** 43
Pepoli (Via Conte A.) . . . . **BY** 45
Poeta Calvino (Via) . . . . **BZ** 46
Procida (Via Giov. d.) . . . . **AZ** 48
Regina Elena (Viale) . . . . **AZ**
Roma (Via) . . . . **BZ** 49
Salemi (Via) . . . . **BY**
S. Anna (Via) . . . . **AZ** 51
S. Francesco d'Assisi (Via) . **AZ** 52
S. Francesco di Paola
  (Largo) . . . . **BZ** 54
Scalo d'Alaggio (Piazza) . . . . **AZ**
Scarlatti (Piazza) . . . . **BZ** 55
Scontrino (Via) . . . . **BZ** 57
Serisso (Via) . . . . **BZ** 58
Sirene (Viale d.) . . . . **BZ** 60
Spalti (Via) . . . . **BZ**
Staiti (Via Ammiraglio) . . . . . **BZ**
Torre di Ligny (Viale) . . . . **AZ** 61
Torrearsa (Via) . . . . **BZ**
Umberto I (Piazza) . . . . **BZ** 63
Vallona (Via) . . . . **BZ** 64

Vespri (Via) . . . . **BZ**
Virgilio (Via) . . . . **BY**
Vittorio Emanuele (Corso) . . **AZ** 6
Vittorio Emanuele (Piazza) . . **BZ** 6
Vittorio Veneto (Piazza) . . . . **BZ**
XX Settembre (Via) . . . . **BZ** 6
XXX Gennaio (Via) . . . . **BZ**
Zir (Via) . . . . **BY** 7

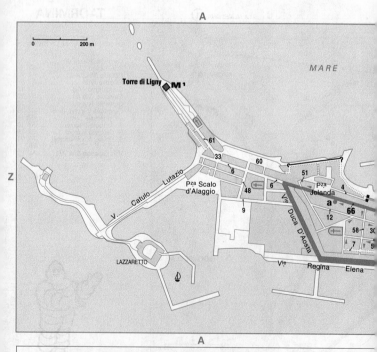

Le **carte stradali Michelin** sono costantemente aggiornate.

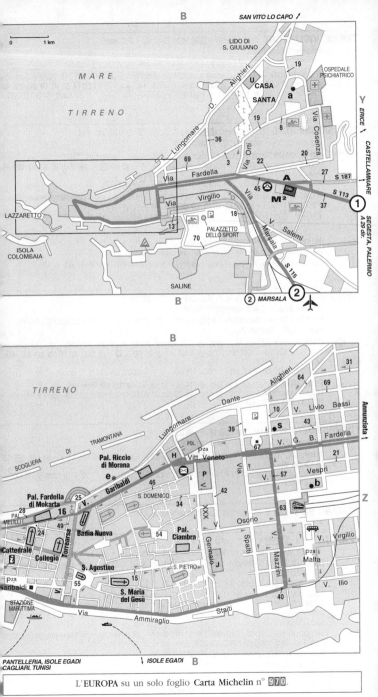

TERME VIGLIATORE 98050 Messina **432** M 27 *G. Sicilia – 6 378 ab..*

Vedere *Villa Romana*★.

Catania 123 – Enna 174 – Messina 50 – Palermo 184.

🏨 **Il Gabbiano,** via Marchesana 4, località Lido Marchesana *&* 090 9782343, *holtegabbiano@*
🕾 *tin.it, Fax 090 9781385,* ≤, « Terrazza sul mare », *I.s*, *🏊* – 📳 🖾 **TV** 🅿. 🖭 🖪 ◑ ⊕⊕ **VISA**. 🛠
chiuso gennaio e febbraio – **Pasto** 35/60000 – ⊊ 12000 – **39 cam** 110/130000 –
½ P 110000.

TERMINI IMERESE 90018 Palermo **432** N 23 *G. Sicilia – 27 959 ab. alt. 113.*

Agrigento 150 – Messina 202 – Palermo 36.

🏛 **Gd H. delle Terme,** piazza Terme 2 *&* 091 8113557, *Fax 091 8113107,* « Giardino fiorito
con ⊥ e terrazza panoramica con ≤ », *I.s*, ≋s, ♨ – 📳 🖾 **TV** – ⚒ 150. 🖭 🖪 ◑ ⊕⊕ **VIS.**
JCB. 🛠 rist
Pasto carta 50/75000 – **70 cam** ⊊ 170/260000 – ½ P 170000.

🏨 **Il Gabbiano** senza rist, via Libertà 221 *&* 091 8113262, *hotelgabbiano@hotelgabbiano.it*
Fax 091 8114225 – 🖾 **TV** 🅿. 🖭 🖪 ◑ ⊕⊕ **VISA**. 🛠
24 cam ⊊ 90/130000.

Se cercate un albergo tranquillo,
oltre a consultare le carte dell'introduzione,
individuate nell'elenco degli esercizi quelli con il simbolo 🏖 o 🏖.

TERRASINI 90049 Palermo **432** M 21 *G. Sicilia – 11 024 ab. alt. 35.*

Vedere *Museo Civico : carretti siciliani*★.

Dintorni *Carini : decorazione a stucchi*★★ *nell'Oratorio del SS. Sacramento Est : 16 km.*

Palermo 29 – Trapani 71.

🏛 **Cala Rossa** M, via Marchesa di Cala Rossa *&* 091 8685153, *info@hotelcalarossa.com*
Fax 091 8684727, « Giardino con ⊥ e 🍽 » – 📳 🖾 **TV** & 🅿 – ⚒ 500. 🖭 🖪 ◑ ⊕⊕ **VISA** **JCB**.
🛠
Pasto 40/50000 – **68 cam** ⊊ 160/250000 – ½ P 145000.

🍽🍽 **Primafila,** via Saputo 8 *&* 091 8684422 – 🖾. 🖭 🖪 ◑ ⊕⊕ **VISA** **JCB**. 🛠
chiuso novembre, a mezzogiorno dal 20 luglio al 15 settembre, lunedì negli altri mesi –
Pasto carta 40/70000.

TORREGROTTA 98040 Messina **432** M 28 – *6 628 ab. alt. 48.*

Catania 141 – Messina 29 – Palermo 215.

🏨 **Thomas,** via Sfavemi 98, località Scala *&* 090 9981947, *Fax 090 9982273* – 🖾 rist, **TV**. 🖭
🕾 🖪 ◑ ⊕⊕ **VISA**. 🛠
chiuso dicembre – **Pasto** *(chiuso lunedì)* carta 35/55000 – ⊊ 6500 – **18 cam** 50/80000 –
½ P 80000.

TRACINO Trapani **432** Q 18 – Vedere Pantelleria (Isola di).

TRAPANI 91100 🅿 **432** M 19 *G. Sicilia – 69 453 ab..*

Vedere *Museo Pepoli*★ BY **M2** – *Santuario dell'Annunziata*★ BY **A** – *Centro Storico*★.

Escursioni *Isola di Pantelleria*★★ *Sud per motonave* BZ – *Isole Egadi*★ *Ovest per motonave*
o aliscafo BZ.

🛪 *di Birgi Sud : 15 km* BY *&* 0923 842367.

🚢 *per Cagliari martedì (11 h 30 mn) – Tirrenia Navigazione, stazione marittima &* 1478
99000, Fax 0923 29436; *per le Isole Egadi giornalieri (da 1 h a 2 h 45 mn) e Pantelleria*
giornaliero (5 h 45 mn) – Siremar-agenzia Mare Viaggi, via Staiti 61/63 & 0923 540515, Fax
0923 20663.

🚤 *per le Isole Egadi giornalieri (da 15 mn a 1 h) – Siremar-agenzia Mare Viaggi, via Staiti*
61/63 & 0923 540515, Fax 0923 20663.

🛈 *piazza Saturno &* 0923 29000, Fax 0923 24004.

A.C.I. *via Virgilio 115 &* 0923 27064.

Palermo 104 ①.

Pianta pagina precedente

🏨🏨 **Crystal** Ⓜ, via San Giovanni Bosco 17 ℰ 0923 20000, *Fax 0923 25555* – 🛗 🔲 📺 🕭 –
🔬 140. ⅏ 🚫 ⓞ ⓌⓈ 🚾. ℀
BZ b
Pasto carta 50/95000 – **68 cam** ⇌ 220/290000, 2 suites – ½ P 175000.

🏨 Erice Hotel, senza rist, via Madonna di Fatima 191 ℰ 0923 568322, *Fax 0923 563411* – 🛗
🔲 📺 🕭 🕭 🚗
BY a
32 cam.

🏨 **Vittoria** senza rist, via Crispi 4 ℰ 0923 873044, *Fax 0923 29870* – 🛗 🔲 📺 – 🔬 50. ⅏ 🚫
ⓞ ⓌⓈ 🚾
BZ s
⇌ 8000 – **65 cam** 90/140000.

🍴🍴 **Taverna Paradiso**, lungomare Dante Alighieri 22 ℰ 0923 22303, *Fax 0923 22303*, prenotare la sera – 🔲 ⅏ 🚫 ⓞ ⓌⓈ 🚾
BZ e
chiuso dal 4 al 31 agosto e domenica – Pasto carta 55/75000.

🍴 **Ai Lumi Tavernetta**, corso Vittorio Emanuele 75 ℰ 0923 872418, *info@ailumi.it*, prenotare – 🔲 🚫 ⓞ ⓌⓈ 🚾
AZ a
chiuso dal 15 giugno al 15 luglio – Pasto carta 40/75000.

TRECASTAGNI 95039 Catania 🔢🔢 O 27 *G. Sicilia* – 8 182 ab. alt. 586.
Catania 17 – Enna 99 – Messina 85 – Siracusa 82.

🍴 **Villa Taverna**, corso Colombo 42 ℰ 095 7806458, 🏤, prenotare, « Caratteristica ricostruzione di un quartiere della vecchia Catania » – 🅿 🚫 ⓌⓈ 🚾. ℀
chiuso lunedì e a mezzogiorno, domenica ed i giorni festivi chiuso la sera – Pasto 45000 bc.

Se cercate un albergo tranquillo,
oltre a consultare le carte dell'introduzione,
individuate nell'elenco degli esercizi quelli con il simbolo 🏡 o 🏠.

USTICA (Isola di) Palermo 🔢🔢 K 21 – *1 242 ab. alt. da 0 a 238 (Monte Guardia dei Turchi)*
La limitazione d'accesso degli autoveicoli è regolata da normelegislative.
🚢 *per Palermo giornaliero (2 h 20 mn)* – Siremar-agenzia Militello, piazza Di Bartolo 15
ℰ 8449002, Fax 8444945.
🚢 *per Palermo giornaliero (1 h 15 mn)* – Siremar-agenzia Militello, piazza Di Bartolo 15
ℰ 8449002, Fax 8444945.

Ustica 🔢🔢 K 21 – ✉ 90010

🏨 **Grotta Azzurra** 🏡, contrada Ferlicchio ℰ 091 8449048, *ricevimento.hga@framon.hotels.it*, *Fax 091 8449396*, ≤ mare, 🏤, « Terrazze fiorite sulla scogliera con accesso privato al mare », 🏊 – 🔲 📺 ⅏ 🚫 ⓞ ⓌⓈ 🚾. ℀ rist
2 giugno-24 settembre – Pasto carta 50/95000 – **51 cam** ⇌ 265/440000 – ½ P 240000.

🍴 **Mamma Lia**, via San Giacomo 2 ℰ 091 8449594, « Collezione di utensili da pesca » – ⅏
🚫 ⓌⓈ
marzo-novembre – Pasto carta 45/55000.

VALDERICE 91019 Trapani 🔢🔢 M 19 – 11 268 ab. alt. 250.
Agrigento 99 – Palermo 184 – Trapani 9.

🏨 **Baglio Santacroce** 🏡, Est : 2 km ℰ 0923 891111, *Fax 0923 891192*, ≤, « Tipico baglio del XVII secolo con terrazze fiorite », 🏊 – 📺 🅿 ⅏ 🚫 ⓞ ⓌⓈ 🚾. ℀
Pasto *(chiuso lunedì)* carta 35/50000 – **25 cam** ⇌ 125/200000 – ½ P 135000.

🏨 **Ericevalle**, via del Cipresso 1 ℰ 0923 891133, *Fax 0923 833178* – 🔲 📺 🕭 🅿 ⅏ 🚫 ⓞ ⓌⓈ
ⓌⓈ. ℀
Pasto *(chiuso martedì)* carta 30/45000 – ⇌ 10000 – **26 cam** 100/150000 – ½ P 120000.

a Bonagia Nord-Est : 4 km – ✉ 91010 :

🏨 **Tonnara di Bonagia**, piazza Tonnara ℰ 0923 431111, *Fax 0923 592177*, ≤, « Vecchia tonnara con torre saracena del XVII secolo », 🏊, 🐎, 🎾 – 🛗 🔲 📺 🕭 🅿 – 🔬 350. ⅏ 🚫 ⓞ
ⓌⓈ 🚾. ℀
21 marzo-9 novembre – Pasto carta 60/90000 – **39 cam** ⇌ 300/450000, 5 suites –
½ P 260000.

🍴🍴 **Saverino** con cam, via Lungomare 3 ℰ 0923 592727, *mattia_sav@libero.it*,
Fax 0923 592388, ≤ – 🛗 🔲 📺 🕭 🅿 ⅏ 🚫 ⓌⓈ 🚾. ℀
chiuso dal 15 dicembre al 5 gennaio – Pasto *(chiuso lunedì dal 15 settembre al 15 giugno)*
carta 45/65000 – ⇌ 10000 – **20 cam** 110/180000 – ½ P 115000.

🍴 **Cortile di Venere 2**, via Tonnara 59 ℰ 0923 592700, 🏤, prenotare – 🔲 🚫 ⓌⓈ 🚾. ℀
chiuso dal 1° al 15 gennaio, dal 15 al 31 ottobre e mercoledì a mezzogiorno – Pasto carta
45/60000.

VILLAFRATI 90030 Palermo 432 N 22 3 425 ab. alt. 450.

Agrigento 87 – Caltanissetta 100 – Palermo 36.

XX **Mulinazzo,** strada statale 121, località Bolognetta Nord : 9 km ℘ 091 8724870, *mulinaz*
ॐ *zo@libero.it, Fax 091 8737533 –* 🍴 P. AE 🖪 ① ⑩ VISA
chiuso dal 10 al 24 gennaio, dal 6 al 26 luglio, domenica sera e lunedì – **Pasto** 70000 e carta
55/80000
Spec. Calamaretti con scorzette d'arance. Macco (passato) di fave con scampi e ricotta.
Agnellino ripieno al profumo di menta (ottobre-maggio).

VITTORIA 97019 Ragusa 432 Q 25 *G. Sicilia – 59 775 ab. alt. 169.*

Agrigento 107 – Catania 96 – Ragusa 26 – Siracusa 104.

🏨 **Grand Hotel** senza rist, vico II Carlo Pisacane 53/B ℘ 0932 863888, *Fax 0932 863888 –* 🛗
🍴 📺 ⟸. AE 🖪 ⑩ ⑩ VISA JCB. ⫸
27 cam ⌖ 90/120000.

XX **Opera,** via Carlo Alberto 133/b ℘ 0932 869129, prenotare – 🍴. AE 🖪 ⑩ VISA. ⫸
chiuso agosto e domenica, in luglio chiuso la sera e sabato – **Pasto** specialità di mare carta
55/85000.

a Scoglitti *Sud-Ovest : 13 km –* ⊠ 97010 :

🏨 **Mida,** via delle Seppie ℘ 0932 871430, *Fax 0932 871589,* ≼, 🛋, ▲₆ – 🛗 🍴 📺 ⟸. AE 🖪
ॐ ⑩ ⑩ VISA JCB. ⫸ rist
Pasto carta 35/60000 – **27 cam** ⌖ 90/140000 – ½ P 110000.

VULCANO (Isola) Messina 431 , 432 L 26 – *Vedere Eolie (Isole).*

ZAFFERANA ETNEA 95019 Catania 432 N 27 – 8 186 ab. alt. 600.

Catania 24 – Enna 104 – Messina 79 – Palermo 231 – Taormina 35.

🏨 **Airone,** via Cassone 67 (Ovest : 2 km) ℘ 095 7081819, *airone@mail_gte.it,*
Fax 095 7082142, ≼ mare e costa, 🛋 – 🛗 📺 P. AE 🖪 ⑩ ⑩ VISA. ⫸
chiuso dal 2 novembre al 15 dicembre – **Pasto** carta 45/65000 – **59 cam** ⌖ 125/170000 –
½ P 105000.

In questa guida

uno stesso simbolo, una stessa parola
stampati in rosso o in **nero**, in magro o in *grassetto*
hanno un significato diverso.

Leggete attentamente le pagine dell'introduzione.

Distanze

Qualche chiarimento

Nel testo di ciascuna località troverete la distanza dalle città limitrofe e da Roma. Le distanze fra le città della tabella accanto completano quelle indicate nel testo di ciascuna località.

La distanza da una località ad un'altra non è sempre ripetuta in senso inverso: guardate al testo dell'una o dell'altra. Utilizzate anche le distanze riportate a margine delle piante.

Le distanze sono calcolate a partire dal centro delle città e seguendo la strada più pratica, ossia quella che offre le migliori condizioni di viaggio ma che non è necessariamente la più breve.

Distances

Quelques précisions

Au texte de chaque localité vous trouverez la distance des villes environnantes et celle de Rome. Les distances intervilles du tableau ci-contre complètent ainsi celles données au texte de chaque localité.

La distance d'une localité à une autre n'est pas toujours répétée en sens inverse : voyez au texte de l'une ou de l'autre. Utilisez aussi les distances portées en bordure des plans.

Les distances sont comptées à partir du centre-ville et par la route la plus pratique, c'est-à-dire celle qui offre les meilleures conditions de roulage, mais qui n'est pas nécessairement la plus courte.

Entfernungen

Einige Erklärungen

In jedem Ortstext finden Sie Entfernungen zu größeren Städten in der Umgebung und nach Rom. Die Kilometerangaben dieser Tabelle ergänzen somit die Angaben des Ortstextes.

Da die Entfernung von einer Stadt zu einer anderen nicht immer unter beiden Städten zugleich aufgeführt ist, sehen Sie bitte unter beiden entsprechenden Ortstexten nach. Eine weitere Hilfe sind die am Rande der Stadtpläne erwähnten Kilometerangaben.

Die Entfernungen gelten ab Stadtmitte unter Berücksichtigung der günstigsten (nicht immer kürzesten) Strecke.

Distances

Commentary

The text on each town includes its distance from its immediate neighbours and from Rome. The kilometrage in the table completes that given under individual town headings for calculating total distances.

A town's distance from another is not necessarily repeated in the text under both town names, you may have to look, therefore, under one or the other to find it. Note also that some distances appear in the margins of the towns plans.

Distances are calculated from centres and along the best roads from a motoring point of view not necessarily the shortest.

SICILIA

SARDEGNA

339 km

Bergamo - Livorno

	Agrigento	Caltanissetta	Catania	Messina	Palermo	Siracusa	Trapani	Cagliari	Nuoro	Olbia	Oristano	Sassari
	57	111			186	264	95	212				
	164	203	94		109	93	119					
	256	132	211	222	60	158	170	100				
	124	60	225		159	170	118					
	211	149	607	258								
	156	228	307	318	104	354						

City labels along the diagonal (reading the matrix): Ancona, Bari, Bergamo, Bologna, Bolzano, Brescia, Brindisi, Catanzaro, Como, Cosenza, Ferrara, Firenze, Foggia, Genova, L'Aquila, La Spezia, Livorno, Milano, Modena, Napoli, Padova, Parma, Perugia, Pescara, Potenza, Ravenna, Reggio di Calabria, Roma, Salerno, S. Marino, Taranto, Torino, Trieste, Udine, Venezia, Verona.

Triangular distance matrix (km) between the listed Italian cities.

Milano - Hamburg

1114 km

Genova	Milano	Torino	Venezia	
1191	1046	1106	1250	*Amsterdam*
860	980	866	1235	*Barcelona*
491	346	406	599	*Basel*
1180	1034	1127	1071	*Berlin*
445	357	311	610	*Bern*
1450	1340	1315	1593	*Birmingham*
1008	999	862	1260	*Bordeaux*
1011	877	1010	625	*Bratislava*
1443	1332	1307	1586	*Bristol*
1034	889	949	1142	*Bruxelles/Brussel*
1328	1448	1334	1703	*Burgos*
1266	1203	1123	1465	*Cherbourg*
666	635	499	896	*Clermont-Ferrand*
1728	1617	1592	1871	*Dublin*
1018	873	933	1032	*Düsseldorf*
1872	1761	1736	2015	*Edinburgh*
821	675	736	835	*Frankfurt*
380	317	246	579	*Genève*
1260	1114	1221	1232	*Hamburg*
1108	1046	966	1307	*Le Havre*
1572	1426	1533	1425	*København*
1066	985	930	1239	*Lille*
2087	2208	2093	2463	*Lisboa*
1608	1497	1472	1750	*Liverpool*
1245	1135	1110	1388	*London*
822	676	737	930	*Luxembourg*
475	443	307	704	*Lyon*
1459	1580	1465	1835	*Madrid*
1818	1938	1823	2193	*Málaga*
389	509	376	764	*Marseille*
639	494	587	479	*München*
1180	1059	1013	1320	*Nantes*
2004	1859	1952	1896	*Oslo*
911	848	768	1109	*Paris*
1862	1983	1868	2238	*Porto*
1012	866	959	812	*Praha*
1108	1229	1114	1484	*San Sebastián*
2051	1905	1998	1942	*Stockholm*
635	489	550	743	*Strasbourg*
762	882	768	1137	*Toulouse*
965	831	963	578	*Wien*
765	631	763	379	*Zagreb*

Genova *Milano* *Torino* *Venezia*

Edinburgh
Dublin
Liverpool
Birmingham
Bristol
Cherbourg
Nantes
Bordeaux
San Sebastián
Burgos
Porto
Madrid
Lisboa
Málaga

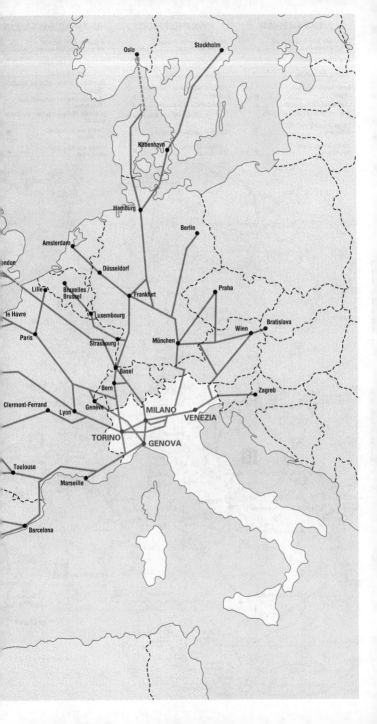

PRINCIPALI STRADE

Autostrada, doppia carreggiata
di tipo autostradale.............

N° di strada statale............... S 10

Distanza chilometrica........... 20

Esercizi sulle autostrade :
- Motel................................. ■
- Self-Service o Ristorante............ ■
Solo i motel sono citati nella guida

Confine e capoluogo
di Regione.......................... _ _ _

Confine e capoluogo
di Provincia........................ •

PRINCIPALES ROUTES

Autoroute, double chaussée
de type autoroutier.............

N° de route d'État................ S 10

Distance en kilomètres........ 20

Hôtels et restaurants d'autoroute :
- Hôtel................................. ■
- Self-Service ou restaurant........ ■
Seuls les hôtels sont cités dans le guide

Limite et capitale de Région... _ _ _

Limite et capitale
de Province......................... •

HAUPTVERKEHRSSTRASSEN

Autobahn, Schnellstraße
mit getrennten Fahrbahnen.....

Nummer der Staatsstraße....... S 10

Entfernung in Kilometer......... 20

Hotels und Restaurants an der Autobahn
- Motel................................. ■
- Selbstbedienungsrestaurant oder
Restaurant........................... ■
In diesem Führer werden nur die Motels
erwähnt

Grenze und Hauptstadt
der Region........................... ◉

Grenze und Hauptstadt
der Provinz........................... •

A 16
A 1
St. Anto
S 16
A 14
A 13
LIECHTENSTEIN
151
Biel/
Bienne
71
56
A 3
A 1
92
Neuchâtel
52
51
105
28
Rhein
Chur
118
BERN
91
Luzern
A 2
Davos
10
SCHWEIZ
A 6
SUISSE
81
Fribourg
Sustenpass
SVIZZERA
S 37
S 38
135
Interlaken
St. Moritz
108
83
INE
Montreux
Rhône
Brig
Galleria del
S. Gottardo
A 13
78
S 36
Sondrio
A 9
48
Sion
83
Passo d.
Sempione
Galleria del
S. Bernardino
S 340
Lago di Como
LAC LÉMAN
9
97
Locarno
13
69
Bellinzona
Martigny
Zermatt
Lago
Maggiore
Lugano
Lago di
Lugano
70
Bellagio
43
85
Chamonix
78
Verbania
58
64
Lecco
Traforo del
Gran S. Bernardo
Sesia
Stresa
Varese
34
Como
Bergamo
ro del M. Bianco
St Rhemy
33
A 8
56
Monza
A 4
Sebi
Monte Bianco
38
Aosta
Dora Baltea
17
62
MILANO
28
49
Courmayeur
Aosta Est
Villoresi
24
26
S. Donato
9
Colle del Piccolo
San Bernardo
Biella
33
Novara
17
10
Isère
Villarboit
23
17
San
Zenone
53
Lodi
12
99
87
Vercelli
26
Novara
11
Somaglia
Cremona
4
A 5
A 4
31
Pavia
Stradella
A 21
Crem
Col du Mont Cenis
68
Settimo
Dorno
44
A 19
50
Piacenza
17
Arda
foro del Fréjus
54
Dora Riparia
15
42
PÓ
36
Tortona
28
Trebbia
134
N 91
Gran bosco Salbertrand
21
TORINO
46
A 21
27
23
Col de Montgenèvre
130
Rio Coloré
Asti
A 6
Alessandria
Passo
della Cisa
Sestriere
Cavour
67
Bettole
E
88
S 231
50
90
Marengo
73
69
Giovi
Mont
N 94
PÓ
Tanaro
Sesia
26
A 7
Brugnato
D 900
Colle della Maddalena
Bormida
Stura
Turchino
13
GENOVA
8
We
32
31
Aurelia
32
Piani
d'Invrea
96
Rapallo
10
Durance
S 564
50
S 26
44
Varazze
A 12
La Spezia
Ler
Cuneo
Savona
Sestri Levante
S 21
A 10
S 20
89
Finale Ligure
Forte c
Digne-les-Bains
(Traforo)
Colle di Tenda
Ceriale
Alassio
N 85
141
Var
40
A 8
A 10
Riviera
dei Fiori
107
Rinovo
MARE
LIGUR
Imperia
N 202
Menton
San Remo

MAIN ROADS

Motorway, dual carriageway with
motorway characteristics......

State road number............... S 10

Distance in kilometres.......... 20

Hotels and restaurants on motorways :
- Motel.............................. ■
- Self-service or restaurant.......... ■

Only the motels are listed in the guide

Frontier and capital town
of a Region......................... ◉

Frontier and capital town
of a Province....................... ●

Regioni	Régions	Regions	Regionen
1 Abruzzo		**11** Molise	
2 Basilicata		**12** Piemonte	
3 Calabria		**13** Puglia	
4 Campania		**14** Toscana	
5 Emilia-Romagna		**15** Trentino-Alto Adige	
6 Friuli-Venezia Giulia		**16** Umbria	
7 Lazio		**17** Valle d'Aosta	
8 Liguria		**18** Veneto	
9 Lombardia		Sardegna	
10 Marche		Sicilia	

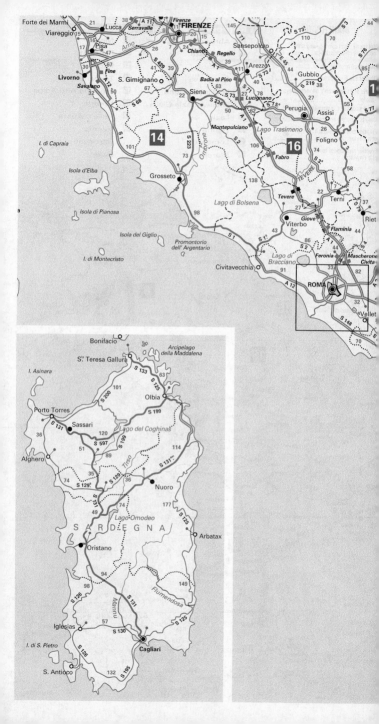

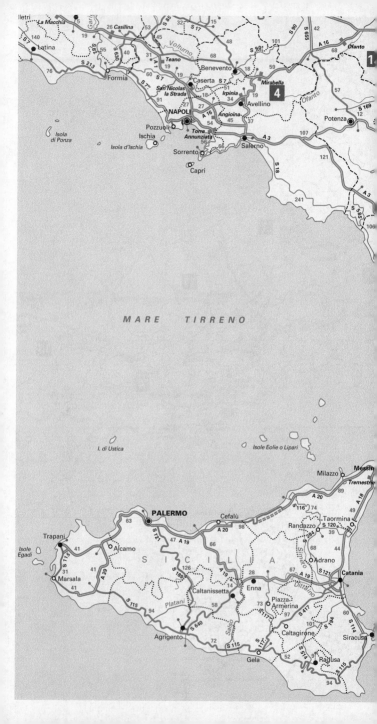

Prefissi Telefonici Internazionali

Importante: per le comunicazioni internazionali, non bisogna comporre lo zero (0) iniziale del prefisso interurbano (escluse le chiamate per l'Italia)

Internationale Telefon-Vorwahlnummern

Wichtig: bei Auslandgesprächen darf die Null (0) der Ortsnetzkennzahl nicht gewählt werden (ausser bei Gesprächen nach Italien).

da \ a	A	B	CH	CZ	D	DK	E	FIN	F	GB	GR
A Austria		0032	0041	00420	0049	0045	0034	00358	0033	0044	0030
B Belgio	0043		0041	00420	0049	0045	0034	00358	0033	0044	0030
CH Svizzera	0043	0032		00420	0049	0045	0034	00358	0033	0044	0030
CZ Rep. Ceca	0043	0032	0041		0049	0045	0034	00358	0033	0044	0030
D Germania	0043	0032	0041	00420		0045	0034	00358	0033	0044	0030
DK Danimarca	0043	0032	0041	00420	0049		0034	00358	0033	0044	0030
E Spagna	0043	0032	0041	00420	0049	0045		00358	0033	0044	0030
FIN Finlandia	99043	0032	0041	00420	0049	0045	0034		0033	0044	0030
F Francia	0043	0032	0041	00420	0049	0045	99034	00358		0044	0030
GB Gran Bretagna	0043	0032	0041	00420	0049	0045	0034	00358	0033		0030
GR Grecia	0043	0032	0041	00420	0049	0045	0034	00358	0033	0044	
H Ungheria	0043	0032	0041	00420	0049	0045	0034	00358	0033	0044	0030
I Italia	0043	0032	0041	00420	0049	0045	0034	00358	0033	0044	0030
IRL Irlanda	0043	0032	0041	00420	0049	0045	0034	00358	0033	0044	0030
J Giappone	00143	00132	00141	001420	00149	00145	00134	001358	00133	00144	00130
L Lussemburgo	0043	0032	0041	00420	0049	0045	0034	00358	0033	0044	0030
N Norvegia	0043	0032	0041	00420	0049	0045	0034	00358	0033	0044	0030
NL Olanda	0043	0032	0041	00420	0049	0045	0034	00358	0033	0044	0030
PL Polonia	0043	0032	0041	00420	0049	0045	0034	00358	0033	0044	0030
P Portogallo	0043	0032	0041	00420	0049	0045	0034	00358	0033	0044	0030
RUS Russia	81043	81032	810420	6420	81049	81045	*	810358	81033	81044	*
S Svezia	0043	00932	00941	009420	00949	00945	00934	009358	00933	00944	00930
USA	01143	01132	01141	001420	01149	01145	01134	01358	01133	01144	01130

Selezione automatica impossibile   *Automatische Vorwahl nicht möglich

Important : pour les communications internationales, le zéro (0) initial de l'indicatif interurbain n'est pas à composer (excepté pour les appels vers l'Italie).

International Dialling Codes

Note: when making an international call, do not dial the first «0» of the city codes (except for calls to Italy).

(H)	(I)	(IRL)	(J)	(L)	(N)	(NL)	(PL)	(P)	(RUS)	(S)	(USA)	
0036	0039	00353	0081	00352	0047	0031	0048	00351	007	0046	001	**A Austria**
0036	0039	00353	0081	00352	0047	0031	0048	00351	007	0046	001	**B Belgio**
0036	0039	00353	0081	00352	0047	0031	0048	00351	007	0046	001	**CH Svizzera**
0036	0039	00353	0081	00352	0047	0031	0048	00351	007	0046	001	**CZ Rep. Ceca**
0036	0039	00353	0081	00352	0047	0031	0048	00351	007	0046	001	**D Germania**
0036	0039	00353	0081	00352	0047	0031	0048	00351	007	0046	001	**DK Danimarca**
0036	0039	00353	0081	00352	0047	0031	0048	00351	007	0046	001	**E Spagna**
0036	0039	00353	0081	00352	0047	0031	0048	00351	007	0046	001	**FIN Finlandia**
0036	0039	00353	0081	00352	0047	0031	0048	00351	007	0046	001	**F Francia**
0036	0039	00353	0081	00352	0047	0031	0048	00351	007	0046	001	**GB Gran Bretagna**
0036	0039	00353	0081	00352	0047	0031	0048	00351	007	0046	001	**GR Grecia**
	0039	00353	0081	00352	0047	0031	0048	00351	007	0046	001	**H Ungheria**
0036		00353	0081	00352	0047	0031	0048	00351	*	0046	001	**I Italia**
0036	0039		0081	00352	0047	0031	0048	00351	007	0046	001	**IRL Irlanda**
00136	00139	001353		001352	00147	00131	00148	001351	*	01146	0011	**J Giappone**
0036	0039	00353	0081		0047	0031	0048	00351	007	0046	001	**L Lussemburgo**
0036	0039	00353	0081	00352		0031	0048	00351	007	0046	001	**N Norvegia**
0036	0039	00353	0081	00352	0047		0048	00351	007	0046	001	**NL Olanda**
0036	0039	00353	0081	00352	0047	0031		00351	007	0046	001	**PL Polonia**
0036	0039	00353	0081	00352	0047	0031	0048		007	0046	001	**P Portogallo**
81036	*	*	*	*	*	81031	81048	*		*	*	**RUS Russia**
00936	00939	009353	00981	009352	00947	00931	00948	00935	0097		0091	**S Svezia**
01136	01139	011353	01181	011352	01147	01131	01148	011351	*	011146		**USA**

* Pas de sélection automatique

* Direct dialling not possible

L'Euro

Il 1999 ha segnato l'avvento della moneta unica europea: l'EURO
Undici paesi dell'Unione Europea hanno già adottato l'EURO: Austria,
Belgio, Finlandia, Francia, Germania, Irlanda, Italia, Lussemburgo,
Paesi Bassi, Portogallo e Spagna.
In questi paesi i prezzi sono indicati nella moneta nazionale ed in euro.
Non essendo tuttavia disponibili le banconote e le monete in euro che
dal 2002, saranno possibili i pagamenti in euro solo tramite assegni
o carte di credito.
In questa edizione abbiamo scelto di indicare i prezzi nella moneta
nazionale.

La tabella che segue indica la parità fissa tra l'euro e le valute
europee.

L'Euro

1999 a vu l'avènement de la monnaie européenne commune : l'EURO.
Onze pays de l'Union Européenne ont d'ores et déjà adopté l'EURO :
l'Allemagne, l'Autriche, la Belgique, l'Espagne, la Finlande, la France,
l'Irlande, l'Italie, le Luxembourg, les Pays-Bas et le Portugal.
Dans ces pays, les prix sont désormais affichés en monnaies nationales
et en euros.
Toutefois, les billets de banque et pièces en euros n'étant disponibles
qu'en 2002, seuls les règlements par chèques bancaires ou cartes de
crédit pourront être libellés en euros.
Dans cette édition, nous avons choisi de mentionner les prix dans la
monnaie nationale.

Le tableau ci-après indique la parité fixe entre l'euro et les devises
européennes.

Der Euro

1999 war das Jahr der Einführung der einheitlichen europäischen
Währung: der Euro.
Elf Länder der europäischen Vereinigung haben den Euro eingeführt:
Deutschland, Österreich, Belgien, Spanien, Finnland, Frankreich,
Irland, Italien, Luxemburg, die Niederlande und Portugal.
Die Preise werden in diesen Ländern in der nationalen Währung und
in Euro ausgezeichnet.
Banknoten und Münzen in Euro sind jedoch erst ab 2002 erhältlich.
Die Bezahlung in Euro kann bis zu diesem Zeitpunkt nur per Scheck
oder per Kreditkarte erfolgen.
Aus diesem Grund haben wir uns entschieden in dieser Ausgabe, die
Preise in der nationalen Währung anzugeben.

Die folgende Tabelle zeigt die festgelegte Parität zwischen dem Euro und
den europäischen Währungen.

The Euro

1999 saw the launch of the European single currency: the EURO.
11 countries in the European Union are already using the EURO:
Austria, Belgium, Finland, France, Germany, Ireland, Italy,
Luxembourg, Netherlands, Portugal and Spain.
In each of these countries, prices will today be displayed in the local
currency and in Euros.
However, as Euro notes and coins will not be available until 2002,
payment in Euros is currently only possible by bank or credit cards.
We have therefore retained the local currency prices only for entries
in this year's guide.

The following table shows the fixed rates between the Euro and
other European currencies.

1 € = 13,7603 ATS	**A**	1 ATS = 0,0726728 €
1 € = 40,3399 BEF	**B**	1 BEF = 0,0247893 €
1 € = 1,9583 DEM	**D**	1 DEM = 0,5112918 €
1 € = 166,386 ESP	**E**	1 ESP = 0,0060101 €
1 € = 6,55957 FRF	**F**	1 FRF = 0,152449 €
1 € = 5,94573 FIM	**FIN**	1 FIM = 0,1681879 €
1 € = 1936,27 ITL	**I**	1 ITL = 0,0005164 €
1 € = 0,787564 IEP	**IRL**	1 IEP = 1,269738 €
1 € = 40,3399 LUF	**L**	1 LUF = 0,0247893 €
1 € = 2,20371 NLG	**NL**	1 NLG = 0,4537802 €
1 € = 200,482 PTE	**P**	1 PTE = 0,0049879 €

Manufacture française des pneumatiques Michelin
Société en commandite par actions au capital de 2 000 000 000 de F.
Place des Carmes-Déchaux – 63 Clermont-Ferrand (France)
R.C.S. Clermont-Fd B 855 200 507

Michelin et Cie, Propriétaires-Éditeurs 2001
Dépôt légal décembre 2000 – ISBN 2-06-967045-7

Made in France EU 11-00

Carte e piante disegnate dall' Ufficio Cartografico Michelin
Piante topografiche : autorizzazione I.G.M. Nr. 12 del 14-01-2000
Controllato ai sensi della legge 2.2.1960 N. 68.
Nulla Osta alla diffusione n. 12 in data 14-01-2000

Fotocomposizione : APS, 37000 Tours (Francia)
Stampa : CASTERMAN, B 7500 Tournai (Belgio)
Rilegatura : N.R.I., 89000 Auxerre (Francia)

Fonti dei disegni : da p. 6 a p. 47
Illustrazione Cécile Imbert/MICHELIN
Altre illustrazioni Rodolphe Corbel